Mechthild Seel

Die Pflege des Menschen

Mechthild Seel

Die Pflege des Menschen

- Gesundsein • Kranksein • Altern • Sterben
- Beobachtung • Unterstützung bei den ATL
- Pflegetechniken • Pflegestandards
- Anatomisch-physiologische Grundlagen
- Krankheitslehre
- Besondere Lebens- und Pflegesituationen
- Pflegekonzepte

3., vollständig überarbeitete und erweiterte Auflage

BRIGITTE KUNZ VERLAG

Bibliografische Information Der Deutschen Bibliothek
Die Deutsche Bibliothek verzeichnet diese Publikation in der Deutschen Nationalbibliografie; detaillierte bibliografische Daten sin im Internet über http://dnb.ddb.de abrufbar.

ISBN 3-87706-996-7

Autorin:
Mechthild Seel
Lehrerin für Pflegeberufe, Lippstadt

Mitarbeit:
Elke Hurling
Lehrerin für Pflegeberufe, Cloppenburg

Claudia Mittermayer
Fachkrankenschwester für Intensivpflege und Anästhesie, Plettenberg

Ursala Wulfheide
Lehrerin für Pflegeberufe, Oelde

1. Auflage 1992
2., durchgesehene Auflage 1993
  1. Nachdruck 1994
  2. Nachdruck 1995
  3. Nachdruck 1996
3., vollständig überarbeitete und erweiterte Auflage 1998
  1. Nachdruck 1999
  2. Nachdruck 2003

Brigitte Kunz Verlag

Die im folgenden verwendeten Personen- und Berufsbezeichnungen stehen immer gleichwertig für beide Geschlechter, auch wenn sie nur in einer Form benannt sind.

Druck: Druckhaus „Thomas Müntzer“ GmbH, Bad Langensalza

Vorwort

Das 1992 erschienene Lehrbuch „Die Pflege des Menschen“ erfuhr große Nachfrage. Deshalb habe ich mich entschlossen, dem vielfach geäußerten Wunsch nach Erweiterung des Buches hinsichtlich einer umfassenden Darstellung spezieller Pflegesituationen nachzukommen. Es entstand die nun vorliegende, vollständig überarbeitete und erweiterte Auflage, die praxisnah die aktuellen Inhalte der professionellen Pflege erläutert.

Durch die Gliederung des Buches anhand der Aktivitäten des täglichen Lebens (nach Sr. Liliane Juchli) werden die Bedürfnisse gesunder, pflegebedürftiger und kranker Menschen in den Vordergrund gestellt.
Außerdem wird der durch die demographische Entwicklung gestiegenen Bedeutung der stationären und ambulanten Betreuung alter Menschen Rechnung getragen.
Neu ist die exemplarische Darstellung besonderer Lebens- und Pflegesituationen, die durch bestimmte Krankheiten, Behinderungen oder Alterungsprozesse sowie durch das subjektive Erleben geprägt sind. Diese sind bewußt sehr ausführlich dargestellt, um

- allgemeine und krankheitsspezifische Bedürfnisse und Probleme zu verdeutlichen,
- die Besonderheiten verschiedener, durch Krankheit, Behinderung und/oder Alter geprägten Situationen darzustellen,
- seelische und soziale Auswirkungen krankheits- / altersbedingter Veränderungen aufzuzeigen,
- Variationen des Erlebens und des Umgangs mit Krankheit, Behinderung oder Alter zu veranschaulichen,
- die Verflechtung verschiedener, an der Krankheitsentstehung und -bewältigung beteiligter Faktoren aufzuzeigen,
- ein Wahrnehmen, Denken und Handeln zu fördern, das alle Dimensionen des Menschseins und ein multifaktorielles Krankheitsverständnis berücksichtigt,
- das Pflegewissen in seiner gesamten Bandbreite darzustellen,
- die Vielfalt pflegerischen Handelns sowie Entscheidungshilfen aufzuzeigen,
- die systematisch geplante und praxisnahe Umsetzung fundierten Pflegewissens zu verdeutlichen.

Eine aktivierende und rehabilitierende Pflege steht im Vordergrund, es sei denn, sie ist aus medizinisch - pflegerischen Gründen nicht angezeigt. Einen Schwerpunkt bildet die Förderung des Bewußtseins für die Ressourcen und das Autonomiebestreben pflegebedürftiger Menschen. Dies entspricht **einem von Achtsamkeit, Toleranz und Offenheit getragenem Pflegeverständnis**, das die Achtung der Persönlichkeit und des Selbstbestimmungsrechtes eines Menschen einschließt.
Ein fundiertes Pflegefachwissen setzt Grundkenntnisse aus anderen Wissenschaftsbereichen (Anatomie und Physiologie, Medizin und Psychosomatik, Sozialwissenschaften, Pharmakologie sowie Hygiene) voraus. Die Fähigkeit zur Vernetzung vielfältigen Wissens ist Merkmal der professionellen Pflege und grenzt sie gegenüber der Laienpflege ab. Zusätzlich zeichnet sich professionelle Pflege durch Beratung, Anleitung und Hilfe zur Selbsthilfe aus; die Betreuung von Angehörigen stellt vor allem im ambulanten Pflegebereich ein weiteres Aufgabenfeld dar. An diesen Anforderungen orientiert sich das Buch.
Der didaktische Aufbau der einzelnen Kapitel soll die Zusammenhänge verdeutlichen und ein entsprechend ganzheitlich orientiertes Denken sowie Handeln fördern. **Dabei bildet die Pflege immer den Schwerpunkt.**

Zu Beginn jeden Kapitels wird die Bedeutung der jeweiligen Lebensaktivität angesprochen. Anatomisch - physiologische Grundlagen werden kurz und in verständlicher Weise besprochen.
Darauf folgt die ausführliche Darstellung der (Kranken-) Beobachtung, wobei auf die Verdeutlichung physiologischer und psychologischer Zusammenhänge Wert gelegt wird.
In den Abschnitten „Pflegerische Unterstützung bei der ATL“ stehen die menschlichen Bedürfnisse, die Anforderungen an die Pflege und die Darstellung verschiedener Pflegetätigkeiten im Vordergrund. Es wird besonderer Wert auf die **verständliche Erklärung von Begründungszusammenhängen** gelegt, um Zweck und Wirkung der einzelnen Pflegemaßnahmen deutlich zu machen und das Heranbilden verantwortlich sowie kompetent handelnder Krankenschwestern / -pfleger zu fördern. Möglichkeiten der Gesundheitspflege und der Prävention bei gesunden sowie kranken Menschen und Maßnahmen der Rehabilitation werden eingehend besprochen, wodurch zusätzlich das Gesundheitsbewußtsein der Pflegenden gestärkt werden soll.

Zur Erfassung diverser beim Pflegebedürftigen zu erwartender Risiken werden exemplarisch Listen, z.B. „Informationssammlung Thromboserisiko“, und entsprechende Pflegestandards vorgestellt.
Die einzelnen Kapitel werden durch die exemplarische Besprechung besonderer Lebens- und Pflegesituationen vervollständigt.
Umfassende Pflegestandards, z.B. „Pflege eines Menschen mit Parkinson-Krankheit“, sollen das prozeßhafte Geschehen der Pflege verdeutlichen, die Umsetzung des theoretischen Wissens in die Praxis fördern und gleichzeitig die Fähigkeiten zur Pflegedokumentation als unverzichtbaren Bestandteil professioneller Pflege schulen.

Zahlreiche Querverweise verdeutlichen die Komplexität und die Vernetzung sowohl der verschiedenen Wissenschaftsbereiche als auch der Lebensaktivitäten.
Über 420 Abbildungen, Tabellen und Grafiken unterstützen die Vermittlung und das Erlernen des Lehrstoffs.

Das rasche Auffinden einzelner Themen wird ermöglicht durch

- das anhand der ATL gegliederte Inhaltsverzeichnis auf den ersten Buchseiten,
- die Themenübersicht zu Beginn der einzelnen Kapitel,
- das Stichwortverzeichnis am Ende des Buches.

Literaturhinweise am Ende der einzelnen Kapitel bieten dem interessierten Leser die Möglichkeit, sein Wissen zu erweitern.

Wesentliche Lerninhalte sind durch Fettdruck oder Einrahmung hervorgehoben.

Die im Text durch „ * " gekennzeichneten Fachbegriffe sind im Anhang unter **„Glossar"** erläutert.

Um den Lesefluß zu erleichtern, werden nicht immer die weibliche und die männliche Person genannt; selbstverständlich beziehen sich die Aussagen im allgemeinen auf beide Geschlechter.
Der Begriff „Angehörige" steht stellvertretend für Menschen, die in engerer Beziehung zum Pflegebedürftigen stehen (z.B. Lebenspartner).

Dieses Lehrbuch wäre ohne die vielfältige Unterstützung anderer so nicht zustande gekommen.
Bei Frau Elke Hurling (Lehrerin für Pflegeberufe) und Frau Claudia Mittermayer (Fachkrankenschwester für Intensivpflege und Anästhesie) bedanke ich mich für das Verfassen der im Buch entsprechend gekennzeichneten Abschnitte sowie für ihre engagierte und bereichernde Mitarbeit.
Frau Ursula Wulfheide (Lehrerin für Pflegeberufe) danke ich für die von ihr verfaßten Textbeiträge in Kapitel 11.

Für die konstruktiven und kritischen Hinweise, Anregungen und Erörterungen danke ich ferner Frau Gisela Ahlke - Buchholz (Lehrerin für Pflegeberufe), Herrn Dr. med. Michael Altstädt (Facharzt für Allgemeinmedizin), Frau Marianne Berndt - Steinhoff (Diplompflegepädagogin - FH), Frau Anette Chrzanowski (Krankenschwester, Stationsleitung), Herrn Klaus Debring (Apotheker), Frau Andrea Eck (Fachkrankenschwester für Intensivpflege und Anästhesie), Frau Christiane Giese (Krankengymnastin), Herrn Hans Gockel (Diplom - Psychologe), Frau Angelika Jahn (Ärztin), Frau Eva Küstner (Diplom - Psychologin), Herrn Antonius Lohmann (Lehrer), Frau Beate Lohmann (Apothekerin), Herrn Dr. med. Lutz - Dietrich Müller (Facharzt für Innere Medizin), Herrn Dr. med. Michael Ohlmeier (Facharzt für Orthopädie), Frau Cäcilia Osthoff (Krankenschwester), Frau Claudia Räker (Fachkrankenschwester für Intensivpflege und Anästhesie), Frau Ute Schmikowski (Krankenschwester, Aids-Pflegefachkraft), Herrn Bernd Schüler (Krankenpfleger, Kinästhetik - Trainer), Herrn Dr. med. Martin Steinhoff (Facharzt für Anästhesie), Herrn Ulrich Schöne (Arzt), Frau Petra Wach - Kurzawa (Krankenschwester, Stationsleitung) und Frau Margret Wiesner (Sonderpädagogin).

Frau Maria Ackmann (Diplom - Designerin) danke ich für die Fertigung der Bildvorlagen.

Dem Brigitte Kunz Verlag, besonders Herrn Winfried Kunz, gilt einmal mehr mein Dank für die hervorragende und geduldige Zusammenarbeit.

Schließlich danke ich meinem Ehemann Helmut Seel für die fortlaufende Ermunterung und seine vielfältige Unterstützung.

Allen wünsche ich bei der Arbeit mit diesem Buch viel Erfolg und Freude. Für Rückmeldungen, Anregungen und konstruktive Kritik, die mich über den Brigitte Kunz Verlag erreichen, wäre ich jedem Leser dankbar.

Lippstadt, im April 1998

Mechthild Seel

Inhaltsverzeichnis

Anhang

Einleitung

Einleitung

I. Pflegeverständnis

A. Der Mensch - ein ganzheitliches Wesen

Der **Holismus** ist eine philosophische Denkrichtung, nach der alle Daseinsformen der Welt danach streben, ein Ganzes zu sein. Er bildet die Grundlage für die Betrachtung des Menschen als ganzheitliches Wesen, als ein strukturiertes, nach außen offenes System, dessen Teile in wechselseitiger Beziehung zueinander, zur Gesamtheit und zur Außenwelt stehen.

Die an der ganzheitlichen Betrachtungsweise des Menschen orientierte Pflege *(holistische Pflegeauffassung;* im folgenden als "*ganzheitlich orientierte Pflege*" bezeichnet) sieht den Menschen als eine **Körper-Seele-Geist-Einheit**, die in ständiger Wechselbeziehung mit sich und mit ihrer Umwelt steht. Das menschliche Dasein wird von den Beziehungen zur eigenen Person, zur sozialen Umwelt (Mitmenschen, Gesellschaft), zur natürlichen Umwelt (Wasser, Boden, Luft und Klima), zur künstlichen Umwelt (technische und materielle Produkte) und zum Übersinnlichen (Glaube, Religion, Mythos, Transzendenz) geprägt. Das Ganze ist nicht die Summe, sondern das Zusammenwirken, die Einheit der Teile.

Die einzelnen Elemente des "Systems" Mensch können lediglich zum Zwecke des besseren Verstehens ihrer Beschaffenheit (und ihres Funktionierens) getrennt voneinander betrachtet werden. Ansonsten sind sie stets als mit dem Ganzen in Wechselbeziehung stehende Elemente der Einheit zu sehen.

Die Einheit von Seele-Geist-Körper und die Einzigartigkeit jedes Menschen finden Ausdruck in den Worten "*Person*" und "*Persönlichkeit.*"

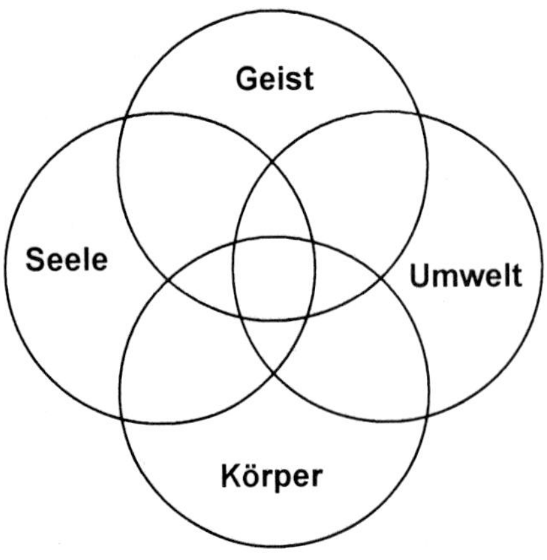

Abb. I.1 ***Die Ganzheitlichkeit des Menschen***

❒ Körper

In der Biologie meint das Wort "Körper" den gesamten **Leib** eines Lebewesens. Die Begriffe "*Körper / Leib*" werden als Synonyme verwendet. Das griechische Wort "*Soma*" steht ebenfalls für Körper / Leib.

Körperstrukturen und -funktionen sind nur zum Teil bewußt durch den menschlichen Willen beeinflußbzw. beherrschbar. Die autonome Arbeitsweise des Organismus wird allerdings unwillkürlich durch Geist, Seele und Umwelt beeinflußt. Selbst durch biologische Abwehrmechanismen, z.B. die physiologische Streßreaktion, werden unwillkürlich seelisch-geistig empfundene Anforderungen mit körperlichen Reaktionen beantwortet *(vgl. "Streß", Seite 889)*.

Wahrnehmen und Erleben des eigenen Körpers beziehen sich sowohl auf die gegebenen Strukturen wie Körperbau und Physiognomie* als auch auf die sich verändernden Strukturen wie Größe, Gewicht oder Hautbeschaffenheit.

Das sensible* Nervensystem vermittelt über die Wahrnehmung der Glieder, Gelenke usw. das Empfinden für die Lage des Körpers und ermöglicht eine Orientierung am eigenen Körper *(Körperschema)*. Dieses wird grundlegend gestört, wenn ein Teil des Körpers nicht mehr wahrgenommen wird (bei sensibler Lähmung) oder wenn er amputiert wurde.

Wahrnehmen und Erleben des eigenen Körpers wirken auf das gesamte Befinden des Menschen. Umgekehrt wirkt sich das Gesamtbefinden auf das körperliche Befinden aus.

Seelisch-geistiges, soziales und körperliches Erleben beeinflussen sich wechselseitig. So fühlt sich ein glücklicher Mensch z.B. leicht und beschwingt, die Bewegungen gestalten sich entsprechend. Ein an Schmerzen oder an sozialen Konflikten leidender Mensch empfindet z.B. Unlustgefühle und Nervosität, zusätzlich sind häufig Konzentrationsfähigkeit und Appetit vermindert.

Körperliche Symptome sind Reaktionen auf Einwirkungen auf die innere und äußere Welt des Menschen; andererseits lösen sie Reaktionen sowohl des Betroffenen als auch seiner Umwelt aus.

Körperhaltung und Körpersprache sind bewußt oder unbewußt Ausdruck seelisch-geistiger Empfindungen oder sozialer Aktivitäten *(vgl. "Sich Bewegen", Seite 538)*.

Das individuelle **Körperbewußtsein** prägt die Pflege des Körpers, die nicht nur auf Reinlichkeit, sondern auch auf die Förderung des harmonischen Zusammenspiels der Körperstrukturen ausgerichtet ist. Hierzu dienen z.B. körperliche Ertüchtigung, Atemtraining oder eine der Umgebung angemessene Bekleidung.

Nicht zuletzt stellt der Körper - vor allem durch seine äußere Hülle, die Haut - die stete Verbindung zwischen der Innen- und Außenwelt des Menschen dar.

❒ Seele

Das Wort Seele meint die **Gesamtheit beobachtbarer Vorgänge des Erlebens und Empfindens**. (Der griechische Wortteil *"psych(o)"* wird im Deutschen als Wortteil für *"seelen..."* eingesetzt, z. B. *psychisch = seelisch).*
Die innere Verarbeitung von Wahrnehmungen geschieht individuell unterschiedlich und wird durch Vorgänge des Denkens, Fühlens und Erinnerns beeinflußt.
Daraus resultierende seelische Vorgänge zeigen sich als **Gefühle, Stimmungen, Antriebe und Affekte.** So erleben wir Freude, Hoffnung, Vertrauen, Liebe, Lust, Anteilnahme, Trauer, Furcht, Unlust, Haß usw. Das seelische Erleben des einzelnen steht so in enger Wechselbeziehung zu seinen sozialen Beziehungen und seinem körperlichen Befinden.
Die emotionalen Aspekte des Seelenlebens werden auch mit dem Begriff *"Gemüt"* zusammengefaßt.
In vielen Religionen gilt die Seele als unsterblich, kann also vom Körper getrennt werden.

❒ Geist

In philosophischem Sinn bedeutet Geist **Denken, Vernunft und Bewußtsein**; er stellt die über das Sinnliche und Materielle hinausreichende intelligente Seite des menschlichen Seins dar.
Im Griechischen steht das Wort *"Pneuma"*, im Lateinischen das Wort *"Spiritus"* für Geist, beide bedeuten auch *"Hauch, Atem"*.
Geist und Seele sind eng miteinander verbunden, da sie sich beide auf das Erleben und Empfinden beziehen. Der Geist übernimmt dabei die objektivere, sachlichere Rolle, wozu seine Elemente als Gesamtheit beitragen. Diese sind Bewußtsein, Wahrnehmung, Gedächtnis, Verstand, Vernunft, Denkvermögen und Urteilsvermögen. Sie ermöglichen sowohl das **Erfassen des Sinns** und der Bedeutung von dinglichen Gegebenheiten und Ereignissen als auch das Erleben des Übersinnlichen *(Transzendenten)*.
Besonders deutlich wird der enge Zusammenhang zwischen Geist und Seele im Bereich des moralischen Urteils und der Wertvorstellungen.
Auch soziale Normen und jedes soziale Miteinander sind sowohl von objektiven materiellen Begebenheiten und Bedingungen als auch vom subjektiven menschlichen Geist geprägt und beeinflußt.

❒ Umwelt

Die Umwelt umfaßt die **gesamte Umgebung des Menschen**, den natürlichen und den durch menschliche Einflüsse veränderten Lebensraum.
Die natürliche *(biologische oder ökologische)* Umwelt umfaßt die Elemente Wasser, Boden, Luft, Klima, Pflanzen und Tiere.
Der Mensch braucht diese Natur, um existieren zu können. Andererseits verändert er die Natur. Da der **Umgang des Menschen mit der Natur nicht mehr** an ihrer **Ganzheit orientiert** ist und er sie statt dessen in den Dienst der Menschheit stellt, finden sich weitreichende Schäden. Die übermäßige Nutzung natürlicher Ressourcen (Holz, Kohle, Oel, Rohstoffe, Boden, Gewässer) durch Energiewirtschaft, Waldrodungen, übermäßige Anlage von Monokulturen und exzessive Fischerei führt nicht nur zu Wirtschaftswachstum und technischem Fortschritt, sondern auch zur zunehmenden Ausbeutung, Verschmutzung, Schadstoffbelastung und Zerstörung der Natur. Die bereits bestehenden Folgen belasten den Menschen in mehrfacher Hinsicht. Einige Beispiele:

- Schadstoffe in Wasser, Boden und Luft gelangen direkt oder über die Nahrungskette zum Menschen (zurück) und belasten seine Gesundheit;
- die Angst vor Krankheiten und vor dem "Zurückschlagen" der Natur belastet den Menschen;
- das schlechte Gewissen und das zunehmende Wissen über die ökologische Gefährdung stören das sorgenfreie Konsumverhalten und erzwingen immer öfter ein Reflektieren der persönlichen Verhaltensweisen und Wertvorstellungen; daraus resultierende Verhaltensänderungen können zur sozialen Verunsicherung führen, weil vom genormten Gruppenverhalten, das auch den Schutz der Gruppe vermittelt, abgewichen wird;
- Waldsterben, Lärmbelastung, hohes Abfallaufkommen, Geruchsbelästigungen und Massentourismus stören das Erleben und Genießen der Natur und reduzieren ihren Freizeit- und Erholungswert.

Zur natürlichen Umwelt gehören im weiteren Sinne auch die **Mitmenschen**. Auf sie ist der Mensch ebenfalls angewiesen: zum einen, weil er ein soziales, auf Gemeinschaft ausgerichtetes Wesen ist, zum anderen aus biologischen Gründen. Schon für die Fortpflanzung sind zwei Menschen notwendig; ein Neugeborenes braucht die Fürsorge Erwachsener, um überleben zu können. Das heranwachsende Kind braucht mehrere Jahre Fürsorge, bis es selbständig leben kann. Aber auch wenn dies erreicht ist, ist der **Mensch auf soziale Beziehungen** und auf menschliche Nähe **angewiesen**. In besonderen Lebenssituationen, die z.B. durch Krankheit, Behinderung, Alter, Trauer oder Arbeitslosigkeit geprägt sind, kann die körperliche, finanzielle und/oder soziale Abhängigkeit besonders deutlich werden.
Die sozialen Beziehungen der Menschen haben große Bedeutung für Wohlbefinden und Gesundheit des einzelnen, aber auch für die Gesundheit von gesellschaftlichen Gruppen. Empfinden, Denken, Entscheiden und Handeln des Menschen werden von seinen sozialen Beziehungen beeinflußt, zum Teil sogar gesteuert. Dies gilt ebenso für das Verhalten gegenüber anderen Menschen wie auch für das erwünschte aktive und reaktive Verhalten anderer. Soziale Beziehungen bestehen in verschiedensten Gruppen (z.B. Partnerschaft, Familie, Arbeitskollegium, Sportverein, Berufsverband, politischer Partei).

Der Einfluß der "künstlichen", von der menschlichen Zivilisation geschaffenen, nicht immer menschengerechten Umwelt (Kultur, Technik, Fortschritt) prägt das menschliche Dasein in all seinen Dimensionen. Das Ausmaß variiert dabei individuell und epochenweise.

B. Gesundheit - Krankheit

Mit den Begriffen Gesundheit und Krankheit wird versucht, **Zustände, Fähigkeiten, Lebensvorgänge** und das **Befinden** von Lebewesen zu **erfassen und** zu **bewerten**. Sie sind nicht eindeutig und nicht einheitlich definiert.

Naturwissenschaftliche Betrachtungsweise
In unserer Kultur wurde und wird Gesundheit nicht selten aus naturwissenschaftlich-medizinischer Sicht betrachtet: Die **Abwesenheit von Schmerzen und anderen Krankheitssymptomen** wird als **Gesundheit** verstanden. Die geistige, seelische und soziale Dimension des Menschen wird weitgehend ausgeklammert. Gesundheit und Krankheit werden allein im Bereich der Leistungs- und Funktionsfähigkeit des Körpers gesehen. Krankheiten gelten als eine Störung, Veränderung oder Beeinträchtigung der Abläufe im physischen Organismus. Der Mensch wird im Prinzip als "Maschine" angesehen, an der schadhafte Teile repariert oder ausgetauscht werden können, ohne daß man den lebensgeschichtlichen Sinn einer Krankheit, die psychischen und die sozialen Aspekte ihrer Entstehung berücksichtigen müßte.

Ganzheitliche Betrachtungsweise
Wird der Mensch dagegen als ein ganzheitliches, in Beziehung zu sich, zur Natur und zu den Mitmenschen stehendes Lebewesen betrachtet, so müssen die Begriffe Gesundheit und Krankheit diese Dimensionen des menschlichen Daseins einschließen. Ihre Aussage darf sich somit nicht nur und nicht ausschließlich auf das innere Befinden und auf das körperliche Funktionieren des Menschen beziehen, sondern muß **auch die Beziehungen zu seiner sozialen und zu seiner ökologischen Umwelt berücksichtigen**. Die angesprochenen Dimensionen des Menschseins - die biologische, die seelisch-geistige und die soziale Ebene - sind miteinander verzahnt und beeinflussen sich wechselseitig.
Zur Verdeutlichung einige Beispiele:

- Selbstvertrauen, Selbstachtung und Wohlbefinden resultieren aus dem Gefühl, den im Beruf, in der Familie und im Freundeskreis gestellten Anforderungen zu entsprechen, d.h. sie mit eigenen Kräften aktiv bewältigen und - entsprechend der eigenen Werte und Zielvorstellungen - mitgestalten zu können.
- Aus Störungen befriedigender Beziehungen und aus Interaktionen mit der Umwelt resultieren häufig Störungen des Befindens und auch Krankheiten. Besonders deutlich wird dies, wenn jemand einsam ist oder unter Arbeitsbedingungen leidet, die den menschlichen Bedürfnissen nicht entsprechen.
- Seelisch-geistige Belastungen und Störungen werden häufig somatisiert, d.h. der Körper drückt z.B. über Kopfschmerzen stellvertretend die Sorgen, Ängste oder die ungelösten Probleme aus.
- Körperliche Symptome und körperliches Leiden wiederum "rechtfertigen" die Hilfsbedürftigkeit des Erkrankten. Ihm wird - ohne dabei an Unfähigkeit oder an Versagen zu denken - Schonung, Anteilnahme und Zuwendung zuerkannt. Der Kranke akzeptiert - viel eher als bei einem seelischen Leiden - sein Unwohlsein und gönnt sich Ruhe und Pflege.

In unserer Gesellschaft lernen viele Menschen schon in der frühen Kindheit, auf psychosoziale Belastungen vorwiegend körperlich zu reagieren. Die **Tendenz des Somatisierens** ist um so größer, je weniger die Fähigkeit und die Bereitschaft, seelisch zu erleben und zu verarbeiten, entwickelt sind.
Krankheit kann im Leben des Menschen **Sinn und Bedeutung haben**, sofern sie in subjektiv sinnvollem und erfahrbarem Zusammenhang zur individuellen Lebensgeschichte steht und nur daraus ihre Entstehung "ganz" zu begreifen ist. So können körperliche Symptome (z.B. Bluthochdruck) zum Hinterfragen der vorliegenden Risikofaktoren (z.B. Übergewicht) und der persönlichen Verhaltensweisen (z.B. *"Warum esse ich zu viel und zu einseitig?")* veranlassen. Wenn der Mensch bereit ist, die Ganzheitlichkeit seines Wesens zu akzeptieren, erkennt er vielleicht den ursächlichen Zusammenhang und hat die Chance, das zugrunde liegende Problem anzugehen.
Beispiel: *"Ich esse immer dann zu viel, wenn ich mich trösten möchte, z.B. bei Enttäuschung oder bei Konflikten. Schon als Kind habe ich alles in mich hineingestopft, wenn ich enttäuscht war, weil sich niemand um mich gekümmert hat. In Partnerschaften gerate ich in Konflikte: Ich möchte jeden Freund gleich "einverleiben", "auffressen", obwohl ich weiß, daß unter diesen Bedingungen keine Freundschaft wachsen kann. Ich möchte versuchen, in einer Partnerschaft Freiräume zu gewähren und die Eigenständigkeit beider Persönlichkeiten zu akzeptieren."*

In den **WHO-Definitionen von Gesundheit und Krankheit** werden die verschiedenen Dimensionen des menschlichen Daseins in den Vordergrund gerückt:
"Gesundheit ist ein Zustand vollkommenen körperlichen, geistigen und sozialen Wohlbefindens und nicht nur das Freisein von Krankheit und Gebrechen."
"Krankheit ist ein Zustand körperlicher, geistiger und sozialer Unangepaßtheit und des mangelnden oder fehlenden Wohlbefindens."
Der Mensch wird als Einheit von Körper-Seele-Geist gesehen, deren Befindlichkeit von sozialen Bedingungen und zwischenmenschlichen Erfahrungen wesentlich beeinflußt wird. Gesundheit und Krankheit werden im Zusammenhang mit gesellschaftlich unterschiedlichen Entwicklungs-, Arbeits- und Lebensbedingungen gesehen. Gesund ist der Mensch, wenn es keine Störungen gibt

- in seinen biologischen Funktionen (z.B. Nahrungsaufnahme / -verwertung, Temperaturregulation, Beweglichkeit);
- in seinem Lebenslauf, seiner Biographie (geprägt durch z.B. Elternhaus, Schule, Ausbildung, Partnerschaft);
- in seiner persönlichen Umwelt (z.B. Familie, Freundeskreis, Wohnung, politische Ereignisse u.ä.);
- in seiner gesellschaftlichen Umwelt (z.B. Arbeitsplatz, Vereine, berufs- / parteipolitische Organisationen);
- in seinem persönlichen Erleben (z.B. Gedanken, Gefühle; Umgang mit Problemen).

Die **WHO definiert Gesundheit positiv** - nicht als Fehlen von Krankheit, sondern **als körperliches und psychosoziales Wohlbefinden**; diese Definition ist zu befürworten. Gleichzeitig sollte sie jedoch eher als anzustrebende *Zielvorstellung*, die alle Ebenen des menschlichen Daseins umfaßt, angesehen werden.
Auf der breiten Skala menschlicher Befindlichkeiten stellen **Gesundsein** / Wohlbefinden und **Kranksein** / Leiden **Extrempunkte** dar. Zwischen diesen Polen gibt es einen großen Übergangsbereich. Kein Mensch ist (über längere Zeitphasen) vollkommen gesund oder vollständig krank. Meist hat jeder gesunde und kranke Anteile; die Übergänge zwischen gesunder und kranker Befindlichkeit, zwischen Wohlsein und Leiden (Unbehagen) sind fließend.
Jeder Mensch ist so gesund bzw. krank, wie er in der Lage ist, seine körperlichen, geistigen, seelischen sowie sozialen Möglichkeiten und Kräfte zu entfalten und sich so den wechselnden Lebensbedingungen adäquat anzupassen und seine Probleme zu bewältigen.

Folgende Aussagen aus dem psychosozialen Bereich können zu einem ganzheitlichen Verständnis von Gesundheit - Krankheit beitragen.
Gesundheit umfaßt die
- Fähigkeit, Zufriedenheit zu erleben;
- Fähigkeit, intensive Gefühle zu erleben: Schmerz, Traurigkeit, Ohnmacht, Wut, Verzweiflung, Freude, Sehnsucht, Hoffnung, Liebe;
- Fähigkeit, Bindungen einzugehen (bzw. sich zu trennen), Verantwortungsgefühl zu entwickeln, mit anderen Menschen zusammenzuarbeiten;
- Fähigkeit, sinnliche Lust zu erleben, zu genießen, sich körperlich-seelisch hinzugeben;
- Fähigkeit, sich auf Neues, Unbekanntes einzulassen, Risiken einzugehen, zu experimentieren;
- Fähigkeit zur realistischen Selbstwahrnehmung;
- Fähigkeit zur realistischen, kritischen Wahrnehmung der gesellschaftlichen Wirklichkeit;
- Fähigkeit zur Auseinandersetzung mit sich selbst und der eigenen Lebensgeschichte (soziales, historisches Bewußtsein; Bewußtsein der eigenen Vergänglichkeit);
- Fähigkeit zur Anpassung an gesellschaftliche Anforderungen und
- Fähigkeit zur Nicht-Anpassung.

Bei der ganzheitlich orientierten Betrachtungsweise ist zu beachten, daß biologische Körperfunktionen nicht ausschließlich und nicht immer von seelisch-geistigen und sozialen Faktoren beeinflußt werden.
Selbst psychische Erkrankungen können überwiegend körperlich *(organisch)* oder genetisch *(endogen)* bedingt sein. Bis heute ist nicht für jede psychiatrische Krankheit geklärt, ob die Ursache mehr in organischen oder mehr in psychosozialen Begebenheiten zu finden ist. Unabhängig von der Antwort wird deutlich, daß auch hier der Mensch in seiner Ganzheit betroffen ist, d.h. die Auswirkungen und das Erleben der psychischen Störung beziehen sich auf die körperliche, die geistige und die soziale Dimension des Menschen; diese beeinflussen sich wechselseitig.

Zur Anregung der Auseinandersetzung mit der Bedeutung von "**Gesundheit - Krankheit**" werden im folgenden weitere Einschätzungen bzw. Definitionen aufgeführt.

"Im engeren Sinn kann Gesundheit verstanden werden als das subjektive Empfinden des Fehlens körperlicher, geistiger und seelischer Störungen bzw. Veränderungen." *(Pschyrembel)*

"Im engeren Sinn kann Krankheit verstanden werden als das Vorhandensein von subjektiv empfundenen und/oder objektiv feststellbaren körperlichen, geistigen und/oder seelischen Veränderungen bzw. Störungen." *(Pschyrembel)*

"Krankheiten sind Störungen im Ablauf der Lebensvorgänge, die mit einer Herabsetzung der Leistungsfähigkeit einhergehen und meist mit wahrnehmbaren Veränderungen des Körpers verbunden sind." (*K. Dörner, U. Plog*)

"Krankheit ist ein natürliches Phänomen. Alle Lebensvorgänge sind Anpassungen. Gesundheit und Krankheit sind Anpassungsmechanismen in bezug auf Veränderungen." *(Engel)*

"Gesundheit ist die Kraft, mit der Realität zu leben." *(Sr. L. Juchli)*

"Gesundheit ist die Fähigkeit, lieben und arbeiten zu können." (*S. Freud*)

"Krankheit und Gesundheit werden als Gegensätze empfunden. Sie sind es nicht, sind es ebensowenig wie etwa Wärme und Kälte ..., weil zwischen gesund und krank keine sichere Grenze besteht." (*G. Groddeck*)

"Gesund sein heißt, fähig sein, verlernen, umlernen, erlernen zu können, um
- mit Lebens- und Verhaltensschwierigkeiten fertig zu werden,
- mitmenschliche und soziale Beziehungen aufzubauen,
- Eigenverantwortung zu übernehmen." (*J. Foudraine*)

"Gesundheit ist derjenige Körper- und Geisteszustand, der dem Menschen die Ausübung aller körperlichen und geistigen Funktionen ermöglicht. Krankheit ist jeder regelwidrige Körper- und Geisteszustand, der von der Norm abweicht, die durch das Leitbild des gesunden Menschen geprägt ist. Der Krankheitsbegriff umfaßt u.U. auch Regelwidrigkeiten, die noch keine Funktionsstörungen bewirken, sondern solche erst in Zukunft erwarten lassen." (*Bundessozialgericht*)

"Das Wesen des Krankseins ist eine Not und äußert sich als Bitte um Hilfe." (*V. von Weizäcker*)

C. Ganzheitlich orientierte Pflege - Unterstützung bei den Aktivitäten des täglichen Lebens

Gesundheit und Krankheit erfassen den Menschen in der Ganzheit seines Daseins. Dennoch können die Veränderungen und Auswirkungen in den einzelnen Bereichen unterschiedlich wahrgenommen und erlebt werden. So kann das körperliche, das seelische oder das geistige Erleben im Vordergrund stehen, ohne daß die wechselseitige Beeinflussung verlorengeht.
Auch die Bedürfnisse und Lebensaktivitäten sind ganzheitlich ausgerichtet, ohne in jeder Dimension des Menschseins gleiche Bedeutung und gleiches Ausmaß zu erreichen.
Um einen Menschen als ganzheitliches Wesen und als gewordene Persönlichkeit kennenzulernen, bedarf es sowohl der Information über die sozialen Beziehungen und die Ereignisse in seinem Leben als auch über das persönliche Erleben und den Umgang damit.
Durch die **Berücksichtigung der individuellen Lebensgeschichte** *(Biographiearbeit, siehe Seite 746)* kann es annähernd gelingen, einen anderen Menschen zu verstehen, d.h. sein individuelles Denken und Erleben kennenzulernen und sich darin einzufühlen. Professionell Pflegende sollten ihr **Einfühlungsvermögen** schulen - und zwar durch bewußte Wahrnehmung der eigenen Person und anderer Personen als biopsychosoziale Einheit. Wer bewußt und ehrlich hinterfragt, wie er seinen Alltag und sich selbst in diesem Alltag erlebt, wird sich kennen- und verstehenlernen. Je mehr dies gelingt, um so eher wird es möglich, sich dem Denken, Fühlen und Erleben anderer Menschen anzunähern. Dieser Prozeß dauert zeitlebens an, ohne daß es letztendlich gelingen wird, einen anderen Menschen "in- und auswendig" zu kennen. Das ist nicht etwa als menschliches Versagen zu deuten, sondern vielmehr auf die Einzigartigkeit des Menschen zurückzuführen. Diese Erkenntnis hilft im zwischenmenschlichen Umgang jeder Art, vor allem aber in professionell helfenden Berufen. Ist Einfühlungsvermögen mit **Offenheit und Toleranz** gekoppelt, sind optimale Voraussetzungen für eine ganzheitlich orientierte, dem Menschen in seiner Person entsprechenden Pflege gegeben.
Pflegende sollten erkennen und verstehen, daß Menschen mit Störungen der Gesundheit veränderte Reaktionen, eine selektive Wahrnehmung sowie ein in Qualität und Quantität verändertes Erleben und Empfinden zeigen können.

Pflege orientiert sich an den **Grundbedürfnissen** des Menschen; diese beziehen sich auf alle Dimensionen des Menschseins und werden in verschiedenen Lebenssituationen unterschiedlich bewertet.
Der Psychologe A.H. MASLOW hat eine **Bedürfnishierarchie** beschrieben, in der höhere und niedrigere Bedürfnisse unterschieden werden. Die **niedrigeren Bedürfnisse** sind mächtiger (stärker) als die höheren Bedürfnisse, denn ihre Befriedigung ist für das bloße Überleben zwingend. Erst wenn dies gesichert ist, werden die **höheren Bedürfnisse** subjektiv stärker empfunden und bewertet. Werden sowohl die niedrigen als auch die höheren Bedürfnisse eines Menschen befriedigt, bewertet dieser die höheren stärker als die niedrigen.
Die **physiologischen Bedürfnisse** (Hunger, Durst, Schlaf, Aktivität, Sexualität, Bewegung u.a.) sind stärker als die **Sicherheitsbedürfnisse** (Sicherheit, Geborgenheit, Schutz, Angstfreiheit, Stabilität, Bedürfnis nach Ordnung, Grenzen, Gesetzen u.a.). Diese sind stärker als die **Liebesbedürfnisse** (Bedürfnis nach Zuneigung, Liebe und Zugehörigkeit), die ihrerseits mächtiger sind als die **Achtungsbedürfnisse** (Bedürfnis nach Wertschätzung der eigenen Person, nach Selbstachtung und Achtung durch andere). Sind alle Bedürfnisse befriedigt, rückt das **Bedürfnis nach Selbstverwirklichung** (Bedürfnis des Individuums, das zu tun, wofür es geeignet ist) in den Vordergrund.
Laut MASLOW (1994) führt die Befriedigung höherer Bedürfnisse "zu erwünschten subjektiven Resultaten, d.h. zu tieferem Glück, Gelassenheit und Reichtum des inneren Lebens". Sie hat "erwünschte bürgerliche und soziale Folgen"; z.B. bezieht das Streben nach Liebe und Achtung zwangsläufig andere Menschen ein.

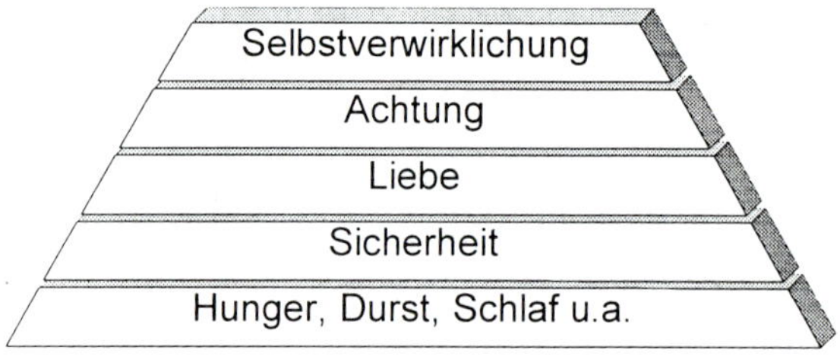

Abb. I.2 ***Bedürfnishierarchie nach Maslow***

In Orientierung an den menschlichen Grundbedürfnissen entwickelten V. Henderson, N. Roper, L. Juchli, Ch. Abderhalden und M. Krohwinkel **bedürfnisorientierte Pflegemodelle**.
Prof. M. Krohwinkel erweitert die zuvor beschriebenen Bedürfnisbereiche / Aktivitätsbereiche um die AEDL *(Aktivitäten und existentielle Erfahrungen des Lebens)* "Soziale Bereiche des Lebens sichern" und "Mit existentiellen Erfahrungen des Lebens umgehen" und betont so deren Bedeutung.

In Deutschland beeinflussen vor allem die folgenden Pflegemodelle Theorie und Praxis der Pflegeberufe.

Die Lebensaktivitäten (LA) nach N. Roper

- Für eine sichere Umgebung sorgen
- Kommunizieren
- Atmen
- Essen und Trinken
- Ausscheiden
- Sichsauberhalten und Kleiden
- Die Körpertemperatur regulieren
- Sichbewegen
- Arbeiten und Spielen
- Sich als Mann oder Frau fühlen und verhalten
- Schlafen
- Sterben.

Die Aktivitäten des täglichen Leben (ATL) nach L. Juchli

- Wach sein und schlafen
- Sich bewegen
- Sich waschen und kleiden
- Essen und trinken
- Ausscheiden
- Körpertemperatur regulieren
- Atmen
- Sich sicher fühlen und verhalten
- Raum und Zeit gestalten - arbeiten und spielen
- Kommunizieren
- Kind, Frau, Mann sein
- Sinn finden im Werden - Sein - Vergehen.

Aktivitäten und existentielle Erfahrungen des Lebens (AEDL) nach M. Krohwinkel

- Kommunizieren
- Sich bewegen
- Vitale Funktionen des Lebens aufrechterhalten
- Sich pflegen
- Essen und trinken
- Ausscheiden
- Sich kleiden
- Ruhen und schlafen
- Sich beschäftigen
- Sich als Mann oder Frau fühlen und verhalten
- Für eine sichere Umgebung sorgen
- Soziale Bereiche des Lebens sichern
- Mit existentiellen Erfahrungen des Lebens umgehen.

Als ganzheitliches und einzigartiges Wesen hat der Mensch individuell ausgerichtete Bedürfnisse; die **Aktivitäten seines täglichen Lebens** (***ATL***) *(siehe Abbildung I.3)* orientieren sich an der zufriedenstellenden Erfüllung dieser Bedürfnisse. Sofern der Mensch nicht aufgrund einer gravierenden Störung oder seines Alters daran gehindert ist, führt er die ATL selbständig und weitgehend selbstbestimmt aus. Er selbst legt fest, was er für sein Wohlbefinden benötigt und auf welche Weise er seinen Bedürfnissen nachkommen möchte *(Selbstbestimmung)*.
Pflegerische Betreuung wird erst dann notwendig, wenn die Selbstverantwortung und/oder Selbstversorgung im Bereich der ATL (*Selbstpflege*) beeinträchtigt sind. Je nach Art und Ausmaß der (drohenden) Beeinträchtigung gestaltet sich die **professionelle Pflege** als **Anteilnehmen, Begleiten, Beraten, Betreuen, Motivieren, Anleiten** und/oder **Unterstützen**. Sie orientiert sich stets an den Bedürfnissen des einzelnen.
Ziel ist primär die **Hilfe zur Selbsthilfe**, die Aktivierung der gesunden Anteile *(Ressourcen)* zur Wiederherstellung bzw. zur Erhaltung von Selbständigkeit, Wohlbefinden und Gesundheit. Auch wenn dies nicht möglich sein sollte, sind **Selbstbestimmung** und größtmögliche **Unabhängigkeit** des Menschen Ziele der Pflege. Pflegerisches Handeln bezieht sich dann auf die Unterstützung des hilfsbedürftigen, kranken und/oder behinderten Menschen, um die bestmögliche **Kompensation der Beeinträchtigung** zu erreichen und ein lebenswertes Leben zu sichern.
Gesunde Anteile des Menschen (**Ressourcen**) können unterschiedlicher Natur sein. Sie umfassen die natürlichen inneren Energien und Kräfte, die körperlichen und die gesundheitsorientierten Fähigkeiten sowie tragende soziale Beziehungen.
Um sowohl die Ressourcen als auch die Pflegebedürftigkeit eines Patienten aktuell zu erfassen, ist eine aufmerksame und systematische **Beobachtung** vor, während und nach pflegerischen Handlungen erforderlich.

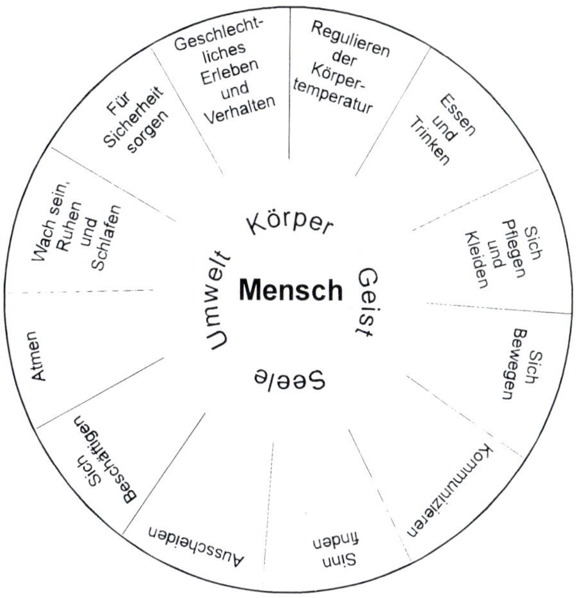

Abb. I.3
Die ganzheitlich ausgerichteten Aktivitäten des täglichen Lebens

Die **Unterstützung des Menschen bei den Aktivitäten des täglichen Lebens** (ATL; LA; AEDL) ist der eigentliche und weitgehend selbständige Aufgabenbereich von Krankenschwestern und Krankenpflegern. Sie kann - dem jeweiligen Unterstützungsbedarf entsprechend - ausgeübt werden als:

- **Anleitung zur / oder Ermöglichung der Selbstpflege**, z.B. durch Informieren, Lehren, Schaffen günstiger Bedingungen, Einüben bestimmter Verhaltensweisen und Fähigkeiten, Einsatz von Hilfsmitteln;
- **Betreuung und Beratung**, z.B. bei der Erledigung persönlicher Angelegenheiten;
- **Unterstützung der eingeschränkten Selbstpflege**, z.B. durch Ermutigung, Aktivierung der gesunden Anteile, positive Verstärkung, rehabilitative Maßnahmen;
- **Übernahme der krankheits- oder altersbedingt eingeschränkten Selbstpflege**, z.B. durch Überwachung der Vitalfunktionen, Durchführung prophylaktischer Pflegemaßnahmen und der Körperpflege, Herstellen und Unterhalten von Beziehungen zwischen dem Kranken und der Außenwelt;
- **Begleitung des ängstlichen, leidenden, zweifelnden, hoffnungslosen oder einsamen Menschen**, z.B. durch Anteilnahme, Verständnis, Ausstrahlung menschlicher Wärme und durch Zuwendung, Trost, Ermutigung, Aufzeigen von positiven (Lebens-) Aspekten;
- **Begleitung des unheilbar kranken und des sterbenden Menschen**, z.B. durch Vermittlung menschlicher Nähe, durch Aufmerksamkeit, Anteilnahme, Ver-

ständnis und Zuwendung; durch Aktivierung / Förderung bestehender Ressourcen (z.B. Glaube; soziale Beziehungen) und durch Signalisieren von Gesprächsbereitschaft.
Der pflegerische Aufgabenbereich erstreckt sich außerdem auf die **Motivation, Anleitung, Unterstützung und Entlastung von Angehörigen** und anderen Personen, die einen pflegebedürftigen Menschen betreuen.
Professionell Pflegende, die eine so konzipierte Pflege bejahen und durchführen, sind in der Lage, **Verantwortung für andere** Menschen zu **empfinden** und zu tragen, ohne diese zu bevormunden. Sie sollten auch die Fähigkeit besitzen (bzw. entwickeln), einfühlsam und personengerecht zu informieren, anzuleiten und zu führen.
Die **Achtung der Würde** und der Individualität des Menschen, eine **positive Einstellung zum Leben und zum Menschen** sowie **Toleranz** gegenüber den Bedürfnissen und den Variationen der individuellen Bedürfnisbefriedigung anderer sollten Grundsatz jeden menschlichen Miteinanders sein. Jeder professionell Pflegende sollte regelmäßig für sich überprüfen, ob er den ihm anvertrauten Menschen mit dieser Einstellung begegnet. Viele zwischenmenschliche Konflikte - nicht nur beruflich bedingte - ließen sich dadurch entschärfen oder gar vermeiden. Die Erfahrung lehrt, daß verschiedene Ansichten, Meinungen und Lebensstile nebeneinander existieren können und daß die Verschiedenheit der Menschen das Miteinander beleben und bereichern kann.

In der Krankenpflege ist ein angemessenes Wissen über menschliches Erleben und Verhalten, über die Entstehung von Gesundheitsstörungen und über ihre Auswirkungen notwendig, um neben den individuellen auch die typisch krankheitsbedingten Probleme eines Menschen umfassend erkennen und kompensieren zu können.
Auszubildende und Examinierte in den Pflegeberufen sollten Interesse an der Psychologie, Soziologie und Pädagogik zeigen und sich entsprechende Grundkenntnisse aneignen.
Selbstverständlich ist auch den anderen Fachgebieten (z.B. Krankenpflege, Berufskunde, Anatomie / Physiologie, Krankheitslehre, Gesundheits- und Ernährungslehre, Ethik / Religion) großes Interesse entgegenzubringen und fundiertes Fachwissen zu erwerben.
Erst dadurch unterscheidet sich professionell ausgeübte Krankenpflege von laienhaft ausgeübter und wird zu einer **qualifizierten beruflichen Dienstleistung am Menschen**, für die eine angemessene Entlohnung selbstverständlich ist.
In den letzten Jahren hat sich in Deutschland das Pflegewissen enorm erweitert, nicht zuletzt durch Studien- und Forschungsergebnisse der eigenen Berufsgruppen. So wird Pflege immer mehr zu einem bewußten, systematisch geplanten und begründbaren Handeln, zu einer eigenständigen Profession im Gesundheitswesen. Dazu ist es erforderlich, daß die Angehörigen der Pflegeberufe sich fort- und weiterbilden und ihr qualifiziertes Wissen in der praktischen Arbeit umsetzen.
Insgesamt ist die Fachkompetenz des examinierten Pflegepersonals - wie die jeder anderen Berufsgruppe auch - notwendig, um sich in einem Team verschiedener Berufsgruppen (und in der Gesellschaft) als gleichwertiger Partner Akzeptanz und Anerkennung zu verschaffen.

D. Pflege und religiöse Bedürfnisse

Obwohl die Kirchen in der westlichen Welt in den letzten Jahren die hohe Zahl der Kirchenaustritte beklagen, ist die Religion nach wie vor für die meisten Menschen wesentlicher Teil der Lebensgestaltung. Alle Religionen nehmen durch Glaubensüberzeugungen, Gebote und Verbote in hohem Maße Einfluß auf die Lebensführung der Gläubigen; dieses gilt auch für die christlichen Religionen, wenngleich das in unserem christlich geprägten Kulturkreis weniger augenfällig ist.
Die religiösen Bedürfnisse pflegebedürftiger Menschen soweit möglich zu berücksichtigen, ist ein Gebot der Achtung des Menschen in seiner religiösen Ausprägung. Niedergelegt ist diese Forderung auch in den Grundregeln des Weltbundes der Krankenschwestern und -pfleger aus dem Jahr 1973. Die Kenntnis religiöser Bedürfnisse fördert das Verstehen des gläubigen Patienten, ihre Berücksichtigung kann den Genesungsprozeß unterstützen. Deshalb sind bei der Aufnahme im Krankenhaus die Religionszugehörigkeit und die individuellen religiösen Bedürfnissen zu erfragen, da auch innerhalb der Gemeinschaften die Religionsausübung unterschiedlich stark ausgeprägt ist. Der Wunsch nach dem Besuch eines Geistlichen sollte immer - in kritischen Situationen unverzüglich, auch nachts - durch Verständigung eines Geistlichen der Konfession des Patienten respektiert werden.
In Deutschland gehören die meisten Patienten einer christlichen Religion an. Durch Einwanderung insbesondere von Arbeitnehmern und Asylbewerbern aus fremdländischen Staaten gewinnen andere Religionen und ihre prägenden Inhalte zunehmende Bedeutung.
Im folgenden werden - ohne Anspruch auf Vollständigkeit - Grundgedanken verschiedener Religionsgemeinschaften und daraus resultierende Besonderheiten für den Pflegealltag angesprochen.

❒ Christentum

Den **Christen** gemeinsam ist das Bekenntnis zu Gott und seinem Sohn Jesus Christus, der den Menschen gesandt worden ist, sie von der Sünde zu erlösen und den Tod zu besiegen. Ein Fundament der Religion ist die Hoffnung auf ein neues Leben nach dem Tod „in Vollendung, Freude und Gemeinschaft". Himmel und Ewigkeit sind Begriffe für ein solches Leben nach dem Tod.
Zentrales Gedankengut der christlichen Ethik sind die **Achtung der Würde des Menschen als Ebenbild Gottes** und die **Nächstenliebe**. Aus diesen christlichen Grundüberzeugungen haben sich vier große Gruppen entwickelt, nämlich das katholische, evangelische und orthodoxe Christentum sowie das sogenannte Sonderchristentum.

Da der gemeinsame Gottesdienst ein Ausdruck des christlichen Lebens ist, soll christlichen Patienten Gelegenheit zur **Teilnahme an Gottesdiensten**, die katholische und evangelische Krankenhausseelsorger oder Gemeindepfarrer häufig im Krankenhaus abhalten, gegeben werden. Die Patienten sollten darauf aufmerksam gemacht werden, daß dieses auch im Morgenmantel, im Krankenfahrstuhl und unter Umständen sogar im Bett möglich ist. Können Patienten den Gottesdienst nicht besuchen, ist häufig eine Übertragung in das Krankenzimmer möglich; während der Übertragung sollten Störungen, auch durch Pflegetätigkeiten, soweit möglich unterbleiben.

Alle Christen achten das **Kreuz** als Symbol ihres Glaubens; viele möchten es beim Sterben auf einem Tisch oder in ihren Händen wissen. Ein Rosenkranz, Marien- oder Heiligenbild kann für einen Katholiken besondere Bedeutung haben. Protestanten finden Mut und Trost oft in **Andachtskalendern** oder Bildern mit religiösen Texten. Für orthodoxe Christen besitzen **Ikonen** einen hohen Wert.

❍ Katholische Christen

Die **katholische Kirche** kennt sieben **Sakramente**, die dem Gläubigen göttliche Gnade verleihen sollen und oft schon durch die psychische Unterstützung segensreich wirken. Wünscht der Patient den Empfang eines Sakramentes, sollte der Krankenhauspfarrer oder ein Gemeindegeistlicher herbeigebeten und ein würdiger Rahmen (Ruhe, Ordnung, weißes Deckchen, Standkruzifix) geschaffen werden. Drei Sakramente sollen hier erwähnt werden.

Die **Eucharistie** (Heilige Kommunion) stellt die Gemeinschaft mit Christus dar; wird sie von mehreren Patienten gewünscht, kann oft in einem Krankenzimmer eine gemeinsame Eucharistiefeier ausgerichtet werden.

Die **Krankensalbung** wurde als „letzte Ölung" lange Zeit als sakramentale Handlung an der Schwelle des Todes gesehen. Heute wird sie wieder verstärkt als Stärkung bei Krankheit verstanden und empfiehlt sich - bei entsprechender Erläuterung (!) - als Mittel, die religiösen Kräfte des Patienten zu mobilisieren.

Durch das **Beichtgespräch** mit einem Priester oder im Rahmen eines Bußgottesdienstes empfängt der Katholik das Sakrament der Beichte und erfährt unter Umständen durch eine Erleichterung des Gewissens Befreiung von psychischer Bedrängnis.

Am Aschermittwoch und Karfreitag verbietet der katholische Glaube den Fleisch- und Alkoholgenuß; hiervon sind Kranke dispensiert, befolgen das Verbot aber trotzdem häufig. In der Fastenzeit - Aschermittwoch bis Ostersamstag - und an Freitagen sind Katholiken zu Opfern angehalten, die in einem Fasten bestehen können.

❍ Evangelische Christen

Der **evangelische Glaube** kennt die Sakramente der Taufe und des Abendmahls. Das **Abendmahl** hat auch die Bedeutung einer „letzten Wegzehrung", weshalb Mißverständnissen vorzubeugen ist, wenn der Patient gefragt wird, ob er das Abendmahl wünscht.

Die Beichte gilt nicht als Sakrament, hat aber als kirchliche Handlung, die meistens im seelsorgerischen Gespräche oder während der Abendmahlfeier stattfindet, ähnliche Bedeutung wie im Katholizismus; aus pflegerischer Sicht ergibt sich kein wesentlicher Unterschied. Von Interesse kann für den Pflegenden sein, daß der evangelische Christ sich nicht um Fürsprache an die Mutter Maria oder die Heiligen wendet.

❍ Orthodoxe Christen

Aus Griechenland oder Rußland stammende Patienten sind oft **orthodoxe Christen**. Für sie gilt das für den katholischen Patienten Ausgeführte in ähnlicher Weise. Mehrmals täglich sind **Stundengebete** vorgesehen. Die Verehrung der Maria und der Heiligen hat ein noch größeres Gewicht als in der katholischen Kirche. Wohl auch durch die Tradition der Heimatländer bedingt, besteht eine **starke Einbindung in die Familie**. Oft ist es für Familienangehörige selbstverständliche Pflicht, auch im Krankenhaus die Grundpflege des Patienten durchzuführen, und es stößt auf Unverständnis, wenn dieses z.B. wegen der Besuchszeiten nicht möglich sein soll. Das Fasten ist zu vielen Gelegenheiten (40 Tage vor Ostern, zur Vorbereitung auf die großen Kirchenfeiertage sowie grundsätzlich mittwochs und freitags) vorgesehen und wird oft sehr streng gehandhabt.

❍ Zeugen Jehovas

Die **Zeugen Jehovas** sind eine aus dem Christentum hervorgegangene Glaubensgemeinschaft. Sie stützen sich auf die in ihrem Sinne ausgelegte Bibel. Nach Ihrer Überzeugung wird Jehova in naher Zukunft alle seine Feinde in einer Schlacht vernichten und die Erde zum Paradies umgestalten, hier hätten die Zeugen Jehovas ewiges Leben. Bis dahin bedeute der Tod, daß der Mensch in seiner Gesamtheit zu Staub werde und nur in Gottes Gedächtnis überdauere. Die christliche Glaubenslehre wird in wesentlichen Elementen (Gottheit Christi, Dreifaltigkeitslehre, Verständnis vom Sakrament) abgelehnt. Zum Weltbild der Zeugen Jehovas, in dem die Gottheit Christi nicht anerkannt wird, gehört der Teufel als starker Gegenspieler Gottes. Die Lehre wird durch geschulte Laien weitergegeben.

Das **Blut** wird als die **Seele des Lebenden** und daher als heilig betrachtet. Nach ihrer Auslegung der Bibel ist das Blut eines Lebewesens mit seinem Leben oder seiner Seele identisch (1. Moses 9,4: „Ihr sollt kein Fleisch essen, in dem noch das Leben, das Blut ist"). Daher ist der Verzehr von Fleisch nur gestattet, wenn es beim Schlachtvorgang mit Sicherheit voll ausgeblutet ist. Aus dem gleichen Grund wird eine Bluttransfusionen - nicht jedoch die Eigenblutspende - regelmäßig abgelehnt.

Die Zeugen Jehovas lehnen Weihnachten, Ostern und Namenstage als heidnisch ab. Ebenso feiern sie keinen Geburtstag. Sie wünschen deshalb nicht in entsprechende Gebräuche (Festtagswünsche, Geschenke, Schmücken des Krankenzimmers) eingebunden zu werden. Nur ein kleiner Teil von ihnen, die ca. 150.000 „Geweihten" nehmen am Abendmahl in ihrer Gemeinde teil. Zwischen den Zeugen Jehovas besteht eine enge Verbundenheit, sie sprechen sich mit „Schwester" und „Bruder" an. Auch während eines Krankenhausaufenthaltes erfolgt eine **enge Betreuung durch Gemeindeangehörige**, weshalb von der Aufnahme (auch von Patienten aus fremden Städten) nach Rücksprache mit ihnen die örtliche Gemeinde benachrichtigt werden sollte.

❐ Islam

Der **Islam** ist in Deutschland die drittgrößte Religionsgemeinschaft. Seine Grundlage sind die Lehren des Koran und das Vorbild des Propheten Mohammed. Der Islam betrachtet sich als Überhöhung des Christen- und des Judentums und verehrt Allah als einzigen Gott. Die Religionsangehörigen bezeichnen sich als **Muslime** (**Moslems**). Nach dem Islam ist das menschliche Leben einschließlich des Sterbens (*Schicksal, Kismet*) vorbestimmt, stehen Belohnung und Bestrafung des Menschen in Paradies und Hölle fest. Der Tod bedeutet für den Muslim kein Ende des Lebens, sondern eine Verwandlung, er trennt die Seele vom Körper, beide werden beim Jüngsten Gericht wieder zusammengeführt.

Der **Koran** ist **heilig**, ein Nicht-Muslim (auch als Pflegender) darf ihn nicht berühren. Er schreibt täglich 5 Gebetseinheiten vor. Da das Gebet nicht nur Reinheit des Geistes, sondern auch des Körpers voraussetzt, gehen dem Gebet - ebenso wie dem Lesen des Korans - **rituelle Waschungen** voraus. Das Gebet erfolgt grundsätzlich auf einem Gebetsteppich (auch ein sauberes Handtuch ist geeignet). Ein stiller, abgeschlossener Raum, wenigstens ein Wandschirm, ist willkommen. Das „Reinheitsbemühen" besteht über die Gebetssituation hinaus. Da unter anderem alle Körperausscheidungen (Schweiß, Exkremente, auch Blut) als unrein gelten, erfolgen häufige Waschungen, wobei sie unter fließendem Wasser erfolgen sollen. Entsprechende Sorgfalt ist auf die Leib- und Bettwäsche zu richten.

Für Muslime gelten sehr **strenge Speisevorschriften**. Verboten („unrein") sind insbesondere Schweinefleisch, Fleisch und Wurst von Tieren, die nicht im Namen Allahs geschlachtet wurden und ausgeblutet sind (wird im Krankenhaus nie gegeben sein), sowie jeglicher Alkohol (z.B. auch in Süßspeisen). Im Fastenmonat Ramadan gelten von Sonnenauf- bis -untergang strenge Fastenregeln.

Für viele Frauen ist die **Kopfbedeckung** Teil einer sittsamen Kleidung, ihr Tragen sollte daher nicht beanstandet werden; ist es aus hygienischen Gründen (z.B. bei einer Operation) nicht möglich, kann unter Umständen mit einer OP-Haube Ersatz geschaffen werden.

Seelsorgerische Betreuung kann evtl. über einen örtlichen türkischen Kulturverein vermittelt werden. Häufig erfolgen Besuche Verwandter, da der Krankenbesuch als gute Tat, wie sie der Koran vorschreibt, gilt.

❐ Judentum

Der **jüdische Glaube** geht von der Einheit und Einzigkeit Gottes aus. Aufgabe des Menschen ist die Heiligung des Lebens, so daß kein Unterschied zwischen weltlichem und religiösem Bereich besteht. Das traditionelle Judentum glaubt an eine Auferstehung und eine jenseitige Vergeltung der guten und schlechten Taten; entscheidend ist, wie der Gläubige das Gesetz Gottes befolgt hat. Beim Sterben ist die Begleitung durch einen jüdischen Kirchengelehrten *(Rabbiner)* und die Familie üblich.

Das Judentum kennt zwar keine unterschiedlichen Konfessionen, jedoch sind die Unterschiede zwischen den verschiedenen Gruppen, z.B. den orthodoxen und den liberal-religiösen Juden enorm, weshalb die Frage nach den individuellen religiösen Bedürfnissen besonderes Gewicht gewinnt. Oft wird als Ausdruck der Ehrfurcht vor Gott selbst bei Bettlägerigkeit eine Kopfbedeckung getragen. Händewaschen nach dem Aufstehen und vor den Mahlzeiten hat rituelle Bedeutung.

Für Juden ist es oft auch während eines Krankenhausaufenthaltes üblich, **im Kreise ihrer Familie gepflegt** zu werden und zu sterben. Die Einhaltung der Essensvorschriften ist eine Art „Gottesdienst". So ist der Genuß von Schweinefleisch verboten, die Aufnahme anderer Fleischspeisen von der Art der Schlachtung, die nur von bestimmten jüdischen Schlachtern vorgenommen werden darf, abhängig. Speisen, die entsprechend diesen Vorschriften zubereitet, also „koscher" sind, sind in der Krankenhausküche kaum zu bekommen, weshalb von Angehörigen mitgebrachte Speisen weitestgehend akzeptiert werden sollten.

Dem Juden sind tägliche Gebete vorgeschrieben. Der **Sabbat** (Freitag- bis Samstagabend) ist heilig, jegliche Arbeit (auch Zubereitung von Speisen) sowie die Verwendung bestimmter Energien ist verboten, weshalb ein strenggläubiger Jude unter Umständen die Klingel nicht verwendet und gehäuft spontan nach ihm geschaut werden sollte. Dringende medizinische Maßnahmen sind zulässig.

❐ Hinduismus

Hinduismus ist die europäische Bezeichnung für die religiöse Tradition Indiens. Bei Hinduisten verehren teils einen, teils mehrere Götter.

Glaubensfragen beantworten sich aus der **Tradition der jeweiligen Religionsgruppe** und Kaste. Der Hinduismus unterscheidet zwischen der Welt der Wirklichkeit und der des Scheins („Maja"). Die wirkliche Welt ist eine Einheit, ohne die in der Schein-Welt vorgenommenen Unterscheidungen wie zwischen Gestern und Heute, Tod und Leben, Ich und Nicht-Ich. Alle Wesen sind letztlich nichts anderes als geistige Seelen, die in immer neuen Lebensformen wiedergeboren werden; es gilt, auf einer Stufenleiter (Pflanzen, Tiere, Menschen der verschiedenen Kasten, göttliches Wesen) den Kreislauf der Wiedergeburt zu durchbrechen und die Welt der Einheit zu erreichen. Charakteristisch ist die Lehre vom Karma: die Überzeugung, daß jedem aufgrund seiner guten oder bösen Taten in einem früheren Leben sein Platz innerhalb der Stufen zugewiesen ist. Der Tod ist lediglich ein Durchgangsstadium. Der Weg zur Erlösung führt über vielfältige kultische Handlungen (z.B. Verehrung von Götterbildern, Opfer von Vegetabilien), über verschiedene Formen des Verzichts (z.B. Fasten) oder über die meditative Einsicht in die Wirklichkeit des menschlichen Daseins. Die kultischen Handlungen werden von jedem Gläubigen vorgenommen, können im Krankenzimmer aber weitgehend nicht praktiziert werden. Hilfreich kann es insoweit sein, wenn Hindus in einem Zimmer unter sich bleiben. Der hinduistische Patient

wird kaum nach einem Priester verlangen, da diese allein den Göttern dienen. So gibt es z.B. keine Beichte im christlichen Sinne, sondern allein vollzogene Sühnehandlungen.
Die indische Kastenordnung kennt vier Hauptkasten (Priester, Adel, Bauern, dienende Kaste) mit ca. 3000 Unterkasten. Kontakte zwischen Angehörigen verschiedener Kasten (z.B. Heirat, aber auch gemeinsames Essen) sind verboten. Der Kontakt mit Angehörigen niedrigerer Kasten kann die künftige Daseinsform negativ beeinflussen.
Kühe sind ein Symbol für die Natur und daher heilig, weshalb Hindus kein Rindfleisch essen. Manche Hindus leben rein vegetarisch. Die jeweilige Tradition kann auch den Verzicht auf bestimmte Nahrungs- oder Genußmittel vorschreiben. Kranke sind zwar von der Einhaltung dieser Vorschriften weitgehend dispensiert, bemühen sich aber gleichwohl häufig darum.
Wegen der sehr unterschiedlichen Ausbildung der Traditionen innerhalb des Hinduismus gewinnt das Erfragen der individuellen Bedürfnisse eine besondere Bedeutung. Allerdings ist es wegen der aus europäischer Sicht starken Fremdartigkeit nur sehr eingeschränkt möglich, die Reiligionsausübung zu unterstützen.

❒ Buddhismus

Buddhisten glauben ähnlich den Hindus an eine - mehrfache - Wiedergeburt nach dem Tod. Der Tod ist lediglich ein Durchgang zur **Wiedergeburt der Seele**. Die Seele geht in ein anderes Wesen (Mensch, Tier oder Pflanze) über (Seelenwanderung). Das gute oder schlechte Verhalten findet durch die Form der Wiedergeburt seine Vergeltung. „Erlösung" im Sinne dieses Gedankengutes ist die Ausschaltung des Gesetzes der Wiedergeburt für das eigene Individuum. Die Buddhisten verehren Buddha, einen Menschen, der den Kreislauf der Wiedergeburt durch ethisch-asketische Zucht, meditative Versenkung und erlösende Erkenntnis über die Zusammenhänge des Werdens und Vergehens durchbrochen und so das „Nirwana" als Bewußtseinszustand völliger Freiheit und des Friedens erreicht hat. Trotz vieler Parallelen zum religiösen hinduistischen Gedankengut ist dem Buddhisten die strenge Kastenordnung fremd.
Aus pflegerischer Sicht ist hier - ähnlich wie bei Hindus - außer dem Zeigen von Achtung vor den fremden Gedanken und Handlungen kaum eine Unterstützung möglich.

E. Pflege - ein Problemlösungs- und Beziehungsprozeß

Die systematische, an den ganzheitlichen Bedürfnissen des Menschen orientierte und laufend angepaßte Pflege wird heute als **Pflegeprozeß** bezeichnet.
Dabei entwickelt sich zwischen dem Pflegebedürftigen und dem Pflegenden eine **Beziehung**, die in erster Linie auf ein **gemeinsames Ziel** hin ausgerichtet ist. Dieses Ziel ist die an der Person des Pflegebedürftigen orientierte Problemlösung bzw. das Verhindern oder die Kompensation von Problemen.
Der Pflegeprozeß ermöglicht eine organisierte und ganzheitlich orientierte, individuelle Pflege. Das Modell der **Pflegeplanung bietet** einen **strukturellen Rahmen** für die professionelle Pflege; es beschreibt die logisch aufeinanderfolgenden Schritte eines Problemlösungsprozesses.
Der **Problemlösungsprozeß** entstammt der Entscheidungstheorie der Wirtschaftswissenschaft; es liegen folgende Schritte zugrunde:

- Bestandsaufnahme (Ist-Zustand),
- Problembestimmung (Vergleich mit Soll-Zustand),
- Entwicklung von Lösungsmöglichkeiten,
- Entscheidung,
- Handlung,
- erneute Bestandsaufnahme.

Ergibt die erneute Bestandsaufnahme, daß das Problem gelöst wurde, ist der Problemlösungsprozeß beendet, ansonsten wird ein neuer Versuch der Problemlösung durchgeführt. Dabei wird die Methode beibehalten, während die Inhalte (die Lösungsmöglichkeiten) verändert werden können.
Diese Art der Problemlösung findet sich im **Krankenpflegeprozeß** wieder. Die WHO hat 1976 folgendes Modell veröffentlicht:

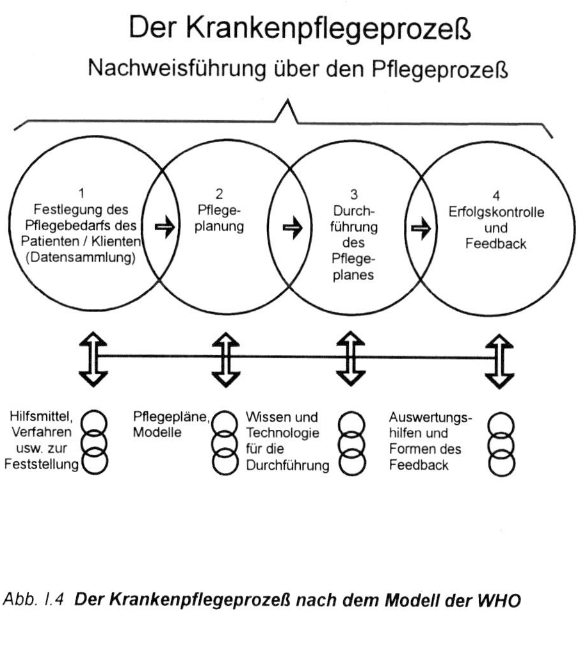

Abb. I.4 ***Der Krankenpflegeprozeß nach dem Modell der WHO***

Fiechter und Meier haben in ihrem 1981 veröffentlichten Modell die einzelnen Schritte differenzierter aufgeführt:

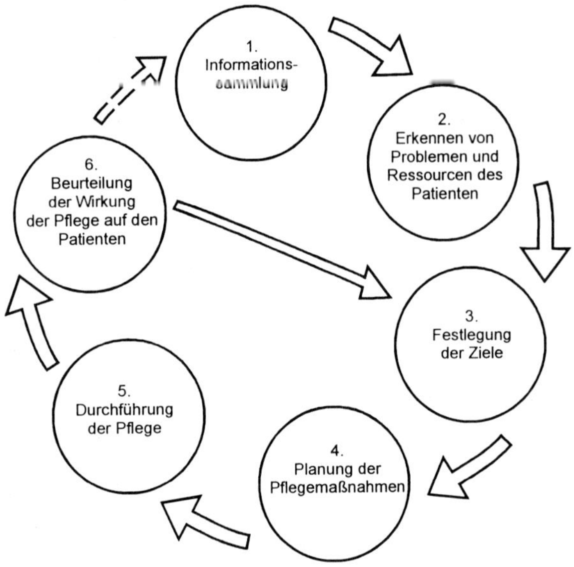

Abb. I.5 ***Pflegeprozeß nach Fiechter / Meier***

Im folgenden werden die Aspekte des Pflegeprozesses - Problemlösung und zwischenmenschliche Beziehung - genauer beschrieben.

❒ Der Beziehungsprozeß

Die Beziehung zwischen dem Patienten und der Pflegeperson beginnt bei der ersten Kontaktaufnahme. Die Pflegeperson kann hier bereits bewußt versuchen, die Wechselseitigkeit des Kontaktes zu fördern, indem sie eine gute Atmosphäre schafft. Hierzu gehört neben einem höflichen und freundlichen Auftreten selbstverständlich, daß **Akzeptanz der Person** vermittelt wird. Ein Patient sollte spüren, daß er willkommen ist und als selbstbestimmender Mensch seine Bedürfnisse äußern darf.

Der Beziehungsprozeß zwischen dem Patienten und dem Pflegenden wird von beiden Personen **in mehrfacher Hinsicht geprägt** *(siehe Abbildung 1.6 - 1.8)*.
Es sind dies z.B.:

- die Beziehung zu sich selbst und zu anderen Menschen (wer sich selbst nicht leiden kann, erfährt häufig auch von anderen Ablehnung);
- das Ausmaß der Kontaktfreudigkeit und der Fähigkeit, auf andere zuzugehen;
- Offenheit, Ehrlichkeit, Toleranz und Wertschätzung gegenüber anderen Menschen;
- Lebenserfahrung, Alter (ein alter Mensch hat evtl. Schwierigkeiten, den Rat einer jugendlichen Pflegeperson anzunehmen; junge erwachsene Pflegepersonen gehen mit Krankheit und Tod oft anders um als ältere KollegInnen);
- Krankheitserleben (wird Krankheit z.B. als Bestrafung, Chance zur Sinnfindung oder als Resultat eines unsoliden Lebenswandels gesehen);
- Einstellung zum Alter(n) *(siehe "Gesellschaft und Altern", Seite 950)*;
- Berufserfahrung der Pflegeperson, Vertrauenswürdigkeit, Eigenschaften und Ausstrahlung (z.B. strahlt sie menschliche Wärme, Ruhe und Sicherheit aus, hat gute "Tips", kann pflegerische Sachverhalte erklären und geht auf die Bedürfnisse ein);
- Sympathie / Antipathie (geprägt z.B. durch Eigenschaften, Umgangsformen, persönliche Hygiene);
- Pflegeverständnis (z.B. defizitbezogen oder ganzheitlich orientiert; Pflege als Hilfe zur Selbsthilfe; Förderung / Erhaltung der Autonomie).

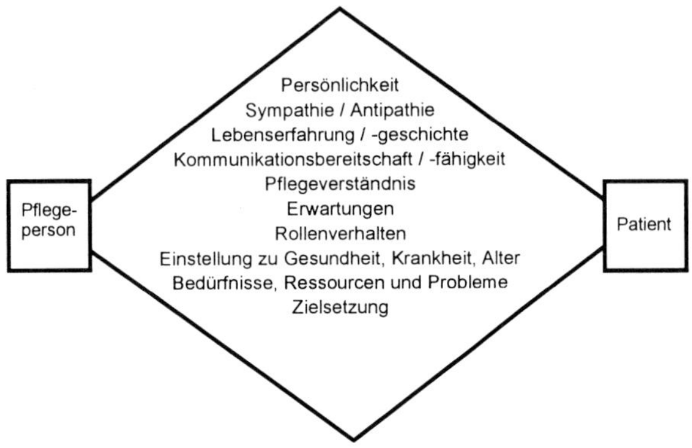

Abb. I.6 ***Einflußnehmende Faktoren im Beziehungsprozeß Pflege***

Die Persönlichkeit des Krankenpflegers / der Krankenschwester ⇩	⇨	**im Beziehungsprozeß Pflege** ⇩
Einstellung zu / Umgang mit Gesundheit, Krankheit, Alter, Tod	⇨	Einstellung zu / Umgang mit anderen Auffassungen von Gesundheit, Krankheit, Alter, Tod
Beziehung zur eigenen Körperlichkeit	⇨	Ausmaß von körperlicher Nähe und Distanz zu anderen
Alter, Konstitution, Aussehen	⇨	Ausstrahlung; physische Belastbarkeit
Lebenserfahrung, Menschenkenntnis, Selbstbewußtsein, Toleranz, Einfühlungsvermögen; Fähigkeit der Selbst- und Fremdwahrnehmung; Kommunikationsfähigkeit, Beziehungsfähigkeit	⇨	menschliche Eignung für den Pflegeberuf und psychosoziale Kompetenz
Menschenbild (z.B. naturwissenschaftlich oder ganzheitlich orientiert)	⇨	Pflegeverständnis; Rollenerwartung an pflegebedürftige Menschen
Wille und Fähigkeit, Verantwortung zu tragen	⇨	Verläßlichkeit, Vertrauenswürdigkeit, Belastbarkeit
geistige Flexibilität, Kreativität, Problemlösungsfähigkeit; berufliches Interesse, berufliche Qualifikation und Berufserfahrung	⇨	Pflegewissen, Handlungskompetenz, Engagement, Freude an der Arbeit
Fähigkeit, Konflikte auszutragen und zu ertragen; Frustrationstoleranz; innere Stabilität und soziale Sicherheit in tragenden Beziehungen	⇨	psychische Belastbarkeit; Bewältigung von schwierigen Situationen

Abb. I.7 ***Die Persönlichkeit des Krankenpflegers / der Krankenschwester***

Die Persönlichkeit des Patienten ⇩	⇨	im Beziehungsprozeß Pflege ⇩
Einstellung zu Gesundheit, Krankheit, Alter, Tod	⇨	Erleben der Krankheit / Pflegebedürftigkeit, des Alters
Lebenserfahrung	⇨	Erfahrung im Zusammenhang mit Pflegebedürftigkeit und Abhängigkeit
Soziale Rolle / Beziehungen - in der Familie - im Freundeskreis - in der Nachbarschaft - in gesellschaftlichen Gruppen - am Arbeitsplatz	⇨	Einnehmen und Erleben der Rolle eines Patienten; soziale Beziehungen im Krankenhaus / bei Pflegebedürftigkeit
Bedürfnisse, Gewohnheiten, Gesundheitsbewußtsein	⇨	gesunde Anteile, Fähigkeiten, innere Kräfte
Ausführung der ATL in gesunden Tagen	⇨	individuelle und alters- / krankheitsbedingte Einschränkungen der Selbstpflege
Wissen über und Erfahrung mit Krankenpflege und mit Krankenhausaufenthalt	⇨	Erwartungen an das Pflegepersonal und an das Leben im Altenheim; Vertrauen - Mißtrauen
Umgang mit neuen Situationen, Lernfähigkeit	⇨	Umgang mit der Krankheit / der Situation; Anpassungsfähigkeit
Alter, Konstitution, Gesamtbefinden, Selbstwertgefühl, Glaube	⇨	Möglichkeiten und Formen der Auseinandersetzung mit Krankheit, Krankheitsbewältigung

Abb. I.8 ***Die Persönlichkeit des Patienten***

Diese und ähnliche Faktoren entscheiden, ob sich eine partnerschaftliche und vertrauensvolle Beziehung entwickelt oder ob das Verhältnis von Distanz und Mißtrauen geprägt wird.
Der Beziehungsprozeß ist ein **dynamisches Geschehen**, er verändert sich mit den jeweiligen Bedingungen. Über die Beziehung können das Wohlbefinden des Patienten und die aktive Auseinandersetzung mit der Krankheit gefördert werden.
Bei Eintreten neuer Lebensumstände (z.B. durch schwere Krankheit / Behinderung, dauerhafte Pflegebedürftigkeit) kann eine pflegerische Bezugsperson helfen, die Lebensgestaltung soweit wie möglich an die bisherige Lebensführung anzupassen.

❒ Der Problemlösungsprozeß

Der Problemlösungsprozeß läßt sich in einzelne **Schritte, die logisch aufeinander folgen**, gliedern:
- Informationssammlung *(Datensammlung, Erhebung der Pflegeanamnese)*;
- Feststellung des Pflegebedarfs *(Beschreibung der Ressourcen und Probleme)*;
- Aufstellung von Pflegezielen *(Beschreibung des Soll-Zustandes)*;
- Planung des pflegerischen Vorgehens *(Erstellung eines Pflegemaßnahmenplans)*;
- Durchführung der Pflege;
- Erfolgskontrolle und Feedback.

Alle Schritte der Problemlösung werden dokumentiert. Dazu haben sich **Pflegedokumentationssysteme** durchgesetzt, die verschiedene Formblätter zur umfassenden Dokumentation enthalten.

Die Informationen über den Patienten werden auf einem Formblatt, bezeichnet z.B. als "Stammblatt", "Pflegeanamnese" oder als "Aufnahmeprotokoll", festgehalten. Für die Planung der Pflegemaßnahmen werden überwiegend Formblätter mit den Rubriken Ressourcen, Probleme, Pflegeziele und Pflegemaßnahmen angeboten.
Ein weiteres Formblatt dient der Berichterstattung (dem Pflegebericht) und der Erfolgskontrolle. Somit liefert die **Pflegedokumentation** ein kontinuierlich geführtes Verlaufsprotokoll über:
- die Ressourcen und die Pflegebedürftigkeit;
- die geplanten Pflegeziele und -maßnahmen;
- die Durchführung und Wirkung der Pflegemaßnahmen;
- die Beobachtung des Befindens und des körperlichen Zustands;
- die Durchführung und das Ergebnis objektiver Messungen;
- die Reaktionen, Äußerungen;
- die Gespräche mit pflegerisch bedeutsamem Inhalt.

Des weiteren ermöglicht die Pflegedokumentation eine - vom Pflegepersonal vorgenommene - **Überprüfung und Auswertung der Pflege**. Pflegetätigkeiten werden nachvollziehbar und beweisbar, auch im juristischen Sinne.

Allgemeine Hinweise zur formellen Gestaltung des Pflegeprozesses

Informationssammlung

Die Informationssammlung *(Datensammlung, Aufnahmeprotokoll, Pflegeanamnese)* dient:
- dem Erfassen der individuellen Gewohnheiten, Bedürfnisse, Interessen und Wünsche;
- dem Erkennen der individuellen Ressourcen *(gesunde Anteile, Fähigkeiten, innere Kräfte)*;
- dem Ermitteln der sozialen Situation (**Beachte:** Inwieweit soziale Daten für die pflegerische Betreuung notwendig sind, muß individuell beurteilt werden);
- der Einschätzung des individuellen Erlebens von / und des Umgangs mit Krankheit, Behinderung, Alter, Pflegebedürftigkeit;
- dem Erfassen etwaiger Vorerfahrungen mit Krankheit, stationärer Behandlung und Pflegepersonal;
- dem Erfassen der Erwartungen des Pflegebedürftigen an das Pflegepersonal;
- der Ermittlung der individuellen und der alters- / krankheitsbedingten Pflegebedürftigkeit.

Für eine umfassende Informationssammlung sind verschiedene **Quellen** zu nutzen:
- die Aussagen des Patienten;
- die Aussagen der Angehörigen (evtl. auch anderer Bezugspersonen) und/oder ggf. der zuvor an der Pflege beteiligten Pflegepersonen;
- die pflegerischen Beobachtungen (bezüglich des Aussehens, Verhaltens, der Befindlichkeit und des körperlichen Zustands des Patienten);
- der Einweisungsschein und die Aufnahmeformulare (Name, Alter, Wohnort, Familienstand, Konfession, Angehörige, Einweisungsdiagnose, Krankenkasse);

- das Erstgespräch und weitere Gespräche mit dem Patienten *(lesen Sie dazu auch "Biographiearbeit", Seite 746)*;
- die objektiv ermittelten Daten (Größe, Gewicht, Vitalwerte);
- die ärztliche Anamnese, Diagnose und die Verordnungen, sofern sie pflegerelevant sind;
- ggf. Pflegeberichte, die während vorangegangener Krankenhausaufenthalte erstellt wurden;
- Verlegungsberichte anderer Pflegeeinheiten.

Die Informationssammlung beginnt bei der Übernahme der Pflege durch eine ambulante oder stationäre Pflegeeinrichtung und wird über den gesamten Zeitraum der Betreuung weitergeführt. Es ist innerhalb des jeweiligen Pflegeteams zu regeln, ob die später ermittelten Daten zusätzlich oder ausschließlich im Pflegebericht dokumentiert werden. Eine fortlaufende Informationssammlung sollte ggf. die Lebensgeschichte des Pflegebedürftigen einbeziehen *(biographisch orientierte Pflegeanamnese, siehe Seite 746)*.
Bei der Analyse von Risikofaktoren und der Erfassung eines speziellen Pflegebedarfs können **strukturierte Listen** Hilfe leisten. In dieser Abhandlung sind solche Listen exemplarisch aufgeführt, z.B. "Informationssammlung Thromboserisiko" *(siehe Seite 322)*.

Das Erstgespräch
Dem Erstgespräch zwischen dem Pflegebedürftigen und der Pflegeperson kommt **große Bedeutung** zu. Bei dieser ersten intensiveren Kontaktaufnahme entstehen Eindrücke und Gefühle, die den weiteren Verlauf des Miteinanders beeinflussen. Neben der **Aufnahme einer zwischenmenschlichen Beziehung** dient das Erstgespräch der **Informationssammlung und -vermittlung**.
Ein Patient soll seine Bezugspersonen und die fremde Umgebung kennenlernen und bereits hierdurch **Unsicherheiten und Ängste abbauen**. Die Vermittlung von Informationen an den Patienten und die umfassende Sammlung von Informationen über ihn lassen sich zum Teil sinnvoll miteinander verbinden und verhindern so den Eindruck des Ausfragens. So kann die Pflegeperson, nachdem sie sich, die Mitarbeiter und Zimmerkollegen vorgestellt hat, den stationären Tagesablauf beschreiben. Spricht sie über die Weckzeiten, kann sie sich bezüglich der Schlafgewohnheiten / -störungen erkundigen. Die Informationen hinsichtlich der Essenszeiten und des Menüwahlsystems können zwanglos mit der Frage nach Ernährungsgewohnheiten, einzuhaltender Diät, Unverträglichkeiten etc. kombiniert werden. Dem Inhalt und Ausdruck der Antworten ist große Aufmerksamkeit zu widmen; sie können wertvolle Informationen geben.
Selbstverständlich können andere Daten auch direkt erfragt werden, wenn zuvor erklärt wurde, daß die Erfassung der Daten der Planung einer individuellen Pflege dient. Es sollte allerdings darauf geachtet werden, daß es bei einem Gespräch bleibt, bei dem sich die Partner bewußt kennenlernen; dagegen wirkt das einfache "Abhaken" vorgegebener Punkte auf einem Formblatt dem Aufbau einer vertrauten Atmosphäre eher entgegen.
Eine **strukturelle und inhaltliche Hilfe** zur Erfassung aller pflegerelevanten Gewohnheiten, Bedürfnisse, Fähigkeiten und Defizite des Patienten bieten die bedürfnisorientierten Pflegemodelle (ATL, LA, AEDL, *siehe Seite 6*). Da alle Lebensbereiche des menschlichen Daseins angesprochen werden, können die Informationssammlung und die Planung der Pflege systematisiert und umfassend ausgeführt werden.
Die gesammelten Informationen dienen der eigentlichen Planung der Pflege, die sich über die Festlegung des Pflegebedarfs und der Pflegeziele sowie über die Planung des pflegerischen Vorhabens erstreckt.

Feststellung des Pflegebedarfs
Anhand der Informationssammlung werden die pflegerelevanten Ressourcen, Gewohnheiten, Bedürfnisse und Defizite des Patienten festgestellt. Dabei liegt ein **Problem** vor, wenn eine Beeinträchtigung im Bereich einer ATL (LA; AEDL) erkennbar ist, die der Patient nicht selbst kompensieren kann, dies allerdings durch pflegerische Maßnahmen ermöglicht wird. Da es sich in der Regel um ein Problem des kranken Menschen - und nicht der Pflege - handelt, wird in dieser Abhandlung die Bezeichnung "Problem" oder "pflegerelevantes Problem" der Bezeichnung "Pflegeproblem" vorgezogen. Letztere eignet sich eher zur Kennzeichnung eines tatsächlich für die Pflege vorherrschenden Problems, z.B. ein nicht abheilender Dekubitus.
Bei der Feststellung der Probleme ist das **Ausmaß von Selbständigkeit, Pflegeabhängigkeit und Kooperationsfähigkeit** möglichst **genau** zu **beschreiben**; somit werden die Ressourcen und Probleme des Pflegebedürftigen gleichermaßen berücksichtigt. Nur so kann die weitere Planung individuell ausgerichtet werden.
Je nach Bedürftigkeit des Patienten kann eine Vielfalt von Problemen formuliert werden. Dabei kann die folgende gedankliche Einteilung helfen, alle Probleme zu erfassen.

- **Aktuelle, tatsächliche Probleme**
  - sind beobachtbar, meßbar und werden vom Pflegebedürftigen bestätigt;
  - können durch pflegerische Maßnahmen beseitigt, kompensiert oder gelindert werden;
  - Beispiele: Der Patient leidet aufgrund einer Lungenentzündung unter Atemnot; der Kranke muß aufgrund einer Herzinsuffizienz nachts mehrmals wasserlassen.
- **Potentielle (wahrscheinliche) Probleme**
  - liegen vor, wenn Bedingungen bzw. Risikofaktoren vorhanden sind, die nach pflegerischem Wissen und nach Pflegeerfahrungen ohne pflegerische Intervention wahrscheinlich zur Entstehung eines bestimmten Problems führen;
  - können durch vorbeugende Maßnahmen *(Prophylaxen)* seitens des Pflegepersonals verhindert, zum Teil auch nur frühzeitig erkannt werden (z.B. Nachblutungen);
  - Beispiele: Der Patient ist aufgrund seiner Immobilität und Kachexie dekubitusgefährdet; der Patient ist aufgrund der Schonatmung pneumoniegefährdet.
- **Verdeckte, vermutete Probleme**
  - beziehen sich häufig auf den zwischenmenschlichen und auf den emotionalen Bereich;
  - werden vom Betroffenen nicht geäußert, sondern aufgrund beobachteter Verhaltensänderung vermutet;

- können durch besondere Aufmerksamkeit, genaues Zuhören, taktvolles Fragen u.ä. erkannt und bewußt gemacht werden;
- Beispiele: Der Patient lehnt Gespräche über seine Familie ab, er scheint sich von ihr abgeschoben zu fühlen; der Patient weint nachts und wartet tagsüber vergeblich auf seine Freundin, deren Fernbleiben er mit Arbeitsüberlastung entschuldigt (Partnerschaftsprobleme, die sich auf den gesundheitlichen Zustand auswirken?).

• **Generelle Probleme**
- treten typischerweise bei bestimmten Erkrankungen, Therapiemaßnahmen bzw. in bestimmten Situationen und unter bestimmten Bedingungen auf;
- können durch Pflegewissen und -erfahrung eingeschätzt, kompensiert oder behoben werden; oft handelt es sich um potentielle Probleme, die durch pflegerische Prophylaxen verhindert werden können;
- können mittels Pflegestandards angegangen werden (*siehe Seite 16 und Seite 19*);
- Beispiele: Aufgrund des hohen Fiebers leidet der Kranke an Flüssigkeitsverlusten, Appetitlosigkeit, Kreislaufschwäche; der Patient hat Angst vor der bevorstehenden Operation.

• **Individuelle Probleme**
- resultieren aus dem persönlichen Erleben der Lebenssituation und der Krankheit;
- sind aktuelle Probleme;
- sind oft (mit-) bedingt durch die soziale Situation des Pflegebedürftigen;
- Beispiele: Der Patient sorgt sich um den behinderten Partner, der nun zu Hause allein zurechtkommen muß; der Kranke läßt sich nicht mobilisieren, weil er Angst vor möglichen Komplikationen hat; der Kranke entwickelt vor der Besuchszeit Magenschmerzen;
- können durch das gleichzeitige Auftreten verschiedener Probleme entstehen;
- Beispiele: Der geistig Verwirrte akzeptiert die Magensonde nicht und führt ihn gefährdende Manipulationen aus; der Sehbehinderte findet sich im Altenheim nicht zurecht und verliert dadurch seine bisherige Selbständigkeit;
- können manchmal nur durch besondere Aufmerksamkeit und in vertrauensvoller Atmosphäre erkannt (bzw. geäußert) werden.

Eine **Ordnung der Probleme** nach ihrer Dringlichkeit ist nicht immer möglich und notwendig. Bei einer Vielzahl von Problemen ist es jedoch sinnvoll, **Prioritäten zu setzen** und zunächst die dringendsten Probleme anzugehen. Priorität haben die, die eine Gefährdung des Patienten darstellen. Falls ansonsten eine Gewichtung notwendig ist, entscheidet der Kranke, welche Probleme vorrangig sind.

Die **Problemformulierung** sollte möglichst knapp, objektiv und verständlich sein. Es sollen deutlich werden:
• die Lokalisation, die Art und Weise des Defizites, z.B. 5-Markstück großer Dekubitus, Stadium III, an den Fersen;
• die Auswirkungen für den Pflegebedürftigen, z.B. Schmerzen, Eiweißverlust;
• die Ursache des Problems, z.B. Atemnot aufgrund einer Herzinsuffizienz;
• die vorliegenden Risikofaktoren (bei potentiellen Problemen), z.B. Dekubitusgefahr aufgrund von Immobilität, verstärkt durch Harninkontinenz;
• die subjektive Einschätzung eines vermuteten Problems, z.B. "Ich habe den Eindruck, Frau X. habe familiäre Probleme, weil sie nach jedem Besuch ihres Sohnes bitterlich weint".

Bei der Erfassung des Pflegebedarfs werden auch die **Ressourcen** im Bereich der ATL festgestellt und exakt beschrieben. Beispiele:
• Der Patient möchte kontinent werden;
• der Bettlägerige kann und möchte aktive Bewegungen im Bett durchführen;
• der ansonsten teilnahmslose Patient zeigt Interesse am Leben seiner Enkelkinder;
• der Sprachbehinderte kann sich auf schriftlichem Weg verständlich machen;
• der sterbende Mensch erfährt Hilfe durch das Beten.

Aufstellung von Pflegezielen

Das Pflegeziel **beschreibt den zu erreichenden Zustand**. Die Zielsetzung orientiert sich sowohl am Pflegebedarf als auch an den Ressourcen des jeweiligen Patienten. Das Ziel muß für ihn **realistisch** und **erreichbar** sein, für die Pflegenden soll es **überprüfbar** sein. Anhand der Pflegeziele kann die Wirkung der Pflegemaßnahmen überprüft werden.
Die Pflegeziele werden im Idealfall mit dem Pflegebedürftigen gemeinsam festgelegt, wodurch dessen Selbstverantwortlichkeit und Kooperation gefördert werden. Gleichzeitig wird deutlich, welch hohen Stellenwert sowohl die Probleme des Patienten als auch die pflegerischen Tätigkeiten einnehmen.

Die **Formulierung der Pflegeziele** sollte aus der Sicht des Patienten erfolgen und konkrete, überprüfbare Angaben beinhalten.
Je nach Pflegebedarf und Ressourcen kann sich das Pflegeziel beziehen auf
• Leistungen, z.B. der Patient wäscht sich selbständig den Oberkörper und führt Atemübungen durch;
• Kenntnisse, z.B. der Diabetiker weiß, welche Speisen er zu sich nehmen darf und wie er die Blutzuckerkontrolle durchführen kann;
• Verhalten, z.B. der Alkoholiker trinkt keinen Alkohol mehr; der Kranke spricht über seine Angst;
• Befunde, die meßbar sind, z.B. der Übergewichtige nimmt 250 g Körpergewicht pro Woche ab; der Patient trinkt 2000 ml Flüssigkeit in 24 Std.;
• Zustände, z.B. der Patient hat intakte Haut; der Patient führt einmal täglich weichen Stuhl ab;
• seelisch-geistiges Erleben, z.B. der Betroffene akzeptiert die Behinderung zunehmend und gewinnt an Selbstvertrauen.

Pflegeziele lassen sich in Nah- und Fernziele unterteilen; eine Gliederung ist oft sinnvoll, um auch Teilerfolge für den Patienten und für das Pflegepersonal sichtbar zu machen.

Fernziele beschreiben das gewünschte Endergebnis, werden also für einen relativ weiten Zeitraum gesteckt.

Sie beziehen sich z.B. auf

- den Zustand bei der Entlassung: der Patient kann in 6 Wochen die Körperpflege selbständig durchführen;
- die Rehabilitation: der Querschnittgelähmte kann in 10 Monaten weitgehend selbständig leben.

Nahziele beschreiben (Teil-) Ergebnisse, die in absehbarer Zeit erreicht werden sollen, z.B.: der Patient kann in drei Wochen selbständig die Toilette aufsuchen. So werden auch kleine Fortschritte und Erfolge sichtbar. Sie beziehen sich auf kleine abgegrenzte Bereiche, z.B.:

- der Kranke sitzt täglich für 10 Minuten im Sessel;
- der Patient wäscht seinen Oberkörper selbständig.

Nicht alle Pflegeziele lassen sich aus der Sicht des Patienten formulieren. Gemeint sind jene potentiellen Probleme, die durch pflegerische Maßnahmen der Krankenbeobachtung frühzeitig erkannt, nicht aber verhindert werden können. Verhindert werden in vielen Fällen jedoch weitere Krankheitsauswirkungen, z.B. ein Schock infolge einer Nachblutung. So können für bestimmte potentielle Probleme, z.B. für mögliche Komplikationen, folgende Ziele formuliert werden:

- frühzeitiges Erkennen von Nachblutungen;
- frühzeitiges Erkennen von Entzündungszeichen;
- rechtzeitiges Erkennen eines Kreislaufversagens.

Planung des pflegerischen Vorgehens *(Erstellung eines Pflegemaßnahmenplans)*

Die Planung der beabsichtigten Pflegemaßnahmen **orientiert sich an den Problemen und Ressourcen** des Patienten, an den festgelegten **Pflegezielen**, an der Akzeptanz von seiten des Patienten und an den zur Verfügung stehenden Möglichkeiten. Auch aus ärztlichen Anordnungen können Pflegemaßnahmen resultieren. Im allgemeinen werden diese Pflegemaßnahmen in den Pflegeplan aufgenommen, ohne zuvor ein dazugehöriges Problem und Pflegeziel zu formulieren. Allerdings können aus den Folgen der ärztlichen Anordnungen Probleme entstehen.

Beispiel: Der Arzt leitet eine Infusionstherapie ein und delegiert die Überwachung an das examinierte Pflegepersonal. Die daraus resultierende Pflegemaßnahme lautet: Kontrolle des Infusionseinlaufs. Für den Patienten entstehen evtl. aktuelle (Unsicherheit, Mobilitätseinschränkung, Schlafstörung) und potentielle Probleme (Risiko der Infektion und Verletzung; Möglichkeit des paravenösen Einlaufens und der Thrombose). Diese bedingen die Notwendigkeit, weitere Pflegeziele und -maßnahmen zu planen.

Der Pflegemaßnahmenplan wird von einer/m Krankenschwester / -pfleger - unter Einbeziehung des Patienten - aufgestellt und im Team besprochen, evtl. korrigiert. Danach ist er für alle **verbindlich**.

Eine konkrete Beschreibung der Maßnahmen ist notwendig, damit einheitlich vorgegangen werden kann. Sie beinhaltet (falls möglich):

- die Art der Maßnahme, z.B. Lagerung in schiefer Ebene;
- die Häufigkeit und die zeitlichen Abstände der Durchführung, z.B. im 2 stündlichen Wechsel über 24 Stunden;
- die Hilfsmittel, z.B. Schaumstoffkeile;
- die Pflegemittel, z.B. bestimmte Lösungen, Salben.

Die **Formulierung** sollte so knapp und verständlich wie möglich sein. Aufgeführte Pflegemaßnahmen müssen allen an der Pflege Beteiligten bekannt sein.

Aus praktischen Gründen ist es nicht immer möglich und erforderlich, für jeden Patienten eine individuelle Pflegeplanung zu entwickeln. Für pflegerische Handlungskomplexe (z.B. Katheterismus der Harnblase) und für Pflegesituationen (z.B. Pflege eines Menschen, der an der Parkinson - Krankheit leidet), in denen in der Regel typische potentielle und tatsächliche Probleme auftreten, können **Pflegestandards** eingesetzt werden.

Dadurch sind pflegerische Normen, qualitative und quantitative Kriterien sowie die Erfolgskontrolle pflegerischen Handelns vorgegeben. Auf diese Weise wird die Pflegequalität verbessert.

Eine individuelle, ganzheitlich orientierte Pflege wird durch genannte Standards weder verhindert noch ersetzt. Selbstverständlich muß ein **Pflegestandard** hinsichtlich seiner Anwendbarkeit auf den einzelnen Patienten **überprüft und ggf. individuell angepaßt** werden. Dies gilt vor allem für die jeweilige graduelle Ausweitung des Problems, den individuellen Umgang mit der Krankheit und das Erleben der Krankheit sowie für die individuellen Ressourcen. Für zusätzlich auftretende Probleme, die individuell und/oder durch weitere Erkrankungen (z.B. Diabetes mellitus) bedingt sind, darf der Blick nicht verlorengehen; sie müssen ebenfalls erfaßt und angegangen werden.

Bei Bedarf sind zusätzlich **individuelle Pflegepläne** zu entwickeln. Manche Pflegesituationen erfordern eine insgesamt individuell für den Patienten entwickelte Pflegeplanung. Hierbei können Pflegestandards als Entscheidungshilfe berücksichtigt werden.

Durchführung der Pflege

Die Durchführung der Pflege stellt den **Kern des Pflegeprozesses** dar, denn hier erfolgt die Anwendung der vorausgegangenen Planungsschritte im Sinne einer ganzheitlich orientierten Pflege. Leitfaden sind der für alle verbindliche Pflegeplan, aber auch die aktuelle Bedürftigkeit und das momentane Befinden des Patienten. Bei der Durchführung kommen alle Bereiche pflegerischer Kompetenz zum Tragen: psychosoziale Fähigkeiten, gezielte Beobachtung, Pflegetechniken / -methoden, Motivierung, Beratung und Anleitung des Patienten, Übernahme ärztlich delegierter Maßnahmen (z.B. Verabreichung einer Injektion oder eines Einlaufs).

Anschließend wird die Durchführung der Pflege - einschließlich der dabei gesammelten Beobachtungen - dokumentiert.

Verfassen eines Pflegeberichts

Der Pflegebericht dient einerseits als **Rechenschaftsbericht** über Vorgang, Verlauf und Wirkung der Pflege, andererseits dient er der **fortlaufenden Informationssammlung** und -weitergabe bezüglich:

- des Befindens des Patienten;
- der Beobachtungen (körperlicher und geistig-seelischer Zustand, Befindlichkeit, Verhalten);
- der Pflegebedürftigkeit / Selbständigkeit;

- der Reaktionen des Patienten auf die Pflegemaßnahmen;
- der Wirkung der pflegerischen Maßnahmen;
- neu auftretender Pflegeprobleme.

Die Durchführung der Pflegemaßnahmen wird durch ein entsprechendes Abhaken und Gegenzeichnen (Kürzel der Unterschrift) auf dem Pflegemaßnahmenplan *(Durchführungskontrollbogen)* bzw. durch direkte Eintragung in dafür vorgesehene Rubriken des Kurvenblattes (z.B. für Vitalwerte) dokumentiert. Besonderheiten und Abweichungen vom Pflegeplan werden im Pflegebericht aufgeführt.
Genannte Inhalte der fortlaufenden Informationssammlung werden im Pflegebericht **wertneutral** und stichpunktartig oder in kurzen Sätzen festgehalten. Datum, Zeit und Handzeichen vervollständigen jede Eintragung.
Beispiel: Frau X. hat sich den Oberkörper selbständig und mühelos gewaschen; die Haut ist intakt, keine Rötungen; sie ist heute zeitlich und örtlich orientiert, sucht das Gespräch; sie hustet nach Aufforderung gut ab, das Sekret ist klar und flüssig; sie ist nicht zum Aufstehen zu motivieren, da sie zu kollabieren befürchtet. 1.1.98, 6.00 - 13.00 h, A.K.

Erfolgskontrolle und Feedback
Anhand der Dokumentation der einzelnen Schritte des Pflegeprozesses kann die **Wirkung der Pflege nachvollzogen und beurteilt** werden. Richtlinie sind dabei die festgelegten Pflegeziele, denn sie beschreiben den angestrebten Zustand. Wurde das Pflegeziel erreicht, werden die Maßnahmen (z.B. prophylaktische Maßnahmen) beibehalten, solange die Risikofaktoren bestehen bzw. abgesetzt, wenn das Problem nicht mehr besteht.
Manchmal ist eine neue Definition des Problems erforderlich (wenn sich z.B. aus einem Dekubitus Stadium I ein Dekubitus Stadium III entwickelt hat); die Pflegeziele und Pflegemaßnahmen müssen entsprechend überdacht und angepaßt werden.
Eine Neuanpassung der Pflegeplanung ist ebenfalls erforderlich, wenn das gesetzte Pflegeziel nicht erreicht wurde. Es ist nach der Ursache zu suchen:

- War das Pflegeziel unrealistisch?
- Wurden die falschen Pflegemaßnahmen angewendet?
- Waren die Intensität oder das Ausmaß der Pflegemaßnahmen zu gering?
- Haben krankheitsbedingte Veränderungen den Pflegebedarf verändert?
- Verhält sich der alte Mensch nicht kooperativ?
- Verträgt der Pflegebedürftige bestimmte Pflegemittel nicht?
- Wurde das Problem nicht richtig erkannt?
- Wurde der individuelle Zustand des Patienten nicht ausreichend berücksichtigt, oder hat er sich verändert?

Entsprechend der Antwort müssen Probleme und/oder Ziel(e) und/oder Pflegemaßnahme(n) neu festgelegt werden.
Zeitpunkt und Häufigkeit der Erfolgskontrollen werden sowohl durch die formulierten Pflegeziele als auch durch die Pflegebedürftigkeit bestimmt. Erfolgskontrollen sollten fortlaufend von der verantwortlichen Pflegeperson, aber auch im Pflegeteam, durchgeführt werden.

Pflegeplanung **Patientenname:** Babara K.

Datum/ Stop	Probleme / Ressourcen	Ziele	Pflegemaßnamen	Hz.	Durchführung				
02.02. 1998	Schlaffe Lähmung re. - Kontrakturenrisiko für Schulter, Hüfte, Bein, Fuß rechts - Wahrnehmung der re. Seite vermindert - Entwicklung einer Spastizität möglich	Frau K. - hat bewegliche Gelenke - nimmt zunehmend die re. Seite wahr - entwickelt weitgehend norm. Muskeltonus	- Lagerung und Handling nach Bobath (Lagerungsplan) - Nachttisch und Besucherstuhl zur re. Körperseite - alle Handlungen von re. Seite her ausführen	A.K.	Datum Zeit Hz.	2.2.98 11.00 A.K.			
02.02. 1998	Motorische Aphasie - Pat. spricht nur einzelne Worte, kann nicht alles mitteilen weitgehend intaktes Sprachverständnis	- fühlt sich verstanden - kann sich verständlich machen - erfährt Geduld	- Geduld zeigen - langsam, deutlich, einfach sprechen - einfache Zeichen für Zustimmung und Ablehnung abmachen - Schreibtraining mit linker Hand	A.K.	Datum Zeit Hz.	2.2.98 12.00 A.K.			

Abb. I.9 ***Pflegeplanung*** *(Auszug)*

Pflegebericht **Patientenname:** Babara K.

Datum	Pflegebericht	Hz.	Datum	Pflegebericht	Hz.
02.02. 1998 11.30 h	Frau K. kam in Begleitung ihres Ehemannes, beide wurden vom Arzt über das Krankheitsbild informiert - sind sehr betroffen. Pat. akzeptiert Lagerung nach Bobath, ist kooperativ; schläft viel; weint, wenn sie wach ist	A.K.			

Abb. I.10 ***Pflegebericht*** *(Auszug)*

Pflegeanamnese

Personalien
Adressenaufkleber:
Barbara K.
geb. 25.09.1927

Hausarzt:
Dr. Ludorf

Einweisungsdiagnose:
Apoplexie

Krankheitsbild:
Schlaganfall mit
Halbseitenlähmung rechts
motorische Aphasie

Patient ist aufgeklärt:
☒ JA ☐ NEIN

Angehöriger ist aufgeklärt:
☒ ☐ JA ☐ NEIN

Ansprechpartner:
(Angehöriger)
Ehemann: Tel. 55555

Vorherige Krankenhaus-aufenthalte:
1990 wegen Bluthochdruck

Blutgruppe: A. Rh pos.

Diät:
keine

Allergien:
Penicillin

Herzschrittmacher: Ø

Besondere Medikamente:
nein

Sonstiges:
Pat. war bisher
mobil und aktiv

Aufnahmezustand
Datum: 02.02.1998
☐ mobil
☒ teilweise immobil
☐ immobil
☒ bewußtseinsklar
☐ benommen
☐ bewußtlos
☒ orientiert
☐ teilweise orientiert
☐ desorientiert

Dekubitus:
nein

Kontraktur:
nein

Hilfsmittel / Prothesen
☐ Gehstützen
☐ Rollstuhl
☐ Brille
☐ Hörgerät
☐ Zahnprothese
  ☒ oben ☐ unten
☐ Glasauge
  ☐ rechts ☐ links
☐ Kontaktlinsen
  ☐ rechts ☐ links
☒ Haarteil
☐ Perücke
☐ Extremitätenprothese:

ATL (U = uneingeschränkt, E = eingeschränkt, A = abhängig)	U	E	A	Besonderheiten, Hinweise Gewohnheiten, Wünsche ....
Atmen	x			Aspirationsgefahr wegen Schluckstörung
Essen und Trinken		x		Schluckakt beeinträchtigt; mag keine Milch
Ausscheiden		x		verspürt Harndrang, kann ihn nur kurz unterdrücken
Für Sicherheit sorgen		x		Gleichgewichtsstörung; Angst, Pflegefall zu bleiben
Regulieren der Körpertemperatur	x			trägt nachts Socken
Sich Bewegen			x	schlaffe Lähmung rechts linke Körperhälfte beweglich
Sich Pflegen und Kleiden			x	ist gewohnt, morgens zu duschen
Wach sein, Ruhen und Schlafen	x			schläft bei offenem Fenster
Kommunizieren		x		versteht alles, spricht nur vereinzelte Worte
Sich Beschäftigen		x		hat viel im Garten gearbeitet; liest gern
Geschlechtliches Erleben und Verhalten	?			möchte nicht vom Pfleger gewaschen werden
Sinn finden		x		weint viel; wirkt traurig

Religiöse Bedürfnisse:
sonntags zur heiligen
Messe

Erwartungen:
möchte wieder laufen können

Entlassungsprobleme:

Datum: 02.02.1998

Unterschrift: Sr. Monika S.

Abb. I.11 ***Pflegeanamnese (Beispiel)***

F. Sicherung der Pflegequalität

❒ Pflegequalität

Qualität = Eigenschaft, Beschaffenheit, Güte, Wertstufe

Gemäß § 80 Pflege-Versicherungsgesetz (Sozialgesetzbuch XI) sind die zugelassenen Pflegeeinrichtungen verpflichtet, sich an Maßnahmen zur Qualitätssicherung zu beteiligen.

Nach A. DONABEDIAN ist **Pflegequalität** die **Übereinstimmung zwischen der wirklich geleisteten Pflege und den zuvor dafür formulierten Standards und Kriterien**.

Er nimmt eine Unterteilung in die Bereiche Struktur-, Prozeß- und Ergebnisqualität vor; diese wird zunehmend von den Pflegeberufen übernommen.

Die Strukturqualität bezieht sich auf die Rahmenbedingungen der Pflege. Diese ergeben sich aus
- dem Betriebstyp und der Organisationsform der Pflegeeinrichtung,
- der Qualifikation und Zahl der Pflegenden,
- dem Aus-, Fort- und Weiterbildungsangebot,
- den räumlichen Gegebenheiten,
- der Verfügbarkeit von Pflegehilfsmitteln.

Die Prozeßqualität bezieht sich auf die Art und den Umfang der pflegerischen Arbeit. Sie wird wesentlich beeinflußt von
- Standards (Handlungsrichtlinien),
- von der Pflegephilosophie der Einrichtung,
- von den Stufen der Pflegequalität,
- von den Pflegekonzepten, Pflegemethoden und Pflegetechniken.

Die Ergebnisqualität bezieht sich auf die Wirkung der Pflege. Sie
- spiegelt sich im Wohlbefinden, in der Zufriedenheit und im Gesundheitszustand des Patienten wider,
- kann durch gezielte Beobachtung erfaßt werden und
- steht in engem Zusammenhang mit der Struktur- und Prozeßqualität.

❒ Förderung und Sicherung der Pflegequalität

D. SCHIEMANN definiert **Qualitätssicherung** in der Pflege wie folgt:

"Die Qualitätssicherung ist der Vorgang des Beschreibens von Zielen in Form von Pflegestandards und Kriterien, das Messen des tatsächlichen Pflegeniveaus und falls erforderlich das Festlegen und Evaluieren von Maßnahmen zur Modifizierung der Pflegepraxis".

Zur Definition, Förderung und Sicherung von Pflegequalität sind **Standards** (Struktur-, Prozeß-, Ergebnisstandards) erforderlich. Hierin müssen sich u.a. sowohl die Bereitschaft, günstige Bedingungen für eine qualitätsorientierte Pflege zu schaffen als auch der Wille und die Fähigkeit, qualitätsorientiert zu pflegen, wiederfinden.

Voraussetzungen für das Erreichen von **Pflegequalität sind** demnach vor allem:
- günstige institutionelle und organisatorische Bedingungen,
- Bestimmung des Pflegeniveaus und des Pflegeleitbildes (z.B. Entscheidung für bestimmte Pflegekonzepte, aktivierende Pflege),
- Motivation zu qualitätsorientierter Pflege,
- fundiertes Pflegefachwissen und Handlungskompetenz (qualifizierte Aus-, Fort- und Weiterbildung),
- Pflegeplanung und -dokumentation,
- Standards (Struktur-, Prozeß-, Ergebnisstandards),
- Überprüfung des Pflegeergebnisses anhand der pflegerischen Zielsetzung (Pflegeplanung, Standards und/oder in den Stufen der Pflegequalität festgelegte Ziele),
- Einschätzung und Reflexion der Pflege anhand der Stufen der Pflegequalität.

❒ Standards

Standard = Normalmaß, Richtschnur

Pflegestandards sind ein **Instrument der Qualitätssicherung** und -kontrolle; sie legen **angemessene Handlungsrichtlinien für** bestimmte **Pflegesituationen / pflegerische Bereiche** fest.

Zur Verdeutlichung einige Definitionen.

> *"Ein Standard in der Pflege ist ein vereinbartes Maß an für einen bestimmten Zweck benötigter pflegerischer Betreuung" (WHO, 1983).*
>
> *"Standards sind Maßstäbe für angemessenes pflegerisches Handeln, mittels derer eine bestimmte Pflegequalität festgelegt und überprüft werden kann" (POPPE, 1985).*
>
> *"Pflegestandards sind allgemein gültige und akzeptierte Normen, die den Aufgabenbereich und die Qualität der Pflege definieren. Pflegestandards legen themen- oder tätigkeitsbezogen fest, was die Pflegepersonen in einer konkreten Situation generell leisten wollen / sollen und wie diese Leistung auszusehen hat" (VON STÖSSER, 1994).*

Entsprechend den Variablen der Pflegequalität werden

- ⇨ **Strukturstandards** (die die Rahmenbedingungen beschreiben),
- ⇨ **Prozeßstandards** (die Art und Umfang der pflegerischen Arbeit beschreiben) und
- ⇨ **Ergebnisstandards** (die das beabsichtigte Pflegeergebnis beschreiben) unterschieden.

Bei der Erstellung eines Pflegestandards werden häufig alle drei Variablen berücksichtigt; die meisten Pflegestandards sind primär prozeßorientiert.

Anforderungen an Standards

Der Weltbund für Krankenschwestern und Krankenpfleger (ICN) hat 1985 **Richtlinien** für die Entwicklung von Pflegestandards aufgestellt, die schwerpunktmäßig zusammengefaßt sind:

Standards sollen

- dem Erreichen eines festgelegten Zieles dienen. Der Zweck von Standards besteht darin, die Qualität von Dienstleistungen festzulegen;
- auf klaren Definitionen von beruflicher Tätigkeit und Verantwortung beruhen;
- die größtmögliche Entwicklung des Berufs im Einklang mit seinem potentiellen gesellschaftlichen Beitrag fördern;
- umfassend und flexibel genug sein, um ihren Zweck zu erfüllen und gleichzeitig Freiraum für Innovation, Wachstum und Veränderung ermöglichen;
- ein allgemein gleiches Niveau der Berufsausübung fördern und zu beruflicher Identität und Beweglichkeit ermutigen;
- die Gleichberechtigung und gegenseitige Abhängigkeit der Berufsgruppen anerkennen, die unentbehrliche Dienstleistungen anbieten;
- so formuliert werden, daß im Beruf ihre Anwendung und Nutzung erleichtert wird.

G. Berufsbild für die Pflegeberufe

Der Deutsche Berufsverband für Pflegeberufe (DBfK) hat 1989 das folgende Berufsbild für die Pflegeberufe erstellt.
Die Fassung von 1997 wird weiterhin in Abständen den sich wandelnden Anforderungen an die Pflegeberufe angepaßt werden.

"Berufsbild

Krankenschwester / -pfleger
Kinderkrankenschwester / -pfleger
Altenpflegerin / -pfleger
Krankenpflegehelferin / -helfer

Präambel

Zum Selbstverständnis eines Berufsstandes und zur Klärung der gemeinsamen Zielsetzung eines Berufsstandes ist ein Berufsbild unerläßlich.
Mitglieder des Deutschen Berufsverbandes für Pflegeberufe (DBfK) haben diese Notwendigkeit seit langem erkannt und tragen ihr hiermit Rechnung.
Pflege erstreckt sich auf Gesunde und Kranke, bezieht also die Gesundheitsvor- und -fürsorge sowie die Betreuung gesunder Hilfebedürftiger mit ein. Als Grundlage dient die international anerkannte Definition von Krankenpflege, wie sie vom Weltbund der Krankenschwestern und Krankenpfleger (ICN) und der Weltgesundheitsorganisation (WHO) formuliert wurde.
Es gehört zum beruflichen Selbstverständnis der Mitglieder im DBfK, daß sich die Pflege an der Bedürftigkeit des Menschen orientiert, nicht an einzelnen Funktionen. Der Mensch wird in seiner Ganzheit betreut.
Aufgrund dieser Auffassung und der umfassenden Auslegung des Begriffs "Pflege" ist es möglich, ein gemeinsames Berufsbild für alle Pflegeberufe (Krankenschwester / -pfleger, Kinderkrankenschwester / -pfleger, Altenpflegerin / -pfleger, Krankenpflegehelferin / -helfer) zu erstellen.

Berufsbegriff

Pflege ist Lebenshilfe und für die Gesellschaft notwendige Dienstleistung. Sie befaßt sich mit gesunden und kranken Menschen aller Altersgruppen.
Pflege leistet Hilfen zur Erhaltung, Anpassung oder Wiederherstellung der physischen, psychischen und sozialen Funktionen und Aktivitäten des Lebens.
Pflege ist eine abgrenzbare Disziplin mit einem Gebiet von Wissen und Können, welches sie von anderen Fachgebieten des Gesundheitswesens unterscheidet.
Pflege ist als eigenständiger Beruf und selbständiger Teil des Gesundheitsdienstes für die Feststellung der Pflegebedürftigkeit, die Planung, Ausführung und Bewertung der Pflege zuständig und für die eigene Aus-, Fort- und Weiterbildung verantwortlich.
Pflege stützt sich in der Ausübung des Berufes und in der Forschung auf ihre eigene wissenschaftliche Basis und nützt dabei die Erkenntnisse und Methoden der Natur-, Geistes- und Sozialwissenschaften.

Berufsaufgaben

Die wichtigste Aufgabe der Pflegenden besteht in der unmittelbaren Begleitung, Betreuung, Beratung und Versorgung von alten, behinderten, kranken und hilfebedürftigen Menschen und ihrer Angehörigen.
Die Leistungen werden für den einzelnen, die Familie und die Gesellschaft erbracht.

Die Aufgaben der Pflege im einzelnen sind:

- die körperlichen, geistigen, seelischen und sozialen Bedürfnisse, Möglichkeiten und Probleme der anvertrauten Menschen zu erkennen und zu beurteilen
- unter Einbeziehung dieses Wissens individuelle und ganzheitliche Pflege zu planen und durchzuführen, zu dokumentieren und auszuwerten
- bei der Eingliederung und Wiedereingliederung in den Lebensraum des Kranken und Behinderten mitzuwirken
- Gesunde und Kranke zu motivieren und anzuleiten, ihre Gesundheit zu erhalten oder wiederzuerlangen
- Menschen aller Altersstufen in ihrer letzten Lebensphase individuell zu begleiten und dem einzelnen ein würdiges Sterben zu ermöglichen
- zum Wohle des Kranken und Hilfebedürftigen mit ihm, seinen Angehörigen und anderen Berufsgruppen im Gesundheitswesen zusammenzuarbeiten
- alle an der Behandlung und Betreuung des Kranken und Hilfebedürftigen Beteiligten im Rahmen des eigenen Aufgaben- und Kompetenzbereiches zu unterstützen
- dem Pflege- und Hilfebedürftigen nach dem Grad seiner Pflegebedürftigkeit das entsprechend qualifizierte Pflegepersonal zuzuweisen
- an der Weiterentwicklung und Verbesserung von Pflegemethoden und Pflegetechniken zu arbeiten
- Erfahrungen, Fertigkeiten und Kenntnisse an den pflegerischen Nachwuchs weiterzugeben
- Hilfskräfte anzuleiten und zu überwachen

- die eigene Berufsgruppe aus-, fort- und weiterzubilden
- bei der Aus-, Weiter- und Fortbildung anderer Berufe im Gesundheitswesen mitzuwirken
- Pflegeforschung zu fördern, zu unterstützen, zu veranlassen und selbst durchzuführen.

Die erforderlichen Aufgaben bzw. Arbeitsteilungen orientieren sich dabei nicht an Einzelmaßnahmen, sondern am gesunden oder kranken Menschen in seiner Ganzheit.
Die Arbeitsorganisation erfolgt aufgrund der unterschiedlichen Gesamtpflegebedürftigkeit der Betroffenen und den sich daraus ergebenden Anforderungen an das Wissen und Können der Pflegenden, z.B. innerhalb eines Teams. Diese Anforderungen variieren von Mensch zu Mensch aufgrund seiner individuellen Lebenssituation. Diese wiederum wird beeinflußt durch sich verändernde Bedingungen seiner Umwelt, Entwicklung und/oder Erkrankung.
Das bedeutet:
Für jeden Betroffenen ist die Gesamtpflegebedürftigkeit zu ermitteln.
Danach wird der Hilfebedürftige einem Mitarbeiter mit entsprechender beruflicher Qualifikation zugeordnet. Dieser hat, wie zuvor in den Aufgaben der Pflege beschrieben, dessen Möglichkeiten und Probleme zu erfassen und die Pflege danach zu planen, durchzuführen und auszuwerten. Da in der Regel nicht nur ein Mitarbeiter die pflegerische Versorgung des zu Betreuenden übernimmt, ist zur Sicherstellung zielgerichteten Arbeitens die Dokumentation der gesamten pflegerischen Arbeit notwendig. Die Gesamtverantwortung für die Pflege liegt bei den Angehörigen der Pflegeberufe und ist abhängig von deren Qualifikation.

Ausbildungen

Um die Ziele und Aufgaben der Krankenpflege erfüllen zu können, bedarf es qualifizierter Ausbildungen.

Verschiedene Ausbildungsgänge sind möglich. Diese sind durch Bundes- bzw. Ländergesetze und Verordnungen staatlich geregelt. Für jede Ausbildung sind entsprechende formale Voraussetzungen zu erfüllen.

Allgemeine persönliche Voraussetzungen sind:

- Bereitschaft und Fähigkeit zu verantwortlichem Handeln
- Kreativität und Flexibilität, um sich auf unterschiedliche Menschen und Situationen einstellen zu können
- Kontakt- und Teamfähigkeit
- physische und psychische Gesundheit.

Die Schwerpunkte der Ausbildungen ergeben sich aus den genannten Zielen und Aufgaben der Krankenpflege und finden ihren Niederschlag in gesetzlichen Bestimmungen.

❒ Krankenpflege

Die Ausbildung in der Krankenpflege ist geregelt durch das Gesetz über die Berufe in der Krankenpflege vom 4.6.1985 und durch die Ausbildungs- und Prüfungsverordnung für die Berufe der Krankenpflege vom 16.10.1985.

Zulassung zur Ausbildung:
- Vollendung des 17. Lebensjahres
- Realschulabschluß oder gleichwertige Schulbildung bzw. abgeschlossene Berufsausbildung bei Hauptschulabschluß.

Berufsbezeichnung:
- Krankenschwester / Krankenpfleger

Ausbildungsdauer: 3 Jahre

- **Theoretische Ausbildung:**
  mindestens 1600 Stunden
  Inhalt:
  - Krankenpflege
  - Grundlagen der Rehabilitation
  - Einführung in die Organisation und Dokumentation im Krankenhaus
  - Berufs-, Gesetzes- und Staatsbürgerkunde
  - Grundlagen der Psychologie, Soziologie und Pädagogik
  - Biologie, Anatomie und Physiologie
  - Allgemeine und spezielle Krankheitslehre einschließlich Vorsorge, Diagnostik, Therapie und Epidemiologie
  - Hygiene und medizinische Mikrobiologie
  - Erste Hilfe
  - Arzneimittellehre
  - Fachbezogene Physik und Chemie
  - Sprache und Schrifttum.

- **Praktische Ausbildung:**
  mindestens 3000 Stunden
  Inhalt:
  Sach- und fachkundige, umfassende geplante Pflege in klinischen, öffentlichen und privaten Bereichen.

Abschluß: Schriftliche, mündliche, praktische Prüfung vor einem staatlichen Prüfungsausschuß.

❒ Kinderkrankenpflege

Die Ausbildung in der Kinderkrankenpflege ist geregelt durch das Gesetz über die Berufe in der Krankenpflege vom 4.6.1985 und durch die Ausbildungs- und Prüfungsverordnung für die Berufe der Krankenpflege vom 16.10.1985.

Zulassung zur Ausbildung:
- Vollendung des 17. Lebensjahres
- Realschulabschluß oder gleichwertige Schulbildung bzw. abgeschlossene Berufsausbildung bei Hauptschulabschluß.

Berufsbezeichnung:
- Kinderkrankenschwester / Kinderkrankenpfleger

Ausbildungsdauer: 3 Jahre

• **Theoretische Ausbildung:**
mindestens 1600 Stunden

Inhalt:
- Kinderkrankenpflege
- Grundlagen der Rehabilitation
- Einführung in die Organisation und Dokumentation im Krankenhaus
- Berufs-, Gesetzes- und Staatsbürgerkunde
- Grundlagen der Psychologie, Soziologie und Pädagogik
- Biologie, Anatomie und Physiologie
- Allgemeine und spezielle Krankheitslehre einschließlich Vorsorge, Diagnostik, Therapie und Epidemiologie
- Hygiene und medizinische Mikrobiologie
- Erste Hilfe
- Arzneimittellehre
- Fachbezogene Physik und Chemie
- Sprache und Schrifttum.

• **Praktische Ausbildung:**
mindestens 3000 Stunden

Inhalt:
Sach- und fachkundige, umfassende geplante Pflege in klinischen, öffentlichen und privaten Bereichen.

Abschluß: Schriftliche, mündliche, praktische Prüfung vor einem staatlichen Prüfungsausschuß.

❒ Altenpflege

Die Ausbildung und Prüfung in der Altenpflege ist durch unterschiedliche Ländergesetze und Verordnungen geregelt. Die Altenpflegeausbildung kann berufsbegleitend oder als Vollzeitmaßnahme erfolgen.

Zulassung zur Ausbildung:
- ab 16. Lebensjahr
- Hauptschulabschluß oder gleichwertige Schulbildung
- abgeschlossene Berufsausbildung bzw. 3jährige berufliche Tätigkeit.

Berufsbezeichnung:
- Altenpflegerin / Altenpfleger

Ausbildungsdauer: 2 - 3 Jahre

• **Theoretische Ausbildung:**
1400 - 2240 Stunden

Inhalt:
- Alten- und Krankenpflege
- Gesundheitslehre / Ernährungslehre
- Alterssoziologie, -psychologie und - psychiatrie
- Berufskunde
- Ethik und Religion
- Krankheitslehre
- Arzneimittellehre
- Beschäftigungstherapie
- Sozialkunde
- Rechtskunde.

• **Praktische Ausbildung:**
1200 - 3000 Stunden

Inhalt:
- Allgemeine Pflege bei hilfebedürftigen und kranken alten Menschen
- Spezielle sozialpflegerische Betreuung des alten Menschen in klinischen, öffentlichen und privaten Bereichen.

Abschluß: Schriftliche, mündliche, praktische Prüfung vor einem staatlichen Prüfungsausschuß.

❒ Krankenpflegehilfe

Die Ausbildung in der Krankenpflegehilfe ist geregelt durch das Gesetz über die Berufe in der Krankenpflege vom 4.6.1985 und durch die Ausbildungs- und Prüfungsverordnung für die Berufe in der Krankenpflege vom 16.10.1985.

Zulassung zur Ausbildung:
- Vollendung des 17. Lebensjahres
- Hauptschulabschluß oder gleichwertige Schulbildung bzw. abgeschlossene Berufsausbildung.

Berufsbezeichnung:
- Krankenpflegehelferin / Krankenpflegehelfer

Ausbildungsdauer: 1 Jahr

• **Theoretische Ausbildung:**
500 Stunden

Inhalt:
- Krankenpflegehilfe
- Berufs-, Gesetzes- und Staatsbürgerkunde
- Grundlagen der Biologie, Anatomie und Physiologie
- Allgemeine Krankheitslehre
- Hygiene
- Erste Hilfe
- Arzneimittellehre.

• **Praktische Ausbildung:**
1100 Stunden

Inhalt:
Grundlegende pflegerische Versorgung von Kranken im stationären Bereich.

Abschluß: Mündliche und praktische Prüfung vor einem staatlichen Prüfungsausschuß.

Berufliche Bildung

Fortbildung

Die Gesundheitsbedürfnisse und -probleme des Menschen werden von den Entwicklungen in Medizin und Gesellschaft ständig beeinflußt. Um den sich verändernden Bedürfnissen gerecht zu werden, müssen die Berufsgruppen in der Pflege ihre Kenntnisse, Fähigkeiten und Fertigkeiten diesen Entwicklungen anpassen. Dazu ist eine kontinuierliche Fortbildung unabdingbar. Diese Fortbildung wird sowohl innerbetrieblich als auch in überbetrieblichen Institutionen durchgeführt.

Weiterbildung

Die Wahrnehmung der Ziele und Aufgaben der Pflege in den unterschiedlichen Fachbereichen, im Management, im Unterricht und in der Forschung, ist ohne gezielte Weiterbildung nicht möglich. Weiterbildung wird in entsprechenden Institutionen in Vollzeitlehrgängen oder berufsbegleitend durchgeführt, sie kann je nach Bundesland unterschiedlich geregelt sein.
Zur Zeit wird Weiterbildung u.a. in folgenden Bereichen angeboten:

- Leitung des Pflegedienstes einer Station oder Abteilung
- Leitung des Pflegedienstes eines Krankenhauses oder einer entsprechenden Einrichtung
- Unterrichtstätigkeit und Leitung von Schulen für Pflegeberufe
- Allgemeine Krankenpflege (Pflegefachseminar)
- Anaesthesie und Intensivpflege
- Berufspädagogik
- Endoskopie
- Enterostomatherapie
- Gemeindekrankenpflege
- Krankenhaushygiene
- Operationsdienst
- Psychiatrie.

Arbeitsbereiche

Krankenschwestern / Krankenpfleger, Kinderkrankenschwestern / Kinderkrankenpfleger, Altenpflegerinnen / Altenpfleger, Krankenpflegehelferinnen / Krankenpflegehelfer üben ihre Tätigkeit entsprechend ihrer jeweiligen Ausbildung bzw. Weiterbildung u.a. in verschiedenen Bereichen und Einrichtungen des Gesundheits- und Sozialwesens aus:

❒ Öffentlicher und privater Bereich

- Beratung und Betreuung von Kranken / Hilfebedürftigen verschiedener Altersgruppen in der ambulanten Krankenpflege, in Sozialstationen, Werksambulanzen, Gesundheitsämtern, Schulen
- Betreuung von Kranken / Hilfebedürftigen verschiedener Altersgruppen in halboffenen Einrichtungen wie Tages- und Nachtkliniken
- Betreuung von Kranken / Hilfebedürftigen in Einrichtungen der Altenhilfe / Altenpflege, Behinderteneinrichtungen
- Leitung des Pflegedienstes
- Kindergärten und Kinderkrippen.

❒ Klinischer Bereich

- Pflege von Kranken / Hilfebedürftigen verschiedener Altersgruppen in verschiedenen medizinischen Disziplinen
- Mitarbeit in Funktionsbereichen wie z.B. Operationsdienst
- Leitung des Pflegedienstes
- Rehabilitation.

❒ Bildungseinrichtungen

- Unterrichtstätigkeit z.B. in Krankenpflegeschulen, Kinderkrankenpflegeschulen, Altenpflegeschulen, Schulen für Krankenpflegehilfe
- Leitung von Ausbildungsstätten
- Unterrichtstätigkeit in der innerbetrieblichen Fortbildung
- Unterrichtstätigkeit an Fort- und Weiterbildungsstätten
- Leitung von Fort- und Weiterbildungsstätten.

❒ Forschung

- In allen Bereichen und Einrichtungen, in denen Pflegeforschung geleistet wird.

❒ Berufspolitik

- Mitarbeit in Berufsverbänden
- Mitarbeit in Gewerkschaften
- Mitarbeit in Einrichtungen des Gesundheitswesens.

Den Angehörigen der Pflegeberufe eröffnen sich vielfältige, den persönlichen Neigungen und Begabungen entsprechende Tätigkeitsbereiche wie in kaum einem anderen Beruf."
(Zitat "Berufsbild Pflegeberufe" Ende)

II. Erleben von Krankheit

Krankheit kann **individuell unterschiedlich** erlebt werden. Auch die Art und Schwere der Erkrankung sowie die sozialen Begebenheiten (soziale Bindungen und materielle Sicherheit) beeinflussen das jeweilige Krankheitserleben.

Kranksein kann z.B. erlebt werden als:

- Unwohlsein, Unbehagen;
- körperliche Schwäche;
- Einschränkung der Leistungsfähigkeit;
- Versagen, Labilität, mangelhafte Belastbarkeit;
- schmerzbeherrschtes Erleben;
- Leiden;
- Verlust von Attraktivität;
- Verringerung der Lebensqualität;
- Beunruhigung, Bedrohung, Angst (Angst vor der Zukunft, vor dem Tod);
- Isolierung, Ausschluß von sozialen Kontakten / vom gesellschaftlichen Leben;
- Lebenskrise;
- Prüfung, Aufgabe;
- Strafe (gerechte oder ungerechte);
- (gottgewolltes) Schicksal;
- Verlust bestimmter sozialer Rollen, evtl. verbunden mit Übernahme anderer Rollen;
- Zustand, der ungewohnte Zuwendung, Rücksichtnahme und Beachtung mit sich bringt;
- Befreiung von Verpflichtungen;
- Hinweis auf ein zu lösendes Lebensproblem, als Chance, seine Lebensführung positiv (gesundheitsfördernd) zu verändern;
- als Chance und Weg, die persönlichen Werte neu zu ordnen.

❒ Auswirkungen von Krankheit

Die Auswirkungen von Krankheit, insbesondere im Zusammenhang mit einem Krankenhausaufenthalt, werden individuell unterschiedlich empfunden. Neben den körperlichen Beschwerden kommt es oft (vorübergehend) zu **Rollenverlusten** einerseits und zur Übernahme neuer Rollen andererseits. Die neue **Rolle als Kranker** ist mit Anpassung und Unterordnung unterschiedlichen Ausmaßes belegt. Nicht selten bedingt die Krankheit zusätzlich Unselbständigkeit, Hilflosigkeit, Unsicherheit und Passivität. Die aktive Teilhabe am gesellschaftlichen Leben ist eingeschränkt; krankheitsbezogenes Interesse und Rücksichtnahme der Mitmenschen lassen nicht selten schnell nach.
Die durch einen Krankenhausaufenthalt unfreiwillig entstandenen sozialen Kontakte werden zum Teil als bereichernd und belebend, aber auch als belästigend und hemmend erlebt.
Bevormundung und die Einschränkung der Selbstbestimmung können das Wohlbefinden und Selbstwertgefühl eines Betroffenen beeinträchtigen.

Während des Krankseins können die Gefühle und Stimmungen durch **Gedanken und Sorgen**, die sich auf die Krankheit beziehen, geprägt sein. Die **Angst** vor der Diagnose, vor der Zukunft, vor dem Verlust bestimmter Fähigkeiten, vor ärztlichen Eingriffen oder vor dem Tod kann das gesamte Erleben beherrschen. Trotzdem kann ein Betroffener seine Erkrankung zunehmend akzeptieren und bereit sein, sich - entsprechend seinen Kräften - aktiv mit ihr auseinanderzusetzen.

❒ Umgang mit der Krankheit - Krankheitsverarbeitung

Der Umgang mit einer Erkrankung ist bei jedem Menschen durch für ihn typische **Anpassungs- und Bewältigungsmuster** sowie durch **Abwehrmechanismen** gekennzeichnet. Beide sind kaum strikt voneinander zu trennen, da bewußte Aktivitäten, die der Krankheitsverarbeitung und -bewältigung dienen, durch unbewußte Abwehrmechanismen beeinflußt werden.
Beispiel: Ein Mensch, der sich sehr viele Gedanken über seine Krankheit, mögliche Gefahren und Folgen macht, kann sich so bewußt mit seiner Situation auseinandersetzen; gleichzeitig kann seine auffällige Art im Umgang mit der Krankheit auch ein unbewußter Versuch sein, sich Ängste, Ohnmacht und andere bedrohliche Gefühle vom Leib und vom Bewußtsein fernzuhalten (*Intellektualisierung*, *siehe nachfolgend*).

❍ Abwehrmechanismen

Der Begriff Abwehrmechanismus stammt aus der Psychoanalyse und meint eine **Auseinandersetzung mit einer** für den Menschen **beängstigenden, bedrohlichen, konflikthaften inneren oder äußeren Wirklichkeit**, die **von unbewußten seelischen Vorgängen mitbestimmt** wird.
Abwehrmechanismen sind Mittel des ICH, die in Konfliktsituationen eingesetzt werden, um das psychische Gleichgewicht und die Handlungsfähigkeit zu bewahren. Dabei werden unangenehme, schmerzliche und vor allem ängstigende Eindrücke, Vorstellungen und Gefühle vom Bewußtsein ferngehalten.
Die Psychoanalyse unterscheidet die folgenden Abwehrmechanismen.

Identifizierung

Aus dem Wunsch heraus, so zu sein oder so zu werden wie ein anderer Mensch, verändert man sich in den Aspekten, in denen man sich dem Vorbild anzugleichen wünscht. Dazu gehört auch, die Werte und Einstellungen des anderen zu übernehmen und seine Empfindungs- / Verhaltensweisen nachzuahmen.
Beispiel: Die Lebenseinstellung und -weise eines als gesund und vital geschätzten Menschen wird nachgeahmt, z.B. eine besondere Ernährungsweise.

Projektion

Eigenschaften, Wünsche und Bestrebungen, die man in sich selbst ablehnt und verkennt, werden anderen zugeschrieben.
Beispiel: Der Alkoholabhängige reagiert auf andere, ebenfalls abhängige Menschen mit auffälliger Ableh-

nung und Feindseligkeit; andererseits unterstellt er anderen Personen, daß sie ablehnend und feindselig auf ihn reagieren.

Regression
Der Mensch zeigt einen Rückschritt, er kehrt auf lebensgeschichtlich frühere Entwicklungsstufen zurück, d.h. es treten für die Kindheit typische Haltungen, Gemütszustände und Verhaltensweisen auf.
Beispiel: Der Kranke gibt sich bei der Nahrungsaufnahme hilfsbedürftig, obwohl er die körperlichen Fähigkeiten besitzt, sie selbständig auszuführen.

Reaktionsbildung
Wünsche und Impulse werden abgewehrt durch Verhaltensweisen, in denen eine der verdrängten Tendenz entgegengesetzte Bedeutung zum Ausdruck kommt.
Beispiel: Der Kranke zeigt sich tapfer und stark, obwohl ihm nach Anlehnung, Fallenlassen und Weinen zumute ist.

Intellektualisierung
Die eigenen Gefühle und die emotionalen Konflikte werden ganz rational geäußert, um sie auf Distanz zu halten und so zu meistern.
Beispiel *siehe vorstehend "Umgang mit der Krankheit".*

Rationalisierung
Der Mensch versucht, Gedanken und Gefühlen bzw. einer Handlung, deren wirkliche Motive und Hintergründe nicht erkannt werden, eine vernünftig klingende, logisch einwandfrei bzw. moralisch akzeptable Erklärung / Rechtfertigung zu geben.
Beispiel: Ein Mensch mit künstlichem Darmausgang äußert gegenüber seinem Lebenspartner, daß er das Stoma abstoßend und für eine andere Person unzumutbar empfindet; gleichzeitig entzieht er sich damit der Aufnahme intimer Kontakte.

Verleugnung
Die Verleugnung richtet sich gegen die bewußte Wahrnehmung einer bedrohlichen inneren oder äußeren Wirklichkeit bzw. ihrer möglichen oder tatsächlichen Folgen. Man handelt (teilweise) so, als ob eine tatsächliche Gefahrensituation nicht bestünde.
Beispiel: Ein an schweren Durchblutungsstörungen leidender Mensch verleugnet die auftretenden Schmerzen und behält seine Rauchgewohnheiten trotz Information über den Zusammenhang von Durchblutungsstörungen und inhalativem Rauchen bei.

Verschiebung
Wut und Aggression werden an anderen, meist schwächeren und/oder untergeordneten Menschen ausgelassen oder Gefühle, die durch die Krankheit ausgelöst werden, werden auf andere Ereignisse "verschoben".
Beispiel: Die einzigen Äußerungen eines Mannes, der soeben einen Herzinfarkt überlebt hat, gegenüber seiner Frau beziehen sich auf die Pflege des häuslichen Schwimmbades. Der dabei vorherrschende dringliche und sorgenvolle Ton ist eigentlich Ausdruck seiner Todesangst.

❍ Krankheitsbewältigung *(Coping)*
Der Begriff "Krankheitsbewältigung" meint die **Fähigkeit, eine Krankheit zu verarbeiten** (*Coping*).
HEIM und WILLI (1986) definieren **Coping** als das Bemühen, bereits bestehende oder erwartete Belastungen durch die Krankheit innerpsychisch *(emotional / kognitiv)* oder durch zielgerichtetes Handeln aufzufangen, auszugleichen, zu meistern oder zu verarbeiten. Ziel der Krankheitsbewältigung ist die optimale Einstellung des erkrankten Menschen auf die durch seine Krankheit neu entstandene Situation.
Dazu stehen individuell verschiedene Bewältigungstechniken / -mechanismen und Strategien zur Verfügung. Ihnen ist gemeinsam, daß sie **eher eine Form des Akzeptierens**, der aktiven Auseinandersetzung sind, während die Abwehrmechanismen eher ein Zurückweisen, ein Sich-Entziehen von einer als bedrohlich empfundenen Wirklichkeit darstellen.
Trotz der gewünschten Krankheitsbewältigung sind innerhalb dieses Prozesses der Auseinandersetzung, Verarbeitung und Bewältigung oft auch Abwehrmechanismen notwendig. So kann z.B. kein Mensch der Wahrheit, unheilbar krank zu sein, ständig ins Auge sehen. Wenn er die Auseinandersetzung und dieses Bewußtsein nicht mehr verkraften kann, benötigt er zu seinem Schutz Abwehrmechanismen. Er kann dieses "Mittel" selbst dosieren und bestimmen, wann und in welchem Umfang er Bedrohliches an sich heranläßt. So finden Krankheitsbewältigung und Abwehrmechanismen nicht selten gleichzeitig, also nebeneinander, Berechtigung und Einsatz.
Jeder Mensch hat, wie bereits erwähnt, **für ihn typische Muster oder Strategien der Bewältigung**. Es können verschiedene Verarbeitungs- und Bewältigungsweisen beobachtet werden. Sie können sowohl nacheinander als auch gleichzeitig auftreten.

Kognitive Verarbeitungsweisen
Zu diesen Verarbeitungsweisen zählt die **Minimalisierung der Bedrohung** durch Bagatellisieren oder Verleugnen der Krankheit. Andererseits kann die kognitive Verarbeitung auch durch übertriebene Eigenbeobachtung und durch maximale Aufmerksamkeit für die Bedrohung geprägt sein. Als weitere kognitive Verarbeitungsweisen sind die verschiedenen **Erklärungsversuche**, die Menschen für eine Krankheit unternehmen, einzustufen. Beispiele hierfür sind Vorwürfe gegen sich selbst oder andere; der Versuch, der Krankheit einen Sinn zuzumessen (Chance, die persönlichen Werte neu zu ordnen) oder Informationen über die Krankheit zu sammeln, um jede Möglichkeit der Kooperation nutzen zu können.

Affektive Verarbeitungsweisen
Affektive Verarbeitungsweisen **umfassen** das ganze Spektrum von **Stimmungen, Affekten und Gemütsbewegungen** wie Angst und Trauer. Diese können sich in "pathologischen" Reaktionen, z.B. in einem psychischen oder auch physischen Zusammenbruch äußern.

Verhaltensmäßige Verarbeitung
Die verhaltensmäßige Auseinandersetzung mit der Krankheit findet statt über:
- Angriff *(trotz der Krankheit vorhandene Leistungsfähigkeit bzw. Aktivität zeigen)*;

- Kapitulation *(Rückzug, von allem nichts mehr wissen wollen)*;
- Flucht *(Ablenken durch intensive Arbeit oder andere Unternehmungen)*;
- Akzeptanz *(Annahme des Schicksals)* oder
- Relativieren *(Herunterspielen der Krankheitsbedeutung, auch im Vergleich mit anderen Leiden)*.

III. Einführung in die (Kranken-) Beobachtung

Die Beobachtung des Menschen ist ein **wichtiger Bestandteil pflegerischen Handelns** und pflegerischer Kompetenz. Sie bedarf des theoretischen Wissens über gesunde und gestörte Verhaltensweisen sowie über physiologische und pathophysiologische Vorgänge. Besondere Kenntnisse über die möglichen Veränderungen und Komplikationen bei bestimmten Krankheiten sind ebenfalls erforderlich, um eine gezielte (Kranken-) Beobachtung durchführen zu können.

Begriffserläuterungen

Wahrnehmung ist ein (spontaner) Prozeß, bei dem Reize aus dem eigenen Organismus und aus der Umwelt durch die Sinnesorgane aufgenommen und weiterverarbeitet werden.

Beobachtung kann definiert werden als die gezielte planmäßige Wahrnehmung, gerichtet auf die genaue Feststellung eines Sachverhaltes und auf die Sammlung neuer Informationen.

Soziale Wahrnehmung

Der Begriff "soziale Wahrnehmung" meint einerseits die **Wahrnehmung sozialer Objekte** und **Prozesse**, andererseits die **Wahrnehmung unter sozialem Einfluß**.

Mit sozialen Objekten sind sowohl gesellschaftliche Gruppen und Institutionen als auch einzelne Personen gemeint.

Einen sozialen Einfluß auf die Wahrnehmung des einzelnen üben die Kontaktpersonen (Partner, Familienangehörige, Freunde etc.), aber auch die Massenmedien aus.

Wir nehmen andere Personen, selbst fremde, nicht unvoreingenommen wahr. In uns gibt es bereits Gefühle, Einstellungen, Wunschvorstellungen sowie Vorerfahrungen, die - unterschiedlich ausgeprägt - unsere Wahrnehmung zusätzlich beeinflussen.

Aufgrund ihrer Vielfältigkeit können wir nicht alle Informationen verarbeiten. So nehmen wir vorrangig bewußt oder unbewußt die Informationen wahr, die uns besonders interessieren, die wir für bedeutsam halten und die wir uns wünschen *(selektive Wahrnehmung)*.

Die Psychologie weist auf zwei weitere Phänomene der Wahrnehmung hin, die **Generalisierung** und die **Kategorisierung**. Gemeint sind vereinfachte Vorstellungen von einer Person *(Stereotypen)* aufgrund der Verallgemeinerung einer einzelnen Beobachtung (z.B. "Er ist ungekämmt, also ist er ein unordentlicher Mensch") oder der anläßlich einer solchen Beobachtung vorgenommenen Zuordnung zu einer Kategorie Mensch (z.B. "Dicke Menschen sind unsportlich und gemütlich").

Kategorisierung und Generalisierung reduzieren die Unsicherheit beim Erstkontakt mit fremden Personen und helfen bei der - dem Menschen möglicherweise jedoch nicht gerecht werdenden - Urteilsbildung. Erst bei geplanter und gezielter Wahrnehmung *(Beobachtung)*, die weitere Informationen verarbeitet, wird eine Lösung von den vereinfachten Vorstellungen möglich.

Geschieht dies nicht, d.h. bleibt die **Einstellung unbeweglich und** ist sie gleichzeitig **negativ**, so sprechen wir von einem **Vorurteil**. Typisch für das Vorurteil ist, daß die Einstellung trotz widersprechenden (positiven) Erfahrungen nicht oder lediglich geringfügig korrigiert wird.

Vorurteile können für den, der sie bildet, hilfreich sein. Sie werden nicht selten dazu genutzt, eigene Unzulänglichkeiten, Minderwertigkeitsgefühle, Aggressionen etc. abzuwehren und sich selbst zu verteidigen. Beispiel: Ein Mensch, der sich intellektuell unterlegen fühlt, ordnet Akademiker als arrogant und unpraktisch ein.

Ebenso können Menschen Eigenschaften, Wünsche und Bestrebungen, die sie an sich selbst ablehnen und verkennen, anderen Personen zuschreiben. Beispiel: Der heimliche Trinker bezeichnet Alkoholiker als "Schwächlinge mit mangelndem Durchsetzungsvermögen".

Vorurteile beziehen sich oft auf Minderheiten, z.B. auf Türken, Juden, Homosexuelle oder sozial Schwache. Sie dienen dann weniger der Ich-Verteidigung, sondern degradieren bestimmte Personengruppen zum

"Sündenbock" für soziale Probleme und machen sie zum Zielobjekt von Aggressionen.

Der Begriff **Einstellung** ist dagegen positiv belegt. HEIM und WILLI definieren die Einstellung als eine **relativ stabile Bereitschaft, ein soziales Objekt auf eine bestimmte Art und Weise wahrzunehmen** und darauf zu reagieren. Die Einstellungsforschung unterscheidet diesbezüglich vier Funktionen,

a) **die Anpassungsfunktion.**
Ein Individuum (z.B. Kind, Auszubildender) übernimmt die Einstellung, die ihm die Anerkennung bestimmter Personen / -gruppen verspricht. Es ist zu beobachten, daß unsichere Personen ihre Einstellung mitunter dem jeweiligen Gesprächspartner anpassen *("dem anderen nach dem Mund reden")*.

b) **die Funktion, Werthaltungen auszudrücken.**
Einstellungen ermöglichen dem einzelnen, persönliche Wertvorstellungen auszudrücken und somit sein Selbstverständnis zu verwirklichen. So kann der Mensch durch eine negative Einstellung gegenüber Rassisten sein Selbstverständnis als gerechte Person verwirklichen.

c) **die Funktion der "Ich-Verteidigung".**
Hier soll die Einstellung (z.B. *"Ich rauche nicht, weil Rauchen die Krebsentstehung fördert"*) Schutz vor existentiellen Bedrohungen (z.B. Krankheit, frühzeitiger Tod) bieten.
Ablehnende, verleugnende oder verzerrende Einstellungen (z.B. *"Raucher sterben nicht häufiger an Krebs als Nichtraucher"*) verhindern die volle Anerkennung erschreckender Tatsachen und dienen somit ebenfalls der Ich-Verteidigung.

d) **die Wissensfunktion.**
Das Bedürfnis, dem Dasein einen Sinn zu geben und die Lebensereignisse zu verstehen, kann durch bestimmte Einstellungen (z.B. "*Das Schicksal bestimmt unseren Lebenslauf." "Das Leben ist von Gott bestimmt." "Jeder ist seines Glückes Schmied"*) befriedigt werden.

Einstellungen werden in Meinungen, Urteilen und Gefühlen geäußert. Sie sind mit einer bestimmten Handlungsbereitschaft verbunden, die jedoch häufig nicht mit dem tatsächlichen Verhalten übereinstimmt. Dies ist auf die vielfältigen Faktoren, die menschliches Verhalten beeinflussen, zurückzuführen.
Zur Änderung von Einstellungen (seltener auch von Vorurteilen) kommt es am ehesten bei gravierenden Veränderungen der Lebenssituation (z.B. Auszug aus dem Elternhaus, sozialer Aufstieg, plötzliche Invalidität). Meist verändert der Mensch dann weitere Einstellungen und das Verhalten.
Einige Einstellungen sind typisch für bestimmte Alters- und Lebensphasen und verändern sich mit ihnen.
Jeder Mensch sollte sich seiner Einstellungen und Vorurteile bewußt sein, z.B. bezüglich alter, übergewichtiger oder alkoholabhängiger Menschen, und auf eine neutrale Grundhaltung hinarbeiten. Es ist menschlich, daß dies nicht immer und nicht auf Anhieb gelingt.
Das sollte jedoch das weitere Bemühen um eine differenzierte Wahrnehmung - insbesondere im beruflichen Umgang mit anderen Menschen - nicht entmutigen.

Letztendlich bestimmt die **Wahrnehmungsfähigkeit**, d.h. die Funktion der Sinnesorgane einerseits und die allgemeine Aufmerksamkeit andererseits, welche Reize in welchem Ausmaß aufgenommen und verarbeitet werden. Wahrnehmungs- und Beobachtungsfähigkeit lassen sich durch Übung schulen.
In der professionellen Pflege sind **sowohl die spontane Wahrnehmung als auch eine zielgerichtete, systematisierte Beobachtung von Bedeutung**. Beide dienen der fortlaufenden Sammlung von Informationen über den Pflegebedürftigen (evtl. auch über seine Bezugspersonen); die Wahrnehmung liefert ganzheitliche Informationen, die Beobachtung detaillierte Informationen über einen bestimmten Sachverhalt.
Die **professionelle Beobachtung** von seiten des Pflegepersonals soll **unvoreingenommen** und **sachlich** sowie **systematisch**, **gezielt** und **genau** sein.
Sie ist gerichtet auf:

- die Aktivitäten des täglichen Lebens (ATL; LA; AEDL);
- die Bedürfnisse und Wünsche des Menschen;
- das Erkennen von Fähigkeiten und gesunden Anteilen des Menschen;
- das Erkennen kranker / gestörter Anteile des Menschen;
- das frühzeitige Erkennen, evtl. das Verhindern von Folgeerscheinungen und Komplikationen;
- das Verhalten des Menschen;
- das individuelle Erleben von Krankheit und Behinderung;
- die Bewußtseinslage und die Orientierung des Menschen;
- das Befinden des Menschen;
- die Wirkung der Pflegemaßnahmen;
- die Wirkung der therapeutischen Maßnahmen;
- den Krankheitsverlauf;
- ggf. die zwischenmenschlichen Beziehungen des Menschen.

Für die Beobachtung des kranken Menschen sind teilweise **Hilfsmittel** erforderlich, z.B. Fieberthermometer, Blutdruckgerät, Uhr mit Sekundenzeiger, verschiedene Teststreifen.
Die Qualität der **Beobachtungsergebnisse** ist vor allem abhängig von der Funktion der Sinnesorgane, der Aufmerksamkeit sowie dem Auffassungs- und Wahrnehmungsvermögen des Beobachters.
Theoretisches Hintergrundwissen (Krankenpflege, Psychologie, Physiologie, Krankheitslehre, Pharmakologie) ermöglicht die gezielte Beobachtung des Pflegebedürftigen; es ist Voraussetzung, um bestimmte Sachverhalte und Geschehnisse zu erfassen.
Hierin liegt gleichzeitig die Gefahr, den Blick für das Ganze - für den Menschen in all seinen Dimensionen - zu verlieren. Eine zielgerichtete Beobachtung schränkt gleichzeitig die Wahrnehmung anderer Begebenheiten ein. Nicht erwartete Veränderungen oder Zusammenhänge können leicht übersehen werden.
Außerdem ist die **Interpretation des Beobachteten** häufig subjektiv, also durch die Einschätzung und die

Wertvorstellungen des Beobachters geprägt (z.B. die Haut fühlt sich heiß an).
Eine **objektive Beobachtung** gelingt meist nur mit Hilfe von Meßgeräten (z.B. Fieberthermometer) oder nur durch mehrere, nicht voneinander beeinflußte Beobachter.
Durch die anschließende **Verarbeitung der Wahrnehmungen und Beobachtungen** (z.B. durch Vergleichen, Erinnern, Bewerten, Interpretieren) kann der aktuelle Zustand des Pflegebedürftigen beurteilt und dem Ergebnis entsprechend reagiert werden.
Nicht jeder Pflegende (z.B. Auszubildende) ist immer in der Lage, jede Beobachtung zu verarbeiten; um so wichtiger wird die präzise mündliche und schriftliche Weitergabe der Informationen.

Die **genaue Berichterstattung** ermöglicht die Information aller Mitarbeiter des pflegerischen / therapeutischen Teams. Nicht selten können erst durch das Zusammentragen verschiedener Beobachtungen Zusammenhänge erfaßt werden.

Objektiv – alles sichtbar!
Subjektiv – nicht nachweisbar! Aussagen von Pat.

Literaturhinweise

al Mutawaly, S.: Menschen islamischen Glaubens individuell pflegen. Kunz, Hagen 1996
Brieskorn - Zinke, M.: Gesundheitsförderung in der Pflege. Kohlhammer, Stuttgart 1996
Cavanagh, St.J.: Pflege nach Orem. Lambertus, Freiburg 1995
Deltz, Ch.: Krankenbeobachtung. Springer, Berlin Heidelberg 1994
Dethlefson, T. / Dahlke, R.: Krankheit als Weg. Bertelsmann, München 1991
dtv - Brockhaus - Lexikon. Bd. 3, 9, 20. Deutscher Taschenbuch Verlag GmbH & Co. KG, München 1989
Fawcett, J.: Pflegemodelle im Überblick. Huber, Bern 1996
Fiechter, V. / Meier, M.: Pflegeplanung. Eine Anleitung für die Praxis. Recom, Basel 1993
Hammer, C. / Schubert, V.: Chronische Erkrankungen und ihre Bewältigung. Schulz, Starnberg 1993
Henderson, V.: Grundregeln der Krankenpflege. Weltbund der Krankenschwestern und Krankenpfleger (ICN), Ch - 1201 Genf, 3place jean-Marteau, 1977
Jecklin, E.: Arbeitsbuch Krankenbeobachtung als Teil der Krankenpflege. Fischer, Stuttgart 1992
Juchli, L.: Pflege. Praxis und Theorie der Gesundheits- und Krankenpflege. Thieme, Stuttgart 1997
Khoury, A. Th. (Hrsg.): Lexikon religiöser Grundbegriffe. Judentum, Christentum und Islam. Styria Graz, Graz 1987
Klie,T.: Pflegeversicherung. Einführung, Lexikon, Gesetzestexte, Nebengesetze, Materialien. Vincentz, Hannover 1995
Kriesten, U. / Wolf, H.P.: Übungshandbuch zur Pflegeplanung. Kunz, Hagen 1996
Krohwinkel, M.: Der Pflegeprozeß am Beispiel von Apoplexiekranken. Schriftenreihe des Bundesministeriums für Gesundheit, Band 16. Nomos, Baden-Baden 1993
Küng, H. / van Ess, J.: Christentum und Weltreligionen. Islam. Gütersloh, Gütersloher 1987
Maslow, A.H.: Motivation und Persönlichkeit. Rowolt, Reinbeck 1994
Müller, U.: Der Krankenpflegeprozeß. Recom, Basel 1987
Neuner, O. / Schäfer, K. F.: Krankenpflege und Weltreligionen. Recom, Basel 1990
Reimann, R.: Anleitung zur Pflegeplanung und Pflegedokumentation. Krankenpflege, Frankfurt 1985
Rogers, M.: Theoretische Grundlagen der Pflege. Eine Einführung. Lambertus, Freiburg 1995
Roper, N. / Logan, W.W. / Tierney, A.J.: Die Elemente der Krankenpflege. Recom, Basel 1987
Schletting, H.-J. / Heide, U. von: Bezugspflege. Springer, Berlin Heidelberg 1995
Schönstein, L.: Krankenbeobachtung. Krankenpflege, Frankfurt 1989
Schröder, Ch. M. (Hrsg.): Die Religionen der Menschheit. Bd. 36. Kohlhammer, Stuttgart 1988
Schwarzer, R.: Psychologie des Gesundheitsverhaltens. Hogrefe, Göttingen, 1992
Stösser, A. von: Pflegestandards. Erneuerung der Pflege durch Veränderung der Standards. Springer, Berlin Heidelberg 1994
WHO-Regional Office for Europe: The Nursing Prozeß (Report des ersten Treffens der Beratergruppe, Nottingham 1976), Copenhagen
Wieteck, P. / Velleur, H.J.: Handbuch zur Pflegeplanung. Recom, Basel 1994
Zankl, H. / Zieger, G.: Gesundheitslehre. VCH, Weinheim 1987

Atmen

1. Atmen

1.1 Bedeutung

Was ist eigentlich Atem

Zunächst spüren wir,
daß er uns bewegt.
Wenn die Luft,
in der wir leben
in uns eindringt,
wird sie zu unserem Atem.
Jede Zelle wird von ihm ernährt,
jedes Wort, daß wir sprechen,
wird von ihm getragen.
Jeder Klang, der unsere Kehle verläßt,
beruht auf seinen Strömen.
Jeder Gedanke, der uns durchzieht,
wird von ihm beeinflußt.
Jedes Gefühl, das in uns lebendig wird,
lebt von seiner Kraft.
Jede Schwierigkeit in unserem Dasein
sucht er auszugleichen,
bis zur Hilfe in großer Not.
Kurz: Atem ist Leben.

Ilse Middendorf

Das Atmen ist ein **lebenswichtiger Vorgang**. Es dient der Versorgung unseres Organismus mit Sauerstoff und der Entsorgung von Kohlendioxid. Auf dieser Grundlage werden alle lebenswichtigen Funktionen, insbesondere der Stoffwechsel aufrechterhalten.
In besonderem Zusammenhang stehen Atmung und Herz- Kreislauftätigkeit. Sie bilden eine Funktionseinheit zur Sauerstoffversorgung, z.B. wird bei gesteigerter Herzaktivität gleichzeitig die Atmung beschleunigt, um dem erhöhten Sauerstoffbedarf gerecht zu werden. Über die Atmung können bis zu einem gewissen Ausmaß Stoffwechselstörungen ausgeglichen werden, z.B. kann in einigen Fällen eine Übersäuerung des Blutes durch Abatmen von Kohlendioxid kompensiert werden.

Die Atmung und das seelisch - geistige Befinden beeinflussen sich wechselseitig. Jeder kennt die **beruhigende und konzentrationsfördernde Wirkung** des bewußten tiefen Durchatmens. Ein kräftiger Seufzer kann sogar befreiend wirken. Es ist zu beobachten, daß intensive körperliche und geistige Vorgänge sowie seelische Erlebnisse zur Intensivierung der Atmung führen. Umgekehrt wird bei der Unterdrückung von Gefühlen auch die Atmung "*unterdrückt*", die Atemzüge sind flach.
Der Zusammenhang zwischen Atmung und Gefühlsleben findet auch im alltäglichen Sprachgebrauch Ausdruck.

Beispiele:

- *"Hier kann ich frei atmen."*
- *Etwas ist "atemberaubend schön".*
- *"Ganz ruhig bleiben und tief durchatmen."*
- *"Mir bleibt die Luft weg."*
- *"Halt doch mal die Luft an."*

Die Atmung kann ihrerseits das Wohlbefinden beeinflussen; über sie läßt sich sogar ein **Körperbewußtsein trainieren**. Dazu gibt es zahlreiche, leicht zu erlernende Atemübungen. Beim autogenen Training, Yoga und bei anderen Entspannungsübungen wird die Atmung bewußt beobachtet und eingesetzt. Dieses Körpertraining führt über Konzentration zu innerer Ruhe und Entspannung. Außerdem helfen Atemübungen, den Atem bewußt wahrzunehmen und sich lebendig zu erfahren.

Die Umwelt beeinflußt maßgeblich die **Qualität der Luft** und somit unser Wohlbefinden und die Gesundheit. Verunreinigungen und Schadstoffe in der Luft können nicht nur Störungen und Krankheiten der Atmungsorgane hervorrufen, sondern auch andere Organsysteme und das Gesamtbefinden beeinträchtigen.
Störungen der Atmung gehen oft mit subjektiv empfundener Atemnot einher und lösen Gefühle wie Angst und Beklemmung aus. Hochgradige Atemnot wird als existentielle Bedrohung empfunden.

1.2 Anatomisch - physiologische Grundlagen

1.2.1 Aufbau und Funktion des Atemapparates

Die **Atmung** ist ein lebenswichtiger Vorgang; sie dient der **Versorgung des Organismus mit Sauerstoff** (O_2) und dem **Abtransport von Kohlendioxid** (CO_2).
Sauerstoff ist für den Abbau von Nahrungsstoffen zwecks Energiegewinnung (*Oxidation**) notwendig; die dabei anfallende Kohlensäure wird letztendlich als CO_2 wieder abgeatmet.
Daraus folgt: je höher der Stoffwechsel (z.B. bei körperlicher Arbeit), desto höher die Atemfrequenz.
Die **Nase** *(Nasus)* dient als Eingangspforte. Die Schleimhaut der Nasenhöhle besteht aus Zylinderepithelzellen mit Flimmerhärchen, die Staub und andere Luftbeimengungen aus der Atemluft filtern. Die schleimbildenden Becherzellen und darunterliegende kleine Schleimdrüsen feuchten durch ihr Sekret die Atemluft an und halten darin Fremdkörper fest. Unter der Nasenschleimhaut befindet sich ein dichtes Geflecht feinster Blutgefäße, welches der Erwärmung der Atemluft dient; je kälter diese ist, um so stärker werden die Blutgefäße gefüllt.

Der Bereich der obersten Nasenmuschel ist mit **Riechzellen** ausgestattet. Sie erfüllen eine weitere **Schutzfunktion** der Atemwege, indem sie eine Geruchskontrolle der Atemluft ermöglichen. Bei Wahrnehmung übelriechender Atemluft halten wir den Atem an, um uns vor schädlichen Luftbeimengungen zu schützen.
Über die Nase gelangt die Einatmungsluft in den **Rachen** *(Pharynx)*, der in den **Kehlkopf** *(Larynx)* übergeht. Im Rachen kreuzt sich der Atemweg mit dem Speiseweg. Zum Schutz der Atemwege vor Eindringen von Speisen und Flüssigkeiten wird beim Schluckakt der weiche Gaumen an die hintere Rachenwand gepreßt und gleichzeitig der Kehldeckelknorpel auf den Kehlkopfeingang gesenkt. Funktioniert dieser Vorgang einmal nicht, gelangen Flüssigkeit oder Nahrungsbestandteile in die Atemwege (*Aspiration**); automatisch setzt dann der Hustenreflex ein, um die eingedrungenen Stoffe wieder nach außen zu befördern und somit eine (lebensbedrohliche) Verlegung der tieferen Atemwege zu verhindern.
Auch im Kehlkopf wird die Atemluft angefeuchtet, erwärmt und von feinen Staubpartikeln befreit.

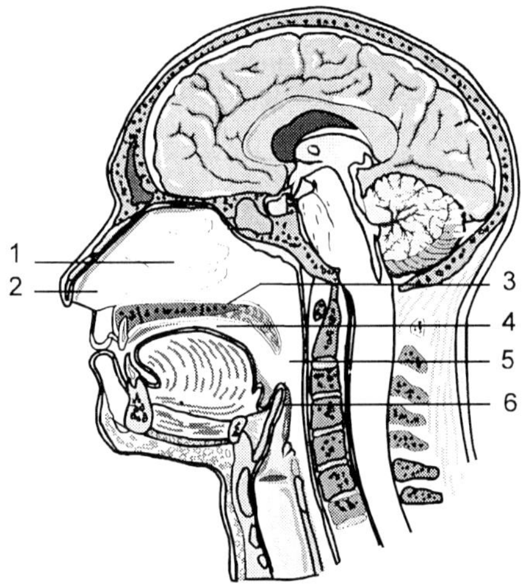

1 Nasenmuscheln
2 Nasenhöhle
3 Gaumen
4 Mundhöhle
5 Nasen-Rachen-Raum
6 Kehldeckel

Abb. 1.1 ***Obere Atemwege***

An den Kehlkopf schließt sich die ca. 12 cm lange **Luftröhre** *(Trachea)* an. Sie besteht aus Knorpelringen, die hufeisenförmig und hinten offen sind, wo sie durch Bindegewebe und Muskelfasern zusammengehalten werden.
Durch diesen Aufbau kann das Lumen der Luftröhre bei Bedarf um bis zu einem Viertel der Norm erweitert werden.
Die Schleimhaut in der Trachea entspricht in Aufbau und Funktion den bereits besprochenen Schleimhäuten der oberen Luftwege.
Nach ca. 12 cm teilt sich die Luftröhre in zwei Hauptbronchien, die zur rechten und linken Lunge führen.
Aus den Hauptbronchien gehen Äste für die Versorgung der Lungenlappen *(Lappenbronchien)* und der Lungensegmente *(Segmentbronchien)* ab. Sie verzweigen sich wie ein Baum in immer feinere Äste *(siehe Abbildung 1.2)*; deshalb spricht man vom Bronchialbaum.

Auch die Lichtung der Bronchien wird von einem Knorpelgerüst offengehalten. In den feineren Verzweigungen der Bronchien *(Bronchioli)* wird die Knorpelsubstanz durch glatte Muskelfasern, die eine bessere Anpassung der Lichtung an die Luftfüllung zulassen, ersetzt. Die Lichtung der Endbronchien *(Bronchioli terminalis)* beträgt lediglich ½ mm; sie gehen in die Lungenbläschen *(Alveolen)* über.

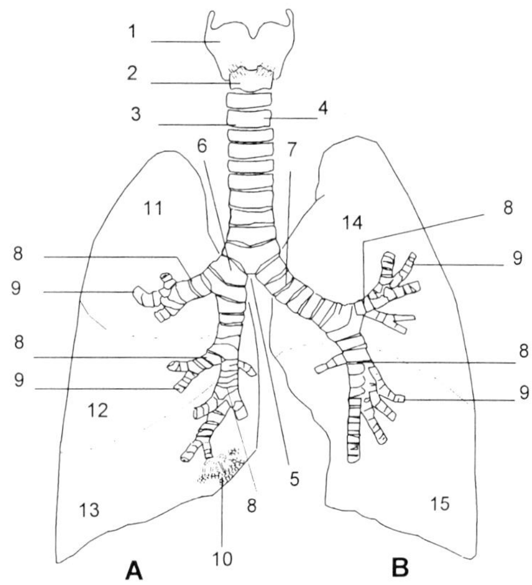

1 Schildknorpel des Kehlkopfs
2 Ringknorpel
3 Luftröhre
4 Knorpelspangen der Luftröhre
5 Bifurkation (Luftröhrenteilung)
6 rechter Hauptbronchus
7 linker Hauptbronchus
8 Lappenbronchien (drei rechts und zwei links)
9 Segmentbronchien (zehn links und zehn rechts)
10 Lungenbläschen
11 rechter Lungenoberlappen
12 rechter Lungenmittellappen
13 rechter Lungenunterlappen
14 linker Lungenoberlappen
15 linker Lungenunterlappen
A rechter Lungenflügel
B linker Lungenflügel

Abb. 1.2 ***Untere Atemwege***

An den **Endbronchien** sitzen zahlreiche Alveolen, vergleichbar mit den Trauben an einer Rebe. Zusammen mit dem Bronchialbaum bilden sie das Lungengewebe. Die **Lungenbläschen** werden von einem Netz feinster Blutgefäße *(Kapillaren)* überzogen. Die Wandung der Alveolen und die der Kapillaren sind so hauchdünn, daß hier der Gaswechsel nach den Gesetzen der Diffusion* stattfinden kann. Die Kürze der Diffusionsstrecke garantiert den raschen Gasaustausch. Dieser Vorgang wird "**äußere Atmung**" oder "**Lungenatmung**" genannt. Der Sauerstoff diffundiert von den Alveolen ins Blut und wird - an Hämoglobin gebunden - bis zu jeder Zelle transportiert. Um in die einzelne Zelle zu gelangen, diffundiert der Sauerstoff nun vom Blut in die Zelle. Umgekehrt diffundiert gleichzeitig Kohlendioxid aus der Zelle in das Blut. Dieser Vorgang wird als "**Gewebeatmung**", "**Zellatmung**" oder "**innere Atmung**" bezeichnet.

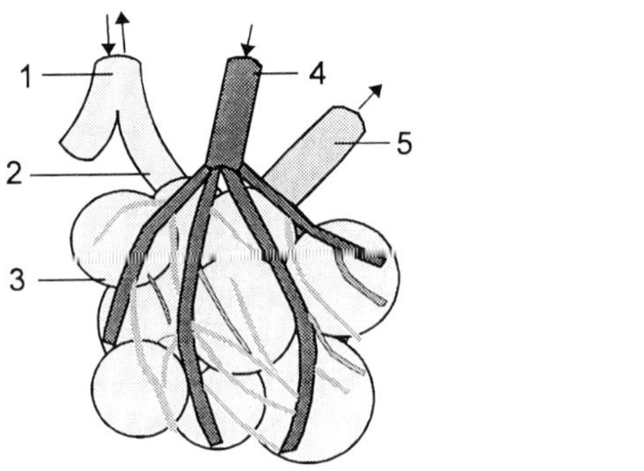

1 Bronchiolus
2 Alveolargang
3 Lungenbläschen
4 arterielles Kapillargefäß (CO_2-reich)
5 venöses Kapillargefäß (O_2 -reich)

Abb. 1.3 ***Lungenbläschen***

Die **Lungen** liegen im Brustraum; seitlich grenzen sie an die Rippen, die Lungenspitzen ragen jeweils über die 1. Rippe hinaus. Die Lungenunterfläche *(Lungenbasis)* ruht auf dem **Zwerchfell**, einem platten Muskel, der die Brust- und Bauchhöhle voneinander trennt. Mit Erweiterung bzw. Verkleinerung des Brustkorbs bei der Ein- bzw. Ausatmung verschieben sich auch die Lungengrenzen (*vgl. nachfolgend "Atemmechanik"*).
Die Lungenoberfläche und die Innenwand der Brusthöhle sind vom **Brustfell** (*Pleura*) überzogen. An den Lungen wird dieser Überzug **Lungenfell** *(Pleura visceralis)*, an der Brustwand **Rippenfell** *(Pleura parietalis)* genannt.
Insgesamt bildet das Brustfell einen doppelwandigen Sack, der die Lungen luftdicht umschließt. Es handelt sich um eine dünne Haut mit spiegelglatter Oberfläche. Ihr Bindegewebe enthält sowohl elastische als auch schmerzleitende Fasern. (Das Lungengewebe selbst enthält keine schmerzleitenden Fasern.) Die Deckzellen der Pleura sondern wenig klare Flüssigkeit ab; diese füllt den Spalt zwischen den beiden Blättern des Brustfells aus. Da Flüssigkeit nicht dehnbar ist, wird ein reibungsloses Gleiten der Lungenoberfläche an der Brustwand während ihrer unterschiedlichen Ausdehnung gewährleistet. Die Lungenoberfläche muß den Bewegungen der Thoraxwand folgen. Außerdem verhindert diese Flüssigkeit im Pleuraspalt ein übermäßiges Zusammenziehen der Lungen. Aufgrund ihrer hohen Elastizität haben die Lungen das natürliche Bestreben, sich zusammenzuziehen, sie üben also eine ständige Zugwirkung *(= negativer Druck)* auf den Pleuraspalt aus. Hierdurch ist der im Pleuraspalt herrschende Druck geringer als der atmosphärische Druck innerhalb der Lunge bzw. außerhalb des Körpers. Wird die Pleura verletzt, so daß Luft in den Pleuraspalt einströmt, kann die betroffene Lunge wie ein Gummiband zusammenschnurren (*Pneumothorax*) und für den Gasaustausch ausfallen.

1.2.2 Atemmechanik

Die Zu- und Abfuhr der Atemluft wird durch Vergrößerung bzw. Verkleinerung des Brustkorbs erreicht; die Lungen folgen passiv diesen Bewegungen.

Bei der **Einatmung** (*Inspiration*) wird der Brustkorb aktiv durch das Zusammenziehen des Zwerchfells (= Absenken der Zwerchfellkuppe) und der äußeren Zwischenrippenmuskeln (= Anheben der Rippen) erweitert.

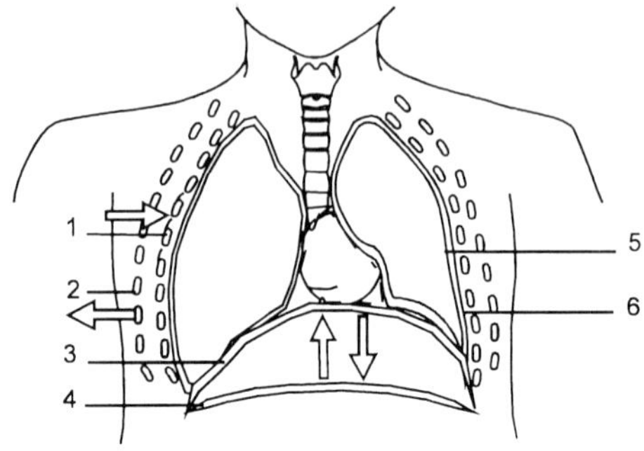

1 Brustkorb bei der Ausatmung
2 Brustkorb bei der Einatmung
3 Zwerchfell bei der Ausatmung
4 Zwerchfell bei der Einatmung
5 Lungenfell
6 Rippenfell

Abb. 1.4 ***Brustkorb- und Zwerchfellbewegungen bei der Ein- und Ausatmung***

Die **Ausatmung** (*Exspiration*) erfolgt in Ruhe passiv, und zwar durch das Erschlaffen von Zwerchfell und äußeren Zwischenrippenmuskeln. Dieser Vorgang wird sowohl durch den Einfluß der Schwerkraft als auch durch das natürliche Bestreben der Lunge, sich zusammenzuziehen, unterstützt.
Die sogenannten **Atemhilfsmuskeln** (Kopfwender, Treppenmuskeln, großer und kleiner Brustmuskel) werden zur Vergrößerung des Brustkorbes bei körperlicher Arbeit (erhöhter O_2 - Bedarf) bzw. bei krankhafter Behinderung der Atmung (z.B. Einengung der Atemwege) eingesetzt.
Zur Verstärkung der Ausatmung werden neben den inneren Zwischenrippenmuskeln vor allem die Bauchmuskeln eingesetzt; deren Kontraktion verkleinert den Bauchraum und drückt somit die Eingeweide und das Zwerchfell in Richtung Brustkorb.

1.2.3 Steuerung der Atmung

Die Atmung wird über das **Atemzentrum** im verlängerten Mark *(Medulla oblongata)* gesteuert; dieses reagiert in erster Linie auf folgende chemische Reize im Blut:

- Wasserstoffionenkonzentration ↓ (= pH-Wert)
- Kohlendioxidpartialdruck ↑ (= pCO_2)
- Sauerstoffpartialdruck ↓ (= pO_2)

Änderungen des Blut - pH - Wertes (infolge von Veränderungen des pCO_2) sind der wichtigste Reiz für das Atemzentrum.
Des weiteren wird die Atmung durch **nervöse Reize** beeinflußt. So geben bestimmte Dehnungsrezeptoren der Lunge bei zunehmender Lungenausdehnung über den N. vagus Impulse an das Atemzentrum. Diese führen zur Hemmung der Einatmung.
Daß bestimmte **Hautreize** wie Kälte und Schmerz ein kurzfristiges Anhalten der Atmung mit anschließender

Vertiefung *(Seufzer)* auslösen, kann jeder beim Duschen mit kaltem Wasser nachvollziehen.
Ebenso bekannt ist der **Schutzreflex**, der bei Reizung der Riechzellen durch stark unangenehme Geruchsstoffe ausgelöst wird; wir halten den Atem an und entfernen uns möglichst aus dem luftverunreinigten Raum.
Willkürlichen Einflüssen unterliegt die Atmung nur bedingt. Wir können zwar die Atemtiefe und -frequenz beeinflussen, sogar den Atem anhalten. Dies ist jedoch nur solange möglich, bis die chemischen Reize aufgrund der veränderten Atemgaszusammensetzung (pCO_2-Anstieg und pO_2-Abfall) automatisch ein Weiteratmen erzwingen.

1.3 Beobachtung der Atmung

Die Beobachtung der Atmung liefert Informationen über das aktuelle Befinden des gesunden oder kranken Menschen. Das **Erfassen der individuellen Atemsituation** ermöglicht ggf. ein bedarfs- und situationsorientiertes Handeln.
Seelische Erregungszustände können ebenso wie lebensgefährliche Störungen frühzeitig erkannt und, wenn erforderlich, therapiert werden. Da Atemstörungen im Verlauf von Atemwegserkrankungen, Herz-Kreislaufinsuffizienz und Stoffwechselstörungen auftreten können, läßt eine genaue Beobachtung Rückschlüsse auf das Krankheitsbild zu. Nicht zuletzt helfen die gezielten Beobachtungen individuell angepaßte Maßnahmen zur Prophylaxe sowie zur Symptom- oder Ursachenbekämpfung einzuleiten.

Durchführung
Da die Atmung willkürlich beeinflußbar ist, sollte die Beobachtung für den Patienten **unauffällig** erfolgen. **Ein- und Ausatmung** (= Heben und Senken des Brustkorbs bzw. der Bauchdecke) werden als **ein Atemzug** registriert. Neben der Frequenz werden Atemtiefe, Atemrhythmus, Atemgeräusche und Atembeschwerden beobachtet.

1.3.1 Der normale Atemvorgang

Die **physiologische Atmung** *(Eupnoe)* erfolgt in regelmäßigem Wechsel von Ein- und Ausatmung.
Die Einatmung findet bei geschlossenem Mund durch die Nase, die Ausatmung durch Mund und Nase statt. Auffällige Atemgeräusche entstehen dabei nicht. Die Atmung erfolgt beschwerdefrei und ohne Anstrengung.

1.3.2 Atemtypus

Entsprechend der überwiegenden Muskelbeteiligung während des Atemvorgangs werden folgende Atemtypen unterschieden:

Die **Bauch- oder Zwerchfellatmung** *(abdominale Atmung)* ist durch überwiegende Bewegungen des Zwerchfells und der Bauchmuskulatur gekennzeichnet. Das Heben und Senken des Bauches ist deutlich sichtbar. Dieser Atemtyp findet sich physiologisch bei vielen Männern und bei Säuglingen. Menschen, die unter Brustkorbverletzungen / -operationen leiden, setzen die abdominale Atmung ein, um dadurch atemabhängige Schmerzen zu vermeiden bzw. zu reduzieren.

Die **Brust- oder Rippenatmung** *(kostale Atmung)* ist durch überwiegende Betätigung der Zwischenrippenmuskeln gekennzeichnet. Das Heben und Senken des Brustkorbes ist deutlich sichtbar. Die kostale Atmung findet sich physiologisch bei vielen Frauen. Bei Bauchverletzungen / -operationen setzt der Kranke die Brustatmung ein, um atembedingte Schmerzen im Bauchraum zu vermeiden bzw. zu reduzieren.

Unter **Auxiliaratmung** wird jener Atemtyp verstanden, der durch die Zuhilfenahme der Atemhilfsmuskulatur gekennzeichnet ist. Typisch ist das Auftreten der Auxiliaratmung bei Menschen, die unter stärkster Atemnot leiden *(siehe "Erschwerte Atmung", Seite 36)*.

Die sogenannte **Mischatmung**, bei der sowohl die Zwischenrippen- als auch die Bauchmuskulatur mit derselben Intensität eingesetzt werden, ist bei verstärkter Atmung zu beobachten. Diese wird bei körperlicher Leistung oder krankhaften Veränderungen erforderlich.

1.3.3 Fassungsvermögen der Lungen

Das Fassungsvermögen der Lungen ist mittels **Spirometrie** meßbar. Die Werte lassen Rückschlüsse auf die Leistungsfähigkeit der Lungen zu.
Da die meßbaren Atemgrößen von der Körpergröße, dem Lebensalter, Geschlecht und Trainingszustand abhängig sind, müssen die entsprechenden Daten bei der Lungenfunktionsprüfung vorliegen.
Folgende **Lungenvolumina** *(Atemgrößen)* sind meßbar:

- **Atemzugvolumen** *(AZV; Respirationsluft)*
  - Luftmenge, die in Ruhe bei normaler Ein- und Ausatmung mit einem Atemzug geatmet wird;
  - ca. 500 ml, davon gelangen $^2/_3$ in die Alveolen, $^1/_3$ der Luftmenge bleibt im Totraum;
- **inspiratorisches Reservevolumen** *(IRV)*
  - Luftmenge, die nach normaler Einatmung zusätzlich eingeatmet werden kann;
  - ca. 2100 - 3000 ml;
- **exspiratorisches Reservevolumen** *(ERV)*
  - Luftmenge, die nach normaler Ausatmung noch zusätzlich ausgeatmet werden kann;
  - ca. 1500 - 1800 ml;
- **maximales Atemvolumen** *(VK; Vitalkapazität)*
  - Luftmenge, die nach stärkster Einatmung maximal ausgeatmet werden kann;
  - Summe aus:

Atemzugvolumen	500 ml
inspirat. Reservevolumen	2100 - 3000 ml
exspirat. Reservevolumen	1500 - 1800 ml;
- insgesamt ca.	4100 - 5300 ml;
- bei Sportlern und Sängern	5000 - 6000 ml;

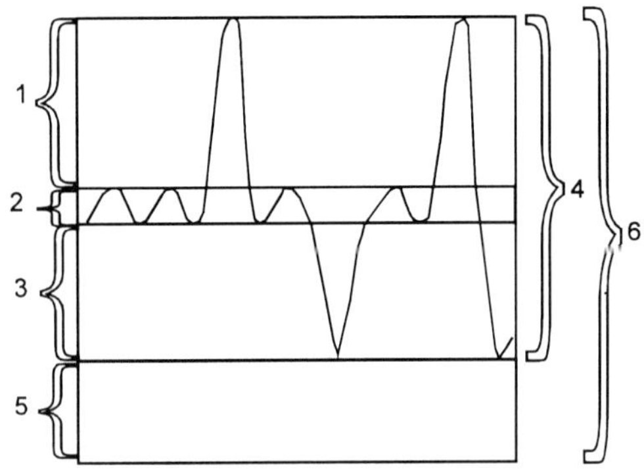

1 inspiratorisches Reservevolumen
2 Atemzugvolumen
3 exspiratorisches Reservevolumen
4 Vitalkapazität
5 Restluft (Residualluft)
6 Totalkapazität

Abb. 1.5 ***Vitalkapazität***

- **Restluft** *(RV; Residualvolumen)*
  - Luftmenge, die auch nach stärkster Ausatmung noch in der Lunge zurückbleibt;
  - ca. 1200 ml;
  - Bestimmung erfordert zusätzliches Meßverfahren;
- **Totalkapazität** *(TLK)*
  - Summe aus
    Vitalkapazität 4100 - 5300 ml
    und Residualvolumen 1200 ml;
  - insgesamt ca. 5300 - 6500 ml;
- **Atemminutenvolumen** *(AMV; Ventilationsgröße)*
  - Atemzugvolumen (500 ml) multipliziert mit der Anzahl der Atemzüge pro Minute (16 - 20);
  - ca. 8 - 10 Liter;
- **Sekundenkapazität** *(FEV_1)*
  - Luftmenge, die nach maximaler Einatmung stoßweise in der ersten Sekunde ausgeatmet wird;
  - 75 - 80 % der eingeatmeten Luftmenge;
  - Messung erfolgt als sogenannter Atemstoßtest oder Tiffenau - Test;
- **Totraumluft**
  - Luftmenge, die bei jedem Atemzug im anatomischen Totraum (Nase, Mund, Nasenrachenraum, Kehlkopf, Luftröhre, Bronchien) verbleibt;
  - ca. 140 - 160 ml.

Im Alter nimmt die Funktionstüchtigkeit der Atmungsorgane ab; die Vitalkapazität geht durchschnittlich um 1 - 1,5 Liter zurück, das Residualvolumen nimmt zu.

1.3.4 Atemfrequenz

Die Atemfrequenz gibt die Anzahl der **Atemzüge pro Minute** wieder.

Der Normalwert ist altersabhängig und beträgt:

- beim Neugeborenen ca. 50 Atemzüge / Min.
- beim $^1/_2$-jährigen Säugling ca. 40 Atemzüge / Min.
- beim sechsjährigen Kind ca. 25 Atemzüge / Min.
- beim Erwachsenen ca.16-20 Atemzüge / Min.

Das Verhältnis von Puls- zu Atemfrequenz beträgt vom 3. Lebensjahr an etwa 4 : 1.

1.3.4.1 Beschleunigte Atmung *(Tachypnoe)*

Zur Tachypnoe kommt es bei erhöhtem Sauerstoffbedarf oder bei erniedrigtem Sauerstoffangebot.

Physiologische Ursachen für eine Tachypnoe sind:
- körperliche Anstrengung,
- psychische Erregung (Schreck, Freude, Angst),
- ein heißes Bad (Hitze führt zu vermehrter Haut- und Muskeldurchblutung, also auch zur Steigerung des O_2 - Bedarfs),
- Aufenthalt in großen Höhen (hier führt der erniedrigte pO_2 - Druck der Außenluft zur Tachypnoe).

Pathologische Ursachen für eine Tachypnoe sind:
- Fieber und bösartige Tumorerkrankungen, sie führen zum erhöhten O_2 - Bedarf der Zellen;
- Erkrankungen der Atemwege, der Lungen oder des Herzens, da sie mit einem erniedrigten O_2 - Angebot einhergehen;
- Lungenödem, da die Wasseransammlung den Gasaustausch behindert;
- großer Blutverlust, Blutarmut *(Anämie)* oder ein Schock, da sie ebenfalls zur Minderversorgung der Zellen mit O_2 führen;
- Kohlenmonoxidvergiftung, da sich das CO 250 - 400 mal schneller an das Hb bindet als Sauerstoff; infolgedessen kommt es zum Sauerstoffmangel und zur anfänglichen Tachypnoe.

1.3.4.2 Verlangsamte Atmung *(Bradypnoe)*

Eine **physiologisch** verlangsamte Atmung findet man bei herabgesetztem Stoffwechsel:
- bei Ermüdung und Entspannung,
- im Schlaf.

Pathologisch tritt die Bradypnoe auf:
- bei Gehirnerkrankungen / -verletzungen, die mit erhöhtem Hirndruck einhergehen;
- bei Vergiftungen (*z. B. durch Schlafmittel oder Morphinderivate*) oder Stoffwechselerkrankungen; meist liegt eine Schädigung des Atemzentrums vor.

1.3.5 Intensität der Atmung

Die Intensität der Atmung ist in Ruhe gleichbleibend. Sowohl bei pCO_2 - Anstieg als auch bei erhöhtem O_2 - Bedarf wird sie der Stoffwechsellage angepaßt: die Atemzüge werden tiefer. Ist dies nicht effektiv genug, wird zusätzlich schneller geatmet. Beim Gesunden wird so stets für eine den Stoffwechselerfordernissen angepaßte Atmung gesorgt.
Pathologische Veränderungen der Atemintensität stellen die Hypo- und die Hyperventilation dar.

1.3.5.1 Hypoventilation

Unter Hypoventilation versteht man eine alveoläre Minderbelüftung mit Abfall des pO_2 *(Hypoxämie)* und Anstieg des pCO_2 *(Hyperkapnie)* im Blut. Sie entsteht infolge eines verringerten Atemzugvolumens.

Zugrunde liegt meist eine **Behinderung der Atmung**, die entweder vom Atemzentrum, von der Atemmuskulatur oder von den Atemwegen / Lungen ausgeht.
Eine Hypoventilation findet man auch bei Menschen, die an angeborenen **Mißbildungen des Brustkorbs** leiden.
Nicht selten wird bei Menschen mit liegender Magensonde eine zu flache Atmung beobachtet.
Eine reduzierte Ventilation kann auch Folge einer **Schonatmung** sein. Sie ist bei folgenden Krankheiten / Symptomen als Begleiterscheinung zu erwarten:

- Verletzungen, Operationen, Schmerzen im Bauchraum bzw. im Brustraum;
- allgemeine Schwäche im Zusammenhang mit einer schweren Krankheit bzw. nach großen Operationen;
- allgemeine Schwäche in hohem Lebensalter.

Einige der betroffenen Menschen atmen oberflächlich, um Schmerzen, die bei Dehnung des Brust- bzw. Bauchraumes hervorgerufen werden könnten, zu vermeiden; andere sind körperlich zu geschwächt, um tief durchzuatmen.
Dieselben Gründe verhindern das ausreichende Abhusten von Bronchialsekret. Liegengebliebenes Sekret und minderbelüftete Alveolarbezirke stellen Risikofaktoren für das Entstehen einer Pneumonie dar. Ersteres bietet einen guten Nährboden für Keime, die zweite Erscheinung führt zur Vorschädigung des Lungengewebes und somit ebenfalls zu erhöhter Anfälligkeit für Krankheitskeime.
Einzelne Lungenbezirke werden also minderbelüftet; findet in diesen Bezirken gar keine Ventilation statt, kollabieren hier die Alveolen. Es bilden sich luftleere Alveolarbezirke, die sogenannten **Atelektasen***. Diese sind besonders pneumoniegefährdet.

1.3.5.2 Hyperventilation

Als Hyperventilation bezeichnet man eine im Verhältnis zum erforderlichen Gasaustausch übermäßig gesteigerte Atmung. Hierzu kann es bei bestehender Labilität während **psychischer Überlastung** (z.B. Prüfungssituation) kommen. Es wird dabei soviel CO_2 abgeatmet, daß es zur Abnahme des pCO_2 im Blut *(Hypokapnie)* und zur Alkalose kommt. Der Betroffene empfindet Atemnot.
Unter der **Alkalose*** kommt es zur vermehrten Bindung von Kalziumionen an Eiweiß; somit stehen diese Ionen nicht mehr ausreichend zur Verfügung. Folglich treten die Symptome einer **Hypokalzämie** auf; es kommt zur neuromuskulären Übererregtheit *(Tetanie)*. Diese geht mit anfallartiger Störung der Motorik und der Sensibilität einher. Typisch hierfür sind die krampfartige Pfötchenstellung der Hände und Parästhesien* (Kribbeln).

Bei dieser psychogen bedingten Hyperventilation beruhigt man den Betroffenen und läßt ihn ggf. über eine Plastiktüte ein- und ausatmen. So wird die eigene CO_2- reiche Ausatmungsluft wieder eingeatmet, der pCO_2 im Blut steigt an.
Zur Hyperventilation kann es auch infolge von Stoffwechselstörungen oder Erkrankungen des Zentralnervensystems kommen. In diesen Fällen fehlt jedoch die Tetanie.

1.3.6 Pathologische Atemformen

Der Begriff Atemform bezieht sich auf den **Atemrhythmus und** die **Atemtiefe**. Unter bestimmten Umständen ist das Auftreten typischer Atemformen zu beobachten.

Die **Kussmaul - Atmung** (*Azidose - Atmung*) ist durch regelmäßige, große und sehr tiefe Atemzüge gekennzeichnet. Sie tritt **bei hochgradiger metabolischer Azidose** *(Übersäuerung des Blutes infolge Stoffwechselstörungen)*, z.B. im urämischen* oder im diabetischen Koma*, auf. Der Organismus versucht, die Übersäuerung des Blutes durch vermehrte CO_2 - Abatmung zu kompensieren.

Die **Cheyne - Stokes - Atmung** ist durch ein periodisches An- und Abschwellen der Atmung mit Atempausen gekennzeichnet. Sie tritt infolge einer herabgesetzten Erregbarkeit des Atemzentrums bezüglich des pCO_2 - Gehaltes im Blut auf. Die Atmung beginnt mit kleinen flachen Atemzügen, die in tiefere, keuchende Atemzüge übergehen. Dann werden die Atemzüge ständig kleiner, bis der pCO_2 - Gehalt des Blutes zu gering ist, um einen Atemreiz auszuüben. Es kommt zur Atempause. Dabei steigt der CO_2 - Spiegel an, die Atmung setzt wieder mit kleinen flachen Atemzügen ein und läuft weiter nach dem beschriebenen Rhythmus ab.
Diese Atemform tritt bei **Schädigung des Atemzentrums,** z.B. infolge chronischen O_2 - Mangels, bei ungenügender Hirndurchblutung oder Einwirken toxischer Stoffe, auf.
Die Cheyne - Stokes - Atmung kann auch während des Sterbens auftreten.
Mitunter läßt sie sich beim gesunden Menschen, insbesondere im Greisenalter während des Schlafes, beobachten. Hier liegt dann eine Abnahme des pO_2 bei gleichzeitiger Dämpfung des Atemantriebs zugrunde.

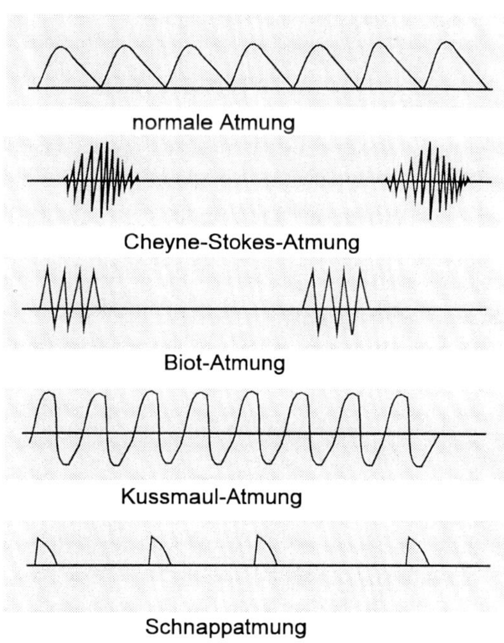

Abb. 1.6 ***Atemformen***

Die **Biot - Atmung** ist gekennzeichnet durch kräftige Atemzüge von gleichbleibender Tiefe, die durch plötzliche Atempausen unterbrochen werden. Die periodische Atmung tritt bei schweren **Störungen des Atemzentrums auf**. Dieses reagiert nicht mehr auf den CO_2 - Reiz, sondern nur noch auf den O_2 - Mangel - Reiz. Sobald genug O_2 eingeatmet wurde, erfolgt eine Atempause. Dadurch kommt es zum O_2 - Mangel, der als Atemanreiz für das Wiedereinsetzen der Atmung sorgt.
Patienten mit Biot - Atmung dürfen demnach **keinen Sauerstoff zugeführt** bekommen; damit würde man ihnen den Atemreiz nehmen und einen Atemstillstand provozieren.
Die Biot - Atmung kann auftreten **bei erhöhtem Hirndruck,** z.B. infolge Hirnhautentzündung (*Meningitis*), Gehirnentzündung (*Enzephalitis*) oder Hirntumor, -ödem sowie -blutung. Ebenso können **Hirnverletzungen** zur Biot - Atmung führen.

Die **Schnappatmung** ist durch kurze, schnappende und unregelmäßig einsetzende Einatmungszüge gekennzeichnet. Sie tritt bei **schwerster Schädigung des Atemzentrums** auf.
Die Schnappatmung ist Ausdruck einer zerebralen Hypoxie und somit Zeichen des nahen Todes *(präfinale Atemzüge)*.
Sie kann auch bei Frühgeborenen, deren Atemzentrum noch nicht voll entwickelt ist, beobachtet werden.

1.3.7 Atemstillstand (*Apnoe*)

Der Atemstillstand wird durch folgende Beobachtungen festgestellt:
- es sind weder Bewegungen des Brustkorbes noch Luftbewegungen aus Nase oder Mund wahrnehmbar (Spiegel oder Feder vorhalten);
- der Betroffene ist bewußtlos;
- die Pupillen sind beiderseits erweitert;
- die Haut ist zyanotisch, bei primärem Atemstillstand fahl - blaß verfärbt.

Eine häufige Ursache des Atemstillstandes ist die **Verlegung der Atemwege**, z.B. durch das Zurückfallen der Zunge bei Bewußtlosigkeit und Lähmungen. Der Kehlkopfeingang wird von der auf ihr liegenden Zunge verschlossen.
Auch Fremdkörper, Erbrochenes oder Blut können in die Atemwege gelangen *(Aspiration)* und diese verlegen.
Die **Lähmung des Atemzentrums** führt ebenfalls zum Atemstillstand. Sie kann Folge von Verletzungen des verlängerten Marks oder eines Gefäßverschlusses im Gehirn sein. Auch stark erhöhte Dosen von Schlaf- oder Beruhigungsmitteln können zum Atemstillstand führen.
Bei **Lähmungen der Atemmuskulatur**, z.B. infolge einer Curareintoxikation oder bei Kinderlähmung, kann es ebenfalls zum Atemstillstand kommen. Die Giftstoffe wirken lähmend auf die Skelettmuskulatur.
Liegt ein **Herzstillstand** vor, so kommt es ca. 1 - 2 Minuten später zum **sekundären Atemstillstand**.
Auf den **primären Atemstillstand** folgt nach ca. 3 - 5 Minuten der Herzstillstand.

1.3.8 Nasenflügelatmung

Die Nasenflügelatmung geht mit heftigen Bewegungen der Nasenflügel einher. Um möglichst viel Luft einzuatmen, werden die Nasenflügel weitgestellt (aufgebläht). Dies erfolgt häufig **bei Atemnot**, insbesondere wenn diese durch eine bakterielle Pneumonie verursacht ist.
Bei Säuglingen, die unter Erkrankungen der Atemwege und somit unter Atemnot leiden, ist das Nasenflügelatmen sehr viel häufiger und extremer zu beobachten.

1.3.9 Erschwerte Atmung (*Dyspnoe*)

Die Bezeichnung Dyspnoe bezieht sich auf die **subjektiven Empfindungen bei Erschwerung der Atemtätigkeit**. Diese sind Atemnot, Lufthunger, Kurzatmigkeit, Beklemmungsgefühl und ähnliche Erscheinungen. Ein Betroffener atmet durch Nase und Mund, beansprucht die Atemhilfsmuskulatur und richtet den Oberkörper auf. Er leidet unter Angst, evtl. wird durch die Atemnot sogar Todesangst ausgelöst. Nicht selten ist gleichzeitig eine Zyanose an den Lippen und unter den Nägeln zu beobachten *(Lippen- und Akrenzyanose)*.
Meist wird die Atemnot von einer Tachykardie und von einem deutlich hörbaren Atemnebengeräusch begleitet.
Die erschwerte Atmung beeinträchtigt die Aktivitäten eines Betroffenen, vor allem in den Bereichen "Sich Bewegen", "Wach sein, Ruhen und Schlafen", "Kommunizieren" sowie "Essen und Trinken". Eine deutliche Minderung der Lebensqualität kann die Folge sein.

Die Einteilung der verschiedenen Dyspnoearten erfolgt entsprechend ihrer Ursachen.

- Die **azidotische*** **Dyspnoe** wird durch einen erniedrigten pH - Wert des Blutes (< 7,34), z.B. infolge von Stoffwechselstörungen, verursacht. Das Atemzentrum gibt ständig Impulse zur vermehrten Atemarbeit; durch vermehrte CO_2 - Abatmung soll das Blut entsäuert werden.
- Die **kardiale*** **Dyspnoe** (*Kardia = griechisch: Herz*) wird durch eine Herzinsuffizienz ausgelöst.
  Das insuffiziente Herz ist nicht in der Lage, das Herzminutenvolumen in ausreichendem Maße an die jeweiligen Stoffwechselerfordernisse anzupassen. Bei einer Lungenstauung kann es zu verminderter O_2 - Aufnahme und CO_2 - Abgabe kommen. Durch diese Veränderung wird der Impuls zu vermehrter Atemarbeit ausgelöst und unterhalten; ein deutlicher CO_2 - Anstieg kann den Wachzustand dämpfen.
  Je nach Ausmaß der Herzinsuffizienz werden verschiedene Formen der Dyspnoe unterschieden:
  - Die **Belastungsdyspnoe** tritt bei Anstrengung auf und verschwindet in Ruhe.
  - Die **Ruhedyspnoe** tritt bereits während körperlicher Ruhephasen auf.
  - Die **Orthopnoe*** ist die höchste Form der Atemnot. Sie kann nur in aufrechter Oberkörperhaltung und unter Inanspruchnahme der Atemhilfsmuskulatur einigermaßen kompensiert werden. Der Betroffene leidet unter hochgradigem

Lufthunger. Die Orthopnoe kann z.B. durch ein Lungenödem ausgelöst werden.

- Die **pulmonale Dyspnoe** wird durch Erkrankungen der Atemwege bzw. der Lunge ausgelöst. Sowohl Ventilation* als auch Diffusion* können behindert sein. Bei restriktiven Lungenerkrankungen *(siehe Seite 38)* tritt die Atemnot als Folge der verminderten Gasaustauschfläche auf. Bei obstruktiven Lungenerkrankungen *(siehe Seite 38)* ist sie Folge einer chronischen Verengung des Bronchiallumens.
- Die **zirkulatorische Dyspnoe** wird durch Störungen des O_2 - Transportes, z.B. bei Blutarmut, verursacht. Die dadurch hervorgerufene O_2 - Minderversorgung der Zellen soll durch vermehrte Atemarbeit kompensiert werden.
- Die **zerebrale Dyspnoe** wird durch Schädigung des Gehirns, z.B. infolge eines Schlaganfalls oder einer Gehirnverletzung, ausgelöst. Das Atemzentrum wird beeinträchtigt und gibt Impulse zu vermehrter Atemarbeit (ohne daß diese erforderlich wäre).
- Die **psychische Dyspnoe** wird durch übermäßiges Atmen bei psychischer Erregung ausgelöst. Es kommt zur Hyperventilation *(siehe Seite 35)* mit starken Angstgefühlen, welche zur weiteren Steigerung der Atmung führen.
- Die **abdominale Dyspnoe** wird durch Behinderung der Zwerchfellatmung verursacht. Ein tiefes Durchatmen ist nicht möglich. Die abdominale Dyspnoe ist bei Menschen mit starken Schmerzen oder mit Drucksteigerung im Bauchraum (z.B. bei Aszites*) zu beobachten.

Die **Beobachtung einer Dyspnoe** läßt sich weiter differenzieren:

- Ist die Einatmung erschwert und verlängert, - der Kranke "zieht" Luft -, so handelt es sich um eine **inspiratorische Dyspnoe**. Sie wird durch Krankheiten und Störungen, die zur Verlegung der oberen Luftwege führen, verursacht. Dies ist z.B. bei Schilddrüsenvergrößerung / -tumoren, Kehlkopfschwellung (z.B. nach Insektenstichen), Nasenscheidewandkrümmungen und Fremdkörperaspiration möglich.
  In schweren Fällen tritt - die Einatmung begleitend - ein pfeifendes, langgezogenes Atemnebengeräusch *(inspiratorischer Stridor*)* auf.
- Eine **exspiratorische Dyspnoe** liegt vor, wenn die Ausatmung erschwert und verlängert ist. Sie wird durch Krankheiten verursacht, die zu einer Verengung der Bronchiolen bzw. zum Elastizitätsverlust der Lungen führen. Diese Auswirkungen können z.B. beim Asthma bronchiale*, bei chronisch obstruktiver Bronchitis*, Bronchusverengungen oder beim Lungenemphysem* auftreten. In schweren Fällen wird die Ausatmung von Atemnebengeräuschen (Giemen, Pfeifen, Brummen) begleitet.

1.3.10 Atemnebengeräusche

Atemnebengeräusche wie Keuchen und Schnarchen können unter physiologischen Bedingungen auftreten.
Das **Keuchen** bei körperlicher Überanstrengung ist bekannt.

Das **Schnarchen** kann durch Mundatmung während des Schlafes bedingt sein. Das typische Geräusch wird durch atmungsbedingte Schwingungen des schlaff herunterhängenden Gaumensegels erzeugt. Hierzu kommt es infolge eines Spannungsverlustes der Kiefer- und Zungenmuskulatur.

Krankhafte Atemnebengeräusche

- **Giemen** und **Brummen** klingen "trocken" und treten bei Verengung der Bronchiolen, z.B. bei Bronchitis* oder Asthma bronchiale*, während der Ausatmung auf. Sie entstehen durch Schwingungen von Schleimfäden und Luftsäulen in den Atemwegen.
- Als **Stridor** bezeichnet man ein pfeifendes, langgezogenes Atemnebengeräusch. Da der Stridor durch Verengungen der Atemwege bedingt ist, liegt meist gleichzeitig eine erschwerte Atmung vor. Tritt er während der Einatmung auf, handelt es sich um den *inspiratorischen*, tritt er während der Ausatmung auf, um den *exspiratorischen Stridor.*
- Beim **Schluckauf** *(Singultus)* handelt es sich um ein Atemnebengeräusch, welches durch ruckartiges Einströmen von Luft in die Atemwege bedingt ist. Hierzu kommt es infolge schneller, unwillkürlicher Zwerchfellkontraktionen durch Reizung des Zwerchfellnervs.
- Die Bezeichnung **Trachealrasseln** meint grobe, auf Distanz hörbare Rasselgeräusche über der Brust. Sie werden durch Sekretmassen in der Luftröhre verursacht und sind mitunter bei der Bronchitis zu hören. Typisch ist das Trachealrasseln beim Lungenödem. Es kann auch bei sterbenden Menschen beobachtet werden.

1.3.11 Schmerzen

Da das Lungengewebe selbst keine Schmerzrezeptoren besitzt, geben atmungsabhängige bzw. im Bereich des Brustraums auftretende Schmerzen immer einen Hinweis auf andere Störungen.
Um die Ursache des Schmerzes zu finden, ist eine genaue Beobachtung von großem Nutzen. Diese richtet sich auf:

- Lokalisation (wo tritt der Schmerz auf?);
- auslösende und beschleunigende Faktoren (Nahrungsaufnahme? Anstrengung? Atmung? Husten?);
- Dauer (Sekunden, Stunden, Tage?);
- Intensität (leichter oder starker Schmerz?);
- Art (ziehend? stechend? schneidend?).

So tritt z.B. ein atemabhängiger, stechender Schmerz bei der Pleuritis* auf.
Schmerzen hinter dem Brustbein weisen auf eine Entzündung der Luftröhre hin.
Auch extrapulmonale Prozesse, wie die O_2 - Mangel-Versorgung des Herzens, können Schmerzen im Brustraum auslösen.

1.3.12 Atemgeruch

Der Atemgeruch ist abhängig von der Mundhygiene und der Ernährung. Ernährungsbedingte, typische

Atemgerüche, wie sie z.B. nach Zwiebel- / Knoblauchgenuß auftreten, sind jedem Leser bekannt.

Pathologische Veränderungen des Atemgeruchs geben Hinweise auf bestimmte Krankheiten.

- **Übler Mundgeruch** *(Foetor* ex ore)* wird durch den bakteriellen Abbau von Nahrungsresten und abgeschilferten Epithelien bei mangelhafter Mund- / Zahnhygiene oder bei Karies verursacht. Erkrankungen der Mundhöhle und längere Nahrungskarenz rufen ebenfalls üblen Mundgeruch hervor.
- **Azetongeruch** *("wie faule Äpfel")* tritt begleitend bei Azidose, z.B. infolge eines Koma diabetikum oder langandauernden Hungers, auf.
- **Jauchig - stinkender Fäulnisgeruch** weist auf eitrige Atemwegserkrankungen oder auf Zerfall von Lungengewebe hin.
- **Erdiger oder nach frischer Leber riechender Atem** *(Foetor* hepaticus)* tritt bei schweren Lebererkrankungen mit Parenchymuntergang* auf.
- **Urinöser Atemgeruch** *(Foetor urämicus)* tritt bei der Urämie* im Endstadium der Niereninsuffizienz auf.
- **Ammoniakgeruch** *("wie Salmiakgeist", "wie faule Eier")* entsteht bei Eiweißzerfall, z.B. während des Leberkomas oder bei Blutungen aus der Speiseröhre.

1.4 Pathologische Veränderungen der Atmung

Es werden pathologische Mechanismen beschrieben, die zu einer Behinderung bzw. Insuffizienz* der Atmung und/oder zur Vorschädigung des Lungengewebes führen. Gleichzeitig handelt es sich um Risikofaktoren, die das Entstehen einer Pneumonie begünstigen.

1.4.1 Obstruktion der Atemwege

Chronisch obstruktive* Atemwegserkrankungen gehen mit einer Erhöhung des Strömungswiderstands in den Bronchien einher; es kommt zur ungleichmäßigen Belüftung der Alveolen und zu zunehmender Lungenüberblähung. Die fortgeschrittene Erkrankung führt zu Störungen des Gasaustausches. Folgen sind mehr oder minder ausgeprägte Atemnot, exspiratorische Atemnebengeräusche (Giemen, Pfeifen, Brummen) sowie die vermehrte Sekretion von zähem Bronchialschleim.

Zu den **chronisch-obstruktiven Atemwegserkrankungen** zählen:

- chronische Bronchitis *(siehe Seite 66)*,
- Asthma bronchiale *(siehe Seite 79)*,
- obstruktives Lungenemphysem *(siehe Seite 997)*.

Menschen, die an obstruktiven Atemwegserkrankungen leiden, haben aufgrund der vorgeschädigten Atemwege ein **besonderes Pneumonierisiko**; dieses steigt enorm, wenn weitere Risikofaktoren, z.B. eine Schonatmung oder eine Atemdepression, hinzukommen.

1.4.2 Restriktion der Atemwege

Zur Verkleinerung der Gasaustauschfläche *(Restriktion)* kommt es durch zeitweisen oder dauerhaften **Verlust von ventilierbarem Alveolarraum**; sie ist Folge einer verminderten Ausdehungsfähigkeit des Thorax-, Lungen und Zwerchfellsystems. Restriktive Ventilationsstörungen können vorkommen bei Adipositas, bei Luft- *(Pneumothorax)* und Flüssigkeitsansammlungen im Pleuraraum (Blutansammlung = *Hämatothorax*; Eiteransammlung = *Pleuraempyem*).

Häufigste Ursache einer restriktiven Ventilationsstörung ist das **Lungenemphysem**, bei dem es zu einer irreversiblen Erweiterung des Alveolarraumes und somit zu einer "Überblähung" der Lunge kommt. Dies ist auch in einer reversiblen Form beim Asthma bronchiale mit exspiratorischer Atembehinderung möglich.

1.4.3 Depression des Atemzentrums

Bei der Depression des Atemzentrums handelt es sich um eine **herabgesetzte Ansprechbarkeit des Atemzentrums** auf die speziellen chemischen Atemreize (Erniedrigung des pH - Wertes durch pCO_2 - Anstieg und pO_2 - Abfall).

Mögliche Ursachen sind z.B.:

- Narkotikagabe,
- Schlafmittelvergiftung / -überdosis,
- Infektion (z.B. Typhus),
- Embolie einer Hirnarterie *(Verschluß einer Hirnarterie durch ein verschlepptes Blutgerinnsel)*,
- Gehirnverletzungen / -tumoren,
- Erkrankung des zentralen Nervensystems,
- metabolische Alkalose*.

Bei Menschen mit obengenannten Erkrankungen kann der Atemantrieb teilweise oder komplett ausfallen *(Atemstillstand)* oder zu einer sehr flachen und langsamen Atmung mit *Hypoventilation* *(siehe Seite 34)* führen.

Beachte: Chronisch respiratorisch-insuffiziente Menschen sind bei O_2 - Gabe gefährdet, eine Atemdepression zu erleiden. Grund ist die Gewöhnung an den erhöhten pCO_2, die dazu führt, daß das Atemzentrum nur noch auf den Atemreiz O_2 - Mangel reagiert. Wird dieser durch O_2 - Gabe behoben, fehlt der Atemantrieb, es kann zum Atemstillstand kommen. Deshalb wird bei dieser Patientengruppe Sauerstoff im Bedarfsfall nur gering dosiert und unter genauer Beobachtung der Atmung verabreicht.

1.4.4 Lähmung der Atemmuskulatur

Zur Lähmung der für die Atembewegungen notwendigen Muskulatur *(vgl. "Atemmechanik", Seite 32)* kommt es durch die Wirkung verschiedener Substanzen.

Erwünscht ist dies **zur künstlichen Beatmung** während der Intubationsnarkose; hier wird die Atemmuskulatur durch Gabe von Muskelrelaxanzien*, die Curare enthalten, reversibel gelähmt. Die physiologische Reinigung, Erwärmung und Anfeuchtung der Atemluft entfällt und wird vom Narkose- bzw. Beatmungsgerät übernommen.

Zur **pathologischen Lähmung** der Atemmuskulatur kommt es z.B. bei der Kinderlähmung *(Poliomyelitis)*

aufgrund der Zerstörung motorischer Nervenzellen durch das Polio-Virus.
Die Atemmuskulatur kann auch bei der Muskeldystrophie* zunehmend gelähmt werden.

1.4.5 Diffusionsstörungen

Der Gasaustausch findet, wie bereits besprochen, zwischen der Luft in den Alveolen und dem Blut in den Kapillaren statt. Dazwischen liegt lediglich eine mikrometerdicke (also sehr dünne) Membran; die Diffusionsstrecke ist sehr kurz und erlaubt einen raschen Gasaustausch.
Diese alveokapilläre Membran kann sich infolge bestehender Herz- und Lungenveränderungen verdicken, so daß der Diffusionsweg verlängert wird.
Folge dieser Diffusionsstörungen ist ein pO_2 - Abfall; sowohl das Lungengewebe als auch die übrigen Körpergewebe werden zu wenig mit O_2 angereichert (*Hypoxie**).

Diese Diffusionsstörungen sind zu erwarten bei Patienten mit folgenden Erkrankungen:

- **Herzkrankheiten / Herzinsuffizienz** *(siehe Seite 283)*
  Hier ist das linke Herz nicht in der Lage, das aus dem Lungenkreislauf kommende Blut in den großen Körperkreislauf auszuwerfen. Folglich kommt es zur Blutüberfüllung der Lungengefäße, man spricht von der sogenannten Stauungslunge.
- **Lungenödem**
  Beim Lungenödem handelt es sich um einen massiven Austritt von Flüssigkeit in das Zwischenzellgewebe (*Interstitium*) und/oder in die Alveolarräume der Lungen. Hierfür gibt es verschiedene **Ursachen**:
  a) eine nicht ausreichende Pumpfunktion des linken Herzens (*dekompensierte Herzinsuffizienz, Linksherzversagen*), die über eine massive Lungenstauung mit Druckerhöhung im Lungenkreislauf zum Abpressen von Blutflüssigkeit ins Interstitium und in die Alveolen führt; der Gasaustausch ist jetzt stark beeinträchtigt;
  b) Abfall des kolloid-osmotischen Drucks unter den Kapillardruck bei starker Erniedrigung des Bluteiweißwertes, zu dem es z.B. bei langdauernden Hungerzuständen oder bei chronischen Nierenerkrankungen kommt;
  c) erhöhte Durchlässigkeit (*Permeabilität*) der Alveo-Kapillarwände durch toxisch - infektiöse Einflüsse, z.B. durch Wirkung von Nitrogasen, bei E 605 - Vergiftungen oder bei allergischen Reaktionen; die Kapillarwände werden so geschädigt, daß sie für die Blutflüssigkeit durchlässig werden;
  d) bestehende Erkrankungen / Veränderungen im Gehirn (z.B. Tumoren, Schlaganfall, Blutungen), die zur Wasseransammlung in der Lunge führen; der Entstehungsmechanismus ist bisher ungeklärt.
- **Lungenembolie / Lungeninfarkt** *(siehe Seite 336)*.

1.4.6 Sekretanschoppung

Es wurde bereits besprochen, daß die oberen und unteren Atemwege mit schleimbildenden Becherzellen und kleinen Schleimdrüsen ausgestattet sind. Das von ihnen produzierte Sekret feuchtet einerseits die Atemluft an, andererseits hält es Fremdkörper fest. Mit Hilfe der rachenwärts schlagenden Flimmerepithelien *(Zilien)* werden die Fremdkörper aus dem Atemtrakt entfernt. Normalerweise lösen und entfernen wir dieses Sekret mehrmals täglich durch Räuspern und Hüsteln. Menschen, die diesen Schutzmechanismus unterdrükken bzw. nicht in der Lage sind zu hüsteln, sind besonders pneumoniegefährdet. Die Disposition nimmt zu, wenn zusätzlich eine vermehrte Sekretproduktion vorliegt. Diese ist bei bestehender **Atemwegsentzündung** und nach Reizung der Atemwege durch **Fremdkörper** (z.B. nach einer Intubation) zu erwarten.
Wird die Atemluft nicht ausreichend angefeuchtet, z.B. bei der **Mundatmung**, bei Gabe von nicht angefeuchtetem O_2 oder beim Atmen über ein Tracheostoma, kommt es zur Eindickung des Sekretes.
Eine zu geringe orale Flüssigkeitsaufnahme hat dieselbe Konsequenz.
Eingedicktes Sekret ist zäh und kann nur schwer abgehustet werden. Liegengebliebenes Sekret haftet an den Bronchialwänden, schoppt sich hier an und bietet einen guten **Nährboden für Krankheitskeime**. Ebenso kann es zur Einengung des Bronchiallumens führen.
Wird ein Bronchialast durch den angesammelten Schleim verlegt, gelangt keine Luft mehr in die dazugehörigen Alveolen. Die dort befindliche Restluft wird resorbiert, so daß die luftleeren Lungenbläschen kollabieren *(Atelektase)*. In diesem Bezirk entwickelt sich eine Entzündung mit Ödem.
Eine weitere Disposition stellt die Vorschädigung des Flimmerepithels durch **inhalierendes Rauchen** dar.
Nach Inhalieren des Rauchs einer Zigarette sind die Zilien für einige Zeit gelähmt, schlagen also nicht das mit Fremdpartikeln beladene Sekret rachenwärts. Wird in kurzen Abständen weiter geraucht, bleibt dieser Mechanismus erhalten, die Schutzfunktion wird bis zur "nikotinfreien Nachtruhe" unterbunden. Erst nach einigen Stunden Rauchabstinenz nehmen die Zilien ihre Tätigkeit und Schutzfunktion wieder auf. Der Schleim wird rachenwärts befördert und ausgehustet (*morgendlicher Raucherhusten*).
Folglich ist der Raucher einem höheren Infektionsrisiko ausgesetzt; tatsächlich leiden viele Raucher anfänglich an einer chronischen, später an einer chronisch obstruktiven Bronchitis.
Auch Menschen mit irreversiblen **Bronchuserweiterungen** *(Bronchiektasen*)* weisen eine Sekretanschoppung in den entsprechenden Bezirken auf.
Generell wird die Sekretanschoppung durch Hypoventilation *(siehe Seite 34)* begünstigt.

1.4.7 Tracheostoma

Wird durch einen Luftröhrenschnitt *(Tracheotomie, siehe Seite 402)* eine **künstliche Verbindung** von **der Luftröhre nach außen** geschaffen, so spricht man vom Tracheostoma.

Die nun über eine Kanüle zugeführte Luft wird weder erwärmt, befeuchtet noch gefiltert, denn die oberen Luftwege (und somit auch ihre Schutzfunktionen) sind ausgefallen. Folglich ist der Kranke **anfälliger für Infektionen**.

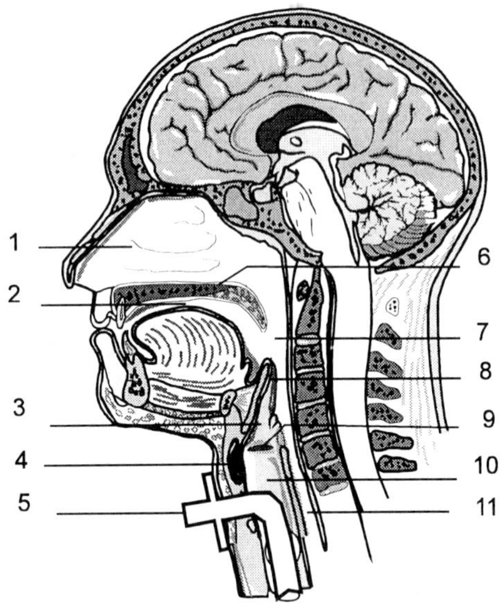

1	*Nasenhöhle*	*6*	*Gaumen*
2	*Mundhöhle*	*7*	*Nasen-Rachen-Raum*
3	*Kehlkopf*	*8*	*Kehldeckel*
4	*Schildknorpel*	*9*	*Stimmritze*
5	*Trachealkanüle*	*10*	*Luftröhre*
		11	*Speiseröhre*

Abb. 1.7 ***Tracheostoma***

Betroffen sind meist Personen, denen der Kehlkopf aufgrund einer bösartigen Tumorerkrankung entfernt wurde bzw. Menschen, die langfristig beatmet werden müssen.

1.5 Beobachtung des Hustens

1.5.1 Physiologischer Abwehrmechanismus

Das **Husten** *(Tussis)* ist ein physiologischer Abwehrmechanismus, ein **Schutzreflex**. Beim Husten werden Fremdkörper, Schleim und ähnliche Substanzen durch einen forcierten Exspirationsstoß nach außen befördert. Im Alter ist die Erregbarkeit des Hustenreflexes vermindert.
Kleine, physiologische Schleimmengen werden durch Räuspern entfernt.
Husten wird **durch** verschiedene **Reize ausgelöst**. Dies können schleimhautschädigende Gase, Entzündungen und andere krankhafte Veränderungen sowie Fremdkörper in den Atemwegen sein. Starkes Husten kann vom Betroffenen als sehr unangenehm empfunden werden und Atemnot auslösen.
Auch psychische Erregung (Hüsteln bei Aufregung) und trockene Atemluft (Heizungsluft, Mundatmung) können Anlaß zum Husten sein.

1.5.2 Trockener Husten

Geht das Husten **ohne Sekretentleerung** einher, so spricht man von trockenem oder unproduktivem Husten. Er tritt bei **Einwirkung von Reizgasen** (SO_2, NO_x, Zigarettenrauch), bei Kehlkopferkrankungen und Rippenfellentzündung auf. Eine Fremdkörperaspiration, der Beginn einer Bronchitis und die akute Linksherzinsuffizienz lösen ebenfalls einen trockenen Reizhusten aus. Dieser kann auch Frühsymptom eines Bronchialkarzinoms sein; in der sehr geringen Sputummenge finden sich meist faserige Blutbeimengungen, selten wird Blut ausgehustet (*siehe nachfolgend "Hämoptoe"*).
Beachte: Husten, der länger als 3 - 4 Wochen andauert, ist kein Symptom einer Erkältungskrankheit. Die Ursache muß vom Arzt geklärt werden!

1.5.3 Produktiver Husten

Von produktivem Husten spricht man, wenn es zur **Sekretentleerung** kommt. Bei diesem Auswurf (*Expektoration, Sputum*) handelt es sich um Absonderungen der Atemwegsschleimhäute, denen Zellen, Staub, Blut und andere Substanzen beigemengt sind. Die Sekretmenge ist insgesamt vermehrt.

1.5.3.1 Sputum

Die **Beobachtung des Sputums** kann wichtige diagnostische Hinweise liefern; in der modernen Medizin stehen heute jedoch mikroskopische und bakterielle Untersuchungsverfahren zur Verfügung, die eine genauere Diagnostik zulassen. Trotzdem werden die Kriterien der Sputumbeobachtung in diesem Zusammenhang angesprochen.
Das Sputum wird auf **Farbe, Konsistenz, Beimengungen, Geruch und Menge beobachtet**.
Typische Veränderungen finden sich bei Erkrankungen der Atemwege.

Schleimiges, durchscheinendes und fadenziehendes Sputum ist bei leichten Infektionen des Atemapparates zu beobachten. Bei Keuchhusten ist das Sputum **zäh - schleimig**, bei Asthma bronchiale ist es **zäh**, **fadenziehend** und **glasig**.

Eitriges, **gelblich** oder **grünlich** verfärbtes Sputum wird bei Entzündungen der Luftröhre, der Bronchien und des Lungengewebes ausgehustet.

Schleimig - **eitrig** und **reichlich** ist der morgendliche Auswurf bei Bronchiektasen* (sogenannte *"maulvolle" morgendliche Expektorationen*). Im Spitzglas setzt sich das Sputum dreischichtig ab: unten befinden sich Eitermengen, in der Mitte eine gelblich - grüne, trübe Flüssigkeit und obenauf eine schaumige Masse.

Beim Lungenödem* tritt nach 1 - 2 Tagen sehr **dünnflüssiges**, **schaumiges**, **hellrot** verfärbtes Sputum auf.
Blutiges Sputum (*Bluthusten = Hämoptoe*) findet man bei Geschwüren und Karzinomen an den Atemwegen, bei Lungentuberkulose / -abszeß / -infarkt, bei Bronchiektasen und bei Verletzungen durch Fremdkörperaspiration. Erkrankungen, die mit Blutungsneigung / Spontanblutungen einhergehen *(hämorrhagische Diathese*)*, können ebenfalls Bluthusten verursachen.

Rostbraun gefärbt ist das Sputum bei Lungenentzündung / -karzinom oder beim blutigen Lungeninfarkt*.

Ein **fader süßlicher Geruch** weist auf bakterielle Zersetzungsprozesse und Bronchiektasen hin.

Bei Eiteransammlungen, Eiweißzerfall und bakteriellen Zersetzungsprozessen im Bereich des Lungengewebes wird **übelriechendes** Sputum abgesondert.

1.5.4 Dauer, Häufigkeit und Zeitpunkt

Die Beobachtung von Dauer, Häufigkeit und Zeitpunkt des Hustens kann wichtige Hinweise auf die zugrunde liegende Ursache geben.
So kann **nächtlicher Reizhusten** das Zeichen eines akuten Druckanstiegs im Lungenkreislauf sein.
Morgendliches Husten findet man bei Rauchern, bei Menschen mit chronischer Bronchitis oder mit Bronchiektasen*.
Tritt der **Husten nach Kontakt mit Reizgasen** (z.B. Haarspray, Kochdünste, Autoabgase) auf, so kann eine besondere Empfindlichkeit *(bronchiale Hyperreagibilität)* oder eine Allergie vorliegen.
Wird der **Husten** nur **bei psychischer Erregung** beobachtet, so handelt es sich lediglich um ein Verlegenheitshüsteln / -husten.
Kontinuierlich tritt der Husten bei Entzündungen der Atemwege auf.
Beim **Keuchhusten** wird der Betroffene von bis zu 50 Hustenanfällen in 24 Std. geplagt (siehe nachfolgend).

1.5.5 Hustengeräusche

Beim **Keuchhusten** *(Pertussis)* handelt es sich um eine Infektionskrankheit, die mit typischen Hustenanfällen einhergeht. Ein Hustenanfall beginnt mit verlängerter Einatmung, es folgen bis zu 50 **stakkatoartige* Hustenstöße**. Diese erfolgen ohne Unterbrechung kurz aufeinander, zwischendurch wird wenig und sehr oberflächlich eingeatmet. Der Hustenanfall wird von Atemnot und Zyanose begleitet. Gegen Ende des Anfalls wird meist glasiges, zähes Sputum entleert. Nach dem Anfall atmet der erschöpfte Betroffene (meistens ein Kind oder ein alter Mensch) keuchend weiter.

Wird der Husten von **metallisch, pfeifend** oder **krächzend** klingenden **Beitönen** begleitet, so wird er als **bitonal** bezeichnet. Er wird z.B. durch Kompression der Bronchien von außen oder durch Aspiration von Fremdkörpern verursacht.

Mit dem Begriff **kupierter Husten** ist der "abgeschnittene" Husten gemeint. Der Kranke bricht das Husten ab, um zusätzliche Schmerzen zu vermeiden. So können Menschen, die an einer Rippenfellentzündung oder anderen schmerzhaften Erkrankungen im Bauch- und Brustraum leiden, reagieren.

Aphonisch *(klanglos, heiser)* ist der Husten bei Schwellung der Stimmbänder oder bei Lähmung des Nervus recurrens*.

Bellend, rauh und **kratzig** tönt der Husten bei Krupp und Pseudokrupp. Beim "echten" Krupp handelt es sich um eine entzündlich bedingte Kehlkopfenge, die mit Atemnot und inspiratorischem Stridor einhergeht. Das Auftreten ist typisch bei Diphtherie*. Beim Pseudokrupp ist die Symptomatik ähnlich; er tritt auf bei kleinen Kindern im Zusammenhang mit der Inversionswetterlage*, Luftverunreinigung und Atemwegsinfekten.

1.6 Pflegerische Maßnahmen zur Unterstützung der Atmung sowie zur Atelektasen- und Pneumonieprophylaxe

Risikofaktoren, die das Entstehen einer Atelektase / Pneumonie begünstigen, werden unter "Beobachtung der Atmung", Seite 33, unter "Pathologische Veränderungen der Atmung", Seite 38, sowie unter "Pneumonie", Seite 68, besprochen.

1.6.1 Mobilisation

Jede Form der **Mobilisation** (siehe "Mobilisation", Seite 544), die mit körperlicher Aktivität des Patienten einhergeht, führt zur Intensivierung der Atmung und hat so pneumonieprophylaktische Wirkung.
Durch körperliche Aktivität entsteht ein erhöhter Sauerstoffbedarf in den Körperzellen. Um diesem gerecht zu werden, wird die **Atmung** automatisch **vertieft**. Folglich werden mehrere, vor allem tieferliegende Alveolen belüftet. Eine Minderbelüftung von Alveolarbezirken wird also verhindert, das Lungengewebe bleibt widerstandsfähig.
Durch die Veränderungen der Körperhaltung und durch die verstärkte Ausatmung wird zusätzlich der Abtransport von Bronchialschleim gefördert.

1.6.2 Lagerungen

1.6.2.1 Oberkörperhochlagerung

Ein erhöht gelagerter Oberkörper, halbhoch bis hin zur sitzenden Position, **erleichtert das Atmen**. Es muß allerdings darauf geachtet werden, daß der Patient nicht in Richtung Fußende rutscht. Hierdurch würde sich der Winkel des Körperknicks so ungünstig verschieben, daß der Oberkörper in sich zusammengedrückt würde. Eine solche Position behindert die Atmung erheblich.
Es empfiehlt sich, eine Bettverkürzung (Bettkiste, Kissen, Fußstütze) zur Stabilisierung der Oberkörperhochlage anzubringen. Alternativ kann ein kleines Polster, z.B. ein gerolltes Gästehandtuch als "Rutschbremse", vor den Sitzbeinhöckern angebracht werden (siehe Abb. 1.9).
Leidet der Patient bereits an einer erschwerten Atmung, bringt die **zusätzliche Hochlagerung der Arme** Erleichterung. Der Brustkorb wird dabei von der Last der Schultern befreit, der Einsatz der Atemhilfsmuskulatur unterstützt. Eine Knierolle oder ähnliches führt zur Entspannung der Bauchdeckenmuskulatur und so zur weiteren Erleichterung des Atemvorganges (siehe Abb. 1.10).

bracht. Der Kranke wird aufgefordert, daß an der Bettkante liegende Bein anzustellen und sich zu drehen, so daß er mit einer Körperhälfte auf dem Kissen liegt. Das obenliegende Bein bleibt leicht angewinkelt; das aufliegende Becken und die Schulter werden leicht nach hinten gezogen.

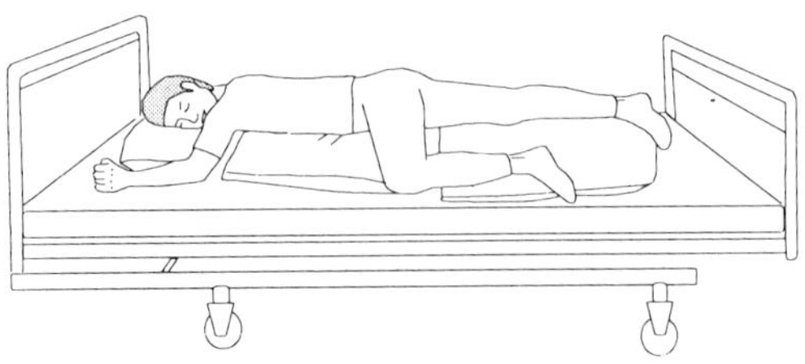

Abb. 1.17 ***135 - Grad - Lage***

Die 135 - Grad - Lagerung sollte bei pneumoniegefährdeten Menschen mehrmals täglich durchgeführt werden. In dieser Position bietet sich eine Steuerung des Atems in die obenliegenden Lungensegmente an; dazu legt die Pflegeperson ihre Hand auf die entsprechende Körperregion.

1.6.2.9 Lagerung nach Lungenoperationen

Nach einer **Pneumektomie** *(vollständige Entfernung eines Lungenflügels)* wird der Patient auf der operierten Seite gelagert. Dadurch kann sich der **gesunde Lungenflügel ungehindert entfalten**.
Nach einer **Lobektomie** (*Entfernung eines Lungenlappens*) oder nach einer **Segmentresektion** (*Entfernung eines Lungensegmentes*) wird der Patient auf der nicht operierten Seite gelagert. Beabsichtigt ist hier eine möglichst **ungehinderte Entfaltung des verbliebenen Teils des operierten Lungenflügels**.
Beide Positionen wechseln zweistündlich mit der Oberkörperhochlagerung *(siehe Seite 41)*. Evtl. ordnet der Arzt eine Drainagelagerung an.

1.6.2.10 Drainagelagerung

Drainagelagerungen *(Lagerungsdrainagen)* dienen der **Erleichterung der Sekretentleerung** aus den Atemwegen bei vermehrter Sekretion, erhöhter Viskosität des Sekretes und/oder mangelhafter Selbstreinigung der Bronchien (z.B. infolge einer Schädigung des Flimmerepithels oder unzureichenden Abhustens). Somit führen sie zur Verbesserung der Lungenbelüftung und beugen Atelektasen sowie Infektionen vor.
Durch die Höherlagerung bestimmter Lungenbezirke (Lungenflügel, -lappen oder -segmente) gegenüber Trachea und großen Bronchien kann das Sekret aus den Segment- und Lappenbronchien der Schwerkraft nach aus der Peripherie bestenfalls bis zur Trachea befördert werden, um von dort aus abgehustet bzw. abgesaugt zu werden.
Drainagelagerungen bedürfen der ärztlichen Anordnung.
Mögliche **Indikationen** sind

- Krankheiten, die mit vermehrter Bronchialsekretion und/oder Ansammlung von (zähem) Sekret einhergehen, z.B. schwere Bronchitis, Pneumonie, Asthma bronchiale, Bronchiektasen*, Mukoviszidose*;
- ein eingeschränkter Hustenmechanismus, z.B. bei maschineller Beatmung oder eingeschränkten Thoraxexkursionen (z.B, nach Thoraxoperationen oder nach großen Bauchoperationen).

Kontraindiziert ist die Drainagelagerung bei

- schweren Herz- und Kreislauferkrankungen, da sie eine kardiale Belastung bedingen kann;
- schweren Erkrankungen, die keine Kopftieflage gestatten, z.B. bei Hirn- und Lungenödem, schwerer arterieller und pulmonaler Hypertonie, Herzinsuffizienz;
- akuter Hämoptoe *(siehe "Sputum", Seite 40)*;
- Ruhedyspnoe, da die Betroffenen weder die Flach- noch die Kopftieflage tolerieren.

Durchführungshinweise
Für die Durchführung werden ein bis zwei dickere Kissen oder ein ca. 15 cm dicker Kunststoffblock benötigt. Falls die Ebene des Krankenbettes nicht verstellbar ist, werden für einige Lagerungen stabile Hilfsmittel zur Erhöhung des Fußendes benötigt.
Da eine Drainagelagerung zu Übelkeit, Erbrechen oder Aspiration führen kann, erfolgt die Durchführung **vor den Mahlzeiten**. Bei beatmeten oder bewußtlosen Patienten muß eine Magensonde liegen, damit das Magensekret ablaufen kann. Auch hier erfolgt die Lagerung vor der Verabreichung von Sondenkost und Flüssigkeit.
Vor der Durchführung wird der Patient genau informiert, chronisch Kranke werden auf die spätere selbständige Durchführung vorbereitet. Weiter gilt es, gemeinsam mit dem Patienten herauszufinden, zu welcher Tageszeit die Bronchialsekretion besonders stark ist. Diese ist der günstigste Zeitpunkt für die Durchführung. Wegen der nächtlichen Sekretansammlung sollte die erste Drainagelagerung **frühmorgens** stattfinden. Um die Wirkung der Drainagelagerung zu steigern, sollte der Patient **vorher** zwecks Sekretverflüssigung und/oder Bronchienerweiterung **inhalieren** (Arztanordnung).
Der Patient wird zunächst in die erwünschte Position, die sich aus der ärztlich erhobenen Diagnose ergibt, gebracht.
Für die Kopftieflage wird die Matratzenebene so eingestellt, daß das Fußende ca. 40 cm höher liegt als das Kopfende. Durch das gezielte Anbringen von ein bis zwei Kissen wird die Wirkung der Schwerkraft erhöht. Die korrekte Positionierung des Patienten und des Kissens - je nach betroffenem Lungenbezirk - wird in Abbildung 1.19, *"Drainagelagerungen"*, dargestellt.
Position(en), Häufigkeit und Dauer der Drainagelagerungen werden vom Arzt angeordnet (z.B. 4 x täglich 20 Minuten Lagerung zur Drainage des linken Lungenflügels).

Während der Lagerung können in der Ausatmungsphase über dem betreffenden Lungenbezirk Vibrationen ausgeübt werden *(siehe "Manuelle Sekretlösung", Seite 50 und "Apparative Sekretlösung", Seite 51)*.
Die gelöste Sekretmenge kann dadurch deutlich gesteigert, die Lagerungsdauer verkürzt werden.

Lunge mit Lungensegmenten und zugehörigen Bronchialästen

(Numerierung nach internationalem Klassifizierungsschema)

Abb. 1.18

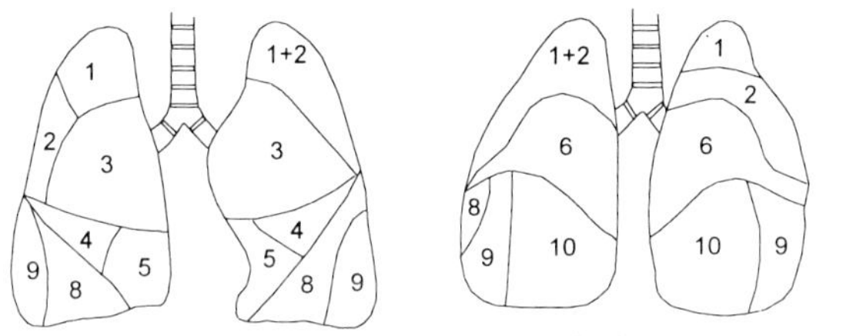

rechter Lungenflügel linker Lungenflügel
Lunge von ventral (vorne)

linker Lungenflügel rechter Lungenflügel
Lunge von dorsal (hinten)

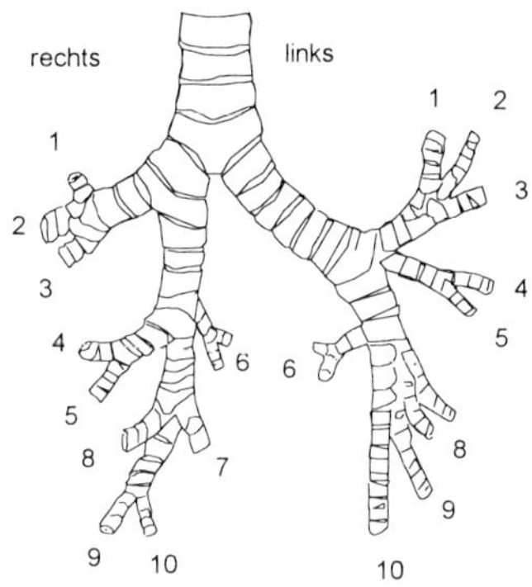

Rechte Lunge

Oberlappensegmente

1 = apikal; 2 = posterior; 3 = anterior

Mittellappensegmente

4 = lateral; 5 = medial

Unterlappensegmente

6 = apikal, 7 = mediobasal, 8 = anterobasal; 9 = laterobasal; 10 = posterobasal

Linke Lunge

Oberlappensegmente

1 + 2 = apikoposterior; 3 = anterior; 4 = lingulasuperior; 5 = lingulainferior;

Unterlappensegmente

6 = apikal, 7 = in der linken Lunge nicht vorhanden; 8 = anterobasal; 9 = laterobasal; 10 = posterobasal

Drainagelagerungen

Abb. 1.19

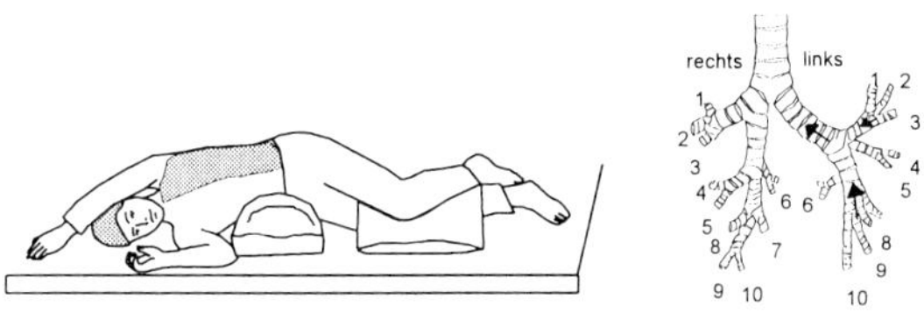

Lagerung zur Drainage des linken Lungenflügels

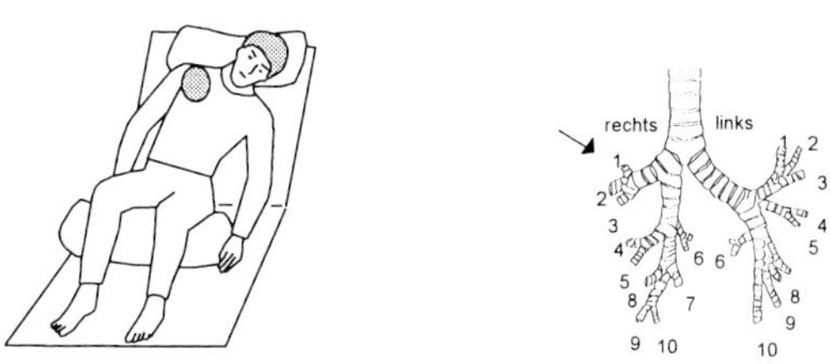

Lagerung zur Drainage des apikalen Oberlappensegmentes (rechte Lunge)

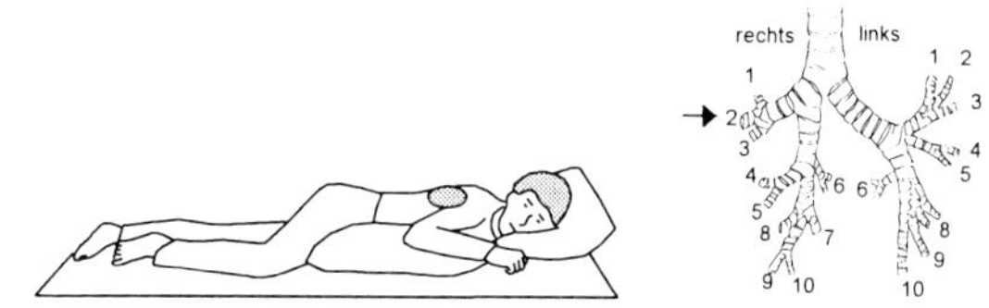

Lagerung zur Drainage des posterioren Oberlappensegmentes (rechte Lunge)

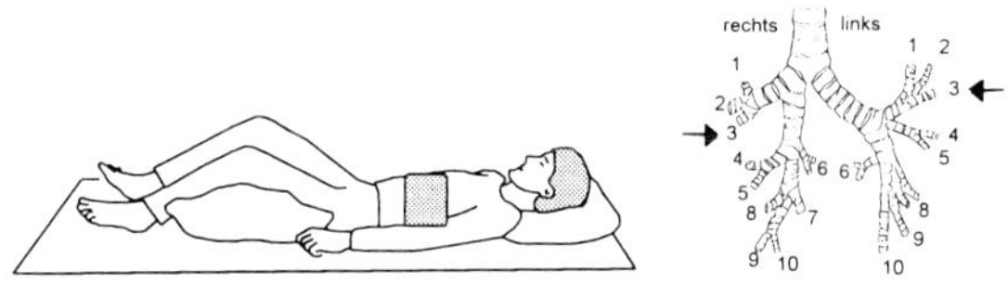

Lagerung zur Drainage der anterioren Oberlappensegmente (rechte und linke Lunge)

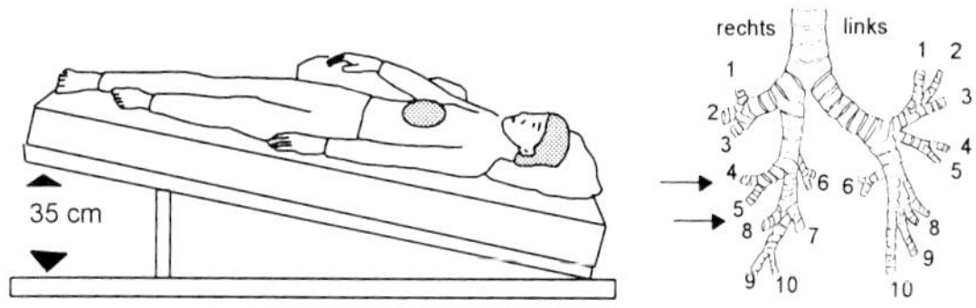

Lagerung zur Drainage des rechten Mittellappens

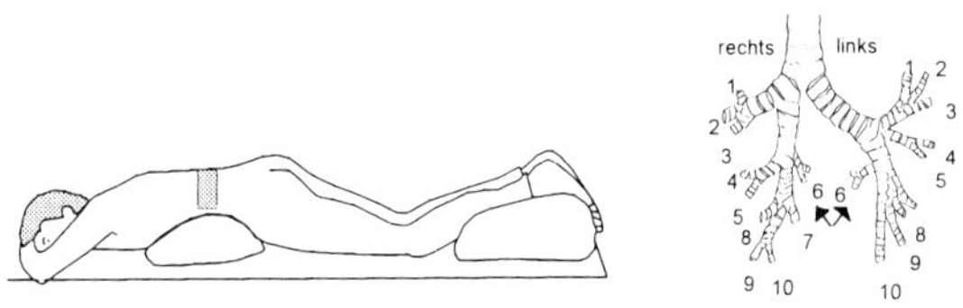

Lagerung zur Drainage der apikalen Unterlappensegmente (rechte und linke Lunge)

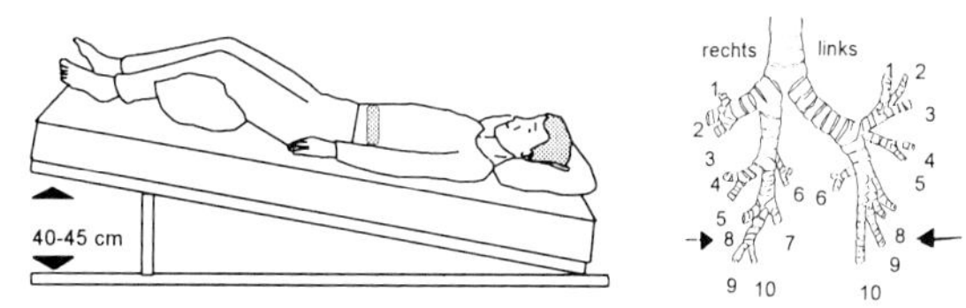

Lagerung zur Drainage der anterobasalen Unterlappensegmente (rechte und linke Lunge)

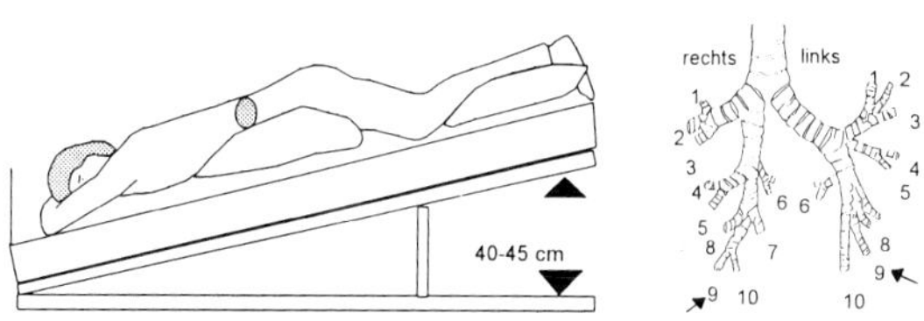

Lagerung zur Drainage der laterobasalen Unterlappensegmente (rechte und linke Lunge)

Lagerung zur Drainage des posterobasalen Unterlappensegmentes (rechte Lunge)

Der Patient wird beobachtet und verbleibt, sofern er die Lagerung toleriert, 20-30 Minuten in dieser Position. Bevor die Lage wieder verändert wird, ist er zum tiefen Durchatmen und Abhusten aufzufordern. Durchführung und Ergebnis werden dokumentiert.
Es sollte geprüft werden, ob der chronisch Kranke oder seine Angehörigen fähig und bereit sind, nach Anleitung die Drainagelagerung und Vibrationen selbständig durchzuführen; am eigenen Körper ist allerdings nur das Vibrieren der vorn gelegenen Lungensegmente möglich.

1.6.2.11 Atemerleichternde Lagerung beim Astmaanfall

Von einem **Asthma - Anfall** spricht man, wenn der Betroffene infolge einer Bronchiolenverengung unter plötzlicher und heftiger Atemnot leidet. Der Anfall wird meist als sehr bedrohlich empfunden *(siehe auch "Asthma bronchiale", Seite 79)*.
Neben Beruhigung, Frischluftzufuhr, Verabreichung von Bronchospasmolytika und Anleitung zu ruhiger Atmung mit Lippenbremse *(siehe Seite 56)* ist eine atemerleichternde Lagerung angezeigt.
Der chronisch kranke Asthmatiker weiß in der Regel, in welcher Position seine Atmung erleichtert wird. Deshalb bestimmt er die Art der Lagerung, das Pflegepersonal unterstützt ihn ggf. dabei.

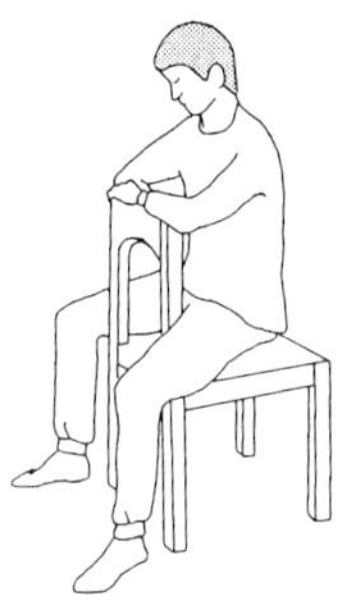

Reitsitz

Kutschersitz

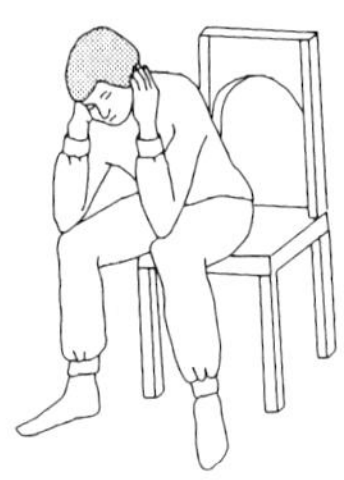

Sitzen mit aufgestützen Armen

Sitzen mit auf dem Tisch abgestützten Armen

Sitzende Lagerung auf der Bettkannte

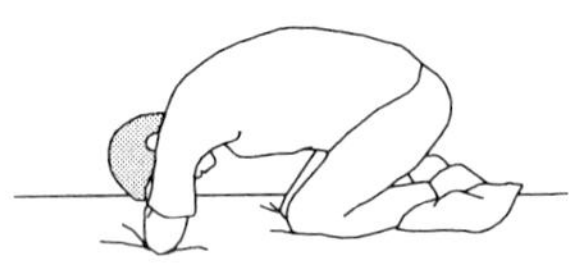

Päckchensitz

Hängebauchlage

Abb. 1.20 ***Atemerleichternde Positionen beim Asthma - Anfall***

Die abgebildeten Lagerungen sind die am häufigsten gewählten. Ihnen ist gemeinsam, daß sie den **Brustkorb vom Gewicht des Schultergürtels entlasten** und so einen **optimalen Einsatz der inspiratorischen Atemhilfsmuskulatur** erlauben.

1.6.3 Atemübungen

1.6.3.1 Tiefe Ein- und Ausatmung

Um eine ausreichende Belüftung aller Alveolen zu gewährleisten, müssen wir mehrmals täglich tief ein- und ausatmen. Dieses geschieht automatisch bei körperlicher Anstrengung, beim Gähnen oder beim Seufzen.
Bei immobilen Menschen ist es notwendig, bewußt ein **tiefes Durchatmen zu forcieren**. Sie werden mehrmals täglich, ggf. sogar mehrmals stündlich, aufgefordert, vier- bis fünfmal hintereinander tief und langsam ein- und auszuatmen. Die Zimmerluft sollte frisch, geruchsneutral und sauerstoffreich sein. Durch **regelmäßiges kräftiges Lüften** wird der Anreiz, die Luft tief in sich aufzusaugen, geschaffen. Verbrauchte und unangenehm riechende Zimmerluft wirkt sich eher gegenteilig aus.
Um die **Schutzfunktion der Nase** zu nutzen, wird bei geschlossenem Mund durch die Nase eingeatmet. Bei der Ausatmung strömt die Luft leicht, ohne Anstrengung und langsam zwischen den locker aufeinanderliegenden Lippen nach außen. Eine leicht **stoßweise** ausgeführte **Ausatmung fördert** den **Sekretauswurf**.
Insgesamt wirkt tiefes Durchatmen einer Ansammlung von Sekret in den Atemwegen entgegen.
Das tiefe Durchatmen kann kurzfristig durch einen **Kältereiz** provoziert werden. Meist geschieht dieses 2-3 mal täglich durch die **Abreibung** des Rückens mit alkoholhaltiger Lösung; aufgrund der entfettenden Wirkung des Alkohols muß die Haut anschließend rückgefettet werden. Mit kaltem Wasser, z.B. beim Duschen oder als Abreibung, erzielt man denselben Effekt. Zur Korrektur bzw. zum Ausgleich einer Hypoventilation *(siehe "Hypoventilation", Seite 34)* **reicht** es jedoch **nicht aus**, beim Kranken 2-3 mal täglich einige tiefe Atemzüge zu provozieren. Hier ist mehrmals täglich, ggf. auch stündlich, die bewußte und aktive Durchführung von Atemübungen unverzichtbar.
Als **Anreiz** und zur **Erinnerung an Atemübungen** können auch luftbewegliche Teile, z.B. ein Papiermobile, am Bettbügel aufgehängt und mit der Atemluft bewegt werden. Das Singen kann ebenfalls auf angenehme Weise zur Atemintensivierung führen.

1.6.3.2 Kontaktatmung

Die Kontaktatmung dient der **Steuerung des Atems** in bestimmte Regionen und führt zur **Intensivierung der Atmung**.
Zunächst wird durch Auflegen der Hände ein leichter Widerstand erzeugt, zu dessen Überwindung eine Intensivierung der Einatmung notwendig ist. Die anschließende Ausatmungsbewegung wird durch einen ihr angepaßten Druck der aufliegenden Hände verstärkt.
Zur Erzielung einer **intensiveren Bauchatmung** werden die Hände auf den Bauch gelegt, um sie bei der Ein-

atmung "*wegatmen*" zu lassen. Analog dazu werden zur **Intensivierung der Thoraxatmung** die Hände seitlich am Thorax angelegt.
Die **Flankenatmung** wird durch Anlegen der Hände an der Basis der Lungenflügel (am Rücken) forciert.

1.6.3.3 Ausatmen gegen Widerstand

Das Ausatmen gegen einen Widerstand, wie es z.B. beim Aufblasen eines Luftballons geschieht, führt zur Erschwerung und so zur **Vertiefung der Ausatmung**. Die Luft wird in die Alveolen gepreßt und entfaltet diese. Gleichzeitig wird die Lösung von Bronchialsekret gefördert.
Diese Übung kann einmal stündlich durchgeführt werden.
Kontraindikation: Menschen, die unter einem Lungenemphysem* leiden, müssen auf diese Übung verzichten, da sie ein Platzen von Emphysemblasen provozieren kann.
Eine gemäßigtere Methode, die Ausatmung durch Atmen gegen einen Widerstand zu intensivieren, stellt das langsame Pusten über einen Strohhalm in ein wassergefülltes Glas dar, wobei nur wenige Blasen aufsteigen sollen.

1.6.3.4 Triflo - Atemtrainer

Mit dem Triflo - Atemtrainer wird die langsame, tiefe und anhaltende Einatmung geübt; diese führt zur **Erweiterung der Alveolen** und zur **Sekretlösung**.
Umgang mit dem Triflo - Atemtrainer:
Der Patient atmet aus, nimmt dann das Mundstück in den Mund und umschließt es dicht mit den Lippen. In dieser Ausgangsposition erfolgt das Einatmen, das so kräftig sein muß, daß der erste Ball angehoben und möglichst lange oben gehalten wird.

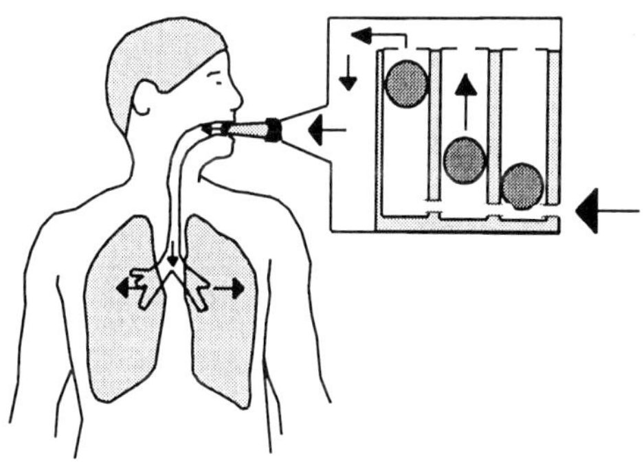

Abb. 1.21 ***Triflo - Atemtrainer***

Die Ausatmung geschieht ohne das Mundstück. Der nächste Atemzug erfolgt so tief, daß der erste und der zweite Ball angehoben und gehalten werden können.
Diese Übung kann - dem Zustand des Patienten entsprechend - mehrmals stündlich bis täglich 4-5 mal hintereinander durchgeführt werden.
Anschließend wird das Mundstück mit warmem Wasser gesäubert. Der Atemtrainer wird ausschließlich von einer Person benutzt.
Der Einsatz anderer Atemtrainer, z.B. "**Coachtrainer**" oder "**Monoflow**", hat ebenfalls die Intensivierung der Einatmung und somit die Verbesserung der Lungenbelüftung zum Ziel. Die Anwendung erfolgt entsprechend der Gebrauchsinformation des Herstellers.

1.6.3.5 Totraumvergrößerung mittels Giebel - Rohr

Diese Atemübung führt über eine **Reizung des Atemzentrums durch CO_2 - Anstieg** zur Vertiefung der Atmung; evtl. können auch Schleimansammlungen gelöst werden.
Das Atemzentrum wird durch den Anstieg des pCO_2 im Blut gereizt; dies erreicht man durch eine Vergrößerung des anatomischen Totraumes der Atemwege (siehe "Totraumluft", Seite 34) mittels Giebel - Rohr. Hierdurch verbleibt ein Teil der mit CO_2 angereicherten Ausatmungsluft im verlängerten Totraum und wird mit dem nächsten Atemzug erneut eingeatmet.
Die Übung wird vom Arzt angeordnet; die Unterweisung des Patienten fällt in das Aufgabenfeld der PhysiotherapeutInnen. Da die PhysiotherapeutInnen den Patienten in der Regel maximal zweimal täglich aufsuchen, obliegen die Ermunterung des Patienten und die Kontrolle der Durchführung dem Pflegepersonal.

Umgang mit dem Giebel - Rohr
Zu Beginn der Übung wird der Totraum meist mit 300 bis 500 ml Volumen vergrößert. Jedes Einzelstück des Giebel - Rohres hat ein Volumen von 100 ml; max. werden 10 zusammengefügt. Das Mundstück vergrößert den Totraum um weitere 50 ml.

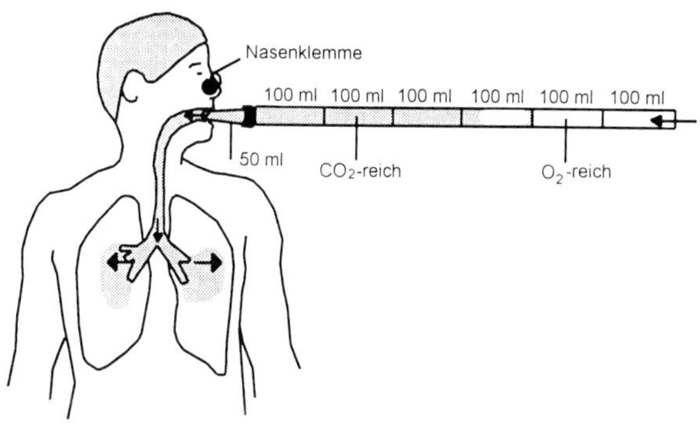

Abb. 1.22 ***Giebel-Rohr zur Totraumvergrößerung***

Der Patient umschließt das Mundstück fest mit den Lippen. Zum Ausschluß der Nasenatmung trägt er eine Nasenklemme; andernfalls wäre die Effektivität der Übung eingeschränkt.
Während einer Übung atmet er 15 bis 20 mal durch das zusammengefügte Giebel - Rohr ein und aus, danach ist die Atmung vertieft. Die Atemfrequenz darf währenddessen 24 / Minute nicht überschreiten; ggf. muß die Übung unterbrochen werden. Dies ist ebenfalls angezeigt, wenn der Patient eine Zyanose entwikkelt, die an den Lippen und unter den Fingernägeln zuerst sichtbar wird.
Insgesamt sollte die Übung 8 bis 10 mal täglich durchgeführt werden.
Anschließend wird bei Bedarf das Abhusten von Sekret unterstützt. Auf jeden Fall werden Sputumbecher und Zellstoff in Reichweite des Patienten bereitgehalten.

Kontraindiziert ist diese Maßnahme bei Menschen mit folgenden Erkrankungen / Symptomen:
- Lungenemphysem*,
- schweres Asthma bronchiale*,
- Atemnot,
- Hypoxie*,
- Herzinsuffizienz*.

1.6.3.6 Atemstimulierende Einreibung

Die atemstimulierende Einreibung (ASE) soll zu einer rhythmischen, **ruhigen** und **tiefen Atmung** führen und dadurch die **differenzierte Körperwahrnehmung fördern**. Auch die Bereitschaft, Reize von außen aufzunehmen und die Fähigkeit, sich auf diese zu konzentrieren, werden unterstützt. Die erfahrene Zuwendung (Berührung, Zeit) fördert das Wohlbefinden. Insgesamt trägt die ASE zur **Verbesserung der Atmung, des Wohlbefindens und der Wahrnehmungsfähigkeit** bei.
In erster Linie ist die ASE geeignet für Menschen, die eine beschleunigte, oberflächliche und unregelmäßige Atmung im Zusammenhang mit folgenden Veränderungen aufweisen: Störungen des Einschlafens und des seelischen Wohlbefindens (z.B. bei depressiven Verstimmungen; Erfahren einer schlechten Diagnose, Zustand vor einer großen Operation bzw. Untersuchung) sowie bei Wahrnehmungsverlusten des Körpers (z.B. infolge Demenz). Ferner kann die ASE bei beatmeten Patienten zur Unterstützung des Abtrainierens vom Beatmungsgerät eingesetzt werden, sofern der Patient nicht mehr sediert wird.
Die **Durchführung** einer ASE dauert ca. 5 Minuten; sie sollte in einer ruhigen Umgebung stattfinden.
Bevorzugte **Ausgangsposition** ist der aufrechte Sitz, am besten auf einem Hocker oder rittlings auf einem Stuhl mit bequem abgestützten Armen. So ist der Rükken frei zugänglich. Die Lagerung kann ebenso auf der Bettkante erfolgen; dabei werden die Füße auf einer Fußbank abgestellt und die Arme verschränkt auf einem auf den Oberschenkeln liegenden Kissen abgelegt. Bei bettlägerigen Patienten eignet sich die 135 Grad Lagerung *(siehe Seite 43)* oder die Seitenlage, in der allerdings nur ein Lungenflügel stimuliert werden kann. Bei beatmeten Patienten wird in Rückenlage der vordere Brustkorb atemstimulierend eingerieben.

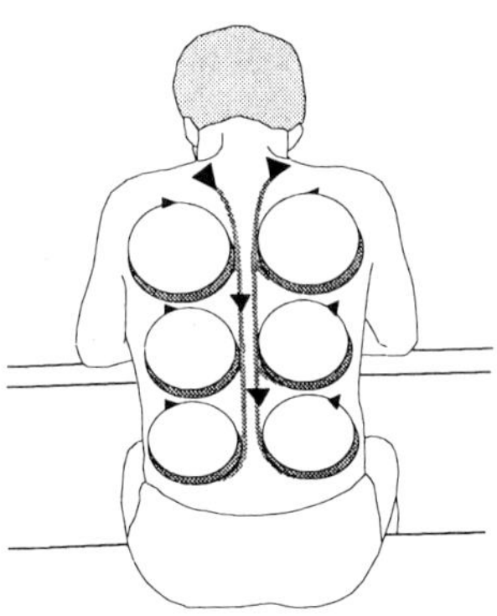

Abb. 1.23 ***Atemstimulierende Einreibung***

Die ASE erfolgt in **Kreisbewegungen**, wobei jeder Kreis **synchron mit der Atmung der Pflegeperson** beschrieben wird: während der Ausatmung wird der Kreis mit Druckausübung rechts und links neben der Wirbelsäule begonnen, während der Einatmung wird er ohne Druckausübung geschlossen. Dabei dauert die Ausatmungsphase doppelt so lang wie die Einatmungsphase.
Die Hände der Pflegeperson müssen sich dem Körper des Patienten anpassen, deshalb erfolgt die Durchführung ohne Handschuhe und sehr bewußt. Die **Hände** werden stets **als "Einheit" bewegt**, d.h. Finger und Daumen liegen zusammen, werden nicht abgespreizt.
Bei der ASE wird eine unparfümierte W/O-Lotion oder ein Massageöl verwendet.

Vorgehen bei der ASE
- Information und Lagerung des Patienten.
- Verteilung und Anwärmung von unparfümierter W/O-Lotion bzw. Massageöl in den (warmen!) Händen der Pflegeperson, dann Auftragen auf den Körper des Patienten vom Nacken zum Steißbein und an den Brustkorbseiten.
- Ausführung einer kreisenden Bewegung mit beiden Händen rechts und links neben der Wirbelsäule, vom Nacken ausgehend in Richtung Steißbein, dabei Druckausübung mit Daumen und Zeigefingern sowie Handflächen, gleichzeitig Ausatmen.
- Führen der Hände nach außen und Drücken des Brustkorbes.
- Beenden der Kreisbewegungen in Richtung Wirbelsäule ohne Druckausübung, gleichzeitig Einatmen.
- Beschreiben des nächsten Kreises im direkten Anschluß an den ersten Kreis, ohne die Hände vom Körper zu nehmen.
- Fortführung der ASE in beschriebener Weise, bis das Rückenende erreicht ist.
- Beginnen der letzten Kreisbewegung mit Druck neben der Wirbelsäule, dann versetztes Hochgleiten der Hände bis zur Schulter.
- Wiederholung fünf- bis achtmal.
- Beenden der ASE mit kräftigem Streichen vom Nakken in Richtung Steiß.

Anschließend wird der Patient in gewünschter bzw. erforderlicher Position gelagert.

1.6.4 Sekretlösung

Die Verflüssigung eingedickten und die Lösung angesammelten Bronchialsekretes ist notwendig, um die weitere Anschoppung von Sekret zu verhindern.

1.6.4.1 Inhalationsbehandlung

Die Inhalationstherapie dient der **lokalen endobronchialen Applikation von Medikamenten**, so daß diese direkt an den Atemwegen wirken können. Dazu werden die Medikamente in den Inhalationsgeräten vernebelt. Tröpfchen mit einem Durchmesser von 3-6 μm können die Bronchien erreichen. Kleinste Tröpfchen mit einem Durchmesser unter 2 μm gelangen auch in die Endbronchien und bis zu den Alveolen.

Indikationen
- Prophylaxe und Therapie von Sekretretentionen (*Sekretanschoppung*; z.B. mittels physiologischer Kochsalzlösung);

- Therapie von Atemwegsinfektionen (z.B. mittels Antibiotikum*);
- Therapie von Atemwegserkrankungen (z.B. mittels Broncholytikum*).

Inhalationen werden vom **Arzt angeordnet**; er schreibt die Häufigkeit (meist 3mal täglich), die Dauer (meist 15 - 20 Minuten) und das zu verabreichende Medikament vor. Wird zur Inhalationstherapie ein sogenanntes Beatmungsgerät mit Medikamentenvernebler (z.B. Inhalog 1 oder 2) eingesetzt, ordnet der Arzt zusätzlich den jeweils einzustellenden Inspirationsdruck und Inspirationsflow an. Sollte dies nicht der Fall sein, so findet der Benutzer des Gerätes durch vorsichtiges Rechtsdrehen der entsprechenden Knöpfe die für ihn angenehme Beatmungsstärke heraus (siehe Gebrauchsinformation des Herstellers).

Beachte: Ein zu hoher Inspirationsdruck kann Schäden verursachen. Beim Lungenemphysem können die sogenannten Beatmungsgeräte mit Medikamentenvernebler kontraindiziert sein.

Inhalationsgeräte

Die Industrie bietet verschiedene Inhalationsgeräte an. Sie verfügen alle über ein Mundstück, einen Vernebler, einen Kompressor und weitere Teile, werden jedoch auf unterschiedliche Weise bedient. Die den Kranken anleitende Pflegekraft hat sich vor dem Einsetzen eines Inhalationsgerätes gewissenhaft mit der Gebrauchsanweisung auseinanderzusetzen; ggf. muß sie sich selbst unterweisen lassen (z.B. von einem Firmenvertreter oder vom Geräteschutzbeauftragten des Krankenhauses).

Spezielle Geräte zur Inhalation arbeiten zusätzlich **mit intermittierenden Überdruck** und gewährleisten bei korrekter Handhabung eine optimale Dehnung der Alveolen. Die Beatmungszüge setzen jeweils mit der Einatmung des Inhalierenden ein, die Ausatmung erfolgt ohne Forcierung durch das Gerät.

Inhalationsgeräte sind entweder an eine Druckgasversorgung oder an Netzspannung anzuschließen. Eine Ausnahme bilden die überall anwendbaren Dosieraerosolsprays *(siehe Seite 55)*.

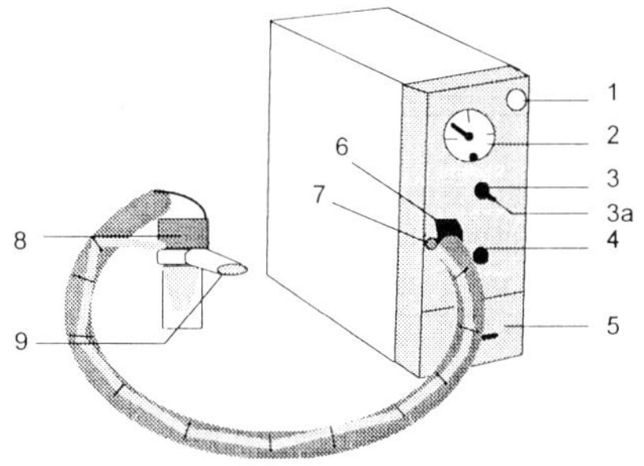

1 Ein- / Aus-Schalter
2 Druckmesser mit Nullpunktverstellung
3 Drehknopf Inspirationsdruck
3a Druckknopf manuelle Inspirationsauslösung
4 Drehknopf Inspirationsflow
5 Schublade mit Halterung für den Vernebler
6 Inspirationsanschluß
7 Vernebleranschluß
8 Vernebler
9 Mundstück

Abb. 1.24 ***Inhalationsgerät (Inhalog 2) mit Medikamentenvernebler***

❒ Vorbereitung der Inhalation

Jeder Benutzer erhält ein ausschließlich von ihm zu benutzendes Patienten-Set (Mundstück, Vernebler und ggf. Verbindungsschläuche: Kompressor → Vernebler).

Das verordnete Medikament wird jeweils für die einzelne Inhalation in der angeordneten Menge in den Vernebler eingefüllt. Häufig handelt es sich hierbei um physiologische Kochsalzlösung, die als sekretlösende Wirksubstanz und/oder als Trägersubstanz für ein zusätzlich verordnetes Medikament eingesetzt wird.

Das Patientenset wird mit dem Inhalationsgerät verbunden und dieses auf Funktionstüchtigkeit geprüft (Gebrauchsanweisung beachten) und ggf. korrekt eingestellt (Arztanordnung).

❒ Durchführung

Um Übelkeit zu vermeiden, sollte die Inhalation nicht direkt vor oder nach einer Mahlzeit erfolgen.

Der Kranke nimmt zur Inhalationstherapie die **sitzende Position** ein. Vor Beginn der Inhalation sollte er seine Nase schneuzen. Er wird angehalten, während der Inhalation das **Mundstück fest mit den Lippen zu umschließen** und bewußt ein- und auszuatmen, ohne die Atmung zu beschleunigen (Gefahr der Hyperventilation).

Die korrekte Handhabung des jeweiligen Inhalationsgerätes ist in verständlicher Weise zu erklären; anschließend überzeugt sich die Pflegeperson von dem richtigen Gebrauch des Gerätes. Vor allem schwerkranke und ältere Menschen brauchen zunächst Unterstützung und wiederholte Anleitung.

Die Inhalation wird über die angeordnete Zeit durchgeführt; in der Regel ist die Inhalationslösung danach verbraucht. Der Kranke wird angehalten, sich **bei unangenehmen Reaktionen** wie Husten oder Herzjagen sofort zu **melden**; die Inhalation wird abgebrochen, die Reaktionen werden dokumentiert. Der Arzt entscheidet über das weitere Vorgehen.

Nach der Inhalation wird der Kranke zum Abhusten von Sekret aufgefordert und ggf. dabei unterstützt.

Bei Inhalation von topischen (direkt an der Bronchialschleimhaut resorbierten und wirksamen) Kortisonpräparaten kann es als unerwünschte Nebenwirkung zur Entwicklung einer Pilzinfektion der Mundschleimhaut kommen. Um diese Nebenwirkung zu vermeiden, sollten inhalative Steroide in Dosieraerosolen mit einer Inhalationshilfe (z.B. Volumatik®, Rondo®-Wirbelkugel) angewendet werden. Außerdem ist nach der Inhalation eine **Mundspülung** durchzuführen.

❒ Nachbereitung

Nach der Inhalation erfolgt die **Reinigung** des sogenannten Patienten-Sets (Mundstück, Vernebler, ggf. Verbindungsschläuche) unter fließendem heißen Wasser. Die Teile werden von innen und außen gereinigt, abgeschüttelt und **gut getrocknet**. Der Vernebler wird nach Herstelleranweisung zerlegt, gereinigt und in einer Desinfektionslösung **desinfiziert**.

Alle Teile sollten regelmäßig sterilisiert werden; die Häufigkeit muß individuell (Zustand des Patienten) und in Absprache mit der Hygienefachkraft bestimmt werden. Das Gerät selbst wird mit einem feuchten, in Spülmittel getränktem Tuch abgewischt.

gefährlich, so daß die Durchführung dem erfahrenen Pflegepersonal oder dem Arzt obliegt *(siehe dazu Seite 410)*.

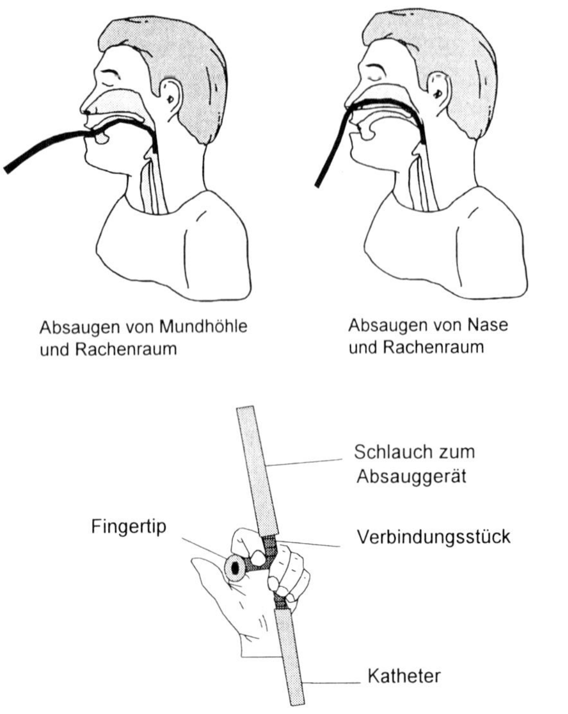

Abb. 1.26 ***Absaugen von Mund- und Rachenraum***

Im Rahmen der Pneumonieprophylaxe wird nur das Absaugen von Sekret aus dem Mund-, Nasen- und Rachenraum besprochen.
Der Katheter kann über Mund und/oder Nase eingeführt werden. Die orale Absaugung erfolgt vor der nasalen. Die einzuführende Katheterlänge entspricht etwa der Entfernung zwischen Nasenspitze und Ohrläppchen des Erkrankten.
Das Absaugen ist für den Kranken ein sehr **unangenehmer Vorgang**. Häufig wird der Würgreflex ausgelöst, manchmal auch das Gefühl des Erstickens. Der Kranke ist deshalb einfühlsam und ausführlich über den Vorgang zu informieren.
Um das unangenehme Gefühl nicht unnötig zu verstärken, sollte ein Absaugvorgang jeweils nicht länger als einen Atemzug, maximal jedoch 15 Sekunden, dauern.

❒ Vorbereitung des nasalen / oralen Absaugens

- Materialzusammenstellung
  - Utensilien für die Mund- und Nasenpflege
  - Einmalhandschuhe
  - sterile Einwegabsaugkatheter mit endständiger Öffnung (12 - 14 Charrière für nasale, 14 - 20 Charrière für orale Absaugung)
  - steriles Zwischenstück mit seitlicher Öffnung *(Fingertip)*
  - Abfallbehältnis
  - ggf. Aqua destillata (Spüllösung für den Absaugschlauch; zur Anfeuchtung der Katheterspitze)
  - Absauggerät
  - Desinfektionslösung (für die Sekretflasche)
- Desinfektionslösung in den Sekretauffangbehälter füllen
- Zwischenstück am Absaugschlauch anbringen
- Absaugvorrichtung auf Funktionstüchtigkeit prüfen (Sog von mindestens 0,6 bar muß vorhanden sein)
- Aqua destillata oder Leitungswasser in den Spülbehälter einfüllen
- den Kranken informieren und möglichst in die Oberkörperhochlage bringen (Aspirationsprophylaxe)
- Mund- und Nasenpflege durchführen
- ggf. angeordnete Maßnahmen zur Sekretlösung durchführen
- die einzuführende Katheterlänge abmessen (Nasenspitze bis Ohrläppchen).

❒ Durchführung

- Hände desinfizieren
- Schutzfolie des Absaugkatheters am unteren Ende aufziehen und Katheterende am Zwischenstück anschließen
- Handschuhe anziehen
- Schutzfolie des Absaugkatheters abziehen.
  Beachte: Die dazu benutzte Hand während des gesamten Absaugvorgangs ausschließlich für die Führung des Katheters benutzen!
- Katheterspitze durch Anfeuchten mit Aqua destillata gleitfähig machen
- Absaugvorrichtung einschalten
- den Kranken auffordern, seinen Mund zu öffnen und den Katheter ohne Sog (dazu den Katheter abknikken oder die Öffnung am Zwischenstück offen lassen) soweit in den Rachenraum einführen, wie der Kranke dies toleriert
- Sog herstellen (Katheter nicht mehr abknicken bzw. Fingertip verschließen) und Katheter unter leichten Drehbewegungen zurückziehen - bei Festsaugen des Katheters Sog kurz unterbrechen -, währenddessen die Atmung beobachten
- Katheter aus der Mundhöhle entfernen, um die linke (bzw. rechte) Hand wickeln, den Handschuh darüber stülpen und beides in den Abfallbehälter werfen
- Absaugschlauch und Zwischenstück mit Aqua destillata oder Leitungswasser spülen
- ggf. neuen Handschuh anziehen, sterilen Absaugkatheter anschließen und nach kurzer Pause den Vorgang wiederholen bzw. nasal absaugen
- Absaugvorgang ggf. so oft wiederholen, bis die Luftwege von angesammeltem Sekret oder anderen Substanzen befreit sind
- falls erforderlich, anschließend Mund- und/oder Nasenpflege durchführen
- Kranken angemessen lagern.

❒ Nachbereitung

- Absaugschlauch und Zwischenstück mehrmals gründlich durchspülen
- Zwischenstück in Desinfektionslösung einlegen bzw. verwerfen
- Sekretauffangbehälter, falls erforderlich, entleeren, mindestens jedoch einmal täglich
- benutzte Materialien wegräumen bzw. entsorgen

- Hände desinfizieren und waschen
- mindestens einmal täglich das komplette Absaugsystem reinigen und desinfizieren (äußeres Gestell mit Desinfektionslösung abwaschen, Einzelteile wie Sekretflasche, Flaschenkappe und Schläuche in Desinfektionslösung einlegen); nach Ablauf der vorgeschriebenen Einwirkzeit gut mit Wasser nachspülen und trocknen
- bei einigen Absauggeräten ist der Bakterienfilter zu wechseln.

Absauggeräte sollten halbjährlich einer **Inspektion** durch entsprechendes Fachpersonal unterzogen werden.

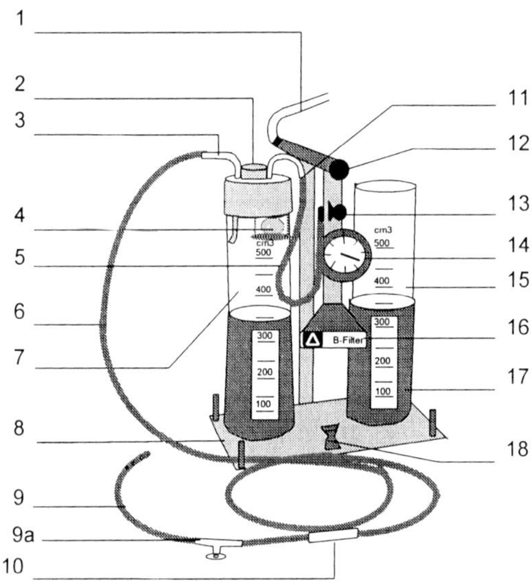

1 O_2-Druckluft-Anschlußschlauch
2 Überdruckventil
3 Tülle für Absaugschlauch
4 Überlaufsicherung
5 Vakuumschlauch
6 Absaugschlauch
7 Sekretflasche
8 Grundplatte
9 Absaugkatheter
9a Fingertip
10 Sekretschauglas
11 Tülle für Vakuumschlauch
12 Absperrventil
13 Belüftungsventil
14 Manometer
15 Spülglas für Katheter
16 Bakterienfilter
17 Köcher
18 Klammer für Sekretschauglas

Abb. 1.27 ***Tragbares Absauggerät***

1.6.6 Hilfeleistungen bei Atemnot

Atemnot löst immer Angst, in extremen Fällen sogar Todesangst, beim Betroffenen aus. Er benötigt deshalb nicht nur eine **Unterstützung des Atemvorgangs**, sondern auch seelischen Beistand. Das Pflegepersonal sollte **Verständnis** und Einfühlungsvermögen zeigen sowie **Ruhe** und Sicherheit ausstrahlen. Der Kranke muß jederzeit die Möglichkeit haben, über Klingelruf Hilfe zu fordern. Während extremer Not wird der Kranke nicht allein gelassen.

Zur Atemerleichterung wird der Betroffene in die **Oberkörperhochlage**, evtl. mit gleichzeitiger Hochlagerung der Arme *(siehe Seite 41)*, gebracht. Menschen, die an chronischen Atemwegserkrankungen leiden, nehmen oft selbständig eine erfahrungsgemäß atemerleichternde Position ein; sie sind hierin zu unterstützen.

Beengende **Kleidungsstücke** sind zu **öffnen** bzw. zu entfernen. Der Betroffene wird angehalten, **ruhig** und tief **durchzuatmen**. Liegt der Atemnot eine chronisch obstruktive* Atemwegserkrankung zugrunde, so verfügt der Kranke in der Regel über bestimmte Medikamente - meist Aerosolsprays -, die er während der akuten Atemnot zur Linderung einsetzt *(siehe "Gebrauch eines Dosieraerosol - Sprays", Seite 55)*.

Große, helle Räume und **geöffnete Fenster** wirken sich auf den Atemnotleidenden positiv aus. Bei hochgradiger Atemnot wird häufig auf ärztliche Anordnung hin Sauerstoff verabreicht.

Das pflegerische Verhalten beim Asthmaanfall wird auf *Seite 81* besprochen.

1.6.7 Hilfeleistung bei Husten

Husten kann für den Betroffenen unangenehm, quälend, anstrengend und schlafraubend sein. Schwere Hustenanfälle lösen mitunter Atemnot aus.

Erleichterung des Hustenvorgangs verschafft die **Oberkörperhochlage**. Die Hilfeleistung beim Abhusten von Sekret wird auf *Seite 51* beschrieben.

Langandauernder Husten läßt sich unter Umständen durch die Aufnahme lauwarmer Getränke oder durch das Lutschen eines Bonbons unterbrechen.

Sollte der Patient aufgrund einer Wunde im Brust- oder Bauchraum Schmerzen beim Husten haben, so werden diese durch Auflegen der flachen Hände (*Erzeugen von Gegendruck*) gelindert.

1.6.8 Verabreichung von Sauerstoff

Die Verabreichung von Sauerstoff erfolgt **auf ärztliche Anordnung**; diese umfaßt sowohl die Art als auch die Dosierung und Dauer. Durch die Sauerstoffgabe soll ein im Gewebe bestehender O_2 - Mangel ausgeglichen werden. Die Wirkung wird durch **Beobachtung** der Hautfarbe, des Atemvorgangs und des Bewußtseins sowie durch Bestimmung der Atemgaskonzentration im Blut (*Blutgasanalyse*) überprüft.

> ***Beachte:*** Bei Menschen mit chronisch obstruktiver Atemwegserkrankung und dauerhaft erhöhtem pCO_2 erfolgt der Atemimpuls nur noch durch O_2 - Mangel; die Verabreichung von O_2 kann den letzten Atemreiz nehmen, dann kommt es zu extremem CO_2 - Anstieg und zur Atemdepression / zum Atemstillstand *(CO_2 - Narkose)*.

Bevor der Sauerstoff zum Patienten gelangt, muß er **angefeuchtet** werden; dazu wird er durch einen - bis zur angegebenen Markierung mit sterilem Aqua destillata gefüllten - Behälter geleitet. Solche Behälter sind täglich zu desinfizieren und mit sterilem Aqua destillata aufzufüllen. Aus Gründen der hygienischen Sicherheit sollten fertige **Sterilwasserbehälter** *(z.B. AquaPack)* verwendet werden; diese werden nach Verbrauch des Aqua destillata verworfen.

Im Krankenzimmer kann der Sauerstoff meist einer **Wandleitung** entnommen werden. Die genaue Dosierung (Liter / Minute) läßt sich durch Betätigung eines Ventils leicht einstellen.

Ist keine Wandleitung vorhanden, so wird der Sauerstoff in blauen Stahlflaschen in das Krankenzimmer gebracht.

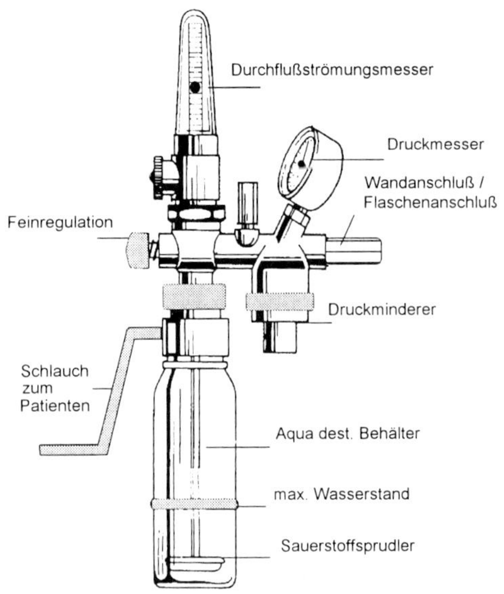

Abb. 1.28 ***Sauerstoffgerät***

Beim **Umgang** mit **Sauerstoffflaschen** ist folgendes zu beachten:

- leere Flaschen sind als solche zu kennzeichnen;
- da Explosionsgefahr besteht, darf niemals mit Öl oder Fett an den Flaschen hantiert werden, offenes Feuer (Rauchen!) ist ebenfalls zu vermeiden;
- die Flaschen werden liegend oder in angekettetem Zustand und nicht in der Nähe von Heizkörpern gelagert; auch direkte Sonneneinstrahlung ist zu verhindern;
- beim Transport müssen das Ventil geschlossen und die Schutzkappe angebracht sein;
- **Feststellung** der O_2 - **Vorratsdauer**: Rauminhalt der Flasche (z.B. 10 Liter) multipliziert mit dem Manometerstand (z.B. 60 bar), dividiert durch die angeordnete Literzahl pro Minute (z.B. 2 Liter / Min), ergibt den Sauerstoffvorrat in Minuten;
  Beispiel: 10 Liter x 60 bar = 600 Liter : 2 Li ter/Min. = 300 Minuten;
- für Notfälle bereitstehende O_2 - Flaschen sind täglich auf ihren Sauerstoffvorrat zu überprüfen; dazu wird der Rauminhalt der Gasflasche (10 oder 50 Liter) mit dem vom Manometer angezeigten Druck multipliziert;
  Beispiel: 50 Liter x 100 bar = 5000 Liter O_2;
- bei Anschließen der O_2 - Flasche Schutzkappe abnehmen;
- Öffnung mit weichem Pinsel von Staub säubern;
- möglichst Sterilwasserbehälter (z.B. AquaPack) anschrauben, ansonsten destilliertes steriles Wasser bis zur Markierung in den Behälter einfüllen (eingefülltes Aqua destillata aus hygienischen Gründen täglich erneuern, Sterilwassersysteme können aufgebraucht werden);
- das System (Manometer, Feinregulator, Druckminderer, Sterilwasserbehälter) so anschließen, daß es senkrecht steht;
- Hauptventil mit ¼ Drehung öffnen, Druck ablesen;
- Feinregulator auf gewünschte O_2 - Menge einstellen (die Mitte der Kugel zeigt den O_2 - Stand an) und Verbindungsschlauch zum Kranken anschließen.

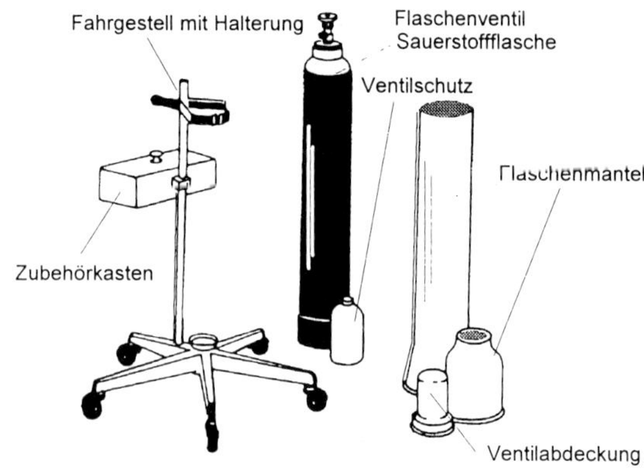

Abb. 1.29 ***Sauerstoffflasche mit Zubehör***

Sauerstoff kann über spezielle Nasensonden, Katheter und Masken verabreicht werden. Zuvor sollte der Kranke seine Nase reinigen und möglichst mit leicht erhöhtem Oberkörper gelagert werden.

Nasenkatheter / Nasensonden werden als Einmalmaterial aus Kunststoff angeboten. Die sogenannte **Poulsen - Sonde** weist am einzuführenden Ende einen Schaumstoffansatz auf. Dieser sichert den festen Halt und garantiert gleichzeitig eine gute Druckverteilung an der Nasenschleimhaut *(Nasendekubitusprophylaxe)*.

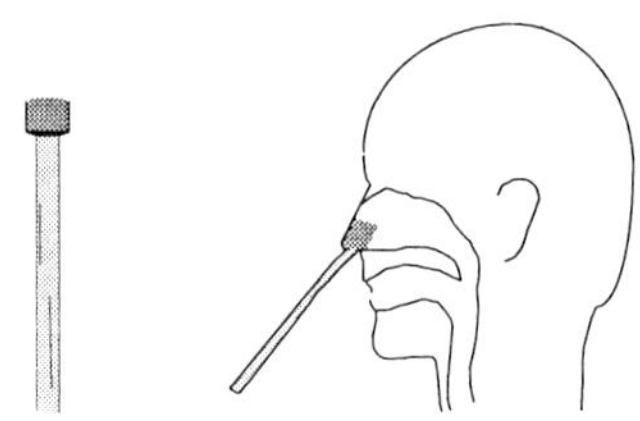

Abb. 1.30 ***Poulsen-Nasensonde***

Anders ist dies bei Kathetern ohne Schaumgummiansatz; sie können Druckstellen an der Nasenschleimhaut verursachen und müssen deshalb bei mehrstündiger Liegedauer abgepolstert bzw. 2 mal täglich an einer anderen Stelle (im gegenüberliegenden Nasenloch) fixiert werden.
Im Gegensatz zur Poulsen - Sonde wird der **einfache Nasenkatheter** bis zum weichen Gaumen vorgeschoben. Die Länge dieses Weges wird bestimmt, indem die Entfernung von der Nasenspitze bis zum Ohrläppchen gemessen wird. Nach Einführung des Katheters wird der Sitz kontrolliert (Taschenlampe); anschließend zieht man den Katheter einen Zentimeter zurück. Damit er nicht verrutscht, wird er mit hautfreundlichem Pflaster an der Wange oder an der Nase befestigt.
Während der O_2 - Verabreichung ist auf die Durchgängigkeit der Sonde zu achten, Abknickungen sind zu vermeiden.
Nasenkatheter und Nasensonden sind **zur langfristigen O_2 - Verabreichung** geeignet, da sie den Kranken nur wenig behindern. Er kann meist trotz der eingeführten Sonde ungehindert sprechen, essen und trinken. Der Kranke wird aufgefordert, bei geschlossenem Mund durch die Nase einzuatmen.

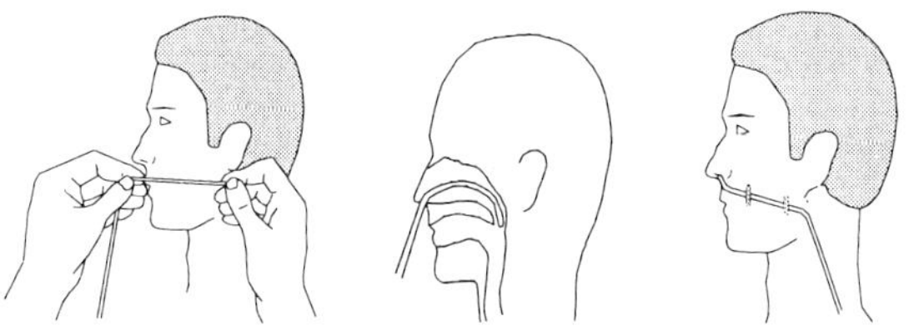

Abmessen der einzuführenden Katheterlänge — *Einführung bis zum weichen Gaumen* — *Fixierung mit hautfreundlichem Pflaster*

Abb. 1.31 ***Sauerstoff - Nasenkatheter***

Mund- und Nasenschleimhaut sind hinsichtlich möglicher Veränderungen wie Austrocknung und Verletzungen zu beobachten. Mehrmals täglich ist eine entsprechende Mund- und Nasenpflege durchzuführen.

Sauerstoffmasken werden dagegen vom Kranken als störend empfunden. Sie behindern das Sprechen, lassen eine Nahrungsaufnahme nicht zu und provozieren zunächst Unsicherheit oder Angst.

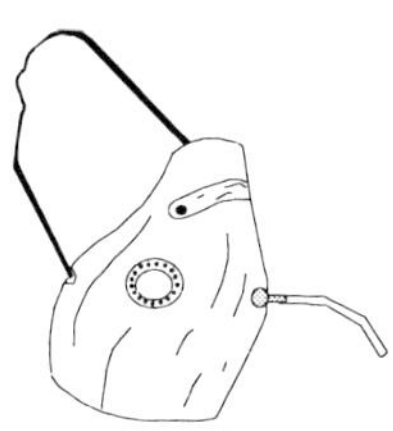

Abb. 1.32 ***Einmalsauerstoffmaske***

Die Maske eignet sich zur kurzfristigen, hochdosierten O_2 - Verabreichung. Sie wird locker über Mund und Nase gesetzt und mittels Gummiband am Hinterkopf befestigt. Die Ausatmungsluft entweicht über zwei seitliche Öffnungen der Maske.

Die **Sauerstoffbrille** eignet sich **zur langfristigen Verabreichung von Sauerstoff**.

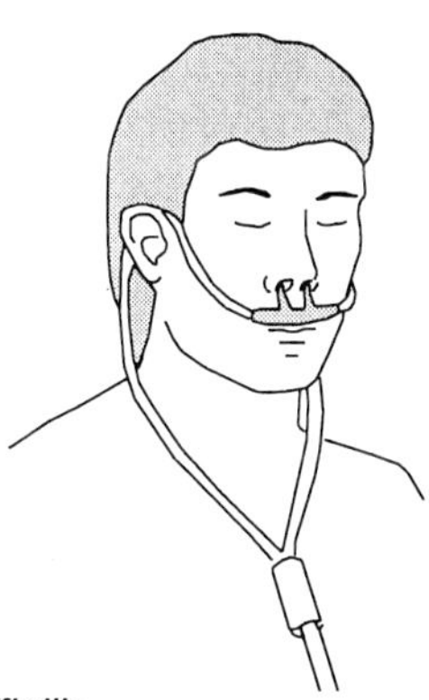

Abb. 1.33 ***Sauerstoffbrille***

Die beiden sauerstoffführenden Schlauchenden geben den Sauerstoff über zwei kurze Stutzen, die ca. 1 cm in die Nasenöffnung eingeführt werden, ab; bei Bedarf können die Stutzen gekürzt werden. Die Schläuche sind wie Brillenbügel hinter die Ohrmuscheln zu legen oder am Hinterkopf zu befestigen.
Sind die Stutzen nicht mit Schaumstoff abgepolstert, so geht viel O_2 an die Umgebungsluft verloren. Außerdem kann die Nasenschleimhaut gereizt werden.

Der Kranke wird angehalten, durch die Nase einzuatmen; dadurch wird ein Entweichen des Sauerstoffs über den Mund verhindert.
Bei längerer Liegedauer können sich unter der Nase und hinter den Ohren Druckstellen bilden.

1.6.9 Unterstützung der Atmung bei chronisch obstruktiven Atemwegserkrankungen

Um bei bestehender obstruktiver Atemwegserkrankung akute Krankheitsschübe zu vermeiden bzw. bestehende Krankheitsauswirkungen zu lindern, sollte der Betroffene seine **Atmung positiv beeinflussen**. Dazu tragen bei:

- ausreichende orale **Flüssigkeitsaufnahme**, in der Regel mindestens 2000 ml / 24 Std. (= Sekretverflüssigung);
- **Anfeuchtung** der Atemluft (= Sekretverflüssigung);
- **Thoraxvibrationen** (= Sekretlösung);
- evtl. spezielle **Lagerungen zur Drainage** bestimmter Lungenbezirke;
- **Inhalation von Bronchospasmolytika** *(Medikamente, die den Tonus der Bronchialmuskulatur herabsetzen und somit die Bronchien erweitern)*. Meist verschreibt der Arzt die Medikamente als Dosieraerosol - Spray oder als Inhalationslösung (für Inhaliergeräte), die jeweilige Gebrauchsanleitung ist zu befolgen. Ein Beispiel für den richtigen Gebrauch eines Dosieraerosol - Sprays zeigt die nachfolgende Abbildung.

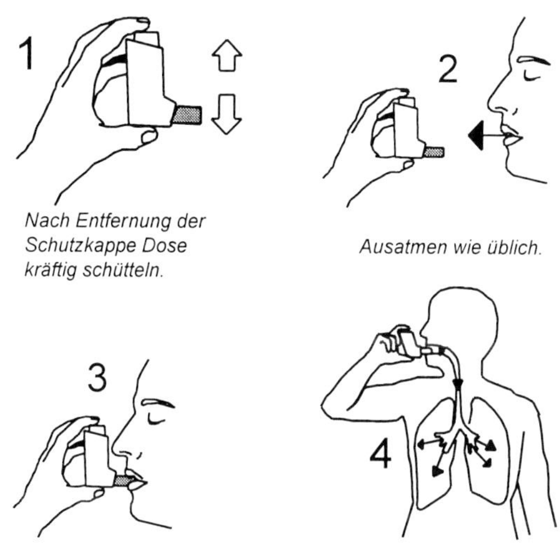

Nach Entfernung der Schutzkappe Dose kräftig schütteln.

Ausatmen wie üblich.

Mundstück fest mit Lippen umschließen, tief und langsam einatmen, dabei den Behälter nach unten drücken.

Einige Sekunden Atem anhalten, damit der Wirkstoff tief in die Atemwege einzudringen vermag. Danach das Mundstück aus dem Mund nehmen, ausatmen und ggf. gesamten Vorgang wiederholen. Abschließend Schutzkappe wieder aufsetzen.

Abb. 1.34 ***Richtiger Gebrauch eines Dosieraerosol - Sprays***

Durch den Einsatz von **Applikationshilfen**, z.B. einem "*Spacer*", können Probleme bei der Koordination zwischen Auslösen und Einatmen eines Aerosolstoßes umgangen werden. Man setzt den Spacer auf das

Mundstück des Dosieraerosol - Sprays und gibt einen Hub Aerosol ab, der dann problemlos über den Spacer eingeatmet wird *(siehe Abbildung 1.35)*.
Außerdem wird der bei der Inhalation sonst auftretende Kältereiz minimiert; Medikamentenablagerungen im Mund und im Rachenraum werden weitgehend verhindert. Ferner werden zu einem höherem Anteil ausschließlich lungengängige Partikel durchgelassen.

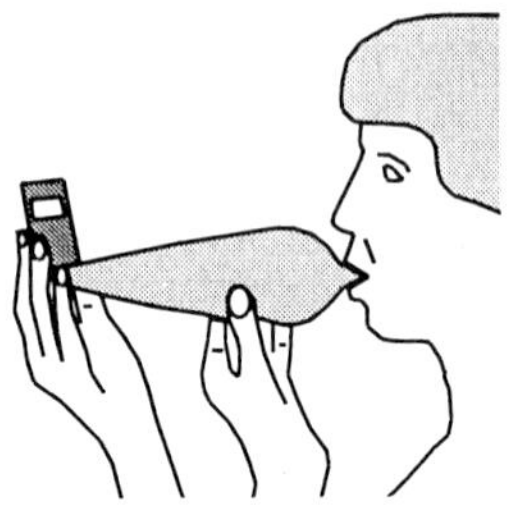

Abb. 1.35 ***Inhalationshilfe "Spacer"***

- **Atemtraining**
  - dient der Verbesserung der Zwerchfellatmung, der Minderung eines beginnenden Bronchospasmus und der Herabsetzung erhöhter Strömungswiderstände in den Atemwegen;
  - der Kranke lernt dadurch, die beginnende Atemnot zu lindern, die anfallfördernde Angst wird reduziert;
  - Atemübungen müssen im anfallfreien Intervall durch PhysiotherapeutInnen gelehrt und betreut werden, bis der Kranke sie beherrscht (Die folgenden Übungen können auch vom Pflegepersonal gelehrt werden.);
  - ruhiges, tiefes Einatmen durch die Nase einüben, z.B. als **gähnendes Einatmen**: bei geschlossenen Lippen wird der Unterkiefer nach unten gezogen, die Zunge nach unten / hinten gelegt und so langsam eingeatmet; der Atem wird kurz angehalten, bevor mit Lippenbremse ausgeatmet wird;
  - Übungen mehrmals täglich ca. 4 mal hintereinander wiederholen;
  - Ausatmen mit **Lippenbremse**: bei fast geschlossenen Lippen werden die Wangen leicht gebläht und die Atemluft strömt langsam und gleichmäßig, ohne Druck aus; so wird der Druck in den Bronchien leicht erhöht, der exspiratorische Druckabfall ist gleichmäßig - ein Tracheobronchialkollaps* wird verhindert;

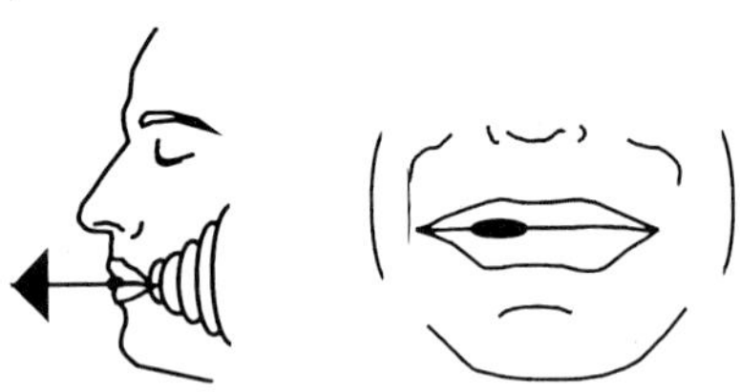

Abb. 1.36 ***Lippenbremse***

- **Vermeiden der auslösenden Ursachen** (sofern bekannt)
  - Allergenkarenz (z.B. Tierhaare, Pollen, Hausstaub, Medikamente wie Antipyretika meiden);
  - rechtzeitige Infektbehandlung (Arztbesuch);
  - Vermeiden von Tabakrauchinhalation, trockener Luft, Industrieabgasinhalation, Massenzusammenkünften, feuchter Kälte, Streßsituationen;
- Einschränkungen des Konsums von **Genußmitteln**
  - nicht rauchen, verqualmte Räume meiden;
  - Alkoholkonsum einschränken (chronischer Alkoholkonsum lähmt die Zilien für den Schleimtransport);
  - Kaffee ist erlaubt (steigert den meist hypotonen Blutdruck), 2 Tassen Kaffee können krampflösende Wirkung auf die Atemwege ausüben;
- **Steigerung der körperlichen Widerstandskraft**, Abhärtung über Hautgefäßtraining
  - Wechselduschen, Abschluß mit kaltem Wasser;
  - Wassertreten mit kaltem Wasser;
  - Trockenbürstungen;
  - Sauna, heiße Kompressen;
  - UV - Bestrahlung (Höhensonne);
  - Sommerurlaub an der See / Winterurlaub in schneereichem Gebirge;
- ausreichende **Erholungsphasen** und **Schlaf**;
- evtl. **autogenes Training** *(siehe Seite 785)*;
- Ökonomisieren der Atemfunktion durch **Ausdauersport**
  - Schwimmen; Jogging und Radfahren in warmen Monaten.

1.6.10 Umgang mit einem Tracheostoma

Das Tracheostoma und die in vielen Fällen dazugehörende Trachealkanüle bedürfen besonderer Pflege. Die äußere Kanüle muß mindestens 1 mal **täglich gereinigt, desinfiziert** und anschließend mit destilliertem Wasser nachgespült werden; die Innenkanüle sollte ca. 3 - 4 mal täglich, im Bedarfsfall auch öfter, gereinigt werden.
Zur **Reinigung** eignen sich lauwarmes Wasser und eine spezielle Flaschenbürste. Bevor die Kanüle beim nächsten Wechsel wieder eingeführt wird, muß sie vollkommen trocken sein. Dazu ist ein flusenfreies Tuch zu benutzen.

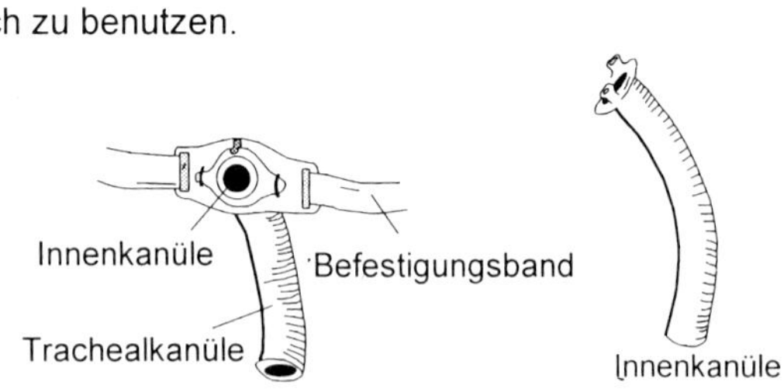

Abb. 1.37 ***Trachealkanüle ("Silberkanüle")***

Um das Tracheostoma reizlos, groß und geschmeidig zu halten, wird es morgens und abends mittels weichem Waschlappen und Wasser gereinigt. Da Seifenanwendung Hautreizungen und Hustenreiz auslösen kann, ist darauf zu verzichten.
Auch der Einsatz von Watte ist ungeeignet, da während der Einatmung feinste Fasern in die Atemwege eindringen können.
Die **Hautpflege** erfolgt durch milde Creme oder Salbe. Eine Borkenbildung im oberen Teil der Luftröhre kann durch regelmäßiges Inhalieren verhindert oder gelöst

werden. Die relative **Luftfeuchtigkeit** kann durch einen Luftbefeuchter auf 60 - 70% angehoben werden.
Schleimansammlungen in den oberen Luftwegen müssen in den ersten Monaten nach der operativen Stomaanlage meist **abgesaugt** werden.
Die Trachealkanüle wird über das Befestigungsband fixiert.
Zum **Schutz** vor äußeren Einflüssen (Fremdkörper, Insekten, grober Staub, abrasierte Barthaare) wird das Stoma mit einem Schutzläppchen / -tuch / -filter oder Schutzrolli abgedeckt. Für das Duschen steht ein spezieller "Duscheschutz" zur Verfügung.

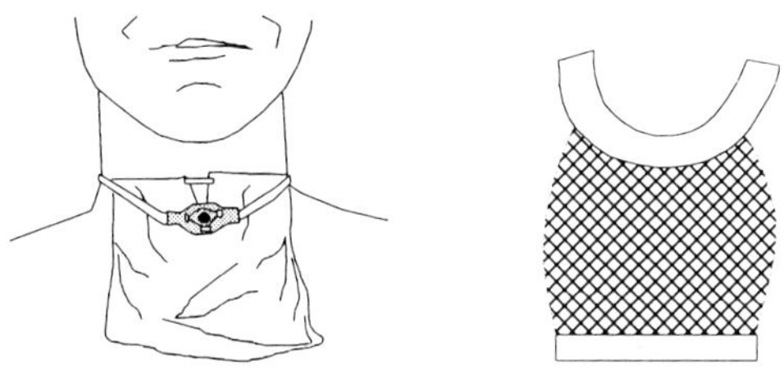

Larynx-Schutzverband *Larynx-Schutzrolli*

Abb. 1.38 ***Materialien zum Schutz des Tracheostoma***

Hilfsmittel für Menschen mit Tracheostoma werden von medizintechnischen Firmen angeboten. Diesbezügliche und weitere Informationen für Kehlkopflose / Tracheotomierte sind zu beziehen über die **Deutsche Krebshilfe e.V.,** Thomas-Mann-Straße 40, 53111 Bonn *(Lesen Sie auch "Hilfen bei Störungen des Sprechens", Seite 724; "Tracheotomie", Seite 402; "Dekanülierung", Seite 419).*

1.6.11 Weitere Maßnahmen

1.6.11.1 Aspirationsprophylaxe

Der Begriff **Aspiration** meint in diesem Zusammenhang das Eindringen flüssiger oder fester Stoffe in die Atemwege. Infolgedessen kann es zu einer lebensgefährlichen Verlegung der Atemwege (*Erstickungstod!*) kommen. Besonders **gefährdet sind Menschen mit** fehlendem oder **beeinträchtigtem Schluckreflex**, z.B. Bewußtlose oder Menschen, die einen Schlaganfall erlitten haben.
Um die Aspiration von Speichel und Erbrochenem bei einem Bewußtlosen zu verhindern, wird er in die **Seitenlage** gebracht. Dabei wird der Kopf im Nacken überstreckt; später wird der Bewußtlose auf den Rücken gelegt und sein **Kopf zur Seite** geneigt.

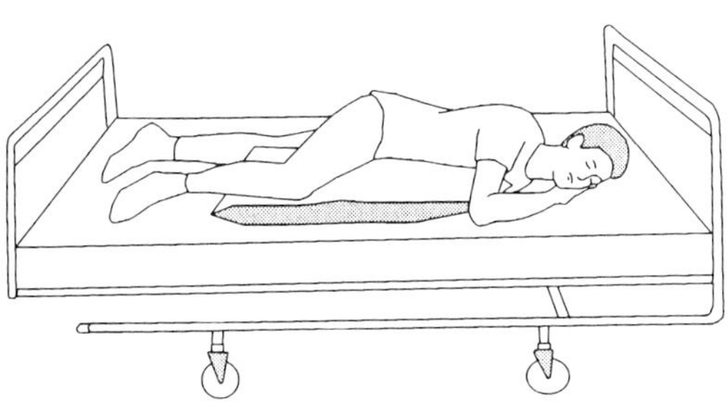

Abb. 1.39 ***Lagerung eines bewußtlosen Menschen***

Bettlägerige Menschen sind bei nicht angepaßter Lagerung während der Mundpflege und während der Nahrungsaufnahme gefährdet, zu aspirieren. Dem kann in der Regel vorgebeugt werden, wenn der **Kranke und der Pflegende situationsgerechte Positionen einnehmen**. Der Oberkörper des Patienten ist möglichst hoch aufzurichten; in dieser Haltung ist die Luftröhre nicht frei zugänglich, ist also vor dem Eindringen fester bzw. flüssiger Stoffe geschützt.
Der Pflegende setzt sich neben den Kranken, um unterhalb seines Mundniveaus zu bleiben. So wird vermieden, daß der Kranke seinen Kopf in den Nacken legt, der Schluckakt dadurch beeinträchtigt und eine Aspiration provoziert wird. Zusätzlich wird der Patient aufgefordert, seinen Kopf brustwärts zu neigen.

Für Menschen mit Schluckstörungen gilt besondere **Vorsicht bei der Nahrungsaufnahme** und bei der Mundpflege. Feste und flüssige Nahrung werden in kleinen Portionen und langsam verabreicht, ggf. muß ein spezielles Schlucktraining durchgeführt werden. Der Kranke wird zum sorgfältigen Kauen, Schlucken und Nachschlucken angehalten. Nach dem Essen wird eine gründliche Mundpflege durchgeführt, um eventuell zurückgebliebene Speisereste zu entfernen.
Bei ausgeprägten Schluckstörungen muß evtl. (vorübergehend) auf die orale Nahrungszufuhr verzichtet werden; auch das Ausspülen der Mundhöhle ist zu unterlassen. Statt dessen wird sie mit Tupfern gereinigt.

1.6.11.2 Mundpflege

Die Mundpflege nach der Nahrungsaufnahme ist besonders wichtig bei Menschen, die an **Schluckstörungen** und/oder **Fazialisparese** *(Lähmung des Gesichtsnervs)* leiden, um einer **Aspiration von Nahrung vorzubeugen**. Auch bei Infektionen im Bereich der oberen Atemwege und/oder im Mundbereich (z.B. Mundsoor) hat die Mundpflege eine besondere prophylaktische Bedeutung. Hier gilt es, drohende **absteigende Infektionen** zu **verhindern**.
Die **Infektionen** werden nach ärztlicher Anordnung mit entsprechenden Medikamenten behandelt. Dem Pflegepersonal obliegt dabei eine gezielte Beobachtung der Schleimhäute und die Durchführung der fachgerechten Mundpflege *(siehe vorstehend "Aspirationsprophylaxe" und "Mundpflege", Seite 651)*.
Selbstverständlich wird auch bei Menschen, deren **Immunabwehr herabgesetzt** oder deren natürliche Schleimhautbeschaffenheit beeinträchtigt ist, eine sorgfältige Mundpflege durchgeführt (bzw. der Kranke dazu angeleitet).
Bei Patienten, die überwiegend oder ausschließlich eine **Mundatmung** aufweisen, ist kontinuierlich für eine Anfeuchtung der Mundschleimhaut zu sorgen.

1.6.11.3 Unterstützung des Herzens

Herzkrankheiten und Herzinsuffizienz können Diffusionsstörungen* *(siehe Seite 39)* bedingen, die eine Hypoxämie* zur Folge haben; auch das Lungengewebe ist von der O_2-Minderversorgung betroffen. Deshalb sollten der **O_2 - Bedarf und O_2 - Verbrauch gering gehalten werden**, indem der Kranke geschont wird.

1.6.11.4 Infektionsprophylaxe

Der Infektionsprophylaxe dienen **allgemeine hygienische Maßnahmen** *(siehe "Verhütung von Infektionen", Seite 480)*, die leider immer wieder in unverantwortlicher Weise vernachlässigt werden. Von den zahlreichen Maßnahmen seien in diesem Zusammenhang die folgenden exemplarisch genannt:

- hygienische Desinfektion der Hände vor und nach Pflegeverrichtungen am kranken Menschen;
- hygienisch korrekter Umgang mit Inhalationsgeräten;
- Tragen eines Mund-Nasen-Schutzes seitens des Pflegepersonals und der Besucher, wenn sie an Atemwegsinfektionen leiden und mit abwehrgeschwächten Patienten in Kontakt treten;
- keimarmes Arbeiten beim Absaugen (vorher und nachher Händedesinfektion; Handschuhe tragen; sterile Katheter benutzen; Entsorgung des Auffangbehälters).

1.6.11.5 Raucherentwöhnung

Das **aufklärende** bzw. **beratende Gespräch** über das Rauchen wird in ruhiger Atmosphäre geführt. Der "Raucher" sollte möglichst entspannt sein.
Erscheint eine Aufklärung sinnvoll und erlaubt der Zustand des Patienten diese, so werden im Gespräch folgende Informationen vermittelt, ohne jedoch den Patienten moralisch zu bedrängen:

- Tabakteer lähmt die Flimmerhärchen - und somit einen wichtigen Schutzmechanismus - im Atemtrakt.
- Tabakteer enthält verschiedene karzinogene Stoffe.
- Nikotin schädigt Nerven- und Gefäßsystem; bei langfristigem Konsum können Durchblutungsstörungen auftreten.
- Kohlenmonoxid blockiert den O_2 - Transport im Blut und ruft somit O_2 - Mangel im Gewebe hervor.

Mindestens ebenso wichtig wie die Aufklärung über die Gefahren des Rauchens ist das Motivieren zur Raucherentwöhnung, also zur **Verhaltensänderung**. Dazu sollte der Raucher zunächst **herausfinden, aus welchen Gründen** und **in welchen Situationen er raucht**. Dabei können ein einfühlsames Gespräch, fachliche Unterstützung (Psychologe) und/oder der Erfahrungsaustausch in einer Gruppe sehr hilfreich sein.
Der Raucher sollte sich bewußt werden, aus welchen Gründen es sich für ihn lohnt, nicht zu rauchen, z.B.

- Steigerung des Wohlbefindens und der Leistungsfähigkeit;
- Schutz für die Gesundheit;
- Steigerung der Selbstachtung und der Anerkennung anderer Menschen (statt Ablehnung und Diskriminierung);
- Sparen großer Geldmengen; Möglichkeit, dadurch andere Wünsche zu erfüllen.

Der nächste Schritt umfaßt die Suche nach **Alternativen** zum Rauchen. Unsicherheiten lassen sich z.B. durch andere Verhaltensweisen überbrücken; Entspannung kann durch autogenes Training erreicht werden; Aggressionen können gedanklich oder körperlich abgebaut werden *(vgl. "Umgang mit Streß", Seite 893)*.
Während einer Raucherentwöhnung sind **Beschäftigung und Ablenkung** jeder Art hilfreich und deshalb anzubieten.

Verschiedene Institutionen bieten - meist in Gruppenform - ein "**Raucherentwöhnungstraining**" an. Der Raucher wird hierbei über eine längere Zeit der Entwöhnungsphase psychisch betreut.
Für einige Raucher ist es sinnvoll, nach Absprache mit dem Arzt zusätzlich unterstützende Mittel und Verfahren wie Nikotinpflaster / -kaugummi oder Akupunktur in Anspruch zu nehmen.
Einige Menschen sind (noch) nicht bereit, die "liebgewordene" Gewohnheit aufzugeben. Dann kann es ratsam sein, einen Kompromiß vorzuschlagen, z.B. nur noch zu bestimmten Gelegenheiten (nach dem Essen) zu rauchen. Letztendlich ist die Entscheidung des einzelnen Menschen zu respektieren.

Weiterführende Informationen können über die regionalen Krankenkassen und z.B. über folgende Organisationen eingeholt werden:

Ärztlicher Arbeitskreis
Rauchen und Gesundheit e.V.
Osterbergerstr. 23
74206 Bad Wimpfen

Bundeszentrale für gesundheitliche Aufklärung
Postfach 91 01 52
51071 Köln

Nichtraucherinitiative Deutschlands e.V.
Carl-von-Linde-Str. 11
85716 Unterschleißheim

1.7 Thoraxdrainagen

❒ Thoraxdrainagen

Bei der Thoraxdrainage *(Pleuradrainage)* handelt es sich um ein **geschlossenes Saugsystem** zur **Ableitung** pathologischer **Luft**-, Blut-, Eiter- oder **Flüssigkeitsansammlungen aus der Pleurahöhle**. Gleichzeitig wird der bei Eröffnung der Pleurahöhle verlorengegangene **Unterdruck wiederhergestellt**. Die Drainage wird in einen bestimmten Interkostalraum (ICR) von außen in die Pleurahöhle eingebracht.
Der Drain verfügt über mehrere Perforationen. Das äußere Ende des Drains wird über einen Verbindungsschlauch mit einem Auffangsystem, das an einen Vakuumanschluß angeschlossen wird, verbunden. Die Einstellung der erforderlichen Stärke des kontinuierlichen Sogs erfolgt über eine entsprechende Vorrichtung am Auffangssystem; der ausgeübte Sog kann an einer Manometerskala abgelesen werden. Bei Ein-Kammer-Systemen mit Wasserschloß kommt dagegen das Heberprinzip *(Wirkung der Schwerkraft)* zur Anwendung.
Ein Wasserschloß (d.h. der Drain wird in eine sterile Flüssigkeit geleitet) verhindert das Eindringen von Außenluft in den Pleuraspalt.

Indikationen

- Pneumothorax *(Luftansammlung im Pleuraspalt)*,
- Hämatothorax *(Blutansammlung im Pleuraspalt)*,
- Pleuraempyem *(Eiteransammlung im Pleuraspalt)*,
- Chylothorax *(Ansammlung von Lymphflüssigkeit im Pleuraspalt)*,
- Pleuraerguß *(seröse Flüssigkeit im Pleuraspalt)*.

❍ Vorbereitung
In der Praxis werden überwiegend gebrauchsfertige sterile Einmalsysteme (z.B. Thora-Drain I, Thora-Drain III, Sentinel Seal, Pleur-evac) eingesetzt. Die Vorbereitung der verschiedenen Drainagesysteme erfolgt gemäß der Anweisung der Herstellers. Im folgenden werden der Aufbau der Drainage und die Vorbereitung am Beispiel des Thora-Drain III besprochen.

Thora-Drain III
Der am Thoraxdrain angeschlossene Verbindungsschlauch führt zu einem **Drei-Kammer-System**, bestehend aus
- einer abnehmbaren **Saugkontrollkammer**, in die sterile physiologische NaCl-Lösung oder Aqua destillata bis zur angeordneten Höhe der Wassersäule eingefüllt wird; der Sog wird durch Nutzung eines Vakuumwandanschlusses erzeugt;
- einer abnehmbaren **Sekretkammer**, die bei Bedarf durch eine leere ersetzt werden kann, und
- einem **Unterwasserschloß**, welches bis zur Füllinie mit steriler physiologischer NaCl-Lösung oder Aqua destillata gefüllt wird.

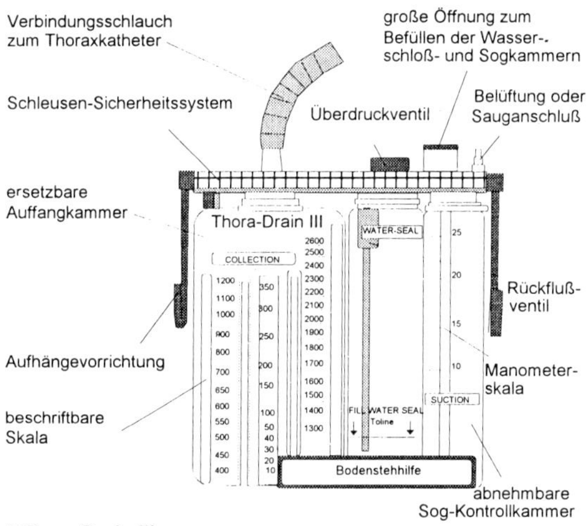

a) ***Thora-Drain III***
(3-Kammer-System zur Thorax-Drainage mit Wasserschloß und auswechselbarer Auffangkammer zum Einmalgebrauch)

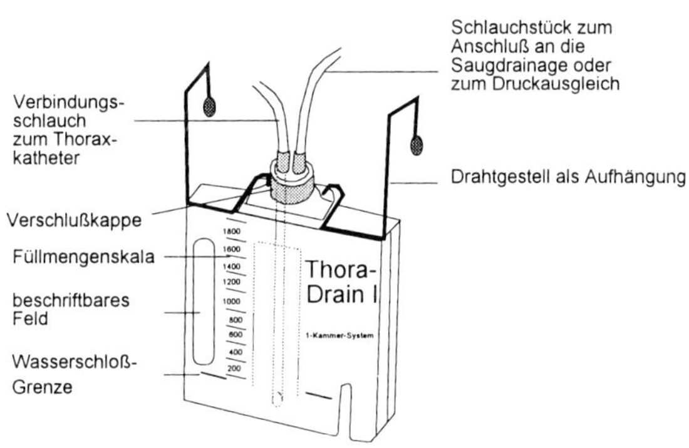

b) ***Thora-Drain I***
(1-Kammer-System zur Thorax-Drainge mit Wasserschloß zum Einmalgebrauch)

Abb. 1.40 ***Thoraxdrainagen***

❍ Legen einer Thoraxdrainage
Das Legen einer Thoraxdrainage ist **Aufgabe des Arztes**.

Pflegende bereiten das **Material** vor:
- Lokalanästhetikum mit Spritze und Kanüle,
- Hautdesinfektionsmittel,
- Skalpell (für die Hautinzision),
- Trokar mit Einführkanüle,
- Drainagesystem (Drain, Verbindungsschlauch, Sekretauffangvorrichtung mit Wasserschloß),
- zwei Schlauchklemmen aus Metall,
- steriles Abdecktuch,
- sterile Handschuhe,
- sterile Tupfer,
- Nahtmaterial,
- sterile Schlitzkompresse,
- Verbandmaterial.

Der Patient wird **halbhoch sitzend gelagert**, der Arm an der zu punktierenden Seite über dem Kopf abgelegt. Er wird angehalten, während der Maßnahme **nicht** zu **husten**. Ggf. ist eine Rasur der Punktionsstelle erforderlich.
Während des Legens der Thoraxdrainage wird der Patient beobachtet, beruhigt und bei der Einhaltung der erforderlichen Lage unterstützt.
Nach **Lokalanästhesie** und **Hautschnitt** wird der **Trokar** in Höhe des 2. oder 3. ICR in der Medioclavikularlinie in die Pleurahöhle eingestochen, der **Drain eingeführt**, mittels Naht fixiert und mit der Auffangvorrichtung verbunden. Der **Sog** wird beim Pneumothorax in der Regel auf 15-20 cm Wassersäule eingestellt (Arzt), bei anderen Krankheitsgeschehen ist ein geringerer Sog angezeigt.
Die Austrittsstelle des Drains wird mit einer sterilen Schlitzkompresse abgedeckt, der **Drain** sicher **fixiert**.
Es ist darauf zu achten, daß die Absaug- und Auffangvorrichtung sicher auf dem Boden aufgestellt wird.
Die **Lagekontrolle** des Drain erfolgt röntgenologisch.

❒ Pflege bei liegender Thoraxdrainage
Der Patient wird mit leicht erhöhtem Oberkörper gelagert.
Die **Beobachtung** richtet sich auf:
- Atmung,
- Puls, Blutdruck,
- Verband (Nachblutung?),
- subjektives Befinden.

Mehrmals täglich wird die **Drainagefunktion** überprüft:
- Sogleistung: es muß ein leises kontinuierliches Blubbern im Wasserschloß hörbar und es müssen atemsynchrone Schwankungen im Wasserschloß sichtbar sein; Kontrolle der eingestellten Sogleistung;
- intakte Verbindungsstellen; es darf keine Unterbrechung des Drainagesystems vorliegen;
- Durchgängigkeit; der Ableitungsschlauch darf weder abgeknickt noch verstopft sein;
- Position des Auffangbehälters; er muß aufrecht am Boden stehen, es darf kein Zug am Verbindungsschlauch entstehen;
- Förderung von Sekret, es werden Sekretmenge, -beschaffenheit und -farbe beobachtet / dokumentiert.

Das **Drainagesystem muß stets geschlossen bleiben**. Für den Notfall (unbeabsichtigte Diskonnektion und Eindringen von Luft), für Transporte und für Systemwechsel müssen immer zwei stabile **Schlauchklemmen** am Bett des Patienten griffbereit sein. Im Bedarfsfall werden sie im Winkel von 90 Grad angebracht, um undichte Stellen zu vermeiden.
Der **Verbandwechsel** erfolgt unter Wahrung der Asepsis *(siehe Seite 375)*; dabei ist die Austrittsstelle des Drain auf Entzündungszeichen zu beobachten.
Ein **Wechsel des Systems** erfolgt nur, wenn die maximal angegebene Füllmenge erreicht ist. Da bei der Diskonnektion Keime in den Organismus eindringen können, muß **aseptisch** gearbeitet werden (Händedesinfektion, Tragen steriler Handschuhe). Die Drainage wird mit zwei im 90 Grad Winkel zueinander angebrachten Schlauchklemmen **körpernah abgeklemmt**, der Sog abgeschaltet und das Pflaster zur zusätzlichen Sicherung der Verbindungsstelle entfernt. Nachdem die Verpackung der neuen Thoraxdrainage fachgerecht geöffnet wurde, sind **sterile Handschuhe** anzuziehen. Dann wird die Verbindungsstelle von Drainage und Ableitungssystem gelöst, letzteres wird verworfen. Die Verbindungsstelle wird mit Hautdesinfektionsmittel abgewischt (nicht besprüht) und mit dem sterilen Auffangsystem verbunden; die Konnektionsstelle wird zusätzlich durch das Anbringen eines Pflasterstreifens gesichert und anschließend überprüft. Nun kann das System an die Sogvorrichtung angeschlossen und der Sog eingestellt werden. Nachdem die Schlauchklemmen entfernt wurden, werden nochmals die **Dichtigkeit** der Verbindungsstelle und die **Sogstärke überprüft**. Der Systemwechsel wird dokumentiert.

Im allgemeinen soll ein Patient mit einer Thoraxdrainage gelockerte Bettruhe einhalten, um eine Diskonnektion zu vermeiden. Er bedarf einer **personen- und sachgerechten Information**, um Ängste abzubauen und um sich kooperativ verhalten zu können. Der Kranke wird auf die Gefahr der Diskonnektion hingewiesen und angehalten, sich vorsichtig zu bewegen sowie das Auffangsystem stets unterhalb der Drainagestelle zu belassen. Besonderer Wert ist auf die **stündliche Durchführung von Atemübungen** zu legen; dazu wird der Kranke mit einem Atemtrainer vertraut gemacht.

1.8 Pflegeplanung

Zur Einschätzung der Atembeeinträchtigung / -gefährdung des einzelnen Menschen hat sich die auf der nächsten Seite vorgestellte **Atemskala** bewährt. Sie wurde unter der Leitung von Christel Bienstein von den Teilnehmern des Pflegefachseminars 89 / 90 im Bildungszentrum Essen des Deutschen Berufsverbandes für Pflegeberufe erarbeitet.

1.8.1 Informationssammlung "Pneumonierisiko"

Informationssammlung "Pneumonierisiko"

Veränderte Atmung
- □ akute Atemwegserkrankung
- □ chronische Atemwegserkrankung
- □ Hypoventilation (z.B. bei Immobilität)
- □ hohes Lebensalter
- □ erschwerte Atmung
- □ Schonatmung (Schmerzen)
- □ Tachypnoe
- □ Bradypnoe
- □ Husten
- □ mangelhaftes Abhusten
- □ dauerhafter Zigarettenkonsum
- □ jahrelanger Kontakt mit Luftschadstoffen
- □ vermehrte Sekretproduktion (Atemwegsentzündung; nach Intubationsnarkose)

Beeinträchtigung des Atemzentrums
- □ Gehirnverletzung
- □ Gehirnblutung
- □ Einnahme von Medikamenten, die zur Atemdepression führen können
- □ Nachwirkung von Narkotika

Infektgefährdung
- □ leichte Immunabwehrschwäche (z.B. postoperativer / posttraumatischer Zustand, lokale Infektion)
- □ lokale Immunabwehrschwäche (Medikamenteneinnahme, die die Flora der Mundschleimhaut verändert; Erkrankungen der Mundschleimhaut)
- □ generalisierte Immunabwehrschwäche (Aids, Leukämie, Karzinom, Tbc.)
- □ Sekretabsaugung (orale / nasale / endotracheale)
- □ Mundatmung
- □ unphysiologische Atmung (maschinelle Beatmung; Tracheostoma)

Aspirationsgefahr
- □ Schluckstörungen
- □ Bewußtlosigkeit

Behinderung der Diffusion / Ventilation
- □ Herzinsuffizienz / -krankheit
- □ Lungenödem
- □ Lungenembolie / -infarkt

Kooperation des Patienten
- □ eingeschränkt (Schmerzen, Schwäche, Intelligenzminderung)
- □ bedingt möglich (Bewußtseinseinschränkung)
- □ unmöglich (Bewußtlosigkeit)
- □ wird abgelehnt

Ressourcen
- □ Fähigkeit und Bereitschaft zur Kooperation
- □ selbständige Durchführung von Atemübungen

Atemskala

zur Erfassung der Atemsituation

Bewertung:

0 - 6 Punkte = nicht gefährdet
7 - 15 Punkte = gefährdet
16 - 45 Punkte = hochgradig gefährdet bzw. Atemstörungen vorhanden

Kriterien Einstufung von 3 - 0 siehe Legende zur Atemskala	Bereitschaft zur Mitarbeit	vorliegende Lungenerkrankung	bereits durchgemachte Lungenerkrankungen	Immunabwehrschwäche	manipulative Maßnahmen oro-tracheal	Raucher / Passivraucher	Schmerzen	Schluckstörungen	Mobilitätseinschränkung	Lungengefährdender Beruf	Intubationsnarkose / Beatmung	Bewußtseinslage	Atemtiefe	Atemfrequenz	Medikamente, die die Atmung sedieren	**Gesamtergebnis:**
Name:																

Legende zur Atemskala

Bereitschaft zur Mitarbeit

0 = Eine hohe Bereitschaft zur Mitarbeit ist durch kontinuierliche Mitarbeit gekennzeichnet.
1 = Der Patient zeigt Bereitschaft zur Mitarbeit unter Aufforderung.
2 = Er zeigt ab und zu Bereitschaft zur Mitarbeit, jedoch nur bei Aufforderung.
3 = Er zeigt keine Bereitschaft zur Mitarbeit oder kann keine Bereitschaft deutlich machen.

Vorliegende Lungenerkrankungen (Atemorganerkrankungen)

0 = Es liegen keine Lungenerkrankungen vor.
1 = Es liegt ein leichter Infekt vor, der den nasalen und oralen Bereich betrifft.
2 = Es liegt ein Infekt vor, der auch den bronchialen Bereich mit einbezieht.
3 = Es liegen Lungenerkrankungen vor.

Bereits durchgemachte Lungenerkrankungen

0 = Der Patient hat keine Lungenerkrankungen durchgemacht.
1 = Der Patient hat leichte Lungenerkrankungen durchgemacht, z.B. bronchopulmonale Infekte aufgrund grippaler Infekte im letzten Vierteljahr.
2 = Der Patient hat schwere Verläufe durchgemacht.
3 = Der Patient hat schwere Lungenerkrankungen oder Atemorganerkrankungen durchgemacht, die eine wahrnehmbare Atemfunktionseinschränkung hinterlassen haben.

Immunabwehrschwäche

0 = Es liegt keine Immunabwehrschwäche vor.
1 = Es liegt eine leichte Immunabwehrschwäche vor aufgrund einer nicht generalisierten Infektion.
2 = Es liegt eine erhöhte Abwehrschwäche vor.
3 = Es liegt eine völlige Immunabwehrschwäche vor.

Manipulative Maßnahmen oro-tracheal

0 = Es werden keine manipulativen Maßnahmen im Atemtrakt durchgeführt.
1 = Es werden manipulative, pflegetherapeutische Maßnahmen, wie eine spezielle Nasenpflege oder Mundpflege, durchgeführt.
2 = Es erfolgt zusätzlich eine oral-nasale Absaugung.
3 = Es erfolgt eine orale / nasale / endotracheale Absaugung ohne oder mit liegendem Tubus.

Raucher / Passivraucher

0 = Der Patient ist Nichtraucher und ist in seinem direkten Umfeld nur geringfügig rauchexponiert.
1 = Der Patient raucht zirka 6 Zigaretten der Schadstoffgruppe 1, oder ist regelmäßiger Passivraucher.
2 = Der Patient raucht zirka 6 Zigaretten pro Tag der Schadstoffgruppe 2 und ist regelmäßig Passivraucher, z.B. durch seinen Partner oder in seinem direkten Arbeitsumfeld.
3 = Der Patient raucht sehr intensiv, mehr als 6 Zigaretten der Schadstoffgruppe 3, oder ist ebenfalls in seinem Umfeld aktiver Passivraucher durch ständigen Rauchkonsum der Gruppe 3.

Schmerzen

0 = Es sind keine Schmerzen vorhanden.
1 = Es sind leichte, kontinuierliche Schmerzen vorhanden.
2 = Es sind hauptsächlich Schmerzen in dem Bereich vorhanden, der auf die Atmung Einfluß nimmt.
3 = Es sind ständig Schmerzen vorhanden, die wahrnehmbar auf die Atmung Einfluß nehmen.

Schluckstörung

0 = Es liegt keine Schluckstörung vor.
1 = Es liegt eine Schluckstörung bei flüssiger Nahrungsaufnahme vor.
2 = Eine Schluckstörung liegt auch bei breiiger Nahrungsaufnahme vor.
3 = Es liegt eine komplette Schluckstörung bei allen Nahrungsaufnahmen vor, auch beim Schlucken von Speichel.

(Fortsetzung auf der nächsten Seite)

Mobilitätseinschränkung

0 = Es liegt keine Mobilitätseinschränkung vor.

1 = Es liegt eine verlangsamte oder eingeschränkte Mobilität vor, die durch Inanspruchnahme von Gehstützen und Hilfen kompensiert wird, oder eine veränderte Körperhaltung, die sich auch im Bett äußert.

2 = Es liegt eine Mobilitätseinschränkung vor, so daß eine hauptsächliche Bettruhe vonnöten ist und eine Mobilisierung nur im Sessel oder Stuhl erfolgen kann.

3 = Es liegt eine völlige Mobilitätseinschränkung vor.

Lungengefährdender Beruf

0 = Er hat keinen lungengefährdenden Beruf.

1 = Er hat kurze Zeit, 1-2 Jahre, in einem lungengefährdenden Beruf gearbeitet.

2 = Er hat 2-10 Jahre seines Lebens in einem lungengefährdenden Beruf gearbeitet.

3 = Er arbeitete über 10 Jahre in einem exponierten lungengefährdenden Beruf.

Intubationsnarkose / Beatmung

0 = Er hat keine Intubationsnarkose in den letzten drei Wochen hinter sich gebracht.

1 = Er hat eine kurze Intubationsnarkose hinter sich gebracht (bis zu 2 Stunden).

2 = Er hat eine langdauernde Intubationsnarkose hinter sich (2 Stunden und mehr).

3 = Er hat eine oder mehrere Intubationsnarkosen hinter sich oder ist zwischen 12 Stunden und länger intubiert gewesen oder beatmet.

Bewußtseinslage

0 = Keine Einschränkung der Bewußtseinslage.

1 = Leichte Einschränkung der Bewußtseinslage, reagiert aber auf Ansprache folgerichtig.

2 = Reagiert auf Ansprache nicht folgerichtig.

3 = Zeigt keine Reaktion.

Atemtiefe

0 = Der Patient kann ohne Anstrengung bis zu einer Zwerchfell- und Thoraxatmung kommen.

1 = Der Patient kann mit Anstrengung zu einer Zwerchfell- oder Thoraxatmung kommen.

2 = Der Patient führt mit großer Hilfestellung eine Zwerchfell- oder Thoraxatmung durch.

3 = Der Patient kann selbst bei großer Unterstützung keine Zwerchfell- oder Thoraxatmung im eigentlichen Sinne durchführen.

Atemfrequenz

0 = Er hat eine Frequenz zwischen 14-20.

1 = Er atmet unregelmäßig, sowohl zum bradypneuischen wie zum tachypneuischen Atem.

2 = Der Patient atmet regelmäßig zum bradypneuischen oder tachypneuischen Atem.

3 = Der Patient hat völlig unregelmäßige Atemzüge, die sowohl sehr tief wie oberflächlich sein können oder zwischen tachypneuisch bzw. bradypneuisch ständig wechseln.

Medikamente, die die Atmung sedieren

0 = Der Patient bekommt keine Medikamente, die die Atmung dämpfen.

1 = Der Patient bekommt unregelmäßig Medikamente, die dämpfenden Einfluß auf die Atmung nehmen.

2 = Er bekommt regelmäßig Medikamente, die auf die Atmung dämpfend wirken.

3 = Er bekommt spezifisch Medikamente, die eine deutliche Wirkung auf die Atmung haben, wie z.B. Morphine oder Barbiturate.

Schadstoffskala. Zigaretten nach Kondensat (Teer) geordnet in Gramm

I	Ni	Ko
Auslese	0,1	1
R1	0,2	2
Lord Ultra	0,2	3
SL	0,2	3
Marlboro (Menthol / Light)	0,4	6
R6	0,4	6
Roxy	0,5	6
Muratti	0,6	6
Barclays	0,6	6
Dames	0,3	7
Milde Sorte (Super)	0,3	7
Reno (Light)	0,4	7
Lord (Weiß)	0,4	7
Merit	0,5	7
Reno (Menthol / 100)	0,5	7
Atika	0,6	7
Krone (Menthol)	0,6	8
R6 (100)	0,6	8
Marlboro (Light / 100)	0,6	8
Kim	0,6	8
Lord	0,5	9
Krone	0,5	9
Milde Sorte	0,5	9
Lord (100)	0,7	9
Cartier	0,7	9
Roxy (International)	0,7	9
Atika de Lux	0,7	9

II	Ni	ko
John Player Spezial (Mild)	0,5	10
Peer (100)	0,5	10
Gauloises (mit Filter)	0,6	10
Fairwind	0,5	10
EVE	0,6	10
Kent	0,7	10
Astor (mild)	0,7	10
Camel (mild)	0,7	10
Gitanes	0,7	10
Silk Cut (100)	0,9	10
L&M (100)	0,7	11
Reno (Menthol)	0,7	11
Peer Export	0,8	13
L&M	0,8	13
Collie	0,8	13
Lux	0,8	13
Overstolz	0,8	13
Juno	0,8	13
Ernte	0,8	13
Stuyvesant	0,8	13
HB	0,8	13
M (Grün & Rot)	0,9	13
Winston	0,9	13
Marlboro	0,9	13
HB (100)	0,9	13
Windsor	0,9	13
Dunhill (Rot & Grün)	0,9	13
Hombre	0,9	13
Chesten	0,9	13
Camel (100)	1,0	13
YSL	1,0	13
Camel	1,0	13

III	Ni	Ko
Ernte 23	0,3	15
Stuyvesant (100)	0,7	15
Prinz of Wales	0,9	15
West	1,0	15
P4	1,0	15
Exzellenz	1,1	15
West (100)	1,2	15
Benson	1,2	15
JPS	1,3	15
Pall Mall	1,1	16
Dumont	0,8	17
Gauloises (ohne)	1,1	17
St. Moritz	1,1	17
Prinz Danmark	1,3	17
Major (extra size)	1,4	17
Davidoff	1,5	17
Dimitrino & Co.	1,1	18
Gitanes	1,2	18
Overstolz (ohne)	1,2	19
Lucky Strike	1,2	19
Chester (ohne)	1,2	20
Juno (ohne)	1,2	20
Eckstein	1,2	20
Senior Service	1,4	20
Reval (ohne)	1,3	21
Rote Hand	1,4	21
Senoussi	1,3	22
Red Rock	1,4	22
Pall Mall (ohne)	1,4	22
Camel (ohne)	1,4	22
Gold Dollar (ohne)	1,4	22
Virginia	1,6	22
Mercedes	1,1	24
Bontè	1,0	25
North State	1,5	25
Emir	1,3	26
Orienta	1,4	26
Finas	1,5	28

1.8.2 Pflegestandards zur Pneumonieprophylaxe

Pneumonieprophylaxe - Pflegestandard A

Probleme / Ressourcen	Ziele	Pflegemaßnahmen
Der Patient atmet oberflächlich und hustet mangelhaft ab, es besteht die Gefahr der Sekretanschoppung und Atelektasenbildung.	Ausreichende Belüftung aller Lungenbezirke	**Information des Patienten über** - Notwendigkeit und Durchführung der prophylaktischen Maßnahmen
Zugrunde liegt / liegen: • allgemeine Schwäche	***Der Patient*** - kennt Ziele und Durchführung der prophylaktischen Maßnahmen	**Motivierung zur Mithilfe** - positive Wirkung seiner aktiven Mithilfe erklären
• Immobilität	- führt Bewegungsübungen durch	**Mobilisation** soweit möglich und zulässig - Patienten mehrmals täglich zu körperlicher Aktivität (Bewegungsübungen im Bett) anhalten
• Schmerzen im Thorax bzw. Abdomen (z.B. durch Op-Wunde, Verletzung)	- bewegt sich außerhalb des Bettes	- Patient sobald wie möglich zum Aufstehen auffordern
	- kann leicht durchatmen	**Atemerleichternde Lagerung** - Oberkörperhochlage - evtl. zwischendurch für 15 - 20 Minuten Dehn-, Seiten-, 135-Grad, A- oder V-Lage durchführen
	- atmet mehrmals stündlich bewußt tief durch	**Förderung tiefen Ein- und Ausatmens** - mehrmals täglich / stündlich dazu auffordern
	- weiß, wie atemabhängige Schmerzen reduziert werden	- ggf. anleiten zur / unterstützen bei der Schmerzreduzierung: mit den Händen Gegendruck über der schmerzausstrahlenden Region ausüben
	- atmet tief ein und aus - bemüht sich, den Atem in bestimmte Regionen zu steuern	**Kontaktatmung** - mehrmals täglich durch Handauflegen den Atem in die Brust-, Bauch- und Flankenregion sowie in die hinteren Lungensegmente steuern
	- hustet verflüssigtes Sekret ab	**Sekretverflüssigung / -lösung** - Anfeuchten der Atemluft mit Nebel (0,9% NaCl-Lösung) über Ultraschallvernebler, anschließend zum Abhusten auffordern (Zellstoff und Abwurfbehälter bereitstellen); mind. 2 mal täglich
	- kann Sekret abhusten	- bei Bedarf manuelle / apparative Vibrationsmassage des Thorax; mind. 3 mal täglich ***Kontraindikation:*** *Kopf- / Wirbelsäulenverletzung, thromboembolisches Geschehen, Thoraxverletzungen, Knochenmetastasen, Osteoporose*

Probleme / Ressourcen	Ziele	Pflegemaßnahmen
	Der Patient - trinkt mindestens 1500 ml in 24 Stunden	**Flüssigkeitszufuhr** - sofern nicht kontraindiziert mindestens 1500 ml Flüssigkeit in 24 Std. bereitstellen, mehrmals zum Trinken auffordern - evtl. Trinkplan anlegen
• Depression des Atemzentrums (durch Medikamentenintoxikation, Narkotikanachwirkung, hohe Schlaf- / Schmerzmitteldosis).	Frühzeitiges Erkennen einer Intoxikation	**Beobachtung von** - Bewußtseinszustand - Pupillenweite (Verengung kann Hinweis auf Überdosis von Morphinpräparaten sein)
	Frühzeitiges Erkennen von Atemveränderungen / -insuffizienz	- Atemfrequenz / -rhythmus / -tiefe
Ressourcen Der Patient ist bewußtseinsklar, versteht Anleitungen und ist kooperativ.	***Der Patient*** - kennt Atemübungen und den Umgang mit Übungsgeräten - führt mehrmals täglich Atemübungen durch - atmet vertieft ein und aus - hat gut belüftete Alveolen und gelöstes Sekret	**Durchführung spezieller Atemübungen** - Information und Anleitung des Patienten - Erklären der Übungsgeräte **Ausatmen gegen Widerstand** - mehrmals täglich Luftballon o.ä. aufblasen lassen ***Kontraindikation:*** Lungenemphysem oder **Einatmen mit Triflo-Atemtrainer o.ä.** - mehrmals stündlich / täglich oder
	Reizung des Atemzentrums über pCO_2 - Anstieg im Blut ***Der Patient*** - kennt Wirkung und Durchführung der Atemübung - überfordert sich nicht - atmet anschließend vertieft durch	**Totraumvergrößerung mittels Giebelrohr** - Vorliegen der Arztanordnung prüfen - Motivation und Kontrolle des Patienten - 8-10 mal täglich 15-20 Atemzüge mit Giebelrohr durchführen lassen, dabei Nasenklemme aufsetzen - Beobachtung der Atemfrequenz und Hautdurchblutung; Übung sofort abbrechen, wenn Atemfrequenz über 24 / Min. liegt oder bei Zyanose
	- hustet gelöstes Sekret ab	- Sputumbecher und Zellstoff in Reichweite des Patienten stellen - Abhusten fördern / unterstützen

Pneumonieprophylaxe - Pflegestandard B

Probleme / Ressourcen

Der Patient kann aufgrund von Bewußtlosigkeit oder allgemeiner Schwäche das Sekret nicht abhusten; dieses bleibt im Nasenrachenraum liegen und kann aspiriert werden.

Ziele

Der Patient

- kennt Sinn und Zweck des Absaugens
- hat freien Nasenrachenraum
- aspiriert nicht

Abfluß des Speichels nach außen

Abfluß des Bronchialsekretes in Richtung Lungenhilus

Pflegemaßnahmen

Information
- über den Absaugvorgang / -sinn

Sekretabsaugung
- bei Bedarf Mund- und/oder Nasenrachenraum mittels Katheter absaugen; hygienisches Arbeiten und Beobachtung der Atmung

Lagerung
- bei Schwäche: 2-stdl. für ca. 10 Minuten im Wechsel rechte und linke Seitenlage sowie Oberkörperhochlagerung durchführen; anschließend die entsprechenden Lungensegmente vibrieren und Patienten zum Abhusten auffordern bzw. Sekret absaugen
- bei plötzlicher Bewußtlosigkeit: 90-Grad-Seitenlagerung, Kopf in den Nacken überstrecken
- bei andauernder Bewußtlosigkeit: Rückenlage, Kopf zur Seite neigen, 2-stündlich für ca. 10 Min. Seitenlage

Atemübungen
- wenn Patient dazu in der Lage ist, *siehe Pflegestandard A*

Sekretverflüssigung / - lösung
- *siehe Pflegestandard A*

Pneumonieprophylaxe - Pflegestandard C

Probleme / Ressourcen

Der Patient hat vorgeschädigte/s Atemwege / Lungengewebe; infolgedessen sind eine **alveoläre Minderbelüftung, Sekretanschoppung und lokale Infektion möglich.**

Zugrunde liegen / liegt

- Bronchusveränderungen
- Atemwegserkrankungen
- Staublunge
- dauerhafter Nikotinkonsum / Nikotinabusus
- physiologischer Elastizitätsverlust im höheren Lebensalter.

Ressourcen

Der Patient ist bewußtseinsklar, versteht Anleitungen und ist kooperativ.

Ziele

Ausreichende Belüftung aller Lungenbezirke

Infektfreie Atemwege

Der Patient

- kennt die Gefahren und seine persönlichen Gründe des Rauchens
- kennt Möglichkeiten des Nichtrauchertrainings und Alternativen zum Rauchen
- ist motiviert, das Rauchen zu reduzieren bzw. einzustellen

Pflegemaßnahmen

Atemübungen
- siehe Pflegestandard A

Sekretverflüssigung und Sekretlösung
- siehe Pflegestandard A

Infektionsprophylaxe
- sorgfältige Durchführung der Mundpflege
- Vermeidung von Durchzug und Unterkühlung

ggf. Aufklärung / Gespräch
- über Gesundheitsgefährdung durch Rauchen
- über mögliche Gründe oder Gewohnheitsbildung des Rauchens
- über Angebote zum Nichtrauchertraining
- über Alternativen zum Rauchen
- über Reduzierung des Tabakkonsums

Pneumonieprophylaxe - Pflegestandard D

Probleme / Ressourcen	Ziele	Pflegemaßnahmen
Der Patient leidet an Zirkulationsstörungen im Lungenkreislauf, die Diffusion / Ventilation ist behindert infolge von • Herzinsuffizienz / -krankheit • Lungenödem • Lungenembolie / -infarkt.	***Der Patient*** - kann unbeschwert durchatmen - hat freie Atemwege *(weitere Ziele siehe Pflegestandard A)*	**Lagerung** - Oberkörperhochlage - kurzzeitig Seitenlage rechts und links, sofern Patient diese toleriert **Förderung tiefen Ein- und Ausatmens** - siehe Pflegestandard A **Sekretverflüssigung und -lösung** - siehe Pflegestandard A
	Verhinderung der Lösung von Thromben	- **Beachte**: Bei thromboembolischem Geschehen (Herzinfarkt, Lungenembolie) keine Thoraxvibration durchführen
	Vermeidung einer Herz- Kreislaufüberlastung	- **Beachte**: Oft ist eine Begrenzung der Trinkmenge angeordnet
	Intensivierung der Atmung	**Mobilisation** - in einem dem Krankheitsbild / Befinden des Patienten angemessenem Ausmaß
	Möglichst geringer Anstieg des O_2 - Bedarfs (Vermeidung der Provokation von Atemnot und Atembeschleunigung)	**Unterstützung / Schonung des Herzens** - Sorge für angemessene körperliche und seelische Schonung des Patienten

1.9 Exemplarische Lebens- und Pflegesituationen bei Störungen der Atmung

1.9.1 Chronische Bronchitis

1.9.1.1 Krankheitsbild

❒ Definition

Laut WHO ist eine Bronchitis *(Entzündung der Bronchialschleimhaut)* chronisch, wenn in zwei aufeinander folgenden Jahren während mindestens 3 Monaten pro Jahr Husten und Auswurf (produktiver Husten) bestanden.
Die chronische Bronchitis ist die häufigste chronische Erkrankung der Atemwege.

❒ Krankheitsentstehung / -entwicklung und Symptome

Die Entstehung einer chronischen Bronchitis ist ein **multifaktorielles Geschehen**; die Bronchialschleimhaut wird durch einen oder mehrere Faktoren belastet:

- **Zigarettenrauchen**
  Jeder zweite Raucher leidet ab ca. seinem 40sten Lebensjahr an einer chronischen Bronchitis. 90% der Erkrankten sind (Ex-)Raucher.
- **Luftverschmutzung**
  Luftschadstoffe, vor allem Schwefeldioxid, Ozon und Staub, belasten - insbesondere im Zusammenhang mit Zigarettenrauchen sowie bei feuchtkaltem Wetter - die Bronchialschleimhaut. Betroffen sind in erster Linie beruflich exponierte Personen und Menschen, die in Ballungsgebieten leben.
- **Sinu - bronchiales Syndrom**
  Die chronische Bronchitis kommt gelegentlich vergesellschaftet mit rezidivierenden Nebenhöhleninfekten *(Sinusitiden)* vor.

Es werden drei Schweregrade der chronischen Bronchitis unterschieden:

- **Nichtobstruktive (einfache) chronische Bronchitis**
  Der Betroffene hustet -meist in den Morgenstunden-schleimig-weißes Sputum aus (Raucherhusten); bei bakterieller Infektion ist der Auswurf eitrig. In diesem Stadium ist die Erkrankung reversibel.
- **Chronisch obstruktive Bronchitis**
  Die chronische Entzündung in den Bronchien hat zu einer nicht reversiblen Obstruktion der Bronchien unterschiedlicher Ausprägung geführt. Folgen sind Belastungsdyspnoe und Leistungsabfall. Infekte der Atemwege treten immer häufiger auf und führen zur Verschlimmerung des Krankheitsgeschehens.
- **Obstruktives Emphysem**
  Es handelt sich hierbei um eine Spätkomplikation: Durch Überdehnung des Lungengewebes mit Zerstörung von Alveolar -und Lungensepten kommt es zur irreversiblen Erweiterung der Alveolen, sie bilden funktionslose Hohlräume. Die Gasaustauschfläche ist verkleinert, der Luftgehalt der Lunge nimmt insgesamt zu. Bei der Exspiration kommt es als Folge der Lungenüberblähung zu einem Kollaps der Bronchien.
  Folgen sind Atemnot, anfangs bei körperlicher Belastung, später auch in Ruhe, Ateminsuffizienz, Zyanose und Tachypnoe.
  Durch Verlust / Untergang von kleinen Lungenkapillaren kommt es zu einem Bluthochdruck im Lungenkreislauf; aufgrund der Rechtsherzbelastung entwikkelt sich ein chronisches Cor pulmonale *(siehe 284)*.

❐ Diagnostik

Die Diagnose und die genauere Einschätzung des Krankheitsgeschehens erfolgen anhand verschiedener Untersuchungen. Andere Erkrankungen (z.B. Bronchialkarzinom), die ebenfalls mit produktivem Husten einhergehen, müssen ausgeschlossen werden, bevor die Diagnose einer chronischen Bronchitis gestellt werden kann.

- Anamnese und körperliche Untersuchung (Einfluß schädlicher Faktoren, **klinische Symptomatik**, Auskultation);
- Röntgenaufnahme des Thorax;
- Lungenfunktionsprüfung;
- Blutgasanalyse;
- Untersuchung des Blutbildes und der Blutkörperchensenkung);
- Bronchoskopie mit Biopsie und anschließender mikrobiologischer, histologischer und zytologischer Untersuchung des Sputums;
- Bestimmung der Immunglobuline (Ausschluß eines Antikörpermangels).

1.9.1.2 Zur Situation eines Betroffenen

Bei Menschen mit einer chronischen Bronchitis kann der **Leidensdruck sehr unterschiedlich** sein. Solange keine Obstruktion* vorliegt, treten kaum Beschwerden auf. Der "Raucherhusten" wird von vielen Betroffenen toleriert. Von einigen wird er jedoch als Alarmzeichen interpretiert und ist Grund, das Rauchen aufzugeben. Andere weisen die "Schuld" lieber der Luftverschmutzung durch die Industrie zu und rauchen unter diesem Vorwand weiter. Einige betroffene Nichtraucher und beruflich exponierte Menschen empfinden ihr Leiden als eine **ungerechte Strafe**.

Das wiederholte Husten und **Abhusten** von Schleim ist für viele Menschen **sehr unangenehm**; es kommt vor, daß Nichtraucher deswegen Raucher kritisieren, evtl. auch diskriminieren.
Kommt zur chronischen Bronchitits eine Obstruktion der Atemwege und damit **Atemnot** hinzu, wird die Schwere der Erkrankung deutlich. Unter dieser Veränderung gelingt es vielen Betroffen, auf das Rauchen zu verzichten und gesundheitsförderndes Verhalten zu entwickeln. Andere behalten trotz deutlicher Beschwerden ihre Rauchgewohnheiten bei.

Die chronisch obstruktive Bronchitis fordert **Selbstdisziplin** und **aktives Gesundheitsverhalten** vom Kranken. Er soll nicht nur auf das Rauchen verzichten und weitere Verhaltensänderungen vornehmen, sondern auch seinen Atem trainieren.

Im fortgeschrittenen Krankheitsstadium führen Atemwegsinfekte immer wieder zur deutlichen Verschlechterung der Atem- und Gesamtsituation; bedrohliche Atemnot, **Leistungsminderung** und **Arbeitsunfähigkeit** sind die Folgen. Husten und festsitzendes Bronchialsekret quälen den Betroffenen zusätzlich.
Nicht selten stellen sich **Schuldgefühle** ein und/oder werden von anderen Menschen vermittelt.

1.9.1.3 Therapeutische und pflegerische Maßnahmen

Das Krankheitsgeschehen ist nur bedingt zu beeinflussen; eine Heilung ist nicht möglich.
Ziele pflegerischer und therapeutischer Maßnahmen sind deshalb:

- Gesundheitsbewußtsein und angemessenes Verhalten des Betroffenen;
- Linderung der Beschwerden;
- Verbesserung der Atemsituation;
- Bekämpfung und Vorbeugung von Atemwegsinfektionen;
- Vermeidung von Spätkomplikationen.

Maßnahmen

- Aufklärung über Krankheitsentstehung, -verlauf sowie über gesundheitsförderndes Verhalten;
- Motivierung zur Aufgabe des Rauchens *(siehe "Raucherentwöhnung", Seite 58)*;
- Förderung der Sekretverflüssigung und des Abhustens (ausreichende Flüssigkeitszufuhr, Vibrationsmassage, Drainagelagerung, Anfeuchten der Atemluft, evtl. Sekretolytika);
- Bekämpfung der Atemwegsobstruktion durch Medikamente; bei Bedarf Inhalation von $Beta_2$-Mimetika, evtl. in Kombination mit Anticholinergika; bei fortgeschrittener Erkrankung evtl. zusätzlich Gabe von Theophyllinpräparaten und Glukokortikoiden *(siehe Tabelle 1.1, Seite 83)*;
- Atemgymnastik;
- Grippeschutzimpfung;

- Behandlung des Lungenemphysems; zusätzlich zu den aufgeführten Maßnahmen ggf. kontrollierte Sauerstoffverabreichung. **Beachte**: Beim Lungenemphysem ist der O_2-Mangel der wichtigste Reiz für das Atemzentrum; eine unkontrollierte O_2-Gabe kann zur Atemdepression führen. Deshalb ist eine genaue Beobachtung (Bewußtseinszustand, Blutgasanalyse) wichtig. Bei Auftreten von Bewußtseinsstörungen und bei Anstieg des pCO_2 unter der O_2-Therapie wird eine künstliche Beatmung erforderlich;
- Behandlung des Cor pulmonale.

Schwerpunkt der Pflege eines Menschen mit chronischer Bronchitis ist die **Unterstützung der Atmung**; der Betroffene wird angeleitet, seine Atmung positiv zu beeinflussen. Die entsprechenden Maßnahmen sind unter *"Unterstützung der Atmung bei chronisch obstruktiven Atemwegserkrankungen"* *(siehe Seite 55)* aufgeführt.
Weiter können atemerleichternde Lagerungen, Inhalationen, Hilfeleistung bei Atemnot, Unterstützung des Abhustens und die Verabreichung von Sauerstoff angezeigt sein.
Die **Beobachtung der Atmung** erfolgt bewußt und regelmäßig, vor allem während einer Sauerstoffinsufflation. Um Infekte frühzeitig zu erkennen, müssen **Sputum** und **Körpertemperatur** beobachtet werden.
Um einen bedrohlichen Sauerstoffmangel *(Hypoxie)* und Kohlendioxidanstieg *(Hyperkapnie)* rechtzeitig zu erkennen, werden die **Bewußtseinslage** (Angst? Unruhe? Bewußtseinsstörung?), die **Schleimhaut- / Hautfarbe** (Zyanose?) sowie der **Puls** (Tachy- oder Bradykardie?) und der **Blutdruck** (Blutdruckanstieg?) beobachtet. Weitere pflegerische Unterstützung bei den ATL wird häufig bei einer ausgeprägten Ateminsuffizienz erforderlich.

1.9.2 Pneumonie

1.9.2.1 Krankheitsbild

❒ Definition

Der Begriff Pneumonie *(Lungenentzündung)* meint die **Entzündung des Lungengewebes**. Ist die Entzündung vorwiegend an den Alveolen lokalisiert, spricht man von der **alveolären**, ist sie vorwiegend im Interstitium lokalisiert, von der **interstitiellen Pneumonie**.
Sie kann akut oder chronisch verlaufen.

❒ Einteilung der Pneumonien

In der Literatur finden sich verschiedene Einteilungen der Pneumonien. Aus pflegerischer Sicht bietet sich die Einteilung entsprechend der Krankheitsursachen *(Ätiologie)* in die primären und sekundären Pneumonien an.

Primäre Pneumonien werden bei bislang intakter Lunge durch Mikroorganismen verursacht, z.B. durch

- Strepto- (Pneumo-), Staphylo-, Enterokokken;
- Haemophilus influenzae;
- Pseudomonas;
- verschiedene Viren;
- verschiedene Pilze.

Von einer **sekundären Pneumonie** spricht man, wenn sich die Lungenentzündung auf dem Boden einer vorbestehenden Veränderung der Lunge bzw. des Bronchialbaumes oder bei entsprechender Disposition entwickelt.
Im Alter tritt die Pneumonie häufig als Sekundärerkrankung auf und führt zu erheblicher Verschlechterung des primären Leidens; tödliche Krankheitsverläufe können immer wieder beobachtet werden.
Menschen, die in Krankenhäusern / Pflegeeinrichtungen betreut werden, sind zahlreichen Mikroorganismen ausgesetzt und weisen oft einen oder mehrere Risikofaktoren auf, die die Entstehung einer Pneumonie begünstigen. Diese sind in der Atemskala zur Einschätzung der Atembeeinträchtigung / -gefährdung *(siehe Seite 61)* aufgeführt.

Beachte: Voraussetzung für eine effektive Pneumonieprophylaxe ist die sorgfältige Erfassung der individuell vorliegenden Disposition / Risikofaktoren
(siehe auch "Informationssammlung Pneumonierisiko" ,Seite 60).

❒ Symptome und entsprechende Beobachtungskriterien

Die Symptome einer Pneumonie können je nach Ursache, Lokalisation und Verlauf unterschiedlich ausgeprägt sein. Bei den primären Pneumonien tritt die Symptomatik eher plötzlich und sehr deutlich auf, wogegen sie sich bei den sekundären Pneumonien langsam und weniger auffällig entwickelt. Vor allem bei älteren Menschen sind die typischen **Symptome häufig vermindert** ausgeprägt; z.B. kann eine plötzlich auftretende Desorientiertheit (die einzige zu beobachtende) Folge der pathologischen Atemsituation sein, wenn diese einen zerebralen O_2-Mangel oder einen deutlichen CO_2-Überhang *(beginnende CO_2 -Narkose)* bedingt.
Auch aus pflegerischer Sicht ist das frühzeitige Erkennen einer Pneumonie von großer Bedeutung. Insbesondere disponierte Menschen werden gezielt auf erste Krankheitszeichen beobachtet.
Es folgt die Auflistung der typisch zu beobachtenden Pneumoniesymptome und eine Zuordnung entsprechender Beobachtungskriterien.

Pneumonie

Symptome

- Flache, erschwerte und beschleunigte Atmung; evtl. Nasenflügelatmung

- Zyanose
(nur bei ausgedehnter Pneumonie zu beobachten)

- Husten; z.B.
  - trockener Reizhusten
  - mäßiger Husten
  - heftiger Husten
  - mit Entleerung schleimigen Sekretes
  - mit Entleerung rostbraunen Sputums

- Thoraxschmerzen, z.B.
  - gering
  - heftig
  - atmungsabhängig

- Anstieg der Körpertemperatur, z.B.
  - subfebrile Temperatur
  - Schüttelfrost
  - mäßiges Fieber
  - hohes Fieber
  - Schwitzen

- Beeinträchtigung des Allgemeinzustandes
  - Abgeschlagenheit
  - Müdigkeit
  - Schwäche
  - Erhöhung der Pulsfrequenz um 8 Schläge / Min. je 1° C Temperaturanstieg
  - Appetitlosigkeit
  - Hypotonie
  - Kollapsneigung
  - allgemeine Kopf- und Muskelschmerzen

Beobachtungskriterien

- Beobachtung der Atmung, mindestens bei der Durchführung pneumonieprophylaktischer Maßnahmen, hinsichtlich
  - Atemfrequenz
  - Atemtiefe
  - Atembewegungen
  - Atembeschwerden

- Beobachtung der Hautfarbe
  - an den Lippen
  - unter den Nägeln
  - im Gesicht

- Beobachtung des Hustens
  - Häufigkeit
  - Intensität
  - Produktivität
- Beobachtung des Sputums
  - Konsistenz
  - Farbe
  - Beimengungen

- Beobachtung des Schmerzes
  - Lokalisation
  - Zeitpunkt
  - Häufigkeit
  - Intensität
  - Art
  - tritt kompensierende Schonatmung auf?
- Beobachtung des subjektiven Empfindens
  - Gesichtsausdruck
  - Äußerungen des Kranken

- Messen der rektalen Körpertemperatur mind. 2 mal täglich, evtl. auch öfter
- Beobachtung von Hautfarbe / -temperatur
- Beobachtung der Schweißsekretion

- Beobachtung des Befindens
  - Kräftevermögen
  - Schlafbedürfnis
  - Appetit
  - Temperaturempfinden
  - subjektives Befinden
  - Schmerzen
- Beobachtung der Kreislaufsituation
  - Pulskontrolle mind. 2 mal täglich (während der Temperaturkontrolle)
  - Blutdruckmessung bei auffälliger Kreislaufschwäche

❐ Diagnostik

Die Diagnose einer Penumonie wird durch folgende Untersuchungen möglich:
- Auskultation und Perkussion der Lunge;
- Thorax-Röntgen in zwei Ebenen;
- mikroskopischer kultureller Erregernachweis im Sputum;
- Blutkörperchensenkung;
- Bestimmung des Blutbildes.

1.9.2.2 Zur Situation eines Betroffenen

Das Auftreten einer **primären Pneumonie** stellt für den zuvor Gesunden ein plötzliches und heftiges Geschehen dar, das mit starkem Krankheitsgefühl einhergeht.
Die erschwerte und von Husten begleitete Atmung löst je nach Ausmaß Gefühle wie **Beklemmung und Luftnot** aus. Der Betroffene ist unruhig, evtl. auch ängstlich. Nicht zuletzt durch das **Fieber**, dessen Anstieg häufig mit Schüttelfrost einhergeht, wird der Kranke in seiner **Leistungsfähigkeit eingeschränkt**. Er fühlt sich elend und zieht sich zurück, um sich zu schonen. Die Anpassung an die neue, durch Krankheit geprägte Situation, fällt in der Regel nicht schwer. Um Atemnot und ggf. atemabhängige Schmerzen zu lindern, lagert der Betroffene seinen Oberkörper erhöht und atmet flach sowie beschleunigt. Schließlich führen die Beschwerden zum Aufsuchen eines Arztes bzw. zur Veranlassung eines Hausbesuches.
Die Diagnose "Lungenentzündung" bedeutet in der heutigen Zeit in den industrialisierten Ländern für einen zuvor gesunden Menschen meist, an einer relativ schweren, aber vorübergehenden und vor allem heilbaren Erkrankung zu leiden. Die Einschränkung bzw. Unterbrechung privater und beruflicher Aktivitäten ist voraussichtlich von mittelfristiger Dauer (ca. 2 - 4 Wochen).
Im akuten Krankheitsstadium sind die **Bedürfnisse nach Ruhe und Fürsorge** vorrangig. Während der Zeit der Atembeschwerden und des hohen Fiebers wirken die Anwesenheit eines verläßlichen Menschen oder gar die stationäre Versorgung beruhigend und vermitteln Sicherheit.
Nach Einsetzen der medikamentösen Therapie bessern sich der Allgemeinzustand und das Wohlbefinden meist rasch. Einige der erkrankten Menschen nutzen die Phase der Besserung, um über ihre Lebensführung nachzudenken. Sie fragen sich, und manchmal auch andere (z.B. das Pflegepersonal), ob ihr Körper in einer Überlastungsphase eine Pause "erzwungen" hat, ob sie sich **zuviel zugemutet** haben und ob eine Veränderung in ihrer Lebensweise angezeigt ist. Diese Menschen fassen in der Erholungsphase oft gute Vorsätze. Andere **interpretieren die Erkrankung** als mangelhafte Belastbarkeit oder Zeichen der Überforderung und empfinden ihre vorübergehende Leistungseinbuße als **Schwäche** und **Versagen**.
Die durch eine stationäre Aufnahme bedingte Trennung von Familie und Freundeskreis kann Sorgen und Probleme bereiten. Eine alleinerziehende Mutter muß sich um die Betreuung ihrer Kinder kümmern, ein Rentner evtl. die Betreuung seiner pflegebedürftigen Frau organisieren. Diese und ähnliche Umstände erschweren eine Krankheitsanpassung im oben beschriebenen Sinn. Das Bedürfnis, seine Pflichten zu erfüllen, ist hier vorrangig. Die Inanspruchnahme geeigneter Kompensationsmöglichkeiten (z.B. Verwandtschafts- oder Nachbarschaftshilfe, ambulante Pflegedienste, Pflegefamilie, Haushaltshilfe) gelingt je nach psychosozialem Umfeld / Ressourcen und Engagement unterschiedlich.
Kommt zu einer bereits bestehenden Erkrankung eine **sekundäre Pneumonie** hinzu, sind Krankheitsgeschehen und Krankheitsgefühl in den meisten Fällen geringer ausgeprägt. Trotzdem löst die Diagnose "Lungenentzündung" bei einem Betroffenen und den Angehörigen nicht selten **Ängste** aus, da allgemein bekannt ist, daß eine Lungenentzündung als Zweiterkrankung schwere, evtl. sogar tödliche Folgen haben kann. Der Allgemeinzustand und die primäre Erkrankung verschlechtern sich weiter.
Aidskranke Menschen empfinden das Auftreten einer Pneumocystis carinii Pneumonie als lebensbedrohlich, denn viele haben den **Tod** anderer Betroffener miterlebt oder zumindest davon gehört.
Insgesamt werden Menschen, die von einer sekundären Pneumonie betroffen sind, in der Bewältigung ihrer Primärerkrankung sowohl **physisch als auch psychisch beeinträchtigt**.
Bei einigen Patienten kommen Gefühl und Vorwurf auf, das Krankenhauspersonal habe sie nicht gut genug versorgt und sei verantwortlich für die zusätzliche Erkrankung.

1.9.2.3 Mögliche Probleme des Erkrankten und entsprechende Pflegemaßnahmen

Die durch die Lungenentzündung selbst bedingten Probleme eines Erkrankten entwickeln sich aus den auftretenden Symptomen *(siehe vorstehend)*.
Individuelle Probleme können sich aus dem Krankheitserleben sowie aus den persönlichen Lebensumständen ergeben *(siehe "Zur Situation des Betroffenen")*.

Das folgende Fallbeispiel soll exemplarisch eine alle Dimensionen des Menschseins berücksichtigende Lebens- und Pflegesituation darstellen. Das Eingehen auf die persönliche Situation der betroffenen Frau soll für die individuellen Lebensumstände und Bedürfnisse sensibilisieren.
Die erforderlichen Pflegemaßnahmen werden unter "Pflegerische Maßnahmen zur Unterstützung der Atmung sowie zur Atelektasen- und Pneumonieprophylaxe", *Seite 41*, und unter "Pflegemaßnahmen bei Fieber", *Seite 508*, ausführlich besprochen.

Selbstverständlich sind - wie immer - in jedem Einzelfall die individuellen Bedürfnisse zu ergründen und aus den möglichen pflegerischen Maßnahmen die jeweils geeigneten auszuwählen. Es ist zu bedenken, daß sowohl die Schwere der Erkrankung als auch das individuelle Krankheitserleben sehr unterschiedlich verlaufen können. So treten z.B. hohes Fieber und Atemnot, die bei einer primären Pneumonie die aktuelle Situation des Patienten maßgeblich prägen, bei einer

sekundären oder einer chronischen Pneumonie weniger ausgeprägt oder gar nicht auf.
Ferner sind Faktoren wie Allgemeinzustand, Immobilität, weitere Erkrankungen und hohes Lebensalter ausschlaggebend für einen weiteren Pflegebedarf, z.B. bei Dekubitusrisiko.

Fallbeispiel

Frau Rest, 31 Jahre, kommt in Begleitung ihrer Mutter zur stationären Aufnahme. Die Einweisungsdiagnose des Hausarztes lautet: *„Verdacht auf akute Pneumonie“*. Das Personal in der Aufnahmeabteilung hat ihr sofort einen fahrbaren Stuhl angeboten und sie zur Station gebracht.
Frau Rest *atmet schnell und oberflächlich*, die Nasenflügel sind während der Inspiration weit aufgestellt. Sie *hustet wiederholt* und entleert dabei *wenig blutig - rostbraunes Sputum*. Ihre *Gesichtshaut* ist *gerötet und schweißbedeckt*, die *Lippen sind spröde* und leicht *zyanotisch* verfärbt. Insgesamt macht Frau Rest einen sehr *geschwächten Eindruck*.
Die Mutter von Frau Rest, Frau May berichtet, sie sei heute mittag aus dem Urlaub zurückgekehrt und habe ihre Tochter bei einem Überraschungsbesuch *hochfiebernd* auf dem Sofa liegend vorgefunden. Die Tochter habe sofort zu weinen begonnen und geäußert, sie könne nicht mehr. Gestern habe sie plötzlich hohes Fieber bekommen, sie könne kaum noch die Kinder versorgen, die *Luft werde ihr knapp* und immer wieder werde ihr *schwindelig*. Einen Arzt habe sie deshalb noch nicht aufsuchen können, außerdem könne sie die *Kinder doch nicht allein lassen*.
Frau May habe sofort den Hausarzt angerufen, worauf dieser am frühen Abend einen Hausbesuch gemacht und ihre Tochter unverzüglich ins Krankenhaus eingewiesen habe. Diese habe sich dagegen gewehrt, da sie alleinerziehend sei und die beiden zwei und drei Jahre alten Söhne nicht versorgt gewußt habe. Erst als Frau May versichert habe, die Kinder bei sich aufzunehmen, habe sie ihre Meinung geändert. Frau May fügt hinzu, daß ihre Tochter seit der Scheidung vor sechs Monaten besonders bemüht sei, ihren Kindern ein „gutes“ Zuhause zu geben. Tagsüber kümmere sie sich rührend um die Kinder, abends führe sie dann in Heimarbeit bis tief in die Nacht Schreibarbeiten durch. Sie gönne sich keine Ruhe mehr.

Frau Rest wird in einem Dreibettzimmer untergebracht. Sie klagt über stechenden Schmerz beim Atmen und möchte mit erhöhtem Oberkörper gelagert werden. Dann schläft sie völlig erschöpft ein. Die Messung der Vitalzeichen liefert folgende Werte:

- Puls: 110 Schläge / Min., weich;
- Blutdruck: 100 / 65 mmHg;
- Atmung: 30 Atemzüge / Min.; erschwert, flach; nasenflügeln;
- Temperatur: 39,8 Grad C rektal.

Der diensthabende Arzt ordnet die folgende Therapie an:
- 4mal täglich 1 Mega IE Penicillin als Kurzinfusion;
- 1500ml Normofundin pro 24 Stunden;
- 3mal täglich 10 Min. Inhalation mit 0,9% NaCl-Lösung;
- Raumluftanfeuchtung;
- Atemübungen;
- 3mal täglich 10 Minuten Lagerung zur Drainage des linken Unterlappens, sofern die Atemnot behoben ist;
- gelockerte Bettruhe; Frau R. kann in Begleitung zur Toilette gehen;
- Beobachtung des Befindens und Vitalzeichenkontrolle;
- Wadenwickel bei Körpertemperatur über 39,5 Grad C;
- Antithrombosestrümpfe.

Am Abend erhebt der diensthabende Arzt nach Untersuchung von Frau Rest die Diagnose "Lobärpneumonie mit Begleitpleuritis". Betroffen ist der linke Unterlappen.

Beim Erstgespräch am nächsten Morgen werden zusätzliche pflegerelevante Daten erhoben. Frau Rest hat seit 2 Tagen keine feste Nahrung zu sich genommen, da sie keinen Appetit verspürte. Statt dessen trinkt sie um so mehr. Seit der ersten Schwangerschaft leidet sie unter Krampfadern. Ferner hat sie trockene Haut, die sie nach jedem Waschen gut eincremt. Zusätzlich reibt sie bei Husten ihre Brust mit Erkältungssalbe ein.

Pflegeanamnese

Personalien
Adressenaufkleber:
Anja Rest
05.09.1966

Hausarzt:
Dr. Klug

Einweisungsdiagnose:
V.a. akute Pneumonie

Krankheitsbild:
Lobärpneumonie, linker Unterlappen, Begleitpleuritis

Patient ist aufgeklärt:
☒ JA ☐ NEIN

Angehöriger ist aufgeklärt:
☒ JA ☐ NEIN

Ansprechpartner:
(Angehöriger)
Helga May
Tel. 50501

Vorherige Krankenhausaufenthalte:
1992/1993 - 2 Entbindungen

Blutgruppe: B pos.

Diät: keine

Allergie:
nicht bekannt

Herzschrittmacher: Ø

Besondere Medikamente: Ø

Sonstiges:

Aufnahmezustand
Datum: 03.01.1998

☐ mobil
☒ teilweise immobil
☐ immobil
☒ bewußtseinsklar
☐ benommen
☐ bewußtlos
☒ orientiert
☐ teilweise orientiert
☐ desorientiert

Dekubitus: Ø

Kontraktur: Ø

Hilfsmittel / Prothesen
☒ Gehstützen
☐ Rollstuhl
☐ Brille
☐ Hörgerät
☐ Zahnprothese
  ☐ oben ☐ unten
☐ Glasauge
  ☐ rechts ☐ links
☐ Kontaktlinsen
  ☐ rechts ☐ links
☐ Haarteil
☐ Perücke
☐ Extremitätenprothese:

ATL (U = uneingeschränkt, E = eingeschränkt, A = abhängig)	U	E	A	Besonderheiten, Hinweise Gewohnheiten, Wünsche ....
Atmen		x		Oberkörperhochlagerung wegen Atemnot Einreibung mit Erkältungssalbe
Essen und Trinken		x		kein Appetit, hoher Flüssigkeitsbedarf, trinkt viel, ißt gerne Obst
Ausscheiden		x		zur Toilette begleiten
Für Sicherheit sorgen		x		sorgt sich um die 3- und 2-jährigen Söhne
Regulieren der Körpertemperatur		x		Fieber
Sich Bewegen		x		Krampfadern, Bettruhe, Thromboseneigung
Sich Pflegen und Kleiden		x		schwitzt stark hat trockene Haut
Wach sein, Ruhen und Schlafen		x		erhöhtes Schlaf- und Ruhebedürfnis
Kommunizieren	x			Telefon erwünscht
Sich Beschäftigen		x		Telefon erwünscht
Geschlechtliches Erleben und Verhalten		?		reduziertes Selbstwertgefühl nach der Scheidung?
Sinn finden		?		überfordert als Alleinerziehende?

Religiöse Bedürfnisse:
Ø

Erwartungen:
Frau Rest möchte Kontakt zu ihren Kindern haben und schnell gesund werden

Entlassungsprobleme:
nicht zu erwarten

Datum: 03.1.1998

Unterschrift: Sr. Bärbel Merk

Pflegeplanung "Pflege einer Patientin mit Lobärpneumonie / Begleitpleuritis"

Fallbeispiel Frau Rest

Probleme/Ressourcen	Ziele	Pflegemaßnahmen	Zeitpunkt / Häufigkeit
Atmen			
Frau Rest - leidet an **Atemnot**	**Frau Rest** - fühlt sich sicher	**Vermittlung von Zuwendung, Ruhe und Sicherheit** - oft nach Frau R. sehen - Klingelknopf in Reichweite anbringen - ruhige Umgebung schaffen - Belastungen fernhalten	kontinuierlich
	- fühlt sich wohler	- Frischluft zuführen, lüften	mehrmals täglich für 10 Minuten
- nimmt **kompensatorisch** die **Oberkörperhochlage** ein und bläht die Nasenflügel - empfindet ihre Situation vermutlich als **beängstigend**	- hat das Gefühl, ausreichend Luft zu bekommen	**Atemerleichterung / -unterstützung** - Oberkörperhochlagerung (45-90 Grad)	bei Atemnot
	- erfährt Atemerleichterung	- Arme auf Kissen abstützen	bei schwerer Atemnot
	- kennt die atemunterstützende Wirkung verschiedener Lagerungen und kann diese für sich nutzen	- Frau R. über Sinn und Durchführung der A- und der Dehnlage informieren; mit ihr ausprobieren, ob die Lagerungsarten für sie vorteilhaft und tolerierbar sind	je nach Befinden vor der ersten Nacht im Krankenhaus oder innerhalb des folgenden Tages
		- A-Lagerung durchführen	mehrmals täglich für 10-20 Min.
		- Dehnlagerung durchführen	nachts, sofern von Frau R. toleriert
		Minimieren des O_2-bedarfs und -verbrauchs	
	- hält weitgehend Bettruhe ein, schont sich	- Bettruhe, Frau R. ggf. zur Toilette begleiten oder Steckbecken bzw. Toilettenstuhl ans Bett stellen	solange Fieber vorhanden (Arztanordnung)
	- nimmt bei Bedarf Hilfe in Anspruch	- Unterstützung bei der Körperpflege, mit Frau R. absprechen, wie weit sie Unterstützung wünscht	bei Atemnot, allgemeiner Schwäche und auf Wunsch
- **atmet flach und beschleunigt**, hat **stechende Schmerzen** bei der Atmung, es kommt zur alveolären Minderbelüftung	- kennt Sinn und Durchführung von Atemübungen	**Korrektur / Intensivierung der Atmung** - über Notwendigkeit verschiedener Atemübungen informieren und dazu anleiten	am Morgen nach der stationären Aufnahme und bei Bedarf
	- ist kooperativ (trotz Schmerzen) - atmet mehrmals stündlich tief durch	- zu langsameren und tieferen Atemzügen, ggf. mit Hilfe eines Atemtrainers (z.B. Triflo-Atemtrainer) anhalten	ein- bis mehrmals stündlich fünf bis zehn Atemzüge, je nach Befinden
		- zur Kontaktatmung mit Auflegen und Wegatmen der Hände unterhalb des Schultergürtel anhalten	alternativ zu anderen Atemübungen
		- Gabe von Schmerzmitteln anregen	bei anhaltenden Schmerzen / Schonatmung
		Kontrolle und Beurteilung der / des	
- weist eine **Lippenzyanose** auf	Frühzeitiges Erkennen einer Verschlechterung der Atemfunktion	- Atemtiefe, -frequenz, -beschwerden, -geräusche - Haut- und Schleimhautdurchblutung - Befindens (Angst? Luftnot?)	zunächst 1-2stündlich, bei Besserung in größeren Zeitabständen

Probleme/Ressourcen	Ziele	Pflegemaßnahmen	Zeitpunkt / Häufigkeit
Frau Rest	**Frau Rest**	**Sekretverflüssigung und -entleerung**	
- hat eine **vermehrte Bronchialsekretion**; im Zusammenhang mit der Schonatmung kann es zu Sekretanschoppung und Atelektasen kommen	- kann mehrmals täglich verflüssigtes und gelockertes Sekret abhusten	- ausreichend Flüssigkeit zuführen, teilweise über schleimlösende Tees	mehrmals täglich
		- Raumluft anfeuchten	kontinuierlich
		- Inhalation mit physiologischer NaCl-Lösung	3mal täglich für 10 Minuten
		- bei festsitzendem Sekret Vibrationsmassage durchführen	ca. 2mal täglich für mindestens 5 Minuten bzw. in Kombination mit der Drainagelagerung
	Förderung des Sekretabflusses in Richtung Hauptbronchus	- über Sinn und Durchführung der Drainagelagerung informieren	am 2. Tag des Krankenhausaufenthaltes
		- Lagerung zur Drainage des linken Unterlappens, Befinden von Frau R. berücksichtigen	3mal täglich für 10 Minuten, sofern Frau R. keine Atemnot aufweist
	Frau Rest - fühlt sich wohl, hat angenehmen Geschmack im Mund	- zum Abhusten auffordern, Papiertaschentücher und Sputumbecher bereithalten, ggf. Unterstützung gewährleisten und anschließend Mundpflege anbieten	nach einer Inhalation / Vibrationsmassage / Lagerungsdrainage sowie zwischendurch
- leidet unter **Husten**, der zur Verstärkung der Schmerzen und evtl. der Atemnot führt; sie versucht wahrscheinlich, den Husten zu unterdrükken	- weiß, wie wichtig das Abhusten ist und verhält sich entsprechend	**Unterstützung des (Ab-)Hustens**	
		- informieren, daß Husten ein wichtiger natürlicher Abwehrmechanismus ist und nicht unterdrückt werden soll	zu Beginn des stationären Aufenthaltes, ggf. wiederholen
		- ggf. Schmerzmittelverordnung vorschlagen	
	- erfährt Linderung	- Getränk anbieten (Hustendämpfung)	bei andauerndem Husten
- empfindet den **Sekretauswurf** wahrscheinlich als **unangenehm** und **anstrengend**		- Verständnis für die unangenehmen Gefühle zeigen	bei Bedarf
		- auffordern, Sekret auszuhusten	zwischendurch
		- Sputumbecher, Papiertaschentücher und Abwurfmöglichkeit sowie Utensilien für die Mundpflege in Reichweite bereitstellen	ab der stationären Aufnahme, täglich und bei Bedarf erneuern
	- hat saubere Mundhöhle und angenehmen Geschmack	- Oberkörper aufrecht lagern, Patientin beruhigen, zu langsamem und tiefem Durchatmen sowie zum Abhusten auffordern; anschließend Mundpflege ermöglichen	bei Hustenanfällen nach dem Abhusten
- ist wahrscheinlich wegen der rötlich-braunen Sputumfarbe beunruhigt	- weiß, daß die Sputumverfärbung harmlos ist	- darauf hinweisen, daß Sputumverfärbung harmlos ist	bei Expektoration
		Beobachtung und Dokumentation von	
		- Husten (Häufigkeit, Dauer, Intensität, Produktivität)	kontinuierlich
		- Schmerzen (Atem- und Hustenabhängigkeit, Intensität, Auswirkungen auf Frau R.)	kontinuierlich
		- Auswurf (Menge, Farbe, Beschaffenheit)	bei der täglichen Entsorgung

Probleme/Ressourcen	Ziele	Pflegemaßnahmen	Zeitpunkt / Häufigkeit
Regulieren der Körpertemperatur			
Frau Rest - hat 39,8 Grad Körpertemperatur (rektale Messung), ihre Haut ist heiß, gerötet und trocken	**Frau Rest** - hat maximal 38,5 Grad C rektale Körpertemperatur (1.-3. Tag) - hat rektale Körpertemperatur unter 38,0 Grad C (ab dem 4. Tag) - hat physiologische Körpertemperatur (ab der 2. Woche)	**Pflege bei Fieber** - Maßnahmen und Krankenbeobachtung nach "Pflegestandard-Pflege eines Fieberkranken" durchführen - Wadenwickel nach "Pflegestandard-Wadenwickel" anlegen	solange rektale Temperatur über 38 Grad C liegt laut Arztanordnung bei rektaler Temperatur über 39,5 Grad C
Für Sicherheit sorgen			
Es können sich **Komplikationen entwickeln**, z.B. - Fieberdelirium - Kreislaufkollaps - Pleuraerguß, -empyem	Frühzeitiges Erkennen von Komplikationen	**Beobachtung der/des** - Pulsfrequenz, -qualität, -rhythmus - Atemfrequenz, -tiefe, -beschwerden (ggf. Blutgase) - Blutdruck - Bewußtseinslage	zunächst mindestens stündlich später zwei- bis mehrmals täglich, je nach Zustand der Patientin
Es können aufgrund des reduzierten Allgemeinzustandes und während der weitgehenden Bettruhe **Sekundärerkrankungen** entstehen: - Affektionen der Mundschleimhaut - Rhagaden, Herpes labialis, Aphten - Thrombose *(siehe "Sich Bewegen")*		**Beobachtung der** - Mundschleimhaut, dazu Spatel und Taschenlampe benutzen (Rötung? Beläge? Schmerzen? Trockenheit? Defekte?) - Lippen (Bläschen? Risse? Trockenheit?) **Spezielle Mundpflege** - Mundpflegeset mit Tee (ggf. Zitronenzusatz), Fettstift / -salbe, Becher sowie Spatel und Stablampe auf den Nachttisch stellen; Frau R. instruieren, die Mundinspektion selbst durchzuführen - Frau R. anhalten, den Mund auszuspülen und die Lippen einzucremen	mindestens 2mal täglich mindestens 2 mal täglich täglich, solange Frau R. Fieber hat sobald sie dazu in der Lage ist
Frau Rest - bekommt **Penicillin** über Kurzinfusionen, allergische Reaktionen (Hautausschlag, anaphylaktischer Schock) darauf sind möglich	Frühzeitiges Erkennen allergischer Reaktionen	**Information der Patientin (Arzt)** **Beobachtung der** - Vitalzeichen (Blutdruckabfall? Kehlkopfödem, Bronchospasmus - Atemnot?) - Haut (Quaddelbildung? Juckreiz? Exanthem?) - Darmtätigkeit (spontaner Stuhlabgang?)	zu Therapiebeginn (Arzt) während und nach dem Einlaufen der Kurzinfusion
- hat aufgrund der Penicillintherapie eine **veränderte Bakterienflora**, folglich kann es zu Soorbefall (Mund- und Genitalregion), Übelkeit, Durchfall und vaginalem Ausfluß kommen	Frühzeitiges Erkennen von Beschwerden und Infektionen	**Beobachtung hinsichtlich möglicher Veränderungen** - nach Magen-Darmbeschwerden fragen - nach Juckreiz und Ausfluß in der Genitalregion fragen - Frau R. anhalten, sich bei Beschwerden sofort zu melden **Infektionsprophylaxe** *(siehe "Sich Pflegen und Kleiden")*	morgens und abends zu Therapiebeginn (Arzt)

Probleme/Ressourcen	Ziele	Pflegemaßnahmen	Zeitpunkt / Häufigkeit
Frau Rest - hat eine **Braunüle** in der Vena brachialis links, **paravenöses Einlaufen** der Infusionslösung und **Infektion** über die Einstichstelle sind **möglich**	Geschützte, keimarme Einstichstelle	**Infektionsschutz und Verbandwechsel** - Hände desinfizieren	vor VW und vor Manipulationen am Infusionssystem
	sicher fixierte Braunüle	- Einstichstelle desinfizieren	nach Entfernung des Verbandes
	Frühzeitiges Erkennen von Infektion, Thrombose, Paravasat	- Beobachtung auf Infektionszeichen, Thrombosezeichen und paravenöses Einlaufen (Rötung? Schwellung? Überwärmung? Schmerzen?)	bei jedem VW und bei jedem Infusionsflaschenwechsel
		- Palpieren des Verbandes	1 x täglich
		- VW unter Wahrung des Asepsis	alle 48 Stunden
		- steriles Verbandmaterial verwenden	immer
		- sterile Verschlußstopfen verwenden	während Infusionspausen
- wird bei Spontanbewegungen durch Braunüle / Infusionsschlauch behindert; hat evtl. Angst, sich zu verletzen	Ungehindertes Einlaufen der Infusionslösungen	**Kontrolle des Infusionssystems** - auf Durchgängigkeit achten, Abknickung des Infusionsschlauches vermeiden	bei jedem Infusionsflaschenwechsel
		- Infusionsschlauch sicher fixieren (Pflaster oder Mullbinde verwenden)	
	Frau Rest - fühlt sich im Umgang mit dem Infusionssystem sicher	**Information der Patientin bezüglich** - Bewegungsmöglichkeiten trotz Braunüle und Infusionssystem	bei Therapiebeginn
		- sicherer Fixation der Braunüle	
		Ernstnehmen des Problems	immer
- **sorgt sich um ihre Kinder** und vermißt sie	- fühlt sich mit ihrem Problem ernstgenommen	- aktiv zuhören	
		- auf Möglichkeit von Besuchen und Telefonkontakten hinweisen	
	- hat Kontakt zu den Kindern	- Telefon im Zimmer aufstellen	für die Dauer des Krankenhausaufenthaltes
- hat eine **Mutter, die sich um die Kinder kümmert**	- weiß, daß ihre Kinder gut versorgt sind und findet innere Ruhe	- die Mutter ermutigen, Frau R. mit den Kindern häufig und regelmäßig zu besuchen	nach Absprache mit Frau Rest
		- Frau R. anbieten, Zeichnungen ihrer Kinder an der Zimmerwand aufzuhängen	bei günstiger Gelegenheit
Sich Bewegen			
Frau Rest - ist aufgrund des Fiebers und des reduzierten Allgemeinzustandes **erschöpft und kraftlos**	Kreislaufschonung	**Minimieren des O_2-bedarfs und -verbrauchs** (siehe "Atmen")	solange Fieber vorhanden ist
- leidet beim Aufstehen unter Schwindelgefühlen = **Kollapsneigung**	***Frau Rest*** - steigert langsam, dem Befinden entsprechend, ihre körperlichen Aktivitäten	**Thromboseprophylaxe und schrittweise Mobilisation** - Bettruhe durch Toilettengänge lockern, vorher und währenddessen Vitalzeichen kontrollieren	ab zweitem Tag des Krankenhausaufenthaltes, sofern Befinden von Frau R. dies zuläßt
- soll überwiegend Bettruhe einhalten, hat Krampfadern ⇨**Thromboserisiko**	Frühzeitiges Erkennen einer Thrombose	- Beobachtung der Extremitäten hinsichtlich Thrombosezeichen (Wadenschmerz? Zunahme des Wadenumfangs? Zyanose? Überwärmung?)	bei der Körperpflege vor Anziehen der ATS
- ist geistig **aufnahmefähig**	***Frau Rest*** - kennt Sinn und Möglichkeiten der Thromboseprophylaxe	- über Sinn und Durchführung thromboseprophylaktischer Maßnahmen informieren	am ersten oder zweiten Krankenhaustag
- ist körperlich **beweglich**		- Beinvenen herzwärts ausstreichen	vor Anziehen der ATS
		- ATS anpassen und anziehen	tagsüber und nachts, solange Frau R. überwiegend im Bett liegt

Probleme/Ressourcen	Ziele	Pflegemaßnahmen	Zeitpunkt / Häufigkeit
	Frau Rest		
	- führt mehrmals täglich aktive Bewegungsübungen mit den Beinen durch	- zur Durchführung aktiver Bewegungsübungen und isometrischer Spannungsübungen mit den Beinen / Füßen anleiten und anhalten	ab dem zweiten Tag des Krankenhausaufenthaltes, sofern Befinden der Patientin es zuläßt, mehrmals täglich
	- steht mehrmals täglich auf, ohne sich zu überfordern	- Frau R. motivieren, zur Körperpflege und zu den Mahlzeiten aufzustehen	sobald Temperatur unter 38 Grad C liegt und Patientin sich dazu in der Lage fühlt
	- gewinnt zunehmend Kraft - hat stabilen Kreislauf	- Frau R. anhalten, sich mehrere Stunden außerhalb des Bettes aufzuhalten	wenn Körpertemperatur seit drei Tagen unter 37,5 Grad C liegt
	- ist zuversichtlich, bald zu Hause zurecht zukommen	- Frau R. ermutigen, kurze Spaziergänge im Krankenhaus / -park zu unternehmen	2-3 Tage vor der Entlassung
Sich Pflegen und Kleiden			
Frau Rest	*Frau Rest*	**Unterstützung bei der Körperpflege**	
- **benötigt zunächst Unterstützung** bei der Körperpflege; diese empfindet sie vielleicht unangenehm (Schamgefühl)	- ist vor den Blicken anderer geschützt, erfährt Akzeptanz ihres Schamgefühls	- Sichtschutz aufstellen	vor der Körperpflege
	- hat ausreichend Atem während der Körperpflege	- Frau R. bei Oberkörperhochlage im Bett waschen, Eigenaktivitäten zulassen und dabei die Atmung beobachten	solange Temperatur über 38,0 Grad C liegt; morgens, auf Wunsch auch zwischendurch / abends
- **schwitzt während des Fieberabfalls stark**, hat ein Bedürfnis nach erfrischender Körperpflege	- erfährt soviel Unterstützung, wie sie wünscht	- einzelne Körperteile oder den gesamten Körper mit lauwarmen Wasser abwaschen	zwischendurch bei Bedarf und auf Wunsch
	- fühlt sich erfrischt	- Haut, besonders in den Hautfalten sorgfältig und vorsichtig abtrocknen	
		- Beobachtung der Haut	während der Körperpflege
	- führt Körperpflege problemlos selbständig aus	- Körperpflege am Waschbecken ermöglichen	bei Temperatur unter 38 Grad C und auf Wunsch der Patientin
		- Duschbad anbieten	wenn Temperatur unter 37,5 Grad C liegt und Kreislauf stabil ist
- hat **trockene Haut**, neigt zu Ekzemen	- hat intakte, geschmeidige und ekzemfreie Haut	**Hautpflege**	
		- sparsam milde, rückfettende Seife / Syndet verwenden	bei morgendlichem Waschen
		- Haut mittels W/O-Emulsion / -Salbe rückfetten	nach dem Waschen; bei Bedarf 2-3 mal täglich
Wach sein, Ruhen und Schlafen			
Frau Rest	*Frau Rest*	**Unterstützung des Ruhens und Schlafens**	
- hat ein stark **erhöhtes Ruhe- und Schlafbedürfnis** aufgrund des reduzierten Allgemeinzustandes und des Fiebers	- findet ausreichend Ruhe und Schlaf	- Minimieren des O_2-bedarfs und -verbrauchs *(siehe "Atmen")*	solange Fieber vorhanden
	- fühlt sich zunehmend wohler	- ruhige Umgebung schaffen	kontinuierlich
		- Atemerleichterung / -unterstützung, Unterstützung des (Ab-)Hustens *(siehe "Atmen")*	
- **wird** durch Atemnot und Husten **beim Schlafen gestört**		**Reduzieren der Schlafunterbrechungen**	
- wird durch Pflegemaßnahmen (Vitalzeichenkontrolle) beim Schlafen gestört	- wird so selten wie möglich gestört	- Pflegemaßnahmen koordinieren	Tag und Nacht
		- kleine Lichtquellen (Taschenlampe, Nachttischlampe) nutzen	nachts

Probleme/Ressourcen	Ziele	Pflegemaßnahmen	Zeitpunkt / Häufigkeit
Essen und Trinken			
Frau Rest	*Frau Rest*	**Unterstützung der Nahrungsaufnahme**	
- hat **keinen Appetit** und nimmt keine feste Nahrung zu sich, gleichzeitig sind Eiweißbedarf und Stoffwechsel aufgrund des Fiebers erhöht - befindet sich in **gutem Ernährungszustand** - verträgt alle Speisen, ißt gerne Obst	- erfährt Akzeptanz ihrer Essenswünsche - nimmt langsam zunehmend eiweiß- und vitaminreiche Kost zu sich	- Ablehnung von Nahrung akzeptieren, Frau R. nicht zum Essen überreden - Wunschkost in kleinen Portionen anbieten und appetitlich anrichten - leicht verdauliche, eiweißreiche Lebensmittel wie Joghurt, Quarkspeise, Kefir sowie erfrischende und vitaminreiche Speisen wie Kompott, Kaltschale oder Obst anbieten - normale Kost und Zwischenmahlzeiten (Obst, Milchprodukte) anbieten	solange Appetitlosigkeit vorhanden ist auf Wunsch der Patientin während der Fieberphase sobald Frau R. wieder Appetit hat
- hat aufgrund des Fiebers einen **erhöhten Flüssigkeitsbedarf und -verlust** - hat ein **verstärktes Durstgefühl**	- trinkt entsprechend ihrem Durstempfinden, mind. jedoch 1000 ml / 24 Std.	**Ausreichende Flüssigkeitszufuhr** - 1500 ml Infusionslösung einlaufen lassen - mind. 1000 ml Trinkmenge in Reichweite bereitstellen - Getränke nach Wahl der Patientin anbieten, bevorzugt Fleichboullion, Bronchial- und Früchtetee, Fruchtsäfte sowie Mineralwasser	laut Arztanordnung, tagsüber täglich über den Tag verteilt
Sinn finden / Geschlechtliches Erleben und Verhalten			
Frau Rest - hat nach der Scheidung **möglicherweise** ein **reduziertes Selbstwertgefühl** und Schwierigkeiten mit der Rolle der alleinerziehenden Mutter	Die Pflegenden werden sich ggf. ihrer bestehenden Vorurteile bewußt und arbeiten an deren Abbau	**Problembewußtsein zeigen** - sich selbst hinsichtlich bestehender Vorurteile gegenüber geschiedenen / alleinerziehenden Müttern hinterfragen - Frau R. gegenüber Wertschätzung zeigen, deutlich machen, daß sie Anerkennenswertes leistet	bei Kontakt mit dieser Personengruppe bei Kontakt mit Frau R.
- trägt die Verantwortung für ihre Kinder weitgehend allein und muß einer gewerblichen Hausarbeit nachgehen; eventuell fühlt sie sich dadurch **überfordert** - sieht vielleicht Zusammenhänge zwischen den (zu) hohen Anforderungen und der Erkrankung (als Folge der Erschöpfung) und **möchte ihre Situation verändern**	*Frau Rest* - fühlt sich akzeptiert - entwickelt Vertrauen zu einer (oder mehreren) Pflegeperson(en) - äußert ihre Probleme, wenn ihr dies ein Bedürfnis ist - denkt über verschiedene Möglichkeiten der zeitweisen Kinderbetreuung durch andere nach - erfährt, daß es anderen Frauen ähnlich ergeht - spürt Solidarität, ist nicht allein mit ihrem Problem - sieht Ansätze, sich zu entlasten und zu entspannen	- ein "offenes Ohr" für (versteckte) Äußerungen von Problemen haben, aktiv zuhören - Gesprächsbereitschaft signalisieren, wirklich "anwesend" sein - Vertrauen aufbauen, Verständnis zeigen **Anstöße zur Problembewältigung geben** - Möglichkeit der stundenweisen Kinderbetreuung durch z.B. Kinderhorte, Pflegefamilien, "Krabbelgruppen" oder die Großmutter erörtern **Kontaktvermittlung zu anderen alleinerziehenden Müttern anbieten** (z.B. Kolleginnen, andere Patientinnen) - geeignete Möglichkeiten der Entspannung und Entlastung für Frau R. herausfinden	nur wenn Vertrauensbasis vorhanden ist und wenn Frau R. diesen Wunsch äußert bzw. signalisiert auf Wunsch der Patienten und mit Einverständnis der alleinerziehenden Kollegin o.a. Frauen auf Wunsch der Patientin

Probleme/Ressourcen	Ziele	Pflegemaßnahmen	Zeitpunkt / Häufigkeit
Ausscheiden			
Frau Rest	*Frau Rest*	**Obstipationsprophylaxe**	
- bewegt sich kaum, nimmt wenig (keine) Faserstoffe zu sich und gibt vermehrt Flüssigkeit ab → **Obstipationsrisiko**	- führt mindestens jeden zweiten Tag Stuhl ab	- über Sinn und Möglichkeiten der Obstipationsprophylaxe informieren	am Tag nach der stationären Aufnahme
		- ausreichende Flüssigkeitszufuhr	täglich
		- Bewegung im Rahmen der jeweiligen Möglichkeiten *(siehe "Sich Bewegen")*	
- hatte bis gestern **regelmäßig einmal täglich Stuhlgang**		- viel Obst und Gemüse sowie Salate und Vollkornprodukte anbieten	sobald Frau R. dies wünscht
		- nach Stuhlabgang fragen	einmal täglich
		Intimsphäre wahren und Sichtschutz gewährleisten	bei Bedarf
Sich Beschäftigen und Kommunizieren			
Frau Rest	*Frau Rest*	**Für Beschäftigung sorgen**	
- entwickelt evtl. **Langeweile**	- kann ihre Zeit im Krankenhaus angenehm nutzen	- Telefon, Patientenradio und TV anbieten	während des gesamten stationären Aufenthaltes
		- auf Patientenbücherei, Kiosk hinweisen	wenn es Frau R. besser geht und sie dies wünscht
		- häufige Besuche ermöglichen	

1.9.3 Asthma bronchiale

1.9.3.1 Krankheitsbild

❒ Definition und Einteilung

Beim Asthma bronchiale handelt es sich um eine Erkrankung, die mit **anfallartig auftretender Atemnot infolge einer reversiblen Obstruktion* der Bronchien** einhergeht. Die Obstruktion entsteht durch einen Spasmus der Bronchialmuskulatur, ein Schleimhautödem und eine vermehrte Produktion zähen Schleims als Reaktion eines überempfindlichen Bronchialsystems auf verschiedene Reize. Vermutliche Ursache der Überempfindlichkeit ist eine chronische Entzündung der Atemwege. Es werden unterschieden:

- das **allergische Asthma bronchiale**, das durch Allergene wie Tierhaare, Hausstaubmilben, Pollen oder bestimmte Nahrungsmittel ausgelöst wird;
- das **nicht-allergische Asthma bronchiale**, das durch Infektionen, chemische Noxen (Kampfgas, Analgetika, scharfe Putzmittel), Anstrengung oder psychische sowie physikalische Faktoren (feuchte Kälte) ausgelöst wird;
- "**Mischasthma**", Mischform des Asthma bronchiale, bei dem sowohl allergische als auch nicht allergische Reaktionen auf verschiedene Reize vorliegen.

❒ Symptome

Das **typische Symptom** ist die plötzlich einsetzende Atemnot, die den Asthmaanfall kennzeichnet. In den anfallfreien Intervallen kann der Betroffene beschwerdefrei sein oder unter mäßig erschwerter Atemarbeit sowie unter erschwertem Abhusten festsitzenden Bronchialsekretes leiden. Atemnebengeräusche wie Giemen, Pfeifen und Brummen *(vgl. "Atemnebengeräusche", Seite 37)* können die Ausatmung begleitend auftreten.

Ein **Asthmaanfall** geht einher mit

- plötzlich einsetzender Atemnot, die häufig mit einigen Hustenstößen beginnt;
- Angst bis Todesangst, großer Unruhe;
- erschwerter Atemarbeit, zu deren Kompensation der Kranke eine ihm bekannte, atemerleichternde Position einnimmt *(siehe Seite 46)*;
- verlängerter Ausatmung und exspiratorischen Atemnebengeräuschen;
- Tachykardie;
- Lippen- und Akrenzyanose;
- Husten, der meist zu Beginn des Anfalls sowie am Ende eines Anfalls beobachtet werden kann und zur Expektoration einer geringen Menge zähen, glasigen Schleims führt.

Dauert ein Asthmaanfall mehrere Stunden an, obwohl er mit den üblichen Medikamenten behandelt wird, bezeichnet man ihn als **Status asthmaticus**. Es handelt sich hierbei um einen lebensbedrohlichen Zustand, der zur Ateminsuffizienz und zum Atemstillstand führen kann. Atemwegsinfektionen stellen die häufigste Ursache für einen Status asthmaticus dar. Aber auch Allergene und andere Reize (Kälte, Nässe, verqualmte Luft) sowie psychische Konfliktsituationen können Auslöser sein.

❒ Komplikationen

Komplikationen, die im Laufe der chronischen Erkrankung auftreten können, sind Rechtsherzbelastung *(chronisches Cor pulmonale)*, chronisch fixiertes Asthma bronchiale mit dauerhafter Atemwegsobstruktion, Emphysem*, Pneumothorax und Ateminsuffizienz.

❒ Diagnostik

In vielen Fällen kann die Diagnose anhand der klinischen Symptomatik (während des Asthmaanfalls) gestellt werden.
Um den aktuellen Gesundheitszustand des Patienten zu erfassen, werden häufig folgende Untersuchungen durchgeführt:

- Lungenfunktionsprüfung,
- Röntgenaufnahme des Thorax,
- EKG,
- Blutanalyse,
- Blutbild und Serumelektrolyte.

Bei Erstmanifestation werden zusätzlich (bei jüngeren Patienten) eine Allergieanamnese und Allergietests durchgeführt, um die Ursache des Asthma bronchiale zu klären.

1.9.3.2 Psychosomatische Aspekte

Asthma bronchiale zählt zu den psychosomatischen Erkrankungen im engeren Sinn.
Psychosomatiker diskutieren bei der Erklärung der Krankheitsentstehung und der Auslösung von Anfällen neben den somatischen Faktoren (Vererbung, Allergie, Infekt) und den sozialen Einflüssen (Berufsnoxen, Luftverschmutzung, Streß) auch psychische Aspekte. Dabei wird eine enge Verknüpfung zwischen den Faktoren gesehen *(multifaktorielles Krankheitsgeschehen)*. Den somatischen Faktoren wird insgesamt mehr Einfluß zugeschrieben als den psychosozialen.
Einem Betroffenen sind psychosoziale Faktoren der Krankheitsentstehung in der Regel nicht bewußt. Sie reichen häufig bis in die Kindheit zurück, wurden verdrängt und sind allenfalls durch tiefenpsychologische Therapie zugänglich.
Die naturwissenschaftlich orientierte Schulmedizin erkennt die psychosomatischen Aspekte der Krankheit allenfalls ansatzweise an.
Das chronische Leiden und die damit einhergehenden körperlichen Veränderungen beeinflussen ihrerseits die psychische Verfassung. So kommt es bei der Krankheitsverarbeitung nicht selten zu gefühlsmäßigen und sozialen Schwierigkeiten; die körperlichen Symptome (chronische Atemnot, Sauerstoffmangel und CO_2-Überhang) können ihrerseits über psychische und kognitive Störungen die Erkrankung verschlimmern. Das Verhalten und die Leistungsfähigkeit werden nicht selten im Laufe der chronischen Erkrankung beeinträchtigt; mögliche Folgen sind Prestigeverluste, Frühberentung, Kontaktarmut und soziale Isolation.

1.9.3.3 Zur Situation eines Betroffenen

Der unter Asthma bronchiale leidende Mensch muß sich damit auseinandersetzen, daß er chronisch krank ist und daß er in der Regel **dauerhaft Medikamente einnehmen** muß. Da Asthma bronchiale sich im Kontakt mit der Umwelt entwickelt, ist es sinnvoll, diesbezüglich Veränderungen vorzunehmen, um sich adäquat an die Krankheit anzupassen. Um **anfallauslösende Allergene** zu **meiden**, muß in mancher Hinsicht Verzicht geübt werden:

- Bei Pollenallergie sind die Aufenthalte im Freien stark einzuschränken, insbesondere an trockenen warmen Tagen mit mäßigem Wind - also bei idealem Ausflugswetter.
- Bei Hausstaubmilben muß die Raumausstattung verändert werden; dazu sind auch finanzielle Mittel notwendig. So ist es z.B. zweckmäßig, alle "Staubfänger" zu entfernen (Trockenblumen, Strohkörbe, schwere Gardinen), Teppiche und Polstermöbel durch Parkett und Ledermöbel zu ersetzen sowie Matratzen, Daunen- und Federkissen durch waschbare Materialien auszutauschen.

Die Erkrankung kann zu **Einschränkungen** und **Leistungseinbuße** führen, so daß Kinder z.B. häufiger in der Schule und Erwachsene am Arbeitsplatz fehlen. Im Extremfall kann eine Berufsunfähigkeit (z.B. Mehlstauballergie eines Bäckers) Umschulungsmaßnahmen erzwingen.
Ferner entdecken viele an Asthma Erkrankte, daß sie weitere Möglichkeiten haben, sich aktiv anzupassen und dadurch ihre Lebensqualität zu steigern **(Bewältigungsmechanismen)**. Sie erlernen Atemtechniken und atemerleichternde Lagerungen sowie adäquate Verhaltensweisen, wozu z.B. die regelmäßige Einnahme der verordneten Medikamente und eine ausgeglichene Lebensführung zählen. Der Betroffene sieht sich bestenfalls in einer Situation, die von ihm Anpassung verlangt, dann aber auch ein "normales" Leben ermöglicht. Er ist nicht hilflos ausgeliefert, sondern kann sich selbst aktiv helfen. Dies gelingt jedoch nicht jedem Kranken. Je nach Persönlichkeitsstruktur und Schwere des Leidens kann die Angst vor Asthmaanfällen die persönliche Situation prägen. Menschen, die sich häufig in (lebens-)bedrohlichen Zuständen befinden und ständig mit der **Angst vor Wiederholung** leben, verändern ihre Persönlichkeit.
Ebenso kann der Asthmakranke durch sein Leiden mehr Zuwendung, Aufmerksamkeit und Entlastung (Rücksichtnahme und geringere Anforderungen im Familien- und Berufsleben) erfahren **(sekundärer Krankheitsgewinn)**. So kann eine Streßsituation durch einen Asthmaanfall umgangen oder beendet werden. Die Mitmenschen werden in Zukunft versuchen, solche Situationen zu vermeiden, denn auch sie erleben einen Asthmaanfall als sehr bedrohlich.
Die **Familie** des asthmakranken Menschen ist demnach **mitbetroffen**, sie stellt sich auf ihn ein und entwickelt Bewältigungsstrategien. Gelingt dies nicht zur Zufriedenheit aller Beteiligten, beginnt auch die Familie zu leiden. Dies wiederum kann **Schuldgefühle** beim Asthmatiker auslösen.
Häufig entwickeln sich vor allem schwer asthmakranke Menschen zu **"Experten" ihrer Krankheit**. Sie wissen, welche Faktoren ihr Wohlbefinden fördern und welche Faktoren Beschwerden und Anfälle hervorrufen. Daraus kann sich eine gewisse Eigensinnigkeit entwikkeln, die von Nichtbetroffenen zum Teil als unangenehm empfunden wird. Ein Asthmatiker, der genau festlegt, wie in manchen Situationen gehandelt werden muß, erfährt oft Ablehnung und Unverständnis. Während Krankenhausaufenthalten erlebt er nicht selten solche Situationen, denn dort begegnet er weiteren "Experten". Seine Situation wird dann erleichtert, wenn

ihm Einfühlungsvermögen, Toleranz und die Akzeptanz seines Selbstbestimmungsrechtes entgegengebracht werden.
Insgesamt sollten bei der **Betreuung asthmakranker Menschen** Situationen, die einen Anfall begünstigen können, möglichst vermieden werden. Als solche gelten z.B. persönliche Zurückweisung und Kränkung sowie angstvolle Ungewißheit (z.B. vor einer Bronchoskopie). Die Pflegenden sollten Sicherheit vermitteln und eine Atmosphäre schaffen, die Vertrauen ermöglicht. Die Selbsthilfestrategien des asthmakranken Menschen sind ernstzunehmen und zu berücksichtigen.

1.9.3.4 Mögliche Probleme des Erkrankten und entsprechende Pflegemaßnahmen

1.9.3.4.1 Der Asthmaanfall

Hauptprobleme während eines Asthmaanfalls sind für den Betroffenen die erschwerte Atemarbeit und die empfundene Atemnot, die (Todes-)Ängste auslöst. Husten sowie die erschwerte Expektoration zähen Schleims stellen weitere Probleme dar. Daraus ergeben sich die **Bedürfnisse nach Sicherheit** und nach **Erleichterung der Atmung** sowie des **Abhustens**. Entsprechend wird das pflegerische Handeln auf die Unterstützung der gewohnten Bewältigungsmechanismen des Betroffenen und auf die Befriedigung seiner aktuellen Bedürfnisse ausgerichtet.

Pflegerisches Verhalten beim Asthmaanfall

Pflegerisches Verhalten beim Asthmaanfall
- Information des Arztes
- Unterstützung des Asthmatikers bei
  - atemerleichternder Lagerung
  - Inhalation von Bronchospasmolytika
  - Atmung mit Lippenbremse
  - Hustenlinderung
  - Expektoration
  - oraler Flüssigkeitsaufnahme
- Vermittlung von Sicherheit
- Entfernung beengender Kleidung
- Frischluftzufuhr
- ggf. Zufuhr von Sauerstoff (Arztverordnung; Kranken beobachten)
- Anfeuchtung der Atemluft
- Vorbereitung ärztlich angeordneter Injektionen

a) Sofortige Information des zuständigen Arztes

b) Unterstützung und Erleichterung der Atmung
Der Asthmakranke hat nach Möglichkeit bereits die für ihn günstigste **Lagerung** eingenommen, um den Brustkorb vom Gewicht des Schultergürtels zu entlasten *(siehe "Atemerleichternde Lagerung beim Asthmaanfall", Seite 46)*. Er ist hierin ggf. zu unterstützen. Bettlägerige Menschen werden während des Asthmaanfalls sofort in die Oberkörperhochlage gebracht; die Arme sind durch das Unterlegen von Kissen zu unterstützen.
Nachdem weitere Notfallmaßnahmen ergriffen wurden, kann die Atmung durch zusätzliche Lagerungsmaßnahmen wie das Anbringen einer Bettverkürzung und einer Knierolle erleichtert werden *(siehe "Oberkörperhochlagerung", Seite 42)*.
Es wird das zur Dauertherapie verschriebene **Bronchospasmolytikum als Dosieraerosol oder als Inhalationslösung** (über ein Inhaliergerät) **verabreicht**; der Kranke trägt es in der Regel bei sich. Gerade während des Zustandes der Atemnot ist eine korrekte Inhalation vonnöten. Oft ist es empfehlenswert, den aufgeregten Patienten mit ruhigen anleitenden Worten zu führen *(Lesen Sie dazu "Richtiger Gebrauch eines Dosieraerosol - Sprays", Seite 55)*. Zunächst werden in der Regel zwei Sprühstöße des bronchospasmolytisch wirksamen Medikamentes (z.B. Berodual®, Sultanol®, Bronchospasmin®) inhaliert; tritt keine Besserung ein, ordnet der Arzt meist die Inhalation weiterer Hübe (*Sprühstöße*) an, wobei in der Regel in 30 Minuten maximal sechs und in 24 Stunden maximal 20 Hübe inhaliert werden sollten. Eventuell injiziert der Arzt bronchospasmolytisch wirksame Medikamente (z.B. Euphillin®, Bronchospasmin®). Bei höherer Dosierung muß mit Übelkeit, innerer Unruhe und Tachykardien als Nebenwirkung gerechnet werden.
Im Anschluß an die Inhalationen wird der Kranke zu ruhiger Atmung mit **Lippenbremse** aufgefordert, sofern er diese Technik beherrscht. Sollte dies nicht der Fall sein, wäre der Betroffene während des Asthmaanfalls mit dem Erlernen dieser Technik überfordert. Je ausgeprägter die Atemnot ist, um so schwieriger die positive Beeinflussung der Atmung.
Möglichst bald ist das **Fenster** zu **öffnen**, denn Frischluftzufuhr mindert die subjektiv empfundene Atemnot. Im Winter ist Vorsicht geboten, denn **kalte Luft fördert** den **Bronchospasmus**.
Beengende Kleidungsstücke (enger Hemdkragen, Bluse) werden geöffnet.
Nachdem weitere Notfallmaßnahmen erledigt wurden, ist die **Atemluft** mittels 0,9%iger NaCl-Lösung (oder sterilem Aqua dest.), welche über den Ultraschallvernebler zerstäubt wird, **anzufeuchten**.
Bei schweren Asthmaanfällen verordnet der Arzt meist die nasale Verabreichung von Sauerstoff in geringerer Dosis. Währenddessen ist eine gezielte Beobachtung der Atmung notwendig, um ggf. eine einsetzende Atemdepression *(siehe Seite 38)* erkennen zu können.
Dauert ein schwerer Anfall über Stunden an und ist durch die verabreichten Medikamente nicht zu beherrschen, spricht man vom **Status asthmaticus**. Durch die entsprechend intensivierte und höher dosierte Therapie kann es zu einer Atemdepression kommen. Außerdem erschöpft der Kranke zunehmend und entwickelt eine Azidose*, einen pCO_2-Anstieg und eine Ateminsuffizienz, so daß eine intensivmedizinische / -pflegerische Versorgung und eine maschinelle Beatmung erforderlich werden. Der Kranke muß unverzüglich auf die Intensivstation verlegt werden; im Extremfall wird er zuvor auf der Normalstation intubiert.

c) Vermittlung von Sicherheit
Ein sicheres Auftreten vermittelt dem Betroffenen, daß er sich in "guten Händen" befindet. Vom Pflegepersonal ausgehende **Ruhe** sowie ständige **Anwesenheit** ermöglichen Vertrauen in die professionelle Hilfe. Der Betroffene sollte wissen, daß ein Arzt benachrichtigt wurde. Bei dem Einsatz seiner individuellen Bewältigungsmechanismen ist er zu unterstützen, da diese ebenfalls eine relative Sicherheit vermitteln.
Körperliche **Berührung** mit den Händen wirkt auf viele ängstliche Menschen beruhigend.

d) Unterstützung der Expektoration
Zunächst muß die Verflüssigung und Lösung des zähen Schleims durch die Verabreichung ärztlich verordneter **Kochsalzinhalationen** und **Thoraxvibrationen** *(siehe "Manuelle Sekretlösung", Seite 50 und "Apparative Sekretlösung", Seite 51)* gefördert werden. Die orale Flüssigkeitszufuhr sollte bei mindestens 150 ml pro Stunde liegen.
Das Abhusten wird durch die bereits eingenommene Oberkörperhochlage und durch Vibrationen am Thorax (möglichst mittels Vibrax) erleichtert.
Sollte anfallauslösend oder -begleitend ein quälender, heftiger Husten vorhanden sein, kann versucht werden, diesen durch das Husten gegen die geschlossenen Lippen zu lindern. Eventuell verordnet der Arzt ein Antitussivum*.
In einigen schweren Fällen wird das zähe Sekret mittels einer Bronchiallavage entfernt *(siehe "Bronchoskopie", Seite 97)*.

1.9.3.4.2 Krankenbeobachtung

Der Asthmatiker wird, insbesondere während eines Anfalls, hinsichtlich folgender Kriterien beobachtet:
- Atemfrequenz, -tiefe, -geräusche, -rhythmus, -beschwerden;
- Husten;
- Sekretauswurf;
- Pulsfrequenz (Tachykardie?), -rhythmus;
- Blutdruck (Hypotonie? Hypertonie?);
- Haut-, Schleimhautdurchblutung (Zyanose?);
- Bewußtseinslage (Somnolenz? Bewußtseinstrübung?);
- subjektives Befinden (Ausmaß der Atemnot; Angst? Unruhe?).

Die weitere Krankenbeobachtung ergibt sich aus der jeweiligen medikamentösen (Dauer-)Therapie *(siehe Tabelle 1.1)*. Neben den Bronchospasmolytika werden häufig Glukokortikoide, Phosphodiesterasehemmer, Sekretolytika und Antibiotika verabreicht.

1.9.3.4.3 Die chronisch beeinträchtigte Atemfunktion

Auch im anfallfreien Intervall ist es für den Asthmakranken von großem Nutzen, seine **Atmung zu schulen** und zu trainieren. *(Nähere Ausführungen finden Sie auf Seite 55, "Unterstützung der Atmung bei chronisch obstruktiven Atemwegserkrankungen")*. Gleichzeitig ist meistens die regelmäßige Einnahme ärztlich verordneter Medikamente erforderlich. Eine eingehende Atemschulung erfolgt physiotherapeutisch, ggf. kombiniert mit dem Einsatz bestimmter Atemtrainer.

Die Lungenfunktion kann - mit oder ohne pflegerische Unterstützung - vom Asthmatiker kontinuierlich beobachtet werden.
Dazu steht das sogenannte **Peak-Flow-Meter**, ein kleines Handgerät, zur Verfügung. Es vermittelt auf einfache Weise den **Atemstoßwert**, der sofortigen **Rückschluß** auf die aktuelle **Weite der Bronchien** gestattet.
Die **Messung** erfolgt **3mal täglich** im Sitzen oder Stehen. Nachdem der Zeiger des Meßgerätes auf Null geschoben wurde, ist maximal tief einzuatmen, das Mundstück fest mit den Lippen zu umschließen und so schnell und kräftig wie möglich auszuatmen (Atemstoß). Anschließend wird das Peak-Flow-Meter von den Lippen entfernt. Der Meßwert läßt sich am Pfeil ablesen und gibt den Höchstwert des Ausatmungsstoßes in Liter pro Minute an. Dieser wird in einem Protokoll eingetragen und mit den persönlichen Bestwerten, die über einen längeren Zeitraum ermittelt wurden, verglichen. Beträgt der Peak-Flow-Wert 80-100% und ist der Asthmatiker beschwerdefrei, so ist das Asthma bronchiale unter Kontrolle.
Liegt der Wert bei 50 - 80% und treten zeitweise Beschwerden (Husten, Atemnot) auf, muß die Medikation nach Rücksprache mit dem Arzt vorübergehend verändert werden. Sollten der Peak-Flow-Wert allerdings unter 50% des persönlichen Bestwertes abfallen und anhaltende Beschwerden auftreten, ist sofort ein Arzt bzw. ein Krankenhaus aufzusuchen.
Der **persönliche Sollwert** richtet sich nach Größe, Alter und Geschlecht. Er kann auf dem Peak-Flow-Meter beigelegten Tabellen abgelesen werden.
Nach Gebrauch sind Mundstück und Gerät für 30 Minuten in warmes Seifenwasser zu legen, anschließend mit klarem Wasser nachzuspülen und abzutrocknen. Das Peak - Flow - Meter sollte staubfrei in einem Schutzbeutel aufbewahrt werden.

Zur Dauertherapie werden die nachfolgend besprochenen Medikamente (Bronchospasmolytika, Methylxanthine, Glukokortikoide) verabreicht.
Die **Inhalation von Cromoglicinsäure / Nedocromil** (DNCG®, Intal®) hat rein prophylaktische Relevanz. Sie hemmt die Freisetzung von Histamin und ähnlichen Substanzen, die bei allergischen Reaktionen freigesetzt werden und eine Kontraktion der Bronchialmuskulatur bewirken.
Bei bakteriellen Infektionen werden **Antibiotika** eingesetzt. Hier ist auf unerwünschte Nebenwirkungen wie allergische Reaktionen (Hautausschläge, Kreislaufveränderungen, Atembeschwerden) und Magen - Darmbeschwerden (Übelkeit, Durchfall) zu achten; der Arzt ist sofort zu unterrichten, denn die allergischen Reaktionen können im Extremfall lebensbedrohlich verlaufen.

Medikamentöse Therapie bei Asthma bronchiale		
Wirkstoffgruppe / Handelspräparate	**erwünschte Wirkung**	**unerwünschte Nebenwirkung**
ß$_2$-Mimetika: z.B. Bronchospasmin®,Berotec® 100/200, Bricanyl®, Sultanol® ⇨ verabreicht als Dosieraerosol bzw. Pulverinhalat, ggf. zusätzlich als i.v. Injektion	Erschlaffung der glatten Bronchialmuskulatur, Lösung des Bronchospasmus in wenigen Minuten = Atemerleichterung = Linderung der Atemnot	Tachykardie, Muskeltremor, Herzrhythmusstörungen, pektanginöse Beschwerden, Herzklopfen, Unruhe, Blutdruckabfall, Appetitlosigkeit, Übelkeit, Angst, gestörter Schlaf, Kaliumabfall (wenn mehrere Hübe innerhalb kurzer Zeit inhaliert werden)
Methylxanthine (Theophyllin): z.B. Euphyllin® Afonilum® Duraphyllin® PulmiDur®	Tonusminderung der Bronchialmuskulatur und Unterdrückung der Histaminfreisetzung, Anregung des Atemzentrums, Verbesserung der Zwerchfellkontraktilität = Atemerleichterung = Linderung der Atemnot	Achtung: geringe therapeutische Breite! Unruhe, Kopfschmerz, Schlafstörungen, Übelkeit, Erbrechen, Durchfall, Tachykardie, Muskeltremor, Krampfanfälle, Sprachstörungen, Depressionen, Herzrhythmusstörungen, Hypotonie, Hyperglykämie etc.
Anticholinergika: *(= Parasympatholytika)* z.B. Atrovent® Ventilat® in Kombination mit ß$_2$-Mimetikum, z.B. Berodual® ⇨ Einsatz bei unspezifischen Asthmaauslösern (z.B. Kälte, Zigarettenrauch)	Unterbrechung der parasympathisch ausgelösten Bronchokonstriktion, Wirkeintritt aber erst nach etwa 30 Min; schwächer wirksam als ß$_2$-Mimetika	Kopfschmerzen, Nervosität, Koordinationsstörungen, Akkomodationsstörungen, Glaukom, Magen-Darmstörungen etc. Bei hoher Dosierung Gefahr der Auslösung von Anfällen
Glukokortikoide a) inhalativ: z.B. Sanasthmyl® Viarox® Pulmicort® Inhacort® ⇨ Grundtherapieform aller erwachsenen Asthmatiker b) systemisch: z.B. Decortin-H® Tbl. Rectodelt® Supp. Decortin® Tbl. Ultralan® oral Tbl. ⇨ Einsatz bei schwerem Asthma bronchiale	Unterdrücken von Allergie- und Entzündungsreaktionen; Erhöhung der Wirksamkeit von ß$_2$-Mimetika, die etwa 1-2 Min. vor dem Kortikoid inhaliert werden = Atemerleichterung = Linderung der Atemnot (Wirkungseintritt nach ca. zweiwöchiger Therapie)	Inhalative Therapie hat kaum Nebenwirkungen Wichtig ist Benutzen von "Spacern" o.ä. Inhalierhilfen sowie die Inhalation vor dem Essen bzw. Mundspülung nach Inhalation (Verhindern von Soorbefall und Heiserkeit) kurzzeitige Anwendung: - kaum Nebenwirkungen; längere Anwendung: - Gewöhnungseffekt - Immunschwäche - Steroid-Osteoporose - Cushingsyndrom - Hypokaliämie - Ödeme - Ulkus und andere gastroenterale Störungen - Steroidakne u.a.
Zellprotektiva: **Cromoglicinsäure u. Nedocromil,** z.B. Intal®-Dosieraerosol Diffusyl®-Lsg. zur Inhalation Tilade®-Dosieraerosol ⇨ Dauertherapeutika (nicht geeignet bei akutem Anfall)	Verhinderung der Ausschüttung von Histamin und anderen Entzündungsmediatoren; Herabsetzung der bronch. Hyperreagilibität	Allgemein gut verträglich selten: Bronchospasmen, Husten, Heiserkeit, Übelkeit und gastrointestinale Störungen

Tabelle 1.1 ***Medikamentöse Therapie bei Asthma bronchiale***

1.9.3.4.4 Veränderungen in der Lebensgestaltung

Das Leben mit Asthma bronchiale läßt sich durch bestimmte **Verhaltensweisen** der Betroffenen qualitativ erheblich verbessern. Ein Asthmatiker ist diesbezüglich zu informieren und wird bei der Umsetzung unterstützt. Auf *Seite 55* wurden bereits die Aspekte Sport, Ruhen, Abhärtung, Genußmittelkonsum und Allergenkarenz besprochen.
Zusätzlich gilt für die **Ernährung**:

- Übergewicht vermeiden / abbauen
  - Normalgewicht ist anzustreben bzw. beizubehalten, da ein vermehrter Bauchumfang über verschiedene Mechanismen zusätzliche Atemarbeit erfordert;
  - der Energie- und somit auch der Sauerstoffbedarf sinken.
- Eine ausgewogene Kost, die dem individuellen Nährstoff- und Kalorienbedarf angepaßt ist, zuführen.
- Auf stark blähende Speisen sowie kohlensäurereiche Getränke verzichten
  - Gasbildung im Bauchraum *(Meteorismus)* drückt das Zwerchfell nach oben und behindert somit die Atmung.
- Bei längerfristiger Behandlung mit Glukokortikoiden einem Kaliummangel vorbeugen
  - kaliumreiche Kost zuführen;
  - auf Zeichen des Kaliummangels achten *(weitere Informationen dazu unter "Pflegerische Maßnahmen bei Digitalis- und Diuretikatherapie", Seite 287).*

1.9.4 Tuberkulose

1.9.4.1 Krankheitsbild

❒ Definition

Die Tuberkulose ist eine **Infektionskrankheit**, die **durch das Mycobakterium tuberculosis**, welches 1882 von Robert Koch entdeckt wurde, hervorgerufen wird. Dieser Erreger ist sehr resistent gegenüber Umwelteinflüssen.

❒ Infektion und Erkrankung

Die Infektion erfolgt heute in den hoch entwickelten Ländern praktisch nur noch über die Ausatemluft des an offener Tuberkulose Erkrankten (**Tröpfcheninfektion**). Mit der Atemluft gelangen die Tuberkelbakterien in die Lungen, wo eine lokale Entzündungsreaktion erfolgt. Lymphozyten und Makrophagen grenzen die Tuberkelbakterien von der Umgebung ab, indem sie einen dichten Wall *(= Knötchen oder Tuberkel)* um sie bilden. Aufgrund dieser, für die Tuberkulose typischen, aber ansonsten uncharakteristischen Gewebsreaktion, spricht man von einer **spezifischen Infektion**.

In der Lunge bildet sich ein Entzündungsherd (**Primärherd**), und über die Lymphe gelangen die Erreger zu den regionalen Hiluslymphknoten, die ebenfalls mit einer spezifischen Entzündung reagieren. Dieses erste Stadium der Tuberkuloseinfektion wird als **Primärkomplex** bezeichnet; ca. 6 Wochen nach Infektion wird der Tuberkulintest positiv.

Bei ca. 95% der Infizierten heilt die Tuberkulose in diesem Stadium aus, ohne daß sie erkranken. Die Tuberkelbakterien können allerdings in den Primärherden überleben und sich unter bestimmten Umständen *(siehe nachfolgend)* zu einem späteren Zeitpunkt vermehren und zu einer manifesten Tuberkuloseerkrankung führen. Faktoren, die eine solche **Reaktivierung der Tuberkulose** begünstigen, sind

- hohes Lebensalter,
- Mangel- und Unterernährung,
- Alkoholismus und Drogenabhängigkeit,
- Diabetes mellitus,
- Immunschwäche und Immundefekt, z.B. bei Krebserkrankungen, HIV-Infektion und Aids.

Gemeinsames Merkmal der genannten Faktoren ist eine **verminderte Abwehrlage** des Organismus; sie kann bereits bei der Infektion eine ausreichende Immunantwort verhindern und zur **Erkrankung** führen. Bei der Erkrankung kommt es zur Einschmelzung des Gewebes im Primärherd und in den beteiligten Lymphknoten, die eine bronchogene, lymphogene, am häufigsten jedoch eine hämatogene Streuung der Tuberkelbakterien zur Folge haben kann. So siedeln sich die Bakterien z.B. im Rippenfell, in Lymphknoten, Hirnhäuten, Knochen, Eierstöcken, Hoden, Nieren sowie Nebennieren an und rufen dort Entzündungsprozesse hervor. Diese generalisierte Form der Tuberkulose wird als **Miliartuberkulose** *(Milium = Hirsekorn)* bezeichnet, da sich in der Lunge, evtl. auch in anderen Organen, zahlreiche hirsekorngroße Knötchen befinden.

Die häufigste Form der Tuberkulose ist jedoch die **Lungentuberkulose**. Es kommt zur Vermehrung der Tuberkelbakterien in den entzündlichen Herden. Zerfällt und verflüssigt sich das entzündliche Gewebe, kommt es später zur Einschmelzung desselben. Findet diese in Bronchusnähe statt, kann der tuberkulöse Herd Anschluß an einen Bronchus finden. Folglich wird das zerfallene Gewebe mit den Tuberkelbakterien ausgehustet. Nun handelt es sich um eine **offene Tuberkulose**.

Der in der Lunge entstandene Hohlraum wird als **Kaverne** bezeichnet.

Werden keine Tuberkelbakterien über die Atemwege abgegeben, spricht man von einer **geschlossenen Tuberkulose**.

Im Alter und bei deutlicher Immunschwäche tritt die Tuberkulose häufig als Komplikation einer anderen Grunderkrankung auf und führt zu deren Verschlechterung. Außerdem kann es durch das Krankheitsgeschehen zu weiteren Erkrankungen kommen. Ein tödlicher Verlauf der Tuberkulose bzw. der Primärerkrankung ist in diesen Fällen möglich, aber nicht die Regel. Erkrankung und Tod durch Tuberkulose müssen dem Gesundheitsamt gemeldet werden.

❒ Symptome und Diagnostik

Die Tuberkulose kann vor allem im Anfangsstadium sowie bei älteren Menschen ohne charakteristische Beschwerden ablaufen. Erste Krankheitszeichen sind **unspezifisch**, da sie auch bei zahlreichen anderen Erkrankungen auftreten können.

Ein Betroffener klagt meist über

- Appetitlosigkeit und Gewichtsabnahme,
- Müdigkeit,
- subfebrile Temperatur und leichtes Fieber, die insbesondere nachmittags auftreten,
- Nachtschweiß,
- Hüsteln oder Husten (selten mit Blutbeimengungen im Auswurf),
- Stechen in der Brust, vor allem bei Pleurabefall.

Bei der **ärztlichen Untersuchung** zeigen sich Veränderungen im Röntgenbild der Lunge und eine Beschleunigung der Blutkörperchensenkung *(BKS; BSG)*.

Die Tuberkulintestung liefert in den meisten Fällen eine positive Reaktion; direkt nach der Infektion, bei besonders schwerer Erkrankung und bei betagten Menschen kann sie jedoch negativ ausfallen. Sie wird als Hauttest durchgeführt. Die einfachste Handhabung bietet der **Tuberkulin-Tine-Test**, bei dem mittels eines Kunststoffstempels mit 4 Stahlzinken 5 IE Tuberkulin intrakutan appliziert werden. Dazu wird der Stempel senkrecht 1-2 Sekunden lang in die straff gespannte und zuvor mit Wundbenzin gereinigte Haut der Innenseite des Unterarmes eingedrückt, so daß die Zinken Abdrücke auf der Hautoberfläche hinterlassen. Die Stelle wird mit einem Stift umkreist und sollte in den nächsten 3 Tagen nicht gewaschen, aber auch nicht verbunden werden. Das Ergebnis wird nach 72 Stunden vom Arzt abgelesen.

Hautrötungen sind unspezifischer Natur. Positiv ist das Ergebnis nur, wenn eine tastbare Induration *(Verhärtung;* mindestens eine tastbare Papel) nachweisbar ist.

Aussagekräftiger, jedoch auch aufwendiger ist der **Tuberkulin-Test nach Mendel-Mantoux**. Das Tuberkulin wird exakt dosiert in mehreren Stärken (1, 10, 100 und 1000 IE) intrakutan injiziert. Die Ablesung erfolgt drei

Tage später. Für die Diagnosestellung wird jede tastbare Induration als positiv bewertet. Ein positiver Tuberkulin-Test sagt lediglich aus, daß eine Infektion mit Tuberkelbakterien stattgefunden hat.
Das Mycobakterium tuberkulosis kann im Sputum oder im Magensaft (z.B. wenn ein Patient nicht abhusten kann), bei extrapulmonaler Tbc ggf. auch im Urin bzw. Liquor, nach Anlage einer Kultur durch die **Ziel-Neelsen-Färbung** nachgewiesen werden.

1.9.4.2 Zur Situation eines Betroffenen

Die Tuberkulose ist, seitdem es Antituberkulotika gibt, im allgemeinen eine **gut zu behandelnde und heilbare Krankheit**. Dagegen war sie noch vor einigen Jahrzehnten ein schweres, langwieriges und nicht selten tödlich verlaufendes Leiden. Die im Volksmund *"Schwindsucht"* genannte Krankheit ging oft mit jahrelangem Aufenthalt in Tuberkuloseheilstätten und entsprechender Trennung von Familie, Arbeitswelt und sonstigem sozialen Umfeld einher.
Noch heute haben viele (uninformierte) Menschen einen solchen Krankheitsverlauf vor Augen, wenn sie die Diagnose Tuberkulose hören. Sind sie selbst betroffen, stehen die **existentielle Bedrohung** und evtl. die **Angst, andere anzustecken**, im Vordergrund; betrifft die Diagnose einen Mitmenschen, prägt die Angst vor Ansteckung und ggf. vor dem Verlust eines liebgewordenen Menschen die Situation.
Tuberkulosekranke und ihre Angehörigen bedürfen einer verständlichen und sachgerechten Information über die Krankheit und die therapeutischen Möglichkeiten, die in der Regel auch im Alter greifen.
Viele Tuberkulosekranke können heute **ambulant behandelt** werden, sofern sie keine Tuberkelbakterien (mehr) ausscheiden. Somit bleiben sie trotz der Erkrankung in ihrem gewohnten Umfeld. Diese Tatsache ermöglicht dem Betroffenen heute viel eher als früher, eine positive Einstellung zu seiner Krankheit zu entwickeln. Voraussetzung sind allerdings die Bereitschaft und Fähigkeit des Betroffenen, zur eigenen Gesundung und zum Schutz anderer beizutragen.
Die **Einweisung in ein Krankenhaus** erfolgt **nur bei offener Tuberkulose**, bei schwerem Krankheitsverlauf (der Tb oder der Primärerkrankung) oder bei Auftreten von Komplikationen. In diesen Fällen wird die Tuberkulose als bedrohliche Erkrankung erlebt.
Die **Monate andauernde Therapie** kann ihrerseits Probleme aufwerfen, wenn sie mit Nebenwirkungen einhergeht. Die relativ lange Medikamenteneinnahme und die regelmäßigen Arztbesuche können einen Betroffenen belasten, insbesondere wenn er uneinsichtig ist.
Die **Mit- und Eigenverantwortung** während der Therapie fordert ein Gesundheitsverhalten, zu dem Menschen unterschiedliche Bereitschaft zeigen. Für einige bedeutet dies **Chance und Selbstbestimmung**, für andere Belastung, Zwang und Fremdbestimmung. Wiederum andere sehen und nutzen ihre Eigenverantwortlichkeit nicht, gefährden dadurch den Therapieerfolg und riskieren ggf. die Ansteckung anderer Menschen.
Eine **stationäre Tuberkulosebehandlung** kann vom Betroffenen als be- oder entlastend empfunden werden. Ausschlaggebend sind das Allgemeinbefinden, die Schwere der Erkrankung und die persönliche Situation. Meist ist diese Gruppe der Betroffenen - nicht zuletzt aufgrund bestehender Vorerkrankungen und/ oder Altersschwäche oder schlechter sozialer Verhältnisse - sehr geschwächt und wünscht Unterstützung. Hier steht neben der medikamentösen Therapie die **Stärkung der körpereigenen Abwehrkräfte** im Vordergrund, wozu ggf. auch eine Umstellung in der Lebensführung, z.B. eine Veränderung der Ernährungsgewohnheiten oder ein Drogenentzug, erforderlich ist. Dagegen ist eine **Veränderung der sozialen Situation** oft gar nicht oder allenfalls ansatzweise möglich.
Menschen, die an **offener Tuberkulose** leiden, werden eventuell **von Mitmenschen**, die Angst vor einer Ansteckung haben, **gemieden**. Solches Verhalten kann, ebenso wie die Unterbringung im Einzelzimmer, zu einer gewissen Isolation des Tuberkulosekranken führen.

1.9.4.3 Pflegebedarf des Tuberkulosekranken und entsprechende Pflegemaßnahmen

Die stationäre **Pflege** und Therapie **im Krankenhaus** ist meist nur angezeigt, wenn eine **offene Tuberkulose** vorliegt, die Erkrankung sehr ausgeprägt ist und/oder im Zusammenhang mit weiteren schweren Erkrankungen auftritt oder der Betroffene in ungünstigen Wohnverhältnissen lebt.
Jüngere Menschen, die sich einer ambulanten Therapie unterziehen, sind meist nicht pflegebedürftig. Ältere Menschen bedürfen dagegen eher der pflegerischen Unterstützung.
Im allgemeinen ist eine **Isolierung** des Erkrankten **nur bei** einer **offenen Lungentuberkulose** notwendig.
Während der **ambulanten Therapie** kann - falls erforderlich - ein ambulanter Pflegedienst in Anspruch genommen werden.
Bei den **extrapulmonalen Formen der offenen Tuberkulose** bezieht sich die **Infektionsprophylaxe** auf den Umgang mit den jeweils erregerhaltigen Körperflüssigkeiten (Sekrete, Eiter, Liquor, Urin). Personen, die mit ihnen in Kontakt kommen, müssen Schutzhandschuhe tragen und anschließend ihre Hände desinfizieren. Ist mit einer Kontamination der Dienstkleidung zu rechnen, z.B. im Zusammenhang mit einem Verbandwechsel bei perforierter Lymphknotentuberkulose, muß zusätzlich ein Schutzkittel getragen werden.

Im folgenden wird die **Lebens- und Pflegesituation bei offener Lungentuberkulose** anhand eines standardisierten Pflegeplans besprochen. Dieser **Pflegeplan** ist nach Analyse des individuellen Pflegebedarfs auf seine jeweilige Anwendbarkeit zu prüfen und ggf. zu modifizieren. Unter diesen Bedingungen hat er - mit Ausnahme der infektionsprophylaktischen Maßnahmen - ebenso Gültigkeit für die Pflege des an einer geschlossenen Tuberkulose erkrankten Menschen.
Individuelle und weitere Probleme sind selbstverständlich zusätzlich zu berücksichtigen.

Anmerkung: Auf die Begründung von Problemen, die unmittelbar aus der Erkrankung resultieren, wird verzichtet.

Probleme / Ressourcen	Ziele	Pflegemaßnahmen

		- bettlägerige Menschen mehrmals täglich in sitzende Position bringen (mobile Patienten dazu auffordern) und
		  - zu mehreren tiefen Atemzügen anhalten
		  - anschließend Gesäß und Knie anspannen und gleichzeitig abhusten lassen
		  - gelingt die Sekretentleerung nicht, Vibrationsmassage durchführen und erneut zum Abhusten auffordern
		- Sputumbecher, Zellstoff, Papiertaschentücher mehrmals täglich entsorgen (infektiöser Müll)
		- Mundpflege ermöglichen, für Bettlägerigen Mundpflegeset auf den Nachttisch stellen und Unterstützung anbieten
		Sekretverflüssigung
		- täglich mindestens 1,5 l Trinkmenge anbieten (ggf. Kontraindikationen beachten), darunter schleimlösende und hustenreizstillende Tees
		- falls angeordnet, 3mal täglich mit physiologischer Kochsalzlösung inhalieren und anschließend abhusten lassen

Essen und Trinken		
Der Kranke zeigt **wenig Appetit**, leidet an **Gewichtsverlust** und befindet sich in einem reduzierten Allgemeinzustand. **Ressourcen:** Der Kranke hat Vorlieben für bestimmte Speisen. Er ernährt sich vollwertig / ausgewogen.	***Der Kranke*** - entwickelt zunehmend Appetit und nimmt an Gewicht zu (z.B. 200g / Woche)	**Ernährung** - Essenswünsche und -gewohnheiten des Kranken erfragen und nach Möglichkeit berücksichtigen - ausgewogene, eiweiß-, vitamin- und kalorienreiche Kost sowie Zwischenmahlzeiten anbieten - wenn möglich und erwünscht, vitalstoffreiche Vollwertkost anbieten - einmal wöchentlich Gewichtskontrolle durchführen - mindestens 1,5l Trinkmenge täglich, bei Schwitzen entsprechend mehr, anbieten - Kranken unterstützen, während der Therapie keinen Alkohol zu trinken
Der Kranke hat sich evtl. über einen langen Zeitraum **fehlernährt**, er ist **untergewichtig** und hat wahrscheinlich Mangelerscheinungen. **Ressourcen:** Er ist geistig aufnahmefähig und möchte gesund werden.	- kennt Richtlinien und Zusammensetzung einer gesunden Ernährung - faßt ggf. den Vorsatz, seine Ernährung zumindest teilweise umzustellen	- beim Kranken einfühlsam erkunden, wie er sich bisher ernährt hat - ggf. über gesunde, vollwertige und ausgewogene Ernährung informieren - ggf. ErnährungsberaterIn hinzuziehen bzw. auf Informationsangebote hinweisen (z.B. von Krankenkassen, Volkshochschulen) - ggf. anregen, daß auch Angehörige sich informieren und sie nach Möglichkeit integrieren - mit dem Kranken (und seinen Angehörigen) überlegen, in welchen Punkten die Ernährungsumstellung zu Hause möglich ist
Wach sein, Ruhen und Schlafen		
Der Kranke hat in den ersten Wochen der Erkrankung ein **erhöhtes Ruhe- und Schlafbedürfnis**, er fühlt sich müde und erschöpft.	***Der Kranke*** - hat eine ruhige Umgebung und findet ausreichend Ruhe und Schlaf - fühlt sich zunehmend wohler	**Unterstützung des Ruhens und Schlafens** - soweit möglich für eine ruhige Umgebung sorgen - Kranken tagsüber zu längeren Ruhepausen und zum Mittagsschlaf anhalten, zwischendurch Bewegung in angemessenem Ausmaß anregen (*Anmerkung:* Liege- und Luftkuren sind heute in vielen Fällen durch die medikamentöse Therapie überflüssig geworden; bei schweren Fällen wird evtl. eine Kur verordnet) - Zimmer mehrmals täglich gründlich lüften - für eine ungestörte Nachtruhe sorgen
Der Kranke wird durch Husten in seiner **Nachtruhe gestört**.		*siehe "Atmen"*

Probleme / Ressourcen	Ziele	Pflegemaßnahmen
Regulieren der Körpertemperatur		
Der Kranke hat **subfebrile Temperaturen** oder mäßiges Fieber. Er **schwitzt nachts** und **fühlt sich unwohl**.	*Der Kranke* - trinkt entsprechend den Flüssigkeitsverlusten - entwickelt eine normale Körpertemperatur und fühlt sich wohler	**Unterstützung bei erhöhter Körpertemperatur** - 3mal täglich rektale Temperaturkontrolle - täglich Trinkverhalten beobachten, den Kranken ggf. zu vermehrtem Trinken anregen - bei vergeßlichen / verwirrten Menschen evtl. Einfuhrprotokoll anlegen und regelmäßig an das Trinken erinnern - bei Bedarf auch nachts die Bett- und Leibwäsche wechseln, Kranken auf Wunsch erfrischend abwaschen und gut abtrocknen - Zugluft vermeiden
Sich Beschäftigen und Kommunizieren		

Der Kranke soll viel ruhen, evtl. ist er im Einzelzimmer untergebracht; es kann zu **Langeweile** und dem Gefühl der **Isolation** kommen.
 	
Ressourcen:
Der Kranke darf Besuch empfangen.
Er hat verschiedene Interessen.
	Der Kranke
	- findet angemessene Beschäftigung und hat Kontakte zur "Außenwelt", gleichzeitig kann er die Ruhephasen akzeptieren
		Ermöglichen von Beschäftigung und Kontakten
		- Unterhaltungsmöglichkeiten anbieten
		  - TV, Radio, Telefon
		  - Literatur, Kreuzworträtsel
		- Besuche fördern, ggf. bestehende Ängste vor Ansteckung durch sachgerechte Information der Besucher ausschalten
		- mit dem Kranken Gespräche führen

Sinn finden		
Der Kranke **lebt zuhause in schlechten Wohnverhältnissen** (z.B. mit vielen Menschen auf engstem Raum oder in einer feucht-kalten Wohnung) oder er ist obdachlos. Seine soziale Situation macht ihm bewußt oder unbewußt zu schaffen, ihre Veränderung ist jedoch nicht ohne weiteres möglich. (Anmerkung: Dieses Problem tritt nur bei einigen Betroffenen auf.) **Ressourcen:** Der Kranke sieht einen Zusammenhang zwischen der Erkrankung und seiner sozialen Situation.	*Der Kranke* - erfährt Akzeptanz und Wertschätzung seiner Person - möchte seine Wohnsituation verändern und sucht, gemeinsam mit professionellen Helfern, nach Lösungsmöglichkeiten	- dem Kranken Akzeptanz und Wertschätzung seiner Person vermitteln, menschliche Wärme zeigen - Gesprächsbereitschaft signalisieren - wenn sich eine Vertrauensbasis zwischen dem Kranken, seinen Angehörigen und einer Pflegeperson entwickelt hat, professionelle Hilfe anbieten und sie auf seinen Wunsch einschalten, z.B. den Krankenhaussozialdienst oder das Gesundheitsamt

In den Lebensbereichen "Ausscheiden", "Sich Bewegen", "Sich Pflegen und Kleiden" sowie "Geschlechtliches Erleben und Verhalten" sind im allgemeinen keine Probleme zu erwarten. Sollte der Tuberkulosekranke jedoch immobil sein und/oder zusätzlich an weiteren Erkrankungen leiden, können auch in diesen Lebensbereichen pflegerelevante Probleme auftreten.

Aus der Therapie resultierende Pflegemaßnahmen
Die medikamentöse Therapie erfolgt durch Verabreichung von **Antituberkulotika** *(frühere Bezeichnung: Tuberkulostatika)*. Es handelt sich um Chemotherapeutika, die das Wachstum, den Stoffwechsel und die Vermehrung von Tuberkelbakterien hemmen. Um eine ausreichende Wirkung zu erzielen und um Resistenzentwicklungen zu vermeiden, ist die Kombination von 3 oder 4, später von 2 Präparaten, erforderlich.

Die Antituberkulotika müssen bei Erstinfektion über 6 - 9 Monate, bei schweren Fällen auch über 12 - 24 Monate, eingenommen werden. Nur eine regelmäßige und über den vom Arzt festgelegten Zeitraum erfolgende Medikamenteneinnahme kann erfolgreich sein.

Dies muß dem Tuberkulosekranken immer bewußt sein, selbst wenn er sich wieder gesund fühlt.
Auch bei dieser Medikamentengruppe ist mit **Nebenwirkungen** zu rechnen, so daß sich der Kranke einer laufenden **ärztlichen Kontrolle** unterziehen muß, die Blut- und Sputumuntersuchungen sowie Röntgenaufnahmen der Lunge beinhaltet; bei Einnahme von Ethambutol sind zusätzliche Kontrollen durch den Augenarzt, bei Einnahme von Streptomycin durch den Hals-Nasen-Ohren-Arzt erforderlich.

Die **Krankenbeobachtung** ist auf das Erkennen unerwünschter Nebenwirkungen ausgerichtet. Sie ergänzt die ärztlichen Kontrolluntersuchungen. Beobachtete Veränderungen werden mündlich und schriftlich weitergegeben.

Wirkstoffgruppe und Handelspräparate	Mögliche Nebenwirkungen	Krankenbeobachtung
Isoniazid • Isozid® • Tebesium® • INH-Burgthal®	- zentralnervöse Störungen und periphere Nervenentzündungen - Leberschädigung - gastrointestinale Störungen - Allergie - Blutbildungsstörung - Blutungsneigung	- Schwindel? Kopfschmerzen? Benommenheit? Nervenschmerzen? Krämpfe? Sehschwäche? - Ikterus? - Übelkeit? Obstipation? Durchfall? - Hautveränderungen? - Blutbildveränderungen? - Spontanblutungen? Hauteinblutungen? Zahnfleischblutung?
Rifampicin • Rimactan® • Rifa® • Eremfat®	- Leberschädigung - Nephritis mit Nierenversagen - zentralnervöse Erscheinungen - gastrointestinale Störungen - Hautreaktionen (allergisch) - harmlose rot-orange Verfärbung des Urins	- Ikterus? - Lidödeme? - Schwindel? Kopfschmerzen? - Übelkeit? Erbrechen? Durchfall? - Juckreiz? Quaddelbildung? Haut- / Schleimhautblutungen?
Ethambutol • Myambutol® • EMB-Fatol®	- zunächst reversible Entzündung des Sehnervs selten auftretend: - Allergien - Gichtanfälle (Hyperurikämie)	- Störung des Rot-Grün-Sehens? Gesichtsfeldausfälle? (augenärztliche Untersuchungen) - Hautreaktionen? - Ödeme? - heftige Schmerzen im Großzehengrundgelenk oder in anderen Gelenken? - Rötung, Schmerz, Schwellung, Überwärmung in den betroffenen Gelenken?
Pyrazinamid • Pyrafat®	- Beeinträchtigung der Leberfunktion - Gichtanfälle (Hyperurikämie) - gastrointestinale Störungen	- Ikterus? - *siehe oben* - Magen- / Darmbeschwerden?
Streptomycin • Strepto Fatol®	- Schädigung am Hör- und Gleichgewichtsorgan - Mattigkeit - allergische Reaktionen	- Hörstörungen? - Schwindelgefühle? (ohrenärztliche Untersuchung) - Hautreaktionen?

Den gastrointestinalen Beschwerden kann vorgebeugt werden, indem die Tabletten möglichst gleichzeitig und **nach dem Frühstück verabreicht** werden; außerdem verordnet der Arzt oft ein **Medikament** zur **Hemmung** der **Säuresekretion**, z.B. einen **H_2 - Blocker** (z.B. Zantic®). Zur Prophylaxe von Nervenentzündungen wird meist Vitamin B_6 verordnet.

1.9.4.4 Prävention

Um Tuberkuloseerkrankungen vorzubeugen, ist die **Aufklärung der Bevölkerung** hinsichtlich der begünstigenden Faktoren wichtig. Dazu müssen vor allem die entsprechenden **Risikogruppen informiert** werden.
Um die Verbreitung der offenen Tuberkulose zu unterbrechen, ist eine **frühzeitige Diagnose** mit Einleitung der entsprechenden Chemotherapie und Hygiene-

maßnahmen erforderlich. Sobald der Verdacht einer Tuberkuloseerkrankung aufkommt, sollte ein Betroffener seinen Arzt aufsuchen bzw. von den Pflegenden eine ärztliche Untersuchung veranlaßt werden.
Stellt sich erst verspätet heraus, daß Pflegende einen Menschen mit offener Tuberkulose betreuen bzw. betreut haben, ist unmittelbar nach Sicherung der Diagnose der Personalarzt zu verständigen. Er veranlaßt die notwendigen Untersuchungen / Kontrolluntersuchungen (Tuberkulin-Tine-Test; bei positivem Ergebnis: röntgenologische Thoraxaufnahme und bakterielle Untersuchung des Sputums).
Eine **Tuberkulose - Schutzimpfung** *(BCG-Impfung)* schützt nicht sicher vor einer Ansteckung; sie kann jedoch im Kindesalter die Entwicklung einer tuberkulösen Hirnhautentzündung verhindern. Zur Zeit wird die Impfung nur für Kinder mit erhöhtem Ansteckungsrisiko (Leben mit einem Offen-Tuberkulösen; Kinder mit Eltern, die aus Heimatländern stammen, in denen die Tuberkulose häufig auftritt) empfohlen. **Bei Erwachsenen** hat die Impfung nur eine mäßige, ca. 2 - 10 Jahre anhaltende **Wirkung**.

1.9.5 Bronchialkarzinom

1.9.5.1 Krankheitsbild

❒ Definition und Entstehung

Beim Bronchialkarzinom *(syn. Lungenkarzinom)* handelt es sich um einen bösartigen, vom Bronchialepithel ausgehenden Tumor. Es ist in Deutschland die häufigste zum Tode führende Krebserkrankung des Mannes. Betroffen sind überwiegend Männer im 6. und 7. Lebensjahrzehnt, die über viele Jahre exogenen Noxen ausgesetzt waren. Von diesen muß das **inhalierende Zigarettenrauchen** an erster Stelle genannt werden, denn 90% der Erkrankten sind Raucher. Es gilt, daß der Konsum von 20 Zigaretten täglich über 20 Jahre das Risiko gegenüber einem Nichtraucher um das Zehnfache und mehr erhöht. Aufgrund des veränderten Rauchverhaltens sind zunehmend auch Frauen und jüngere Personen betroffen. Weitere Substanzen, die das Entstehen eines bösartigen Lungentumors fördern, sind u.a. Asbest, polyzyklische aromatische Kohlenwasserstoffe, Nickel, Chrom, Arsen, Pechblende und Uranerze.

❒ Symptome

Das Bronchialkarzinom bleibt **lange Zeit symptomlos**, so daß die Diagnose oft erst im Spätstadium gestellt werden kann. In einigen Fällen ist die Diagnose ein Zufallsbefund bei der Röntgenaufnahme des Thorax. Symptome wie Appetitlosigkeit, Gewichtsverlust, Abgeschlagenheit und Nachtschweiß sind **unspezifisch** und veranlassen eine Tumorsuche. **Andere Symptome** treten später in Abhängigkeit von Tumorart, -sitz und -ausdehnung auf. Es handelt sich um

- chronischen Husten mit Auswurf,
- Bluthusten (bei 50% als Frühsymptom, bei 50% als Spätsymptom auftretend),
- Pneumonie (als Folge der Verlegung eines Bronchus),
- Atemnot (als Folge der Verlegung eines Hauptbronchus oder der Trachea oder als Folge eines Pleuraergusses),
- atemabhängige Schmerzen (als Folge invasiven Tumorwachstums in die Pleura),
- starke Schmerzen (nur beim Pancoast-Tumor, dem sogenannten "*Ausbrecherkrebs*"),
- Heiserkeit (als Folge einer Lähmung des N. recurrens),
- unangenehmes Anschwellen der Arme, des Halses und des Kopfes (als Folge einer Blutabflußstörung),
- Metastasensymptome, z.B. Zwerchfellähmung, Knochenschmerzen, neurologische Ausfallerscheinungen.

Das Bronchialkarzinom metastasiert vorwiegend auf lymphogenem Weg in regionale Lymphknoten im Bereich des Lungenhilus, des Halses und der Achselhöhlen. Hämatogen gestreute **Metastasen** treten bevorzugt in Leber, Knochen (insbesondere Wirbelsäule), Gehirn, Niere und Nebenniere auf.

❒ Diagnostik

Die Diagnose Bronchialkarzinom wird durch verschiedene Untersuchungen gesichert:
- Röntgenaufnahme des Thorax in zwei Ebenen;
- Bronchoskopie mit Biopsie* und Zytologie*;
- Thorax-Computertomogramm mit Kontrastmittel;
- evtl. Mediastinoskopie* oder Probethoraktomie.

Zur Beurteilung der Operabilität werden eine Lungenfunktionsprüfung und eine Blutgasanalyse durchgeführt. Zum Ausschluß von Fernmetastasen werden weitere Untersuchungen, z.B. Knochenszintigraphie, Sonographie der Leber, Schädel-Computertomogramm, durchgeführt.

1.9.5.2 Zur Situation eines Betroffenen

Bevor einem Menschen die Diagnose Bronchialkarzinom mitgeteilt wird, hat er sich bereits einigen Untersuchungen unterzogen. Er ist **beunruhigt** und **mitgenommen**, vielleicht auch aufgrund der bestehenden Symptome geschwächt; in diesem Zustand wird er mit seiner Karzinomerkrankung konfrontiert. Ein Betroffener fühlt sich wahrscheinlich **existentiell bedroht** und gerät in eine Krise; er ist nicht ohne weiteres in der Lage, sich der momentanen Situation anzupassen. Auch kann er die Wirklichkeit nicht vollständig wahrnehmen, so daß nicht alle bei der Diagnosestellung gegebenen Informationen des Arztes später in Erinnerung sind.
Die Aufklärung über die therapeutischen und palliativen Möglichkeiten kann - je nach Erfolgsaussichten - **Hoffnung**, aber auch **Ängste** vor Nebenwirkungen und Begleiterscheinungen sowie Resignation und Depression auslösen. Dies trifft vor allem für ältere Menschen zu, da bei ihnen ein chirurgischer Eingriff mit höheren Risiken verbunden ist. Hinzu kommen häufig **Schuldgefühle** wegen des jahrelangen Zigarettenabusus; manchmal werden diese auch von Mitmenschen vermittelt.
Menschen, die den Tod eines an einem Bronchialkarzinom Erkrankten miterlebt bzw. davon gehört haben, sehen meist leidvolles Sterben und einen entkräfteten,

nach Luft ringenden Menschen vor Augen. Wer diese Vorerfahrung gemacht hat, wird besondere Bedrohung empfinden.
Nicht selten erfordert die meist schlechte Prognose eine Auseinandersetzung mit dem eigenen Therapiewillen; so wird der Betroffene zusätzlich durch eine **innere Zerrissenheit** - und ggf. durch die Verantwortung, die eine selbständige Entscheidung mit sich bringt belastet.
Während der Phase des seelischen "Schocks" muß sich der Kranke zahlreichen Untersuchungen unterziehen, um so die für ihn beste Therapiemöglichkeit zu finden. Dadurch entstehen zusätzliche Belastungen und Ängste; der Betroffene soll sich ständig neuen - und meist unangenehmen / belastenden Situationen - anpassen. Dadurch kann es zu Erschöpfung und **Überforderung** kommen.
Zusätzliche Aussagen zur Situation eines Krebskranken finden Sie auf Seite 918 unter "Die Diagnose Krebs" und unter "Zur Situation eines Betroffenen".

1.9.5.3 Pflegebedarf und -maßnahmen

Der Pflegebedarf ergibt sich zum einen aus der physischen und psychischen Situation des Kranken, zum anderen aus der ärztlichen Therapie.

❒ Pflegerelevante Informationen zur Therapie

Die Therapiechancen sind abhängig von der Operabilität des Tumors (bei 25 - 40% der Fälle kann eine Lungenresektion vorgenommen werden) und der Operationsfähigkeit des Patienten (z.B. Alter unter 70 Jahre, ausreichende Lungenfunktion, Sitz des Tumors mindestens zwei Spangen unterhalb der Bifurkation).
Mögliche **Resektionsverfahren** sind die
- Lobektomie *(Entfernung eines Lungenlappens)*,
- Bilobektomie *(Entfernung zweier benachbarter Lungenlappen)*,
- Pneumektomie *(Entfernung eines Lungenflügels)*,
- Manschettenresektion *(Entfernung eines Lungenlappens oder -flügels und der dazugehörigen Bronchialabschnitte)*,
- Segmentresektion *(Entfernung eines Lungensegmentes)*.

Die Fünf-Jahres-Überlebensquote liegt nach einer kurativen Therapie bei ca. 25%, nach einer palliativen Behandlung liegt sie unter 5%. Neben der operativen Lungenresektion können die Strahlen- und die Chemotherapie sowohl kurativ, adjuvant als auch palliativ eingesetzt werden. *Weitere Informationen finden Sie unter "Therapieformen", Seite 924.*
Der Pflegebedarf und die entsprechenden Pflegemaßnahmen, die aus der Radio-, Chemo- und/oder Schmerztherapie resultieren, werden unter *"Problembereiche und entsprechende Pflegemaßnahmen"*, Seite 934, besprochen.
Lesen Sie außerdem *"Die Begleitung des unheilbar Kranken und sterbenden Menschen"* (siehe Seite 981).

An dieser Stelle werden die prä- und die postoperative Pflegesituation bei einer **Lungenresektion** besprochen.

❒ Die präoperative Situation

Um die bestmögliche Therapie festlegen zu können, muß sich der Patient verschiedenen, zum Teil unangenehmen und belastenden Diagnoseverfahren unterziehen (z.B. Bronchoskopie mit Probeentnahme, Lungenfunktionsprüfung, Sputumzytologie, Röntgenaufnahme des Thorax, Perfusions- und Ventilationsszintigraphie, Rechtsherzkatheter und andere Funktionsprüfungen von Herz und Kreislauf). Dies beeinträchtigt sein ohnehin schon reduziertes Allgemeinbefinden; er wird ruhebedürftig sein. **Seelische Unterstützung** im Sinne von aktivem Zuhören *(siehe Seite 718)*, Zuwendung und **Informationsvermittlung** ist wichtig.

❒ Präoperative Pflegemaßnahmen

Der Schwerpunkt der präoperativen Pflege liegt neben der seelischen Begleitung in der bestmöglichen Vorbereitung des Patienten auf die Operation und deren Folgesituation. Diese beinhaltet folgende Pflegemaßnahmen:
- **Unterstützung der Nikotinabstinenz**
  - im einfühlsam geführten Gespräch mit dem Patienten die Motive seines Rauchverhaltens herausfinden;
  - mit dem Patienten Alternativen zum Rauchen suchen *(siehe "Raucherentwöhnung", Seite 58)*;
  - ggf. nach Rücksprache mit dem Arzt Nikotinpflaster anbieten.
- **Atemtraining zur Verbesserung der Atemsituation und zum Einüben postoperativer Fähigkeiten**
  - Patienten über die postoperativ eingeschränkte Atemsituation und entsprechend erforderliche Atemübungen und Inhalationen informieren;
  - Patienten zur Intensivierung der Atmung, z.B. mittels Atemtrainer oder Kontaktatmung, anleiten und mehrmals täglich dazu anhalten;
  - Patienten zur korrekten Inhalation anleiten;
  - Patienten zu schmerzreduzierender Hustentechnik anleiten *(siehe Seite 51)*;
  - ggf. Ratschläge aus der Physiotherapie umsetzen.
- **Pneumonieprophylaxe**
  - Patienten mehrmals täglich zu Atemübungen anhalten;
  - Patienten 3mal täglich für 10 Minuten mit physiologischer NaCl-Lösung inhalieren und anschließend abhusten lassen (Arztanordnung).
- **Atemunterstützung, Förderung des Wohlbefindens**
  - atemstimulierende Einreibung anbieten;
  - bei Atemnot atemunterstützende Lagerung durchführen.
- **Verbesserung des Allgemeinzustandes**
  - ausgewogene, hochkalorische Kost mit Zwischenmahlzeiten anbieten;
  - für ruhige Umgebung sorgen, schlaffördernde Bedingungen schaffen;
  - Informationsbedürfnisse des Patienten an den Arzt weiterleiten.
- **Vorbereitung des OP-Feldes am Operationstag**
  - Duschbad mit sorgfältiger Bauchnabelreinigung durchführen (lassen);
  - bei geplanter seitlicher Eröffnung des Brustkorbs *(laterale Thorakotomie)* am gesamten Oberkörper

(Vorder- und Rückseite, seitliche Throraxanteile, Achselhöhlen) vorsichtig die Haare entfernen;
- bei geplanter Eröffnung des Brustkorbs mittels Durchtrennung des Brustbeins *(Sternotomie)* an der Oberkörpervorderseite vom Hals bis unterhalb des Bauchnabels und in den Achselhöhlen vorsichtig die Haare entfernen.

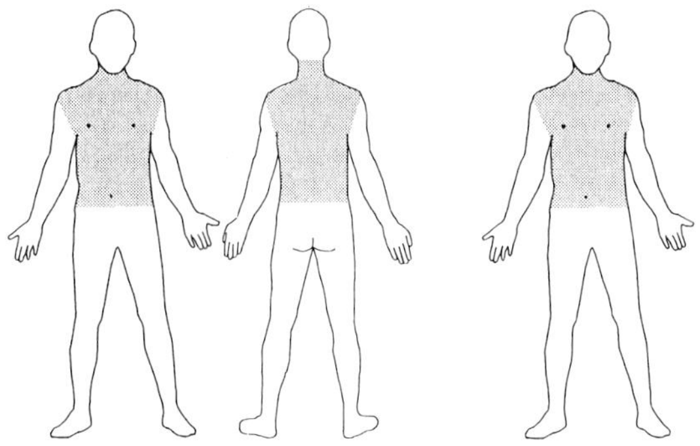

a) *Rasurschema bei lateraler Thorakotomie* b) *Rasurschema bei Sternotomie*

Abb. 1.41 ***Rasurschema für Thoraxoperationen***

Weitere allgemeine präoperative Pflegemaßnahmen werden unter "Präoperative Pflegemaßnahmen" *(siehe Seite 368)* besprochenen.
Um postoperativ kontinuierlich die Nierenfunktion überprüfen zu können, wird ein Blasenverweilkatheter gelegt. Kachektische Patienten bekommen einen zentralen Venenkatheter zwecks postoperativer parenteraler Ernährung.

❒ Die postoperative Situation

Nach der Operation wird der Kranke mindestens 24 Stunden lang auf der Intensivstation überwacht und betreut. Bei komplikationslosem Verlauf wird er anschließend noch ca. 2-3 Wochen auf einer chirurgischen Station gepflegt.

❒ Postoperative Pflegemaßnahmen

• Krankenbeobachtung

Um Komplikationen, insbesondere Blutungen (aus großen im Thorax liegenden Gefäßen), einen Hämatothorax* sowie eine Anastomosen- bzw. Ateminsuffizienz zu erkennen, richtet sich die Krankenbeobachtung auf
- Puls (Tachykardie?) und Blutdruck (Hypotonie?);
- Atmung (Unregelmäßigkeiten? Frequenz; Rhythmus; Geräusche? Schmerzen? Schonhaltung? Schonatmung? Husten mit blutigem Auswurf?);
- Körpertemperatur;
- Haut- und Schleimhautfarbe (Blässe? Zyanose?);
- Bewußtseinslage (Eintrübung?);
- Wundgebiet (Blutung? Entzündung?);
- Urinausscheidung (Abnahme der Stundenurinmenge? Unausgeglichene Flüssigkeitsbilanz?);
- subjektives Befinden des Patienten (Schmerzen? Atemnot? Übelkeit? Schwindel?);
- Thoraxdrainage (Vorgeschriebener Sog? Ungehinderter Abfluß? Atemabhängige Bewegungen der Wassersäule im Wasserschloß? Entzündungszeichen an der Eintrittsstelle? *(siehe "Thoraxdrainagen", Seite 58);*
- geförderte Drainageflüssigkeit (Menge, Aussehen, Konsistenz);
- zentralen Venenkatheter (Entzündung an der Einstichstelle? Störung des Zulaufs? Sichere Fixation?);
- Blasenverweilkatheter (Beutel unter Blasenniveau? Ungehinderter Ablauf? Schmerzen? Trübung des Urins?);
- Schmerzgeschehen (Art, Intensität, Dauer, auslösende Faktoren; nonverbale Schmerzäußerungen, Wirkung der verabreichten Schmerzmittel).

• Lagerung
- schrittweise den Oberkörper hochlagern, sobald der Patient ansprechbar ist; dazu halbstündlich Kopfteil höherstellen, bis Patient nach fünf Stunden sitzende Haltung einnimmt;
- danach zweistündlich umlagern, im Wechsel mit der Rückenlage (je nach Operationsverfahren)
  - auf der operierten Seite nach Pneumektomie,
  - auf der gesunden Seite nach Lobektomie und Segmentresektion lagern

  (vgl. "Lagerung nach Lungenoperation", Seite 44).

• Atemunterstützung / -training und Pneumonieprophylaxe
- Patienten 2 - 3 stündlich (möglichst 30 Minuten nach Schmerzmittelverabreichung) zu dem präoperativ eingeübten Atemtraining anhalten bzw. ihn dabei unterstützen (Absprache und Zusammenarbeit mit der Physiotherapie);
- Patienten zunächst stündlich unter Anwendung der präoperativ eingeübten Hustentechnik zum Abhusten anhalten (mit den Händen über der Wunde Gegendruck ausüben);
- Patienten mindestens 3mal täglich mit physiologischer NaCl-Lösung bzw. angeordneten Medikamenten zwecks Sekretverflüssigung (evtl. zusätzlich zwecks Bronchienerweiterung mit einem $ß_2$-Mimetikum) inhalieren lassen;
- mehrmals täglich Raumluft anfeuchten;
- ggf. vorübergehend gemäß Arztanordnung nasal O_2 zuführen *(siehe dazu Seite 53).*

• Kontrolle des Wundgebietes und der Thoraxdrainage
- Verband auf Nachblutung kontrollieren und auf Entzündungszeichen achten;
- Sogstärke der Thoraxdrainage kontrollieren; richtet sich nach Arztanordnung; als Richtwerte gelten
  - nach Lobektomie und nach Segmentresektion ca. 15-25 cm H_2O,
  - nach Pneumektomie bis 5 cm H_2O;
- Verbindungschläuche auf Dichte und Durchgängigkeit prüfen;
- abgeleitetes Wundsekret / Blut hinsichtlich Beschaffenheit, Aussehen, Beimengungen, Menge beobachten, Ergebnisse dokumentieren *(weitere Richtlinien zum Umgang mit Drainagen sind auf Seite 378 aufgeführt).*

• Flüssigkeitsbilanzierung
- Ein- und Ausfuhrmengen dokumentieren;
- Bilanz erstellen, Häufigkeit richtet sich nach der Arztanordnung *(siehe Seite 199).*

- **Schmerzreduktion**
  - Schmerzgeschehen gezielt beobachten, ggf. Schmerzprotokoll anlegen;
  - regelmäßige Verabreichung des Schmerzmittels nach ärztlich festgelegtem Schema;
  - Wirkung auf den Schmerz, die Atmung und das subjektive Wohlbefinden des Patienten beobachten.
- **Mobilisation**
  - Frühmobilisation, sofern der Zustand des Patienten dies zuläßt;
  - insgesamt die Selbständigkeit und Mobilität des Patienten angemessen fördern, immer gleichzeitig die Atmung beobachten (***Beachte***: Die atmungsaktive Oberfläche ist verkleinert, es ist eine **langsame Anpassung** an die neue Situation erforderlich!);
  - Patienten schrittweise bei der Körperpflege aktivieren;
  - aktive bzw. aktiv-assistive Bewegungsübungen mit den Füßen durchführen lassen;
  - Patienten zunächst 2 mal täglich in Begleitung kurz aufstehen lassen (Vorsicht im Umgang mit der Thoraxdrainage);
  - Bewegung außerhalb des Bettes vermehrt fördern, sobald die Thoraxdrainage entfernt wurde.

❍ Prophylaktische Maßnahmen

- **Thromboseprophylaxe**
  - Bewegungsübungen und weitere Mobilisation *(siehe vorstehend)*;
  - Antithrombosestrümpfe während der Bettlägerigkeit;
  - ausreichende Flüssigkeitszufuhr (entsprechend der Flüssigkeitsbilanz und der Arztanordnung);
  - ggf. Verabreichung der ärztlich verordneten Low-dose-Heparin.
- **Dekubitusprophylaxe**
  - Risikolage des Patienten einschätzen;
  - mittels regelmäßiger Hautbeobachtung überprüfen, ob Mobilisation und ggf. bisheriges Umlagern ausreichen;
  - ggf. Zeitintervalle der Lagerungen verkürzen oder Patienten weich lagern.
- **Sorgfältige Mundpflege**
  - 2 mal täglich Mundschleimhaut, Lippen und Zunge beobachten bzw. den Patienten dazu anleiten und anhalten;
  - mehrmals täglich Mund mit pflegenden Substanzen auswischen bzw. ausspülen lassen, bei Bedarf Mundschleimhaut in kurzen Abständen anfeuchten;
  - mehrmals täglich Zahn- bzw. Prothesenpflege durchführen (lassen);
  - Patienten, die parenteral ernährt werden, mehrmals täglich zu imitierten Kaubewegungen anhalten.
- **Ernährung und Aspirationsprophylaxe**
  - Kostaufbau nach Einsetzen der Darmtätigkeit;
  - Patienten zur Nahrungs- und Flüssigkeitsaufnahme immer in Oberkörperhochlage bringen;
  - bei Bedarf Unterstützung des Patienten, Flüssigkeiten und Speisen in kleinen Portionen verabreichen, dabei neben dem Patienten sitzen und ihn anhalten, den Kopf brustwärts zu neigen *(vgl. "Aspirationsprophylaxe", Seite 57)*.
- **Obstipationsprophylaxe, Förderung der Verdauung**
  - falls postoperativ erforderlich, Verdauung nach Arztverordnung medikamentös anregen;
  - nach Einsetzen der Darmtätigkeit möglichst faserstoffhaltige Lebensmittel anbieten;
  - oral und/oder parenteral ausreichend Flüssigkeit zuführen (Menge richtet sich nach Flüssigkeitsbilanz und Arztanordnung);
  - Mobilisation in angemessenem Ausmaß.
- **Umgang mit zu- und ableitenden Systemen**
  - siehe dazu *"Überwachung und Versorgung des Venenzugangs" (Seite 461)*, *"Harnwegsinfektionsprophylaxe bei Blasenverweilkatheter" (Seite 208)* und *"Umgang mit dem suprapubischen Blasenverweilkatheter" (Seite 205)*.
- **Verbandwechsel**
  - obliegt dem Arzt;
  - Prinzipien siehe *"Aseptischer Verbandwechsel" (Seite 375)*.

❍ Seelische Unterstützung

- **Beobachten, wie der Patient seine Krankheit verarbeitet** *(siehe "Krankheitsverarbeitung", Seite 24)*.
- **Aufbau von Vertrauen ermöglichen**
  - Hauptkontaktpersonen des Patienten möglichst nach gegenseitiger Sympathie, Aufgeschlossenheit und Belastbarkeit auswählen;
  - Verständnis für den Patienten zeigen;
  - emotionale und affektive Reaktionsweisen nicht negativ bewerten;
  - Trauerreaktionen, aber auch Hoffnung zulassen bzw. fördern;
  - aktiv Zuhören und Gesprächsbereitschaft signalisieren *(Weitere Aspekte zum Umgang mit dem Patienten werden unter "Die seelische Unterstützung und Begleitung", Seite 946, besprochen)*.

1.9.5.4 Nachstationäre Betreuung

Im Anschluß an die stationäre Behandlung erfolgt im Idealfall eine **Anschlußheilbehandlung.**
Sollte weiterhin eine ambulante pflegerische Unterstützung erforderlich sein, ergeben sich im allgemeinen die folgenden **Pflegeschwerpunkte**.

- Beobachtung und Unterstützung der Atmung,
- Prophylaxe von Atemwegsinfektionen,
- Unterstützung bei der Krankheitsbewältigung und bei den ATL,
- Unterstützung der Angehörigen.

Zur *"Nachsorge und Rehabilitation"* lesen Sie bitte *Seite 948*.

1.9.6 Pleuraerguß

1.9.6.1 Medizinische Informationen

❒ Definition und Ursachen

Eine **Ansammlung von Flüssigkeit in der Pleurahöhle** wird als Pleuraerguß bezeichnet.
Der Pleuraerguß ist keine eigenständige Erkrankung, sondern **Begleit- oder Folgeerscheinung einer anderen Krankheit**, z.B.:

- bösartiges Tumorleiden, metastasierendes Mamma- oder Bronchialkarzinom, malignes Lymphom,
- bakterielle Pneumonie, bronchopulmonale Infekte,
- dekompensierte Herzinsuffizienz,
- nephrotisches Syndrom, Urämie, Leberzirrhose und andere Erkrankungen, die mit einem erniedrigten kolloidosmotischen Druck im Plasma *(siehe Seite 636)* einhergehen.

In mehr als der Hälfte der Fälle liegt ein bösartiges Tumorleiden zugrunde. Deshalb wird zur Ursachenklärung eine Pleurapunktion *(siehe Seite 98)* vorgenommen und das Pleurapunktat untersucht.

❒ Symptome

Je nach Ausmaß der Verdrängung von Alveolargewebe durch die Flüssigkeitsansammlung kommt es zu einer mehr oder weniger ausgeprägten **Atemnot**. Zusätzlich kann der Betroffene **atemabhängige Schmerzen** spüren. Leistungsminderung und Schonatmung sind die Folgen.

❒ Diagnose

Klinische Befunde wie die Ergebnisse von Perkussion* (gedämpfter Klopfschall) und Auskultation* (deutlich verringertes oder fehlendes Atemgeräusch) begründen den Verdacht auf einen Pleuraerguß. Gesichert wird die Diagnose im allgemeinen durch **Sonographie*** (Nachweis des Ergusses), **Röntgen-Thorax in zwei Ebenen** sowie durch **Pleurapunktion** mit Analyse des Punktats.
Das Pleurapunktat wird makroskopisch hinsichtlich Aussehen und Menge, labortechnisch in Hinsicht auf Eiweißgehalt, LDH *(Laktatdehydrogenase)* und spezifischem Gewicht beurteilt. Anhand der Ergebnisse läßt sich feststellen, ob es sich um ein **Transsudat** *(= nicht entzündlicher Erguß)* oder um ein **Exsudat** *(= entzündlicher Erguß)* handelt.

❒ Therapie

Ein großer Pleuraerguß wird abpunktiert, folglich lassen die Beschwerden des Kranken nach *(Entlastungspunktion, siehe Seite 98)*. Außerdem wird das ursächliche Leiden behandelt.
Beim Pleuraemphyem *(Eiteransammlung in der Pleurahöhle)* wird eine Pleuradrainage mit Spülung angebracht.

1.9.6.2 Zur Situation und Pflege eines Betroffenen

Atemnot und **Schmerzen** prägen die Situation eines Betroffenen. Die durch die ursächliche Erkrankung geprägte **Gesamtsituation verschlechtert** sich; mancher (vor allem ein Krebskranker) ist entmutigt, weil er in dem Krankheitsgeschehen das Fortschreiten der Grunderkrankung sieht.
Die Atembeschwerden werden meist als äußerst belastend und einschränkend empfunden. **Bedürfnisse nach Sicherheit, Zuwendung, Entlastung** und Unterstützung stehen im Vordergrund. Eine bevorstehende Pleurapunktion löst zwar bei vielen Betroffenen Unbehagen oder Angst aus, wird im Nachhinein allerdings als wohltuende Entlastung erlebt.
Die **Atembeschwerden** führen im allgemeinen vorübergehend zur Leistungsschwäche, so daß ein Kranker mit Pleuraerguß **Unterstützung bei** der Ausübung verschiedener **ATL**, z.B. beim Atmen, bei der Körperpflege und bei der Bewegung, benötigt. Ressourcen und Pflegebedarf sollten täglich analysiert werden, so daß die Pflegemaßnahmen entsprechend den individuellen aktuellen Bedürfnissen geplant und durchgeführt werden können. **Pflegeschwerpunkt** ist immer die **Beobachtung und Unterstützung der Atmung**. Durch die Schonatmung, die Einengung der atmungsaktiven Oberfläche sowie die beschleunigte Atmung besteht ein hohes **Pneumonierisiko**. Atemerleichternde Lagerungen *(siehe Seite 41)*, Atemübungen und Hilfeleistungen bei Atemnot *(siehe Seite 53)* werden erforderlich.

1.9.7 Pneumothorax

Syn.: Pneu

1.9.7.1 Krankheitsbild

❒ Definitionen

Beim Pneumothorax handelt es sich um eine **Luftansammlung im Pleuraraum** *(Raum zwischen den beiden Pleurablättern, zwischen Pleura parietalis und Pleura viszeralis)*.
Ist die Pleura verletzt, ohne daß eine Verbindung zur Außenluft besteht, spricht man von einem **geschlossenen Pneumothorax**. Sind Pleura und Thoraxwand verletzt, so daß eine Verbindung zur Außenluft oder zum Bronchialsystem besteht, handelt es sich um einen **offenen Pneumothorax**.

❒ Ursachen

Durch Eröffnung des Pleuraraumes dringt Luft in diesen ein, so daß es zur **Aufhebung des herrschenden Unterdrucks** kommt. Folglich verliert die Lungenoberfläche mit der Pleura viszeralis den Kontakt mit der Thoraxwand in unterschiedlichem Ausmaß *(Lungenkollaps)* und nimmt nicht mehr oder nur in verringertem Ausmaß am Gasaustausch teil.
Die häufigste Form des Pneu tritt spontan auf, vor allem bei Männern zwischen dem 20sten und 40sten Lebensjahr = **Spontanpneumothorax**. Ursache ist z.B. das Platzen einer peripher gelegenen Emphysemblase.
Die Verletzung der Pleura (und der Brustwand) kann durch eine (Gewalt-) Einwirkung von außen erfolgen. Ein solcher **traumatischer Pneu** kommt z.B. bei Rippenfrakturen vor. Die Rippenfragmente verletzen die Pleura; schieben sich die Weichteile der Lunge über

die Perforation, ist diese ventilartig verschlossen = **Spannungspneumothorax** *(Ventilpneumothorax)*. Dadurch gelangt mit der Einatmung Luft in die Pleurahöhle, kann mit der Ausatmung jedoch nicht entweichen. Die Pleurahöhle füllt sich zunehmend mit Luft an; in der Folge kommt es zur Verschiebung der im Mediastinum* liegenden Organe zum nicht betroffenen Lungenflügel. Diese zusätzliche Beeinträchtigung der großen Blutgefäße, des Herzens und der nicht verletzten Lunge kann zum lebensbedrohlichen Versagen des Kreislaufs und der Atmung führen.
Ein Pneu kann ferner als **Komplikation bei bestimmten ärztlichen Maßnahmen** *(iatrogen)* entstehen, z.B. beim Legen eines zentralen Venenkatheters in die Vena subklavia, nach Punktion der Pleura oder bei Überdruckbeatmung.

❒ Symptome

Die Symptome sind entsprechend dem Ausmaß des Pneus **gering oder stark**, bei Spannungspneu extrem ausgeprägt:
- Atemnot,
- oft stechende atemabhängige Schmerzen auf der betroffenen Thoraxseite,
- Tachypnoe und evtl. Zyanose,
- Hustenreiz,
- asymmetrische Thoraxbewegungen,
- Schock beim Spannungspneu.

Im Bereich der Verletzung kann es zum **Hautemphysem** *(Aufblähen der Haut durch Luftansammlung im Unterhautfettgewebe)* kommen. Das Hautemphysem dehnt sich in einigen Fällen am gesamten Körperstamm und Kopf aus. Es wird im Bereich der Augenlider und des Skrotums besonders deutlich.

❒ Diagnose

Die Diagnose wird anhand der klinischen Symptome, der Auskultation (abgeschwächtes Atemgeräusch), der Perkussion (hypersonarer Klopfschall) und des Röntgen des Thorax in zwei Ebenen (Nachweis eines Luftsaums im betroffenen Lungenabschnitt) gestellt.

❒ Therapie

Ein **kleiner Pneumothorax** wird **konservativ** behandelt. Die Resorption der Luft erfolgt innerhalb von 3-4 Tagen spontan. Während dieser Zeit wird der Kranke mit erhöhtem Oberkörper gelagert und regelmäßig beobachtet. Die Beurteilung des Krankheitsverlaufs erfolgt anhand der Röntgenaufnahmen des Thorax.

Notfallversorgung bei Spannungspneumothorax
Bei dem lebensbedrohlichen Spannungspneumothorax ist eine **sofortige Entlastungspunktion** erforderlich.
Der Arzt punktiert mit einer großlumigen Kanüle über dem 2.-3. Interkostalraum den Pleuraspalt; mit dem Entweichen der Luft kommt es zum Ausgleich des Überdrucks. Ein über das Braunülenende gestülpter eingeschlitzter Fingerling hat Ventilfunktion und verhindert erneutes Eindringen von Luft.
Anschließend wird eine **Thoraxsaugdrainage** *(siehe Seite 58)* gelegt.
Unter dem Sog von 15 - 20 cm H_2O kann sich die kollabierte Lunge wieder entfalten. Mehrfach erfolgen Erfolgskontrollen mittels Röntgen des Thorax; bei voll entfalteter Lunge wird die Thoraxdrainage zunächst 24 Stunden abgeklemmt. Erst wenn nach 24 Stunden nach röntgenologischer Kontrolle kein erneuter Lufteintritt nachweisbar ist, wird die Drainage vom Arzt gezogen. Dies ist meist nach 3 - 5 Tagen der Fall. Innerhalb dieser Zeit verkleben die beiden Pleurablätter; sollte dies allerdings nicht von selbst geschehen, muß der Verschluß des Lecks auf operativem Weg erfolgen.
Ein **offener Pneu** wird durch Verschluß der Wunde **in** einen **geschlossenen Pneu umgewandelt** und wie ein solcher behandelt.

1.9.7.2 Zur Situation eines Betroffenen

Die aktuelle Situation eines Menschen mit Pneumothorax ist durch die plötzlich auftretende **Atemnot** und die **Schmerzen** geprägt; die **Ungewißheit** bezüglich des Krankheitsgeschehens läßt weitere **Ängste** aufkommen.
Von einem Spannungspneumothorax betroffene Menschen nehmen die Bedrohung ihres Lebens subjektiv wahr. Somit stehen die Bedürfnisse nach Sicherheit und Atemerleichterung im Vordergrund.
Durch baldige Besserung der Atemsituation und Linderung der Schmerzen durch die Behandlung im Krankenhaus verbessert sich in der Regel auch das Allgemeinbefinden.
Die liegende Thoraxdrainage verursacht bei vielen Betroffenen Verhaltensunsicherheit, oft auch Angst. Daraus ergeben sich die Bedürfnisse nach Information, Unterstützung und Anleitung.

1.9.7.3 Pflegerische Maßnahmen

- Während der konservativen Behandlung eines **kleinen Pneumothorax** wird der Patient regelmäßig **beobachtet** und angehalten, **Bettruhe** einzuhalten. Die **Lagerung** erfolgt auf der vom Pneu betroffenen Seite oder mit erhöhtem Oberkörper.
- Beim **Spannungspneumothorax** handelt es sich um ein lebensbedrohliches Geschehen. Es wird **sofort** eine **Entlastungspunktion** durchgeführt *(siehe "Therapie")*. Die Betreuung des Patienten erfolgt auf der Intensivstation.
- **Erstversorgung bei Pneumothorax**
  - Oberkörperhochlagerung, bei extremer Atemnot zusätzlich die Arme erhöht lagern;
  - Hilfeleistungen bei Atemnot *(siehe Seite 53)*;
  - ggf. auf Anordnung des Arztes Verabreichung von Sauerstoff *(siehe Seite 53)* und/oder Schmerzmitteln *(siehe Seite 912)*.
- **Krankenbeobachtung**
  - Beoabachtung der Atmung;
  - Beobachtung der Haut- und Schleimhautfarbe;
  - Beobachtung der Bewußtseinslage;
  - Beobachtung von Puls, Blutdruck und Körpertemperatur;
  - Beobachtung des Allgemeinbefindens.
- **Assistenz bei ärztlichen Maßnahmen**
  Vorbereitung des Legens einer Thoraxdrainage *(siehe Seite 59)*.

- **Weitere pflegerische Betreuung**
  - Vermittlung von Sicherheit;
  - Kontrolle und Versorgung der Thoraxdrainage *(siehe Seite 59)*;
  - Unterstützung bei den ATL unter Berücksichtigung des besonderen Pflegebedarfs bei liegender Thoraxdrainage *(siehe Seite 59)*.

1.10 Spezielle Untersuchungen

1.10.1 Lungenfunktionsprüfung

Die Prüfung der Lungenfunktion ist unter *"Fassungsvermögen der Lungen"*, Seite 33, abgehandelt.

1.10.2 Bronchoskopie

❒ Allgemeine Informationen

Bei der Bronchoskopie handelt es sich um eine **endoskopische* Untersuchung** bzw. um einen **therapeutischen Eingriff am Bronchialsystem**. Dazu wird ein flexibles oder starres Bronchoskop über die Nase bzw. den Mund in die Luftröhre eingeführt und nacheinander in die großen Bronchien - das flexible Bronchoskop weiter bis zu den Segmentbronchien - vorgeschoben. So kann der Untersucher verschiedene Bronchialabschnitte beurteilen und gezielt Gewebeproben für die feingewebliche *(histologische)* Untersuchung sowie Bronchialsekret für die bakteriologische Untersuchung entnehmen, z.B. bei Verdacht auf Bronchialkarzinom oder Tuberkulose. Ferner bietet die Bronchoskopie **therapeutische Möglichkeiten**, z.B. zur Fremdkörperentfernung oder zur Lasertherapie. Auch die Durchführung einer **Bronchiallavage**, bei der 10-20 ml NaCl über eine ins Bronchoskop eingeführte Sonde in die Bronchien gespritzt wird, um zähes Sekret zu lösen und anschließend abzusaugen, ist möglich.

Die Bronchoskopie mittels flexiblem Endoskop findet meistens in **Lokalanästhesie** statt. Nach der Anästhesie des Nasen-Rachenraums mittels Spray erfolgt ein gezieltes Anästhesieren der Bronchien durch Einspritzen von Lokalanästhetikum über eine ins Bronchoskop eingeführte Sonde. Bei Anwendung eines starren Bronchoskopes oder auf Wunsch des Patienten wird die Maßnahme in **Allgemeinnarkose** durchgeführt. Der Patient erhält ein Kurznarkotikum und ein Sedativum. Während der Bronchoskopie wird der Patient sitzend, halbsitzend oder liegend gelagert. **Seine Situation** kann von unangenehmen Gefühlen wie Luftknappheit oder Beklemmung sowie von vegetativen Veränderungen, die durch Angst hervorgerufen werden, geprägt sein. Einige Patienten erleben die Bronchoskopie ohne besonders ausgeprägte Gefühle und Begleiterscheinungen.

Komplikationen während und nach der Bronchoskopie sind relativ selten. Möglich sind größere Blutungen; Verletzungen des Kehlkopfes, der Luftröhre oder der Bronchien; Pneumothorax*; Infektion der Atemwege sowie Laryngospasmus (*Stimmritzenkrampf*) und Anschwellen der Rachenschleimhaut mit Atemnot als Reaktion auf das Lokalanästhetikum.

❒ Betreuung des Patienten

Bei vielen Menschen löst die Anordnung einer Bronchoskopie zunächst einmal Ängste aus. Sie resultieren aus

- einem Informationsdefizit (z.B. *"Wie geht die Untersuchung vor sich, wie muß ich mich dabei verhalten?"*);
- Befürchtungen hinsichtlich der Durchführung (z.B. *"Entstehen Schmerzen?" "Bekomme ich genügend Luft?" "Kann ich mich währenddessen bemerkbar machen, z.B. wenn ich es nicht mehr aushalte?" "Welche Komplikationen können entstehen?"*);
- Befürchtungen hinsichtlich der Diagnosestellung (z.B. *"Habe ich Krebs? Leide ich an Tuberkulose? Muß ich operiert werden?"*).

Der Patient benötigt entsprechende Informationen; deren Vermittlung ist Pflicht des Arztes. Einige Patienten verstehen die Erklärungen des Arztes jedoch nicht oder haben nicht den Mut, ihnen ihre Fragen zu stellen. Sie vertrauen sich eher dem Pflegepersonal an oder verschweigen ihre Bedenken und Fragen. Hier gilt es, den Patienten gezielt zu beobachten; ein einfühlsames Gespräch über die bevorstehende Maßnahme und damit verbundene Befürchtungen kann angezeigt sein. Pflegende, die den Ablauf der Bronchoskopie kennen, sollten - in Ergänzung der Arztinformation - die diesbezüglich gewünschten Auskünfte erteilen. Der Patient ist gleichzeitig zu ermutigen, seine Fragen - auf Wunsch nach Vermittlung eines Gesprächs durch die Pflegeperson - auch dem Arzt zu stellen.

Zur Vorbereitung und Unterstützung des ärztlichen Aufklärungsgespräches werden **Informations- oder Merkblätter** mit allgemein verständlichem Text und Abbildungen ausgegeben. Hierauf gibt der Patient letztendlich seine notwendige **schriftliche Einverständniserklärung** ab.

Zum **Ausschluß eines Blutungsrisikos** wird der Arzt labortechnische Untersuchungen (Quick-Wert, PTT, Thrombozyten, Blutbild) anordnen. Zusätzlich wird evtl. die Blutgruppe bestimmt. In der Regel legt der Arzt einen venösen Zugang.

❒ Vorbereitung des Patienten

Die Vorbereitung des Patienten von seiten des Pflegepersonals erstreckt sich auf folgende Maßnahmen:

- Eingehen auf Ängste und Fragen, ggf. Weitervermittlung an den Arzt;
- Information und Unterstützung (und Kontrolle) bezüglich der Einhaltung der Nikotinabstinenz (die 24 Stunden vor Untersuchungsbeginn eingehalten werden muß) sowie der Nahrungs- und Flüssigkeitskarenz (12 Stunden vor dem Untersuchungstermin) und entsprechende Information des Patienten und des Küchenpersonals;
- Verabreichung der üblichen Tagesmedikation nur nach Rücksprache mit dem Arzt;
- Aufforderung des Patienten zur Blasen- und Darmentleerung vor dem Transport in die Endoskopie;
- ggf. Verabreichung der ärztlich angeordneten Prämedikation / eines hustenstillenden Medikamentes (z.B. Paracodein®-Tropfen);

- ggf. Entfernung und sichere Aufbewahrung von Zahnprothesen;
- Begleitung des Patienten in die Endoskopie (nach Sedierung liegend transportieren), dort Vorstellung des Patienten und Übergabe der Dokumentationsmappe inklusive der Einverständniserklärung und der Röntgenbilder an das Endoskopiepersonal;
- ggf. Weitergabe von Besonderheiten wie z.B. das Vorliegen ausgeprägter Angst oder das Nicht-Tolerieren der Flachlage.

Die Nasen- und Rachenanästhesie sowie die Betreuung während der Untersuchung obliegen dem Fachpersonal in der Endoskopie.

❐ Betreuung des Patienten nach der Bronchoskopie

Die Betreuung des Patienten nach der Bronchoskopie von seiten des Stationspersonals bezieht sich auf

- Information und Unterstützung hinsichtlich der Nahrungs- und Flüssigkeitskarenz zur Aspirationsprophylaxe (nach Lokalanästhesie solange einzuhalten, wie der Schluckakt beeinträchtigt ist, ca. 2 Std.; nach Allgemeinnarkose solange, bis der Patient bewußtseinsklar ist und die entsprechende Arztanordnung vorliegt);
- Beobachtung von Puls, Blutdruck, Atmung, Bewußtseinslage und Sputum (Blutbeimengungen?);
- Information des Patienten hinsichtlich der Harmlosigkeit im Sputum auftretender Blutspuren sowie der Heiserkeit am Untersuchungstag;
  Beachte: Kleine Blutmengen im Sputum werden bis 2 Tage nach der Bronchoskopie als Ergebnis kleiner Verletzungen toleriert; die am Untersuchungstag auftretende Heiserkeit ist eine vorübergehende Folge der lokalen Reizung durch das Endoskop;
- Dokumentation der patientenbezogenen Beobachtungen;
- ggf. Anhalten zur Bettruhe, z.B. für einige Stunden nach Allgemeinnarkose oder bei Blutungen nach Probeentnahmen.

1.10.3 Pleurapunktion

❐ Allgemeine Informationen

Bei der Pleurapunktion wird nach Hautdesinfektion und Lokalanästhesie Flüssigkeit (oder Luft) aus der Pleurahöhle abgesaugt; die Punktionsstelle liegt möglichst zwischen hinterer Axillarlinie und Scapularlinie in einem Interkostalraum.
Zuvor wird der Erguß mittels Sonographie oder Perkussion lokalisiert und die optimale Punktionsstelle markiert.
Eine Pleurapunktion wird bei Pleuraerguß zu diagnostischen oder therapeutischen Zwecken durchgeführt:

- Bei einer **diagnostischen Pleurapunktion** wird der Pleuraerguß punktiert und die gewonnene Flüssigkeit *(Pleurapunktat)* bakteriologisch, zytologisch* sowie chemisch analysiert, um die Ursache des Ergusses abzuklären.
- Bei einer **therapeutischen Pleurapunktion** wird der Erguß zur Entlastung (Atemerleichterung) abgelassen. In einigen Fällen erfolgt eine Pleurapunktion, um Medikamente (z.B. Zytostatika) in die Pleurahöhle einzubringen. Die Pleurapunktion bei Pneumothorax dient ebenfalls therapeutischen Zwecken *(siehe Seite 95)*.

Eine Pleurapunktion kann zu folgenden **Komplikationen** führen:
- Pneumothorax,
- Infektionen,
- Blutung.

Um die Entstehung eines Lungenödems zu vermeiden, sollte bei einer Pleurapunktion nicht mehr als 1 l Flüssigkeit abgelassen werden.

❐ Vorbereitung des Materials

Es sind folgende Materialien bereitzustellen:
- Hautdesinfektionsmittel,
- Lokalanästhetikum mit entsprechender Kanüle und Spritze,
- sterile Handschuhe,
- sterile Tupfer,
- ggf. Mund-Nasen-Schutz,
- steriles Abdecktuch,
- steriles Punktionsset
  - Pleurafixset mit Spezialnadel, Spritze, Dreiwegehahn und Auffangbeutel,
- steriles Verbandmaterial,
- beschriftete Untersuchungsröhrchen, evtl. Blutkulturflasche,
- Antitussivum (z.B. Codein®) für den Bedarfsfall,
- Abwurfbehälter.

❐ Vorbereitung des Patienten

- Information über Sinn, Zweck, Vorgehen, Dauer, mögliche Schmerzempfindungen und Komplikationen sowie Instruktion, während der Maßnahme flach zu atmen, nicht zu husten und nicht zu pressen (Aufgabe des Arztes; Pflegende sollten die Informationen bei Bedarf / auf Wunsch des Patienten wiederholen);
- Rasur des Punktionsfeldes (falls erforderlich);
- Lagerung
  - auf einem Stuhl oder an der Bettkante sitzend mit angehobenen und abgestützten Armen und leicht nach vorn geneigtem Oberkörper, oder
  - auf der der Punktionsstelle gegenüberliegenden Seite mit über dem Kopf gelagertem Arm,

  Beachte: Nach Möglichkeit sollte eine Pflegeperson vor dem Patienten stehen (oder sitzen), so daß dieser sich auf Wunsch an ihr festhalten kann und von ihr gestützt wird. Dies erleichtert die Einhaltung der gewünschten Lagerung und vermittelt dem Patienten seelischen Beistand.
- Praemedikation (bei entsprechender Arztanordnung).

❐ Durchführung

Die Durchführung einer Pleurapunktion gehört ausschließlich in den Aufgabenbereich des Arztes; sie findet häufig unter sonographischer Kontrolle statt. Vorbereitung, Betreuung und Beobachtung des Patienten sowie Assistenz und Nachsorge fallen in das Aufgabengebiet der Pflegenden.

Vorgehen bei der Pleurapunktion
- Hautdesinfektion im Bereich der Punktionsstelle;
- Lokalanästhesie (Arzt);
- Hautdesinfektion;
- Hautschnitt und Einstechen der Punktionskanüle (Arzt);
- Beobachtung der Vitalzeichen, des Aussehens und des subjektiven Befindens;
- Festhalten / Fixieren der Kanüle (Arzt);
- Anschließen des Sekretbeutels mit Dreiwegehahn, Öffnen des Drei-Wege-Hahnes zum Patienten und zur Spritze (Verschließen der Öffnung zum Beutel), Ansaugen von Flüssigkeit, Verschließen der Öffnung zum Patienten, Öffnen der Ableitung zum Auffangbeutel, Einspritzen der abgesaugten Flüssigkeit;
- Wiederholung des Vorgangs nach Bedarf (maximal 1000 ml abfließen lassen / aspirieren);
- Entfernung der Kanüle (Arzt);
- Kompression der Punktionsstelle, Anbringen eines Schutzverbandes (Arzt);
- Messen der abpunktierten Flüssigkeit;
- Füllen der Untersuchungsröhrchen.

❒ Nachsorge
- Zunächst engmaschige Beobachtung der Vitalzeichen, des Aussehens und des subjektiven Befindens;
- Lagerung mit leicht erhöhtem Oberkörper;
- Kontrolle des Schutzverbandes;
- ggf. Sorge für das Einhalten der ärztlich verordneten Bettruhe;
- bei entsprechender Anordnung Veranlassung einer Röntgen-Thorax-Kontrolle (Ausschluß eines Pneumothorax).

Literaturhinweise

Bartels, H. / Bartels R.: Physiologie. Urban & Schwarzenberg, München 1991
Bienstein, C., Fröhlich, A.: Basale Stimulation in der Pflege. selbstbestimmtes leben, Düsseldorf, 1991
Brandis v. / Schönberger: Anatomie und Physiologie für Krankenschwestern und andere Medizinalfachberufe. Fischer, Stuttgart 1994
Cegla, U. H.: Atem-Techniken. TRIAS, Stuttgart 1992
Deutsches Zentralkomitee zur Bekämpfung der Tuberkulose: Was man über die Tuberkulose wissen sollte. pmi, Frankfurt am Main 1991
Findeisen: Asthma- und Heufieber-Ratgeber. Fischer, Stuttgart 1986
Gebler, H. / Kindl, G.: Pharmazie für die Praxis. Thieme, Stuttgart 1990
Gerlach / Husen,v. / Wagner / Wirth: Innere Medizin für Pflegeberufe. Thieme, Stuttgart 1994
Heim, E. / Willi, J.: Psychosoziale Medizin. Springer, Berlin / Heidelberg 1986
Heim, E. / Willi, J.: Psychosoziale Medizin. Springer, Berlin / Heidelberg 1986
Herold, G. (Hrsg.): Innere Medizin. Eine vorlesungsorientierte Darstellung. 1997. G. Herold, 50737 Köln, A. - Haas - Straße 43
Hofmann, H.P., Kleinsorge, H.: Kleine Pharmakologie. Fischer, Stuttgart 1993
International Asthma Council: Keine Angst vor Asthma. Postfach 1320, 50203 Frechen
Karavias, Th. / Mischo - Kelling, M.: Chirurgie und Pflege. Schattauer, Stuttgart 1994
Käufer, C.: Chirurgie und Krankenpflege. Bibliomed, Melsungen 1993
Krauß, H.: Atemtherapie. VEB, Berlin 1988
Kretz, F.J. / Kretz, A.: Medikamentöse Therapie. Thieme, Stuttgart 1993
Kristel, K. - H.: Pflege in Therapie und Praxis. Fischer, 1995
Lanzendörfer, C. / Scholz, J.: Psychopharmakologie für Krankenpflegeberufe. Springer, Heidelberg 1993
Lanzendörfer, Ch.: Innere Medizin. Krankheitslehre, Krankenbeobachtung, spezielle Pflege. Springer, Berlin Heidelberg 1998
Lanzendörfer, Ch.: Psychosomatik in der Pflege und die „Aktivitäten des täglichen Lebens". Schattauer, Stuttgart 1996
Lodes, H.: Atme richtig. Ehrenwirt, München 1986
Luban-Plozza / Pöldinger / Kröger: Der psychosomatisch Kranke in der Praxis. Springer, Berlin Heidelberg 1989
Lüllmann, H.: Taschenatlas der Pharmakologie. Thieme, Stuttgart 1994
Mann, T.: Der Zauberberg. Fischer, Stuttgart 1924
Melzer, H. / Walter M.: Arzneimittellehre. Urban & Schwarzenberg, München1993
Michel, F.-B.: Der geraubte Atem. Kreuz, Stuttgart 1991
Middendorf, I.: Der erfahrbare Atem. Junfermann, Paderborn 1984
Mischo - Kelling, M. / Zeidler, H. (Hrsg.): Innere Medizin und Krankenpflege. Urban & Schwarzenberg, München 1992
Mutschler, E.: Arzneimittelwirkungen. Wissenschaftliche Verlagsgesellschaft mbH, Stuttgart 1996
Paetz, B./ Benzinger - König, B.: Chirurgie für Pflegeberufe. Thieme, Stuttgart 1994
Schäffler, A. / Menche, N. (Hrsg.): Pflege konkret Innere Medizin. Lehrbuch und Atlas für die Pflegeberufe. Jungjohann bei Fischer, Ulm, Stuttgart, Jena, Lübeck 1996
Schettler, G.: Innere Medizin - Band I und II. Thieme, Stuttgart 1998
Speckmann / Wittkowski: Bau und Funktion des menschlichen Körpers. Urban und Schwarzenberg, München 1994
Strehl, E.: Arzneimittel in der Pflege. Govi, Eschborn 1997
Uexküll, Th. von: Integrierte Psychosomatische Medizin in Praxis und Klinik. Schattauer, 1994
Uexküll, Th. von: Psychosomatische Medizin. Urban & Schwarzenberg, München 1990
Ulmer, W.T.: Husten. Kohlhammer, Stuttgart 1987
Wirsching, M.: Psychosomatische Medizin. Konzepte, Krankheitsbilder, Therapien. Beck, München 1996
Zelder, O.: Lehrbuch der Chirurgie für Krankenpflegeberufe. Enke, Stuttgart 1993

Hinweis auf ein Video:
Atmen. Ein Film von Ch. Bienstein, D. Steinkamp & A. Schürenberg. Vertrieb: AVA Film Schrader - Vertrieb, Postfach 1243, D - 31587 Stolzenau

Essen und Trinken

2. Essen und Trinken

2.1 Bedeutung

"Essen hält Leib und Seele zusammen."

Essen und Trinken sind lebensnotwendige Aktivitäten des täglichen Lebens; die Zufuhr von Nährstoffen ermöglicht das **Zellwachstum** und die **Aufrechterhaltung der Körperfunktionen**. Die Nahrung liefert die für die Stoffwechselvorgänge notwendige Energie.
Die Aufnahme fester Nahrung kann über einen längeren Zeitraum eingestellt werden, ohne daß der Organismus bleibenden Schaden nimmt (Fastenkur, Heilfasten, Nulldiät). Die Flüssigkeitszufuhr dagegen muß kontinuierlich sein, denn ohne sie kann der menschliche Organismus nur ca. drei Tage existieren.

Essen und Trinken dienen zunächst der Befriedigung physiologischer Bedürfnisse. Die mit der Nahrungsaufnahme verbundenen Empfindungen und Erlebnisse verleihen dem Vorgang zusätzlich **psychologische** und **soziale Bedeutung**. Dieses mehrdimensionale Geschehen bezeichnen wir als "Essen".
Essen beseitigt und verhindert nicht nur die unangenehme Empfindung von Hunger, sondern geht im allgemeinen auch mit angenehmen Wahrnehmungen und Erlebnissen einher, die das Wohlbefinden fördern.
Bereits im Säuglingsalter hat die Nahrungszufuhr eine elementare, auf alle Dimensionen des Daseins bezogene Bedeutung; neben dem **Geschmackserlebnis** und dem Gefühl der **Sättigung** werden auch **Geborgenheit** und das **Gefühl des Geliebtwerdens** vermittelt. Kommen die Eltern dem Eßbedürfnis des Säuglings nicht nach und/oder verweigern sie die damit verbundene Zuwendung, entwickelt dieser negative Gefühle. Dauert der Zustand längere Zeit an, entstehen schwere seelische und körperliche Störungen.
Das Essen bleibt zeitlebens ein **kommunikatives Geschehen**. Eine Mahlzeit bietet die Möglichkeit, sich in Gruppen wie der Familie oder dem Kollegenkreis zu treffen und das Gefühl der Zusammengehörigkeit zu erleben. Das Einnehmen der Mahlzeit kann so gleichzeitig der Erholung, der Geselligkeit und dem Gedankenaustausch dienen.
Auch das gemeinsame Einkaufen und Zubereiten von Nahrung haben soziale Bedeutung.
Während eines Aufenthaltes im Krankenhaus oder in einer Pflegeeinrichtung kann die gemeinsame Einnahme von Mahlzeiten die Langeweile unterbrechen und soziale Kontakte sowie Gemeinschaft und das Gefühl der Zugehörigkeit fördern.
Die gesellschaftliche Bedeutung des Essens ist in den jeweiligen Kulturen verschieden. So spielt z.B. in den südlichen Ländern die abendliche Essenszeit eine bedeutsamere soziale Rolle als in Deutschland oder in Nordeuropa.

Die Kultur beeinflußt auch die körperbezogenen Vorstellungen und Gefühle. In der westlichen Kultur ist z.B. Schlankheit ein Schönheitsideal und Ausdruck von Jugendlichkeit. Starkes Übergewicht wird dagegen negativ bewertet, z.B. als unästhetische Erscheinung und Zeichen fehlender Selbstkontrolle; vielen betroffenen Menschen wird sogar eine psychische Störung unterstellt. Dagegen wird in Teilen von Afrika und Asien das Übergewicht positiv bewertet, z.B. als Zeichen des Wohlstandes.
Die Art der Nahrungszubereitung (z.B. Garzeit, Gewürze) und der Nahrungsaufnahme (z.B. mit Besteck, Stäbchen, Finger) sind ebenfalls kulturabhängig.

Der enge **Zusammenhang zwischen Essen und Befindlichkeit** wird in der Umgangssprache deutlich.
Es gibt Menschen, die man "*zum Fressen gern hat*", man "*lebt von Luft und Liebe*" oder "*Sorgen schlagen auf den Magen*".
Seelisches Wohlbefinden und Ausgeglichenheit begünstigen ein gesundes Eß- und Ernährungsverhalten, während Unwohlsein, Unzufriedenheit und negative - aber auch positive - Streßsituationen mögliche Ursachen für ein fehlgesteuertes Ernährungsverhalten sind. Neben den psychischen Einflüssen sind hierfür auch vegetative Reaktionen verantwortlich.
Der Appetit und das Verlangen nach Nahrung können übermäßig gesteigert sein und sogar zwanghaft werden. Nicht selten ist dies ein unbewußter Versuch, unbefriedigte Bedürfnisse in bezug auf Liebe, Zärtlichkeit und Zuwendung durch die Nahrungsaufnahme zu kompensieren (**Ersatzbefriedigung**). Andererseits führt Hunger zu vegetativer Übererregung, die sich in Unruhe, Nervosität, Konzentrationsschwäche und ggf. auch in Muskelzittern äußert.

Essen und Trinken können als **Genuß** erlebt werden. Dazu verhelfen uns die Geschmackspapillen der Zunge und das Riechepithel der Nasenschleimhaut.
Für viele Menschen wird das Essen nicht nur durch ein schmackhaftes Gericht, sondern auch durch ein entsprechendes Ambiente zum Genuß. So lassen z.B. erst eine ruhige und entspannte Atmosphäre, nette Gesellschaft und ein appetitlich dargebotenes Gericht die Nahrungsaufnahme zum genußvollen Erlebnis werden. In diesem Sinn wird Essen zu einem wichtigen Lebensgenuß, der auch als Geschenk vermittelt und in Gemeinschaft erlebt werden kann. Die Einladung zum Essen ist **Zeichen der Gastlichkeit oder Freundschaft**. Besondere (z.B. seltene, aufwendig zubereitete oder teure) Speisen und ein besonderes Ambiente unterstreichen die hervorgehobene Wertigkeit eines Ereignisses.

Das **Trinken** hat als Genußerlebnis in Deutschland eine geringere Bedeutung als das Essen.
Ein mit der Flüssigkeitszufuhr verbundenes Fehlverhalten finden wir beim **Alkoholabusus**. Weithin wird das Trinken von Alkohol als geselligkeitsfördernd angesehen, weil Alkoholkonsum enthemmende Wirkung ausübt und eventuell ein positives Erleben fördert. Außerdem wird Alkohol häufig als "Betäubungsmittel" be-

nutzt, um Sorgen, chronische Konflikte oder Einsamkeit zu verdrängen. Das vorübergehende Gefühl der "*Befreiung*" kann zur wiederholten übermäßigen Alkoholzufuhr, zum Alkoholmißbrauch veranlassen. Die bestehenden Probleme können schließlich durch die der seelischen und körperlichen Abhängigkeit und durch soziale Probleme wie Arbeitslosigkeit, Isolierung und Verwahrlosung verstärkt werden *(siehe Seite 761)*.

Eine **gesundheitserhaltende und -fördernde Ernährung** setzt eine ausgewogene Zusammensetzung der Nahrung und eine individuell angepaßte Kalorienmenge voraus. In den wenig entwickelten Ländern mangelt es häufig sowohl an Qualität als auch an Quantität der Nahrung. In hochentwickelten Ländern werden kaum noch Lebensmittel in ihrer natürlichen und unveränderten Beschaffenheit - so, wie die Natur sie liefert - aufgenommen. Die Veränderung der Lebensmittel durch die Zubereitung, Konservierung und vor allem durch die Zerstörung ihrer Gesamtheit macht die Nahrung minderwertiger.
Die **Auswahl der zu konsumierenden Lebensmittel** wird durch verschiedene Faktoren geprägt; in hochentwickelten Ländern übt die Werbung der Lebensmittelindustrie dabei zum Teil erheblichen Einfluß aus. Gleichzeitig stehen zahlreiche Informationsquellen zur Vermittlung detaillierten Wissens zur Verfügung. Die Auswahl der konsumierten Lebensmittel wird unter anderem auch durch die finanziellen Möglichkeiten bestimmt. So kann sich z.B. nicht jede Familie die zum Teil erheblich teureren Lebensmittel aus biologischem Anbau leisten.
Ebenso kann das **Konsumverhalten** durch die Angst, mit der Nahrung schädliche Stoffe (z.B. Chemikalien, Allergene, Hormone, Krankheitserreger und radioaktive Substanzen) aufzunehmen, beeinflußt werden. In diesem Bereich kamen in den letzten Jahren immer mehr Gefahren und Unsicherheiten auf uns zu. Um den Prozeß umzukehren, sind Einstellungsveränderungen sowohl in der Landwirtschaft und Lebensmittelbranche als auch beim Verbraucher notwendig. Verlangt der Verbraucher nach gleichmäßig geformtem, optisch einwandfreiem und unversehrtem Obst, so wird ihm dieses angeboten, auch wenn hierzu der Einsatz von Chemikalien oder Bestrahlungen erforderlich ist. Gleichzeitig verringert sich die Beliebtheit natürlich gewachsenen Obstes, denn es sieht meist weniger appetitlich aus, da es Unebenheiten und Schrumpfungen sowie eventuell Ungeziefer aufweist.
Ähnliche Entwicklungen sind beim Fleischkonsum zu beobachten. Der hohe Fleischkonsum und das Verlangen nach niedrigen Preisen führen durch die Massentierhaltung häufig zu einer Verringerung der Fleischqualität.

Letztendlich ist für die gezielte Auswahl und auch für die Zubereitung und Aufnahme der täglichen Nahrung ein gewisses Maß an geistigen und praktischen Fähigkeiten Voraussetzung. Diese können behinderten Menschen fehlen.

Die **religiöse Weltanschauung** *(siehe auch Seite 8)* kann Auswirkungen auf die Ernährungsweise haben. So essen z.B. Mohammedaner kein Schweinefleisch, Hinduisten lehnen den Genuß tierischer Produkte ab.

Andere Menschen sind aus **ethischen Gründen** Vegetarier, d.h. sie ernähren sich ausschließlich von pflanzlichen Lebensmitteln. Der Lakto-Vegetarier nimmt neben pflanzlicher Nahrung auch Milchprodukte, Eier und Honig zu sich. Den Mohammedanern, den Hinduisten, den Buddhisten und den Zeugen Jehovas ist der Genuß von Alkohol verboten.

2.2 Anatomisch-physiologische Grundlagen

2.2.1 Nahrungsaufnahme / -verwertung

Der menschliche Verdauungstrakt beginnt in der **Mundhöhle**. Hier sorgen die Zähne für die mechanische Zerkleinerung der Nahrung. Sorgfältiges, mehrmaliges Kauen ermöglicht bzw. erleichtert die spätere Verdauung ("Gut gekaut, ist halb verdaut"). Die Nahrung wird durch den Mundspeichel, der von den Speicheldrüsen gebildet wird, durchfeuchtet; das in ihm enthaltene Ferment Ptyalin leitet die Kohlenhydratverdauung ein.
Die Speichelflüssigkeit wird im wesentlichen von drei paarig angelegten Speicheldrüsen produziert:
Die **Ohrspeicheldrüse** (*Glandula parotis*) liegt vor dem Ohr, ihr Ausführungsgang mündet in die Wange (im Bereich des zweiten oberen Mahlzahnes); das dünnflüssige Sekret gelangt von dort in die Mundhöhle.
Die **Unterkieferdrüse** (*Glandula submandibularis*) ist unterhalb des Unterkiefers im hinteren Bereich des Mundbodens gelegen. Neben Speichel produziert sie Schleim. Der Ausführungsgang mündet unter der Zunge vorne neben dem Zungenbändchen in eine kleine warzenähnliche Erhebung.
Die **Unterzungendrüse** (*Glandula sublingualis*) liegt unter der Zunge im Bereich des vorderen Mundbodens und produziert Schleim; ihr Ausführungsgang mündet, gemeinsam mit dem der Unterkieferdrüse, neben dem Zungenbändchen in die kleine warzenähnliche Erhebung.
Zusätzlich wird ständig von zahlreichen kleineren Speicheldrüsen in der Mundschleimhaut Speichel produziert. Die Tagesmenge der Speichelproduktion beträgt insgesamt 1 - 1,5 l; bei der Nahrungsaufnahme oder bei der Vorstellung einer solchen ist die Sekretion erhöht. Der Speichel löst Geschmacksstoffe aus der Nahrung und macht somit die Reizung der Geschmacksnerven im Bereich der Zungenwärzchen möglich. Von diesen wird die Empfindung über Nerven an das Gehirn weitergeleitet.

Die **Zunge** ist ein von Haut überzogener Muskelkörper, der zahlreiche lymphatische Zellen zur Infektabwehr beinhaltet. Sie befördert die Speisen beim Schluckakt rachenwärts.

Der **Gaumen** bildet während des Kauens, Schluckens und Sprechens ein Widerlager für die Zunge. Der vordere, knöcherne Gaumenabschnitt wird als harter, der hintere, muskuläre Gaumenabschnitt als weicher Gaumen bezeichnet. Vor dem Übergang von der Mundhöhle in den Rachenraum finden sich die paarig angelegten **Gaumenmandeln**, die als lymphatisches Gewebe der Infektabwehr dienen.

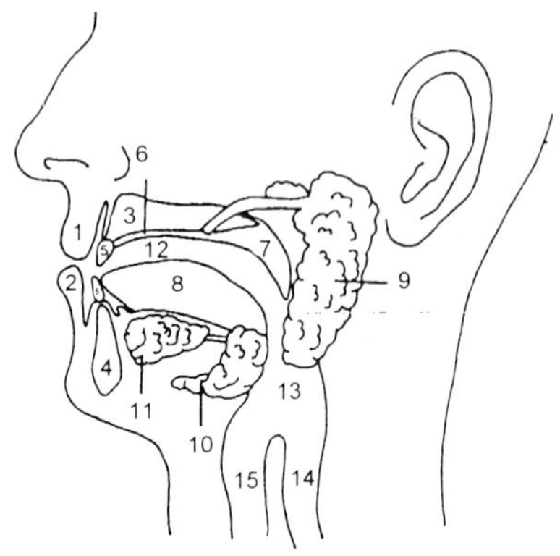

1 Oberlippe
2 Unterlippe
3 Oberkiefer
4 Unterkiefer
5 Zähne
6 harter Gaumen
7 weicher Gaumen
8 Zunge
9 Ohrspeicheldrüse
10 Unterkieferdrüse
11 Unterzungendrüse
12 Mundhöhle
13 Rachen
14 Speiseröhre
15 Luftröhre

Abb. 2.1 ***Oberer Verdauungstrakt***

Der **Rachen** (*Pharynx*) ist ein von Schleimhaut überzogener Muskelschlauch, der unten in die Speiseröhre übergeht. Auch im Rachenraum findet sich lymphatisches Gewebe zur Infektabwehr. Der Rachenraum besitzt drei Öffnungen. Die obere schafft je eine Verbindung in die rechte und linke Nasenhöhle, welche bei dem Schluckakt durch Teile des weichen Gaumens verschlossen werden. Die mittlere Öffnung schafft die Verbindung zur Mundhöhle. Die untere führt sowohl in die Luft- als auch in die Speiseröhre.
Beim **Schluckakt** gilt es zu verhindern, daß feste oder flüssige Nahrung in den Luftweg, der sich im Rachenraum mit dem Speiseweg kreuzt, gelangt. Zu diesem Zweck wird beim Schlucken der weiche Gaumen an die hintere Rachenwand gepreßt und der Kehldeckelknorpel auf den Kehlkopfeingang gesenkt. Gleichzeitig zieht sich die Mundbodenmuskulatur zusammen, wodurch die Zunge gegen den Gaumen gepreßt wird; der Speisebrei wird somit nach hinten befördert. Von hier aus wird er durch das Zusammenziehen von ringförmigen Schlundmuskeln portionsweise abgeschnürt und in die Speiseröhre gepreßt.

Die **Speiseröhre** (*Oesophagus*) ist ein ca. 22 - 25 cm langer Muskelschlauch, der den Speisebrei vom Rachen durch Muskelkontraktionen bis in den Magen weiterbefördert.

Der **Magen** (*Gaster, Ventriculus*) ist ein schleimhautausgekleideter Muskelsack. Man unterteilt ihn anatomisch in den Mageneingang (*Kardia*), Magengrund (*Fundus*), Magenkörper (*Korpus*), Magenausgangsteil (*Antrum pylori*) und Magenpförtner (*Pylorus*). Durch den Verlauf der Muskelschichten in Quer-, Schräg- und Längsrichtung kann sich der Magen dem jeweiligen Füllungszustand anpassen. Außerdem durchmischt die Magenmuskulatur den Speisebrei mit dem Sekret der Magendrüsen und befördert ihn durch rhythmische Kontraktionen, die alle 10 - 20 Sek. stattfinden, in Richtung Magenausgang.

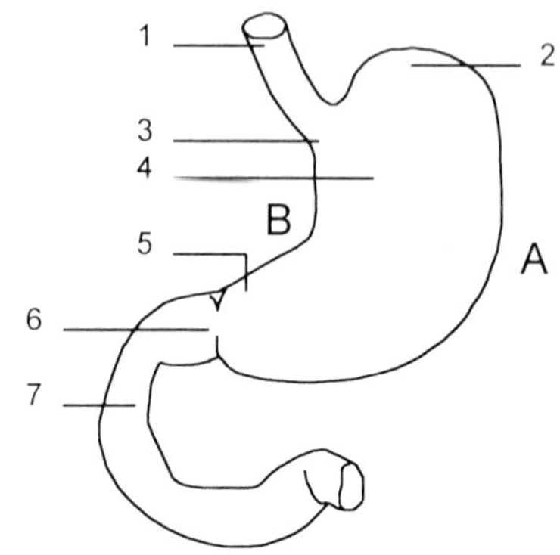

1 Speiseröhre (Ösophagus)
2 Magengrund (Fundus)
3 Magenmund (Kardia)
4 Magenkörper (Korpus ventriculi)
5 Magenausgangsteil (Antrum pyloricum)
6 Magenpförtner (Pylorus)
7 Zwölffingerdarm (Duodenum)
A Große Magenkrümmung (Curvatura major)
B Kleine Magenkrümmung (Curvatura minor)

Abb. 2.2 ***Magen***

Die **Schleimhaut** des Magens ist in Längsfalten gelegt. Damit wird die für die Verdauungsarbeit und Resorption notwendige große Oberfläche geschaffen.
Die Zellen der Schleimhaut produzieren alkalischen Schleim. Im Bereich des Magengrundes und -körpers sondern schlauchförmige Drüsen zusätzlich Magensaft für die Verdauung ab. Die Drüsen werden entsprechend ihrer Zellarten unterschieden in:
Hauptzellen, die die Vorstufen der eiweißspaltenden Fermente Pepsin und Kathepsin bilden;
Belegzellen, die die Salzsäure des Magens und den Intrinsic Faktor - ein Enzym, das zur Vitamin B_{12}-Resorption notwendig ist - produzieren;
Nebenzellen, die den alkalischen Schleim zum Schutz der Magenschleimhaut, insbesondere vor Selbstverdauung durch die Salzsäure, absondern.
Dieser täglich produzierte **Magensaft**, insgesamt 1,5 - 2,5 l, zeigt im verdauungswirksamen Zustand eine stark saure Reaktion. Er ist klar, flüssig und besteht aus H_2O, Salzen, Schleim, Salzsäure und Fermenten. Diese Substanzen leiten die Verdauungsarbeit ein, z.B. die Salzsäure die Verdauung des Eiweißes; gleichzeitig wirkt sie den Fäulnis- und Gärungserregern entgegen.
Die **Magenmuskulatur** wird über das vegetative Nervensystem innerviert; der Sympathikus hemmt die Muskelkontraktionen, der Parasympathikus fördert sie. Dasselbe gilt für die Dünn- und Dickdarmmuskulatur.
Auch die **Produktion** von verdauungswirksamem **Magensaft** wird automatisch über das vegetative Nervensystem (*Nervus vagus*) und zusätzlich über Hormone (*Gastrin, Histamin*) gesteuert sowie durch verschiedenartige Reize ausgelöst. Es sind dies psychische Reize wie der Anblick, Geruch oder nur die Vorstellung von Speisen ("Das Wasser läuft im Munde zusammen"; Pawlow-Reflex) sowie der Eintritt von Speisen in

die Mundhöhle und in den Magen, der die Ausschüttung des Hormons Gastrin in die Blutbahn zur Folge hat. **Gastrin** fördert die Sekretion der Magensaftdrüsen.
Insgesamt verweilt die Nahrung ca. 1 - 4 Stunden im Magen, kohlenhydratreiche Nahrung wird schneller, fettreiche langsamer weiterbefördert.
Im **Dünndarm** erfolgt die weitere Aufspaltung des verdaulichen Teiles der Nahrung in ihre Grundstoffe und ihre Aufnahme durch die Darmwand in das Blut (*Resorption*).
Der Dünndarm ist ein ca. 4 - 5 m langes, schleimhautausgekleidetes Muskelrohr. Er wird in 3 Abschnitte unterteilt:

- **Zwölffingerdarm** (*Duodenum*), der die Form eines nach links offenen C hat und unmittelbar an den Magenausgang anschließt. In ihn mündet an der *Papilla Vateri*, einer warzenförmigen Erhebung, der gemeinsame Ausführungsgang von Leber und Bauchspeicheldrüse;
- **Leerdarm** (*Jejunum*);
- **Krummdarm** (*Ileum*).

Die **Darmmuskulatur** durchmischt den Speisebrei mit Verdauungssäften und -schleim und sorgt durch Kontraktionen für seinen Weitertransport.
Die **Dünndarmschleimhaut** sondert über Becherzellen Schleim ab. Sie ist in ringförmig verlaufende Falten (*Kerckring'sche Falten*) gelegt, die die Resorptionsfläche des Dünndarms um ca. 35% vergrößern. Zusätzlich finden sich unzählige winzige, fingerförmige Ausstülpungen (*Dünndarmzotten*), die die Schleimhautoberfläche überziehen. Sie nehmen die aufgespaltenen Nährstoffe auf und geben sie ins Blut weiter. Die Nahrung verbleibt 6 - 8 Std. im Dünndarm.

Im **Dickdarm** (*Colon*) wird die Verdauung abgeschlossen. Die nicht resorbierten Nahrungsreste werden durch Bakterien (z.B. die Kolibakterien) zerlegt und in Kot umgewandelt (*siehe "Kotproduktion und -ausscheidung", Seite 195*). Die Bakterien lösen Fäulnis- und Gärungsprozesse aus, wobei es auch zur Bildung von Darmgasen kommt. Durch Gärung werden Kohlenhydrate zersetzt; die Fäulnis zerstört Eiweiße.
Die **Dickdarmschleimhaut** hat die Aufgabe, dem Darminhalt Salze und große Wassermengen zu entziehen; diese wurden ihm im Magen und Dünndarm mit den Verdauungssäften zugesetzt und werden nun in die Blutbahn zurückgeführt. Gleichzeitig wird dadurch der Kot eingedickt.
Der von den Becherzellen der Dickdarmschleimhaut abgesonderte Schleim macht den Kot gleitfähig.

Der Dickdarm wird in folgende Abschnitte gegliedert:

- **Blinddarm** (*Zäkum*) mit Wurmfortsatz (*Appendix*),
- **aufsteigender Dickdarm** (*Colon ascendens*),
- **querverlaufender Dickdarm** (*Colon transversum*),
- **absteigender Dickdarm** (*Colon descendens*),
- **S-förmiger Darmabschnitt** (*Colon sigmoideum = Sigma*),
- **Mastdarm** (*Rektum*) mit **After** (*Anus*).

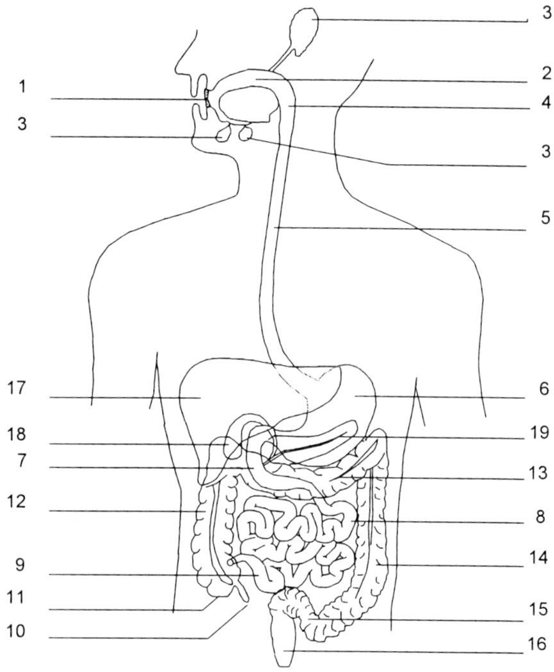

1 Zähne
2 Mundhöhle
3 Speicheldrüsen
4 Rachenraum
5 Speiseröhre
6 Magen
7 Zwölffingerdarm
8 Leerdarm
9 Krummdarm
10 Wurmfortsatz
11 Blinddarm
12 aufsteigender Dickdarm
13 querverlaufender Dickdarm
14 absteigender Dickdarm
15 S-förmige Schlinge
16 Rektum
17 Leber
18 Gallenblase
19 Bauchspeicheldrüse

Abb. 2.3 ***Verdauungsorgane***

Die Funktionen des Dickdarmes werden ebenso wie die des Magens und Dünndarms über das vegetative Nervensystem gesteuert. Die Dickdarmperistaltik sorgt für eine langsame Durchmischung des Darminhaltes. Alle 6 - 8 Stunden wird der Kot durch zügige und kräftige Kontraktionen in Richtung Mastdarm befördert. Diese werden vor allem beim Eintritt von Nahrungsbrei in den Magen- Darmkanal und während des Stuhlgangs ausgelöst. Bis zur Ausscheidung verweilt der Darminhalt 12 - 60 Std. im Dickdarm.

Die **Bauchspeicheldrüse** (*Pankreas*) liegt in der Öffnung des C - geformten Duodenums. Sie enthält Drüsengewebe, welches einen **fermentreichen Verdauungssaft** produziert und über einen Ausführungsgang ins Duodenum absondert. Die tägliche Menge des Bauchspeichels beträgt ca. 1 - 1,5 l. Er reagiert alkalisch und enthält Fermente zur Eiweißverdauung (*Trypsin, Chymotrypsin, Erepsin*), zur Kohlenhydratverdauung (*Amylase, Saccharase, Maltase, Laktase*) und zur Fettverdauung (*Pankreaslipase*). Für die Fettverdauung ist eine vorherige Emulgierung der Fette durch Galle Voraussetzung.
Gleichzeitig produzieren andere Zellen, die sogenannten **Langerhans-Inseln**, blutzuckerregulierende Hormone. Es werden die **A-Zellen**, die das blutzuckersteigernde Hormon Glukagon produzieren, und die **B-Zellen**, die das blutzuckersenkende Hormon Insulin bilden, unterschieden. Beide Hormone werden in die

Blutbahn abgegeben. Hier reguliert **Insulin** den Blutzuckerspiegel (normal 70 - 100 mg in 100 ml Blut).

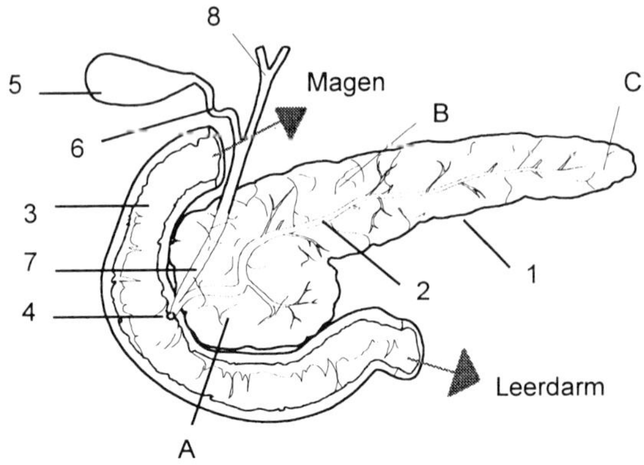

1 Bauchspeicheldrüse (Pankreas)
2 Bauchspeicheldrüsengang (Ductus pankreaticus)
3 Zwölffingerdarm (Duodenum)
4 Vater Papille (Papilla duodeni major)
5 Gallenblase (Vesica fellea)
6 Gallenblasengang (Ductus cysticus)
7 Gallengang (Ductus choledochus)
8 Lebergang (Ductus hepaticus)
A Pankreaskopf
B Pankreaskörper
C Pankreasschwanz

Abb. 2.4 ***Bauchspeicheldrüse mit Zwölffingerdarm***

Insulin steigert die Aufnahme von Glukose aus dem Blut in die Zellen. In den Zellen fördert es die Glukoseverwertung und die Speicherung von Glukose in Form von Glykogen. Außerdem übt Insulin einen hemmenden Einfluß auf den Fettabbau und einen fördernden Einfluß auf den Aufbau von Depotfett und Körpereiweiß aus.
Glukagon ist der Gegenspieler des Insulins. Es hebt den Blutzuckerspiegel an und fördert in der Leber den Abbau von Glykogen zu Glukose.

Die **Leber** (*Hepar*) ist die größte Drüse des menschlichen Körpers, wiegt ca. 1500 g und liegt im rechten Oberbauch unter der Zwerchfellkuppe. Man unterscheidet einen rechten und einen linken Leberlappen; an der Unterfläche des rechten Lappens liegt die **Gallenblase** (*Vesica fellea*), die als Reservoir für die von den Leberzellen produzierte Galle dient. Sie entleert sich bei Bedarf durch Muskelkontraktion.

Die Leber hat zahlreiche Aufgaben:

- **Entgiftung und Nährstoffverwertung**
  Die Pfortader (*Vena portae*) führt das mit Nährstoffen und mit giftigen Stoffwechselprodukten angereicherte venöse Blut aus den unpaarigen Bauchorganen (Magen, Darm, Bauchspeicheldrüse, Milz) zur Leber. Diese wandelt die Nährstoffe zu körpereigenen Substanzen um (z.B. Aminosäuren zu Plasmaproteinen und Gerinnungseiweißen, Glykogen zu Fett). Traubenzucker wird als Glykogen gespeichert (Blutzuckersenkung) und bei erhöhtem Energiebedarf wieder zu Glukose abgebaut (Blutzuckeranstieg).
  Giftige Stoffwechselprodukte oder andere Substanzen werden in der Leber entgiftet. Der beim Eiweißabbau anfallende Stickstoff wird z.B. in Harnstoff umgewandelt und über die Nieren ausgeschieden. Andere Stoffwechselprodukte oder Gifte werden direkt abgebaut oder an andere Stoffe gebunden und ausgeschieden.
- **Speicherfunktion**
  Die Leber kann Kohlenhydrate (in Form von Glykogen), Eisen, Blut und fettlösliche Vitamine speichern.
- **Produktion von Blutgerinnungsfaktoren und von gerinnungshemmenden Substanzen**
- **Produktion von Galle**
  Die Leberzellen produzieren täglich ca. 1 Liter Gallenflüssigkeit, die durch die Gallengänge in den Zwölffingerdarm geleitet wird. Die Galle besteht aus Wasser, Schleim, Gallenfarbstoff, Salzen, Gallensäuren und Cholesterin. Die Gallensäuren emulgieren die Fette und aktivieren die fettspaltenden Fermente, sind also wesentlich für die Fettverdauung.

Das **Bauchfell** (*Peritoneum*) kleidet die innerhalb des Bauchraumes liegende Bauchhöhle aus. Diese wird begrenzt durch die Muskulatur der Bauchwand und des Rückens sowie vom Zwerchfell und vom Beckenboden. Das Bauchfell besteht aus einer feinen Bindegewebs-Deckzellschicht, welche etwas wäßrige Flüssigkeit absondert. Dadurch wird das Bauchfell gleitfähig und die von ihm überzogenen Organe sind reibungslos gegeneinander verschieblich.
Folgende Organe sind komplett vom Bauchfell überzogen:
- Magen und Darm, außer Teilen des Duodenums und des Dickdarmes;
- Leber und Milz;
- Teile der weiblichen Geschlechtsorgane.

Andere Bauchorgane wie das Pankreas, Duodenumteile, auf- und absteigender Dickdarm sind nur an der Vorderfläche mit Bauchfell überzogen.

2.2.2 Stoffwechsel

Der Begriff Stoffwechsel meint die **Gesamtheit aller chemischen Umsetzungen im Körper**. Er beginnt mit der Verdauung der Nährstoffe und der Aufnahme ihrer Grundsubstanzen in das Blut (*Resorption*). Es folgt der **Zwischenstoffwechsel**, in dem die Grundstoffe durch Aufbau- oder durch Abbauvorgänge weiterverarbeitet werden. Dabei entstehen entweder körpereigene Substanzen oder es findet eine sofortige Verbrennung der Grundsubstanzen zwecks Energiegewinnung statt. Bei den Oxidationsvorgängen *(chemische Reaktionen mit Sauerstoff)* des Stoffwechsels wird die lebensnotwendige Körperwärme gebildet; dabei entstehen als Endprodukte Kohlendioxid, stickstoffhaltige Substanzen und Wasser. Die Ausscheidung dieser Stoffwechselprodukte stellt die letzte Stoffwechselphase dar.
Der Stoffwechsel liefert Energie, die teils in Arbeit, teils in Wärme umgesetzt wird. Für diese Energiegewinnung sind bestimmte "Brennstoffe" notwendig.

So liefert die Oxidation von:

1 g Kohlenhydrat	4,1 Kalorien (= 17,2 kJ),
1 g Eiweiß	4,1 Kalorien (= 17,2 kJ),
1 g Fett	9,3 Kalorien (= 38,9 kJ).

Unter einer **Kalorie** (kcal) wird diejenige Wärmemenge verstanden, mit der 1 l Wasser von 14,5°C auf 15,5°C erwärmt werden kann.
1971 wurde als Berechnungseinheit das **Kilojoule** (kJ) eingeführt.

Eine Kalorie entspricht 4,187 Kilojoule

Der tägliche Bedarf an Kilojoule richtet sich nach der Stoffwechselleistung des Organismus. Es werden Grundumsatz, Leistungsumsatz und Gesamtumsatz unterschieden.
Als **Grundumsatz** wird der Energiebedarf des nüchternen, im Liegen und bei normaler Zimmertemperatur ruhenden Menschen bezeichnet. Er ist abhängig von Alter, Geschlecht, Körpergröße und -gewicht. Der stündliche Grundumsatz beträgt bei Frauen ca. 3,46 kJ und bei Männern ca. 4,19 kJ je kg Körpergewicht. Mit zunehmendem Alter nimmt der Grundumsatz ab.
Der **Leistungsumsatz** umfaßt den zusätzlich zum Grundbedarf entstehenden Energiebedarf. Er ist abhängig von der Umgebungstemperatur, den Leistungen des Nervensystems, der Verdauungsarbeit und besonders von der Körperleistung (Muskelarbeit).
Der **Gesamtumsatz** ist die Summe aus Grund- und Leistungsumsatz. Er beträgt in 24 Std. in etwa:

9200 - 10900 kJ bei leichter Arbeit,
11700 - 13440 kJ bei mittelschwerer Arbeit,
14200 - 15900 kJ bei schwerer Arbeit.

Mit zunehmendem Alter verringert sich der **Grundumsatz**; bei einem 80jährigen Menschen ist er um 20 - 30% **geringer** als bei jüngeren Erwachsenen. Letztendlich beeinflußt jedoch die körperliche Aktivität den Energiebedarf, so daß der Kalorienbedarf eines alten Menschen ebenfalls hoch sein kann.

Neben den Energielieferanten werden zur Aufrechterhaltung eines normalen Stoffwechsels auch Mineralstoffe, Wasser, Vitamine und Spurenelemente benötigt.

2.3 Prinzipien gesunder Ernährung

2.3.1 Vitalstoffreiche Vollwertkost

Eine gesunde Ernährung soll dem Körper langfristig alle von ihm benötigten Stoffe in ausreichendem Maße und in ausgewogener Zusammenstellung schmackhaft zuführen. Dadurch wird nicht nur der Entstehung von Krankheiten vorgebeugt, sondern auch die Gesundheit erhalten bzw. gefördert.

Eine **ausgewogene, gesunde Nahrung** sollte in etwa zu 15% aus Eiweiß, zu 30 - 35 % aus Fett und zu 50 - 55 % aus Kohlenhydraten bestehen. Gleichzeitig müssen Vitamine, Mineralstoffe, Spurenelemente, Faserstoffe, Fermente (Enzyme) und Aromastoffe in der täglichen Nahrung enthalten sein.
Dies wird gewährleistet, indem man die Lebensmittel möglichst in ihrem natürlichen Zustand, also so, wie die Natur sie liefert, beläßt. Es ist wichtig, das **Lebensmittel als Ganzes** zuzuführen, denn nur dann ist es vollwertig. Durch die mechanische, thermische und chemische Bearbeitung verliert das Nahrungsmittel zunehmend an Wertigkeit. Einzelne Stoffe sind z.B. nur noch als Energiespender, nicht mehr als Vitamin-, Mineralstoff- oder Spurenelementträger nutzbar (z.B. Industriezucker). Die Zerstörung des Lebensmittels als Ganzheit und die einseitige Ernährung mit Nahrungsmitteln, die überwiegend auf eine Kalorienträgerfunktion reduziert wurden, können langfristig die Entwicklung von sogenannten *Zivilisationskrankheiten* fördern. Beispiele für solche Zivilisationskrankheiten sind der Gebißverfall einschließlich Karies und Parodontose, Fettsucht, Zuckerkrankheit, Stuhlverstopfung, Darmerkrankungen, Gefäßerkrankungen (Arteriosklerose, Herzinfarkt, Schlaganfall) oder die mangelhafte Infektabwehr.
So ist die **Rohkost** die vollwertigste, gesündeste Kost. Sie sollte etwa $^1/_3$ der Gesamtnahrung ausmachen und einmal täglich durch einen Frischkornbrei ergänzt werden.
Der Frischkornbrei wird immer frisch zubereitet: Pro Person werden 3 Eßlöffel Roggen und Weizen oder nur Weizen durch eine Mühle grob geschrotet und mit kaltem Wasser zu einem Brei verrührt. Der Brei muß 5 bis 12 Stunden quellen. Vor dem Genuß wird zur Lokkerung des Breies ein halber Apfel eingerieben und je nach Geschmack werden Früchte der Saison beigefügt. Weiter gehört 1 Eßlöffel Sahne in den Frischkornbrei. Der Geschmack kann durch Zitronensaft, Honig, geriebene Nüsse oder Trockenfrüchte verändert werden. Alternativ kann der Frischkornbrei auch nur mit Joghurt oder Milch zubereitet werden. Er liefert alle lebensnotwendigen Stoffe.
Rohes Obst oder als Salate zubereitete Gemüse sollten vor dem Hauptgang gegessen werden, da sie die Produktion von Verdauungssäften anregen.
Weiter gehört zu einer vollwertigen Ernährung der Verzehr von **Vollkornprodukten** bei gleichzeitigem Verzicht auf Auszugsmehlprodukte. Vollgetreide ist ein hochwertiger Eiweißspender und Vitaminträger. Der Getreidekeim ist unser Hauptlieferant für Vitamin B_1, welches für den Kohlenhydratstoffwechsel unentbehrlich ist. Der Vitamin B_1-Bedarf steigt proportional zum Kohlenhydratanteil der Nahrung. Im Auszugsmehl wurden jedoch die Randschichten und der Keim, die Vitamin B_1-Träger sind, entfernt. Auszugsmehlprodukte (Weißbrot, herkömmliche Backwaren und Kuchen) zehren also Vitamin B_1, Vollkornprodukte liefern es.
In Auszugsmehlen wird der Keim entfernt, da er als Fettträger nur begrenzt haltbar ist.
Der Getreidekeim enthält wichtige **Vitalstoffe**. Dazu zählen die Vitamine, die Spurenelemente, Enzyme (Fermente), ungesättigte Fettsäuren, Aroma- und Fa-

serstoffe. Für deren Wirksamkeit ist es wichtig, daß ihr natürliches Verhältnis bestehen bleibt. Die Entfernung eines einzelnen Stoffes vermindert also auch die Wirkung der anderen Bestandteile.
Für Lebensmittel, die vor dem Genuß durch Erhitzung zubereitet werden, empfiehlt sich eine **kurze Erhitzung** mit hohen Temperaturen. Je länger die Lebensmittel erhitzt werden, um so größer ist der Verlust an Fermenten, Aroma- und Duftstoffen sowie an Vitaminen. Gemüse sollten bißfest bleiben.
Bei der Zubereitung sind **naturbelassene Fette**, z.B. die kaltgepreßten Öle, zu bevorzugen. Sie haben einen hohen Anteil an ungesättigten Fettsäuren und garantieren den Gehalt fettlöslicher Vitamine.
Zum Würzen sind **Küchenkräuter** geeignet; bei der Rohkost und den nur kurz erhitzten Speisen ist ohnehin viel von dem natürlichen Aroma erhalten geblieben.
Insgesamt sollten möglichst **wenig Fabriknahrungsmittel** verzehrt werden, da hier das Zusammenwirken und Einander-ergänzen der Vitalstoffe gestört oder unmöglich ist. Häufig handelt es sich um biologisch minderwertige Nahrungsmittel, die technisch vielfältig verändert wurden.
Der Genuß von Fabrikzucker, der überwiegend in herkömmlichen Backwaren, gesüßten Speisen und Süßigkeiten enthalten ist, sollte gering gehalten werden. Dadurch wird der Entstehung von Karies und Parodontose entgegengewirkt und der Vitamin B_1-Bedarf gesenkt. Unverträglichkeiten, die bei dem gleichzeitigen Genuß von Zucker und Vollkornprodukten entstehen können, werden damit umgangen. Gleichzeitig entfallen Kalorienträger, die zu Übergewicht führen können.
Ist die Gesamtkost biologisch vollwertig (d.h. wie hier beschrieben zusammengesetzt), ist der Verzehr von Fleisch- und Wurstwaren unnötig, wenn auch in kleineren Mengen durchaus unbedenklich.
Blattgemüse liefert die essentiellen Aminosäuren; die Sojapflanze ist ein hochwertiger Eiweißträger. Das mit der Rohkost aufgenommene Eiweiß erreicht den Menschen in seiner natürlichen Form, wogegen tierisches Eiweiß beim Erhitzen denaturiert wird.
Milchprodukte, Käse und Eier sollten nicht übermäßig konsumiert werden, da tierisches Eiweiß Unverträglichkeiten und Allergien hervorrufen kann. Wer ganz auf tierisches Eiweiß verzichtet, muß sich über die pflanzlichen Eiweißträger sorgfältig informieren und seine Kost entsprechend zusammenstellen.

Die tägliche **Nahrungsaufnahme** sollte auf 5 - 7 kleinere Mahlzeiten verteilt werden. So wird der Blutzuckerspiegel konstant gehalten und die Verdauungsorgane werden nicht übermäßig beansprucht. Die hierdurch bedingte gleichzeitige Entlastung des Herzens ist insbesondere bei Herz- / Kreislauferkrankungen begrüßenswert.
Wesentlicher Bestandteil einer gesunden Ernährung ist die **ausreichende Flüssigkeitszufuhr** zur Aufrechterhaltung eines ausgeglichenen Wasserhaushaltes des Körpers. Die täglich aufgenommene Flüssigkeitsmenge sollte ca. 2.500 ml betragen. Davon werden bis zu ca. 1.000 ml mit der festen Nahrung (Obst, Gemüse) zugeführt.
Als Getränke sind Früchte- und Kräutertees sowie Mineralwasser zu bevorzugen. Schwarzer Tee, Kaffee und alkoholische Getränke sind Genußmittel, die unser vegetatives Nervensystem beeinflussen und substanzabhängig machen können. Deshalb sollte ihr Genuß auf geringe Mengen begrenzt werden.
Obstsäfte und Milch sind wegen ihres hohen Gehaltes an Nährstoffen Teilnahrungsmittel und nur begrenzt in der Lage, im Wasserhaushalt die Funktion "echter Flüssigkeiten" zu übernehmen. Gleichzeitig sind sie als Durstlöscher nur bedingt tauglich.

Die im folgenden beschriebenen Nahrungsbestandteile sind als Wirkstoffeinheiten in der vitalstoffreichen Vollwertkost enthalten.

2.3.2 Eiweiße (*Proteine*)

- Chemische Bestandteile sind Kohlenstoff (70%), Wasserstoff (7%), Sauerstoff (20%), Stickstoff (16%) sowie geringe Mengen Schwefel;
- Abbauprodukte sind CO_2, H_2O, Harnstoff, Ammoniumsalze, Kreatinin;
- bestehen aus 20 Aminosäuren, davon sind 8 für den Körper unentbehrlich und müssen mit der Nahrung zugeführt werden (Valin, Leucin, Isoleucin, Lysin, Methionin, Threonin, Phenylalanin, Tryptophan);
- einfachste Bausteine sind die essentiellen Aminosäuren, welche die biologische Wertigkeit* der Nahrung bestimmen;
- werden im Magen und im Darm denaturiert;
- wirken in den Enzymen als Katalysator für alle Stoffwechselvorgänge;
- haben als Bestandteile der Grundsubstanz von Knorpel, Knochen und Haut Stütz- und Schutzfunktion;
- halten den kolloidosmotischen Druck aufrecht;
- haben als Bestandteile von Abwehrstoffen Antikörperfunktion;
- regulieren als Hormone (z.B. Insulin, Thyroxin) bestimmte Vorgänge im Organismus;
- dienen als Energiequelle (1 g Eiweiß liefert 17,2 kJ);
- werden insbesondere mit folgenden Lebensmitteln aufgenommen: Kartoffeln, Vollkorngetreide, Spinat, Soja, Ei, Milch, Käse, Fisch, Muskelfleisch, Erdnuß.

Der Eiweißbedarf ist altersabhängig, täglich werden ca.

20 - 45 g im 1. - 12. Lebensjahr,
50 - 60 g im 13.- 18. Lebensjahr und
45 - 55 g im Erwachsenenalter benötigt;

im Alter sollte die tägliche Proteinzufuhr auf 1,2 bis 1,3 g / kg Körpergewicht erhöht werden, sofern die Ausscheidungsfunktion der Nieren normal ist.

2.3.3 Kohlenhydrate (*Saccharide*)

- Chemische Bestandteile sind Kohlen-, Wasser-, Sauerstoff;
- Abbauprodukte sind CO_2 und H_2O;
- stammen größtenteils aus pflanzlichen Nahrungsmitteln in Form von Monosacchariden (Glukose, Fruktose, Galaktose), Disacchariden (Rohr- und Rübenzucker, Milch- und Malzzucker) oder Polysacchariden (Stärke, Zellulose);

- werden im menschlichen Organismus in Form von Glykogen in der Leber und in den Muskeln gespeichert;
- können im intermediären* Stoffwechsel aus bestimmten Aminosäuren gebildet werden; trotzdem muß die Nahrung mindestens 10% Kohlenhydrate enthalten, da es sonst zu Stoffwechselstörungen kommt ("die Fette brennen im Feuer der Kohlenhydrate");
- sind beteiligt an der Bildung der Stützsubstanzen Knochen, Knorpel und Bindegewebe;
- bestehen in der pflanzlichen Nahrung zum Teil aus Zellulose, die anregend auf die Darmperistaltik wirkt; dies wird unterschiedlich begründet:
  a) Zellulose quillt im Darm auf und übt durch den gesteigerten Füllungszustand einen mechanischen Reiz auf die Darmperistaltik aus (*Ballaststoff*);
  b) für die Peristaltik und Passagezeit im Verdauungskanal sind die vielseitigen Vitalstoffe der Vollgetreide, des Obstes und Gemüses verantwortlich, denn sie regen die in der Darmwand befindlichen Nervenzellen zur physiologischen Tätigkeit an; weil die Faserstoffe zu den lebenswichtigen Vitalstoffen gehören und mit ihnen wirken, werden sie nicht als "*Ballaststoffe*" bezeichnet;
- dienen als Hauptenergielieferant, 1g Kohlenhydrate liefert 17,2 kJ;
- werden von folgenden Lebensmitteln geliefert: Vollkornerzeugnisse, Gemüse, Früchte, Muskelfleisch.

Der tägliche Kohlenhydratbedarf wird beeinflußt vom Alter und vom Körpergewicht.

Säuglinge benötigen	13g	KH / kg Körpergewicht,
Erwachsene	5 - 7g	KH / kg Körpergewicht,
ältere Menschen	4,5g	KH / kg Körpergewicht.

Darüber hinaus zugeführte Kohlenhydrate werden zu Fett umgewandelt und abgelagert; so entstehen die Fettpolster und das Übergewicht.
Nicht als Hauptkohlenhydratlieferanten zu empfehlen sind Nahrungsmittel ohne oder mit geringem Gehalt an Vitalstoffen, z.B. Auszugsmehlprodukte und zuckerangereicherte Süßigkeiten.

2.3.4 Fette (*Lipide*)

- Chemische Bestandteile sind Kohlen-, Wasser-, Sauerstoff;
- Abbauprodukte sind CO_2 und H_2O;
- bezeichnet man auch als Neutralfette, da sie als Fettsäureester des dreiwertigen Alkohols Glyzerin chemisch neutral reagieren;
- enthalten gesättigte (z.B. Palmitin- und Stearinsäure), ungesättigte (z.B. Ölsäuren) und mehrfach ungesättigte Fettsäuren (z. B. Linolen-, Linol-, Arachidonsäure);
- schließen fettähnliche Stoffe, die Lipoide ein, die neben Fettsäuren und Alkohol weitere Substanzen (z.B. Phosphatide, Steroide, Carotinoide) enthalten;
- müssen in Form mehrfach ungesättigter Fettsäuren mit der Nahrung zugeführt werden, da sie der menschliche Organismus nicht selbst synthetisieren kann (*essentielle Fettsäuren*); sie senken den Cholesterinspiegel im Blut;
- dienen als Träger von Mineralien, Farbstoffen und fettlöslichen Vitaminen (A,D,E,K), deren Resorption im Darm sie gleichzeitig fördern;
- wirken als subkutanes Fettgewebe wie eine Isolierschicht und tragen zur Wärmeregulation bei;
- schützen als Polster die inneren Organe (Fettkapsel);
- verbessern den Geschmack von Speisen, indem sie die Entfaltung der Aroma- und Geschmacksstoffe fördern;
- fungieren als Energielieferant (1g Fett liefert 39 kJ) und gespeichert als Energiereserve;
- werden insbesondere in folgenden Lebensmitteln geliefert: Mais, Soja, Oliven, Nüssen (und aus ihnen hergestellten, hochwertigen kaltgepreßten Ölen, die reich an essentiellen Fettsäuren sind) sowie in Butter, Sahne, Käse und Wurstwaren.

Der tägliche Fettbedarf wird vom Alter und vom Körpergewicht beeinflußt.

Säuglinge benötigen	6 g	Fett / kg Körpergewicht,
Erwachsene	1 g	Fett / kg Körpergewicht,
ältere Menschen	1 - 1,2 g	Fett / kg Körpergewicht.

2.3.5 Mineralstoffe und Spurenelemente

- Mineralstoffe werden aufgrund ihrer Konzentration im Organismus und der Mengenverhältnisse im täglichen Bedarf in Mengen- und Spurenelemente unterteilt (Konzentration größer als 50 mg / kg Körpergewicht = Mengenelemente; Konzentration niedriger als 50 mg / kg Körpergewicht = Spurenelemente);
- Mineralstoffe und Spurenelemente werden von unserem Organismus weder verbraucht noch produziert, unterliegen aber trotzdem ständigen Stoffwechselvorgängen; wir scheiden täglich 15 - 25 g Mineralstoffe aus, die mit der Nahrung ersetzt werden müssen;
- sind Bestandteile der Knochen und der Zahnsubstanz und verleihen ihnen Festigkeit (Kalzium, Phosphat, Magnesium);
- beeinflussen in gelöster Form als Elektrolyte die lebenswichtigen physikalischen und chemischen Eigenschaften der Körperflüssigkeiten (z.B. Puffereigenschaft, osmotischer Druck);
- sind wesentliche Bestandteile biologisch wirksamer Stoffe, z.B. ist Eisen Bestandteil des Hämoglobins, Jod zum Aufbau von Thyroxin notwendig, Magnesium Bestandteil von Enzymen; Chlor ist Bestandteil der Magensäure;
- werden hauptsächlich geliefert durch Milch und Milchprodukte, Gemüse, Obst und Fleisch.

Zu den **Mineralstoffen** zählen Natrium, Kalzium, Kalium, Magnesium, Chlorid, Phosphat; zu den **Spurenelementen** gehören Eisen, Kupfer, Zink, Mangan, Jod, Fluor, Chrom, Molybdän, Silizium, Selen, Aluminium.
Im Alter ist der Bedarf an Eisen, Kalzium, Magnesium und Zink erhöht.

2.4.2 Reduzierter Ernährungszustand

Auf einen reduzierten Ernährungszustand weist das **Fehlen** oder geringe Vorkommen **von subkutanen* Fettpolstern** hin.
Die Haut wirkt insgesamt schlaff, die Wangen sind eingefallen; Rippenbögen und Beckenknochen sind deutlich sichtbar. Die **Leistungsfähigkeit** des Betroffenen ist im allgemeinen insgesamt **herabgesetzt**, er ermüdet schnell und fühlt sich abgeschlagen. Objektiv meßbar ist ein deutlich **geringeres Gewicht** als das Idealgewicht.
Beim reduzierten Ernährungszustand kommt es zur Aufzehrung subkutaner Fettpolster und zur Entstehung der oben genannten Begleiterscheinungen. Im Extremfall spricht man von der Auszehrung oder dem Kräfteverfall ***(Kachexie)***. Zur Gewichtsabnahme bis hin zur Auszehrung kann es insbesondere bei schweren Erkrankungen des Verdauungstraktes, bei Infektionskrankheiten, Erkrankungen an den Drüsen mit innerer Sekretion (z.B. Schilddrüse, Bauchspeicheldrüse) und bei den sogenannten konsumierenden Krankheiten (z.B. Tuberkulose oder bösartiges Tumorleiden) kommen. Auch kann eine Hungersnot oder eine Magersucht *(siehe Seite 184)* Ursache der Kachexie sein.
Meist fehlt es den kachektischen Menschen an Appetit, so daß sie größere Mengen oder bestimmte Speisen auf ihrem Teller zurücklassen. Mangelhafte Kalorienaufnahme und erhöhter Kalorienbedarf treffen oft zusammen.
In Extremfällen können eiweißmangelbedingte Ödeme auftreten.

2.4.3 Übergewicht und Adipositas

Übergewicht ist gekennzeichnet durch eine **übermäßige Zunahme des Fettgehaltes** des Körpers. Liegt der Body-Mass-Index über 30 bzw. das Körpergewicht 20 - 30% über dem Normalgewicht, spricht man von der **Adipositas** *(Übermaß an Fettgewebe, das zu einer Beeinträchtigung der Gesundheit führt)*.
Die Entstehung einer Adipositas ist zum heutigen Zeitpunkt nicht völlig geklärt; es handelt sich um ein **multifaktorielles Geschehen**. Bei dem derzeitigen Erkenntnisstand ist die weitverbreitete Annahme, daß adipöse Menschen gemessen an ihrem Energiebedarf überdurchschnittlich viel Energie zuführen und nur deshalb ein zu hohes Körpergewicht entwickeln, nicht mehr haltbar. Auch ein für alle adipösen Menschen typisches Eßverhalten und eine typische Persönlichkeitsstruktur, die sich grundsätzlich von denen Normalgewichtiger unterscheiden, gelten nicht als erwiesen. Im Alltag läßt sich beobachten, daß eine dauerhaft überhöhte Energiezufuhr und ein fehlgesteuertes Eßverhalten (z.B. das Essen großer Mengen Süßigkeiten in psychisch belastenden Situationen) nicht bei jedem Menschen zu Übergewicht führen.
Wissenschaftler messen heute der **genetischen Disposition** eine bedeutsame Rolle bei der Entwicklung einer Adipositas zu. Neben der erblichen Veranlagung sollen adipöse Menschen einen **niedrigen Grundumsatz** und einen erniedrigten Sympathikotonus aufweisen; fast in jedem Fall ist eine **Hyperinsulinämie**, die die Speicherung von Fetten begünstigt, anzutreffen.
Die genannten Faktoren, aber auch eine zu **kalorien- und/oder fettreiche Ernährung** führen bei erblicher Disposition zur Entwicklung von Übergewicht und Adipositas.

Übergewicht **belastet Herz**, **Kreislauf** und **Bewegungsapparat** und verursacht übermäßiges Schwitzen. Es kann zu rascher Ermüdbarkeit, Gelenkschmerzen und zur Ausbildung extremer Hautfalten führen. Im Laufe der Jahre entwickeln sich häufig kardiovaskuläre Erkrankungen (z.B. KHK, Bluthochdruck); Stoffwechselkomplikationen wie Hyperlipidämie, Gallensteine, Gicht und Diabetes mellitus sind gehäuft zu beobachten.
Das **erhöhte Erkrankungs- und Sterblichkeitsrisiko** infolge Adipositas ist vom **Fettverteilungsmuster** abhängig. Es wird zwischen der androiden *(bauch- oder stammbetonten)*, vorwiegend bei Männern anzutreffenden Form und der gynoiden *(hüft- und oberschenkelbetonten)*, vorwiegend bei Frauen zu beobachtenden Form, unterschieden.
Ein Maß für die Fettverteilung ist das Verhältnis von Taillen- zu Hüft-Umfang (waist-to-hip-ratio, WHR). Ein androides Fettverteilungsmuster mit erhöhtem Krankheitsrisiko liegt vor, wenn der ermittelte Quotient bei Frauen mehr als 0,85 und bei Männern mehr als 1 beträgt.
Übergewichtige leiden häufig nicht nur unter den körperlichen, sondern auch unter den **seelischen und** unter den **kosmetischen Auswirkungen** der Fettanhäufung.

In wenigen Fällen ist die Adipositas durch **hormonelle Störungen** bedingt. Beispiele dafür sind Funktionsstörungen der Hirnanhangdrüse (*Hypophyse*), der Eierstöcke (*Ovarien*), der Nebennierenrinde oder der Schilddrüse.
Auch die Einnahme bestimmter Medikamente (z.B. zahlreiche Psychopharmaka) kann über eine Appetitsteigerung zu Übergewicht führen.

2.4.4 Exsikkose / Dehydratation

Das gesamte Körperwasser des Erwachsenen macht durchschnittlich 60% des Körpergewichts aus; mit zunehmendem Alter nimmt die Gesamtmenge des Körperwassers ab.
Die Begriffe Exsikkose und Dehydratation meinen die **Abnahme des Gesamtkörperwassers** infolge unzureichenden Ersatzes ausgeschiedener Flüssigkeitsmengen. Die **Haut** wird **trocken, schlaff** und **faltig**. Hebt man zur Prüfung des Hautturgors die Haut auf dem Handrücken mit zwei Fingern an, so bleibt sie nach dem Loslassen in Falten liegen. Weitere Zeichen sind **trockene Schleimhäute** (Mund, Zunge), eine **verringerte Urinausscheidung** (konzentrierter Urin) und meist ein starkes **Durstgefühl**. Die mangelhafte Flüssigkeitsaufnahme über einen längeren Zeitraum kann durch den damit verbundenen Anstieg der harnpflichtigen Substanzen im Blut zu akuter **Verwirrtheit** und zur **Eintrübung des Bewußtseins** führen.

Die **Flüssigkeitsverluste** können z.B. durch Fieber, anhaltendes Erbrechen und Durchfall, hohe Blutverluste oder Stoffwechselentgleisungen bedingt sein. Auch die Einnahme von Medikamenten, die eine Ausschwemmung von Ödemen bewirken sollen (Diuretika*), kann zur Austrocknung führen.
Die Abnahme des Körperwassers kann ebenso durch eine **extrem geringe Flüssigkeitsaufnahme** bei physiologischen Flüssigkeitsabgaben bedingt sein. Dies ist nicht selten bei alten Menschen der Fall. Sie haben oft ein verringertes Durstgefühl und/oder vergessen zu trinken. Evtl. sind alte und immobile Menschen gar nicht in der Lage, das z.B. auf dem Nachttisch stehende Trinkgefäß zu ergreifen und zum Mund zu führen. Auch Schluckstörungen und die Angst, sich zu verschlucken, können zum Unterlassen des Trinkens führen. Nicht selten sind es Sprach- oder Bewußtseinsstörungen, die den Kranken an der Artikulation seines Durstgefühles hindern. Manchmal - z.B. nach einem Schlaganfall - treten mehrere dieser Faktoren gleichzeitig auf.
Exsikkose und Dehydratation sind meist durch ausreichende Flüssigkeitszufuhr - entsprechend den Verlusten - vermeidbar.

2.5 Beobachtung des Eß- und Ernährungsverhaltens

Der Begriff "**Essen**" bezieht sich auf den Vorgang der Nahrungsaufnahme und die damit verbundenen - meist positiven - Erlebnisse und Empfindungen.
Der Begriff "**Ernährung**" wird eher für die kognitiven, gesundheitsbezogenen Aspekte der Nahrungsaufnahme (Zusammensetzung und Wirkung, Auswahl und Zubereitung der Nahrungsmittel) verwendet.

Eß- und Ernährungsverhalten werden durch verschiedene Motive gesteuert und vom Nahrungsangebot beeinflußt.
Das **Eßverhalten** wird nach PUDEL und WESTENHÖFER (1991) durch drei Komponenten gesteuert.

- **Innensteuerung**
  Die **biologische Regulation** des Eßverhaltens durch Wahrnehmung innerer Signale (Hunger, Sättigungsgefühl) wird als Innensteuerung bezeichnet.
  Beim Neugeborenen regeln die intensiven Gefühle des Hungers und der Sättigung die Nahrungsaufnahme. Zunehmend entwickeln sich vom Säuglings- bis zum Erwachsenenalter sekundäre nahrungsbezogene Bedürfnisse *(siehe nachfolgend)*.
  Beim Neugeborenen läßt sich eine von Lernerfahrungen unabhängige Bevorzugung des Süßgeschmacks und eine Abneigung gegen die Geschmacksrichtungen salzig, bitter und sauer beobachten.

- **Außensteuerung**
  Die Lenkung des Eßverhaltens durch das **Ergebnis der kulturell-familiären Einflüsse und Anforderungen** wird als Außensteuerung oder -lenkung bezeichnet.
  Das Eßverhalten wird bereits ab der frühen Kindheit im wesentlichen durch Imitationslernen und kulturelle Einflüsse sowie Anforderungen der Bezugsgruppen entwickelt. Weitgehend unbewußt erfolgt nun die Ausprägung der **sekundären Motive** und der **Gewohnheiten**, die zunehmend das Eßverhalten bestimmen.
  Hierzu zählen z.B.:
  - Rhythmus der Mahlzeiten,
  - Zeitpunkt der Einnahme einer Mahlzeit,
  - Einstellung zum Essen,
  - subjektive Bewertung der einzelnen Speisen,
  - Bevorzugung regional und familiär üblicher Speisen / -zubereitung,
  - generelle Wertschätzung von Lebensmitteln,
  - häusliche Gemeinschaft,
  - Ersatzbefriedigung unerfüllter emotionaler Wünsche,
  - Belohnung (z.B. durch bestimmte Speisen),
  - Assoziation kultureller und religiöser Feste mit bestimmten Speisen,
  - Verträglichkeit,
  - Stärkung,
  - Schönheit (durch Essen bestimmter Speisen und knapp bemessene Nahrungszufuhr),
  - Gesundheit (durch Berücksichtigung bestimmter Ernährungsregeln),
  - Genußerlebnis.

- **Kognitive Steuerung**
  Die **bewußte**, den Erkenntnissen entsprechende **Lenkung des** eigenen **Ernährungsverhaltens** wird als kognitive Steuerung bezeichnet. Sie bezieht sich z.B. auf die Auswahl der Nahrungsmittel (bewußte Entscheidung für oder gegen bestimmte Nahrungsmittel), deren Zusammenstellung und Zubereitung als Speise sowie das Nährstoff- und Kalorienbewußtsein.
  Diese dem Menschen überwiegend bewußte Lenkung wird ebenfalls durch verschiedene Faktoren beeinflußt, insbesondere durch die sozio-kulturellen Normen und das individuelle Wissen über ernährungsphysiologische Gegebenheiten.
  Auch nicht direkt ernährungsbezogene Bedürfnisse (Motive), z.B. der Wunsch nach einer schlanken Figur, können der kognitiven Steuerung des Ernährungsverhaltens zugrunde liegen.

Die **Entscheidung** des Menschen **bezüglich** seiner **Ernährung** ist eine individuell optimierte, d.h. sie wird aus der jeweils vorherrschenden persönlichen Situation heraus unter Abwägung der Vor- und Nachteile getroffen. Dabei können die verschiedenen Motive einen sehr unterschiedlichen Stellenwert einnehmen, so daß nicht nur gesundheitsbezogene Motive das Ernährungs- und Eßverhalten bestimmen.
Die **Auswahl der Lebensmittel** wird durch das Sozialprestige, die finanziellen Mittel, die subjektive Bewertung einzelner Nahrungsmittel, das ernährungsbezogene Wissen sowie durch die kulturellen und jahreszeitlichen Einflüsse geprägt.
Der **Wunsch nach** einem **angenehmen Geschmack** ist nicht nur bei einem reichhaltigen Nahrungsangebot,

sondern auch in Mangelsituationen vorhanden. Dies spiegelt sich z.B. in der Vielfalt der Rezepte für die Zubereitung von Grundnahrungsmitteln wider.
Der **gesundheitliche Zustand** kann dazu führen, daß Einkaufen und Nahrungszubereitung zur Belastung werden und einen allein lebenden Menschen überfordern. Eine gesunde Ernährung ist dann nur noch mit Hilfe anderer Personen möglich.

Im Alter werden Eß- und Ernährungsverhalten neben den zuvor besprochenen Motiven wesentlich durch die soziale Lebenssituation beeinflußt.
Viele Senioren, vor allem Frauen, sind alleinstehend. Während "das Essen" für sie früher mit Gemeinschaft, Fürsorge, Selbstbestimmtheit und Kreativität verbunden war, weckt es heute evtl. Gefühle der Einsamkeit, des Nichtgebrauchtwerdens, der Abhängigkeit und/ oder Unfähigkeit. Das Einkaufen und Kochen für nur eine Person bereitet den wenigsten Menschen Freude, ebenso das Alleinessen. In Verbindung mit den Mahlzeiten werden zahlreiche Erinnerungen an verstorbene und vermißte Personen geweckt; das Gefühl des Alleinseins kann sehr belastend sein und die Vermeidung vertrauter Eßsituationen zur Folge haben. Das Essen hat seine kommunikative und soziale Funktion eingebüßt.

Eß- und Ernährungsverhalten können Informationen über das momentane seelische und körperliche Befinden geben. Ebenso spiegeln sich die Motivation und die individuelle Einstellung zum Essen und Trinken wider.
Bei den Motiven sind zu unterscheiden die primär steuernden Motive, lust- oder unlustbetontes Verhalten (Appetit / -losigkeit, Hunger, Widerwillen) und die steuernden Motive (z.B. Gesundheit, Genuß, Geselligkeit, Belohnung, Verträglichkeit, Schönheit, kulturelle bzw. ethische Normen).

2.5.1 Art der Nahrungsaufnahme

Hier sind die **kulturellen Unterschiede** auffällig.
Als **Eßhilfen** können z.B. Finger, Stäbchen oder Besteck dienen.
Die **Tischsitten** sind ebenfalls kulturell, aber auch erzieherisch geprägt. Große Unterschiede in diesem Bereich können gemeinsam Speisenden durchaus den Appetit verderben; dies kann überall vorkommen, wo erzwungene Tischgemeinschaften bestehen (z.B. im Krankenhaus oder im Pflegeheim).
Die **Einstellung zum Essen** kann sich im Tempo der Nahrungsaufnahme zeigen. Der ruhig und genüßlich Speisende zeigt eine positive Einstellung zum Essen. Ein hastiges Verschlingen der Speisen kann ganz unterschiedliche Ursachen haben, z.B. eine allgemeine Unruhe, Gehetztheit oder die (unbewußte) Furcht, andernfalls nicht ausreichend Nahrung zu erhalten.
Sowohl geistige als auch körperliche Behinderungen können die Art der Nahrungsaufnahme in unterschiedlicher Ausprägung beeinflussen.

2.5.2 Appetit

Der Begriff Appetit meint die **lustvolle Motivation zu essen**, die **Eßlust**. Es handelt sich um eine lustbetonte und stimmungsabhängige Empfindung, die häufig auch Zeichen des Wohlbefindens ist.
Appetit ist meist auf bestimmte Speisen ausgerichtet. Er kann durch schmackhaft zubereitete, gut duftende und gefällig servierte Speisen angeregt oder gesteigert werden.
Störungen des Appetits können körperlicher oder seelischer Natur sein. Zur Essensunlust als Begleitsymptom kommt es z.B. bei schweren Erkrankungen, insbesondere des Magen-Darmtraktes, bei Fieber und starken Schmerzen sowie bei seelischem Kummer oder andauernden Konfliktsituationen. Der Verlust an Lebensfreude geht meist mit Verlust der Freude am Essen einher.
Eine **Abneigung gegen bestimmte Speisen** kann aus negativen Erfahrungen in der Kindheit rühren. Tritt sie jedoch plötzlich im Erwachsenenalter auf, ist sie oft ein Hinweis auf Krankheit. So besteht z.B. bei Erkrankungen der Leber und der Gallenblase häufig eine Abneigung gegen Nahrungsfette; Menschen, die an Magenkrebs leiden, entwickeln meist einen Widerwillen gegen Fleisch.
Eine **physiologische Appetitsteigerung** findet sich in Phasen der Genesung *(Rekonvaleszens)*, des Wachstums *(Adoleszens)* oder nach körperlicher Anstrengung.
Hormonelle Umstellungen (z.B. Schwangerschaft) sowie Krisensituationen können **Appetit auf bestimmte Speisen** auslösen.
Übermäßig gesteigerter Appetit kann Ausdruck der Abwehr von Unlustgefühlen wie Angst, Niedergeschlagenheit oder Kränkung sein und bei entsprechender Disposition zu Gewichtsproblemen *("Kummerspeck")* führen.

2.5.3 Hunger

Hunger ist das **physiologische Verlangen nach Nahrung**; wahrscheinlich wird er durch ein Absinken des Glukosegehaltes im Blut ausgelöst. Bei Nahrungsaufnahme verschwindet der Hunger nach kurzer Zeit.
Hunger wird **eher** als unangenehm und **unbehaglich**, evtl. sogar als schmerzbegleitete **Empfindung**, wahrgenommen.
Langandauerndes Hungern führt zu Mangelerscheinungen vor allem im Bereich der Eiweiß- und Vitaminversorgung; Stoffwechselstörungen können den Organismus zusätzlich belasten.
Kurzfristiges Hungern um des Fastens willen erfolgt vorwiegend aus religiösen, gesundheitlichen oder kosmetischen Gründen und wirkt entlastend auf den gesamten Organismus.
Langfristiges Fasten *(Nulldiät)* hingegen darf nur unter ärztlicher Kontrolle oder klinischer Überwachung durchgeführt werden. Eine der wenigen Indikationen für eine Nulldiät kann die Therapie einer ausgeprägten Adipositas sein.

2.5.4 Heißhunger (*Bulimie*)

Heißhunger ist ein **Symptom für körperliche oder seelische Störungen**. Er tritt z.B. bei Stoffwechselentgleisungen, wie sie beim Diabetes mellitus und bei der Schilddrüsenüberfunktion vorkommen können, auf. Seelische Konflikte werden evtl. sporadisch von Heißhunger begleitet.

2.5.5 Nahrungsverweigerung

Die Nahrungsverweigerung kann sowohl harmloser als auch sehr ernster Natur sein. Sie kann als **Signal** des Protestes, Trotzes oder des Leidens eingesetzt werden und tritt dann nur vorübergehend auf.
Auch **seelische Störungen** können zu kurzzeitiger oder langdauernder Verweigerung der Nahrung führen. Eine Magersucht *(siehe Seite 184)* oder eine Lebensunlust können durch Nahrungsverweigerung zum Ausdruck gebracht werden.
Die konsequente Verweigerung von Nahrung geschieht manchmal auch in **suizidaler Absicht**, vor allem wenn andere Handlungen zur Selbsttötung, z.B. wegen Immobilität, nicht vorgenommen werden können.

2.5.6 Durst

Durst signalisiert das körperliche **Bedürfnis nach Wasseraufnahme** (Trinkbedürfnis). Er wird ausgelöst durch Reizung bestimmter Rezeptoren im Zwischenhirn. Der Durst **reguliert den Wasserhaushalt** unseres Organismus; bei Flüssigkeitsverlusten wird er entsprechend gesteigert, so daß Flüssigkeitsdefizite vermieden werden. Auch individuelle Gewohnheiten beeinflussen das Trinkverhalten.
Störungen des Durstgefühles treten im Zusammenhang mit Bewußtseinsstörungen auf.
Im Alter läßt sich häufig ein verringertes Durstgefühl beobachten, das wahrscheinlich durch eine altersbedingte Funktionsminderung der Rezeptoren und des Gehirns zu erklären ist.
Die Zufuhr von **Kochsalz** bindet Wasser im Gewebe und führt dadurch zu einem Flüssigkeitsdefizit in den Blutbahnen; bis dieses Defizit kompensiert ist, tritt vermehrtes Durstgefühl auf.

2.5.7 Eß- und Trinkgewohnheiten

Um sich auf die Eß- und Trinkgewohnheiten des Patienten einstellen bzw. um korrigierende oder unterstützende Maßnahmen anbieten zu können, ist es notwendig, die bisherigen Gewohnheiten im Bereich des Essens und Trinkens genau zu beobachten oder zu erfragen. Einschränkungen jeder Art müssen detailliert beschrieben werden.

Die Einschätzung der ATL "Essen und Trinken" kann anhand der folgenden Gesichtspunkte erfolgen:
- Rhythmus, Anzahl und Umfang der Mahlzeiten;
- Kostform (Normal-, Voll-, Schonkost; Konsistenz: feste, breiige, flüssige Speisen);
- Zusammenstellung der Nahrung, alternative Kostformen wie Vollwertkost, vegetarische Kost;
- Diät (Art der Diät, ursächliche Erkrankung, Wirkung auf den Betroffenen, Einstellung und Konsequenz des Patienten);
- religiös und ethisch bedingte Einschränkungen;
- Ablehnung oder Bevorzugung bestimmter Speisen und Getränke;
- Fehlverhalten (z.B. hinsichtlich der Eßmenge, Diätfehler, einseitige Kostzusammenstellung, Alkoholmißbrauch);
- Einschränkungen bei der Nahrungsaufnahme / -verwertung (z.B. Schluckstörungen, Erkrankungen am Verdauungsapparat, Unverträglichkeiten, Behinderungen);
- Motivation (Appetit, Hunger, Belohnung, Gesellschaft, Ersatzbefriedigung, Gesundheit, Verträglichkeit);
- gewohntes Ambiente (Tischdecke, Serviette, ruhige Atmosphäre, Gesellschaft);
- kulturelle und individuelle Eß- und Tischsitten;
- benötigte Eßhilfen (z.B. rutschfeste Unterlage, Einhänderbesteck, Teller mit erhöhtem Rand, Strohhalm);
- erforderliche Hilfestellung beim Essen und/oder Trinken (z.B. Lagerung; Zerkleinerung und Darreichung von Speisen / Getränken);
- Zustand des Gebisses und der Mundhöhle (Biß- und Kaufähigkeit);
- weitere Gewohnheiten (Händewaschen oder Zähneputzen vor / nach dem Essen).

2.6 Störungen im Bereich der Nahrungsaufnahme

2.6.1 Krankheiten des Verdauungsapparates

Krankheiten des Verdauungsapparates können über zahlreiche Auswirkungen das **Essen** und Trinken **unangenehm**, **beschwerlich** oder **unmöglich** machen. Sie lösen zum Teil Appetitlosigkeit, Widerwillen gegen bestimmte Speisen, Schmerzen, Sodbrennen, Übelkeit, Völlegefühl, Erbrechen, Durchfall, Unverträglichkeit und Verstopfung aus. Begleitend können Mundgeruch und Beläge an der Mundschleimhaut, Schluckauf, Blähungen und/oder Veränderungen des Stuhls auftreten.

2.6.2 Körperliche Behinderungen

Die **Nahrungsaufnahme** kann durch Behinderungen / Veränderungen **beeinträchtigt** werden, z.B.:
- Verletzungen und Erkrankungen im Bereich der Mundhöhle und des Kiefers;
- Fehlen oder Lähmung der oberen Extremität(en);
- eingeschränktes Griffvermögen, z.B. bei Lähmungen, Deformitäten;
- mangelhaftes Koordinationsvermögen, z.B. bei zerebralen Prozessen;
- eingeschränkte Fähigkeit, gezielte Handlungen auszuführen, z.B. bei der Parkinson-Krankheit;
- Beeinträchtigung des Sehvermögens.

2.6.3 Geistige Behinderungen

Das selbständige Essen und Trinken setzt ein gewisses Maß an geistigen Fähigkeiten voraus. Sind diese stärker eingeschränkt, kann ein Behinderter unter Umständen nicht in der Lage sein, selbständig zu essen und zu trinken. Auch die selbständige Auswahl, Zusammenstellung und Zubereitung von Nahrungsmitteln können bei geistigen Behinderungen beeinträchtigt oder nicht möglich sein.
Zustände geistiger Verwirrung können mit einer Verweigerung der Nahrungsaufnahme einhergehen; der Grund kann z.B. die Angst vor einer Vergiftung sein.

2.6.4 Seelische Belastungen / Störungen

Es ist bekannt, daß Streß "auf den Magen schlagen" und den **Appetit verderben** kann. Auch andere, zu Beginn dieses Kapitels erörterte Wechselwirkungen zwischen seelischem Befinden und dem Eß- / Trinkverhalten sind für jeden Leser nachvollziehbar.
Seelisch bedingte Eßstörungen werden auf Seite 184 bis Seite 188 besprochen.

2.6.5 Erbrechen (*Emesis, Vomitus*)

Der Vorgang des Erbrechens wird über das Brechzentrum im verlängerten Rückenmark (*Medulla oblongata*) gesteuert. Als wichtiger **Schutzreflex** dient er der Eliminierung schädlicher Stoffe und wird durch verschiedenartige Reize, die sowohl physischer als auch psychischer Natur sein können, ausgelöst.
Eine besondere Form des Erbrechens stellt das antizipatorische *(vorwegnehmende)* Erbrechen dar *(siehe Seite 934)*.
Das Erbrechen beginnt regelmäßig mit Übelkeit, starker Speichelproduktion und Würgen. Die Atmung wird verlangsamt; nach einer tiefen Einatmung wird reflektorisch der Kehldeckel geschlossen und der Mageninhalt durch starke Kontraktion von Bauchmuskulatur und Zwerchfell nach oben gepreßt.
Während des Brechvorgangs sind meist Würgen und Tränenfluß zu beobachten.

Das Erbrechen kann durch folgende Reize bzw. Erkrankungen ausgelöst werden:
- erhöhter Hirndruck (z.B. bei Hirntumor, Schädel-Hirntrauma);
- toxische Stoffe wie Bakteriengifte, Alkohol, Nahrungsmittelgifte, Überdosis von Medikamenten (z.B. Digitalispräparate) oder Röntgenstrahlen;
- Reizungen der Rachen- oder Magenschleimhaut (z.B. durch Berührung oder durch Entzündung);
- Passagebehinderung (z.B. Stenosen im Mageneinoder -ausgangsbereich, Darmverschluß);
- Erkrankungen im gesamten Bereich der Verdauungsorgane;
- Stoffwechselentgleisungen (z.B. Leberkoma, Harnvergiftung);
- erhöhter Mageninnendruck (z.B. übermäßige Nahrungsaufnahme);
- Infektionskrankheiten (z.B. Salmonellose);
- psychische Erregung (z.B. Ekel, Widerwillen; große Angst);
- hormonelle Veränderungen (z.B. in der Schwangerschaft);
- starke Schmerzen.

Als **Regurgitation** bezeichnet man den Rückstrom von Speisebrei in den Mund, ohne daß gewürgt wird. Regurgitation kommt z.B. bei Insuffizienz des Mageneingangs oder bei Speiseröhrenverengung vor.

Die Art des Brechvorganges und die Beschaffenheit des Erbrochenen können auf die Ursache hinweisen. Es gelten die folgenden Beobachtungskriterien.

Menge:
- Erbrechen einer oder mehrerer Mahlzeiten;
- Menge füllt eine oder mehrere Nierenschalen.

Zeitpunkt und Häufigkeit:
- morgendliches Erbrechen (z.B. bei Alkoholgastritis oder in den ersten Schwangerschaftswochen);
- nach jeder Nahrungsaufnahme;
- bei starker Aufregung;
- bei starken Schmerzen;
- unabhängig von Tageszeit und Nahrungsaufnahme (z.B. bei Erkrankungen des Gehirns und anderer Organe);
- wiederholte Brechepisoden (z.B. bei Zytostatikatherapie);
- gleichzeitig mit Durchfall (z.B. bei Magen- Darmerkrankungen).

Farbe, Geruch und Beimengungen:
- säuerlich riechende, angedaute Speisen (z.B. bei Passagebehinderungen im Bereich des Darms und Magenausgangs);
- unverdaute Speisen (z.B. bei Aussackungen der Speiseröhre oder bei Verengung am Mageneingang; nach Genuß verdorbener Speisen, nach übermäßigem Alkoholkonsum und nach zu hastigem Essen);
- Schleimbeimengungen (z.B. bei der Magenschleimhautentzündung);
- Bluterbrechen (*Hämatemesis*; Erbrechen von hell - dunkelrotem oder schwarzrotem Blut bei Blutungen im Mageneingangs- oder Speiseröhrenbereich);
- kaffeesatzähnliches Erbrechen *(durch Kontakt mit der Salzsäure des Magens verändertes, braunschwarzes Blut*; z.B. bei blutendem Magengeschwür oder nach Verschlucken von Blut);
- Galle *(gelb-grünliches, dünnflüssiges Sekret*; bei nüchternem Magen oder bei langandauerndem Erbrechen mit leerem Magen);
- Koterbrechen (*Miserere*; bräunlicher, nach Kot riechender und aussehender Dünndarminhalt, z.B. bei Darmverschluß).

Entsprechende Beobachtungen werden im Pflegebericht dokumentiert und mündlich an den Arzt weitergegeben. Bei laufender Flüssigkeitsbilanzierung und bei anhaltendem Erbrechen wird nach Möglichkeit die Menge des Erbrochenen gemessen und dokumentiert. Mögliche Folgen des Erbrechens werden unter *"Übelkeit und Erbrechen"*, Seite 934, besprochen.

2.6.6 Sodbrennen

Wie der Name besagt, handelt es sich um ein **brennendes Gefühl in der Magengegend**, das in die Speiseröhre aufsteigt (brennende Schmerzen hinter dem Brustbein).
Ursache ist in der Regel der Rückfluß (*Reflux*) von saurem oder gallehaltigem Magen- oder Duodenalsaft. Nicht selten entwickelt sich eine Entzündung *(siehe "Refluxösophagitis" Seite 136)*.

2.6.7 Aufstoßen

Beim sogenannten Aufstoßen **entweicht Luft aus dem Magen**. Diese Luft wurde zuvor geschluckt.
Als organische Ursachen gelten Magenkrankheiten oder die Hiatushernie* (*Zwerchfellbruch*, durch den ein Teil des Magens in den Brustkorb verlagert wird). Oft liegt aber keine organische, sondern eine psychische Ursache vor.

2.6.8 Schmerzen

Schmerzen lassen sich differenziert beobachten und auswerten:

- **Schmerzen oder Druckgefühl** hinter dem Brustbein bei Erkrankungen der Speiseröhre;
- **Schluckbeschwerden** und (brennende) Schmerzen hinter dem Brustbein, im Kehlkopf- und im Magenbereich mit evtl. gleichzeitig auftretender Übelkeit bei der Refluxkrankheit *(Rückfluß von Magen- und Dünndarminhalt)*;
- **krampfartige Schmerzen** *(Koliken)* im Magenbereich, die plötzlich und heftig einsetzen und wieder nachlassen bei Reizmagen, Ulkuskrankheit oder Magenkarzinom;
- **nahrungsaufnahmeabhängiger Schmerz**, sofort bis 2 Std. nach der Mahlzeit bei hochliegendem Magengeschwür;
- **Nüchternschmerz, Hungerschmerz** beim Zwölffingerdarmgeschwür; tritt mehrere Stunden nach der letzten Nahrungsaufnahme - auch nachts - auf;
- **Nachtschmerz** zwischen 24.00 und 3.00 Uhr durch hohe nächtliche Nüchternsekretion von Salzsäure;
- **diffuse Schmerzen** bei Erkrankungen der Bauchhöhle, z.B. bei Entzündung des Bauchfelles;
- **Druck- und Völlegefühl** als Ausdruck einer übermäßigen Dehnung des Magens, z.B. bei Überlastung mit Speisen, nach Luftschlucken.

2.6.9 Übelkeit (*Nausea*)

Übelkeit wird häufig durch eine Drucksteigerung im Bereich des Magens, Duodenums, oberen Dünndarms oder der Gallenwege ausgelöst. Des weiteren kann die Übelkeit durch dieselben Ursachen wie das Erbrechen *(siehe vorstehend)* ausgelöst werden.

2.6.10 Schluckstörungen

Bei Beeinträchtigung der am Schluckakt beteiligten Muskulatur kommt es zu Schluckstörungen. Als Ursache liegen eine Verletzung bzw. ein Ausfall der die Muskulatur innervierenden Nerven vor. Betroffen sein können der N. glossopharyngeus, N. vagus und N. hypoglossus.
Schluckstörungen können z.B. infolge von Verletzungen und Erkrankungen des Gehirns oder der Mundhöhle auftreten. Andererseits können sie Zeichen einer psychogenen* Störung oder einer vegetativen* Dysfunktion sein.

Zu beobachten sind eventuell folgende Anzeichen:

- Speisen können nicht immer geschluckt werden;
- Flüssigkeiten treten beim Schlucken aus der Nase aus;
- Verschlucken und darauf folgende Hustenanfälle bzw. Würgen; dies löst beim Betroffenen oft Angst und Unsicherheit aus;
- Speichelfluß aus dem Mund;
- Ansammlung von Speiseresten in den Wangentaschen;
- Nachvornestoßen der Nahrung;
- Auftreten von primitiven Reflexen, z.B. des Saug- und Beißreflexes (normalerweise bestehen diese Reflexe nur in den ersten Lebensmonaten und werden dann durch die Entwicklung höherer Hirnfunktionen gehemmt).

Schmerzen beim Schlucken können Zeichen einer Entzündung im Bereich von Mund, Rachen oder Speiseröhre sein.
Schluckstörungen und Schmerzen beim Schlucken treten auch bei gut- und bösartigen Tumoren der Speiseröhre auf.
Schluckbeschwerden können durch eine Vergrößerung der Schilddrüse bedingt sein.

2.7 Therapeutisch bedingte Einschränkungen der Nahrungsaufnahme

2.7.1 Trinkbeschränkung

Die Behandlung einiger Krankheiten erfordert eine Trinkbeschränkung, d.h. die **Menge der täglichen oralen Flüssigkeitszufuhr** wird **beschränkt**. Dies ist z.B. bei einigen Nieren- und Herzkrankheiten, die mit der Einlagerung von Flüssigkeit im Gewebe einhergehen, zur Entlastung der Organe erforderlich. Die maximale Trinkmenge wird jeweils vom Arzt festgelegt.

2.7.2 Nahrungskarenz

Der Begriff der Karenz meint Verzicht oder Entbehrung. Nahrungskarenz bedeutet im engen Sinn den absoluten **Verzicht auf feste Nahrung**, im weiteren Sinn den Verzicht auf feste und flüssige Nahrung. Der gemeinte Wortsinn ist jeweils eindeutig zu bestimmen.
Die Nahrungskarenz **ist bei bestimmten Erkrankungen des Verdauungsapparates** vorübergehend erforderlich (z.B. bei akuter Pankreatitis, akuter Magen- / Darminfektion). **Operationen** und bestimmte **Untersuchungen**, vor allem am Magen-Darmtrakt, stellen eine weitere

Indikation für die Nahrungskarenz dar. Meist bleibt der Patient mindestens 6 Std. vor Operations- oder Untersuchungsbeginn nüchtern, d.h. er nimmt weder feste noch flüssige Nahrung zu sich. Auch das **Rauchen muß unterbleiben**. Vor Operationen an den Verdauungsorganen wird meist eine längere Nahrungskarenz verordnet. Im Falle einer **Allgemeinnarkose** ist wegen deren Nachwirkung auch in der postoperativen Phase eine Nahrungskarenz regelmäßig erforderlich, um das Erbrechen oder die Aspiration von Flüssigkeit und Speisen zu verhindern. Ist der Operierte wach und ohne Brechreiz, kann er zunächst schluckweise, später auch in größeren Mengen Tee zu sich nehmen. Allerdings ist bei **Operationen im Bauchraum** zur Entlastung der Organe und der Operationsnähte regelmäßig eine mehrtägige Karenz fester, eventuell auch flüssiger Nahrung erforderlich.
Generell wird mit dem **postoperativen Kostaufbau** erst begonnen, wenn der Darm seine Tätigkeit wieder aufgenommen hat (Darmgeräusche, Stuhlabgang).

Bei längerfristiger Nahrungskarenz wird der Kranke über intravenös verabreichte Infusionslösungen ernährt.
Die Nahrungskarenz bedingt eine Veränderung der physiologischen Mundsituation *(siehe Seite 642)*.

2.7.3 Diäten

Unter einer Diät wird eine Kostform verstanden, mit der **therapeutische Ziele** verfolgt werden. Entweder sollen belastende oder krankheitsauslösende Stoffe gemieden, bestimmte Organe geschont oder eine Körpergewichtsredukion erreicht werden.
So ist bei einigen Nierenkrankheiten eine kochsalzarme Diät oder bei akuten Magen- Darmerkrankungen ein Fasten *(Nulldiät)* erforderlich. Chronische Stoffwechselerkrankungen, z.B. Diabetes mellitus, bedürfen in der Regel einer lebenslangen Diät.
Für den Betroffenen bedeuten insbesondere langfristige Diäten oft einen tiefen **Einschnitt in die Lebensführung**. Bei einer Umstellung auf therapeutische Kost sind eine ausführliche Beratung und Anleitung durch eine Diätassistentin unverzichtbar. Selbsthilfegruppen bieten Unterstützung und Erfahrungsaustausch bei der Umstellung und Lebensbewältigung an.
Viele Störungen im Verdauungsbereich werden heute **nicht** mehr durch eine **standardisierte Diät** therapiert; man läßt den Betroffenen selbst austesten, welche Nahrungsmittel ihm bekommen. Entsprechend obliegt ihm die Entscheidung, welche Nahrungsmittel er zu sich nimmt oder ausspart.

2.8 Kostformen

Im Krankenhaus übliche Kostformen sind die Normal- oder Vollkost, die die leichte Vollkost (Schonkost), die pürierte (passierte) Kost und die Wunschkost. Einzelne Krankenhäuser bieten inzwischen auch Vollwertkost an.

❒ Normal- oder Vollkost

Der Patient kann alle Speisen zu sich nehmen und stellt das Menü - entsprechend den gegebenen Möglichkeiten - selbständig zusammen.
Die DEUTSCHE ARBEITSGEMEINSCHAFT FÜR ERNÄHRUNG definiert eine Vollkost wie folgt:
„Eine Vollkost ist eine Kost, die
1. *den Bedarf an essentiellen Nährstoffen deckt,*
2. *in ihrem Energiegehalt den Energiebedarf berücksichtigt,*
3. *präventiv medizinische Erkenntnisse der Ernährungsforschung berücksichtigt,*
4. *in ihrer Zusammensetzung den üblichen Ernährungsgewohnheiten angepaßt ist, soweit die Punkte 1. bis 3. nicht tangiert werden."*

❒ Leichte Vollkost

Syn.: Schonkost, Basisdiät, gastroenterologische Basisdiät

Die DEUTSCHE ARBEITSGEMEINSCHAFT FÜR ERNÄHRUNG UND DIÄTETIK definiert die leichte Vollkost wie folgt:
*„Die leichte Vollkost unterscheidet sich von der Vollkost durch **Nichtverwendung von Lebensmitteln** oder Speisen, **die erfahrungsgemäß** häufig, z.B. bei mehr als 5% der Patienten, **Unverträglichkeiten auslösen**."*

Am häufigsten geht der Genuß folgender Lebensmittel und Speisen mit Intoleranzerscheinungen *(Unverträglichkeiten)* einher:
- Hülsenfrüchte, Zwiebeln und Kohlsorten,
- Gurkensalat, Paprika, Sauerkraut,
- fritierte Speisen und Fettgebackenes,
- süße und fette Backwaren,
- hartgekochte Eier,
- Mayonnaise, Sahne,
- frisches Brot,
- Süßigkeiten, Nüsse,
- Bohnenkaffee, Weiß- und Rotwein,
- zu stark gewürzte, zu kalte und zu heiße Speisen,
- paniert Gebratenes,
- rohes Stein- und Kernobst.

Spezielle Formen der **Schonkost zur Behandlung bestimmter Krankheiten** des Verdauungsapparates konnten kritischen Überprüfungen nicht standhalten. KASPER (1996) berichtet, daß Ulkus ventriculi und duodeni, akute und chronische Hepatitis, Leberzirrhose, Fettleber, Morbus Crohn, Colitis Ulcerosa, Erkrankungen der Gallenwege und chronische Pankreatitis durch diätetisch - therapeutische Maßnahmen in herkömmlicher Form nicht beeinflußt werden können; bei diesen Erkrankungen sei es lediglich angezeigt, durch Lebensmittel und Speisen auslösbare unspezifische Intoleranzerscheinungen *(abdominelle Beschwerden)* soweit wie möglich durch eine leichte Vollkost zu vermeiden.
Die leichte Vollkost kann bei Nahrungsmittelintoleranzen, Verdauungsstörungen und allgemeinen Schwächezuständen verabreicht werden. Es ist zu berücksichtigen, daß der Faserstoffanteil dieser Kost reduziert sein kann.

❒ Pürierte (passierte) Kost

Die Zusammenstellung dieser Kost entspricht der Normalkost, sie wird lediglich durch Pürieren bzw. Passieren in eine zerkleinerte Form gebracht.
Pürierte Kost sollte **nur in begründeten Ausnahmefällen angeboten** werden. Sie bietet keinen optischen Anreiz zum Essen, sondern wirkt eher unappetitlich. Die Einnahme pürierter Kost macht Kaubewegungen überflüssig, das tägliche Training der Kaumuskeln entfällt. Auch bleibt die Vermischung der Speise mit dem Speichel, der kohlenhydratspaltende Enzyme enthält, aus. Mit der Verabreichung pürierter Kost gehen Eßgenuß und Restfähigkeiten des Patienten gleichermaßen verloren.
Die Verabreichung pürierter Kost kann bei Patienten mit Verletzungen, Erkrankungen oder Operationen im Mund-, Hals-, Rachen- oder Speiseröhrenbereich angemessen sein, wenn diese die Speisen nicht ausreichend zerkleinern können oder Schmerzen beim Schlucken verspüren. Unter Umständen ist die Provokation von Blutungen durch feste Nahrungsteile zu befürchten.
Bei gestörtem Schluckakt kann eine dickbreiige Kost die angemessene Kostform darstellen (*siehe "Schlucktraining", Seite 128*).

❒ Wunschkost

Dem Kranken werden nach Möglichkeit - entsprechend seinem individuellen Wunsch - über die Krankenhausküche oder über Verwandte und Bekannte bestimmte Speisen und Getränke bereitgestellt. Dies wird häufig bei schwerkranken oder sterbenden Menschen ermöglicht.

❒ Vollwertkost

Diese Kostform ist nach den Prinzipien der vitalstoffreichen Vollwertkost aufgebaut (*siehe Seite 107*). Unter dem Gesichtspunkt der Gesundheitsförderung ist das Angebot von Vollwertkost in jedem Krankenhaus und in jeder Pflegeeinrichtung wünschenswert.

2.9 Die Nahrungsaufnahme im Krankenhaus

Die Nahrungsaufnahme im Krankenhaus unterscheidet sich in vielfacher Hinsicht von der gewohnten Nahrungsaufnahme und verlangt vom Patienten eine gewisse **Umstellung seiner Gewohnheiten**. Die Speisen sind verändert, zusammengestellt, zubereitet und angerichtet, die Essenszeiten liegen meist früher am Tag und die Zeitspanne zwischen Abendessen und Frühstück ist außergewöhnlich lang. Die Umgebung und evtl. die Körperhaltung während der Nahrungsaufnahme sind verändert. Tischpartner können allenfalls eingeschränkt frei gewählt werden; deren Anwesenheit kann unter Umständen den Appetit steigern oder mindern. Gewohnheiten wie das Waschen der Hände oder das Putzen der Zähne vor oder nach der Mahlzeit können nicht immer ohne fremde Hilfe beibehalten werden. Auch das Essen von einem Tablett oder Warmhaltegeschirr ist für die meisten Patienten ungewohnt.

Bei Immobilität und Pflegeabhängigkeit können die psychischen und sozialen Funktionen des Essens für viele Menschen an Bedeutung gewinnen. Essen und Trinken werden zu wichtigen **Ereignissen**. Mehr denn je verleihen die Mahlzeiten dem Tag - bei entsprechender Gestaltung des Speiseplans auch der Woche, dem Monat und dem Jahr - eine **zeitliche Struktur**. Sie können nicht nur Abwechslung bieten, sondern auch zu **Höhepunkten** des Tagesgeschehens werden.
Nicht alle Patienten benötigen während der Nahrungsaufnahme pflegerische Unterstützung. Dennoch ist es wichtig, die Umstellung von der gewohnten Umgebung auf das Krankenhausmilieu zu erleichtern. Deshalb sollten die Speisen **appetitlich zubereitet** und ansprechend dargeboten werden (*"Das Auge ißt mit"*). Soweit möglich sollten die **Eßgewohnheiten** des Patienten **erfragt** und deren **Beibehaltung ermöglicht** werden.
Unter Umständen kann den Patienten die gemeinsame Einnahme der Mahlzeit am Tisch bzw. im Speisesaal angeboten werden; der Tisch ist dann entsprechend herzurichten, eine Tischdecke sollte nicht fehlen.
Das Zimmer sollte vor und nach dem Essen gelüftet werden.
Falls erforderlich, wird das Eßverhalten des Patienten beobachtet, da sich hieraus evtl. Rückschlüsse auf sein Befinden ziehen lassen.

Selbstverständlich bemüht sich das Pflegepersonal, Tätigkeiten zur Nahrungsverabreichung in gepflegter, sauberer Kleidung und mit frisch gewaschenen Händen durchzuführen.
Auf die Bereitstellung bzw. **Verabreichung von Medikamenten**, die vor, während oder nach der Mahlzeit eingenommen werden sollen, ist zu achten.
Beim Abräumen schätzt ein prüfender Blick die zurückgelassenen Speisen ab. Die Frage: *"Hat es Ihnen geschmeckt?"* darf nicht nur eine höfliche Redewendung sein; vielmehr dient sie dazu, Hinweise auf Störungen bei der Nahrungsaufnahme und -verwertung zu erhalten. Eventuell vorhandene, appetitmindernde Faktoren lassen sich - sind sie einmal angesprochen - häufig leicht beheben.

2.10 Hilfestellung bei Störungen der Nahrungsaufnahme

Aus verschiedenen Gründen können Hilfeleistungen bei der Nahrungsaufnahme notwendig werden.

2.10.1 Darreichen der Nahrung

- Das Ausmaß der Hilfsbedürftigkeit gilt als Maßstab für den Umfang der Unterstützung. **Restfähigkeiten** sind **bewußt wahrzunehmen** und **einzubeziehen**, um die **Selbständigkeit** des Patienten soweit wie möglich zu **erhalten** und zu fördern.
  In vielen Fällen sind nur einzelne Hilfeleistungen, z.B. das Einschenken von Getränken oder das Öffnen von Verpackungen, notwendig.

- Ist Hilfestellung beim Essen erforderlich, löst dies bei vielen Menschen ein unangenehmes Abhängigkeitsgefühl aus. **Einfühlungsvermögen, Geduld** und **Geschick** der Pflegenden erleichtern die Situation.
- Die Zeit während der Esseneinnahme bietet eine gute Möglichkeit, den Kontakt zwischen dem Patienten und der Pflegeperson zu intensivieren. Der Helfende sollte sich so plazieren, daß ein **Augenkontakt auf gleicher Höhe** möglich ist, er also nicht auf den Hilfsbedürftigen herabschaut.
- **Bettlägerige Menschen** werden - sofern es ihr Zustand erlaubt - in die **aufrechtsitzende Position** gebracht *(siehe "Aspirationsprophylaxe", Seite 57)*. Eine Esseneinnahme in flacher Rückenlage ist für den Patienten äußerst unangenehm, führt häufig zum Verschlucken (Aspirationsgefahr) und erfordert vom Pflegepersonal sowohl Geschicklichkeit als auch Einfühlungsvermögen. Läßt sie sich nicht vermeiden, ist der Einsatz von Trinkgefäßen mit Deckel (Schnabeltasse / -becher) oder mit Trinkröhrchen (abknickbarer Strohhalm) sinnvoll.
- Bei Bedarf werden **Eß- und Trinkhilfen** *(siehe Seite 131)* vor dem Verabreichen der Speisen auf dem Nachttisch bzw. Tisch plaziert, so daß der Benutzer sie sehen und mühelos erreichen kann.
- Falls erforderlich, ist der Patient an das **Einsetzen der Zahnprothese** zu erinnern und hierbei zu unterstützen.
- Die **Reihenfolge** und das **Tempo** der Speiseneinnahme werden **vom Patienten bestimmt**.
- **Gewohnheiten** wie das wiederholte Trinken oder das Zurückstellen bestimmter Speisen werden **berücksichtigt**.
- Als **Servietten** sollten eben solche und nicht etwa Zellstoff oder Einmalunterlagen verwendet werden. Speisereste, die an den Mundwinkeln oder Lippen liegenbleiben, können damit entfernt werden, wogegen die diesbezügliche Verwendung eines Löffels häufig als kind-, nicht aber erwachsenengerecht empfunden wird.
- Die Hilfeleistung bei der Nahrungsaufnahme kann auch - sofern keine Schluckstörungen vorliegen - delegiert werden, z.B. an Angehörige.
- Nach dem Essen wird die Gelegenheit zur **Mundhygiene** und zum **Händewaschen** eingeräumt; falls erforderlich, ist dabei Hilfestellung zu leisten. Anschließend wird der Patient in die gewünschte Position gebracht.
- Besonderheiten werden dokumentiert, ggf. auch die verabreichte Trinkmenge und die Eingabe von Medikamenten.

2.10.2 Umgang mit Trinkbeschränkungen

Trinkbeschränkungen sind häufig aus therapeutischen Gründen erforderlich. Für den davon Betroffenen resultiert daraus meist ein **verstärktes Durstgefühl**. Ihm muß ggf. geholfen werden, die erlaubte **Flüssigkeitsmenge gut einzuteilen**. Selbstverständlich fördert auch hier die gezielte und personengerechte **Information** des Patienten seine Kooperation.

Ein **Anfeuchten** der Lippen und der Mundschleimhaut kann das Durstgefühl reduzieren.
Um die Trinkbeschränkungen einhalten zu können, ist eine **Kontrolle** der zugeführten Menge erforderlich. Dazu eignet sich ein sogenannter Einfuhrkontrollbogen, auf dem die jeweils in 24 Stunden zugeführten Flüssigkeitsmengen eingetragen werden. Zur Erleichterung empfiehlt es sich, die einmalig gemessenen Fassungsvermögen der unterschiedlichen Trinkgefäße vorab auf den Einfuhrkontrollbögen abzudrucken.
Nicht zu vergessen ist, daß auch verzehrtes Obst und andere stark wasserhaltige Speisen zu berücksichtigen sind, wobei Obst mit ca. 80% seines Gewichtes in der Flüssigkeitsberechnung zugrunde gelegt werden kann (1g = 1ml).

2.10.3 Künstliche enterale Ernährung

❒ Begriffserläuterung und Ziel

Die künstliche enterale* Ernährung meint die **nicht natürliche Nahrungszufuhr in das Verdauungssystem mittels einer Sonde**. Gegenüber einer parenteralen Ernährung hat sie den Vorzug, die noch verfügbaren physiologischen Verdauungsfunktionen einzubeziehen und zu erhalten.
Ziel der künstlichen enteralen Ernährung ist eine der Stoffwechselsituation **angepaßte Nährstoffzufuhr**.

❒ Bedeutung für einen Betroffenen

Eine ausschließlich künstliche enterale Ernährung geht für einen Betroffenen mit dem Verlust der Annehmlichkeiten des Essens einher. Die **psychologischen** und **sozialen Aspekte** des Essens werden **eingebüßt**, das Essen als Geschmacks- und Genußerlebnis geht verloren.
Die **Abhängigkeit** in dem elementaren Lebensbereich "Essen" wird im allgemeinen als sehr unangenehm empfunden. Dieser Minderung der Lebensqualität stehen eine Aufrechterhaltung der notwendigen Energie- und Nährstoffversorgung und evtl. eine Entlastung des Darms gegenüber. Bei bestimmten Erkrankungen kann hierdurch die beeinträchtigte Lebensqualität verbessert werden.

❒ Indikationen

Aus den genannten Gründen folgt, daß eine künstliche Ernährung nur nach sorgfältiger Prüfung der Indikation und möglichst nur vorübergehend durchgeführt werden sollte. Zuvor sind der Eß- oder Ernährungsstörung zugrunde liegende Faktoren wie Schluckstörungen oder psychische Veränderungen zu analysieren und nach Möglichkeit zu behandeln; dies kann auch während der künstlichen Ernährung sinnvoll sein.
Die Anordnung einer künstlichen enteralen Ernährung obliegt dem Arzt. Sie betrifft Menschen, die aus Krankheitsgründen nicht essen (und trinken) sollen oder können bzw. Menschen, die eine ausreichende Nahrungsaufnahme ablehnen. Auch in diesen Fällen muß der Betroffene bzw. sein gesetzlicher Betreuer in die Maßnahme einwilligen *(siehe "Betreuungsrechtliche Aspekte", Seite 898)*.

Mögliche **Indikationen** sind:
- Störungen des Bewußtseins;
- Schluckstörungen (Aspirationsrisiko);
- lebensbedrohliche Mangelernährung, z.B. bei bösartiger Tumorerkrankung oder bei ausgeprägter Altersschwäche;
- lebensbedrohliche Nahrungsverweigerung, z.B. bei Verwirrtheit, dementiellen Prozessen und psychischen Erkrankungen;
- mechanische Beeinträchtigungen im Bereich der Mundhöhle oder der Speiseröhre, z.B. durch einen Tumor;
- Malabsorption*, z.B. nach Dünndarmresektion;
- langfristige Beatmung;
- unzureichende Nahrungszufuhr in besonderen Krankheitssituationen, z.B. bei Verbrennung.
- Maldigestion*, z.B. infolge einer Leberzirrhose oder eines Pankreaskarzinoms.

Kontraindiziert ist die künstliche enterale Ernährung bei Blutungen im oberen Gastrointestinaltrakt, bei Darmverschluß *(Ileus)* sowie bei anhaltendem/r Erbrechen und Diarrhoe.

❒ Geeignete Nährlösungen (Sondenkost)

Die Eigenherstellung von Sondenkost in der Krankenhausküche ist heute nicht mehr angezeigt, da die **Vorteile** der **industriell hergestellten Nahrung** überwiegen: exakte Zusammensetzung, optimale Konsistenz, einfache Handhabung, bakteriologische Unbedenklichkeit, akzeptabler Preis (da Personalkosten für die Zubereitung vor Ort entfallen).

Die Industrie bietet **bilanzierte Diäten** *(Formuladiäten)* an. Es handelt sich dabei um Nährlösungen mit einer definierten Zusammensetzung, die für einen bestimmten Bedarf entwickelt wurden. Unterschieden werden laut Diätverordnung zwei Gruppen.

- **Bilanzierte Diäten zur ergänzenden Ernährung**
  Sie werden zum Ausgleich eines Energie- oder Nährstoffdefizits oder zur Abdeckung eines Mehrbedarfs eingesetzt und in der Regel als zusätzliche Trinknahrung (mit oder ohne Ballaststoffe) in verschiedenen Geschmacksrichtungen verabreicht.
- **Bilanzierte Diäten zur ausschließlichen Ernährung**
  Der Nährstoffgehalt sowie die Mindest- und Höchstmengen für die tägliche Zufuhr an Mineralstoffen, Spurenelementen und Vitaminen der einzelnen Formuladiäten sind in der Diät-Verordnung festgelegt und zwingend einzuhalten.

Hinsichtlich der verschiedenen Eigenschaften werden die nährstoffdefinierten Formuladiäten und die chemisch-definierten Formuladiäten (sogenannte *Astronautenkost*) unterschieden.

- **Nährstoffdefinierte Formuladiäten**
  - sind definierte und bilanzierte Diäten mit standardisierten, zum Teil hochmolekularen Nährstoffen;
  - enthalten Kohlenhydrate, Fette, Proteine, Vitamine, Mineralstoffe und Spurenelemente in der für Gesunde zu fordernden Menge und Relation;
  - sind hochmolekular und führen somit zu geringer Osmolarität, d.h. zu geringer Wasserbindung, und sind gut verträglich;
  - können nur bei intakter oder wenig beeinträchtigter Verdauungsfunktion eingesetzt werden.
- **Chemisch definierte Formuladiäten**
  - decken den Grundbedarf ohne Festlegung auf bestimmte Stoffwechseldefizite;
  - enthalten Nährstoffe, die ohne Enzyme resorbiert werden können (erfordern also keine Verdauungsarbeit);
  - sind niedermolekulare Nährstoffkomponenten (Oligosaccharide, kurzkettige Aminosäuren, aufgeschlossene Fette = MCT);
  - können aufgrund ihrer hohen Osmolarität Diarrhöen hervorrufen, deshalb müssen sie langsam und gleichmäßig zugeführt werden.

Durch das Angebot verschiedener Standard- und Spezialdiäten wird eine Optimierung der Ernährung entsprechend der jeweils vorliegenden Erkrankung bzw. Stoffwechselstörung möglich. Die einzelnen Formuladiäten werden in *Tabelle 2.1* vorgestellt.

❒ Möglichkeiten zur künstlichen enteralen Ernährung

Die Nährstofflösungen zur künstlichen enteralen Ernährung müssen **kontinuierlich oder als Bolusgaben** über eine Sonde in den Magen oder den Zwölffingerdarm eingebracht werden. Dazu können verschiedene Zugänge genutzt werden.

❍ Nasogastrale / nasoduodenale Sonde

Die Magensonde wird über die Nase eingeführt und über die Speiseröhre bis zum Magen oder in wenigen Fällen bis zum Zwölffingerdarm *(Duodenum)* vorgeschoben.

Nasogastrale / -duodenale Sonden werden heute überwiegend **zur kurzfristigen künstlichen Ernährung** eingesetzt; nicht geeignet ist ihr Einsatz zur langfristigen Ernährungstherapie, bei Störungen des Schluckreflexes und bei häufigem Erbrechen. Gegenüber einer Gastrostomie *(siehe Seite 124)* ist die nasogastrale Sonde stets sichtbar und spürbar, wird als **störender Fremdkörper** wahrgenommen und verstärkt das Krankheitsgefühl. Im Bereich der einbezogenen Schleimhäute kann es zu Reizungen und Ulzerationen kommen, im Nasen- und Mundrachenraum werden Keimbesiedlungen begünstigt. Die Sonde **beeinträchtigt** den **Schluckakt**, so daß der Erhalt oder die Wiederanbahnung des Schluckvorgangs erschwert werden; viele Menschen verzichten bei liegender Magensonde auf das natürliche Essen und Trinken.

Formuladiäten

Formuladiät / Präparate	Indikationen	Besondere Merkmale
Standarddiät ohne Ballaststoffe, z.B. • Biosarb Sonde® • Fresubin ® flüssig • Nutricomp F ® • Salvimulsin ®	langfristige Voll- oder Zusatzernährung bei intakter Funktion des Magen-Darm-Traktes - andauernde Appetitlosigkeit - Kachexie	erfordert eine vollständige Funktion des Magen-Darm-Traktes bedingt eine geringe Stuhlmenge
Standarddiät mit Ballaststoffen, z.B. • Fresubin Plus ® • Nutricomp F ® mit Ballaststoffen • Salviplus ® • Osmolite® mit Ballaststoffen	langfristige Ernährung bei intakter Funktion des Magen-Darm-Traktes	ermöglicht die schrittweise Umstellung auf eine orale Ernährung zieht die regelmäßige Ausscheidung einer normalen Stuhlmenge in weicher geformter Konsistenz nach sich
Spezialdiäten - **MCT Diät**, z.B. • Biosorb® MCT • Nutricomp® MCT • Salvimulsin® MCT	Fettstoffwechselstörungen, z.B. - Pankreasinsuffizienz - Zustand nach Ileumresektion	wird ohne Vorhandensein von Enzymen resorbiert
- **Diabetes Diät**, z.B. • Fresubin Diabetes ® • Nutricomp Diabetes ® • Salvimulsin Diabetes ®	Glukoseintoleranz - Diabetes mellitus	enthält Kohlenhydrate in Form der langsam verstoffwechselten Stärke (ca. 75%) und in Form von Fruktose, deren Verstoffwechselung in bestimmtem Ausmaß insulinunabhängig geschieht ist ballaststoffreich, wodurch die Glukoseresorption im Darm verzögert und der Blutzuckeranstieg verringert werden
- **Diät mit erhöhtem Fett- und Energiegehalt**, z.B. • Biosorb 1500® • Fresubin® 750 MCT • Nutricomp® Intensiv MCT • Pulmocare ® • Supportan ® • Salvimulsin® MCT 800	eingeschränkte Lungenfunktion, z.B. im Zusammenhang mit - respiratorischer Insuffizienz normaler Kalorienbedarf bei limitierter Flüssigkeitszufuhr, z.B. bei Herzinsuffizienz Konsumierende Erkrankungen	enthält einen niedrigen Kohlenhydrat- und einen hohen Fettanteil, wodurch die Entstehung von Kohlendioxid im Organismus deutlich verringert und die Lunge entlastet wird verfügt durch die Anreicherung mit Fetten über einen hohen Energiegehalt in relativ geringem Volumen
- **Leberdiät**, z.B. • Fresubin Hepa ® • Nutricomp Hepa ®	- chronische Lebererkrankungen - Leberinsuffizienz	enthält hohen Fettanteil mit 50% MCT und verzweigtkettigen Aminosäuren, wodurch eine bessere Stoffwechsellage ermöglicht wird
- **Nierendiät**, z.B. • Salvipeptid nephro ® • Survimed renal ®	deutliche Einschränkung der Nierenfunktion - Niereninsuffizienz	ist bezüglich der Zufuhr von Eiweiß- und Aminosäuren, Mineralstoffen und Flüssigkeit der insuffizienten Nierenfunktion angepaßt
- **Niedermolekulare chemisch definierte Formuladiät**, z.B. • Nutricomp Peptid F ® • Peptisorb ® • Salvipeptid MCT ® • Survimed OPD ®	Malabsorption* und Maldigestion*, vorübergehende Ruhigstellung entzündlicher Darmabschnitte, z.B. bei - Morbus Crohn - Colitis ulcerosa	enthält Nährstoffe, die bereits enzymatisch gespalten sind und unmittelbar absorbiert werden ist ballaststofffrei

Tabelle 2.1 ***Formuladiäten***

▪ Legen einer nasogastralen Magensonde

Das Legen einer Magensonde ist ärztliche Aufgabe, kann jedoch mittels ausdrücklicher Anweisung an Krankenschwestern / -pfleger delegiert werden.

Anmerkung: Neben der künstlichen enteralen Ernährung kann die Maßnahme ebenso diagnostischen und therapeutischen Zwecken dienen, z.B. der Magensaftanalyse oder dem Ablauf von Verdauungssekreten zur Entlastung des Magen-Darm-Traktes. Die Magensonde wird über die Nase - bei Verletzungen im Bereich der Nase auch über den Mund - eingeschoben und durch das Schlucken bis zum Magen weiterbefördert.

Zusammenstellung des Materials:

- spezielle Magensonde aus Kunststoff, für längere Verweildauer spezielle, weichbleibende Kunststoffsonde (Die vorherige Lagerung der Sonde im Kühlschrank erleichtert das Einführen.);
- Lokalanästhetikum in Sprayform (für die Rachenanästhesie);
- Gleitmittel, z.B. anästhesierendes Gel;
- 20 oder 50 ml Einmalspritze (zum Einblasen von Luft bzw. zur Aspiration von Magensaft);
- Stethoskop (zur Auskultation zwecks Lagekontrolle);
- Indikatorstreifen (zur Prüfung des pH-Wertes der Magensäure);
- wasserlöslicher Stift (zur Markierung der Sondenlänge);
- Nierenschale und Zellstoff;
- Holzspatel und Taschenlampe (zur Inspektion der Mundhöhle);
- evtl. geringe Menge Tee oder Wasser (zur Erleichterung des Schluckens);
- Handschuhe;
- alkoholgetränkter Tupfer (zum Entfetten der Haut an der Fixierungsstelle);
- Schere und hautfreundliches Pflaster / Klebeverband (zum Fixieren der Sonde);
- Verschlußstopfen (zum Verschließen der Nährsonde);
- Klemme (zum Abklemmen der Sonde);
- Auffangbeutel (wenn die Magensonde der Sekretableitung dient);
- Laborröhrchen (bei vorgesehener Magensaftanalyse).

Vorbereitung des Patienten:

- genau informieren und zur Mithilfe auffordern;
- Schutz vor den Blicken anderer Menschen organisieren;
- evtl. vorhandene Zahnprothesen entfernen;
- Nase und Mundhöhle reinigen;
- in aufrechtsitzender Position lagern; einen Bewußtlosen in die Seitenlage bringen (um eine Aspiration zu verhindern);
- Rachenanästhesie durchführen und anästhesierendes Gel in das vorgesehene Nasenloch einbringen.

Durchführung:

- Handschuhe anziehen;
- einzuführende Sondenlänge, d.h. die Strecke von der Nasenspitze über das Ohr bis zur Magengrube, abmessen; Stelle mit wasserunlöslichem Stift markieren;
- Sonde mit Gleitmittel bestreichen;
- Patienten auffordern, durch den Mund zu atmen;
- dabei die ersten 10 cm der Sonde vorsichtig entlang der unteren Nasenmuschel einführen;
- Patienten bitten, den Kopf leicht nach vorn zu beugen und mehrmals zu schlucken; evtl. dazu schluckweise Tee bzw. Wasser anbieten;
- während des Schluckens die Sonde zügig weiterschieben, ca. 10 cm über die zuvor markierte Stelle hinaus;

  Beachte: Beim Passieren des Rachenraumes kann ein Würgreiz auftreten; bei starkem Husten und/oder Blauverfärbung des Gesichtes die Sonde sofort zurückziehen, weil sie in den oberen Luftwegen liegt;
- Mund- und Rachenraum mittels Taschenlampe und Spatel kontrollieren (evtl. wird sichtbar, daß sich die Sonde dort aufgerollt hat);
- Sitz der Magensonde kontrollieren, indem z.B. 10 ccm Luft mittels Einmalspritze in den Magen geblasen und gleichzeitig mit dem Stethoskop das Eingehen der Luft abgehört wird, oder indem saurer Magensaft aspiriert wird (zusätzlich ist eine Kontrolle des pH-Wertes mittels Indikatorstreifen, der sich in typischer Weise verfärbt, möglich); evtl. erfolgt eine röntgenologische Kontrolle;
- Stellen an Nase und Sonde, die für die Fixierung (Klebeband mit 2 Stegen, z.B. Mefix®) vorgesehen sind, mit Alkoholtupfer entfetten;
- Sonde fixieren; Pflasterstege an der Sonde und an der Nase befestigen; ggf. zusätzliche Fixierung der Sonde an der Matratze.

Eine Magensonde sollte nach 14tägiger Liegedauer gewechselt werden.

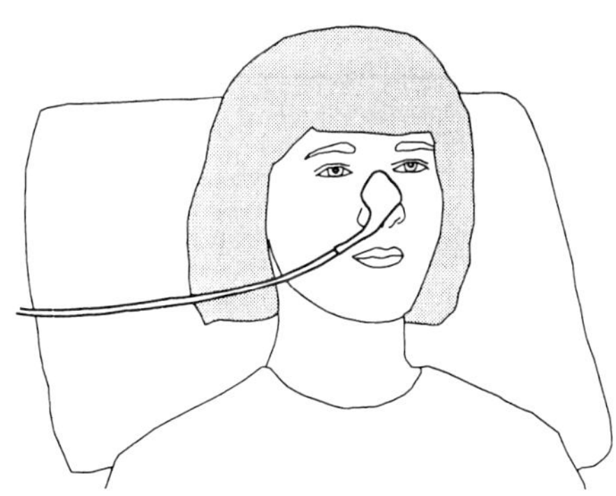

Abb. 2.5 ***Fixierung einer nasalen Sonde***

❍ Perkutane, endoskopisch kontrollierte Gastrostomie (PEG)

Zur langfristigen Sondenernährung hat sich die perkutane, endoskopisch kontrollierte Gastrostomie *(PEG)* bewährt. Es handelt sich um die endoskopische **Anlage einer äußeren Magenfistel.** In einigen Fällen wird statt des Magens der Leerdarm chirurgisch eröffnet, um die Ernährungssonde dort zu plazieren *(Jejunostomie)*.
Der Eingriff wird durch den Einsatz eines Gastroskops erleichtert und kontrolliert. Vereinfacht dargestellt wird nach einer Lokalanästhesie der Magen von außen durch die Bauchdecke *(perkutan)* punktiert und über diese Stelle ein dünner Faden eingeführt, der mit dem Gastroskop bis vor den Mund gezogen wird, um dort die Ernährungssonde anzuknüpfen. Diese wird an dem Faden über Speiseröhre, Magen und Bauchdecke nach außen gezogen.

Die **Fixierung** der Sonde erfolgt je nach Anlagetechnik z.B. mittels einer innen und einer außen angebrachten Halteplatte oder mittels eines mit Wasser gefüllten und im Magen (bzw. im Leerdarm) liegenden Ballons.
Die Durchtrittsstelle der Sonde wird steril und trocken verbunden. Die Ernährungssonde wird gekürzt, mit einem Adapter versehen und an eine weitere Sonde zwecks Nahrungszuleitung angeschlossen.
Eine perkutan endoskopisch eingebrachte Ernährungssonde wird **vom Betroffenen eher toleriert** als eine nasogastrale Sonde, weil für diese typische Nachteile nicht entstehen. Insbesondere wird der Schluckvorgang nicht beeinträchtigt, so daß die Fähigkeit zur oralen Nahrungsaufnahme erhalten bleibt bzw. wieder aufgebaut werden kann.
Mögliche, jedoch relativ selten auftretende **Probleme** sind Übelkeit, Erbrechen, Aspiration*, Regurgitation* und Reflux*. An der Durchtrittsstelle der Sonde kann es zu entzündlichen Reizungen kommen.
Komplikationen während der PEG, z.B. innere Verletzungen oder Blutungen, sind selten.
Nur in begründeten Einzelfällen ist eine PEG absolut **kontraindiziert**, z.B. bei Peritonitis, Aszites und Störungen der Blutgerinnung.
Die PEG gehört in den Aufgabenbereich des Arztes.

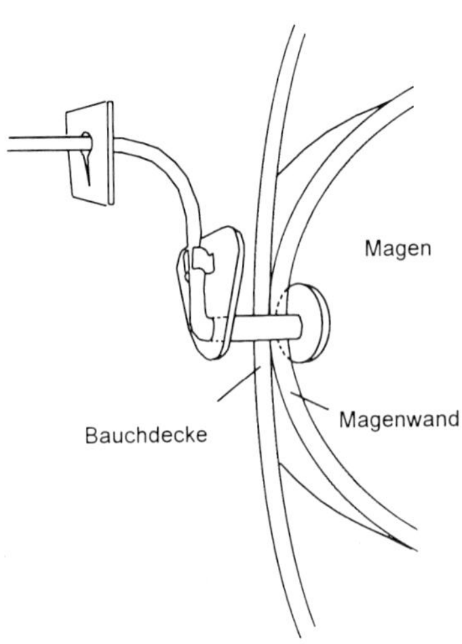

Abb. 2.6 ***PEG - Sonde***

▪ Pflegerelevante Informationen

- Nach Durchführung einer endoskopischen Gastrostomie muß der Patient über **24 Stunden nüchtern bleiben**, bevor mit dem Kostaufbau begonnen wird.
- Bei reizloser Durchtrittsstelle sollte, sofern keine anderslautende Arztverordnung vorliegt, jeden zweiten Tag, langfristig 2 mal wöchentlich, ein **Verbandwechsel** unter aseptischen Bedingungen erfolgen *(siehe "Verbandwechsel", Seite 375)*. Geeignet ist die Verwendung von Schlitzkompressen und hautfreundlichem Pflaster (z.B. Mefix®) oder bedarfsgerechter Verbandsets.
  Bei Sonden, die mit einer **Gegenhalteplatte** versehen sind, empfiehlt sich folgendes Vorgehen:
  - Hände desinfizieren;
  - Schlitzklemme öffnen und Gegenhalteplatte so weit zurückziehen, daß der darunter befindliche Hautbereich gereinigt werden kann;
  - Kompresse mit Hautdesinfektionsmittel tränken und zunächst die Sondendurchtrittsstelle, dann die umliegende Haut, die Sonde und die Unterseite der Gegenhalteplatte abwischen;
  - Sonde vorsichtig von der Bauchdecke wegziehen (entsprechende Markierung der Sonde muß sichtbar sein);
  - zwischen Haut und Gegenhalteplatte Schlitztupfer einlegen;
  - Halteplatte zurückschieben und steril abdecken, Schlitzklemme schließen;
  - Verband mit Fixomull befestigen;
  - Sonde im weiteren Verlauf mit einem hautfreundlichen Pflasterstreifen an der Bauchhaut befestigen.

  Bei Störungen der Wundheilung ist mindestens einmal täglich ein Verbandwechsel angezeigt, bei dem zusätzlich ein ärztlich verordnetes Lokaltherapeutikum verabreicht wird.
- Nach komplikationsloser Heilung der Sondendurchtrittsstelle kann der Sondenträger auf Wunsch **duschen**.
- Die **Sonde** kann zwischendurch **abgestöpselt** werden, sofern sie zuvor gründlich mit geeigneter Flüssigkeit gespült wurde.
- Der **Wechsel** der Ernährungssonde ist ungefähr 1mal jährlich erforderlich und wird in der Regel über die bestehende Magenfistel vorgenommen. Die Maßnahme erfolgt erneut unter endoskopischer Kontrolle, der Patient muß nüchtern bleiben.
- Zur **Entfernung** der Ernährungssonde ist, je nach Anlagetechnik, eine Endoskopie* erforderlich oder überflüssig. Ballonsonden werden z.B. entblockt und von außen aus dem Magen gezogen. Der Sondenträger muß in jedem Fall am Tag der Sondenentfernung - auch nach der Durchführung der Maßnahme - nüchtern bleiben, um Komplikationen zu vermeiden und um das Abheilen der künstlich geschaffenen Magenöffnung *(Magenfistel)* zu erleichtern. Die ehemalige Durchtrittsstelle wird auf der Bauchhaut mit einem sterilen Verband abgedeckt.

❐ Berücksichtigung der Gesamtsituation

Die Verabreichung von Sondenkost darf nicht auf die pflegetechnischen Aspekte beschränkt werden. Um der **mehrdimensionalen Bedeutung des Essens und**

Trinkens gerecht zu werden, sollte sich die Pflegeperson derer bewußt sein und Zeit, Geduld sowie Verständnis aufbringen. Es ist wichtig, möglichst viele **Elemente des gewohnten Essens** in die künstliche Ernährung **einfließen** zu **lassen**:

- angenehme Atmosphäre (ruhige Umgebung, entspannte Situation, Zeit und Ruhe);
- Kommunikation, Unterhaltung, Gesellschaft (auf Wunsch Angehörige zur Verabreichung der Sondenkost anleiten);
- Erhalt des normalen Eßvorgangs, sofern dies nicht medizinisch kontraindiziert ist (kleine Portionen individuell bevorzugter Speisen und/oder Getränke zur oralen Aufnahme anbieten);
- Geschmacks- und Geruchsbereicherung *(siehe vorstehend)*;
- Wiederaufbau / Anbahnung des Schluck- und/oder Kauvorgangs *(siehe "Schlucktraining" und "Übungen für Gesicht, Kiefer und Zunge", Seite 128)*;
- Anregung der Speichelsekretion vor Verabreichung der Sondenkost (Mundpflege durchführen);
- Einnahme der Oberkörperhochlage bzw. der sitzenden Position (ermöglicht die Entwicklung des im Zusammenhang mit dem Essen gewohnten Völlegefühls im vorderen Bauchraum und verringert das Aspirationsrisiko);
- Ermöglichung des natürlichen Sättigungsgefühls (sofern medizinisch nicht kontraindiziert, die Sondenkost in mehreren Portionen, statt kontinuierlich verabreichen; ggf. eine schrittweise Anpassung an Bolusgaben vorschlagen).

Die aufgeführten Maßnahmen haben basalstimulierenden Charakter *(siehe Seite 742)*.

❒ Verabreichungsarten

Die künstliche enterale Ernährung kann in Einzelportionen *(Bolusgaben)* oder kontinuierlich erfolgen.
Das entscheidende Argument für die **Bolusgaben** ist die Nachahmung der natürlichen Ernährung. Sie setzt allerdings die medizinische Unbedenklichkeit sowie eine korrekte Durchführung, d.h. Verabreichung von jeweils maximal 250 ml in mindestens 15 Minuten und bei Oberkörperlagerung, voraus. Bolusgaben sind nur möglich, wenn die Ernährungssonde im Magen plaziert ist; die Positionierung im Duodenum erfordert eine kontinuierliche Verabreichung der Kost. Weitere Voraussetzung ist die Entscheidung für hochmolekulare Formuladiäten; niedermolekulare sind langsam und kontinuierlich zuzuführen, da sie aufgrund ihrer hohen Osmolarität Diarrhöen hervorrufen können.
Aus medizinischer Sicht (REICHENBACHER, 1993) verbessert die **kontinuierliche Zufuhr** der Sondenkost die Verträglichkeit der künstlichen Ernährung; sie vermeidet Belastungsspitzen bei der Verdauung und Resorption sowie eine Überbeanspruchung des Stoffwechsels und der Reservoirfunktion des Magens.
Der Arzt legt die aus medizinischen Gründen erforderliche Kostzusammenstellung fest. Daraus ergibt sich, ob eine kontinuierliche Verabreichung der Sondenkost zwingend ist. Sollten Bolusgaben möglich sein, ist diese Verabreichungsart aus den genannten Gründen *(siehe "Berücksichtigung der Gesamtsituation")* der kontinuierlichen vorzuziehen.

❒ Kostaufbau

Die Umstellung auf eine künstliche enterale Ernährung erfordert Anpassungsleistungen des Organismus. Um diese und eine gute Verträglichkeit zu fördern, ist ein **langsamer Kostaufbau** erforderlich. Zunächst werden nur geringe Mengen in langsamem Tempo (maximal 100 ml in 5 - 10 Minuten) verabreicht. Bei guter Verträglichkeit werden in den folgenden Tagen Menge und Zufuhrgeschwindigkeit langsam gesteigert, bei Unverträglichkeit (Diarrhoe, Völlegefühl) werden sie zunächst reduziert.
Während des Kostaufbaus **beobachten** Pflegende die **Reaktionen** des Patienten auf die Ernährungsumstellung:

- Akzeptiert der Betroffene die künstliche Ernährung?
- Treten Unverträglichkeiten (Diarrhoe, Völlegefühl, Unwohlsein) auf?
- Werden die Flüssigkeitsverluste kompensiert?
- Kommt es durch die Flüssigkeitszufuhr zur Kreislaufbelastung oder zur Ödembildung (z.B. bei Herzinsuffizienz)?
- Liegen die Blutzuckerwerte des Diabetikers im Normbereich?

Die Beobachtungen werden dokumentiert und dem behandelnden Arzt mitgeteilt.

❒ Verabreichung der Sondenkost

Die Verabreichung von Sondenkost kann mit einer Spritze, über ein Schwerkraftsystem oder mittels Ernährungspumpe erfolgen.

- **Schwerkraftsystem**

Das Behältnis mit der Nährstofflösung wird an ein Tropfsystem (Zuleitungsschlauch, Tropfkammer mit Luftventil, Rollenklemme, Adapter mit Luer-Lock-Ansatz oder Trichteransatz) angeschlossen und oberhalb des Magenniveaus an einer geeigneten Vorrichtung (Bettbügel, Infusionsständer) aufgehängt.
Dieses Überleitungssystem muß luftleer sein, bevor es an die verlängerte Ernährungssonde angeschlossen wird. Aus infektionsprophylaktischen Gründen ist es alle 24 Stunden auszuwechseln.
Die Einflußrate soll bei 100 ml in ca. 10 - 15 Minuten liegen.

- **Ernährungspumpe**

Elektrische Ernährungspumpen werden über Strom betrieben; Akkumulatoren erlauben eine vorübergehende Unabhängigkeit vom Stromnetz. Technische Vorrichtungen ermöglichen die Eingabe der gewünschten Einflußrate und gewährleisten damit eine kontinuierliche gleichmäßige Verabreichung der Sondenkost. Störungen werden automatisch über ein optisches und ein akustisches Alarmzeichen gemeldet. Neuere Geräte erlauben zusätzlich die Programmierung von Bolusgaben. Einige Firmen bieten Tragetaschen für Pumpe und Nährlösung an und ermöglichen dem Patienten dadurch mehr Mobilität.
Das die Nährlösung transportierende Tropfsystem muß über einen weichen Abschnitt, der in das Pumpsystem eingelegt wird, verfügen. Dieses Zuleitungssystem ist täglich zu wechseln.

Mögliche Probleme	Prophylaktische / therapeutische Maßnahmen
Stoffwechselstörung durch ⇨ nicht dem Stoffwechsel angepaßte Kost	• **Umstellung der Kost entsprechend den Stoffwechselverhältnissen anregen, z.B.** ⇨ MCT-Diät; Diabetes-Diät; Nieren-Diät
Reizung / Infektion im Bereich der Durchtrittsstelle, bedingt durch ⇨ Kontamination ⇨ Halteplatte	• **Hygienische Wundversorgung** ⇨ Verbandwechsel unter aseptischen Bedingungen ⇨ Anbringen von Schlitzkompressen unter- und oberhalb der Halteplatte
Affektionen im Mundbereich durch ⇨ fehlende orale Nahrungs- und Flüssigkeitsaufnahme ⇨ verringerte Speichelsekretion	• **Regelmäßige Mundpflege** ⇨ vor der Verabreichung von Bolusgaben, ansonsten mind. 3 x täglich ⇨ Anfeuchten der Mundschleimhaut nach Bedarf, z.B. 2stündlich ⇨ Anregen einer zusätzlichen oralen Nahrungs- und Flüssigkeitszufuhr (sofern nicht kontraindiziert) ⇨ Anregung der Speichelsekretion
Wahrnehmungsverluste durch ⇨ unphysiologischen Eßvorgang ⇨ Fehlen der gewohnten Eßkultur ⇨ Fehlen von Geruchs- und Geschmacksstoffen ⇨ isolierte Nahrungsaufnahme ⇨ kontinuierliche Nahrungszufuhr (fehlendes Sättigungsgefühl)	• **Fördern einer möglichst natürlichen Eßsituation** ⇨ angenehme Atmosphäre, Gesellschaft ⇨ ggf. Schlucktraining, Übungen für Gesicht, Kiefer, Zunge ⇨ Fördern der oralen Nahrungszufuhr (natürliches Essen und Trinken, sofern nicht kontraindiziert), Anbieten bevorzugter Getränke und Nahrungsmittel ⇨ Bolusgaben (sofern nicht kontraindiziert)
Hautreizungen und Druckstellen an der Nase durch ⇨ Wahl der falschen Sonde ⇨ ungünstige Fixation ⇨ zu seltenen Wechsel der Fixierungsstelle ⇨ ungenügende Nasenpflege	• **Wahl der richtigen Magensonde** ⇨ dünn, weich, aus Silikonkautschuk oder Polyurethan • **Regelmäßige Nasenpflege** ⇨ täglicher Wechsel der Fixationsstelle ⇨ Abpolstern der Sonde ⇨ mehrmals täglich Nasenpflege
Pneumonie infolge ⇨ flacher Atmung bei nasogastraler Sonde ⇨ Aspiration	• **Pneumonieprophylaxe** ⇨ Intensivierung der Atmung ⇨ mehrmals täglich Atemübungen • **Aspirationsprophylaxe** *(siehe oben)*

Tabelle 2.2 ***Mögliche Probleme bei der künstlichen enteralen Ernährung***

2.10.4 Parenterale Ernährung

Die parenterale Ernährung erfolgt über das Venensystem und unter **Umgehung des Magen-Darm-Traktes**; die lebensnotwendigen Nähr- und Wirkstoffe werden in gelöster Form als Infusionslösung verabreicht. Sie ist angezeigt, wenn eine enterale Nahrungszufuhr nicht möglich oder kontraindiziert ist, z.B. nach großen Operationen am Magen-Darm-Trakt, bei Bewußtlosigkeit oder bei lebensbedrohlicher Nahrungsverweigerung.
Während der parenteralen Ernährung ist eine sorgfältige Mundpflege zu gewährleisten; weitere Aspekte werden unter *"Infusionstherapie"*, *Seite 447*, besprochen.

2.10.5 Schlucktraining

Das Schlucktraining wird eingesetzt, um den **Schluckreflex anzubahnen** und um das sichere, regelrechte **Schlucken zu schulen**.
Der **Schluckreflex** wird normalerweise durch **Stimulierung** verschiedener **sensibler Nerveneinheiten** im Bereich der Mundhöhle und des Rachens ausgelöst. Das untere Drittel des vorderen Gaumenbogens gilt als die sensibelste Stelle.
Fehlt der Schluckreflex, so kann dieser durch Reizung des vorderen Gaumenbogens stimuliert werden. Dazu wird ein Zahnspiegel für ca. 10 Sek. in Eiswasser getaucht und anschließend mit der Rückseite der Spiegelfläche 5 - 10 mal an den unteren Teil des vorderen Gaumenbogens getippt. Vor der Wiederholung des

Vorgangs wird der Zahnspiegel erneut in Eiswasser getaucht; dadurch wird neben dem mechanischen auch ein thermischer Reiz ausgelöst. Rechter und linker Gaumenbogen werden abwechselnd für ca. 5 Minuten, insgesamt 5 mal täglich, stimuliert.

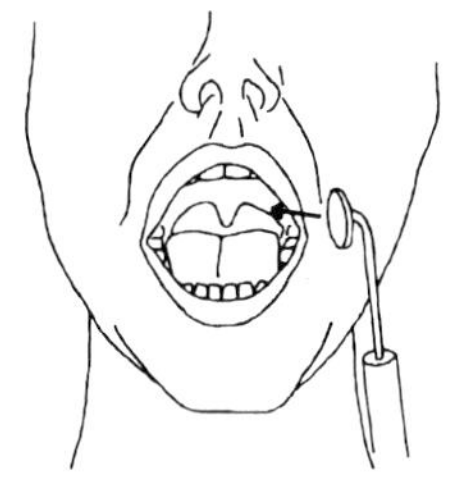

Abb. 2.7 ***Stimulation des Schluckreflexes***

Der Schluckreflex kann bereits nach einigen Tagen, aber auch erst nach mehreren Wochen einsetzen. Ist dies geschehen, wird das **Schlucken von dickbreiiger Kost** versucht. Der halbgefüllte Löffel wird dabei gerade in den Mund geschoben und das vordere Zungendrittel heruntergedrückt. Der Kranke schluckt; ihm muß ausreichend Zeit zum Nachschlucken eingeräumt werden.

Wird das Schlucken dickbreiiger Kost beherrscht, wird der Schwierigkeitsgrad durch Anbieten kleiner Portionen **dickflüssiger Getränke** erhöht. Bei Auftreten von Schwierigkeiten kann das Angebot mittels einer Pipette oder eines Strohhalmes erfolgen; zu Übungszwecken kann auch Flüssigkeit vom Finger aufgesogen werden.

Bei **Trinkübungen** mittels Becher ist darauf zu achten, daß der Becher nur zur Hälfte gefüllt wird. Der Becherrand wird an der Unterlippe angelegt; eine Berührung des Bechers mit den Zähnen soll vermieden werden, um das eventuelle Auslösen des Beißreflexes zu verhindern. Zunächst wird nur in kleinen Schlucken getrunken; zwischen den Schlucken ist jeweils eine Pause einzulegen.

Bleibt ein Schlucken aus, kann dies durch Streichungen vom Kinn in Richtung Kehlkopf provoziert werden.

Bei gleichzeitiger Verminderung der Funktion der Gesichtsmuskulatur, z.B. infolge einer Fazialisparese (*Lähmung des Gesichtsnerven*), wird während des Schlucktrainings eventuell der Kieferkontrollgriff (*siehe "Facilitation des Kiefers"*) angewendet. Die Facilitation von Gesicht, Zunge und Kiefer unterstützen das Schlucktraining.

2.10.6 Übungen für Gesicht, Kiefer und Zunge

Bei Lähmungserscheinungen der Gesichts-, Kau- und Zungenmuskulatur kommt es zu Störungen der Motorik sowie zu Veränderungen des Muskeltonus und/oder der Sensibilität in diesen Bereichen. Um den **Muskeltonus** zu **normalisieren**, regelrechte **Bewegungen** im Gesichts- und Kieferbereich zu **schulen** und um die **Sensibilität** zu **fördern**, werden gezielt periphere sensible Reize gegeben. Die provozierten Erregungsabläufe fördern neue Leistungen des Zentralnervensystems. Ziel ist dabei die Erleichterung, Förderung und Bahnung von Bewegungen (*Facilitation*).

Die **Facilitation** des Gesichts, des Kiefers und der Zunge dient der Erleichterung von Bewegungen im Gesichtsbereich, insbesondere

- der Eß- und Kaubewegungen,
- der Kiefer- und Lippenöffnung,
- des Kiefer- und Lippenschlusses,
- der Gesichtsmimik,
- der Formung von Sprachlauten und
- der klaren Aussprache.

Sie gehört in den Aufgabenbereich der LogopädInnen *(Stimm- und SprachtherapeutInnen)*; die Übungen können nach entsprechender Anleitung meist auch mit Hilfe des Pflegepersonals oder vom Patienten allein fortgeführt werden. Durch die regelmäßige Durchführung der Übungen steigen deren Erfolgsaussichten. Sie werden vorzugsweise vor der Mundpflege und vor der Nahrungsaufnahme durchgeführt.

❒ Facilitation des Kiefers

Bei der Facilitation des Kiefers wird der **Kieferkontrollgriff** angewendet. Nach Möglichkeit steht der Ausführende dabei hinter dem Patienten und legt seine linke Hand folgendermaßen an: den Daumen in Höhe des Kiefergelenkes, den Zeigefinger zwischen Unterlippe und Kinn, den Mittelfinger unter den Mundboden (Kinn). So können gleichzeitig die Kieferbewegungen, der Lippenschluß und die Zungenbewegungen beeinflußt werden (*siehe Abbildung 2.8*).

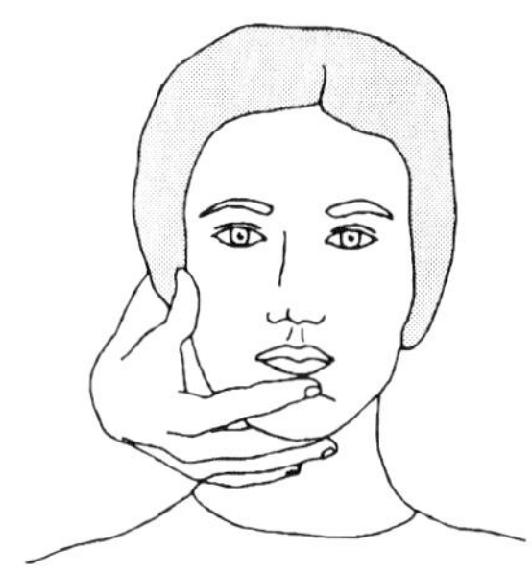

(hinter dem Patienten oder seitlich vom Patienten stehend)

Abb. 2.8 ***Kieferkontrollgriff***

Wenn es dem Therapeuten nicht möglich ist, hinter dem Patienten zu stehen, wird der Kieferkontrollgriff von vorn angelegt: der Zeigefinger liegt in Höhe des Jochbeins, der Daumen in Längsrichtung unter der Unterlippe und der Mittelfinger unter dem Kinn (*siehe Abbildung 2.9*).

(vor dem Patienten stehend)

Abb. 2.9 ***Kieferkontrollgriff***

Das einhändige Schneiden erlauben ebenso **Brettchen mit Nägeln**, auf die das Schneidgut aufgebracht oder "aufgespießt" wird. Brot, Käse oder Wurst können mühelos geschnitten werden. Damit das Brettchen nicht verrutscht, wird es mit Gummifüßchen o.ä. versehen.

Teller mit erhöhtem oder **aufgestecktem Rand** verhindern bei bestimmten Speisen ein Abrutschen, wenn die zweite Hand zum Ankippen des Tellers fehlt. So können Erbsen, Mais und ähnliches Gemüse auch mit einer Hand auf das Eßbesteck gehäuft werden.

❒ Essen bei eingeschränktem Griffvermögen

Griff- und Haltevermögen einer oder beider Hände können infolge von Verletzungen oder Erkrankungen vermindert bzw. aufgehoben sein. Die Hauptursachen sind Lähmungen (z.B. nach Schlaganfall) oder Deformitäten (z.B. bei rheumatischen Erkrankungen).
Oft kann trotz solcher Einschränkungen mittels **speziellen Eßbestecks** ein selbständiges Essen und Trinken ermöglicht werden. Es stehen z.B. auswechselbare, aufzusteckende **Besteckgriffe**, die anatomisch geformt oder besonders dick sind, zur Verfügung. Das Material ist rutschfest und leicht, es kann daher mit wenig Kraft gehalten werden.
Noch geringeres Griffvermögen kann durch **Besteckhalter** und **Handschlaufen** kompensiert werden. Das Besteckteil wird in eine eingearbeitete Lasche oder Schlaufe aus Leder oder Kunststoff geschoben bzw. geschraubt. Die Schlaufe wird über die Hand des Behinderten gestreift, auf seine Handgröße eingestellt und in Höhe des Handrückens fixiert. So liegt das Besteckteil in der Handinnenfläche, ohne daß es fest umgriffen werden muß.
Für Becher und Gläser werden ebenfalls **aufsteckbare Griffvorrichtungen** angeboten, in deren Griff die Hand eingeschoben wird. Das Trinkgefäß liegt dadurch sicher in der Hand des Betroffenen.

❒ Essen bei Halbseitenlähmung

Lähmungen sind oft inkomplett und lassen noch einige Bewegung zu. Der Muskeltonus ist dabei erhöht oder erniedrigt. Durch das Üben mit der gelähmten Hand / dem Arm können unter Umständen Bewegungen neu erlernt sowie die Koordination der Bewegungen verbessert werden.
Die auf *Seite 600* gezeigte Ausgangsposition ist während des Essens einzunehmen.
Der Patient wird über die Erfolgsaussichten informiert und ermutigt, bei der Nahrungsaufnahme **beide Hände einzusetzen** (auch wenn er mit einer Hand zurechtkommt). Er wird angeleitet, die hemiplegische Extremität mit der nicht betroffenen Hand zu führen. In einigen Fällen muß die Pflegeperson die Führung der gelähmten Extremität zunächst übernehmen.
Zu Beginn werden mundgerecht vorbereitete Speisen angeboten. Sodann wird versucht, Besteck und Trinkgefäß mittels spezieller Haltegriffe mit der Hand der gelähmten Extremität zu führen. Die nicht betroffene Extremität wird unterstützend eingesetzt; sie führt - soweit erforderlich - den gelähmten Arm.
Nur wenn das beidhändige Essen nach einer langen Übungsphase nicht erlernt werden konnte, wird der Betroffene zum einhändigen Essen angeleitet.

❒ Essen und Trinken bei Lähmungen der Gesichtsmuskulatur

Bevor dem Patienten flüssige oder feste Nahrung angeboten wird, muß sich das Pflegepersonal **vergewissern, daß** der **Schluckakt regelrecht erfolgt**. Liegen Störungen vor, muß zunächst ein Schlucktraining mit dem Logopäden durchgeführt werden. Bei Fehlen des Hustenreflexes muß wegen der Aspirationsgefahr jede orale Nahrungszufuhr unterbleiben.
Die **Kau-**, **Lippen-**, **Zungen-** und **Kieferbewegungen** werden durch entsprechende Facilitation und Übungen für Gesicht, Kiefer und Zunge gefördert *(siehe Seite 129)*.
Das Kauen wird zunächst durch **"Trockenübungen"** in Form von rotierenden Kaubewegungen ohne Nahrung versucht. Die Bewegungen werden ggf. durch das Pflegepersonal unterstützt; dazu wird der Kieferkontrollgriff eingesetzt.
Die eigentlichen **Kauübungen** erfolgen dann **mit Speisen** von **mittlerer Konsistenz**, z.B. mit leichtgedünstetem Gemüse oder Toastbrot. Die Nahrung wird zunächst auf der gelähmten, dann auf der nicht betroffenen Seite gekaut. Gelingt das Kauen nicht, wird dickbreiige Kost wie Kartoffelpüree, Quark und püriertes Gemüse angeboten. Die zuvor genannten Übungen werden weiter durchgeführt. Bei Erfolg wird **kontinuierlich festere Nahrung** gereicht.

2.10.8 Hilfeleistung beim Erbrechen

Das Erbrechen wird als **sehr unangenehmer**, manchmal auch als entwürdigender **Vorgang** empfunden. Ruhiges und freundliches Verhalten von seiten des Pflegepersonals kann dem entgegenwirken.

Die Hilfestellung erfolgt durch:

- Aufsetzen des Patienten und Halten seines Kopfes (Erleichterung des Brechvorganges);
- Halten einer Nierenschale;
- flaches Lagern und Drehen des Kopfes zur Seite oder durch stabile Seitenlage bei Bewußtlosigkeit oder Bewußtseinseintrübung des Patienten (Verhinderung einer Aspiration von Erbrochenem);
- Auflegen einer Hand und Ausüben von Druck im Bereich von abdominellen Operationswunden (Linderung von Schmerzen);
- Unterlegen von Zellstoff (Schutz der Kleidung und Bettwäsche);
- Mundhygiene, Gesichts- und Händewaschung, ggf. auch Bettwäsche- oder Kleidungswechsel nach dem Erbrechen (Wiederherstellung des Wohlbefindens).

Das Erbrechen, namentlich besondere Beobachtungen, werden dokumentiert.

Bei wiederholtem heftigen Erbrechen werden weitere Pflegemaßnahmen erforderlich; sie werden exemplarisch bei der Pflege tumorkranker Menschen *(siehe Seite 934)* besprochen.

2.10.9 Ernährungsberatung

Essen und Trinken sind mit Genuß verbundene, sich ständig wiederholende und durch individuell gewichtete Motive geprägte Verhaltensweisen. Daraus folgt, daß eine Ernährungsberatung **alle Dimensionen des Essens und Trinkens berücksichtigen** muß.
Die Vermittlung ernährungsphysiologischen Wissens reicht in der Regel nicht aus, um Verhaltensänderungen zu erwirken. Vielmehr müssen die gefühlsmäßigen und gesellschaftlichen Aspekte des Eß- und Ernährungsverhaltens bewußt gemacht und bedürfnisorientierte Ziele sowie Maßnahmen entwickelt werden.
Laut PUDEL und WESTENHÖFER (1991) versteht sich die Ernährungsberatung als **Hilfe zur Selbsthilfe** und verfolgt das Ziel, **Ernährungsempfehlungen und Eßverhalten in nähere Übereinstimmung zu bringen**.
Sie sollte

- die physiologischen und psychologischen Dimensionen des Ernährungsverhaltens erkennen und bewerten,
- dem Klienten mit geeigneter Gesprächsführung zur Problemanalyse verhelfen,
- individuell angepaßte Maßnahmen entwickeln,
- Hemmfaktoren aufdecken,
- dem Klienten eine realistische Umsetzung in Einstellung und Verhalten ermöglichen.

Ziel ist ein **gesundheitsgerechteres Eßverhalten**.
Eine Ernährungsberatung kann in präventiver oder in therapeutischer Absicht erfolgen. Der Klient sollte die Beratung **freiwillig** in Anspruch nehmen und Bereitschaft zur **Eigenverantwortlichkeit** zeigen.

Eine Ernährungsberatung im beschriebenen Sinn sollte durch professionelle ErnährungsberaterInnen erfolgen.
Pflegende können die von ihnen betreuten Menschen bei Bedarf auf Ernährungsfehler / -mängel hinweisen und Informationen über eine gesundheitsfördernde Ernährung vermitteln.
Bei Vorliegen von gesundheitsbelastenden / krankheitsauslösenden Risikofaktoren (Hypertonie, Hypercholesterinämie, Adipositas) oder Stoffwechselkrankheiten (Diabetes mellitus) ist es angebracht, die ärztlichen Bemühungen hinsichtlich einer professionellen Ernährungsberatung bzw. -therapie zu unterstützen.

2.11 Pflegeplanung

2.11.1 Informationssammlung "Besonderheiten beim Essen und Trinken"

Individuelle Bedeutung des Essens
- ☐ Genußerlebnis
- ☐ Last
- ☐ kommunikatives Geschehen
- ☐ Trost

____

Ernährungszustand
- ☐ reduzierter EZ
- ☐ Kachexie
- ☐ Übergewicht
- ☐ Adipositas
- ☐ Exsikkose / Dehydratation

Eß- und Trinkverhalten
- ☐ Appetitlosigkeit
- ☐ Heißhunger
- ☐ zu geringe Nahrungsaufnahme
- ☐ übermäßige Nahrungsaufnahme
- ☐ geringe Flüssigkeitsaufnahme
- ☐ hastiges Essen
- ☐ Nichteinhalten der Diät
- ☐ Nahrungsverweigerung
- ☐ psychogene Eßstörung
- ☐ Alkoholabusus

Ernährungsgewohnheiten
- ☐ Normalkost
- ☐ Vollwertkost
- ☐ leichte Vollkost (Schonkost)
- ☐ vegetarische Kost

____________ Kost (sonstiges)

- ☐ Zwischenmahlzeiten

bevorzugte Speisen / Getränke: ____________

____

____

abgelehnte Speisen und Getränke / Unverträglichkeiten: ____________

____

____

Sonstiges (z.B. ißt viel Fleisch): ____________

____

____

- ☐ Hauptmahlzeit wird mittags eingenommen
- ☐ Hauptmahlzeit wird abends eingenommen
- ☐ 3 Mahlzeiten
- ☐ 5 - 7 Mahlzeiten
- ☐ kleine Portionen
- ☐ mittlere Portionen
- ☐ große Portionen

Beeinträchtigungen der Nahrungsaufnahme
- ☐ geistige Behinderung
- ☐ körperliche Behinderung
- ☐ seelische Belastung
- ☐ Krankheiten am Verdauungsapparat
- ☐ Erbrechen
- ☐ Schmerzen
- ☐ Übelkeit, Völlegefühl
- ☐ Sodbrennen
- ☐ Schluckstörungen
- ☐ Gesichtsmuskellähmung
- ☐ Kieferverletzung
- ☐ Erkrankung der Mundhöhle
- ☐ Zahnprobleme

Sonstiges: ____________

____

Einschränkungen der Nahrungsaufnahme
- ☐ verordnete Diät: ____________
- ☐ Trinkbeschränkung, max.:______ml in 24 Std.
- ☐ Nahrungskarenz von:__________bis:________
- ☐ Reduktionskost

Grad der Hilfsbedürftigkeit
- ☐ selbständig
- ☐ teilweise hilfsbedürftig
- ☐ vollständig hilfsbedürftig
- ☐ geht in den Speisesaal
- ☐ nimmt Mahlzeiten am Tisch ein
- ☐ nimmt Mahlzeiten im Bett ein

Erforderliche Maßnahmen
- ☐ Kostzusammenstellung
- ☐ Ernährungs- / Diätberatung
- ☐ mundgerechte Zerkleinerung
- ☐ Eingeben der Nahrung
- ☐ Kostaufbau
- ☐ künstliche enterale Ernährung
- ☐ parenterale Ernährung
- ☐ Schlucktraining
- ☐ Eß- und Trinktraining
- ☐ Kontrolle der Nahrungsaufnahme

Hilfsmittel: ____________

____

Sonstiges: ____________

____

- ☐ Zahnarztbesuch angezeigt

2.11.2 Pflegestandards zum Eß- und Trinktraining

Eß- und Trinktraining - Pflegestandard A

Probleme / Ressourcen	Ziele	Pflegemaßnahmen
Einhändiges Essen und Trinken erforderlich aufgrund einer: - Verletzung - Lähmung - Amputation. Der Patient ist dabei noch ungeschickt; der Umgang mit Hilfsmitteln ist ihm unbekannt.	***Der Patient*** - kann selbständig essen und trinken (*Fernziel*) - nimmt vor der Nahrungsaufnahme eine erleichternde Ausgangsposition ein	**Information und Anleitung bezüglich erleichternder Ausgangsstellung** - sitzende, aufrechte, symmetrische Oberkörperhaltung - Füße fest auf den Boden stellen - Arme auf den Tisch / Nachttisch, parallel zum Besteck, legen **Mundgerechte Zubereitung der Speisen** (zunächst) - Fleisch, Obst u.ä. kleinschneiden
	- kann Eßhilfen sinnvoll einsetzen - ist sicher im Umgang mit Hilfsmitteln	**Anleitung zum Umgang mit Hilfsmitteln** - Einsetzen von rutschfesten Unterlagen wie Saugnäpfen, Non-Slip-Maps - Benutzen von Kombinationsbesteck (Messer-Gabel, Messer-Löffel) und Klammergabel - Aufspießen und Schneiden der Lebensmittel auf mit Nägeln versehenem Brettchen - Anwenden eines aufsteckbaren Tellerrandes bzw. eines Tellers mit erhöhtem Rand
Ressourcen Die Lähmung / Verletzung läßt Restaktivitäten zu. Der Patient möchte die Restaktivitäten nutzen und erweitern. **Beachte:** Eine ggf. bestehende Spastizität muß gehemmt werden.	- kennt die Möglichkeiten der Reaktivierung der betroffenen Extremität - nutzt die Restaktivitäten des betroffenen Armes / der Hand - nimmt korrekte Ausgangsposition ein - hat weitgehend normalen Muskeltonus	**Information und Anleitung** bezüglich der Möglichkeiten, die betroffene Hand / den Arm zu (re)aktivieren **Ausgangsposition wie s.o.** - Hinweis auf Erleichterung bei der Nahrungsaufnahme geben - auf spastizitätshemmende Wirkung der Position aufmerksam machen
	- unterstützt den betroffenen Arm mit dem funktionstüchtigen Arm und führt so die Speisen / Getränke zum Mund	**Selbsthilfetraining** - die Speisen und Getränke werden mit der betroffenen Hand zum Mund geführt, dabei führt der nichtbetroffene Arm den betroffenen Arm - bei eingeschränktem Griffvermögen spezielle Haltegriffe, Schlaufen u.a. einsetzen - später trainieren, die Speisen zunächst ein-, dann beidhändig zu zerkleinern

Eß- und Trinktraining - Pflegestandard B

Probleme / Ressourcen	Ziele	Pflegemaßnahmen
Das Griff- / Kräftevermögen der Hände ist verringert aufgrund von - Deformitäten - Verletzungen - Lähmungserscheinungen.	***Der Patient*** - kann trotz verringerten Griffvermögens selbständig Besteck und Trinkgefäße halten / führen	**Information über / Anleitung zum Umgang mit speziellem Eßbesteck** - aufsteckbare Besteckgriffe, z.B. anatomisch vorgeformte oder verdickte Griffe vorstellen - Besteckhalter in Form von Kunststoff- oder Lederschlaufen sowie - aufsteckbare Griffvorrichtungen für Becher und Gläser vorstellen
	- kennt Hilfsmittel, die die Nahrungszubereitung erleichtern	**Information über Hilfsmittel, die die Nahrungszubereitung erleichtern** - Katalog vorstellen - Hinweis auf Sanitätshäuser geben - wenn möglich, Beratung und Training mit ErgotherapeutInnen vorschlagen / unterstützen

2.12 Exemplarische Lebens- und Pflegesituationen bei Erkrankungen der oberen Verdauungsorgane

2.12.1 Refluxösophagitis

2.12.1.1 Krankheitsbild

Ösophagitis = Entzündung der Schleimhaut der Speiseröhre

gastroösophagealer Reflux = Rückfluß von Mageninhalt in die Speiseröhre

❒ Definition

Bei der Refluxösophagitis handelt es sich um eine **durch** den wiederholten **Rückfluß von Mageninhalt bedingte** (chronische) **Entzündung der Ösophagusschleimhaut**.

Anmerkung: Ein gelegentlicher kurzdauernder Reflux von Mageninhalt in die Speiseröhre ist physiologisch.

❒ Ursache

Häufigste Ursache ist eine **Insuffizienz des Verschlußmechanismus** des unteren Ösophagussphinkters; der durch den geöffneten Mageneingang in die Speiseröhre zurückfließende Mageninhalt schädigt die Schleimhaut.

❒ Symptome und Diagnostik

Viele Betroffene leiden unter
- Sodbrennen (brennende Schmerzen hinter dem Brustbein),
- Aufstoßen,
- Schluckbeschwerden,
- epigastrische Schmerzen und Brennen,
- Übelkeit, Erbrechen
- Regurgitation *(Zurückströmen)* von Nahrung aus dem Magen in die Mundhöhle.

Die Beschwerden werden durch bestimmte Begebenheiten verstärkt:
- Pressen und Bücken,
- flache Rückenlage,
- Streß,
- Aufnahme bestimmter Nahrungsmittel,
- Alkohol- / Nikotinkonsum,
- Anstrengung,
- Einnahme von Medikamenten, die den Druck im unteren Ösophagussphinkter senken, z.B. Anticholinergika *(siehe Seite 145)*, Kalziumantagonisten *(siehe Seite 298)*, Nitropräparate *(siehe Seite 297)*.

Die **Diagnose** Refluxösophagitis wird anhand einer Ösophaguskopie mit Biopsie gesichert. Zusätzlich können mittels Manometrie Sphinkterinsuffizienz und Motilitätsstörungen nachgewiesen werden.

❒ Verlauf und Komplikationen

Das wiederholte Einwirken von Magensäure kann zu Entzündungen, Erosionen und Ulzerationen der Ösophagusschleimhaut führen; diese können Blutungen und narbige Strikturen verursachen. Maligne Entartungen kommen vor.

2.12.1.2 Zur Situation eines Betroffenen

Die Situation eines Betroffenen wird durch das Ausmaß der Beschwerden und durch die erforderlichen Verhaltensänderungen sowie die Therapiemaßnahmen geprägt. Die Beeinträchtigungen können den Alltag geringfügig oder nachhaltig stören; der **Leidensdruck variiert** entsprechend.
Kooperative Patienten können in leichteren Fällen der Erkrankung durch angepaßtes Verhalten Beschwerdefreiheit erlangen. Die Akzeptanz und Einhaltung der notwendigen **Verhaltensänderungen** sowie das Verantwortungsbewußtsein für die persönliche Gesundheit sind individuell unterschiedlich ausgeprägt.

2.12.1.3 Therapie, Pflege und Verhaltenshinweise

Die allgemeinen Maßnahmen beziehen sich auf das **Meiden sphinkterschwächender, refluxfördernder Faktoren**; folglich beinhaltet das erwünschte Verhalten:
- Abbau von Übergewicht,
- Zufuhr eiweißreicher, fettarmer Kost,
- Verteilung der täglichen Nahrung auf 6-8 Mahlzeiten,
- Verzicht auf eine Spätmahlzeit,
- Verzicht auf Alkohol, Nikotin, Süßspeisen (sogenannte Säurelocker),
- Einnehmen einer aufrechten Oberkörperhaltung beim Essen und Bücken,
- Sitzen mit aufrechtem Oberkörper nach den Mahlzeiten,
- Schlafen bei hochgestelltem Kopfende des Bettes,
- Verzicht auf Medikamente, die den Druck im unteren Ösophagussphinkter senken (sofern medizinisch vertretbar - Arztanordnung),
- faserstoffreiche Ernährung (Obstipationsprophylaxe).

Die medikamentöse Therapie dient der **Verringerung / Neutralisation der Magensäuresekretion**. Verordnet werden in der Regel:
- Protonenpumpenhemmer *(siehe Seite 145)*,
- H_2 - Blocker *(siehe Seite 145)*,
- Antazida *(siehe Seite 145)*,
- Prokinetika (z.B. Propulsin®; sie steigern den Tonus des unteren Ösophagussphinkters und fördern Peristaltik sowie Entleerung des Magens).

Führen die konservativen Maßnahmen nicht zur deutlichen Abnahme der Beschwerden oder treten schwere Komplikationen auf, wird eine **operative Einengung des Mageneingangs** vorgenommen *(Fundoplikatio)*; dabei wird zur Verstärkung des unteren Ösophagus eine manchettenförmige Falte aus dem Magenfundus gebildet.

2.12.2 Ösophaguskarzinom

2.12.2.1 Krankheitsbild

❐ Definition

Es handelt sich um einen **bösartigen Tumor der Speiseröhre**, der frühzeitig in die Nachbarorgane infiltriert und lymphogen, später auch hämatogen metastasiert.

❐ Ursache und Risikofaktoren

Die Ursache des Ösophaguskarzinoms ist unklar; es tritt jedoch im Zusammenhang mit bestimmten Faktoren, die zur Schädigung der Ösophagusschleimhaut führen, auf. Zu diesen **Risikofaktoren** zählen:

- langjähriger Konsum konzentrierten Alkohols,
- Nikotinabusus,
- häufige Aufnahme heißer Getränke und scharf gewürzter Speisen,
- Aufnahme karzinogener Stoffe mit der Nahrung (Nitrosamine, Aflatoxine, Betelnüsse),
- Barrett-Syndrom *(Komplikation einer Refluxösophagitis, bei der sich das Plattenepithel der Speiseröhre in Zylinderepithel umgewandelt hat und in ca. 1o% der Fälle entartet)*,
- Laugenverätzungen,
- Achalasie *(Motilitätsstörung des unteren Ösophagus mit ungeordneter Peristaltik und ungenügender Erschlaffung des unteren Ösophagussphinkters)*.

Häufig sind Männer zwischen dem 50. - 70. Lebensjahr betroffen.

❐ Symptome und Diagnostik

Das Ösophaguskarzinom macht leider erst im fortgeschrittenen Stadium **Beschwerden:**

- Schluckbeschwerden, zunächst bei Aufnahme fester, später auch bei Aufnahme flüssiger Kost,
- deutlicher und fortschreitender Gewichtsverlust.

Bei weiterer Ausbreitung des Karzinoms sind **zusätzliche Symptome** zu beobachten:

- Regurgitation*,
- fauliges Aufstoßen,
- Schmerzen hinter dem Brustbein (*retrosternal*),
- Heiserkeit (bei Befall der Stimmbandnerven),
- Pneumonie (bei Fistelbildung zwischen Luft- und Speiseröhre).

Die **Diagnostik** umfaßt mehrere Untersuchungen:

- Röntgenkontrastmitteluntersuchung (*Ösophagusbreischluck*),
- Ösophagoskopie mit Biopsie *(siehe Seite 188)*,
- Endosonographie.

Zur Erfassung der Tumorausdehnung werden zusätzlich eine Computertomographie, eine Bronchoskopie und eine Röntgenaufnahme des Thorax durchgeführt.

❐ Therapie

Eine **kurative** Therapie durch operative Tumorentfernung (**Ösophagusteilresektion** oder **Ösophagektomie** und regionale **Lymphadenektomie***) ist nur bei ca. einem Drittel der Patienten möglich. Es handelt sich um die Eröffnung der Brusthöhle, meist zusätzlich der Bauchhöhle, zwecks Teilentfernung oder Entfernung der Speiseröhre (evtl. auch des Mageneingangs) und Entfernung regionaler Lymphknoten; zur Wiederherstellung der Nahrungspassage werden der Magen bzw. ein Dünn- oder Dickdarmabschnitt als **Speiseröhrenersatz** zwischengeschaltet.

In einigen Fällen wird eine kurative **Strahlentherapie** durchgeführt.

Bei inoperablem Karzinom beträgt die Überlebensdauer in der Regel nur einige Monate. Ziel der **palliativen Therapie** sind die Wiederherstellung / **Erhaltung der Nahrungspassage** und die Linderung der Beschwerden. Dazu kann eine Strahlentherapie indiziert sein, um den Tumor zu verkleinern.

Bei Tumorstenosen kann die Nahrungspassage durch verschiedene Verfahren wiederhergestellt werden:

- lokale Bestrahlung der Speiseröhre von innen, indem die Strahlungsquelle direkt in das Ösophaguslumen eingebracht wird,
- endoskopische* Verabreichung von Laserstrahlen,
- Bougierung (*Aufdehnung mittels Ballon*) der Stenose,
- Einlegen eines Kunststofftubus (*Endoprothese*).

Im Endstadium muß der Kranke nicht selten über eine **perkutane endoskopische Gastrostomie** (PEG, *siehe Seite 124*), bei kompletter Stenose über eine gastrokutane **Witzelfistel**, ernährt werden. Bei Anlage einer Witzel- Fistel wird ein Katheter durch die operativ eröffnete Bauchdecke in den Magen eingebracht; dort wird er über einige Zentimeter in der Magenwand versenkt, nach außen geleitet und an der Bauchdecke fixiert.

Insgesamt ist die **Prognose** des Ösophaguskarzinoms **schlecht**, die 5-Jahres-Überlebensrate beträgt 10 - 15%.

2.12.2.2 Zur Situation eines Betroffenen

Aspekte zur Situation eines krebskranken Menschen werden auf *Seite 918* erläutert. Besonderheiten bei Erkrankung an einem Ösophaguskarzinom können sich aufgrund des **reduzierten Ernährungszustandes** und der **schlechten Prognose** ergeben. Die seelische und körperliche Belastung ist für viele Betroffene extrem groß. Nach langjährigem Alkohol- und Nikotinabusus kommen nicht selten **Schuld- und Schamgefühle** hinzu.

2.12.2.3 Pflege

Pflege und Betreuung eines krebskranken Menschen werden auf *Seite 934 bis 949* besprochen. Zusätzliche Pflegeschwerpunkte im Zusammenhang mit einem Ösophaguskarzinom ergeben sich ggf. aus der Operation *(Ösophagusteilresektion / Ösophagektomie)* und aus der künstlichen enteralen Ernährung *(siehe Seite 120)* des Kranken.

❐ Präoperative Pflege

Neben den allgemeinen präoperativen Pflegemaßnahmen *(siehe Seite 368)* sind folgende Maßnahmen angezeigt:

- **Verbesserung des reduzierten Allgemein- und Ernährungszustandes**
  Der Arzt ordnet in vielen Fällen für einige Tage eine parenterale Ernährung mit hochkalorischen Infusi-

onslösungen an. Sich daraus ergebende Pflegemaßnahmen werden unter "Infusionstherapie", *Seite 460*, besprochen.

- **Vorbereitung des Operationsfeldes**
  Die Rasur erstreckt sich vom Hals über den Rumpf (einschließlich der Achselhöhlen) bis zum Ansatz der Schambehaarung.
- **Information des Kranken hinsichtlich postoperativer Besonderheiten**
  Die Information des Patienten erfolgt in Zusammenarbeit / in Absprache mit dem Arzt. Der Kranke wird darüber informiert, daß er postoperativ voraussichtlich 5 - 7 Tage **über Infusionen ernährt** wird und daß er weder feste noch flüssige Nahrungsmittel zu sich nehmen darf, um die Heilung der Operationswunde nicht zu gefährden. Außerdem wird er darauf hingewiesen, daß der Magensaft einige Tage über eine **Magensonde** und das Wundsekret über **Drainagen** abgeleitet werden. Weiter wird er über geeignete Verhaltensweisen im Umgang mit den zu- und ableitenden Schläuchen informiert.
  Ferner wird er hinsichtlich der Notwendigkeit und Durchführung stündlicher **Atemübungen**, evtl. mit Hilfe eines Atemtrainers, informiert und angeleitet.

❒ Postoperative Pflege

Neben den allgemeinen postoperativen Maßnahmen wie Krankenbeobachtung, Thromboseprophylaxe und Unterstützung bei den ATL sind nach einer Ösophagusresektion folgende **Besonderheiten** zu berücksichtigen:

- Die **Lagerung** erfolgt **in halbsitzender Position**; der Kopf ist so zu unterstützen, daß eine Überstreckung des Kopfes und somit eine Belastung der Anastomosennähte vermieden werden.
- Die **Mobilisation** beginnt **am Operationstag**. Dem Operierten wird vor dem Aufstehen eine Laparotomiebinde *(Bauchbinde)* angelegt, um Zugkräfte an den Hautnähten zu vermeiden (auch bei Husten).
- Der Kranke wird stündlich zu **Atemübungen** angehalten (intensive Pneumonieprophylaxe).
- **Überwachung der Zu- und Ableitungen**. Die **Magensonde** dient der Ableitung des Magensaftes, der Entlastung des operierten Gebietes und der Schienung der Operationsnähte. Sie muß sicher fixiert werden; es ist stets darauf zu achten, daß sie nicht verschoben wird. Kommt es trotzdem zu einer unbeabsichtigten Lageveränderung, wird diese nicht durch Pflegende korrigiert, sondern unverzüglich ein Arzt gerufen.
  Die Magensonde wird nach Prüfung der Dichtigkeit der Anastomosen (Gastrografinbreischluck) gezogen, meist zwischen dem 5. und 7. postoperativen Tag.
  In der Pleura liegt eine **Thoraxsaugdrainge**, im Wundgebiet liegen **Ziel**- und/oder **Redondraingen** *(Handhabung, Verbandwechsel und Beobachtung werden auf Seite 59 und Seite 377 besprochen)*. Die Drainagen werden bei komplikationslosem Verlauf meist am 2. postoperativen Tag gekürzt und am 5. oder 6. postoperativen Tag vom Arzt entfernt.
- **Ernährung**. Um die Heilung der Anastomose* nicht zu gefährden, erfolgt die postoperative Ernährung über ca. 7-9 Tage **parenteral**; eine gute Aufklärung und eine regelmäßige erfrischende **Mundpflege** fördern die Kooperation und das Wohlbefinden des Kranken.
  Bei Dichtigkeit der Anastomose *(siehe vorstehend)* wird **schluckweise** mit der oralen **Flüssigkeitszufuhr** begonnen. Zwei Tage später werden Haferschleim und **breiige Kost** verabreicht, nach weiteren zwei Tagen wird leichte Kost, verteilt auf **6 - 8 Mahlzeiten pro Tag**, angeboten. Der Kranke wird angehalten, die Nahrung gut zu kauen. Für die weitere Ernährung und das Verhalten des Operierten gelten die bei der Refluxösophagitis aufgeführten Richtlinien *(siehe Seite 136)*; der Patient ist entsprechend zu instruieren.

Bei komplikationslosem Verlauf wird der Patient 3-4 Wochen nach der Operation entlassen. Der weitere Pflegebedarf ist vom Allgemeinzustand abhängig.

❒ Pflege und Verhalten nach Einlegen eines Tubus

Bei zunehmender Ösophagusstenose wird zur Erhaltung der Nahrungspassage endoskopisch ein Kunststofftubus in Speiseröhre und Magen eingelegt *(Stentimplantation)*. Dadurch geht die aktive Transportfunktion des Ösophagus verloren; um den passiven Transport durch die Schwerkraft zu garantieren, muß der Kranke die Mahlzeiten in halb- / sitzender Position einnehmen. Während der Ruhe- und Schlafphasen ist die **Oberkörperhoch- und Beintieflage** (*Antitrendelenburglage*) angezeigt.
Nach Einlage des Tubus erfolgt eine röntgenologische Kontrolluntersuchung; danach kann der Patient in sitzender Position pürierte Kost zu sich nehmen.

Ernährung und Verhalten bei liegendem Ösophagustubus

- Ösophagusschleimhaut 15 Minuten vor jeder Mahlzeit mittels Spray oder Gel anästhesieren,
- ausschließlich pürierte, möglichst hochkalorische Kost aufnehmen,
- Nahrung auf 6 Mahlzeiten pro Tag verteilen,
- Nahrung sitzend und langsam einnehmen,
- während und zwischen den Mahlzeiten und nach Einnahme von Medikamenten reichlich Flüssigkeit trinken (Erhöhung der Durchlässigkeit), anschließend ca. 15 Minuten umhergehen (Förderung des passiven Speisetransportes),
- nur in Kopfhoch- und Beintieflage ruhen und schlafen,
- bei Verschlechterung der Nahrungspassage sofort den Arzt konsultieren.

2.12.3 Ösophagusvarizenblutung

2.12.3.1 Krankheitsbild

❒ Definition und Entstehung

Bei den Ösophagusvarizen handelt es sich um **erweiterte und gestaute Venen im Bereich der Speiseröhre**, die infolge einer portalen Hypertension (*Pfortaderhochdruck*, *siehe Seite 181*), meist auf dem Boden einer Leberzirrhose, entstehen. Sie liegen direkt unter der Schleimhaut und sind somit leicht verletzlich; in etwa der Hälfte der Fälle kommt es zu lebensbedrohlichen Blutungen = Ösophagusvarizenblutung.

❐ Symptome und Diagnostik

Ösophagusvarizen verursachen im allgemeinen **keine Beschwerden**.
Die Diagnose erfolgt anhand der Anamnese (Leberzirrhose, Alkoholismus) und einer **Ösophagoskopie** oder einer **Röntgenkontrastmitteldarstellung** von Ösophagus und Magen. Eine Ösophagusvarizenblutung kann mit **massivem Bluterbrechen** einhergehen; rasch kommt es zu Blutdruckabfall, Pulsanstieg und Kaltschweißigkeit (*Zeichen eines beginnenden Volumenmangelschocks*). Nicht selten wird Blut aspiriert und verursacht eine Pneumonie. Ungefähr 20% der Betroffenen sterben infolge ihrer ersten Ösophagusvarizenblutung; bei Rezidivblutungen liegt die Letalität* bei ca. 50%. Infolge der massiven Blutung in den Verdauungstrakt kann es durch von Bakterien abgebautes Blut zu einem erhöhten Blut-Ammoniakspiegel kommen. Dies ist eine Ursache für die hepatische Enzephalopathie *(siehe Seite 181)*.

❐ Therapie

Bei der Ösophagusvarizenblutung handelt es sich um einen lebensbedrohlichen Notfall, der eine **sofortige Schockbehandlung** mittels Vollblut / Erythrozytenkonzentrat und/oder Volumensubstitution *(siehe Seite 387)* erfordert.
Zum Nachweis der Blutungsquelle und ggf. zur Stillung der Blutung wird eine Notfallendoskopie durchgeführt, bei der die blutende **Varize sklerosiert** *(verödet)* wird. Die Erfolgsrate liegt bei 90%, es besteht jedoch das Risiko von Rezidivblutungen. Die endoskopische Maßnahme kann durch intravenöse Verabreichung von Medikamenten, die durch Vasokonstriktion *(Gefäßengstellung)* den Druck im Pfortaderkreislauf senken (z.B. Terlipressin®, Somatostatin®), ergänzt werden.
Kann die Blutung durch die genannten Maßnahmen nicht gestillt werden, wird die Blutungsquelle mittels einer Ballontamponade *(Ösophaguskompressionssonde)* mechanisch komprimiert.
Versagt auch diese Maßnahme, muß die Blutung operativ gestillt werden. Dazu führt man z.B. eine **Venensperroperation**, bei der die Blutzufuhr zum Ösophagus unterbunden wird, durch oder legt notfallmäßig einen **portokavalen Shunt** *(Kurzschlußverbindung zwischen Pfortader und unterer Hohlvene)* zur Senkung des erhöhten Pfortaderdrucks an. Wegen der hohen Letalität* erfolgt die Indikationsstellung zur Shuntoperation sehr streng.
Nach einer Ösophagusvarizenblutung muß der Entwicklung einer hepatischen Enzephalopathie entgegengewirkt und ggf. einem Delirium tremens auf medikamentösem Weg vorgebeugt werden.

2.12.3.2 Zur Situation eines Betroffenen

Aufgrund des massiven Bluterbrechens und der sich rasch entwickelnden Schocksymptomatik spürt ein Betroffener im allgemeinen die akute **Bedrohung seines Lebens**. Bei Rezidivblutungen wissen viele der Betroffenen um das hohe Risiko, zu verbluten.
Das Liegen einer Ösophaguskompressionssonde wird meist unangenehm empfunden. Ein Verrutschen des Ösophagusballons kann zu Atemnot und Erstickungsangst führen.
Insgesamt hat ein Betroffener ein ausgeprägtes Krankheitsgefühl und ist vollständig auf pflegerische und ärztliche Hilfe angewiesen.

2.12.3.3 Pflege

❐ Sofortmaßnahmen

Bei einer akuten Ösophagusvarizenblutung stehen zwei **Probleme** im Vordergrund,
- die akute Lebensgefahr aufgrund des (beginnenden) Volumenmangelschocks infolge der massiven Blutverluste,
- die Aspirationsgefahr bei schwallartigem Erbrechen (insbesondere bei Bewußtseinseinschränkungen).

Dementsprechend sind folgende **Sofortmaßnahmen** zu ergreifen:
- Lagerung des Patienten mit leicht erhöhtem Oberkörper (20 - 30°), bei Bewußtseinsstörung in flacher Rückenlage mit seitlich geneigtem Kopf; gleichzeitig Höherstellen des Fußendes,
- ggf. Entfernen der Zahnprothese,
- Benachrichtigung des Arztes,
- Beruhigung und Beobachtung des Patienten,
- Kontrolle von Puls, Blutdruck und Bewußtsein,
- Hilfestellung beim Erbrechen,
- Auffangen und Messen des erbrochenen Blutes,
- Vorbereitung der medikamentösen Schockbekämpfung, Assistenz der ärztlichen Maßnahmen (Infusions-, Transfusionstherapie),
- Transport des Patienten zur Intensivstation (oder zur Endoskopieabteilung), ggf. Vorbereitung des Patienten zur Notfalloperation.

Vor und nach der Sklerosierung wird der Patient auf der Intensivstation betreut und engmaschig beobachtet (Vitalzeichen, Ausscheidungen, Erbrechen, Bewußtsein), um eine erneute Blutung und ein Kreislaufversagen frühzeitig zu erkennen. Weitere Maßnahmen ergeben sich aus der Infusions- und Transfusionstherapie.

❐ Pflege im Rahmen der Therapie mit einer Ösophaguskompressionssonde

Bei der **Sengstaken-Blakemore-Sonde** handelt es sich um eine dreilumige Ösophaguskompressionssonde mit zwei auffüllbaren Ballons *(siehe Abb. 2.15)*. Sie wird zur **Stillung einer Varizenblutung** im Bereich der **Speiseröhre** (und **des Magenmundes**) eingesetzt.
- Über das erste Lumen wird der **Magenballon** zur Fixation der Sonde mit 150 - 200 ml Luft gefüllt,
- über das zweite Lumen wird der längliche **Ösophagusballon** auf 35 - 40 mmHg aufgepumpt,
- über das dritte Lumen kann Mageninhalt nach außen abgesaugt werden, andererseits können darüber Sondenkost und Medikamente zugeführt werden.

Bei der **Linton-Nachlaß-Sonde** handelt es sich um eine dreilumige Ösophaguskompressionssonde mit einem auffüllbaren Ballon. Sie wird zur Stillung einer **Varizenblutung im Bereich des Magenfundus** eingesetzt.

- Über das erste Lumen wird der Magenballon zur Kompression der Varizen im Fundusbereich mit maximal 700ml Luft aufgefüllt,
- über das zweite Lumen kann Flüssigkeit aus dem Ösophagus aspiriert werden,
- über das dritte Lumen kann Magensekret aspiriert werden; ebenso ist die Zufuhr von Sondenkost bzw. von Medikamenten möglich,
- über eine Lasche am außen liegenden Sondenteil kann eine Extension (*Zugvorrichtung*) mit Gewicht zur Unterstützung der Kompressionswirkung angebracht werden (erfolgt selten).

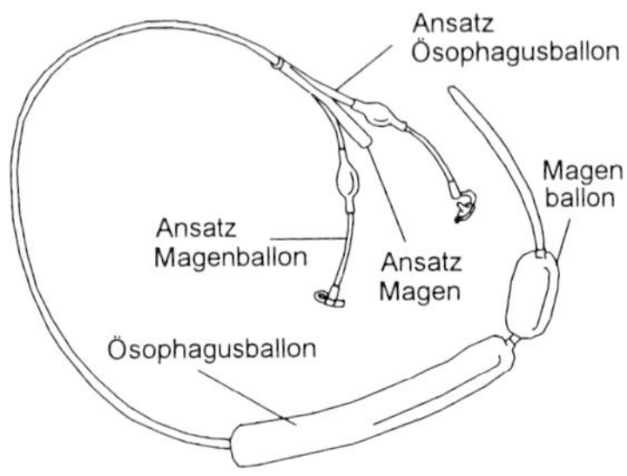

Sengstaken-Blakemore-Sonde

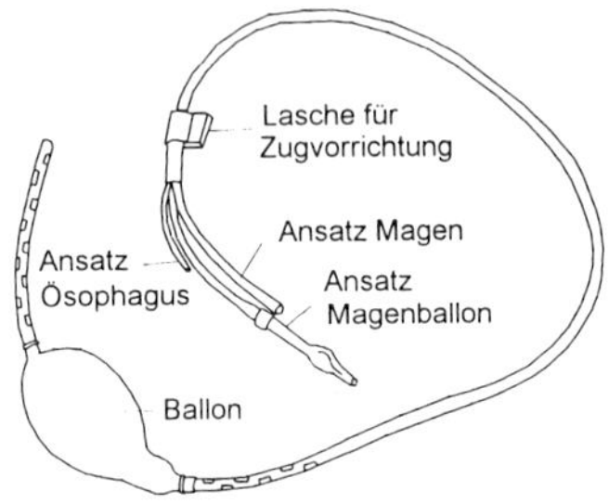

Linton-Nachlaß-Sonde

Abb. 2.15 ***Ösophaguskompressionssonden***

Mögliche **Komplikationen** bei Therapie mit einer Ösophaguskompressionssonde:

- Ersticken durch Verrutschen des ungenügend geblockten Magenballons vor den Kehlkopfeingang;
- Druckulzera infolge Minderdurchblutung durch zu lang anhaltenden Druck;
- Ösophagusruptur (*Riß der Speiseröhre*) durch Einwirken zu hohen Drucks, insbesondere wenn der Magenballon versehentlich im Ösophagus aufgepumpt wird;
- Aspirationspneumonie durch Aspiration von Speichel oder Blut.

❒ Legen einer Ösophaguskompressonssonde

- **Materialvorbereitung**
  - vorgesehene Ösophaguskompressionssonde,
  - Materialien wie zum Legen einer Magensonde *(siehe Seite 123)*,
  - 50 ml Spritze,
  - 3 Klemmen mit weichen Branchen,
  - Laryngoskop und Magillzange,
  - Absaugvorrichtung und sterile Absaugkatheter,
  - Gefäß mit Wasser (zum Eintauchen des / der luftgefüllten Ballons),
  - Handschuhe und Schutzkittel,
  - zusätzlich bei Sengstaken-Blakemore-Sonde Handpumpenballon (Manometer nach Recklinghausen),
  - zusätzlich bei geplanter Zugvorrichtung Gewicht und Rolle mit Befestigungsvorrichtung und Band, Anbringen der Befestigungsvorrichtung am Bett.

Die auffüllbaren Ballons sind hinsichtlich ihrer Funktionstüchtigkeit zu überprüfen; dazu werden sie mit Luft aufgefüllt und in Wasser getaucht. Anschließend wird die Luft wieder abgezogen und die Zugänge zu den Ballons werden abgeklemmt, damit während des Vorschiebens keine Luft eindringen kann. Falls erforderlich, sind die Zugänge eindeutig zu kennzeichnen.

- **Vorbereitung des Patienten**
  - Information (Aufgabe des Arztes, ggf. Wiederholen der Informationen),
  - Lagerung in Oberkörperhochlage,
  - ggf. nach entsprechender Arztanordnung Verabreichen eines Sedativums,
  - bei Bedarf Absaugen von Blut aus der Mundhöhle.

  Das Legen einer Ösophaguskompressionssonde ist immer Aufgabe des Arztes.

- **Assistenz beim Legen einer Ösophaguskompressionssonde**
  - Beobachten des Patienten,
  - Anästhesieren der Nasen- und Rachenschleimhaut,
  - Bestreichen der Sonde mit einem Gleitmittel,
  - Füllen des Magenballons gemäß der ärztlichen Anordnung,
    - bei Sengstaken-Blakemore-Sonde mit 150 - 200 ml Luft,
    - bei Linton-Nachlaß-Sonde mit 400 - 700 ml Luft,
  - sofortiges Abklemmen des Zugangs oberhalb (distal) des Pilotballons, Umwickeln der Klemme mit Pflasterstreifen (um ein versehentliches Öffnen zu vermeiden),
  - evtl. Absaugen von Mageninhalt,
  - ggf. Einhängen der Zugvorrichtung an der Sondenlasche und Anbringen des Gewichts in angeordneter Höhe,
    - bei Sengstaken-Blakemore-Sonde 250 - 500g,
    - bei Linton-Nachlaß-Sonde 500 - 1000g,
  - Abpolstern des betroffenen Nasenlochs (mit Schaumstoff oder Watte),
  - Fixieren der Sonde am Nasenflügel *(siehe Abb. 2.5)*,
  - bei Sengstaken-Blakemore-Sonde Aufsetzen des Manometers und Aufpumpen des Ösophagusballons gemäß der ärztlichen Anordnung, z.B. auf 40 mmHg,
  - Abklemmen des Zugangs zum Ösophagusballon, Anbringen eines Sekretauffangbeutels am Zugang zur Magensonde.

  Beachte: Bei Hochrutschen des Ösophagusballons besteht die Gefahr der Atemwegsobstruktion! Um eine Lageveränderung sofort erkennen zu können, werden deshalb die Lage der Sonde markiert (z.B. mittels Pflasterfähnchen) und die Atmung kontinuierlich beobachtet.

❒ Pflegemaßnahmen bei liegender Ösophaguskompressionssonde

Schwerpunkte der Pflege sind:

- Beobachtung des Patienten, um die Kreislaufsituation, erneute Blutungen und Komplikationen zu erfassen,
  - Vitalzeichen (Atmung! Puls, Blutdruck, Temperatur),
  - Bewußtseinslage,
  - Flüssigkeitsbilanz,
  - Hautfarbe,
  - Ausscheidungen (Teerstuhl?).

  Beachte: Bei plötzlich auftretender Atemnot die hochgerutschte Sonde sofort durchschneiden, damit die Luft aus dem / den Ballon/s entweichen kann!
- Kontrollieren des Drucks im Ösophagusballon in regelmäßigen Abständen, um Druckverluste rasch zu erkennen.
- Ablassen des Drucks im Ösophagusballons alle 6 Stunden für 5 Minuten, um Drucknekrosen vorzubeugen.
- Auffordern des Patienten, den Speichel halbstündlich auszuspeihen oder Absaugen des Speichels aus dem Mund- und Rachenraum, um einer Ansammlung von Speichel vorzubeugen (da der Patient ihn nicht hinunterschlucken kann).
- Senken des Drucks im Ösophagusballon entsprechend der Arztverordnung, z.B. von der 6. - 24. Stunde auf 35 mmHg, danach auf 25 mmHg.
- Bei Zugvorrichtung Entfernen der Gewichte alle 6 Stunden für 5 - 10 Minuten, um Druckulzerationen vorzubeugen.
- Regelmäßige Lagekontrolle der Magensonde *(siehe Seite 123)*.
- Bei entsprechender Arztanordnung Spülen des Magens mit Wasser, um das Blut zu entfernen.
- Lagern des Patienten auf dem Rücken mit erhöhtem Oberkörper.
- Übernehmen der Körperpflege, insbesondere regelmäßiges Durchführen von Mund- und Nasenpflege (inklusive Beobachtung der Schleimhäute), um das Wohlbefinden zu fördern und um Affektionen sowie Druckstellen zu vermeiden.
- Tägliche Analyse des aktuellen Pflegebedarfs und Ergreifen entsprechender Pflegemaßnahmen, z.B. Dekubitus- und Thromboseprophylaxe.
- Überwachung weiterer therapeutischer Maßnahmen und Durchführung entsprechender Pflegemaßnahmen (z.B. im Rahmen einer Infusions- oder Transfusionstherapie).
- Vermitteln von Sicherheit und Verständnis für Ängste, um Wohlbefinden und Vertrauen des Kranken zu fördern.
- Prophylaxe eines Leberkomas *(siehe Seite 182)*.

❒ Assistenz bei der Entfernung einer Ösophaguskompressionssonde

Eine Ösophaguskompressionssonde sollte **spätestens nach drei Tagen** Liegedauer entfernt werden; zuvor wird der Magen gespült, die Spülflüssigkeit muß klar zurückfließen.

Die Entfernung der Sonde ist Aufgabe des Arztes.

Vor dem Entfernen einer Linton-Nachlaß-Sonde muß der **Druck** im Ballon **schrittweise reduziert** werden, um das Risiko einer Rezidivblutung so gering wie möglich zu halten. Dasselbe gilt für eine evtl. angebrachte Zugvorrichtung, das Gewicht wird um ca. 100 g pro Stunde reduziert. Erst wenn alle Gewichte entfernt wurden, zieht man stündlich ca. 100 ml Luft aus dem Magenballon ab; nach vollständiger Entleerung wird die Sonde gezogen.

Ist die Blutung bei liegender Sengstaken-Blakemore-Sonde zum Stillstand gekommen, wird der Kompressionsdruck zunächst für weitere 12 Stunden belassen. Dann **entblockt** der **Arzt** den **Ösophagusballon**; währenddessen soll der Patient schluckweise Tee trinken, um das Lösen von Verklebungen zu erleichtern. Anschließend wird die Sonde etwas in den Magen vorgeschoben und dort noch bis zu 24 Stunden belassen, bevor der **Magenballon entblockt** und die Sonde gezogen wird.

Nachdem die Sonde entfernt wurde, erfolgt eine sorgfältige **Mundpflege**, evtl. muß der Nasen- Rachenraum abgesaugt werden.

Die Ösophaguskompressionssonde kann in eine geeignete Desinfektionslösung eingelegt und anschließend gesäubert sowie sterilisiert werden.

2.12.4 Gastritis

2.12.4.1 Krankheitsbild

❒ Definition

Als Gastritis wird die **Entzündung der Magenschleimhaut** bezeichnet; sie kann akut oder chronisch verlaufen.

❒ Ursachen

Eine **akute Gastritis** wird durch das Einwirken **schleimhautschädigender Noxen verursacht**. Es handelt sich um die

- Aufnahme zu kalter, zu heißer, stark gewürzter oder fettreicher Speisen;
- exzessive Alkoholzufuhr, chronischen Alkoholabusus;
- Infektion der Magenschleimhaut mit dem Bakterium Helicobacter pylori;
- diagnostische oder therapeutische Bestrahlung;
- Aufnahme kontaminierter oder infizierter, giftiger oder zersetzter Nahrung *(Nahrungsmittelvergiftung)*;
- Einnahme schleimhautschädigender Medikamente, z.B. Salizylate, Antirheumatika.

Eine **chronische Gastritis** wird in ca. 85% aller Fälle durch das **Bakterium Helicobacter pylori** verursacht *(Antrum-gastritis)*.

Ansonsten kann eine Autoimmunerkrankung mit **Antikörperbildung** gegen die Belegzellen des Magens und/oder den Intrinsic faktor zugrunde liegen; Folgen sind ein Mangel an Salzsäure im Magensaft *(Anazidität)* und eine perniziöse Anämie. (Der Intrinsic faktor geht mit Vitamin B_{12} eine lose, für Darmbakterien unangreifbare Verbindung ein und ermöglicht so dessen Resorption im Ileum. Vitamin B_{12} ist unentbehrlich für die Erythropoese*, bei andauerndem Mangel entwikkelt sich daher eine perniziöse Anämie = *Perniziosa*).

In anderen Fällen wird eine chronische Gastritis durch **Gallereflux** *(Rückfluß von Galle aus dem Zwölffingerdarm in den Magen)* verursacht; die Gallensäuren greifen die Magenschleimhaut an.

Eine **sekundäre Gastritis** entwickelt sich auf dem Boden einer anderen Primärerkrankung, z.B. bei
- Herzinsuffizienz *(Stauungsgastritis)*,
- chronischem Nierenversagen *(Harnstoffvergiftung)*,
- Nahrungsmittelallergie,
- Pfortaderhochdruck infolge einer Leberzirrhose.

❒ Symptome

Die **akute Gastritis** kann - je nach Schweregrad - symptomlos verlaufen oder mit geringfügiger bis ausgeprägter Symptomatik einhergehen:
- Druckgefühl im Oberbauch;
- Appetitlosigkeit, Völlegefühl, Übelkeit, Brechreiz;
- evtl. (heftiges) Erbrechen und Diarrhoe (*akute Gastroenteritis* bei Nahrungsmittelvergiftung);
- unangenehmer Geschmack im Mund.

Bei der **chronischen Gastritis** fehlen die Symptome häufig; in einigen Fällen leiden die Betroffenen unter
- Schmerzen im Oberbauch,
- Völlegefühl,
- Blähungen,
- Übelkeit und Appetitlosigkeit.

Die **erosive Gastritis** ist durch Schleimhautdefekte gekennzeichnet; sie ist Folge einer Durchblutungsstörung der Magenschleimhaut. Auf dem Boden der Erosionen können sich Blutungen entwickeln *(Magenblutung)*.

❒ Diagnose

Die Diagnose einer akuten Gastritis wird meist **anhand der klinischen Symptome** gestellt; evtl. wird zur Sicherung der Diagnose eine Gastroskopie *(Magenspiegelung)* mit Biopsie *(Entnahme einer Gewebeprobe)* durchgeführt *(siehe Seite 188)*.
Die Diagnose einer chronischen Gastritis wird durch eine histologische Untersuchung der Magenschleimhaut gesichert; dazu muß eine **Gastroskopie mit Biopsie** durchgeführt werden.

2.12.4.2 Zur Situation magenkranker Menschen

Das Gesamtbefinden während einer akuten Gastritis ist jedem Leser bekannt *("verdorbener Magen", "Magen-Darm-Verstimmung")*.

Die Auswirkungen einer chronischen Gastritis auf das gesamte Erleben und Befinden sind individuell verschieden und von den auftretenden Symptomen abhängig.
Bedingt die Erkrankung eine **Einschränkung der Eß- und Ernährungsgewohnheiten**, kann die Freude am Essen verlorengehen.
In der Regel verschwinden die Beschwerden unter der Behandlung, so daß die Gastritis den Betroffenen allenfalls kurzfristig beeinträchtigt.

Länger anhaltende und wiederkehrende Beschwerden treten eher beim sogenannten **Reizmagen** *(funktionelle Störung, die mit Tonuserhöhung und Hypermotilität des Magens einhergeht)* auf. Die betroffenen **Menschen leiden episodisch** an Druck- und Völlegefühl, Magenschmerzen, Übelkeit und Erbrechen. Häufig treten die Beschwerden im **Zusammenhang mit psychosozialen Belastungen** auf: der Betroffene "frißt den Ärger in sich hinein", Sorgen, Ärger oder Streß "schlagen ihm auf den Magen". Seelisches Leid und körperliche Beschwerden beeinflussen sich wechselseitig und können die **Lebensqualität** erheblich **beeinträchtigen**.
Um die Beschwerden zu verringern, essen einige magenkranke Menschen nur noch geringe Mengen ausgewählter (individuell verträglicher) Speisen; diese **selbst auferlegte "Magendiät"** kann sehr einseitig sein und zu Fehl- und Mangelernährung führen.
Menschen, die wiederholt unter Magenbeschwerden leiden, sollten sich einer ärztlichen Untersuchung unterziehen. Die Diagnose "Reizmagen" muß von der Diagnose "Gastritis" abgegrenzt werden, denn Ursache und Therapie der Erkrankungen sind unterschiedlich. Vielen Laien ist dieser Unterschied nicht bekannt.

2.12.4.3 Therapie und entsprechende Verhaltensweisen

Im allgemeinen wird eine Gastritis - sofern sie Beschwerden verursacht - **ambulant** behandelt. Schwere Nahrungsmittelvergiftungen erfordern häufig eine stationäre Behandlung.
Anhaltende Magen- und Verdauungsbeschwerden sollten immer einen **Arztbesuch** veranlassen.
Nach Möglichkeit ist der Einfluß der **schleimhautschädigenden Faktoren** (Alkoholabusus, Einnahme bestimmter Medikamente, gesundheitsbelastende Eß- und Ernährungsgewohnheiten, Primärerkrankung) auszuschalten.
Bei einer akuten Gastritis ist es sinnvoll, den Magen durch eine 24-36 Stunden andauernde **Nahrungskarenz** oder die ausschließliche Verabreichung von **Tee und Zwieback** zu entlasten. Bei akuter Gastroenteritis *(Erbrechen und Diarrhoe)* eignen sich Haferflocken und Salzkartoffeln zum Kostaufbau. Stets ist für eine den Flüssigkeitsverlusten angemessene **Flüssigkeitszufuhr** zu sorgen; geeignet sind Kamillen- und Pfefferminztee sowie Wasser. Bei anhaltendem starken Erbrechen ist vorübergehend eine Infusionstherapie erforderlich.
Das beeinträchtigte Allgemeinbefinden eines Betroffenen erfordert vorübergehend Schonung und **Ruhe**.
Schmerzen können durch **lokale Wärmeanwendung** (Wärmflasche, feuchtwarmer Wickel) gelindert werden; bei entsprechender ärztlicher Verordnung werden schmerzlindernde oder krampflösende Medikamente *(Analgetika*, Spasmolytika*)* verabreicht.
Diarrhoe und Erbrechen werden meist **medikamentös** behandelt (Antidiarrhoikum, z.B. Imodium®; bei bakterieller Infektion medizinische Kohle; Antiemetikum*); auf die Substitution von Flüssigkeit und Salz wurde bereits hingewiesen. Die Therapie einer Helicobacter pylori-Infektion wird auf *Seite 145* besprochen.

Geht die chronische Gastritis mit einer erhöhten Magensaftsekretion einher, wird in der Regel ein **Antazidum*** verordnet. (Weitere Aspekte dazu werden bei der Therapie der Ulkuskrankheit besprochen.)
Bei Fehlen des Intrinsic faktors ist eine Substitution von Vitamin B_{12} erforderlich; der Arzt verabreicht in regelmäßigen Abständen eine Vitamin B_{12} Injektion.

Für die **Ernährung bei Magenbeschwerden** gilt allgemein:
- Mahlzeiten in 5 - 7 Portionen über den Tag verteilt einnehmen;
- auf die Einnahme individuell unverträglicher Speisen und erhitzter Fette verzichten;
- Speisen nicht zu scharf würzen;
- Genuß von Süßigkeiten, Kaffee, Alkohol und Nikotin auf geringe Mengen beschränken;
- Mahlzeiten in Ruhe einnehmen, genügend Zeit einplanen;
- Speisen gut kauen, bei Bedarf Zähne und Gebiß sanieren lassen;
- regelmäßig Mundpflege durchführen;
- nach dem Essen ruhen.

2.12.5 Ulkuskrankheit

2.12.5.1 Krankheitsbild

❐ Begriffserläuterung

Als Ulkus oder Geschwür wird ein **alle Schleimhautschichten betreffender** lokaler **Substanzverlust** bezeichnet. Der Begriff Ulkuskrankheit soll zum Ausdruck bringen, das Magen- und Zwölffingerdarmgeschwüre als Zeichen einer **Allgemeinstörung** und nicht isoliert als lokale Erkrankung des Magens bzw. des Zwölffingerdarms betrachtet werden. Ulkus ventriculi und Ulkus duodeni sind dennoch verschiedene Krankheiten. Sogenannte **Streßulzera** entstehen als Komplikationen bei extremen Belastungssituationen, z.B. bei der Verbrennungskrankheit, während einer Behandlung auf der Intensivstation oder nach großen Operationen.

❐ Erkrankungshäufigkeit

Etwa **jeder zehnte** Bundesbürger **erkrankt** im Laufe seines Lebens **an** einem **Ulkus duodeni**; ca.- 15% der Duodenalulzera treten nach dem 60sten Lebensjahr auf. Männer sind zwei-dreimal so häufig betroffen wie Frauen.
Magengeschwüre treten seltener auf; die Häufigkeit nimmt **nach dem 60sten Lebensjahr** zu und betrifft beide Geschlechter in etwa gleichem Ausmaß.

❐ Krankheitsentstehung

Die Entstehung der Ulkuskrankheit ist ein **multifaktorielles Geschehen**. Man geht davon aus, daß ein **Mißverhältnis zwischen aggressiven** und **protektiven** *(schützenden)* **Faktoren** vorliegt, wenn sich ein gastroduodenales Ulkus entwickelt.
Zu den **aggressiven Faktoren** zählen eine **erhöhte Sekretion von Magensäure und Pepsinogen I**, Gallensäuren, **Helicobacter pylori-Infektion** und exogene Einflüsse wie Nikotin, Azetylsalizylsäure, Glukokortikoide* und nichtsteroidale Antiphlogistika*. Auch Alkohol, Säuren und sehr kalte bzw. heiße Speisen wirken aggressiv auf die Magenschleimhaut.
Protektive Faktoren sorgen für die Aufrechterhaltung einer intakten Magen- und Duodenalschleimhaut, die gegenüber dem Einwirken aggressiver Faktoren widerstandsfähig ist. Es handelt sich um die Sekretion von **Magenschleim** und Bikarbonat, eine **intakte Schleimhaut** und eine **regelrechte Durchblutung**. Eine Beeinträchtigung dieser Faktoren trägt wesentlich zur Entstehung eines chronischen Ulkus ventriculi bei; dagegen überwiegt der Einfluß aggressiver Faktoren bei der Entwicklung eines Duodenalulkus.
In extremen Streßsituationen führen wahrscheinlich eine Störung der Schleimhautdurchblutung und eine erhöhte Magensäuresekretion zur Ulkusentstehung.

❐ Krankheitsverlauf

Etwa die Hälfte der intestinalen Ulzera heilt innerhalb von vier Wochen spontan ab. Bei der Mehrzahl der Betroffenen kommt es - gehäuft im Frühjahr und Herbst - zu **Rezidiven**. Freie Intervalle werden immer wieder von akuten Krankheitsschüben unterbrochen.
Nach neueren Erkenntnissen führt eine vollständige Vernichtung *(Eradikation)* der Helicobacter pylori - Bakterien in der Regel zur Ausheilung der Ulkuskrankheit.

❐ Symptome

Gastrointestinale Ulzera verursachen **kein einheitliches Beschwerdebild**. Art und Ausmaß der Beschwerden können sehr unterschiedlich sein; ungefähr 10% der Betroffenen haben keine Beschwerden.
Die Ulkuskrankheit kann mit folgenden Symptomen einhergehen:
- Schmerzen im Epigastrium (teils krampfartig oder kneifend), die sich durch Nahrungsaufnahme verbessern (beim Ulkus duodeni) oder verschlechtern (in einigen Fällen beim Ulkus ventriculi) können;
- Appetitlosigkeit, Unverträglichkeit bestimmter Speisen;
- Übelkeit, Völlegefühl, Brechreiz und/oder Erbrechen;
- Aufstoßen, Sodbrennen;
- Blähungen;
- Gewichtsverlust.

Das Auftreten der Symptome ist nicht an einen akuten Krankheitsschub gebunden. Beschwerden können auch in ulkusfreien Intervallen auftreten.
Im Alter sind die Symptome eher atypisch; Schmerzen im Epigastrium weisen oft keinen Bezug zu den Mahlzeiten auf, Appetitlosigkeit, Erbrechen, Gewichtsverlust und Eisenmangelanämie treten häufiger als im jungen Erwachsenenalter auf.

Die **Diagnosestellung** erfolgt endoskopisch, evtl. auch röntgenologisch. Bei der Gastroduodenoskopie wird eine Biopsie vorgenommen.

❐ Komplikationen

Im Verlauf der Erkrankung können schwerwiegende Komplikationen auftreten; Häufigkeit und Bedrohlichkeit von Komplikationen nehmen im Alter zu.

❍ **Blutung**

Ein **chronischer** Blutverlust *(Sickerblutung)* führt zur Anämie*; der Kranke setzt Teerstuhl ab.

Tritt die Blutung **akut** auf, geht sie meist mit Bluterbrechen *(Hämatemesis)* und Schocksymptomatik einher.

- **Perforation**
  Die Perforation *(Durchbruch in der Bauchhöhle)* des Ulkus bedingt heftige Oberbauchschmerzen, die in beide Schultern ausstrahlen können. Rasch entwickeln sich ein Schock und eine Peritonitis *(Bauchfellentzündung)*; der Oberbauch ist bretthart und zeigt Abwehrspannung.
- **Penetration**
  Die Penetration *(Eindringen)* des Ulkus in die Nachbarorgane (meist in das Pankreas) verursacht bohrende Dauerschmerzen, oft mit Ausstrahlung in den Rücken. Häufig ist eine Gewichtsabnahme zu beobachten.
- **Pylorusstenose**
  Die Pylorusstenose *(Verengung des Magenausganges)* entwickelt sich bei rezidivierenden pylorusnahen Ulzera infolge der entzündlichen Gewebeschwellung oder durch Narbenzug ausgeheilter Ulzera. Sie bedingt Völlegefühl, Übelkeit und Erbrechen unverdauter Speisereste. Weitere Folgen sind Mangelernährung, Exsikkose*, Alkalose* und Elektrolytmangel.
- **Maligne Entartung**
  Die Entartung eines Ulkus duodeni zu einem bösartigen Tumor ist **sehr selten**. Aus einem Magengeschwür entwickelt sich in wenigen Fällen ein Magenkarzinom. Die Symptome sind uncharakteristisch: Appetitlosigkeit, Übelkeit, Völlegefühl, Erbrechen; Widerwillen gegen bestimmte Speisen, meist gegen Fleisch; nahrungsabhängige Schmerzen im Epigastrium; Leistungsknick; Gewichtsverlust. Im weiteren Verlauf können sich Magenblutungen und eine Anämie *(Blutarmut)* entwickeln.

Sollte sich aufgrund beobachteter Krankheitszeichen der Verdacht auf eine akute Komplikation ergeben, ist **sofort** ein **Arzt** zu **benachrichtigen**. Dies trifft insbesondere zu, wenn ein Patient plötzlich unter heftigen epigastrischen* Schmerzen leidet, Blut erbricht oder/und Teerstuhl absetzt.
Die Sofortmaßnahmen bei Bluterbrechen werden auf *Seite 152* besprochen.

2.12.5.2 Zur Situation eines Betroffenen

Psychosomatische Aspekte

Anmerkung: *Seit der Erkenntnis, daß die Helicobacter pylori-Infektion in den meisten Fällen eine wesentliche Rolle bei der Entstehung der Ulkuskrankheit spielt, treten die psychosomatischen Aspekte der Krankheit in den Hintergrund.*

Die meisten der von einem Ulkus duodeni betroffenen Menschen weisen neben einer Helicobacter pylori-Infektion eine **erhöhte Magensaft- und Pepsinogensekretion** auf; diese wird überwiegend vagusgesteuert. Die Aktivität des vegetativen Nervensystems steht in engem Zusammenhang mit dem seelischen Erleben. Der **Einfluß von Emotionen** auf die Durchblutung, die Sekretion und die Motilität des Magens wurde in zahlreichen Studien bewiesen; Angst, Entmutigung und depressive Gedanken üben einen hemmenden, Aggressionen sowie andauernde Angst und Konfliktsituationen einen fördernden Einfluß aus. Die Beziehung zwischen den Gefühlen und den körperlichen Empfindungen findet sich im allgemeinen **Sprachgebrauch** wieder, z.B.:

- *"Das liegt mir wie ein Stein im Magen".*
- *"Mir dreht sich der Magen herum".*
- *"Das ist ein gefundenes Fressen".*
- *"Ich habe dich zum Fressen gern".*
- *"Liebe geht durch den Magen".*

Bei Menschen mit einem erhöhten Pepsinogenspiegel ist das Ulkus duodeni als **Ausdruck einer gestörten Lebenssituation** zu verstehen. Diese kann durch einen **spezifischen Konflikt**, der sich aus einer übermäßigen Abhängigkeit von Zuwendung, Belohnung und Angenommensein in einer Beziehung entwickelt, geprägt sein. Dahinter soll - in Konkurrenz mit dem Streben nach Unabhängigkeit und Anerkennung - der unbewußte Wunsch stehen, in der Situation des geliebten und verwöhnten Kindes zu bleiben.
Die ersten Erfahrungen mit der Befriedigung emotionaler Wünsche macht der Mensch im oralen Erlebnisbereich - die Nahrungszufuhr ist im Säuglingsalter mit Abhängigkeit, emotionaler Zuwendung und menschlicher Wärme *("Nestwärme")* verbunden. Ist die Befriedigung dieser Bedürfnisse in der frühen Kindheit unzureichend, wird die Frustration auf regressivem* Niveau verarbeitet; es entsteht das (umgeleitete) Bedürfnis "gefüttert zu werden". Dieser emotionale Wunsch führt zu einer erhöhten Vagusaktivität, die ihrerseits - unabhängig von der Nahrungsaufnahme - die Sekretion des Magens anregt.
Art und Ausmaß der Reaktionen der Magenschleimhaut bei seelischer Kränkung sind individuell verschieden und stehen im Zusammenhang mit dem Gesamtbefinden. Sie werden z.B. bei depressiver Stimmung ausgeprägter sein als bei relativer seelischer Ausgeglichenheit.
Trennungserlebnisse, z.B. der Verlust der Zugehörigkeit zu einer Gruppe oder einer Person, die Anerkennung, Zuwendung und Schutz vermittelt hat, gelten als **auslösende Faktoren** für die Entstehung eines Ulkus duodeni bzw. eines Rezidivs.

Die besprochenen psychologischen Zusammenhänge sind dem Betroffenen nicht bewußt. Deshalb wird die **Ulkuskrankheit als körperliches Leiden erlebt**. Der sekundäre Krankheitsgewinn (z.B. Zuwendung und Fürsorge) kommt in vielen Fällen den seelischen Bedürfnissen des Kranken entgegen.

Weitere Aspekte

Einige Betroffene befürchten, daß sich aus dem Geschwür ein Karzinom entwickelt und erleben die Magenbeschwerden als bedrohlich.
Insgesamt können Menschen, die unter Magenbeschwerden leiden, den **lustbetonten Aspekt des Essens weniger genießen**. Einige ernähren sich mit einer selbst auferlegten, sehr einseitigen und knapp bemessenen "Schonkost", die langfristig zu einer Mangelernährung führen kann.

Wenn ein chronisches Ulkusleiden mit erheblichen Beschwerden und Einschränkungen einhergeht, kann es zu Persönlichkeitsveränderungen kommen.

2.12.5.3 Prinzipien der Ulkusbehandlung

Bei unkompliziertem Verlauf der Ulkuskrankheit wird der Betroffene im allgemeinen ambulant behandelt; die Maßnahmen sind beim Ulkus ventriculi und beim Ulkus duodeni weitgehend identisch.

Medikamentöse Therapie bei Ulkuskrankheit ohne Helicobacter pylori-Infektion
Liegt keine Infektion der Magenschleimhaut vor, steht die **Hemmung der Säurebildung** im Vordergrund der Therapie. Dazu werden Protonenpumpenhemmer *(siehe nachfolgend)* oder Histamin - H_2 - Antagonisten *(siehe nachfolgend)* eingesetzt. In einigen Fällen erfolgt zusätzlich eine Unterstützung protektiver Faktoren durch sogenannte Schutzfilmbildner *(siehe nachfolgend)*.

❒ Therapieprinzipien

❍ Bekämpfung der Helicobacter - Infektion
Bei Vorliegen einer Helicobacter pylori-Infektion hat sich der kombinierte Einsatz von einem **Protonenpumpenhemmer** *(siehe nachfolgend)* **und** einem **Antibiotikum** (z.B. Amoxicillin®, Clarithromycin®) bewährt. Evtl. werden zusätzlich Wismut - Präparate *(siehe nachfolgend)* verordnet. Eine konsequente Infektionsbekämpfung ist sehr wichtig, da die Ausrottung der Keime *(Eradikation)* in der Regel zur Ausheilung der Ulkuskrankheit führt.

❍ Medikamentöse Hemmung der Säuresekretion
Geeignete Therapeutika sind:
- **Protonenpumpenhemmer**, z.B.
  - Omeprazol (z.B. Antra®, Gastroloc®),
  - Lansoprazol (z.B. Agopton®, Lanzor®),
  - Pantoprazol (z.B. Pantozol®, Rifun®);
- **H_2 - Blocker (Histamin - H_2 - Antagonisten)**, z.B.
  - Cimetidin (z.B. Tagamet®),
  - Famotidin (z.B. Ganor®, Pepdul®),
  - Nizatidin (z.B. Gastrax®, Nizax®),
  - Ranitidin (z.B. Sostril®, Zantic®),
  - Roxatidin (z.B. Roxit®);
- **Anticholinergika**, z.B.
  - Pirenzepin (z.B. Gastrozepin);

  sie werden wegen ihrer schwächeren Wirkung und wegen unerwünschter Nebenwirkungen (bei höherer Dosierung) immer seltener eingesetzt.

❍ Neutralisation der vorhandenen Magensäure
Sie erfolgt über die Einnahme von
- **Antazida**: es stehen verschiedene Aluminium- / Magnesiumverbindungen zur Verfügung, z.B.
  - Maaloxan®, Kompensan®, Solugastril®, Gelusil®,
  - Calciumcarbonat®,
  - Riopan®, Talcid®.

❍ Unterstützung protektiver Faktoren
Sogenannte **Schutzfilmbildner** legen sich wie ein Film auf die Magenschleimhaut und schützen sie vor dem Einwirken der Magensäure. Geeignete Therapeutika sind z.B.:
- **Sucralfat** (z.B. Gaviscon®, Ulcogant®),
- Prostaglandin - E - Derivate, z.B. Misoprostol (Cytotec®),
- Wismutkolloide *(Bismutkolloide)* (z.B. Jatrox®, Telen®, Ulkowis®, Bismofalk®).

❍ Ausschalten / Reduzieren exogener schleimhautschädigender Faktoren
Der Arzt wird nach Möglichkeit schleimhautschädigende **Medikamente absetzen**; eine chronische Gastritis wird konsequent behandelt.
Der **Verzicht auf** das **Rauchen** ist eindringlich zu empfehlen und zu begründen. Nikotin fördert nicht nur die Ulkusentstehung, es verzögert auch die Abheilung und begünstigt Rezidive.
Die Magenschleimhaut reizende Speisen und Getränke, die sogenannten **Säurelocker**, sollen **allenfalls in begrenztem Maß** und nie auf nüchternen Magen konsumiert werden. Demnach ist gegenüber Koffein (Kaffee, Cola), konzentriertem Alkohol, Fruchtsäuren, sehr zuckerhaltigen Speisen und scharfen Gewürzen Zurückhaltung geboten. Das scharfe Anbraten, Rösten und Pökeln von Nahrungsmitteln ist nicht empfehlenswert. Ungesunde Eß- und Ernährungsgewohnheiten werden dem Ulkuskranken bewußt gemacht und deren Veränderung angestrebt.

❍ Ruhe, Entspannung und Zuwendung
Um Entspannung und Wohlbefinden zu ermöglichen, sollten sich die Bezugspersonen auf den erkrankten Menschen einstellen. In einigen Fällen ist ein Milieuwechsel (z.B. ein Krankenhausaufenthalt) angezeigt, um den Kranken von belastenden Reizen abzuschirmen.
Liebevolle Zuwendung, Fürsorge und Aufmerksamkeit kommen den Bedürfnissen eines Betroffenen entgegen.
Bei rezidivierenden Ulzera ist dem Betroffenen das Erlernen einer **Entspannungstechnik** zu empfehlen. Alle Maßnahmen und Verhaltensweisen, die eine vegetative Beruhigung und Ausgeglichenheit fördern - und somit die Sekretion von Magensäure reduzieren -, sind geeignet.

2.12.5.4 Pflegerische Maßnahmen

❒ Verhalten

Das pflegerische Verhalten gegenüber Menschen, die an der Ulkuskrankheit (oder anderen Magenkrankheiten) leiden, orientiert sich an den individuellen Bedürfnissen.
Dem Kranken ist die **Akzeptanz** seiner Person zu vermitteln. **Fürsorge und Zuwendung** ermöglichen ihm, sich geborgen und angenommen zu fühlen. Es sollte eine möglichst entspannte und **harmonische Atmosphäre** gewährleistet werden. Zeitdruck, Belastungen und Aufregung sind fernzuhalten, Entspannung, Gespräche und positive Erlebnisse zu fördern.
Der Aufbau einer **vertrauensvollen Beziehung**, zumindest zu einer Person, sollte gefördert werden.

❒ Verabreichen von Medikamenten

Einige Patienten benötigen Unterstützung bei der Einnahme der verordneten Medikamente. Wichtig ist vor allem die **korrekte Terminierung**. Pflegende informieren sich über die Einnahmevorschriften und mögliche **Nebenwirkungen**.

- **H_2 - Blocker** werden **vor dem Schlafengehen** verabreicht. Mögliche Nebenwirkungen können z.B. Schwindel, Kopfschmerz, Müdigkeit, Diarrhoe und Hautausschlag sein; bei längerer Einnahme können sich eine Gynäkomastie *(Vergrößerung der männlichen Brust)* und Potenzstörungen entwickeln.
- **Anticholinergika** werden **vor den Mahlzeiten** mit einem Schluck Flüssigkeit eingenommen. Mögliche Nebenwirkungen sind Mundtrockenheit, Akkomodationsstörungen *(Beeinträchtigung des Nahsehens)* und Miktionserschwerung.
- **Prostaglandine** sind **nach den Mahlzeiten**, evtl. auch vor dem Schlafengehen, einzunehmen. Mögliche Nebenwirkungen sind abdominelle Beschwerden und Diarrhoe.
- **Protonenpumpenhemmer** werden **vor dem Essen** mit ½ Glas Flüssigkeit eingenommen. Übelkeit, Diarrhoe, Verstopfung, Blähungen und Kopfschmerzen können auftreten.
- **Antazida** werden **eine und drei Stunden nach dem Essen** und **vor der Nachtruhe** eingenommen. Sie behindern die Resorption vieler anderer Medikamente (z.B. Digitalis, Tetracykline) und sollten nicht gleichzeitig mit ihnen, sondern im Abstand von mindestens 2 Stunden verabreicht werden. Aluminiumhydroxid begünstigt die Entstehung einer Obstipation und kann sich bei Niereninsuffizienz in Gehirn und Knochen ablagern (Anwendung auf maximal 6 Wochen beschränken). Magnesiumhydroxid kann u.a. eine Diarrhoe hervorrufen.
- **Filmbildner** werden **auf leeren Magen** eingenommen; die Tabletten läßt man in einem halben Glas Wasser zerfallen. Gelegentlich treten Obstipation und Mundtrockenheit auf.
- **Wismutkolloide** werden **auf leeren Magen**, d.h. zwischen den Mahlzeiten, eingenommen. Sie führen zu einer harmlosen Schwarzfärbung des Stuhls. Auch Zähne, Zahnfleisch und Zunge färben sich schwarz. Wismutkolloide sollen nicht länger als 6 Wochen eingesetzt werden.

❒ Ernährung

Der Ulkuskranke ist, falls erforderlich, auf gesundheitsbelastende Eß- und Ernährungsgewohnheiten aufmerksam zu machen und bezüglich eines gesundheitsfördernden Verhaltens zu informieren.

Das Einhalten einer **Diät** ist **nicht erforderlich**; der Genuß von schleimhautreizenden Speisen und Getränken sollte jedoch allenfalls in Maßen erfolgen. Der Betroffene weiß in der Regel, welche Speisen / Getränke ihm bekommen und verzichtet auf unbekömmliche. Insgesamt sollten die Mahlzeiten über den Tag verteilt in 5 - 7 Portionen eingenommen werden.

❒ Lebensweise

Ulkuskranke benötigen Ruhe und Entspannung; sie sind ggf. zu einem entsprechenden Verhalten zu ermutigen *(siehe vorstehend "Ruhe, Entspannung und Zuwendung")*. Ein **regelmäßiger Lebensrhythmus**, ausreichend Schlaf und ein sinnvoller Umgang mit Streß begünstigen die Heilung akuter Ulzera und tragen zur Rezidivprophylaxe bei.

2.12.6 Magenkarzinom

2.12.6.1 Krankheitsbild

❒ Definition, Häufigkeit, Metastasierung, Prognose

Beim Magenkarzinom (*Magenkrebs*) handelt es sich um einen relativ häufig auftretenden **bösartigen Tumor des Magens**.

Männer sind ungefähr doppelt so häufig betroffen wie Frauen. In 10% der Fälle tritt die Erkrankung im 4. Lebensjahrzehnt auf, ansonsten ab dem 6. Lebensjahrzehnt.

Das **Frühkarzinom** ist auf die Mukosa (*Schleimhaut*) und die Submukosa (*Bindegewebsschicht*) der Magenschleimhaut beschränkt; die 5-Jahresüberlebensrate liegt bei über 90%. Dagegen ist die Prognose eines **fortgeschrittenen**, über die Submukosa hinausgehenden **Magenkarzinoms** schlecht.

Die Metastasierung erfolgt vor allem in die Lymphknoten, in Leber, Lunge, Knochen und Gehirn.

❒ Entstehung

Die Ursache ist unklar. Als Risikofaktoren, die die Entstehung eines Magenkarzinoms fördern, sind bekannt:

- Blutgruppe A,
- Nationalität, wahrscheinlich im Zusammenhang mit Ernährungsgewohnheiten (in Japan, China, Chile u.a. Ländern gehäuftes Auftreten),
- Gastritis Typ A *(chronisch atrophische Autoimmungastritis)*,
- Helicobacter pylori-assoziierte Gastritis vom Typ B,
- Zustand nach Magenresektion (nach 15- 20 Jahren),
- Magenpolypen / - adenome,
- hoher Nitratgehalt der Nahrung *(siehe Seite 921)*.

❒ Symptome und Diagnose

Das Magenkarzinom macht **keine typischen Symptome**. Es treten allenfalls unspezifische Beschwerden wie bei gutartigen Magenleiden auf; Betroffene nehmen z.B. einen „empfindlichen Magen" wahr. Bei **fortgeschrittenem Magenkarzinom** sind in vielen Fällen folgende **Symptome** zu beobachten:

- Gewichtsabnahme,
- Leistungsknick,
- Widerwillen gegen Fleisch,
- Druckgefühl im Oberbauch, Übelkeit,
- Schluckbeschwerden bei Karzinom im Mageneingangsbereich,
- Völlegefühl und Erbrechen bei Karzinom im Magenausgangsbereich,
- Teerstuhl und Anämie bei chronischem Blutverlust.

Die **Diagnose** kann nur anhand einer histologischen* Untersuchung gestellt werden. Deshalb wird eine **Gastroskopie mit Biopsien** durchgeführt. Zur Erfassung der Tumorausbreitung und möglicher Metastasen werden weitere Untersuchungen durchgeführt: Endosonographie, Röntgen des Thorax, Abdomensonographie, Computertomographie des Abdomens, Knochenszintigramm.

❒ Therapie

Die einzige Möglichkeit zur Heilung bietet die **Gastrektomie** (*operative Entfernung des Magens*), bei der gleichzeitig die regionären Lymphknoten und evtl. die Milz entfernt werden. Zur Wiederherstellung der Nahrungspassage wird eine Ösophagojejunostomie (*operative Anlage einer Verbindung zwischen Ösophagus und Jejunum, „Ersatzmagen")* bzw. eine Gastrojejunostomie (*operative Anlage einer Verbindung zwischen Magenrest und Jejunum*) durchgeführt. Eine weitere Möglichkeit bietet die Anlage eines Jejunumersatzmagens; dazu wird eine Jejunumschlinge zum Ösophagus hochgezogen und gedoppelt, d.h. aus der Schlinge wird ein Pouch (*Beutel*) geformt. Im fortgeschrittenen Stadium ist eine Heilung nicht möglich; um Beschwerden zu lindern, kann eine Gastrektomie dennoch indiziert sein.

Palliativmaßnahmen dienen in der Regel der Verbesserung der Nahrungspassage. Eine Magenausgangsstenose kann z.B. mittels Lasertherapie beseitigt werden, eine kardianahe Stenose durch endoskopische Einlage eines Kunststofftubus (Häring-Tubus) überbrückt werden. In einigen Fällen wird eine endoskopisch kontrollierte Jejunostomie (*siehe Seite 124*) mit Plazierung einer Ernährungssonde durchgeführt.

2.12.6.2 Zur Situation eines Betroffenen

Allgemeingültige Aspekte zur Situation eines krebskranken Menschen werden auf *Seite 918* besprochen.

Bei Erkrankung an einem Magenkarzinom steht zunächst die **Bedrohung des Lebens** - und nicht der erkrankte Magen - im Vordergrund.

Die beim Frühkarzinom berechtigte **Hoffnung auf Heilung** läßt nach der Operation die Gedanken und **Sorgen** des Betroffenen **bezüglich** seines **„Lebens ohne Magen"** aufkommen. Unsicherheit hinsichtlich der Ernährung, ggf. auch Trauer / Bedauern um den Verlust der sozialen und der lustvollen Komponente des Essens beschäftigen den Kranken. Sein Bedürfnis nach Informationen ist groß.

Bei fortgeschrittenem Magenkarzinom prägen in der Regel die schlechte Prognose, evtl. gleichzeitig das beeinträchtigte Allgemeinbefinden oder Beschwerden die Situation eines Betroffenen. Es ist wichtig, in der **hoffnungslos erscheinenden Lebenssituation** Hoffnung zu entwickeln, z.B. die verbleibende Lebenszeit schmerzfrei und im Kreise der Familie verbringen zu können.

2.12.6.3 Pflege

Die Begleitung eines krebskranken Menschen wird auf *Seite 946* besprochen.

Weitere Pflegeschwerpunkte ergeben sich aus dem aktuellen Befinden des Kranken und aus den therapeutischen bzw. palliativen und supportiven Maßnahmen (*siehe Seite 934*).

❒ Präoperative Pflegemaßnahmen

Neben den allgemeinen präoperativen Maßnahmen (*siehe Seite 368*) werden vor einer Resektion / Entfernung des Magens folgende Pflegemaßnahmen durchgeführt:

- **Informationsvermittlung** über die postoperative Ernährung und über das Leben ohne Magen / mit verkleinertem Magen (Aufgabe des Arztes, Pflegende sollten auf Fragen eingehen und auf Wunsch die Informationen des Arztes mit ihren Worten wiederholen);
- Information und Anleitung hinsichtlich postoperativ durchzuführender Atemübungen;
- Information und Anleitung hinsichtlich postoperativer Schmerzlinderung durch Ausüben eines Gegendrucks auf die Wunde bei Bewegung und bei Husten sowie durch Aufstehen mittels Enbloc- Technik (*siehe Seite 547*);
- **Reduktion der oralen Nahrungszufuhr** gemäß der ärztlichen Anordnung, z.B.
  - bis zum Mittag des Operationsvortages leichte Kost,
  - danach bis 22.00 Uhr flüssige Kost,
  - ab 22.00 Uhr bis zur Operation absolute Nahrungskarenz (d.h. auch Verzicht auf Nikotin);
- **Maßnahmen zur Darmentleerung** gemäß ärztlicher Anordnung, z.B.
  - Verabreichung eines Reinigungseinlaufs (*siehe Seite 213*) oder
  - orale Verabreichung eines Laxanz (*siehe Seite 215*) am Tag vor der Operation;
- **Vorbereitung des Operationsfeldes**,
  - großzügige Rasur (*siehe Abb. 2.16*),
  - Duschbad und sorgfältige Reinigung des Bauchnabels.

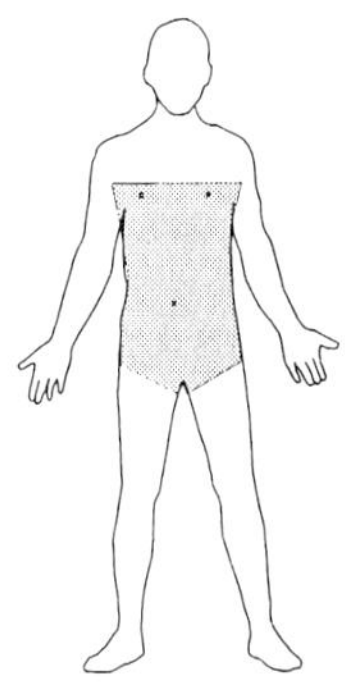

Abb. 2.16 ***Rasurschema bei Magenresektion / Gastrektomie***

❒ Postoperative Pflegemaßnahmen

Der operierte Patient wird im allgemeinen mindestens in den ersten 24 Stunden nach der Operation auf der **Intensivstation** beobachtet und gepflegt.

Zur Ableitung des Magensaftes (Schonung der Anastomosennähte) wurde intraoperativ eine **Magen**- oder **Duodenalsonde** gelegt, die in der Regel mehrere Tage (bis zum Einsetzen der Darmtätigkeit) liegen bleibt. Das Wundsekret wird mittels einer oder zwei **Zieldrainagen** abgeleitet, zusätzlich liegt unter Umständen eine **Redondrainage**. Der Arzt entfernt die Redondrainage in der Regel bei Versiegen des Sekretabflusses, die Zieldrainagen werden am 5.-7. Tag entfernt.

Da der Patient in den ersten postoperativen Tagen parenteral ernährt werden muß, wurde ein **zentraler Venenkatheter** gelegt.
Neben den allgemeinen postoperativen Pflegemaßnahmen (*siehe Seite 371*) ergeben sich folgende **Pflegeschwerpunkte.**

❍ Lagerung
Die Lagerung erfolgt mit leicht erhöhtem Oberkörper auf dem Rücken; zur Entlastung der Bauchdecke sollten die Knie leicht unterlagert werden.

❍ Pflegemaßnahmen bei liegender Magen- / Duodenalsonde
Um die Anastomosennähte nicht zu gefährden, muß die Sonde sicher fixiert sein; Lageveränderungen müssen sofort erkannt werden (Die Sondenlage wurde im Operationssaal z.B. durch Anbringen eines Pflasterstreifens gekennzeichnet). **Beachte:** Manipulationen an der Sonde müssen unterbleiben, um die Anastomosennähte nicht zu gefährden.
Der Auffangbeutel muß stets unterhalb des Magenniveaus hängen, um den Sekretabfluß zu gewährleisten.
Das abgeleitete Sekret ist hinsichtlich Menge, Farbe, Geruch und Beimengungen zu beobachten. **Beachte**: Größere Blutbeimengungen weisen auf eine Nachblutung hin, kotiger Geruch ist beim Ileus (*Darmverschluß*) zu beobachten. Die abgeleitete Sekretmenge nimmt mit Wiedereinsetzen der Darmtätigkeit ab.
Weitere Informationen sind auf *Seite 373* nachzulesen.

❍ Pflegemaßnahmen bei liegenden Wunddrainagen
Menge, Geruch und Farbe des abgeleiteten Wundsekretes werden beobachtet. **Beachte**: Zunehmende Blutmengen sind meist Zeichen einer Nachblutung, Veränderungen des Geruchs und der Farbe treten bei Anastomosenundichtigkeit auf.
Weitere Informationen sind auf *Seite 377* nachzulesen.

❍ Pflegemaßnahmen bei liegendem Venenverweilkatheter
Die Pflegemaßnahmen werden auf *Seite 460* besprochen.

❍ Versorgung der abdominellen Wunde
Der Wundverband ist hinsichtlich möglicher Nachblutungen und übermäßiger Sekretabsonderungen zu beobachten; auf Schmerzäußerungen des Patienten ist zu achten.
Bei ungestörter Wundheilung erfogt der erste aseptische Verbandwechsel (*siehe Seite 375*) meist am 2. postoperativen Tag; er wird vom Arzt durchgeführt. Die Fäden werden ungefähr am 10. postoperativen Tag entfernt (Arzt).

❍ Krankenbeobachtung
Die Beobachtung des Patienten nimmt einen hohen Stellenwert ein; Komplikationen sollen frühzeitig erkannt werden. Durch die Zu- und Ableitungen erforderliche Beobachtungen wurden zuvor besprochen.
Außerdem werden beobachtet:
- der Kreislauf (Pulsanstieg und Blutdruckabfall bei Nachblutung),
- die Atmung (flache Atmung bei liegender Magensonde und bei Schmerzen),
- die Körpertemperatur (Fieber bei Infektionen),
- die Flüssigkeitsbilanz (zusätzliche Flüssigkeitsverluste über Wunddrainagen und Magensonde, Flüssigkeitszufuhr über Infusionen),
- das subjektive Befinden des Patienten (stärkere Schmerzen und Unwohlsein bei Komplikationen),
- die Darmtätigkeit (Darmgeräusche und Wind- / Stuhlabgang bei Einsetzen der Darmtätigkeit),
- der Wundverband / die Wunde (feuchter Verband bei Nachblutung / stärkerer Sekretabsonderung, typische Hautveränderungen bei Wundinfektion),
- Verhalten des Patienten (evtl. Nahrungs- / Flüssigkeitsaufnahmen und Manipulationen an den Zu- und Ableitungen gefährden den Heilungsverlauf, die Sicherheit des Kranken und die Therapie).

Die entsprechenden Beobachtungen werden dokumentiert, es ist ein Bilanzbogen zu führen. Besonderheiten sind dem Arzt zusätzlich mündlich mitzuteilen.

❍ Unterstützung bei den ATL, Prophylaxen
Der diesbezügliche Pflegebedarf ist täglich zu analysieren; die Pflege wird entsprechend geplant und durchgeführt. In der ersten postoperativen Woche sind immer erforderlich:
- Pneumonieprophylaxe (intensive Atemübungen),
- Thromboseprophylaxe (Mobilisation, Antithrombosestrümpfe, low- dose- Heparinisierung),
- spezielle Mundpflege (*siehe Seite 653*),
- Dekubitusprophylaxe (Mobilisation, Lageveränderungen),
- Unterstützung bei der Körperpflege,
- Früh- / Mobilisation.

❍ Anregung der Darmtätigkeit
Die postoperative Darmatonie ist zunächst ein physiologisches Geschehen; die Darmtätigkeit sollte spätestens am 3. postoperativen Tag wieder eingesetzt haben. **Beachte**: Ein aufgetriebener Leib, Schmerzen, Erbrechen u.a. Veränderungen können Zeichen eines Ileus (*Darmverschluß*, *siehe Seite 255*) sein.
Setzt die Darmtätigkeit nicht ein, ordnet der Arzt eine Maßnahme zur Anregung der Darmtätigkeit an, z.B. die Verabreichung eines Klysmas / Einlaufs oder die intravenöse Verabreichung von Prostigmin®.

❍ Ernährung
Um die Heilung der Anastomosennähte nicht zu gefährden, wird der Patient zunächst parenteral ernährt. Vor Beginn der oralen Nahrungsaufnahme wird zur Prüfung der Dichtigkeit der Anastomosen eine spezielle Röntgenuntersuchung (Gastrografin- Breischluck) durchgeführt; dies ist nach einer Magenresektion am 5. oder 6. Tag, nach einer Magenentfernung frühestens am 8. postoperativen Tag der Fall.
Der Nahrungsaufbau erfogt schrittweise gemäß der ärztlichen Anordnung / dem klinikinternen Schema. Beispiel:
- 1. Tag schluckweise Tee,
- 2. Tag bis ca. 500ml Tee,
- 3. Tag Tee, Schleimsuppen, Zwieback,
- 4. Tag passierte Kost,
- 5. Tag leichte Kost, verteilt auf 6-8 Mahlzeiten am Tag.

Der Kranke wird ausführlich und geduldig über die Richtlinien seiner Ernährung informiert; in vielen Krankenhäusern wird diese Aufgabe von einer Diätassistentin wahrgenommen.

Richtlinien für die Ernährung bei einem operativ angelegten Ersatzmagen:
- regelmäßige Essenszeiten einhalten,
- in Ruhe essen, dabei die sitzende Position einnehmen und gut kauen, bei Bedarf das Gebiß sanieren lassen,
- tägliche Nahrung auf 6-8 Mahlzeiten verteilen,
- individuell verträgliche Nahrungsmittel wählen,
- eiweiß- und vitaminreiche Kost bevorzugen,
- auf Genuß größerer Mengen in der Regel unverträglicher Speisen und Getränke verzichten,
  - Kaffee und Schwarztee,
  - Alkohol,
  - Süßspeisen,
  - stark blähende Speisen,
  - kohlensäurehaltige Getränke,
  - fettreiche und gebratene Speisen,
- während des Essens keine Getränke zuführen,
- nach dem Essen nicht hinlegen (Refluxrisiko),
- regelmäßigen Lebensrhythmus anstreben,
- sich Ruhe und Entspannung gönnen, Streß vermeiden / abbauen,
- regelmäßig vor den Mahlzeiten die verordneten Medikamente einnehmen,
- einmal wöchentlich das Körpergewicht kontrollieren und das Ergebnis notieren,
- in vierteljährlichen Abständen Vitamin B_{12} injizieren lassen (Substitution des fehlenden Intrinsic - Faktors).

❒ Informationen zum Dumping - Syndrom

Beim Dumping - Syndrom handelt es sich um **postalimentäre** (*nach den Mahlzeiten auftretende*) **Verdauungsstörungen** bei Zustand **nach Resektion des Magens**. Infolge der operativen Verkleinerung des Magens gelangt die Nahrung zu schnell in die abführende Jejunumschlinge und wird nicht ausreichend verdaut (sogenannte Sturzentleerung); dies trifft vor allem für kohlenhydratreiche Nahrung zu.
Ein Dumping - Syndrom ist nach Magenresektion in ca. 10 - 20% der Fälle zu beobachten.
Es werden zwei Formen unterschieden.

- **Frühdumping - Syndrom**

Infolge der zu schnellen Nahrungspassage kommt es 10 - 30 Minuten nach dem Essen zu einem osmotisch bedingten Flüssigkeitseinstrom aus der Blutbahn in den Darm. Die Hypovolämie geht mit Kollapsneigung, Schweißausbruch, Tachykardie, Blässe und Schwächegefühl einher. Außerdem verspürt ein Betroffener Übelkeit, Völlegefühl und Oberbauchbeschwerden.

- **Spätdumping - Syndrom**

Infoge der zu schnellen Resorption von Kohlenhydraten entsteht zunächst eine Hyperglykämie; durch die daraufhin übermäßige Insulinausschüttung kommt es reaktiv zu einer Hypoglykämie. Das Spätdumping - Syndrom tritt 1,5 - 3 Stunden nach dem Essen auf; zu beobachten sind Zeichen der Hypoglykämie (Hungergefühl / Heißhunger nach dem Essen, Kaltschweißigkeit, Zittern, Unruhe, Schwächegefühl, Tachykardie, Blutdruckabfall).

❍ Therapie und Verhalten

Menschen, die unter einem Dumping-Syndrom leiden, sollten
- häufig kleine Mahlzeiten einnehmen,
- eiweißreiche und kohlenhydratarme Kost (keinen Zucker, keine Milch) zu sich nehmen,
- während der Mahlzeiten keine Getränke aufnehmen.

Bei Versagen dieser Verhaltensmaßnahmen wird eine operative Korrektur durchgeführt; eine Billroth-II-Resektion wird in eine Billroth - I - Resektion umgewandelt.

2.12.7 Akutes Abdomen

2.12.7.1 Krankheitsbild

❒ Definition und Ursache

Unter dem Oberbegriff akutes Abdomen (*akuter Bauch*) werden verschiedene Krankheitsbilder zusammengefaßt; ihnen gemeinsam sind **akute heftige Leibschmerzen** und eine insgesamt **bedrohliche Situation** des Patienten **bei** diagnostisch **ungeklärter Grunderkrankung**. Diagnose und Therapie müssen rasch erfolgen, ohne sich gegenseitig zu stören.
Häufige **Ursachen** für ein akutes Abdomen sind:
- Ileus (mechanischer oder paralytischer, *siehe Seite 255*);
- Perforation eines in der Bauchhöhle liegenden Hohlorgans, z.B. der Gallenblase, des Appendix oder des Magens;
- Entzündung eines in der Bauchhöhle liegenden Organs, z.B. des Pankreas (*Bauchspeicheldrüse*) oder der Adnexe (*Eierstöcke und Eileiter*);
- Störung der Blutzirkulation des Darmes bei Verschluß einer Mesenterialarterie;
- stumpfes Bauchtrauma, das zur Ruptur eines Bauchorgans, z.B. der Leber oder der Milz, führt;
- Blutung in die Bauchhöhle, z.B. eine gastrointestinale Blutung (*siehe Seite 151*) oder die Ruptur eines Aortenaneurysmas (*Zerreißen einer krankhaften Arterienerweiterung*);
- Einklemmung eines Steins, die z.B. zur Nieren- oder Gallenkolik führt.

Beachte: Bestimmte krankhafte Ereignisse außerhalb der Bauchhöhle (z.B. Herzinfarkt, Bandscheibenvorfall, akuter Harnverhalt) können aufgrund der Symptomatik ein akutes Abdomen vortäuschen.

❒ Symptome und Diagnostik

Ein akutes Abdomen geht mit heftigen **Leibschmerzen** und **Abwehrspannung** der Bauchdecken (*bretthartes Abdomen*) einher; je nach ursächlicher Erkrankung sind zusätzlich z.B. **Erbrechen** und **Schocksymptome** zu beobachten.
Wegen des meist lebensbedrohlichen Krankheitsgeschehens ist eine schnelle **Diagnostik** erforderlich:
- Anamnese (vor allem Schmerzgeschehen und Verdauungsfunktion),
- körperliche Untersuchung,

- Bestimmung verschiedener Laborparameter (z.B. Elektrolyte, Blutkörperchensenkung, Blutzucker, kleines Blutbild, Amylase, Lipase, GOT, Urinstatus),
- Messung der axillären und der rektalen Körpertemperatur,
- Sonographie des Abdomens,
- Abdomenübersichtsaufnahme,
- Röntgen- Thorax in zwei Ebenen,
- EKG.

Beachte: Um die Diagnosestellung nicht zu behindern, muß während dieser Phase auf die Verabreichung von Analgetika (*schmerzlindernde Arzneimittel*) und Spasmolytika (*krampflösende Arzneimittel*) verzichtet werden.

❒ Therapie

Bis zur Sicherung der Diagnose ergreift der Arzt in der Regel folgende Maßnahmen:

- Legen eines intravenösen Zugangs und Infundieren von Flüssigkeit,
- Anordnung absoluter Nahrungskarenz,
- Verordnung von Bettruhe,
- Legen einer Magensonde bei Verdacht auf Ileus,
- Anfordern eines chirurgischen und/oder gynäkologischen Konsils,
- Kontrolle bestimmter Laborparameter.

Das weitere therapeutische Vorgehen richtet sich nach der ursächlichen Erkrankung; entsprechend wird konservativ oder chirurgisch behandelt.

2.12.7.2 Zur Situation eines Betroffenen

Die Situation eines Betroffenen ist durch die akute Bedrohlichkeit des Krankheitsgeschehens geprägt. Die Schmerzen, häufig auch Kreislaufbeschwerden, verdeutlichen die Schwere der Erkrankung. **Unsicherheit** und **Ängste** stellen sich schnell ein. Die Einweisung ins Krankenhaus und die Behandlung als „Notfall" können Unbehagen auslösen, zugleich aber auch eine gewisse Sicherheit vermitteln (*"Ich befinde mich in guten Händen, es wird alles für mich getan"*).

2.12.7.3 Pflegemaßnahmen

Schwerpunkte der Pflege eines Menschen mit akutem Abdomen sind:

- engmaschige Beobachtung des Kranken,
  - Schmerzgeschehen und Allgemeinbefinden,
  - Ausscheidungen, Erbrechen,
  - Vitalzeichen (Schock erkennen!),
  - axillare und rektale Temperatur,
  - Flüssigkeitsbilanz,
- Anmeldung und Vorbereitung der diagnostischen Maßnahmen,
- Begleitung des Patienten zu den diagnostischen Maßnahmen,
- Überwachung der Infusionstherapie,
- Sorge für die Einhaltung von Nahrungskarenz und Bettruhe,
- Unterstützung bei den ATL im jeweils erforderlichen Umfang,
- Vermittlung von Sicherheit und Informationen,
- ggf. Legen einer Magenablaufsonde (Arztanordnung) und Durchführung daraus resultierender Pflegemaßnahmen (*siehe Seite 123*),
- ggf. Spülen des Magens mit physiologischer Kochsalzlösung (Arztanordnung),
- ggf. Vorbereitung zur Operation (Laboruntersuchungen, EKG und Röntgen - Thorax wurden in der Regel bereits im Rahmen der Diagnostik durchgeführt).

2.12.8 Peritonitis

2.12.8.1 Krankheitsbild

❒ Definition

Bei der Peritonitis handelt es sich um eine **Entzündung des Bauchfells** infolge einer bakteriellen Kontamination oder einer chemisch-toxischen Einwirkung.

❒ Ursache

Eine **bakterielle** (*eitrige*) **Peritonitis** entsteht meist bei Perforation eines keimbesiedelten Bauchorgans oder postoperativ bei Anastomoseninsuffizienz*.

Die **chemisch-toxische Peritonitis** tritt seltener auf und wird durch nicht-infektiöse Substanzen, z.B. Pankreassekret oder Magensaft, die in die freie Bauchhöhle gelangen, verursacht.

Eine **lokale Peritonitis** ist z.B. auf den Oberbauch begrenzt und hat eine bessere Prognose als eine **diffuse**, die gesamte Bauchhöhle betreffende Peritonitis, die in etwa der Hälfte der Fälle tödlich verläuft.

❒ Symptome

Eine Peritonitis äußert sich als **akutes Abdomen** (*„starke Leibschmerzen und Schonhaltung," „bretttharte Bauchdecke", siehe vorstehend*); früher oder später entwickelt sich ein paralytischer **Ileus** (*siehe Seite 255*). Weiter sind Entzündungszeichen (erhöhte Blutkörperchensenkung, Leukozytose, später auch Fieber), Schocksymptome (*siehe Seite 280*) und Exsikkose zu beobachten.

❒ Diagnostik

Die Diagnostik erfolgt wie vorstehend unter „Akutes Abdomen" beschrieben.

❒ Therapie

Eine Peritonitis erfordert rasches Handeln; dieses ist auf **Kreislaufstabilisierung, Schockbekämpfung** und **Ursachenbeseitigung** ausgerichtet. Um die Ursache zu beseitigen, ist eine Notfalloperation (**Laparotomie**), z.B. die Übernähung eines perforierten Magenulkus, erforderlich. Zur Reinigung wird die Bauchhöhle intraoperativ gespült (*Lavage*); zur weiteren Ableitung von Eiter / Sekreten werden **Drainagen** angelegt. In schweren Fällen muß die Bauchhöhle noch mehrfach intraoperativ gespült werden (*geplante Relaparotomie, Lavage*).

Aufgrund des paralytischen Ileus müssen die Verdauungssekrete über eine Dünndarmsonde (Miller-Abbot- oder Dennis-Sonde) oder eine **Magensonde** abgeleitet werden, bis die Peristaltik wieder eingesetzt hat.

Die Infektion wird mittels intravenöser **Antibiotikatherapie** bekämpft.

2.12.8.2 Zur Situation eines Betroffenen

Es treffen die zuvor unter "Akutes Abdomen" erläuterten Aspekte zu.

2.12.8.3 Pflegemaßnahmen

Ein an einer Peritonitis leidender Patient ist schwer krank; er wird in der Regel auf der **Intensivstation** gepflegt und behandelt.
Die bis zur Sicherung der Diagnose durchzuführenden Pflegemaßnahmen sind unter „Akutes Abdomen" nachzulesen. Der Kranke wird auf die **Notfalloperation** (Laparotomie = *operative Eröffnung der Bauchhöhle*) **vorbereitet** (*siehe Seite 256*).

❒ Postoperative Pflegemaßnahmen

Die Beobachtung und Unterstützung / Korrektur der lebenswichtigen Funktionen stehen im Vordergrund.

- **Beobachtung von**
  - Vitalzeichen und ZVD (*siehe Seite 312*),
  - Bewußtseinslage,
  - subjektivem Befinden, vor allem Schmerzen,
  - Ausscheidungen, Erbrechen, Flüssigkeitsbilanz,
  - Allgemeinzustand.
- **Überwachung der**
  - Infusions- und Antibiotikatherapie (*siehe Seite 460*),
  - Drainagefunktionen (*siehe Seite 378*),
  - Funktion der Magen- oder Dünndarmsonde (*siehe Seite 373*).
- **Anregung der Darmtätigkeit**
  - entsprechend der ärztlichen Anordnung (*siehe Seite 373*).
- **Durchführung prophylaktischer Maßnahmen** entsprechend dem aktuellen Pflegebedarf, mindestens
  - spezielle Mundpflege,
  - Atemübungen,
  - Thromboseprophylaxe,
  - Dekubitusprophylaxe.
- **Unterstützung bei den ATL**
  - entsprechend dem aktuellen Pflegebedarf,
  - meist Übernahme der Körperpflege in den ersten postoperativen Tagen.
- **Sorge für die Einhaltung der ärztlichen Anordnungen** (Bettruhe, Nahrungskarenz).
- **Seelische Unterstützung des schwerkranken Menschen**
  - Zuwendung (Zeit, Anwesenheit, Aufmerksamkeit, Zuhören, Berühren, Gesprächsbereitschaft),
  - Verständnis, Geduld,
  - Ausstrahlen von Ruhe und Sicherheit,
  - patienten- und situationsgerechte Information.
- **Kostaufbau**
  - entsprechend den ärztlichen Anordnungen,
  - erst nach Einsetzen der Darmperistaltik und nach Absetzen von Stuhl,
  - schrittweise und langsam unter sorgfältiger Beobachtung.

2.12.9 Gastrointestinale Blutung

syn. *Magen - Darm - Blutung*
Abkürzung: GI - Blutung

2.12.9.1 Syndrom der Magen - Darm - Blutung

❒ Definition und Formen

Bei der gastrointestinalen Blutung handelt es sich nicht um ein eigenständiges Krankheitsbild, sondern um ein Syndrom (*Gruppe von Symptomen*), das durch verschiedene Ursachen hervorgerufen werden kann.
Es werden zwei Formen unterschieden:
Bei der **oberen Gastrointestinalblutung** handelt es sich um eine oberhalb des Übergangs vom Duodenum (*Zwölffingerdarm*) zum Jejunum (*Leerdarm*) lokalisierte Blutung in das Lumen des Magen - Darm - Traktes; liegt die Blutungsquelle unterhalb des Duodenums, spricht man von einer **unteren Gastrointestinalblutung**.

❒ Blutungsursachen

Häufige Blutungsursachen bei einer oberen GI - Blutung (Reihenfolge entspricht der Häufigkeit):

- Ulkus duodeni und Ulkus ventrikuli,
- Erosionen* im Magen, Duodenum und unterem Ösophagus,
- Varizen im Ösophagus oder im Magenfundus,
- Schleimhauteinrisse im Ösophagus oder im Magenfundus (*Mallory - Weiss - Syndrom*),
- Magenkarzinom.

Häufige Blutungsursachen bei einer unteren GI - Blutung :

- Dünndarmtumoren,
- Morbus Crohn (*siehe Seite 250*),
- Colitis ulcerosa (*siehe Seite 250*),
- Meckel - Divertikel (*Ausstülpung der Darmwand im Ileum*),
- Angiodysplasie (*Gefäßveränderungen, z.B. Hämangiome*, Teleangiektasen**),
- Hämorrhoiden (*siehe Seite 209*),
- Divertikulitis (*Entzündliche Reaktion bei Divertikulose, einer Ausstülpung der Kolonschleimhaut durch die Darmwand*),
- Dickdarmkarzinom - und -adenom.

❒ Symptome und Diagnostik

Die Symptome einer GI - Blutung ergeben sich aus dem **Blutverlust** und der Lokalisation der Blutungsquelle:

- geringer Hb - Abfall bei leichter Blutung (*Blutverlust geringer als 250 ml / 24 Std.*),
- Blässe, Schwindel- und Schwächegefühl sowie Hb-Abfall, Pulsanstieg und Blutdruckabfall bei mittelschwerer Blutung (*Blutverlust bis 1000 ml / 24 Std.*),
- Hb - Abfall unter 9 g / dl und Schocksymptomatik bei schwerer Blutung (*Blutverlust über 1000 ml / 24 Std.*);
- **Hämatemesis** (*Bluterbrechen*) häufig bei oberer GI - Blutung,
  - hellrotes Blut bei frischer Blutung aus Ösophagus, Magen oder Duodenum,

- bräunlich - schwarzes (kaffeesatzähnliches, durch Kontakt mit der Salzsäure des Magens verändertes) Blut nach längerer Verweildauer im Magen;
- **Melaena** (*Teerstuhl, durch Zersetzung des Blutes schwarzglänzender, klebriger Stuhl)* bei oberer GI - Blutung oder (seltener) bei unterer GI - Blutung und verlangsamter Darmpassage,
  - **Beachte**: Ungefähr 8-10 Stunden nach Blutungsbeginn wird Teerstuhl abgesetzt; noch bis zu 5 Tagen nach Stillstand der Blutung können Teerstühle abgesetzt werden. Schwarzer Stuhl kann auch harmlose Ursachen haben, z.B. Genuß von Lakritzen oder Heidelbeeren, Einnahme von Eisenpräparaten *(vgl. Seite 209)*;
- **dunkelroter Stuhl** bei Blutung aus dem Dünndarm oder dem aufsteigenden Dickdarm;
- **hellroter Stuhl** bei Blutung aus dem absteigendem Dickdarm oder dem Enddarm.

Die **Diagnose** wird anhand der **Klinik**, dem **Nachweis von Blut** (z.B. durch Magenspülung oder Hämoccult®-Test) und der Bestimmung von **Laborparametern** (Hb, Hk, Erythrozytenzahl) gestellt. Die Blutungsquelle wird durch endoskopische Untersuchungen (*Gastro-Duodenoskopie, Rektos- / Koloskopie*) bestimmt.

❒ Therapie

Sofortmaßnahmen bei akuter Blutung:
Zunächst steht die **Schockbekämpfung** im Vordergrund. Der Patient wird in die Flachlage gebracht. Zur Substitution des Blutvolumens werden Infusionen, ggf. zusätzlich Blutkonserven verabreicht. Die Sauerstoffversorgung wird durch nasale O_2- Zufuhr verbessert. Zwecks Entlastung und Diagnostik wird eine **Magensonde** gelegt und der **Magen gespült**. Selbstverständlich ist Nahrungskarenz einzuhalten.
Danach erfolgt die **Blutstillung**. Je nach Ursache der Blutung ist dazu z.B. eine Ösophagusvarizensklerosierung *(siehe Seite 139)*, die operative Übernähung eines blutenden Ulkus oder eine endoskopische Blutstillung erforderlich.

2.12.9.2 Zur Situation eines Betroffenen

Die Situation entspricht in vielen Punkten den unter „akutes Abdomen" *(siehe Seite 150)* aufgeführten Aspekten. Bei einer GI - Blutung treten im allgemeinen allerdings keine Schmerzen auf; statt dessen wird das **subjektive Befinden** eines Betroffenen durch (heftiges) Bluterbrechen **deutlich beeinträchtigt**. Viele Menschen empfinden den Vorgang des Erbrechens nicht nur unangenehm, sondern auch als entwürdigend. Zusätzlich lösen das Erbrechen von Blut und das Absetzen blutiger Stühle starke Ängste aus (z.B. zu verbluten oder an Krebs erkrankt zu sein) und verdeutlichen einem Betroffenen und seinen Angehörigen die Bedrohlichkeit der Situation.

2.12.9.3 Pflegemaßnahmen

Bei der Pflege eines Menschen mit akuter GI - Blutung stehen folgende **Sofortmaßnahmen** im Vordergrund:
- Oberkörperhochlagerung während des Erbrechens, sofern der Patient bewußtseinsklar ist, ansonsten Flachlagerung des Patienten bei (beginnendem) Schock, bei Erbrechen Kopf seitlich neigen;
- Höherstellen des Fußendes;
- Beobachtung der Vitalzeichen, der Ausscheidungen (Aussehen, Menge, Konsistenz, Blutbeimengungen) und des Bewußtseins;
- ggf. Messung des zentralen Venendrucks *(siehe Seite 312)*;
- Überwachung der Infusions- und ggf. der Transfusionstherapie *(siehe Seite 460 und Seite 468)*;
- Sorge für die Einhaltung der verordneten Nahrungskarenz und der Bettruhe;
- Vermittlung von Sicherheit (ruhiges und sicheres Auftreten, Vermittlung von Informationen, Zuwendung und Anwesenheit);
- Unterstützung und Beruhigung des Kranken, vor allem während des Erbrechens, Schaffen einer möglichst ruhigen Umgebung;
- bei Vorliegen der entsprechenden Arztanordnung
  - Legen einer Magensonde *(siehe Seite 123)*,
  - ggf. Verabreichung verordneter Medikamente über die Magensonde (z.B. stündlich Ulcogant®),
  - Vorbereitung des Patienten zur Notfallendoskopie (Ösophago - Gastro - Duodenoskopie, Koloskopie, Rektoskopie), jeweils mit Sklerosierung der Blutungsquelle),
  - Vorbereitung des Patienten zur Notfalloperation (z.B. Übernähen eines perforierten Ulkus, Probelaparotomie, Darmresektion),
  - Veranlassung engmaschiger Blutuntersuchungen (Hb, Hk, Erythrozyten, Gerinnungsparameter);
- sorgfältige Mund- und Nasenpflege *(siehe Seite 651)*;
- Übernahme der Körperpflege, solange erforderlich;
- Analyse des weiteren Pflegebedarfs und Ergreifen entsprechender Maßnahmen (z.B. Dekubitusprophylaxe);
- Mobilisation und Kostaufbau erst nach Stillstand der Blutung und Stabilisierung des Kreislaufs, eine entsprechende ärztliche Anordnung muß vorliegen.

Bei schweren Blutungen wird der Kranke auf der Intensivstation gepflegt und behandelt.
Vorrangiges Ziel der Pflege ist die **Sicherheit des Kranken**, also die Verhinderung bzw. das frühzeitige Erkennen eines Volumenmangelschocks und die Verhinderung von Komplikationen. Zusätzlich soll der Kranke spüren, daß er intensiv betreut wird und sich „in guten Händen befindet".

2.12.10 Gallensteinleiden *(Cholelithiasis)*

Cholelithiasis	= *Gallensteinleiden, Gallensteine*
Cholezystolithiasis	= *Steine in der Gallenblase*
Choledocholithiasis	= *Stein(e) im Ductus hepatocholedochus*
Cholezystektomie	= *operative Entfernung der Gallenblase*

2.12.10.1 Krankheitsbild

❒ Definition und Entstehung

Das Vorhandensein von **Konkrementen in der Gallenblase und/oder in den Gallengängen** wird - unabhängig vom Auftreten von Beschwerden - als Gallensteinleiden bezeichnet. Diese Konkremente, die sogenannten Gallensteine, enthalten in der Mehrzahl der Fälle Cholesterin (*Cholesterinsteine oder gemischte Steine*); **Cholesterinsteine** entstehen durch verschiedene Mechanismen (G.HEROLD, 1996):

- Cholesterinübersättigung der Blasengalle (Hauptursache),
- gestörte Säuresekretion der Gallenblasenschleimhaut, wodurch Kalzium leichter ausfallen und als Cholesterinkristallisationskern dienen kann,
- Hypomotilität der Gallenblase mit verlängerter Verweildauer der Galle in der Gallenblase oder unvollständiger Entleerung der Gallenblase.

In ungefähr 20% der Fälle handelt es sich um **Bilirubin- (Pigment-) Steine**, die z.B. bei Leberzirrhose oder chronischen Hämolysen (*Erkrankungen, die mit einer Verkürzung der Erythrozytenlebenszeit einhergehen*) entstehen.

Ungefähr 10-15% der Bevölkerung haben Gallensteine, betroffenen sind vor allem ältere Menschen und Frauen.

Die **Risikofaktoren** hinsichtlich der Bildung von Cholesterinsteinen werden in der **5 - F - Regel** zusammengefaßt:

- female (*weibliches Geschlecht;* Frauen sind zwei - dreimal so häufig betroffen wie Männer),
- fair (*hellhäutig)*,
- fat (*übergewichtig)*,
- forty (*Alter über 40 Jahre)*,
- fecund *(fruchtbar)*.

❐ Symptome, Komplikationen und Diagnostik

Nur 20 - 30% der Menschen mit Gallensteinen leiden unter Beschwerden *(symptomatische Gallensteine)*. Typisch sind **Gallenkoliken**; es handelt sich um starke krampfartige, wellenförmig verlaufende Schmerzen im rechten und mittleren Oberbauch, die in die rechte Schulter oder in den Rücken ausstrahlen können. Die Koliken werden ausgelöst, wenn ein Stein den Ductus cysticus (*Gallenblasengang)* oder kleinere Konkremente den ductus choledochus (*Gallengang)* verschließen und sich die hinter dem Stein gelegene Muskulatur daraufhin heftig kontrahiert. Begleitend können **Brechreiz** und Erbrechen, Schweißausbrüche und Kreislaufbeschwerden auftreten. Außerdem kann ein Gallensteinleiden mit **unspezifischen Oberbauchbeschwerden,** Völlegefühl, Blähungen und **Unverträglichkeiten** einiger Nahrungsmittel (z.B. fettreiche Speisen, Eier) einhergehen.

Die **Diagnose** wird anhand der klinischen Untersuchung und der Symptome erhoben und durch den **sonographischen Nachweis der Steine** gesichert. Gallengangssteine können mittels **ERC** (**e**ndoskopisch-**r**etrograde **C**holangiographie, *Röntgenkontrastdarstellung der Gallengänge im Rahmen einer endoskopischen Spiegelung des Zwölffingerdarms)* dargestellt werden. Bei entzündlichen Prozessen sind die Blutkörperchensenkung und die Leukozyten im Serum erhöht. Bei Steineinklemmung bildet sich ein Ikterus.

Bei symptomatischem Gallensteinleiden können rezidivierende Beschwerden und ernsthafte **Komplikationen** auftreten:

- **Gallenblasenhydrops**: bei Verschluß des Gallenblasengangs durch einen Stein werden Galle und Schleim in der Gallenblase gestaut, so daß es zu einer schmerzlosen Schwellung kommt;
- **akute Cholezystitis** *(Gallenblasenentzündung)* und Cholangitis *(Entzündung der Gallengänge):* bei Steineinklemmung mit nachfolgendem Stau von Galle und Schleim entwickeln sich häufig bakterielle Infektionen, die mit Schmerzen im rechten Oberbauch, Schüttelfrost und Fieber einhergehen; weitere mögliche Komplikationen sind Pankreatitis, Perforation* und Sepsis;
- **Gallenblasenempyem** (*Eiteransammlung in der Gallenblase)*: kommt es bei einem Gallenblasenhydrops zu einer Besiedelung mit Bakterien, entwickeln sich Schüttelfrost, hohes Fieber und lokale Druckschmerzhaftigkeit, die Schwellung löst Scherzen aus;
- **Verschlußikterus**: bei Einklemmung eines Steins im Gallengang entsteht ein Verschlußikterus (*siehe Seite 634);*
- **Steinperforation**: bricht ein Stein in ein Nachbarorgan durch, kommt es z.B. zu einem Gallensteinileus, zu einer Peritonitis (*siehe Seite 150*) oder einem Leberabzeß (*umschriebene Eiteransammlung in der Leber)*;
- **chronisch-rezidivierende Cholezystitis**: die andauernde mechanische Irritation durch die Gallensteine führt zur chronischen Entzündung, die mit Beschwerden nach der Aufnahme bestimmter Speisen (Eier, erhitztes Fett, Kaffee) im Sinne von Druckgefühl im rechten Oberbauch oder Koliken einhergeht; in vielen Fällen entwickelt sich eine sogenannte Schrumpf- oder „Porzellangallenblase" *(Verhärtung der Gallenblasenwand durch Kalksalzablagerungen)*, die als Risikofaktor für die Entstehung eines Gallenblasenkarzinoms gilt.

❐ Therapie

- **Bei beschwerdefreiem** und komplikationslosem **Gallensteinleiden** (*stumme Gallensteine)* ist keine Therapie erforderlich, es sei denn, es liegt eine „Porzellangallenblase" vor; in diesem Fall ist eine operative Entfernung der Gallenblase angezeigt.
- **Bei einer akuten Gallenkolik** werden Spasmolytika* und Analgetika* auf parenteralem Weg verabreicht. Ein Betroffener wird zu Nahrungskarenz und Bettruhe angehalten.
- **Bei akuter Cholezystitis** sind Antibiotika, Nahrungskarenz und fiebersenkende Maßnahmen angezeigt.
- **Bei rezidivierenden Beschwerden** wird die Gallenblase im allgemeinen während eines beschwerdefreien Intervalls operativ entfernt = *konventionelle oder laparoskopische Cholezystektomie;* liegt allerdings eine Komplikation (Gallenblasenhydrops oder -empyem, akute Entzündung) vor, ist eine sofortige Operation erforderlich.
- **Bei Einklemmung** eines Gallensteins im Ductus choledochus versucht man, den Stein mittels ERC und Papillotomie (*siehe Seite 189*) zu lokalisieren und zu entfernen; etwas später wird die Cholezystektomie durchgeführt; bei Choledocholithiasis wird ebenso verfahren.

- In wenigen Fällen ist eine Steinbeseitigung auf nicht operativem Weg möglich, z.B. indem einzelne Gallensteine zertrümmert werden *(extrakorporale Stoßwellenlithotripsie)*; eine medikamentöse Litholyse *(Steinauflösung)* kann bei kleineren, nicht kalkhaltigen Steinen angezeigt sein. Wird die Gallenblase nicht entfernt, kommt es häufig zu Rezidiven.

2.12.10.2 Zur Situation eines Betroffenen

Beschwerdefreie Gallensteinträger erfahren allenfalls zufällig, daß sich Steine in ihrer Gallenblase befinden. Da sie in keiner Weise beeinträchtigt werden, fühlen sie sich **nicht krank**. Dies schließt nicht aus, daß Betroffene dennoch Informationen benötigen; sie müssen wissen, daß sie nicht krank sind und daß die Gallensteine keine Auswirkungen auf ihre Lebensweise haben.
Die Lebensqualität Betroffener, die unter **wiederkehrenden Beschwerden** wie Schmerzen und Brechreiz leiden, ist beeinträchtigt; viele von ihnen entdecken einen Zusammenhang zwischen den Beschwerden und der Aufnahme bestimmter Nahrungsmittel. Somit haben sie die Möglichkeit, die Beschwerden teilweise zu verhindern, indem sie Speisen, die Unverträglichkeitsreaktionen und Koliken auslösen können, meiden. Diese **Eigenverantwortlichkeit** wird unterschiedlich bewertet. Einige Menschen bevorzugen passives Verhalten und lehnen aktive Verhaltensänderungen, die Verzichte von ihnen verlangen, ab; andere schätzen die Möglichkeit der persönlichen Einflußnahme sehr. Diese ist allerdings begrenzt, Beschwerden lassen sich nicht in jedem Fall günstig beeinflussen und Koliken lassen sich nicht immer vermeiden; dann rät der Arzt einem Betroffenen im allgemeinen zur operativen Entfernung der Gallenblase. Der individuelle Leidensdruck einerseits und die innere Haltung (Vertrauen, Zuversicht, Mißtrauen) zu operativen Eingriffen andererseits, beeinflussen die Entscheidung eines Betroffenen maßgeblich. Durch die Möglichkeit der endoskopischen Gallenblasenentfernung wurden das operative Risiko und die Dauer des stationären Aufenthaltes deutlich gesenkt, so daß es sich aus Sicht der Ärzte und der Pflegenden um einen kleinen risikoarmen Eingriff handelt; für viele Patienten bleibt es jedoch ein mit Risiken und Unannehmlichkeiten verbundener Eingriff, der Unsicherheit und Angst auslöst.
Postoperativ geht es dem Kranken in der Regel nach wenigen Tagen wieder gut. Auch langfristig braucht er **keine Ernährungsvorschriften** zu berücksichtigen und kann das Essen wieder uneingeschränkt genießen.

2.12.10.3 Pflegeschwerpunkte

❐ Beratung bei Oberbauchbeschwerden

Menschen, die an symptomatischen Gallensteinen leiden, werden auf die mögliche Unverträglichkeit bestimmter Nahrungsmittel (z.B. Eier, fettreiche Speisen, erhitzte Fette, Gebratenes, Alkohol, Kaffee) hingewiesen und ggf. darin unterstützt, auf diese zu verzichten.

❐ Pflegemaßnahmen bei Koliken

Ein Betroffener wird während einer Gallenkolik angehalten, **Bettruhe** und **Nahrungskarenz** einzuhalten, um weitreichende Kreislaufreaktionen und die Provokation von Übelkeit und weiteren Kontraktionen der Gallenblase zu vermeiden.
Bei Erbrechen ist einfühlsam Hilfestellung zu leisten *(siehe Seite 132)*. Zur Schmerzlinderung werden die ärztlich verordneten **Spasmolytika*** und **Analgetika*** verabreicht; zusätzlich kann ein warmer **Bauchwickel** *(siehe Seite 512)* die Krämpfe günstig beeinflussen.
Die **Krankenbeobachtung** dient der Einschätzung des Allgemeinbefindens und dem frühzeitigen Erkennen von Komplikationen; sie richtet sich insbesondere auf das Schmerzgeschehen, das subjektive Befinden und die Vitalzeichen.

❐ Pflegemaßnahmen bei akuter Entzündung der Gallenblase / -wege

Bei akuten Entzündungen wird der Kranke bei der Einhaltung der ärztlich verordneten **Bettruhe** und **Nahrungskarenz** unterstützt. Zur Schmerzbekämpfung verordnete Medikamente sind zu verabreichen und über der Gallenblasenregion ist eine **Eisblase** anzubringen. Die parenterale Ernährung und die Antibiotikatherapie werden überwacht *(siehe Seite 460)*. Treten Schüttelfrost und hohes Fieber auf, sind entsprechende Pflegemaßnahmen zu ergreifen *(siehe Seite 508)*.
Die **Krankenbeobachtung** bezieht sich vor allem auf das Schmerzgeschehen (Qualität, Intensität), die Vitalzeichen (Infektion, Sepsis?), die Darmtätigkeit (Ileus?), die Bauchdeckenspannung (Peritonitis?) und die Hautfarbe (Ikterus?).
Zusätzlich ist eine operative Entfernung des ursächlichen Abflußhindernisses erforderlich; diese erfolgt, sofern es der Allgemeinzustand erlaubt, möglichst bald. Der Kranke wird entsprechend vorbereitet *(siehe nachfolgend)*.

❐ Präoperative Pflegemaßnahmen

Im Rahmen der allgemein üblichen präoperativen Maßnahmen *(siehe Seite 368)* sind die folgenden Besonderheiten zu beachten.
Die **Rasur** erstreckt sich sowohl vor konventioneller Cholezystektomie (Laparotomie*) als auch vor endoskopischer Cholezystektomie (Laparoskopie*) auf den vorderen Rumpfbereich von unterhalb der Brustwarzen bis zum Beginn der Schambehaarung.
Ernährung: Patienten, die im beschwerdefreien Intervall für eine geplante Operation vorbereitet werden, erhalten am Mittag vor dem Operationstag leichte Kost, am Abend nur noch flüssige Kost.

❐ Postoperative Pflegemaßnahmen nach konventioneller Cholezystektomie

Neben den allgemeinen postoperativen Pflegemaßnahmen *(siehe Seite 371)* ergeben sich nach einer **konventionellen Cholezystektomie** die folgenden **Besonderheiten.**

❍ Umgang mit Drainagen

Die Ableitung von Wundsekret, Blut und geringen Mengen Galle aus dem Operationsgebiet erfolgt über

eine **Zieldrainage**. Das geförderte Sekret ist im Normalfall bernsteinfarbig, ggf. leicht blutig oder gallig; die abgeleitete Tagesmenge sollte unter 300 ml liegen. Die Wunddrainage wird bei komplikationslosem Verlauf am 3. oder 4. postoperativen Tag vom Arzt entfernt.
Wird außer der Entfernung der Gallenblase eine Choledochotomie (*operative Eröffnung des Ductus choledochus und Entfernung von Konkrementen aus den Gallengängen)* vorgenommen, wird zusätzlich zur Ableitung der Galle ein **T - Drain** in den Ductus choledochus eingelegt; diese Drainage gewährleistet auch bei postoperativer Schwellung im Papillenbereich den Galleabfluß. Es handelt sich um ein T - förmiges Gummirohr, das durch die Bauchdecke nach außen geleitet wird. Um den **Abfluß nach dem Heberprinzip** zu ermöglichen, wird der Sekretauffangbeutel unterhalb des Kranken befestigt. Die abgeleitete Galle sieht gelbgrün aus; solange das Schleimhautödem im Bereich der Papilla vateri den Galleabfluß ins Duodenum verhindert, beträgt die täglich aufgefangene Sekretmenge ungefähr 1000 ml. Bereits am 2. oder 3. postoperativen Tag bildet sich die Schleimhautschwellung zurück, so daß sich die Fördermenge verringert. Zur Steigerung des physiologischen Galleflusses ins Duodenum wird der Sekretauffangbeutel nach entsprechender Arztanordnung ab dem 4. - 5. postoperativen Tag schrittweise höhergehängt (zunächst auf Höhe der Matratze, dann auf Höhe der Leber und schließlich oberhalb des Kranken). Bei ausreichendem Abfluß der Galle ins Duodenum - die tägliche Fördermenge liegt dann unter 1oo ml - entfernt der Arzt nach vorheriger röntgenologischer Kontrolle des ungehinderten Galleabflusses *(Cholangiographie)* den T - Drain (ca. 7. - 8. postoperativer Tag); 1 - 2 Tage später wird die Zieldrainage ebenfalls entfernt.
Nach **Entfernung der T - Drainage** wird der Operierte zur 24stündigen Bettruhe angehalten; während dieser Zeit erfolgt eine sorgfältige Kontrolle des Verbandes, um ggf. nachfließende Galle zu erkennen.

❍ Ernährung

Am Abend des Operationstages kann der Patient schluckweise Tee trinken; bei guter Verträglichkeit kann die Menge am nächsten Tag gesteigert werden (Anordnung des Arztes). Gleichzeitig erfolgt die **parenterale Flüssigkeits- und Nährstoffzufuhr** nach dem verordneten Infusionsschema. Die orale Nahrungsaufnahme beginnt nach dem Einsetzen der Darmtätigkeit und wird schrittweise nach dem klinikinternen Schema und entsprechend der individuellen Verträglichkeit gesteigert.

❍ Beratung

Nach Entfernung der Gallenblase stellt sich für einen Patienten die Frage, wie seine Ernährung jetzt zu gestalten ist. Pflegende sollten darüber informieren, daß nach der ersten postoperativen Phase weder die Verdauungsfunktion noch andere Funktionen beeinträchtigt sind und den Genesenden dazu ermutigen, auch bisher unverträgliche Speisen zu sich zu nehmen. Es gibt **keine Diätvorschriften**, ausschlaggebend ist die individuelle Verträglichkeit.

❍ Entlassung

Bei komplikationslosem Verlauf wird der Patient im allgemeinen 6 - 10 Tage nach der Operation aus dem Krankenhaus entlassen.

❐ Postoperative Pflegemaßnahmen nach laparoskopischer Cholezystektomie

Bei der laparoskopischen Vorgehensweise entfällt ein größerer Bauchschnitt; Vorteil der geringeren Traumatisierung ist ein **verringerter postoperativer Wundschmerz**, wodurch auch die Beeinträchtigungen des Wohlbefindens, der Atmung und der Mobilität verringert sind. Das Risiko postoperativer Sekundärerkrankungen ist somit verringert.
Mit dem **Kostaufbau** kann bereits am 2. postoperativen Tag begonnen werden; der Kranke bekommt Tee, Zwieback und Suppe. Bei guter Verträglichkeit wird am nächsten Tag leichte Kost verabreicht.
Die **Entlassung** aus dem Krankenhaus erfolgt in der Regel am 3. oder 4. postoperativen Tag.

2.12.11 Akute Pankreatitis

2.12.11.1 Krankheitsbild

❐ Definition, Entstehung und Ursachen

Bei der Pankreatitis handelt es sich um eine plötzlich einsetzende **akute Entzündung der Bauchspeicheldrüse**, die **mit selbstverdauenden** *(autodigestiven)* **Prozessen** einhergeht. Dabei werden die inaktiven Vorstufen der Pankreasenzyme, die physiologisch erst im Duodenum aktiviert würden, durch verschiedene körpereigene und -fremde Stoffe bereits im Pankreas aktiviert und bewirken dort eine Selbstandauung des Organs.
Häufigste Ursachen sind Gallenwegserkrankungen (Steine im Gallengang, Verschluß der Papilla Vateri), die zur Stauung von Pankreassekret und zu Gallereflux ins Pankreas führen, sowie Alkoholabusus (toxische Wirkung des Alkohols auf die Pankreaszellen). Seltenere Ursachen sind z.B. Virusinfektionen, Medikamente (ACE-Hemmer, Diuretika, Glukokortikosteroide u.a.) und Traumen im Bauchraum (auch postoperativ oder nach ERCP).
Der Verlaufsform entsprechend werden drei **Schweregrade** unterschieden:

- akute ödematöse Pankreatitis (ca. 85% aller Fälle, gutartiger Verlauf),
- akute nekrotisierende Pankreatitis mit Teilnekrose (schwerer Verlauf, endet in 15% der Fälle tödlich),
- akute nekrotisierende Pankreatitis mit Totalnekrose (in 50% der Fälle tödlicher Verlauf).

❐ Symptome, Diagnostik und Komplikationen

Die Pankreatitis beginnt mit plötzlich einsetzenden **heftigen Schmerzen im Oberbauch**, die oft (aber nicht bei jedem Betroffenen) gürtelförmig in den Rücken ausstrahlen. Weitere Symptome sind **Übelkeit, Erbrechen, Meteorismus***, **Obstipation oder paralytischer Ileus** (*siehe Seite 255*), evtl. Fieber.

Bei schwerem Krankheitsverlauf können zusätzlich Aszites*, Pleuraerguß*, Ikterus (*siehe Seite 634*), bestimmte EKG- Veränderungen, Hypotonie* und Schockzeichen beobachtet werden; außerdem fällt eine deutliche Gesichsrötung auf.
Lebensbedrohliche Komplikationen sind
- Schockniere *(Kreislaufschock mit Nierenversagen)*,
- Schocklunge *(Ateminsuffizienz infolge Schock)*,
- Thromboembolien,
- Verbrauchskoagulopathie *(Störung der Blutgerinnung im Sinne einer erhöhten Gerinnungsneigung bei Aktivierung der Blutgerinnung, die infolge eines zu raschen Verbrauchs der körpereigenen Gerinnungsfaktoren in eine lebensbedrohliche Blutungsneigung übergeht)*,
- Arrosionsblutungen *(Blutungen ins Gewebe oder in Hohlorgane, die Folge einer Zerstörung von Blutgefäßen sind)*,
- Sepsis *(Allgemeininfektion, siehe Seite 470)*,
- Abszesse* und Pseudozysten *(nur von Bindegewebe umgebene, nicht von Epithel ausgekleidete pathologische Hohlräume)*.

Die **Diagnose** wird mittels folgender Untersuchungsergebnisse gesichert:
- stark erhöhte Pankreasenzyme (*Lipase und α-Amylase*) im Serum und im Urin (24 Stunden Sammelurin),
- erhöhte BSG, Leukozytose,
- erhöhter Blutzucker, Elektrolytstörungen,
- Anstieg von Harnstoff und Kreatinin im Blut,
- Anstieg der Leberwerte und des Bilirubins bei Gallengangsverschluß,
- sonographischer Nachweis von typischen Pankreasveränderungen, Gallensteinen, Aszites, Pleuraerguß,
- evtl. Nachweis von Pankreasverkalkungen, Luftsicheln oder Ileus mittels röntgenologischer Abdomenübersicht.

2.12.11.2 Zur Situation eines Betroffenen

Die Situation eines Betroffenen während des akuten Stadiums einer Pankreatitis ähnelt der Situation bei „akutem Abdomen“ (*siehe Seite 149*).
Nach Überstehen des akuten Krankheitsstadiums und bei Beschwerdefreiheit erfolgt ein langsamer schrittweiser Kostaufbau, der **Einschränkungen** in der Auswahl und bei der Zubereitung der Nahrungsmittel sowie einen **Verzicht auf Alkohol** beinhaltet; von einem Betroffenen wird ein hohes Maß an Kooperation und Selbstdisziplin verlangt. Langfristig ist eine fettarme Schonkost angezeigt, auf Alkoholkonsum sollte verzichtet werden; die Akzeptanz und Berücksichtigung dieser Ernährungsregeln ist individuell sehr unterschiedlich. Während sie z.B. für einige Menschen eine ungerechte Strafe und/oder Einbuße an Lebensqualität bedeuten, sind sie für andere eine annehmbare Hilfe zu Bewältigung der Krankheit.
Besonders einschneidend ist eine Pankreatitis für alkoholkranke Menschen, denn die erforderliche Alkoholabstinenz stellt sie vor die Wahl, sich in eine Therapie zu begeben oder das erhöhte Risiko einer erneuten Erkrankung einzugehen. Eine akute Pankreatitis kann den individuellen Leidensdruck erhöhen und die Bereitschaft zur Therapie anbahnen (*siehe Seite 764*). In dieser Situation braucht ein Betroffener Unterstützung, Ermutigung und Bestätigung.

2.12.11.3 Pflegemaßnahmen und Therapie

Der tatsächliche Verlauf einer Pankreatitis ist nur schwer vorauszusehen. Deshalb werden Patienten mit akuter Pankreatitis häufig auf der **Intensivstation** beobachtet, behandelt und gepflegt, auch wenn der momentane Zustand nicht lebensbedrohlich ist.
Die ärztliche Therapie umfaßt in der Regel folgende Maßnahmen:
- absolute Nahrungs- und Flüssigkeitskarenz (um die Anregung der Pankreassekretion bei oraler Aufnahme von Nahrungsmitteln zu vermeiden);
- parenterale Substitution von Flüssigkeit und Elektrolyten über einen zentralen Venenkatheter und nach Infusionsschema (Ausgleich des durch das Ödem des Pankreas und des Retroperitoneums sowie durch Dilatation peripherer Blutgefäße im Kreislauf vorherrschenden Volumenmangels);
- Dauerabsaugung des Magens über eine Magensonde (um den Magen zu entlasten und um die Anregung der Pankreasfunktion durch die Magensäure zu vermeiden);
- Analgetikagabe nach Bedarf (Schmerzbekämpfung; Morphinderivate sind kontraindiziert, da sie einen Spasmus der Papilla vateri hervorrufen können);
- medikamentöse Hemmung der Magensäureproduktion, z.B. durch intravenöse Verabreichung eines Protonenpumpenhemmers (Prophylaxe eines Stressulkus (*siehe Seite 414*).

Bei schwerer Verlaufsform und bei einer Sepsis werden zusätzlich Antibiotika verabreicht. Eine Schocklunge erfordert eine kontrollierte maschinelle **Beatmung**; bei Vorliegen einer Schockniere ist eine **Dialysebehandlung** (*siehe Seite 237*) erforderlich.
Ein im Bereich der Papilla vateri eingeklemmter Gallenstein wird mittels **ERCP mit Papillotomie** (*siehe Seite 189*) entfernt.
Bei Versagen der konservativen Therapie ist evtl. eine **chirurgische Ausräumung** des **nekrotischen Gewebes** erforderlich; nach intraoperativer Spülung wird die Bauchhöhle drainiert, so daß postoperativ weitere Spülungen (mit Ringerlösung) möglich sind.

Die im allgemeinen im Zusammenhang mit einer akuten Pankreatitis zu erwartenden Probleme und entsprechende Pflegeziele sowie -maßnahmen werden im folgenden Pflegestandard dargestellt. Selbstverständlich ist der Pflegestandard vor seiner Anwendung hinsichtlich der Gültigkeit für den jeweiligen Patienten zu überprüfen; zusätzliche Probleme (z.B. Delirium tremens, *siehe Seite 763*) werden ggf. ergänzt.

Pflegestandard - Pflege eines an akuter Pankreatitis leidenden Menschen

Probleme / Ressourcen	Ziele	Pflegemaßnahmen
Für Sicherheit sorgen		
Es können **lebensbedrohliche Komplikationen** wie Schock, Sepsis und Verbrauchskoagulopathie auftreten.	Frühzeitiges Erkennen von Kreislauf- und Atemveränderungen, Temperaturanstieg, Blutungsneigung und weiteren Veränderungen	- engmaschige Beobachtung von Vitalzeichen, Bewußtsein, ZVD, Ausscheidungen, Flüssigkeitsbilanz, Allgemeinzustand und subjektivem Befinden - Veranlassung ärztlich angeordneter Laboruntersuchungen (Bestimmung der Elektrolyte, Nieren- und Leberwerte, Pankreasenzyme, Blutgase, Blutzucker- und Gerinnungswerte) - Unterstützung bei der Einhaltung der verordneten Bettruhe
Infolge des Krankheitsgeschehens kommt es zu **Volumenmangel** und **Elektrolytverschiebungen**, es können sich ein Schock und bedrohliche Elektrolytstörungen entwickeln.	Ausgeglichener Flüssigkeits- und Elektrolythaushalt	- kontinuierliche Ein- und Ausfuhrkontrolle, Flüssigkeitsbilanzierung und ZVD-Messung (Häufigkeit nach Arztanordnung) - intravenöse Flüssigkeitszufuhr entsprechend des angeordneten Infusionsschemas (mindestens 3-4 l / 24 Stunden) - Überwachung der laufenden Infusion
Infektionsrisiko bei liegendem zentralen Venenkatheter.	Frühzeitiges Erkennen von Infektionen	- Beobachtung der Einstichstelle und des Venenverlaufs hinsichtlich Entzündungszeichen - täglich vorsichtige Palpation des Verbandes - 2 x täglich Temperaturkontrolle - Benachrichtigung des Arztes bei Verdacht auf eine Infektion
	Keimarmes und reizloses Milieu in der Einstichregion	- Verbandwechsel nach Bedarf und unter Wahrung der Asepsis, Anlegen eines sterilen und möglichst transparenten Verbandes - Wechseln des Infusionssystems mindestens alle 48 (ggf. alle 24) Stunden, zuvor Händedesinfektion und Sprühdesinfekton der Anschlußstellen des Infusionssystems - Gewährleistung des kontinuierlichen Infusionseinlaufs
Sinn finden	***Der Kranke***	
Der Patient hat aufgrund der krankhaften Prozesse im Pankreas **heftige Schmerzen im Oberbauch**, die sein reduziertes Allgemeinbefinden und die Kreislaufsituation zusätzlich beeinträchtigen.	- hat möglichst geringe / keine Schmerzen	- Beobachtung des Schmerzgeschehens - Verabreichung der ärztlich verordneten Analgetika* - Anbringen einer Knierolle - nach Rücksprache mit dem Arzt ggf. Anlegen einer Eisblase auf dem Oberbauch
Der Kranke ist aufgrund der Schmerzen und der Gesamtsituation **verunsichert**, er kann seine Lage nicht einschätzen; möglicherweise empfindet er seine Situation lebensbedrohlich und entwickelt **Angst**.	- spürt, daß das Mögliche für ihn getan wird - entwickelt Vertrauen zum betreuenden Team - äußert seine Fragen und Ängste, wenn er das Bedürfnis danach hat	- Vermittlung von Sicherheit, ruhiges und sicheres Auftreten - Vermittlung angemessener Informationen - Signalisieren von Gesprächsbereitschaft, Zuhören und Eingehen auf die individuellen Bedürfnisse
Nur bei Alkoholkranken Menschen zu erwarten: Der Kranke sieht einen Zusammenhang zwischen der akuten Erkrankung und seinem **Alkoholproblem.** Möglicherweise macht er sich **Vorwürfe** und leidet unter **Schamgefühlen**; evtl. tendiert er zur Veränderung seines Umgangs mit Alkohol.	- fühlt sich angenommen und erfährt einen wertneutralen Umgang mit seinem Alkoholproblem - erlebt eine Atmosphäre, in der er seine Gefühle und Gedanken äußern kann - kennt die therapeutischen Möglichkeiten hinsichtlich der Alkoholkrankheit	- Akzeptanz der Person, nicht wertender Umgang mit dem Alkoholproblem - Signalisieren von Interesse und Gesprächsbereitschaft, Aufgreifen versteckter Hilferufe - Verstärkung jeglicher Tendenzen, das Verhalten zu ändern oder Hilfe in Anspruch zu nehmen - auf Wunsch Vermittlung weiterer Hilfen (Kontakt zum Sozialdienst des Hauses, zu den "anonymen Alkoholikern")

Probleme / Ressourcen	Ziele	Pflegemaßnahmen
Essen und Trinken		
Um die Anregung der Pankreassekretion zu vermeiden, muß der Kranke **absolute Flüssigkeits- und Nahrungskarenz** (Nulldiät) einhalten; er wird parenteral ernährt. In diesem Zusammenhang können **Durst** und **trockene Mundschleimhaut** den Kranken beeinträchtigen und evtl. zu unkooperativem Verhalten führen; die Aufrechterhaltung der physiologischen Mundsituation ist ebenfalls beeinträchtigt.	***Der Kranke*** - hält sich an die Nahrungs- und Flüssigkeitskarenz - hat eine intakte Mund und Nasenschleimhaut	- Information hinsichtlich der Nahrungs- und Flüssigkeitskarenz - mehrmals täglich spezielle Mundpflege inklusive Beobachtung der Mundregion, bei Bedarf zwischendurch Anfeuchtung der Mundschleimhaut *(siehe "Spezielle Mundpflege - Pflegestandard A", Seite 663)*
Zur Entlastung des Magens werden die dennoch produzierten Verdauungssäfte (meist) über eine **Magen- oder Duodenalsonde** abgeleitet. Der Kranke empfindet die Sonde evtl. störend und kann durch sie Veränderungen an der Nasenschleimhaut erleiden.	Kontinuierlicher Abfluß des Magensekretes	- Aufhängen des Sekretauffangbeutels unterhalb des Magenniveaus - Beobachtung des ablaufenden Sekretes (Menge dokumentieren, die Flüssigkeit muß substituiert werden) - sichere Fixation der Magensonde, tägliche Lagekontrolle und Wechsel der Fixationsstelle - ggf. Abpolstern der betroffenen Nasenschleimhaut, Nasenpflege
Der Kranke leidet unter **Übelkeit und Erbrechen**, es kommt zu weiteren Flüssigkeitsverlusten und zur Verstärkung des Unwohlseins.	***Der Kranke*** - erfährt einfühlsame Unterstützung	- Bereitstellen von Nierenschale und Zellstoff - Lagerung mit erhöhtem Oberkörper, sofern die Kreislaufsituation dies erlaubt, ansonsten Flachlagerung mit seitlich geneigtem Kopf - einfühlsames Unterstützen während des Erbrechens - Mundpflege nach Erbrechen

Die Verdauungsfunktion ist auch nach Überwindung der akuten Phase (d.h. bei Beschwerdefreiheit und Normalisierung der Laborwerte) eingeschränkt, durch zu raschen **Kostaufbau** und extreme Stimulation der Bauchspeichelsekretion kann ein **Rückfall** (Pankreatitisschub) **provoziert** werden.	- kennt die Notwendigkeit und die Zusammenstellung einer pankreasschonenden leichten und fettarmen Kost	- Information des Kranken bezüglich des schrittweisen Kostaufbaus und der langfristig zu berücksichtigenden Ernährungsregeln (klinikinternes Ernährungsschema)
		  - zunächst Tee und leicht verdauliche (ballaststoffarme) Kohlenhydrate wie Zwieback, Wasserschleimsuppe aus Reis oder Haferflocken, Weißbrot, Marmelade
		  - dann eiweißhaltige Lebensmittel ohne oder mit geringem Fettanteil, z.B. Magerquark / -milch, fettarmes Fleisch, fettarmer Fisch, Kartoffelbrei ohne Milch
		  - Zugabe von Butter oder Margarine mit hohem Anteil hochungesättigter Fettsäuren, fettarme Fleisch-, Wurst-, Fisch- und Käsesorten
		  - fettarme Schonkost, ansonsten ist erlaubt, was individuell bekommt
		  - kleine Mahlzeiten, denn sie verhindern eine zu hohe Pankreasaktivität
		  - Nahrung gut kauen und einspeicheln
		  - Getränke schluckweise aufnehmen
		  - Zubereitungsarten wählen, die bei der Nahrungsverdauung nur eine geringe Pankreasaktivierung hervorrufen: Kochen, Dünsten, Dämpfen, Garen in Alufolie, in der Bratenfolie, im Tontopf
		  - auf schwerverdauliche, das Pankreas stark aktivierende Speisen verzichten: ballaststoffreiche, blähende, fettreiche, gebratene und fettgebackene Speisen; Vollkornprodukte, Blätterteig, geräucherte, gepöckelte, geröstete Speisen; Alkohol; konzentrierte Süßwaren
		- schrittweiser vorsichtiger Kostaufbau nach Anordnung des Arztes, Beobachtung des Kranken, Erweiterung der Kost nur bei guter Verträglichkeit
		- Verabreichung der verordneten Pankreasenzympräparate zu den Mahlzeiten

Probleme / Ressourcen	Ziele	Pflegemaßnahmen
Atmen		
Die **Atmung** ist bei Schmerzen im Oberbauch, Schocksymptomatik sowie Fieber **flach und beschleunigt**; die nasogastrale Magensonde und die Bettlägerigkeit führen ebenfalls zu einer abgeflachten Atmung; die Schmerztherapie kann zur Dämpfung der Atmung führen, daraus resultiert ein erhöhtes Pneumonierisiko.	***Der Kranke*** - atmet mehrmals stündlich tief durch	- Oberkörperhochlagerung, sofern nicht kontraindiziert - mehrmals stündlich Aufforderung des Patienten zur Durchführung tiefer Atemzüge, bei Bedarf Anleitung zu und Unterstützung bei Atemübungen und ggf. beim Abhusten - bei Bedarf Intensivierung der Pneumonieprophylaxe *(siehe "Pneumonieprophylaxe - Pflegestandard A", Seite 63)*
Ausscheiden		
Der Kranke leidet aufgrund der Entzündungsvorgänge unter **Meteorismus*** und Obstipation, evtl. entwickelt sich ein **paralytischer Subileus / Ileus**, der zum Volumenmangel und zum hypovolämischen Schock führen kann.	Abgang von Darmgasen Frühzeitiges Erkennen von Ileussymptomen	- evtl. Legen eines Darmrohres, 2 - 4 x täglich - Beobachtung des Kranken hinsichtlich möglicher Ileuszeichen (Erbrechen? Stuhl- und Windverhalt? Geblähter, druckempfindlicher Leib? Fehlen von Darmgeräuschen?) - ggf. Verabreichung der ärztlich verordneten peristaltikanregenden Medikamente
Regulieren der Körpertemperatur		
Der Kranke hat (hohes) **Fieber**, sein **Allgemeinbefinden** wird zusätzlich **beeinträchtigt**.	Senkung der Körpertemperatur	- 3 x täglich Messung der Körpertemperatur - ggf. Verabreichung der ärztlich verordneten Antibiotika und Beobachtung des Patienten hinsichtlich möglicher Nebenwirkungen (Hauterscheinungen mit Juckreiz, Hautausschlag und Rötung, gastrointestinale Beschwerden wie Übelkeit und Diarrhoe, Kreislaufreaktionen mit Blutdruckabfall und Tachykardie, Schock) - Unterstützung des Kranken gemäß *"Pflegestandard - Pflege eines Fieberkranken" (siehe Seite 514)*
Sich Bewegen		
Der Kranke muß wegen des Risikos möglicher Komplikationen, aufgrund des stark reduzierten Allgemeinzustandes und instabiler Kreislaufverhältnisse **Bettruhe** einhalten. Die Bewegungseinschränkung kann ein **Risikofaktor** hinsichtlich der Entwicklung von Thrombosen und Dekubiti sein.	Frühzeitiges Erkennen eines Thrombose- und/oder Dekubitusrisikos	- Analyse des individuellen Dekubitusrisikos *(siehe Seite 358)*, ggf. Durchführung notwendiger prophylaktischer Maßnahmen - Analyse des individuellen Thromboserisikos *(siehe Seite 322 und 331)* und Durchführung erforderlicher Prophylaxen
Die Beweglichkeit des Kranken wird durch zu- und ableitende Schläuche beeinträchtigt.	***Der Kranke*** - weiß, wie er sich bewegen kann, ohne die Fixierung der Schläuche zu verändern und ohne sich zu verletzen	- Information über risikoarme Bewegungsmöglichkeiten - Anleitung hinsichtlich des Umgangs mit Zu- und Ableitungen
Sich Pflegen und Kleiden		
Der Kranke ist aufgrund des reduzierten Allgemeinbefindens sowie der liegenden Magensonde und des zentralen Venenkatheters **auf Hilfe bei der Körperpflege und beim Ankleiden angewiesen.**	- fühlt sich wohler - schont seine Kräfte	- Unterstützung, ggf. komplette Übernahme der Körperpflege und des Ankleidens - spezielle Mundpflege *(siehe Seite 653)* - Mobilisation nach Arztanordnung
Wach sein, Ruhen und Schlafen		
Die Schwere der Erkrankung erfordert, daß der Kranke Bettruhe einhält; im allgemeinen kommt dies dem **erhöhten Ruhebedürfnis** entgegen.	- hält sich an die Bettruhe - findet ausreichend Ruhe und Schlaf	- Sorge für eine möglichst ruhige Umgebung - Abschirmung vor zahlreichen Besuchern

2.12.12 Chronische Pankreatitis

2.12.12.1 Krankheitsbild

❒ Definition und Ursache

Bei der chronischen Pankreatitis handelt es sich um eine **fortschreitende, gleichmäßig oder in Schüben verlaufende Entzündung der Bauchspeicheldrüse** mit zunehmendem Verlust der endokrinen und exokrinen Pankreasfunktion. In ca. 80% der Fälle wird sie durch chronischen Alkoholabusus verursacht; ansonsten ist die Ursache meist unbekannt.

❒ Symptome, Komplikationen und Diagnostik

Leitsymptom ist der **rezidivierende gürtelförmig ausstrahlende Schmerz im Oberbauch**; er tritt wiederholt für Stunden oder Tage auf, im Spätstadium der Erkrankung läßt der Schmerz deutlich nach oder fehlt ganz. **Nahrungsfette** werden **nicht vertragen**, der Verzehr ruft Übelkeit, Erbrechen und Schmerzen hervor.
Bei Verringerung der exokrinen Pankreasfunktion um 90% kommt es infolge des Mangels an Verdauungsenzymen zur **Maldigestion*** (*Verdauungsstörung*), die mit Meteorismus*, Fettstühlen und Diarrhoe einhergeht; die endokrine* Pankreasinsuffizienz bedingt einen **Diabetes mellitus**.
Als **Komplikationen** können auftreten: Stenose von Pankreas- oder Gallengang mit Ikterus, Milz- und Pfortadervenenthrombose, Bildung von Pseudozysten, Abszessen* oder Fisteln.
Die Sicherung der **Diagnose** erfolgt während eines akuten Schubs (**Erhöhung der Lipase und der α-Amylase** im Serum). Eine exokrine Pankreasinsuffizienz ist mittels **Pankreasfunktionstesten** (Sekretin-Pankreozymin-Test, Pankreolauryltest, NBT-PABA-Test) nachweisbar. In einigen Fällen können röntgenologisch oder sonographisch typische Veränderungen (z.B. Verkalkungen) sichtbar gemacht werden.

2.12.12.2 Zur Situation eines Betroffenen

Eine chronische Pankreatitis geht mit **Einbußen der Lebensqualtität** einher. Die Beschwerden und der körperliche Abbau einerseits sowie die diätetischen Richtlinien, **Einschränkungen** und **Verzichte** andererseits haben deutliche Auswirkungen auf das Wohlbefinden und die tägliche Lebensführung. Ein Betroffener verliert zunehmend Körpergewicht, wodurch auch die **Leistungsfähigkeit nachläßt** und die Bewältigung des Alltags deutlich erschwert wird. Der körperliche Abbau ist auch seelisch schwer zu verkraften. Der Verzicht auf liebgewordene Speisen und auf Alkohol verlangt dem Kranken Einsicht und dauerhaft kooperatives Verhalten ab; dies bereitet vor allem alkoholkranken Menschen Schwierigkeiten. In dieser Situation braucht ein Betroffener eines soziales Netz, von dem er immer wieder ein Getragensein, ganzheitlich ausgerichtete Unterstützung und Motivation erfährt.
Aspekte zur Situation eines alkoholkranken Menschen werden auf *Seite 763* besprochen.

2.12.12.3 Pflege und Therapie

Bei einem akuten Krankheitsschub wird der Kranke wie bei akuter Pankreatitis behandelt und gepflegt *(siehe Seite 156)*.
Besonders wichtig ist der **absolute Verzicht auf Alkohol**, denn er wirkt toxisch auf das Pankreas. Die exokrine Pankreasinsuffizienz erfordert **diätetische Maßnahmen**:
- häufige kleine Mahlzeiten,
- fettarme, kalorien- und kohlenhydratreiche, leicht aufschließbare Kost,
- bei Fettstühlen Reduktion der Nahrungsfette, Ersatz langkettiger Triglyzeride durch mittelkettige = MCT (z.B. MCT Margarine oder MCT ÖL),
- ausgewogene Nahrungszusammenstellung, die eine möglichst umfassende Nähr- und Wirkstoffzufuhr garantiert.

Um die Nahrungsfette verdauen zu können, muß Lipase substituiert werden; der Kranke soll dazu **zu jeder Mahlzeit** ein entsprechend verordnetes Pankreasenzympräparat (z.B. Pankreon®, Kreon®) einnehmen.
Bei Auftreten eines Diabetes mellitus wird eine **Insulintherapie** erforderlich *(siehe Seite 168)*.
Alkoholverzicht und fettarme Ernährung reduzieren die Schmerzen; dennoch ist in einigen Fällen die zusätzliche Schmerzlinderung durch **Analgetikagabe** notwendig. **Warme Wickel** können ebenfalls helfen.
Bei Bedarf sollte ein Betroffener Unterstützung bei der Einhaltung der Ernährungsregeln und der Alkoholkarenz sowie bei den Aktivitäten des täglichen Lebens erfahren. In einigen Fällen ist es notwendig, daß Pflegende die Angehörigen eines Kranken auf dessen Bedürfnisse hinweisen und ihnen ggf. aufzeigen, wie sie dem Kranken helfen können.
Chirurgische Maßnahmen erfolgen nur bei Auftreten von Komplikationen und bei nicht therapierbaren Schmerzen.

2.12.13 Diabetes mellitus

Diabetes - griechisches Wort mit der Bedeutung *"hindurchfließen"*,
mellitus - lateinisches Wort mit der Bedeutung *"mit Honig versüßt"*,
Diabetes mellitus - *"honigsüßer Durchfluß"*.

2.12.13.1 Krankheitsbild

❒ Definition und Erkrankungshäufigkeit

Bei dem Diabetes mellitus handelt es sich um eine **chronische Stoffwechselerkrankung**, die auf einer **Insulinresistenz des Fettgewebes** oder auf einem **Insulinmangel** beruht und durch einen erhöhten Blutzuckerspiegel gekennzeichnet ist.
Synonym werden die Begriffe **Zuckerharnruhr** und **Zuckerkrankheit** verwendet.
Diabetes mellitus tritt bei etwa 3 - 4% der Deutschen auf; im Alter ist eine Häufung der Erkrankung zu beobachten, ca. 10% der über Siebzigjährigen - vor allem Frauen - sind betroffen. Bei diesen Personen ist viele Jahre vor Manifestation des Diabetes mellitus ein

Praediabetes *(Insulinresistenz und pathologische Glukosebelastung)* nachweisbar.

❒ Einteilung und Ursachen

Die Einteilung des Diabetes mellitus erfolgt nach der Klassifikation der WHO.

1. Primärer Diabetes mellitus

- **Typ I = Insulinabhängiger Typ**
  IDDM (**I**nsulin **D**ependent **D**iabetes **M**ellitus)
  Der insulinabhängige Diabetes tritt in der Kindheit, in der Jugend oder im frühen Erwachsenenalter (vor dem 35. Lebensjahr) auf. Die Betroffenen sind auf Insulininjektionen angewiesen, da eine körpereigene Insulinproduktion nicht mehr möglich ist. Ursache des **absoluten Insulinmangels** ist eine Zerstörung der insulinproduzierenden B-Zellen der Langerhansschen Inseln des Pankreas. Diese ist meist Folge von Autoimmunprozessen* oder Virusinfektionen, die mit einer **Antikörperbildung gegen** die **B-Zellen** und gegen das körpereigene Insulin einhergehen; eine entsprechende **genetische Prädisposition liegt vor**.
- **Typ II = Insulinunabhängiger Typ**
  NIDDM (**N**on **I**nsulin **D**ependent **D**iabetes **M**ellitus)
  ohne Adipositas Typ IIa
  mit Adipositas Typ II b
  MODY (**M**aturity-**O**nset-**D**iabetes of the **Y**oung)
  Der insulinunabhängige Diabetes ist zunächst durch eine **Insulinresistenz** *(verminderte Insulinempfindlichkeit der Zielzellen)* und häufig durch eine **verzögerte Insulinausschüttung** gekennzeichnet. Ursache ist die **Überforderung der insulinproduzierenden B-Zellen** bei entsprechender **genetischer Prädisposition** *(Bei Übergewicht entwickeln die Zielzellen einen Defekt am Insulinrezeptor und/oder die B-Zellen des Pankreas erschöpfen sich vorzeitig)*.
  Faktoren, die zur Überforderung der B-Zellen und somit zur **Manifestation** des Diabetes mellitus führen können, sind in erster Linie **Überernährung** und **Adipositas**. Bei Insulinresistenz reagiert der Organismus mit erhöhter Insulinproduktion; es kommt zur **Hyperinsulinämie** *(erhöhter Insulinspiegel im Blut)*, die mit verstärktem Hungergefühl einhergeht und die die Tendenz zur Überernährung verstärkt. Durch die Hyperinsulinämie kommt es zu einer **Verminderung der Insulinrezeptoren**, denn der Insulinspiegel reguliert die Zahl der Rezeptoren. Der dadurch bedingte Wirkungsverlust des Insulins erfordert eine vermehrte Insulinproduktion; in dieser Phase wird der Diabetes häufig manifest. Langfristig führen die Veränderungen zur Überforderung und Schädigung der B-Zellen; die Insulinproduktion erschöpft sich (sogenanntes *Sekundärversagen*).

  Weitere Faktoren, die zur Manifestation des Diabetes mellitus führen können, sind:
  - Alterungsprozesse (Degeneration der B - Zellen),
  - Streßsituationen (schwere Operation, Umzug ins Altenheim),
  - Infektionen,
  - Hormonumstellungen (Schwangerschaft, Klimakterium),
  - Lebererkrankungen,
  - Medikamente (Glukokortikoide, Katecholamine*, Saluretika*).

  Ungefähr 90% aller Diabetiker sind von dieser Form (Typ II) des Diabetes, die sich langsam entwickelt, betroffen.
- **Schwangerschaftsdiabetes = Gestationsdiabetes**

2. Sekundärer Diabetes mellitus

Es handelt sich hierbei um **seltene Diabetesformen**, die durch andere Erkrankungen hervorgerufen werden:
- Pankreaserkrankungen (z.B. chronische Pankreatitis, operative Entfernung des Pankreas),
- endokrine* Erkrankungen mit Vermehrung kontrainsulinärer Hormone (z.B. Cushing-Syndrom*),
- genetische Syndrome (z.B. Hyperlipoproteinämie).

Auch die Einnahme bestimmter Medikamente (z.B. Glukokortikoide, Benzothiadiazin - Saluretika) kann einen sekundären Diabetes mellitus hervorrufen *(medikamentös induzierte Hyperglykämie)*.

3. Pathologische Glukosetoleranz

IGT (**I**mpaired **G**lucose **T**oleranz)
ohne Adipositas
mit Adipositas
bei bestimmten Syndromen

Eine pathologische Glukosetoleranz liegt vor, wenn der Nüchternblutzucker im Normbereich liegt, der Glukosetoleranztest *(siehe Seite 162)* jedoch pathologisch ausfällt; sie stellt ein erhöhtes Risiko für die Entstehung eines Diabetes mellitus Typ II dar.

❒ Symptome und Diagnose

Beim Diabetes mellitus Typ I treten die Symptome plötzlich (innerhalb von Stunden bis Wochen) und massiv auf, beim Typ II entwickeln sie sich langsam (über Monate bis Jahre), sind nicht selten geringer ausgeprägt oder fehlen.

Erste klinische Symptome sind:
- allgemeine Schwäche, Müdigkeit, Leistungsminderung,
- Heißhunger (auf Süßes), Schwitzen, Kopfschmerzen,
- Infektionen an Haut und Schleimhäuten, z.B. Furunkulose *(siehe Seite 638)* und Soormykose am Genitale *(siehe Seite 639)*,
- schlecht heilende Wunden,
- Ödemneigung.

Bei diabetischer Stoffwechselentgleisung treten weitere Symptome auf:
- Gewichtsverlust,
- vermehrter Durst und gesteigerte Flüssigkeitsaufnahme *(Polydipsie)*,
- vermehrte Urinausscheidung *(Polyurie)*,
- trockene juckende Haut,
- Exsikkose* *(siehe Seite 112)*.

Die **Diagnose** wird - in einigen Fällen als Zufallsbefund - anhand bestimmter Laborbefunde erhoben:
- **Glukosurie**. Bei Anstieg des Blutzuckers über 180 mg/dl wird die sogenannte Nierenschwelle überschritten und Glukose mit dem Urin ausgeschieden.

- **Blutzuckererhöhung**. Der Nüchternblutzucker liegt über 120 mg/dl (Normalwert 70 - 100 mg/dl); die Blutzuckermessungen 1 - 2 Stunden nach den Mahlzeiten (Blutzuckertagesprofil) ergeben pathologische Werte über 180 mg/dl (Normalwert unter 140 mg/dl).
- **Pathologischer Glukosetoleranztest**. Wird trotz normaler Blutzuckerwerte ein Diabetes mellitus vermutet, bringt ein oraler Glukosetoleranztest Klärung. Hierbei läßt man den Patienten innerhalb von 5 Minuten 75 g Glukose trinken und bestimmt vorher sowie 1, 2, und 3 Stunden nachher den Blutzuckerwert. Bleibt dieser unter 140 mg/dl, liegt keine pathologische Veränderung vor. Steigt der Blutzucker über 200 mg/dl, liegt ein manifester Diabetes vor; Blutzuckerwerte im Bereich von 140 - 200 mg/dl sind Zeichen einer gestörten Glukosetoleranz.
- **Erhöhter HBA_1C - Wert** *(siehe Seite 172).*
- **Konzentration der Insulinantikörper** und des C-Peptids (läßt Rückschlüsse auf die Aktivität der B-Zellen des Pankreas zu).

Die körperliche Untersuchung und weitere Laboruntersuchungen schließen die Suche nach Spätfolgen ein. Weitere Symptome entstehen bei den verschiedenen Komplikationen.

❐ Komplikationen

Bei den Komplikationen werden in erster Linie die **Stoffwechselentgleisungen** und die **diabetischen Spätfolgen** unterschieden. Letztere werden gesondert besprochen.

Komplikationen bei Diabetes mellitus

⇩ Stoffwechselentgleisungen		⇩ Infektanfälligkeit	⇩ Gestörte Wundheilung	⇩ Spätfolgen
- Hyperglykämisches Koma	- Hypoglykämisches Koma	- Hautinfektionen		- Mikroangiopathie
⇩		- Soormykosen		- Makroangiopathie
Hyperosmolares Koma		- Harnwegsinfekte		- Periphere Polyneuropathie
oder				- Autonome Neuropathie
⇩ Ketoazidotisches Koma				- Diabetischer Fuß

❍ Hyperglykämisches Koma und Hyperglykämie

Liegt der Blutzuckerwert über 160 mg/dl, spricht man von einer Überzuckerung *(Hyperglykämie)*. Bei einem deutlichen Insulinmangel mit **extremer Erhöhung des Blutzuckers** entwickelt sich langsam ein lebensbedrohlicher Zustand, der zur Bewußtlosigkeit führt ⇨ hyperglykämisches Koma. Es werden zwei Formen des diabetischen Komas unterschieden.

a) Ketoazidotisches Koma

Ein ketoazidotisches Koma kann vor allem bei Diabetes Typ I auftreten und wird durch einen **absoluten Insulinmangel verursacht**. Dieser liegt bei Erstmanifestation der Krankheit vor. Im weiteren Krankheitsverlauf können Infektionen, Operationen und andere Streßsituationen, die mit einer deutlichen **Steigerung des Insulinbedarfs** einhergehen, eine diabetische Ketoazidose hervorrufen. Weitere Ursachen stellen die fehlende oder die **zu gering dosierte Insulininjektion** dar.

Da Insulin fehlt, kann es nicht hemmend auf die Freisetzung von freien Fettsäuren einwirken, folglich finden sich deren Abbauprodukte vermehrt im Blut, wo sie jedoch nicht vollständig verstoffwechselt werden können. Es fallen **Ketonkörper*** an, die zur Ausbildung einer metabolischen Azidose* führen. Das ketoazidotische Koma entwickelt sich in Stunden bis Tagen.

Zeichen der beginnenden Ketoazidose sind:
- Polydipsie,
- Polyurie und Nykturie,
- Müdigkeit, Schwäche,
- Appetitlosigkeit und
- Oberbauchbeschwerden.

Im weiteren Verlauf lassen sich
- starker Gewichtsverlust (bei Erstmanifestation),
- Übelkeit und Erbrechen,
- Blutzuckerwerte um 500 mg/dl,
- Ketonkörper im Serum und im Urin,
- metabolische* Azidose*,
- Kussmaul-Atmung *(siehe Seite 35)*,
- Azetongeruch der Atemluft,
- hypotone Muskulatur,
- erlöschende Eigenreflexe,
- Somnolenz / Bewußtlosigkeit,
- Hypotonie, Tachykardie und Oligo-Anurie (Volumenmangel, Schockentwicklung) sowie
- heftige Oberbauchbeschwerden (Pseudoperitonitis)

beobachten.

b) Hyperosmolares Koma

Das hyperosmolare Koma kann vor allem bei Diabetes Typ II auftreten. Es entwickelt sich über Tage bis Wochen und wird durch einen **relativen Insulinmangel** verursacht. Dieser entsteht **bei erhöhtem Insulinbedarf** (Infektionen, Fieber, Operationen, schwere Erkrankung, extreme seelische Belastung, Einnahme von Glukokortikoiden oder von Diuretika, Diätfehler) oder **bei unzureichender Insulininjektion** (sofern eine Insulintherapie erforderlich ist) bzw. nach dem **Vergessen** der Einnahme **oraler Antidiabetika**. Der extrem hohe Glukosegehalt des Blutes übt eine osmotische* Wirkung aus, so daß es zu Flüssigkeitsverschiebungen vom Intrazellulärraum zum Extrazellulärraum und zur osmotischen Diurese* mit Polyurie kommt. **Massive Flüssigkeits- und Elektrolytverluste** sind die Folgen; beim Betroffenen entwickelt sich eine Exsikkose.

Eine Ketoazidose tritt nicht auf.

Zeichen des hyperosmolaren Komas sind zunächst
- Polydipsie und Polyurie,
- Müdigkeit, Schwäche,
- Appetitlosigkeit und
- Somnolenz.

Im weiteren Verlauf werden
- Blutzuckerwerte zwischen 500 - 1000 mg/dl,
- Hyperosmolarität im Serum,
- Übelkeit, Erbrechen,

- Exsikkose (schlaffer Hautturgor, trockene Haut und Schleimhäute, weiche Augäpfel),
- Blutdruckabfall, Tachykardie, Oligurie, Anurie (Volumenmangel, Schockentwicklung),
- hypotone Muskulatur,
- erlöschende Eigenreflexe und
- Bewußtlosigkeit

beobachtet.

• **Sofortmaßnahmen**

Eine leichte Hyperglykämie (Blutzucker nicht über 200 mg/dl) kann durch **körperliche Aktivität** abgebaut werden. Die Kohlenhydratzufuhr ist einzustellen.

Besteht aufgrund bestimmter Beobachtungen der Verdacht, daß sich ein hyperglykämisches Koma entwikkelt bzw. bereits vorliegt, ist unverzüglich ein **Arzt** zu **benachrichtigen**. Bis zum Eintreffen des Arztes wird der Kranke nicht allein gelassen; ist er bei vollem Bewußtsein, wird er aufgefordert, **viel** zu **trinken** (um den Blutzucker durch Glukoseausscheidung im Harn zu senken). Der Blutzuckerwert sollte mittels **Schnelltest** oder Laboruntersuchung ermittelt werden. Die **Vitalzeichen** sind zu **beobachten**.

Bei Vorliegen einer schweren diabetischen Stoffwechseldekompensation ist zu erwarten, daß der Arzt mehrere Liter Ringerlösung infundiert (um Flüssigkeitsverluste auszugleichen) und den Betroffenen in ein Krankenhaus einweist bzw. von der Normalstation auf die **Intensivstation** verlegt.

Dort werden die Vitalfunktionen beobachtet und stabilisiert und Flüssigkeit, Elektrolyte sowie Insulin (ca. 5 - 10 IE Normalinsulin pro Stunde über einen Perfusor) substituiert. **Beachte**: Der Blutzucker muß langsam gesenkt werden (maximal je Stunde um 100 mg/dl), um die Entwicklung eines Hirnödems zu vermeiden. Evtl. erfolgt eine Korrektur des Säure-Basen-Haushaltes (intravenöse Verabreichung von Bikarbonat).

Der schwerkranke Patient wird auf der Intensivstation gepflegt und behandelt, bis sich die Stoffwechsellage normalisiert hat.

Schwerpunkte der Pflege sind:

• Krankenbeobachtung (Vitalzeichen, Bewußtsein, zentraler Venendruck, Flüssigkeitsbilanz),
• prophylaktische Maßnahmen (Aspirations-, Thrombose- und Dekubitusprophylaxe, spezielle Mundpflege, Harnwegsinfektionsprophylaxe bei liegendem Blasenverweilkatheter), sachgerechter Umgang mit Zu- und Ableitungen (evtl. Magensonde, zentraler Venenkatheter, Blasenverweilkatheter),
• Veranlassung regelmäßiger (meist 1-2 stündlicher) Laborkontrollen (Blutzucker, Serumkalium, Blutgase),
• Überwachung der Infusionstherapie,
• Vermittlung von Sicherheit, seelische Begleitung des Patienten.

❍ Hypoglykämisches Koma und Hypoglykämie

Eine Hypoglykämie liegt vor, wenn der **Blutzuckerwert unter 50 mg/dl** liegt.

Ein hypoglykämisches Koma entwickelt sich innerhalb von Minuten und geht mit zahlreichen **Symptomen** einher. Sie ergeben sich aus der hormonellen Gegenregulation (Katecholaminausschüttung) und aus Störungen des Zentralnervensystems (Unterversorgung der Nervenzellen mit Glukose). Bei raschem Blutzuckerabfall treten die Symptome meist ausgeprägter auf als bei langsamem Abfall. Liegt bereits eine Neuropathie (siehe nachstehend) vor, werden die Symptome vom Betroffenen nicht wahrgenommen. Bei alten Menschen verläuft eine Hypoglykämie nicht selten atypisch. Beta-Blocker (siehe Seite 297) können die Wahrnehmung der Hypoglykämiesymptome verzögern und verändern.

Ein hypoglykämisches Koma entwickelt sich beim Diabetiker infolge einer relativen **Überdosierung von Insulin oder Sulfonylharnstoffen**. Hierzu kann es durch folgende Begebenheiten kommen:

- Weglassen einer Mahlzeit oder zu geringe Kohlenhydrataufnahme,
- stärkere körperliche Belastung,
- relative oder absolute Überdosierung von Insulin bzw. oralen Antidiabetika,
- verringerter Insulinbedarf bei Reduktionskost,
- Alkoholkonsum (da dieser die Glukoseneubildung hemmt),
- zu langer Spritz-Eß-Abstand,
- Erbrechen und Durchfall.

Zeichen einer Hypoglykämie sind:

- Tachykardie und Herzklopfen,
- Heißhunger,
- Zittern, hypertone Muskulatur,
- Unruhe, Erregbarkeit,
- kalter Schweiß auf blasser Haut,
- Teilnahmslosigkeit, depressive Verstimmung,
- Verwirrtheit, evtl. psychotische oder delirante Zustände,
- Müdigkeit und Schwäche,
- Seh- und Sprachstörungen,
- Mißempfindungen *(Parästhesien)*,
- evtl. Krämpfe und Lähmungserscheinungen,
- Blutzuckerwert unter 50 mg/dl,
- Somnolenz bis Koma.

• **Sofortmaßnahmen**

Zeigt ein Diabetiker Veränderungen, die für eine Hypoglykämie typisch sind, sollten unverzüglich eine **Blutzuckerkontrolle** durchgeführt und **Glukose** gegeben werden.

Bewußtseinsklare Diabetiker werden angehalten, Nahrungsmittel oder Getränke mit **schnell resorbierbaren Kohlenhydraten aufzunehmen**, z.B. ein Glas Fruchtsaft oder gesüßte Limonade, ein Stück Obst, eine Scheibe Brot oder fünf Plättchen Traubenzucker. Tritt die Hypoglykämie nachts auf, sollte zusätzlich noch eine Scheibe Brot gegessen werden, um ein erneutes Absinken des Blutzuckers zu vermeiden.

Wird der **Diabetiker** allerdings **im komatösen Zustand** gefunden, darf ihm auf keinen Fall oral Flüssigkeit zugeführt werden (**Aspirationsgefahr!**). Es gilt, seine **Atemwege freizuhalten** (ggf. Zahnprothese / Speisereste aus dem Mund entfernen), ihn in die stabile Seitenlage zu bringen und - und sofern sich der Patient nicht im Krankenhaus befindet - **Glukagon** zu **spritzen**.

Glukagon wird in Pulverform in einer Stechampulle angeboten; es ist zusammen mit einem Lösungsmittel und einer Spritze mit Kanüle abgepackt und gehört in

den Besitz jeden Diabetikers. Das Lösungsmittel wird in die Stechampulle gespritzt und so lange mit dem Glykagonpulver vermischt, bis dieses aufgelöst ist. Die gelöste Substanz wird aufgezogen und intramuskulär oder subkutan injiziert. Sobald der Kranke wieder bei Bewußtsein ist, sollte er schnellresorbierbare Kohlenhydrate zu sich nehmen.
Sollte kein Glukagon verfügbar sein oder der Diabetiker bis spätestens 10 Minuten nach der Injektion immer noch bewußtlos sein, ist unverzüglich der Arzt zu rufen. Bis zu seinem Eintreffen sollte ein Plättchen Traubenzucker in die Wangentasche des Diabetikers gelegt und von außen angedrückt werden. Der Arzt spritzt 40%ige Glukoselösung in die Vene.
Im Krankenhaus erfolgt die Behandlung sofort durch die **intravenöse Gabe von Glukose**. Der Arzt injiziert z.B. 25 - 100 ml 40%ige Glukose i.v. und hängt anschließend eine 5%ige Glukoseinfusionslösung an. Der **Blutzucker** wird engmaschig **kontrolliert**, bis er sich normalisiert hat. Außerdem richtet sich die **Krankenbeobachtung** auf Puls, Blutdruck und Bewußtsein des Patienten. Abschließend wird der Grund für die Hypoglykämie hinterfragt, um weitere Hypoglykämien zu vermeiden.
Beachte: Bei Diabetikern, die Glibenclamid (z.B. Euglucon®) einnehmen, ist bei Auftreten einer Hypoglykämie tagelang mit Rezidiven zu rechnen. Sie werden deshalb noch einige Tage beobachtet; entsprechend den aktuellen Blutzuckerwerten wird Glukoselösung infundiert.
Beachte: Solange die Ursache eines diabetischen Komas nicht geklärt ist, darf kein Insulin verabreicht werden, da es bei einer Hpoglykämie tödlich wirken kann! Statt dessen gibt man Glukose und beobachtet die Reaktion.

❒ Spätfolgen

Im Verlauf der chronischen Erkrankung **können** sich Folgeerkrankungen entwickeln, die nicht nur die **Lebensqualität** des Diabetikers **einschränken**, sondern auch die **Lebenserwartung verkürzen**. Eine der Norm angepaßte Blutzuckereinstellung kann das Auftreten von Folgeerkrankungen verhindern oder zumindest verzögern. Dagegen begünstigt ein über längere Zeit schlecht eingestellter Diabetes, d.h. ein anhaltend hoher Blutzucker, die Entwicklung und das Voranschreiten von Folgeerkrankungen.

❍ Mikroangiopathie

Es treten Veränderungen an den kleinen und den kleinsten arteriellen Gefäßen auf, die zu Durchblutungsstörungen und Nekrosen* führen. **Betroffen sind vor allem die**

- **Nieren = diabetische Nephropathie.**
  Folgen sind Bluthochdruck, Eiweißmangel und Ödeme. Die Nierenfunktion läßt zunehmend nach *(Niereninsuffizienz)*, im Endstadium wird nicht selten eine Dialysebehandlung erforderlich. Zwecks Verhinderung und Früherkennung der Nierenschäden sind regelmäßige Blutdruckkontrollen erforderlich; außerdem sollte der Urin ¼ jährlich hinsichtlich einer Eiweißausscheidung untersucht werden. Die Nierenfunktion ist einmal jährlich zu prüfen.
- **Augen = diabetische Retinopathie.**
  Mit Fortschreiten der Gefäßveränderungen kann es zur Netzhautablösung und zu Glaskörpereinblutungen, die eine irreversible Erblindung nach sich ziehen, kommen.
  Diabetiker sollten sich einmal jährlich, bei einer beginnenden Retinopathie ¼ - ½ jährlich einer augenärztlichen Kontrolle unterziehen; schwere Sehstörungen können durch entsprechende Behandlungen zum Teil verhindert werden.
- **kleinen peripheren Gefäße.**
  Es kann sich eine **diabetische Gangrän** entwickeln. Hierzu tragen außerdem weitere Faktoren bei *(siehe "Diabetischer Fuß")*.
- **Hirngefäße = diabetische Enzephalopathie*.**
  Die Gefäßveränderungen können z.B. zu intrazerebralen Durchblutungsstörungen führen und eine Demenz vom vaskulären Typ *(siehe Seite 967)* verursachen.

❍ Makroangiopathie

Die Veränderungen betreffen die größeren und die großen arteriellen Gefäße *(Arteriosklerose)*. Diabetes mellitus begünstigt ebenso wie Bluthochdruck, Rauchen und Hypercholesterinämie die Arteriosklerose. Betroffen sind die

- peripheren Beinarterien; die Makroangiopathie bedingt Durchblutungsstörungen und trägt zur Ausbildung einer **Gangrän** bei.
- Koronararterien; die Entwicklung der **koronaren Herzkrankheit** *(siehe Seite 292)* wird begünstigt.
- Hirnarterien; es kann zu **zerebralen Durchblutungsstörungen** und zu Schlaganfällen kommen.

❍ Periphere Polyneuropathie

Nach jahrelangem Krankheitsverlauf können sich (wahrscheinlich durch Schädigung kleinster, die Nerven versorgender Blutgefäße) **Schäden an den peripheren Nerven** entwickeln, die einen Betroffenen zum Teil erheblich beeinträchtigen. Er leidet unter

- **Mißempfindungen** *(Parästhesien)*, z.B. Taubheitsgefühl, Kribbeln, Brennen in den Füßen; die Empfindungen können mit Schmerzen verbunden sein.
- **Sensibilitätsstörungen**; Berührungs-, Temperatur- und/oder Schmerzempfinden können beeinträchtigt sein. Der Betroffene nimmt z.B. Druck- und Schmerz an den Füßen erst spät, verringert oder gar nicht wahr.

❍ Autonome Neuropathie

Diese Folgeerscheinung betrifft das **autonome Nervensystem**; es können verschiedene Funktionsstörungen entstehen:

- **Verdauungsstörungen**; durch Störungen der Ösophagusmotilität und der Magen - Darmperistaltik kommt es vor allem zu Völlegefühl, Übelkeit und Diarrhöe im Wechsel mit Obstipation.
- **Kreislaufstörungen**; beim Aufstehen kommt es zum Blutdruckabfall *(orthostatische Hypotension)*.
- **Harninkontinenz**; da der Spannungszustand der Blase nachläßt *(atonische Blase)*, kommt es zu Störungen der Harnblasenentleerung *(Überlaufblase mit Restharnbildung)*. Harnwegsinfekte können

folgen, da der Restharn ein optimales Milieu für Bakterien bietet.
Der Diabetiker sollte sich einmal jährlich einer neurologischen Untersuchung unterziehen.

❒ Infektanfälligkeit

Diabetiker weisen - insbesondere bei schlechter Stoffwechsellage *(anhaltend erhöhte Blutzuckerwerte)* - eine **verringerte Immunabwehr** auf. So entwickeln sie relativ häufig

- **Infektionen der Haut**, insbesondere Furunkulosen und Ekzeme;
- **Soormykosen** *(Pilzinfektionen)*, vor allem im Genitalbereich;
- **Harnwegsinfektionen**, vor allem, wenn eine atonische Blase mit Restharnbildung vorliegt; eine aufsteigende Harnwegsinfektion kann eine Nierenbeckenentzündung *(Pyelonephritis)* hervorrufen.

Ein Diabetiker sollte die Anzeichen der genannten Infektionen kennen und bei Erkrankungsverdacht einen Arzt aufsuchen.

❒ Gestörte Wundheilung

Da Insulin am Eiweißstoffwechsel beteiligt ist, kommt es bei Insulinmangel zur **Störung des Eiweißaufbaus.** Folglich ist die Wundheilung gestört. Dies macht sich nach Verletzungen und Operationen bemerkbar. Besonders langwierige Wundheilungsstörungen können bei Unterschenkelgeschwüren und Dekubiti beobachtet werden.

❒ Diabetischer Fuß

Viele der zuvor besprochenen Faktoren üben gleichzeitig einen schädigenden Einfluß auf die Füße des Diabetikers aus.
Störungen der Durchblutung und **der Nervenfunktionen** schädigen das Gewebe, **Gefühlsstörungen** verhindern eine frühzeitige Wahrnehmung von schädlichen Einflüssen (Druck, Schmerz, extreme Temperatureinflüsse), es kommt schnell zu Verletzungen. Die **Infektanfälligkeit** begünstigt das Wachstum von Krankheitserregern und die **gestörte Wundheilung** verzögert die Regeneration der Zellen erheblich.
Bereits Bagatellverletzungen durch Druckstellen am Fuß können schwere, schlecht heilende Infektionen nach sich ziehen.
Typische Veränderungen am diabetischen Fuß können sein:

- **übermäßige Hornhautbildung** *(Hyperkeratosen)* an druckbelasteten Hautstellen;
- **Mißempfindungen** wie "Ameisenlaufen unter der Haut", "brennende" Fußsohlen oder Taubheitsgefühl;
- **Sensibilitätsstörungen**; Druck, Schmerz und extreme Temperatureinflüsse werden nicht oder nur verringert wahrgenommen;
- **schlecht heilende Wunden** an den Füßen, vor allem an Fersen und Fußballen (bei Neuropathie);
- **Nekrose** und **Gangrän**, vor allem an den Zehen; (bei Angiopathien; *siehe Seite 990*);
- **Schmerzen**.

2.12.13.2 Therapie

Ziele der Diabetestherapie sind:

- Wohlbefinden und Leistungsfähigkeit,
- optimale Einstellung und dauerhafte Stabilisierung des Stoffwechsels,
- verantwortungsbewußtes Verhalten des Diabetikers,
- Vorbeugung / Verzögerung von Folgeerkrankungen.

Die therapeutischen Maßnahmen sind auf eine **altersgerechte Blutzuckereinstellung** ausgerichtet. Dazu dienen:

- diätetische Maßnahmen,
- Steigerung der körperlichen Aktivität,
- Schulung des Diabetikers,
- Verabreichung von oralen Antidiabetika und/oder Insulin.

Es gilt, eine optimal an die Stoffwechsellage des Betroffenen angepaßte Therapie zu finden. Die angestrebten Blutzuckerwerte müssen nicht unbedingt im Normbereich liegen; mit zunehmendem Alter wird ein höherer Blutzucker toleriert, da Spätschäden an den Gefäßen nur noch eine untergeordnete Rolle spielen.

❒ Diätetische Maßnahmen

Bei Diabetes mellitus sind diätetische Maßnahmen **unerläßlich**. Über 80% der Menschen, die an Diabetes Typ II leiden, sind übergewichtig. Hier steht die **Gewichtsreduktion** im Vordergrund; sie kann zur Normalisierung der Blutzuckerwerte führen. Es wird das Erreichen des Normalgewichts bzw. eines Body - Mass - Index von unter 25 *(siehe Seite 111)* angestrebt.
Mit der Reduktionskost werden täglich 1000 - 1200 Kalorien - nicht weniger - zugeführt. Da durch den Fettabbau vermehrt Ketonkörper* anfallen, muß der Betroffene viel trinken, damit diese über die Nieren ausgeschieden werden können.
Übergewichtige, nicht insulinpflichtige Diabetiker brauchen ihre Kost nicht nach Broteinheiten zu berechnen; sie sollen den Energiegehalt (Kalorienzufuhr) in den Vordergrund ihrer Berechnungen stellen. Empfohlen werden **3 Mahlzeiten** täglich; die Kost soll fettarm, ballaststoffreich und arm an rasch resorbierbaren Kohlenhydraten sein. Es ist wichtig, daß ein übergewichtiger Diabetiker sein Eßverhalten hinterfragt, gesundheitsbelastende Faktoren erkennt und abbaut. Ohne diese **Veränderung des Eßverhaltens** hat die Therapie keine Aussicht auf Erfolg.
Bei Normalgewicht kann der **Energiebedarf** nach folgender Berechnung **geschätzt** werden:

- Grundumsatz (GU) in Kalorien = Sollgewicht in Kilogramm x 24 (z.B. 65 x 24 = 1560 kcal).
- Geschätzter Energiebedarf bei
  - Bettruhe = GU + 1/5 GU
    (1560 + 312 = 1872 kcal);
  - leichter Arbeit = GU + 1/3 GU
    (1560 + 519 = 2079 kcal);
  - mittelschwerer Arbeit = GU + 1/2 GU
    (1560 + 780 = 2340 kcal);
  - schwerer Arbeit = GU + 3/3 GU
    (ggf. auch mehr)
    (1560 + 1560 = 3120 kcal).

Nicht insulinpflichtige, normalgewichtige Diabetiker mit erhöhten Blutzuckerwerten benötigen eine Kost, die es ermöglicht, mit dem geringen körpereigenen Insulin auszukommen. Dazu muß die Kost einen **hohen Anteil an pflanzlichen Faserstoffen** in möglichst wenig verarbeitetem Zustand enthalten. Hierdurch werden eine verzögerte Aufspaltung der Kohlenhydrate und somit ein langsamer Blutzuckeranstieg möglich. Die Kohlenhydratzufuhr muß auf **6 - 7 Mahlzeiten** über den Tag verteilt werden; die Zeit zwischen den Hauptmahlzeiten wird durch **Zwischenmahlzeiten** (2. Frühstück, Nachmittagsimbiß, Spätmahlzeit) unterbrochen.
Auf reinen Zucker, d.h. schnellresorbierbare Ein- und Zweifachzucker, ist **unbedingt** zu **verzichten**.

Um kohlenhydrathaltige Lebensmittel, deren Verzehr zum Anstieg des Blutzuckers führt, besser einschätzen zu können, werden Austauscheinheiten wie Broteinheiten (BE; eine BE entspricht ungefähr 12g Kohlenhydraten) oder Kohlenhydrateinheiten (KE oder KHE; eine KE entspricht ca. 10g verwertbarer Kohlenhydrate, die Ballaststoffe werden nicht angerechnet) verwendet. Heute dienen diese Austauscheinheiten eher dem Einschätzen als dem Berechnen des Kohlenhydratgehaltes von Nahrungsmitteln; exakte Angaben hinsichtlich einer BE / KE entsprechenden Menge eines Nahrungsmittels sind nicht möglich. Ein Diabetiker soll lernen, dies selbst einzuschätzen.

Austauschtabelle (Auszug)

Angegeben ist jeweils die ungefähre Menge eines Nahrungsmittels, die einer BE bzw. einer KE entspricht.

Nahrungsmittel	1 BE	1 KE
Getreide / -erzeugnisse		
Brötchen	25 g	20 g
Grahambrot	25 g	25 g
Knäckebrot	15 g	15-25 g (je nach Sorte)
Weißbrot	25 g	20 g
Vollkornbrot	25 g	25 g
Zwieback	20 g	15 g
Haferflocken	20 g	15 g
Reis	15 g	15 g
Grünkernmehl	15 g	15 g
Weizenmehl	15 g	15 g
Gemüse und Kartoffeln		
Kartoffeln	60 g	65 g
Pommes frites	40 g	35 g
Mais	60 g	65 g
Milch / -produkte		
Vollmilch (3,5% Fett)	250 ml	200 ml
Kefir	250 ml	200 ml
Joghurt (1,5 und 3,5% Fett)	250 ml	200 ml
Obst		
Apfel	100 g	90 g
Banane	90 g	70 g
Birne	90 g	90 g
Erdbeeren	160 g	160 g
Johannisbeeren	140 g	140 g
Kirschen	100 g	90 g
Pflaumen mit Steinen	100 g	90 g
Apfelsaft	100 ml	100 ml
Grapefruitsaft	130 ml	100 ml
Orangensaft	130 ml	100 ml

Tabelle 2.3 ***Austauschtabelle*** *(Auszug)*

Der Anstieg des Blutzuckers wird nicht nur durch die Menge der Broteinheiten, sondern auch durch
- die Nahrungszusammenstellung (faserstoffreiche und fetthaltige Mahlzeiten führen zu einem langsamen Blutzuckeranstieg),
- die Bearbeitung des Nahrungsmittels (Saft wird schneller resorbiert als z.B. Vollkornprodukte),
- die Geschwindigkeit der Nahrungsaufnahme und
- die Flüssigkeitszufuhr während des Essens

beeinflußt. **Beachte**: Bei einer autonomen diabetischen Neuropathie des Magens kann die Kohlenhydratresorption aufgrund der verringerten Magenmotilität so gestört werden, daß es zu erheblichen Blutzuckerschwankungen kommen kann.

Bei insulinpflichtigem Diabetes muß der Kohlenhydratgehalt der Nahrung nach Broteinheiten oder Kohlenhydrateinheiten bestimmt werden; wird kein Insulin gespritzt, muß der Kohlenhydratgehalt zwar berücksichtigt - aber nicht genau nach BE bzw. KE berechnet - werden.

❍ Zusammensetzung der Diabetes-Diät

Kohlenhydrate
- sollten 50 - 60% des Kalorienbedarfs abdecken,
- sollten langsam resorbierbar sein und
- reichlich Faserstoffe enthalten.

Fette
- sollten maximal 30% des Kalorienbedarfs abdecken,
- sollten überwiegend reich an einfach und mehrfach ungesättigten Fettsäuren sein (pflanzliche Öle).

Eiweiße
- sollten 15 - 20% des Kalorienbedarfs abdecken,
- sollten überwiegend als pflanzliche Eiweiße und mit fettarmem Fleisch zugeführt werden.

Insgesamt sollte die Kost des Diabetikers wie die "normale" Kost abwechselungsreich und vollwertig sein, also Vollkornprodukte, ganze Früchte und viel Gemüse enthalten *(vgl. "Vitalstoffreiche Vollwertkost", Seite 107)*. Bei Wunsch nach Süßen der Speisen sollten **Süßstoffe** (Aspartam, Cyclamat oder Saccharin) verwendet werden; sie sind kalorienfrei. **Zuckeraustauschstoffe** (Fruktose, Sorbit, Xylit) enthalten dagegen genauso viele Kalorien wie Haushaltszucker, erhöhen den Blutzuckerspiegel jedoch kaum. Diabetiker, die abnehmen oder nicht zunehmen möchten, müssen dies bedenken. Sorbit und Xylit führen in großen Mengen (mehr als 50 g pro Tag) zu Blähungen und Diarrhoe.

Alkohol ist bei Gewichtsproblemen wegen seines hohen Energiegehaltes abzulehnen.
Ansonsten sollte der Konsum von Alkohol mit dem Arzt besprochen werden; auf jeden Fall muß die tägliche Alkoholzufuhr unter 30 g bleiben. Erlaubt sind im allgemeinen alkoholische Getränke, die den Blutzucker nicht erhöhen, z.B. trockener Wein / Champagner, Calvados, Korn oder Kognac. Im Rahmen einer Mahlzeit sind auch 0,2 Liter normales Bier erlaubt, dafür sollte kein zusätzliches Insulin gespritzt werden. Bei Diabetikerbier muß auf den bei einigen Produkten sehr hohen Alkoholgehalt geachtet werden.
Auf zuckerhaltige Alkoholika wie süße Weine, Likör und Sekt muß verzichtet werden. Alkohol senkt den Blutzuckerspiegel. Der Genuß größerer Alkoholmengen kann zu (nächtlichen) **Hypoglykämien** führen, da Alkohol die Umwandlung von Glykogen in Glukose und die Glukoseneubildung hemmt. Außerdem kann Alko-

hol die Wirkung oraler Antidiabetika verstärken und so eine schwere Hypoglykämie hervorrufen. Diabetiker, die zu Hypoglykämien neigen, sollten auf Alkohol verzichten.

Die **Flüssigkeitszufuhr** soll täglich mindestens 2 Liter betragen, um die Ausscheidung der Stoffwechselprodukte zu gewährleisten und um einer Exsikkose vorzubeugen. Empfehlenswerte Getränke sind Mineralwasser, Tee und ungesüßter Kaffee.

❐ Steigerung der körperlichen Aktivität

Muskelarbeit senkt den Blutzuckerspiegel, weil die Muskulatur bei Bewegung mehr Glukose verbraucht als in Ruhe. Außerdem erhöht sie den Kalorienverbrauch, beugt also Übergewicht vor oder hilft, Übergewicht abzubauen.

Regelmäßige körperliche Bewegung übt einen stabilisierenden Effekt auf die Diabeteseinstellung aus. Diabetikern wird deshalb empfohlen, regelmäßig körperlich aktiv sein, sofern keine medizinische Kontraindikation vorliegt. Die Aktivität sollte langsam gesteigert werden und so ausgerichtet sein, daß sie dem Diabetiker Freude bereitet. Geeignet sind alle Aktivitäten, die Muskelarbeit beanspruchen, z.B. Wandern, Schwimmen, Spazierengehen, Gymnastik, Radfahren, Tanzen, Garten- und Hausarbeit.

Bei Einnahme von Sulfonylharnstoffen kann es während und nach der Muskelarbeit leicht zu einer Hypoglykämie kommen; deshalb sollte ein Diabetiker **stets Traubenzucker bei sich haben**. Vor außergewöhnlicher körperlicher Aktivität ist auf die Einnahme einer blutzuckersenkenden Tablette zu verzichten. Diabetiker, die Insulin spritzen, müssen ebenfalls einer Hypoglykämie vorbeugen, wenn sie Sport treiben oder besonders anstrengende körperliche Arbeit leisten. Dauert die Muskelarbeit kurz an, sollen sie vorher zusätzliche Kohlenhydrate zu sich nehmen. Vor länger dauernden ungewöhnlichen Aktivitäten müssen sie vor, während und nach der Bewegung Kohlenhydrate zuführen oder vorher weniger Insulin spritzen.

Der Diabetiker lernt in Schulungsprogrammen, sich eigenverantwortlich auf diesbezügliche Situationen einzustellen.

❐ Schulung des Diabetikers

Diabetiker sollten genau über ihre Erkrankung und deren Therapiemöglichkeiten informiert werden.

Ziel ist ein **eigenverantwortlicher Umgang mit dem Diabetes**, der dem Betroffenen in allen Lebenssituationen ein selbständiges und korrektes Handeln / Verhalten ermöglicht.

Auch ältere Menschen sollten an einer Diabetikerschulung teilnehmen. Sie erfolgt in der Regel während oder nach der Einstellung des Diabetes. Zunehmend werden auch ambulante Schulungen angeboten. Meist wird die Form des Gruppenunterrichts gewählt. Die Schulung führen in der Regel DiabetesberaterInnen *(speziell geschulte Krankenschwestern / -pfleger oder DiätassistenInnen)* in Zusammenarbeit mit den Krankenhausärzten oder dem Hausarzt des Diabetikers durch. Unterstützend werden Broschüren, Videos, Filme u.ä. eingesetzt.

Unterrichtsinhalte der Diabetikerschulung:
- Wesen und Auswirkungen der Stoffwechselstörung;
- Notwendigkeit und Wirkung therapeutischer Maßnahmen;
- Grundlagen der Ernährung, der Reduktions- und der Diabetes-Diät;
- Bedeutung und Durchführung von Stoffwechselselbstkontrollen;
- Umgang mit oralen Antidiabetika;
- Technik des Insulinspritzens / Umgang mit dem Pen;
- Gefahren der medikamentösen Behandlung;
- Eßverhalten und Dosierung der Medikamente bei Muskelarbeit / Sport;
- Vorbeugen, Erkennen und Behandeln von Stoffwechselentgleisungen;
- Folgeerkrankungen;
- Fußpflege;
- Lebensweise;
- Notwendigkeit regelmäßiger ärztlicher Kontrolluntersuchungen;
- sozialmedizinische Aspekte (z.B. Fahrtüchtigkeit).

Praktische Unterweisungen und Übungen (Aufstellen von Ernährungsplänen, Einkaufen, Essen im Restaurant, Selbstkontrollen von Blut- und Harnzucker, Fußpflege, Spritzen von Insulin, Veränderungen der Insulindosis) runden das Schulungsprogramm ab. Außerdem wird der Diabetiker angehalten, auch durch eine gesunde Lebensführung für eine ausgeglichene Stoffwechsellage zu sorgen, d.h. regelmäßiger Lebensrhythmus, ausreichend Ruhe und Schlaf, sinnvoller Umgang mit Streß bzw. Streßvermeidung (Streßhormone wirken blutzuckersteigernd).

❐ Orale Antidiabetika

Der Einsatz oraler Antidiabetika ist angezeigt, wenn der Diabetes Typ II durch diätetische Maßnahmen nicht ausreichend behandelt werden kann.

❍ Sulfonylharnstoffe

Sulfonylharnstoffe **stimulieren die Insulinsekretion** der B - Zellen des Pankreas. Sie werden bei Diabetes Typ II mit noch vorhandener Eigeninsulinbildung eingesetzt, wenn eine Diät allein nicht erfolgreich ist. Produziert die Bauchspeicheldrüse kein Insulin mehr, wie beim Diabetes Typ I, sind sie unwirksam.

Die **Einnahme** erfolgt regelmäßig zur gleichen Tageszeit.

Die Tagesdosis liegt im allgemeinen zwischen ½ - maximal 3 Tabletten. Bei zusätzlichen Mahlzeiten darf die Dosis **nicht** erhöht werden!

Beachte: Bei fehlender Nahrungsaufnahme, Alkoholkonsum und übermäßiger körperlicher Aktivität kann es zur **Hypoglykämie** kommen. Deshalb sollte der mit Sulfonylharnstoffen behandelte Diabetiker seine vorgesehenen Mahlzeiten regelmäßig einnehmen und für den Notfall stets Traubenzucker bei sich haben.

Wenn der Diabetiker wegen Appetitlosigkeit oder Erbrechen keine Nahrung zu sich nimmt, muß diese zur Vermeidung einer Hypoglykämie ersetzt werden (Blutzucker kontrollieren, gesüßtes Getränk verabreichen; ggf. den Arzt benachrichtigen, er verabreicht bei Bedarf eine Glukoseinfusion).

Blutzuckersenkende Wirkung haben z.B.:
- Glibenclamid (z.B. Euglucon®N, glycolande®N, Glimidstada®),
- Glibornurid (z.B. Glutril®, Gluborid®),
- Glisoxepid (z.B. Pro-Diaban®),
- Tolbutamid (z.B. Rastinon®).

❍ Acarbose und Guar

Acarbose (z.B. Glucobay®) **verzögert die Aufspaltung von Kohlehydraten** und dämpft somit den postprandialen *(nach den Mahlzeiten auftretenden)* Anstieg des Blutzucker- und Insulinspiegels. Es kann bei normalgewichtigen Diabetikern (Typ I und Typ II) eingesetzt werden; meist erfolgt die Medikation in Kombination mit Sulfonylharnstoffen bzw. mit Insulin.
Acarbose wird in Tablettenform verabreicht; die **Einnahme** erfolgt zu Beginn der Mahlzeit. Als unerwünschte **Nebenwirkungen** können Blähungen (nach Aufnahme rasch resorbierbarer Kohlenhydrate), Diarrhöen und Leibschmerzen beobachtet werden; aus diesem Grund wird Acarbose in der Geriatrie eher zurückhaltend verordnet.

Guar (Glucotard®, Guarem®) wirkt als **Quellstoff** und verzögert die Magenentleerung, so daß die Nährstoffe langsamer ins Blut gelangen. Starke Blutzuckeranstiege, die zu einem sehr hohen Insulinbedarf führen, werden vermieden. Die **Einnahme** von Guar in Form von Pulver oder Granulat erfolgt vor den Mahlzeiten und mit reichlicher Flüssigkeitszufuhr. Tabletten werden während der Mahlzeiten eingenommen.
Mögliche **Nebenwirkungen** sind Völlegefühl, Blähungen und Diarrhoe.
Die Behandlung mit Acarbose bzw. Guar ist umstritten, da eine Glättung des Blutzuckerprofils durch die Ernährung erzielt werden kann.

❍ Biguanide

Der Biguanid-Abkömmling **Metformin** (z.B. Glucophage® retard / -mite) wird vor allem bei Diabetes Typ II mit Übergewicht eingesetzt. Metformin verzögert die Kohlenhydratresorption aus dem Darm, hemmt die Glukoseneubildung, verstärkt die Glukoseaufnahme in die Gewebe und erleichtert die Gewichtsabnahme.
Die **Einnahme** der Dragees erfolgt nach den Mahlzeiten (1 - 6 x täglich, maximal 3 g).
Als unerwünschte **Nebenwirkungen** können gastrointestinale Störungen, Blutbildveränderungen und bei Nichtbeachtung der Kontraindikationen eine Überproduktion von Milchsäure *(Laktatazidose)* auftreten. Metformin kann bei Nieren-, Atem- und Leberinsuffizienz, bei dekompensierter Herzinsuffizienz, ausgeprägter Arteriosklerose und konsumierenden Erkrankungen **kontraindiziert** sein; bei älteren Menschen findet Metformin kaum Anwendung.

❒ Insulin

Das **Hormon** Insulin wird von den B - Zellen des Pankreas produziert und in Abhängigkeit vom Blutzuckerspiegel ins Blut abgesondert. Es **verändert** die **Durchlässigkeit der Zellmembranen**, so daß Glukose und freie Fettsäuren in die Zellen gelangen können; der Blutzucker- und der Blutfettspiegel sinken. Man spricht in diesem Zusammenhang auch vom "Schlüssel-Schloß-Prinzip": Insulin ist der "maßgefertigte Schlüssel", mit dem das "Schloß jeder einzelnen Zelle" für die Blutglukose geöffnet wird *(siehe auch Seite 106)*.
Die häufigsten **Indikationen** für eine Insulinbehandlung sind:
- Diabetes mellitus Typ I,
- Diabetes mellitus Typ II bei Primär- oder Sekundärversagen der Therapie mit oralen Antidiabetika und Diät;
- Coma diabetikum;
- länger dauernde Operation in Narkose bei einem Diabetiker.

Da Insulin aus Aminosäuren zusammengesetzt ist, würde es nach oraler Einnahme im Darm gespalten und unwirksam; deshalb erfolgt die Applikation von Insulin immer in Form einer Injektion oder Infusion.
Für die Insulintherapie stehen hochgereinigte Insuline vom Rind und vom Schwein sowie **Humaninsulin**, welches aus Schweineinsulin gewonnen oder gentechnisch von Colibakterien und Hefen hergestellt wird, zur Verfügung. Humaninsuline werden heute bevorzugt eingesetzt, da sie identisch mit dem menschlichen Insulin sind und nur selten immunologische Reaktionen hervorrufen.
Seit Juni 1996 ist in Deutschland ein **gentechnisch hergestelltes Insulinanalogon** „Insulin lispro“ (*künstliches Insulin; Humalog® Lilly*) zugelassen. Hierbei handelt es sich um eine Weiterentwicklung des Humaninsulins. Durch die beschleunigte Resorption soll es dem Verhalten des endogenen Insulins sehr nahe kommen und somit die postprandiale Blutzuckereinstellung verbessern. Für Patienten bedeutet dies, daß es ausreicht, das Insulin lispro direkt vor dem Essen zu spritzen (Steigerung der Lebensqualität).
Insgesamt sollen durch die Vermeidung großer Schwankungen im Blutzuckerprofil die Spätkomplikationen (z.B. Retinopathie, Nephro- und Neuropathie) vermieden werden.
Die Praxis wird zeigen, wie die genannten Vorteile zu bewerten sind und ob sich eventuell Nachteile ergeben.
Das **Schweineinsulin** ist dem menschlichen Insulin ähnlicher als das Rinderinsulin, welches als Fremdeiweiß eine Antikörperbildung und eine Insulinallergie hervorrufen kann. Rinderinsulin wird heute im allgemeinen nicht mehr eingesetzt.
Auf die Wirkungsdauer bezogen werden Normalinsulin (früher als Altinsulin bezeichnet) und Verzögerungsinsulin unterschieden.
- **Normalinsulin** *(Bolusinsulin)* beginnt 15 - 30 Minuten nach der Verabreichung zu wirken und verfügt über eine Wirkungsdauer bis zu 8 Stunden. Folglich muß alle 5 - 6 Stunden eine erneute Insulininjektion erfolgen.
  Bei Normalinsulin handelt es sich um eine klare Flüssigkeit.
- **Verzögerungsinsulin** *(Basalinsulin)* ist dagegen trübe und muß vor dem Aufziehen durch Rollen des Fläschchens gemischt werden. Dies ist aufgrund des Zusatzes von Hilfsstoffen (z.B. Protamin, Surfen, Zink), die für eine Verzögerung des Wirkungseintritts sorgen, erforderlich. Bei den **Depotinsulinen** werden die Intermediär- und die Langzeitinsuline unterschie-

den. Bei intermediär wirksamem Insulin tritt die Wirkung 15 Minuten - 1,5 Stunden nach Verabreichung ein; die Wirkung von Langzeit - Insulinen setzt nach 1 - 4 Stunden ein. Die Wirkungsdauer erstreckt sich über ungefähr 12 - 30 Stunden.

- **Kombinationsinsulin** besteht aus Normal- und Verzögerungsinsulin. Hierdurch können der infolge physiologischer Begebenheiten erhöhte Insulinbedarf am Morgen abgedeckt und gleichzeitig tägliche Mehrfachinjektionen umgangen werden. Es werden Kombinationspräparate mit Normalinsulinanteilen von 10 - 50% in verschiedenen Abstufungen angeboten.

Für die Verabreichung mittels Pen *(siehe nachfolgend)* stehen entsprechende Insulinpatronen zur Verfügung.

Beachte: Insulinpatronen enthalten je pro Milliliter 100 Einheiten Insulin! Übliche Insulinfläschchen enthalten in Deutschland 40 E / ml. In vielen (europäischen) Ländern enthält ein Milliliter des Insulinfläschchens 100 E Insulin!

Bei der Verabreichung von Insulin haben sich verschiedene **Therapiekonzepte** bewährt. Die Dosierung erfolgt individuell und orientiert sich an den Blutzuckerwerten.

- **Einmalgabe** von Kombinationsinsulin (bei älteren Menschen, die an Diabetes Typ II leiden);
- **Zweimalgabe** (morgens und abends) von Kombinationsinsulin (bei Diabetes Typ I und Typ II);
- **Kombinationstherapie** mit Sulfonylharnstoffen und Verzögerungsinsulin: morgens Tablette(n) und Insulin, abends Tablette (bei Diabetes Typ II mit nachgewiesener Restsekretion des Pankreas);
- **Tag - Nacht - Konzept**: Normalinsulin vor den Hauptmahlzeiten, Depotinsulin am späten Abend (bei Diabetes Typ I);
- **Basal - Bolus - Konzept**: abends und/oder morgens Verzögerungsinsulin als Basalrate, vor jeder Mahlzeit zusätzlich Normalinsulin (bei Diabetes Typ I).

Das Basal - Bolus - Konzept ermöglicht dem Diabetiker eine flexible Lebensführung, er kann den Zeitpunkt der Mahlzeiteneinnahme variieren. Das Tragen einer Insulinpumpe erleichtert die Durchführung.

Tag - Nacht- und Basal - Bolus - Konzept können nur bei gutgeschulten Diabetikern, die in der Lage sind, Selbstkontrollen und Dosisanpassungen durchzuführen, angewendet werden.

Eine **Insulinpumpe** beinhaltet eine Spritze bzw. eine Ampulle mit Normalinsulin, welches über einen dünnen Infusionsschlauch (Katheter) mit einer in die Bauchhaut eingeführten Kanüle verabreicht wird. Der Diabetiker legt diesen kleinen Katheter selbst und erneuert ihn alle 1 - 2 Tage. Über einen Elektromotor wird tagsüber eine geringe Insulinmenge *(Basalrate)* abgegeben. Vor den Mahlzeiten werden jeweils der Blutzucker gemessen, der Kohlenhydratgehalt der Mahlzeit abgeschätzt und die entsprechend benötigte Menge an Insulineinheiten *(Bolusrate)* per Tastendruck eingegeben.

Unerwünschte Nebenwirkungen treten bei einer Therapie mit Humaninsulin selten auf. **Hypoglykämien** entstehen bei Dosierungs- und Diätfehlern; sie können auch bei autonomer Neuropathie des Magens und bei Einnahme von Betablockern auftreten *(siehe vorstehend "Hypoglykämie")*. Bei Präparatewechsel und bei lange bestehendem Diabetes können die Symptome der Hypoglykämie verändert, weniger ausgeprägt oder gar nicht vorhanden sein. Eine besondere Gefährdung besteht bei zerebraler Schädigung und ausgeprägter koronarer Herzkrankheit. Die Einnahme von Beta-Rezeptorenblockern, Clonidin, Guanethidin und Reserpin kann eine Hypoglykämie "verschleiern".
An den Injektionsstellen können sich **Verhärtungen** entwickeln. Rinderinsulin, seltener auch Schweineinsulin, können immunologische Reaktionen hervorrufen.

❍ Herkömmliche Insulininjektion

Insulin wird in der Regel als **subkutane Injektion** verabreicht. Die Technik wird auf *Seite 443* unter *"Injektionstechniken"* besprochen. (Die intravenöse Injektion von Normalinsulin ist dem Arzt vorbehalten.)

	Normalinsulin	**Verzögerungsinsulin**	**Kombinationsinsulin**	**Insulinanalogon**
Fertigarznei	Actrapid®HM (Novo Nordisk) H-Insulin Hoechst® (Hoechst) Humaninsulin® Normal (Lilly) Velasulin® human (Novo Nordisk)	Protaphan® HM (Novo Nordisk) Basal-H-Insulin Hoechst® (Hoechst) Insulatard human® (Novo Nordisk)	Actraphane®HM (Novo Nordisk) Komb-H-Insulin Hoechst® (Hoechst) Mixtard® Human (Novo Nordisk)	Humalog®Lilly
Spritz-Eß-Abstand	15-30 Min.	30 - 60 Min. (Langzeit-Insulin) 15 Min. (Intermediärinsulin)	20 - 30 Min.	direkt vor der Malzeit spritzen
Wirkungseintritt	nach ca. 30 Min.	nach ¼ - 4 Std.	nach ca. 30 Min.	nach 5 - 10 Min.
Wirkungsdauer	bis zu 8 Std.	12 - 30 Std.	12 - 18 Std. (je nach Mischungsverhältnis)	4 - 6 Std.

Tabelle 2.4 ***Insulinpräparate*** *(Auswahl)*

Beachte: Nach dem Einstechen wird kein Aspirationsversuch durchgeführt. Bevorzugte Stellen für die Insulininjektion bieten die Oberschenkel im äußeren und vorderen Bereich, die Bauchdecke und das Gesäß *(siehe Abb. 4.60, Seite 443)*.

Wochenweise sollte abwechselnd einer dieser Bereiche gewählt werden; innerhalb dieser Region ist für jede Injektion eine andere, 2 - 3 cm entfernt liegende Stelle zu nutzen, um Verhärtungen des Gewebes zu verhindern.

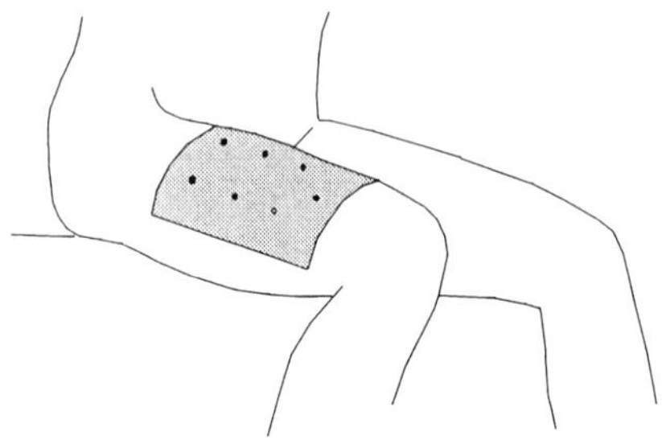

Abb. 2.17 ***Geeignetes Injektionsfeld mit wechselnden Einstichstellen***

Für die Insulininjektion stehen Kunststoffspritzen mit eingeschweißter Kanüle und spezieller Graduierung (20E, 40E, 80E) zur Verfügung = *Insulinspritze*.

Aufziehen von Insulin

- Vor Gebrauch von Insulin immer das Verfalldatum prüfen;
- Hände desinfizieren;
- Gummistopfen des Fläschchens mit Alkoholtupfer abreiben;
- Verzögerungs- oder Kombinationsinsulin zwischen den Händen rollen, bis die Suspension eine gleichmäßige Trübung zeigt (Flüssigkeit nicht schütteln ⇨ Schaumbildung);
- soviel Luft in die Spritze ziehen, wie nachfolgend Insulin gespritzt werden soll;
- aufgezogene Luft in das Insulinfläschchen (nicht in die Flüssigkeit) drücken;

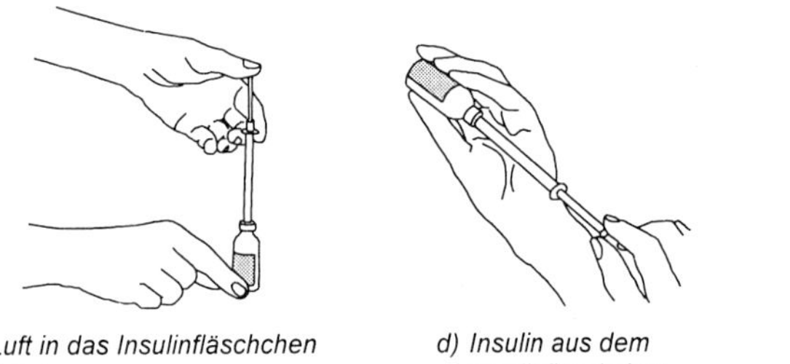

a) Insulinfläschchen zwischen den Händen rollen

b) Luft in die Spritze ziehen

c) Luft in das Insulinfläschchen drücken

d) Insulin aus dem Insulinfläschchen entnehmen

Abb. 2.18 ***Aufziehen von Insulin***

- Fläschchen mit eingestochener Kanüle nach oben, Spritze nach unten halten und etwas mehr Insulin als verordnet entnehmen;
- mit einem Finger leicht gegen die Insulinspritze klopfen, so daß evtl. mit aufgezogene Luft nach oben steigt;
- Luft und zuviel aufgezogenes Insulin aus der Spritze drücken;
- korrekte Dosierung überprüfen.

Mischen von Normal- und Verzögerungsinsulin

- Fläschchen mit Verzögerungsinsulin zwischen den Händen rollen.
- Zunächst so viel Luft wie nachfolgend Insulin entnommen werden soll in das Fläschchen mit dem klaren Normalinsulin spritzen.
- Ebenso beim Fläschchen mit dem trüben Verzögerungsinsulin verfahren.
- Die verordneten Einheiten Normalinsulin aufziehen.
- Danach die verordneten Einheiten Verzögerungsinsulin in dieselbe Spritze aufziehen.

Das freie Mischen von Normal- und Verzögerungsinsulin ist heute nur noch in wenigen Fällen - wenn kein den individuellen Bedürfnissen entsprechendes Verzögerungsinsulin zur Verfügung steht - erforderlich und sinnvoll.

Beachte: Es dürfen nur sogenannte NPH-Insuline (**N**eutral**p**rotamin-**H**agedorn-Insuline) mit Normalinsulin gemischt werden. Zinkhaltige Verzögerungsinsuline (z.B. Insulin Semilente®, Insulin Ultratard®HM) dürfen nicht mit Normalinsulin gemischt werden, da dies mit Wirkungsverlust des Insulins einhergeht. Der entsprechende Hinweis ist dem Beipackzettel oder der "Roten Liste" zu entnehmen.

Aufbewahren von Insulin

- Insulinvorräte im Kühlschrank (nie im Gefrierfach!) bei 2-8 Grad C lagern.
- Im Gebrauch befindliche Insulinfläschchen und Insulinpatronen bei Raumtemperatur (ca. 20 Grad C) lagern. Fläschchen mit Anbruchdatum versehen und innerhalb von 3 Wochen (je nach Herstellerangaben auch innerhalb eines größeren Zeitraums) aufbrauchen bzw. nach Ablauf der Frist verwerfen.
- Den Einfluß von Temperaturen über 40 Grad C, Frost oder direkter Sonneneinstrahlung unbedingt vermeiden (Aktivitätsverluste).
- Insulinpen mit Patrone nicht im Kühlschrank lagern.

Eine **Insulininjektion**, die durch Pflegepersonal verabreicht wurde, ist zu **dokumentieren** (Insulinpräparat, Dosierung). Anschließend wird für die Einhaltung des **Eß-Spritzabstandes** gesorgt und später geprüft, ob der Diabetiker die vorgesehene Mahlzeit eingenommen hat. Ist dies nicht der Fall, muß einer Hypoglykämie vorgebeugt werden *(siehe vorstehend "Hypoglykämie")*.

❍ Injektionshilfen

Für Diabetiker, die mehrmals täglich Insulin spritzen müssen, wird zur Erleichterung der Insulinverabreichung von verschiedenen Firmen ein sogenannter **Pen** *(englisch: Federhalter)* angeboten.

In diesem Injektionsgerät bilden **Insulin, Spritze und Kanüle eine Einheit**. Das (für Menschen mit eingeschränkter Sehkraft / Feinmotorik erschwerte) Aufziehen von Insulin entfällt. Zu jedem Pen gehört eine spezielle **Insulinpatrone**; **1 ml** dieser Lösung **enthält 100 Einheiten Insulin**.
Der Pen kann wie ein Schreibstift mitgeführt werden. Vor einer Injektion stellt der Diabetiker die gewünschte Dosis durch Drehen des Dosierknopfes ein. Die Höhe der eingestellten Einheiten kann als Zahl abgelesen werden. Dann sticht der Diabetiker die Kanüle im 90 Grad Winkel in die Haut (meist am Oberschenkel) und löst durch Drücken des Dosierknopfes die Injektion aus.
Beachte: Vor Verabreichung von Verzögerungsinsulin muß der Pen mindestens 10 mal gekippt werden, bis die durchmischte Flüssigkeit eine gleichmäßige Trübung aufweist.

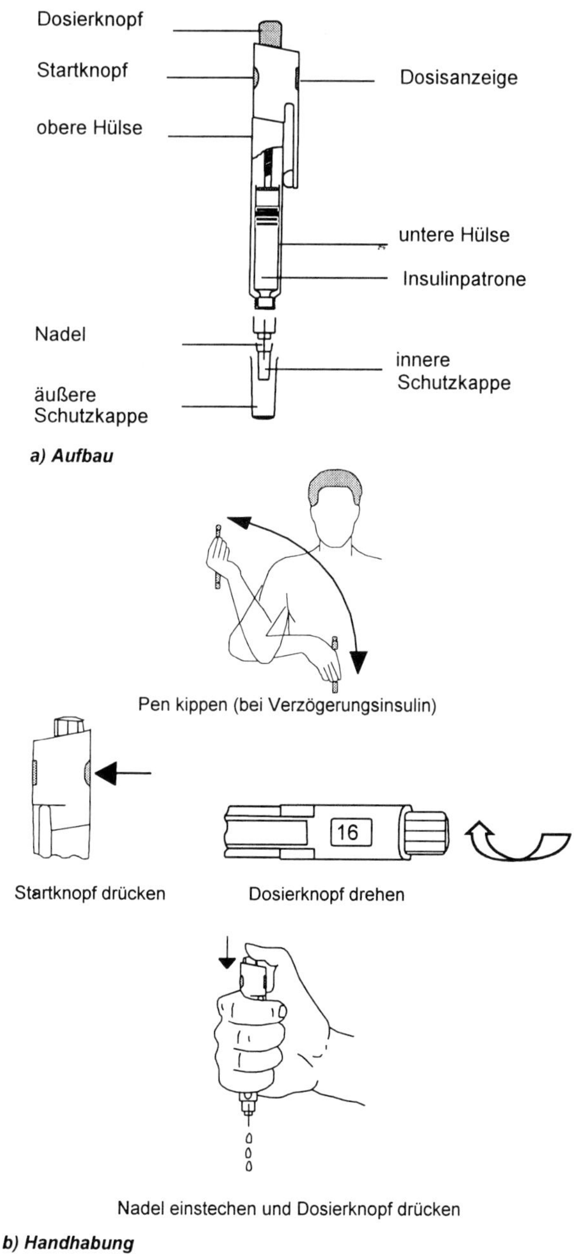

Abb. 2.19 ***Beispiel für die Injektionshilfe PEN (OptiPen®)***

Die **Insulin-Fertigspritze** (z.B. Novolet ™) wird ähnlich wie ein Pen gehandhabt. Das Aufziehen von Insulin entfällt, das Dosieren erfolgt durch einfaches Drehen, die Injektion wird per Knopfdruck ausgelöst.

2.12.13.3 Therapiekontrolle

Um die Effektivität der Therapie zu kontrollieren, sind **Bestimmungen des HBA_1C - Wertes sowie des Blut- und Harnzuckers** erforderlich. Diese können im Labor erfolgen (Arztbesuch, stationäre Behandlung); häufig ist jedoch - vor allem im häuslichen Bereich - eine Sofortkontrolle des Blutzuckers durch den Diabetiker oder das Pflegepersonal erforderlich, z.B. vor den Hauptmahlzeiten und bei Verdacht auf Stoffwechselentgleisungen.
Die Ergebnisse der Selbstkontrollen und der ärztlichen Untersuchungen werden in einem **Diabetikerpaß** oder im **Diabetikertagebuch** eingetragen. Dadurch kann die Effektivität der Therapie beurteilt werden; notwendige Anpassungen der Insulindosis werden erleichtert.

❒ Teststreifen

Für die Glukosebestimmung im Blut und im Harn stehen spezielle Teststreifen zur Verfügung. Ihre Handhabung ist einfach und kann von vielen Diabetikern erlernt werden.

Handhabung von Teststreifen zur Blutzuckerbestimmung (Glucostix®, Haemoglukotest® 20 - 800)
- Mit einer Kanüle / Lanzette in den Seitenrand einer Fingerbeere stechen.
- Den hervortretenden Bluttropfen auf das Reaktionsfeld des Teststreifens geben.
- Nach einer Minute das Blut mit sauberer Watte abwischen.
- Nach einer weiteren Minute die zwei Farben im Reaktionsfeld mit der Farbskala auf dem Röhrchen der Verpackung vergleichen und den entsprechenden Blutzuckerwert ablesen / notieren.

Handhabung von Teststreifen zur Harnzuckerbestimmung (Clinistix®, Diabur 500®, Rapignost®)
- Urin in einem sauberen Gefäß auffangen (30 Minuten vor dem Essen).
- Reaktionsfeld des Teststreifens kurz in Urin eintauchen.
- Überflüssigen Urin am Rand des Uringefäßes abstreifen.
- Nach 2 Minuten die zwei Farben im Testfeld mit der Farbskala auf der Verpackung (Röhrchen) vergleichen.
- Entsprechenden Harnzuckerwert ablesen und notieren.

Handhabung von Teststreifen zur Azetonmessung (Ketur-Test®)
- Teststreifen einsetzen, wenn der Blutzucker über 240 mg/dl oder der Urinzucker über 2% liegt.
- Reaktionsfeld des Teststreifens kurz in Urin eintauchen.
- Überflüssigen Urin am Rand des Uringefäßes abstreifen.

- Nach einer Minute die Farbe im Reaktionsfeld des Teststreifens mit der Farbskala auf dem Röhrchen vergleichen, Reaktion (negativ, +. ++. +++) ablesen und notieren.

Beachte: Eine zwei- oder dreifach positive Azetonreaktion bei gleichzeitig erhöhtem Blutzuckerwert ist Zeichen einer Stoffwechselentgleisung; der Diabetiker benötigt Insulin!

Die Auswertung der Teststreifen zur Blutzuckerbestimmung kann ebenso über **elektronische Geräte** *(Blutzucker-Refluktometer, z.B.* Reflolux®, Glucometer®*)* erfolgen; die mit Blut versehene Reaktionsfläche des Teststreifens wird in das Gerät eingeführt. Nach kurzer Wartezeit kann der ermittelte Wert abgelesen werden.

❒ **HBA_1**

Die Bestimmung des HBA_1-Wertes ermöglicht rückblickend eine Beurteilung der Stoffwechseleinstellung der letzten 6 - 8 Wochen und sollte vierteljährlich durchgeführt werden. Im Blut befindliche Glukose lagert sich an den roten Blutfarbstoff, das Haemoglobin an. Der mit Glukose angereicherte Haemoglobinanteil (HBA_1) läßt sich im Labor als HBA_1C - Wert bestimmen. Mit der Höhe des Glukosespiegels im Blut steigt demnach der HBA_1 C - Wert; er wird in Prozent des Gesamthaemoglobins angegeben. Werte bis 5,6% sprechen für eine gute Einstellung des Blutzuckers, Werte über 8% für eine schlechte Einstellung (genaue Beurteilung ist von der Labormethode abhängig).

2.12.13.4 Lebensführung

Eine dauerhaft ausgeglichene Stoffwechsellage beugt diabetesbedingten Gefäßkomplikationen vor und fördert das Wohlbefinden des Diabetikers.

Zu einer stabilen Soffwechsellage tragen maßgeblich folgende Faktoren bei:

- körperliche Aktivität;
- diätetische Maßnahmen;
- ausführliche Information und intensive Schulung;
- regelmäßige und bedarfsgerechte Medikation mit oralen Antidiabetika und/oder Insulin;
- Therapiekontrolle und regelmäßige ärztliche Kontrolluntersuchungen;
- regelmäßiger Lebensrhythmus,
  - ermöglicht gleichbleibende Ruhe- und Essenszeiten sowie regelmäßige Medikamenteneinnahmen und Therapiekontrollen,
  - sollte allenfalls bei gut eingestellten und kooperativen Diabetikern Schwankungen enthalten, z.B. sind Schichtarbeit und Interkontinentalflüge unter den genannten Voraussetzungen und in Absprache mit dem behandelnden Arzt möglich;
  - hilft, extreme Belastungen und somit die vermehrte Ausschüttung blutzuckersteigernder Streßhormone (Adrenalin, Cortisol) zu vermeiden;
- sinnvoller Umgang mit Streß *(siehe Seite 893)*,
- Nikotinabstinenz, da Nikotin das Risiko der Folgeschäden erhöht;
- Ergreifen eines geeigneten Berufs, der möglichst gleichbleibende Arbeitszeiten, Anforderungen und Belastungen garantiert und nicht mit Eigen- und Fremdgefährdung verbunden ist (wie z.B. Busfahrer, Dachdecker), weil es im Zusammenhang mit Hypoglykämien zu schweren Unfällen kommen kann.

Der **Austausch mit anderen Diabetikern** ist für viele Betroffene hilfreich und bereichernd. Der Deutsche Diabetiker Bund, der u.a. die Interessen der Diabetiker in der Gesellschaft vertritt, hat zahlreiche **Selbsthilfegruppen** auf regionaler Ebene organisiert.

Deutscher Diabetiker Bund
Danziger Weg 1
58511 Lüdenscheid

2.12.13.5 Zur Situation eines Betroffenen

Die Diagnose "Zuckerkrankheit" löst bei vielen Betroffenen **zunächst** Bestürzung, **Ängste und Resignation** aus. Manche bagatellisieren oder ignorieren die Erkrankung, andere befürchten ein Leben ohne Freude (z.B. Verzicht auf süße Speisen). Das Essen spielt jedoch im Leben vieler Menschen eine bedeutsame Rolle *(vgl. Seite 102)*.

Weiter können Ängste, die sich vor allem auf Stoffwechselentgleisungen und Spätschäden (Erblindung; diabetischer Fuß) beziehen, entwickelt werden.

Nachdem die Diagnose erhoben wurde, erfolgen zunächst die Erstbehandlung und die Einstellung des Stoffwechsels durch den Arzt. In dieser Phase fühlt sich ein Betroffener meist noch hilflos und abhängig, andererseits vermittelt die intensive medizinische und pflegerische Betreuung Sicherheit.

Die chronische Erkrankung erfordert eine **Anpassung der Lebensführung**. Dazu ist ein gewisses Maß an Intelligenz und **Eigenverantwortlichkeit** erforderlich.

Außerdem müssen eine gezielte Information und Beratung, möglichst auch eine Schulung erfolgen, damit der Diabetiker die Selbstbehandlung / -kontrolle erlernt und Sicherheit erlangt. Auch zahlreiche ältere Diabetiker sind durchaus fähig, an einer Schulung teilzunehmen. Viele Krankenhäuser und Arztpraxen bieten ein entsprechendes Schulungsprogramm an. Wenn der Diabetiker in der Lage ist, die erforderlichen **Therapiemaßnahmen** (regelmäßiger Lebensrhythmus, Diät, körperliche Aktivität, Tabletteneinnahme und/oder Insulininjektion) **in** seinen **Alltag** zu **integrieren**, gelingt meist auch die Akzeptanz der Erkrankung. Gut eingestellte Diabetiker führen im allgemeinen ein **Leben mit bedingter Gesundheit**, sie fühlen sich trotz Krankheit überwiegend wohl und sind leistungsfähig. Dennoch sind Abweichungen vom gewohnten Tagesrhythmus in vielen Fällen nicht möglich, wenn sie die Einhaltung der Ernährungsvorschriften und die Durchführung der Kontrollen stören. Hierdurch können auch Partner und Familie beeinträchtigt werden. Zusätzlich haben Angehörige häufig Angst vor Stoffwechselentgleisungen; mancher fühlt sich überfordert, im Notfall handeln zu müssen.

Die Situation eines jungen Menschen, der an einem Diabetes mellitus Typ I erkrankt, wird exemplarisch anhand des Erfahrungsberichts (1988) der betroffenen Psychologin Eva Küstner dargestellt. Trotz seither deutlich verbesserter Therapie sind die Aspekte des Erlebens weiterhin aktuell.

"Am Anfang war ich nur geschockt"

Ich möchte von meinen persönlichen Erfahrungen zu Beginn des Diabetes berichten.

Warum? Es ist noch nicht allzu lange her, daß den Diabetikern geraten wurde, die Tatsache ihres Diabetes geheimzuhalten. Dies ginge nur sie selbst und allenfalls die Familie und engsten Freunde etwas an. Viele Diabetiker sind damit gut gefahren, aber wir wissen heute, daß eine Vielzahl von Diabetikern besser mit ihrer Erkrankung zurechtgekommen wäre, wenn sie darüber hätten reden können, Erfahrungen austauschen und erleben können, daß Diabetiker sich ganz selbstverständlich als Diabetiker in der Öffentlichkeit verhalten, ohne daß etwas Schlimmes passiert.

Genauso ist es heute eher unüblich, persönliche Gefühle, gerade unangenehme oder schmerzliche Gefühle, öffentlich auszudrücken. So reden auch wir Diabetiker selten über unsere inneren gefühlsmäßigen Komplikationen in der ersten Zeit als Diabetiker; welchen Weg an persönlichen Erfahrungen wir in dieser Zeit gehen, dringt kaum an die Öffentlichkeit. Für viele jetzt Neuentdeckte kann es aber eine Hilfe sein, zu hören, wie es anderen gegangen ist.

Außerdem denke ich: Wenn wir von den Ärzten als Menschen behandelt werden wollen und nicht als Blutzuckermaschinen mit Defekt, dann ist es sicher gut, wenn wir uns als Menschen mit vielen Seiten zeigen können. Ich hoffe, daß mein Beitrag ein Stück dazu verhelfen kann.

Mein Diabetes ist im Oktober 1981 entdeckt worden. Zu dieser Zeit hatte ich schon länger alle klassischen Symptome: 10 kg Untergewicht, fürchterlichen Durst, der mich eigentlich schon den ganzen Sommer begleitet hatte; wohin ich auch zu Besuch kam, die erste Frage war die nach der Toilette. Ich war immer müde, die Haare gingen mir aus, die Schleimhäute waren ausgetrocknet. Und bemerkenswert ist, daß ich vor der Entdeckung darunter nicht bewußt litt. Nach der Entdeckung war ich entsetzt, wie lange ich mir mit allen möglichen Erklärungen hatte vormachen können, daß eigentlich alles normal war. Der Durst auf dem Nachhauseweg von der Arbeit kam eben daher, weil's Sommer war, ganz klar - obwohl ich in keinem noch so heißen Sommer zuvor jemals mit einer Coladose in der Hand U-Bahn gefahren war. Die Gewichtsabnahme und totale Müdigkeit kamen selbstverständlich vom Streß der neu begonnenen Berufstätigkeit und der neubegonnenen Partnerschaft.

Selbst als mich jemand ganz direkt fragte: Was hast du denn für einen auszehrenden Job, daß du aussiehst wie ein Biafrakind? konnte ich nicht stutzig werden. Daß es eine körperliche Krankheit sein konnte, lag völlig außerhalb meiner Vorstellung von mir selbst. So kann man vielleicht sagen, daß die Verdrängung der Krankheit, das nicht Wahrhaben einer schwerwiegenden Veränderung, bei mir vor der Entdeckung passierte.

Wahr wurde es für mich auch dann noch nicht, als schließlich die Arbeitskollegen im Krankenhaus auf die Idee kamen und mich mit einem Blutzuckerschnelltest auf Diabetes prüften. Als sich der Streifen total dunkel verfärbte, behauptete ich immer noch mit voller Überzeugung: "Ich habe nichts". Die Kollegen haben mich dann nach Hause geschickt; die Krankenschwester, die auf die Idee mit dem Test gekommen war, weil sie früher auf einer Diabetiker-Station gearbeitet hatte, fuhr mich nach Hause und brachte mir sehr behutsam und aufmunternd nahe, was wohl jetzt auf mich zukommmen würde. Ich weiß nicht mehr, wie ich mich dabei gefühlt habe - ich glaube, gesagt habe ich gar nichts.

Wahr wurde es erst zu Hause. Dort holte ich mir ein Lehrbuch über innere Medizin aus dem Bücherschrank meines Mannes und las unter Diabetes mellitus nach. Und ich sehe mich auf unserem Bett liegen und lesen und dann hatte ich das Gefühl, die Zeit bliebe stehen. Plötzlich ergaben alle Symptome, die mich nie besonders beschäftigt hatten, einen inneren Zusammenhang, hier wurde klar und deutlich beschrieben, was ich vorher nur undeutlich und zusammenhanglos an mir wahrgenommen hatte. Es konnte keine andere Erklärung mehr geben als die, daß ich zuckerkrank geworden war.

Ich bin kaputt

Der nächste klare Gedanke war: Ich bin kaputt. Ganz real körperlich. In mir ist etwas kaputtgegangen, an einer wichtigen Stelle, im Bauch, sozusagen mitten im Zentrum. Ich bin kaputt, auch seelisch, geistig- was wird aus meinem Leben, was werde ich noch machen können, wie sehr wird mich die Tatsache, daß ich krank bin, am Leben hindern? Von jetzt ab immer krank sein - ein ganz bedrohlicher Gedanke, der mir den Hals zuschnürte. Was für ein Leben führt man als Diabetiker? Freud- und kraftlos, gezeichnet von der Krankheit - so wie im Moment?

Wie lebt man als Diabetiker? Die ersten Erinnerungen an konkrete Situationen sind durchaus positiv: Noch in der Praxis unseres Hausarztes hatte ich mir selbst meine allererste Insulinspritze gegeben, die Arzthelferin und mein Mann waren dabeigewesen und hatten gleichzeitig "gut" gerufen, als die Spritze im Oberschenkel saß. Und danach war ich nach Hause in die Wohnung gekommen und hatte zum ersten Mal seit langer Zeit nicht mehr das Bedürfnis, noch im Mantel an den Kühlschrank zu gehen und etwas zu trinken.

Ein paar Tage später fuhr ich mit meinem Rad durch unseren Stadtteil und plötzlich war ein Gefühl wieder da, das ich für lange Zeit vergessen hatte: kräftig, zuversichtlich und guter Laune zu sein und das Leben zu lieben.

Unser Hausarzt hatte mich nicht in ein Krankenhaus überwiesen, sondern gemeint: Das schaffen Sie auch so. Für diese Risikobereitschaft und das Vertrauen in mich, das mir auch wieder ein Stück Selbstvertrauen gab, bin ich ihm sehr dankbar.

Dankbarkeit habe ich auch gespürt ob der Tatsache, daß es überhaupt Insulin gibt. Die meisten Hypoglykämien damals haben mich gefreut: Dein Zucker ist niedrig, zwar zu niedrig, aber Gott sei Dank nicht mehr zu hoch. Ohne Insulin wäre der schleichende Prozeß von immer-weniger-werden und immer-schlapper-werden unaufhaltsam weitergegangen- bis in den Tod. Dieser Prozeß, den ich -während er abgelaufen war- gar nicht wahrgenommen hatte, bekam hinterher noch Brisanz. Wieso hatte ich nicht früher gemerkt, daß mit mir etwas nicht stimmt? Wieso hatte ich so lange denken können, das sei normal? Habe ich nicht genug auf mich geachtet? Aber es war ja ganz langsam immer stärker geworden -ich hatte dabei immer weiter gesagt "Es geht mir gut", weil ich allmählich die Erinnerung verlor, was Gutgehen wirklich einmal gewesen war. Hatte ich vielleicht schon vorher, früher, nicht genug auf mich geachtet, hatte ich die Krankheit dadurch vielleicht verschuldet, hatte mein Körper sie als Warnung und als Reaktion auf schlechte Behandlung ausbilden müssen? Diese Gedanken besprach ich mit einem Kollegen, der selber chronisch krank war. Und der sagte dann ziemlich platt: "Wieso, Krankheit gehört doch zum Leben!"

Eine völlig neue Sichtweise für mich. Ich hatte mit eigener Psychotherapie und mit der psychotherapeutischen Arbeit mit anderen Menschen dahin gestrebt, daß das Leben immer besser, heiler wurde. Das war sicher einerseits auch richtig, aber diese Sichtweise vom Leben war eben nicht vollständig. Zum Leben gehört die Gesundheit und zum Leben gehört die Krankheit. Beides zusammen ergibt erst ein Ganzes.

Der Kampf mit den Regeln

Dieser Kampf dauerte die nächsten 1½ Jahre, solange bis ich die Blutzuckerselbstkontrolle kennenlernte. Ich führte ihn in mir und mit vielen anderen Menschen meiner Umgebung. Ich wollte gerne alles richtig machen. Woran ich mich dabei halten konnte, war das, was mir der Hausarzt über die Diät erklärt hatte, eine Austausch-Tabelle, die vorgegebenen Zeiten und mein Wissen, daß auch Bewegung den Zucker senkt.

Und obwohl ich mir große Mühe gab, wollte es doch nicht richtig klappen. Die Tagesprofile beim Arzt ergaben manchmal zu niedrige Werte, das fand ich ja nicht weiter schlimm. Aber für meinen Geschmack gab es viel zu oft zu hohe Werte, das machte mir Angst. Aber dann wurde ich mit Bemerkungen wie "Was wollen Sie, als insulinspritzende Diabetikerin können Sie nicht mehr verlangen" vesorgt. Hatte der Arzt denn recht? Mußte ich mich damit zufrieden geben? Oder konnte ich es besser machen als bisher? Das vorherrschende Gefühl war Unsicherheit. War es richtig, so wie ich es machte? Mein Mann hatte mir Clinitest-Tabletten zur Urinzucker-Kontrolle besorgt, mein Arzt wollte sie nicht verschreiben. Der wollte "Erst mal alles so einfach wie möglich" machen.

Warum verfärbte sich der Urin manchmal und manchmal nicht? Warum blieb der Zucker im Urin, auch noch zum Beispiel nach einer Stunde nervenaufreibender Gymnastik spätabends in unserem Wohnzimmer?

An dieser Stelle versagte die Betreuung durch den Hausarzt. Diese vielen Ängste (hoffentlich läuft alles richtig), Schuldgefühle (irgend etwas hast du wohl wieder verkehrt gemacht), Unsicherheit und Beklemmung (sooo kannst du kein gutes Leben führen) hätten nicht zu sein brauchen, wenn ich einmal eine gute Schulung genossen hätte. Aber die war ihm wortwörtlich zu teuer. Und ich war damals noch zu unsicher, um auf mein Gefühl zu hören und zu unwissend, was meine Rechte und Möglichkeiten betraf.

Wie die Verkündung eines Urteils

Die Angst und das Schuldgefühl stiegen jedesmal kurz vor den Untersuchungen steil an. Wenn ich mit dem Fahrrad zur Praxis fuhr, hoffte ich inständig, das ich diesmal gute Werte haben würde. Die Mitteilung der Werte war jedesmal wie die Verkündigung eines Urteils. Ich hatte, ohne es steuern zu können, persönlich versagt oder auch nicht. Das änderte sich erst, als ich mit der Blutzucker-Selbstkontrolle anfangen konnte. Ich persönlich verstehe überhaupt nicht, wie manche Ärzte zu der Idee kommen können, daß häufige Blutzucker-Selbstkontrolle eine psychische Belastung darstellen könnte. Für mich war die psychische Belastung in der Zeit ohne Blutzucker-Selbstkontrolle unendlich viel größer. Für die Selbstkontrolle habe ich die größte Auseinandersetzung mit meinem Arzt geführt; meine allerersten Teststreifen habe ich auf dem Diabetiker-Tag in Göttingen einem Vertreter vom Standtresen weg geklaut, nachdem er sie mir nicht freiweillig geben wollte.

Ein anderer Kampfplatz: Anderen gegenüber den Diabetes zeigen. Obwohl ich mich heute nur an positive, manchmal sicher etwas gedankenlose, aber nie negativ gemeinte Reaktionen erinnere, war es damals jedesmal wieder eine Hürde zu erklären "Ich bin Diabetikerin".

Für mich selber verbanden sich so viele unangenehme Gefühle damit - was würde mein Gegenüber damit verbinden? Als Diabetikerin mußte ich anderen gegenüber Forderungen stellen: Bitte um 6½ Uhr statt um 8 Uhr abends gemeinsam essen, bitte denk daran, daß ich keinen Zucker essen darf .... und auch das will geübt sein.

Wieviel kann ich jemand anderem an Entgegenkommen abverlangen?

Aber nach meinen Erfahrungen mit mir selber, dem "Es geht mir gut" kurz vor dem Koma, wollte ich besser auf mich achten, auch wenn es schwerfiel. Heute finde ich dieses Einüben, auf die Anforderungen des eigenen Körpers einzugehen und sie anderen gegenüber zu vertreten, nur positiv. Man lernt am Diabetes auch für ganz andere Situationen.

Ich habe das Einzelkämpfertum satt

Nach 1½ Jahren hatte ich das Einzelkämpfertum auf so unsicherem Terrain satt und ging zur Hamburger Selbsthilfegruppe des DDB. Und hier bekam ich einen unglaublichen Stoß an Selbstsicherheit und Zuversicht. Ich hatte mir im Grunde nicht vorstellen können, wie man 10 Jahre lang mit Diabetes leben könnte, ohne verkniffen oder aus Hilflosigkeit gleichgültig zu werden. Und hier traf ich auf solche langjährigen Diabetiker, die noch lachten und arbeiteten und das Leben genossen. Und die so ähnliche Gefühle wie ich selbst erlebt hatten.

Ich wurde sicherer, daß meine diffus gewünschten Therapie-Ziele erreichbar sind. Ich wurde wütend auf die medizinische Versorgung, die 1½ Jahre mich so alleine und unwissend mit der Erkrankung hatte leben lassen. Andererseits hatte ich in dieser Zeit gelernt, daß es auf mich selbst ankommt. Je sicherer ich wurde, desto weniger sträubte sich mein Arzt gegen Wünsche und Vorschläge von mir, ja irgendwann wurde er wohl richtig stolz auf mich, daß ich so gut zurecht kam.

Was habe ich durch die Erkrankung gelernt?

Dadurch, daß ich Diabetikerin geworden bin, habe ich ganz persönliche Erkenntnisse dazu gewonnen, die mir sehr wichtig sind, die ich nicht mehr missen möchte. Daß es wichtig ist, auf die Signale seines Körpers zu achten und sie sehr ernst zu nehmen. Zu akzeptieren, daß es im Leben nicht nur um ein immer-besser-werden geht, daß man selbst nicht perfekt ist. Daß es möglich ist, diesen Defekt Diabetes öffentlich zu behandeln und daß dies akzeptiert wird. Das, was für meinen Diabetes und für mich gut ist, vor anderen zu vertreten.

Ich war vor der Erkrankung davon ausgegangen, daß ich immer gesund bleibe -und bin krank geworden. Damit habe ich gleichzeitig ein Stückchen gelernt, daß ich nicht ewig leben werde - und lebe bewußter. So merkwürdig sich das anhört, durch die Einschränkung Diabetes ist die Welt ein Stück größer geworden.

Gesundheit und Krankheit sind keine Gegensätze. Gesundheit kann Krankheit mit einschließen. Ich bin krank und ich fühle mich ganz oft gesund.

2.12.13.6 Pflegemaßnahmen

❒ Hilfe zur Selbsthilfe

Die **optimale Information** und **Schulung** des Diabetikers sind Voraussetzung für ein (möglichst) **selbstbestimmtes** und **selbstständiges Leben**. Sie können die Sicherheit, eine drohende Blutzuckerentgleisung frühzeitig zu erkennen und somit ein Koma zu verhindern, vermitteln. Ebenso tragen sie im Idealfall entscheidend dazu bei, daß ein Diabetiker seine chronische Erkrankung akzeptiert und in sein Leben integriert, ohne sich stets krank und gehandicapt zu fühlen. Deshalb müssen pflegerischem und ärztlichem Handeln das Prinzip „Hilfe zur Selbsthilfe" zugrunde liegen.

❒ Sorge für eine ausgeglichene Stoffwechsellage

Diabetiker, die sich zur Einstellung ihres Diabetes in stationärer Behandlung befinden, evtl. auch Diabetiker, die ambulante Pflege in Anspruch nehmen, benötigen in erster Linie pflegerische **Unterstützung / Motivierung / Anleitung**, bezogen auf

- die Gewichtsreduktion bzw. Konstanthaltung des Normalgewichts;

- die Einhaltung der Diabetes-Diät;
- die Durchführung von Blut- / Harnzuckerkontrollen;
- die Einnahme oraler Antidiabetika;
- die Injektion von Insulin *(siehe auch "Instruktionsgespräch", Seite 719)*;
- körperliche Aktivität;
- die Pflege der Füße und der Haut;
- regelmäßige Arztbesuche (ambulante Kontrolluntersuchungen);
- das Erkennen von Infektionen und Stoffwechselentgleisungen;
- die Gesundheitsfürsorge (Lebensführung);
- die Anpassung an die chronische Erkrankung.

Die entsprechenden Maßnahmen wurden bereits im Abschnitt "Therapie" besprochen; sie dienen dem Erreichen und **Aufrechterhalten einer ausgeglichenen**, möglichst optimalen **Stoffwechsellage**.

❒ Haut- und Körperpflege

Aufgrund der veränderten Stoffwechsellage neigt die Haut des Diabetikers zu **Trockenheit**, **Juckreiz** und **Infektionen**; die **Wundheilung** ist **verzögert**, Verletzungen werden bei Sensibilitätsstörungen nicht oder verringert wahrgenommen.

- Die Hautpflege erfolgt entsprechend dem Hauttyp, ein Austrocknen und Einreißen der Haut muß vermieden werden. In den meisten Fällen ist ein regelmäßiges Einfetten der Haut erforderlich.
- Juckreiz läßt sich häufig durch Einfetten der Haut, Auftragen eines juckreizstillenden Puders oder feuchte, leicht kühlende Umschläge lindern / bekämpfen.
- Die Haut, insbesondere die Hautfalten, werden sorgfältig getrocknet, um ein feuchtes, Verletzungen und Bakterienwachstum förderndes Milieu zu vermeiden.
- Mund- und Zahnpflege sowie Intimpflege werden regelmäßig und unter Berücksichtigung hygienischer Prinzipien durchgeführt.
- Waschlappen und Handtücher sollten kochfest sein und häufig gewechselt werden.

❒ Hinweis auf geeignete Kleidung

Feuchtigkeitsansammlungen begünstigen Reizungen, Verletzungen und Mazeration* der Haut, zusätzlich bieten sie Bakterien und Pilzen einen guten Nährboden und fördern so Infektionen. Deshalb sollte die Kleidung, zumindest die Leibwäsche, aus **Baumwolle** oder **Wolle** sein.

Bei starkem Schwitzen und bei Inkontinenz sind häufige Wäschewechsel erforderlich. Empfehlungen zu Socken und Schuhwerk sind unter „Fußpflege" aufgeführt.

❒ Fußpflege

Zur Vermeidung bzw. Verringerung der möglichen Veränderungen an den Füßen eines Diabetikers *(siehe Seite 165)* ist neben einer optimalen Blutzuckereinstellung eine äußerst sorgfältige Fußpflege unverzichtbar.

Richtlinien für die Fußpflege des Diabetikers:

- **Füße täglich beobachten.** Sind
  - Hautverfärbungen,
  - Druckstellen, Blasen,
  - Nagelveränderungen,
  - Hornhautverdickungen,
  - trockene, rissige Haut,
  - Ekzeme, Hühneraugen, Warzen,
  - Verletzungen und/oder
  - Empfindungsstörungen

  vorhanden? Zur Selbstkontrolle der Fußsohlen wird ein Spiegel benötigt.
- **Verletzungen und Veränderungen von Fachpersonal behandeln lassen.**
  - Bei Verletzungen und Hautveränderungen den Arzt aufsuchen.
  - Hühneraugen prinzipiell durch die medizinische Fußpflege entfernen lassen, kein Hühneraugenpflaster anwenden.
  - Hornhaut ggf. mittels Schleifgerät entfernen lassen.
- **Füße täglich waschen.**
  - Füße in lauwarmem Wasser mit geringem Zusatz milder waschaktiver Substanz waschen.
  - Bei starker Schweißsekretion Füße mehrmals täglich waschen (Aufweichen der Haut vermeiden).
  - Füße, vor allem die Zehenzwischenräume, sorgfältig trocknen (Feuchtigkeit begünstigt Keimwachstum).
  - Dauer eines Fußbades auf maximal 5 Minuten begrenzen (aufgeweichte Haut ist besonders verletzlich).
  - Wassertemperatur mittels Thermometer prüfen (bei Sensibilitätsstörungen besteht Verbrühungsgefahr).
- **Haut täglich pflegen.**
  - Trockene Haut und Hornhautpartien täglich mit einer fetthaltigen Creme oder Lotion einreiben (Vermeidung von Einrissen), Zehenzwischenräume aussparen.
  - Nur Strümpfe aus schweißaufsaugenden Naturfasern (Baumwolle, Wolle) tragen und diese täglich wechseln.
- **Verletzungen bei der Pediküre vermeiden.**
  - Nägel möglichst feilen statt schneiden, auf keinen Fall spitze Scheren und Nagelknipser verwenden.
  - Nägel an der Vorderkante gerade feilen, die Ecken leicht abrunden.
  - Hornhaut nur mittels Bimsstein entfernen, nie Rasierklingen oder Hornhauthobel benutzen.
  - Bei Sensibilitätsstörungen und Nervenschäden Pediküre durch medizinische Fußpflege durchführen lassen.
- **Geeignetes Schuhwerk tragen.**
  - Stets gut sitzende, bequeme Schuhe, die Halt und Schutz gewährleisten, tragen; auf Riemchen verzichten (Scheuereffekte und Druckstellen möglich).
  - Schuhe möglichst am späten Nachmittag einkaufen (Füße sind dann geschwollen).
  - Weiches leichtes Leder und rutschfeste, nicht zu dicke Sohlen und nicht zu hohe Absätze (maximal 3,5 cm) wählen.
  - Auf durchgehende, nahtfreie und flexible Innensohle achten (Provokation von Druckstellen).
  - Innenflächen der Schuhe und die orthopädischen Einlagen täglich auf Fremdkörper und Unebenheiten untersuchen (Verletzungsgefahr)!
  - Schuhe täglich wechseln und auslüften lassen.
  - Schuhe regelmäßig pflegen (Leder bleibt geschmeidig).

- Ggf. orthopädische Einlagen einmal jährlich überprüfen lassen.
- **Risikofaktoren vermeiden.**
  - Nie barfuß gehen (Verletzungsgefahr).
  - Keine Wärmflasche, kein Heizkissen und keine heißen Fußbäder anwenden (Verbrennungsgefahr), bei kalten Füßen warme Wollsocken tragen.
  - Keine engen Socken und keine Socken- oder Strumpfhalter tragen (Einschnürungen).
  - Nicht rauchen (Verschlechterung der Durchblutung).
  - Geeignetes Schuhwerk tragen und Pediküre fachgerecht durchführen *(siehe vorstehend)*.
- **Fußgymnastik und regelmäßige Spaziergänge durchführen** (Förderung der Durchblutung).

❒ Infektionsprophylaxe

Wegen der bereits besprochenen Infektanfälligkeit des Diabetikers sind stets die **Richtlinien der Hygiene** zur Vermeidung von (Nosokomial-) Infektionen **einzuhalten**; dies gilt insbesondere für die Wundversorgung (Infektanfälligkeit und schlechte Wundheilung).
Infektionen können wie andere Erkrankungen zu extremen Blutzuckerschwankungen führen. Bei **Verdacht auf** eine **Infektion** ist eine **ärztliche Untersuchung** erforderlich, um rasch ein Therapie einzuleiten.
Maßnahmen in bezug auf die Körperhygiene wurden zuvor bereits besprochen.
Aufgrund des erhöhten Risikos einer Harnwegsinfektion sollte das Legen eines Blasenverweilkatheters möglichst vermieden werden. Eine regelmäßige und sorgfältige Intimpflege versteht sich von selbst. Auch die weiteren zuvor besprochenen Maßnahmen dienen der Infektionsprophylaxe.

❒ Verabreichung von Medikamenten

Wichtige Informationen zum Umgang mit oralen Antidiabetika und Insulin werden unter „Therapie" besprochen.
Bei der **Anleitung** des Diabetikers **zur Selbstinjektion** ist schrittweise und geduldig vorzugehen; einige Menschen haben große Hemmungen, sich selbst zu stechen und können diese nur langsam abbauen. Die Vorgehensweise wird unter *„Instruktionsgespräch", Seite 719*, erläutert.
Muß ein Diabetiker nüchtern bleiben (z.B. vor einer Untersuchung oder Operation), entfällt die morgendliche Injektion von Normalinsulin. Der Arzt entscheidet, welche Dosis des üblich verabreichten Verzögerungsinsulins gespritzt werden soll (häufig die halbe Dosis). Orale Antidiabetika werden nicht verabreicht.
Während einer Operation werden bei Typ I Diabetes - unter wiederholten Blutzuckerkontrollen - Glukose 5%ig und Normalinsulin infundiert. Bei Typ II Diabetes infundiert man ebenfalls Glukose 5%ig; Insulin wird nur zugeführt, wenn der Blutzucker über 300 mg/dl steigt.
Postoperativ müssen engmaschige Blutzuckerkontrollen oder Blutzuckertagesprofile durchgeführt werden, um eine optimal angepaßte Diabetestherapie zu gewährleisten.

❒ Beobachtung

Einen weiteren Pflegeschwerpunkt bildet die Beobachtung des Kranken. Pflegende müssen in der Lage sein, die Zeichen von **Stoffwechselentgleisungen rasch zu erkennen** und geeignete Gegenmaßnahmen zu ergreifen sowie Blut- und Harnzuckerkontrollen durchzuführen .
Ferner richtet sich die Beobachtung auf das Erkennen von Infektionen, insbesondere von Harnwegsinfektionen, Pilzinfektionen und Infektionen der Haut. Bei Verdacht auf eine Infektion sind Temperatur- und Blutzuckerkontrollen durchzuführen.
Die Haut ist bewußt hinsichtlich Verletzungen und Druckstellen zu beobachten, da ein Diabetiker diese nicht unbedingt spürt (Sensibilitätsstörungen).

2.12.14 Hepatitis

2.12.14.1 Krankheitsbild

❒ Definition, Krankheitsentstehung, Formen und Verlauf

Bei der akuten Virushepatitis handelt es sich um eine **virusbedingte, nicht eitrige Entzündung der Leber**. Nach heutigem Erkenntnisstand kommen fünf verschiedene Viren als Verursacher der Infektion in Frage *(siehe Tabelle 2.5)*.
Weitere Viren (z.B. Cytomegalie- oder Epstein-Barr-Virus), Bakterien (z.B. Salmonellen) und Protozoen (z.B. Toxoplasmen) können neben anderen Krankheitserscheinungen auch eine Hepatitis hervorrufen.
In der Frühphase der Erkrankung kommt es in bis zu 1% der Fälle zu einem **fulminanten** *(blitzartigen)* **Verlauf**. Dieser ist durch schwerste Leberfunktionsstörungen, die zu einem - meist tödlich verlaufenden - Leberkoma führen, gekennzeichnet.
Ist die Hepatitis nach 6 Monaten nicht ausgeheilt, wird sie als **chronisch** bezeichnet. Eine Hepatitis A wird nie chronisch, eine Hepatitis B in ungefähr 10% der Fälle; eine Hepatitis C verläuft bei 50 - 80% der Erkrankten chronisch.

Erkrankung und Tod an einer Virushepatitis sind **meldepflichtig,** d.h. sie müssen beim Gesundheitsamt gemeldet werden.

❒ Symptome und Komplikationen

Die verschiedenen Virushepatitiden zeigen eine einheitliche Symptomatik; ungefähr $^{2}/_{3}$ aller Infektionen verlaufen allerdings asymptomatisch.
Typisch ist folgender Verlauf:

A) Prodromalstadium (Präikterisches Stadium)

- Appetitlosigkeit, Übelkeit, evtl. Diarrhoe;
- grippale Symptome wie Abgeschlagenheit, subfebrile Temperaturen, Kopfschmerzen;
- Druckschmerz im rechten Oberbauch;
- evtl. Gelenkschmerzen und vorübergehender Hautausschlag.

Das Prodromalstadium dauert wenige Tage - Wochen.

Erkrankung	Hepatitis A	Hepatitis B	Hepatitis C	Hepatitis D	Hepatitis E
Erreger	Hepatitis A- Virus (HAV)	Hepatitis B- Virus (HBV)	Hepatitis C- Virus (HCV)	Hepatitis D- Virus (HDV)	Hepatitis E- Virus (HEV)
Inkubationszeit in Tagen	15 - 45	30 - 180	15 - 150	30 - 180	15 - 60
Übertragungswege	fäkal - oral (über kontaminiertes Wasser und Lebensmittel; bei mangelhaften hygienischen Verhältnissen)	parenteral, sexuell, perinatal (über Körpersekrete, Blut / -produkte, kontaminierte Gegenstände)	parenteral, perinatal, sexuell	parenteral, perinatal, sexuell	fäkal - oral (wie bei Hepatitis A)
Risikogruppen	Urlauber in endemischen* Regionen, Homosexuelle	i.v.Drogenabhängige, Sextouristen, promiskuitive* Homo- und Heterosexuelle, Empfänger von Blut / -produkten, medizinisches und pflegerisches Personal, Dialysepat., in Heimen lebende geistig Behinderte, Tätowierte, Neugeborene HBs-Ag-pos. Mütter, Personen mit engem Kontakt zu HBs-Ag-Trägern	i.v. Drogenabhängige, Empfänger von Blut / -produkten oder Organen, medizinisches und pflegerisches Personal, promiskuitive* Homo- und Heterosexuelle	wie bei Hepatitis B, außerdem HBs-Ag-Träger in Endemiegebieten	Urlauber in endemischen Regionen (z.B. Ägypten, Indien, Pakistan, Sudan, Mexiko)
Nachweis	Anti- HAV-IgM im Serum HAV im Stuhl	HBs- Ag, HBe- Ag, Anti-HBc-IgM im Serum, HBc- AG im Leberpunktat	Anti- HCV (erst 3-6 Monate nach Infektion positiv)	Anti-HDV-IgM	Anti- HEV-IgM Antigen-Nachweis mittels ELISA *(siehe Seite 822)*
Infektiosität	Dauer der HAV-Ausscheidung im Stuhl	solange HBs- Ag, HBe-Ag, HBV-DNA und Anti-HBC-IgM positiv	Dauer nicht bekannt	Dauer nicht bekannt	Dauer nicht bekannt
Verlauf	akute Hepatitis, Ausheilung (100%)	- symptomatische Infektion (65%) - akute Hepatitis (25%) - chron. aggressive Hepatitis - chron. persistierende Hepatitis	- asymptomatische Infektion (90-95%) - akute Hepatitis (5-10%) - chronische Hepatitis (50%)	- akute Hepatitis B und D - chronische Hepatitis - fulminanter Verlauf (> 2%)	- akute Hepatitis, Ausheilung (90%) - fulminanter Verlauf (10-20%)

Tabelle 2.5 ***Virushepatitiden***

B) Stadium der Organmanifestation (Ikterisches Stadium)

Es kommt zur **Lebervergrößerung**. Zusätzlich entwickeln ungefähr 3o% der Erkrankten einen **Ikterus** *(siehe Seite 634)* mit den folgenden Veränderungen:

- Dunkelfärbung des Urins, Entfärbung des Stuhls (acholischer = *grauer, lehmfarber Stuhl)* ;
- Gelbfärbung der Skleren, dann der Haut;
- Juckreiz;
- häufig Verbesserung des Allgemeinbefindens (bei Einsetzen des Ikterus).

Dieses Krankheitsstadium dauert 4 - 8 Wochen; währenddessen können **Komplikationen** auftreten:

- Cholestatischer Verlauf; es kommt infolge einer Gallestauung zum deutlichen Bilirubinanstieg und zur Entwicklung eines Ikterus;
- protrahierender (*schleichender)* und rezidivierender Verlauf; die Normalisierung der erhöhten Leberwerte ist verzögert;
- fulminanter (*blitzartiger, oft tödlicher Verlauf);* Lebernekrosen führen zu schwersten Leberfunktionsstörungen und zur Entwicklung eines Leberkomas;

höht sein, es ist **auf (versteckte) Signale** der Gesprächsbereitschaft und der Suche nach Hilfe zu **achten** sowie einzugehen. Der Kontakt zu einem **Sozialarbeiter**, der z.B. Gespräche führen und einen Therapieplatz organisieren kann, ist anzubieten.
Der Kranke muß hinsichtlich möglicher **Entzugssymptome beobachtet** werden, z.B. Zittern, Unruhe, Schmerzen, Halluzinationen, Erbrechen und Kreislaufprobleme.
Besonders wichtig ist die **Aufklärung** des Patienten über die Infektionsgefahr durch den gemeinsamen Gebrauch benutzter Spritzen.
Da es immer wieder vorkommt, daß Drogenabhängige Medikamente, Spritzen und Kanülen stehlen, ist einmal mehr darauf zu achten, daß das **Dienstzimmer nicht unbeobachtet** bleibt und daß die Medikamente unter Verschluß sind.

❒ Besonderheiten bei der Versorgung eines Verstorbenen

Aus infektionsprophylaktischen Gründen sind bei der Versorgung eines toten hepatitiskranken Menschen Einwegkittel und -handschuhe zu tragen; der Leichnam muß vollständig von einem Plastiksack, der für hochinfektiöse Patienten geeignet ist, umhüllt sein. Das Personal des Beerdigungsinstitutes ist über die Diagnose bzw. über die Infektiosität zu informieren.

2.12.14.4 Prävention

Zum Schutz vor einer Infektion mit dem Hepatitis A- und dem Hepatitis B- Virus stehen spezifische Impfstoffe zur Verfügung.
Eine **aktive Hepatitis-B-Schutzimpfung**, z.B. mit Gen H-B-Vax® oder Engerix-B® wird für Risikogruppen *(siehe Tabelle 2.5)* empfohlen; seit 1997 empfiehlt die WHO für alle Länder die Aufnahme der Impfung in den Impfkalender für Kinder und Jugendliche *(siehe Seite 481)*.
Zur Grundimmunisierung sind je nach Impfstoff 3 oder 4 Injektionen in bestimmten Zeitabständen erforderlich; vier Wochen nach Abschluß (und nach einer Auffrischimpfung) wird der anti- HBs-Titer quantitativ bestimmt. Anhand des Ergebnisses kann die voraussichtliche Dauer des Impfschutzes berechnet werden. Bei einem Wert unter 10 IU / l ist eine sofortige Wiederimpfung erforderlich.
Nebenwirkungen sind im allgemeinen leichterer Art. An der Injektionsstelle können lokale Reaktionen wie Rötung, Schwellung und Schmerz auftreten. Allgemeinreaktionen wie Übelkeit, Abgeschlagenheit und Fieber treten selten auf. Weitere Reaktionen wie Schüttelfrost, Parästhesien*, Lymphknotenschwellung oder Hypotonie wurden nur vereinzelt beobachtet.
Eine **passive Immunisierung gegen Hepatitis B** ist nach Kontakt mit virushaltigem Material, z.B. bei einer Nadelstichverletzung, angezeigt. Das Gammaglobulinpräparat muß innerhalb von 6 Stunden verabreicht werden; danach ist die Schutzwirkung eingeschränkt, da das Virus die Zielzellen in der Leber bereits infiziert hat.
Nicht nur deshalb sollten Pflegende sich direkt nach einer Exposition mit HBV beim Betriebsarzt melden, sondern auch, um den Vorfall für die Berufsgenossenschaft zu dokumentieren (wichtig, um ggf. später die Anerkennung einer Hepatitis B als Beruferkrankung zu erreichen).
Eine **aktive Hepatitis-A-Schutzimpfung** wird für Reisende in Gebiete mit hoher HAV- Durchseuchung, z.B. Türkei, Bulgarien, Indien oder Afrika, empfohlen. Außerdem ist die aktive Schutzimpfung z.B. für gefährdetes Personal in medizinischen Einrichtungen, Kinderheimen und Einrichtungen für geistig Behinderte angezeigt.
Die **passive Immunisierung gegen Hepatitis A** kann kurzfristig vor einer Reise in ein Land mit hoher HAV-Durchseuchung durchgeführt werden, der Schutz durch die Immunglobuline hält allerdings nur ca. 3 - 6 Monate.

2.12.15 Leberzirrhose (und Leberausfallkoma)

2.12.15.1 Krankheitsbild

❒ Definition und Krankheitsentstehung

Bei der Leberzirrhose handelt es sich um eine fortschreitende **irreversible Zerstörung der Läppchen- und Gefäßstruktur der Leber**, die mit einem narbig - bindegewebigen minderwertigen Umbau der Leberstruktur einhergeht. In der Folge kommt es zur Minderdurchblutung mit deutlicher **Funktionseinschränkung** der Leber und zur **portalen Hypertension** *(Pfortaderhochdruck)*.
Ursache einer Leberzirrhose ist in ca. 50% der Fälle Alkoholabusus, bei ca. 40% liegt eine chronische Virushepatitis zugrunde. Seltene Ursachen sind z.B. ein kompliziertes Gallensteinleiden (*sekundär biliäre Zirrhose*) oder bestimmte Stoffwechselkrankheiten.

❒ Symptome und Diagnose

Die Leberzirrhose führt erst im fortgeschrittenen Stadium zu Beschwerden und anderen Krankheitszeichen:

- **Allgemeinsymptome** wie Leistungsminderung, psychische Verstimmung, Gewichtsverlust, Übelkeit, Druck- oder Völlegefühl im Oberbauch;
- **Leberhautzeichen** wie Spider naevi *(Gefäßsternchen, -spinnen, siehe Seite 180)*, Teleangiektasen (*Erweiterung kleiner oberflächlicher Hautgefäße)*, Weißfleckung der Haut bei Abkühlung, Weißnägel, Palmar- und Plantarerythem *(Rötung der Hand- und Fußinnenflächen)*, Lackzunge / -lippen (*rote und glatte Zunge / Lippen)*, Mundwinkelrhagaden (*linearer Einriß an den Mundwinkeln)*, Caput medusae (*„Medusenhaupt", verstärkte Venenzeichnung auf der Bauchhaut)*, evtl. Ikterus (*Gelbfärbung der Haut)* und Kratzspuren auf der Haut sowie Dupuytren' - Kontraktur *(Beugekontraktur der Finger, besonders des Ringfingers);*
- **hormonelle Störungen,** die sich beim Mann durch Verlust der Sekundärbehaarung (*„Bauchglatze")*, Potenzstörungen, Hodenatrophie und Gynäkomastie (*Brustbildung)*, bei der Frau durch Menstruationsstörungen und evtl. sekundäre Amenorrhoe (*Ausbleiben der Periode)* bemerkbar machen;

- Leberveränderungen im Tastbefund, die Leber ist in vielen Fällen vergrößert, verhärtet und derb; im Endstadium ist die Leber verkleinert *(Schrumpfleber)*.

Hinweise auf die **Diagnose** geben die klinischen Zeichen, die Oberbauchsonographie, die Gastroskopie (Nachweis von Ösophagus- und Fundusvarizen) sowie typische Laborbefunde (Cholinesterase, Albumin und Gerinnungsfaktoren sind vermindert, im Blutbild werden eine Anämie, Leukozytopenie und Thrombozytopenie sichtbar, bei entzündlichem Schub sind Transaminasen, GLDH und Gamma- GT erhöht).
Die Diagnose wird durch eine Oberbauchsonographie, Gastroskopie (Nachweis von Ösophagus- und Fundusvarizen) und Laparoskopie mit Leberbiopsie gesichert.

❒ Komplikationen und Prognose

Bei der Leberzirrhose handelt es sich um eine fortschreitende, nicht heilbare Krankheit; eine durch Alkohol verursachte Erkrankung kann bei Alkoholabstinenz allerdings günstig beeinflußt werden.
Im fortgeschrittenen Stadium führen die Komplikationen Ösophagusvarizenblutungen, Leberversagen *(Leberausfallkoma)* oder primäres Leberzellkarzinom zum Tod.

Der **Pfortaderhochdruck** *(portale Hypertension)* entwickelt sich infolge des Umbaus der Leberstruktur, der eine Widerstandserhöhung im Stromgebiet der Pfortader und der arteriellen Lebergefäße bedingt. Der dadurch entstehende Blutstau führt zur **Ausbildung von Kollateralkreisläufen** *(Umgehungskreisläufe)* zwischen der Pfortader und dem Venensystem im Bereich der Vena cava inferior (*untere Hohlvene).* So entstehen Ösophagus- und Fundusvarizen, Hämorrhoiden, die deutlich sichtbare Venenschlängelung auf der Bauchhaut *(Caput medusae)* und andere Leberhautzeichen. Die Ruptur von Ösophagusvarizen führt in vielen Fällen zum **Tod durch Verbluten** *(siehe Seite 138)*.
Weitere Folgen des Pfortaderhochdrucks sind **Aszites** *(Bauchwassersucht, siehe „Hepatogene Ödeme", Seite 637)* und Splenomegalie *(Milzvergrößerung),* die evtl. mit vermehrtem Abbau von Blutkörperchen einhergeht und zu **Thrombo-, Leukozytopenie und Anämie** führt.
Die zirrhotische Leber ist nicht in der Lage, ausreichend Albumine und Gerinnungsfaktoren zu produzieren; dadurch entstehen eine **erhöhte Blutungsneigung** und ein **Eiweißmangel**, der die Entwicklung von Ödemen fördert.

Zu einer **hepatischen Enzephalopathie** (*nicht entzündliche Schädigung des Gehirns infolge mangelhafter Entgiftungsfunktion der Leber*) kommt es zum einen aufgrund der Insuffizienz der Leber, zum anderen, weil das über die Kollateralgefäße fließende Blut an der „Entgiftungsstation" Leber vorbeigeleitet wird. So gelangen Stoffe, die für das Zentralnervensystem toxisch sind, wenn sie nicht in der Leber umgebaut wurden, hochkonzentriert über das Blut zum Gehirn; es handelt sich um Ammoniak, Indole, Phenole und Amine.
Bestimmte Faktoren führen zu einem vermehrten Anfall dieser Stoffe, verschlechtern den Zustand und **können ein Leberausfallkoma** hervorrufen.

- Gastrointestinale Blutungen, besonders eiweißreiche Kost (Festessen) und Obstipation, weil sie die Ammoniakbildung im Darm erhöhen;
- fieberhafte Infekte, Operationen und Traumen, weil sie mit einer Intensivierung des Eiweißstoffwechsels einhergehen;
- Einnahme von bestimmten Sedativa und Analgetika;
- Elektrolytverschiebungen, z.B. infolge einer intensiven Diuretikatherapie oder einer Aszitespunktion;
- Alkoholzufuhr.

Eine hepatische Enzephalopathie wird entsprechend der beobachtbaren Symptome, d.h. in erster Linie anhand der neurologischen Ausfallerscheinungen und der psychischen Veränderungen, in vier Stadien eingeteilt.

Stadien der hepatischen Enzephalopathie
(nach G. HEROLD)

Stadium I: Beginnende Schläfrigkeit,
Verwirrung, Konzentrationsschwäche, Verlangsamung, Stimmungsschwankungen, verwaschene Sprache, Flapping tremor *(Flattertremor, grobschlägiges Händezittern beim Versuch, die Hand bei gestreckten Fingern geradezuhalten)*

Stadium II: Stärkere Schläfrigkeit und Apathie,
Veränderungen von Schriftproben und EEG, Flapping Tremor

Stadium III: Patient schläft fast stets,
ist jedoch weckbar, Korneal- und Sehnenreflexe erhalten, einsetzender Foetor hepatikus (*Geruch nach roher Leber)*, Flapping Tremor noch vorhanden, EEG- Veränderungen

Stadium IV: Koma *(tiefer Schlaf),*
Patient reagiert nicht mehr auf Schmerzreize, Kornealreflexe erloschen, unverkennbarer Foetor hepatikus, Flapping tremor fehlt meistens, EEG- Veränderungen

Dritte Komplikation bei Leberzirrhose ist **das primäre Leberzellkarzinom.** Der Kranke leidet unter Druckschmerz im rechten Oberbauch, Müdigkeit und Gewichtsverlust; evt. entwickelt sich ein Aszites. Die Prognose ist schlecht, nur in wenigen Fällen hat eine Leberteilresektion oder eine Lebertransplantation Aussicht auf Erfolg. Als palliative Maßnahmen kommen eine Zytostatika- und/oder Bestrahlungstherapie in Frage.

❒ Therapie

Die Leberzirrhose ist - abgesehen von wenigen Ausnahmefällen - nicht heilbar. Die Behandlung erstreckt sich auf die **Linderung der Symptome**, das **Ausschalten schädlicher Faktoren** und die Verringerung weiterer Krankheitsfolgen.

- Alkoholabstinenz;
- Verzicht auf lebertoxische Medikamente;
- bei Bedarf Substitution fehlender Vitamine (Vitamin B_1, B_6, B_{12}, Folsäure, A, D, E, K);
- ausgewogene, leicht verdauliche, vitamin- und eiweißreiche Vollkost;

- **bei Aszites u.a. Ödemen** Reduktion der Flüssigkeits- und Kochsalzzufuhr, eiweißreiche Kost (nicht bei hepatischer Enzephalopathie), evtl. zusätzlich Diuretikatherapie *(siehe Seite 287)* und evtl. Entlastungspunktion *(siehe „Aszitespunktion", Seite 190)*;
- **bei leichter und bei schwerer hepatischer Enzephalopathie** Reduktion der Eiweißzufuhr *(siehe nachfolgend "Essen und Trinken")*;
- **bei Enzephalopathie** Entfernung ammoniakbildender Substanzen aus dem Darm mittels oraler Verabreichung eines salinischen Abführmittels (Magnesiumsulfat) und eines hohen Darmeinlaufs *(siehe Seite 213)*; ferner langfristige Unterdrückung der ammoniakbildenden Darmflora durch Gabe von Laktulose (z.B. Bifiteral®) und kurzfristige Zerstörung der Bakterienflora durch Gabe schwer resorbierbarer Antibiotika (z.B. Bykomycin®);
- **bei Leberausfallkoma** parenterale Ernährung mit verzweigtkettigen Aminosäuren, Überwachung und Korrektur des Flüssigkeits- und Elektrolythaushaltes, Substitution von Gerinnungsfaktoren und Vitamin K, medikamentöse Darmsterilisation (z.B. mit Neomycin) zur Unterdrückung der ammoniakbildenden Darmflora;
- Behandlung bei **Ösophagusvarizen / -blutung** *(siehe Seite 139)*;
- **bei terminaler Leberinsuffizienz** evtl. Lebertransplantation.

2.12.15.2 Zur Situation eines Betroffenen

Eine Leberzirrhose im Anfangsstadium wird kaum wahrgenommen, da sie keine (spezifischen) Beschwerden hervorruft. Im Verlauf der Erkrankung kommt es jedoch fortschreitend zu **psychischen Veränderungen**, Verwirrtheitszuständen sowie zu **körperlichem und intellektuellem Abbau**; diese Auswirkungen können einen Betroffenen stark belasten und einschränken. Lebensbedrohliche Komplikationen wie Ösophagusvarizenblutungen verstärken das Leiden ganz deutlich. Menschen, die an einer fortgeschrittenen Leberzirrhose leiden, fühlen sich elend, leiden z.B. unter Atemnot und Bewegungseinschränkung (Aszites), Stimmungsschwankungen und Verwirrtheit. Erschwerend kommt die schlechte Prognose, d.h. die Gewißheit oder die **Ahnung, nie wieder gesund zu werden**, hinzu.

Bei einem alkoholkranken Menschen kommt nicht selten die Angst vor Diskriminierung hinzu, mancher wird erst im Rahmen einer stationären Behandlung als Alkoholiker erkannt und dadurch erstmals mit den Reaktionen der Mitmenschen konfrontiert. Weitere Informationen zur Situation eines alkoholkranken Menschen sind auf *Seite 763* nachzulesen.

Menschen, deren Leberzirrhose nicht durch Alkoholabusus verursacht wurde, haben evtl. ebenfalls unter den Vorurteilen nicht informierter Menschen zu leiden.

2.12.15.3 Pflegeschwerpunkte

Die Pflegeschwerpunkte ergeben sich aus den Krankheitsauswirkungen für den Patienten, den möglichen Komplikationen und den ärztlich verordneten Therapiemaßnahmen.

❒ Essen und Trinken

- Aufgrund der Leberinsuffizienz ist bei alkoholbedingter Zirrhose eine **absolute Alkoholkarenz** erforderlich. Pflegende können ein entsprechend kooperatives Verhalten des Kranken durch Anerkennung seines Verzichtes positiv verstärken. Befolgt er die ärztliche Verordnung nicht, unterstützen Pflegende die konsequente Hinwirkung auf eine Entzugstherapie.
  Der Kranke muß generell **auf die eigenmächtige Einnahme von Medikamenten verzichten**; der Arzt ordnet im Bedarfsfall ein geeignetes Medikament in vertretbarer Dosis an.
- Um Beschwerden im Zusammenhang mit der Nahrungsaufnahme vorzubeugen bzw. entgegenzuwirken, wird eine **leicht verdauliche Vollkost** empfohlen; eine spezielle Diät ist nicht angezeigt. Die Kost soll **vitamin- und kohlenhydratreich** sein, um Mangelerscheinungen auszugleichen bzw. zu vermeiden. Aus diesem Grund wird die Eiweißzufuhr nicht reduziert, solange keine hepatische Enzephalopathie vorliegt. Entwickelt sich diese, muß die **Eiweißzufuhr** jedoch zunächst auf 50 g/Tag, **bei schwerer Enzephalopathie** auf ca. 25 g/Tag (0,35 - 0,4 g/kg / Körpergewicht) **reduziert** werden. Bei Rückbildung der Symptomatik wird die Eiweißzufuhr alle 3 - 4 Tage um 10 g gesteigert; dabei sind pflanzliche Eiweiße und Milch / -produkte zu bevorzugen.
- Bei Ödembildung werden die **Kochsalz- und die Flüssigkeitszufuhr reduziert**. Zur Verlaufskontrolle sollte bei Aszites täglich eine Gewichtskontrolle durchgeführt und der Bauchumfang gemessen werden.
- **Bei** nachgewiesenen **Ösophagusvarizen** werden nur weiche, nicht scharf gewürzte sowie wohltemperierte Speisen serviert; der Kranke wird angehalten, gut zu kauen (**Verletzungs- / Blutungsprophylaxe**).

❒ Für Sicherheit sorgen

- Bei fortgeschrittener Leberzirrhose kann sich eine **hepatische Enzephalopathie** bis hin zum Leberausfallkoma entwickeln; durch eine sorgfältige und regelmäßige Krankenbeobachtung kann diese Komplikation frühzeitig erkannt werden. Die **Beobachtung** richtet sich auf die psychische Verfassung, den Bewußtseinszustand, die Sprech- und Schreibfähigkeit, die Reflexe und den Atemgeruch (*siehe vorstehend „Stadien der hepatischen Enzephalopathie)*. Die intellektuellen Fähigkeiten können mittels **Schriftprobe, Rechenaufgabe** oder Streichholztest (man läßt den Kranken z.B. den Umriß eines Hauses legen) geprüft werden; die Koordination dieser Aktivitäten ist deutlich beeinträchtigt.
- Bei einer **hepatischen Enzephalopathie** wird der Kranke auf der **Intensivstation** betreut. Vorrangig ist die Verringerung hirntoxischer Substanzen aus dem Eiweißstoffwechsel. Dazu wird die **Eiweißzufuhr reduziert** *(siehe vorstehend)* und die **Ammoniakbildung durch Darmbakterien unterdrückt**, indem Laktulose (z.B. täglich 3 x 10 - 40 ml Bifiteral®) und schwer resorbierbare Antibiotika verabreicht werden. Zusätzlich können hohe Einläufe mit körperwarmer physiologischer Kochsalzlösung verabreicht werden.
- **Bei einem (beginnenden) Leberausfallkoma** erstreckt sich die **Beobachtung** auch auf die **Vitalzeichen** so-

wie den Flüssigkeits- und Elektrolythaushalt; der individuelle Pflegebedarf wird ermittelt und die erforderlichen **Prophylaxen** werden durchgeführt.

- Bei bestehender **Blutungsneigung** sind die Haut, die Schleimhäute und die Ausscheidungsprodukte hinsichtlich möglicher Blutungen / Blutbeimengungen zu beobachten. **Verletzungen, z.B. durch eine harte Zahnbürste** oder **harten Stuhl,** der Blutungen provozieren kann (vor allem bei Hämorrhoiden), ist **vorzubeugen**. Evtl. sind intramuskuläre Injektionen kontraindiziert.
- Im Zusammenhang mit Verwirrtheit und Enzephalopathie kann es zu selbstgefährdendem Verhalten kommen; ein Kranker kann z.B. ohne Rücksicht auf die laufende Infusion und den Blasenverweilkatheter aufstehen und sich verletzen. Deshalb sind bei Bedarf häufige Kontrollen, in Ausnahmefällen auch eine Fixierung des Kranken, erforderlich.
- Je nach Allgemeinzustand, vor allem bei Ödemen, können **dekubitus- und thromboseprophylaktische Maßnahmen** angezeigt sein.
- Bei deutlich reduziertem Allgemeinzustand ist die **Infektabwehr geschwächt**, so daß unbedingt die allgemeinen **hygienischen Maßnahmen** einzuhalten sind; außerdem ist eine sorgfältige **Mundhygiene** erforderlich.

❒ Sich Pflegen

- Bei beeinträchtigtem Allgemeinzustand benötigt der Kranke **Unterstützung bei der Körperpflege**. Ferner wird er über die Blutungsneigung informiert sowie zu einer **schonenden Haut- und Mundpflege** angehalten. Um das Risiko von Verletzungen und Juckreiz möglichst gering zu halten, ist für eine geschmeidige, gut gefettete Haut zu sorgen. Evtl. muß auf eine Naßrasur verzichtet werden.
- Bei einem Ikterus kommt es infolge der eingelagerten Gallensäuren zu **Juckreiz**. Linderung verschaffen **kühle Abreibungen**, juckreizstillender Puder und das Eincremen der Haut *(siehe Seite 941)*.

❒ Atmen

- Bei einem ausgeprägten **Aszites** ist die Atmung aufgrund des Zwerchfellhochstands beeinträchtigt; der Kranke leidet unter **Atemnot**, die bei körperlicher Aktivität verstärkt wird. Zur Linderung sind körperliche **Schonung** und **Oberkörperhochlagerung** *(siehe Seite 41)* angezeigt. Zusätzlich können sich Atelektasen und eine Pneumonie entwickeln. Prophylaktisch ist der Kranke stündlich zu **tiefem Durchatmen** aufzufordern.

❒ Ausscheiden

- **Bei hepatischer Enzephalopathie** wird zur Entfernung ammoniakbildender Substanzen aus dem Darm kurzfristig die tägliche orale Verabreichung eines **salinischen Abführmittels** (Magnesiumsulfat) und eines schwer resorbierbaren Antibiotikums sowie die Durchführung eines **hohen Darmeinlaufs** mit physiologischer Kochsalzlösung angeordnet; langfristig wird die ammoniakbildende Darmflora durch Gabe von **Laktulose** (z.B. Bifiteral®) unterdrückt. Laktulose fördert gleichzeitig die Verdauung; angestrebt wird das tägliche Absetzen von 2-3 weichen Stühlen. Damit wird gleichzeitig der Verletzung von Hämorrhoiden durch harten Stuhl vorgebeugt.
- Zur Ausschwemmung des Aszites und peripherer **Ödeme** wird bei Versagen der diätetischen Maßnahmen ein **Diuretikum*** (z.B. Spironalacton, *siehe Seite 287)* verordnet. Zur Verlaufskontrolle sind eine **Flüssigkeitsbilanzierung** *(siehe Seite 199)* und das tägliche Wiegen des Kranken erforderlich.

❒ Sich Bewegen

- Eine allgemeine Schwäche und Bewußtseinsveränderungen gehen - in unterschiedlichem Ausmaß - mit **Bewegungseinschränkung** einher. Bei Bewußtseinsveränderungen ist **Bettruhe** angezeigt, ansonsten erfolgt eine **vorsichtige Mobilisation** außerhalb des Bettes. Bei Bettruhe und Immobilität werden **passive bzw. aktiv- assistive Bewegungsübungen** *(siehe Seite 545)* zur Kontrakturen-, Thrombose- und Dekubitusprophylaxe erforderlich.
- Ein **Aszites** schränkt auch die Mobilität ein, die Bewegungen fallen schwer, oft wird dabei „die Luft knapp".

❒ Wach sein, Ruhen und Schlafen

- Dem gesteigerten Ruhebedürfnis des Kranken wird durch **allgemeine Schonung** und Liegezeiten im Bett begegnet.
- **Bei Verschlechterung** des Zustandes, vor allem bei hepatischer Enzephalopathie, ist für **weitgehende Bettruhe** zu sorgen, um den Kranken zu schützen und um die Leberdurchblutung zu verbessern.
- **Bei Aszites** und peripheren Ödemen **begünstigt Bettruhe** - in Kombination mit weiteren Maßnahmen - die **Ausschwemmung** von Ödemen. Bei Atemnot ist der Oberkörper auch während der Schlafzeiten zur Atemerleichterung erhöht zu lagern.

❒ Geschlechtliches Erleben und Verhalten

- Veränderungen des äußeren Erscheinungsbildes, z.B. die Gelbverfärbung der Haut oder ein Aszites, können von einem Betroffenen sehr belastend empfunden werden und ihn veranlassen, sich zurückzuziehen.
- Die **hormonellen Störungen** gehen beim Mann mit Behaarungsanomalien, Potenzstörungen und evtl. zusätzlich mit einer Gynäkomastie* einher. Die Reaktionen auf diese Veränderungen sind sehr verschieden; einige Männer ziehen sich zurück oder vermeiden sexuelle Kontakte. Andere reagieren eher gelassen. Pflegende können Verständnis zeigen und Gesprächsbereitschaft signalisieren oder bei Bedarf ein **Gespräch** mit dem Arzt vermitteln.

❒ Sinn finden

- Die Leberzirrhose hat deutliche Auswirkungen auf alle Dimensionen des menschlichen Lebens, da sie mit **körperlichen, seelisch- geistigen** und meist auch **sozialen Beeinträchtigungen** einhergeht. Mit Fortschreiten der Erkrankung wird auch das **Näherrücken des Todes** erkannt und löst z.B. Ängste, Verdrängung oder eine Auseinandersetzung mit dem gelebten Leben, dem bevorstehenden Abschied und dem Tod aus. Der individuelle Umgang mit dieser Situation ist nicht vorhersehbar. Das seelische Erleben eines hirngeschädigten und verwirrten Menschen ist für einen Gesunden ohnehin kaum nachvollziehbar. So bleibt ein aufmerksamer, ernsthafter und einfühlsamer Umgang mit dem Kranken. Obwohl an sich selbstverständlich, soll in diesem Zusammenhang noch einmal die Akzeptanz jeder Person und seiner menschlichen Würde gefordert werden. Es kommt immer wieder vor, daß alkoholkranke Menschen selbst in existentiell bedrohlichen Lebenssituationen unter Diskriminierung und mangelnder Wertschätzung leiden müssen.

2.13 Eßstörungen

Bei den sogenannten Eßstörungen ist das **Eßverhalten** eines Betroffenen aufgrund überwiegend psychosozialer Probleme **gestört.**
Nach DIETMAR HÄNSEL reicht die Symptomatik der Eßverhaltensstörungen von

- zeitweiser totaler **Nahrungsverweigerung** oder **Nahrungsbegrenzung** beziehungsweise **Diät**,
- über Nahrungsbegrenzung und **verschiedene Versuche der Gewichtsbegrenzung** wie Abführmittelmißbrauch, Erbrechen, verstärkte körperliche Aktivität, Einsatz von Appetithemmern,
- zu gelegentlichen Eßdurchbrüchen mit Erbrechen,
- zu **Freßanfällen mit Erbrechen** oder zu phasenweisem Überessen mit Gegensteuerungsversuchen, welche sowohl das Eßverhalten als auch den drohenden Gewichtsanstieg betreffen,
- bis hin zu dauerhaftem kontinuierlichem Überessen.

Die verschiedenen Formen können ineinander übergehen und variieren in ihrem Ausmaß; trotz zugrunde liegender charakteristischer psychischer Konflikte *(siehe nachfolgend)* sind in jedem Fall die individuellen psychischen Probleme und Gegebenheiten differenziert wahrzunehmen.
Die häufigsten Eßstörungen sind die Anorexia nervosa, die Bulimia nervosa und die Eß- Sucht; ihnen gemeinsam sind eine **gestörte Einstellung zum Essen, ein gestörtes Körperschema** und eine Störung der Impulskontrolle des Eßverhaltens.

2.13.1 Anorexia nervosa

Syn.: Magersucht, Pubertätsmagersucht

2.13.1.1 Krankheitsbild

❒ Definition, Erscheinungsbild und Diagnostik

Die Magersucht ist eine psychogene, häufig lebensbedrohliche Eßstörung mit Suchtcharakter. Sie betrifft in 90% der Fälle das weibliche Geschlecht und beginnt vorzugsweise in der Pubertät. Die AMERICAN PSYCHIATRIC ASSOCIATION definiert die Anorexia nervosa wie folgt:

- intensive **Angst, dick zu werden**, welche sich auch mit abnehmendem Gewicht nicht wesentlich mindert;
- Körperschemastörungen: Sich auch bei Untergewicht noch dick zu fühlen;
- **Gewichtsverlust** von mindestens 25% des früheren Gewichts (Anmerkung: Bei unter 18jährigen können der Gewichtsverlust und die zu erwartende Gewichtszunahme nach Wachstumstabellen kombiniert werden, um den Gewichtsverlust zu berechnen);
- **Weigerung**, das Körpergewicht auf einem Minimum des für Alter und Größe **normalen Gewichts zu halten**;
- **Fehlen somatischer Erkrankungen**, die für den Gewichtsverlust verantwortlich gemacht werden können.

Das andere große Diagnosesystem, das ICD10, führt demgegenüber eine endokrine Störung auf der Hypothalamus-Hypophysen-Gonaden-Achse an, die sich bei Frauen als Amenorrhoe und bei Männern als Libido- und Potenzverlust zeigt.

Der Gewichtsverlust wird durch **Hungern** herbeigeführt, die Betroffenen legen selbst keine untere Gewichtsgrenze fest. Nicht immer gelingt die Einhaltung der starken **Nahrungsbegrenzung**, so daß es gelegentlich zu „Eß- Durchbrüchen“ kommt; zur Vermeidung einer Gewichtszunahme wird allerdings mit **Erbrechen** und/oder Einnahme von Abführmitteln auf solche „Vorfälle“ reagiert.
Bei vielen Betroffenen tritt das Erbrechen nach der Nahrungsaufnahme bald automatisiert ein; zusätzlich können **weitere Maßnahmen zur Gewichtsreduktion** ergriffen werden: hochdosierte Einnahme von Abführmitteln, häufig auch von Appetitzüglern und/oder Diuretika* sowie extreme körperliche Aktivitäten.
Die extreme Angst vor der Gewichtszunahme führt zur zwanghaften Beschäftigung mit dem Gewicht und dem Essen, bald kreisen die Gedanken ausschließlich um dieses Problem (**Suchtcharakter** der Krankheit).
Weitere **Folgen** sind Stoffwechselstörungen, Kachexie*, erniedrigte Körpertemperatur und Pulsfrequenz, niedriger Blutdruck, Obstipation, Amenorrhoe*, Knöchelödeme und Lanugobehaarung (*Flaumbehaarung wie bei Neugeborenen).* Bei einem Körpergewicht unter 40 kg besteht **Lebensgefahr**; in 10-20 % der Fälle verläuft die Erkrankung tödlich (Tod infolge Unterernährung, Herzrhythmusstörungen, Suizid). Betroffene erleben ihren Zustand jedoch als „normal“ und zeigen **keine Krankheitseinsicht**. Erstaunlich ist ihre Leistungsfähigkeit; die sonst bei Kachexie übliche Schwäche ist nicht zu beobachten, statt dessen Hyperaktivität.
Als **Ursache** der Erkrankung wird eine psychische **Störung der Selbstentwicklung**, die sich auf dem Boden bestimmter **familiendynamischer Faktoren** entwickelt, angenommen; zu diesen zählen vor allem übersteigerte Leistungserwartungen und Überfürsorglichkeit der Eltern, Selbstlosigkeit und Perfektionismus als Ideale sowie eine dominierende Mutter. Während der Pubertät kommt es zum Konflikt zwischen dem Streben nach der erwünschten, zum Erwachsenwerden gehörenden Autonomie* und dem Nicht-Loslassen-Können der Bindung an die Primärfamilie. Die Mutter wird in sozialer und in sexueller Hinsicht nicht als weibliches Vorbild anerkannt; statt dessen wird die eigene Weiblichkeit abgelehnt. Folge ist ein gestörtes Körperbild; das Abmagern verhindert die Ausbildung weiblicher Körperformen. Gleichzeitig verschiebt sich die Aufmerksamkeit auf geistige Aktivitäten *(Sublimation),* mit einer

enthaltsamen Lebensweise *(Askese)* wird eine körperliche Bedürfnislosigkeit angestrebt, die dem familiären Ideal entspricht. Somit wird die Anpassung an familiäre Normen höher bewertet als die eigenen Gefühle; die Betroffenen haben nicht gelernt, auf ihre persönlichen Erfahrungen zu vertrauen.
Die Magersucht steht im Zusammenhang mit Problemen der **Entwicklung** und der **Akzeptanz** der eigenen **geschlechtlichen Identität** sowie im Zusammenhang mit **Problemen des Erwachsenwerdens**.

2.13.1.2 Zur Situation einer Betroffenen

Die Tatsache, daß die Magersucht fast immer in der Pubertät bzw. bei jungen Frauen auftritt, weist darauf hin, daß die Betroffenen extreme Konflikte mit der diesbezüglichen Entwicklung haben; diese erreichen jedoch nur bei bestimmten persönlichen Gegebenheiten und familiären Verhältnissen ein krankmachendes Ausmaß. Mit dem gestörten Eßverhalten können zum einen **Fürsorge** oder zumindest **Beachtung erlangt** und gleichzeitig **Einflußnahme** auf die Familienmitglieder ausübt werden; zum anderen kann durch die Verneinung der körperlich- triebhaften Wünsche dem Bestreben, auch die innere **Situation zu beherrschen**, nachgekommen werden. Die Nahrungsverweigerung stellt einen **Protest** gegen die übermäßige Kontrolle der Familie dar; sie hat dabei einen sich selbst bestrafenden, selbstzerstörerischen Charakter, einige Autoren sprechen von **chronischem Suizid**. Körperliche Bedürfnisse werden abgelehnt, geistige Interessen dagegen überbewertet.
Eine Betroffene nimmt jedoch weder ihren Konflikt, noch ihr krankhaftes Verhalten bewußt wahr. Die Störung des Körperschemas geht mit einer **panischen Angst vor der Gewichtszunahme** und mit einer **Fehlwahrnehmung des eigenen Körpers** einher, der - auch bei hochgradiger Abmagerung - als (an einigen Stellen) zu dick oder als schlank, niemals als zu dünn empfunden wird. Die Gewichtsabnahme wird zum nicht mehr kontrollierbaren **Zwang**, es gibt kein nach unten festgelegtes Gewicht, bei dem das Ziel erreicht wäre. Die in der Regel intelligenten Mädchen / Frauen sind nie um eine Ausrede für ihre stark eingeschränkte Nahrungsaufnahme verlegen. Die Gewichtabnahme wird häufig durch das Tragen mehrschichtiger weiter Kleidung („*Zwiebelprinzip*“) kaschiert; damit wird auch dem erhöhten Wärmebedürfnis entsprochen. Weitere Maßnahmen zur Gewichtsreduktion wie Erbrechen, sportliche Leistungen und Abführmitteleinnahme werden heimlich durchgeführt. Eine Magersüchtige erlebt ihren Zustand auch in fortgeschrittenem Stadium nicht als bedrohlich, es **fehlt jede Krankheitseinsicht**; entsprechend wird auch Hilfe abgewiesen.
Diese Begebenheit und das Bestreben, die Kontrolle über die Situation zu behalten, erschweren eine Behandlung enorm. Magersüchtige sind oft kaum zugänglich und können nur durch geschultes Personal und ein spezielles therapeutisches Vorgehen erreicht werden.

2.13.1.3 Therapie und Pflege

Die Behandlung einer Anorexia nervosa gestaltet sich aufgrund der fehlenden Krankheitseinsicht und der Schwere der Störung **außerordentlich schwierig**. Wenn aufgrund des geringen Gewichtes akute Gefahr besteht oder das in der ambulanten Therapie festgelegte Gewicht deutlich unterschritten wird, sind eine stationäre Behandlung und im Extremfall eine **künstliche Ernährung** angezeigt. Die Sondenernährung muß dann oft zwangsweise erfolgen, um die Patientin vor dem drohenden Tod zu bewahren.
Es sollte immer eine **freiwillige Behandlung angestrebt** werden; Therapieziele und Maßnahmen sind möglichst mit der Patientin gemeinsam zu planen und von allen Beteiligten (d.h. von der Kranken, ihrer Familie, den Ärzten, den Pflegenden, der Diätassistentin, der Psychotherapeutin) bindend zu verfolgen. Die Erfolgsaussichten einer Therapie steigen mit der freiwilligen Mitarbeit der Patientin; sie sollte - wenn dies medizinisch vertretbar ist - erleben, daß sie wirklich Entscheidungsfreiheit hat und dadurch auch Selbstverantwortung zeigen muß.
Wichtige Ziele der Therapie sind die **Gewichtszunahme und die Rückkehr zu normalen Eßgewohnheiten**; um diese zu erreichen, wird ein konkreter **verbindlicher Ernährungsplan** aufgestellt; in einigen Kliniken wird z.B. ein Vertrag abgeschlossen, der die von beiden Seiten zu erfüllenden Bedingungen festlegt. Angestrebt wird in der Regel zunächst eine Gewichtszunahme von 1-2 kg pro Woche, entsprechend beträgt die Kalorienzufuhr in den ersten 10 - 14 Tagen ca. 1500 kcal, danach ca. 3000 kcal / Tag. Pflegende können die Aufgabe haben, die **Patientin während der Mahlzeiten und in der Zeit danach** zu **beobachten** und ggf. nicht kooperatives Verhalten wie das Nichtessen und Verschwindenlassen der Nahrung oder das Erbrechen zu unterbinden. Diese Kontrollfunktion und die Konfrontation mit den ernährungsbezogenen Ritualen der Patientin kann auch von den Pflegenden sehr unangenehm empfunden werden und Konflikte hervorrufen. Gleiches gilt für die **Gewichtskontrollen**, bei denen Pflegende darauf achten müssen, daß die Patientin keine schweren Gegenstände versteckt oder sich zuvor große Flüssigkeitsmengen einverleibt, um mehr Gewicht auf die Waage zu bringen.
Außerdem versuchen einige Patientinnen, die Mitglieder des therapeutischen Teams gegeneinander auszuspielen. Nicht zuletzt aus diesem Grund sind **eindeutiges und einheitliches Vorgehen** sowie regelmäßige **Teambesprechungen** erforderlich.
Bei Erreichen der festgelegten Gewichtszunahme wird das Verhalten der Kranken positiv verstärkt *(operante Konditionierung)*, z.B. durch Erweiterung der Besuchszeiten.
Neben der Veränderung des Eßverhaltens ist eine **Psychotherapie erforderlich**, um die begleitenden und/oder verursachenden Probleme der Krankheit anzugehen und so Aussicht auf dauerhaften Therapieerfolg zu haben. In auf die Behandlung von Magersüchtigen spezialisierten Kliniken kommen heute **tiefenpsychologische, verhaltenstherapeutische, körperorientierte u.a. Verfahren** zur Anwendung. Eine besondere

Bedeutung haben **familientherapeutische Ansätze** erlangt.
Die Behandlung wird zu Beginn häufig durch die Verabreichung von Antidepressiva *(siehe Seite 768)* oder **Neuroleptika*** (z.B. Atosil® oder Neurocil®, *siehe Seite 405*) ergänzt.
Sie dauert im allgemeinen 3 - 5 Monate, auch bedeutend langere Therapieverläufe sind bekannt. Leider führen nicht alle Therapien zu langfristigem Erfolg; in ca. 10% - 20% der Fälle kommt es zum Tod. Bei einigen Patientinnen wird die Krankheit chronisch, nicht wenige entwickeln andere Eßstörungen (z.B. eine Bulimia nervosa) oder psychiatrische Erkrankungen.

2.13.2 Bulimia nervosa

Syn.: Eß- Brechsucht

2.13.2.1 Krankheitsbild

❐ Typische Krankheitszeichen sind

- **wiederholte Eßanfälle** („Freßattacken"), die mindestens über drei Monate mehrmals wöchentlich auftreten und bei denen innerhalb kurzer Zeit eine übergroße Menge von Nahrungsmitteln verschlungen wird;
- das Gefühl, die **Eßanfälle nicht kontrollieren** zu **können**;
- das Ergreifen von Maßnahmen, die eine **Gewichtszunahme verhindern**, vor allem selbst herbeigeführtes Erbrechen nach einem Eßanfall, Einnahme von Laxantien* und/oder Diuretika* und Fasten.

Das Erbrechen ist kein obligates Symptom; die Gewichtsreduktion kann ausschließlich - in vielen Fällen jedoch in Kombination mit Erbrechen - durch strenge Diät und den Einsatz von Laxantien* oder Diuretika* herbeigeführt werden. Nicht selten werden Appetitzügler zur Bekämpfung des Hungergefühls eingesetzt, wodurch es zu Nervositätszuständen kommt. Auch sind häufige Gewichtsschwankungen von mehr als 5 Kilo zu beobachten.

❐ Verursachende Faktoren

Diesem gestörten Eßverhalten liegen eine **krankhafte Angst vor Übergewicht** und eine **übertriebene Besorgnis um die Figur** zugrunde.
Ursächlich liegt das Zusammenwirken verschiedener prädisponierender, auslösender und die Störung aufrechterhaltender Faktoren vor. Zu nennen sind insbesondere

- eine **affektlabile Persönlichkeit**, die u.a. durch **Minderwertigkeitsgefühle**, eine geringe Frustrationstoleranz, eine Neigung zu pessimistisch - depressiven Stimmungen sowie Schwierigkeiten bei der Wahrnehmung und Artikulation eigener Gefühle und bei der Problembewältigung gekennzeichnet ist;
- **soziokulturelle Einflüsse**, die eine Überbewertung des äußeren Erscheinungsbildes fördern und Schlankheit - insbesondere auf Frauen bezogen- zum Ideal stilisieren;
- das Empfinden, die **Kontrolle über** das eigene **Leben** zu **verlieren** und der Wunsch, wenigstens das Gewicht unter Kontrolle zu haben;
- die **Reduzierung von Spannungen** durch anfallartiges Essen und die Verhinderung der Gewichtszunahme durch Erbrechen;
- **familiäre Verhältnisse**, in denen instabile emotionale Beziehungen herrschen;
- **persönliche Konflikte** zwischen Emanzipation und traditioneller Frauenrolle.

Nach DIETMAR HÄNSEL hat *„das impulsartige Fressen aus tiefenpsychologischer Sicht die Aufgabe, den Betroffenen in bestimmten Situationen vor einem Überschwemmtwerden mit bedrohlichen Affektzuständen .... zu bewahren. Unbewußt greift der Betroffene auf die Urbefriedigung von Unlust- Affekten, nämlich das Absättigen, zurück."*

❐ Folgen

Mögliche Folgen der sich wiederholenden Eßanfälle und der daraufhin ergriffenen Maßnahmen zur Gewichtskontrolle sind **Schäden** am Zahnschmelz, der Speiseröhre und dem Magen; die Ohrspeicheldrüse weist häufig eine chronische Schwellung auf. **Elektrolytstörungen** und **Mangelernährung** können weitere Gesundheitsstörungen hervorrufen. Auch sind Depressionen und Suizidgedanken / -versuche zu beobachten. Schuld- und Schamgefühle veranlassen die Betroffenen zum **sozialen Rückzug.**

2.13.2.2 Zur Situation einer Betroffenen

Besondere Persönlichkeitsmerkmale und andere häufig anzutreffende Begebenheiten im Zusammenhang mit einer Bulimia nervosa wurden bei den zuvor genannten verursachenden Faktoren deutlich.
Menschen, die an einer Bulimia nervosa leiden, haben eine **krankhafte Furcht, zu dick zu werden**. Sie streben eine optimale weibliche Figur (kein Untergewicht) an, sie verfolgen ein Wunschgewicht, das unter ihrem tatsächlichen Gewicht liegt. Dabei fällt eine übermäßige Beschäftigung mit dem Körpergewicht und der Körperform auf. Das **geringe Selbstvertrauen** und -bewußtsein führt zu einer **Überanpassung gegenüber sozialen Normen**, die dann die ersehnte Anerkennung und Zuwendung anderer vermitteln soll; gleichzeitig werden die eigenen Gefühle und Bedürfnisse zu wenig wahrgenommen und geäußert. Die Gefahr, sich das gesellschaftlich hochstilisierte Schlankheitsideal zu eigen zu machen und über diese Anpassung Anerkennung zu bekommen, besteht vor allem in der Pubertät. „Freßattacken" werden zunächst durch Heißhungergefühle im Rahmen einer Abmagerungsdiät oder durch den Verlust einer wichtigen Bezugperson, später durch unbestimmte Gefühle und Stimmungen, innere Leere sowie Ängste ausgelöst. Das anschließende Erbrechen verschafft Spannungserleichterung und soll die Gewichtszunahme verhindern; dieses aggressive Verhalten gegenüber sich selbst drückt gleichzeitig die **Ablehnung der eigenen Person** aus und hat Bestrafungscharakter.
Die Gedanken einer Betroffenen kreisen zunehmend um das Essen und um das Körpergewicht, Eßanfälle und Erbrechen werden zu einem Zwang. Ursächlich zugrunde liegende Gefühle wie innere Leere, persönliche Wertlosigkeit oder Einsamkeit werden durch das Verschlingen großer Nahrungsmengen „in sich hinein

gefressen und heruntergeschluckt", evtl. anschließend „ausgekotzt"; eine bewußtere Wahrnehmung der eigenen Probleme und die Konfrontation mit den kaum erträglichen Gefühlen wird unterdrückt / abgewehrt, seelische Spannungen werden vorübergehend reduziert.
Eine Betroffene **verheimlicht** ihre **Eßanfälle** gegenüber anderen Menschen, hat ein **schlechtes Gewissen, leidet** unter ihrem Fehlverhalten und wird von **Selbstvorwürfen** gequält. Folgen sind Gereiztheit, Nervosität, innere Anspannung und **depressive Verstimmungen**, im Extremfall Suizidversuche. Wird das erwünschte Gewicht erreicht, fühlt sich eine Betroffene vorübergehend zufrieden und das krankhafte Verhalten läßt nach, bis eine erneute Gewichtszunahme zur Wiederaufnahme der gewichtsreduzierenden Verhaltensweisen „zwingt".
Der **Leidensdruck ist groß**, so daß viele Betroffene Bereitschaft zu einer Therapie zeigen, diese jedoch wegen bestehender Schamgefühle oft lange Zeit nicht in Anspruch nehmen wollen.

2.13.2.3 Therapeutische Maßnahmen

Die Behandlung von Menschen mit einer Bulimia nervosa erfolgt in den meisten Fällen **ambulant** und gestaltet sich schwierig; mit **Rückfällen** muß gerechnet werden. Therapiekonzepte finden sich bei dieser Krankheit noch im Experimentierstadium; sie umfassen psychosomatische und psychotherapeutische Maßnahmen.
Ziele sind die **Aufarbeitung der Wahrnehmungsdefizite** und die Verbesserung der Ausdrucksfähigkeit, bezogen auf die seelischen und körperlichen Empfindungen (Hunger- und Sättigungsgefühl). Betroffene sollen lernen, **depressives** und pessimistisches **Denken** sowie übertriebenes **Leistungsstreben abzubauen** und Gelassenheit, körperliche **Entspannung** sowie **Eigenverantwortlichkeit** zu **entwickeln**. Dabei kommt dem Therapeuten die Funktion eines kundigen Beraters zu, der Patient muß seinen Weg jedoch selbst gehen, sich für seine Ziele selbst entscheiden und die Verantwortung für diese Entscheidungen selbst tragen (M. FICHTER, 1989).
In der Behandlung kommen verhaltensorientierte, tiefenpsychologische, familientherapeutische, körperorientierte u.a. Verfahren zur Anwendung.
In der **Verhaltenstherapie** wird z.B. versucht, möglichst direkt auf eine Änderung der verzerrten Einstellung zu Körpergewicht und -form oder das Erlernen eines gesunden Eßverhaltens hinzuwirken. Mittel hierzu sind:

- Das **Führen eines Tagesbuches**, in dem die Erkrankte jeweils den Zeitpunkt der Nahrungsaufnahme, die Zusammensetzung der Nahrung und die Situation, in der es zur Eßattacke kommt, festhält; so können die Zusammenhänge zwischen Freßattacken und auslösenden Gefühlen / Ereignissen wahrgenommen werden.
- Die **Vermittlung von Techniken**, die zu einer Verringerung des problematischen Verhaltens und zu einer Verbesserung der Impulskontrolle führen.
- **Ernährungsberatung**, die dem Aufbau eines normalen Ernährungs- und Eßverhaltens dient.
- Eine **kognitive* Therapie**, in der vernunftwidrige Wertvorstellungen, Gedanken und Meinungen wahrgenommen, als solche erkannt und zugunsten realistischerer Einstellungen abgebaut werden.
- **Körperorientierte Verfahren**, z.B. Tanz- oder Bewegungstherapie, Entspannungstechniken oder Gestalttherapie, um die Wahrnehmung des Körpers sowie körperbezogener Gefühle und Sinnesempfindungen wie Hungrigsein und Sattsein zu schulen.

In der Behandlung einer Bulimia nervosa haben sich ferner die Kontaktaufnahme zu einer **Selbsthilfegruppe** und die regelmäßige Teilnahme an den Treffen als hilfreich erwiesen; dadurch werden die Eigeninitiative und die Eigenverantwortung sowie der Erfahrungsaustausch mit anderen Betroffenen gefördert.

2.13.3 Eßsucht

Der Begriff Eßsucht ist **nicht synonym mit Übergewicht** und Adipositas *(siehe Seite 112)* zu gebrauchen.
DIETMAR HÄNSEL definiert die Eß- Sucht wie folgt:

- periodisch auftretende **Eßanfälle** mit dem Verschlingen meist süßer Nahrungsmittel **ohne anschließendes Erbrechen** oder
- **kontinuierliches gieriges Überessen**, evtl. auch periodenweise, ohne Erbrechen und ohne medikamentös unterstützte Gegensteuerung.

Bei dieser Eßstörung liegt der Schwerpunkt bei den Eßimpulsen. Das gesteigerte Essen dient dem **Abbau seelischer Spannungen**, knüpft an die frühkindliche Erfahrung der Abwehr oder Beseitigung von Unlustgefühlen durch Nahrungsaufnahme an. Das Verschlingen großer Nahrungsmengen hat **beruhigenden oder tröstenden Charakter**. Ein eßsüchtiger Mensch spürt nicht, wann er hungrig ist; die **Appetit- und Sättigungsregulation** ist **gestört**. Bei ihm gehen Eßimpulse (Appetit) in erster Linie von Unlustgefühlen (z.B. Trauer, Einsamkeit, Ärger, Versagen) im Zusammenhang mit unerfüllten seelischen Bedürfnissen aus, das Essen wird zur Ersatzbefriedigung mit (hohem) Lustgewinn. Ein solches Verhalten wird in der Kindheit erlernt, wenn bereits zu dieser Zeit auf seelische Bedürfnisse mit dem Angebot von Nahrung reagiert wird oder die elterliche Zuwendung an das Eßverhalten des Kindes geknüpft wird (d.h. das Kind erfährt Zuwendung, wenn es ißt).

Die **Grenzen zwischen normalem Eßverhalten, Eßproblemen und Eßsucht** sind **fließend**, viele Menschen müssen ihr Körpergewicht laufend regulieren, um nicht übergewichtig zu werden und auch „normale Esser" kennen Phasen ungezügelter Nahrungsaufnahme.
Laut D. HÄNSEL gelingt es den meisten Eßsüchtigen, ihre Eßimpulse oder wenigstens die Gewichtszunahme durch rationale Kontrolle oder äußere Hilfsmittel wie tägliches Wiegen „im Griff" zu halten und nicht übergewichtig zu werden *(latente Eßsucht)*. Er wirft die Frage auf, ob dieses (teilweise) gezügelte Eßverhalten in den Bereich von Eßstörungen mit Krankheitscharakter gehört, oder ob es sich um ein Eßproblem, ein Gewichtsproblem oder um ein gesellschaftlich induziertes Figurproblem im Zusammenhang mit dem aktuellen Schlankheitsideal handelt, aus dem bei indivi-

dueller Anfälligkeit eine Eßstörung (z.B. Bulimia nervosa oder Eßsucht mit Adipositas) werden kann.
Führt das gestörte Eßverhalten zu deutlichem Übergewicht, hat es meist nicht nur **körperliche**, sondern auch **seelische und soziale Auswirkungen**. Ein Betroffener fühlt sich z.B. unattraktiv und behäbig, schämt sich seiner Leibesfülle, entwickelt Angst vor gesellschaftlichen Kontakten und zieht sich zurück. Seine Gefühle „frißt er in sich hinein" und tröstet sich durch das Einverleiben großer Mengen von Nahrungsmitteln, das positive Emotionen hervorruft.
Es läßt sich beobachten, daß dicke Menschen tatsächlich oft diskriminiert werden - auch von Pflegenden und von Ärzten.

❒ Therapie

Kurzfristige Diäten und der Einsatz von Appetitzüglern versprechen keine Aussicht auf langfristigen Erfolg. Wie bei anderen Eßstörungen müssen auch bei der Eßsucht die ursächlichen Faktoren hinterfragt und angegangen werden. Ein Betroffener soll lernen, seine **Gefühle im Zusammenhang mit übermäßigem Essen wahrzunehmen**, einen angemessenen Umgang mit diesen Gefühlen zu erlernen und ein **gesundes Eßverhalten** zu **entwickeln**. Dazu sind - wie bei den zuvor besprochenen Eßstörungen - eine **Ernährungsberatung** und eine dauerhafte Ernährungsumstellung, ggf. eine **psychotherapeutische Unterstützung** und **körperorientierte Verfahren** sowie die Teilnahme an einer **Selbsthilfegruppe** angezeigt.

Die eigenen Vorurteile gegenüber adipösen eßsüchtigen Menschen sind wahrzunehmen und mit Hilfe des Wissens um die ursächlichen Faktoren abzubauen. Ebenso sinnvoll erscheint das Hinterfragen der persönlichen Einstellung zum gesellschaftlich hochstilisierten Schlankheitsideal und den damit assozierten Eigenschaften - nicht zuletzt um der persönlichen Gesundheit willen.

2.14 Spezielle diagnostische / therapeutische Maßnahmen

Anmerkung: Es werden nur diagnostische und therapeutische Maßnahmen, die pflegerisches Handeln erfordern, besprochen.

2.14.1 Ösophago-Gastro-Duodenoskopie

❒ Allgemeine Informationen

Bei der Ösophago-Gastro-Duodenoskopie handelt es sich um eine endoskopische* Untersuchung *(„Spiegelung")* der Speiseröhre, des Magens und des Zwölffingerdarms. Dazu wird ein flexibles Gastroskop durch die Mundhöhle und die Speiseröhre in den Magen und den Zwölffingerdarm vorgeschoben. Der Untersucher kann nach Insufflation von Luft die Beschaffenheit der Schleimhaut beurteilen, krankhafte Veränderungen erkennen und gezielt Gewebeproben entnehmen.

Indikationen für eine diagnostische Endoskopie sind z.B. der Verdacht auf Entzündungen, Ulzerationen und Tumoren im Bereich der einsehbaren Organe.
Therapeutische Gründe stellen z.B. die Sklerosierung von Ösophagusvarizen *(siehe Seite 139)*, die Dilatation von Stenosen, die Entfernung von Magenpolypen oder Fremdkörpern sowie das Stillen einer Blutung dar.
Eine Ösophago-Gastro-Duodenoskopie wird in **Lokalanästhesie** durchgeführt; dazu wird der Rachenraum des Patienten kurz vor der Maßnahme vom Pflegepersonal der Endoskopieabteilung mit einem Lokalanästhetikum eingesprüht. Häufig injiziert der untersuchende Arzt zur Beruhigung 5mg Diazepam intravenös.
Komplikationen, z.B. eine Perforation oder eine größere Blutung nach einer Biopsie*, treten sehr selten auf.

❒ Betreuung des Patienten

Die bevorstehende endoskopische Maßnahme ruft bei vielen Menschen Fragen und Ängste hervor, auf die Pflegende reagieren sollten. Auf diese Pflegesituation wird im Zusammenhang mit einer Bronchoskopie exemplarisch eingegangen *(siehe Seite 97)*.

❒ Vorbereitung

- Eingehen auf Ängste und Fragen des Patienten, ggf. Vermittlung eines Gesprächs mit dem Arzt;
- Veranlassung einer Laborkontrolle der Gerinnungswerte, wenn bei der Spiegelung eine Biopsie erfolgen soll;
- Information und Unterstützung bezüglich der erforderlichen Nahrungs- und Flüssigkeitskarenz sowie der Nikotinabstinenz am Morgen des Untersuchungstages;
- Verabreichung der üblichen Tagesmedikation nur nach Rücksprache mit dem Arzt (in der Regel wird auf die Morgenmedikation verzichtet);
- Aufforderung des Patienten, ca. 3o Minuten vor Untersuchungsbeginn die Harnblase (und den Darm) zu entleeren;
- ggf. Verabreichung der ärztlich verordneten Prämedikation* (z.B. Atropin® und Valium®);
- ggf. Entfernung und sichere Aufbewahrung von Zahnprothesen;
- Begleitung in die Endoskopie, dort Vorstellung des Patienten und Übergabe der Dokumentationsmappe inklusive der Einverständniserklärung.

❒ Nachsorge

- Beobachtung des Kreislaufs (Puls- und Blutdruckkontrolle) und der Bewußtseinslage (nach Verabreichung eines Beruhigungsmittels), nach therapeutischen Eingriffen engmaschige Krankenbeobachtung;
- Information und Unterstützung bezüglich der Einhaltung der **Nahrungs- und Flüssigkeitskarenz**, die solange die Rachenanästhesie wirkt (1 - 2 Std., währenddessen besteht ein Aspirationsrisiko) und über 3 Stunden nach einer Biopsie (Nachblutungsgefahr) erforderlich ist;
- Sorge für das Einhalten von Bettruhe, solange die Wirkung des Beruhigungsmittels anhält;
- Dokumentation der Beobachtungen und der durchgeführten Maßnahmen.

2.14.2 Endoskopische retrograde Cholangiopankreatikographie (ERCP)

Bei der ERCP handelt es sich um die **röntgenologische Darstellung der Gallenblase bzw. -gänge und des Pankreassystems**, bei der das Kontrastmittel retrograd *(entgegen der natürlichen Flußrichtung)* im Rahmen einer Duodenoskopie eingebracht wird. Im Rahmen einer ERCP sind eine Biopsie*, Papillotomie *(Schlitzung der Papille mit einer Diathermieschlinge, um den Abgang eines Stein zu ermöglichen)* sowie eine endoskopische Extraktion papillennaher Gallensteine möglich.

Indikationen stellen die diagnostische Abklärung von Gallensteinleiden, chronischer Pankreatitis und Verdacht auf Pankreaskarzinom / -zysten sowie therapeutische Eingriffe bei Gallensteinleiden dar.

Mögliche **Komplikationen** sind Reaktionen auf das verabreichte Kontrastmittel, selten kommt es zu einer Perforation durch das Endoskop oder nach einer Papillotomie zu Blutungen. In einigen Fällen tritt nach einer ERCP eine rasch abklingende akute Pankreatitis auf.

❒ Betreuung und Vorbereitung des Patienten

Für die Betreuung und Vorbereitung gelten die unter „Ösophago-Gastro-Duodenoskopie" besprochenen Maßnahmen; außerdem ist die Röntgentasche den Patientenunterlagen beizufügen.

❒ Nachsorge

- Vitalzeichenkontrollen am Untersuchungstag;
- ggf. Sorge für die Einhaltung von Bettruhe (Arztanordnung);
- ggf. Überwachung der einlaufenden Infusion;
- Nahrungs- und Flüssigkeitskarenz bis nach der Kontrolle des Lipase- Wertes im Serum (um ca. 17.00 Uhr); wenn dieser im Normbereich liegt, Verabreichung von Tee oder leichter Kost (Arztanordnung);
- Veranlassung einer erneuten Lipasekontrolle am nächsten Morgen;
- Dokumentation der Beobachtungen und der durchgeführten Maßnahmen.

2.14.3 Laparoskopie

❒ Allgemeine Informationen

Bei der Laparoskopie handelt es sich um die endoskopische **Spiegelung der Bauchhöhle**. In Lokalanästhesie (evtl. in Allgemeinnarkose) wird nach einem ca. 2 cm langen Hautschnitt ein Laparoskop in den Oberbauch eingeführt. Um die makroskopische Beurteilung der Oberflächen der Bauchorgane zu ermöglichen, werden über eine Spezialnadel, die sogenannte Veresskanüle, 2 - 3 l Kohlendioxid oder Lachgas zwischen das Bauchfell und die Darmschlingen eingefüllt. Dies wird von vielen Patienten unangenehm empfunden, nicht selten treten zum Teil heftige, in die linke Schulter ausstrahlende Schmerzen auf *(reflektorischer Schmerz bei Zwerchfellreizung)*. Am Ende der Laparoskopie wird das insufflierte Gas weitgehend wieder abgesaugt und ein steriler, luftdurchlässiger, trockener Wundverband angelegt.

Die Laparoskopie erlaubt eine **direkte Betrachtung der Oberfläche von Leber, Milz sowie Teilen des Darms** und die **gezielte Entnahme von Gewebeproben**. Deshalb kann sie bei Verdacht auf einen Tumor, eine Fettleber und bei unklaren Lebererkrankungen indiziert sein.

Neben der Verursachung von unangenehmem Druckgefühl / Schmerzen und Kreislaufschwierigkeiten kann eine Laparoskopie mit ernsthaften **Komplikationen** einhergehen. Selten kommt es zur Perforation eines Organs und nach der Entnahme von Gewebeproben zu einer größeren Blutung oder zu einer Peritonitis *(siehe Seite 150)*. Außerdem können durch das Lokalanästhetikum oder durch ein eingespritzes Kontrastmittel allergische Reaktionen hervorgerufen werden *(siehe Seite 437)*.

Die endoskopische Darstellung der Beckenorgane wird als gynäkologische Laparoskopie oder als Pelviskopie bezeichnet und an anderer Stelle besprochen *(siehe Seite 837)*.

❒ Vorbereitung

- Veranlassung der Bestimmung von Blutbild, Gerinnungsfaktoren (Quick - Wert, PTT, PTZ), Blutgruppe;
- Eingehen auf Ängste und Fragen des Patienten, ggf. Vermittlung eines Gesprächs mit dem Arzt;
- Gewährleistung einer gründlichen Körperreinigung, insbesondere des Bauchnabels und bei Bedarf Rasur des Oberbauches;
- Information und Unterstützung bezüglich der erforderlichen Nahrungs- und Flüssigkeitskarenz sowie der Nikotinabstinenz am Morgen des Untersuchungstages;
- Aufforderung des Patienten, ca. 30 Minuten vor Untersuchungsbeginn die Harnblase (und den Darm) zu entleeren;
- ggf. Verabreichung der ärztlich verordneten Prämedikation* (z.B. ein Sedativum);
- ggf. Entfernung und sichere Aufbewahrung von Zahnprothesen;
- Begleitung in die Endoskopie, dort Vorstellung des Patienten und Übergabe der Dokumentationsmappe inklusive der Einverständniserklärung.

Der Arzt legt vor Untersuchungsbeginn eine periphere Venenverweilkanüle und legt eine Infusion an.

❒ Nachsorge

- Vitalzeichenkontrollen, zunächst engmaschig (Nachblutungsgefahr), dann je nach Zustand und Befinden des Patienten in größeren Zeitabständen;
- Veranlassung einer Blutbildkontrolle;
- Beobachtung des Schmerzgeschehens, bei Bedarf Verabreichung des ärztlich verordneten Schmerzmittels;
- Gewährleisten der ärztlich verordneten Bettruhe (meist bis zum nächsten Morgen);
- nach Leberpunktion 24 Stunden Lagerung auf dem flachen Rücken und Kompression der Punktionsstelle durch Auflegen eines Sandsacks für ca. 2 Stunden;

- Information und Unterstützung bezüglich der Einhaltung der angeordneten Nahrungskarenz (meist über 6 Stunden) und der eingeschränkten Flüssigkeitszufuhr (Verabreichung weniger Schlucke Tee, ggf. Anfeuchtung der Mundhöhle), danach Verabreichung leichter Kost;
- Kontrolle des Wundverbandes hinsichtlich einer Nachblutung;
- Dokumentation der Beobachtungen und der durchgeführten Maßnahmen.

2.14.4 Leberpunktion

Eine Leberpunktion wird in der Regel unter Ultraschallkontrolle durchgeführt. In einigen Fällen erfolgt eine gezielte Gewebeentnahme im Rahmen einer Laparoskopie.
Zur **Gewinnung eines Leberzylinders** wird mit einer Spezialspritze und einer speziellen Punktionskanüle *(Menghini - Nadel)* von außen in die Leber eingestochen und Gewebe aspiriert. Um die Spezialkanüle einführen zu können, ist zuvor ein kleiner Hautschnitt erforderlich; dieser wird in Lokalanästhesie durchgeführt.
Komplikationen sind in erster Linie Blutungen, Pneumothorax *(siehe Seite 95)* und Peritonitis *(siehe Seite 150)*.

❒ Vorbereitung
Die Vorbereitung des Patienten zur Leberpunktion erfolgt im Prinzip wie zur Laparoskopie; nicht erforderlich sind allerdings die Rasur des Oberbauchs (ggf. rasiert der Arzt die Punktionsstelle), die Verabreichung einer Prämedikation* und das Legen einer Venenverweilkanüle.

❒ Nachsorge
- Lagerung auf der rechten Seite (zur Kompression der Punktionsstelle);
- Gewährleistung der ärztlich verordneten Bettruhe (im allgemeinen 24 Stunden);
- Puls- und Blutdruckkontrollen, Veranlassung einer Blutbildkontrolle (Erkennen einer Blutung);
- Information und Unterstützung bezüglich der Einhaltung der angeordneten Nahrungskarenz (meist über 6 Stunden), Verabreichung weniger Schlucke Tee (ist meist erlaubt), danach Verabreichung leichter Kost;
- Kontrolle des Wundverbandes hinsichtlich einer Nachblutung;
- Dokumentation der Beobachtungen und der durchgeführten Maßnahmen.

2.14.5 Aszitespunktion
Syn.: Bauchhöhlenpunktion, Peritonealpunktion

Bei einer Aszitespunktion wird die Bauchhöhle von außen punktiert, um Aszites *(Bauchwasser, siehe Seite 637)* zu diagnostischen Zwecken zu gewinnen oder um Aszites zur Entlastung des Patienten abzuleiten (*Entlastungspunktion)*.
Da mit der Ableitung großer Mengen Aszites auch viele Eiweiße und Elektrolyte verlorengehen, richtet sich das ärztliche Vorgehen zunächst auf die Reduktion des Aszites durch andere Maßnahmen.
Eine Aszitespunktion findet häufig unter sonographischer Kontrolle statt. Die bevorzugte **Punktionsstelle** liegt im linken Unterbauch zwischen Bauchnabel und Darmbeinstachel. Es wird unter Wahrung aseptischer Regeln punktiert. An die Braunüle oder die spezielle Punktionskanule mit Luer - Anschluß wird bei einer Entlastungspunktion ein Drainageschlauch angeschlossen; dessen zweites Ende wird in ein steriles Auffanggerät geleitet, so daß der Aszites nach dem Heberprinzip *(siehe Seite 378)* abfließen kann; alternativ werden fertige Punktionssets, z.B. Pleurafix, eingesetzt.
Mögliche Komplikationen sind die Entwicklung einer Schocksymptomatik und einer Ödembildung infolge der Flüssigkeits- und Eiweißverluste, starke Blutungen bei Gefäßverletzungen sowie eine Peritonitis.
Anmerkung: Da die Durchführung einer Aszitespunktion in einigen Fällen auf der Station stattfindet, werden in diesem Zusammenhang auch die Materialvorbereitung und die Assistenz besprochen.

❒ Materialvorbereitung
- Maßband und wasserfester Stift zur Messung des Bauchumfangs;
- Bettschutz;
- Haut- und Händedesinfektionsmittel;
- steriles Lochtuch;
- Spritze, Kanüle und Lokalanästhetikum für die Lokalanästhesie;
- bei Bedarf Einmalrasierer;
- steriles Punktionsset, zu dem eine Punktionskanüle, ein ableitender Drainage- / Infusionsschlauch und ein Auffangbehältnis / -beutel gehören; wenn die Punktion mittels Trokar erfolgen soll, sind zusätzlich ein Einmalskalpell und Nahtmaterial vorzubereiten, bei beabsichtigter Probepunktion sind beschriftete Untersuchungsröhrchen und ein Auffangröhrchen mit Urometer *(siehe Seite 197)* bereitzustellen;
- sterile Handschuhe;
- steriles Verbandmaterial (Kompressen), evtl. Sandsack zur Kompression der Punktionsstelle.

❒ Vorbereitung des Patienten
- Information des Patienten;
- Aufforderung, die Harnblase zu entleeren;
- bei Bedarf Messen des Bauchumfangs und Rasieren der Punktionsstelle;
- Anbringen des Bettschutzes;
- Lagerung auf dem Rücken mit leichter Neigung zur linken Seite;
- Händedesinfektion;
- Abdeckung der Punktionsstelle mit dem sterilen Lochtuch;
- Desinfektion der Punktionsstelle.

❒ Durchführung
Die Durchführung der Aszitespunktion ist Aufgabe des Arztes. Die Pflegeperson assistiert:
- Aufziehen und Anreichen des Lokalanästhetikums;
- wiederholte Desinfektion der Punktionsstelle;
- Bereitlegen der sterilen Handschuhe;

- Anhalten des Untersuchungsröhrchens bzw. Anschließen des ableitenden Systems, nachdem der Arzt punktiert hat;
- Beobachtung des Patienten, Vitalzeichenkontrolle und Registrierung der ablaufenden Flüssigkeitsmenge (es dürfen maximal 1000 ml abpunktiert werden, da Kreislaufbelastung und Eiweißverluste ansonsten zu groß werden);
- Verbinden der Einstichstelle nach Beendigung der Punktion;
- ggf. Messen des Bauchumfangs;
- Anbringen eines Sandsacks, wenn eine größere Flüssigkeitsmenge abpunktiert wurde (zur Verringerung des Nachlaufens des Ergusses und zur Vorbeugung der Entwicklung einer Schocksymptomatik);
- ggf. Messen der Punktatmenge und des spezifischen Gewichts *(siehe Seite 197)*;
- Dokumentation.

❒ Nachsorge

- Beobachtung des Allgemeinbefindens und Kontrolle der Vitalzeichen;
- Beobachtung der Einstichstelle und des Verbandes hinsichtlich einer Nachblutung und nachlaufender Flüssigkeit;
- Veranlassung der ärztlich angeordneten Laborkontrollen (z.B. Eiweiß- und Elektrolytbestimmungen im Serum).

Literaturhinweise

Bartels, H. / Bartels R.: Physiologie. Urban & Schwarzenberg, München 1991

Bartolome, G. et al: Diagnostik und Therapie neurologisch bedingter Schluckstörungen. Fischer, Stuttgart 1993

Berger, M. / Jörgens, V.: Praxis der Insulintherapie. Springer, Heidelberg 1990

Borker, S.: Essenreichen in der Pflege. Eine empirische Studie. Ullstein Mosby, Berlin / Wiesbaden 1995

Brandis v. / Schönberger: Anatomie und Physiologie für Krankenschwestern und andere Medizinalfachberufe. Fischer, Stuttgart 1994

Brieskorn - Zinke, M.: Gesundheitsförderung in der Pflege. Kohlhammer, Stuttgart 1996

Bruker, M.O.: Unsere Nahrung - unser Schicksal. emu, Lahnstein1990

Burkhard, M.: Wörterbuch der klinischen Ernährung, Wiesbaden 1992

Dreyer, M./Damman, H.-G. (Hrsg.): Vaskuläre Komplikationen und therapeutische Konsequenzen beim Diabetes mellitus. Springer, Berlin Heidelberg 1990

Feiereis, H.: Diagnostik und Therapie der Magersucht und Bulimie. Marseille, München 1989

Fichter, M.: Bulimia nervosa. Grundlagen und Behandlung. Enke, Stuttgart, 1989

Franke, R.: Moderne Diät bei Erkrankungen der Bauchspeicheldrüse. Gräfe und Unzer, München

Gerlach / Husen,v. / Wagner / Wirth: Innere Medizin für Pflegeberufe. Thieme, Stuttgart 1994

Hammer, C. / Schubert, V.: Chronische Erkrankungen und ihre Bewältigung. Schulz, Starnberg 1993

Heim, E. / Willi, J.: Psychosoziale Medizin. Springer, Berlin / Heidelberg 1986

Herold, G. (Hrsg.): Innere Medizin. Eine vorlesungsorientierte Darstellung. 1997. G. Herold, 50737 Köln, A. - Haas - Straße 43

Hoffmann, A. / Biedermann, M.: Eßkultur im Heim. Vincentz, Hannover 1995

Hofmann, H.P./ Kleinsorge, H.: Kleine Pharmakologie. Fischer, Stuttgart 1993

Holtmeier, H.J.: Ernährung des alternden Menschen. TRIAS, Stuttgart 1987

Jörgens, V. / Berger, M.: Wie behandle ich meinen Diabetes. Für Diabetiker, die nicht Insulin spritzen. Kichheim, Mainz 1995

Jörgens, V. / Grüßer, M. / Berger M.: Mein Buch über den Diabetes mellitus. Ausgabe für Typ I Diabetiker. Kirchheim, Mainz 1994

Jörgens, V. / Grüßer, M. / Kronsbein, P.: Mit Insulin geht es mir wieder besser. Für ältere Diabetiker, die Insulin spritzen. Kirchheim, Mainz 1989

Karavias, Th. / Mischo - Kelling, M.: Chirurgie und Pflege. Schattauer, Stuttgart 1994

Kasper, H.: Ernährungsmedizin und Diätetik. Urban & Schwarzenberg, München 1996

Käufer, C.: Chirurgie und Krankenpflege. Bibliomed, Melsungen 1993

Keller, U. / Meier, R. / Bertoli, S.: Klinische Ernährung. VCR, Weinheim 1992

Kretz, F.J. / Kretz, A.: Medikamentöse Therapie. Thieme, Stuttgart 1993

Kristel, K. - H.: Pflege in Therapie und Praxis. Fischer, 1995

Langsdorff, M.: Die heimliche Sucht, unheimlich zu essen. Fischer, Stuttgart 1992

Lanzendörfer, C. / Scholz, J.: Psychopharmakologie für Krankenpflegeberufe. Springer, Heidelberg 1993

Lanzendörfer, Ch.: Innere Medizin. Krankheitslehre, Krankenbeobachtung, spezielle Pflege. Springer, Berlin Heidelberg 1998

Lanzendörfer, Ch.: Psychosomatik in der Pflege und die „Aktivitäten des täglichen Lebens". Schattauer, Stuttgart 1996

Luban-Plozza / Pöldinger / Kröger: Der psychosomatisch Kranke in der Praxis. Springer, Berlin Heidelberg 1989

Lüllmann, H.: Taschenatlas der Pharmakologie. Thieme, Stuttgart 1994

Maisner, P.: Die Freß-Falle. Selbsthilfe bei Eßproblemen. Beltz, Weinheim 1991

Meermann, R. / Vandereycken, W.: Therapie der Magersucht und Bulimia nervosa. de Gryter, Berlin, New York 1987

Melzer, H. / Walter M.: Arzneimittellehre. Urban & Schwarzenberg, München1993

Mischo - Kelling, M. / Zeidler, H. (Hrsg.): Innere Medizin und Krankenpflege. Urban & Schwarzenberg, München 1992

Mutschler, E.: Arzneimittelwirkungen. Wissenschaftliche Verlagsgesellschaft mbH, Stuttgart 1996

Paetz, B./ Benzinger - König, B.: Chirurgie für Pflegeberufe. Thieme, Stuttgart 1994

Pudel, V. / Westenhöfer, J.: Ernährungspsychologie. Eine Einführung. Hogrefe, Göttingen 1991

Pudel, V.: Praxis der Ernährungsberatung. Springer, Berlin Heidelberg 1991

Reichenberger, S.: Künstliche Ernährung für Schwerkranke und Pflegebedürftige. Ein Kompendium für das Pflegepersonal. Springer, Berlin Heidelberg 1993

Ritter, R.: Diabetes mellitus. Leitfaden für die Praxis. Hippokrates , Stuttgart 1990

Rober, L.: Ernährung im Alter. Vincentz, Hannover 1994

Schäffler, A. / Menche, N. (Hrsg.): Pflege konkret Innere Medizin. Lehrbuch und Atlas für die Pflegeberufe. Jungjohann bei Fischer, Ulm, Stuttgart, Jena, Lübeck 1996

Schalch, Friedel: Schluckstörungen und Gesichtslähmung. Fischer, Stuttgart 1994

Schettler, G.: Innere Medizin - Band I und II. Thieme, Stuttgart 1998

Schlieper, C. A.: Grundfragen der Ernährung. Verlag Handwerk und Technik

Speckmann / Wittkowski: Bau und Funktion des menschlichen Körpers. Urban und Schwarzenberg, München 1994

Strehl, E.: Arzneimittel in der Pflege. Govi, Eschborn 1997

Uexküll, Th. von: Integrierte Psychosomatische Medizin in Praxis und Klinik. Schattauer, 1994

Uexküll, Th. von: Psychosomatische Medizin. Urban & Schwarzenberg, München 1990

Ausscheiden

3. Ausscheiden

3.1 Bedeutung

Das Ausscheiden ist eine lebenswichtige Körperfunktion und Aktivität des täglichen Lebens. Es dient durch regelmäßige **Eliminierung von Schad- und Schlackenstoffen** der Aufrechterhaltung physiologischer Körperfunktionen.

Im Kleinkindalter lernt der Mensch die Ausscheidungsvorgänge, die zuvor als Reflexreaktionen abliefen, willkürlich zu beeinflussen. So kann er weitgehend bestimmen, zu welchem Zeitpunkt und an welchem Ort die Ausscheidung erfolgt. In der Regel zieht sich der Mensch dazu in eine ungestörte Umgebung ("*stilles Örtchen*") zurück.

Kulturelle und erzieherische Einflüsse prägen die Entwicklung sowohl des **Schamgefühls** als auch des **Sauberkeitsverhaltens**. Obwohl das Ausscheiden eine natürliche und von jedermann vollzogene Aktivität des täglichen Lebens ist, stellt es - individuell unterschiedlich ausgeprägt - einen **Tabubereich** dar.

Die meisten Menschen sprechen nicht über ihre Ausscheidungsvorgänge, selbst dann nicht, wenn diese gestört sind.

Andererseits sind nicht wenige Menschen gedanklich sehr auf ihren Stuhlgang fixiert und geraten in Sorge, wenn dieser nicht täglich und in - ihrer Meinung nach - ausreichendem Maße erfolgt. Sie reagieren mit physischem und psychischem Unwohlsein und versuchen oft, den tatsächlichen oder vermeintlichen Fehler durch Abführmittel oder Nahrungsverzicht zu beheben.

Störungen der Ausscheidung beeinträchtigen im allgemeinen das Wohlbefinden.

Eine **Hilfsbedürftigkeit beim Ausscheiden** löst Scham, oft auch Abhängigkeits- und Schuldgefühle aus. Auch für den Helfenden kann diese Situation peinlich sein oder Überwindung fordern. Um so mehr sind hier taktvolle, einfühlsame Umgangsformen erforderlich.

Das **seelische Befinden** beeinflußt seinerseits die Ausscheidungsfunktionen. So kann z.B. das durch die Anwesenheit von Mitpatienten und Pflegepersonal hervorgerufene Schamgefühl zum Verhalten von Urin und Stuhl führen; Anspannung und Angst können Stuhlverstopfung oder Durchfall hervorrufen.

Die Wechselwirkung zwischen Psyche und Ausscheidungsfunktion kann jeder an sich nachvollziehen. So kann ein massiver Vagusreiz, der häufig während der Wartezeit bis zum eigentlichen Streßereignis (z.B. Prüfung, Gerichtsverhandlung) besteht, zu ständigem Harndrang und/oder zu Durchfällen führen. Auf diese Zusammenhänge weist der Ausspruch: "*Ich mache mir vor Angst in die Hose*" (*vgl. "Streß", Seite 889*) hin.

Daneben beeinflussen z.B. die Bewegung, die Zusammensetzung der Nahrung sowie physische und psychische Erkrankungen das Ausscheiden.

Beschwerdefreies, regelmäßiges und willkürliches Ausscheiden setzt intakte Funktionen mehrerer Organsysteme voraus.

Veränderungen am Gehirn und Rückenmark oder an den Verdauungs- und Ausscheidungsorganen können zu Inkontinenz*, Verdauungsstörungen, Schmerzen oder anderen Beschwerden führen. Auch Bewußtseinsstörungen und geistige Behinderung können mit einem Kontrollverlust über die Ausscheidung einhergehen.

3.2 Anatomisch-physiologische Grundlagen

3.2.1 Harnproduktion und Harnausscheidung

Die **Nieren** haben die lebenswichtige Aufgabe, unseren Wasser- und Elektrolythaushalt zu regulieren, stickstoffhaltige Stoffwechselprodukte (sogenannte harnpflichtige Substanzen: Harnstoff, Harnsäure, Kreatinin) sowie körperfremde Substanzen auszuscheiden. Zusätzlich sind sie an der Kontrolle des Säure-Basen-Haushaltes beteiligt.

In den Nierenkörperchen wird **Primärharn** gebildet, indem plasmaähnliche, aber eiweißarme Flüssigkeit (ca. 170 Liter in 24 Std.) aus dem Blut in die ableitenden Harnkanälchen gefiltert bzw. gepreßt wird.

Der größte Teil des Wassers und der Elektrolyte sowie die Aminosäuren und Glukose werden im Tubulus rückresorbiert, der Urin wird konzentriert und gelangt als **Endharn** (ca. 1,5 - 2 Liter) von den Nierenkelchen in die **Harnleiter**.

Diese ca. 30 cm langen und 2-3 mm dicken, mit Schleimhaut ausgekleideten Muskelschläuche transportieren den Urin durch wellenförmige Kontraktionen (1-5 / Minute) in die Harnblase. Dort verschließt eine Schleimhautfalte die Harnleitermündung ventilartig und verhindert so den Rückfluß *(Reflux)* des Urins in die Harnleiter.

Die **Harnblase** *(Vesica urinaria)* ist ein aus glatter Muskulatur aufgebautes Hohlorgan und wird vom autonomen Nervensystem innerviert. Sie dient mit ihrem Fassungsvermögen von max. 1 l als Sammelbehälter für den produzierten Harn. Der Füllungszustand der Blase wird über sensible Nervenzellen (*Rezeptoren*) in der Blasenwand wahrgenommen; bei einem Füllungsvolumen über 150ml wird das Druckgefühl über afferente* Nervenfasern an das Miktionszentrum im Rückenmark und von dort an das Miktionszentrum im Hirnstamm weitergegeben.

Darauf folgt über das Großhirn die bewußte **Wahrnehmung des Harndrangs.**

Nun leiten efferente* Nervenfasern Impulse zum Harnblasenreflexzentrum im unteren Teil des Rückenmarks (*sakrales Miktionszentrum*). Die Impulse werden über parasympathische Anteile des Beckennervs *(Nervus pelvicus)* zur glatten Harnblasenwandmuskulatur (*Mus-*

culus detrusor vesicae) geleitet, woraufhin diese sich kontrahiert.
Gleichzeitig öffnet sich der **innere Blasenschließmuskel** (*Musculus sphincter internus*; verdickte Muskelfasern der Harnblase am Beginn der Harnröhre); über den Nervus pudendus erfolgt das Erschlaffen des **äußeren Blasenschließmuskels** (*Musculus sphincter externus*; gebildet aus der quergestreiften Beckenbodenmuskulatur). Jetzt kann der Harn in die Harnröhre fließen und nach außen entleert werden.

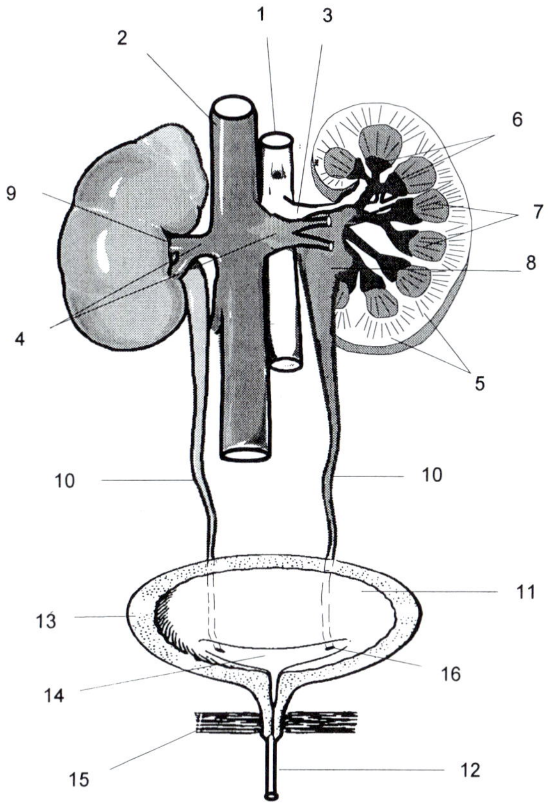

1 *Bauchaorta*	10 *Harnleiter (Ureter)*
2 *untere Hohlvene*	11 *Harnblase (Vesica urinaria)*
3 *Nierenarterie (A. renalis)*	12 *Harnröhre (Urethra)*
4 *Nierenvene (V. renalis)*	13 *Muskelschicht der Harnblase (M. detrusor vesicae)*
5 *Nierenrinde mit Markstrahlen*	14 *Blasendreieck (Trigonum vesicae)*
6 *Nierenkelche*	15 *Beckenbodenmuskulatur (Diaphragma urogenitale)*
7 *Nierenpyramiden*	16 *Einmündung des Harnleiters*
8 *Nierenbecken*	
9 *Nierenhilus*	

Abb. 3.1 ***Nieren mit ableitenden Harnwegen***

Die **Harnröhre** *(Urethra)* zieht bei der Frau als 3-5 cm langer Gang durch die Beckenbodenmuskulatur und mündet in den vorderen Teil des Scheidenvorhofs.
Die männliche Harnröhre ist ca. 20 cm lang und zieht zunächst durch die Vorsteherdrüse *(Prostata)* und nimmt dort die beiden Samenleiter auf *(Harn-Samenröhre)*. Der weitere Weg verläuft durch Beckenbodenmuskulatur und Penis; schließlich mündet die Harnröhre in der Eichel *(Glans penis)*.
An der Durchtrittsstelle in der Beckenbodenmuskulatur *(Diaphragma urogenitale)* umgibt ein willkürlich innervierter Schließmuskel die Harnröhre *(Musculus sphinkter urethrae* oder *Sphinkter externus*).

Der Vorgang des Wasserlassens *(Entleerung der Harnblase)* wird als **Miktion** bezeichnet. Er geschieht ursprünglich ohne willentliche Beeinflussung, ist also ein reiner **Reflexmechanismus**. Erst wenn sich, wie dies in der Regel im Kleinkindalter der Fall ist, die Kontrollfunktion des Großhirns entwickelt hat, wird eine willentliche Kontrolle der Blasenentleerung möglich. Der Reflex der Harnblasenentleerung kann zeitweise durch hemmende Impulse - die überwiegend von der Großhirnrinde ausgehen - unterdrückt werden. Die Hemmung erfolgt über sympathische Nervenfasern, die vom Sakralmark zur Blasenmuskulatur verlaufen.

3.2.2 Kotproduktion und Kotausscheidung

Die Ausscheidungsprodukte des Darms werden als *Fäzes, Stuhl, Exkremente* oder *Kot* bezeichnet.

Im Dickdarm spalten Bakterien (vorwiegend Kolibakterien) die bisher nicht verdauten Nahrungsreste, überwiegend Zellulose, auf. Der Vorgang wird, bezogen auf die Kohlenhydratspaltung als **Gärung**, bezogen auf die Eiweißspaltung als **Fäulnis** bezeichnet.
Nachdem der Dickdarminhalt weiter mit Schleim vermischt und durch langsame, peristaltische* Wellen durchgeknetet wurde, sind die letzten Verdauungsprozesse abgeschlossen. *(Die vorangegangenen Verdauungsprozesse sind unter "Nahrungsaufnahme / -verwertung", Seite 103, beschrieben)*. Durch Flüssigkeitsentzug wird der Darminhalt zu Kot eingedickt.
Kot setzt sich aus körpereigenen Substanzen wie abgestoßenen Epithelien, Schleim, Kolibakterien, Rückständen der Verdauungssäfte, Mineralstoffen und Gallenfarbstoffen, die die gelblich-braune Färbung verursachen, zusammen. Außerdem enthält Kot nicht resorbierbare Nahrungsstoffe (z.B. pflanzliche Zellulose) sowie Gärungs- und Fäulnisprodukte. Der Wassergehalt des Kots beträgt ca. 70 - 75 % der Gesamtmenge. Die Menge des Kots ist nahrungsabhängig und schwankt zwischen 100 - 500 g am Tag.
Der Dickdarminhalt wird 2 bis 3 mal täglich über die Darmperistaltik in Richtung Mastdarm befördert. Diesen Vorgang steuert das vegetative Nervensystem; der Parasympathikus übt eine fördernde, der Sympathikus eine hemmende Wirkung aus.
Der **Drang zur Kotentleerung** tritt jeweils nur kurz auf. Deshalb sollte ihm nachgegeben werden, ansonsten kann es leicht zu einer Stuhlverstopfung kommen. Da unser Organismus auf psychische Ereignisse vegetative Reaktionen zeigt, kann es z.B. auch bei Hektik, Ärgernissen oder Ekelgefühl (fremde, unsaubere Toilette) zur Verstopfung kommen. Im Gegensatz dazu lösen Angst oder Nervosität oft Durchfall aus.
Die Ringmuskulatur des Mastdarms ist oberhalb des Afters zu einem 1 bis 2 cm breiten Muskelring aus glatten, unwillkürlich arbeitenden Muskelfasern (*innerer Afterschließmuskel; M. sphincter ani internus*) verstärkt. Dieser wird vom äußeren Afterschließmuskel (*M. sphincter ani externus*) umschlossen. Anders als

der innere Schließmuskel wird er willkürlich innerviert und ermöglicht durch Anspannung eine Kontinenz; zur Stuhlentleerung erschlafft der - zur Beckenbodenmuskulatur gehörende - äußere Schließmuskel.
Die **Darmentleerung** (*Defäkation*) erfolgt reflexmäßig, ist jedoch willentlich beeinflußbar. Wird der Mastdarm durch Kot gedehnt, gelangen entsprechende Nervenimpulse zum Rückenmark und zum Gehirn. Von hier aus erfolgt die Erregung parasympathischer Nervenfasern, die zur Erschlaffung des inneren und zur Kontraktion des äußeren Schließmuskels führt - der Mensch verspürt Stuhldrang. Zur Darmentleerung ist jedoch die gleichzeitige Entspannung des äußeren Schließmuskels notwendig. Diese wird willentlich herbeigeführt und durch den Einsatz der Bauchpresse (*vgl. "Atemmechanik", Seite 32*) ergänzt.

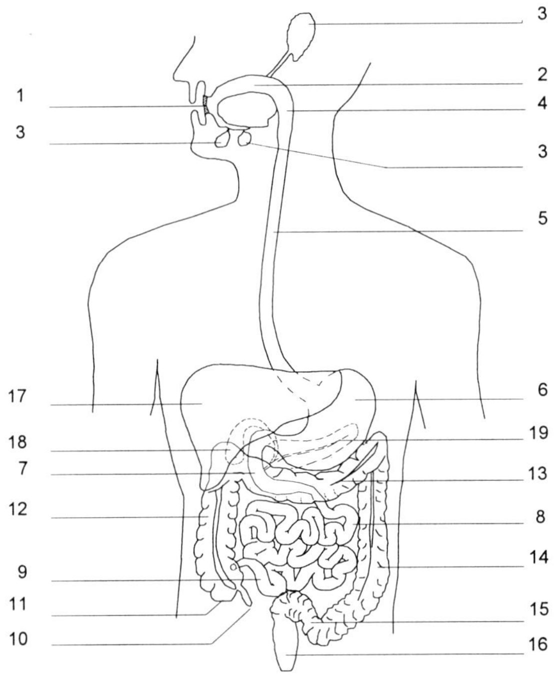

1 Zähne
2 Mundhöhle
3 Speicheldrüsen
4 Rachenraum
5 Speiseröhre
6 Magen
7 Zwölffingerdarm
8 Leerdarm
9 Krummdarm
10 Wurmfortsatz
11 Blinddarm
12 aufsteigender Dickdarm
13 querverlaufender Dickdarm
14 absteigender Dickdarm
15 S-förmige Schlinge
16 Rektum
17 Leber
18 Gallenblase
19 Bauchspeicheldrüse

Abb. 3.2 ***Verdauungsorgane***

3.3 Beobachtung des Urins

Die Beobachtung des Urins liefert wichtige Informationen über verschiedene Körperfunktionen; sie kann Hinweise auf lebensbedrohliche Zustände und auf bestimmte Krankheiten geben.
Die Beobachtungen werden gezielt und genau durchgeführt; die Ergebnisse sind zu dokumentieren.

3.3.1 Urinfarbe

Urin ist **klar** und **bernsteingelb**; die Intensität der Farbe ist von der Konzentration des Urins abhängig. Je konzentrierter der Urin (z.B. bei großen Flüssigkeitsverlusten), um so dunkler die Farbe; je reichlicher die Urinmenge, um so heller die Urinfarbe.
Bleibt Urin längere Zeit stehen, so wird er trübe. Auch alkalische Kost und Hungerzustände führen zur Urintrübung.

Pathologische Veränderungen der Urinfarbe:

- **milchige Trübung**; entsteht z.B. bei Störungen des Kalziumstoffwechsels durch Ausfall von Kalzium- oder Magnesiumphosphaten (*Phosphaturie*);
- **schlierig flockige Trübung**; entsteht durch Eiterbeimengungen bei Entzündungen im Urogenitalbereich (*Pyurie*);
- **rötlich bis fleischfarbener, getrübter Urin**; entsteht durch Beimengung von Erythrozyten, die z.B. bei Blutungsneigung, Nieren- und Harnleitersteinen oder bei Tumoren im Nieren- und Harnwegsbereich vorkommt (*Makrohämaturie*);
- **rötlich bis schwärzlich verfärbter Urin**; entsteht durch gelösten Blutfarbstoff im Urin, z.B. bei Blutgruppenunverträglichkeiten durch verabreichte Transfusionen oder bei Vergiftungen mit Anilin oder Benzol (*Hämoglobinurie*);
- **bierbrauner bis grünlich-schwarzer Urin mit gelbem Schüttelschaum** (*Bilirubinurie*); entsteht durch Beimengungen des Gallenfarbstoffs Bilirubin, z.B. bei Erkrankungen der Leber.

Farbveränderungen durch Medikamente:

- **rot-orange**; durch bestimmte Medikamente, z.B. Levodopa (Dopaflex®), Methyldopa (Sembrina®, Presinol®), Metronidazol (Clont®), Nitrofurantoin (Furadantin®);
- **goldgelb**; durch Vitamin B-Präparate oder Abführmittel, z.B. Cascara-Rinde (Legapas® Mono), Phenolphthalein (Agarol®);
- **grün**; durch bestimmte Medikamente, z.B. Triamteren (Jatropur®, Dytide® H);
- **blau**; durch das Antidepressivum Amitryptilin (z.B. Laroxyl®, Saroten®).

3.3.2 Uringeruch

Der Geruch frischgelassenen Urins ist **unauffällig**. Längere Zeit nach dem Ausscheiden (z.B. beim Verbleib des Urins in Gefäßen oder Kleidung) entsteht infolge von Zersetzung ein stechender **Ammoniakgeruch**.
Der Genuß einiger Nahrungsmittel, z.B. Spargel, verleiht dem Urin einen typischen Geruch.

Pathologischer Uringeruch:

- **obstartig** durch Azeton im Urin; kommt vor bei Entgleisungen des Stoffwechsels, z.B. infolge Diabetes mellitus, Hunger, langandauerndem Erbrechen;

- **übelriechend** durch Bakterieneinwirkung bei Entzündungen der ableitenden Harnwege;
- **fauligriechend** durch Zellzerfall bei bösartigen Tumorerkrankungen der ableitenden Harnwege.

3.3.3 Reaktion

Die **physiologische Urinreaktion** ist normalerweise schwach sauer (pH 5 - 6), wird jedoch von der Nahrung beeinflußt. Bei rein pflanzlicher Ernährung ist die Reaktion alkalisch (pH bis 7,2), bei eiweißreicher Ernährung dagegen sauer (pH bis 4,8).

Pathologische Reaktionen:

- pH unter 4,5; kann auftreten bei Fieber, starken Durchfällen, diabetischer Stoffwechselentgleisung oder gesteigertem Eiweißzerfall bei bösartigen Tumoren;
- pH über 7,2; tritt auf bei stoffwechselbedingter Alkalose* und bei Infektionen an Nieren oder ableitenden Harnwegen.

3.3.4 Bestandteile

Urin besteht zu 95 - 98 % aus Wasser.
Weitere **physiologische Bestandteile** sind
- stickstoffhaltige Schlackenstoffe: Harnstoff, Harnsäure, Kreatinin;
- Salze und Säuren: Natriumchlorid, Kalium, Phosphor-, Schwefel- und Zitronensäure u.a.;
- Farbstoffe: Urobilinogen, Urochrom;
- Hormone;
- wasserlösliche Vitamine;
- evtl. vereinzelt Erythrozyten, Leukozyten, Zylinder.

Pathologische Urinbestandteile
Hinweise auf krankhafte Veränderungen geben folgende, normalerweise nicht im Urin enthaltene Substanzen:
- Zucker (*Glukosurie*),
- Eiweiß (*Proteinurie*),
- Blut (*Hämaturie*),
- Bakterien (*Bakteriurie*),
- Ketonkörper (*Ketonurie*),
- Zylinder (*Zylinderurie*),
- Bilirubin (*Bilirubinurie*),
- Hämoglobin (*Hämoglobinurie*),
- Leukozyten (*Leukozyturie*).

Verschiedene Schnelltests erlauben mittels Teststreifen einen sofortigen Nachweis von Glukose, Eiweiß, Azeton (*Ketonkörper*) oder Bilirubin im Urin. Die Handhabung wird auf *Seite 171* erklärt.

3.3.5 Spezifisches Gewicht (Dichte)

Das spezifische Gewicht (Artgewicht; Dichte) des Urins schwankt im Normalfall zwischen 1,001 g / cm^3 und 1,040 g / cm^3; meist liegen die Werte zwischen 1,012 g / cm^3 und 1,030 g / cm^3. Sie geben Auskunft über die Konzentration des Harns.

Ein **erhöhtes spezifisches Gewicht** kann Hinweis auf Glukose- (*Glukosurie*) oder Eiweißausscheidung (*Albuminurie*) im Urin sein. Die Ausscheidung eines Röntgenkontrastmittels oder eines Plasmaexpanders kann ebenfalls zur Erhöhung des spezifischen Gewichtes führen.

Die Messung erfolgt mittels **Urometer**, einer kleinen Senkwaage mit Meßzylinder (siehe *Abb. 3.3*). Der Urin wird in den Meßzylinder gegeben; das Urometer "schwimmt" auf dem Urin. Das spezifische Gewicht kann am Rand des Flüssigkeitsspiegels auf der Urometerskala abgelesen werden. Das Urometer ist auf 15° C geeicht; ist die Urintemperatur höher oder niedriger, muß beim Ablesen des spezifischen Gewichts je 3° C Temperaturunterschied ein Teilstrich hinzugezählt bzw. abgezogen werden.

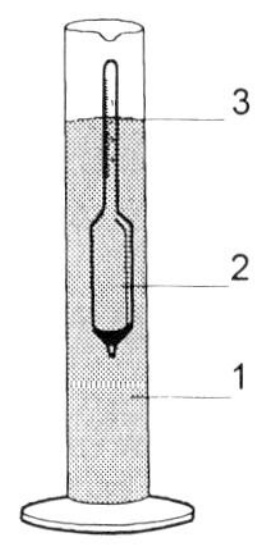

1 Meßzylinder
2 Senkwaage (Urometer)
3 Ablesehöhe

Abb. 3.3 ***Urometer***

3.4 Beobachtung der Urinausscheidung

Auch die Beobachtung der Urinausscheidung kann Hinweise auf Fehlfunktionen des Körpers liefern. Dies gilt insbesondere für solche des Herz- Kreislaufsystems sowie der Organe, die an der Urinproduktion und Urinausscheidung unmittelbar beteiligt sind (Nieren, Harnleiter / -blase / -röhre).
Eventuell können bisher verborgene Probleme, die im Zusammenhang mit der Urinausscheidung auftreten, erkannt werden.

3.4.1 Urinmenge

Der Erwachsene scheidet ca. 1000 - 2000 ml / 24 Std. aus.
Die Menge des ausgeschiedenen Urins ist von verschiedenen Faktoren abhängig:
- Menge der aufgenommenen Flüssigkeit durch Trinken (durchschnittlich 1000 - 1500 ml/24 Std.), ggf. auch durch intravenös oder subkutan zugeführte Flüssigkeit;
- Menge der Flüssigkeit, die als Bestandteil fester Nahrung aufgenommenen wird (bis zu ca. 1000 ml/ 24 Std.);
- Umfang der unmerklichen Flüssigkeitsverluste über die Haut und das Atmen (*Perspiratio insensibilis*; normal 500 -1000 ml/24 Std.);

Beispiel: **Registrierbare Bilanz**

Flüssigkeitszufuhr	ml	Flüssigkeitsabgabe	ml
orale Flüssigkeits-zufuhr	1700	Urin	1400
Infusionen	500	Kot	100
gesamt	2200	gesamt	1500

Bilanz: + 700 ml

Bei einer registrierbaren Bilanz wird in der Regel ein Einfuhrplus von ca. 700 ml angestrebt.

Beispiel: **Effektive Bilanz**

Flüssigkeitszufuhr	ml	Flüssigkeitsabgabe	ml
Trinkmenge	1300	Urin	1400
Speisen	900	Kot	100
Oxidationswasser	300	P. insensibilis	500
		P. sensibilis	500
gesamt	2500	gesamt	2500

Bilanz: +/- 0 (ausgeglichen)

Die effektive Bilanz ist (theoretisch) **ausgeglichen**. Übertrifft die Zufuhrmenge die Ausscheidungsmenge, spricht man von der **positiven**, im umgekehrten Fall von der **negativen Bilanz**.
Da die Ausscheidungsmengen über Haut, Atmung und Schweißdrüsen - bei Inkontinenz auch die Urinmenge - nicht meßbar sind, wird das **tägliche Wiegen** des Patienten oft einer Bilanzierung vorgezogen oder ergänzend durchgeführt. Dies muß immer unter denselben Bedingungen geschehen. Festzulegen sind deshalb die Uhrzeit / der Zeitpunkt (z.B. vor dem Frühstück, nach dem Wasserlassen) und die Bekleidung (z.B. ohne Morgenmantel, mit Hausschuhen).

3.6 Uringewinnung

Die Gewinnung von Urinproben wird meist zu **diagnostischen Zwecken** durchgeführt. Der Urin wird hierbei in sauberen, für bakteriologische Untersuchungen in sterilen Gefäßen, aufgefangen und in der Regel an das Labor weitergeleitet.
Vor der Uringewinnung wird der Patient über Sinn, Vorgehen und erwünschtes Verhalten informiert; das Auffanggefäß wird beschriftet.
Sowohl aus diagnostischen als auch aus therapeutischen Gründen kann es erforderlich sein, den Urin mittels eines Katheters zu gewinnen.

3.6.1 Spontanurin

Wie der Begriff sagt, handelt es sich um **spontan gelösten Urin** (*Strahlurin*).
Um einer Verfälschung des Untersuchungsergebnisses vorzubeugen, werden zuvor Verunreinigungen oder Keime durch eine gründliche Reinigung des äußeren Genitale mit Seife und Wasser entfernt (*siehe "Intimpflege", Seite 657*).

3.6.2 Mittelstrahlurin

Bei der Mittelstrahluringewinnung wird **Urin aus der Mitte des Miktionsvorganges** aufgefangen. Der zuvor und danach entleerte Urin wird in die Toilette oder das Steckbecken entleert. Für die Reinigung des Intimbereichs und die Vorbereitung des Auffanggefäßes gilt das zuvor Gesagte.

3.6.3 Morgenurin

Es wird der **bei der ersten morgendlichen Blasenentleerung** gelöste Urin aufgefangen (*im übrigen siehe oben "Spontanurin"*).
Konzentrierter Morgenurin wird nach einer Durstperiode von mindestens 12 Stunden gewonnen.

3.6.4 Katheterismus der Harnblase

Katheterismus = Einführen eines Katheters

❒ Grundsätzliches

Der Katheterismus der Harnblase muß immer **vom Arzt angeordnet** werden. Das Legen eines transurethralen Katheters fällt ebenfalls in den ärztlichen Aufgabenbereich, kann jedoch an Krankenschwestern / -pfleger **delegiert** werden.
Bei der Durchführung der Maßnahme bei der Frau sollte eine weibliche Person, bei der Durchführung beim Mann eine männliche Person anwesend sein (rechtliche Absicherung). Selbstverständlich muß der Patient seine Einwilligung geben.

❒ Indikationen

Der Katheterismus der Harnblase kann zu diagnostischen und zu therapeutischen Zwecken erfolgen. Die Indikation ist **streng** zu **stellen**, da es zu aufsteigenden Infektionen der Harnblase kommen kann. In vielen Fällen ist eine intermittierende Katheterisierung oder eine suprapubische Harnableitung dem transurethralen Blasenkatheterismus vorzuziehen.

Indikationsbereiche *(nach J. SÖKELAND)*

Diagnostischer Katheterismus
- Restharnbestimmung (selten).
- Differentialdiagnose der Anurie (Harnverhalt).
- Intensivüberwachung (Flüssigkeitsbilanz, Nierenfunktionsüberwachung; meist Verweilkatheterdrainage).
- Harngewinnung für bakteriologische Untersuchungen (falls Mittelstrahltechnik versagt).
- Sondierung der Harnröhre bei fraglicher Lumeneinengung (Harnröhrenkalibrierung).
- Diagnostik der unteren Harnwege (z.B. Urodynamik, Miktions-Zysto-Urethrogramm).

Therapeutischer Katheterismus
- Blasenentleerungsschwierigkeiten, insbesondere bei langandauernden Operationen mit forcierter Diurese, postoperativ nach Eingriffen an der Blase und/oder Harnröhre, bei hohen Restharnmengen oder Harnverhalt durch subvesikale Abflußbehinderung (z.B. Prostata-Adenom) oder neurogene

Blasenentleerungsstörung, bei Bewußtlosigkeit oder nach rückenmarksnaher Anästhesie.
- Palliative Behandlung der Harninkontinenz (selten).
- Ausräumung von Blasentamponaden.
- Spül- bzw. Instillationsbehandlung.

❐ Katheter

Ein Blasenkatheter besteht aus Spitze, Schaft und Ableitungstrichter; Blasenverweilkatheter sind zusätzlich mit einem auffüllbaren Ballon und einem Ballonfüllansatz mit Ventil versehen.

Materialien

Für die Kurzzeitdrainage der Harnblase stehen **Einmalkatheter aus PVC** (Polyvinylchlorid) zur Verfügung.
Die kontinuierliche Harnableitung sollte nur über **Blasenverweilkatheter aus Silikon** oder einer **Silikon-Latex-**Kombination oder aus Latex mit Teflonbeschichtung erfolgen, da diese gegen Korrosion, Oxidation und Strahlung beständig sind und keine Stoffe mit toxischer Schleimhautwirkung freisetzen.
Da Latexkatheter nicht über diese Eigenschaften verfügen, sollen sie spätestens nach 5 Tagen Liegedauer entfernt werden; ein häufiger Katheterwechsel ist jedoch wegen des hohen Infektionsrisikos abzulehnen.

Typen

Es gibt Einmal- und Ballonkatheter (*Verweilkatheter*) sowie spezielle Ballonkatheter (*Spülkatheter*). Die Katheter sind mit verschiedenen Spitzen versehen und werden entsprechend benannt *(siehe Abb. 3.4)*.
An der Spitze befinden sich 1 - 4 Öffnungen ("*Augen*"), über die der Urin abfließt. Für den Katheterismus der männlichen Harnblase eignen sich der **Nelaton-** und der **Tiemannkatheter**. Bei Frauen wird der Nelatonkatheter eingesetzt.

Alle **Blasenverweilkatheter** sind doppelläufig; sie besitzen einen zusätzlichen Auffüllkanal, an dessen Ende sich ein aufblasbarer Ballon befindet.
Spezialkatheter haben einen dritten Kanal, der zur Spülung der Blase genutzt wird *(siehe Seite 851)*.

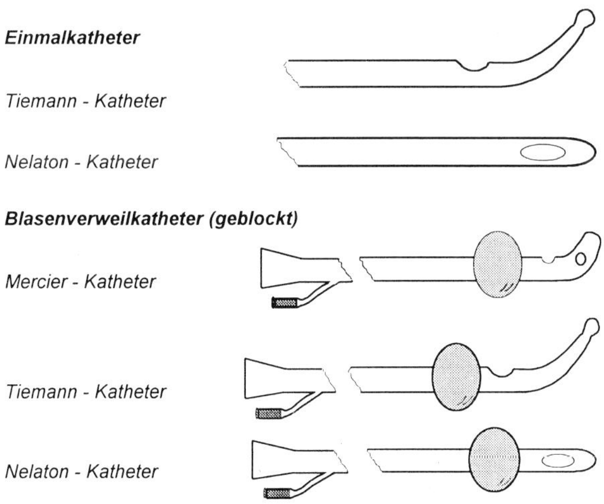

Abb. 3.4 ***Kathetertypen***

Der Durchmesser des Katheters wird in **Charrière** angegeben. Ein Charrière (Ch) entspricht einem Durchmesser von $^{1}/_{3}$ mm. Am häufigsten werden für den Katheterismus der weiblichen Harnblase Katheter von 12 - 14 Ch, für den der männlichen von 14 - 18 Ch verwendet. Für Kinder sind Katheter von 6 - 10 Ch zu wählen.

Bei der Auswahl des Katheters sind zu berücksichtigen:

- der Zweck (Einmal-, Blasenverweil- oder Spezialkatheter);
- das Geschlecht des Patienten (Frauen- oder Männerkatheter; Durchmesser und Länge des Katheters).

Soll die Urinableitung kontinuierlich erfolgen, wird ein sogenannter **Blasenverweilkatheter** verwendet. Dieser hat unterhalb der Katheterspitze einen aufblasbaren Ballon, der in gefülltem Zustand die Lage des Katheters in der Blase fixiert.
Am anderen Ende des Katheters wird ein graduierter **Auffangbeutel** angeschlossen. Er ist am Boden mit einer Klemme oder einem Hahn verschlossen; diese werden nur zwecks Beutelentleerung geöffnet.
Da der Weg zwischen Harnblase und Beutelauslaß nicht unterbrochen wird, spricht man vom **geschlossenen Urinablaufsystem;** es soll das Eindringen von Krankheitserregern verhindern. Dies wird durch ein zusätzlich eingebautes **Rückschlagventil**, welches den Rückfluß aus dem Beutel in die Harnblase verhindert, unterstützt.

Anmerkung: *Trotz dieser Schutzvorrichtungen kommt es häufig zu aufsteigenden Infektionen im Bereich der ableitenden Harnwege. Aus diesem Grund sollte das Katheterisieren der Harnblase nur unter strenger Indikationsstellung und unter aseptischen Bedingungen erfolgen, so daß keine Krankheitserreger in die Harnwege eingeschleppt werden.*

❐ Möglichkeiten

Der Katheter kann über die Harnröhre **(transurethral)** oder nach entsprechender Punktion oberhalb des Schambeins **(suprapubische Blasenpunktion)** in die Harnblase eingebracht werden.
Die Harnableitung kann kurzfristig (einmalig), intermittierend (z.B. bei nicht therapierbarer Inkontinenz) oder kontinuierlich erfolgen.

❐ Legen eines transurethralen Harnblasenkatheters

Das Legen eines transurethralen Harnblasenkatheters erfolgt **atraumatisch** und unter **aseptischen Bedingungen**, um das Verletzungs- und Infektionsrisiko so gering wie möglich zu halten.
Nach Möglichkeit sollte die Durchführung zu zweit erfolgen.

❍ Vorbereitung des Materials

Um zügig und hygienisch einwandfrei arbeiten zu können, ist eine sorgfältige und vollständige Vorbereitung des Materials erforderlich. Die Materialien werden in Reichweite plaziert.

Unsterile Materialien

- Schleimhautdesinfektionsmittel (z.B. Betaisodona®, Braunol 2000®),

- Händedesinfektionsmittel,
- Utensilien für die Intimpflege,
- Schutzunterlage (Bettschutz),
- kleines Kissen (zum Anheben des weiblichen Beckens),
- Abwurfbehältnis,
- zusätzlich bei Einmalkatheterismus: Katheterklemme,
- zusätzlich bei Anlage eines Verweilkatheters: geschlossenes Urinablaufsystem mit Halterung.

Sterile Materialien
Die sterilen Materialien sollten möglichst als steriles **Katheterset** zusammengestellt sein. Benötigt werden:
- Einschlagtuch (dient als sterile Unterlage),
- Schale mit 6 Tupfern / Kompressen (für die Desinfektion der Genitalien),
- 2 Pinzetten (für die Desinfektion und für das Einführen des Katheters),
- geschlitztes Lochtuch (zum Abdecken der Genitalien),
- zwei Paar Handschuhe,
- Gleit- und Anästhesiemittel (z.B. Instillagel®),
- Urinauffangschale,
  - ggf. Gefäß für bakteriologische Untersuchung,
- zwei Katheter (Einmal- oder Ballonkatheter),
- 10 ml Spritze mit 10 ml Aqua destillata (zum Aufblasen des Ballons beim Blasenverweilkatheter).

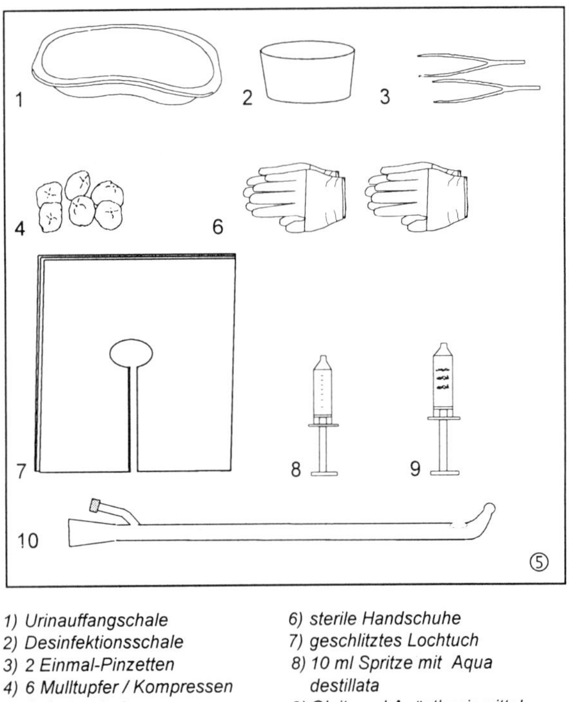

1) Urinauffangschale
2) Desinfektionsschale
3) 2 Einmal-Pinzetten
4) 6 Mulltupfer / Kompressen
5) Schutzunterlage (Einschlagtuch)
6) sterile Handschuhe
7) geschlitztes Lochtuch
8) 10 ml Spritze mit Aqua destillata
9) Gleit- und Anästhesiemittel
10) Katheter

Abb. 3.5 ***Vorbereitung der sterilen Materialien***

❍ Vorbereitung des Patienten
Der Patient wird einfühlsam über Sinn und Vorgehen des Katheterisierens **informiert**. Seine Intimsphäre wird durch Aufbau eines **Sichtschutzes** oder auf andere Weise geschützt.
Aus hygienischen Gründen wird eine sorgfältige **Intimtoilette** durchgeführt.

❍ Durchführung bei der Frau
- Hände desinfizieren;
- in flacher Rückenlage Becken leicht anheben (Kissen unterlegen), Füße aufstellen, Knie leicht anwinkeln und Beine spreizen;
- Schutzunterlage unter das Gesäß legen;
- Katheterset öffnen und sterile Arbeitsfläche vorbereiten (falls kein komplettes Katheterset benutzt wird, sterile Verpackungen öffnen und Materialien auf die sterile Arbeitsfläche gleiten lassen);
- Tupfer / Kompressen mit Schleimhautdesinfektionsmittel tränken;
- sterile Handschuhe anziehen, über die Arbeitshand einen zweiten sterilen Handschuh anziehen;
- Lochtuch so plazieren, daß die Harnröhrenöffnung sichtbar ist;
- die großen Schamlippen mit jeweils einem Tupfer desinfizieren; Wischrichtung von bauchwärts (*ventral*) nach rückenwärts (*dorsal*);
- große Schamlippen mit Daumen und Zeigefinger spreizen und die kleinen Schamlippen in gleicher Weise desinfizieren;
- Harnröhrenöffnung desinfizieren (Einwirkzeit des Desinfektionsmittels abwarten !);
- sterilen Tupfer vor die Vagina legen;
- zweiten Handschuh von der Arbeitshand abziehen;
- evtl. steriles Gleit- und Anästhesiemittel in die Harnröhrenöffnung instillieren;
- Katheter (möglichst anreichen lassen und) mit der sterilen Hand oder Pinzette fassen und vorsichtig in die Harnröhre einführen;

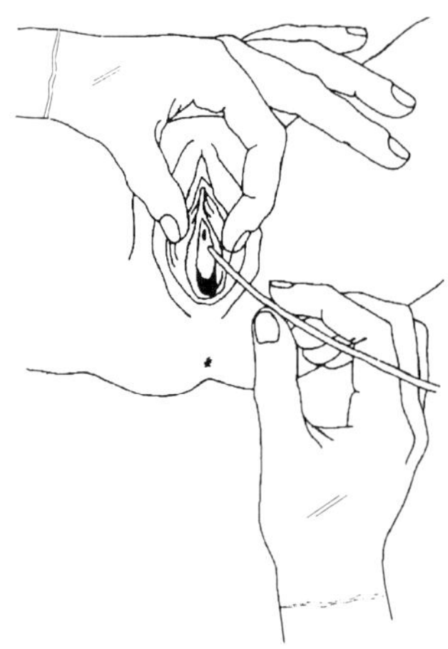

Abb. 3.6 ***Einführen eines Blasenkatheters bei der Frau***

- bei spürbarem Widerstand kleine Drehbewegungen mit dem Katheter durchführen; kann das Hindernis so nicht überwunden werden, ist der Vorgang abzubrechen (*keine Kraft anwenden!*) und der Arzt diesbezüglich zu informieren;
- **bei Einmalkatheterismus**
  - bei Urinfluß den Katheter nicht weiterschieben,
  - Urin in Auffangbehälter und/oder Laborröhrchen fließen lassen,
  - zur vollständigen Entleerung von außen sanften Druck auf die Harnblase ausüben,
  - Katheter vorsichtig zurückziehen und abwerfen;

Beachte: Bei Harnverhalt ist der Urin fraktioniert abzulassen; nachdem 500 ml Urin abgeleitet wurden, ist der Katheter für ca. 30 Minuten abzuklemmen, um so einen Ausgleich der Druckverhältnisse zu ermöglichen;

- **bei Legen eines Blasenverweilkatheters**
  - bei Urinfluß Katheter noch ca. 2 cm weiter vorschieben,
  - den Ballon mit Aqua dest. auffüllen / blocken (Menge nach Herstellerangabe),
  - Katheter vorsichtig so weit zurückziehen, daß er am Blasengrund liegt,
  - Katheter mit Urinableitungssystem verbinden,
  - Urinauffangbeutel unterhalb des Blasenniveaus befestigen;
- Intimbereich abtrocknen,
- Handschuhe ausziehen und abwerfen,
- Lagerungskissen entfernen und Patientin bequem lagern.

❍ Durchführung bei dem Mann

- Patienten auf dem Rücken lagern, die Beine leicht abspreizen;
- Auffangschale zwischen den Oberschenkeln plazieren;
- Hände desinfizieren;
- Katheterset öffnen und sterile Arbeitsfläche vorbereiten (falls kein komplettes Katheterset benutzt wird, sterile Verpackungen öffnen und Materialien auf die sterile Arbeitsfläche gleiten lassen);
- sterile Tupfer mit Schleimhautdesinfektionsmittel tränken;
- sterile Handschuhe anziehen, über die Arbeitshand einen zweiten sterilen Handschuh anziehen;
- Penis mit Lochtuch abdecken, Penis mit der linken Hand fassen;
- Vorhaut zurückschieben;
- Harnröhrenöffnung spreizen und nach der Eichel desinfizieren
  - Eichel rechts, Eichel links,
  - Harnröhrenöffnung,
  - von oben nach unten wischen,
  - für jeden Wisch frischen Tupfer benutzen;
- obersten Handschuh der Arbeitshand abstreifen;
- evtl. nach Ablauf der Einwirkzeit Harnröhrenöffnung erneut desinfizieren;
- Gleitmittel instillieren und die Harnröhre einige Sekunden komprimieren oder mit einer Penisklemme verschließen, Einwirkzeit abwarten;
- Penis mit einer Hand seitlich der Kranzfurche fassen, strecken und hochhalten;
- Katheter (möglichst anreichen lassen und) mit der anderen Hand einige Zentimeter unterhalb der Spitze fassen, das freie Ende zwischen Ringfinger und kleinem Finger fixieren (eine gekrümmte Katheterspitze muß nach oben zeigen);
- Katheter (mit sterilen Handschuhen oder steriler Pinzette) ca. 15 cm in die Harnröhre einschieben, Penis dann etwas absenken und mit leichtem Druck den Widerstand am Schließmuskel überwinden;
- **Beachte:** Bei deutlichem Widerstand (z.B. durch Prostatavergrößerung) wird das Katheterisieren abgebrochen und der Arzt informiert;
- Katheter weiterschieben, bis Urin fließt;
- **bei Einmalkatheterismus**
  siehe vorstehend unter „Durchführung bei der Frau“;
- **bei Legen eines Blasenverweilkatheters**
  siehe vorstehend unter „Durchführung bei der Frau“;
- Intimtoilette durchführen;
- Vorhaut wieder vorschieben;
- Handschuhe ausziehen und abwerfen;
- Patienten bequem lagern.

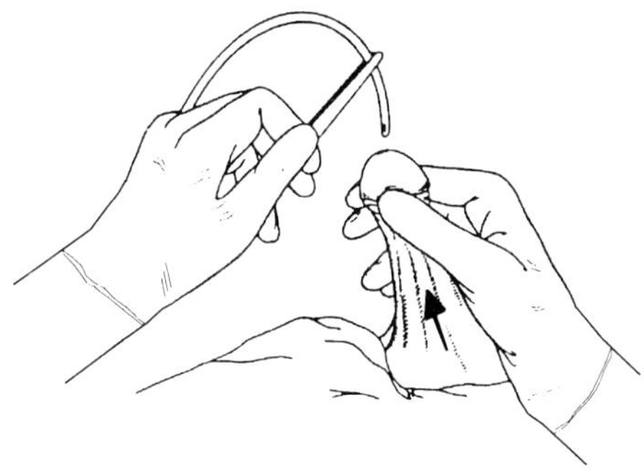

Abb. 3.7 ***Einführen eines Blasenkatheters beim Mann***

❍ Nachbereitung

- Materialien wegräumen, reinigen und entsorgen;
- ggf. Urinprobe beschriften und mit Anforderungsschein ins Labor geben;
- Dokumentation
  - nach Einmalkatheterismus Urinmenge notieren;
  - nach Legen eines Blasenverweilkatheters Kathetertyp und -durchmesser (Charriére) sowie Menge der Ballonauffüllung notieren und das Datum des voraussichtlichen Katheterwechsels vormerken.

❒ Katheterwechsel und -entfernung

Die zeitlichen Abstände für den Wechsel von Blasenverweilkathetern werden vom jeweiligen Hersteller empfohlen. Im allgemeinen sollen

- Latex-Katheter nach 5 Tagen,
- Silikon-Latex-Katheter nach 7 - 10 Tagen,
- Silikon-Katheter nach 6 - 8 Wochen

gewechselt werden.

Bei schlechter Durchlässigkeit des Katheters muß der Wechsel selbstverständlich eher erfolgen. Hierfür ist meist die Einengung des Katheterlumens durch Ablagerungen von Harnsalzen verantwortlich. Diese entwickeln sich bei konzentriertem und bei getrübtem Urin besonders rasch.

❍ Wechseln des Verweilkatheters

Die Vorbereitung und das Legen des neuen Katheters erfolgen wie zuvor beschrieben; die Entfernung des liegenden Katheters wird nachfolgend beschrieben.

❍ Entfernung des Verweilkatheters

Vorbereitung

Es werden folgende Materialien bereitgestellt:

- sterile 20 ml Einmalspritze,
- Abwurfschale / -behältnis,
- Bettschutz,
- Utensilien für die Intimtoilette,
- Einmalhandschuhe,
- Händedesinfektionsmittel.

Der Patient wird über die bevorstehende Maßnahme informiert und es wird für Sichtschutz gesorgt. Die Lagerung erfolgt wie zum Legen eines Katheters.

Durchführung
- Hände desinfizieren;
- Einmalhandschuhe anziehen;
- Abwurfschale zwischen den Oberschenkeln plazieren;
- Spritzenkonus in das (zum Ballon führende) Spezialventil einführen;
- Flüssigkeit vollständig aus dem Ballon abziehen;
  Beachte: Läßt sich der Katheter nicht (vollständig) entblocken, ist ein Arzt hinzuzuziehen; Manipulationen sind zu unterlassen.
- Katheter vorsichtig herausziehen und abwerfen;
- Intimtoilette durchführen (lassen);
- Patienten bequem lagern.

Nachbereitung
- Material entsorgen;
- dokumentieren.

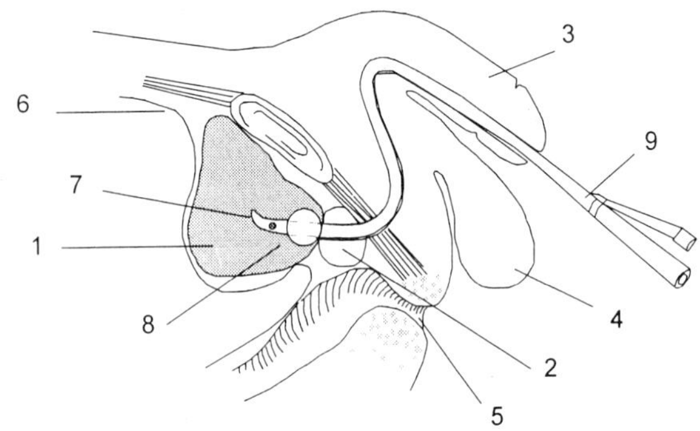

1 Harnblase *6 Bauchfell* *7 Katheterspitze*
2 Vorsteherdrüse *5 Enddarm* *8 Katheterballon*
3 Glied *4 Hodensack* *9 Katheter*

Abb. 3.8 ***Transurethral eingeführter Blasenverweilkatheter beim Mann***

3.6.5 Suprapubische Blasenpunktion

Die beste Methode zur sterilen Gewinnung von Urin ist die **suprapubische Blasenpunktion**. Hierbei wird - häufig unter sonographischer Kontrolle - eine sterile Kanüle oberhalb des Schambeins durch die Bauchdecke in die Harnblase eingeführt. Auf das Ansatzstück der Kanüle wird eine sterile 20 ml Spritze aufgesetzt, über die der Urin aspiriert wird.
Auf dieselbe Art wird ein **suprapubischer Katheter** gelegt. Hier wird eine Punktionskanüle, die den Einrollkatheter *(Cystofix - Katheter)* beinhaltet, von außen durch die Bauchdecke in die Harnblase eingeführt. Der Urinauffangbeutel wird von vornherein an das andere Katheterende angeschlossen. Nach Plazierung des Katheters in der Blase erfolgt die Entfernung der Kanüle; durch das Auseinanderziehen der beiden Kanülenteile wird der Katheter freigegeben. Der Katheter wird an der Haut festgenäht bzw. festgeklebt oder in der Blase aufgeblockt. An der Eintrittsstelle des Katheters wird die Haut mit einer eingeschnittenen sterilen Kompresse abgedeckt; diese soll auch Druckstellen verhindern.

Eine suprapubische Harnableitung birgt ein geringeres Verletzungs- und Infektionsrisiko in sich als eine transurethrale Harnableitung; es kann allerdings zu einer Darmperforation kommen. Reizung und Verletzung der Schleimhaut der Harnröhre werden vermieden. Der Intimbereich des Katheterträgers muß nicht berührt werden. Außerdem kann die Fähigkeit zur Spontanmiktion geprüft werden, ohne den Katheter zu entfernen. Die Durchführung eines Kontinenztrainings ist ebenfalls möglich.
Kontraindiziert ist eine suprapubische Harnableitung bei
- Störungen der Blutgerinnung,
- Aszites*,
- Schwangerschaft,
- Blasentumor,
- Ileus *(siehe Seite 255)*,
- Verwachsungen im Unterbauch.

Die **Durchführung** der suprapubischen Blasenpunktion ist **Aufgabe des Arztes**.

❐ Vorbereitung

Für die **Vorbereitung** gilt:
- Patienten informieren;
- Harnblase auffüllen, dazu nimmt der Patient 500-1000 ml Flüssigkeit zu sich (ist dies auf oralem Weg nicht möglich, wird die Flüssigkeit infundiert oder transurethral über einen Blasenkatheter verabreicht);
- ggf. Bauchhaut zwischen Symphyse und Nabel rasieren;
- **Material** zusammenstellen
  - Cystofix®-Set (Punktionstrokar und spezieller Katheter mit selbstaufrollender Spitze) für die Anlage eines Verweilkatheters bzw. Punktionskanüle / -trokar für die Blasenpunktion;
  - ggf. 20 ml Spritze und Urinauffangröhrchen für die Entnahme einer Urinprobe;
  - Skalpell;
  - geschlitztes steriles Abdecktuch;
  - Hautdesinfektionsmittel, Tupfer;
  - Spritze, Kanüle und Lokalanästhetikum;
  - geschlossenes Urinableitungssystem;
  - sterile Handschuhe;
  - Naht- und Verbandmaterial;
  - Abwurfbehälter;
- Patienten in flacher Rückenlage mit leicht angehobenem Becken und gestreckten Beinen lagern.

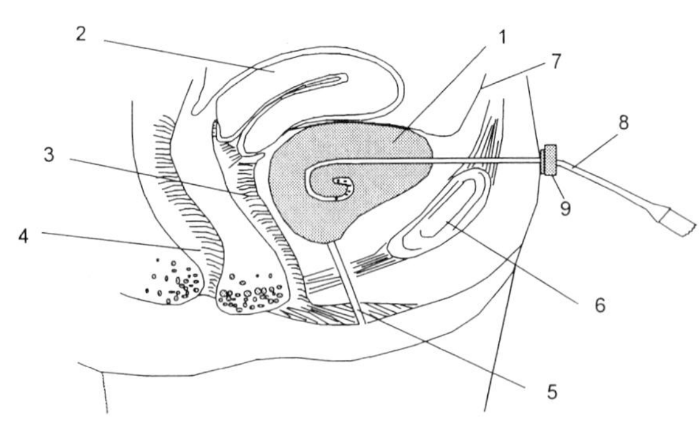

1 Harnblase *6 Schambein*
2 Gebärmutter *7 Bauchfell*
3 Scheide *8 Suprapubischer Katheter*
4 Enddarm *9 Befestigungsplatte*
5 Harnröhre

Abb. 3.9 ***Eingelegter suprapubischer Katheter bei der Frau***

❒ **Nachsorge**
Nach einer Blasenpunktion unterstützen Pflegende den Patienten beim Ankleiden und ggf. beim Einnehmen einer bequemen Lage.
Die Materialien werden entsorgt.
Der Urin wird auf Blutbeimengungen beobachtet.

❍ **Umgang mit dem suprapubischen Blasenverweilkatheter**
Die Punktionsstelle ist eine Eintrittspforte für Krankheitskeime. Deshalb ist ein **steriler, luftdurchlässiger Verband** erforderlich. Der Verbandwechsel erfolgt meist jeden 2. - 3. Tag unter aseptischen Bedingungen; die Einstichstelle wird hinsichtlich Urinaustritt und Entzündungszeichen beobachtet. Die Punktionsstelle wird desinfiziert und mit einer sterilen Schlitzkompresse abgedeckt. Es ist darauf zu achten, daß der ableitende Katheterschlauch nicht abknickt und sicher fixiert wird, ohne daß er Druckstellen verursacht.
Zusätzlich gelten die unter *„Harnwegsinfektionsprophylaxe bei Blasenverweilkatheter"* (Seite 208) aufgeführten Richtlinien.

3.7 Unterstützung bei der Urinausscheidung

3.7.1 Steckbecken

Die Verrichtung von Ausscheidungen im Bett wird von den meisten Menschen als **höchst unangenehm** empfunden. Verstärkt wird dies durch die Anwesenheit des Helfers und evtl. der Mitpatienten. Das hierdurch ausgelöste psychologische Hemmnis und die ungewohnte Position im Bett können das Ausscheiden erschweren und sogar zu Harnverhaltung oder Stuhlverstopfung führen. Es ist Aufgabe des Pflegepersonals, für eine möglichst ruhige und **ungestörte Atmosphäre** im Zimmer zu sorgen und ggf. einen Sichtschutz aufzubauen. **Diskretes** und einfühlsames **Verhalten** sind dabei selbstverständlich.
Um ein unangenehmes Kältegefühl durch das Steckbecken zu vermeiden, empfiehlt es sich, dieses vor der Benutzung mit warmem Wasser auszuspülen.
Gelingt ein spontanes Wasserlassen nicht, so kann es manchmal durch einen Reiz ausgelöst werden. Fördernde Reize sind das Geräusch laufenden Wassers, ein warmer Waschlappen über der Blase oder das Eintauchen der Hand in warmes Wasser. Auch eine leichte Massage des Unterleibs oder der Oberschenkelinnenseite kann den Entleerungsreflex auslösen.
Frauen, die im Bett wasserlassen müssen, wird ein Steckbecken unter das Gesäß geschoben, wobei das Kreuzbein auf dem oberen Beckenrand zu liegen kommt. Ist die Patientin nicht in der Lage, die Beine anzuwinkeln und das Becken anzuheben, so wird sie auf die Seite gedreht. Das Unterschieben des Steckbeckens wird durch Anbringen eines gerollten Handtuchs unter der Hüfte erleichtert *(siehe Abb. 3.10)*. Der Griff des Steckbeckens wird seitlich plaziert, um ein Aufliegen des Oberschenkels zu vermeiden. Anschließend wird das Kopfteil des Bettes hochgestellt, die Beine werden gestreckt (halbsitzende Position); in dieser Position wird die Miktion erleichtert.
Nach dem Wasserlassen wird die Intimregion mit Toilettenpapier (Zellstoff) von ventral nach dorsal trocken getupft. Das Steckbecken wird mittels Codraspüle gereinigt und desinfiziert.

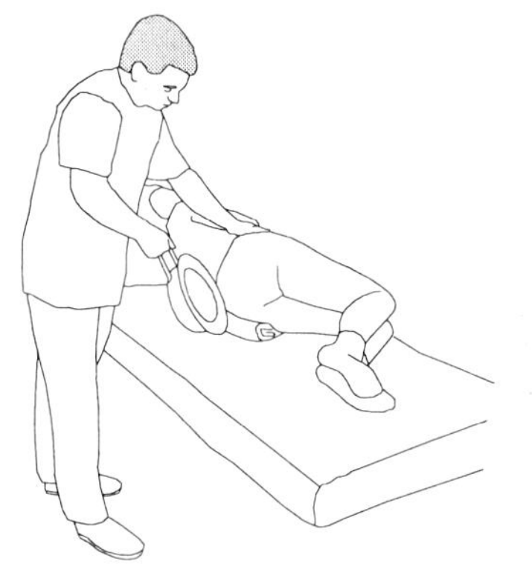

Abb. 3.10 ***Auf das Steckbecken setzen***

3.7.2 Urinflasche

In bezug auf die psychischen Auswirkungen, die durch das Benutzen einer Urinflasche entstehen können, gilt das im vorherigen Abschnitt (*„Steckbecken"*) Gesagte.
Urinflaschen werden meist bei Männern angelegt, sind aber bedingt auch für Frauen nutzbar.
Urinflaschen für Frauen haben eine breitere und flachere Öffnung; sie werden Schiffchen genannt.

❒ **Umgang mit der Urinflasche beim Mann**
Die Urinflasche wird in einem Behälter am Bettrand in Reichweite des Patienten angebracht. Beim Anlegen der Urinflasche wird der Penis an seiner Wurzel gefaßt und in den Flaschenhals eingeführt. Das Wasserlassen erfolgt in der Regel ohne Probleme. Danach wird die Harnröhrenöffnung mit Toilettenpapier oder Zellstoff abgetupft.
Um unangenehme Geruchsbildungen zu vermeiden, sollte die Urinflasche mit einem Deckel verschlossen und regelmäßig entleert werden.

❒ **Umgang mit der Urinflasche bei der Frau**
Die Öffnung der Flasche wird dicht um die Harnröhrenöffnung gelegt. Die Urinflasche ist sobald wie möglich zu entfernen; das äußere Geschlechtsteil wird von ventral nach dorsal abgetupft.

3.7.3 Erhaltung der Kontinenz

Kontinenz = Fähigkeit, Urin und Stuhl willentlich zurückzuhalten bzw. zu entleeren

Das Erkennen, Verringern und Beseitigen von Risikofaktoren, das Schaffen kontinenzfördernder Bedingungen und ein gezieltes Toilettentraining können entscheidend dazu beitragen, die durch bestimmte Risikofaktoren gefährdete Kontinenz eines Menschen zu erhalten.
Generell ist selbständiges Verhalten zu fördern und anzuerkennen.

Die Erhaltung der Kontinenz kann Abhängigkeiten, Einbußen der Lebensqualität und Minderwertigkeitsgefühle verhindern.

❒ Analyse der Risikofaktoren

Aufgrund **physiologischer Alterungsprozesse** verringert sich die Blasenkapazität, lassen die zentrale Hemmung des Harndrangs sowie der Tonus von Beckenboden- und Schließmuskeln nach. Folglich verspüren alte Menschen eher Harndrang, können diesen nur noch kürzere Zeit unterdrücken und müssen - bei Herz- und Niereninsuffizienz auch nachts - häufiger wasserlassen.

Nicht selten kommen **krankhafte Veränderungen** wie Prostatavergrößerung oder Beckenbodeninsuffizienz und Erkrankungen des Urogenitaltraktes hinzu. **Störungen der Orientierung** (vor allem in fremder Umgebung), körperliche Behinderungen und dementielle Prozesse können ein rasches und ein selbständiges Aufsuchen der Toilette ebenso be- oder verhindern wie ein schnelles Auskleiden. **Depressionen** können zur Selbstaufgabe führen und somit kontinentes Verhalten verhindern.

Einsame Menschen, die unter einem **Zuwendungsdefizit** leiden, entwickeln manchmal regressives Verhalten. Sie haben gelernt, daß Inkontinenz Beachtung, Körperkontakt und Zuwendung verschafft und versuchen unbewußt, darüber ihr Defizit auszugleichen.

Während **längerer Bettlägerigkeit** erfährt der innere Blasenschließmuskel bei Flachlage oder unphysiologischer Oberkörperabknickung zu wenig vestibuläre Stimulation *(siehe "Basale Stimulation", Seite 742)*. Im Liegen kann es zum "Überlaufen" der Blase kommen, beim Aufrichten zu einem Verschlußdefizit des Blasenauslasses.

Unerwünschte Wirkungen einiger Medikamente können Blasenstörungen, und Inkontinenz begünstigen oder hervorrufen.

Sedierende Medikamente beeinträchtigen die Aufmerksamkeit und rufen unter Umständen Verwirrtheitsprozesse hervor. Diuretika* erhöhen die Urinmenge und den Harndrang. Alpha-Rezeptoren - Blocker setzen den Tonus der Blasenmuskulatur herab und führen selten zu einer Inkontinenz.

Bei hartnäckiger **Obstipation** können Kotballen auf die Blase drücken und den Blasenmuskel reizen sowie den Beckenboden überdehnen.

Die Risikofaktoren sind unter *„Problemanalyse", Seite 223, zusammengefaßt.*

❒ Pflegemaßnahmen

Entsprechend den Ergebnissen der Analyse der Risikofaktoren können folgende Maßnahmen zur Erhaltung der Kontinenz angezeigt sein:

Reduzieren / Beseitigen der Risikofaktoren

- Obstipationsprophylaxe *(siehe Seite 214)*;
- Mobilisation und Rehabilitation im Rahmen des Möglichen (Förderung von Mobilität und Selbständigkeit, Verhinderung von Bettlägerigkeit);
  Beachte: Die Bewegung außerhalb des Bettes fördert die gesamten Körperfunktionen und kräftigt die Beckenbodenmuskulatur.
- Zuwendung, Berührung, Förderung sozialer Kontakte;
- Beachtung *(positive Verstärkung)* selbständiger Toilettengänge;
- Förderung der Orientierung *(siehe Seite 959 und Seite 567)*.

Schaffen einer kontinenzfördernden Umgebung

- Plazierung des Klingelknopfs in Reichweite (und spontane Reaktionen auf Klingelruf);
- Auswahl eines Zimmers mit Naßzelle oder eines Zimmers in Toilettennähe;
- deutliche Beschilderung der Wege zur Toilette und der Toilette mit großer Schrift / großen Symbolen;
- Anbringen von Halteschienen und -griffen auf den Wegen zu und auf der Toilette;
- Verringerung des Sturzrisikos *(siehe "Sturzprophylaxe", Seite 566)*;
- ausreichende Beleuchtung der Wege und der Toilette;
- ausreichende Beheizung des Toilettenraums;
- ggf. Bereitstellen des Toilettenstuhls, des Steckbeckens oder der Urinflasche im Zimmer.

Empfehlen kontinenzfördernder Kleidung

Die Kleidung eines inkontinenzgefährdeten Menschen sollte

- leicht zu öffnen sein (mittels Klettverschlüssen, ansonsten mittels Reißverschlüssen; Gummizug statt Gürtel; verlängerter Hosenschlitz);
- leicht und schnell auszuziehen sein (weiter Schnitt, leichtes Material, nicht zu viele Kleidungsstücke übereinander).

Individuelles Toilettentraining

Der Patient wird informiert und angehalten, **regelmäßig die Toilette aufzusuchen**. Die Häufigkeit richtet sich nach den individuellen Bedürfnissen und Gewohnheiten. Desorientierte, verwirrte und demente Menschen müssen alle 2 - 3 Stunden an den Toilettengang erinnert und ggf. begleitet werden. In einigen Fällen ist das Anlegen eines **Miktionsprotokolls** *(siehe Seite 224)* sinnvoll, um den Patienten rechtzeitig an den Toilettengang erinnern zu können.

Das Toilettentraining erstreckt sich bei Bedarf auch auf die späten Abendstunden, die Nacht (bei Nykturie) und die frühen Morgenstunden.

Beckenbodentraining

Voraussetzung der Kontinenz ist die physiologische Lage der Blase. Wird die Lage der Blase im Verhältnis zur Beckenbodenmuskulatur verändert, so kann es zu Inkontinenz kommen.

Die **Beckenbodenmuskulatur** befindet sich unterhalb der Harnblase. Es handelt sich um eine etwa 2 cm dicke, quergestreifte Muskelplatte. Sie **bildet** den **äußeren Schließmuskel** unterhalb der Harnblase und rund um die Harnröhre. Die Beckenbodenmuskulatur ist **willkürlich beeinflußbar**; Anspannung ermöglicht den willkürlichen Harnblasenverschluß, bei Erschlaffung kann sich die Harnblase entleeren.

Die Beckenbodenmuskulatur - also der äußere Schließmuskel der Harnblase - läßt sich durch **Training** kräftigen. Damit können gewisse Formen der **Inkontinenz vermieden, gelindert oder behoben** werden. Dies gilt insbesondere für die milde Form der Anstrengungsinkontinenz. Auch nach einer Entbindung, nach Operationen im Harn- / Genitaltrakt und nach Entfernung eines Blasenverweilkatheters kräftigt das Beckenbodentraining die Muskulatur und verhindert eine Streßinkontinenz.

Die Anleitung zum Beckenbodentraining erfolgt durch KrankengymnastInnen. Für das Training stehen verschiedene Übungen zur Verfügung. Leicht erlernbar sind die sogenannten **Kneifübungen**. Um bewußt zu machen, welche Muskeln anzuspannen sind, werden zunächst folgende Übungen durchgeführt:

- Der Urinstrahl (bzw. der Stuhlgang) wird während des Entleerungsvorganges durch Muskelanspannung für 5 - 10 Sekunden unterbrochen.
- Der Entleerungsvorgang wird für wenige Sekunden fortgesetzt, dann abermals unterbrochen.
- Dieses Vorgehen wird während eines Toilettenganges ca. 3 mal wiederholt.
- Je länger die Unterbrechungen, desto größer der Trainingseffekt für die Beckenbodenmuskulatur.
- Die Übung kann auch auf dem Steckbecken durchgeführt werden.

Sobald die Übung beherrscht wird und deutlich geworden ist, welche Muskeln anzuspannen sind, kann dieser Vorgang auch mehrmals täglich als "*Trockenübung*" durchgeführt werden. Kneifübungen können in Rückenlage, in sitzender Position und im Stehen durchgeführt werden. Immer werden dabei neben der Beckenbodenmuskulatur auch die Oberschenkel- und die Gesäßmuskeln angespannt.

Beispiele für weitere Übungen, die nach kurzer Pause jeweils 5 mal wiederholt werden sollten *(siehe Abb. 3.11)*:

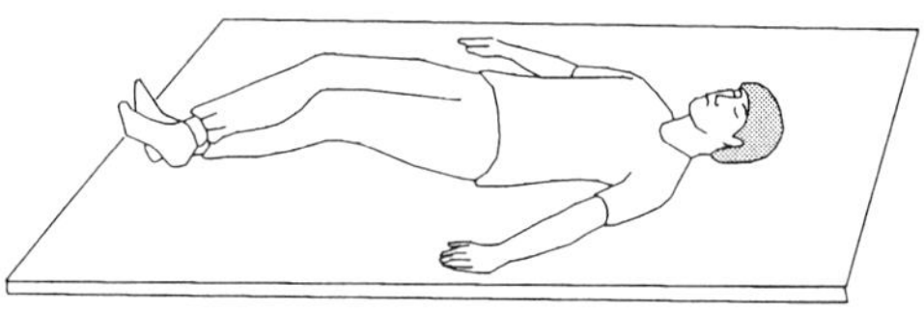

zu a) Übung in Rückenlage

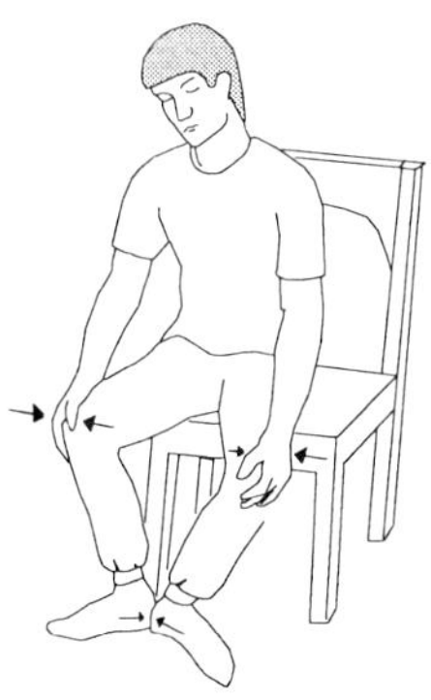

zu b) Übung im Sitzen *zu c) Übung im Stehen*

Abb. 3.11 ***Beckenbodentraining***

a) Auf dem Rücken liegend die Beine übereinanderschlagen. Die Oberschenkel aneinanderpressen, gleichzeitig das Gesäß anspannen und für 5 bis 10 Sekunden von der Unterlage abheben.
b) Im Sitzen die Füße nach außen und die Fersen gegeneinander stellen; die Hände an den Außenseiten der Knie anlegen. Sodann 5 bis 10 Sekunden die Gesäß-, Oberschenkel- und Beckenbodenmuskulatur anspannen, dabei mit den Händen Druck ausüben.
c) Im Stehen die Füße nach außen und die Fersen gegeneinander stellen. Anspannen der Muskeln wie unter b) beschrieben.

Die bei den Kneifübungen erlernte Muskelanspannung ist vor allem während des Hebens durchzuführen, um einen Urinabgang bei Streßinkontinenz zu verhindern.

3.7.4 Erleichterung der Toilettenbenutzung

Die selbständige Benutzung der Toilette ist unbedingt zu fördern.

Toiletten in Krankenhäusern und Pflegeeinrichtungen sollten generell mit **Halteschienen** und **-griffen** ausgestattet sein; sie gewähren Sicherheit und bieten Hilfe beim Hinsetzen und Aufstehen.

Sind Aufstehen und Hinsetzen besonders beschwerlich, z.B. bei Hüftleiden, Parkinson - Krankheit oder nach Einsetzen eines künstlichen Hüftgelenks, ist die Sitzhöhe durch Anbringen eines **Toilettensitzes** zu erhöhen *(siehe Abb. 3.12)*.

Der Toilettenraum sollte über eine **Ablage** für Inkontinenzartikel, ein Abwurfbehältnis und ein **Waschbecken** verfügen.

Bei Deformitäten und bei eingeschränktem Griffvermögen können spezielle **Greifvorrichtungen** die selbstständige Benutzung des Toilettenpapiers ermöglichen *(siehe Abb. 3.13)*.

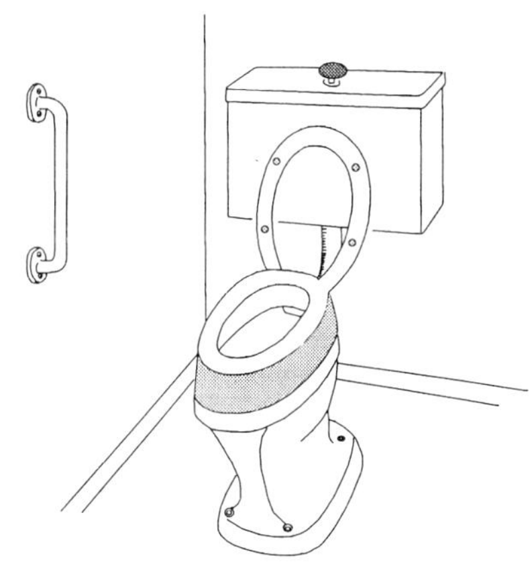

Abb. 3.12 ***Toilettensitzerhöhung***

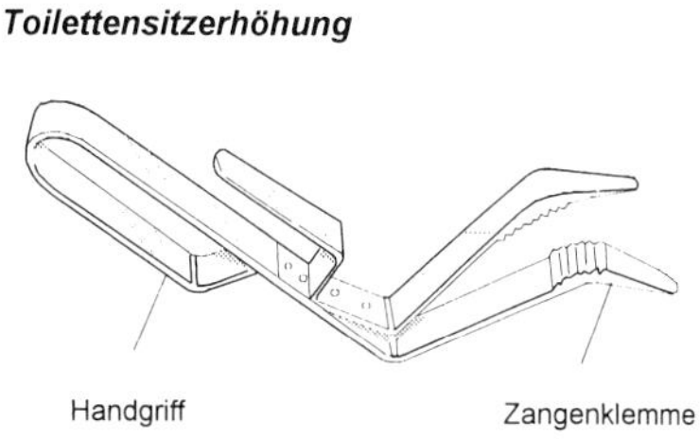

Abb. 3.13 ***Greifvorrichtung für Toilettenpapier***

3.7.5 Harnwegsinfektionsprophylaxe bei Blasenverweilkatheter

Durch einen Blasenverweilkatheter ist die Harnröhre permanent geöffnet, so daß Keime ins Körperinnere vordringen können. In der Intimregion befinden sich zahlreiche Mikroorganismen, die über einen transurethralen Katheter in die Harnröhre und in die Harnblase gelangen können. Deshalb ist zweimal täglich eine besonders gründliche und sorgfältige **Intim- / Katheterpflege** *(siehe "Intimpflege", Seite 657)* mit frischem Wasser, Seife und sauberem Waschlappen durchzuführen. Das außenliegende Katheterende wird ebenfalls abgewaschen, und zwar von der Harnröhrenöffnung weg in Richtung Auffangbeutel. Verkrustungen am Harnröhrenausgang werden vorsichtig entfernt; ggf. ist die **Beobachtung** von Blut- und Eiterbeimengungen zu dokumentieren und dem Arzt mitzuteilen.
Anschließend ist eine Desinfektion der Harnröhrenöffnung und des Katheterschlauches mit einem schleimhautverträglichen Desinfektionsmittel möglich *(siehe auch "Pflegestandard - Intimpflege", Seite 668)*. Zum Schutz kann vor die Harnröhrenöffnung eine sterile, eingeschnittene Kompresse gelegt werden; sie saugt Sekret auf und schützt ggf. vor Verschmutzung mit Kot.
Der Patient ist über die Infektionsgefahr und die entsprechende Prophylaxe zu **informieren**; selbständige Patienten sind zur sorgfältigen Intim- und Katheterpflege **anzuleiten**. Auch die Befestigung des Auffangbeutels am Bett bzw. am Körper (z.B. während der Mobilisation außerhalb des Bettes) ist zu erläutern.

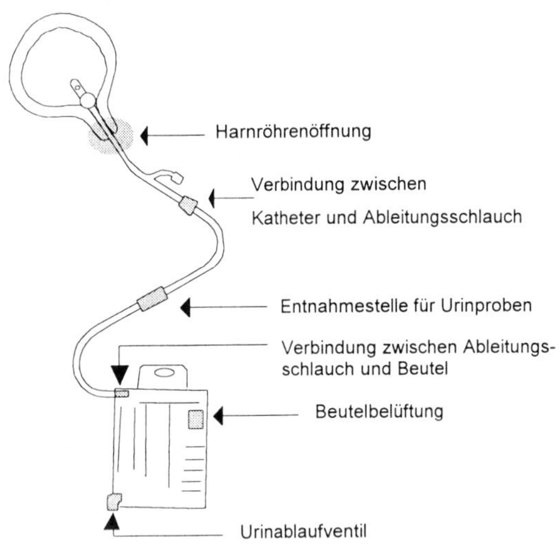

Abb. 3.14 ***Problembereiche beim Urinableitungssystem***

Um das Risiko der Harnwegsinfektion und der Katheterverstopfung möglichst gering zu halten, ist für eine **ausreichende orale Flüssigkeitszufuhr**, die zur Spülung der Harnwege und letztendlich auch des Katheters führt, zu sorgen. Die tägliche Flüssigkeitsaufnahme sollte 1500 ml nicht unterschreiten.
Um das Abfließen des Urins zu gewährleisten, wird der **Auffangbeutel unterhalb des Harnblasenniveaus** angebracht. Es ist darauf zu achten, daß der Schlauch nicht abgeknickt oder verdreht wird, da dies zu Harnstauungen im System und in der Blase führt. Der Patient darf nicht auf dem Schlauch liegen, da es auch dann zum Harnstau und darüber hinaus zu Druckstellen kommt; man führt den **Katheter über den Oberschenkel**. So wird auch die Ausübung von Zug auf den Katheter verhindert.
Manipulationen am ableitenden System bergen immer die Gefahr einer Keimverschleppung in sich. Deshalb werden heute die **geschlossenen Ableitungssysteme bevorzugt**, bei denen der Katheter nicht abgestöpselt wird. Die Entleerung des Beutels erfolgt über einen Auslaß am Boden des Beutels (*Urinablaufventil*). Dieser darf nicht am Boden liegen (*Keimbesiedlung*).
Vor und nach pflegerischen Arbeiten am Katheter oder am Ableitungssystem werden die **Hände desinfiziert**. **Unnötige Manipulationen** am Urinableitungssystem sind **unbedingt** zu **unterlassen**. Soll ein Katheter ausnahmsweise abgestöpselt werden, ist zum Verschluß ein **steriler Stopfen** zu verwenden; außerdem werden dabei sterile Handschuhe getragen.

Es ist darauf zu achten, daß der **Urinbeutel entleert** wird, **bevor** das **Rückflußventil** in den Urin **eintaucht**. Beim Ablassen des Urins werden Handschuhe getragen; das Ablaßventil darf den Rand des Auffanggerätes nicht berühren. Der **Beutelwechsel** erfolgt in der Regel **nach Bedarf**, spätestens gleichzeitig mit dem Katheterwechsel.

3.8 Beobachtung des Stuhls

3.8.1 Beschaffenheit (Konsistenz)

Die Konsistenz des Stuhls ist **abhängig** von der **Beschaffenheit der Nahrung**. Sie kann fest, weich oder dickbreiig sein; entscheidend ist die Höhe des Faserstoffanteils (je mehr Faserstoffe, um so weicher der Stuhl).
Abweichungen von der normalen Stuhlkonsistenz sind in der Regel ein **Symptom** für bestimmte Krankheiten.
Wird reichlich dünnflüssiger Stuhl entleert, spricht man vom **Durchfall** (*Diarrhoe*).
Extrem harten, trockenen, knotigen und dunkelbraunen Stuhl findet man bei der **Verstopfung** (*Obstipation*).
Die äußere Form des festen Kots wird durch das Lumen des Enddarms bestimmt.

Bei bestimmten Erkrankungen treten charakteristische Stuhlverformungen / Konsistenzveränderungen auf, z.B.:

- **bleistiftförmiger Stuhl** bei entsprechender Einengung des Dickdarmlumens, wie dies z.B. bei Tumoren vorkommt;
- **salbenförmiger, voluminöser Stuhl** (*Fettstuhl = Steatorrhoe*) bei Störungen des Fettstoffwechsels und bei Bauchspeicheldrüsenerkrankungen, der Stuhl erstarrt beim Erkalten;
- **erbsbreiähnlicher Stuhl** bei Typhus;
- **reiswasserähnlicher Stuhl** bei Cholera.

3.8.2 Zusammensetzung

Die Zusammensetzung des Stuhls ist unter *"Kotproduktion"* *(Seite 195)* beschrieben.

3.8.3 Farbe

Stuhl ist normalerweise dunkelbraun gefärbt. Dies ist auf die Ausscheidung von Sterkobilin - einem umgewandelten Gallenfarbstoff - zurückzuführen. Der **Braunton variiert** je **nach Nahrungsaufnahme**, evtl. auch nach Medikamenteneinnahme. So wird er z.B. durch Spinat und Blaubeeren braunschwarz und nach der Einnahme von eisenhaltigen Präparaten oder Kohle schwarz. Eier und stärkereiche Kost verursachen eine gelbbraune Färbung.
Der erste **Stuhl des Neugeborenen** ist grünlich-schwärzlich *(Kindspech, Mekonium)*.
Nach einem Kontrastmitteleinlauf wird der Stuhl durch Kontrastmittelbeimengungen weiß gefärbt.
Bei überwiegender **Ernährung mit Milch** (Säugling) ist der Stuhl gelb-weißlich.

Stuhlfarbveränderungen findet man auch bei bestimmten Krankheiten, z.B. ist der Stuhl

- **gelblich-grün** bei Typhus;
- **reiswasserähnlich** (Farbe und Konsistenz) bei Cholera;
- **grünlich** bei schweren Durchfallerkrankungen;
- grau und **lehmfarben** (*acholisch*) bei Fehlen des Gallenabflußes (und somit des Gallenfarbstoffes);
- **rotbraun marmoriert** durch Blutungen, die im unteren Dickdarmabschnitt lokalisiert sind;
- **rotbraun** durch Blutungen, die im oberen Dickdarmabschnitt lokalisiert sind;
- durch **hellrote Auflagen** bei Blutungen im Enddarm, vor allem bei Hämorrhoiden gekennzeichnet;
- **schwarz** (*Teerstuhl* oder *Melaena*) bei Blutungen aus dem oberen Verdauungstrakt, z.B. bei Magen- und Zwölffingerdarmgeschwüren (das Blut wurde bereits durch Enzyme und die Salzsäure des Magens verändert).

3.8.4 Geruch

Der Geruch des Kots wird **durch Fäulnis- bzw. Gärungsprozesse** im Darm verursacht. Diese sind abhängig von den nicht resorbierbaren Resten der Nahrungsstoffe, die von Bakterien zersetzt werden.
Bei kohlenhydratreicher Kost entsteht durch Gärungsprozesse ein **säuerlicher Geruch**. Eiweißreiche Kost läßt durch Fäulnisprozesse einen leicht **fauligen, schwefelwasserstoffartigen** Geruch entstehen.
Bei gesunden Menschen sind die Kotgerüche nicht übermäßig übelriechend.

Störungen der Verdauung (*Dyspepsie**), die bei verschiedenen Krankheiten auftreten können, gehen mit stark **übelriechenden Kot- und Darmgasabgängen** einher. Liegt die Störung im Bereich der Kohlenhydratverdauung, riecht der Kot **stechend sauer**; ist die Eiweißverdauung betroffen, ist der Geruch des Kots **jauchig, faulig**.

3.8.5 Beimengungen

Kot kann **unverdaute Speisereste**, die als solche erkennbar sind, enthalten. Ursache hierfür kann ungenügendes Zerkauen der Nahrung sein.
Andere **makroskopisch sichtbare Beimengungen** geben Hinweise auf bestimmte Störungen (Krankheiten):

- **Schleimauflagerungen** finden sich bei Reizungen und Entzündungen der Dickdarmschleimhaut.
- **Schleim- und Blutbeimengungen** können auf entzündliche Darmerkrankungen oder Darmtumore hinweisen.
- **Blutig-eitriger Schleim** bildet sich bei Erkrankungen, die mit Geschwürbildung an der Dickdarmschleimhaut einhergehen.
- **Blutige Stuhlauflagen** sowie -beimengungen treten bei Tumoren und Blutungen im Darmbereich auf; **Blutspritzer** sind typisch bei Hämorrhoiden oder bei Einrissen an der Analschleimhaut (*Analfissuren*).
- **Unverdaute Speisereste** finden sich bei starkem Durchfall.

Eingeweidewürmer

- **Madenwürmer** (*Oxyuren*) sind wenige Millimeter (2 - 12 mm) lang und fadenförmig; sie verursachen Juckreiz am After.
- **Spulwürmer** (*Askariden*) sind bleistiftdick und 15 - 25 cm lang.
- **Bandwürmer** *(Tänien)* werden je nach Art mehrere (3 - 10) Meter lang; sie haben einen 1 - 2 mm langen Kopf und zahlreiche kürbiskernförmige Glieder von 10 - 20 mm Länge.

Mikroskopische Stuhluntersuchungen dienen dem Nachweis von verstecktem Blut, Wurmeiern oder pathogenen Keimen (z.B. Salmonellen, Staphylokken). Außerdem können Aussagen über die Verwertung der Nahrung und Rückschlüsse über die Funktion einzelner Verdauungsorgane abgeleitet werden.

3.8.6 Reaktion

Die Stuhlreaktion läßt sich durch Indikatorstreifen feststellen und entspricht **physiologisch** einem pH - Wert von 7 bis 8.
Saure Reaktionen (pH - Wert unter 7) findet man bei der Gärungsdyspepsie*; **alkalische Reaktionen** (pH - Wert über 8) treten bei der Fäulnisdyspepsie auf.

3.8.7 Darmgase

In tieferen Darmabschnitten entstehen hauptsächlich durch Fäulnis- und Gärungsprozesse Darmgase. Diese bezeichnet man auch als **Flatus** *(Wind)* oder Blähungen. Beim reichlichen Abgang von Blähungen spricht man von der **Flatulenz**.
Organische und funktionelle Erkrankungen am Verdauungsapparat, aber auch das Luftschlucken *(Aerophagie)* können zur vermehrten Bildung von Darmgasen führen. Bei dieser sogenannte **Blähsucht** (*Meteorismus*) kommt es zur Gasansammlung im Darm oder in der freien Bauchhöhle. Der Betroffene leidet unter Völle- und Blähungsgefühl, evtl. auch unter krampfartigen Schmerzen.

Durch die **massive Gasansammlung** wird das Zwerchfell hochgedrückt, was sowohl ein Engegefühl in der Brust als auch Atembeschwerden auslösen kann. Bei solchen Beschwerden ist daher Meteorismus als Ursache in Betracht zu ziehen.
Die Tatsache, nicht allein im Raum zu sein, kann zur **Windverhaltung** mit Zunahme der Beschwerden führen. Da auch dieser Bereich zur Intimsphäre des Menschen gehört, ist ein einfühlsamer Umgang mit der Problematik wichtig.

3.9 Beobachtung der Stuhlausscheidung

3.9.1 Menge

Die Menge des ausgeschiedenen Stuhls ist **abhängig von** der **Nahrungsbeschaffenheit** und schwankt zwischen 100 Gramm (bei schlackenarmer Kost) und 200-500 Gramm (bei schlackenreicher Kost) täglich.
Die Stuhlmenge kann bei bestimmten **Verdauungsstörungen** deutlich vergrößert sein.

3.9.2 Häufigkeit und Zeitpunkt

Die Häufigkeit der Stuhlausscheidungen ist **sehr unterschiedlich;** physiologisch sind max. 3 Stuhlabgänge täglich und mind. 3 Stuhlabgänge wöchentlich.
Der Stuhldrang setzt häufig zum selben Tageszeitpunkt ein und wird durch dieselben Reize (z.B. Nahrungsaufnahme, Kaffeekonsum, "Frühstückszigarette") stimuliert. Bei vielen Menschen ist dies die Zeit nach dem Frühstück. Wird dem Stuhldrang nicht nachgegeben, z.B. weil man sich die Zeit dazu nicht nimmt (Hektik), kommt es schnell zur Stuhlverstopfung.

3.9.3 Defäkationsstörungen

Störungen der Stuhlentleerung (*Defäkation*) geben Hinweis auf funktionelle oder organische Störungen des Organismus.

3.9.4 Durchfall (*Diarrhoe*)

Mehr als drei Stuhlentleerungen pro 24 Std. (im Extremfall bis zu 30), die einen **übermäßig hohen Wasseranteil** aufweisen, werden als Durchfall bezeichnet. Bei diesen wäßrigen Stuhlabgängen kommt es zu **Elektrolytverlusten**, die, wenn sie länger anhalten, Störungen des Stoffwechsels auslösen können (z.B. eine *Alkalose**). Die **Wasserverluste** können zur Austrocknung des Gewebes führen (*Exsikkose*). Deshalb ist eine ausgleichende Flüssigkeitszufuhr notwendig.
Der Kranke verspürt meist großen **Durst**. Bei entzündlichen und tumorösen Darmerkrankungen kann es zusätzlich zu hohen Eiweißverlusten und somit zur Abmagerung bis hin zur Kachexie* kommen.
Das **Allgemeinbefinden** ist **beeinträchtigt**; oft treten Appetitlosigkeit, Übelkeit, Völlegefühl und Blähungen auf. Auch Kreislaufstörungen mit Kollapsneigung kommen vor. Die Darmentleerung kann von heftigen **Krämpfen der Darmmuskulatur** begleitet werden, die das Allgemeinbefinden weiter beeinträchtigen.
Akut auftretende Diarrhöen werden durch pathogene Keime (Darminfektionen, z.B. Salmonellose), Vergiftungen oder psychische Belastungssituationen, die mit Angst und Aufregung einhergehen, verursacht.
Bei Darminfektionen treten häufig gleichzeitig Übelkeit und Erbrechen auf *(Gastroenteritis)*.
Chronisch verlaufende Diarrhöen sind Zeichen chronischer Erkrankungen, meist des Dünn- oder Dickdarmes. Aber auch das Fehlen von Verdauungssäften, Lebensmittelallergien und angeborene Verdauungsstörungen können Ursache der chronisch auftretenden Diarrhoe sein.
Nicht wenige Menschen leiden unter einem sogenannten **Reizkolon** (*Kolon irritable*), das sich durch wiederkehrende Leibschmerzen, Blähungen, Wechsel von Durchfall und Verstopfung sowie durch Krämpfe der Darmmuskulatur bemerkbar macht. Die Ursachen für diese funktionelle Darmstörung sind nicht genau geklärt, werden jedoch mit psychischer Erregbarkeit / Belastung in Verbindung gebracht.
Beachte: Ein Wechsel von Obstipation und Diarrhoe kann durch ein Dickdarmkarzinom verursacht werden, deshalb muß eine diagnostische Abklärung erfolgen.

3.9.5 Stuhlverstopfung (*Obstipation*)

Als Stuhlverstopfung bezeichnet man eine **verzögerte und beschwerliche Entleerung eingedickten Stuhls**. Es kommt weniger als 3 mal wöchentlich zur Stuhlentleerung; der Kot ist **hart, trocken und knotig**, die **Menge** insgesamt **geringer** als üblich. Diese Erscheinungen sind auf den Wasserentzug während der langen Verweildauer im Dickdarm zurückzuführen. Häufig ist der Entleerungsvorgang mit Beschwerden, Anstrengung und **Schmerzen** in der Analregion verbunden. Des weiteren klagen die Betroffenen oft über ein **Druckgefühl, Blähungen** und Leibschmerzen.
Die Obstipation ist keine Krankheit, sondern ein Zeichen für eine Erkrankung oder Fehlfunktion.

Es können folgende Ursachen zugrunde liegen:
- Einnahme bestimmter Medikamente, z.B.
  - Diuretika *(siehe Seite 287)*,
  - Opioide *(siehe Seite 914)*,
  - Anticholinergika, Parasympatholytika *(Substanzen, die den Tonus der Darm- / Harnblasenmuskulatur herabsetzen)*,
  - Antazida (*kalzium- und aluminiumhaltige Substanzen, die zur Neutralisierung der Magensäure eingesetzt werden);*
- Stoffwechselstörungen, z.B. Diabetes mellitus oder Schilddrüsenunterfunktion (*Hypothyreose*);
- Elektrolytverschiebungen, z.B. *Hyperkalzämie* oder *Hypokaliämie*;
- Veränderungen des Darms, z.B. Verengungen (*Darmstenosen*) und Aussackungen der Darmwand (*Divertikel*);
- Veränderungen in der Analregion, z.B. *Hämorrhoiden* *(siehe Seite 209)* oder Einrisse der Analschleimhaut (*Analfissuren*), die - zwecks Schmerzvermeidung - unbewußt zur Zurückhaltung des Stuhls führen;

- Erkrankungen / Verletzungen des Nervensystems oder des Rückenmarks;
- Störungen der Darmmotilität;
- Unterdrückung des Entleerungsreflexes, z.B. bei Zeitnot, Hektik, Schamgefühl und Störungen der Intimsphäre (Defäkation im Mehrbettzimmer !);
- reduzierte Kraft der Bauchpresse, z.B. bei extrem übergewichtigen Menschen, schwangeren Frauen oder bei Ansammlung großer Flüssigkeitsmengen im Bauchraum (*Aszites*);
- mangelhafte Anregung der Darmmotorik aufgrund faserstoffarmer (schlackenarmer) Kost, Flüssigkeits- und Bewegungsmangel;
- verringerte Peristaltik des Darms in der Schwangerschaft aufgrund der Progesteronwirkung;
- langjähriger Mißbrauch von Abführmitteln (*Laxanzienabusus*), der zu Kaliumverlusten und so zu mangelhafter Darmperistaltik führt.

Eine hartnäckige Obstipation kann eine Harn- und/ oder Stuhlinkontinenz bedingen *(siehe Harn- bzw. Stuhlinkontinenz).*

3.9.6 Schmerzen

Schmerzen bei der Stuhlentleerung sind immer ein **Hinweis auf eine Störung.**

Krampfartige Leibschmerzen können durch Störungen der Darmmotorik (z.B. beim Reizkolon, bei Durchfall oder Spasmen) verursacht werden .

Schmerzhafter, beständig auftretender Stuhldrang mit geringer oder fehlender Entleerung des Darms wird als **Tenesmus*** bezeichnet. Hierzu kommt es durch entzündliche Reizung der Darmschleimhaut, die zum Krampf der Schließmuskeln führt.

Auch **Einrisse** (*Analfissuren*) oder **knotenförmige Erweiterungen im Bereich des arteriovenösen Gefäßplexus in der Anorektalschleimhaut** (*Hämorrhoiden*) können zu schmerzhafter Stuhlentleerung - insbesondere bei hartem, knotigem Stuhl - führen.

Bei einer stark gereizten Analschleimhaut, wie man sie bei anhaltenden Durchfällen vorfinden kann, löst der Kontakt mit Stuhl - insbesondere mit dünnflüssigem - lokal unangenehmes **Brennen und Schmerzen** aus.

3.10 Entnahme von Stuhlproben

Zu **diagnostischen Zwecken** wird Stuhl in spezielle, mit Löffelchen versehene Stuhlröhrchen abgefüllt und ins Labor geschickt.

Für den **Nachweis bestehender Infektionen** wird meist je eine Stuhlprobe aus insgesamt 3 Entleerungsvorgängen benötigt.

Wird der Stuhl auf **verborgene** (*okkulte*) **Blutbeimengungen** untersucht, muß der zu Untersuchende 3 Tage vor Testbeginn bis zum Ende der Testperiode (nach 3 Stuhlentleerungen) auf den Verzehr von Fleisch- und Wurstwaren sowie auf die Einnahme von Vitamin C - Präparaten verzichten. Diese würden (ebenso wie gleichzeitig mit der Darmentleerung ausgeschiedenes Menstruationsblut) das Untersuchungsergebnis positiv bzw. negativ (hochdosierte Vitamin C-Einnahme) verfälschen.

Die Stuhlproben werden jeweils auf die dafür vorgesehenen Felder des Testbriefchens (z.B. Haemoccult®, Hemo - Fec - Test®) aufgebracht.

Für einige bakterielle Untersuchungen ist die **Konservierung** des Stuhls durch Zusatz entsprechender Substanzen notwendig, für andere ist eine bestimmte **Dauer** der Testperiode einzuhalten. Das Pflegepersonal findet die entsprechenden Hinweise auf Begleitpapieren der Laborinstitute oder wird direkt durch das Labor bzw. den Arzt unterrichtet.

3.11 Unterstützung bei der Stuhlausscheidung

Die Hilfestellung bei der Stuhlausscheidung erfordert **Einfühlungsvermögen** und **Taktgefühl**, um dieser für den Betroffenen unangenehmen Situation gerecht zu werden. Die Inanspruchnahme fremder Hilfe bei der Defäkation löst Scham-, evtl. auch Schuldgefühle aus. Die Tatsache, während der Darmentleerung nicht ungestört zu sein, anschließend Hilfe zu benötigen und unangenehme Gerüche zu verbreiten, kann zum Ignorieren des Stuhldrangs und weiter zur Stuhlverstopfung führen.

Während des Umgangs mit Ausscheidungen sind aus infektionsprophylaktischen Gründen immer **Schutzhandschuhe** zu tragen. Anschließend werden die Hände gewaschen und desinfiziert.

3.11.1 Steckbecken

Informationen zur Verwendung des Steckbeckens wurden bereits unter *"Unterstützung bei der Urinausscheidung"* *(Seite 205)* gegeben.

Bei Nutzung des Steckbeckens zur Stuhlentleerung ist zu berücksichtigen, daß der Beckenrand erheblichen zirkulären Druck ausübt, der Schmerzen, evtl. auch Druckstellen, hervorrufen kann. Deshalb sollte der Patient nicht zu lange auf dem Steckbecken sitzen / liegen.

3.11.2 Digitale Ausräumung

Bei der digitalen Ausräumung handelt es sich um die **Entleerung des Enddarms mit den Fingern**. Sie wird bei schlaffer Darmlähmung, die durch fehlenden Muskeltonus gekennzeichnet ist, erforderlich. Manchmal kann durch Druck auf die Bauchdecke ein "Vorerfolg" im Sinne von Stuhlabgang erzielt werden. Verbleibende Stuhlmengen werden folgendermaßen ausgeräumt: Die Pflegeperson führt den Zeigefinger (und den Mittelfinger), der durch einen Handschuh und einen Fingerling geschützt sowie eingefettet ist, in den Enddarm des auf der linken Seite liegenden Patienten ein und befreit den Enddarm mittels Fingerbewegungen vorsichtig (Verletzungsgefahr) und schrittweise vom Kot. Ein Abwurfbehälter (Steckbecken) steht in Reichweite.

Der Vorgang kann **für alle Beteiligten sehr unangenehm** sein und Gefühle wie Ekel, Scham und Minderwertigkeit, beim Patienten zusätzlich Schmerzen auslösen. Diese sollten so gering wie möglich gehalten werden.
Zur Wahrung der Intimsphäre ist es unerläßlich, den betroffenen Menschen vor den Blicken anderer zu schützen. **Einfühlsames** und **taktvolles Verhalten** des Pflegenden sind selbstverständlich. Ein offenes Ansprechen der ggf. beiderseitigen Peinlichkeit kann zur besseren Situationsbewältigung beitragen.

3.11.3 Maßnahmen bei Blähungen

Leidet der Patient unter Meteorismus, läßt sich der Abgang von Darmgasen über das Legen eines **Darmrohres** forcieren. Das eingefettete Darmrohr wird etwa 5 - 10 cm in den Enddarm eingeführt. Das andere Ende des Rohres wird in eine Urinflasche gelegt, so daß evtl. Stuhlabgänge aufgefangen werden. Spätestens nach 30 Minuten ist das Darmrohr zu entfernen.
Auch ein **Einlauf** kann den Abgang von Winden fördern.
Entspannende Wirkung auf den Darm üben sowohl eine **leichte Massage** der Bauchdecke als auch **trockene Wärme** (*Wärmflasche)* aus.
Bestimmte **Medikamente** oder **Tees** (z.B. Fenchel- oder Kümmeltee) können Erleichterung schaffen, da sie krampf- und blähungslösend wirken.
Eine **geschützte Umgebung**, in der die Intimsphäre gewahrt wird, erleichtert dem Kranken psychisch das Lösen der Winde und wirkt zusätzlicher Verkrampfung entgegen.

3.11.4 Maßnahmen bei Schmerzen

Vom Patienten angegebene Schmerzen sind immer genau zu **beobachten** (*siehe "Schmerzbeobachtung", Seite 904*); die Beobachtungen werden dem Arzt weitergegeben und schriftlich dokumentiert.
Krampfartige Leibschmerzen können häufig durch lokale **Anwendung von Wärme** (z.B. warmer Wickel, Wärmflasche) oder durch Verabreichung krampflösender Medikamente gelindert werden. Auch leichte Massagen oder **Streichungen der Bauchdecke** können schmerzlindernd wirken.
Bei Hämorrhoiden* oder schmerzhaften Veränderungen der Analschleimhaut kann vor der Defäkation eine **anästhesierende** (*die Schmerzempfindlichkeit senkende*) **Salbe** oder ein entsprechendes Gel aufgetragen werden. Darüber hinaus muß das Grundleiden behandelt werden.

3.11.5 Maßnahmen bei Diarrhoe

Akuter Brechdurchfall und anhaltende Diarrhoe können durch eine ernsthafte und/oder infektiöse Erkrankung verursacht sein; eine Abklärung ist erforderlich.
Begleiterscheinungen und Folgen sind:
- Elektrolytverluste, die eine Stoffwechselstörung bedingen können;
- Flüssigkeitsverluste, die zur Exsikkose* führen können;
- Kreislaufschwäche, die mit einer Kollapsneigung einhergehen kann;
- krampfartige Leibschmerzen;
- Hautreizungen in der Analregion;
- Appetitlosigkeit.

Entsprechend werden folgende **Pflegemaßnahmen erforderlich**:
- **Beobachtung** des Kranken (Kreislauf; Stuhlabgänge; Trinkverhalten; subjektives Befinden; Hautturgor; Analregion);
- **Flüssigkeits- und Elektrolytzufuhr** (z.B. Tee mit Zusatz von Kochsalz), so daß die Verluste möglichst ausgeglichen werden;
- Unterstützung, ggf. weitgehende Bettruhe bei Kollapsneigung;
- Knierolle zur Entlastung der Bauchdecke;
- Auflegen einer Wärmflasche oder eines warmen Wickels;
- **Ernährung** entsprechend dem Wunsch des Kranken; meist lehnt er zunächst ohnehin schwerverdauliche Speisen (Fett, Blähendes) ab; kohlenhydrat- und salzhaltige Speisen (z.B.Salzkartoffeln) sollten zugeführt, fett- und eiweißreiche Speisen gemieden werden.
  Bei Brechdurchfall ist es ratsam, den Verdauungstrakt vorübergehend zu entlasten und allenfalls Tee und Zwieback zuzuführen. Der Kranke weiß im allgemeinen, welche Ernährung in diesem Zustand für ihn gut ist.
  Nach einem Fastentag sind zunächst Boullion, Tee und Zwieback, Schleimsuppen, Salzkartoffeln und andere leicht verdauliche Nahrungsmittel empfehlenswert.
- **Mundpflege**;
- **Hautpflege**, vorsichtige Reinigung der Analgegend mit weichem Toilettenpapier; beim Waschen nur wenig milde Seife verwenden, mit klarem Wasser abspülen und vorsichtig trocknen; bei Bedarf Hautschutzcreme auftragen;
- **Verabreichung von medizinischer Kohle**, Quellsubstanzen (Agar-Agar) oder Antiperistaltika (z.B. Immodium®), wenn eine entsprechende Arztverordnung vorliegt;
- Umstellung der Sondenkost, wenn die Diarrhoe im Zusammenhang mit der Ernährung über Sondenkost auftritt *(siehe Seite 127)*.

3.11.6 Darmeinläufe

❒ Begriffserläuterung

Das **Einbringen größerer Flüssigkeitsmengen durch den After in den Dickdarm** wird als Darmeinlauf oder Einlauf bezeichnet.
Wird lediglich eine **geringe Flüssigkeitsmenge** (100 - 200 ml) über den After in den Mastdarm instilliert, spricht man von einem **Klistier** oder kleinem Einlauf.

❒ Grundsätzliches

Ein Einlauf ist ein **unangenehmer Vorgang**. Der Eingriff in die Intimsphäre löst Unbehagen, häufig auch Gefühle von Scham und Peinlichkeit aus; die ausführende Pflegeperson kann ähnlich empfinden. Es gilt, "das Beste aus der Situation zu machen". Vielen Menschen

hilft das offene Ansprechen der Gefühle. Auf jeden Fall ist im Rahmen des Möglichen für die **Wahrung der Intimsphäre** zu sorgen; während der Maßnahme sollten sich keine unbeteiligten Personen im Raum befinden. Läßt sich dies nicht organisieren, ist ein Sichtschutz anzubringen. Ein einfühlsamer und **taktvoller Umgang** mit dem Patienten versteht sich von selbst.
Da ein Einlauf kontraindiziert sein kann und Komplikationen hervorrufen kann, muß die Maßnahme **vom Arzt angeordnet** werden. Die Durchführung fällt in den Aufgaben- und Verantwortungsbereich von Krankenschwestern / -pflegern.

❒ Indikationen

Darmeinläufe werden zu folgenden Zwecken durchgeführt:

- Anregung der Darmtätigkeit bei ausgeprägter Obstipation;
- Entleerung des Darms bei Obstipation;
- Reinigung des Darms vor Entbindungen, vor Operationen, Eingriffen und Untersuchungen am Darm (Endoskopien, Kontrastmitteleinlauf zur röntgenologischen Darstellung des Darmes);
- Verabreichung von Medikamenten (selten), z.B. bei Colitis ulcerosa.

❒ Kontraindikationen

Ein Einlauf ist bei folgenden Erkrankungen kontraindiziert:

- mechanischer und paralytischer Darmverschluß (*Ileus*);
- akute Baucherkrankungen, z.B. Bauchfellentzündung, Blutungen im Magen- Darmtrakt, Erbrechen und Leibschmerzen mit unklarer Ursache;
- akute Unterleibserkrankungen;
- bestehende Frühschwangerschaft;
- drohende Fehl- oder Frühgeburt;
- Fisteln im Scheiden- und Enddarmbereich.

❒ Wirkungsmechanismen

Mechanische Wirkung

Das **Darmrohr** und die einlaufende **Flüssigkeit** (Leitungswasser) reizen den Darm mechanisch.

Chemische Wirkung

Der Zusatz **osmotisch wirksamer Substanzen** übt einen zusätzlichen chemischen Reiz aus; aufgrund ihrer Wasserbindungsfähigkeit ziehen diese Flüssigkeit ins Darmlumen. Die Flüssigkeit übt ihrerseits einen Reiz auf den Darm aus.

- **Salinische** (*salzhaltige*) **Zusätze** der Einlaufflüssigkeit üben je nach Konzentration einen leichten oder starken Reiz auf den Darm aus. Zum Beispiel verstärkt eine leicht hypertone Kochsalzlösung (1 Eßlöffel NaCl / Liter) den Entleerungsreiz.
- **Glyzerinzusätze** (20 ml pro 1 Liter Wasser) üben ebenfalls eine osmotische Wirkung aus; außerdem wirken sie als Gleitmittel.
- **Ölhaltige Zusätze** (z.B. 20 ml Olivenöl auf 1 Liter H_2O) weichen den Kot auf und machen ihn gleitfähig.

Thermische Wirkung

Die **Temperatur** der Flüssigkeit übt einen eigenen Reiz aus; empfehlenswert sind 37-40°C. Ist die Flüssigkeit körperwarm, so ist der Reiz relativ schwach. Temperaturen im Bereich von 32 - 35° C üben einen wesentlich stärkeren Reiz aus und führen zu schmerzhaften Krämpfen der Darmmuskulatur.

❒ Verschiedene Einläufe zur Darmreinigung

Entsprechend der angestrebten Wirkung variiert die Art der Durchführung. Es werden unterschieden:

- **Klistier**
  Es dient der Reinigung des unteren Darmabschnitts, z.B. bei hartnäckiger Obstipation. Die gebrauchsfertigen Klistiere bestehen aus einer 100-150 ml fassenden Plastikampulle mit angeschweißtem Darmrohr. Sie enthalten eine Flüssigkeit mit Substanzen, die den Stuhl aufweichen oder gleitfähig machen.
- **Reinigungseinlauf**
  Er dient der Entleerung des unteren Darmabschnitts, z.B. bei hartnäckiger Obstipation oder zur Vorbereitung von Untersuchungen / Operationen. Die Spülflüssigkeit (Leitungswasser und ggf. verordnete Zusätze) läuft ein und wird vom Patienten möglichst ca. 10 Minuten gehalten.
- **Hoher Einlauf**
  Er dient der Reinigung - auch höher gelegener Dickdarmabschnitte - vor einer Darmoperation bzw. -untersuchung.
  Für die Durchführung wird mehr Spülflüssigkeit als üblich (ca. 2 Liter) benötigt; man läßt sie aus 60 - 80 cm Höhe einlaufen.
- **Schwenkeinlauf**
  (syn.: *Schaukel-, Heber-, Hebe- Senkeinlauf*)
  Er wirkt peristaltikanregend und fördert den Abgang von Darmgasen.
  Man läßt das Wasser im Wechsel in den Darm hinein- und wieder hinauslaufen; dazu wird der Irrigator *(Flüssigkeitsbehälter)* abwechselnd gehoben und gesenkt. Bei bräunlicher Verfärbung des Wassers bzw. bei reichlichem Abgang von Darmgasen wird der Einlauf beendet.

❒ Durchführung

Bereitzustellendes Material:

- Irrigator mit 1 - 1,5 m langem Schlauch, der über eine Verschlußvorrichtung verfügt sowie eine Aufhängevorrichtung (Infusionsständer);
- 1 - 1,5 Liter Wasser, ggf. mit angeordneten Zusätzen, oder fertige Spüllösung;
- Darmrohr (10 - 12 mm Durchmesser) aus Gummi oder Kunststoff;
- Gleitmittel, z.B. Vaseline oder Glyzerin;
- Zellstoff, Einmalunterlage, Abwurfbehälter;
- Einmalhandschuhe;
- Steckbecken oder Toilettenstuhl (sofern der Patient nicht in der Lage ist, die Toilette aufzusuchen).

Der Irrigator wird mit 1 - 1,5 l Flüssigkeit (Temperaturkontrolle !) gefüllt und der Ableitungsschlauch entlüftet sowie abgeklemmt; danach hängt man den Irrigator ca. 60 cm über der Beckenhöhe des Patienten auf.
Das einzuführende Ende des Darmrohres wird auf den ersten 5 cm mit einem Gleitmittel eingefettet. Es ist

darauf zu achten, daß die Öffnungen des Darmrohres nicht durch Glyzerin verschlossen werden.

Vorbereitung des Patienten:
- ausführliche und einfühlsame Information des Patienten über Sinn, Durchführung und Wirkung des Einlaufs;
- Wahrung der Intimsphäre; nach Möglichkeit wird der Einlauf im Bad durchgeführt, ansonsten werden die Mitpatienten gebeten, das Zimmer zu verlassen; ist auch dies nicht möglich, wird ein Sichtschutz aufgebaut;
- Schutzunterlage unter das Gefäß legen;
- Lagerung in flacher Seitenlage links (begünstigt den Flüssigkeitsaufstieg im Darm); die Knie werden zur Entlastung der Bauchdecke leicht angezogen; ggf. kann der Einlauf auch in flacher Rückenlage mit aufgestellten Beinen erfolgen, nie jedoch in stehender Position (Kreislaufbelastung);
- Inspektion der Analregion.

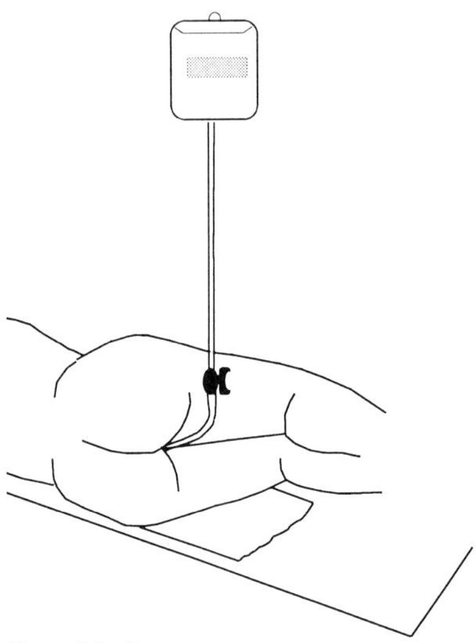

Abb. 3.15 ***Darmeinlauf***

Vorgehen:
- Einmalhandschuhe anziehen;
- das eingefettete Darmrohr unter leichter Drehbewegung vorsichtig ca. 8 - 10 cm einführen; läßt sich ein Widerstand so nicht überwinden, Maßnahme abbrechen; keine Kraft anwenden !
- Schlauch anschließen, Verschlußvorrichtung öffnen;
- Spülflüssigkeit langsam einlaufen lassen, dabei den Patienten zum ruhigen und tiefen Atmen auffordern;
- den Patienten beobachten. **Beachte:** Bei Schmerzen das Einlaufen der Flüssigkeit unterbrechen, Patienten ruhig durchatmen lassen; nur bei Nachlassen der Beschwerden den Einlauf fortsetzen, ansonsten Vorgang abbrechen und den Arzt informieren;
- falls angeordnet, Patienten nach Einlaufen der ersten Flüssigkeitshälfte auf die rechte Seite drehen (Verteilung der Flüssigkeit in alle Darmabschnitte),
- vor Beendigung des Einlaufs den Schlauch frühzeitig abklemmen, so daß keine Luft in den Darm gelangen oder Flüssigkeit zurücklaufen kann;
- Darmrohr vorsichtig herausziehen und im Abwurfbehälter ablegen;
- Patienten auffordern, die Flüssigkeit möglichst lange (ca. 5 Minuten) im Darm zu behalten, um die Wirkung des Einlaufs zu verstärken;
- mobile Patienten evtl. auffordern, sich mit dem gefüllten Darm einige Male von links nach rechts zu drehen (Verstärkung der Wirkung).

Nachsorge:
- Patienten zur Toilette / zum Toilettenstuhl begleiten oder Steckbecken anbieten;
- Patienten nicht allein lassen, denn beim Aufsuchen der Toilette / des Toilettenstuhls kann es zu Kreislaufstörungen kommen;
- Erfolgskontrolle;
- den Darminhalt auf Beimengungen (Blut) beobachten;
- nach der Darmentleerung die Analregion reinigen und trocknen.

Abschließend erfolgt die Dokumentation der Durchführung und Wirkung des Einlaufs.

❐ Verabreichung eines Klistiers

Die Vorbereitung des Patienten erfolgt wie zuvor besprochen.
Das Klistier wird vor der Verabreichung in warmem Wasser **auf Körpertemperatur erwärmt**.
Vor dem Einführen eines Klistiers wird die Verschlußkappe entfernt, das dünne Ansatzrohr eingefettet und über den After ca. 7 - 10 cm in den Enddarm eingeführt. Die flüssigkeitsgefüllte Tube wird daraufhin langsam ausgedrückt und aufgerollt, bis sie vollständig entleert ist.
Nach Entfernung des Klistiers wird der Patient angehalten, die Flüssigkeit möglichst lange im Darm zu halten und dem Entleerungsreflex erst später nachzugeben. Dadurch wird die Wirkung erhöht.
Die Nachsorge erfolgt ebenfalls wie zuvor besprochen.

3.12 Obstipationsprophylaxe

Es handelt sich um Maßnahmen, die eine Stuhlverstopfung verhindern sollen, indem sie die **natürliche Darmfunktion unterstützen bzw. anregen**. Dazu geeignete Maßnahmen werden im folgenden beschrieben und sollten möglichst miteinander kombiniert angewendet werden.
Verstopfungsfördernde Faktoren sind möglichst auszuschalten. So kann unter Umständen eine Stuhlverstopfung vermieden werden, wenn dem Patienten die Ausscheidung in einer ungestörten Umgebung ermöglicht wird.
In seltenen Fällen ist eine medikamentöse Obstipationsprophylaxe erforderlich. Lesen Sie dazu *„Abführmittel", Seite 215.*

3.12.1 Ernährung

Die Ernährung hat Einfluß auf die Stuhlmenge, die Verweildauer des Kots im Darm und auf die Darmperistaltik.
Faserstoffe *(sogenannte Ballaststoffe)* sind weitgehend unverdauliche Nahrungsbestandteile, z.B. Zellulose. Sie kommen in pflanzlichen Nahrungsmitteln vor,

fördern durch ihr Volumen den Stofftransport im Darm und regen die Peristaltik an. Die Faserstoffe quellen erst in Verbindung mit Flüssigkeit auf, d.h. bei faserstoffreicher Kost ist gleichzeitig für **ausreichende Flüssigkeitszufuhr** zu sorgen.
Besonders faserstoffhaltig sind pflanzliche Nahrungsmittel, insbesondere Vollkornprodukte, Obst, Gemüse, Weizenkleie und Leinsamen. Diese sollten in der täglichen Ernährung enthalten sein. Weiteres dazu wird unter " *Prinzipien gesunder Ernährung*" *(Seite 107)*, erläutert.
Einige Ernährungswissenschaftler begründen die verdauungsanregende Wirkung bestimmter Lebensmittel auf andere Art:
Die **Vitalstoffe** - nicht nur die isolierten Faserstoffe - *(vgl. "Vitalstoffreiche Vollwertkost", Seite 109)* regen die in der Darmwand befindlichen Nervenzellen zur physiologischen Tätigkeit an. Die Darmperistaltik wird demnach nicht durch einen mechanischen (Füllungsdruck), sondern durch einen nervalen Reiz angeregt. Zur Obstipationsprophylaxe ist folglich die Zufuhr vitalstoffreicher Kost - also von Vollgetreide, Obst und Gemüse in möglichst naturbelassener Form - angebracht.
Auch sogenannte **"Hausmittel"** können eine Darmanregung bewirken, z.B. Obst- und Gemüsesäfte oder ein Glas warmes Wasser, das bevorzugt morgens nüchtern getrunken werden sollte. Ebenso kann Dörrobst (z.B. getrocknete Pflaumen), das abends in Wasser eingeweicht und am Morgen darauf nüchtern verzehrt wird, einer Verstopfung vorbeugen.
Immer ist für eine **ausreichende Flüssigkeitsaufnahme** - mindestens 1500 ml Trinkmenge in 24 Stunden - zu sorgen (sofern keine Kontraindikation vorliegt).

3.12.2 Bewegung

Bewegung in jeglicher Form **regt** den **Stoffwechsel an** und **fördert** so auch die **Darmperistaltik**. Je größer das Ausmaß der körperlichen Bewegung, um so höher die Wirkung auf die Darmperistaltik. Umgekehrt steigt mit Zunahme der Immobilität die Obstipationsneigung (z.B. bei bettlägerigen Menschen).
Sofern Bewegung nicht aus anderen Gründen kontraindiziert ist, gehört ausreichende Bewegung (körperliche Betätigung) zu den Maßnahmen der Obstipationsprophylaxe. Beim Bettlägerigen bieten sich Bewegungsübungen und **Gymnastik im Bett** an. Ansonsten wirken **Spaziergänge**, Gymnastik und andere **sportliche Betätigungen** peristaltikanregend.

3.12.3 Entleerungsgewohnheiten

Die Darmentleerung erfolgt normalerweise **zu bestimmten Zeiten** und auf **bestimmte Reize**. Diese sind individuell unterschiedlich. Häufig stellt sich der Stuhldrang nach dem Frühstück ein; nicht wenige Menschen sind zusätzlich auf anregende Reize (z.B. Koffein- oder Nikotinzufuhr) eingestellt.
Eine ruhige, **ungestörte** und angenehme **Umgebung** ist für die meisten Menschen Voraussetzung zur Darmentleerung. Mangelhafte hygienische Bedingungen oder eine fremde Umgebung / Toilette können zu einer bewußten oder unbewußten Stuhlverhaltung führen. Kommt dies mehrmals hintereinander vor, so entwickelt sich eine Stuhlverstopfung.
Weitere obstipationsfördernde Faktoren sind Hektik und Zeitmangel. Nimmt man sich morgens (oder zum sonst üblichen Zeitpunkt) nicht die **Zeit, dem Stuhldrang nachzugeben**, kommt es häufig auch im weiteren Verlauf des Tages nicht mehr zur Stuhlentleerung. Wiederholt sich das Geschehen am nächsten Tag, kommt es zu Beschwerden; einige Betroffene versuchen, die Beschwerden durch Einnahme von Abführmitteln zu beseitigen. Diese wiederum reduziert die Tätigkeit des Darms *(siehe nachfolgend "Laxanzien")*, das Problem vergrößert sich.

Der **Darm** läßt sich "**trainieren**", d.h. der Zeitpunkt der Defäkation kann durch Einhaltung regelmäßiger Entleerungszeiten weitgehend bestimmt werden. Eine angemessene Ernährung und eine ungestörte, die Intimsphäre schützende Umgebung unterstützen das Training des Darmes. Dies sollte bei der Pflege - insbesondere von bettlägerigen Menschen - berücksichtigt werden.

3.13 Stuhlregulierung bei Obstipation

Auch zur Regulierung des Stuhlgangs bei Obstipation werden die Maßnahmen der **Obstipationsprophylaxe** durchgeführt. Zusätzlich kann, meist vorübergehend, die Anwendung bestimmter Medikamente erforderlich sein. Oft ist die Obstipation durch die **Beseitigung der Ursachen** - häufig Bewegungs- und Flüssigkeitsmangel, vital- oder faserstoffarme Kost, Hektik- dauerhaft zu beheben.

Hierzu ist eine verständliche und ausführliche **Aufklärung** bezüglich der genannten Faktoren und Mechanismen unerläßlich. Die Empfehlung einer **Ernährungsumstellung** sollte durch konkrete Anleitung (Ernährungsberatung, Bücher, Kochkurs) unterstützt werden .

❐ **Abführmittel (*Laxanzien*)**

Die Einnahme von Abführmitteln ist - insbesondere bei Frauen - weit verbreitet. In den meisten Fällen kann eine Obstipation jedoch durch die zuvor besprochenen Verhaltensweisen verhindert oder behoben werden *(siehe Obstipationprophylaxe)*.
Abführmittel sollten allenfalls kurzzeitig und **nur auf ärztliche Anordnung** eingenommen werden. Medizinische **Indikationen** können eine Darmlähmung (z.B. bei Querschnittlähmung) oder Veränderungen des Darms (z.B. Stenosen) sein. Laxanzien werden auch zur Vorbereitung bestimmter Untersuchungen und therapeutischer Eingriffe eingesetzt.
Bei einigen Erkrankungen (z.B. Thrombose) kann die Einnahme von Abführmitteln vorübergehend sinnvoll sein, um den Einsatz der Bauchpresse zu vermeiden.
Bei (längerfristiger) Einnahme von Abführmitteln kann es zu **unerwünschten Wirkungen** kommen (dies gilt auch für „rein pflanzliche“ Präparate); in erster Linie sind dies:

- Flüssigkeitsverluste, im Extremfall Exsikkose*;

Substanzgruppe	Fertigarznei	Wirkung	Wirkungseintritt	Besonderheiten
Quellmittel und Ballaststoffe		erhöhen Stuhlvolumen halten H_2O im Stuhl zurück weichen Stuhl auf	nach 24 - 72 Std.	mit viel Flüssigkeit einnehmen
- Leinsamen	Linusit Darmaktiv Leinsamen			
- Weizenkleie	Kleie 2000®			
- Flohsamen (Plantago Ovata Samen)	Agiocur® Bekunis® Leicht			
Gleitmittel		machen Stuhl geschmeidig erleichtern Defäkation bei eingedicktem Stuhl	bei rektaler Applikation nach 60 Min.	werden oft rektal verabreicht
- Glycerol	Glycilax® Babylax® u.a.			
- Paraffin	Sanato-Lax® Obstinol mild® u.a.		bei oraler Applikation nach 6 - 8 Std.	kann bei Aspiration Paraffin - Pneumonie auslösen Fremdkörpergranulombildung
Salinische und osmotische Laxanzien, z.B.		halten H_2O im Darm zurück, führen so zur Dehnung der Darmwand und zur Anregung der Peristaltik wässriger Stuhl	bei reichlicher Wassergabe nach 1 - 3 Std., sonst nach bis zu 8 Std. und länger	mit viel Flüssigkeit einnehmen können kolikartige Leibschmerzen auslösen evtl. Kollapsneigung infolge hoher Flüssigkeitsverluste kann bei längerer Anwendung zu erhöhter Natriumkonzentration im Blut (→ Hypertonie) oder zu erhöhter Magnesiumkonzentration (→ Blutdruckabfall, Reflexausfall etc.) führen
- Lactulose	Bifiteral®			
- Mannit, Sorbit				
- Glycerin	Glycilax®			
- Magnesiumsulfat	Bittersalz			
- Natriumsulfat	Glaubersalz			
Darmirritierende Laxanzien, z.B.		reizen die Darmschleimhaut erhöhen das Füllungsvolumen (durch Hemmung der Natrium-, Kalium- und Wasserresorption sowie Einströmen von Elektrolyten und Wasser in den Darm) regen Peristaltik an	nach 6 - 8 Std.	stehen in Verdacht, kanzerogen zu sein und das Tumorwachstum zu beschleunigen führen zur Entleerung des gesamten Dickdarms, deshalb ist die Zeit bis zur nächsten Stuhlentleerung verlängert
• Anthrachinone in				
- Sennesblättern / -früchten	Bekunis® Instant Tee Liquidepur® Agiolax®			
- Aloe (-extrakt)	Rheogen® Kräuterlax®			
• Diphenol methan - Derivate, z.B.				
- Phenolphthalein	Darmol® Agarol® Obstinol®			
- Bisacodyl	Agaroletten® N Dulcolax® Laxans-ratiopharm®			
- Natriumpicosulfat	Laxoberal® Dulcolax®			
• Rizinusöl	Laxopol® 2,0 g	reizt den Dünndarm	nach ca. 2 Std.	kann kolikartige Schmerzen und Kaliumverluste bedingen

Tabelle 3.1 ***Laxanzien** (Beispiele)* ***und ihre Wirkung***

- Elektrolytverluste, vor allem Kaliumverluste und dadurch bedingt Darmträgheit (die zu erneuter Laxanzieneinnahme veranlaßt!) sowie weitere Auswirkungen des Kaliummangels, z.B. Herzrhythmusstörungen (*siehe Seite 288*);
- Wechselwirkungen mit der Resorption zahlreicher anderer Medikamente.

Laxanzien können oral (Dragee, Tablette, Tropfen, Pulver, Kleie, Flohsamen, Leinsamen) oder rektal (Suppositorium, Klistier) verabreicht werden.
Die orale Einnahme von Abführmitteln muß **mit viel Flüssigkeit** erfolgen; danach sollte ebenfalls viel getrunken werden. Dies erhöht die Wirksamkeit und beugt bei Einnahme von Quellstoffen einer Verklumpung derselben, die im Extremfall einen Darmverschluß hervorrufen kann, vor. Außerdem können Wasser- und Elektrolytverluste durch den Stuhl ausgeglichen werden.
Abführend wirkende **Suppositorien** werden am besten **frühmorgens** verabreicht, so daß sie den normalen - häufig lediglich abgeschwächten - Defäkationsdrang nach dem Frühstück unterstützen.
Tabelle 3.1 gibt einen Überblick über Laxanzien und ihre Wirkung.

3.14 Pflegeplanung

3.14.1 Informationssammlung "Obstipationsrisiko"

Darmveränderungen

- ☐ Verengungen (Kolonstenosen)
- ☐ Aussackungen (Kolondivertikel)
- ☐ Megakolon

Unterdrückung des Stuhldrangs

- ☐ schmerzhafte Defäkation (Hämorrhoiden, Analfissuren)
- ☐ Zeitnot, Hektik
- ☐ gestörte Intimsphäre, Schamgefühl

Ungenügende Bauchpresse

- ☐ Übergewicht
- ☐ fortgeschrittene Schwangerschaft
- ☐ Aszites
- ☐ abdominelle Schmerzen

Reduzierte / fehlende Darmmotorik

- ☐ faserstoffarme Kost
- ☐ zu geringe Flüssigkeitsaufnahme
- ☐ Bewegungsmangel
- ☐ Einnahme bestimmter Medikamente (z.B. Analgetika, Opioide, Anticholinergika, Antazida, Laxanzien)
- ☐ Erkrankung des Nervensystems
- ☐ Erkrankung des Rückenmarks
- ☐ Stoffwechselverlangsamung (Schilddrüsenunterfunktion, schwere Depression, Immobilität)
- ☐ Elektrolytverschiebung (Hypokaliämie, Hyperkalzämie)
- ☐ Schwangerschaft

Ressourcen

- ☐ Mobilität
- ☐ Problembewußtsein
- ☐ Bereitschaft zur Ernährungsumstellung

3.14.2 Pflegestandards zur Obstipationsprophylaxe

Obstipationsprophylaxe - Pflegestandard A

Probleme / Ressourcen	Ziele	Pflegemaßnahmen
Der Patient hat eine verringerte Darmperistaltik aufgrund	***Der Patient***	
• faser- / vitalstoffarmer Ernährung	- kennt die Wirkung und Zusammensetzung faser- / vitalstoffreicher Kost - nimmt faser- / vitalstoffreiche Kost und reichlich Flüssigkeit zu sich - führt regelmäßig (Häufigkeit individuell festlegen!) weichen Stuhl ab (= *Fernziel*)	**Information und Anleitung bezüglich** - Wirkung, Zusammensetzung und Zubereitung faser- / vitalstoffreicher Kost mittels Gespräch, Ernährungsberatung, Literaturangeboten - reichlicher Flüssigkeitsaufnahme **Verabreichung** vitalstoffreicher Vollwertkost
• zu geringer Flüssigkeitsaufnahme	- weiß, daß er viel trinken muß - trinkt mind. 1,5 l/24 Std. - ißt reichlich Obst und Gemüse	**Aufklärung über die Notwendigkeit, tägl. mind. 1,5 Liter zu trinken** - Hinweis auf hohen Wassergehalt von Obst und Gemüse, welche gleichzeitig auch Faser- / Vitalstoffe enthalten - Anbieten / Bereitstellen der Getränke - vor allem bei älteren Menschen Trinkverhalten beobachten, ggf. an das Trinken erinnern und ein Einfuhrkontrollblatt führen
• von Bewegungsmangel	- kennt den Zusammenhang zwischen Obstipation und Bewegungsmangel - führt regelmäßig Gymnastikübungen durch - bewegt sich soviel wie möglich	**Information bzgl.** Zusammenhang zwischen Bewegungsmangel und Obstipation **Anleitung / Motivation zur Durchführung von** Bewegungsübungen und Gymnastik, ggf. auch im Bett **Aufforderung** zur / Unterstützung bei der Bewegung außerhalb des Bettes; zu Spaziergängen motivieren **Zur dauerhaften Prophylaxe:** Ausdauersport wie Radfahren, Joggen, Schwimmen u.ä. Sportarten empfehlen, sofern keine medizinischen Kontraindikationen vorliegen
• gewohnheitsmäßiger Einnahme von Abführmitteln. Der Patient ist fähig und bereit, Informationen aufzunehmen.	- kennt die Nebenwirkung und den Rückkoppelungseffekt zwischen Abführmitteleinnahme und Obstipation - kennt Alternativen zur Stuhlregulierung - stellt seine Ernährung um - trinkt mind. 1,5 l/24 Std. - verzichtet auf die Einnahme von Abführmitteln	**Aufklärung über die Nebenwirkungen** der chronischen Einnahme von Abführmitteln, insbesondere über den dadurch entstehenden Kaliumverlust **Information über** - faser- bzw. vitalstoffreiche Kost *(s.o.)* - Notwendigkeit ausreichender Flüssigkeitsaufnahme *(s.o.)* **ggf. vorübergehend Kaliumsubstitution** (nach Arztanordnung)

Obstipationsprophylaxe - Pflegestandard B

Probleme / Ressourcen	Ziele	Pflegemaßnahmen
Der Patient hat eine verlängerte Darmpassage	***Der Patient***	
aufgrund von Darmveränderungen; der Kot bleibt in den Aussackungen bzw. vor der Darmverengung liegen. Der Patient ist fähig und bereit, Informationen aufzunehmen.	- nimmt vitalstoffreiche Kost zu sich - trinkt mind. 1,5 l/24 Std. - bewegt sich viel - führt mind. jeden 2. Tag weichen Stuhl ab	(Ärztliche Therapie des Grundleidens) **Ernährungsberatung / -umstellung** - faser- / vitalstoffreiche Kost - Trinkmenge mind. 1,5 l pro 24 Std. **Motivation zur / Unterstützung bei der Bewegung**

Obstipationsprophylaxe - Pflegestandard C

Probleme / Ressourcen	Ziele	Pflegemaßnahmen
Der Patient kann die Bauchpresse nicht ausreichend betätigen aufgrund von	***Der Patient***	
• Übergewicht	- kennt den Zusammenhang zwischen Übergewicht und Obstipation - stellt seine Ernährung um; nimmt faser- / vitalstoffreiche sowie kalorienarme, ausgewogene Nahrung zu sich	**Vermitteln / Führen von Informationsgesprächen bezüglich** - Zusammenhang von Übergewicht und mangelhafter Bauchpresse - Reduktionskost und Ernährungsumstellung Auf Wunsch **Vermitteln** professioneller **Ernährungsberatung**
• (fortgeschrittener) Schwangerschaft	- kennt den Zusammenhang zwischen Obstipation und Schwangerschaft - nimmt faser- / vitalstoffreiche Kost zu sich - setzt zur Defäkation (soweit möglich) die Bauchpresse ein	**Vermitteln / Führen von Informationsgesprächen bezüglich** - Zusammenhang zwischen Obstipation und schwangerschaftsbedingter Hormonveränderung - Wirkung von faser- / vitalstoffreicher Kost - Wirkung und Durchführung der Bauchpresse bei der Defäkation: tief einatmen, Atembewegung innehalten und gleichzeitig die Bauchmuskeln leicht anspannen
• Aszites.	- kennt die Zusammenhänge zwischen Obstipation und Aszites	**Vermitteln / Führen eines Informationsgesprächs bezüglich** - Zusammenhang zwischen Obstipation und Aszites
Der Patient ist fähig und bereit, Informationen aufzunehmen.	- erfährt Erleichterung	**Therapie des Grundleidens** - ärztliche Maßnahmen (z.B. Entlastungspunktion; Beschränkung der Flüssigkeitszufuhr) **Evtl. medikamentöse Regulierung** des Stuhlgangs (entsprechend der Arztanordnung)

Obstipationsprophylaxe - Pflegestandard D

Probleme / Ressourcen	Ziele	Pflegemaßnahmen
Der Patient unterdrückt den Stuhldrang aufgrund	***Der Patient***	
• bestehenden Schamgefühls	- erfährt Akzeptanz seines Schamgefühls	**Akzeptieren des Schamgefühls, einfühlsamer und taktvoller Umgang mit dem Patienten** - Verständnis zeigen - nach Möglichkeit pflegerische Hilfestellung durch gleichgeschlechtliches Personal
• mangelhafter Intimsphäre.	- ist während der Defäkation möglichst ungestört	**Wahren der Intimsphäre** - für ungestörte Umgebung sorgen, ansonsten: Sichtschutz aufbauen - soviel Selbständigkeit wie möglich fördern, z.B. beim Gebrauch des Toilettenpapiers - Lüften des Zimmers nach der Defäkation - Intimtoilette und Händewaschen ermöglichen

Obstipationsprophylaxe - Pflegestandard E

Probleme / Ressourcen	Ziele	Pflegemaßnahmen
Der Patient unterdrückt den Stuhldrang aufgrund	***Der Patient***	
zu erwartender Schmerzen bei der Defäkation.	- führt regelmäßig (Häufigkeit individuell festlegen) weichen Stuhl ab - hat eine möglichst schmerzfreie Defäkation - hat weichen Stuhl	Nach Arztanordnung: **Verabreichung von schmerzlindernder Salbe** o.ä. Substanzen, evtl. auch von stuhlaufweichenden Substanzen **Faser- / vitalstoffreiche Kost verabreichen** **Ausreichende Flüssigkeitszufuhr** (mindestens 1,5 l)

Obstipationsprophylaxe - Pflegestandard F

Probleme / Ressourcen	Ziele	Pflegemaßnahmen
Der Patient hat eine verringerte / fehlende Darmperistaltik aufgrund einer Erkrankung des Nervensystems bzw. des Rückenmarks (Lähmung der Darmmuskulatur oder des Schließmuskels).	*Der Patient* - führt regelmäßig, z.B. jeden 2. Tag, weichen Stuhl ab - gewöhnt sich an die regelmäßige Inanspruchnahme von Hilfsmitteln	**Forcieren der Darmentleerung** im regelmäßigen, z.B. 2-tägigen Rhythmus und zur selben Tageszeit mittels bestimmter Hilfsmittel wie: - orale oder rektale Laxanziengabe - digitales Ausräumen des Mastdarms **Für weichen Stuhl sorgen** - faser- / vitalstoffreiche Kost - ausreichende Flüssigkeitszufuhr (mind. 1,5 l/24 Std.)

Obstipationsprophylaxe - Pflegestandard G

Probleme / Ressourcen	Ziele	Pflegemaßnahmen
Der Patient hat eine verringerte Darmperistaltik aufgrund einer Stoffwechselverlangsamung bei - Schilddrüsenunterfunktion - schwerer Depression - Immobilität. Der Patient ist fähig und bereit, Informationen aufzunehmen.	*Der Patient* - bewegt sich soweit und soviel wie möglich - hat einen angeregten Stoffwechsel - nimmt faser- / vitalstoffreiche Kost zu sich - trinkt mind. 1,5 l/24 Std. - hat mind. jeden 2. Tag Stuhlgang	(Ärztliche Therapie des Grundleidens) **Mobilisation** - so weit und so viel wie möglich, insbesondere außerhalb des Bettes **Ernährungsberatung / -umstellung** - faser- / vitalstoffreiche Kost - Trinkmenge mind. 1,5 l pro 24 Std. **Beobachtung der Stuhlfrequenz**

Obstipationsprophylaxe - Pflegestandard H

Probleme / Ressourcen	Ziele	Pflegemaßnahmen
Der Patient hat eine verringerte Darmperistaltik aufgrund der Einnahme bestimmter Medikamente (Analgetika, Opioide, Anticholinergika, Antazida). Der Patient ist fähig und bereit, Informationen aufzunehmen.	*Der Patient* - kennt den Zusammenhang zwischen Obstipation und Medikamenteneinnahme - hat trotzdem regelmäßig Stuhlgang (Häufigkeit individuell)	**Information bezüglich des Zusammenhangs** - zwischen Obstipation und Medikamenteneinnahme - der Peristaltikanregung durch Faser- / Vitalstoffe **Beobachtung der Stuhlfrequenz** (täglich) **Bei Obstipation Weitergabe des Problems an den Arzt** - ggf. Verabreichung der verordneten Laxanzien

3.15 Besondere Lebens- und Pflegesituationen bei Störungen der Ausscheidungsfunktionen

3.15.1 Harninkontinenz

Inkontinentia urinae, Blaseninkontinenz

3.15.1.1 Medizinische Informationen

❐ Definition

Als Inkontinentia urinae bezeichnet man das **Unvermögen, Harn willkürlich zurückzuhalten**.
Bei einer **relativen Inkontinenz** kommt es nur unter bestimmten Bedingungen, z.B. beim Husten, Niesen oder Pressen, zum ungewollten Harnabgang.

❐ Häufigkeit

Die Zahl inkontinenter Menschen hat in den letzten Jahrzehnten **stark zugenommen**, da auch das durchschnittliche Lebensalter gestiegen ist. Ein oft altersbedingtes Nachlassen der Gewebefestigkeit und der Hirnfunktionen kann sowohl eine Schwächung des Schließmuskelsystems als auch ein Nachlassen der Kontrollfunktionen des Gehirns zur Folge haben.
Die Streßinkontinenz tritt bei Frauen deutlich häufiger auf als bei Männern.
Laut GROND (1993) sind **Menschen**, die **in Institutionen** leben, infolge Isolation und zunehmender Abhängigkeit besonders **inkontinenzgefährdet**:

- 20% der Patienten in geriatrischen Kliniken,
- 50% der Heimbewohner und
- 81-90% der Patienten in der Gerontopsychiatrie sind inkontinent.

Insgesamt leiden in Deutschland mindestens 3 Millionen Menschen gelegentlich oder regelmäßig an einer Harninkontinenz.

❐ Formen und Therapie

Der Ursache entsprechend werden verschiedene Formen der Harninkontinenz unterschieden. Im Alter liegen oft 2 - 3 verschiedene Ursachen gleichzeitig vor.

❍ Streßinkontinenz

Bei der Belastungs- oder Streßinkontinenz handelt es sich um den **unwillkürlichen Harnverlust unter Belastungen**, die mit einer Druckerhöhung im Bauchraum einhergehen, wie dies z.B. beim Husten, Niesen, Pressen oder schwerem Heben der Fall ist.
Die Ursache liegt in einer **Schwächung des Schließmuskelsystems am Blasenauslaß**. Diese ist häufig traumatisch (durch Operationen, Geburten, Verletzungen) oder degenerativ (durch zunehmende Gewebsschwäche im Alter) bedingt.
Die Streßinkontinenz kann in leichteren Fällen durch gezieltes **Beckenbodentraining** (*siehe Seite 206*) gebessert werden. In schwereren Fällen kann die Ursache häufig durch eine **operative Korrektur** der Blasenposition oder der Beckenbodenmuskulatur behoben werden.

❍ Drang- oder Urge-Inkontinenz

Normalerweise ist der Blasenmuskel während der Füllungs- und Speicherphase inaktiv; die Blasenentleerung wird willkürlich ausgelöst (aktive Kontraktion der Blasenmuskulatur und Erschlaffung des äußeren Schließmuskels).
Bei der Dranginkontinenz kommt es trotz intakten Harnröhrenverschlußes infolge einer **Überaktivität des Blasenmuskels zu gesteigertem Harndrang mit unwillkürlichem Harnverlust**.

Motorische Dranginkontinenz
Während der allmählichen Blasenfüllung werden durch den Füllungsreiz oder durch äußere Reize (Berührung, psychische Einflüsse wie Angst) **Blasenkontraktionen** ausgelöst. Es kommt zum Druckanstieg und zur Empfindung von **Harndrang, der nur sehr kurze Zeit unterdrückt werden kann**. Ein unwillkürlicher Harnabgang ist die Folge.

Sensorische Dranginkontinenz
Bei der sensorischen Dranginkontinenz führt dagegen eine **reflektorische Öffnung des Schließmuskels** zum unfreiwilligen Harnabgang.

Motorische und sensorische Dranginkontinenz sind in vielen Fällen die Folge von chronischen Entzündungen, Tumoren, Bestrahlungen oder einer langanhaltenden Verengung im Bereich des Blasenauslasses (Prostatavergrößerung, Harnröhrenstenose). Nicht selten werden psychovegetative Ursachen beobachtet.
Eine sensorische Dranginkontinenz kann bei Frauen auch durch eine Blasen-Urethra-Atrophie bei Oestrogenmangel verursacht werden.
Der motorischen Dranginkontinenz kann eine **motorisch ungehemmte Blase** *(ungehemmte neuropathische Blase)* zugrunde liegen. Die zunehmende Atrophie des Großhirns in fortgeschrittenem Alter, aber auch eine Hirnschädigung (z.B. durch zerebro-vaskuläre Erkrankungen, Schlaganfall, Demenz, Hirntumor oder Parkinson-Krankheit) setzen die Kontrollfunktion des Gehirns über die Harnblasenentleerung herab, evtl. geht sie vollständig verloren.
Das Gefühl für den Spannungszustand der Blase bleibt erhalten, bei Harndrang muß aber sofort die Möglichkeit zur Miktion gewährleistet sein, ansonsten kommt es zu unfreiwilligem Harnabgang. Diese Tatsache hat große Relevanz für die prophylaktischen und therapeutischen Pflegemaßnahmen. Betroffene benötigen eine **Toilette** oder ein Steckbecken und vor allem eine Klingel **in Reichweite**. So kann in manchen Fällen durch rechtzeitiges Anbieten eines Urinsammelbehälters der Urinabgang in die Leib- oder Bettwäsche verhindert werden. Des weiteren ist durch ein intensives **Toilettentraining** (*siehe Seite 224*) die Inkontinenz oft zu beheben. Zusätzlich können evtl. **Arzneimittel** *(Parasympatholytika / Anticholinergika)* eingesetzt werden, die den Tonus in der Harnblase vermindern und somit die Entleerungsreflexe dämpfen.

Die Behandlung der Dranginkontinenz erfolgt, wenn möglich, durch die **Beseitigung der Ursache** (z.B. Infektbehandlung). Ansonsten kann durch Anticholinergi-

❍ Art und Ausmaß der Inkontinenz

- Inkontinenzform,
- Schweregrad,
- auslösende Faktoren / Situationen,
- Ausschöpfung diagnostischer und therapeutischer Möglichkeiten.

❍ Folgen

- Rückzug / Vereinsamung / Isolation,
- Uringeruch und -flecken in der Kleidung,
- Ablehnung durch andere,
- reduziertes Selbstwertgefühl,
- Scham- / Schuldgefühle,
- Hoffnungslosigkeit / Resignation,
- Einschränkung der Trinkmenge (ggf. Auftreten von Folgeerscheinungen wie Exsikkose und Verwirrtheit),
- Mazeration / Infektion der Haut,
- erhöhtes Dekubitusrisiko / Dekubitus,
- Pflegebedürftigkeit,
- Heimeinweisung.

❍ Ausscheidungs- / Miktionsprotokoll

Um der Inkontinenz mit gezielten Maßnahmen entgegenwirken zu können, wird der individuelle Ausscheidungsrhythmus beobachtet und dokumentiert.
Es bietet sich an, ein **Protokoll über die Entleerungsgewohnheiten** anzulegen. Darin werden Urin- und Stuhlabgänge zur jeweiligen Uhrzeit durch entsprechende Symbole als willkürlich oder unwillkürlich vermerkt.

willkürlicher Abgang von Urin	**+**
unwillkürlicher Abgang von Urin	**-**
willkürlicher Abgang von Stuhl	**/**
unwillkürlicher Abgang von Stuhl	**o**

Des weiteren wird die Einnahme von Medikamenten, die einen Einfluß auf die Entleerungsgewohnheiten haben, notiert; hierzu trägt man ein "M" in die entsprechende Zeitspalte ein. Werden mehrere Medikamente eingenommen, bietet sich das Eintragen des jeweiligen Anfangsbuchstabens des Medikamentes an.

Beispiel für ein Ausscheidungsprotokoll:

Datum	Uhrzeit											
	1	2	3	4	5	6	7	8	9	10	11	usw.
3.2.98					-		M		o-		+	
4.2.98						-	M		o-		+	
5.2.98				-			M	/	-		+	

❒ Toilettentraining

Das Toilettentraining soll die **willentliche Harnblasenentleerung zu bestimmten Zeiten** fördern, indem die Toilettengänge entsprechend dem individuellen Ausscheidungsrhythmus erfolgen. Dazu muß zunächst der individuelle Ausscheidungsrhythmus beobachtet und dokumentiert werden.
Anhand des Miktionsprotokolls lassen sich vor und während der Zeit des Toilettentrainings die individuellen Entleerungsrhythmen feststellen. Kommt es zu bestimmten Tages- oder Nachtzeiten häufig zu unwillkürlichem Urinabgang, ist der Betroffene ca. 20 Minuten vorher zur Toilette zu begleiten bzw. ist ihm das Steckbecken anzubieten. Ansonsten erfolgen die Toilettengänge zunächst im ca. 2 - 3 Stundenrhythmus. Einem erfolglosen Toilettengang folgt nach ca. 30 Min. ein erneuter Versuch. Die Ergebnisse werden weiterhin im Protokoll festgehalten.
Die Zeitabstände zwischen den Miktionsversuchen können bei Kontinenz später ggf. verlängert werden.

Unterstützende Maßnahmen

- Auch die Durchführung von **Kneifübungen** (*siehe nachfolgend "Beckenbodentraining"*) oder die Einnahme bestimmter **Medikamente** können helfen, die Zeit zwischen den einzelnen Miktionen zu verlängern. Der Miktionsbeginn kann durch Klopfen oder Druck auf den Unterbauch ausgelöst werden.
- Zwischen den Miktionen sollte der Inkontinente **ausreichend Flüssigkeit**, mind. 150 ml in 2 Stunden, zu sich nehmen. Es ist sinnvoll, die Flüssigkeitszufuhr in den späten Abendstunden zu reduzieren.
- Selbstverständlich ist auf eine **Schelle** in Reichweite des Kranken zu achten und spontan auf den Klingelruf zu reagieren.
- Der Unterkörper sollte ohne Mühe und **schnell zu entkleiden** sein.
- Ist der Inkontinente mobil genug, eine Toilette aufzusuchen, sollte er in einem **Zimmer** untergebracht werden, das sich **in Toilettennähe** befindet. Die Toilette selbst muß deutlich als solche ausgeschildert sein.
- Durch ein gezieltes Toilettentraining kann oft eine (relative) Kontinenz erlangt und das Tragen eines Blasenverweilkatheters verhindert werden.

❒ Blasentraining

Das Blasentraining ist nur bei leichten Fällen einer **Dranginkontinenz** bei orientierten Menschen angezeigt. Ziele sind die **Verbesserung** der **Wahrnehmung des Harndrangs** und das Erlangen der Fähigkeit, den **Urin bewußt zurückhalten** zu können. Zu häufige Toilettenbesuche (aus Angst vor Inkontinenz) sollen abgebaut werden.
Der Inkontinente wird angehalten, die Toilette tagsüber nur zu im voraus festgelegten Zeiten aufzusuchen und zwischendurch den Urin bewußt zurückzuhalten; er sollte sich bei Harndrang ablenken.

Das **Zeitintervall** wird entsprechend dem Miktionsprotokoll **festgelegt**:

- ist das Miktionsintervall bisher kürzer als 30 Minuten, wird es um 15 Minuten verlängert;
- ist es kürzer als eine Stunde, wird es um 30 Minuten erweitert;
- ist es länger als eine Stunde, wird es um eine Stunde verlängert;
- bei Mißerfolg wird das Intervall zunächst verkürzt;
- bei Erfolg wird das Intervall wöchentlich um 30 Minuten erweitert.

Die einzelnen Miktionen werden im Miktionsprotokoll festgehalten.
Es kann angemessen sein, bei Harndrang den Toilettenbesuch zunächst nur um wenige Minuten hinauszu-

zögern. Nach Möglichkeit wird das Zeitintervall schrittweise auf 3 - 4 Stunden verlängert.
Das Blasentraining kann vorübergehend durch Medikamente, die die Kontraktionen des Blasenmuskels unterdrücken (z.B. Dridase®, Uro-Ripin®, Spasuret®) unterstützt werden; sobald das Zeitintervall der Toilettengänge ausreichend verlängert ist, können sie abgesetzt werden.

❒ Blasenklopftraining

Bei einer **Reflexinkontinenz** soll dem unwillkürlichen Harnabgang durch eine rechtzeitige Blasenentleerung, die durch bestimmte Reize provoziert wird, vorgebeugt werden. Beim Blasenklopftraining nutzt man sogenannte **cutiviszerale Reflexe**; dies sind Muskelaktivitäten, die durch Reizungen der Haut ausgelöst werden; über Nervenbahnen erfolgt eine Weiterleitung zu den Eingeweiden. Die über der Harnblase liegende Haut wird durch **Beklopfen** mit den Fingerspitzen (7 - 8 mal in 5 Sekunden) gereizt; hierdurch werden die Kontraktion des Blasenmuskels und die Öffnung des Blasenschließmuskels provoziert.
Durch das **Bestreichen der Oberschenkelinnenseite** und des Skrotums kann der Spasmus des Schließmuskels gelöst werden. Bei Entleerung der ersten Urintropfen wird die Maßnahme gestoppt; fließt kein Urin mehr, wird sie wiederholt.
Viele Menschen, die unter einer Reflexinkontinenz leiden, können so eine regelmäßige Harnblasenentleerung trainieren und unfreiwilligen Harnabgang vermeiden. Dadurch werden die Lebensqualität und das Selbstwertgefühl erheblich gesteigert.
Das Blasenklopftraining wird **alle drei Stunden** durchgeführt. Die betroffene Person sollte beobachten, in welchem Zeitraum die verschiedenen Getränke zur Blasenfüllung führen. So können **Trinkverhalten und Blasenklopftraining aufeinander abgestimmt** werden.
Der Erfolg des Blasenklopftrainings kann durch verschiedene Faktoren gemindert werden; dies sind z.B. Harnwegsinfekte, übermäßige Flüssigkeitszufuhr oder Alkoholkonsum.
Bei einer **reflexlosen, autonomen Harnblase** bleibt allerdings nur die Möglichkeit, die **Blasenentleerung mechanisch** zu **provozieren**. Der Betroffene (bei Bedarf der Helfer) drückt - bei gleichzeitigem Einsatz der Bauchpresse - mit der Faust von außen auf die gefüllte Harnblase *(Credéscher Handgriff)*. Durch den Druck preßt der Urin den Blasenschließmuskel auseinander, so daß dieser erschlafft und der Urin in die Harnröhre fließen kann; es ist jedoch möglich, daß eine große Restmenge Urin in der Blase verbleibt. Dies ist mittels Sonographie oder Einmalkatheterismus zu überprüfen; eine **Restharnmenge** von mehr als 100 ml muß mittels Katheter abgeleitet werden.

❒ Beckenbodentraining

Das Beckenbodentraining ist bei Streßinkontinenz und bei kombinierter Streß-Drang-Inkontinenz sowie nach Prostataentfernung und plastischen Operationen angezeigt. Die Durchführung wird auf *Seite 206* besprochen.

❒ Umgang mit inkontinenten Menschen

Für die Pflege inkontinenter Menschen gilt das Prinzip der **aktivierenden Pflege**, um die Selbständigkeit und ein positives Selbstwertgefühl des Betroffenen zu fördern.
Eine **vertrauensvolle Beziehung** ermöglicht der betroffenen Person, Fragen zu stellen und Gefühle zu äußern. Oft ist es ratsam, Scham- und Schuldgefühle offen anzusprechen, um Erleichterung und Entlastung zu schaffen.
Inkontinente Menschen brauchen nicht nur handlungskompetente Pflegepersonen, sondern auch Verständnis, **Geduld, menschliche Wärme** und Akzeptanz. Der pflegerische Umgang sollte besonders einfühlsam und taktvoll sein; selbstverständlich ist die Würde eines Betroffenen zu wahren.
Die **Integration** eines inkontinenten Menschen in die Gemeinschaft ist zu fördern, um einem Rückzug und einer Isolation vorzubeugen bzw. entgegenzuwirken.
Einige betroffene Menschen versuchen, durch eingeschränktes Trinkverhalten den unfreiwilligen Urinabgang zu verringern. Pflegende sollten sie diesbezüglich beobachten und ggf. ermutigen, ausreichend zu trinken. Die Trinkmenge ist allenfalls 2 Stunden vor der Nachtruhe zu reduzieren, um die nächtliche Harnproduktion zu verringern.

Für Pflegende kann die Betreuung inkontinenter Menschen mitunter zur Belastung werden; sie entwickeln Gefühle wie Ekel, Scham, Schuld oder Wut und leiden darunter. **Offene Gespräche mit KollegInnen**, in denen diese Gefühle ausgesprochen und zugelassen werden, entlasten und helfen, mit ihnen umzugehen und sie abzubauen.

❒ Hautpflege

(Siehe hierzu "Pflegestandard D - Intimpflege", Seite 667)
Der häufige Kontakt mit Ausscheidungen verändert das Hautmilieu. Mit Veränderung des pH - Wertes kommt es zur Umstrukturierung der natürlichen Hautflora*. Das feucht-warme Milieu bietet einen guten Nährboden für Krankheitserreger. Ein Aufquellen der Haut durch Flüssigkeitsaufnahme (*Mazeration*) bedingt eine besondere Anfälligkeit, so daß sie z.B. schnell feine Einrisse aufweist. Dort, wo die Hautfalten aufeinanderliegen, entwickeln sich schnell wunde, gereizte, juckende und brennende Stellen. Bei **40% der inkontinenten Menschen** treten **Hautauffälligkeiten** (entzündliche Erytheme, Pilzinfektionen, allergische Ekzeme) auf. Bei bestehender Disposition vergrößert sich das Dekubitusrisiko.
Der Intimbereich sollte sofort nachdem der Inkontinente unter sich gelassen hat gesäubert werden.
Die ohnehin schon gereizte Haut bedarf einer möglichst **schonenden Behandlung**. Es sollte wenig milde (d.h. möglichst alkali-, konservierungsmittel- und parfümfreie) Seife angewendet und anschließend mit klarem Wasser abgewaschen werden. Grundsätzliches zur Intimpflege ist auf *Seite 657* nachzulesen.
Nach der Reinigung wird die Haut vorsichtig trockengetupft (nicht reiben!), wobei den Hautfalten besondere Aufmerksamkeit zukommt. Rückfettende Salben werden zum Schutz vor Austrocknung dünn aufgetragen, besonders empfindliche Hautpartien können

durch eine wasserabweisende Salbe vor Urinkontakt geschützt werden.
Die **Haut** inkontinenter Menschen ist mehrmals täglich zu **beobachten**. Bei Infektionen wird ein Arzt hinzugezogen (Hautabstrich, Infektionsbehandlung).

❐ Versorgung mit Hilfsmitteln

Verschiedene Firmen bieten zahlreiche Hilfsmittel an, um Urin aufzusaugen bzw. aufzufangen. Sie sollen dem Inkontinenten Sicherheit vermitteln, so daß er soziale Kontakte nicht scheut.

Anforderungen an Inkontinenz-Hilfsmittel:
- Saugfähigkeit (dem Inkontinenzgrad entsprechend),
- Schutz vor Nässe,
- Schutz vor Geruchsbildung,
- gute Paßform,
- Bequemlichkeit,
- Bewegungsfreiheit,
- Hautfreundlichkeit,
- einfache Besorgung,
- günstiger Anschaffungspreis,
- einfache und wenig umweltbelastende Entsorgung.

Inkontinenzhilfen müssen **den individuellen Bedürfnissen entsprechend ausgewählt** werden. Dabei sind die Schwere der Inkontinenz, die Größe des Betroffenen sowie die individuelle Verträglichkeit und Bequemlichkeit zu berücksichtigen.

❍ Einmalslips

Die Industrie bietet ebenso wie für Säuglinge und Kleinkinder Windelhosen für Erwachsene an; sie werden dann als Einmalslip oder einfach als Slip (nicht als "Pampers") bezeichnet.
Diese Hilfsmittel werden **bei mittelschwerer und schwerer Inkontinenz** eingesetzt. Sie **saugen** den **Urin** auf und verhindern ein Durchsickern des Urins in die Bett- und Leibwäsche. Eine oberflächenbehandelte Vliesschicht, die direkt am Körper anliegt, läßt den Urin in die tieferliegenden Schichten absacken, nimmt selbst aber keine Flüssigkeit auf; bei modernen Slips erhöht ein Superabsorbent *(Gelbildner; spezielle Saugschicht, die den Urin in Gelform bindet)* die Saugkraft und Speicherkapazität. Dadurch bleibt die Haut trocken.
Slips und Vorlagen sind in vielen Fällen der Inkontinenz durchaus geeignete Hilfsmittel. Es sollten jedoch immer die individuelle Hautreaktion des Betroffenen und die Saugfähigkeit des Materials beobachtet werden.
Viele Fabrikate sind mit einem **Indikatorstreifen**, der sich durch Kontakt mit Urin verfärbt, versehen. Hierdurch wird das bedarfsgerechte Wechseln der Einmalslips erleichtert. Ansonsten erfolgt der Wechsel bei vom Inkontinenten mitgeteilten Urinabgang oder in regelmäßigen Abständen.
Das regelmäßige Wechseln der Slips bedeutet für den Träger auch **häufige Zuwendung** der pflegenden Person(en) **und Lagewechsel**, also Druckentlastung der Gesäßregion. Außerdem wird das hohe Risiko der Harnwegsinfektion, das durch einen liegenden Blasenverweilkatheter hervorgerufen wird, vermieden.
Einmalslips wirken bei Menschen, die Tageskleidung tragen, **optisch störend** und verunsichern den Betroffenen (*"jeder sieht's"*). Deshalb sind in diesem Fall Vorlagen, die optisch nicht auffallen, vorzuziehen.

❍ Vorlagen

Vorlagen *(Inkontinenzschutz, Hygieneschutz)* dienen dem **Aufsaugen des Urins bei leichter Inkontinenz**. Vor allem bei relativer Inkontinenz (z.B. Streßinkontinenz) bieten sie der betroffenen Person eine gewisse Sicherheit.
Vorlagen müssen **saugfähig** sein und dicht am Körper vor der Harnröhre - ggf. auch vor dem After - fixiert werden; dies geschieht mit einer elastischen **Netzhose**. Moderne Vorlagen (siehe Abb. 3.16) verfügen über ein elastisches **Abdichtungsband und Haftstreifen**, so daß sie in der normalen Unterwäsche getragen werden können.
Vorlagen müssen **individuell ausgewählt** werden. Sie variieren in Breite, Länge und Dicke.
Moderne Vorlagen enthalten eine spezielle Saugschicht *(Superabsorbent),* die den Urin in Gelfom bindet und bieten so besonderen Haut- / Schutz. Enthalten sie außerdem fein verteiltes Kupferacetat, wird einer Bakterien- und Geruchsbildung entgegengewirkt.

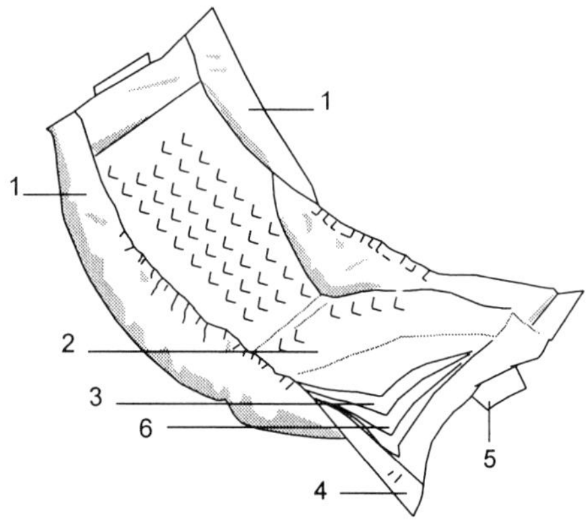

1 Elastisches Abdichtungsband
2 Weiches Vlies
3 Zellwatte
4 Schutzfolie
5 Haftstreifen
6 Saugschicht mit Gelbildner

Abb. 3.16 ***Vorlage für die Frau*** *(Beispiel)*

Für Männer, die unter einem Harnträufeln leiden, gibt es sogenannte **Herrenvorlagen** in Form eines Penisfuterals. Sie werden über den Penis oder über Penis und Hodensack gestülpt.

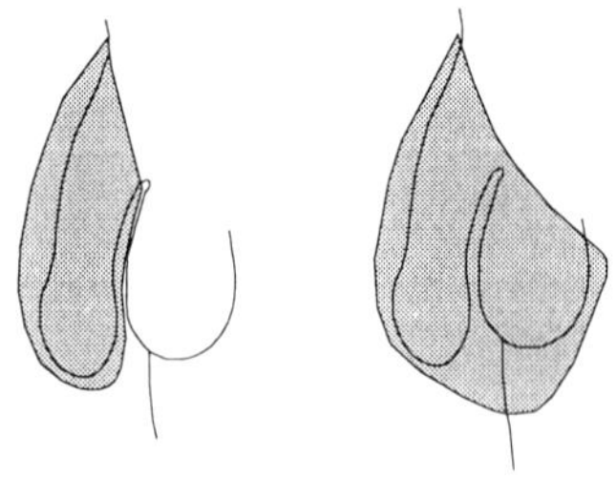

Abb. 3.17 ***Vorlagen für den Mann*** *(Beispiele)*

Die Innenauskleidung besteht aus **hautfreundlichem Vliesmaterial**; die darunterliegende Schicht saugt den

Urin auf und verwandelt ihn ggf. in ein Gel. Eine **flüssigkeitsundurchlässige Folie** verhindert das Durchnässen. Der Nässeschutz wird mit einer Netzhose oder mit einer eng anliegenden Unterhose fixiert.

❍ Kondomurinal

Dieses **aufsammelnde Harnableitungssystem** gleicht einem Kondom aus weichem Latex. Am Ende befindet sich ein trichterförmiger Auslaß, an den ein Ableitungsschlauch mit Urinbeutel angeschlossen wird *(siehe Abb. 3.18)*.
Das Kondomurinal wird **über den Penis gestülpt**, wo es entweder selbst haftet (Innenseite aus Rundumbeschichtung mit hautfreundlichem, wasserundurchlässigem Klebstoff) oder mit einem Haftstreifen befestigt wird.
Kondomurinale werden in verschiedenen Größen angeboten. Die **richtige Weite** läßt sich durch Messung des Umfangs der Peniswurzel bestimmen. Das Kondom darf nicht zu lang sein, da es sich sonst verdrehen könnte, muß aber gleichzeitig so groß sein, daß eine Erektion möglich ist.

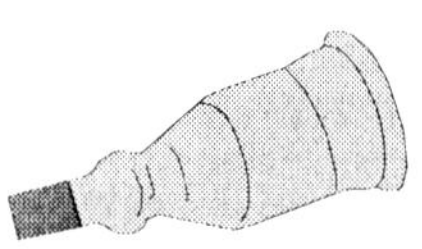

a) Kondomurinal

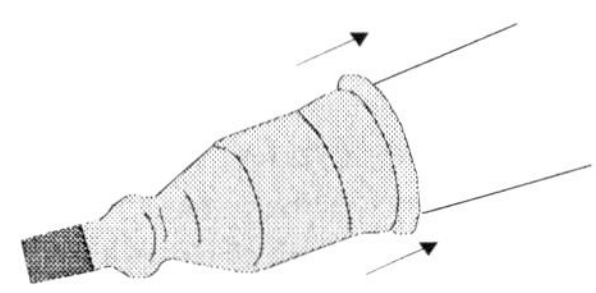

b) Kondomurinal anlegen und abrollen

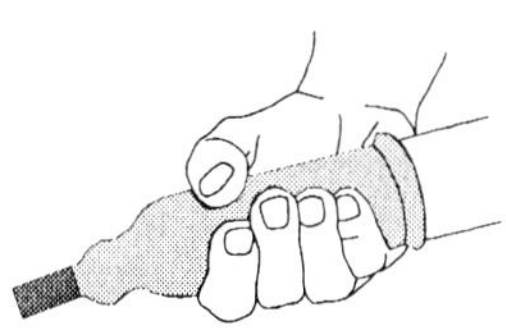

c) Kondomurinal andrücken

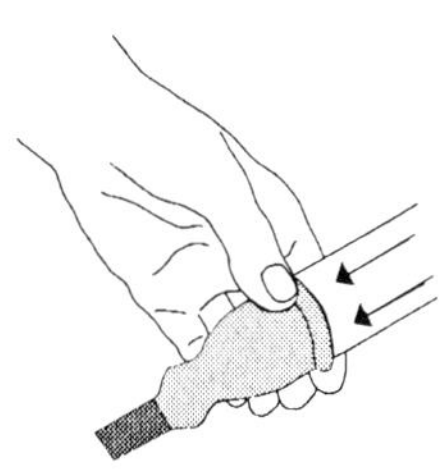

d) Kondomurinal entfernen

Abb. 3.18 ***Umgang mit Kondomurinal***

Vor dem Anlegen des Kondomurinals muß die Haut getrocknet werden; falls erforderlich, sind die Schamhaare an der Peniswurzel abzuschneiden / abzurasieren. Das Kondomurinal wird, ohne die Vorhaut zurückzuschieben, an der Eichel angelegt und langsam über den Penis abgerollt. Nachdem evtl. entstandene Falten geglättet wurden, ist das Kondom mit den Fingern gut an den Penis zu drücken. Anschließend wird ein Urinauffangbeutel angeschlossen. Spätestens nach 24 Stunden sollte das Kondomurinal gewechselt werden; bei der Entfernung wird es langsam vom Penis abgerollt.
Sowohl Kondomurinal als auch Auffangbeutel sind in unterschiedlichen Ausführungen zu beziehen. Besonders erwähnenswert sind die **Beinbeutel** mit Rücklaufsperre, die mit einer Beinbeuteltasche unbemerkt am Ober- oder Unterschenkel getragen werden können.
Beinbeutel werden mit einem Taillengurt, der das Gewicht hält, fixiert. Die Schlauchlänge und das Fassungsvermögen des Beutels sind entsprechend dem individuellen Bedarf zu wählen.
Zur Nacht kann ein Bettbeutel angeschlossen werden.

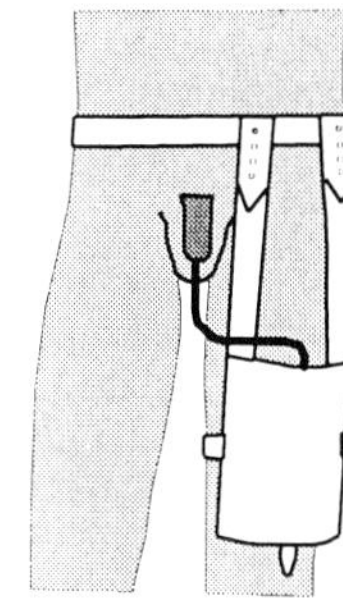

Abb. 3.19 ***Harnableitung mit selbsthaftendem Kondomurinal, Beinbeuteltasche und Taillengurt***

❍ Schutzunterlagen fürs Bett

Einmalunterlagen saugen Flüssigkeiten auf und verhindern ein Durchnässen der Matratze. Sie bestehen aus einer Vliesschicht, mehreren Lagen Zellstoff o.ä. und einer flüssigkeitsundurchlässigen Kunststoffschicht. Die jeweils geeignete Größe richtet sich nach dem Schweregrad der Inkontinenz.
Einmalunterlagen bilden leicht Falten und lösen sich auf, wenn ihre Oberfläche beschädigt ist.
In letzter Zeit werden zunehmend **wiederverwertbare Stoffunterlagen** eingesetzt. Die Oberseite besteht bei vielen Produkten aus hautfreundlicher Baumwolle; die wasserundurchlässige Unterseite besteht aus Polyester / Baumwolle, die mit einer dünnen Schicht laminiert ist. Dazwischen befindet sich hoch saugfähiges Vliesmaterial.
Stoffunterlagen bilden keine Falten und ermöglichen eine gute Wärmeleitung. Sie können je nach Material 100 - 300 mal gewaschen werden; der Aufwand für Be- und Entsorgung ist relativ gering.

3.15.2 Künstlicher Harnleiterausgang *(Urostoma)*

3.15.2.1. Medizinische Informationen

❐ Begriffserläuterungen

Die Anlage eines künstlichen Harnleiterausgangs wird als **Urostoma** oder Urostomie bezeichnet.
Der durch das Einpflanzen der Harnleiter in eine isolierte Darmschlinge entstandene künstliche Harnableitungsweg heißt **Conduit** *(engl. conduit = Röhre)*; entsprechend der Lokalisation spricht man vom **Ileumconduit** oder vom **Kolonconduit**.

❐ Indikationen

Die häufigsten Indikationen für ein Urostoma sind das **Blasenkarzinom** oder der Tumor in einem Nachbarorgan (Mastdarm, Gebärmutter), der die Blase mitbefallen hat. Auch Blasenmißbildungen, Verletzungen und Strahlenschäden im Urogenitaltrakt sowie die Zerstörung der Schließmuskelfunktion infolge von Prostata - oder Harnröhrenkrebs können die Anlage eines künstlichen Harnleiterausgangs erfordern.

❐ Informationen zum Ileumkonduit

- Operativ angelegter Harnableitungsweg;
- die Harnableitung erfolgt meist über ein 10 - 20 cm langes Dünndarmsegment, in welches die Harnleiter eingepflanzt werden;

- das ausleitende Ende des Dünndarmsegments wird in der Regel im rechten Unterbauch in die Bauchhaut eingenäht und zu einer nippelartigen Ausstülpung geformt.

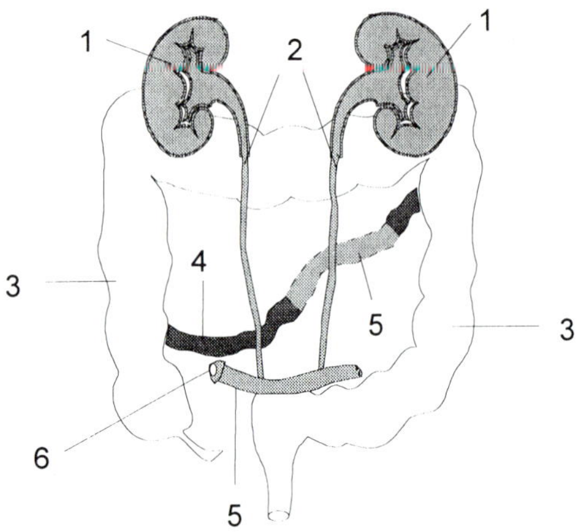

1 Nieren
2 Harnleiter
3 Dickdarm (Kolon)
4 Dünndarm (Ileum)
5 ausgeschaltetes Dünndarmsegment
6 Urostoma

Abb. 3.20 ***Ileum-Conduit***

❐ Informationen zum Kolon-Conduit

- Operativ angelegter Harnableitungsweg;
- die Harnleiter sind oberhalb der Harnblase abgetrennt und in Antirefluxtechnik in ein ausgeschaltetes Dickdarmsegment eingepflanzt;
- das ausleitende Ende des Dickdarmsegments wird in der Regel im linken Unterbauch in die Bauchhaut eingenäht und zu einer nippelartigen Ausstülpung geformt.

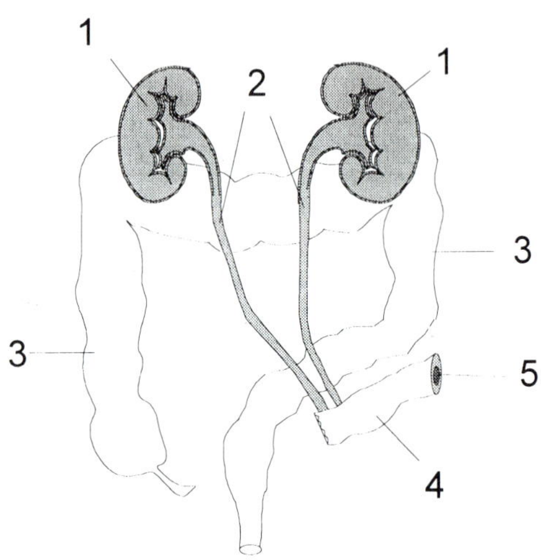

1 Nieren
2 Harnleiter
3 Dickdarm (Kolon)
4 ausgeschaltetes Dickdarm-segment
5 Urostoma

Abb. 3.21 ***Kolon-Conduit***

3.15.2.2 Zur Situation eines Betroffenen

Die besondere Situation eines Menschen mit einem künstlichen Harnleiterausgang ähnelt der eines Menschen mit einem künstlichen Darmausgang. Lesen Sie dazu *"Zur Situation des Betroffenen"*, *Seite 260.*

3.15.2.3 Problembereiche und Pflegemaßnahmen

❐ Stomaversorgung

Materialien

Für die künstliche Harnableitung über ein Urostoma stehen ein- und zweiteilige Versorgungssysteme zur Verfügung *(siehe dazu Seite 261).*

Die Urinauffangbeutel sind von besonderer Beschaffenheit.

- Sie sind in zwei Kammern gegliedert und verfügen über eine **Rücklaufsperre**, die den Rückfluß des Urins zu den Nieren - und somit Infektionen - verhindert.
- Der Beutelauslaß wird mittels eines (z.B. drehbaren) Verschlusses betätigt und dient gleichzeitig als Ansatz für einen Nachtbeutel, der über ein größeres Fassungsvermögen (1 - 2 l) verfügt.

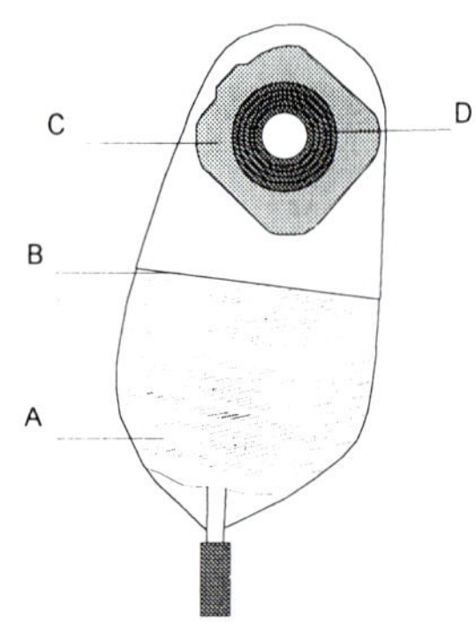

A Beutel mit Ablaufvorrichtung
B Rücklaufsperre
C Klebefläche mit Schutzpapier
D Hautschutzring

a) Einteiliges Versorgungssystem *(Beispiel)*

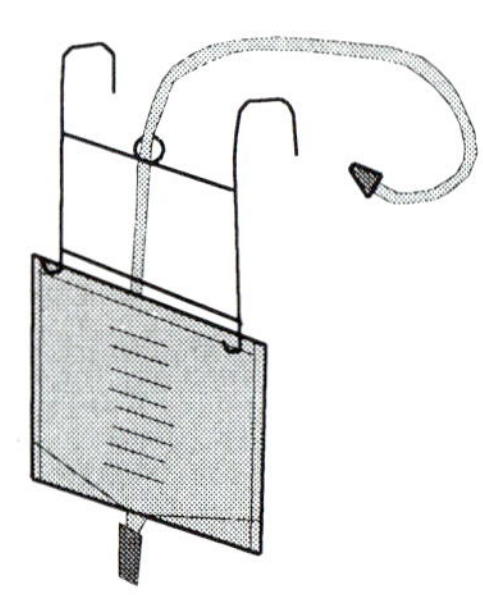

b) Nachtbeutel mit Steckverbindung und Aufhängevorrichtung

Abb. 3.22 ***Urostomie-Versorgung***

- Die Verbindung zu einem speziellen Nachtbeutel wird über die Steckverbindung und einen 1,5 m langen Ableitungsschlauch geschaffen; so wird ein ungestörter Schlaf ermöglicht.

- Der Beutel ist mindestens 4 stündlich zu entleeren und mindestens 1 mal täglich zu erneuern, um ein übermäßiges Bakterienwachstum im Beutel zu verhindern.

Grundsätzliches

Zur Reinigung und Pflege eines Urostomas gelten die auf Seite 262 besprochenen Prinzipien. Außerdem gilt:

- den **Beutelwechsel morgens**, vor der ersten Flüssigkeitsaufnahme durchführen, da der Harnfluß zu dieser Zeit am geringsten ist;
- die **Stomaversorgung rasch abwickeln**, damit die Haut sowohl trocken als auch reizfrei bleibt; für die Zeit des Beutelwechsels kann der Urinfluß mittels eines auf das Stoma gesprühten Pflastermaterials gestoppt werden, ansonsten ist das Stoma mit einer Mullkompresse abzudecken.

❒ Harnwegsinfektionsprophylaxe

Wegen des Risikos aufsteigender Harnwegsinfektionen ist besonderer Wert auf Sauberkeit und **hygienisches Arbeiten** zu legen; Verunreinigungen der Stomaumgebung und des Versorgungssystems müssen vermieden werden.

Um das Keimwachstum so gering wie möglich zu halten, ist der **Auffangbeutel** mindestes **4 stündlich** zu **entleeren** und die Hautschutzplatte spätestens nach 3 Tagen, bei Infektionen täglich, zu wechseln.

Der Stomaträger ist anzuhalten, möglichst viel zu trinken (täglich 2 - 3 l), um Nieren und Harnwege ständig zu spülen und so die Keimzahl gering zu halten.

Er sollte die Anzeichen einer **Harnwegsinfektion kennen** und bei Auftreten von Harntrübung, Schmerzen im Flankenbereich und Fieber den behandelnden Arzt aufsuchen.

❒ Weitere Problembereiche

Im Zusammenhang mit einem Urostoma können ähnliche Probleme wie bei einem Ileostoma / Kolostoma auftreten. Sie werden auf *Seite 260 - 266* besprochen.

3.15.3 Glomerulonephritis

3.15.3.1 Krankheitsbild

❒ Definition, Krankheitsentstehung, Verlaufsformen

Als Glomerulonephritis werden **abakterielle Entzündungen der Nieren**, die sich primär an den Glomeruli *(Nierenkörperchen)* abspielen, bezeichnet.

Je nach Verlauf werden die akute und die chronische Glomerulonephritis unterschieden *(weitergehende Differenzierungen können in der Fachliteratur nachgelesen werden)*.

Eine **akute Glomerulonephritis** entsteht in den meisten Fällen wenige Wochen nach einer Streptokokkeninfektion; Immunkomplexe (*aus Antikörpern und Antigenen der Bakterien gebildete Komplexe*) gelangen über das Blut in die Nieren und rufen hier eine Entzündung hervor (*Poststreptokokkeninfektion)*.

Selten wird eine akute Glomerulonephritis im Rahmen einer Autoimmunerkrankung* durch Autoantikörper gegen die Basalmembran der Nierenkörperchen verursacht *(rapid progressive Glomerulonephritis)*; diese Erkrankung schreitet rasch voran und kann zur dialysepflichtigen Niereninsuffizienz führen *(siehe Seite 233)*.

Die **chronische Glomerulonephritis** verläuft schleichend und voranschreitend; in einigen Fällen ist sie Folgeerscheinung einer akuten Glomerulonephritis, ansonsten ist die Ursache meist ungeklärt.

❒ Symptome, Komplikationen und Diagnostik

Die **akute Glomerulonephritis** verläuft **in ca. 50%** der Fälle **asymptomatisch** und wird allenfalls zufällig diagnostiziert (Mikrohämaturie, milde Proteinurie); in den anderen Fällen sind in der Regel folgende **Symptome** zu beobachten:

- in der Rekonvaleszenz* nach einer Infektion (z.B. Scharlach, Entzündung der Rachenmandeln oder des Mittelohres) erneut auftretendes deutliches Krankheitsgefühl mit Kopf - und Gliederschmerzen, Mattigkeit und subfebriler Temperatur / Fieber;
- dumpfer Schmerz in der Lendenregion (bedingt durch Dehnung der Nierenkapsel);
- Ödeme, vor allem im Augenlidbereich;
- Hypertonie;
- Proteinurie (Eiweißausscheidung im Urin);
- Mikro- oder Makrohämaturie (*Ausscheidung von Erythrozyten im Urin*, bei der Mikrohämaturie mit dem bloßen Auge nicht erkennbar, bei der Makrohämaturie als rötlich - braune Verfärbung des Urins erkennbar);
- bei hypertensiven Krisen evtl. Entwicklung einer akuten Linksherzinsuffizienz mit Lungenödem;
- evtl. Entwicklung eines Hirnödems, das mit epileptischen Anfällen und Somnolenz einhergeht.

Die **Diagnose** wird anhand der Ergebnisse verschiedener Untersuchungen gestellt:

- körperliche Untersuchung und Anamnese (vorangegangener Streptokokkeninfekt);
- Untersuchung des Urins (Erythrozyturie, Erythrozytenzylinder, Proteinurie unter 3 g/24Std.);
- Untersuchung des Serums (beschleunigte Blutkörperchensenkung, leicht erhöhte Kreatinin - und Harnstoffwerte, erhöhter Antistreptolysin - Titer in 50% der Fälle, typische Ergebnisse spezieller immunologischer Teste).

Die **akute Glomerulonephritis** heilt bei Kindern in ca. 90% der Fälle völlig aus, bei Erwachsenen nur in ca. 50% der Fälle. Mögliche **Komplikationen** sind eine hypertone Krise mit Lungenödem, akutes Nierenversagen und chronische Glomerulonephritis.

Die **chronische Glomerulonephritis** wird von einem Betroffenen lange Zeit nicht bemerkt; bei der Harnuntersuchung werden eine Erythrozyturie und Proteinurie festgestellt. Zusätzlich entwickeln sich eine Hypertonie und eine langsam fortschreitende Niereninsuffizienz *(siehe Seite 233)*.

❒ Therapie

Die **Behandlung einer akuten Glomerulonephritis** erstreckt sich

- bei Poststreptokokkenglomerulonephritis auf die Bekämpfung des Streptokokkeninfektes mit Penizillin

über 6 Monate und Sanierung des Krankheitsherdes (z.B. Tonsillektomie);
- bei rapid progressiver Glomerulonephritis auf Verabreichung spezifischer Therapeutika (z.B. Kortikosteroide);
- während des akuten Stadiums auf die Verordnung von körperlicher Schonung (auch nach der akuten Krankheitsphase) und eingeschränkter Bettruhe;
- auf die Anordnung einer kochsalz- und eiweißarmen Kost;
- bei Ödemen auf die Einschränkung der Flüssigkeitszufuhr, evtl. zusätzlich auf den Einsatz von Schleifendiuretika *(siehe Seite 287)*;
- bei Hypertonie auf die medikamentöse Senkung des Blutdrucks;
- bei Komplikationen auf die Beseitigung derselben.

Um den Krankheitsverlauf zu verfolgen und um Komplikationen frühzeitig zu erkennen, werden engmaschige Laborkontrollen (insbesondere Bestimmung von Serum - Kreatinin, Harnstoff, Elektrolyten) und tägliche Gewichtskontrollen veranlaßt.

Die **Behandlung einer chronischen Glomerulonephritis** beschränkt sich auf symptomatische Maßnahmen (*siehe „Chronische Niereninsuffizienz“, Seite 233*).

3.15.3.2 Zur Situation eines Betroffenen

Die akute Glomerulonephritis geht mit mäßig bis stark ausgeprägtem **Krankheitsgefühl** einher; die Schwere der Erkrankung erfordert von einem Betroffenen die Einsicht, zunächst weitgehend Bettruhe einzuhalten und sich auch nach der stationären Behandlung zu schonen und ggf. **Einschränkungen** bei der Ernährung zu akzeptieren.

Das Risiko von schwerwiegenden Komplikationen ruft **Ängste** hervor.

Eine chronische Niereninsuffizienz beeinflußt die Lebenssituation eines Betroffenen erst im Stadium der fortschreitenden Niereninsuffizienz.

3.15.3.3 Pflegeschwerpunkte

Die (möglichen) Probleme, Ziele und Maßnahmen bei der Pflege eines Menschen, der an akuter Glomerulonephritis erkrankt ist, werden anhand des folgenden Standardpflegeplans besprochen.

Pflegestandard - Pflege eines Menschen mit akuter Glomerulonephritis

Mögliche Probleme	Ziele	Pflegemaßnahmen
Für Sicherheit sorgen		
Der Kranke - kann schwerwiegende **Komplikationen** erleiden	Frühzeitiges Erkennen von Komplikationen	**Beobachtung** (Zeitabstände je nach Befinden / Arztanordnung) von - Puls, Blutdruck, Atmung - Bewußtseinszustand - Urinausscheidung, Flüssigkeitsbilanz - Veranlassung der ärztlich angeordneten Serum- und Urinuntersuchungen **Aufforderung** des Patienten, sich bei Veränderungen wie Kopfschmerzen, Schwindelanfällen und Atemnot, die Anzeichen von Komplikationen sein können, sofort zu melden
- bekommt **Medikamente**, die erhebliche **unerwünschte Wirkungen** verursachen können	Frühzeitiges Erkennen von unerwünschten Wirkungen der Medikamente	**Einholen spezifischer Informationen** über die verordneten Medikamente und entsprechende Beobachtung des Kranken sowie **Überwachung der Infusionstherapie**
- kann bei Bewegungseinschränkung evtl. **Sekundärerkrankungen** entwickeln (Dekubitus, Thrombose, Pneumonie)	Erkennen von Risikofaktoren und Erhalten der physiologischen Funktionen	Tägliche **Analyse der Risikofaktoren** und ggf. Ergreifen der erforderlichen Pflegemaßnahmen (gemäß den entsprechend gültigen Pflegestandards)
- **scheidet große Mengen Eiweiß** mit dem Urin **aus**, folglich kommt es > zum Verlust von Immunglobulinen und dadurch zur Infektneigung > zu Lidödemen, zu peripheren Ödemen und ggf. zum Hirn-/ Lungenödem, zu Aszites oder Pleuraerguß	Frühzeitiges Erkennen von Anzeichen einer Infektion	**Beobachtung** hinsichtlich der Anzeichen einer Infektion Einhalten der üblichen **Hygienerichtlinien** **Beobachtung** von - Hautturgor - subjektivem Befinden und Bewußtseinszustand - Bauchumfang - Körpergewicht - Atmung
Sich Bewegen		
Der Kranke - soll **weitgehend Bettruhe** einhalten und sich schonen, um den Entzündungsprozeß und das Komplikationsrisiko zu verringern > wahrscheinlich besteht diesbezüglich ein Informationsbedürfnis > Thromboserisiko	*Der Kranke* - weiß um den positiven Einfluß von Schonung und Bettruhe und verhält sich kooperativ - kennt Sinn und Möglichkeiten thromboseprophylaktischer Bewegungsübungen - führt stündlich Bewegungsübungen durch	**Information** über den Sinn der Bettruhe während der akuten Krankheitsphase und über das daraus resultierende Thromboserisiko Unterstützung bei der Einhaltung der **Bettruhe** und ggf. bei der Durchführung der ATL **Thromboseprophylaxe** - **Anleitung zu Bewegungsübungen** im Bett, vor allem mit den Füßen - Anziehen von Antithrombosestrümpfen - schrittweise **Mobilisation** außerhalb des Bettes nach Abklingen der akuten Phase (Arztanordnung)
Regulieren der Körpertemperatur		
Der Kranke - hat eine erhöhte Körpertemperatur bzw. Fieber, dies > erhöht das Unwohlsein und das Krankheitsgefühl > belastet den Organismus zusätzlich	Erkennen von Temperaturveränderungen *weitere Ziele siehe Pflegestandard „Pflege eines Fieberkranken“*	**Messen der Körpertemperatur** (täglich) Ggf. **Pflege bei Fieber** nach entsprechendem Pflegestandard

Mögliche Probleme	Ziele	Pflegemaßnahmen
Essen und Trinken		
Der Kranke - **verliert Eiweiße** - muß aus therapeutischen Gründen **NaCl-arme Kost** einnehmen > hat diesbezüglich ein Informationsbedürfnis > lehnt Kost evtl. als zu fade ab	*Der Kranke* - kennt die Auswirkungen der Ernährung auf den Krankheitsverlauf - kennt NaCl- und eiweißreiche Lebensmittel und nimmt diese nur in erlaubter Menge zu sich	**Kochsalzarme Kost** (Arztanordnung) - Information bezüglich der Zusammenhänge zwischen NaCl-aufnahme und Ödembildung/Hypertonie - Vermittlung einer Ernährungsberatung (NaCl-reiche/ -arme Lebensmittel, Würzen mit Kräutern) - in der Akutphase max. 1 g NaCl/Tag - bei Besserung langsame Steigerung der NaCl-Zufuhr bis auf 3 - 4 g/Tag - erst wenn keine Tendenz mehr zu Ödemen und Hypertonie besteht, normale NaCl-Zufuhr
- soll aus therapeutischen Gründen die **Trinkmenge reduzieren** > versteht evtl. die Bedeutung der Anordnung nicht > kann evtl. seinen Durst nicht ausreichend löschen	- hält sich an die Flüssigkeitsbeschränkung	**Einschränkung der oralen Flüssigkeitszufuhr** (Arztanordnung) - Information *(wie s.o.)* - Hilfe bei der Einteilung der täglichen Trinkmenge - Ein- und Ausfuhrkontrolle (möglichst Patienten dazu anleiten), 24 Std. Flüssigkeitsbilanz - Angebot, bei Durst Getränke mit Zitrone zu säuern und den Mundbereich zwischendurch anzufeuchten
	- nimmt ausreichend Kalorien zu sich	**Eiweißreduzierte Kost** entsprechend der Arztanordnung (z.B. 40 g/Tag), dabei **Deckung des Kalorienbedarfs** durch Zufuhr von mindestens 30 - 35 kcal/kg/Kg/Tag
- soll sich während der akuten Phase **eiweißarm** (z.B. 40 g/ Tag) **ernähren**	- kennt eiweißreiche / -arme Nahrungsmittel	**Information** über den Eiweißanteil verschiedener Nahrungsmittel
Ausscheiden		
Der Kranke - hat aufgrund der Flüssigkeitseinlagerungen im Gewebe eine **verringerte Urinausscheidung**	Verlaufskontrolle (des Krankheitsgeschehens)	**Beobachtung** von - Hautturgor - Urinausscheidung (Farbe, Menge) - Körpergewicht (tägliche Gewichtskontrolle)
- nimmt ggf. ein Diuretikum* ein (Arztanordnung)	Frühzeitiges Erkennen von unerwünschten Wirkungen (z.B. Kaliummangel)	**Einholen spezifischer Informationen** über die unerwünschten Wirkungen des Diuretikums und entsprechende Beobachtung des Patienten
- ist ggf. wegen der rötlich - braunen Urinverfärbung **verunsichert / besorgt**	*Der Kranke* - weiß über die Ursache der Blutbeimengung Bescheid und kann Ängste abbauen	**Information** - Vermittlung eines Gesprächs mit dem Arzt
Wach sein, Ruhen und Schlafen / Sich Beschäftigen		
Der Kranke - hat ein erhöhtes Ruhebedürfnis - sollte während der akuten Krankheitsphase weitgehend Bettruhe einhalten und sich auch nach der akuten Krankheitsphase körperlich schonen > hat diesbezüglich wahrscheinlich ein Informationsbedürfnis	*Der Kranke* - ist einsichtig und hält sich an die verordnete Bettruhe / Schonung	Unterstützung bei der Einhaltung der ärztlich verordneten **Bettruhe** - bei Bedarf Verdeutlichen der positiven Wirkung der Schonung auf den Heilungsprozeß
> befürchtet / entwickelt evtl. Langeweile	- findet ausreichend Beschäftigung und Unterhaltung	- bei Bedarf Anbieten bzw. Organisieren von Beschäftigung / Unterhaltung

Hinweis: Die Pflege eines Menschen mit chronischer Glomerulonephritis wird im Zusammenhang mit der chronischen Niereninsuffizienz *(siehe Seite 233)* besprochen.

3.15.4 Dialysepflichtige Niereninsuffizienz

Elke Hurling

3.15.4.1 Dialysebehandlung

Eine Dialyse ist ein spezielles, hochentwickeltes Verfahren zum **Entzug von Wasser und harnpflichtigen Stoffen** aus dem Blut eines Menschen, dessen Nierenfunktion schwer gestört ist oder völlig versagt hat.
Oft dient eine Dialysebehandlung dazu, die Wartezeit bis zur Transplantation einer Spenderniere zu überbrücken. Die Entscheidung, ob bei einem Dialysepflichtigen eine Transplantation vorgenommen werden kann, ist von vielen Faktoren abhängig *(siehe Seite 242)*.
Eine Dialysebehandlung ist seit Ende der 60iger Jahre möglich. Die ersten Geräte standen nur wenigen Menschen zur Verfügung. Heute hat sich in der Bundesrepublik Deutschland eine flächendeckende Versorgung mit Dialysezentren ausgebildet. Durch die permanente Verbesserung der Dialyse-Technik und der medizinisch-pflegerischen Betreuung ist für viele Betroffene eine zufriedenstellende Langzeit-Dialyse möglich. Unter günstigen Bedingungen ist das Überleben für Menschen mit Nierenversagen für viele Jahre gesichert.

❒ Indikation für eine chronische Dialysebehandlung

Chronisches Nierenversagen
Die häufigste Indikation für eine Langzeit-Dialysebehandlung ist ein chronisches Nierenversagen. Das chronische Nierenversagen ist der **Endzustand einer Niereninsuffizienz**, d.h. eines langsam fortschreitenden Funktionsverlustes der Nieren. Dieser Funktionsverlust ist irreversibel und hat Auswirkungen auf den gesamten Organismus.
Im Anfangsstadium tritt der Funktionsverlust klinisch nicht in Erscheinung. Wenn ca. 50 - 60% der Nephrone *(Funktionseinheiten der Nieren)* zerstört sind, verringert sich das Vermögen der Nieren, harnpflichtige Substanzen auszuscheiden *(exkretorische Funktion)* und es kommt zum Anstieg dieser Substanzen im Blut. Die Kranken klagen über uncharakteristische Symptome wie Abgeschlagenheit und allgemeine Leistungsminderung. Im weiteren Verlauf treten Störungen des Wasser- und Elektrolyt- sowie des Säure-Basenhaushaltes (pH-Wertregulierung) auf. Die Symptome, z.B. Übelkeit, Erbrechen, Knochenschmerzen, verstärken sich.
Die terminale Niereninsuffizienz ist gekennzeichnet durch den vollständigen Ausfall der exkretorischen und inkretorischen *(Bildung von Hormonen)* Funktionen der Nieren. Der Kranke würde unbehandelt in ein **urämisches* Koma** fallen und versterben.

Die **Ursachen für ein chronisches Nierenversagen** sind u.a.
- Entzündungen der Nieren und ableitenden Harnwege, z.B. eine Glomerulonephritis *(siehe Seite 229)* oder eine chronische Pyelonephritis;
- arteriosklerotische Gefäßveränderungen der Nieren, z.B. als Spätfolge eines Diabetes mellitus *(diabetische Nephropathie)*;
- Zystennieren *(multiple flüssigkeitsgefüllte Hohlräume im Nierenfunktionsgewebe)*;
- Analgetika-Nephropathien; peripher wirkende Analgetika, z.B. Phenacetin (seit einigen Jahren nicht mehr im Handel), Ibuprofen, Acetylsalicylsäure, Phenazon, greifen in den Prostaglandin*stoffwechsel ein und initiieren die Bildung gefäßverengender Prostataglandine, dadurch entstehen u.a. in den Nieren Bereiche, die unzureichend durchblutet werden; da die Niere Hauptausscheidungsorgan für peripher wirkende Analgetika ist, wird sie bei Analgetikamißbrauch entsprechend hoch belastet und phasenweise schlecht durchblutet.

Kranke mit Niereninsuffizienz entwickeln eine **renale Anämie**. Diese wird verursacht durch den Mangel des von den Nieren produzierten Erythropoetins, das die Blutbildung anregt. Durch die seit einigen Jahren mögliche Substitution von Erythropoetin, z.B. Erypo®, Recormon®, ist eine Einflußnahme möglich.
Eine weitere Auswirkung des Nierenversagens ist die **renale Osteopathie**. Die Nieren sind an der Umwandlung von Vitamin D in seine wirksame Form beteiligt. Durch Mangel an wirksamem Vitamin D kommt es zu Störungen im Kalzium- und Phosphathaushalt des Körpers. Die vermehrte Ausscheidung über die Nieren und die verminderte Resorption im Darm haben Auswirkungen auf die Knochen, z.B. Knochenschmerzen und Entkalkungserscheinungen.
Bei einem Kranken mit Niereninsuffizienz entwickelt sich eine **renale Hypertonie**, d.h. ein durch eine Erkrankung der Nieren verursachter Bluthochdruck *(siehe auch "Zur Situation eines Betroffenen")*.

Der **Beginn der Dialysebehandlung** ist individuell festzulegen. Er richtet sich nach dem Grad des Anstiegs harnpflichtiger Substanzen im Blut und anderer Auswirkungen der Urämie. Außerdem muß berücksichtigt werden, wie stark ein Betroffener unter den auftretenden Symptomen leidet.
Bei Kranken im fortgeschrittenen Alter und/oder mit schwerwiegenden Begleiterkrankungen, z.B. kardiovaskulärer Vorschädigung oder diabetischer Nephropathie, sollte die Dialysebehandlung frühzeitig beginnen. Dadurch werden irreversible Schädigungen des Organismus durch die Niereninsuffizienz minimiert und die Komplikationsrate während der Dialysen kann reduziert werden.
Nach der Entscheidung für die Übernahme in das Dialyseprogramm sollte genügend Zeit sein, um den Kranken und seine Angehörigen auf die Dialysebehandlung vorzubereiten.

❒ Indikationen für eine vorübergehende Dialysebehandlung

Akutes Nierenversagen
Durch ein akutes, oft lebensbedrohliches Ereignis, z.B. Herz- und Kreislaufversagen oder Blutungsschock, ist die für die Funktion und Versorgung der Nieren erfor-

sentlich auch von seinem sozialen Umfeld ab. Findet er bei den ihm nahestehenden Menschen (vor allem langfristig) breite Unterstützung, kann damit ein großer Teil der Krankheitsbewältigung gesichert sein. Dabei ist immer zu bedenken, daß eine chronische Dialysebehandlung auch für Angehörige eines Kranken sehr belastend ist. Die chronische Erkrankung belastet die Partnerschaft, in der ein Betroffener lebt und seine Familie. Besonders kleinere Kinder erleben die Erkrankung eines Elternteils und die damit verbundenen Ängste und Veränderungen des Familienlebens als Bedrohung und leiden erheblich darunter. Den betroffenen Angehörigen kann in vielen Fällen eine psychosoziale Beratung Unterstützung bieten.

Für einen dialysepflichtigen Menschen ist die **Konfrontation mit** der eigenen Endlichkeit, dem eigenen **Tod** unausweichlich gegeben.
Es taucht für ihn unweigerlich die Frage auf, wie lange er mit der Dialyse noch überleben kann. Auch wenn diese Überlegungen immer wieder erfolgreich verdrängt werden, steht die ungewisse Lebenserwartung über allem.
Bei Dialysepflichtigen, die für eine Nierentransplantation in Frage kommen *(siehe auch "Transplantation", Seite 242)* nimmt die Hoffnung und das Warten auf eine neue Niere einen sehr großen Raum ein.
Dialysepflichtige Kinder und Jugendliche leiden unter enormen körperlichen und psychischen Belastungen. Da eine längere Dialysebehandlung zu schweren Störungen der körperlichen Entwicklung führt, wird eine baldige Nierentransplantation angestrebt.
Die Prognose des Kranken verschlechtert sich erheblich, wenn neben der Nierenerkrankung weitere Erkrankungen bestehen, z.B. Herz- und Kreislauf- oder Lebererkrankungen. Ein hoher Anteil Dialysepflichtiger sind Diabetiker (Nephropathie als Folge eines langjährigen Diabetes mellitus); der Diabetes führt in der Regel zu einer Verstärkung der Symptome des chronischen Nierenversagens.
Bei bestehenden Mehrfacherkrankungen und schlechtem Allgemeinzustand ist auch die Möglichkeit einer Nierentransplantation für viele Betroffene von vornherein ausgeschlossen.
Der Kranke muß erkennen, daß sein **Überleben von einer Maschine abhängig** ist und von den Menschen, die in der Lage sind, diese Maschine zu bedienen. Diese Abhängigkeiten zu spüren, kann eine **Krisensituation** auslösen, die von Hilflosigkeit und Ohnmachtsgefühlen gekennzeichnet ist.
Wenn Kranke mit der Zeit zu "Experten ihrer Erkrankung" werden, können sie damit Möglichkeiten der Einflußnahme zurückgewinnen.

Für fast alle Betroffenen rückt die **Dialysebehandlung** in den **Mittelpunkt** ihres Lebens. Da die Dialysen im wöchentlichen Ablauf einen festen Platz haben, sind alle anderen Aktivitäten und Interessen nachgeordnet und müssen sorgfältig geplant sein. Dabei können nicht vorhersehbare akute gesundheitliche Verschlechterungen, z.B. durch Komplikationen während der Dialyse, alle Pläne zunichte machen.

Trotz Verbesserung der Dialyse-Technik und der Betreuung des Kranken ist eine komplikationsfreie Dialyse nicht selbstverständlich. Es besteht immer die Gefahr, daß **Zwischenfälle** eintreten, z.B. hyper- oder hypotone Krisen, Muskelkrämpfe, Blutungen, Schmerzzustände. In diesen Situationen ist der Kranke auf die Kompetenz und Handlungsfähigkeit des ihn betreuenden Dialysepersonals angewiesen.
Eine zusätzliche Belastung entsteht durch das gehäufte Auftreten von Infektionen.
Für die regelmäßig erforderlichen Dialysen muß viel Zeit eingeplant werden, in der Regel 3 Dialysebehandlungen mit 4 - 6 stündiger Dauer pro Woche. Hinzu kommt, daß eine **Dialyse belastend** sein kann, der Kranke sich ausgelaugt und erschöpft fühlt und eine längere Erholungspause benötigt.
Während der Dialysebehandlung bietet sich wenig Abwechslung, der Kranke leidet unter dem sich ständig wiederholenden Vorgang.
Für jeden chronisch dialysepflichtigen Menschen spielt der Shunt eine große Rolle. Der Kranke **braucht** einen **intakten Shunt**, der dadurch Anlaß ständiger Beobachtung und Sorge ist *(siehe nachfolgend "Pflege des Shunts")*. Ein Shunt kann sich im Laufe der Zeit stark erweitern und hervortreten; es können sich Aneurysmen* bilden, die als unterschiedlich dicke Ausbuchtungen deutlich sichtbar sind. Besonders bei sommerlichen Temperaturen und Tragen leichter Kleidung können Betroffene neugierige oder ablehnende Blicke ihrer Mitmenschen erleben.
Betroffene sehen durch die Folgen des Nierenversagens auf den Körper, z.B. die fahle, stark vorgealterte Haut, häufig sehr krank aus. Das hat Auswirkungen auf das Selbstbild des Kranken und beeinflußt auch sein Selbstwertgefühl.
Durch die bestehende Flüssigkeitseinschränkung leiden alle Dialysepflichtigen unter **ständigem Durst**. Das Einhalten der Flüssigkeitsbegrenzung und der strengen Diät *(siehe nachfolgend "Flüssigkeitszufuhr")* erleben fast alle Betroffenen als erheblichen **Verlust an Lebensfreude**. Vielen fällt eine konsequente Umstellung der Ernährung schwer.
Die Belastungen der besonderen Ernährungsvorschriften kommen vor allem zum Tragen, wenn die Bedingungen der Nahrungsaufnahme andere sind, z.B. während einer Feier, eines Restaurantbesuchs oder einer Urlaubsreise. Unsicherheiten können dazu führen, daß diese oder ähnliche Situationen gemieden werden.
Mit zunehmender Dauer der Dialysebehandlung zeigen sich bei vielen Betroffenen und ihren Angehörigen Tendenzen zur **Reduzierung sozialer Kontakte**.
Für Dialysepflichtige kann eine berufliche Einschränkung oder eine Aufgabe der Berufstätigkeit nötig werden. Wenn eine regelmäßige berufliche Tätigkeit aufrecht erhalten werden kann, lassen sich die Dialysezeiten in der Regel den Arbeitszeiten des Betroffenen anpassen. In vielen Fällen kann durch Umschulungen oder andere Rehabilitationsmaßnahmen einer Erwerbsunfähigkeit vorgebeugt werden.
Jugendliche, die dialysepflichtig sind, sollten durch entsprechende Beratung in ihrer Berufswahl unterstützt werden.

3.15.4.3 Aspekte der Pflege eines dialysepflichtigen Patienten

❐ Betreuung vor und nach einer Dialysebehandlung

Da es in der Regel für alle Patienten sehr wichtig ist, ihren **Dialysetermin exakt einzuhalten**, muß die vorher notwendige Pflege eines hilfsbedürftigen Patienten, z.B. Unterstützung bei der Körperpflege, so geplant sein, daß keine Verzögerungen eintreten.

Wenn möglich, sollte der Patient vor der Dialysebehandlung seinen Darm entleeren. Falls erforderlich, muß er bei der Vorbereitung auf den Transport in das Dialysezentrum unterstützt werden.

Bei der Übernahme des Patienten von der Dialyseabteilung auf die Station informiert sich die betreuende Pflegeperson über besondere Vorkommnisse während der Dialyse und evtl. erforderliche spezielle **Überwachungsaufgaben**.

Nach einer Dialyse ist der **Blutdruck** zu **überwachen**, da durch den Flüssigkeitsentzug während der Dialyse Kreislaufveränderungen möglich sind, z.B. orthostatische Regulationsstörungen und Hypotonie.

Pulsveränderungen (Brady- oder Tachykardie, Rhythmusstörungen) können Hinweise auf einen zu niedrigen oder zu hohen Kaliumgehalt des Blutes sein. Ein zu hoher Kaliumgehalt kann durch das Verspeisen kaliumreicher Nahrungsmittel verursacht worden sein.

Die **Hypo- und Hyperkaliämie** sind gefürchtete **Komplikationen**; bei Verdacht ist immer eine ärztliche Behandlung zu veranlassen.

Während einer Dialyse können Natriumverluste eintreten, die während oder nach der Behandlung Muskelkrämpfe, z.B. der Wadenmuskulatur, verursachen. Zum Ausgleich kann einem Betroffenen eine sehr salzhaltige Brühe angeboten werden. Wärmeanwendung im Bereich der schmerzhaften Muskeln wirkt entspannend.

Wenn ein Kranker von der Dialysebehandlung zurückkehrt, fühlt er sich oft müde und erschöpft. Die betreuende Pflegeperson muß die Möglichkeit für eine **Erholungspause schaffen**.

❐ Betreuung im dialysefreien Intervall

Während der dialysefreien Zeit kommt es zu einer Ansammlung von Flüssigkeit im Körper des Kranken. Durch **tägliche Gewichtskontrollen** ist die Menge der aufgenommenen Flüssigkeit zu ermitteln *(siehe auch nachfolgend "Flüssigkeitszufuhr")*.

Die Zeit zwischen den Dialysebehandlungen ist für einen Langzeitdialysepflichtigen eine sehr wertvolle Zeit. Er sollte sie zur Erholung nutzen und immer, wenn seine körperliche und/oder psychische Befindlichkeit es zuläßt, nach seinen Bedürfnissen aktiv gestalten. Die Aufgabe der betreuenden Pflegeperson ist darin zu sehen, den **Kranken zu Aktivitäten** zu **ermutigen** oder ihm Anregungen zur Gestaltung seiner Freizeit zu geben.

Das ist besonders wichtig, wenn ein Betroffener sich nichts mehr zutraut und den Sinn seines Lebens nicht mehr sieht.

❐ Ernährung und Flüssigkeitsaufnahme

Essen und Trinken unterliegen bei dialysepflichtigen Menschen vielfältigen, oft belastenden Einschränkungen. Die **Einhaltung der diätetischen Vorgaben** hat positiven Einfluß auf das Befinden des Kranken, die Verträglichkeit der Dialysebehandlung und somit auf den Verlauf.

Schwere Diätfehler, z.B. unkontrollierte Flüssigkeitsaufnahme, können lebensgefährliche Situationen hervorrufen und eine intensivmedizinische Versorgung evtl. mit Notfalldialyse erforderlich machen.

Das Pflegepersonal sollte eine angemessene Reaktion auf Diätfehler des Langzeitkranken zeigen. Es ist wenig hilfreich, Vorwürfe zu machen oder zu tadeln, denn ein Betroffener weiß in der Regel um sein Handeln. Die strengen Ernährungsvorschriften bedeuten für viele einen erheblichen Verlust an Lebensqualität und -freude und es ist langfristig kaum möglich, sie absolut konsequent einzuhalten.

Pflegende sollten ein gewisses Maß an **Verständnis zeigen** und gleichzeitig mit **sachlicher Information** auf die möglichen Folgen von Diätfehlern aufmerksam machen.

Bei der Ernährung und Flüssigkeitszufuhr sind folgende Grundsätze zu berücksichtigen:

- **Ausreichende Eiweißzufuhr**
  Die durch die Dialysebehandlung bedingten Eiweißverluste müssen durch eine eiweißreiche Ernährung ausgeglichen werden. Als Richtlinie gilt die Aufnahme von ca. **1 Gramm Eiweiß pro Kilogramm Körpergewicht pro Tag**. Es sollten pflanzliche (z.B. Hülsenfrüchte, Getreideprodukte) und tierische (z.B. Fleisch, Milchprodukte) Eiweißquellen gleichermaßen genutzt werden. Dabei sollte der Hauptanteil aus biologisch hochwertigem Eiweiß bestehen, d.h. aus Eiweiß, das essentielle Aminosäuren enthält.

- **Begrenzte Flüssigkeitszufuhr**
  Die Flüssigkeitszufuhr ist streng begrenzt, die Menge wird individuell für jeden Betroffenen **vom** behandelnden **Arzt festgelegt**. Als Grundlage dient die unter Umständen noch vorhandene Urinausscheidung (Restausscheidung) des Betroffenen zuzüglich 500 - 800 ml. Wenn der Kranke noch eine Restausscheidung hat, kann die Menge durch einen 24-Stunden-Sammelurin bestimmt werden *(siehe "Urinmessungen", Seite 199)*. Eine Erhöhung der Flüssigkeitszufuhr (Absprache mit dem behandelnden Arzt) ist angezeigt in Situationen, in denen der Kranke durch Schwitzen größere Mengen Flüssigkeit verliert, z.B. bei hochsommerlichen Temperaturen oder bei Fieber.
  Die erlaubte Flüssigkeitsmenge sollte von dem Dialysepflichtigen unbedingt "ausgenutzt", d.h. aufgenommen werden, um Austrocknungserscheinungen von Haut und Schleimhaut sowie extremen Durst so gering wie möglich zu halten.
  Bei der **Berechnung der Flüssigkeitsmenge** muß auch der "versteckte" Wassergehalt vieler Nahrungsmittel berücksichtigt werden, z.B. bei Obst und Gemüse, Suppen und Soßen, Milch und Milchprodukten.

Wenn Patienten über einen **Shaldon-Katheter** dialysiert werden, ist dieser unter strenger Einhaltung der **Asepsis** zu versorgen und durch sichere Fixierung vor Lageveränderungen zu schützen; unter Umständen wird der regelmäßig erforderliche Verbandwechsel vom Dialysefachpersonal vorgenommen *(siehe auch "ZVK", Seite 461).*

Alle **Verletzungen** und Wunden (auch kleinere Hautdefekte) des Patienten müssen regelmäßig überwacht, **antiseptisch behandelt** und bis zur Abheilung steril verbunden werden.

Zur frühzeitigen Erkennung einer Infektion sind regelmäßige Temperaturmessungen durchzuführen.

Im übrigen gelten für die Betreuung von Dialysepflichtigen die allgemeinen **Regeln zur Vermeidung der Übertragung von pathogenen Mikroorganismen**. Dabei muß berücksichtigt werden, daß der Kranke in Einrichtungen der stationären Pflege mit wesentlich mehr pathogenen Mikroorganismen konfrontiert wird als im häuslichen Bereich.

Bei Auftreten von Symptomen, die auf eine Infektion hinweisen, ist sofort der behandelnde Arzt in Kenntnis zu setzen.

❐ Anlage und Pflege des Shunts

Der Shunt ist die "Lebensversicherung" eines chronisch Dialysepflichtigen. Jede Veränderung am Shunt kann zu einer Komplikation führen, und damit die Dialysebehandlung gefährden.

Ein Shunt *("Kurzschluß" oder "Weiche")* ist eine operativ angelegte Verbindung zwischen einem arteriellen und einem venösen Gefäß *(arterio-venöse Fistel).*

Um bei Dialysepflichtigen einen dauerhaft punktierbaren Gefäßzugang zu haben, wird häufig im Unterarmbereich eine oberflächliche Armvene, z.B. die Vena cephalica, mit der Arteria radialis verbunden. Diese Art der Shunt-Anlage wird als **Cimino-Fistel** bezeichnet und bei fast allen Dialysepflichtigen vorgenommen.

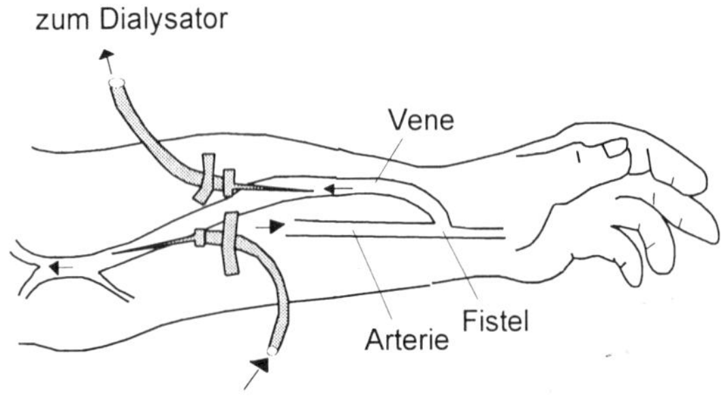

Abb. 3.24 ***Arterio-venöse Dialysefistel*** *(schematische Darstellung)*

Durch das erhöhte Blutangebot in der Vene erweitert und verstärkt sich diese; der Blutfluß für eine Dialyse muß mindestens 200 ml / Min. betragen. Nach einer gewissen Zeit steht eine ausreichende Gefäßstrecke zur wiederholten Punktion zur Verfügung.

Durch die Arterialisierung der Vene kommt es zu einem verstärkten Strömungsgeräusch, einem "Rauschen" und einem "Schwirren" als tastbare Vibration beim leichten Palpieren des Shunts.

Um die **Anlage eines Shunts** nicht zu gefährden, sollten bei **Kranken mit chronischer Niereninsuffzienz** am Unterarm keine Venenpunktionen erfolgen oder Venenverweilkanülen gelegt werden.

Die Shuntanlage ist möglichst langfristig vorzubereiten und beginnt mit einem Venen-Training (beim Linkshänder am rechten Arm und umgekehrt). Um eine Ausweitung des venösen Systems zu erzielen, sollte der Kranke nach vorheriger Anleitung mehrmals täglich Pump- und Kompressionsübungen machen.

Für eine **operative Shuntanlage** sind intakte Gefäße an einem Unterarm des Kranken Bedingung. Die Operation wird ambulant (Nachbetreuung durch den behandelnden Nephrologen) oder stationär von einem Gefäßchirurgen durchgeführt. Falls erforderlich, kann bei (späteren) Komplikationen eine erneute Shuntanlage an einer anderen Stelle der Unterarme erfolgen.

Neben der allgemeinen **postoperativen Überwachung** sollten folgende Punkte beachten werden:

- Hochlagerung (zur Ödemprophylaxe) und Ruhigstellung des betroffenen Arms auf einem Kissen für 2-3 Tage mit gleichzeitiger körperlicher Schonung durch leichte Bettruhe;
- Shuntgeräusche engmaschig auskultatorisch überprüfen; diese sind durch den Verband gut hörbar;
- regelmäßige RR-Kontrollen durchführen, da hypertone Situationen zu Thrombosierungen führen können und dadurch ein Shunt-Verschluß begünstigt wird;
- kontinuierliche Beobachtung des Wundverbandes auf Blutungen; bei Verdacht auf eine Blutung ersten Verband belassen, darüber einen Kompressionsverband anlegen und sofort den Arzt verständigen;
- der erste Verbandwechsel erfolgt durch den Arzt; nach ca. 10 Tagen werden ebenfalls durch den Arzt die Fäden entfernt, evtl. zuvor Entfernung von Teilfäden;
- ggf. erfolgen infektions- und thromboseprophylaktische Maßnahmen nach Anordnung des Arztes;

(siehe auch nachfolgend "Beobachtungs- und Überwachungsaufgaben").

Nach Abschluß der Wundheilung sollte der Patient mit ähnlichen Übungen wie beim Venen-Training *(siehe vorstehend)* ein **"Shunt-Training"** beginnen. Die ersten Punktionen sollten so lange wie möglich (4 bis 6 Wochen) herausgezögert werden, um eine dauerhafte Punktierbarkeit zu erreichen. Ein Shunt muß bei der folgenden Dauerbehandlung permanenten Belastungen von bis zu 300 Punktionen pro Jahr ausgesetzt werden.

Mit Beginn der Dialysebehandlung sollte der Kranke das Shunt-Training an den dialysefreien Tagen fortsetzen.

Der Arm mit dem Shunt kann bei allen täglichen Aktivitäten normal belastet werden, sollte dabei aber **keiner erhöhten Verletzungsgefahr ausgesetzt** werden.

Zur Schonung des "Shunt-Armes" muß auf **Venenpunktionen** (auch am Handrücken), **RR-Messungen und einschnürende Kleidung** mit engen Bündchen verzichtet werden. Um einem Verschluß des Shunts vorzubeugen, dürfen ebenfalls keine zirkulären oder stark komprimierenden Wundauflagen benutzt werden.

Zur Pflege des Shunts wird eine **tägliche Waschung mit Wasser und milder Seife** empfohlen; eine Waschung sollte ebenfalls vor jeder Dialyse erfolgen. Die

Haut im Bereich des Shunts sollte mehrmals täglich mit einer Creme oder einer Lotion gepflegt werden und auf keinen Fall mit hautreizenden Substanzen in Kontakt kommen.
Die Bedeutung eines intakten Shunts ist nicht hoch genug einzuschätzen. Nur durch eine **systematische Beobachtung** können Komplikationen so früh erkannt und behandelt werden, daß die Shunt-Anlage nicht gefährdet ist. **Mögliche Komplikationen** sind Thrombosierungen, Blutungen, Aneurysmabildung oder Infektionen.
Zu den **Beobachtungs- und Überwachungsaufgaben** gehören:

- **tägliche Prüfung des Shunts** auf seine Funktion durch Auskultation mit einem Stethoskop ("Rauschen") und Palpation mit den Fingerspitzen ("Schwirren"); Veränderungen, z.B. schwächere Strömungsgeräusche, können Hinweis auf eine Thrombosierung oder Stenosierung sein;
- **Inspektion auf Rötung oder Schwellung** als Zeichen einer Infektion; der Kranke hat unter Umständen (Druck-)Schmerzen oder ein Spannungsgefühl;
- **Kontrolle auf Blutungen und Hämatombildung**; obwohl nach einer Dialyse auf die ausreichende Komprimierung der Punktionsstellen (mindestens 10 - 15 Minuten mit bestimmter Kompressionstechnik) großer Wert gelegt wird, sind Blutungen oder Hämatombildung nicht ausgeschlossen. Der nach der Dialyse angelegte sterile Verband sollte wenigstens einige Stunden belassen und spätestens am nächsten Tag entfernt werden.
  Beachte: Ein Shunt darf bei Blutungen aus den Punktionsstellen nie zu stark komprimiert werden; eine Ausnahme sind massive Blutungen, die sonst nicht zu stillen sind.

Die erforderlichen Shuntkontrollen und -beobachtungen sollten wenn möglich vom Kranken vorgenommen werden; ist er dazu nicht in der Lage, werden betreuende Angehörige eingewiesen oder die verantwortliche Pflegeperson übernimmt diese Aufgabe.
Jede Veränderung am Shunt muß unverzüglich dem behandelnden Arzt oder dem betreuenden Dialysezentrum gemeldet werden.
Bei Shunt-Komplikationen wird oft eine stationäre Behandlung mit operativem Eingriff erforderlich. Wenn eine Thrombosierung vorliegt, kann durch eine Thrombektomie versucht werden, den Shunt zu erhalten. Die regelmäßig erforderliche Dialyse erfolgt dann über einen speziellen zentral-venösen Zugang.

❒ Begleitung und Unterstützung

Langzeitdialyse-Pflichtige werden oft als besonders "schwierige Kranke" bezeichnet. Dabei wird leicht außer Acht gelassen, unter welchen extremen **Belastungen und Abhängigkeiten** die Betroffenen leben müssen. Zusätzlich führen die Auswirkungen des Nierenversagens dazu, daß die Kranken sich oft müde und schwach fühlen.
Als Folge der dauernden Belastungen kann es zu psychischen Veränderungen kommen, z.B. zu erheblichen Stimmungsschwankungen, aggressivem oder regressivem* Verhalten. Wenn ein Kranker wenig oder keine Möglichkeiten hat, seine Gefühle zu verbalisieren, können diese auf andere Weise, z.B. in aggressivem oder gereiztem Verhalten, Ausdruck finden.
Die Pflegeperson sollte versuchen, einem Betroffenen mit einem hohem Maß an **Geduld**, **Zuwendung** und **Aufmerksamkeit** zu begegnen und seine Wünsche zu erfüllen.
Um einem Kranken zu **helfen**, **Perspektiven** für sein weiteres Leben **zu sehen**, sollte er zur Wiederaufnahme früherer Aktivitäten ermutigt werden. Gleichzeitig kann es für einen Betroffenen sehr wichtig sein, Kontakte zu anderen Menschen zu haben, z.B. durch Besucher oder durch die Teilnahme an kulturellen Veranstaltungen.

Für Dialysepflichtige besteht die Möglichkeit, Urlaubsreisen zu machen, da an vielen Orten ein Angebot an **Feriendialysestationen** besteht. Nährere Informationen geben das Personal des betreuenden Dialysezentrums oder Interessenverbände Betroffener *(siehe nachfolgend)*.

Im ambulanten Pflegebereich ist neben der Betreuung des Dialysepflichtigen die **Unterstützung der Angehörigen** eine vorrangige Aufgabe. Diese erfolgt durch umfassende Beratung und regelmäßige Gesprächsangebote. Dabei ist es wichtig, zu erkennen, wenn pflegende Angehörige an die Grenzen ihrer Belastbarkeit gelangt sind und in diesen Fällen Hilfen einzuleiten, z.B. durch Kontaktvermittlung zu Selbsthilfegruppen oder psychologischen Beratungsstellen.

Um für einen Langzeit-Dialysepflichtigen alle Chancen zur Verbesserung seiner Lebenssituation zu nutzen, ist die **Kooperation** zwischen betreuenden Pflegepersonen, behandelndem Hausarzt und den Fachkräften des Dialysezentrums unerläßlich.

❒ Soziale Hilfen und Kontaktadressen

Dialysepflichtigen werden unterschiedliche Hilfen angeboten; nach dem **Schwerbehindertengesetz (SchwbG)** haben sie die Möglichkeit, auf Antrag beim Versorgungsamt als Schwerbehinderte (100% Behinderung) anerkannt zu werden. Diese Anerkennung ermöglicht einige Vergünstigungen, z.B. Ermäßigungen bei der Benutzung öffentlicher Verkehrsmittel, Befreiung von Rundfunk- und Fernsehgebühren.
Berufstätige haben nach Anerkennung einer Schwerbehinderung einen erweiterten Kündigungsschutz und Anspruch auf zusätzlichen Urlaub.
Durch die gesetzliche Rentenversicherung (GRV) kann bei Berufs- oder Erwerbsunfähigkeit die Zahlung einer Rente erfolgen.

Die nachfolgend genannten Vereine geben Auskünfte über alle regionalen Zusammenschlüsse Betroffener sowie über Selbsthilfegruppen und Elternvereine nierenkranker Kinder und Jugendlicher.

Interessenverband der Dialysepatienten und
Nierentransplantierten Deutschlands e.V.
Weberstraße 2
55130 Mainz

KfH Kuratorium für Dialyse und
Nierentransplantierte e.V.
Emil von Behring-Passage
63263 Neu-Isenburg

Die **Entnahme von Organen (Explantation)** darf nur erfolgen, wenn bei einem Menschen der Hirntod festgestellt wurde.
Die **Hirntod-Definiton** des **wissenschaftlichen Beirates der Bundesärztekammer** lautet: „Der Hirntod ist der vollständige und irreversible Zusammenbruch der Gesamtfunktion des Gehirns bei noch aufrechterhaltener Kreislauffunktion im übrigen Körper, d.h. bei noch schlagendem Herzen. Dabei handelt es sich ausnahmslos um Patienten, die wegen Fehlen der Spontanatmung beatmet werden müssen".
Ein **Hirntod** liegt also vor, wenn ein **irreversibles Versagen aller Hirnfunktionen** eingetreten ist, d.h. das Organ Gehirn ist abgestorben. Ohne intensivmedizinische Behandlung mit maschineller Beatmung (und medikamentöser Unterstützung der Kreislauffunktion) würde der Hirntod in kurzer Zeit ein Herzversagen nach sich ziehen, da das Herz nicht mehr mit Sauerstoff versorgt würde.
Ein irreversibler Funktionsausfall des gesamten Gehirns kann durch einen primären Hirnschaden (z.B. schweres SHT, Hirnblutung) oder einen sekundären Hirnschaden (z.B. Hypoxie nach Herz-Kreislaufversagen, Zustand nach Reanimation) verursacht sein. In allen Fällen hat ein Sauerstoffmangel *(Hypoxie)* im Gehirn zum Absterben der Hirnzellen geführt.
Die **Feststellung des irreversiblen Hirntodes** erfolgt durch zwei voneinander unabhängige Ärzte, die auf dem Gebiet der intensivmedizinsichen Behandlung von Patienten mit schweren Hirnschäden mehrjährige Erfahrungen haben müssen und nicht mit dem Transplantationsteam in Verbindung stehen dürfen.
Kennzeichen des Hirntodes eines Menschen sind das Fehlen von Spontanatmung, Pupillenreaktion und bestimmten Reflexen (z.B. Korneal-, Pharyngeal-, Trachealreflex). Als Grundlage der Feststellung des Hirntodes gelten immer die **klinischen Symptome in ihrer Gesamtheit**.
Zur weiteren Sicherung der Diagnose des Hirntodes wird für mindestens 30 Minuten ein EEG* angefertigt. Bei einem Hirntoten sind keine Aktionspotentiale erkennbar. Zur Überprüfung der Durchblutung des Gehirns kann eine Angiographie* oder eine Doppler-Sonographie* vorgenommen werden.
Mögliche andere Ursachen für den Zustand des Patienten, z.B. Intoxikation, Einwirkung bestimmter Medikamente, Unterkühlung, müssen sicher ausgeschlossen sein.
Um sicher zu stellen, daß der **Zustand** des Patienten **unumkehrbar** ist, müssen in vorgegebenen zeitlichen Abständen die bei einem Hirntod eintretenden klinischen Zeichen erneut überprüft werden.
Der Hirntod eines Menschen ist juristisch dem Herztod, d.h dem irreversiblen Herzstillstand eines Menschen, gleichgesetzt; nach der Feststellung des Hirntodes wird ein Totenschein ausgestellt.

Immer wieder melden sich **kritische Stimmen**, die die Gleichsetzung des Hirntodes mit dem Tod eines Menschen in Frage stellen. Sie fordern eine **grundlegende Überprüfung** der in den 60iger Jahren festgelegten **Hirntod-Definition**.

In diesem Zusammenhang können nur einige Einwände und Kritikpunkte zur Hirntod-Definition aufgezeigt werden. Die genannten Aspekte sollen eine gründliche Auseinandersetzung an anderen Stellen, z.B. in Gesprächen mit Kollegen oder anhand von Veröffentlichungen, anregen.

Kritiker sehen in der Hirntod-Definition eine Betrachtung des Menschen aus rein medizinischer Sicht, andere Aspekte des Menschseins, z.B. die geistig-seelischen oder religiösen Aspekte, werden nicht berücksichtigt.
Durch die Hirntod-Definition wird Menschsein an ein funktionierendes Gehirn gebunden. Wenn das Gehirn gestorben ist, ist damit auch die Einmaligkeit des Menschen erloschen, das Individuum ist gestorben. Diese Gleichsetzung des Hirntodes mit dem Tod des Individuums wird abgelehnt.
Bei einem Betroffenen von einem Menschen mit irreversiblem Hirnversagen zu sprechen, wird seiner Situation mehr gerecht als ihn als Hirn**toten** zu bezeichnen. Dabei taucht auch die Frage auf: „Ist ein Mensch mit irreversiblem Hirnversagen ein Lebender, ein Sterbender oder ein Toter?"
Durch die Fortschritte der Intensivmedizin, vor allem durch die Möglichkeit der Beatmung, muß ein Mensch mit irreversiblem Hirnversagen nicht unweigerlich sterben.
Mit der Hirntod-Definition wird Sterben nicht mehr als prozeßhaftes Geschehen gesehen, sondern ein Zeitpunkt festgelegt, an dem der Mensch tot ist. Ein Mensch mit irreversiblem Hirnversagen ist nicht mehr ein Sterbender, eine Person, die sich in ihrem individuellen Sterbeprozeß befindet, sondern ein Toter. Damit wird die Frage, „Wann ist der Mensch tot?", nach anatomisch-physiologischen und medizinischen Gesichtspunkten entschieden.
Ob das irreversible Hirnversagen in jedem Fall und mit absoluter Sicherheit durch die heute zur Verfügung stehenden diagnostischen Möglichkeiten nachgewiesen werden kann, wird von Kritikern der Hirntod-Theorie ebenfalls bezweifelt.

In diesem Zusammenhang soll besonders die Situation der Pflegenden, vor allem im Bereich der Intensivpflege, erwähnt werden. Sie betreuen schwerst kranke Patienten rund um die Uhr, häufig über einen längeren Zeitraum und haben, auch durch die Begegnung mit den Angehörigen, eine engere Beziehung zu diesen Patienten aufgebaut.
Wenn bei einem dieser Patienten der Hirntod festgestellt wird, versorgen Pflegende einen Menschen, der nach den geltenden Kenntnissen und dem Gesetz ein „Toter" ist. Der Betroffene zeigt viele Zeichen eines lebendigen Organismus, z.B. warme, gut durchblutete Haut oder eine intakte Ausscheidung. Als unüberwindbarer Widerspruch taucht immer wieder auf, daß bei einem anerkannt Hirntoten der Totenschein schon ausgestellt ist, der Betroffene aber so versorgt wird, wie vor der Feststellung des Hirntodes. Ein „(Hirn)toter" wird regelmäßig gewaschen und gelagert, seine „**Vital**funktionen" werden engmaschig überprüft. Es gehört zu den Aufgaben der Pflegenden, den Betroffenen

vor weiteren Schäden, z.B. Dekubiti oder Infektionen, zu bewahren.
Pflegende fühlen sich in dieser Situation allein gelassen. Sie erleben ihre Aufgabe als enorme Belastung, vor allem wenn sicher feststeht, daß bei dem Patienten eine Organentnahme erfolgt. Zahlreiche Veröffentlichungen, z.B. mit dem Titel „Ich pflege Tote!", behandeln diese Problematik.

Eine Lösung, die versucht, allen Seiten gerecht zu werden, dem Kranken auf der Warteliste für ein Spenderorgan und dem möglichen Spender mit dem Recht auf Unversehrtheit seiner Person, kann es nicht geben. Wenn nur in den Fällen, in denen ein Mensch mit irreversiblem Hirnversagen frühzeitig persönlich und ausdrücklich seine Einwilligung zu Organentnahmen erteilt hat, eine Organentnahme erfolgt, kann das Recht eines Betroffenen auf Selbstbestimmung garantiert werden. Damit werden auch Angehörige von dem ungeheuren Druck befreit, sich im Sinne des Betroffenen für oder gegen eine Organspende zu entscheiden. Die Bindung der Organentnahme an die ausdrückliche Zustimmung der Betroffenen braucht eine gesetzliche Basis und macht eine breite Aufklärung der Bevölkerung erforderlich. Durch sachliche, öffentlich geführte Diskussionen wäre eine größere Akzeptanz zu erreichen, die auch zu einer Zunahme der Spendenbereitschaft führen könnte.
Wenn sicher feststeht, daß ein Mensch sich zu Lebzeiten für eine Organspende ausgesprochen hat, findet die Begleitung eines Betroffenen eine verläßlichere Basis und die Gewißheit, in seinem Sinne zu handeln. Das wäre für alle, die einen „Hirntoten" begleiten, eine Erleichterung.

3.15.5.2.3 Zur Situation eines Betroffenen

Patienten, die für eine Transplantation in Frage kommen, werden in vielen Fällen schon längere Zeit dialysiert und sind dadurch vielfältigen Belastungen ausgesetzt *(siehe auch „Dialysepflichtige Niereninsuffizienz / Situation eines Betroffenen", Seite 235).*
Das Warten auf eine neue Niere ist mit großen Erwartungen und **Hoffnungen** verknüpft. Ein Betroffener verbindet die erfolgreiche Transplantation mit dem **Beginn eines neuen Lebens**. Es ist für ihn die einzige Chance, ein normales Leben führen zu können; ein Leben, das nicht mehr von einer Maschine abhängig ist.
Da zu wenig Spendernieren zur Verfügung stehen, kann das **Warten** auf eine Niere sehr lange dauern und **zermürbend** sein. Neben den Hoffnungen, die mit der Transplantation verbunden sind, existieren auch Ängste vor dem belastenden operativen Eingriff und möglichen Komplikationen. Bei Patienten mit schwerwiegenden Grunderkrankungen kann das Warten auf ein Spenderorgan einem „Wettlauf mit der Zeit" gleichen.
Eine äußerst belastende Situation entsteht, wenn eine passende Spenderniere zur Verfügung steht, aber der augenblickliche gesundheitliche Zustand eines möglichen Empfängers eine Transplantation nicht zuläßt. Diese Situation kann schon bei einer leichten Infektion, z.B. einer Erkältung, eintreten.

Eine transplantierte Niere kann unter günstigen Bedingungen, d.h. wenn keine Komplikationen auftreten, 10 - 15 Jahre ihre Funktionen erfüllen. Je länger die transplantierte Niere komplikationslos arbeitet, desto mehr steigt die Lebenserwartung eines Transplantierten gegenüber einem Dialysepflichtigen. Die **Lebensqualität** des Transplantierten **verbessert** sich in hohem Maße.
Die transplantierte Niere nimmt in vielen Fällen ihre Funktionen direkt nach dem Anschließen an das Gefäßsystem wieder auf.
Schon nach kurzer Zeit verbessern sich viele Störungen, die durch das Nierenversagen verursacht waren. Die Betroffenen erleben eine Rückkehr ihrer körperlichen Kräfte und fühlen sich wieder leistungsfähiger. Die veränderte Körperwahrnehmung wirkt sich in vielen Fällen positiv auf die psychische Befindlichkeit aus. Viele mit der Dialysebehandlung verbundenen Vorschriften und **Einschränkungen entfallen**, z.B. Ernährungsvorgaben, kontrollierte Flüssigkeitsaufnahme oder Einhaltung der Dialysezeiten. Das kann ein Transplantierter als eine Art Freiheit erleben, die sein Leben von Grund auf verändert.
Unter günstigen Bedingungen kann eine aufgegebene berufliche Tätigkeit wieder aufgenommen werden oder die erfolgreiche Transplantation macht eine Umschulung oder andere berufliche Rehabilitation möglich.
Die Transplantation einer Niere erfordert die (lebenslange) Einnahme von **Immunsuppressiva**; diese zeigen wie viele Medikamente zum Teil erhebliche Nebenwirkungen *(siehe nachstehend „Immunsuppressive Therapie").*
Der transplantierte Patient muß sich regelmäßig engmaschigen Kontrolluntersuchungen unterziehen. Die **Angst** um die neue Niere, d.h. das Auftreten von Abstoßungsreaktionen, wird einen Betroffenen, auch nach langjährigem, komplikationslosem Verlauf, nie ganz verlassen.

Bei Transplantierten können Gedanken an den Spender auftauchen, denn nur durch dessen Tod ist die Transplantation möglich gewesen. Diese Überlegungen sind nicht selten mit **Schuldgefühlen** verbunden. Eine Möglichkeit des Umgangs damit ist der Versuch der Verdrängung aller Gedanken über die Herkunft des Organs. Betroffene äußern aber auch Dankbarkeit und sehen das gespendete Organ als kostbares Geschenk.
In **Selbsthilfevereinigungen** von Transplantierten können neben vielen anderen Themen auch Ängste und andere psychische Belastungsmomente mit ebenfalls Betroffenen besprochen werden.
Der **Verlust der transplantierten Niere**, z.B. durch eine Abstoßungsreaktion oder eine Infektion, löst die vor der Transplantation herrschenden körperlichen Symptome wieder aus und kann zusätzlich eine schwere psychische Krise bewirken.
Die regelmäßige **Einnahme der** erforderlichen **Medikamente** und die konsequente Wahrnehmung der Kontrolluntersuchungen stellt hohe Anforderungen an das Verantwortungsbewußtsein und die Disziplin eines Betroffenen.

❒ Komplikationen und Nachsorge

Nach einer komplikationslosen Transplantation kann der Patient nach einigen Wochen entlassen werden und sich in ein **ambulantes Nachsorgeprogramm** begeben.

Die konsequente Nachsorge ist ein entscheidender Punkt für die langfristige Prognose eines Transplantierten und beginnt mit sehr engmaschigen Kontrollen durch den Hausarzt, den betreuenden Nephrologen und den Betroffenen selbst. Der Patient führt regelmäßig, anfangs mehrmals täglich, Selbstkontrollen durch, z.B. Messung des Blutdrucks, Bestimmung des Körpergewichts sowie Ein- und Ausfuhrkontrollen. Alle Ergebnisse sollten dokumentiert werden, auch um bei evtl. auftretenden Komplikationen diagnostische Hinweise geben zu können.

Der Patient muß genau über die Symptome einer möglichen Abstoßungsreaktion informiert sein und bei Verdachtsmomenten sofort den behandelnden Nephrologen aufsuchen. Eine **akute Abstoßungsreaktion** zeigt sich z.B. durch Schmerzen im Bereich des transplantierten Organs, Temperaturerhöhung oder Ödembildung.

Eine **chronische Abstoßungsreaktion**, die - wie eine akute - trotz immunsuppressiver Therapie noch nach Jahren auftreten kann, zeigt eine schwächere Symptomatik. Durch die regelmäßige Bestimmung harnpflichtiger Substanzen im Blut ist die chronische Abstoßungsreaktion im Anfangsstadium erkennbar. Sie ist schwerer medikamentös beherrschbar und kann, in der Regel über Jahre, zu einem Versagen der transplantierten Niere führen.

Eine Gefährdung der transplantierten Niere kann auch die Erkrankung sein, die zuvor die Nieren des Betroffenen zerstört hat, z.B. eine Glomerulonephritis.

Die regelmäßigen Kontrollen durch den Nephrologen bestehen z.B. aus Blut- und Urinuntersuchungen oder sonographischen Untersuchungen der transplantierten Niere. In größeren Abständen finden Untersuchungen im zuständigen Transplantationszentrum statt.

Neben der medizinischen Betreuung spielt die **psychosoziale Unterstützung** eine große Rolle bei der Wiedereingliederung eines Transplantierten *(siehe vorstehend „Zur Situation eines Betroffenen")*. Betroffene und ihre Angehörigen können durch Kontaktaufnahme zu Selbsthilfeorganisationen (zusätzlich) Hilfe und Unterstützung finden *(siehe „Dialysepflichtige Niereninsuffizienz / Kontaktadressen", Seite 241)*.

3.15.6 Stuhlinkontinenz

Inkontinentia alvi, anorektale Inkontinenz, Darminkontinenz

3.15.6.1 Medizinische Informationen

❒ Definition

Der **unfreiwillige Abgang von Stuhl** wird als Inkontinentia alvi bezeichnet. Die willkürliche Kontrolle über die Aktivität des Schließmuskels kann aus unterschiedlichen Gründen eingeschränkt sein oder fehlen.

Das Ausmaß der Inkontinenz kann sich vom unwillkürlichen Windabgang über ein leichtes Stuhlschmieren bis hin zum kompletten Schließmuskelversagen erstrecken.

❒ Ursachen und Therapie

Bei Erstauftreten einer Stuhlinkontinenz ist immer die Ursache abzuklären (Arzt).

Eine Stuhlinkontinenz kann wie eine motorisch ungehemmte Harnblase *(siehe dazu Seite 221)* durch eine **Atrophie des Großhirns** im fortgeschrittenen Alter oder durch eine **Hirnschädigung** verursacht werden.

Obwohl häufig das Gefühl für den Spannungszustand des Darms vorhanden ist, kommt es - wenn nicht sofort eine Toilette benutzt werden kann - zum unwillkürlichen Abgang von Stuhl.

Die pflegerischen Maßnahmen bei dieser Art der Stuhlinkontinenz entsprechen den bei der motorisch ungehemmten Harnblase angezeigten Maßnahmen *(siehe Seite 221)*.

Laut GROND (1993) ist die häufigste Ursache für die Stuhlinkontinenz im Alter nicht der Hirnabbau, sondern die **verstopfungsbedingte Überlauf-Inkontinenz**. Dabei fließt dünner Stuhl oder Darmschleim *(Schmierstuhl)* um einen Kotstein oder um einen harten Kotballen.

Bei älteren Menschen kommt es nicht selten während einer Erkrankung, die mit **Diarrhoe** einhergeht, vorübergehend zu einer Stuhlinkontinenz.

Weitere Ursachen können z.B. Hämorrhoiden, traumatische Verletzungen oder ein Vorfall des Rektums *(Rektumprolaps)* sein. Tumoren im Bereich des Enddarms können die Funktion des Schließmuskels ebenfalls beeinträchtigen bzw. aufheben. Die Therapie besteht in der Regel in der Ursachenbeseitigung.

Schäden an den **Nerven**, den **Muskeln** oder dem **Rükkenmark** können eine Insuffizienz des Schließmuskels, aber auch eine Lähmung des Schließmuskels und der Darmmuskulatur verursachen. Letzteres führt dazu, daß der Stuhl im Darm liegenbleibt. Von hier muß er regelmäßig mittels digitaler Ausräumung *(siehe Seite 211)*, Verabreichung von Klistieren oder Einläufen *(siehe Seite 212)* entfernt werden; evtl. werden Laxanzien *(siehe Seite 215)* verordnet.

In einigen Fällen kann die Schließmuskelfunktion operativ wiederhergestellt werden.

3.15.6.2 Zur Situation eines Betroffenen

Zur Situation eines Betroffenen lesen Sie bitte den sinngemäß übertragbaren Text auf *Seite 222 ("Zur Situation eines harninkontinenten Menschen")*.

Allerdings sind **Leidensdruck** und **psychosoziale Folgen** bei der Stuhlinkontinenz ausgeprägter als bei der Harninkontinenz.

3.15.6.3 Pflegemaßnahmen

Die Stuhlinkontinenz kann in einigen Fällen durch gezielte Pflegemaßnahmen verringert oder verhindert, die Kontinenz erhalten oder wiederhergestellt werden. Der erste Schritt ist eine sorgfältige Problemanalyse.

❒ Problemanalyse

○ Risikofaktoren / Ursachen

- Obstipation,
- Verlust der zentralen Kontrollfunktion,
- Verlust der Schließmuskelfunktion,
- Diarrhoe,

- neurogene Störung (z.B. Querschnittlähmung, Multiple Sklerose, diabetische Neuropathie),
- Orientierungsstörungen,
- Verwirrtheit, psychische Veränderungen,
- Mobilitätseinschränkung,
- auslösende Faktoren (z.B. Husten, Niesen).

❍ Persönliche Situation

Zur Erfassung der persönlichen Situation kann die von CH. BIENSTEIN entwickelte **"Inkontinenzanalyse"** angewendet werden *(siehe Seite 223)*.

❍ Ausscheidungsprotokoll

Der individuelle Rhythmus der Stuhlausscheidung wird beobachtet und dokumentiert, um den Inkontinenten vor dem zu erwartenden Stuhlabgang zum Toilettengang zu veranlassen oder ein Steckbecken unterzuschieben.

Die **Beobachtung** sollte folgende Faktoren erfassen:

- Zeitpunkt der Stuhlabgänge;
- **Schweregrad der Inkontinenz**
  - Unfähigkeit, Stuhldrang zu unterdrücken,
  - nur unwillkürlicher Windabgang,
  - unwillkürlicher Abgang von dünnem Stuhl,
  - gelegentlich unwillkürlicher Abgang von festem Stuhl,
  - häufiger unwillkürlicher Abgang von festem Stuhl;
- Wahrnehmung von Stuhldrang;
- Wahrnehmung des Stuhlabgangs;
- Menge und Konsistenz des Stuhls;
- Schmerzen u.a. Beschwerden bei der Defäkation;
- Blut (am Toilettenpapier, am After oder am Toilettensitz);
- Verschmutzung der Wäsche (gelegentlich oder häufig).

❍ Folgen

siehe "Folgen bei Harninkontinenz", Seite 224.

❐ Individuelles Toilettentraining

Der Inkontinente wird entsprechend den Ergebnissen des Ausscheidungsprotokolls einige Minuten vor dem zu erwartenden Stuhlgang zum Toilettengang angehalten.

❐ Beckenbodentraining

Das Beckenbodentraining bei Stuhlinkontinenz entspricht dem bei Harninkontinenz (*vgl. "Beckenbodentraining", Seite 206)*.

❐ Reduzieren der Risikofaktoren

Stuhlinkontinente Menschen sollten eine **kontinenzfördernde Umgebung** vorfinden und kontinenzfördernde **Kleidung** kennen *(siehe Seite 206)*.

Von besonderer Bedeutung ist eine regelmäßige **Obstipationsprophylaxe** bzw. **-therapie** *(siehe Seite 214 und 215)*.

Weitere Risikofaktoren wie Diarrhoe und akute Verwirrtheit müssen rasch und wirksam behandelt werden.

❐ Versorgung mit Hilfsmitteln

Wenn es trotz des Toilettentrainings zu unwillkürlichen Stuhlabgängen kommt, ist eine **Versorgung mit aufsaugenden**, evtl. mit **auffangenden Hilfsmitteln** erforderlich.

Informationen zu Vorlagen und Einmalslips finden Sie auf Seite 226.

Für immobile inkontinente Menschen, die dünnflüssigen Stuhl absetzen, kann der Einsatz eines **Fäkalkollektors** geeignet sein. Es handelt sich um einen Sammelbeutel aus geruchsdichtem Kunststoffmaterial. Wie ein Beutel zur Stomaversorgung verfügt er über einen Klebering, dessen Öffnung den individuellen Verhältnissen entsprechend ausgeschnitten wird. Ein Ventil zur Gasentleerung verhindert das Aufblähen des Beutels und erlaubt das Einschieben eines Fieberthermometers.

Ein Fäkalkollektor kann bis zu 24 Stunden auf der Haut belassen werden; zwischendurch sind mehrfache Entleerungen über das Verschlußsystem möglich.

❍ Anbringen eines Fäkalkollektors

Hautunebenheiten werden durch eine abdeckende Dichtungs- und Hautpaste **ausgeglichen**.

Bevor ein Fäkalkollektor angebracht wird, ist die **Behaarung** in der Afterumgebung mit einer Schere zu **entfernen**; anschließend wird die **Haut** sorgfältig **gereinigt** und getrocknet.

Der Patient wird in die **Seitenlage** gebracht und aufgefordert, das oben liegende Bein soweit wie möglich zur Brust zu ziehen. Die Öffnung der **Hautschutzplatte** wird passend **ausgeschnitten**, dann das mit 1 und 2 gekennzeichnete Schutzpapier entfernt und die Hautschutzplatte zur Hälfte gefalten. Bei auseinandergedrückten Gesäßhälften wird der Abschnitt 1 fest an den Damm angedrückt. Abschnitt 2 der Hautschutzfläche wird oberhalb des Afters fest angedrückt. Zuletzt wird das mit 3 und 4 gekennzeichnete Schutzpapier abgezogen und der restliche Teil der Hautschutzplatte fest gegen die Gesäßhälften gedrückt.

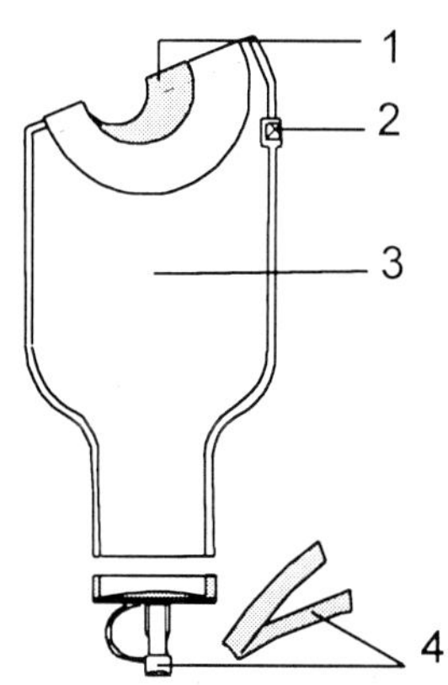

1 Hautschutzfläche
2 Gasventil (auch Möglichkeit, ein Thermometer einzuführen)
3 Geruchsdichter und auslaufgeschützter Beutel
4 Verschlußsystem

Abb. 3.26 ***Fäkalkollektor***

❐ Weitere Maßnahmen

Die auf *Seite 225* besprochene **Hautpflege** und der vorgeschlagene Umgang mit inkontinenten Menschen sind auch in diesem Zusammenhang gültig.

3.15.7 Chronisch entzündliche Darmerkrankungen

3.15.7.1 Krankheitsbilder

❒ **Definitionen und Ursachen**

Unter dem Begriff „Chronisch entzündliche Darmerkrankungen" sind in erster Linie die Erkrankungen **Colitis ulcerosa und Morbus Crohn** (*Ileitis terminalis, Enterocolitis regionalis, sklerosierende chronische Enteritis)* zusammengefaßt.

❒ **Gemeinsame Merkmale** der Erkrankungen sind

- chronisch entzündliche Darmerkrankung;
- multifaktorielles Krankheitsgeschehen mit nicht genau erklärbarer Krankheitsursache; diskutiert werden genetische, immunologische und psychische Faktoren sowie Umwelteinflüsse;
- psychische Belastungen, z.B. Verlusterlebnisse, können einen akuten Schub auslösen, wenn die Krankheit bereits manifest ist;
- Erstmanifestation überwiegend im 3. und 4. Lebensjahrzehnt;
- familiär gehäuftes Auftreten;
- meist schubweiser Verlauf, d.h. Wechsel von akuten entzündlichen Krankheitsschüben, die mit lokalen Gewebeschädigungen einhergehen, und symptomfreien Intervallen.

❒ **Unterschiedliche Merkmale**

Es wurde und wird diskutiert, ob es sich bei Colitis ulcerosa und Morbus Crohn um zwei verschiedene Formen der gleichen Erkrankung handelt. Im allgemeinen werden jedoch zwei Krankheitsbilder mit jeweils typischen Merkmalen unterschieden *(siehe Tabelle 3.2).*

❒ **Psychosomatische Aspekte**

Die chronisch entzündlichen Darmerkrankungen zählen zu den klassischen psychosomatischen Erkrankungen. Psychische Faktoren, die das Krankheitsgeschehen fördern und unterhalten können, sind z.B.:

- Aggressionshemmung, Unterdrückung von Gefühlen wie Wut, Ärger, Aggressionen und Trauer;
- übermäßige Anpassung und Konfliktvermeidung in nahen Beziehungen, um Konflikte und Zurückweisung auf jeden Fall zu vermeiden;
- Verletzlichkeit, leichte Kränkbarkeit;
- mangelhaftes Bearbeiten von Verlusten oder Trennungen;
- ausgeprägtes Leistungsstreben;
- ausgeprägtes Bedürfnis nach Hilfe und Anlehnung, aber auch nach Unabhängigkeit;
- Störungen in der Entwicklung der Mutter - Kind - Beziehung.

	Colitis ulcerosa	**Morbus Crohn**
Definition	chronisch entzündliche Dickdarmerkrankung mit Ulzerationen* der oberflächlichen Schleimhautschichten	diskontinuierlich segmental auftretende Entzündung auch der tiefen Wanschschichten des gesamten Magen - Darm - Traktes
Lokalisation	fast immer im Rektum, von dort kontinuierliche Ausbreitung nach proximal*, selten bis zum Ileum	häufig im Ileum, von dort diskontinuierliche Ausbreitung nach distal*, in ca. 20% bis zum Rektum
Symptome	blutig - schleimige Durchfälle, im akuten Schub bis zu 20/ Tag zum Teil krampfartige Leibschmerzen evtl. subfebrile Temperatur, bei schwerem Schub Fieber selten Symptome an Organen außerhalb des Verdauungstraktes	Durchfälle, meist ohne Blutbeimengungen zum Teil krampfartige Leibschmerzen, häufig im rechten Unterbauch, Blähungen evtl. subfebrile Temperatur häufig Symptome an Organen außerhalb des Verdauungstraktes
Verlaufsformen	chronisch-rezidivierender Verlauf (85% der Fälle) chronisch-kontinuierlicher Verlauf akuter fulminanter Verlauf	schubweiser Verlauf
Komplikationen	erhebliche Blutverluste Abszesse toxische Kolondilatation maligne Entartung	Darmstenosen, Ileus* Abszesse, Fisteln Malabsorption*
Diagnostik	krankheitstypische Befunde bei der Rektoskopie / Koloskopie / Histologie und evtl. bei dem Röntgen - Kolonkontrasteinlauf evtl. Anämie, Leukozytose und BKS-Erhöhung Ausschluß einer infektiösen Darmerkrankung	krankheitstypischer Befund bei der Kolo- / Ileoskopie / Histologie, dem Röntgen - Dünndarmeinlauf evtl. Anämie, Leukozytose und BKS - Erhöhung Ausschluß einer infektiösen Darmerkrankung

Tabelle 3.2 ***Colitis ulcerosa und Morbus Crohn***

Diese und andere Faktoren sind als mögliche Erklärungsansätze im Rahmen eines multifaktoriellen Krankheitsgeschehens zu verstehen. Jedoch erfordern die Einzigartigkeit jeder Person sowie die Vielfalt menschlicher Gefühle und menschlichen Erlebens immer eine individuelle Betrachtung der gewordenen Persönlichkeit.
Besonderheiten der Persönlichkeit und psychische Probleme können ebenso Folge der chronischen Erkrankung sein.

❐ Therapie

Die Prinzipien der konservativen Therapie bei Colitis ulcerosa und bei Morbus Crohn sind ähnlich.

❍ Therapie bei schwerem akuten Krankheitsschub

- Mesalazin *(= 5 - Aminosalizylsäure, 5 - ASA , z.B. Salofalk®, Asacolitin®, Claversal®)* und/oder
- Sulfasalazin *(= Salazosulfapyridin, SASP, z.B. Azulfidine®, Colopleon®)* ;
- häufig zusätzlich Kortikosteroide (z.B. Prednisolon®);
- faserstofffreie Flüssignahrung (= *niedermolekulare Elementardiät, z.B. Nutricomp Peptid F®, Peptisorb®, Survimed OPD®)* oder parenterale Ernährung *(siehe Seite 128)*;
- **bei Laktoseintoleranz** *(Milchzuckerunverträglichkeit,* kommt in ca. 30% der Fälle vor) laktosefreie Kost,
  - Meiden von Milch und Milchprodukten,
  - Meiden von Lebensmitteln, denen bei der Herstellung Milchzucker zugesetzt wird (z.B. Instanterzeugnisse, fettreduzierte Wurstwaren, Süßwaren, Backwaren),
  - Ersatz des nicht gedeckten Kalziumbedarfs durch kalziumreiche Mineral- / Heilwässer, evtl. auch durch Medikamente;
- **bei massiver Diarrhoe** ggf. intravenöse Substitution der Flüssigkeits- und Elektrolytverluste;
- evtl. zusätzlich Immunsuppressiva (z.B. Methotrexat, Azathioprin);
- **bei Malabsorption** *(Resorptionsstörungen)* parenterale Substitution von Vitaminen, Mineralstoffen, Spurenelementen und Elektrolyten;
- evtl. weitere Medikamente, die sich zur Zeit in der klinischen Erprobung befinden.

❍ Therapie in der Remissionsphase = Rezidivprophylaxe

- In vielen Fällen kontinuierliche Therapie mit Mesalazin und/oder Sulfasalazin *(siehe vorstehend);*
- Psychotherapie, z.B. in Form einer stützenden Gesprächstherapie, um die Bewältigung der Lebensprobleme und der Ängste, die im Zusammenhang mit der chronischen Erkrankung und ihren Auswirkungen entstehen, zu erleichtern;
  - ebenso wird angestrebt, die psychischen Strukturen so zu verändern, daß Streßreaktionen, die früher akute Schübe ausgelöst haben, besser bewältigt werden;
  - dazu soll der Kranke lernen, seine Gefühle (z.B. Wut, Aggression, Enttäuschung) wahrzunehmen und schuldfrei auszuleben;
  - eine die psychischen Bedingungen (Persönlichkeitsstruktur, Biographie, Umgang mit Gefühlen) analysierende und darauf bezogene Psychotherapie (z.B. eine Psychoanalyse) ist nur für einige der Betroffenen geeignet;
- Entspannungstraining, bei dem ein Kranker eine für sich geeignete Entspannungstechnik (z.B. Autogenes Training, Progressive Muskelentspannung nach Jacobsen, *siehe Seite 785)* erlernt und trainiert, so daß er diese jederzeit anwenden kann;
- regelmäßige Teilnahme an einer regionalen Selbsthilfegruppe *(siehe nachfolgend unter „Rehabilitation“).*

Eine ganzheitlich orientierte Behandlung (somatisch und psychotherapeutisch) hat sich in vielen Fällen bewährt.

❐ Komplikationen bei Colitis ulcerosa und entsprechende Therapie

- Gefürchtete Komplikation der Colitis ulcerosa ist die **toxische Kolondilatation** *(Megakolon)*; es handelt sich um die massive Erweiterung des Darmlumens infolge einer Schädigung der Darmwandnerven. Sie geht mit Überblähung des Abdomens, hohem Fieber, Erbrechen, Schockzeichen, Peritonitis und Perforationsgefahr einher. Therapeutisch ist eine baldige Operation angezeigt; dabei wird z.B. eine subtotale Kolektomie mit Erhaltung des Rektumstumpfes und Anlages eines endständigen Ileostoma *(siehe Seite 259)* durchgeführt.
- **Massiven Blutverlusten** wird durch die intravenöse Verabreichung von Erythrozytenkonzentraten begegnet.
- Im Kindesalter kommt es zu **Wachstumsstörungen**.
- Erhebliche **Gewichtsverluste** sollten möglichst gestoppt und ausgeglichen werden; dazu eignet sich die Zusatzernährung mit kochkalorischer Trinknahrung (z.B. Salvimulsin® MCT, Energun®);
- Die Colitis ulcerosa gilt als **Präkanzerose***; das Darmkrebsrisiko korreliert mit der Erkrankungsdauer und dem Ausmaß der Kolonbeteiligung. Um einen Tumor frühzeitig zu erkennen, wird jährlich eine Koloskopie mit Biopsien durchgeführt. Bei hohem Karzinomrisiko (und bei schweren rezidivierenden Schüben, Versagen der konservativen Therapie) entschließt man sich zu einer kontinenzerhaltenden Proktokolektomie *(chirurgische Entfernung des Dickdarms einschließlich der Rektumschleimhaut unter Erhaltung des Schließmuskels);* in vielen Fällen wird zusätzlich ein ileoanaler Pouch angelegt *(operative Anlage eines Reservoirs aus einer Dünndarmschlinge, die als Ersatz für die Rektumampulle dient).*

❐ Komplikationen bei Morbus Crohn und entsprechende Therapie

- Durch die entzündlichen Veränderungen der Darmschleimhaut entstehen in den betroffenen Dickdarmsegmenten nicht selten **Stenosen**, die zu einem **Ileus** *(siehe Seite 255)* führen können. Häufig kommt es zu Perforationen mit Ausbildung von **Fisteln** *(mit Epithelgewebe ausgekleidete Gänge zu benachbarten Hohlorganen)* und **Abszessen**. Bei Fistelbildung wird zunächst das Antibiotikum Metronidazol (z.B. Clont®) verordnet. Meist stellen diese (rezidivierenden) Kom-

plikationen jedoch eine Indikation zur chirurgischen Therapie dar (Resektion der betroffenen Darmabschnitte mit End- zu - End - Anastomose).
- In einigen Fällen sind andere Organe wie Haut, Gelenke oder Leber mitbeteiligt, so daß z. B. unspezifische **Entzündungen an** diesen **Organen** zu beobachten sind.
- **Wachstumsstörungen** und **Gewichtsverluste** sowie die maligne* **Entartung** stellen weitere mögliche Komplikationen dar; das kolorektale Karzinom ist allerdings selten zu beobachten.

3.15.7.2 Zur Situation eines Betroffenen

Eine chronisch entzündliche Darmerkrankung kann in sehr unterschiedlichem Ausmaß beeinträchtigen; entscheidend sind vor allem die Häufigkeit und der Schweregrad akuter Krankheitschübe sowie das Auftreten von Komplikationen. Die körperlichen Krankheitsauswirkungen können die **Leistungsfähigkeit** und die subjektive **Lebensqualität** erheblich mindern und psychosoziale Folgen wie **Depressionen** und **Arbeitsunfähigkeit,** in schweren Fällen auch Erwerbsunfähigkeit und **Frühberentung** nach sich ziehen. Schwäche, Darmkrämpfe und Diarrhoen können einen Betroffenen tage- bis wochenlang ans Haus fesseln und so zahlreiche soziale Kontakte verhindern.
Der an Morbus Crohn erkrankte Diplom - Psychologe GEORG TECKER beschreibt die Situation während eines akuten Schubs in seinem Buch „Morbus Crohn / Colitis ulcerosa. Darmerkrankungen aus ganzheitlicher Sicht" wie folgt:

> *ALLTAG MIT EINER CHRONISCHEN ERKRANKUNG*
> *Winter 1980 / 81: Seit mittlerweile über zehn Jahren habe ich diese seltsame Darmkrankheit, die die Mediziner Morbus Crohn nennen.*
> *Und nun bin ich seit Wochen im akuten Schub. Zum x -ten Male ist meine Hoffnung enttäuscht worden, daß es morgen vielleicht bergauf gehen könnte.*
> *Essen - einige Happen am Morgen und gleich darauf zur Toilette, die dann immer für mich reserviert sein muß.*
> *Der Gang zum Klo wird immer mehr zum Alptraum.*
> *Durch den geringen Appetit und den Durchfall bin ich inzwischen so dünn geworden, daß ich mich kaum mehr unter Leute traue.*
> *„Oh, dir geht`s wohl nicht gut?"*
> *Die Bauchschmerzen lassen mich jeden Tag nur einen kleinen Spaziergang machen oder einen Gang zum Kaufmann. Ich muß meine Kraft einteilen. Die meiste Zeit muß ich im Bett liegen.*
> *Dabei muß ich aufpassen, daß ich nicht nur grüble: Warum läßt mich mein Körper so im Stich? Was tue ich dazu, daß alles so bleibt?*
> *Immer wieder gerate ich dahin, die Krankheit als etwas Außenstehendes und Unbeherrschbares zu sehen.*
> *Ich traue mich nicht raus und habe deshalb viele Freunde verloren. Ich mag sie nicht mehr mit mir belästigen und so fühle ich mich ziemlich verlassen und einsam.*
> *Was kann ich nur tun, um gesund zu werden ?*

Auch in beschwerdefreien Zeiten ist die Krankheit für viele Betroffene präsent, z.B. weil sie Medikamente einnehmen oder weil sie **Angst vor dem nächsten Schub** haben. Die Ungewißheit über den Krankheitsverlauf zehrt dann oft an den Kräften und verbraucht Energien, die der chronisch kranke Mensch an sich für die Bewältigung des Alltags bräuchte.
Einige Betroffene erleben die Krankheit als **persönliches Versagen**, viele bekommen diese Einstellung von anderen Menschen, z.B. Arbeitskollegen, vermittelt. Insgesamt reagieren chronisch Kranke meist empfindlich auf die Reaktionen ihrer Mitmenschen. Sie haben, wie jeder Mensch, das Bedürfnis, angenommen zu werden; die zahlreichen (meist gut gemeinten) Ratschläge der Mitmenschen lassen jedoch eher das Gefühl, ein Versager zu sein, aufkommen (*„Jeder andere weiß genau, was zu tun ist und hätte die Situation längst im Griff, nur ich scheitere an meiner Krankheit")*.
Der Partner u.a. Familienangehörige können durch die Auswirkungen mitbetroffenen sein, z.B. indem sie Aufgaben des Kranken übernehmen müssen oder Schuldgefühle entwickeln.

Wie bei allen chronischen Erkrankungen wird ein Betroffener herausgefordert, sich mit seiner Krankheit auseinanderzusetzen, sie anzunehmen und sie in sein Leben zu integrieren. Immer mehr Menschen versuchen - früher oder später -, der Krankheit einen Sinn zu geben. Dazu **hinterfragen** sie die Krankheitsursache(n) bzw. **Bedingungen, die das Krankheitsgeschehen fördern** und nutzen Informationsquellen wie themenbezogene Literatur und Gespräche mit anderen Betroffenen, einem Arzt, Psychotherapeuten oder Heilpraktiker. Viele Betroffene **begreifen** die chronische **Darmerkrankung als** ein **ganzheitliches Geschehen** und setzen sich mit der eigenen Biographie und Persönlichkeit, mit den Mitmenschen, der Umwelt und der Ernährung auseinander. Dahinter steht der Wunsch, die **Erkrankung** „in Griff" zu bekommen und **in das Leben zu integrieren**. Um dieses Ziel zu erreichen, beschreitet ein Betroffener im allgemeinen mehrere Wege; er stellt z.B. seine Ernährung nach bestimmten Gesichtspunkten um, wird Mitglied einer Selbsthilfegruppe, nimmt eine Psychotherapie in Anspruch und/oder erlernt eine Entspannungstechnik. Damit werden viele Betroffene aktiv und übernehmen zunehmend die **Verantwortung für sich selbst**, sind der Krankheit und den Therapeuten nicht mehr hilflos ausgeliefert und bauen ihre Ängste ab. Zusätzlich lernt ein Betroffener in der Auseinandersetzung mit der Krankheit, seine Gefühle, Bedürfnisse und Grenzen wahrzunehmen und zu berücksichtigen; er lebt insge-

samt bewußter. Persönliche Grenzen finden Beachtung und Akzeptanz.
Neue **akute Krankheitsschübe** treten häufig im Zusammenhang mit tatsächlichen oder imaginären Verlusterlebnissen auf (z.B. Trennung oder befürchtete Trennung von einer Bezugsperson, Wohnortwechsel, Veränderung in Schule oder Beruf); sie können einen Betroffenen sehr **deprimieren** und **in der Krankheitsbewältigung zurückwerfen**. Dies gilt ebenso für andauernde oder wiederkehrende Komplikationen (z.B. Fistelbildungen).
In einigen Fällen ist die Anlage eines künstlichen Darmausgangs erforderlich; die damit verbundene Problematik wird auf *Seite 260* besprochen.

3.15.7.3 Pflege und Rehabilitation

Patienten, die an einer Colitis ulcerosa oder an einem Morbus Crohn leiden, benötigen im allgemeinen während eines mittelschweren bis schweren Krankheitsschubs im Rahmen einer stationären Behandlung pflegerische Betreuung.

❐ Pflegeschwerpunkte

❍ Essen und Trinken

Während eines schweren akuten Schubs ist die Verabreichung von faserstofffreier *(ballastfreier)* Kost angezeigt, um den Darm zu entlasten. Die sogenannte **Astronautenkost** oder niedermolekulare Elementardiät *(siehe Seite 121)* wird als **Flüssignahrung** getrunken oder als **Sondenkost** über eine Magensonde verabreicht *(siehe Seite 125)*. Bei Laktoseintoleranz ist auf laktosefreie Präparate zu achten.
In einigen Fällen ist vorübergehend eine **parenterale Ernährung** *(siehe Seite 128)* erforderlich.
Bei Besserung wird die Kost langsam aufgebaut; Ziel ist eine **individuell verträgliche, hochwertige** und **ausgewogene Ernährung**. Wegen der mit Nähr- und Wirkstoffverlusten verbundenen häufigen Durchfälle sollte die Kost den individuellen Wünschen entsprechen, abwechslungsreich und sehr gehaltvoll sein. Einschränkungen sind bei individuellen Nahrungsmittelunverträglichkeiten (z.B. Laktoseunverträglichkeit) und bei Darmstenosen geboten.
Bei chronisch entzündlichen Darmerkrankungen muß **keine spezielle Diät** eingehalten werden; im allgemeinen gilt:

- die **individuelle Verträglichkeit** ist **ausschlaggebend**, erlaubt ist, was bekommt; dazu muß der Kranke
  - zunächst genau beobachten, welche Einzelstoffe in dem jeweils unverträglichen Nahrungsmittel enthalten sind, und herausfinden, welche bei ihm Darmerscheinungen hervorrufen,
  - bei der Nahrungszusammenstellung individuell unverträgliche Nahrungsmittel ausschließen,
  - bei Laktoseunverträglichkeit auf Milchzucker verzichten *(siehe vorstehend „Therapie")*;
- die Kost sollte den Bedarf an Nähr- und Wirkstoffen abdecken, muß also **hochwertig**, **kalorienreich**, **ausgewogen** und **gehaltvoll** sein;
  - täglich frisches Obst und Gemüse essen, dieses zum Teil im Dampfkochtopf zubereiten, denn ein übermäßiger Genuß von Rohkost kann zu Darmerscheinungen führen und zu schnell ein Sättigungsgefühl hervorrufen,
  - bei Darmstenosen muß die Kost allerdings faserstoffarm sein,
  - mehrfach ungesättigte Fettsäuren (pflanzliche Fette) bei der Nahrungszusammenstellung bevorzugen und auch bei der Nahrungszubereitung verwenden,
  - Fleisch als Eiweißträger und Eisenquelle nicht vernachlässigen, bei der Zubereitung auf langes Schmoren verzichten, weil dabei den Darm reizende Substanzen entstehen;
- **kleinere Portionen**, in regelmäßigen Zeitabständen über den Tag verteilt aufgenommen, erlauben eine höhere Nahrungszufuhr als wenige große Mahlzeiten;
- die tägliche Trinkmenge soll die **Flüssigkeitsverluste**, insbesondere bei häufigen Durchfällen, **ausgleichen**;
- die Säure von Zitrusfrüchten wird schlecht vertragen;
- der therapeutische Nutzen eines Verzichts auf zuckerhaltige Speisen ist umstritten;
- Vitamine, Spurenelemente und Mineralstoffe in Tablettenform nur bei tatsächlichem Bedarf und entsprechend der ärztlichen Anordnung einnehmen.

Bei Bedarf ist eine professionelle Ernährungsberatung des Kranken sinnvoll.

❍ Sich Bewegen und Ruhen

Die chronische Entzündung, die Diarrhoen und ggf. die mangelhafte Nahrungsverwertung bedingen eine **verminderte Belastbarkeit und Leistungsfähigkeit**; während eines akuten Krankheitsschubs hält ein Betroffener weitgehend **Bettruhe** ein, da ihm die körperlichen und die seelischen Kräfte zu Aktivitäten fehlen. So erfahren Körper und Seele die notwendige Schonung. Pflegende unterstützen den Kranken bei Bedarf bei der Ausführung der ATL, so daß dieser sich **geborgen und umsorgt** fühlt. Nach Möglichkeit wird der Kranke in einem ruhigen Zimmer untergebracht.
Bei einem schweren Schub ist während des Aufstehens mit einer **Kollapsneigung** zu rechnen; deshalb sollte der Kranke angehalten werden, allenfalls in pflegerischer Begleitung aufzustehen. Bei Besserung erfolgt die Mobilisation langsam aufbauend und zunächst unter pflegerischer Beobachtung.
In Remissionsphasen der Krankheit wirkt sich **Ausdauersport** (z.B. Radfahren, Schwimmen) positiv aus; er hilft, Streß abzubauen und fördert Entspannung, Vertrauen zum eigenen Körper sowie ggf. soziale Kontakte.

❍ Sich Waschen und Kleiden

Während eines schweren akuten Krankheitsschubs benötigt ein Betroffener im allgemeinen **pflegerische Hilfe** bei der Körperpflege; besonderer Sorgfalt bedarf die Pflege der **Analregion**.
Bei Fieber sind zwischendurch zusätzlich (Teil-) Waschungen durchzuführen *(siehe Seite 508)*; bei künstlicher enteraler oder bei parenteraler Ernährung ist eine **spezielle Mundpflege** *(siehe Seite 653)* notwendig.

❍ Ausscheiden
Bei massiven Diarrhoen kann pflegerische Unterstützung erforderlich werden. Die einzelnen Maßnahmen bei Diarrhoe sind auf *Seite 212* beschrieben.
Um die Flüssigkeitsverluste einzuschätzen, wird täglich das **Körpergewicht kontrolliert**.

❍ Regulieren der Körpertemperatur
Der Kranke kann unter mäßigem bis hohem Fieber leiden; die entsprechenden Probleme, Ziele und Pflegemaßnahmen sind auf *Seite 514 bis 516* beschrieben.

❍ Atmen
Probleme im Bereich des Atmens treten im allgemeinen nur im Zusammenhang mit anderen Problemen auf (z.B. flache Atmung bei Ernährung über eine Magensonde sowie bei Bettruhe oder Fieber).

❍ Für Sicherheit sorgen
Während eines schweren akuten Schubs sind täglich das Gesamtbefinden, die **Vitalzeichen** und der **Flüssigkeitshaushalt** des Kranken zu **beobachten** / kontrollieren.
Die Situation des Kranken ist hinsichtlich des Vorliegens von **Risikofaktoren**, die das Entstehen von Sekundärerkrankungen begünstigen, zu **analysieren;** ggf. sind entsprechende Prophylaxen durchzuführen.
Der Kranke ist hinsichtlich erwünschter und unerwünschter Wirkungen der verabreichten Medikamente zu beobachten *(siehe Tabelle 3.3)*.

❍ Kommunizieren
Der Beziehungsaspekt der Pflege steht im Vordergrund. Während eines schweren Schubs hat ein Betroffener ein besonders **ausgeprägtes Bedürfnis nach Zuwendung und Fürsorge**. Günstig wirkt sich die **beständige Pflege durch wenige Bezugspersonen**, die Ruhe ausstrahlen und Gesprächsbereitschaft signalisieren, aus. Die Atmosphäre soll Akzeptanz, Geborgenheit und Schutz vermitteln, so daß sich der Kranke angenommen fühlt. Kränkungen, z.B. in Form von Vernachlässigung und Ärgernissen, sind zu vermeiden.
Beachte: Ein schwerkranker und besonders zuwendungsbedürftiger Mensch fühlt sich eher vernachlässigt und reagiert - für andere nicht wahrnehmbar - gekränkt. Da er Aggressionen und Trauer nicht ausdrücken kann, zieht er sich zurück.
Der auch sonst nicht selten zu beobachtenden Rückzugstendenz kann durch die regelmäßige **Teilnahme an** einer **Selbsthilfegruppe** und durch das offene Ansprechen der Krankheit und der damit verbundenen Probleme begegnet werden; Pflegende können einen Kranken entsprechend anregen und ermutigen.

Wirkstoffgruppe / Handelspräparate	**erwünschte Wirkungen**	**unerwünschte Wirkungen** (pflegerisch beobachtbare)
5-Aminosalizylsäure **- Mesalazin, z.B.** Asacolitin®, Claversal®, Salo falk®	Hemmung der Entzündung	Bronchospasmus, Diarrhoe, allergische Reaktionen (Exantheme, Fieber), Kopfschmerzen, Nephritis, Pankreatitis
- Sulfasalazin, z.B. Azulfidine®, Colo- Pleon®		Übelkeit, Erbrechen, Kopfschmerzen, Hepatitis, allergische Reaktionen (Exantheme, Fieber, Alveolitis, Thrombozytopenie, Anämie)
- Olsalazin, z.B. Dipentum®		Diarrhoe, weitere UEW wie bei Mesalazin *(siehe oben)*
Kortikosteroide (nur bei mittel- / schweren Schüben), z.B. - Prednisolon	Unterdrückung von Allergie- und Entzündungsreaktionen	bei kurzzeitiger und bei lokaler Anwendung (Klysma) kaum UEW
Metronidazol	bakterizide Wirkung auf anaerobe Darmbakterien	Übelkeit, Erbrechen, Kopfschmerzen, Hautreaktionen, Polyneuropathie, Leukopenien
Immunsupressiva (nur bei mittelschweren / schweren Schüben) **- Azathioprin, z.B.**	Unterdrückung der Immunreaktion	vor allem Nierenschädigung
- Methotrexat, z. B. Farmitrexat®, MTX®	Verhinderung der Mitose *(indirekte Zellteilung)*	*UEW siehe Seite 930*

Tabelle 3.3 ***Medikamentöse Therapie bei chronisch entzündlichen Darmerkrankungen***

❍ Sich Beschäftigen / Rehabilitation

Mittelschwere und schwere akute Krankheitsschübe führen zur Arbeitsunfähigkeit des Kranken; anhaltende Beschwerden, schwere Krankheitsschübe und rezidivierende Schübe können letztendlich eine Erwerbungsunfähigkeit bedingen, so daß ein Betroffener Frührente beantragen muß. Um dem vorzubeugen oder um einen Betroffenen wieder in das berufliche und gesellschaftliche Leben einzugliedern, stehen Rehabilitationsmaßnahmen in Form von **Kuren** und **berufliche Eingliederungsmaßnahmen** (z.B. Umschulung) zur Verfügung.

In begründeten Fällen kann beim Versorgungsamt ein **Schwerbehindertenausweis** beantragt werden.
Eine besondere Rolle nehmen die **regionalen Selbsthilfegruppen** der Deutschen Morbus Crohn / Colitis ulcerosa Vereinigung e.V. ein. Sie bieten für zahlreiche Betroffene die Möglichkeit, „die Krankheit selbst in die Hände zu nehmen". Besonders wertvoll sind der vielfältige Austausch mit ebenfalls Betroffenen in allen Bereichen, die von der Krankheit berührt werden (z.B. Beruf, soziale Kontakte, Partnerschaft, persönliche Probleme, schulmedizinische und naturheilkundliche Behandlungsmethoden, Ernährung, Entspannung) und das dabei erlebte Verständnis für die persönliche Situation. Pflegende können diesbezüglich informieren und ermutigen sowie die Anbahnung entsprechender Kontakte anbieten.

Informationen vermitteln vor allem die folgenden Organisationen:

> **Deutsche Morbus Crohn / Colitis ulcerosa Vereinigung - DCCV - e.V.**
> Schwabstraße 68
> Tübingen
> Tel. O7071 - 21351

> **Deutsche Gesundheitshilfe für Magen und Darm**
> Hausener Weg 61
> Frankfurt
> Tel. 069 - 7894078

❍ Sinn finden

Während eines akuten Schubs sind viele Erkrankte **hoffnungslos, antriebslos, deprimiert** oder depressiv. Nicht selten empfinden besonders schwer Erkrankte diesen Zustand als **Dahinsiechen** und hegen vorübergehend **Todeswünsche**. In dieser Zeit ist das **Bedürfnis nach liebevoller Fürsorge** und Geborgenheit besonders groß; dem kann von seiten der Angehörigen und der Pflegenden durch häufige und intensive Zuwendung (Gesprächsbereitschaft, „Umsorgen", Anteilnahme, Unterstützung bei körperlichen Aktivitäten, wohltuende Einreibung u.v.m.) begegnet werden. Ein Kranker sollte ermutigt werden, seine Gefühle auszudrücken, denn so kann er Entlastung sowie menschliche Nähe und Verständnis erfahren.
Viele Betroffene suchen und finden einen Sinn in der Erkrankung und stellen Vermutungen über die Zusammenhänge des multifaktoriellen Krankheitsgeschehens an *(siehe vorstehend „Zur Situation eines Betroffenen" und „Krankheitsverarbeitung", Seite 24)*.

❍ Geschlechtliches Erleben

Das geschlechtliche Erleben und Verhalten wird im allgemeinen nicht durch eine chronisch entzündliche Darmerkrankung beeinträchtigt. Allerdings können z.B. **Fisteln im Genital- / Analbereich störend** wirken und / oder Hemmungen verursachen. **Darmgeräusche** und anhaltende **Durchfälle** können vor allem die Aufnahme neuer sexueller Kontakte erschweren.
Die Libido* ist bei starkem Krankheitsgefühl und bei depressiven Verstimmungen reduziert.
Frauen, die an einer Colitis ulcerosa / Morbus Crohn leiden, können im allgemeinen ein Kind austragen. Sie sollten allerdings gemeinsam mit dem Partner und dem Arzt entscheiden, wann der günstigste Zeitpunkt für eine Schwangerschaft ist; in Zeiten erhöhter Krankheitsaktivität ist eine Schwangerschaft aus medizinischen Gründen nicht ratsam.

3.15.8 Ileus

3.15.8.1 Krankheitsbild

❐ Definition, Formen, Ursachen und Komplikationen

Die **komplette oder inkomplette Unterbrechung der Darmpassage** durch ein mechanisches Hindernis (*mechanischer Ileus*) oder infolge einer funktionellen Darmlähmung (*paralytischer Ileus)* wird als Ileus bezeichnet. Die Störung ist **lebensbedrohlich**, da sich schnell ein Volumenmangel, der zum hypovolämischen Schock führen kann, entwickelt. Außerdem kann die Erkrankung einen tödlichen Verlauf nehmen, wenn sich eine Darmgangrän, eine Sepsis oder ein Nierenversagen entwickeln.
Ein **mechanischer Ileus** kann durch Verwachsungen oder Narbenbildung nach abdominellen Operationen verursacht werden (*Adhäsions- oder Bridenileus*). Ferner kann das Darmlumen z.B. durch eine inkarzerierte Hernie *(eingeklemmter Bauchwandbruch*), einen Tumor, einen Gallenstein oder andere Fremdkörper eingeengt werden.
Ein **paralytischer Ileus** wird reflektorisch oder durch toxische Einflüsse verursacht; zugrunde liegt in vielen Fällen eine Peritonitis (*Bauchfellentzündung*). Weitere Ursachen können u.a. eine Pankreatitis (*Entzündung der Bauchspeicheldrüse*), ein Darmarterienverschluß, Elektrolytstörungen, schwere Gallen- / Nierenkoliken oder die Überdosierung von Psychopharmaka sein.

❐ Symptome und Diagnostik

Zeichen eines mechanischen Ileus sind:
- krampfartige Schmerzen,
- Erbrechen, Koterbrechen *(siehe Seite 116)*,
- laute und klingende Darmgeräusche,
- Stuhl- und Windverhalt (bei Dünndarmileus kann allerdings Stuhl abgesetzt werden),
- geblähtes Abdomen.

Zeichen eines paralytischen Ileus sind:
- druckempfindlicher Leib,
- Erbrechen, Koterbrechen,
- "Totenstille im Abdomen (keine Darmgeräusche),
- Stuhl- und Windverhalt,
- geblähtes Abdomen.

Die **Diagnose** wird anhand der klinischen Zeichen gestellt und durch eine Röntgenaufnahme des Abdomens (im Stehen) gesichert (aufgeblähte Darmschlingen mit Flüssigkeitsspiegeln).

3.15.8.2 Zur Situation eines Betroffenen

Die Situation eines Betroffenen wird unter „Akutes Abdomen" besprochen *(siehe Seite 150)*.

3.15.8.3 Therapie und Pflege bei mechanischem Ileus

Ein **mechanischer Ileus** muß **sofort operativ** beseitigt werden, entsprechend der Ursache z.B. durch die Lösung von Verwachsungen oder durch Entfernung des Tumors. Kann das Passagehindernis nicht beseitigt werden, sind eine Darmresektion und die Anlage eines Stomas oder eine Umgehungsoperation, bei der eine Querverbindung zwischen dem vor und dem hinter dem Hindernis liegendem Darm geschaffen wird, erforderlich.

❒ Pflege bis zur Operation

Bis zur Sicherung der Diagnose und bis zur Operation konzentriert sich die pflegerische Betreuung eines Patienten mit Ileus auf folgende **Schwerpunkte**:

- Sorge für die Einhaltung der ärztlich angeordneten Bettruhe und Nahrungskarenz;
- Legen einer Magen- oder Duodenalablaufsonde zwecks Ableitung des gestauten Darminhaltes;
- Legen eines Blasenverweilkatheters zwecks Stundenurinmessung und Flüssigkeitsbilanzierung;
- engmaschige Kontrolle der Vitalzeichen und der Flüssigkeitsbilanz, um frühzeitig einen beginnenden Schock zu erkennen;
- Beobachtung des subjektiven Befindens (Schmerzgeschehen) und des Bewußtseins, um einen beginnenden Schock frühzeitig zu erkennen;
- Überwachung der Infusionstherapie, um den Ausgleich der Flüssigkeits- und Elektrolytverluste zu gewährleisten;
- Information und Beruhigung des Patienten, Vermittlung von Sicherheit;
- Schmerzlinderung durch Anbringen einer Knierolle zur Entlastung der Bauchdecken (wenn der Patient die Beine anzieht), nach Sicherung der Diagnose Verabreichung der ärztlich verordneten Schmerzmittel;
- weitgehende Unterstützung bei den ATL;
- Veranlassung der angeordneten Untersuchungen und Laborkontrollen, z.B. Röntgen des Abdomens, Blutgasanalyse, Elektrolytbestimmungen im Serum;
- Durchführung der allgemeinen präoperativen Maßnahmen *(siehe Seite 368)* unter Berücksichtigung der Besonderheiten bei bevorstehender Darmoperation *(siehe Seite 257)*.

Beachte: Abführmaßnahmen sind kontraindiziert!

❒ Postoperative Pflege

Die postoperative Pflege richtet sich zum einen nach dem jeweiligen Zustand und dem Befinden des Patienten, zum anderen nach der durchgeführten Operation. Die Pflegemaßnahmen werden im Zusammenhang mit der jeweiligen Pflegesituation besprochen:

- allgemeine postoperative Pflegemaßnahmen *(siehe Seite 371)*,
- postoperative Pflege nach einer Darmoperation *(siehe Seite 258)*,
- Stomaversorgung *(siehe Seite 260)*,
- Umgang mit Drainagen *(siehe Seite 377)*.

3.15.8.4 Therapie und Pflege bei paralytischem Ileus

Die Behandlung eines paralytischen Ileus erfolgt **möglichst konservativ**; bei einer Peritonitis und bei einem Mesenterialgefäßverschluß ist jedoch ein operatives Vorgehen erforderlich.
Im Rahmen der konservativen Therapie stehen die **Beobachtung** des schwerkranken Patienten, die **Ableitung des gestauten Verdauungssekretes** sowie die **Substitution** der Flüssigkeits- und Elektrolytverluste im Vordergrund; mit Ausnahme der Operationsvorbereitung sind die vorstehend unter „Pflege bis zur Operation" aufgeführten Pflegemaßnahmen durchzuführen. Zusätzlich erfolgt entsprechend der Arztanordnung die medikamentöse **Anregung der Darmperistaltik** (z.B. mit Prostigmin® i.v.).

3.15.9 Darmoperationen

❒ Indikationen

Mögliche Indikationen für eine Darmoperation sind:

- gut- und bösartige Tumore im Dünn- oder Dickdarm;
- mechanischer Ileus;
- Verletzungen des Darms;
- chronische Darmerkrankungen *(siehe Seite 250)*;
- Appendizitis *(siehe Seite 260)*;
- Peritonitis *(siehe Seite 150)*;
- Mißbildungen des Darms, z.B. Megakolon *(krankhafte Erweiterung des Dickdarms);*
- Rektum- / Analprolaps *(Vorfall des Enddarms durch den Analkanal nach außen);*
- ischämische Nekrose.

❒ Operationsverfahren

Zu den häufiger durchgeführten Darmoperationen zählen:

- Appendektomie *(siehe Seite 266)*;
- Darmresektion *(Entfernung eines bestimmten Darmanteils)*, z.B. Sigmaresektion;
- Darmresektion mit Anastomose *(Entfernung eines Darmstücks mit Wiederherstellung der Darmpassage durch Aneinandernähen der verbliebenen Darmstümpfe)*, z.B. Hemikolektomie rechts mit Ileotransversostomie *(Entfernung des aufsteigenden Dickdarms mit Wiederherstellung der Darmpassage durch operative Verbindung von Ileum und Transversum)*;
- Rektumexstirpation / -amputation *(Totalentfernung des Enddarms und Anlage eines endständigen Anus praeter naturalis)*
- Eröffnung des Darms, z.B. Kolotomie *(Eröffnung des Dickdarms)*.

❒ Präoperative Pflegeschwerpunkte

***Anmerkung**: Die prä- und postoperative Pflege bei kleineren Eingriffen am Darm wird exemplarisch unter „Appendektomie" (siehe Seite 266) und unter „Hämorrhoiden" (siehe Seite 268) besprochen.*

Neben den allgemeinen Maßnahmen zur Operationsvorbereitung *(siehe Seite 368)* sind bei einer geplanten Darmoperation die folgenden **Besonderheiten** zu berücksichtigen.

❍ Nahrungsabbau

Beginn und Ausmaß des präoperativen Nahrungsabbaus richten sich nach dem geplanten Operationsverfahren. Bei größeren Operationen wird z.B. wie folgt verfahren:

Am dritten und zweiten Tag vor dem Operationstermin wird nur noch schlackenarme Kost (z.B. Suppe, Joghurt, Weißbrot, Zwieback), am Tag vor der Operation lediglich flüssige Kost (klare Getränke) verabreicht.

❍ Darmentleerung

Zur Reinigung des Darms stehen verschiedene Möglichkeiten zur Verfügung, z.B.:

- **Verabreichung oraler Abführmittel** (z.B. Liquidepur® oder X - Prep®) am zweiten und am letzten Tag vor dem Operationstermin; diese Abführmittel rufen bei vielen Menschen Leibschmerzen hervor; außerdem kommt es nicht selten zu Diarrhoen, die den Kreislauf eines Betroffenen belasten.
- **Durchführung einer orthograden** *(in physiologischer Richtung)* **Darmspülung** am Vortag des Operationstages. Der Patient wird aufgefordert, über 3 - 4 Stunden alle 10 Minuten 200 ml Golytely-Lösung (z.B. Delcoprep®) zu trinken; bei Patienten, die dazu nicht in der Lage sind, wird die Lösung über eine Magensonde verabreicht. Während der Maßnahme muß eine Toilette bzw. ein Toilettenstuhl in unmittelbarer Nähe sein.
  Nach Beendigung der Maßnahme soll der Patient nur noch eine wasserähnliche klare Flüssigkeit ausscheiden.
  Vor und nach der Maßnahme sollte eine Kontrolle der Serumelektrolyte erfolgen.
  Bei Darmstenosen, (Sub-) Ileus, Herz- und Niereninsuffizienz ist eine orthograde Darmspülung **kontraindiziert**.
- **Die Durchführung eines Schwenkeinlaufs** am Vortag und/oder am Tag der Operation reicht bei Operationen am rechtsseitigen Dickdarm im allgemeinen aus.
- Eine deutliche **Reduktion der Darmbakterien**, die sogenannte Darmsterilisation, wird in einigen Fällen zusätzlich vorgenommen, indem ein Antibiotikum verabreicht wird.

❍ Vorbereitung des Operationsfeldes

Es ist eine sorgfältige Reinigung des Bauchnabels erforderlich.

Die Rasur erfolgt am vorderen Körperstamm von den Mamillen bis zu den Leisten einschließlich der Schambehaarung. Bei Rektumresektion / -exstirpation müssen zusätzlich am hinteren Körperstamm die perianale *(den After umgebende)* Region, die Oberschenkel und die Lumbalregion rasiert werden.

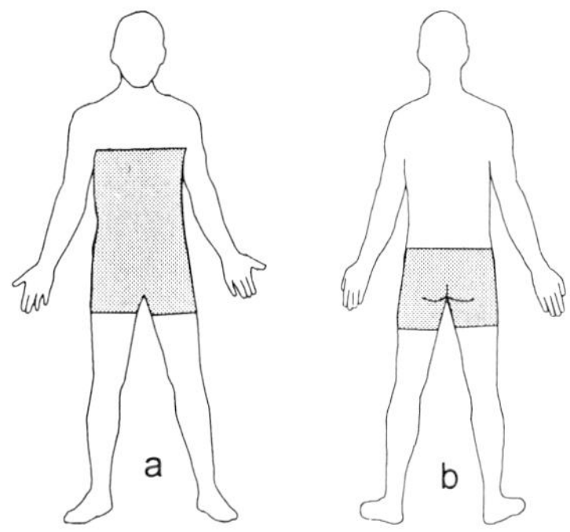

a) bei Darmoperationen mit abdominellem Zugang
a und b) bei Darmoperationen mit abdominellem und sakralem Zugang

Abb. 3.27 ***Rasurschema bei Darmoperationen***

❍ Vorbereitung bei geplanter Anlage eines Stomas

Die bevorstehende Anlage eines künstlichen Darmausgangs ruft **Unsicherheiten** und **Ängste**, im allgemeinen auch das Gefühl der Verstümmelung und Behinderung hervor; die Unversehrtheit des Körpers wird in extremer Weise beeinträchtigt, das **Körperschema verändert**. Die Gedanken eines Betroffenen beschäftigen sich nicht nur mit den körperlichen Veränderungen, sondern ebenso mit den möglichen Auswirkungen der Behinderung auf seine Zukunft, z.B. mit beruflichen Veränderungen und Reaktionen der Mitmenschen. Zusätzlich - evtl. zunächst vorrangig- wird der Betroffene mit seiner Grunderkrankung (Karzinom, chronisch entzündliche Darmerkrankung, Ileus u.a.) konfrontiert. Die Situation eines Betroffenen wird ausführlich auf *Seite 260* erläutert.

In der präoperativen Phase begegnen Pflegende der besonderen Situation durch:

- einfühlsames Zuhören, Signalisieren von Gesprächsbereitschaft und Verständnis;
- Ermutigung, Gefühle wie Angst, Aggressionen und Trauer zuzulassen;
- Informationsvermittlung über Lage, Aussehen und Handhabung des Stomas sowie über „das Leben mit einem Stoma", dabei Anpassung des Ausmaßes der Informationen an die aktuellen individuellen Bedürfnisse; Ergänzung der Beratungsgespräche durch Einsetzen von Anschauungsmaterial (Stomaversorgungsartikel), Informationsbroschüren und Videokassetten; Information und Beratung sollten nach Möglichkeit in erster Linie von einer Enterostomatherapeutin übernommen werden;
- Vorschlag, den Partner / einen nahestehenden Angehörigen in die Informationsgespräche einzubeziehen;
- Angebot, Kontakt zu einem rehabilitierten Stomaträger / zur ILCO *(siehe Seite 265)* herzustellen;
- Festlegen und Anzeichnen der optimalen Stomalokalisation (Aufgabe der Enterostomatherapeutin / des Arztes).

❒ Postoperative Pflegeschwerpunkte

Neben den allgemeinen postoperativen Pflegemaßnahmen *(siehe Seite 371)* ergeben sich nach einer Darmoperation folgende Pflegeschwerpunkte:

❍ Krankenbeobachtung

Nach einer größeren Darmoperation wird der Patient in den ersten ein - zwei Tagen auf einer Wach- oder Intensivstation beobachtet; in engen Zeitabständen erfolgen Vitalzeichenkontrollen, Beobachtung der Ausscheidungsvorgänge, der Flüssigkeitsbilanz und des Wundverbandes.

❍ Lagerung

Postoperativ ist die Rückenlage angezeigt; zur Entspannung der Bauchdecken können die Knie angewinkelt werden, indem z.B. eine Knierolle oder ein geformtes Kissen untergelegt wird.
Eine sakrale Wunde kann durch Weichlagerung oder durch Hohllagerung, z.B. Lagerung des Gesäßes auf einem ausgeschnittenen Schaumstoffring, vom Auflagedruck entlastet werden.

❍ Ernährung

Der Nahrungsaufbau richtet sich nach der durchgeführten Operation, d.h. nach der Lokalisation der Anastomose. Es gelten folgende Anhaltswerte: eine Enterotomie (*operative Dünndarmeröffnung*) und eine Dünndarmanastomose heilen in ca. 5 Tagen, eine Kolotomie (*operative Dickdarmeröffnung*) und eine Dickdarmanastomose in ca. 7 Tagen, eine anteriore Rektumresektion in ca. 9 Tagen soweit ab, daß mit der oralen Nahrungszufuhr begonnen werden kann. Bis dahin ist zur Entlastung der Operationsnähte eine **Nahrungskarenz** einzuhalten, die **Ernährung** erfolgt **parenteral** *(siehe Seite 128)*. Mit der oralen Flüssigkeitszufuhr kann nach Entfernung der Magensonde begonnen werden.
Voraussetzung für den Nahrungsaufbau ist außerdem das **Wiedereinsetzen der Darmperistaltik**, die durch den Nachweis von Darmgeräuschen (Abhören mit dem Stethoskop) deutlich wird. Der Nahrungsaufbau erfolgt dann nach klinikinternem Schema.
Zunächst werden im allgemeinen Zwieback und Schleimsuppen, dann breiige Speisen verabreicht. Treten keine Beschwerden auf, kann der Operierte leichte Vollkost zu sich nehmen.

❍ Beobachtung und Anregung der Darmtätigkeit

Um das Abheilen der Anastomosennähte nicht zu gefährden, wird die Darmtätigkeit in den ersten 4 postoperativen Tagen nicht angeregt; nach einer präoperativ durchgeführten orthograden Darmspülung setzt die Darmtätigkeit im allgemeinen erst ab dem 6. - 8. postoperativen Tag ein.
Setzt die Darmtätigkeit nicht innerhalb des erwarteten Zeitraumes ein, entscheidet der Arzt über das weitere Vorgehen; er ordnet die Art und den Zeitpunkt der zu ergreifenden Abführmaßnahme an.

Beachte: Bei Anastomosen in Nähe des Anus (nach tiefer Rektumoperation) sind manipulierende Maßnahmen am Enddarm kontraindiziert! Das Einführen eines Fieberthermometers und eines Darmrohres muß ebenso unterbleiben wie die Verabreichung von Suppositorien, Klysmen oder Einläufen!
Nach einer **Kolostomie** *(operative Anlage eines künstlichen Dickdarmausgangs)* erfolgt die erste spontane Stuhlentleerung im allgemeinen nach 2 - 3 Tagen; ist dies nicht der Fall, ordnet der Arzt z.B. am 4. postop. Tag ein orales Abführmittel oder die vorsichtige Verabreichung eines Klysmas über das Stoma an.
Nach einer **Ileostomie** (*operative Anlage eines künstlichen Dünndarmausgangs)* erfolgt die erste Stuhlentleerung meist noch im Verlauf des Operationstages; der Stuhl ist wässrig (Dünndarminhalt, der bei fehlendem Dickdarm nicht eingedickt werden kann).

❍ Unterstützung der Urinausscheidung

Bei Darmoperationen wird intraoperativ häufig ein Blasenverweilkatheter eingelegt, um postoperativen Miktionsbeschwerden vorzubeugen. Dieser verbleibt nach Dickdarmoperationen ein - zwei Tage, nach Eingriffen am Rektum 5 - 6 Tage.

❍ Umgang mit Sonden und Drainagen

Eine postoperativ liegende **Magensonde** kann bei geringer Fördermenge (im allgemeinen am Abend des Operationstages) gezogen werden.
Drainagen zur Ableitung von Wundsekret aus dem abdominellen Operationsgebiet werden nach ca. einer Woche entfernt. Bis dahin sind die Funktion der Drainage(n) sowie das abfließende Sekret zu beobachten *(siehe Seite 378)*.
Nach Rektumresektion / -amputation liegen Redondrainagen im kleinen Becken; sie werden vom Arzt ab dem 4. postoperativen Tag unter Sog gezogen.

❍ Wundversorgung

Die **abdominelle Wunde** wird beobachtet und unter Wahrung der Asepsis verbunden *(siehe „Aseptischer Verbandwechsel", Seite 376)*.
Die Entfernung der Fäden erfolgt frühestens am 10. postop. Tag durch den Arzt.
Eine **Sakralwunde** (nach Rektumamputation) wird ebenfalls beobachtet. Das Wundsekret wird über eine Robinsondrainage oder eine Lasche abgeleitet, das Wundgebiet ist mit sterilen Kompressen abgedeckt. Die Fixierung der Wundauflage erfolgt mittels Netzhose.
Zur Entlastung der Sakralwunde kann der Patient auf einem Schaumstoffring (oder auf einem aus Verbandwatte und TG-Schlauch hergestellten Ring) gelagert werden.

❍ Information

Am Darm operierte Menschen haben vor allem hinsichtlich der Ernährung und der Verdauung ein Informationsbedürfnis. Sie benötigen folgende Informationen:

- Nach einer Darmoperation ist im allgemeinen **keine spezielle Diät** angezeigt, es kann leichte Vollkost zugeführt werden; Besonderheiten im Zusammenhang mit einem künstlichen Darmausgang werden auf *Seite 264* besprochen.

- Die Konsistenz des Stuhls und die Häufigkeit der Stuhlentleerung können dauerhaft verändert sein:
  - nach anteriorer Rektumresektion und nach Hemikolektomie links kommt es häufig 2 - 3 mal täglich zur Entleerung weichen Stuhls,
  - nach einer Ileostomie sind mehrere dünnflüssige bis breiige Stuhlabgänge täglich typisch,
  - nach einer Kolostomie sind Stuhlkonsistenz und -frequenz meist wie vor der Operation;
- Die Lebensführung wird im allgemeinen nicht beeinträchtigt. Besonderheiten im Zusammenhang mit einem Stoma werden nachfolgend besprochen.

3.15.10 Künstlicher Darmausgang (Kolostoma / Ileostoma)

3.15.10.1 Medizinische Informationen

❒ Definitionen

Das **Stoma** *(griechisch: Mund, Öffnung)* ist eine operativ angelegte Öffnung / Mündung eines Hohlorgans zur Körperoberfläche.

Anus praeter (naturalis) ist die frühere Bezeichnung für einen chirurgisch angelegten Darmausgang; synonym werden die Begriffe **Kunstafter** und künstlicher Darmausgang verwendet. Meist erfolgt die Bezeichnung des Stomas entsprechend seiner anatomischen Lage: **Kolostoma** (*künstlicher Dickdarmausgang*), **Ileostoma** (*künstlicher Dünndarmausgang*).

Nach der Art der Ausleitung werden das **terminale** (*endständige*) und das **doppelläufige Stoma** unterschieden.

Beim **endständigen Stoma** wird die von proximal* kommende, stuhlführende Schlinge des Darms durch die Bauchhaut nach außen geleitet; der distale* Teil des Darms wurde zuvor entfernt.

Ein **doppelläufiges Stoma** dient in der Regel der vorübergehenden Stuhlableitung bei Stillegung tieferer Darmabschnitte, z.B. zur Entlastung von Anastomosen* oder entzündeten Darmabschnitten. Die Darmschlinge wird ca. 2 -3 cm über der Bauchhaut ausgeleitet und in der postoperativen Phase durch Unterlegen eines sogenannten Reiters stabilisiert; sie hat einen zuführenden (stuhlfördernden) und einen abführenden (stillgelegten) Schenkel. Über die stillgelegte Darmschlinge und über den After werden Schleim und Zellen ausgeschieden.

Kann das Stoma zu einem späteren Zeitpunkt zurückverlegt werden, handelt es sich um ein **temporäres** (*zeitweiliges*) **Stoma**. Ist eine Rückverlegung nicht möglich, spricht man von einem **permanenten** *(bleibenden)* **Stoma**.

❒ Häufigkeit

In Deutschland leben ca. 90.000 Menschen mit einem künstlichen Darmausgang. Die überwiegende Zahl der Betroffenen trägt ein Kolostoma und ist bei Anlage des Stomas 60 Jahre und älter.

❒ Indikationen

Häufigste Indikationen für die Anlage eines **temporären** *(zeitweiligen)* **Kolostomas** sind:

- Ileus *(Darmverschluß)*,
- Peritonitis *(Bauchfellentzündung)*,
- Zustand nach Darmresektion *(operative Entfernung eines Dickdarmabschnitts)*.

Nach ausreichender **Entlastung** des Dickdarms bzw. der Operationsnähte kann das Stoma zurückverlegt werden.

In den meisten Fällen wird jedoch ein **permanentes** *(bleibendes)* **Kolostoma** angelegt. Häufigste Indikationen sind:

- inoperables Kolonkarzinom *(Dickdarmkrebs)*,
- inoperables Rektumkarzinom *(Mastdarmkrebs)*,
- chronisch entzündliche Darmerkrankungen (Colitis ulcerosa, Morbus Crohn).

Das permanente Kolostoma dient der **Stuhlableitung**.

Häufigste Indikationen für die Anlage eines **temporären** oder eines **permanenten Ileostomas** sind:

- chronisch entzündliche Darmerkrankungen *(Colitis ulcerosa, Morbus Crohn)*,
- Zustand nach Dickdarmresektion,
- familiäre Polyposis *(Erkrankungen, die mit zahlreichen, zur Entartung neigenden Schleimhautgeschwülsten einhergehen)*.

❒ Informationen zum Kolostoma:

- Operativ angelegter Dickdarmausgang;
- je nach OP-Technik wird das Darmende flach oder leicht über das Hautniveau erhaben eingenäht;
- ein **Sigma-Kolostoma** befindet sich meist im linken Unterbauch;
- ein **Transversum-Kolostoma** ist meist im rechten, seltener im linken Oberbauch plaziert;
- je näher das Stoma dem ursprünglichen After liegt, um so natürlicher ist die Stuhlkonsistenz; meist ist sie wie vor der Operation.

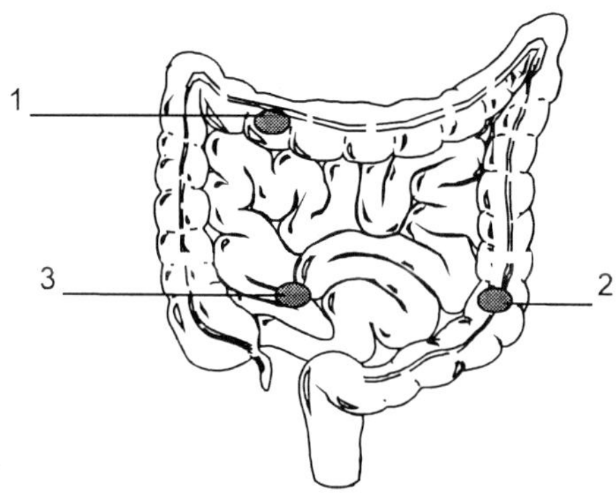

1 Transversum - Kolostoma
2 Sigma - Kolostoma
3 Ileostoma

Abb. 3.28 ***Typische Stomaplazierungen***

❒ Informationen zum Ileostoma:

- Operativ angelegter Dünndarmausgang;
- die Öffnung befindet sich meist im rechten Unterbauch;
- das Stoma wird 2-3 cm über dem Hautniveau angelegt, damit der flüssige - aufgrund der enthaltenen Verdauungsenzyme aggressiv wirkende und die

Haut reizende - Darminhalt abgeleitet werden kann, ohne die Haut zu berühren;
- der Darminhalt ist von dünnflüssiger bis breiiger Konsistenz, da die flüssigkeitsentziehende, stuhleindickende Funktion des operativ entfernten Dickdarmes fehlt.

3.15.10.2 Zur Situation eines Betroffenen

Die Anlage eines künstlichen Darmausgangs verändert das Leben eines Betroffenen. Das Stoma hat Auswirkungen auf alle Dimensionen des Menschseins. Betroffene fühlen sich nicht nur in Einzelbereichen, sondern vor allem **in ihrer Gesamtheit beeinträchtigt**. Die Veränderung des Körpers und die Folgeerscheinungen lösen bei vielen Betroffenen eine **Krise** aus. Die betroffene Person wird gleichzeitig mit dem Stoma und mit der ursächlichen Erkrankung konfrontiert.
Das zweifach schwere Schicksal "*Ich habe Krebs und noch dazu einen künstlichen Darmausgang*" löst zunächst einen seelischen Schock aus. Meist folgt die Frage *„Warum ich?“*. Die Stomaanlage erscheint manchem als ein "zu hoher Preis" für die vermeintliche Heilung von Krebs. Andere halten diesen "Preis" für notwendig und sehen in der Operation vorrangig die Chance, zu überleben. *(Die Situation eines krebskranken Menschen wird auf Seite 918 besprochen).*
Menschen, die aufgrund einer schweren akuten Erkrankung plötzlich mit einem Stoma konfrontiert werden, reagieren meist desinteressiert und eher depressiv. Die **Notfallsituation** bedeutet **Überforderung** und läßt eine Auseinandersetzung mit der bevorstehenden Veränderung kaum zu; diese kann erst in der postoperativen Phase stattfinden.
Dagegen haben chronisch Kranke, die an Colitis ulcerosa oder Morbus Crohn leiden, die Möglichkeit, sich langsam auf die Veränderung vorzubereiten. Da für sie die Stomaanlage häufig mit der Hoffnung auf eine bessere Lebensqualität verbunden ist, kann sie eher positiv bewertet und akzeptiert werden.
Ein Stoma verändert das Körperschema des Betroffenen und löst im allgemeinen zunächst **Scham- und Minderwertigkeitsgefühle** aus. Mancher empfindet seinen Körper als verstümmelt, unästhetisch und unattraktiv, einige leiden sogar unter Ekelgefühlen. Angehörige, vor allem Lebenspartner, können ebenso empfinden. Erfährt der Stomaträger Ablehnung, leiden sein ohnehin angegriffenes Selbstwertgefühl und Selbstvertrauen erheblich. Jeder zweite Stomaträger erlebt sich als **traurig, verzweifelt** und/oder **depressiv**. Das verminderte Selbstwertgefühl und die Angst, durch unangenehme Gerüche und Geräusche aufzufallen, veranlassen viele Betroffene, sich zurückzuziehen. Sie meiden die Gesellschaft anderer Menschen. Der **soziale Rückzug** wirkt sich negativ auf die Krankheitsverarbeitung aus, schwere Depressionen können sich entwickeln.

Ein Stoma kann das Sexualleben des Betroffenen und seines Partners in mehrfacher Hinsicht beeinträchtigen, darüber zu Partnerschaftsproblemen führen und Minderwertigkeitsgefühle auslösen bzw. verstärken. Andererseits stärkt die gemeinsame Bewältigung des Problems die Beziehung und das Selbstwertgefühl eines Betroffenen.
Um die durch Krankheit und Stoma **veränderte Lebenssituation** zu **bewältigen**, müssen sich der Betroffene und seine Angehörigen aktiv damit auseinandersetzen. Dies geschieht stets auf individuelle Weise und in unterschiedlichem Ausmaß. Das Ergebnis wird wesentlich von dem Verhalten und von den Eigenschaften der betroffenen Person sowie von der sozialen Unterstützung beeinflußt.
Das Ernstnehmen der Krankheit und die Fähigkeiten, eigene Bedürfnisse wahrzunehmen und zu befriedigen sowie bedeutsame Gefühle auszudrücken, wirken sich positiv auf die Krankheitsbewältigung aus.
Negativen Einfluß üben dagegen z.B. Pessimismus, Verdrängung der Krankheit, gehemmte Aggressionen und Kontaktarmut aus *(Lesen Sie dazu "Coping", Seite 25)*.
Ein Stomaträger muß sich nicht nur gedanklich und gefühlsmäßig mit seiner Situation auseinandersetzen, sondern auch den **Umgang mit dem Stoma erlernen**. Dazu ist es notwendig, sich Wissen und bestimmte Fertigkeiten anzueignen. Die Fähigkeiten, das Stoma (weitgehend) selbständig versorgen zu können und dessen Auswirkungen auf den Alltag "im Griff zu haben", verbessern die Lebensqualität und erleichtern die Akzeptanz des Stomas.
Das Erlernen der Stomaversorgung und die Anpassung der Lebensweise können schwerkranken und älteren Menschen sehr schwer fallen. Zweiterkrankungen und altersbedingte Abbauprozesse erschweren nicht selten die Stomaversorgung und erfordern die Hilfe anderer Menschen. Die Pflegebedürftigkeit in diesem Bereich wird als besonders unangenehm empfunden und kann neben Scham- und Minderwertigkeitsgefühlen auch Verzweiflung hervorrufen und als Demütigung empfunden werden.
Einige Angehörige sind bereit, die Stomaversorgung zu erlernen, andere lehnen dies ab; der Stomaträger kann seinerseits ablehnend reagieren. Die Entblößung des Stomas vor Familienangehörigen stellt mitunter ein unüberwindbares Problem dar.

3.15.10.3 Mögliche Problembereiche und Pflegemaßnahmen

Die prae- und postoperativen Pflegemaßnahmen im Zusammenhang mit der operativen Anlage eines künstlichen Darmausgangs werden unter *„Darmoperationen“, Seite 257*, besprochen.

❐ Stomaversorgung

Nach Möglichkeit lernt der Stomaträger bereits während der postoperativen Betreuung, das Stoma **selbständig** zu **versorgen** und **gezielt** zu **beobachten**. Wissen und Fertigkeiten ermöglichen Unabhängigkeit und üben einen positiven Einfluß auf Krankheitsverarbeitung und Selbstvertrauen aus. Nach der grundlegenden Anleitung zur selbständigen Stomaversorgung ist Hilfestellung nur angebracht, wenn der Patient aus gesundheitlichen Gründen nicht in der Lage ist, das Stoma selbst zu versorgen. Er sollte jedoch soweit wie möglich einbezogen werden. Ziel ist die **individuell größtmögliche Unabhängigkeit**.

❍ Materialien zur Stomaversorgung

Zur Stomaversorgung stehen zahlreiche Materialien verschiedener Firmen zur Verfügung.

An den **Auffangbeutel** werden folgende Anforderungen gestellt:

- absolute Abdichtung,
- hautfreundliche Haftung,
- Knisterfreiheit,
- Geruchssicherheit,
- Haltbarkeit,
- einfache Handhabung,
- ansehnliche Aufmachung,
- nicht auftragend (unter der Kleidung),
- problemlose Beschaffung (im Fachgeschäft).

Verschiedene Beutelarten zeigt *Abbildung 3.29.*

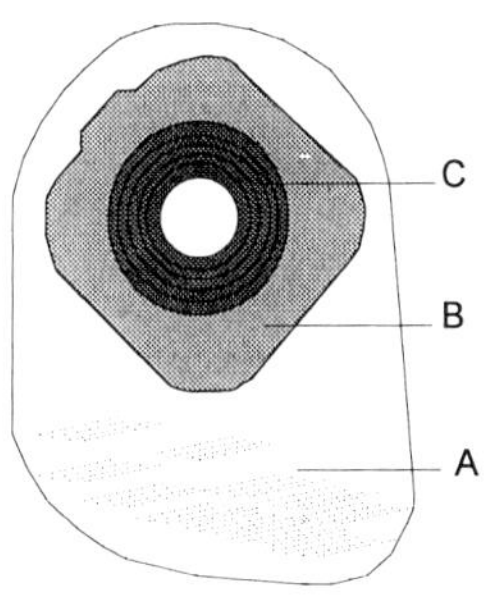

a) einteiliges Versorgungssystem (Beispiel)
A geschlossener Beutel
B Klebefläche mit Schutzpapier
C Hautschutzring

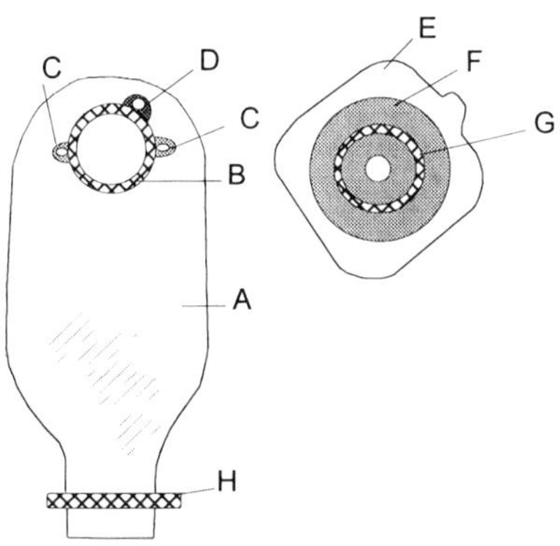

b) zweiteiliges Versorgungssystem
A offener Beutel
B Befestigungsring
C Gürtel-Adapter
D Schlinge zum Lösen des Beutels von der Hautschutzplatte
E Klebefläche mit Schutzpapier
F Hautschutzplatte
G Druckverschluß
H Verschlußklammer

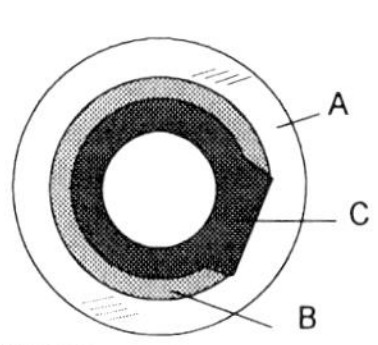

c) Minibeutel / Stomakappe
A Minibeutel
B Klebefläche mit Schutzpapier
C Hautschutzring

Abb. 3.29 ***Versorgungssysteme für Stomata***

Entsprechend den individuellen Bedürfnissen kann zwischen verschiedenen Beuteln und Versorgungssystemen gewählt werden.

Zweiteilige Versorgungssysteme bestehen aus einem Beutel (mit oder ohne Kohlefilter) und einer Hautschutzplatte (mit oder ohne Klebefläche); sie werden aufeinandergeklebt oder durch einen im Beutel integrierten Rastring (Druckknopfsystem) miteinander verbunden. Die Hautschutzplatte kann im allgemeinen 2 - 3 Tage auf der Haut belassen werden, während die Beutel bei Bedarf mehrmals täglich gewechselt werden.

Einteilige Versorgungssysteme bestehen aus einem Beutel mit integrierter Befestigungsvorrichtung (Hautschutzplatte und/oder Klebefläche). Bei häufigem Beutelwechsel kann es zu Hautreizungen kommen; in diesem Fall empfiehlt sich die Verwendung eines zweiteiligen Systems.

Die Öffnung der Hautschutzplatte kann entsprechend der Stomaform und -größe zugeschnitten werden.

Geschlossene Beutel eignen sich zur Versorgung eines Kolostomas.

Offene Beutel = Ausstreifbeutel verfügen über einen Bodenauslaß und ermöglichen so mehrmalige Entleerungen des Beutels. Häufige Beutelwechsel bei wiederholten Stuhlabgängen (z.B. bei Ileostoma oder Diarrhoe) erübrigen sich, die Haut wird geschont. Der Verschluß des Beutels erfolgt mit einer zum Versorgungssystems gehörenden Klammer.

Stomakappen und Minibeutel sind kleine wasserdichte Abdeckungen. Sie können eingesetzt werden, wenn nicht mit Stuhlentleerungen gerechnet wird; dies ist nach einer Darmirrigation (*siehe Seite 263*) der Fall. Stomakappen / Minibeutel können auch kurzzeitig zur diskreten Abdeckung des Stomas angebracht werden, z.B. vor sportlichen Aktivitäten oder vor Intimkontakt.

Der **Hautschutz**, mit dem die stomaumgebende Haut versorgt wird, sollte folgende Eigenschaften aufweisen:

- gut verträglich (hautfreundlich), auch bei Anwendung über mehrere Tage;
- beständig gegenüber aggressiven Ausscheidungen;
- modellierbar, anschmiegsam;
- abdichtend, auch bei Einwirken von Feuchtigkeit und Hitze;
- selbsthaftend (ohne Klebebeschichtung);
- feuchtigkeitsbindend;
- hautschonend entfernbar (nicht hartnäckig klebend);
- einfach zu handhaben.

Diese Anforderungen werden durch eine **haftende Versorgung** auf Karaya- oder Haftgelatine-Basis erfüllt. Hautschutzplatten oder -ringe aus **Karaya**, einem tropischen Baumharz, sind hautfreundlich und feuchtigkeitsaufsaugend, sorgen also für eine trockene Haut in der unmittelbaren Stomaumgebung. Karaya-Produkte sind vor der Anwendung durch Körperwärme geschmeidig und formbar zu machen.

Nachteilig ist, daß Karaya in Verbindung mit Feuchtigkeit (starkes Schwitzen, Durchfall, Wasser) und Körperwärme zerläuft.

Alternativ zu Karaya wird inzwischen eine **Haftgelatine-Basis** angeboten. Sie enthält als Haftsubstanzen

Gelatine, Pektin, Polyisobutylen und eine Zelluloseverbindung. Haftgelatine ist hautfreundlich und unterstützt natürliche Heilungsprozesse bei Rötungen und Entzündungen. Sie haftet auch bei Einwirkung von Feuchtigkeit und Hitze dicht an, ohne hartnäckig zu kleben.

Eine klebende Versorgung (Kunststoffkleber) sollte nur bei sehr widerstandsfähiger Haut verwendet werden, da es bei Entfernung der Klebefläche zur Reizung der Haut kommt.

Spezielle **Hautpflegemittel** sollen die Haut widerstandsfähig machen und werden vorsichtig einmassiert.

Hilfsmittel können das Tragen eines Stomas erleichtern.
- **Kohlefilter** *oder* **-tabletten** bestehen aus geruchsabsorbierender Aktivkohle; als Filter ist Kohle in Spezialbeuteln eingearbeitet, als Tablette wird sie in den Beutel eingelegt.
- **Desodorierende Sprays** können in den Beutel gegeben werden, um den Eigengeruch des Stuhls zu neutralisieren.
- **Beutelüberzüge** werden in verschiedenen Mustern und Farben als Einmalartikel aus Vlies oder aus waschbarem Stoff angeboten. Sie verdecken den Anblick von Stoma und Ausscheidungen, außerdem saugen sie - im Gegensatz zum Beutelmaterial - Feuchtigkeit auf.
- **Verschlußklammern** werden für den Gebrauch von Ausstreifbeuteln benötigt und sind wiederverwendbar.
- **Gürtel** aus elastischem Material dienen der zusätzlichen Befestigung eines Beutels.
- Spezielle **Leibbinden** mit integrierter Möglichkeit zur Stomaversorgung werden für Patienten mit Bauchwandbruch angeboten.

❍ Grundsätzliches zur Stomaversorgung
- Während der **Selbstversorgung** ist in den meisten Fällen ein Spiegel notwendig, um das Stoma sehen zu können. Benötigt der Kranke Hilfe (z.B. bei frisch angelegtem Stoma), ist er bei der Versorgung behutsam zu integrieren und schrittweise anzulernen. Eine **systematische Vorgehensweise** erleichtert die Stomaversorgung;
- **Intimsphäre wahren**, z.B. Sichtschutz aufbauen, Mitpatienten aus dem Zimmer schicken oder Maßnahme im Badezimmer durchführen (selbständigen Patienten die Nutzung des Badezimmers anbieten);
- **Reinigung nur mit warmem Wasser und milder**, unparfümierter **Seife** oder mit fettfreier, medizinischer Reinigungslotion;
  - waschaktive Substanzen immer mit klarem Wasser wieder abwaschen;
  - keine hautbelastenden Reinigungsmittel wie Äther oder Benzin verwenden;
- **zur Reinigung nur Einmalmaterial anwenden**,
  - keine Schwämme, Waschlappen u.ä., denn sie sind ein Reservoir für Keime;
  - das Einmalmaterial muß weich sein, z.B. Kompressen, Mull oder Einmalwaschhandschuhe (kein Zellstoff oder Toilettenpapier);
  - Wattestäbchen eignen sich zur Reinigung der das Stoma umgebenden Hautrille;
- bei der **Reinigung von außen** (von stomaumgebender Haut) **nach innen** (zum Stoma hin) wischen, um die Verschleppung von Keimen und Ausscheidungen auf die Haut soweit wie möglich zu vermeiden;
- **keine fetthaltigen Pflegesubstanzen** auf die Haut geben, denn sie behindern das Haften des Hautschutzes;
- **Haare** im Bereich der Stomaumgebung (dort, wo der Hautschutz haften soll) mit dem Elektrorasierer **entfernen**, lange Haare zuvor mit einer Schere abschneiden;
  - keinen Naßrasierer verwenden, da die Verletzungs- und dadurch auch die Infektionsgefahr zu groß sind;
  - keine Enthaarungscreme anwenden, da sie Hautreizungen und allergische Reaktionen auslösen kann;
- die **Ringgröße** der Öffnung der Hautschutzplatte **genau ausmessen**, so daß sie mit dem Stoma abschließt, ohne es zu berühren, und eine Benetzung der Haut mit Ausscheidungen verhindert wird;
  - spezielle Schablonen der Firmen zur Größenbestimmung nutzen bzw. markierte Beutelausschnittstellen zurechtschneiden;
  - es können auch individuell angepaßte Öffnungen aufgezeichnet und zurechtgeschnitten werden;
- **das Aussehen des Stomas auf Veränderungen beobachten**; insbesondere in der postoperativen Phase können evtl. folgende **Komplikationen**, die unverzüglich dem Arzt zu melden sind, beobachtet werden:
  - Stomablutung: es können sowohl kleine als auch große Blutmengen aus dem Stoma austreten;
  - Stomaverengung (*Stomastenose*): der Stuhl ist bleistiftartig geformt, die Entleerung schmerzhaft;
  - Stomavorfall (*Stomaprolaps*): der Darm stülpt sich mehrere Zentimeter durch die Bauchdecke hindurch, die Darmschleimhaut ist verletzlich und neigt zu Blutungen;
  - Einziehung des Darmes (*Stomaretraktion*) weit unter das Hautniveau, sie ist die Folge anderer Komplikationen wie Stomaabszeß oder Stomanekrose;
  - Absterben von Darmgewebe (*Stomanekrose*): die Schleimhaut des Stomas ist dunkelrot bis grauschwarz verfärbt;
  - Eiteransammlung unter der stomaumgebenden Haut (*parastomaler Abszeß*): der stomaumgebende Bereich ist gerötet, lokal überwärmt und schmerzhaft, evtl. tritt Fieber auf;
  - Vorfall der Bauchwand (*Bauchwandbruch; parastomale Hernie*): die das Stoma umgebende Bauchdecke ist halbkugelig vorgewölbt;
- **die stomaumgebende Haut auf Veränderungen beobachten**,
  - allergisches Kontaktekzem: die Haut weist eine nicht scharf begrenzte Rötung, Knötchen und Blasenbildung auf; sie juckt, schmerzt und brennt;

Beachte: Die Materialien müssen sofort umgestellt werden, da eine Überempfindlichkeitsreaktion vorliegt;
- toxisches Kontaktekzem: Hautbezirke, die mit aggressiven Ausscheidungen Kontakt hatten, nässen, schmerzen und sind erosiv verändert;
- Irritationen, Aufquellen der Haut (*Mazeration*): die durch (zu)häufiges Beutelwechseln oder durch ständige Feuchtigkeit (zu große Beutelöffnung) gereizte Haut ist gerötet, näßt und löst sich teilweise ab;
- Haarfollikelentzündung (*Follikulitis*): einzelne eitergefüllte, schmerzende Bläschen, die infolge unzureichender Rasur im stomaumgebenden Hautbezirk durch mechanische Reizung entstehen;
- Pilzinfektion (*Mykose*): auf dem Stoma selbst sind weißgelbliche "Schwämmchen" zu beobachten; die umgebende Haut juckt / schmerzt.

Für den Beutelwechsel werden folgende Materialien bereitgestellt:
- Beutel mit integrierter selbsthaftender Hautschutzplatte bzw. Beutel und Hautschutz;
- evtl. Gürtel (Pelotte);
- evtl. Beutelüberzug;
- evtl. Verschlußklammer (bei Verwendung eines Ausstreifbeutels);
- evtl. Schere und Schablone;
- Wasser und milde Seife bzw. fettfreie, medizinische Reinigungslotion;
- Einmalkompressen oder ähnlich beschaffenes Material;
- Wattestäbchen;
- evtl. Hautpflegemittel;
- evtl. Stomapaste (zum Ausgleich von Hautunebenheiten);
- evtl. Kohlefilter / -tabletten;
- Unterlage (als Bettschutz und Ablage);
- ggf. Elektrorasierer;
- evtl. Fön (zum vorsichtigen Trocknen der Haut);
- Abfallbehälter;
- evtl. Spiegel.

Beim Beutelwechsel bietet sich folgende Vorgehensweise an:
- den Patienten informieren; bei den ersten Versorgungen nach operativer Stomaanlage die Informationen auf die spätere Mitarbeit bzw. die selbständige Versorgung durch den Stomaträger ausrichten;
- frischoperierte und schwache Patienten halbsitzend lagern; die selbständige Versorgung durch den Stomaträger erfolgt im Sitzen oder im Stehen;
- Spiegel (bzw. Patienten) so in Position bringen, daß der Patient das Stoma sehen kann;
- Beutel / Hautschutzplatte (kann evtl. 2 Tage belassen werden) vorsichtig von oben nach unten abziehen; an einer Ecke beginnen und im spitzen Winkel langsam nach unten ziehen;
- Haut um das Stoma mit kreisförmigen Bewegungen von außen nach innen, zunächst mit sauberem Wasser und milder Seife oder ähnlichen Substanzen, dann mit klarem Wasser reinigen;
- stomaumgebende Hautrille mit Wattestäbchen reinigen;
- Haut und Stoma sorgfältig beobachten;
- Haut vorsichtig trocknen (z.B. mit Kompresse oder sauberem, weichem Handtuch), evtl. wird die Haut trockengefönt (Vorsicht - Überhitzung vermeiden !);
- evtl. Trockenrasur nachgewachsener Haare;
- evtl. Haut mit speziellem Hautpflegemittel behandeln;
- Hautunebenheiten mit Stomapaste ausfüllen;
- Stomadurchmesser abmessen und Versorgungssystem mit passender Öffnung wählen;
- Öffnung des einteiligen Versorgungssystems passend zuschneiden oder vorgestanzte Lochgröße wählen;
- Schutzpapier entfernen, Öffnung um das Stoma legen und Beutel faltenfrei auf die Haut drücken;

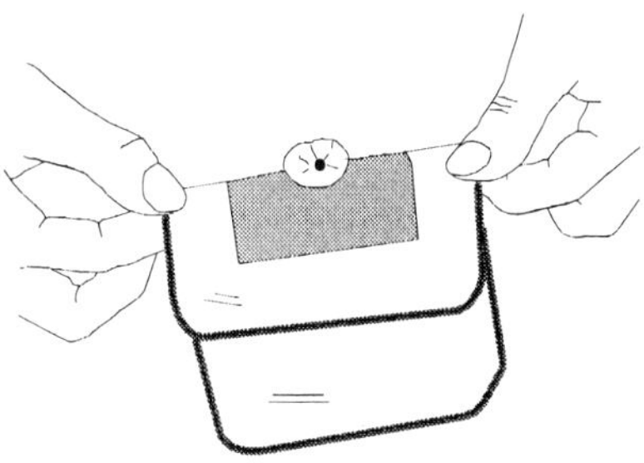

Abb. 3.30 ***Anbringen eines selbsthaftenden Beutels***

- bei Versorgung mit zweiteiligem System zunächst (falls erforderlich) die neue Hautschutzplatte anbringen und dann den Beutel aufkleben bzw. beide Teile des Rastringes ineinanderdrücken;
- Ausstreifbeutel so anbringen, daß der Beutelauslaß beim bettlägerigen Patienten seitlich am Körper liegt, beim mobilen Patienten soll der Beutelauslaß unten sein;
- falls der Beutel keinen Überzug aus Baumwollvlies hat, einen solchen oder einen Stoffüberzug anbringen (damit kein direkter Kontakt zwischen Haut und Plastik entsteht);
- Materialien entfernen;
- Patienten in eine bequeme bzw. prophylaktische / therapeutische Lage bringen.

Entsorgung:
- Beutelinhalt in die Toilette entleeren (dazu eine Ecke aufschneiden);
- Beutel in Zeitungspapier o.ä. einwickeln;
- eingewickelten Beutel in den Abfalleimer / die Mülltonne geben.

❍ Darmirrigation

Die Darmirrigation ist eine **Darmspülung**, mittels der eine Darmentleerung und eine anschließende Stuhlkontinenz über 24 bis 48 Stunden erreicht werden kann.

Geeignet ist sie allerdings nur für Menschen mit Anlage eines **Sigma-Kolostomas**, bei dem der größte Teil des Dickdarmes erhalten wurde. Der Stomaträger sollte nicht an Herz- / Kreislauferkrankungen leiden. Außerdem muß er fähig sein, die entsprechende Technik zu erlernen.

Die **Anleitung** erfolgt meist durch geschulte EnterostomatherapeutInnen. Von verschiedenen Firmen werden fertige **Sets** *(siehe Abbildung 3.31)* mit den notwendigen Utensilien angeboten; sie können vom Arzt verschrieben werden, die Krankenkassen übernehmen die Kosten.

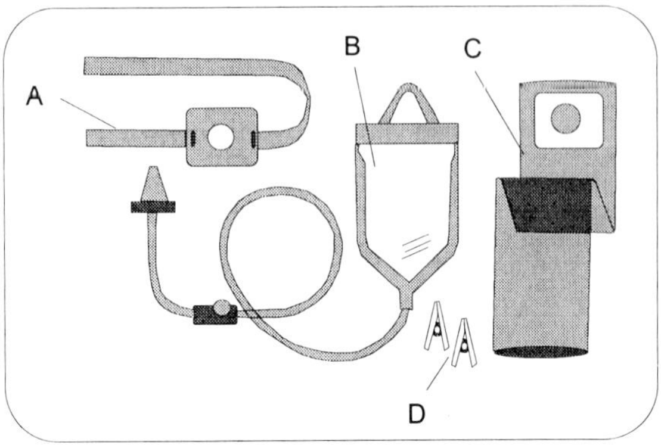

A) Haltegürtel
B) Wasserbeutel mit abführendem Schlauch, Einflußregler und Konus
C) Einmalschlauchbeutel mit Trägerplatte
D) Verschlußklammern

Abb. 3.31 ***Set zur Darmirrigation***

Durchführung

Die Spülung wird täglich oder jeden 2. Tag **zur selben Zeit** im Sitzen oder im Stehen durchgeführt. Das Bad oder WC sollte dem Stomaträger für 1 Stunde ungestört zur Verfügung stehen.

Zunächst wird ein Beutel mit **1 l lauwarmem Wasser** gefüllt und so aufgehängt, daß seine Unterkante sich auf Schulterhöhe des Stomaträgers befindet. Dann wird ein **Einmalschlauchbeutel mit Trägerplatte** und Gürtel am Körper **angebracht**; das untere Ende wird entweder sofort in die Toilette gehängt oder mit einer Klammer verschlossen. Der **Konus** wird **eingefettet** und vorsichtig durch das obere offene Ende des Schlauchbeutels **in** das **Stoma eingeführt**. Durch Öffnen des Durchflußreglers läßt man nun ca. 500 ml des Wassers einlaufen und für wenige Minuten einwirken. So löst sich harter Stuhl im letzten Darmabschnitt; mit Zurückziehen des Konus läuft er in den Auffangbeutel. Anschließend werden erneut 500 ml Wasser in den Darm geleitet.

Beachte: Sollten **Krämpfe** oder ein unangenehmes **Druckgefühl** auftreten, ist der Durchflußregler zu schließen und der Stomaträger zu ruhigem Durchatmen aufzufordern. Anschließend wird überprüft, welcher Fehler zu den Beschwerden geführt hat: zu niedrige Wassertemperatur, zu schnelle Einlaufgeschwindigkeit oder zu hoher Einlaufdruck (Beutel hängt zu hoch).

Bei Beschwerdefreiheit wird die Irrigation unter Ausschluß der Fehlerquelle vorsichtig zu Ende geführt. Nach Einlaufen der restlichen Flüssigkeit wird der Konus entfernt und das obere Beutelende mit einer Klammer verschlossen.

Die **natürlichen Transportbewegungen** des Darmes wurden durch den Wassereinlauf **angeregt**. Es kommt zur **Massenperistaltik** und dadurch zur Entleerung des Darmes. Ein Teil des Stuhls entleert sich bereits nach wenigen Minuten. Danach kann der Schlauchbeutel mit etwas Wasser ausgespült und aufgerollt werden. Bis zur endgültigen Darmentleerung verbleiben noch ca. 30 - 60 Minuten, die der Stomaträger für andere Tätigkeiten nutzen kann.

Nach vollständiger Darmentleerung wird der Schlauchbeutel entfernt und die Haut gereinigt. Da für die nächsten 24 - 48 Stunden nicht mit Stuhlabgang gerechnet werden muß, kann das Stoma mit einem **Minibeutel** oder einer **Stomakappe** versorgt werden. Diese verleihen mehr Sicherheit und Beweglichkeit; die Angst vor unangenehmen Gerüchen und Geräuschen wird stark reduziert, zumal auch Blähungen nach der Irrigation vermindert auftreten.

❒ Ernährung

Menschen mit einem künstlichen Darmausgang brauchen **keine spezielle Diät** einhalten. Jeder Stomaträger muß herausfinden, welche Speisen und Getränke ihm bekommen. Bei Verdauungsstörungen kann es sinnvoll sein, die zugeführten Speisen und Getränke sowie die nachfolgenden Verdauungsreaktionen zu notieren.

Wirkung bestimmter Lebensmittel auf die Verdauung

Stopfend	Abführend	Blähend	Blähungshemmend	Geruchsfördernd	Geruchshemmend
Apfel, gerieben	Alkohol	Bier	Anistee	Eier	Anistee
Bananen	Bohnen	Brot, frisch	Fencheltee	Fisch	Joghurt
Fisch, gekocht	Coca-Cola	Getränke, kohlensäurehaltig	Joghurt	Fleisch	Petersilie
Fleisch, gekocht	Erbsen	Hülsenfrüchte	Kümmeltee	Gewürze	Preiselbeeren / -saft
Gemüse, gekocht	Gemüse, roh	Knoblauch	Preiselbeeren / -saft	Käse, verschiedene	Quark
Kartoffel	Gewürze, scharf	Kohl	Quark	Knoblauch	Salat, grün
Mais	Kaffee	Lauch		Pilze	Spinat
Milch, gekocht	Kohl	Paprika, roh		Spargel	
Nüsse	Milch, roh	Schwarzwurzeln		Zwiebel	
Rosinen	Obst, roh	Zwiebel			
Rotwein	Pflaumen / -saft				
Schokolade	Sauerkraut / -saft				
Sellerie	Weizenkleie				
Weißbrot	Zucker				
	Zwiebeln				

Tabelle 3.4 ***Wirkung bestimmter Lebensmittel auf die Verdauung***

Es wird nachvollziehbar, welche Nahrungsmittel nicht bekömmlich sind. Deren Streichung vom Speiseplan führt in der Regel zur Behebung der Störungen. Dem Stomaträger sollten Nahrungsmittel, die allgemein abführend, stopfend, blähend oder geruchserzeugend / -hemmend wirken, bekannt sein *(siehe Tabelle 3.4)*.

Menschen mit einem **Ileostoma** sollten folgendes beachten:

- Da die stuhleindickende Funktion des Dickdarms fehlt, kommt es zu Elektrolyt- und Flüssigkeitsverlusten über das Stoma; diese müssen durch eine reichliche Flüssigkeitszufuhr ausgeglichen werden. Es sollten **täglich mindestens 2 Liter** Flüssigkeit getrunken werden. Störungen des Elektrolythaushaltes sind durch regelmäßige Laborkontrollen frühzeitig zu erfassen und ggf. zu behandeln (Arzt).
- Der Genuß schwer verdaulicher faserstoffreicher Nahrungsmittel (z.B. Nüsse, Trauben, Apfelsinen, Obstschalen, Spargel, Pilze) kann zur Verstopfung des Stomas führen. Deshalb sollten diese nur in geringen Mengen gegessen und **sorgfältig gekaut** werden.
- Spät eingenommene Abendmahlzeiten bedingen größere nächtliche Stuhlentleerungen; sie sollten auf den frühen Abend verlegt werden.
- Tabletten und Dragees können evtl. unverdaut ausgeschieden werden; bei entsprechenden Beobachtungen ist der Arzt zu informieren.

Menschen mit einem **Kolostoma** sollten regelmäßige Essenszeiten einhalten; somit stellt sich auch der Darm auf gewisse Ausscheidungszeiten ein. Empfehlenswert sind drei Haupt- und 2 - 3 Zwischenmahlzeiten.

❐ Körperliche Aktivität

Menschen mit einem Stoma können im allgemeinen alle Aktivitäten, die nicht mit schwerem Heben und Tragen verbunden sind, beibehalten. **Sportliche Aktivitäten** sind nicht nur wegen ihres positiven Einflusses auf die Körperfunktionen, sondern auch wegen ihrer Sozialfunktion zu begrüßen. Der Stomaträger kann seine sozialen Kontakte aufrechterhalten und sich als vollwertiges Mitglied der Gruppe erleben. Jegliche Aktivität, die ihm Freude bereitet, ist zu fördern. Ausgenommen sind Sportarten, die die Bauchdecke stark belasten (Rudern, Gewichtheben, Judo).
Unbedenklich sind dagegen z.B. **Radfahren, Gymnastik, Tanzen, Wandern** und **Schwimmen**. Für letzteres stehen verschiedene Versorgungsmöglichkeiten und spezielle Badekleidung zur Verfügung. Der Stomaträger ist zu ermutigen, sich diesbezüglich im Sanitätshaus beraten zu lassen. Dort ist auch eine **Prolapskappe** erhältlich. Sie dient dem Schutz vor Verletzungen, indem sie Gewalt von außen abfängt. Eine Prolapskappe oder -platte sollte z.B. beim Mannschaftssport und beim Tennis getragen werden.
Haus- und Gartenarbeiten können in der Regel ebenfalls unbedenklich ausgeführt werden, sofern sie nicht mit schwerem Heben oder Tragen verbunden sind.

❐ Krankheitsverarbeitung

Nach der Operation setzt sich ein Stomaträger im allgemeinen mit seiner neuen Situation auseinander. Er muß nicht nur lernen, das Stoma zu versorgen und seine Lebensweise an die Veränderungen anzupassen. Ebenso wichtig ist es, das **Stoma** zu **akzeptieren** und sich selbst damit anzunehmen. Dies ist eine große Belastung und Herausforderung für viele, die vor allem in der ersten Zeit nach der Operation unter Minderwertigkeitsgefühlen sowie unter der Angst vor Stomakomplikationen und dem Wiederaufflackern der Grunderkrankung (oft ein Karzinom) leiden.
Ängste und Unsicherheiten können durch eine gute Information bezüglich der Stomafunktion und durch eine optimale, **sichere Stomaversorgung** reduziert werden. Solange erforderlich, sollten Pflegende den Betroffenen immer wieder informieren, anleiten und unterstützen, aber auch die Vermittlung der Beratung / Betreuung durch EnterostomatherapeutInnen anbieten und empfehlen. Immer sind die **Fähigkeiten zur Selbsthilfe auszuschöpfen**; Unselbständigkeit und Abhängigkeit fördern die Ablehnung des Stomas.
Weiter ist der Kontakt zu einer **Selbsthilfegruppe** zu fördern bzw. auf Wunsch anzubahnen.
Die **Deutsche ILCO** (*Ileostomie-Colostomie-Urostomie-Vereinigung,* Selbsthilfeorganisation von Stomaträgern) besteht aus einem Bundesverband, Landesverbänden und zahlreichen Regionalgruppen. Nach eigenen Angaben will sie

- glaubwürdig darstellen, wie ein sinnvolles und erfülltes Leben trotz Stoma möglich ist;
- den sich isoliert fühlenden und unerfahrenen Stomaträgern gleichwertiger, verständnisvoller Gesprächspartner sein;
- Sammelstelle für Erfahrungen und Informationen sein und diese mündlich und schriftlich in verständlicher Form den Betroffenen zugänglich machen;
- die Fachleute, die mit Stomaträgern zu tun haben, auf die Bedürfnisse der Stomaträger aufmerksam machen und in einer partnerschaftlichen Zusammenarbeit die Durchsetzung von Verbesserungen unterstützen.

Bundesgeschäftsstelle der Deutschen ILCO e.V.
Kepserstr. 50, 85356 Freising
Postfach 1265,85312 Freising
Tel. 08161 / 84909, 84911, Telefax: 85521

Selbstwertgefühl und Selbstvertrauen können durch **positives Verhalten der Mitmenschen** wieder aufgebaut und gestärkt werden. Angehörige und Pflegende sollten dem Stomaträger Wertschätzung und Akzeptanz vermitteln. Er soll sich als vollwertiges Mitglied der Gesellschaft erleben; dies wird z.B. durch das Übertragen sinnvoller Aufgaben gefördert. Pflegende können sich bemühen, eine vertrauensvolle Beziehung zu dem Kranken aufzubauen.
Ein Stomaträger braucht **soziale Kontakte**. Er muß erfahren, daß er nicht gemieden und ausgegrenzt wird. Pflegende sollten ihn ermutigen, Kontakte zu pflegen und an gesellschaftlichen / kulturellen Veranstaltungen teilzunehmen.

Der Umgang mit einem Stomaträger sollte von Verständnis und Geduld geprägt sein. **Gefühlsäußerungen** des Betroffenen sind **zuzulassen** und zu fördern. Er sollte ermutigt werden, Schmerz, Zorn, Verzweifelung und Trauer über die Veränderung seines Körpers auszudrücken.
Pflegende und Angehörige sollten einem Betroffenen bei der Anpassung an die neue Situation **viel Zeit zugestehen**; im allgemeinen dauert diese 1 Jahr und länger. In dieser Zeit braucht der Betroffene immer wieder Zuspruch und die Vermittlung von Zuversicht.

❐ Geschlechtliches Erleben und Verhalten

Geschlechtliches Erleben und Verhalten können in mehrfacher Hinsicht beeinträchtigt werden.
Insbesondere in der ersten Zeit nach der Operation reagiert ein Stomaträger sensibel auf die Reaktionen seiner Mitmenschen, vor allem der engsten Bezugspersonen. Diese sind oft ebenso verunsichert wie er; **Unsicherheit** und Unbeholfenheit sind nicht selten der Nährboden für **Mißverständnisse**. Die betroffene Person und der Partner sollten ggf. ermutigt werden, offen miteinander über ihre Ängste, Gefühle und Unsicherheiten zu sprechen. Mit der gemeinsamen Bewältigung der neuen Situation kann die Partnerschaft wachsen und gefestigt werden. Gleichzeitig werden Minderwertigkeitsgefühle abgebaut und das Selbstwertgefühl gestärkt.
Nicht selten entstehen **ästhetische Probleme** durch das Sichtbarwerden des unbedeckten Stomas / der Stomaversorgung. Blickdichte Schutzbezüge oder eine Leibbinde, ggf. auch eine Stomakappe, können helfen, diese Probleme zu überwinden.

Durch die Operation kann es zu Mißempfindungen, **Sensibilitätsstörungen**, Frigidität, Potenzproblemen und **Störungen der Erektion** kommen; mitunter beeinträchtigen **Schmerzen** beim Geschlechtsverkehr das sexuelle Erleben. Betroffene sollten mit dem Arzt über diese Störungen sprechen; einige können behandelt werden, andere sind irreversibel.. Es müssen dann neue Sexualpraktiken gefunden werden, um einen befriedigenden Intimkontakt zu erleben.
In einigen Fällen ist eine psychologische Partnerberatung angebracht.

3.15.10.4 Soziale Hilfen

❐ Anschlußheilbehandlung und Kur

Um die Anpassung an die Belastungen des Alltagslebens zu unterstützen und um die seelischen und körperlichen Kräfte wiederherzustellen, kann eine Anschlußheilbehandlung verordnet werden. Diese Rehabilitationsmaßnahme muß spätestens 14 Tage nach dem Krankenhausaufenthalt beginnen.
Der Stomaträger lernt unter professioneller Anleitung, sein Stoma zu versorgen und erhält Informationen über sein zukünftiges Gesundheitsverhalten.
Außerdem erfährt der Stomaträger Hilfe bei der seelischen Verarbeitung seiner Grunderkrankung und deren Folgen. Unter bestimmten Umständen stehen einem Stomaträger Kuren zu; er muß sie mit Hilfe seines Hausarztes beantragen.

❐ Schwer- / Behindertenausweis

Stomaträger haben Anspruch auf einen Behinderten- oder einen Schwerbehindertenausweis. Der Antrag ist beim zuständigen Versorgungsamt zu stellen; hier wird der Grad der Behinderung festgelegt (meist 50-70%).

3.15.11 Appendizitis und Appendektomie

3.15.11.1 Krankheitsbild

❐ Definition und Entstehung

Bei der Appendizitis handelt es sich um die **Entzündung des Wurmfortsatzes** (*Appendix)* am unteren Ende des Blinddarms. Der Wurmfortsatz ist reich an lymphatischem Gewebe, hat zahlreiche Abwehrfunktionen und neigt zu Entzündungen.
Die Ursache ist noch nicht genau geklärt; eine wichtige Rolle bei der Entstehung einer Appendizitis spielt die **mechanische Obstruktion** *(Verlegung*) des Lumens des Wurmfortsatzes durch einen Kotstein oder durch Würmer.
Die Appendizitis tritt bevorzugt in den ersten drei Lebensjahrzehnten auf.

❐ Symptome, Komplikationen und Diagnose

Eine Appendizitis kann mit sehr unterschiedlichen Symptomen einhergehen und schwer zu diagnostizieren sein. Nicht in jedem Fall sind die typischen **Symptome** (und Untersuchungsbefunde) zu beobachten:

- Appetitlosigkeit, Übelkeit, Erbrechen;
- Schmerzen im rechten Unterbauch, am McBurney - Punkt;
- lokale Abwehrspannung;
- Loslaßschmerz (*plötzlich im rechten Unterbauch auftretender Schmerz nach Eindrücken und Loslassen der Bauchdecke)*;
- nach vorn gebeugte Körperhaltung und Psoasschmerz *(Schmerzen bei Streckung des Beines im Hüftgelenk*);
- erhöhte Körpertemperatur oder mäßiges Fieber, dabei liegt der rektale Meßwert ungefähr 1°C über dem axillaren Meßwert.

Beachte: Bei alten Menschen kann eine Appendizitis symptomarm verlaufen.

Die **Diagnose** wird anhand des klinischen Befundes und typischer Laborbefunde (Leukozytose, erhöhte Senkungsgeschwindigkeit der Blutkörperchen) gestellt. Wird ein entzündeter Wurmformsatz nicht operativ entfernt, besteht die Gefahr der Perforation* mit Entwicklung einer Peritonitis (*Entzündung des Bauchfells*, *siehe Seite 150*); um diese **lebensbedrohliche Komplikation** zu vermeiden, entschließt man sich in der Regel sehr rasch zur operativen Entfernung der Appendix.

3.15.11.2 Zur Situation eines Betroffenen

Ein Betroffener kann die plötzlich auftretenden Schmerzen in der Regel nicht einordnen und reagiert beunruhigt / ängstlich. Oft sind Kinder betroffen, die noch nicht in der Lage sind, das Schmerzgeschehen differenziert zu beschreiben; besorgte Eltern veranlas-

sen jedoch im allgemeinen rechtzeitig einen Arztbesuch.
Die Diagnose „Appendizitis“, im Volksmund (nicht korrekt) als „Blinddarmentzündung“ bezeichnet, löst bei den meisten Menschen Erleichterung aus, weil bekannt ist, daß der erforderliche operative Eingriff klein, alltäglich und komplikationsarm ist. Auch die Tatsache, daß nach der Operation nicht mit dauerhaften Einschränkungen oder Behinderungen zu rechnen ist, sorgt im allgemeinen für Zuversicht. Allerdings bleibt für einen Betroffenen wenig Zeit, sich seelisch auf die Operation einzustellen.
Der kurze Krankenhausaufenthalt und die rasche Genesung lassen eine baldige „Rückkehr in den Alltag“ zu.

3.15.11.3 Therapie und Pflege

Da die von einer Perforation mit Peritonitis ausgehenden Gefahren erheblich größer sind als die mit einer Appendektomie verbundenen Risiken, entschließt man sich bereits beim begründeten Verdacht auf eine Appendizitis zur Operation. Der entzündete Wurmfortsatz wird chirurgisch oder endoskopisch entfernt = Appendektomie.

❐ Präoperative Pflegemaßnahmen

Bei Verdacht auf Appendizitis bleibt der Patient nüchtern. Besonderheit bei der Krankenbeobachtung ist die gleichzeitige Messung der axillaren und der rektalen Temperatur. Die Operationsvorbereitung umfaßt die allgemein üblichen Pflegemaßnahmen *(siehe Seite 368)*.
Die Rasur *(siehe Abb. 3.32)* erstreckt sich vom unteren Rippenbogen bis zu den Leisten (einschließlich Schambehaarung). Vor einer laparoskopischen Appendektomie wird die Bauchhaut unterhalb des Rippenbogens bis zur Schambehaarung rasiert.

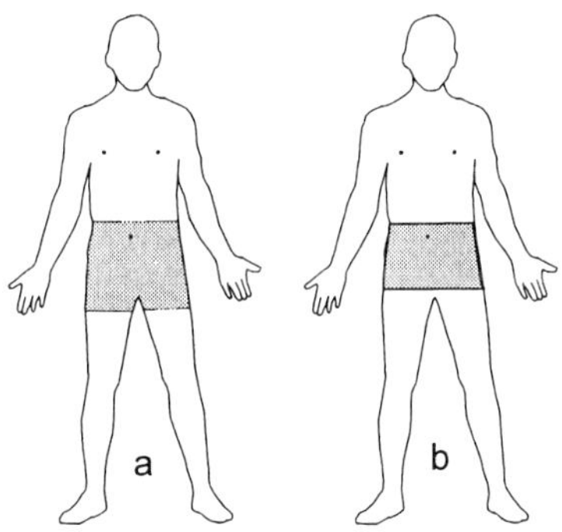

a) vor abdominaler Appendektomie
b) vor laparoskopischer Appendektomie

Abb. 3.32 ***Rasurschema***

❐ Postoperative Pflegemaßnahmen

Sobald der Patient nach der Narkose wieder ansprechbar ist, kehrt er auf die chirurgische Station zurück. In der Regel werden am Operationstag Infusionslösungen nach standardisiertem **Infusionschema** verabreicht. Ansonsten liegen im allgemeinen weder Sonden noch Drainagen; sollte eine Wunddrainage liegen, wird diese bei geringer Fördermenge noch am Operationstag entfernt (Arzt). Bei komplikationslosem Verlauf ergeben sich folgende **Pflegeschwerpunkte**:

- **Essen und Trinken**
  Bei komplikationslosem Verlauf kann bereits einige Stunden nach der Operation schluckweise Tee verabreicht werden. Bis zum Wiedereinsetzen der Darmtätigkeit (Nachweis von Darmgeräuschen, Windabgang) ist Nahrungskarenz einzuhalten; danach kann der Patient leichte Vollkost *(siehe Seite 118)* zu sich nehmen.

- **Sich Bewegen**
  Nach einer Appendektomie ist die Frühmobilisation angezeigt. Die weitere Mobilisation erfolgt möglichst außerhalb des Bettes; der Patient wird aufgefordert, die Mahlzeiten am Tisch einzunehmen und im Zimmer, ab dem 2.-3. postoperativen Tag auf dem Flur, umherzugehen.

- **Ausscheiden**
  In vielen Fällen setzt die Darmtätigkeit spontan wieder ein; sollte dies bis zum 2. postoperativen Tag nicht erfolgt sein, muß die Darmtätigkeit mittels Laxans oder Klysma angeregt werden (Arztanordnung).

- **Für Sicherheit sorgen**
  Die postoperative Überwachung erfolgt entsprechend dem Zustand und dem Befinden des Operierten.
  Der Wundverband kann meist nach wenigen Tagen entfernt werden, zum Schutz vor Irritationen wird ein hautfreundliches Pflaster aufgebracht. Die Entfernung der Fäden erfolgt am 6. - 7. Tag.

3.15.12 Hämorrhoiden

3.15.12.1 Krankheitsbild

❐ Definition, Entstehung und Einteilung

Bei Hämorrhoiden handelt es sich um **knotenförmige Erweiterungen im Bereich des arteriovenösen Gefäßplexus in der Anorektalschleimhaut**. Sie entstehen auf dem Boden einer angeborenen Bindegewebsschwäche; begünstigende Faktoren sind Obstipation*, lokale Infekte (z.B. Entzündung des Mastdarms), Übergewicht, Schwangerschaft, abdominelle Tumoren und sitzende Tätigkeit.
Beachte: Hämorrhoiden sind immer **im** Analkanal lokalisiert, sogenannte „äußere Hämorrhoiden“ existieren nicht; vielmehr handelt es sich bei den so bezeichneten Erscheinungen um andere Erkrankungen, z.B. um eine Perianalvenenthrombose.
Hämorrhoiden werden entsprechend dem **Schweregrad in vier Stadien** unterteilt.

- **Stadium I:** äußerlich nicht sicht- und tastbare Vorwölbung, die auch beim Pressen nicht prolabiert und äußerlich sichtbar wird; gelegentlich sind Blutungen zu beobachten.
- **Stadium II:** Beim Pressen / bei der Defäkation prolabierende Vorwölbung, die sich spontan retrahiert *(zurückzieht)*.

- **Stadium III:** Dauerhaft prolabierte Vorwölbung, die jedoch digital (*mit dem Finger*) reponiert (*zurückgeschoben)* werden kann.
- **Stadium IV:** Dauerhaft prolabierende Vorwölbung, die nicht reponibel ist.

❒ Symptome, Komplikationen und Diagnostik

Entsprechend der Behandlungsbedürftigkeit werden **asymptomatische Hämorrhoiden** und das **Hämorrhoidalleiden** unterschieden; nur letzteres muß behandelt werden. Folgende **Symptome** sind typisch:

- gelegentlich geringe Blutungen / hellrote Blutauflagerungen auf dem Stuhl;
- lokaler Juckreiz;
- Druckgefühl, Brennen und Schmerzen im Mastdarm (ab Stadium III);
- evtl. Absonderung von Schleim (ab Stadium III);
- heftige Schmerzen (bei Stadium IV).

Die **Diagnostik** umfaßt die körperliche Untersuchung (Inspektion*, Palpation*) und die Prokto- / Rektoskopie (*endoskopische Spiegelung von Mast- / Enddarm).*
Mögliche **Komplikationen** des Hämorrhoidalleidens sind starke Blutungen, die zu einer Blutungsanämie führen können, Analekzeme, Störungen der Stuhlkontinenz und Inkarzeration (*Einklemmung)* der prolabierten Hämorrhoiden.

3.15.12.2 Zur Situation eines Betroffenen

Hämorrhoidalleiden gehören zu den Krankheiten, über die die meisten Betroffenen aus **Scham** eher nicht sprechen. Entlastende Gespräche und der Austausch mit anderen Betroffenen entfallen. Dadurch kann sich der Leidensdruck erheblich steigern.
Der Gang zum Arzt wird von vielen Betroffenen solange wie möglich hinausgezögert; sie helfen sich mit bewährten Hausmitteln und freiverkäuflichen Präparaten. Bei Hämorrhoiden Stadium III und IV können die Beschwerden das Allgemeinbefinden und die Lebensqualität erheblich beeinträchtigen.

3.15.12.3 Therapeutische und (selbst-) pflegerische Maßnahmen

Die Behandlung des Hämorrhoidalleidens erfolgt entsprechend dem Stadium der Erkrankung.

- **In jedem Stadium** der Erkrankung ist es wichtig, das **Pressen** beim Stuhlgang zu **vermeiden**; deshalb ist eine **Obstipationsprophylaxe** *(siehe Seite 214)*, insbesondere durch faserstoffreiche Kost und reichliche Flüssigkeitsaufnahme erforderlich. Positiven Einfluß übt ferner eine sorgfältige **Analhygiene** aus; es ist sinnvoll, die Analregion nach jedem Stuhlgang zu waschen oder ein Bidet zu benutzen. Zur Reinigung sollten weiche Materialien eingesetzt werden, um die Provokation von Reizungen und Blutungen zu vermeiden.
  Zur Linderung von Juckreiz, Brennen und Schmerzen stehen bestimmte schmerz- und entzündungshemmende **Suppositorien und Salbenzubereitungen** zur Verfügung. Sie werden in der Regel nach der Reinigung der Analregion dünn aufgetragen bzw. eingeführt.
- **Im Stadium II** wird im allgemeinen eine **Sklerosierung** (*Verödung durch Unterspritzen der Hämorrhoiden oder der zuführenden Gefäße mit einem sklerosierenden Wirkstoff*) der Hämorrhoiden vorgenommen. Diese erfolgt in Verbindung mit einer Prokto- / Rektoskopie *(siehe Seite 269)*.
  Alternativ kann eine **Gummiligatur** durchgeführt werden; dabei werden die Hämorrhoiden mittels eines kleinen Gummirings abgeschnürt, so daß sie nekrotisch werden und nach einigen Tagen abfallen. Ferner ist eine Laserbehandlung möglich.
- **Im Stadium III und IV** ist eine operative Entfernung der Hämorrhoiden *(Hämorrhoidektomie)* angezeigt. Die Operation erfolgt in Allgemeinnarkose oder Spinalanästhesie; die Wunden werden nur zum Teil verschlossen, um eine Abszedierung zu vermeiden.

Bei der präoperativen Vorbereitung sind folgende Besonderheiten zu beachten:

- flüssige Kost am Vortag der Operation;
- Nahrungs- und Flüssigkeitkarenz am Operationstag;
- Entfernung der Haare in der Dammregion;
- Entleerung des Rektums, z.B. durch ein Klysma eine Stunde vor Operationsbeginn.

Für die postoperative Pflege ergeben sich folgende Besonderheiten:

- **Beobachtung** des Wundgebietes hinsichtlich Nachblutungen;
- **Lagerung** auf der Seite oder auf dem Bauch, um eine Druckbelastung der Analregion zu vermeiden; Ermöglichung einer Hohllagerung beim Sitzen (z.B. durch Unterlegen eines ausgeschnittenen Schaumstoffkissens);
- **Obstipationsprophylaxe**, um den Stuhl weich zu halten und um ein Pressen sowie Schmerzen bei der Defäkation zu vermeiden; dazu wird in der postoperativen Phase im allgemeinen ein mildes Laxans verordnet, später reichen meist eine faserstoffreiche Kost, reichliche Flüssigkeitsaufnahme und Bewegung aus;
- **Schmerzbekämpfung** entsprechend der ärztlichen Anordnung, z.B. regelmäßiges Anbringen lokalanästhesierender Salbenkompressen und Verabreichung eines Analgetikums* **vor** der Defäkation*;
- **Analhygiene** mit lauwarmem Wasser, milder Waschsubstanz und weichem Waschlappen nach jedem Stuhlgang und 2 mal täglich, kein Verwenden von Toilettenpapier / Zellstoff; Analregion möglichst abduschen;
- **Unterstützung der Wundheilung**, 2 mal täglich und nach jedem Stuhlgang Sitzbad, evtl. mit antiseptischem Zusatz, anschließend Einlegen einer lockeren Wundtamponade (z.B. Oleo - Tüll®); zum Schutz der Wunde reicht das Vorlegen von Mullkompressen / Vorlagen (Wundverband nicht sinnvoll), die mittels Netzhose fixiert werden;
- **Information** hinsichtlich der dauerhaft beizubehaltenden Richtlinien zur **Analhygiene** und zur **Obstipationsprophylaxe** *(siehe vorstehend)*.

In der Nachbehandlung empfehlen einige Therapeuten ein isometrisches Sphinktertraining mit einem speziellen Analdehner.

3.16 Spezielle Untersuchungen

3.16.1 Prokto -, Rekto -, Koloskopie

❒ Allgemeine Informationen

Bei einer Prokto -, Rekto - oder Koloskopie handelt es sich um die endoskopische* Untersuchung (*Spiegelung*)

- des unteren Abschnitts des Rektums und des Analkanals (*Proktoskopie),*
- des Mastdarms *(Rektoskopie)*,
- des Dickdarms *(Koloskopie).*

Bei der **Proktoskopie** und bei der **Rektoskopie** wird ein starres optisches Instrument (*Endoskop**) vom After aus in den Mastdarm eingeführt, um den Analkanal und das Rektum (abschnittweise) zu inspizieren; dabei können gezielt Gewebeproben entnommen werden (*Biopsie**). Ferner können kleine therapeutische Eingriffe, z.B. die Sklerosierung von Hämorrhoiden, vorgenommen werden.
Häufige **Indikationen** sind der Verdacht auf ein Anal- oder Rektum - Karzinom, eine chronisch entzündliche Darmerkrankung, Fisteln und Hämorrhoiden.

Bei der Koloskopie wird ein biegsames optisches Instrument *(flexibles Endoskop*)* vom After aus bis zur Mündung des Dünndarms in den Dickdarm vorgeschoben, um den Dickdarm zu inspizieren und dabei gezielt Gewebeproben zu entnehmen. Damit die gesamte Schleimhaut eingesehen werden kann, wird über das Endoskop Luft in den Darm geblasen. Durch die Insufflation von Luft und bei dem Überwinden von Darmbiegungen können unangenehme Empfindungen und Schmerzen entstehen; häufig wird vor Untersuchungsbeginn prophylaktisch ein Analgetikum verordnet.

Indikationen für eine **diagnostische Koloskopie** stellen der Verdacht auf Kolonkarzinom, Darmpolypen, Colitis ulcerosa oder Morbus Crohn sowie anhaltende Diarrhoe unklarer Genese dar.
Therapeutische Möglichkeiten der Koloskopie sind die Entfernung von Polypen *(Polypektomie)* und die Stillung einer lokalen Blutung.

Mögliche aber seltene **Komplikationen** bei Prokto-, Rekto- und Koloskopieen sind Blutungen (nach einer Biopsie) und (außer bei der Proktoskopie) Perforation* infolge einer Verletzung des Darms.

❒ Betreuung des Patienten

Viele Patienten haben Angst vor Schmerzen, evtl. auch vor dem Untersuchungsergebnis. Unsicherheiten bezüglich des Untersuchungsgeschehens können durch gezielte Information (Arzt) abgebaut werden.
Untersuchungen des Darms sind für viele Menschen unangenehm und berühren deren Schamgefühl; Pflegende können durch aufmerksames Zuhören und eine einfühlsame Gesprächsführung diesbezügliche Bedenken erfassen und durch **taktvoll vermittelte Informationen** (z.B. Abdeckung der Analregion mit einem Lochtuch) zu deren Verringerung beitragen.

Besonderheiten der Situation vor einer endoskopischen Untersuchung werden exemplarisch im Zusammenhang mit einer Bronchoskopie besprochen *(siehe Seite 97).*

❒ Vorbereitung

- Eingehen auf Ängste und Fragen des Patienten, bei Bedarf Vermittlung eines Gesprächs mit dem Arzt;
- vor einer Koloskopie Veranlassung der ärztlich angeordneten Laborkontrollen (meist Gerinnungswerte, evtl. Blutgruppe);
- Information und Unterstützung bezüglich der erforderlichen Einschränkungen (vor einer Koloskopie am Vortag nur flüssige Kost, am Untersuchungstag Nahrungskarenz, Medikamente können meist eingenommen werden);
- **Darmreinigung** entsprechend der jeweiligen Arztanordnung, z.B.:
  - **vor einer Proktoskopie** Verabreichung eines Klistiers ca. 30 - 60 Minuten vor Untersuchungsbeginn;
  - **vor einer Rektoskopie** am Vortag Verabreichung leichter Kost und evtl. orale Applikation eines Abführmittels oder Durchführung eines Darmeinlaufs; ca. 6o Minuten vor Untersuchungsbeginn Verabreichung eines Klistiers;
  - **vor einer Koloskopie** Durchführung einer orthograden Darmspülung *(siehe Seite 257)* am Vortag der Untersuchung oder Verabreichung eines oralen Abführmittels (z.B. X - Prep®) 2 Tage vor dem Untersuchungstermin und am Vortag der Untersuchung, in dieser Zeit Verabreichung flüssiger Kost ;
- Aufforderung des Patienten, vor dem Transport in die Endoskopieabteilung Blase und Darm zu entleeren;
- bei entsprechender Verordnung Verabreichung der Prämedikation;
- Begleitung des Patienten in die Endoskopie, dort Vorstellen des Patienten und Übergabe der Patientendokumentationsmappe inklusive der schriftlichen Einverständniserklärung des Patienten.

❒ Nachsorge

- Beobachtung von Puls, Blutdruck und Hautfarbe (kann Hinweise auf größere Blutverluste geben);
- Beobachtung hinsichtlich des Auftretens von Schmerzen in der Analregion und im Abdomen (Schmerzen können Hinweis auf eine Perforation sein, Arzt benachrichtigen);
- Inspektion hinsichtlich einer Nachblutung, vor allem nach therapeutischen Eingriffen;
- Information bezüglich der Nahrungszufuhr (nach einer diagnostischen Untersuchung darf der Patient im allgemeinen auch feste Nahrung zu sich nehmen; nach therapeutischen Eingriffen wird z.B. eine zweistündige Nahrungskarenz verordnet).

3.16.2 Zystoskopie / Uretrozystoskopie

Bei der Zystoskopie handelt es sich um die **endoskopische* Untersuchung** (*„Spiegelung"*) **der Harnblase**; dabei kann auch die Harnröhre beurteilt werden (*Urethrozystoskopie).* Nachdem die Harnröhre (wie vor dem Katheterismus der Harnblase, *siehe Seite 202)* des-

4. Für Sicherheit sorgen

4.1 Bedeutung

Die ATL "*Für Sicherheit sorgen*" zielt auf die **Selbsterhaltung im weitesten Sinne** ab. Dazu gehören sowohl die Aufrechterhaltung der Vitalfunktionen und der sonstigen Körperfunktionen als auch die Schaffung und Bewahrung der inneren *(psychischen)* und der sozialen Sicherheit. Diesen Zielen dienen letztendlich - in unterschiedlichem Ausmaß - auch die anderen ATL.
Vorrangig sind die **Aufrechterhaltung der Vitalfunktionen** (Puls, Blutdruck, Atmung, Körpertemperatur) und des Stoffwechsels (Ernährung, Ausscheidung) sowie die **Sicherung der materiellen Existenzgrundlage** (Arbeit, Wohnung, Nahrung, Kleidung).
Der **Abwehr von äußeren Gefahren** dienen verschiedene physiologische Schutzeinrichtungen und Schutzfunktionen. Dazu gehören die Haut und Schleimhäute, Reflexe (wie Lidschluß, Würgen, Schlucken, Husten), die Wahrnehmung äußerer Reize (Sensibilität*), das Immunsystem (Antikörperbildung, Phagozytose), das Bewußtsein und die Mobilität.
Darüber hinaus sind zur Abwehr der vielfältigen Gefahren aus der Umgebung bewußte Schutzmaßnahmen erforderlich, deren Ergreifen jeweils ein gewisses Maß an körperlichen und geistigen Fähigkeiten voraussetzt.
Da der Mensch ein soziales Wesen ist, erstreckt sich sein Sicherheitsbedürfnis nicht nur auf den körperlichen, sondern auch auf den seelischen (*innere Sicherheit*) und sozialen (*soziale Sicherheit*) Bereich. Elemente der inneren Sicherheit sind **Geborgenheit**, **Vertrauen** und ein **positives Selbstwertgefühl**. Diese werden unter anderem durch Zuwendung, Akzeptanz, Zuneigung, Liebe und das Gefühl, gebraucht zu werden, vermittelt. Hierzu ist die Fähigkeit, zwischenmenschliche Kontakte zu knüpfen und Bindungen einzugehen, von großer Bedeutung.
Die soziale Sicherheit des Menschen wird außerdem durch die Zugehörigkeit zu sozialen Gruppen gestützt und geschützt. Die Veränderung gewohnter sozialer Strukturen, z.B. durch einen Einzug ins Altenheim, kann zur Erschütterung der sozialen Sicherheit führen.
Zur Erlangung eines sozialen Sicherheitsgefühls sind für viele Menschen auch ein krisenfester Arbeitsplatz, ein sicheres Einkommen und eine eigene Wohnung notwendig. Dies gilt insbesondere, wenn die wirtschaftliche Sicherheit als Teil der sozialen Sicherheit auch für andere Menschen (z.B. Familienangehörige) gewährleistet werden muß.
Nicht zuletzt deshalb werden Behinderungen und chronische Erkrankungen, die zum Verlust des Arbeitsplatzes führen bzw. eine Umschulung erforderlich machen, oft als bedrohlich empfunden.
Hinweis:
Sicherheitsbedürfnisse und risiken-, die durch die Ausübung eines Pflegeberufes entstehen können, werden in den Abschnitten *"Rückenschonende Arbeitsweise", "Arbeit und Gesundheit", "Hygiene"* sowie *"Streß"* besprochen.

4.2 Aufrechterhaltung der Herz-Kreislauffunktionen

4.2.1 Anatomisch - physiologische Grundlagen

Auf das komplexe Thema Blutkreislauf kann in diesem Rahmen nur punktuell eingegangen werden.
Die Blutgefäße und das Herz bilden eine Einheit, das **Herz - Kreislaufsystem** oder den Blutkreislauf.

❐ Blutkreislauf

Aufgabe des Blutkreislaufes ist es, jede einzelne Körperzelle mit den für ihren Stoffwechsel benötigten Substanzen, vor allem Sauerstoff, zu versorgen und von den Abbauprodukten zu entsorgen.
Der Blutkreislauf ist ein geschlossenes System. Das rechte und das linke Herz dienen als "*Pumpen*". Sie sorgen für den Blutauswurf in die Lungen und in den Körperkreislauf.
Das **linke Herz** pumpt das mit Sauerstoff angereicherte Blut in die große Körperschlagader, die **Aorta**. Von hieraus verteilt sich das Blut über parallel geschaltete und sich ständig verzweigende Gefäße über den gesamten Organismus bis zu jeder einzelnen Zelle. Den letzten Abschnitt der Arterien nennt man Arteriolen. Sie gehen in die arteriellen Schenkel der Kapillaren*, welche jede Zelle netzartig umspülen, über.
Hier findet der **Stoff- und Gasaustausch zwischen Blut und Zellen** statt. Der arterielle Schenkel der Kapillaren führt in erster Linie Nährstoffe und Sauerstoff zu den Zellen; der venöse Schenkel transportiert die Stoffwechselendprodukte, vor allem Wasser, Kohlendioxid und Schlackenstoffe, von den Zellen weg *(siehe Abb. 7.4 "Der Stoffaustausch", Seite 636)*. Das Blut gelangt von den venösen Kapillarschenkeln in die kleinsten venösen Gefäße, die Venolen. Diese gehen in immer größer werdende Gefäße, die Venen, über. Letztendlich sammelt sich das Blut in der oberen und der unteren Hohlvene, die in den rechten Vorhof des Herzens münden.
Vom **rechten Vorhof** wird das Blut in die **rechte Herzkammer** gepumpt. Von hier gelangt es über die Lungenschlagader in den Lungenkreislauf. Dort findet zwischen den Lungenkapillaren und den Alveolen der Gasaustausch, die **äußere Atmung**, statt *(siehe "Anatomisch - physiologische Grundlagen der Atmung", Seite 31)*.
Das mit Sauerstoff angereicherte Blut gelangt über die Lungenvenen zum linken Vorhof und von dort zur **linken Herzkammer**. Diese wirft durch Kontraktion das Blut in die Aorta aus.
Vom Herzen wegführende Gefäße werden als Arterien, zum Herzen hinführende Gefäße als Venen bezeichnet. Im Körperkreislauf führen die **Arterien** das O_2 - angereicherte Blut und versorgen jede Zelle sowie jedes Organ; im Lungenkreislauf führen sie das O_2 - arme Blut vom Herzen weg. Die **Venen** dagegen führen im

Körperkreislauf das CO_2 - angereicherte Blut und im Lungenkreislauf das O_2 - angereicherte Blut zum Herzen hin.

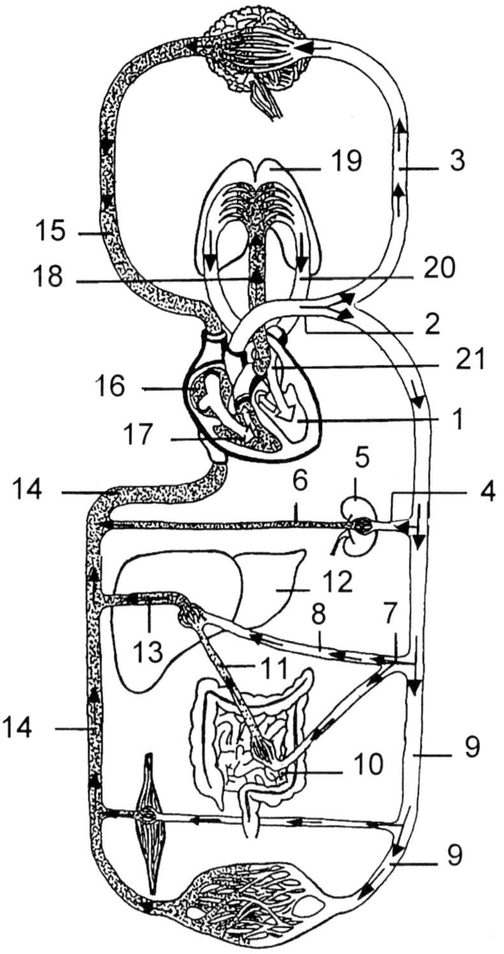

1 *Linke Herzkammer*
2 *Aorta*
3 *Arterien für die oberen Extremitäten und den Kopf*
4 *Nierenarterie*
5 *Niere*
6 *Nierenvene*
7 *Bauchhöhlenarterie*
8 *Leberarterie*
9 *Arterie für das kleine Becken und die unteren Extremitäten*
10 *Magen, Darm*
11 *Pfortader*
12 *Leber*
13 *Lebervene*
14 *Venen aus den unteren Extremitäten, dem kleinen Becken und allen Bauchorganen (münden in die untere Hohlvene)*
15 *Venen aus dem Kopf und den oberen Extremitäten (münden in die obere Hohlvene)*
16 *rechter Herzvorhof*
17 *rechte Herzkammer*
18 *Lungenarterie*
19 *Lunge*
20 *Lungenvene*
21 *Linker Herzvorhof*

Abb. 4.1 ***Schematischer Blutkreislauf***

Die Verteilung der verfügbaren Blutmenge entsprechend dem aktuellen Bedarf (z.B. bei Muskel- oder Verdauungsarbeit) wird durch Eng- bzw. Weitstellung der Gefäße in bestimmten Regionen gewährleistet und vom vegetativen Nervensystem gesteuert.

Durch diese **Regulierung der Durchblutung** üben die Blutgefäße Einfluß auf die Organfunktionen und auf die Temperaturregulation aus.

❒ Steuerung der Herztätigkeit

Das Herz arbeitet autonom. Es besitzt ein eigenes **Reizbildungs- und Reizleitungssystem**. Die Anpassung der Herztätigkeit an veränderte Stoffwechselbedürfnisse des Organismus erfolgt über das vegetative Nervensystem. Der sympathische Anteil steigert die Schlagfrequenz, die Kontraktionskraft und die Geschwindigkeit der Erregungsleitung immer dann, wenn ein erhöhter Sauerstoffbedarf vorliegt (körperliche Arbeit, Aufregung). Der parasympathische Anteil dagegen verringert sowohl die Schlagfrequenz als auch die Erregungsausbreitung und -geschwindigkeit. Dies erfolgt z.B. in Entspannungsphasen und im Schlaf.

Das Erregungsbildungs- und Erregungsleitungssystem führt durch Übertragung von elektrischen Impulsen auf die Herzmuskulatur zur Kontraktion der Herzmuskelfasern. Dadurch entsteht die Pumpkraft des Herzens, d.h. eine gewisse Blutmenge (*Schlagvolumen, ca. 70 ml*) kann von der rechten Herzkammer in die Lunge und von der linken Herzkammer in die Aorta ausgeworfen werden.

Die Erregung der Herzmuskelfasern geht vom sogenannten **Sinusknoten**, unserem Schrittmacher im rechten Vorhof, aus. Dieser Sinusknoten hat bei körperlicher Ruhe einen Eigenrhythmus von 60 - 70 Erregungen pro Minute. Sie führen jeweils zur Kontraktion (*Systole*) der Vorhöfe. Von den Vorhöfen wird die Erregung zum **Atrioventrikulärknoten** (*AV - Knoten*), der auf der Höhe der Klappenebene zwischen Herzvorhöfen und Herzkammern im sogenannten Septum liegt, geleitet. Von dort aus leitet ein zweischenkeliges Erregungsleitungssystem, das sogenannte **His - Bündel**, die Erregungen zu den **Tawara - Schenkeln** und schließlich zu den **Purkinje-Fasern**, die die Erregungen auf das sogenannte Arbeitsmyokard übertragen. Die Ausbreitung der Erregung über AV - Knoten und His - Bündel führt zur Kontraktion *(Systole)* der Herzkammern.

Die während der Erregungsausbreitung entstehenden elektrischen Veränderungen können als *Elektrokardiogramm (EKG)* aufgezeichnet werden.

4.2.2 Puls

4.2.2.1 Definition

Der Begriff "Puls" (*lat. pulsus = Stoß*) meint den **Anstoß der Blutwelle in den Gefäßen**. In der Regel bezieht er sich auf den Arterienpuls.

Es wird zwischen zentralem und peripherem Puls unterschieden. Der **zentrale Puls** kann über den herznahen Gefäßen abgehört werden; er entspricht der Herzfrequenz.

Der **periphere Puls** wird an den übrigen peripheren Arterien getastet. Beim Gesunden entspricht der periphere dem zentralen Puls. Kommt es zu Differenzen (*Pulsdefizit*), so liegen unvollständige Kammerkontraktionen vor, die zwar einen Herzschlag, aber keine starke, bis in die Peripherie tastbare Pulswelle erzeugen.

4.2.2.2 Anatomisch - physiologische Grundlagen

Mit jeder **Systole** wird Blut in die Aorta ausgeworfen. Dadurch dehnt sich die elastische Aortenwand und nimmt das Blut auf. Aufgrund ihrer hohen Elastizität zieht sich die Aorta wieder zusammen; das Lumen verringert sich auf das vorherige Maß. Dadurch wird das Blut in den nächsten Gefäßabschnitt gepreßt.
Durch die nächste Systole wird die **Druckwelle** fortgesetzt. Die hohe Elastizität der Arterien gewährleistet so die wellenförmige Ausbreitung des Blutes und damit einen kontinuierlichen Blutfluß. Man bezeichnet dieses als die **Windkesselfunktion** der Aorta.
Die **Geschwindigkeit**, mit der die Blutwelle sich fortpflanzt, hängt im wesentlichen von dem Verhältnis der Wanddicke des Gefäßes zu seinem Durchmesser und der Elastizität der Gefäße ab. In der hochelastischen Aorta beträgt sie 4 - 6 m / sec., in den großen Arterien 15 m / sec. Gleichzeitig nimmt die Fließgeschwindigkeit des Blutes ab, weil der Gesamtquerschnitt der Gefäße zunimmt. Bei Nachlassen der Gefäßelastizität, z.B. im höheren Lebensalter oder bei Arteriosklerose, erhöht sich die Pulswellengeschwindigkeit.
Die **Pulswelle** läßt sich mit den Fingern an den oberflächlich gelegenen Arterien fühlen *(siehe Seite 277)*.

4.2.2.3 Pulsbeobachtung

Die Kontrolle des Pulses liefert wichtige **Informationen über** die **aktuelle Herz- und Kreislaufsituation**. Akute und chronische Störungen können sich durch Pulsveränderungen bemerkbar machen. So treten bei einigen Herzkrankheiten typische Pulsveränderungen auf, die durch sachgerechtes Pulsfühlen diagnostiziert werden können. Des weiteren kann eine Pulsveränderung erster Hinweis auf - evtl. lebensbedrohliche - Komplikationen, wie z.B. einen größeren Blutverlust, sein.

4.2.2.3.1 Frequenz

Frequenz ist die Häufigkeit eines Vorganges in einer bestimmten Zeiteinheit. Die Pulsfrequenz gibt die **Zahl der Pulsschläge pro Minute** an. Sie stimmt - außer beim Pulsdefizit - mit der Herzfrequenz überein. Die Pulsfrequenz ist vorrangig vom Alter abhängig. Es gelten folgende **Normalwerte**:

Neugeborene	*ca. 140 / min*
2 - jährige	*ca. 120 / min*
4 - jährige	*ca. 100 / min*
10 - jährige	*ca. 90 / min*
14 - jährige	*ca. 85 / min*
erwachsene Männer	*ca. 62 - 70 / min*
erwachsene Frauen	*ca. 75 / min*
alte Menschen	*ca. 80 - 85 / min*

❒ Verlangsamte Pulsfrequenz (*Bradykardie*)

Liegt die **Schlagfolge des Herzens**, und somit der Puls, **unter 60 / min**, handelt es sich um eine Bradykardie.

- ❍ Sie ist **physiologisch bei reduziertem Stoffwechsel**, z.B. im Schlaf, bei Vagotonie* oder im Hungerzustand.
  Trainierte Sportler haben aufgrund des hohen Schlagvolumens, welches eine gute Sauerstoffversorgung gewährleistet, einen verlangsamten Puls.
- ❍ **Pathologisch** ist die Bradykardie bei
  - **erhöhtem Hirndruck**, z.B. bei Hirntumor, Hirnhautentzündung, Hirnödem; durch den erhöhten Druck wird der N. vagus gereizt und so die Bradykardie ausgelöst.
  - **Reizbildungs- und Erregungsleitungsstörungen**; es liegt eine vollständige oder teilweise Blockierung der herzeigenen Reizleitung vor. Man spricht z.B. vom Herzblock oder vom atrioventrikulären *(AV-)* Block. Bei weniger als 40 Pulsschlägen pro Minute besteht Lebensgefahr!
  - **Vagotonus***; infolge einer Reizung des Karotissinus *(Erweiterung an der Teilungsstelle der A. carotis communis)* durch manuelle Kompression (Tumor, Druck von außen) kommt es zur reflektorischen Vaguswirkung.
  - **Schilddrüsenunterfunktion**; wegen des Mangels an Thyroxin sind alle Körperfunktionen verlangsamt.
  - **Typhus abdominalis**; Krankheitskeime erzeugen Fieber. Der dem Temperaturanstieg entsprechende Pulsanstieg von 8 Schlägen pro 1°C tritt bei dieser Krankheit nicht auf. Man spricht in diesem Fall von einer **relativen Bradykardie**, denn der Puls ist nur im Verhältnis zur erhöhten Körpertemperatur verlangsamt.
  - **Medikamenteneinnahme**; bestimmte Medikamente, z.B. Narkose-, Schlaf- und Beruhigungsmittel, führen zur Pulsverlangsamung; eine Überdosis mit Digitalisglykosiden *(Substanzen zur Förderung der Kontraktionskraft des Herzens)* führt unter anderem zur Bradykardie.
  - **Pulsdefizit** *(siehe Seite 276)*; die Bradykardie ist nicht tatsächlich vorhanden. Es ist jedoch nicht jede vom Herzen ausgehende Blutwelle als Pulswelle in den peripheren Arterien zu tasten: die unvollständigen Herzmuskelkontraktionen sind im EKG oder am Herzen selbst zu beobachten.

❒ Beschleunigte Pulsfrequenz (*Tachykardie*)

Eine Steigerung der **Herzfrequenz** auf **über 100 Kammerkontraktionen pro Minute** bezeichnet man als Tachykardie.

Begleitsymptome
Die Tachykardie wird von dem Betroffenen meist als Herzklopfen oder als bedrohliches Herzjagen empfunden. Das Herzminutenvolumen ist durch eine zu kurze Diastolendauer (in der sich der erschlaffte Herzmuskel wieder mit Blut füllt) vermindert. Als Folge treten klinisch Blässe, Müdigkeit, Schwindel, Benommenheit und unter Umständen sogar kurzfristige Bewußtlosigkeit auf.

- ❍ Eine **physiologische Tachykardie** tritt als Begleitsymptom auf bei / nach

- **erhöhtem Sauerstoffbedarf**, wie dies bei körperlicher Arbeit oder seelischer Erregung (Zorn, Angst, Freude) der Fall sein kann;
- **Zufuhr größerer Koffein- und Nikotinmengen**; es kommt nach kurzfristiger Pulsverlangsamung zur Beschleunigung der Herztätigkeit;
- **verringerter Sauerstoffkonzentration** in der Luft (z.B. in größeren Höhen); durch die erhöhte Herzfrequenz soll das Sauerstoffdefizit ausgeglichen werden.

❍ Die **pathologische Tachykardie** dauert meist länger an und geht mit einer unrationellen Arbeitsweise einher. Sie tritt auf bei

- **krankhaft erhöhtem Stoffwechsel** *(erhöhter Sauerstoffbedarf)*, wie er bei Fieber und Schilddrüsenüberfunktion auftritt. Der erhöhte Sauerstoffbedarf soll durch Steigerung des Herzminutenvolumens kompensiert werden. Gleichzeitig wird der Abtransport von Schlackenstoffen intensiviert. Bei Fieber steigt die Pulsfrequenz um 8 Schläge je 1°C Temperaturanstieg.
- **Verminderung des Sauerstoffangebotes** an die Zellen; hierzu kommt es
  - durch Abnahme der zirkulierenden Blutmenge, z.B. im Schock, bei großen Blutverlusten;
  - durch mangelhafte Sauerstoffanreicherung der Erythrozyten, z.B. bei Herzinsuffizienz / -krankheiten / -fehlern oder bei Störungen der Ventilation / Diffusion in der Lunge (*siehe "Diffusionsstörungen", Seite 39*).

  Es handelt sich hier um einen Kompensationsversuch: Durch Intensivierung der Herztätigkeit soll ein Sauerstoffmangel im Gewebe vermieden werden. Aus demselben Grund ist gleichzeitig eine Tachypnoe (*beschleunigte Atmung*) zu beobachten.
- **Sympathikusreizung**; durch Fehlregulation des vegetativen Nervensytems kommt es unter anderem zu Funktionsstörungen an den Gefäßen und am Herzen (*vegetative Dystonie*).
- **Vagusausfall**; es fehlt der Gegenspieler des herzfrequenzsteigernden sympathischen Herznerven, z.B. infolge einer Verletzung oder Operation.

Auch bestimmte **Medikamente** (z.B. Adrenalin, Noradrenalin u. Atropin) haben eine herzfrequenzsteigernde Wirkung und können eine Tachykardie auslösen.

Die Pulsbeschleunigung mit gleichzeitiger Arrhythmie (*Tachyarrhythmie*) wird unter "Absolute Arrhythmie" *(siehe nachfolgend)* beschrieben.

❐ Anfallweise auftretende Pulsbeschleunigung

Eine anfallweise auftretende, Minuten bis evtl. Tage andauernde Pulsbeschleunigung auf 130 - 220 Schläge pro Minute bezeichnet man als **paroxysmale Tachykardie.** Neben dem **Herzjagen** leidet der Betroffene unter **Atemnot**, **Beklemmungsgefühl** in der Brust, Schwindel- und **Ohnmachtsanfällen**. Diese Beschwerden sind Folge der plötzlichen Verminderung des Herzvolumens und der Minderdurchblutung der Herzkranzgefäße. Ausgelöst wird diese Form der Tachykardie häufig durch eine vegetative Fehlregulation, die z.B. durch starke körperliche Belastung oder durch Nikotin / Koffeinabusus provoziert werden kann. Aber auch Herzmuskelerkrankungen oder eine Herzinsuffizienz können eine paroxysmale Tachykardie verursachen.

4.2.2.3.2 Rhythmus

(siehe auch Abb. 4.13, Seite 310)

❐ Physiologischer Rhythmus

Der physiologische Herz- und Pulsrhythmus ist **regelmäßig**, d.h. die Pulswellen erfolgen in gleichmäßigen Abständen. Er wird durch die physiologische Aktivität des Sinusknotens bestimmt (*Sinusrhythmus*).

❐ Pulsarrhythmie

Eine **unregelmäßige Schlagfolge** wird als Pulsarrhythmie bezeichnet.

Vereinzelte **physiologische Unregelmäßigkeiten** können insbesondere bei Jugendlichen auftreten und haben keinen Krankheitswert.

Eine **Sinusarrhythmie** *(unregelmäßige Reizbildung im Sinusknoten)* ist belanglos und häufig atmungsabhängig. Während der Einatmung ist der Puls beschleunigt, während der Ausatmung verlangsamt.

Ansonsten sind Arrhythmien des Herz- und Pulsschlages immer Hinweis auf ein krankhaftes Geschehen. Im Rahmen von Herzkrankheiten, aber auch bei anderen Organerkrankungen, kann es zur Aktivierung der unterhalb des Sinusknotens liegenden Reizleitungs- / -bildungszentren kommen.

❍ Sonderschläge *(Extrasystolen)*

Unter Sonder- (oder Extra-) schlägen versteht man **außerhalb des regulären Grundrhythmus auftretende Herzschläge**. Die Erregung des Herzmuskels kann hierbei vom Vorhof (*supraventrikuläre Extrasystolen*) oder von den Kammern (*ventrikuläre Extrasystolen*) ausgehen. Die Extraschläge können einzeln, gehäuft oder als Salve auftreten. Vereinzelt auftretende Extraschläge sind in der Regel belanglos. Ansonsten können Extraschläge ausgelöst werden durch Schäden am Herzmuskel, Verengungen der Herzkranzgefäße, Digitalisüberdosierung und Nikotin- oder Koffeinmißbrauch.

Die **Extrasystolen** sind als zusätzliche, vorzeitig einsetzende Pulswellen tastbar. Ihnen folgt eine kompensatorische Pause, d.h. die Zeit bis zum nächsten Herzschlag ist verlängert. Der Betroffene empfindet dies als Aussetzen des Herzschlages oder als Herzstolpern.

❍ Zwillingspuls

Folgt der Kammererregung und -kontraktion *(Systole)* über längere Zeit regelmäßig eine Extrasystole, so spricht man vom Zwillingspuls oder *Bigeminus*.

Beim Fühlen des Zwillingspulses nimmt man zwei dicht aufeinanderfolgende Pulsschläge und eine nachfolgende Schlagpause wahr. Das Auftreten des Zwillingspulses ist typisch bei der Digitalisüberdosierung.

❍ Absolute Arrhythmie

Bei der absoluten Arrhythmie ist die **Schlagfolge** des Herzens **vollständig unregelmäßig**. Ist die Schlagfolge

gleichzeitig beschleunigt, spricht man auch von der **Tachyarrhythmie**.
Häufigste vermutete Ursache sind kreisende Erregungen in der Vorhofmuskulatur, die Vorhofflimmern hervorrufen. Dabei findet keine geordnete Kontraktion der Vorhöfe und kein regelmäßiger Blutfluß von den Vorhöfen in die Herzkammern statt.

- **Vorhofflimmern**
  Als Vorhofflimmern bezeichnet man die **zahlreichen Flimmerbewegungen** (300 - 400 / min.) **der Vorhöfe**. Die Vorhofimpulse werden unregelmäßig auf die Kammer übergeleitet; es entsteht eine absolute Arrhythmie.
  Das Vorhofflimmern wird z.B. durch Herzkrankheiten / -klappenfehler oder einen akuten Herzinfarkt ausgelöst. Es kommt zur Reduzierung des Herzzeitvolumens, so daß der Betroffene unter Leistungsminderung, Blutdruckabfall und Schwindel leidet. In ca. 30 % der Fälle kommt es zur peripheren Embolie*.
- **Vorhofflattern**
  Als Vorhofflattern bezeichnet man die **äußerst schnelle** (250 - 350 Schläge / min.), unter Umständen noch synchronisiert verlaufende **Vorhoftätigkeit**, bei der entweder Kammeraktionen völlig unregelmäßig oder in einem festen Überleitungsverhältnis (z.B. 3:1) zwischen Vorhöfen und Kammern stattfinden. Auch hier liegen meist organische Herzkrankheiten zugrunde.
- **Kammerflattern**
  Beim Kammerflattern liegt eine rasche Folge der Kammeraktionen **(ca. 300 Kontraktionen / min.)** vor. Die Förderleistung des Herzens sinkt infolgedessen so stark ab, daß nur noch eine minimale Blutzirkulation aufrechterhalten werden kann. Bewußtseinsverlust und ein **lebensbedrohlicher Kreislaufschock** sind die Folgen. Kammertachykardien können jederzeit in Kammerflattern übergehen. Verursacht wird es überwiegend durch schwere entzündliche und degenerative Erkrankungen des Herzmuskels (Herzinfarkt, Herzfehler). Das Kammerflattern kann in das Kammerflimmern übergehen.
- **Kammerflimmern**
  Beim Kammerflimmern ist die Tätigkeit der einzelnen **Herzmuskelfasern völlig asynchron**, so daß eine wirksame Kontraktionsleistung des Herzens unmöglich wird. Es kommt zum **Herzkreislaufstillstand**, der nach 3 - 5 Minuten zu irreversiblen Gehirnschäden mit Todesfolge führt.

❍ Atrioventrikuläre Leitungsstörungen

Bei **Blockierung der Erregungsüberleitung** von den Vorhöfen zu den Kammern kommt es zum sogenannten **AV - Rhythmus** oder **AV - Block**.
Es liegt eine **Behinderung der Erregungsleitung** zwischen Vorhöfen und Kammern des Herzens vor. Verursacht wird sie häufig durch Erkrankungen des Herzmuskels oder durch eine Digitalisüberdosierung. Man unterscheidet, der Schwere der Leitungsstörung entsprechend, drei Grade des AV - Blocks (AV - Block I., II., III. Grades). Sie sind mittels Elektrokardiogramm (*EKG*) diagnostizierbar.
Bei stärkeren Leitungsausfällen führen nicht alle Vorhoferregungen zur Kammererregung; folglich ist eine **Unregelmäßigkeit und Verlangsamung des Pulses** zu beobachten.
Beim **totalen Herzblock** schlagen die Vorhöfe unabhängig von den Kammern nach dem vom Sinusknoten vorgegebenen Rhythmus. Die Kammern kontrahieren jedoch - entsprechend des langsameren, vom AV - Knoten oder His-Bündel ausgehenden Ersatzrhythmus - zwischen ca. 40 - 60 mal pro Minute. Springt das Ersatzzentrum erst nach längerer Pause ein, so kommt es zum sogenannten **Adams - Stokes - Anfall**. Hierbei handelt es sich um eine zerebrale Minderdurchblutung, die zu Blässe und Schwindelgefühl oder kurzfristiger tiefer Bewußtlosigkeit führen kann. Sie tritt als Folge der Herzrhythmusstörung auf.

4.2.2.3.3 Pulsdefizit

Ein Pulsdefizit liegt vor, wenn nicht jede vom Herzen ausgeworfene Blutwelle die peripheren Arterien erreicht. Die hier gefühlte, **periphere Pulsfrequenz** ist **niedriger als die zentrale**, über dem Herzen abgehorchte Pulsfrequenz.
Die Ursache liegt in mangelhaften Herzkontraktionen, wie sie z.B. bei Herzinsuffizienz oder Vorhofflimmern auftreten können.
Ein Pulsdefizit wird folgendermaßen festgestellt:
Man tastet die Pulswelle an einer peripheren Arterie (A. radialis) und hört gleichzeitig mittels Stethoskop die Herztöne ab. Eine Person ist mit der Registrierung beider Werte meist überfordert. Deshalb führt man die Erhebung zu zweit durch.

4.2.2.3.4 Qualität

Die Pulsqualität wird von zwei Komponenten bestimmt, nämlich von der **Füllung des Blutgefäßes** (kleiner / großer Puls) und der **Härte der Pulswelle**. Die Füllung der Arterien ist abhängig von ihrer Elastizität, dem Schlagvolumen des Herzens und der zirkulierenden Blutmenge. Die Spannung (Härte) spürt man als Widerstand gegen den Druck, den man beim Pulsfühlen ausübt. Sie wird beeinflußt von der Intensität der Kammerkontraktionen.
Die Beurteilung der Pulsqualität bedarf einiger Übung und Erfahrung. Nur dann werden qualitative Unterschiede feststellbar.

❒ Physiologische Pulsqualität

Die physiologische Pulsqualität läßt sich wie folgt beschreiben: Die **Spannung** *(der dem ausgeübten Druck entgegengesetzte Widerstand)* **der Pulswelle** ist **gut spürbar**, das **Blutgefäß ist gut gefüllt**, ohne jedoch einen großen Widerstand zu bieten.

❒ Pathologische Pulsqualität

Als pathologisch werden folgende Veränderungen der Pulsqualität beurteilt:

- **Harter Puls** (*Pulsus durus*); der Puls läßt sich nur sehr schwer oder gar nicht unterdrücken. Ursachen können z.B. Bluthochdruck oder Druckerhöhung im Gehirn (Hirntumor / -ödem) sein.
- **Druckpuls**; der Puls ist hart, das Blutgefäß vollständig gefüllt und die Schlagfolge stark verlangsamt. Als

Ursache liegt ein Vagusreiz, meist durch Druckerhöhung im Gehirn ausgelöst, vor.

- **Weicher Puls** (*Pulsus mollis*); der Puls ist auffällig leicht zu unterdrücken. Er findet sich infolge erniedrigten Blutdrucks bei Fieber oder Herzinsuffizienz.
- **Fadenförmiger Puls** (*Pulsus filiformis oder undulosus*); so bezeichnet man einen kleinen, weichen und schnellen Puls. Diese Pulsqualität ist bei bedrohlichen Kreislaufsituationen, z.B. im Schock, bei großen Blutverlusten oder bei Kreislaufversagen zu beobachten. Ursächliche Mechanismen sind das verringerte Schlagvolumen, die verringerte Menge des zirkulierenden Blutes und der dadurch bedingte Blutdruckabfall sowie die kompensatorische Pulsbeschleunigung.
- **Drahtpuls**; es handelt sich um einen sehr harten Puls, der durch den gleichzeitigen Anstieg des systolischen und diastolischen Blutdrucks bedingt ist. Er tritt auf bei fixiertem nephrogenem Hochdruck.

4.2.2.4 Technik des Pulsfühlens

Die Technik des Pulsfühlens bedarf einiger Übung, zumal es nicht nur um das Zählen des Pulses, sondern auch um die Beurteilung seiner Qualität geht.

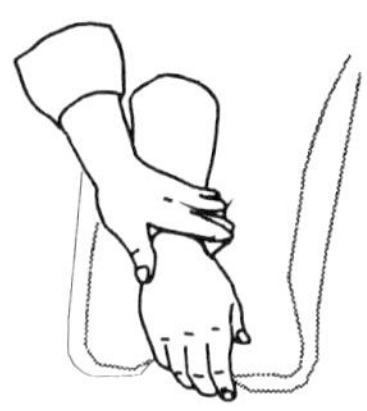

Abb. 4.2 ***Tasten des Radialispulses***

Das Fühlen des Pulses erfolgt an einer oberflächlichen Arterie **mit den Kuppen des Zeige-, Mittel- und Ringfingers**. (**Beachte:** Der Daumen hat relativ große Arterien. Da die in ihm zu fühlende Pulswelle mit der des Patienten verwechselt werden könnte, ist der Daumen zum Pulsfühlen ungeeignet.)

Der Puls wird unter leichtem Druck an der ausgesuchten Arterie getastet. Beim Tasten des Radialispulses sollte das Handgelenk des Patienten in entspannter, leicht gebeugter Haltung und von einer Unterlage gestützt sein. Der Radialispuls läßt sich leicht finden, wenn man die Fingerkuppen an der Daumenseite der Unterarminnenfläche, dicht unterhalb des Handgelenks, auflegt. Der Puls muß deutlich zu fühlen sein. Zur Kontrolle benötigt man eine Uhr mit Sekundenzähler bzw. eine spezielle **Pulsuhr**. Hierbei handelt es sich um eine Sanduhr, die nach 15 Sekunden abgelaufen ist.

Das Zählen des Pulses erfolgt **mindestens 15 Sekunden lang**, bei Unregelmäßigkeiten und Pulsverlangsamung sowie bei Herzkrankheiten wird 1 Minute lang gezählt. Das Zählen beginnt mit der Registrierung des ersten Pulsschlages in der vorgesehenen Meßzeit als "Eins". Bei Wahl einer Viertelminute als Meßzeit wird das Ergebnis mit 4 multipliziert, um das Minutenergebnis zu erhalten; dieses wird im Pflegedokumentationssystem eingetragen.

Die routinemäßig durchgeführte Pulskontrolle sollte erfolgen, wenn der Kranke ca. 30 Min. geruht hat.

4.2.2.4.1 Geeignete Schlagadern

An den folgenden Schlagadern ist der Puls leicht zu tasten:

- Speichenschlagader (*A. radialis*), dies ist die am häufigsten gewählte Taststelle;
- Halsschlagader (*A. carotis*), sie wird gewählt, wenn der Radialispuls nicht tastbar ist, z.B. bei Gefäßanomalien, Verletzungen, vermutetem Kreislaufstillstand;
- Schläfenschlagader (*A. temporalis*);
- Schlüsselbeinschlagader (*A. subclavia*);
- Leistenschlagader (*A. femoralis*);
- Kniekehlenschlagader (*A. poplitea*);
- Fußrückenschlagader (*A. dorsalis pedis*);
- hintere Schienbeinschlagader (*A. tibialis posterior*).

Die peripheren Pulse an den unteren Extremitäten werden vor allem bei Verdacht auf Durchblutungsstörungen in diesem Bereich beobachtet.

In Abbildung 4.3 sind bevorzugte Palpationsstellen der Arterien als Kreis, Auskultationsstellen als Viereck dargestellt.

1 Speichenschlagader
2 Halsschlagader
3 Schläfenschlagader
4 Schlüsselbeinschlagader
5 Leistenschlagader
6 Kniekehlenschlagader
7 Fußrückenschlagader
8 hintere Schienbeinschlagader
9 Auskultationsstellen

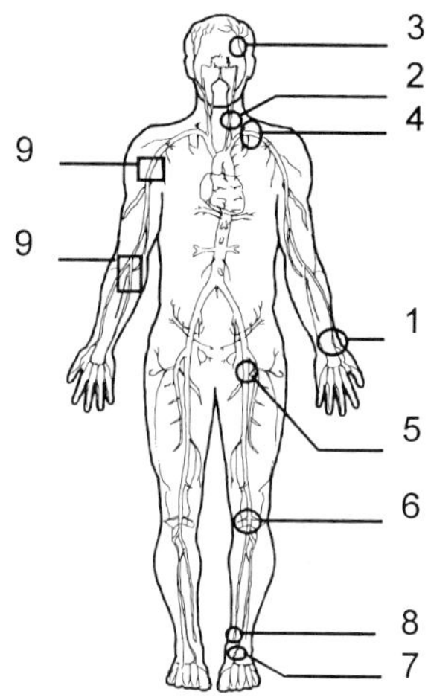

Abb. 4.3
Palpationsstellen der Arterien

4.2.3 Blutdruck

4.2.3.1 Definition

Der Begriff "*Blutdruck*" meint den **in den Blutgefäßen und Herzkammern herrschenden Druck**.

Messungen und ermittelte Werte beziehen sich in der Regel auf den in den peripheren Arterien herrschenden Blutdruck. Der gemessene Wert wird in mmHg *(Höhe der Quecksilbersäule)* oder in kPa (*Kilopascal*) angegeben.

1 mmHg entspricht 0,133 kPa.

Es wird zwischen systolischem und diastolischem Blutdruck unterschieden. Der **systolische Druck** bezeichnet das während der Austreibungsphase der linken Herzkammer im arteriellen Gefäßsystem entstehende Druckmaximum.

Der **diastolische Druck** ist der am Ende der Anspannungszeit des linken Ventrikels gemessene, niedrigste arterielle Druck.

4.2.3.2 Anatomisch - physiologische Grundlagen

Beeinflussende Faktoren

Der Blutdruck in den einzelnen Körperregionen ist unterschiedlich; dies ist wesentlich vom **peripheren Gefäßwiderstand** abhängig. In der Aorta, die den kleinsten Gesamtquerschnitt (ca. 5 cm^2) aufweist, ist der periphere Gefäßwiderstand und damit auch der Blutdruck am höchsten. In den Kapillaren ist der Blutdruck niedriger, da der Gesamtquerschnitt (ca. 4500 cm^2) zugenommen hat (Parallelschaltung der Kapillaren). Mit der Zunahme des Gesamtquerschnitts nimmt die Blutstromgeschwindigkeit ab; durch die geringere Blutstromgeschwindigkeit wird der Gas- und Stoffaustausch in den Kapillaren möglich.
Ein gut regulierter Blutdruck ist für die **Versorgung des Gewebes** unerläßlich. Ein stark erniedrigter Blutdruck führt zum Schock, ein dauerhaft erhöhter Blutdruck zu teils schwerwiegenden Gefäßschäden.

Der in den peripheren arteriellen Gefäßen meßbare Blutdruck wird durch folgende Faktoren beeinflußt.

- **Gefäßwiderstand**: Je enger (und je starrer) das Gefäß, um so höher der Blutdruck, insbesondere der diastolische. Der Gefäßwiderstand kann durch vegetative und hormonelle Einflüsse verändert werden. Der Sympathikus übt eine gefäßverengende, der Parasympathikus eine gefäßerweiternde Wirkung aus. Die Ausschüttung gefäßverengender Substanzen, z.B. des Hormons Adrenalin und des Enzyms Renin, übt eine blutdrucksteigernde Wirkung aus. Auch die Blutgaszusammensetzung und der pH - Wert des Blutes haben Einfluß auf den Gefäßtonus. Ein hoher Kohlendioxid - Wert sowie ein niedriger Sauerstoff- und pH - Wert führen zur Gefäßerweiterung.
- **Herzarbeit**: Je höher das Herzminutenvolumen, um so höher der systolische Blutdruck; sowohl eine Steigerung der Herzfrequenz als auch eine Steigerung des Herzschlagvolumens, die durch einen erhöhten Sauerstoffbedarf ausgelöst werden, führen zur Steigerung des systolischen Blutdrucks.
  Beachte: Mit steigender Herzfrequenz wird das jeweilige Schlagvolumen zwar geringer, insgesamt wird das Minutenvolumen jedoch gesteigert.
- **Flüssigkeitsvolumen in der Blutbahn**: Je höher das Volumen in der Blutbahn, um so größer der von ihm ausgeübte Druck. In den Kapillaren, den venösen Gefäßen und im Lungenkreislauf finden sich sehr niedrige Drücke (5 bis 20 mmHg). Deshalb spricht man auch vom *Niederdrucksystem*. Obwohl in den großen herznahen Venen und in der rechten Herzkammer relativ viel Blut fließt, ist der Blutdruck niedrig. Dies ist auf die während der Systole entstehende Sogwirkung des Herzens und die der Schwerkraft meistens entgegengesetzte Fließrichtung zurückzuführen.

Blutdruckschwankungen können unter bestimmten **physiologischen Bedingungen** auftreten. Während der **Einatmung** sinkt der Blutdruck leicht ab; dies ist auf die Sogwirkung zurückzuführen, die auf die großen Venen und auf das rechte Herz ausgeübt wird.

Starke körperliche **Schmerzen**, seelisches **Leid** und **Angst** können sowohl zum Blutdruckabfall als auch zum Blutdruckanstieg führen. Dies hängt von der individuellen Reaktion ab: ist sie sympathikusbetont, steigt der Blutdruck, ist sie vagusbetont, fällt er (*vgl. "Streß", Seite 889*).
Bei **körperlicher Arbeit** steigt der systolische Blutdruck aufgrund des erhöhten Herzminutenvolumens bis auf 160 mmHg an, im **Schlaf** fällt er ab. Auch die Körperlage beeinflußt den Blutdruck. **Beim Stehen** steigt der diastolische Druck durch die Widerstandzunahme in den peripheren Gefäßen an, während der systolische Blutdruck unverändert bleibt. Beim **raschen Aufrichten** vom Liegen zum Stehen kommt es zur Verschiebung der Blutverteilung. Durch die Erhöhung des hydrostatischen Drucks werden die Venen in den Beinen gedehnt; sie nehmen ca. 600 cm^3 Blut auf. Entsprechend geringer ist der venöse Blutrückfluß zum Herzen. Beim gesunden Menschen setzen sofort Kompensationsmechanismen ein, die eine Frequenz- und Kontraktionssteigerung des Herzens sowie eine periphere Gefäßengstellung bewirken. Dadurch wird der venöse Blutrückfluß gesteigert.
Funktioniert dieser Mechanismus nicht, so kommt es zum **orthostatischen Kollaps.** Da eine größere Menge von Blut in den Beinvenen versackt, kommt es kurzfristig zur Sauerstoffminderversorgung des Gehirns. Der Betroffene wird ohnmächtig.

4.2.3.3 Blutdruckbeobachtung

Die Beobachtung des Blutdrucks ermöglicht sowohl aktuelle als auch kontinuierliche **Aussagen über die Herz- und Kreislaufaktivität**.

4.2.3.3.1 Normalwerte

Die physiologischen Blutdruckwerte sind **altersabhängig**. Es gelten folgende Normalwerte (systolisch / diastolisch):

Neugeborene (syst.)	*60 - 80 mmHg*	*(= 8-10,7 kPa)*
bis 10 Jahre	*90 / 60 mmHg*	*(= 12/8 kPa)*
10-30 Jahre	*110 / 75 mmHg*	*(= 14,7/10 kPa)*
30-40 Jahre	*125 / 85 mmHg*	*(= 16,7/11,3 kPa)*
40-60 Jahre	*140 / 90 mmHg*	*(= 18,7/12 kPa)*
über 60 Jahre	*150 / 90 mmHg*	*(= 20/12 kPa)*

Die Differenz zwischen systolischem und diastolischem Wert (*Blutdruckamplitude*) beträgt in der Regel ca. 40 mmHg. Abweichungen können physiologisch oder pathologisch bedingt sein.

4.2.3.3.2 Erhöhter Blutdruck / Bluthochdruck

❒ Physiologische Blutdruckerhöhung

Eine physiologische Erhöhung des systolischen Blutdrucks bis auf ca. 160 mmHg findet sich bei körperlicher Arbeit, sportlicher Betätigung und seelischen Erregungszuständen wie Aufregung oder Wut. Auslöser ist der vorherrschende **Sympathikotonus**, durch den ein erhöhter Sauerstoff- und Energiebedarf hervorgerufen wird. Um diesem gerecht zu werden, werden die Herzfrequenz gesteigert und die großen Arterien enggestellt. Da die Muskelgefäße jedoch zur gesteigerten Muskelversorgung weitgestellt werden, steigt der periphere Gefäßwiderstand nicht an. Somit bleibt der diastolische Blutdruck unverändert.

❒ Pathologische Blutdruckerhöhung

Eine pathologische Blutdruckerhöhung kann durch verschiedene Störungen bedingt sein. Die Pathophysiologie der Hypertonieentstehung ist noch nicht vollständig geklärt. Dennoch lassen sich zwei der **blutdruckerhöhenden Mechanismen** darstellen:

- Steigerung des totalen peripheren Gefäßwiderstandes (**Widerstandshochdruck**); aufgrund einer dauerhaften Engstellung der Arteriolen kommt es zur krankhaften Erhöhung des systolischen und diastolischen Blutdrucks. Die Arteriolenengstellung kann z.B. infolge von Arteriosklerose oder infolge chronischer Nierenleiden, bei denen vermehrt Renin ausgeschüttet wird (*vgl. "Hautblässe", Seite 633*), auftreten.
- Steigerung des Herzminutenvolumens (**Volumenhochdruck**); aufgrund eines erhöhten Blutvolumens kommt es zum Anstieg des systolischen Blutdrucks. Der diastolische Blutdruck ist gleichbleibend. Ursachen sind eine gesteigerte Sympathikusaktivität (Steigerung von Schlagvolumen und Frequenz) oder eine erhöhte Natriumkonzentration im Blut mit vermehrter Wasserzurückhaltung, z.B. bei Nierenkrankheiten.

Ein **Bluthochdruck** (*synonym: Hypertonie, arterielle Hypertension oder Hochdruckkrankheit*) liegt vor, wenn nach mehrmaligen Messungen der **systolische Blutdruck 140 mmHg oder mehr und** der **diastolische Blutdruck 90 mmHg oder mehr** beträgt. Ab dem 50. Lebensjahr liegen die kritischen Werte bei 160 / 95 mmHg.

Die **Hypertonie** tritt in vielen Fällen lange Zeit **ohne Begleitsymptome** auf. Aufgrund dieser Beschwerdefreiheit wird ein Bluthochdruck häufig nur zufällig erkannt. **Beschwerden**, die auf eine Hypertonie - aber auch auf andere Störungen - hinweisen können, sind Schwindel, morgendliche Kopfschmerzen, Herzklopfen und Atemnot. Bei Auftreten dieser Symptome liegt meist bereits eine Folgeerkrankung des hohen Blutdrucks vor. Typisch dafür sind sich frühzeitig entwikkelnde Veränderungen an den Arterien (z.B. *Arteriosklerose*), insbesondere an den kleinen Arteriolen im Gehirn-, Herz- und Nierenbereich.

Entsprechend den Ursachen unterscheidet man zwei Hauptformen der Hypertonie:

Primäre oder essentielle Hypertonie

Bei mehr als 90 % der Menschen mit Bluthochdruck läßt sich keine zugrunde liegende Erkrankung feststellen (*essentiell = Krankheitsbild ohne erkennbare Ursache)*. Bekannt sind jedoch einige Teilfaktoren, deren Zusammenspiel das Entstehen einer Hypertonie zumindest begünstigt. Diese sind Vererbung, zu hohe Natriumchloridzufuhr mit der Nahrung, Übergewicht und andauernder psychischer Streß.

Sekundäre oder symptomatische Hypertonie

Nur ca. 10 % aller Hypertonien haben eine diagnostizierbare Ursache. Darunter am häufigsten vertreten ist die **renale Hypertonie**. Hier kommt es durch die Beeinträchtigung der Nierenfunktion zur Zurückhaltung von Natriumchlorid im Blut. Als weiterer blutdrucksteigernder Mechanismus kommt meist noch die gefäßverengende Wirkung des *Renin - Angiotensin - Aldosteron - Systems* (*vgl. "Hautblässe", Seite 633*) hinzu.

Die **endokrine Hypertonie** wird durch vermehrte Ausschüttung bestimmter Hormone, wie z.B. Adrenalin, Noradrenalin, Aldosteron oder Glukokortikoide, verursacht. Zugrunde liegen Tumoren oder andere schwerwiegende Organstörungen.

Auch in der **Schwangerschaft** kann es zum Bluthochdruck kommen. Die Ursache ist bisher unklar.

Unter der Einnahme hormoneller **Antikonzeptiva** ("*Antibabypille*") entsteht bei ca. 5 % der Frauen eine Hypertonie. Bei einem Teil dieser Frauen vermutet man eine essentielle Hypertonie, bei den übrigen eine Aktivierung des Renin - Angiotensin - Aldosteron - Systems bei gleichzeitiger Natriumretention.

4.2.3.3.3 Erniedrigter Blutdruck

Einen **physiologischen Abfall** des Blutdrucks findet man bei **Vagotonie***, im **Schlaf** und während des **Hungerns**. Er ist Folge eines reduzierten Stoffwechsels, der gleichzeitig auch eine Bradykardie bedingt. Bei **trainierten Sportlern** sind niedrige Blutdruckwerte meist physiologisch.

Eine **Hypotonie** (*synonym: Hypotension, Hypotonus*) liegt vor, wenn unter Ruhebedingungen ein **systolischer Druck** bei der **Frau unter 100 mmHg**, beim **Mann unter 110 mmHg** und **diastolisch unter 60 mmHg** gemessen wird. Zur Diagnosestellung sind mehrmalige Messungen erforderlich.

Eine Hypotonie kann auch **konstitutionell** bedingt sein; der Blutdruck ist dann im Liegen zu niedrig. Die Betroffenen haben keine Beschwerden.

Von **orthostatischer Hypotonie** spricht man, wenn der **Blutdruckabfall durch die aufrechte Körperhaltung** bedingt ist. Die Betroffenen haben im Liegen normale Blutdruckwerte. Während des Blutdruckabfalls, z.B. beim Aufstehen, verspüren sie ein Schwindelgefühl; ihnen wird *"schwarz vor den Augen"*. Dies ist auf den plötzlichen Sauerstoffmangel im Gehirn zurückzuführen. Um diesen zu kompensieren, wird die Herzschlagfolge erhöht. Gleichzeitig wird die Durchblutung der Hautgefäße zugunsten der Durchblutung von Gehirn und Herzkranzgefäßen gedrosselt. Folglich ist die Haut des Hypotonikers blaß und kühl.

Die **symptomatische oder sekundäre Hypotonie** tritt begleitend bei bzw. infolge von Erkrankungen und funktionellen Störungen auf. Dies sind zum Beispiel hypovolämische Zustände, wie sie bei starkem Blutverlust oder im Schock vorkommen.

Erkrankung oder Insuffizienz des Herzens führen über ein vermindertes Herzminutenvolumen zur Hypotonie.

Als Begleitsymptom kann eine Hypotonie z.B. bei Fieber und in der Rekonvaleszenz* beobachtet werden.

Insuffiziente Leistungen des Hypophysenvorderlappens, der Nebenniere oder der Schilddrüse können ebenfalls zu erniedrigtem Blutdruck führen.
Die Hypotonie kann des weiteren durch vegetative Fehlreaktionen des Herzens oder des Kreislaufs ausgelöst werden.
Begleitsymptome der sekundären Hypotonie sind Tachykardie, blasse und kalte Haut sowie Schwindelgefühl und Müdigkeit. In Extremfällen, z.B. im Schock, sind zusätzlich eine Zyanose und kalter, klebriger Schweiß auf der Haut zu beobachten.

4.2.3.3.4 Veränderungen der Blutdruckamplitude

Physiologisch ist eine **Verkleinerung** der Blutdruckamplitude **während des Stehens**. Der systolische Druck fällt währenddessen um 5 - 15 mmHg ab, der diastolische Druck steigt um 5 - 10 mmHg an.
Eine **Vergrößerung** der Blutdruckamplitude ist physiologisch **während körperlicher Arbeit** bzw. seelischer **Anspannung**. Während des systolischen Blutdruckanstiegs bis auf ca. 160 mmHg bleibt der diastolische Blutdruck unverändert.

Zu einer enormen **pathologischen Verkleinerung** der Blutdruckamplitude (um ca. 30 - 40 mmHg) kommt es bei der **orthostatischen Hypotonie** durch den gleichzeitigen Abfall des systolischen und Anstieg des diastolischen Blutdrucks. Bei diesen Kreislaufverhältnissen kommt es zum orthostatischen Kollaps.
Zu einer **pathologischen Vergrößerung** der Blutdruckamplitude führt die **Aorteninsuffizienz**. Da die Aorta ihre Windkesselfunktion nicht mehr ausreichend erfüllen kann, fällt der diastolische und steigt der systolische Aortendruck; die Blutdruckamplitude vergrößert sich.

4.2.3.4 Blutdruckmessung

Die Durchführung der Blutdruckmessung erfolgt immer **nach festen Regeln** und muß unter fachlicher Aufsicht geübt werden.

Meßverfahren
Die Blutdruckmessung kann direkt oder indirekt erfolgen.
Beim **direkten** (*blutigen*) Meßverfahren wird der Blutdruck direkt im Gefäßsystem ermittelt. Dies erfolgt mit einem eingeführten, flüssigkeitsgefüllten Katheter, der mit einem entsprechenden Druckaufnehmer und Elektromanometer verbunden ist. Der Katheter kann über längere Zeit im Gefäß verbleiben und so eine genaue und kontinuierliche Blutdruckregistrierung gewährleisten. Da der Katheter jedoch ein Verletzungs- und Infektionsrisiko in sich birgt, wird dieses Meßverfahren nur unter besonderer Indikationsstellung und nur auf der Intensivstation durchgeführt *(siehe Seite 382)*.
Die **indirekten** (*unblutigen*) Meßmethoden sind einfach und ohne Risiko für den Kranken durchführbar.
Ein mögliches Verfahren ist die **elektronische Blutdruckmessung**. Sie eignet sich sowohl zur Selbstkontrolle des Blutdrucks als auch zur Durchführung kontinuierlicher und engmaschiger Kontrollen, die bei einigen Krankheiten erforderlich sind. Das Auf- und Entblocken der Oberarmmanschette erfolgt elektronisch. Unter der Manschette ist ein Schallmikrophon befestigt, welches die pulssynchronen Strömungsgeräusche registriert. Die ermittelten Blutdruckwerte werden meist digital angezeigt.
Mit der **palpatorischen Methode**, einer weiteren indirekten Messung, läßt sich lediglich der **systolische Blutdruck** ermitteln. Dabei wird der Puls über der A. radialis getastet. Die Blutdruckmanschette wird so weit aufgepumpt, daß der Puls nicht mehr tastbar ist. Bei Ablassen des Manschettendrucks wird der Puls genau dann wieder tastbar, wenn der Arteriendruck den Manschettendruck übersteigt. Dieser Wert entspricht dem systolischen Blutdruck.
Das übliche, ebenfalls indirekte Meßverfahren zur Ermittlung des Blutdrucks ist die **auskultatorische Messung**. Sie erfolgt mit Blutdruckmanschette, Manometer, Ballon und Stethoskop. Das **Abhorchen** und **Registrieren** der sogenannten **Korotkow - Töne** führt zur Ermittlung des systolischen und diastolischen Blutdruckwertes. Bei den Korotkow - Tönen handelt es sich um pulssynchrone Strömungsgeräusche, die distal von der Manschette mit dem Stethoskop zu hören sind. Sie beginnen, wenn der Arteriendruck den von der aufgeblasenen Manschette ausgeübten Druck überwindet = **systolischer Blutdruck**. Bei weiterem Ablassen des Manschettendrucks schwinden die Geräusche schließlich. Der letzte hörbare Ton entspricht dem **diastolischen Blutdruck**. Sobald der Druck in der Manschette niedriger ist als in der Arterie, sind keine Töne mehr zu hören.
Beachte: Bei hyperzirkulatorischem Kreislauf, wie er z.B. bei Fieber und Anämie* sowie in der Schwangerschaft auftritt, ist das Schwinden der Geräusche stark verzögert. Hier wird der diastolische Wert bei deutlich leiser (dumpfer) werdendem Geräusch registriert. Bei Beginn des Leiserwerdens entspricht der Manschettendruck dem diastolischen Blutdruck.

Durchführung der auskultatorischen Blutdruckmessung

❐ Material
Die übliche auskultatorische Blutdruckmessung erfolgt mit dem - nach seinem Erfinder benannten - **Riva - Rocci - Apparat**. Er besteht aus einer aufblasbaren, in der Regel 18 cm breiten **Manschette** und einem damit verbundenen **Manometer**.

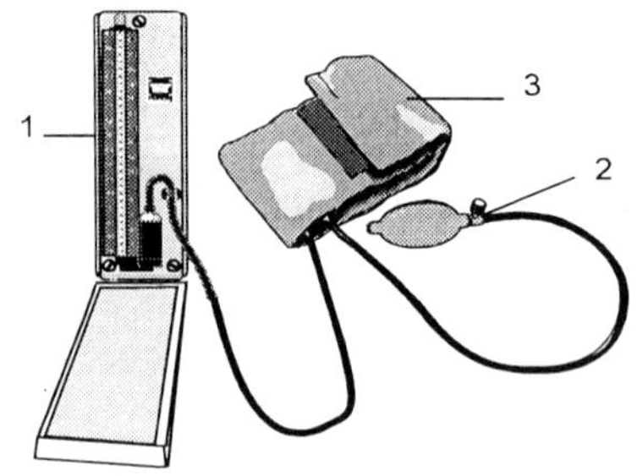

1 Blutdruckgerät mit Quecksilbersäule
2 Ballon zum Aufpumpen der Blutdruckmanschette
3 Blutdruckmanschette

Abb. 4.4 ***Blutdruckmeßgerät nach Riva - Rocci***

Dieser Druckmesser ist mit einem quecksilberhaltigen Steigrohr in einer aufstellbaren Säule versehen. Das Quecksilberdepot steigt mit dem über die Manschette ausgeübten Luftdruck an; dieser wird mit einem Ballon, der mit der Manschette verbunden ist, erzeugt. An einer Skala kann der jeweils herrschende Druck abgelesen werden. Die Initialen von **Riva - Rocci** *(RR)* wurden als allgemein gültige Abkürzung für die Blutdruck- (= RR-) Messung gewählt.
Des weiteren wird für die Auskultation während der Messung ein **Stethoskop** benötigt. Dieses besteht aus dem Schallempfänger *(Flach- oder Filtermembran)*, einem Schlauchsystem, zwei Ohrenbügeln und zwei Oliven. Bei letzteren handelt es sich um olivenförmige Schutzkappen aus Plastik, die auf dem Ende der Ohrenbügel sitzen. Sie werden in den äußeren Gehörgang eingeführt.

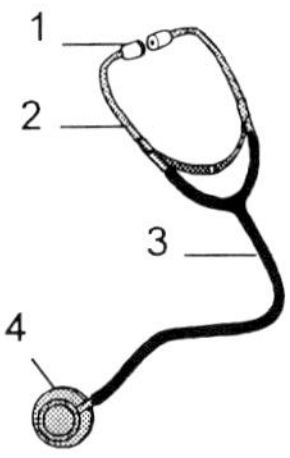

1 Ohrolive
2 Ohrenbügel
3 Schlauchsystem
4 Flachmembran

Abb. 4.5 ***Stethoskop***

Eine Alternative zum Riva - Rocci - Apparat stellt das **uhrförmige Manometer nach Recklinghausen** dar. Es zeigt auf der uhrähnlichen Skala den jeweils auf die Arterie ausgeübten Druck an.

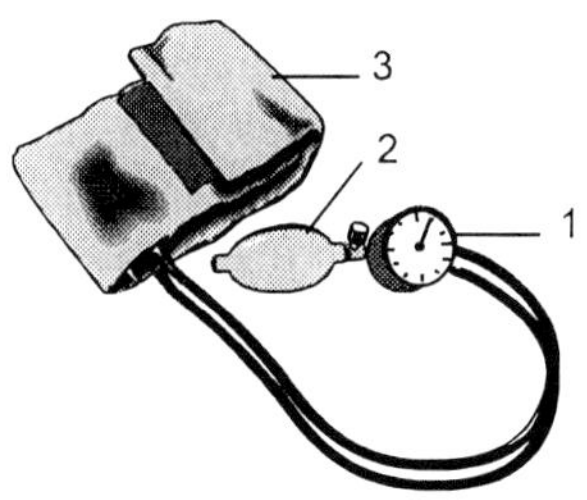

1 Blutdruckgerät mit Manometer
2 Ballon zum Aufpumpen der Blutdruckmanschette
3 Blutdruckmanschette

Abb. 4.6 ***Blutdruckmeßgerät nach Recklinghausen***

❒ Durchführung

Die Durchführung der Blutdruckmessung sollte **immer unter denselben Bedingungen** erfolgen.
Ausnahmen ergeben sich aus speziellen Arztanordnungen, z.B. Blutdruckmessung im Stehen oder während körperlicher Belastung.
Bei der Durchführung sind zum Ausschluß von Fehlerquellen und zur Ermittlung korrekter Werte folgende **Prinzipien** zu beachten:

- Der Patient hat eine halbe Stunde vor der Messung geruht (Kontrollmessungen nicht direkt nach Aufregung, Untersuchungen, Besuch oder ähnlichen Ereignissen durchführen).
- Die Messung erfolgt in flacher Rückenlage. Erfolgt die Messung im Sitzen, dann muß dies zur Erzielung brauchbarer Vergleichsergebnisse auch bei späteren Messungen geschehen. Dabei ist zu beachten, daß der Arm auf einer Fläche abgestützt, in Herzhöhe gelagert und im Ellenbogengelenk leicht angewinkelt wird.
- Geräuschquellen werden nach Möglichkeit ausgeschaltet (Radio abschalten, Fenster und Türen schließen, um Ruhe bitten).
- Der rechte Oberarm wird freigemacht, so daß die Manschette direkt auf die Haut gebracht werden kann; wird am linken Oberarm gemessen, erfolgen auch die weiteren Messungen hier. Läuft an einem Arm eine Infusionslösung ein oder befindet sich dort ein Shunt*, darf hier nicht gemessen werden.
- Die luftleere Gummimanschette wird fest um den Arm gelegt; sie endet ca. 2,5 cm oberhalb der Ellenbeuge und wird mittels Klett- oder Hakenverschluß fixiert.
  Beachte: Bei mehr als 33 cm Oberarmweite muß eine breitere Manschette verwendet werden.
- Die Oliven werden in die äußeren Gehörgänge eingeführt, dabei ist darauf zu achten, daß die Führung der Bügel dem Verlauf des Gehörganges entspricht.
- Der Schallempfänger des Stethoskops wird locker auf die in der Ellenbeuge verlaufende A. cubitalis gelegt; zur Überprüfung der Funktionstüchtigkeit wird die Membran zuvor mit einem Finger beklopft.
- Das Ventil am Pumpsystem wird geschlossen.
- Die Schläuche, die den Ballon mit der Manschette verbinden, werden ggf. geordnet.
- Der Radialispuls wird getastet.
- Die Manschette wird zügig und mit kräftigen Pumpbewegungen aufgeblasen, bis der Radialispuls nicht mehr tastbar ist.
  Beachte: Bei weiteren Messungen wird die Manschette mit einem über 30 mmHg über dem zu erwartenden Blutdruckwert liegenden Druck aufgepumpt.
- Das Ventil wenig und langsam öffnen.
  Beachte: Der Druck darf nur langsam (2 - 3 mmHg / Sek.) abfallen, wenn die Blutdruckwerte genau ermittelt werden sollen.
- **Beim ersten hörbaren Ton** wird der Stand der Quecksilbersäule abgelesen; der Wert entspricht dem **systolischen Blutdruck**.
- Die pulssynchronen Geräusche werden weiterverfolgt.
- Bei deutlichem Leiserwerden oder **Aufhören dieser Geräusche** wird der Stand der Quecksilbersäule erneut abgelesen. Das Ergebnis entspricht dem **diastolischen Blutdruckwert**.
- Ist eine Wiederholung der Blutdruckkontrolle erforderlich, wird die Manschette zunächst völlig druckentlastet und mindestens ½ Minute lang gewartet.
- Bei der ersten Blutdruckkontrolle (Neuaufnahme) wird die Messung sowohl am rechten als auch am linken Oberarm durchgeführt.
  Beachte: Bei Gefäßanomalien können die Werte erheblich voneinander abweichen.

❒ Dokumentation

Die ermittelten Blutdruckwerte werden **sofort nach Messung** in der Dokumentationsmappe in die dafür vorgesehene Spalte ("RR") eingetragen. Zuerst wird der systolische, dann der diastolische Wert notiert; sie werden durch einen Schrägstrich voneinander getrennt, z.B. 120 / 80 mmHg. Besonderheiten der Messung (z.B. "unter körperlicher Belastung durchgeführt") sind ebenfalls zu dokumentieren. Die Werte werden meist in Millimeter Quecksilbersäule (mmHg) angegeben.

***Anmerkung**: Seit 1985 wird die Angabe in Kilopascal (kPa) empfohlen (1 mmHg = 0,133 kPa).*

❐ Nachsorge

Nach Beendigung der Blutdruckmessung sollte die Manschette **mit einem Desinfektionsmittel abgewischt** bzw. abgesprüht werden. Die Membran und die Oliven des Stethoskops werden ebenfalls mit einem Desinfektionsmittel abgewischt.

4.2.4 Exemplarische Lebens- und Pflegesituationen bei Störungen der Herz - Kreislauffunktionen

❐ Hinweise zur Bedeutung des Herzens

Das Herz ist ein lebenswichtiges Organ. Es hat - als Funktionseinheit mit den Gefäßen - die Aufgabe, die **Versorgung aller Zellen** mit Sauerstoff, Nähr- und Wirkstoffen sowie die Entsorgung von Schlackenstoffen und Stoffwechselendprodukten zu gewährleisten. Seine **vitale Bedeutung** ist jedem Menschen bekannt, selbst im Volksmund wird das Herz als "*Pumpe*" oder "*Motor*" bezeichnet. Störungen der Herztätigkeit werden häufig als Existenzbedrohung empfunden und lösen entsprechende (Todes-)Ängste aus.

Viele Menschen betrachten das Herz als den ***"Sitz der Seele"***. Gefühle, vor allem im Zusammenhang mit zwischenmenschlichen Beziehungen, können Herzschmerzen und andere Phänomene auslösen. Wird das Herz zum Sitz des seelischen Leids oder der Leidenschaft, wird es als Organ spürbar, erfahrbar und lokalisierbar; das sonst unmerkliche Schlagen des Herzens wird wahrgenommen.

In alltäglichen Redewendungen wird dies aufgegriffen und beschrieben. Beispiele:

- Das Herz jubelt vor Freude, es zerspringt in der Brust.
- Das Herz bleibt vor Schreck stehen.
- Der Kummer bricht das Herz.
- Das Herz zieht sich vor Schmerz zusammen.
- Das Herz ist schwer (von der Last der Sorgen).
- Das Herz wird verloren oder es wird verschenkt.

Neurovegetative* Störungen können sich auf das Herz auswirken; dies ist relativ häufig bei jüngeren, ängstlichen Menschen zu beobachten. Gehen die Beschwerden ohne feststellbaren organischen Befund einher, werden sie als funktionell bezeichnet.

❐ Besonderheiten im Alter

Das Altersherz

Das **mit dem gesamten Organismus harmonisch gealterte Herz** eines Senioren wird als Altersherz bezeichnet. Mit fortschreitendem Alter entwickeln sich **anatomische und physiologische Veränderungen** am Herzen. Dies sind in erster Linie

- fortschreitende arteriosklerotische Veränderungen in den Herzkranzgefäßen, im Herzmuskel und evtl. an den Herzklappen;
- Zunahme des Herzgewichtes infolge physiologischer Anpassungserscheinungen;
- Durchblutungsstörungen (d.h. Sauerstoffmangel und Ernährungsstörungen) am Herzmuskel, in deren Folge kleinste Nekrosen entstehen, die mit dem Untergang kontraktiler Fasern einhergehen;
- Vermehrung des interstitiellen Bindegewebes.

Diese Veränderungen verlangen eine vermehrte Herzarbeit, die mit Steigerung des Blutdrucks einhergeht. Sie führen jedoch nicht zu einer *"physiologischen Herzinsuffizienz"* oder zu anderen Herzerkrankungen. Durch eine an die Veränderungen angepaßte Leistungsanforderung, also durch Schonung, bleibt der alte Mensch beschwerdefrei. Wohl aber zeigt das Altersherz eine **erhöhte Krankheitsanfälligkeit**. Auch kann die Summe der Veränderungen im weiter fortgeschrittenen Alter eine Herzinsuffizienz bedingen. Meist sind es jedoch pathologische Veränderungen wie Hypertonie und koronare Herzkrankheit, die beim alten Menschen eine Herzinsuffizienz verursachen.

Der alternde Mensch muß sich **an die verringerte Leistungsfähigkeit** seines Herzens **anpassen**. Dies geschieht meist unmerklich und erstreckt sich schrittweise über viele Jahre. Menschen, die auf die Signale ihres Körpers hören, finden mühelos das richtige Ausmaß ihrer Belastbarkeit und richten sich - mehr oder weniger bewußt - danach.

Entwickelt der alte Mensch infolge pathologischer Ereignisse eine **Herzerkrankung**, ist eine konsequente medizinische **Therapie erforderlich**. Diese ist in der Regel ebenso erfolgversprechend wie bei jüngeren Erwachsenen. Allerdings können ein schlechter Allgemeinzustand und Multimorbidität die Therapie erschweren - ein Gesamtkonzept, das alle Gesundheitsstörungen umfaßt, wird notwendig.

Eine Herzerkrankung kann das Wohlbefinden, den allgemeinen Gesundheitszustand und die Lebensqualität deutlich beeinträchtigen und zu weiteren Störungen führen. Kommt es z.B. infolge einer verminderten Herzleistung zu zerebralen Durchblutungsstörungen, leidet der Betroffene unter zusätzlichen Symptomen wie Kopfschmerzen, Schwindelgefühlen, Verwirrtheitszuständen und Schlafstörungen. Weitere Folgen können Stürze, Immobilisierung oder die falsche Interpretation der Verwirrtheit als Demenz sein.

Übertriebene Fürsorge kann zu unbegründeten Ängsten (bezogen auf eine Überlastung des Herzens bei körperlicher Aktivität) und zu **Unselbständigkeit** führen bzw. diese verstärken. In fortgeschrittenem Alter können diesbezügliche Ängste eine (Wieder-) Eingliederung in das bisherige soziale Leben verhindern und so zu einer deutlichen Einbuße an Lebensqualität führen. Es ist von außerordentlicher Wichtigkeit, daß der herzkranke alte Mensch das Vertrauen in seinen Körper und speziell in seine Herzleistung behält bzw. wiedererlangt.

Die bisherigen Aussagen zeigen die Notwendigkeit der **Information**, **Mobilisation** und bei Bedarf der **Rehabilitation** (z.B. nach einem Herzinfarkt) auf. Auch der Abbau von Risikofaktoren ist im Alter durchaus sinnvoll und erfolgversprechend, z.B. der Verzicht auf Nikotinkonsum.

4.2.4.1 Herzinsuffizienz

4.2.4.1.1 Krankheitsbild

❒ Definition

Die Herzinsuffizienz *(Herzmuskelschwäche)* ist ein klinisches Syndrom. Es handelt sich um das **Unvermögen des Herzens**, ein **den Bedürfnissen** des Organismus **entsprechendes Herzminutenvolumen** (HMV) **zu fördern**.

Die Herzinsuffizienz wird nach den Richtlinien der New York Heart Association (NYHA) in vier **Schweregrade** eingeteilt:

Stadium I:	Keine subjektiv erlebte Belastungseinschränkung.
Stadium II:	Belastungseinschränkung bei schweren körperlichen Belastungen (Treppensteigen, Einkaufstasche tragen).
Stadium III:	Belastungseinschränkung schon bei alltäglichen Belastungen.
Stadium IV:	Keine Belastung mehr möglich, die Betroffenen sind meist bettlägerig und leiden unter Ruhedyspnoe.

Es wird zwischen der latenten und der klinisch manifesten Herzinsuffizienz unterschieden. Treten Symptome wie Dyspnoe und Zyanose erst bei Belastung des Kranken auf, handelt es sich um eine **latente** oder **kompensierte Herzinsuffizienz**.

Sind Symptome wie Dyspnoe, Ödeme und Zyanose bereits im Ruhezustand zu beobachten, handelt es sich um eine **manifeste** oder **dekompensierte Herzinsuffizienz**.

❒ Ursachen

Die häufigsten Ursachen für eine Herzinsuffizienz sind

- koronare Herzkrankheit *(KHK)* *(siehe Seite 292)*,
- akuter Herzinfarkt *(siehe Seite 298)*,
- arterielle oder pulmonale Hypertonie *(siehe Seite 279 und 283)*,
- Herzklappenfehler,
- Myokarditis *(siehe Seite 306)*,
- Kardiomyopathie (*Erkrankungen des Herzmuskels, die nicht durch KHK, Hypertonie, Herzfehler oder Perikarderkrankung hervorgerufen sind)*.

❒ Krankheitsentstehung

Die Herzinsuffizienz kann **akut** oder **chronisch** auftreten.

- Bei der **KHK** kommt es, meist durch arteriosklerotische Einengung der Herzkranzgefäße, zu einem Ungleichgewicht zwischen Sauerstoffbedarf und Sauerstoffangebot der Herzmuskulatur.
  Bei einem akuten **Herzinfarkt** geht durch Verschluß von Herzkranzgefäßen kontraktiles Herzmuskelgewebe irreversibel zugrunde. Es entsteht eine bindegewebige Narbe im Herzmuskel. Im Narbengebiet ist die Pumpfunktion der Herzmuskulatur eingeschränkt.
- Durch die **arterielle Hypertonie** kommt es zur dauerhaften Druckbelastung des linken Herzens, welche zunächst durch seine Hypertrophie kompensiert werden kann. Über Jahre / Jahrzehnte kommt es schließlich zur Herzinsuffizienz, da die verdickte Herzmuskulatur von den kleinen Endstrecken der Herzkranzgefäße nur noch unzureichend mit Sauerstoff versorgt werden kann. Außerdem kommt es durch den erhöhten Herzinnendruck zu einer Schädigung dieser kleinen intramuralen* Gefäße. In diesem Zusammenhang spricht man von einer **hypertensiven Herzkrankheit**.
- Die **pulmonale Hypertonie** entwickelt sich bei akuter Embolie eines großen Lungenarterienastes oder bei chronischer Erhöhung des Widerstandes im Lungenkreislauf (z.B. bei chronisch obstruktiver Lungenkrankheit wie dem chronischen Lungenemphysem oder bei rezidivierenden Embolien kleiner Lungenarterienäste). Sie führt zu einer dauerhaften Überlastung, zur Hypertrophie und schließlich zur Insuffizienz des rechten Herzens *(Cor pulmonale)*.
- Auch **Herzklappenfehler** führen zu einer dauerhaft erhöhten Druck- oder Volumenbelastung des Herzmuskels und schließlich - je nach Lokalisation - zur Rechts- bzw. Linksherzinsuffizienz.
- Eine **Rechtsherzinsuffizienz** ist häufig die Folge einer Linksherzinsuffizienz. Durch den Stau im Lungenkreislauf bei insuffizientem linken Herzen muß das rechte Herz ständig Mehrarbeit leisten, um das Blut gegen den erhöhten Widerstand in die Lungengefäße zu pumpen. Auf die Dauer kommt es zum sogenannten "durchgestauten Herzen", zur Globalinsuffizienz, bei der sowohl das linke als auch das rechte Herz insuffizient sind.

❒ Krankheitsbild der chronischen Herzinsuffizienz

Menschen, die an einer chronischen Herzinsuffizienz leiden, weisen meist eine kombinierte Links- und Rechtsherzinsuffizienz auf; deshalb werden die Zeichen der Links- und Rechtsherzinsuffizienz häufig nicht getrennt voneinander beschrieben und besprochen. Zur Verdeutlichung werden sie in dieser Abhandlung dennoch zum Teil den einzelnen Krankheitsformen zugeordnet.

- Die **Symptome der Linksherzinsuffizienz** entwickeln sich vorrangig aus der Blutstauung im Lungenkreislauf. Es handelt sich um Dyspnoe - Orthopnoe und Zyanose, Tachypnoe, Husten *(Stauungsbronchitis)* sowie Tachykardie. Die Symptome verstärken sich bei Flachlagerung des Kranken infolge der orthostatisch bedingten Volumenverschiebung aus dem Körper- in den Lungenkreislauf. Der Betroffene entwickelt dann rasch eine Orthopnoe* und damit verbunden Angst; er setzt sich auf bzw. steht auf (wenn möglich), um Frischluft zu atmen. Somit verändert sich die Blutverteilung im Körper- und Lungenkreislauf und die Symptomatik verschwindet nach 10 - 15 Minuten.

In schweren, meist akuten Fällen der Linksherzinsuffizienz entwickelt sich ein **Lungenödem** aufgrund des zuvor beschriebenen, jedoch wesentlich ausgeprägter auftretenden Mechanismus. Diese lebensbedrohliche Form der Herzinsuffizienz geht mit folgenden **Symptomen** einher: zunehmende, dann hochgradige Atemnot, Zyanose, Tachykardie, laute Rasselgeräusche (sogenanntes *"Kochen auf der Brust"*), Husten mit schaumig rötlichem Auswurf; ein Betroffener empfindet Todesangst.

- Die **Symptome der Rechtsherzinsuffizienz** ergeben sich aus dem Blutrückstau vor dem rechten Herzen, also im peripheren Kreislauf. Typisch ist die Entwicklung von Ödemen in der Fußknöchelregion und an den Unterschenkeln, die zunächst nur gegen Abend auffällt. Bei Immobilität finden sich Ödeme entsprechend der Verlagerung des Körperschwerpunktes in der Kreuzbeinregion; in schweren Fällen kommt es zur Wasseransammlung am gesamten Körperstamm *(Anasarka)*. Die Ödeme sind weich und hinterlassen nach Druckeinwirkung vorübergehend eine Vertiefung.
  Zu Beginn einer Rechtsherzinsuffizienz werden die Ödeme nachts, wenn das Herz entlastet ist, ausgeschwemmt. Folglich läßt sich eine Nykturie *(nächtliches Wasserlassen)* beobachten.
  Bei ausgeprägter Rechtsherzinsuffizienz kann auch ein Aszites entstehen, der dann seinerseits eine Atemeinschränkung bedingen kann.
  Weitere Zeichen der peripheren Stauung können prall gefüllte Halsvenen (beim liegenden Kranken), gestörte Leber- und Nierenfunktion, Stauungsgastritis sowie Störungen der Magen- Darmfunktion sein.
  Die Atmung ist häufig wegen des bestehenden Grundleidens (chronische Atemwegserkrankung) eingeschränkt und führt zu diesbezüglichen Symptomen.
  Eine akute Rechtsherzinsuffizienz *(***akutes Cor pulmonale***)* wird meist verursacht durch eine Lungenembolie. Sie ist in vielen Fällen durch einen Kreislaufschock (infolge des reduzierten HMV) mit peripherer Zyanose, feucht - kalten Extremitäten, Atemnot und Tachykardie gekennzeichnet.
- **Gemeinsame Symptome** der Links- und Rechtsherzinsuffizienz sind Leistungsminderung, Nykturie, Tachykardie und Zyanose (durch vermehrte Sauerstoffausschöpfung in der Peripherie), Pleuraergüsse sowie Oligurie (infolge verminderter Nierendurchblutung).

Beim alten Menschen kann die Herzinsuffizienz **Beschwerden** wie Kopfschmerzen, Ohrensausen, Schlafstörungen, Schwindelgefühle, Ohnmachten und vorübergehende Verwirrtheitszustände hervorrufen. Sie sind Folge des verringerten Herzminutenvolumens und der dadurch bedingten Durchblutungsstörungen, die im Extremfall sogar einen Schlaganfall verursachen können.

Symptome der Herzinsuffizienz	
Linksherzinsuffizienz	**Rechtsherzinsuffizienz**
Lungenstauung - Dyspnoe - Orthopnoe - Tachypnoe - Husten (Stauungsbronchitis) - Rasselgeräusche	Stau im Körperkreislauf - Ödeme - Halsvenenstauung - Nierenfunktionsstörung - Aszites - Belastungsdyspnoe - Verdauungsstörungen - Stauungsgastritis
- Sauerstoffminderversorgung des Organismus - Leistungsminderung - Tachykardie - Zyanose - Nykturie - Pleuraerguß	
- Lungenödem (in besonders schweren Fällen)	

Tabelle 4.1 ***Symptome der Herzinsuffizienz***

4.2.4.1.2 Zur Situation eines Betroffenen

Da sich die chronische Herzinsuffizienz langsam entwickelt, **paßt sich** ein betroffener Mensch in der Regel zunächst unmerklich - aber zwangsläufig - **an** sein **verringertes Leistungsvermögen an**. Er, oft auch seine engen Bezugspersonen, stellen im Alltag weniger Anforderungen, so daß eine gewisse Entlastung gegeben ist. Daß der Betroffene sein Leben *"im Griff hat"* und die Krankheit vorläufig für andere nicht ohne weiteres erkennbar ist, kann von ihm sowohl als Vorteil (*"ich bin gesund und vollwertig"*) wie auch als Nachteil (der sekundäre Krankheitsgewinn in Form von Zuwendung und Rücksichtnahme ist gering oder bleibt aus) erlebt werden.

Bei zunehmender Leistungseinbuße und im Stadium der Dekompensation können sich dann jedoch **körperliches** und **seelisches Leiden** einstellen. Das "*schwache Herz*" macht sich immer wieder bemerkbar, körperliche Aktivitäten sind nur noch in begrenztem Umfang möglich; seelische Belastungen werden intensiver erlebt.

Verunsicherung und Ängste können einen betroffenen Menschen zu **übertriebener Vorsicht** und Inaktivität veranlassen, die dann ihrerseits zum Abbau bisheriger Fähigkeiten und häufig zu Sekundärerkrankungen führen. Er braucht Ermutigung und Unterstützung im Sinne einer aktivierenden Pflege.

4.2.4.1.3 Pflegeschwerpunkte bei Herzinsuffizienz

Die Herzinsuffizienz ist meist ein chronisches Leiden; der Kranke muß lernen, damit zu leben. Das heißt in erster Linie, sich an die **eingeschränkte Leistungsfähigkeit** anzupassen und sie zu **akzeptieren**.

Besonders schwierig ist dies, wenn sich die Herzinsuffizienz nicht langsam über Jahre, sondern recht plötzlich, z.B. nach einem Herzinfarkt, entwickelt hat.

Meist geschieht die Anpassung jedoch schrittweise und eher unbewußt; mit fortschreitendem Alter kann die jahrelang latente Herzinsuffizienz in das Stadium der **Dekompensation** übergehen und eine stationäre Behandlung veranlassen.

❒ Schonung und Mobilisation

Der wegen einer Herzinsuffizienz hospitalisierte Patient weist in der Regel eine dekompensierte Herzinsuffizienz auf, d.h. er leidet bereits im Ruhezustand unter den Symptomen. Die **Leistungsminderung** ist jetzt **gravierend**, er muß sich an die neue verschlechterte Situation anpassen. Häufig erfordert diese zunächst einmal **Bettruhe**. Wenn möglich wird jedoch die sogenannte **Lehnstuhlbehandlung** vorgezogen, d.h. der Patient verbringt - soweit dies zumutbar ist - viel Zeit außerhalb des Bettes in einem bequemen Lehnstuhl. Sekundärerkrankungen wie Dekubitus, Pneumonie und Thrombose soll dadurch vorgebeugt werden. Der Arzt entscheidet über Bettruhe, Lehnstuhlbehandlung und Ausmaß der Mobilisation, die langsam und entsprechend dem Zustand des Patienten gesteigert wird. Aufgabe des Pflegepersonals ist es, den Kranken zu unterstützen und zu beobachten. Für das Ausmaß dieser **Unterstützung** gilt: die beschwerdefreie Atmung ist Gradmesser für die Belastung. Werden eine Orthopnoe oder Ruhedyspnoe und/oder Tachykardie beobachtet, so ist der Patient nicht belastbar. Es gilt, den Sauerstoffbedarf und -verbrauch durch körperliche und seelische Schonung zu minimieren. Leidet der Kranke unter einer Belastungsdyspnoe, so kann er nur soweit belastet werden, wie eine unbeschwerte Atmung gewährleistet ist. Das Auftreten einer **Dyspnoe** soll - ebenso wie eine **Tachykardie** - **vermieden** werden. Eine geringe **Mobilisation** im Sinne der Durchführung von Lageveränderungen im Bett sowie von **Atemübungen** ist fast in jedem Fall möglich und wünschenswert.

Seelische Belastungen und Aufregung durch Lärm, Untersuchungen etc. sollten, soweit möglich, vom Patienten **ferngehalten** werden, denn auch sie erhöhen den Sauerstoffbedarf und -verbrauch des Kranken.

❒ Lagerung und Atemunterstützung

Werden Patienten mit ausgeprägter Herzinsuffizienz in die Flachlage gebracht, entwickeln sie Atemnot infolge der Verschiebung des Blutvolumens vom Körper- in den Lungenkreislauf. Aus diesem Grund werden sie immer mindestens **halbsitzend** (mit leicht erhöhtem Oberkörper) gelagert. Eine Schräglagerung aus pneumonie- oder dekubitusprophylaktischen Gründen wird daher meist nur mit - zumindest leicht - erhöhtem Oberkörper toleriert, ist so aber auch durchführbar.

Bei der stärksten Form der Atemnot, der **Orthopnoe**, ist die Luftnot nur in **aufrechter Oberkörperhaltung** und unter Inanspruchnahme der Atemhilfsmuskulatur (in dem die **Arme erhöht** auf einem Kissen gelagert werden) einigermaßen zu kompensieren.

Die wiederholte Zufuhr von **Frischluft** erleichtert subjektiv die Atmung und fördert das Wohlbefinden.

In schweren Fällen erfolgt die Lagerung in einem **Herzbett**, bei dem eine Oberkörperhoch-, Beckentief- und Beintieflage das Herz durch Abnahme des zirkulierenden Blutvolumens entlastet.

Abb. 4.7 ***Das Herzbett***

Das **Rauchen** ist aufgrund seiner gefäß- und atemschädigenden Wirkung für den herzinsuffizienten Menschen **besonders gefährlich**; ggf. sollte eine einfühlsame und gleichzeitig unmißverständliche Aufklärung von ärztlicher Seite aus erfolgen. Für das Pflegepersonal gilt es, Verständnis für *"Entzugsempfindungen"* zu zeigen und dennoch konsequent auf eine Nikotinabstinenz hinzuwirken.

Anmerkung: Zur Glaubhaftigkeit ärztlicher und pflegerischer Bemühungen gehört es, nicht nach Zigarettenrauch zu riechen; selbstverständlich sollten Zigarettenschachteln nicht in der Kitteltasche sichtbar getragen werden.

Die **Pneumonieprophylaxe** wird auf *Seite 66* besprochen.

❒ Vermittlung von Sicherheit

Wie alle Menschen, die unter Atemnot und/oder einer Herzerkrankung leiden, weist auch der herzinsuffiziente Patient ein erhöhtes Sicherheitsbedürfnis auf. Er hat oft Angst, nicht genügend Luft zum Atmen zu haben und *"die Pumpe"* könne versagen. Im Stadium der Dekompensation fühlt er sich kraftlos und nicht in der Lage, alle ATL selbständig auszuführen. Er braucht Beistand, **Zuwendung und Unterstützung** bei körperlichen Aktivitäten (Körperpflege, Bewegung etc.), ebenso bei Atemnot und bei der Auseinandersetzung mit seiner Krankheit. Ein *"offenes Ohr"*, Verständnis und signalisierte Gesprächsbereitschaft von seiten des Pflegepersonals leisten hier große Dienste.

Der Kranke gewinnt ein Sicherheitsgefühl und Vertrauen, wenn er fortwährend einen **Klingelknopf** in seiner **Reichweite** hat und erlebt, daß auf seinen Klingelruf rasch reagiert wird.

❒ Umgang mit Ödemen und Flüssigkeitsbilanzierung

Die Ödeme sind Zeichen der fortgeschrittenen Herzinsuffizienz. Sie erhöhen das bestehende Dekubitusrisiko aufgrund der schlechten Sauerstoffversorgung der Zellen.

Aus therapeutischer Sicht wird die Rückresorption der eingelagerten Flüssigkeit und die Verhinderung weiterer Wasseransammlungen angestrebt. Der Arzt ordnet eine **Beschränkung der Flüssigkeitszufuhr** an, meist liegt die erlaubte Trinkmenge 500 ml über der Ausscheidungsmenge des Vortages. Ein - und Ausfuhrmengen sind genau zu bilanzieren, nach jeweils 24 Std. wird die **Flüssigkeitsbilanz** erhoben. Es wird eine negative Bilanz *(Ausfuhrmenge liegt über der Einfuhrmenge)* angestrebt. Hierzu werden **diätetische Maß-**

nahmen, die zur Rückresorption von Flüssigkeit führen bzw. eine übermäßige Flüssigkeitsbindung verhindern, angeordnet. Es handelt sich um NaCl-arme Kost (sofern keine Diuretika verabreicht werden), ein- bis zweimal wöchentlich durchzuführende Obst(-saft)- / Reistage sowie um die Beschränkung der Flüssigkeitszufuhr. Es ist von großer Bedeutung, den Patienten **über die Zusammenhänge aufzuklären** und seine Einsicht und Zustimmung zu fördern. Dies ist nicht einfach, da viele Menschen eine Trinkbeschränkung als sehr einschneidend empfinden. Bei deren Einhaltung ist der Kranke ggf. zu unterstützen, z. B. bei der Einteilung der Tagestrinkmenge und durch wiederholtes Anfeuchten von Mundschleimhaut und Lippen.

Zur Verlaufs- und Erfolgskontrolle wird der Patient **täglich** unter denselben Bedingungen **gewogen**. Die Kontrolle des Hautturgors läßt Rückschlüsse auf den Flüssigkeitsgehalt der Haut (Ödeme, Exsikkose) zu. Auch die diätetischen Anordnungen werden von vielen Betroffenen als einschneidend erlebt. Eine salzarme Kost wird oft als fade bezeichnet, da viele Menschen Salz als ein Gewürz einsetzen und an entsprechende Geschmacksveränderungen gewöhnt sind. Um so wichtiger ist es, über den Effekt von Kochsalz aufzuklären und Alternativen wie das Würzen mit Küchenkräutern anzubieten. Weitere Informationen finden Sie nachfolgend unter *"kochsalzarme Kost"*.

❒ Prophylaxen

- **Pneumonieprophylaktische Maßnahmen** sind aufgrund der flachen beschleunigten Atmung (Atemnot), der verringerten Diffusion (Lungenstauung) und/oder Ventilation (Grundleiden: chronisch obstruktive Lungenerkrankung) erforderlich. Wichtig sind vor allem Maßnahmen, die **mehrmals täglich** eine **Intensivierung der Atmung** und ein **Abhusten** von Sekret fördern. Hierzu gibt es zahlreiche pflegerische Möglichkeiten, die entsprechend dem Zustand und der Kooperation des Kranken ausgewählt werden.
- Eine **Dekubitusgefährdung** liegt in den meisten Fällen aufgrund der (relativen) Immobilität vor: sie wird durch die verringerte Sauerstoffversorgung in der Peripherie - und dort besonders in ödematösen Hautbezirken - verstärkt.
  Auch hier orientiert sich die Wahl der Maßnahmen an dem jeweiligen Zustand des Patienten. Kann der Kranke **mobilisiert** werden, ist dies die optimale Maßnahme.
  Immobile bedürfen einer regelmäßigen **Umlagerung**. Die Lagerung in schiefer Ebene (Seitenlage rechts, Rückenlage, Seitenlage links) wird von den meisten Patienten gut toleriert. Manchmal ist zusätzlich eine (Super-) Weichlagerung erforderlich. Die Fersen sollten frei gelagert werden.
- **Das Thromboserisikio** ergibt sich aus der Immobilität (fehlende Muskelvenenpumpe), der verringerten Herzleistung (verlangsamter Blutrückstrom) und aus der Viskositätserhöhung (Hämokonzentration durch Ödeme, evtl. auch infolge einer Diuretikatherapie).
  Zur Prophylaxe wird häufig die **Low-dose-Heparinisierung** angeordnet. **Physikalische Maßnahmen**, die den venösen Blutrückfluß zum Herzen fördern, sind nur angezeigt, wenn das Herz in der Lage ist, das vermehrte Blutangebot aufzunehmen und auszuwerfen. Deshalb muß von Fall zu Fall mit dem Arzt abgesprochen werden, inwieweit eine entstauende Lagerung, Bewegungsübungen und Antithrombosestrümpfe angezeigt sind. Letztere sind bei massiven Beinödemen und beim Lungenödem auf jeden Fall kontraindiziert.
  Der Patient ist auf mögliche Zeichen einer Phlebothrombose der tiefliegenden Beinvenenen zu beobachten.
- Die **Gefahr, Kontrakturen** zu entwickeln, liegt nur bei absolut immobilen Patienten vor. Hier ist vor allem das Spitzfußrisiko hoch.
  Neben einer **Spitzfußprophylaxe** mit weichen Materialien ist in den meisten Fällen das regelmäßige **Durchbewegen** aller Gelenke - passiv, aktiv-assitiv oder aktiv - notwendig.
- Eine **spezielle Mundpflege** ist angezeigt, wenn der Kranke nur wenig oder keine Nahrung zu sich nimmt.
  Bei eingeschränkter Trinkmenge und bei Mundatmung ist eine wiederholte **Anfeuchtung der Mundschleimhaut** mit Tee, Zitronensaft oder Wasser empfehlenswert. Die Lippen sind mit fettenden Substanzen geschmeidig zu halten.
- Eine **Obstipationsneigung** ergibt sich aus den Risikofaktoren Bewegungs- und Flüssigkeitsmangel, Resorptionsstörungen der Darmschleimhaut und evtl. faserstoffarmer Kost. Die prophylaktischen Möglichkeiten durch Bewegung und Flüssigkeitszufuhr sind sehr begrenzt. Bei herzinsuffizienten Menschen ist meist die regelmäßige Aufnahme von Obst und Gemüse sowie von Dörrobst u.ä. **faserstoffreichen Lebensmitteln** die effektivste Obstipationsprophylaxe.
  Der **Flüssigkeitsgehalt** dieser Lebensmittel ist in der Flüssigkeitsbilanz zu **berücksichtigen**.

❒ Die Ernährung

Da herzinsuffiziente Menschen häufig unter Verdauungsproblemen leiden, sollte die Kost generell **leicht verdaulich** sein; **in kleinen Portionen** minimiert sie den Sauerstoffbedarf und -verbrauch und führt so zu einer gewissen Herzentlastung. Deshalb sollte die Ernährung folgendermaßen ausgerichtet sein:

- kleine Portionen, 5 - 7 Mahlzeiten täglich;
- fettarme, eiweiß- und vitaminreiche Kost;
- keine blähenden Speisen (Hülsenfrüchte, Kohl-Gemüse) und keine kohlensäurehaltigen Getränke;
- kalorienarme Kost bei Übergewicht, so daß eine Reduktion des Körpergewichts erreicht wird;
- Flüssigkeitszufuhr entsprechend der Arztanordnung beschränken;
- Genuß von Kaffee, schwarzem Tee und Alkohol sollte mit dem Arzt abgesprochen werden und ggf. in kleinen Mengen erfolgen;
- kochsalzarme Zubereitung (weniger als 3 - 5 g / 24 Std.), sofern keine Diuretikatherapie erfolgt *(siehe nachfolgend)*;
- evtl. Einlegen von Obst- und Reistagen 1 - 2 mal wöchentlich;

- kaliumreiche Kost bei Diuretikatherapie *(siehe nachfolgend)*: Kartoffeln, Salate, Obst, Gemüse, getrocknete Aprikosen, Bananen, Champignons).

Kochsalzarme Kost

Hier ist eine natriumarme Kost gemeint. Natrium führt zur Wasserbindung und fördert so die Ödembildung. Natriumarme Kost wird vom Arzt verordnet; sie enthält **täglich maximal 3 - 5 g Natrium** (statt durchschnittlich 12 g). Diese Menge wird üblicherweise durch die tägliche Nahrung aufgenommen, ohne bewußt Kochsalz zu verwenden. Ein Würzen der Speisen mit Salz sollte demnach entfallen; um den Speisen eine gesunde und geschmackvolle Würze zu verleihen, empfiehlt sich die Verwendung von **Küchenkräutern**. Rohkost und nur leicht gedünstetes Gemüse haben ohnehin einen aromatischen Eigengeschmack. Beim Einkauf von Mineralwasser, Brot und Gebäck ist auf deren Natriumgehalt zu achten. Auf jeden Fall muß auf besonders natriumreiche Lebensmittel wie geräuchertes oder gepöckeltes Fleisch (bzw. Fisch), Gemüsekonserven, Sauerkraut und Gewürzgurken verzichtet werden.

Die Umstellung liebgewordener Gewohnheiten fällt fast allen Menschen schwer. Eine einfühlsame, verständnisvolle und geduldige Gesprächsführung erleichtert den Zugang zum Patienten und kann helfen, seine Einstellung zu verändern.

Es sollte bei Bedarf mit dem Patienten (und ggf. mit Angehörigen) besprochen werden, welche **Unterstützung zur Ernährungsumstellung** angenommen werden kann (z.B. Diätberatung, Broschüren, Kochkurs).

❒ Ärztliche Therapie bei Herzinsuffizienz und daraus resultierende Pflegemaßnahmen

Die Therapie der Herzinsuffizienz wird als Therapie der drei großen "**D**" bezeichnet. Diese stehen für **D**iät und körperliche Schonung, **D**iuretika und **D**igitalis. Heute werden die Digitalispräparate oft durch **ACE-Hemmer** ergänzt. Selbstverständlich erstreckt sich die ärztliche Therapie auch auf die Behandlung der Grunderkrankung, z.B. der Hypertonie, der Rhythmusstörungen, der chronisch obstruktiven Lungenerkrankung oder des Herzinfarktes.

Die Diät und die körperliche Schonung wurden bereits besprochen.

❍ Digitalis

Digitalis - Glykoside *(syn. Herzglykoside)* sind **Substanzen, die** die **Kraft und** die **Geschwindigkeit der Herzmuskelkontraktion steigern** (z.B. Digitoxin, Digoxin). Dies geschieht nicht etwa über eine Frequenzerhöhung, sondern über eine Stärkung der Kontraktionskraft *(positiv inotrope Wirkung)*. Handelsübliche Präparate sind z.B. Lanitop®, Novodigal®, Lanadigin®, Digacin®, Lanicor® und Digimerck®. Unter der Digitalistherapie kommt es zur Verlangsamung der Herzfrequenz (da das Herz effektiver arbeitet ist eine kompensatorische Tachykardie nicht mehr notwendig), zur Ödemausschwemmung und zur Verringerung der Stauungszeichen.

Entsprechend müßte die pflegerische Beobachtung während einer Therapie folgende Ergebnisse liefern:

- Rückgang der Tachykardie,
- vermehrte Urinausscheidung,
- Rückgang der peripheren Ödeme,
- Verbesserung der Atemsituation, Rückgang der Belastungsdyspnoe.

Das digitalisierte Herz reagiert besonders empfindlich auf Kaliummangel. Deshalb ist der kranke Mensch auf Symptome eines Kaliummangels zu beobachten *(siehe nachfolgend)*.

Digitalisglykoside werden zur **Dauerbehandlung** eingesetzt. Die **therapeutische Breite** *(Bereich zwischen Wirkdosis und toxischer Dosis)* der Digitalispräparate ist **gering**. Die nötige Dauerdosis *(Erhaltungsdosis)* kann von Mensch zu Mensch schwanken, abhängig von z.B. der Nieren- und Leberfunktion, da Leber und Nieren Ausscheidungsorgane für Digoxin- und Digitoxinpräparate sind.

Eine Überdosis *(Digitalisintoxikation)* **kann sich durch folgende Symptome bemerkbar machen:**

- Bradykardie,
- Rhythmusstörungen (vor allem bei Rechtsherzinsuffizienz), Extrasystolie, Bigemini,
- Sehstörungen (Farbflecken, Gelb- oder Rot-Gelb-Grünsehen, Wolkensehen),
- Appetitlosigkeit, Übelkeit, Erbrechen, Durchfall,
- Schwindel, Kopfschmerzen,
- Reizbarkeit, Verwirrtheit.

Bei Auftreten dieser Symptome ist sofort der **Arzt** zu **informieren**. Er wird den Digitalisspiegel im Blut überprüfen, ein EKG ableiten lassen und eine Digitalispause verordnen, bis die Symptome abgeklungen sind. Dann wird der Kranke erneut auf eine geringere Erhaltungsdosis eingestellt.

Bei einer schweren Digitalisintoxikation steht neben der Hämoperfusion *(siehe Seite 392)* ein Digitalis-Antidot* zur Verfügung.

❍ Diuretika*

In leichteren Fällen der Herzinsuffizienz kann die **Ödembildung** schon durch die Digitalistherapie und die diätetischen Maßnahmen (inklusive der körperlichen Schonung) **verringert / beseitigt** werden.

Bei ausgeprägteren Ödemen werden z.B. **Schleifendiuretika** wie Furosemid (Lasix®) oder sogenannte **kaliumsparende Diuretika** wie Amilorid (Moduretik®) oder Aldosteronantagonisten wie Spironolacton (Osyrol®) eingesetzt. Durch verschiedene Wirkmechanismen kommt es zur Natriumchlorid- und somit zur Wasserausscheidung, wodurch das intravasale Volumen und somit der Füllungsdruck für die Ventrikel gesenkt werden (*Vorlastsenkung*). Die Schleifendiuretika haben eine ausgeprägte und schnell harntreibende Wirkung (Rückresorption von Wasser und Mineralstoffen wird in der Henle-Schleife gehemmt), haben jedoch auch unerwünschte **Wirkungen**. Es kommt unter anderem zu erhöhten Kaliumverlusten mit **Hypokaliämie**, weshalb eine Kontrolle des Serumkaliums, eine **kaliumreiche Ernährung** und evtl. **kaliumsubstituierende Medikamente** notwendig sind.

Bei Auftreten folgender Symptome ist an **Kaliummangel** zu denken:
- Leistungsabfall, ausgeprägte Muskelschwäche,
- Reizbarkeit, Apathie,
- trockener Mund, Durst,
- Wadenkrämpfe,
- Herzrhythmusstörungen (das digitalisierte Herz reagiert besonders empfindlich auf Kaliummangel !),
- Gang- und Sensibilitätsstörungen,
- Verwirrtheit,
- paralytischer Ileus.

Das bei Immobilen bestehende Thromboserisiko erhöht sich aufgrund der **Hämokonzentration**.
Bei den Aldosteronantagonisten setzt die diuretische Wirkung erst nach einer gewissen Latenzzeit (72 Stunden) ein, hält aber länger an. Durch das Ausschwemmen von Ödemen kommt es außerdem zur - meist erwünschten - Senkung des Blutdrucks.

❍ **ACE-Hemmer**
ACE-Hemmer *(Angiotensin - Converting - Enzyme - Inhibitoren)* wirken über die **Hemmung des Angiotensin - Conversions - Enzyms** und somit über die Hemmung der Umwandlung von Angiotenin I zu Angiotenin II, welches stark gefäßverengende Wirkung hat *(vgl. "Renin - Angiotensin - Aldosteron - Mechanismus", Seite 633).*

Es kommt indirekt zur vasodilatierenden *(gefäßerweiternden)* Wirkung (*Nachlastsenkung*) und zur verminderten Aldosteronfreisetzung; auch nimmt der venöse Tonus ab *(Vorlastsenkung)*. Folglich wird der **Blutdruck gesenkt**, bei herzinsuffizienten Menschen wird die Belastungstoleranz und somit die **Lebensqualität erhöht**.
In den Arzneimitteln sind z.B. die Wirkstoffe Captopril (Lopirin®, tensobon®) und Enalapril (Pres®, Xanef®) vertreten.
Zu Beginn der Therapie ist der **Blutdruck** vor allem in den ersten zwei Stunden zu **überwachen**, da es zu einer **Hypotonie** kommen kann. Später erfolgen Kontrollmessungen in größeren Zeitabständen (je nach Arztanordnung, z.B. 1-2 mal täglich).

4.2.4.1.4 Pflegeplanung

Der folgende Pflegestandard orientiert sich an den häufig im Zusammenhang mit einer Herzinsuffizienz zu erwartenden Problemen.
Die Anwendbarkeit in der Praxis muß für jeden Einzelfall überprüft werden. Auf die Modifizierung bzw. die **Ergänzung** weiterer, vor allem **individueller Probleme** und Ressourcen darf ggf. nicht verzichtet werden.

Pflegestandard - Pflege eines an Herzinsuffizienz leidenen Menschen

Probleme/Ressourcen	Ziele	Pflegemaßnahmen
Sich Bewegen / Sich Pflegen und Kleiden		
Der Patient - kann gewünschte körperliche Leistungen nicht erbringen - ist **müde und abgeschlagen**	***Der Patient*** - schont sich in angemessenem Ausmaß - fühlt sich wohler Verlaufskontrolle Erkennen von Überbelastung	**Körperliche Schonung / Angemessene Mobilisation** - Ausmaß richtet sich nach dem Befinden des Patienten und der Arztanordnung - Bettruhe (evtl. Herzbettlagerung) oder Lehnstuhlbehandlung - zunächst (weitgehende) Übernahme der Körperpflege - Ruhe und möglichst ungestörten Schlaf ermöglichen - täglich Pulskontrolle (1 Min. auszählen) und RR-Kontrolle - wiederholte **Beobachtung der Atmung**, insbesondere bei Anforderungen / Mobilisation
- **benötigt Unterstützung** bei den ATL "Sich Bewegen", "Sich Pflegen und Kleiden"	***Der Patient*** - kann seine Leistungsfähigkeit einschätzen und seine Grenzen akzeptieren - erkennt und nutzt die Möglichkeit, zur eigenen Gesundung beizutragen - zeigt zunehmend Aktivitäten, ohne dabei Atemnot zu entwickeln	**Mobilisation** • mit dem Patienten absprechen, was er leisten möchte und kann; ihm erklären, daß eine ggf. auftretende Atemnot ein Zeichen der Überlastung des Herzens ist • mehrmals täglich passive oder aktiv-assistive Bewegungsübungen durchführen • Toilettenstuhl ans Bett; bei Besserung Patienten zur Toilette begleiten • bei Besserung zunehmend zur selbständigen Körperpflege und zur Nahrungsaufnahme außerhalb des Bettes sowie zu kurzen Spaziergängen motivieren
- muß sich **an** die **Leistungsminderung anpassen**	- kann seine Belastbarkeit richtig einschätzen - nimmt Möglichkeiten der Entlastung wahr	**Beratungsgespräche** führen (später) - mit Patienten erörtern, wie sich für den häuslichen Bereich Möglichkeiten der Entlastung bieten / organisieren lassen - professionelle Hilfsdienste vorstellen und auf Wunsch Kontakt herstellen bzw. den Krankenhaussozialdienst einschalten

Probleme/Ressourcen	Ziele	Pflegemaßnahmen
Für Sicherheit sorgen		
Der Patient - ist **thrombosegefährdet** (verlangsamte Strömungsgeschwindigkeit des Blutes, mangelnde Betätigung der Muskelvenen-Pumpe, Hämokonzentration)	*siehe "Thromboseprophylaxe-Pflegestandard C"* ***Der Patient*** - nimmt die ärztlich verordnete Flüssigkeitsmenge zu sich	**Thromboseprophylaxe** - nach *"Thromboseprophylaxe-Pflegestandard B"* *(siehe Seite 324)* - Flüssigkeitszufuhr nach Arztanordnung
- ist **dekubitusgefährdet** (verringerte Durchblutung der Hautzellen, Ödeme und herabgesetzte Mobilität infolge mangelhafter Herzleistung)	*siehe "Dekubitusprophylaxe-Pflegestandard D"*	**Dekubitusprophylaxe** - nach *"Dekubitusprophylaxe-Pflegestandard C"* *(siehe Seite 360)*
- entwickelt Ödeme	Erkennen von Ödemen bzw. Exsikkose	**Kontrolle des Hautturgors**, täglich (weitere Maßnahmen siehe "Essen und Trinken)
- entwickelt ein **Lungenödem** - zeigt eine Tachykardie, einen Blutdruckabfall und eine Zyanose - ist kaltschweißig - empfindet hochgradige, zunehmende **Atemnot** und **Todesangst** - hat eine brodelnde Atmung und Husten mit schaumig-rötlichem Auswurf	***Der Patient*** - erfährt Erleichterung seiner Atembeschwerden - erfährt Beistand, fühlt sich nicht allein gelassen	**Sofortmaßnahmen beim Lungenödem** - Oberkörper hoch und Beine tief lagern - Arzt benachrichtigen (lassen) - O_2 zuführen (4-8 l min.) - beengende Kleidungsstücke entfernen - beruhigend auf Patienten einwirken, bei ihm bleiben - ärztlich verordnete Medikamente bereitstellen (2. Pflegeperson)
- befindet sich wahrscheinlich in **Lebensgefahr**	- erfährt die bestmögliche Überwachung und Betreuung	**Verlegung und weitere Betreuung auf der Intensivpflegestation**
Die Wirkung der verabreichten **Medikamente** muß beobachtet werden; es kann zu unerwünschten **Wirkungen** kommen	Verlaufskontrolle hinsichtlich erwünschter und unerwünschter Wirkung der Medikamente	**Krankenbeobachtung** - Häufigkeit der Kontrollen entsprechend der Arztanordnung und entsprechend dem Befinden des Patienten - **Puls**- und **Blutdruckkontrolle** - Beobachtung der **Atemsituation** - Beobachtung der **Hautfarbe** und des **Hautturgos** - Beobachtung der **Urinausscheidung** (des Trinkverhaltens), Flüssigkeitsbilanzierung
	Erkennen von Kaliummangel und Digitalisintoxikation	- **Beobachtung hinsichtlich Zeichen einer Digitalisintoxikation** • Bradykardie? Rhythmusstörungen? Gastrointestinale Beschwerden? Schwindel? Kopfschmerzen? Sehstörungen? Reizbarkeit? Verwirrtheit? - **Beobachtung hinsichtlich Zeichen eines Kaliummangels** • Leistungsabfall? Muskelschwäche? Trockener Mund? Durst? Herzrhythmusstörungen? Reizbarkeit? Apathie?
Ausscheiden / Schlafen		
Der Patient - **muß nachts wasserlassen** (Nykturie) - wird durch nächtliche Toilettengänge belastet - wird mehrfach im Schlaf gestört - benötigt Unterstützung beim (nächtlichen) Wasserlassen	***Der Patient*** - erlebt trotz Nykturie nur minimale Herz-Kreislaufbelastung - trinkt abends wenig und verspürt nachts seltener Harndrang - findet weitgehend ungestörten Schlaf	**Absprachen mit dem Patienten treffen** • er schellt bei Harndrang • er benutzt nachts (ggf. auch tagsüber) den Toilettenstuhl bzw. Steckbecken / Urinflasche • er nimmt Hilfestellung in Anspruch, sofern und soweit dies erforderlich ist • er schränkt seine Flüssigkeitszufuhr ab ca. 2 Std. vor der Nachtruhe ein (abends) **Toilettenstuhl und/oder Steckbecken / Urinflasche** ans Bett stellen

Probleme/Ressourcen	Ziele	Pflegemaßnahmen
Atmen		
Der Patient - **hat Lufthunger**, ist kurzatmig - empfindet Unruhe und Angst	*Der Patient* - kann die Atembeschwerden der Herzinsuffizienz zuordnen	**Information** - über Ursache der Atemnot (ggf. Gespräch mit Arzt vermitteln) - über Möglichkeiten zur Linderung bzw. Beseitigung der Atemnot
- ist in der Ausführung körperlicher Aktivitäten eingeschränkt, es "fehlt der Atem"	- kann zunehmend beschwerdefrei atmen - hat eine ausreichende 0_2-Versorgung (rosige Haut)	**Unterstützung der Atmung bei Ruhedyspnoe** - Oberkörper (halb-)hoch, Arme leicht erhöht auf Kissen lagern - ggf. entsprechend Arztverordnung nasale 0_2-Verabreichung, dabei Atemqualität beobachten und bei Bedarf Nasenpflege / -dekubitusprophylaxe durchführen - körperliche Schonung - weitere Maßnahmen bei chronischem Cor pulmonale (Arztanordnung)
	- fühlt sich relativ sicher, weiß, daß das Pflegepersonal sich um ihn kümmert	**Vermittlung von Sicherheit** - Schelle in Reichweite anbringen, sofort auf Klingelruf reagieren - oft (ggf. mehrmals stündlich) nach dem Patienten sehen, Ruhe und Sicherheit ausstrahlen
	- paßt seine Leistungsanforderungen an sein derzeitiges Leistungsvermögen an - hat eine beschwerdefreie Atmung	**Unterstützung bei Belastungsdyspnoe** - beobachten, bei welchen Anforderungen der Kranke Atemnot entwickelt - tägliche Anforderungen, die Atemnot auslösen, verringern, zeitlich verteilen oder ausschalten - bei Bedarf Hilfestellung leisten
	Einschätzen der Atemsituation Frühzeitiges Erkennen bedrohlicher Situationen	**Beobachtung** - mehrmals täglich Atmung (Atemfrequenz, -tiefe, -beschwerden, -geräusche) beobachten - mehrmals täglich Hautfarbe (Zyanose?) beobachten
- ist **pneumoniegefährdet**, da er flach und beschleunigt atmet; gleichzeitig sind die Diffusion und/oder die Ventilation beeinträchtigt	siehe *"Pneumonieprophylaxe-Pflegestandard D"*	**Pneumonieprophylaxe** - nach *"Pneumonieprophylaxe-Pflegestandard D"* *(Seite 66)*
Essen und Trinken		
Der Patient leidet unter - Meteorismus - Appetitlosigkeit, Völlegefühl, Unverträglichkeit bestimmter Speisen - Obstipation	*Der Patient* - kennt Sinn und Handhabung einer angemessenen Ernährung	**Informationsgespräch** führen - über Sinn und Handhabung einer krankheitsgerechten und obstipationsprophylaktischen Ernährung
	- akzeptiert die Kostveränderungen - hat weniger / keine Verdauungsbeschwerden - entwickelt zunehmend Appetit	**Entlastung der Verdauungsorgange** - mehrere (5-7) kleine, eiweißreiche und fettarme Mahlzeiten verabreichen - stark blähende Speisen und kohlensäurehaltige Getränke meiden - 1 bis 2 Reis- / Obst(-saft)tage pro Woche vorschlagen

Fortsetzung nächste Seite

Probleme/Ressourcen	Ziele	Pflegemaßnahmen
	Der Patient - führt (entsprechend seiner früheren Gewohnheit) regelmäßig und beschwerdefrei sowie ohne große Anstrengung ab	**Obstipationsprophylaxe** - Flüssigkeitszufuhr und Bewegung in therapeutisch zugestandenem Maße anregen - faserstoffreiche Kost (sofern sie vertragen wird) - viel Obst und Gemüse (auch zwecks Kaliumsubstitution bei Diuretikatherapie) ***Beachte***: Flüssigkeitsgehalt des Obstes als Flüssigkeitszufuhr registrieren - evtl. getrocknete Pflaumen u.ä. anbieten (Gewohnheiten des Patienten berücksichtigen)
Der Patient - soll laut Arztanordnung die **Flüssigkeitszufuhr einschränken**; wahrscheinlich kennt er die Zusammenhänge nicht; evtl. wird er unter Durstgefühl leiden - soll **NaCl-arme Kost** zu sich nehmen; evtl. sind ihm die Zusammenhänge unklar; möglicherweise lehnt er die Kost als fade schmeckend ab	- kennt die Zusammenhänge zwischen Herzkreislaufbelastung / Ödemen und Flüssigkeits- / Kochsalzzufuhr - kennt Möglichkeiten der Informationsvermittlung und Ernährungsumstellung - akzeptiert die Einschränkungen und ißt mit Appetit	**Aufklärung des Patienten** (ggf. auch seiner Angehörigen) - bezüglich des Zusammenhangs zwischen Ödemzunahme und Flüssigkeitszufuhr / Kochsalzaufnahme - über die Möglichkeit, mit Küchenkräutern zu würzen und durch kurze Garzeiten das Aroma zu erhalten - hinsichtlich der Beratungsmöglichkeiten: Diätberatung, Literatur **Einschränkung der Flüssigkeitszufuhr** - Trinkmenge nach Arztverordnung bemessen - ggf. Trinkplan führen (lassen), Hilfestellung bei der Einteilung der Menge geben und bei Bedarf zwischendurch die Mundschleimhaut anfeuchten **NaCl-arme Kost** laut Arztverordnung - Eßverhalten beobachten, ggf. Geschmacksverbesserung anregen (Diätküche; Kräuter besorgen lassen)
	- scheidet mehr Flüssigkeit aus, als er zu sich nimmt (negative Flüssigkeitsbilanz)	**Flüssigkeitsbilanzierung** - über jeweils 24 Std. und/oder - Patienten täglich unter gleichen Bedingungen wiegen
(Nicht selten tritt zusätzlich das folgende Problem auf) ***Der Patient*** - hat **gesundheitsbelastende Ernährungsgewohnheiten und ist adipös** - soll an Gewicht abnehmen und sieht dies möglicherweise nicht ein oder - möchte sich gesünder ernähren	- hinterfragt seine bisherigen Ernährungsgewohnheiten - ist motiviert, seine Ernährung umzustellen - kennt Prinzipien und Umsetzungsmöglichkeiten der kalorienreduzierten und der vitalstoffreichen Kost	**Gespräche führen** - über Ernährungsgewohnheiten des Patienten - über Zusammenhang zwischen Adipositas und Herz-Kreislaufbelastung (in Ergänzung zum ärztlichen Gespräch) - über kalorienreduzierte, aber vitalstoffreiche Kost **Vermittlung** - einer Diätberatung (evtl. auch für den Partner / Angehörige anbieten)
	- hält sich an die Reduktionskost - zieht bei Fragen / Problemen eine Pflegeperson ins Vertrauen	**Verabreichung der Reduktionskost**, währenddessen wiederholt fragen, wie der Patient damit zurechtkommt, unter Umständen Kompromisse anbieten
	- nimmt langsam Gewicht ab (z.B. 200 g/Woche)	**Gewichtskontrolle** - Patienten einmal wöchentlich unter denselben Bedingungen wiegen ***Beachte***: Wassereinlagerung / Ödemausschwemmung können die Ergebnisse verfälschen.

4.2.4.2 Koronare Herzkrankheit

4.2.4.2.1 Krankheitsbild

❒ Definition

Die koronare Herzkrankheit (KHK) meint als Sammelbegriff jene Krankheitsbilder, bei denen durch Veränderungen an den Koronararterien ein **Mißverhältnis zwischen Sauerstoffbedarf und Sauerstoffangebot des Myokards** entsteht; es kommt zu einer Minderdurchblutung des Herzmuskels *(Koronarinsuffizienz)*.
In der westlichen Welt ist die KHK die häufigste zum Tode führende Erkrankung.

❒ Ursachen und Krankheitsentstehung

Durch die **Lumeneinengung der Herzkranzgefäße** kommt es zur 0_2-Minderversorgung des Herzmuskels.
In den meisten Fällen ist die Veränderung der Herzkranzgefäße **arteriosklerotisch bedingt**, d.h. an der Gefäßinnenwand arterieller Blutgefäße lagern sich sogenannte arteriosklerotische Plaques an, die zur Lumeneinengung der Gefäße führen.
Seltener ist die Lumeneinengung durch **Koronarspasmen** oder durch **entzündliche Veränderungen** der Herzkranzgefäße bedingt. Das Mißverhältnis zwischen Blutbedarf und Blutzufuhr manifestiert sich in vielen Fällen unter Belastung.

❒ Folgen

Folgen und Krankheitsbilder (*Manifestationsbilder*) der Koronarinsuffizienz sind

- Angina pektoris,
- akuter Herzinfarkt,
- plötzlicher Herztod,
- Herzrhythmusstörungen,
- Linksherzinsuffizienz.

4.2.4.2.2 Risikofaktoren

Es gilt als erwiesen, daß bestimmte Risikofaktoren die Entstehung der koronaren Herzkrankheit begünstigen. Oft liegen gleichzeitig mehrere vor.

❒ Stoffwechselstörungen

Bei den **Fettstoffwechselstörungen** erhöht in erster Linie die *Hypercholesterinämie* (Gesamtcholesterin > 220 mg / dl) das Risiko für die KHK. Zahlreiche Studien belegen, daß das Herzinfarktrisiko durch die Senkung des Cholesterinspiegels im Blut unter 200 mg / dl verringert werden kann. So wurde festgestellt, daß mit Absenken des Cholesterinspiegels arteriosklerotische Prozesse in ihrer Entwicklung aufgehalten werden können.
In bezug auf das Herzinfarktrisiko wird zwischen dem "guten" Cholesterin = HDL *(high density lipoproteins)* und dem "schlechten" Cholesterin *(low density lipoproteins)* unterschieden. Die Konzentration des HDL-Cholesterins im Serum sollte über 35 mg / dl, die des LDL-Cholesterins unter 150 mg / dl liegen; der Triglyceridwert sollte unter 200 mg / dl bleiben.
Fettstoffwechselstörungen, vor allem die ausgeprägteren Formen, können erblich bedingt sein. Manche (leichtere) Formen können durch Umstellung der Ernährungsgewohnheiten und Änderung des Bewegungsverhaltens behandelt werden.
Bei der **Insulinresistenz** ist die Insulinempfindlichkeit der Zielzellen herabgesetzt; durch die verminderte Insulinwirkung wird vor allem im Bereich der Muskulatur zu wenig Glukose aus den Blutgefäßen in den Intrazellulärraum geschleust. Einige neuere Studien weisen darauf hin, daß es infolge der Insulinresistenz zu Übergewicht, Diabetes mellitus, Hypertonie und Fettstoffwechselstörungen kommen kann. So können also mehrere Risikofaktoren der KHK gemeinsam und aufgrund derselben Ursache auftreten.
Beim **Diabetes mellitus** *(siehe Seite 160)* kommt es durch langzeitig bestehende Hyperglykämien zur Schädigung der kleinen *(Mikroangiopathie)* sowie der großen Gefäße *(Makroangiopathie)*, also auch der Koronararterien. Gleichzeitig sind meist die Blutfette erhöht.

❒ Inhalierendes Rauchen

Das Risiko, an der KHK (vor allem an Herzinfarkt und plötzlichem Herztod) zu erkranken, steigt mit der Anzahl der täglich gerauchten Zigaretten.
Wird das Rauchen nach einem Herzinfarkt aufgegeben, so sinkt das Risiko, erneut einen Herzinfarkt zu erleiden, um 50%.
Bei **Nikotinkonsum** schüttet das Nebennierenmark Adrenalin und Noradrenalin aus, wodurch es zur **Erhöhung der Herzfrequenz** und somit des Sauerstoffverbrauchs des Herzens kommt. Außerdem bedingt Nikotin eine **Engstellung der Herzkranzgefäße** und der peripheren Gefäße, d.h., der Herzmuskel muß nicht nur mehr Arbeit leisten, sondern auch unter erschwerten Bedingungen gegen einen erhöhten Gefäßwiderstand arbeiten.
Außerdem fördert das Zigarettenrauchen die Thrombozytenaggregation *(vgl. Seite 330, "Entstehung einer Thrombose")* und erhöht den Fibrinogenspiegel des Blutes. Ferner kommt es bei langfristigem inhalierenden Rauchen zur Schädigung der Intima *(Gefäßinnenwand)* der Arterien. Diese Veränderungen führen zur Steigerung der Gerinnungsfähigkeit des Blutes und fördern somit vorzeitige Ablagerungen in den Gefäßen und die **Entwicklung arterieller Thrombosen**.
Weitere Gesundheitsrisiken, die durch das Rauchen entstehen, werden in anderen Zusammenhängen näher besprochen *(siehe "Raucherentwöhnung", Seite 58; "Schlaganfall", Seite 594; "Arterielle Verschlußkrankheit", Seite 337; "Bronchialkarzinom", Seite 91)*.

❒ Hypertonie

Der Bluthochdruck beschleunigt das Auftreten der Arteriosklerose und bedingt somit auch eine **Verengung der Herzkranzgefäße**. Diese kann zum Verschluß einer Koronararterie und folglich zum Herzinfarkt führen. Durch den hohen Blutdruck kann es weiterhin zu einer Schädigung der kleinen Arterien des Herzmuskels selbst kommen *(hypertensive Herzkrankheit)*.
Die Koronarsklerose führt ihrerseits zur Verschlechterung der Duchblutung des Herzmuskels und damit zur Funktionseinbuße. Um dies zu kompensieren, leistet das Herz vermehrte Arbeit, die allerdings ihrerseits einen Blutdruckanstieg bedingt. Der ständig erhöhte Gefäßwiderstand erschwert die Pumparbeit des Herzmus-

kels. Das Ausmaß nimmt mit der Höhe des Blutdrucks zu; im Laufe der Jahre **hypertrophiert der Herzmuskel** zunächst, später kommt es zur **Herzinsuffizienz**.
Die Entstehung eines essentiellen Bluthochdrucks *(siehe Seite 279)* wird durch einige Faktoren begünstigt, die gleichzeitig als zusätzliche Risikofaktoren der koronaren Herzkrankheit gelten. Es handelt sich um Streß, Zigarettenrauchen, Übergewicht, falsche Ernährung und übermäßige Kochsalzaufnahme. Diese Faktoren werden unter den entsprechenden Oberpunkten besprochen.

❒ Streß

Belastung und Anspannung gelten nicht generell als Risikofaktoren für Herz-Kreislauferkrankungen. Vielmehr bestimmen die persönliche Einstellung, das individuelle Erleben und der Umgang mit Stressoren, ob eine Belastung zum Distreß führt. Dies wird maßgeblich von der Persönlichkeit sowie den gesellschaftlichen und den individuellen Werten geprägt.
Menschen mit gewissen Persönlichkeitsstrukturen tendieren eher zu einem diesbezüglich gesundheitsbelastenden Erleben und Verhalten. Zum Beispiel sprechen HEIM und WILLI (mit Bezug auf die prospektiv - epidemiologische* Studie von ROSEMANN et.al.) vom **Typ A-Verhalten**, das als psychodynamische Prädisposition einzustufen ist. Es ist durch Impulsivität, Ungeduld, Zeitdruck, zwanghafte Spannung sowie gesteigertes Erfolgs- und Konkurrenzstreben mit Aggressivität gekennzeichnet. Hinzu kommen häufig weitere Faktoren wie Hypertonie, Diabetes mellitus, Hyperlipidämie und/oder Nikotinabusus, die eine somatische Prädisposition darstellen. Alle Faktoren wirken zusammen und sind als Ganzes - als zusammenhängende Risikofaktoren - zu betrachten.
Beim sogenannten Typ - A - Verhalten, dem ein **labiles Selbstwertgefühl** zugrunde liegt, lassen sich häufig folgende Verhaltensweisen beobachten:

- in allen Lebensbereichen maximale Leistung erbringen wollen, hohe Ansprüche und Idealvorstellungen haben, keine Arbeit abgeben können (da von anderen geringere Arbeitsqualität erwartet wird);
- das Verhalten überwiegend auf Arbeit und Leistung ausrichten;
- sich keine Zeit nehmen für Dinge, die Freude bereiten, die Entspannung oder Muße bringen;
- krankhaft ehrgeizig sein und eine Haltung zeigen, die von Aggressivität, Feindseligkeit und Rivalität geprägt ist;
- Raubbau mit der Gesundheit treiben, z.B. zu wenig schlafen, sich zu wenig bewegen, zu viel arbeiten, übermäßig essen, rauchen, Alkohol trinken;
- nicht "*Nein*" sagen können, keine Grenzen ziehen können, die Zeit nicht einteilen können;
- arbeitssüchtig sein: sehr viel und perfekt arbeiten; nur in der Arbeit Bestätigung finden und nach dieser Bestätigung süchtig sein; Ruhepausen und Hobbies sowie soziale Kontakte stark vernachlässigen. (Das Leben dreht sich nur noch um die Arbeit, Probleme in anderen Lebensbereichen werden verdrängt.)

Die genannten Verhaltensweisen sind nur als Risikofaktor einzustufen, wenn sie dauerhaft gezeigt werden. Kommen besonders starke Stressoren hinzu, kann ein Herzinfarkt entstehen. Dies sind in erster Linie **Verlusterlebnisse**, die nicht adäquat verarbeitet werden können, z.B.

- Enttäuschungen in zwischenmenschlichen Beziehungen, die mit Trennung verbunden sind (Partnerverlust durch Trennung, Scheidung, Tod);
- berufliche Versagungen mit emotionaler Verlustkomponente (Kündigung durch den Arbeitgeber, Nichtanerkennen von Leistungen, Versagung angestrebter Positionen). *Lesen Sie auch "Streß", Seite 889.*

❒ Bewegungsmangel

Bewegungsmangel ist kein eigentlicher Risikofaktor; vielmehr **schaltet** er den **Schutzfaktor "körperliche Aktivität" aus**.
Mehrere Studien belegen die positive Einflußnahme körperlicher Aktivität auf das Herz-Kreislauf-System. Dies gilt insbesondere für das fortschreitende Erwachsenenalter; es reicht nicht aus, in der Jugend Sport betrieben zu haben.
Eine Schutzwirkung in Hinsicht auf die KHK geht in erster Linie von körperlichem Ausdauertraining im Erwachsenenalter aus. Die tägliche Mindestdauer sollte 30 Minuten betragen. Als **Ausdauertraining** gelten in diesem Zusammenhang z.B. Jogging mit 6,5 Stundenkilometern, Radfahren, Schwimmen, Wandern in hügeligen oder bergigen Gegenden, anstrengende Gartenarbeit.
Selbst nach erlittenem Herzinfarkt kann durch ein individuell dosiertes Ausdauertraining eine positive Schutzwirkung auf das Herz-Kreislauf-System erzielt werden.

4.2.4.2.3 Zur Situation eines Betroffenen

Die Diagnose und die mit der KHK einhergehenden Erfahrungen haben für jeden Betroffenen individuelle Bedeutung und werden unterschiedlich verarbeitet. Weil es sich um eine Erkrankung des Herzens handelt, wird sie jedoch meist - sowohl von dem Betroffenen als auch von seinen Bezugspersonen - als **bedrohlich empfunden**.
An der KHK leidende Menschen erleben ihr Herz im Zusammenhang mit Schmerzen und Atemnot in einer besonderen, von Ängsten geprägten Weise. Hinzu kommen oft **Ängste** vor einem Herzinfarkt oder vor invasiven Eingriffen (Bypassoperation, Ballondilatation). Der Herzkranke zeigt Eingriffen gegenüber nicht selten eine ambivalente Einstellung, denn sie bieten die Möglichkeit zur Verbesserung der Lebensqualität und bergen gleichzeitig Risiken. So wird seine Entscheidungsfindung hinsichtlich therapeutischer Maßnahmen von Zweifeln, Ängsten und Hoffnung zugleich beeinflußt.
Auch das Alter des Betroffenen bei Krankheitsbeginn kann Einfluß auf den Umgang mit der Erkrankung haben. Tritt die KHK erst im Alter (nach dem 65. Lebensjahr) auf, wird sie vom Betroffenen meist als gewöhnlicher Alterungsprozeß interpretiert. Diese Betrachtungsweise kann einerseits von Erklärungsversuchen wie Schuldzuweisungen hinsichtlich der Lebensführung entlasten, andererseits die Konfrontation und **Auseinandersetzung mit dem Altern** fordern und fördern.

Tritt die Erkrankung vor dem 65. Lebensjahr auf, so steht der Betroffene wahrscheinlich noch im Berufsleben und ist häufig beruflichen Stressoren wie Leistungsdruck, Zeitmangel und Konkurrenzverhalten ausgesetzt *(vgl. Seite 892, "Streß")*.

Bei der **Suche nach der Krankheitsursache** wird nicht selten die Lebensweise hinterfragt; Schuldgefühle in bezug auf eine ungesunde, risikoreiche Lebensweise (Rauchen, Übergewicht, Schlafmangel etc.) können ebenso aufkommen wie die Motivation und die Kraft, diesbezüglich Veränderungen vorzunehmen.

Handelt es sich bei dem Betroffenen um einen Mann, so erfährt dieser meist Unterstützung von der Ehefrau bzw. Lebenspartnerin. Er findet im allgemeinen viel eher Aufmerksamkeit, Gesprächsbereitschaft und tatkräftige **Unterstützung** bei der Veränderung von Lebensgewohnheiten als im umgekehrten Fall. So zeigen Untersuchungsergebnisse, daß Frauen, die von der KHK betroffen sind, wesentlich mehr Energie aufbringen müssen, um Unterstützung und letztendlich Entlastung zu erfahren.

Von der KHK betroffen zu sein, bedeutet, in seiner Leistungsfähigkeit eingeschränkt zu sein und **Grenzen erfahren** zu müssen. Damit verbunden ist eine Anpassung an die neue Situation, die eine Umstellung von Lebensgewohnheiten - und somit von eingefahrenen Verhaltensweisen - erfordert. Einigen Menschen bereitet es Schwierigkeiten, ihre eingeschränkte Belastbarkeit vor anderen zu zeigen, so daß sie ihre Krankheit vor den Mitmenschen verheimlichen. Manche wollen sich von ihrem Körper nicht vorschreiben lassen, wie sie zu leben haben; sie handeln nach dem Motto "*jetzt erst recht*" und halten an ihrem Risikoverhalten fest.

Aber auch das Gegenteil ist möglich, die Erkrankung kann z.B. den Abbau von Überlastungen "legitimieren". So gelingt es manchem, sich mit der Begründung, herzkrank zu sein, vielen Streßsituationen zu entziehen.

Die erforderliche **Umstellung des Lebensstils** kann ein neues Bewußtsein wecken und dem Erkrankten zu mehr Lebensqualität verhelfen, sofern er die Umstellung akzeptiert.

Oft ist zusätzlich eine medikamentöse Dauertherapie erforderlich, deren Notwendigkeit und Nutzen nicht von jedem Betroffenen eingesehen werden. Aber auch die **Angst vor Nebenwirkungen** kann die Mitarbeit des Betroffenen beeinträchtigen; andere verlassen sich ausschließlich auf die medikamentöse Therapie und halten Verhaltensänderungen für nicht erforderlich.

4.2.4.2.4 Pflegeschwerpunkte

Ein Schwerpunkt der Pflege des an einer KHK erkrankten Menschen liegt in der Beeinflussung der Risikofaktoren, also in der **Gesundheitsberatung** (Hilfe zur Selbsthilfe). Der Kranke soll beim Erkennen und beim Abbau seines Risikoverhaltens unterstützt und angeleitet werden, so daß er eigenverantwortlich und aktiv seine Gesundheit fördern kann.

Weitere Pflegeschwerpunkte ergeben sich aus den jeweiligen Folgeerscheinungen (Angina pektoris, Herzrhythmusstörungen, Linksherzinsuffizienz, Herzinfarkt) und den daraus resultierenden Bedürfnissen des Kranken. Sie werden in den entsprechenden Abschnitten besprochen.

Beeinflussung der Risikofaktoren - Gesundheitsberatung

Ziel der Gesundheitsberatung ist die **Umstellung der Lebensweise**. Der Herzkranke soll unter Berücksichtigung wissenschaftlich gesicherter Erkenntnisse einen für sich akzeptablen Weg finden, um **Risikofaktoren ab- und Schutzfaktoren aufzubauen**. Dies soll nicht mit Einbuße, sondern mit Gewinn an Lebensqualität einhergehen. Deshalb benötigt jeder Betroffene **individuelle Beratung.** Der Kranke ist nicht moralisch zu bedrängen, statt dessen sind die **Hintergründe des Risikoverhaltens wahrzunehmen** und Verständnis zu zeigen. Auf dieser Basis kann sich Vertrauen entwickeln, welches seinerseits die Akzeptanz von Vorschlägen positiv beeinflußt.

Außerdem sollte nicht vergessen werden, daß Verhaltensweisen, die sich über Jahre / Jahrzehnte entwickelt haben, oft nur schwer und langsam zu verändern sind.

❒ Ernährungsumstellung

Für den herzkranken Menschen gelten die allgemeinen Prinzipien einer gesunden Ernährung *(siehe Seite 107)*. Empfohlen wird die **laktovegetabile Ernährung**, bestehend aus pflanzlichen Lebensmitteln sowie Milch und Milchprodukten; auf Milch / -produkte sollte wegen ihres Kalziumgehaltes nicht verzichtet werden. Gelegentlich ist die Kost durch Fisch, Fleisch und Ei zu ergänzen, um die Versorgung mit Jod, Eisen und Zink zu gewährleisten.

Die diesbezügliche Information kann in mündlicher und in schriftlicher Form erfolgen; eine professionelle Diätberatung, das Lesen entsprechender Literatur, der Besuch von Volkshochschulkursen und ggf. die Teilnahme an einem Kochkurs sind vorzuschlagen.

Bevor eine Ernährungsumstellung erfolgt, sollte sich der Herzkranke seiner Ernährungsgewohnheiten bewußt werden. Dies wird durch das Führen eines **Ernährungsprotokolls** gefördert. Über ca. 2 Wochen wird täglich notiert, zu welcher Uhrzeit welche Lebensmittel in welcher Menge und aus welchem Anlaß gegessen werden. Meist wird so deutlich, wo Ernährungsfehler (z.B. Zwischenmahlzeiten in Form von Süßigkeiten, Alkoholkonsum am Abend, versteckte Fette in Wurst und Käse, hastiges Schlingen, umfangreiche Mahlzeiten) vorliegen. Auch das subjektive Erleben des Essens und Trinkens ist zu hinterfragen. Es sollte mit Genuß und Geselligkeit verbunden sein und in Ruhe geschehen. So wird es möglich, Zufriedenheit, Wohlbefinden und ein Sättigungsgefühl zu erfahren.

Zusätzlich gelten folgende Grundsätze:

- **Bei Übergewicht** ist das langsame Erreichen des Normalgewichtes über die **Reduktion der Kalorienzufuhr** bei sinnvoller Nahrungsumstellung und Steigerung der körperlichen Bewegung anzustreben. Gleichzeitig ist reichlich (2 - 3 l pro Tag) kalorienfreie / -arme Flüssigkeit zuzuführen, damit die vermehrt anfallenden Abbauprodukte des Fettstoffwechsels ausgeschieden werden können.

- Bei **Hypertonie** sollte die tägliche **Kochsalzzufuhr** auf 5 - 6 g **eingeschränkt** und gleichzeitig viel Obst und Gemüse zwecks **Kaliumzufuhr** genossen werden. Mit der Empfehlung einer NaCl - armen Kost sollte immer der Hinweis auf die Geschmacksbereicherung durch frische oder tiefgekühlte Küchenkräuter gegeben werden.
  Eine entsprechend gestaltete Kost ist auch im Krankenhaus anzubieten. Bei Bluthochdruck sollte Alkohol allenfalls in Maßen getrunken werden. Falls die diätetischen Maßnahmen nicht zur erwünschten Blutdrucksenkung führen, muß der Betroffene zusätzlich ärztlich verordnete Medikamente einnehmen.
- **Bei Diabetes mellitus** ist die Einstellung des Blutzuckers durch Diät, Medikamente und Bewegung von außerordentlicher Bedeutung *(siehe "Diabetes mellitus", Seite 165)*.
- **Bei Fettstoffwechselstörungen** ist durch eine **Ernährungsumstellung** und **Bewegungssteigerung** langsam das Normalgewicht anzustreben. Die **Fettzufuhr** ist insgesamt zu **reduzieren**, vor allem die der gesättigten Fettsäuren (z.B. in Wurst oder Käse). Ein Teil ist durch mehrfach ungesättigte Fettsäuren, die den Cholesterinspiegel senken, zu ersetzen; diese sind z.B. in linolsäurereicher Diätmargarine oder kaltgepreßten Pflanzenölen enthalten. Der **Alkohol- und Zuckerkonsum** sind **stark einzuschränken**, bestenfalls gänzlich zu vermeiden. Dies gilt insbesondere bei erhöhten Triglyzeridwerten im Serum. Der Verzehr cholesterinhaltiger Lebensmittel ist auf 300 mg pro Tag zu begrenzen; diese Menge entspricht z.B. einem Eigelb, 100 g Butter, 125 g Leber oder 300 g vollfettem Käse. Kann die Fettstoffwechselstörung nicht ausreichend beeinflußt werden, verordnet der Arzt in der Regel Medikamente, die den Cholesterinspiegel im Blut senken (*Lipidsenker*).

❐ Raucherentwöhnung

Die Diagnose "KHK" führt bei den meisten Betroffenen zu der Erkenntnis, ernsthaft erkrankt zu sein. Die krankheitsbedingten Einschränkungen der Lebensqualität wurden bereits erfahren oder werden nun zumindest für die Zukunft erwartet.

In einer solchen Situation ist die Motivation, sich das Rauchen abzugewöhnen, häufig höher als in gesunden Tagen. Ein herzkranker Mensch sollte vor allem zu diesem Zeitpunkt motiviert bzw. unterstützt werden, sein **Rauchverhalten zu hinterfragen und abzulegen**. *Weitere Informationen finden Sie auf Seite 58 unter "Raucherentwöhnung".*

❐ Streßbewältigung / -abbau

Für den Herzkranken ist es wichtig, **Stressoren auszuschalten** und **abzubauen**, vor allem, indem verinnerlichte Verhaltensmechanismen verändert werden.

Die **Verhaltensänderung** sollte in einem möglichst streßfreien Klima angebahnt werden, d.h. dem Betroffenem darf nicht mit den "*bösen Folgen*" gedroht werden, er sollte nicht unter Erfolgsdruck und Leistungszwang gesetzt werden. Der Erkrankte selbst, aber auch seine Mitmenschen sollten dies berücksichtigen. Im pflegerischen Alltag, z.B. bei der Mobilisation oder bei der Gesundheitsberatung, ist ebenso daran zu denken.

Zunächst beobachtet und analysiert der Betroffene - ggf. mit therapeutischer Hilfe -, welche Situationen und persönlichen Wertvorstellungen für ihn zum Stressor werden. Dann versucht er, langsam **Stressoren abzubauen**. Er ist zu ermuntern, geduldig zu sein, denn Reaktionsweisen, die jahrelang gezeigt wurden, lassen sich nicht von heute auf morgen verändern.

Empfohlen wird, 2 - 3 mal wöchentlich 1 - 2 Stunden fest einzuplanen, in denen ein Herzkranker etwas für sich tut. Dies kann alles sein, was ihm **Freude** bereitet, d.h. Hobby, Sport, Spazierengehen, Gartenarbeit u.ä.

Der Herzkranke sollte sich selbst und anderen gegenüber Ehrlichkeit und Offenheit zeigen, z.B. zugeben, wenn er verärgert oder überfordert ist, und zwar in der Situation, in der dies auftritt. **Konflikte** und Ärger sollten **nicht heruntergeschluckt**, sondern zum Ausdruck gebracht werden, damit sich die Spannungen nicht aufstauen. Im Pflegealltag treten immer wieder Situationen auf, in denen eine solche Verhaltensänderung gefördert werden kann.

Zur Unterstützung kann auch ein **Streßbewältigungstraining** unter therapeutischer Anleitung angeboten werden. Dies ist z.B. in Rehabilitationskliniken für Herz-Kreislaufkranke üblich. Auch **Koronarsportgruppen** bieten Hilfe; unter ärztlicher Kontrolle und gemeinsam mit *"Leidensgenossen"* wird Sport getrieben sowie über Probleme und Ängste gesprochen. Das Erlernen bestimmter **Entspannungsmethoden** (z.B. Autogenes Training) ist vor allem für die Menschen zu empfehlen, die sich nicht entspannen können und dauernd unter Spannung stehen.

Insgesamt soll der veränderte Lebenstil nicht nur den Streß und seine Folgeerscheinungen verringern, sondern auch **mehr Lebensqualität durch Freude** am Leben vermitteln. *Weitere Informationen finden Sie auf Seite 893, "Geeigneter Umgang mit Streß".*

❐ Körperliche Bewegung, Ausdauertraining

Körperliche Bewegung steigert im allgemeinen das Wohlbefinden, bereitet häufig sogar Freude. Sie trägt außerdem zur Verhinderung bzw. zum Abbau von Übergewicht bei und fördert das Körperbewußtsein. Durch das Gefühl einer verbesserten Leistungsfähigkeit können Ängste abgebaut und Selbstvertrauen aufgebaut werden.

Ausdauertraining gilt als **Schutzfaktor** gegen die KHK; in dosierter Form wirkt es auch nach Herzinfarkt im Sinne einer Reinfarktprophylaxe *(siehe Seite 303)*.

Wichtig ist die **Regelmäßigkeit** körperlicher Bewegung, denn sie führt dazu, daß der Organismus die Streßhormone gezielt dosiert und nicht - wie bei einmaligen Belastungen - überschießend ausschüttet. Die anschließende vagusgesteuerte Erholungsphase sorgt über eine Pulsverlangsamung und über eine Senkung des Blutdrucks *(Senkung des myokardialen Sauerstoffbedarfs)* für Entlastung des Herzens.

Die regelmäßige körperliche Bewegung im Sinne eines **Ausdauertrainings** bietet, auch wenn sie nur mit wenig Anstrengung verbunden ist, weitere Vorteile, z.B.

- Steigerung der Fähigkeit der Muskelzellen, Sauerstoff aus dem Blut aufzunehmen;
- Zunahme der Kapillaren in der ausdauertrainierten Muskulatur;

- Stoffwechselveränderung durch Schonung der Glukosereserven zur Energiegewinnung, statt dessen vermehrte Verbrennung von Fettreserven und somit Verringerung des Anfalls von Schlackenstoffen.

Die ausdauertrainierten Muskeln arbeiten wirtschaftlicher; bei Belastung verlangen sie dem Herzen weniger Mehrarbeit ab, so daß dessen O_2-Verbrauch nicht übermäßig gesteigert wird und das vorhandene O_2-Angebot ausreicht.

Um genannte Veränderungen zu erreichen, sollte der mit einer KHK lebende Mensch täglich über mindestens 10 Minuten ein Ausdauertraining durchführen; optimal sind 35 - 40 Minuten Ausdauertraining pro Tag.

Art und Umfang müssen zuvor **individuell mit dem** behandelnden **Arzt** nach vorausgegangenen Herzuntersuchungen **erprobt und festgelegt** werden. Dies gilt insbesondere für Menschen, die bereits einen Herzinfarkt erlitten haben. Sie werden in der Regel während der Anschlußheilbehandlung gezielt untersucht, angeleitet und überwacht. Der Arzt legt eine **Trainingsherzfrequenz** fest, um eine Überforderung des Herz-Kreislaufsystems zu vermeiden. Der Koronarkranke weiß, bis zu welcher Herzfrequenz er sich mit bestimmten Übungen belasten darf und soll.

Zur Verbesserung der Herz-Kreislaufleistungen müssen $^1/_6$ bis $^1/_7$ der Gesamtmuskelmasse betätigt werden. Dies ist zum Beispiel beim Wandern, Joggen oder Radfahren der Fall. Eine exakte Dosierung und Kontrolle der Belastung ermöglicht das Training mittels Fahrradergometer. Es wird vor allem für Menschen mit einer geringen Belastbarkeit des Herzens, mit orthopädischen Einschränkungen oder mit Unsicherheiten bei der Bewegung außerhalb einer geschützten Umgebung empfohlen.

4.2.4.3 Angina pektoris

4.2.4.3.1 Erscheinungsbild

Der Begriff Angina pektoris *(syn. Stenokardie; Brustenge)* bezeichnet die **infolge einer akuten Koronarinsuffizienz** typischerweise **auftretenden Herzschmerzen**; sie ist Ausdruck des momentanen Mißverhältnisses zwischen Sauerstoffangebot und Sauerstoffbedarf des Herzmuskels. Dieses wird durch exogene Stimuli, in erster Linie durch körperliche Anstrengung, seelische Belastung, Kälteeinwirkung (schneller Übergang von warmer in kalte Umgebung) oder reichliche Nahrungsaufnahme ausgelöst.

Der **Angina - pektoris - Anfall** ist gekennzeichnet durch plötzlich einsetzende, Sekunden bis Minuten dauernde **Schmerzen** in der linken Brust oder hinter dem Brustbein. Die Schmerzen strahlen häufig über die linke (evtl. die rechte) Schulter und Arminnenseite bis in die ulnaren* Fingerspitzen aus, eventuell aber auch in die Hals- Unterkieferregion oder zwischen die Schulterblätter sowie in das Epigastrium*. Der Betroffene verspürt gleichzeitig ein **Engegefühl in der Brust**; bei einem schweren Angina - pektoris - Anfall wird er zusätzlich unter Atemnot, (Todes-) Angst und Tachykardie leiden. Im Alter kann der Schmerz jedoch fehlen; statt dessen wird ein Druckgefühl hinter dem Brustbein beschrieben. Auch bei Diabetes mellitus können, oft als Folge der Schädigung sensibler Nervenfasern, Beschwerden bei einer akuten Verengung der Herzkranzgefäße fehlen.

Treten die Schmerzen stets bei den gleichen körperlichen Belastungen auf, handelt es sich um eine **stabile Angina pektoris**. Sie verschwindet bei körperlicher Ruhe.

Eine **instabile Angina pektoris** liegt dagegen vor, wenn die Schmerzen bei unterschiedlichen Belastungen bzw. bereits in Ruhe oder bei geringer Belastung auftreten. Sie wird als potentielle Vorstufe des Herzinfarktes gewertet.

Die Angina pektoris bessert sich in der Regel sofort nach Verabreichung von Nitroglycerin.

Eine besondere Form der Angina pektoris, die **Prinzmetal-Angina**, tritt nur in Ruhe auf, ist also nicht belastungsabhängig. Hier ist die Mangeldurchblutung des Herzens wahrscheinlich durch *Koronarspasmen* bedingt.

4.2.4.3.2 Zur Situation eines Betroffenen

Das erstmalige und auch das wiederholte Auftreten der Angina pektoris kann von einem Betroffenen falsch interpretiert werden, z.B. als Trainingsmangel, so daß er sich nicht in ärztliche Behandlung begibt.

Die Schmerzen lösen, je nach Intensität, **Herzbeklemmungen** und unangenehme Gefühle bis Todesängste aus. Aus Angst vor weiteren Anfällen meidet ein Betroffener meist die auslösenden Stimuli - sofern ihm deren anfallauslösende Bedeutung bewußt ist. Er **paßt sich an** seine **Belastbarkeit**, d.h. seine Schmerzgrenze **an** und kann auf diese Weise meist lange Zeit Anfälle vermeiden bzw. lindern. Für einige Betroffene bedingen sowohl die Einschränkungen und Verzichte (z.B. auf das Rauchen) als auch die ausgelösten Ängste eine **Minderung ihrer Lebensqualität**.

Die regelmäßige und/oder im Bedarfsfall mögliche Einnahme schmerzlindernder Medikamente verleiht vielen Betroffenen eine relative Sicherheit.

Weitere Aspekte zur Situation eines Betroffenen wurden bereits im Abschnitt "Koronare Herzkrankheit" besprochen.

4.2.4.3.3 Pflegeschwerpunkte

❒ Verhalten während eines Angina - pektoris - Anfalls

Ein Angina - pektoris - Anfall läßt sich zunächst nicht von einem Herzinfarkt unterscheiden. Klagt ein Patient über plötzlich einsetzende heftige Herzschmerzen und ein Engegefühl in der Brust, ist sofort ein **Arzt** zu **verständigen**.

Dem Betroffenen gegenüber sollten Ruhe und **Sicherheit** ausgestrahlt werden, **Belastungen** jeglicher Art sind zu **vermeiden** *(Reduzieren des myokardialen Sauerstoffbedarfs)*. Er ist mit **aufgerichtetem Oberkörper** - möglichst im Bett - zu **lagern** *(Verringerung des venösen Rückflusses)*. Eine flache Lagerung ist in jedem Fall kontraindiziert, da sie über Steigerung des venösen Blutrückflusses und somit des Drucks in den Herzkammern die Durchblutung des Myokards erschwert.

Beengende **Kleidung** sollte geöffnet bzw. abgelegt werden, das **Fenster** ist zu **öffnen** *(subjektive Atemerleichterung, Verringerung des Unwohlseins).* Während dieser Maßnahmen wird der Patient gezielt hinsichtlich seines Aussehens und Befindens **beobachtet**, sobald möglich werden Puls und Blutdruck gemessen.
Menschen, bei denen bereits eine Angina pektoris bekannt ist, verfügen oft über ein **Nitro - Präparat** (Spray, Gel-Kapseln), von dem sie bei Anfallsbeginn ein - zwei Hübe auf die Wangenschleimhaut geben bzw. die sie zerbeißen und deren Inhalt sie in der Mundhöhle wirken lassen.
Ansonsten wird der Arzt ein schnell wirksames Nitroglycerin-Präparat verordnen *(Nachlassen der Herzschmerzen durch Vorlast- und Blutdrucksenkung sowie Erweiterung der Koronarien).* Die Wirkung setzt innerhalb von 1-3 Minuten ein und dauert ca. 10 - 40 Minuten an. Neben der rasch einsetzenden Besserung der Beschwerden stellen sich manchmal auch unerwünschte Wirkungen wie Tachykardie, Kopfschmerzen, Schwindel und Hitzegefühl ein. Der Patient ist entsprechend zu informieren und zu beobachten, insbesondere sind Puls und Blutdruckkontrollen durchzuführen. Falls vom Arzt verordnet, wird zusätzlich Sauerstoff verabreicht.

Pflegerisches Verhalten und Handeln während eines Angina - pektoris - Anfalls

⇨ *Arzt rufen*
⇨ *Ruhe und Sicherheit vermitteln*
⇨ *Belastungen des Betroffenen vermeiden*
⇨ *Oberkörper hoch lagern*
⇨ *beengende Kleidung entfernen*
⇨ *Vitalzeichen kontrollieren*
⇨ *laufend Aussehen und Befinden beobachten*
⇨ *verordnetes Nitropräparat verabreichen*
⇨ *Wirkung beobachten*
⇨ *ggf. ärztlich verordneten Sauerstoff verabreichen*

Besonders hartnäckige Angina - pektoris - Anfälle müssen im Krankenhaus behandelt werden.

❒ Beeinflussung der Risikofaktoren - Gesundheitsberatung

Diese Maßnahmen werden auf *Seite 294* besprochen.

❒ Reduzieren bzw. Vermeiden auslösender Faktoren

Der Betroffene hat meist bereits beobachtet, unter welchen Bedingungen die Angina - pektoris - Anfälle auftreten und bemüht sich, diese zu umgehen. Ansonsten ist er dazu aufzufordern. Insgesamt soll er - und sollen ggf. die ihn pflegenden Personen - möglichst

- seelische Belastungen, insbesondere Ärgernisse und angstauslösende Situationen, vermeiden;
- für eine ruhige Umgebung sorgen;
- körperliche Belastungen vermeiden und ggf. gezielte Unterstützung bei den ATL in Anspruch nehmen (bzw. gewährleisten);
- kleine, leicht verdauliche Mahlzeiten zu sich nehmen;
- plötzliche Übergänge von warmen Räumen in kalte Umgebungsluft vermeiden.

❒ Pflegemaßnahmen bei Bettruhe

Ist ein an Angina pektoris leidender Mensch bettlägerig, weist er in der Regel ein **Thrombose- und Pneumonierisiko** auf. Eine Gefährdung in Hinsicht auf weitere Sekundärerkrankungen ist gezielt zu hinterfragen.
Wichtig ist die dem jeweiligen Zustand des Kranken **angepaßte Mobilisation** im Sinne einer übergreifenden Prophylaxe.
Ein Abklopfen des Thorax ist zu unterlassen, da es möglicherweise zur Mobilisierung von thrombotischem Material führt.

❒ Beobachtung der Medikamentenwirkung

❍ Zur Verhinderung weiterer Angina - pektoris - Anfälle wird eine **Dauertherapie mit Nitratpräparaten** durchgeführt. Sie wirken vasodilatierend an den Koronararterien, an den venösen Kapazitätsgefäßen und an den arteriellen Gefäßen. Eine langsame Senkung von Blutdruck und Herzfrequenz führen zur **Reduktion des myokardialen Sauerstoffverbrauchs**. Folglich sind täglich **Puls-** und **Blutdruckkontrollen** (Häufigkeit nach Arztanordnung) durchzuführen. Die Beobachtungsergebnisse werden dokumentiert, auftretende **unerwünschte Wirkungen** *(Kopfschmerzen infolge der Gefäßweitstellung; Schwindelgefühl infolge Blutdruckabfall)* dem Arzt zusätzlich mündlich mitgeteilt.
Bei Langzeiteinnahme von Nitraten kann es mit der Zeit zum Wirkungsverlust *(Toleranzentwicklung)* kommen. Der Arzt verordnet dann z.B. eine nächtliche Einnahmepause.
Beispiele für Glyceroltrinitrat - Präparate:
Nitrolingual®-Spray, Corangin®Nitrokapseln, perlinganit®, Nitrolingual.
Beispiele für Isosorbidmononitrat:
Ismo®, Corangin®, Turimonit®, Mono-Mack®.
Beispiele für Isosorbiddinitrat:
Isoket®, Iso Mack®, Corovliss®, Maycor®.

❍ Zur Langzeittherapie werden auch **Beta-Rezeptorenblocker** (z.B. Beloc®, Dociton®, Tenormin®) verordnet. Betablocker hemmen die Sympathikuswirkung am Herzen. Die Senkung von Pulsfrequenz, Blutdruck und Herzkraft sind die Folgen; der **myokardiale Sauerstoffverbrauch** wird **reduziert**. Des weiteren beeinflussen Betablocker Herzrhythmusstörungen positiv, beängstigende Herzsensationen werden vermieden.
Mögliche unerwünschte **Wirkungen** bei der Einnahme von Betablockern sind unter anderem durch die Engstellung arterieller Gefäße bedingt. So kann es z. B. bei arteriellen Durchblutungsstörungen der unteren Extremitäten *(vgl. "Arterielle Verschlußkrankheit", Seite 337)* zur Verkürzung der schmerzfreien Gehstrecke kommen. Beim Asthmatiker können Asthmaanf 'e ausgelöst werden (Kontraindikation).
Diabetiker müssen ihren **Blutzucker häufiger kontrollieren** als üblich, da Hypoglykämiezeichen unter Betablockereinnahme kaschiert und nicht sofort wahrgenommen werden. Einige Präparate

können zu Potenzstörungen führen, die den Betroffenen meist erheblich belasten und seine Compliance* herabsetzen. Das Problem kann oft durch Wechsel des Präparates gelöst werden.

- Als **Kalziumantagonisten** werden verschiedene Substanzgruppen bezeichnet, deren gemeinsames Merkmal die **Hemmung des Kalziumeinstroms** durch die Zellmembran ist. Eine Weitstellung der Koronarien und anderer arterieller Gefäße sowie die Abnahme der Pumpkraft des Herzens erlauben eine sauerstoffsparende Herzarbeit. Kalziumantagonisten **normalisieren** den **Herzrhythmus** und **senken Puls** sowie **Blutdruck** in erwünschter Weise; Schwindel kann ein Hinweis auf eine zu starke Puls- oder Blutdrucksenkung sein.
  (Weitere) unerwünschte **Wirkungen** treten bei der Einnahme von Kalziumantagonisten **selten** auf und sind je nach Präparat sehr unterschiedlich. Das Pflegepersonal sollte sich entsprechend informieren und den Patienten daraufhin gezielt beobachten.
  Zu den Kalziumantagonisten gehören im wesentlichen folgende Substanzengruppen:
  - Verapamil-Typ, z.B. Isoptin®, VeroptinStada®;
  - Diltiazem-Typ, z.B. Dilzem®;
  - Nifedipin-Typ, z.B. Adalat®, Pidilat®.
- Eine Therapie mit **ACE-Hemmern**, **Diuretika** und **Digitalis** verbessert den Zustand des Betroffenen. *Diese Medikamentengruppen werden auf Seite 287 besprochen.*
- Um das Thromboserisiko in den arteriellen Blutgefäßen herabzusetzen, werden häufig zusätzlich **Thrombozytenaggregationshemmer** (z.B. Aspirin®, ASS®, Asasantin®) verordnet.
  Die Medikamente sollten zu den Mahlzeiten eingenommen werden, da sie die Magenschleimhaut angreifen. *Nähere Informationen zu dieser Therapie werden auf Seite 912 erläutert.*

In schweren Fällen der Angina pektoris und nach ausgeprägtem Herzinfarkt wird eine langdauernde **Antikoagulanzientherapie** mit Kumarinpräparaten durchgeführt *(siehe Seite 304)*.

4.2.4.3.4 Operative Behandlungsmöglichkeiten

Ist die koronare Herzkrankheit mit ihrem Hauptsymptom Angina pektoris medikamentös nicht ausreichend zu beeinflussen, bleibt bei Nachweis einer erheblichen Verengung der Herzkranzarterien zur Verbesserung der myokardialen Sauerstoffzufuhr die Möglichkeit einer **PTCA**.

Bei der **PTCA** *(perkutane transluminale koronare Angioplastie; Ballondilatation)* handelt es sich um eine inzwischen bewährte Möglichkeit zur Beseitigung der Stenosen in den Koronarien. Sie wird erforderlich, wenn die Herzschmerzen bei koronarer Herzkrankheit trotz medikamentöser Therapie anhalten oder erneut auftreten.

Die Durchführung und pflegerische Aufgaben im Zusammenhang mit einer PTCA werden auf *Seite 314* besprochen.

Bei drohendem oder eingetretenem Verschluß von Koronarien kann operativ in Form einer **Bypass - Operation** behandelt werden.

Bei der **aortokoronaren Venenbypass - Operation** wird zur Überbrückung der Herzkranzgefäßverengung distal der Stenose ein Venenstück (meist aus der Vena saphena) mit dem dazugehörigen proximalen Koronararteriengefäßabschnitt anastomosiert. Bei Bedarf werden mehrere Koronarien mit Bypässen versorgt. Die Operation kann nur mit Einsatz einer Herz-Lungen-Maschine, die das Operieren am stillgelegten Herzen erlaubt, durchgeführt werden. Dies erfolgt in herzchirurgischen Zentren.

Die Patienten werden postoperativ auf einer **herzchirurgischen Intensivpflegestation** betreut. Dort werden zur Erkennung von Komplikationen insbesondere die Herz-, Kreislauf- und Atemfunktionen mit speziellen Geräten überwacht.

Weiter können Nachblutungen sowie Störungen der Blutgerinnung und der Wundheilung auftreten.

Verlaufen die ersten beiden postoperativen Tage komplikationslos, wird der Patient auf eine Normalstation der herzchirurgischen Abteilung verlegt. Dort wird er **unter sorgfältiger Herz-Kreislaufbeobachtung** mit dem Ziel, sich in ca. einer Woche selbständig bewegen und versorgen zu können, **mobilisiert**. Sofern dieses Ziel erreicht wurde und die Wundheilung störungsfrei verläuft, wird der Patient auf eine kardiologische Station verlegt bzw. direkt eine **Anschlußheilbehandlung** angeschlossen.

Im Vergleich zur Bypass-OP stellt die PTCA einen für den Betroffenen weniger belastenden und aufwendigen Eingriff dar.

Auch nach einer Operation kann die Koronarsklerose sowohl am Bypass als auch an den Koronarien fortschreiten; ihre Entwicklungsgeschwindigkeit läßt sich jedoch durch das **Ausschalten der Risikofaktoren** deutlich reduzieren. Der operierte Patient ist entsprechend zu beraten bzw. anzuleiten.

4.2.4.4 Herzinfarkt

4.2.4.4.1 Krankheitsbild

❒ Definition

Beim Herzinfarkt *(Myokardinfarkt)* kommt es infolge eines Koronararterienverschlusses zur **ischämiebedingten Nekrose** des nachgeschalteten Herzmuskelbezirks. Der Herzinfarkt ist eine **Komplikation der KHK**.

Die Größe der Nekrose und somit die Schwere des Herzinfarktes ist abhängig von der Größe des betroffenen Herzkranzgefäßes. Das nekrotische Gewebe wandelt sich nach Wochen in Narbengewebe um, welches sich nicht mehr an der Herzarbeit beteiligen kann. Kleine Infarkte beeinträchtigen die Förderleistung des Herzens im Gegensatz zu großen Infarkten nicht.

Je nach Lokalisation werden grob der **Vorderwand-** und der **Hinterwandinfarkt** unterschieden.

❒ Symptome und Diagnose

Der Herzinfarkt ist ein **lebensbedrohliches Geschehen**. Dies wird vielen Betroffenen aufgrund der eindringlichen und massiven Krankheitszeichen - die immer dazu führen sollten, daß rasch der Haus- oder Notarzt gerufen und eine **Klinikeinweisung** veranlaßt wird - auch als solches empfunden. Leider verspüren bis zu 20% der Betroffenen, vor allem alte Menschen und Diabetiker, die folgenden Symptome nicht ***(stummer Infarkt)*** oder nur in geringer Ausprägung.

- Angina pektoris ähnlicher, aber intensiverer und nicht durch Medikamente und Bettruhe beinflußbarer **Herzschmerz:**
  - plötzlich einsetzender starker Schmerz in der Brust, der vom Charakter anhaltend (länger als 15 - 30 Minuten) ist (Unterschied zum wellenförmig verlaufenden Herzschmerz bei Angina - pektoris - Anfall),
  - **Schmerzausstrahlung** in die linke Schulter und Arminnenseite bis in die ulnaren* Fingerspitzen, evtl. auch in die rechte Schulter, linke Hals-Unterkieferregion oder ins Epigastrium*,
  - unerträgliches **Druck- und Engegefühl** in der Brust *("als schnüre ein Eisenring die Brust ein"),*
  - große **Unruhe**,
  - Herzklopfen;
- Blutdruckabfall;
- fadenförmiger Puls;
- Blässe;
- Kaltschweißigkeit;
- evtl. hochgradige Atemnot (bei akut auftretender Linksherzinsuffizienz);
- evtl. Übelkeit / Erbrechen;
- **typische EKG-Veränderungen:**
  - vorübergehend "Erstickungs-T" *(= hochpositive T-Welle),*
  - Anhebung des ST-Strecke,
  - tiefe und breite Q-Zacke, spitznegative T-Welle (im Zwischenstadium);
- **typische Enzymveränderungen:**
  - nach 4-8 Std. Anstieg der CK und **CK-MB** (Isoenzym der Kreatinphosphokinase, Normalwert 0-50 m U/ml) um das 10 - 12fache,
  - nach 4-8 Std. Anstieg der **GOT** (Glutamat-Oxalazetat-Transaminase, Normalwert 5-20 m U/ml) um das 4-5fache,
  - nach 8-10 Stunden Anstieg der **LDH** (Lactat-Dehydrogenase, Normalwert 120-240 mU/ml) um das 3-4fache;
- häufig Anstieg der Körpertemperatur bis ca. 39 Grad C vom ca. 2. - 7. Krankheitstag (**Resorptionsfieber**).

Schmerzanamnese, EKG- und Enzymveränderungen lassen die schnell erforderliche **Diagnosestellung** zu. Bei alten Menschen kann evtl. erst eine durch das Infarktgeschehen bedingte Herzinsuffizienz zur Diagnose des Herzinfarktes führen. Auch kann der Herzinfarkt durch eine vordergründige akute Oberbauchsymptomatik zunächst übersehen werden.
Die Ausprägung der Nekrose ist abhängig von der Ischämiedauer; bei Wiederherstellung der myokardialen Sauerstoffversorgung innerhalb der ersten 4 - 6 Stunden durch eine **medikamentöse Auflösung des Thrombus** *(Fibrinolyse)* kann der Gewebsuntergang verringert oder bestenfalls verhindert werden.

❒ Komplikationen

Der Herzinfarkt kann - vor allem in der Akutphase - mit lebensbedrohlichen Komplikationen einhergehen:

- Herzrhythmusstörungen (Tachykardien, Bradykardie, Extrasystolie, Kammerflimmern, AV-Block, Asystolie);
- Herzinsuffizienz (mit Lungenödem);
- kardiogener Schock;
- Herzwandaneurysma*;
- Herzwandruptur;
- Reinfarkt *(zweiter Infarkt in zeitlichem Abstand zum ersten Infarkt)*;
- Thromboembolien,
  - Lungenembolie (aus den Venen der unteren Extremitäten stammender Thrombus),
  - arterielle Embolie (aus dem Infarktgebiet in z.B. Gehirn-, Nieren- oder Extremitätenarterien mobilisierter Thrombus).

4.2.4.4.2 Zur Situation eines Betroffenen

Die Situation des an der koronaren Herzkrankheit und des an Angina pektoris leidenden Menschen wurde in den entsprechenden Abschnitten besprochen.
Ein akuter Herzinfarkt wird vom Betroffenen als **vitale Bedrohung** empfunden, wozu vor allem der Herzschmerz und ein unerträgliches Engegefühl in der Brust beitragen. Todesangst und Vernichtungsgefühl sind die Folgen.
Ein Herzinfarkt **verändert** durch sein plötzliches Auftreten das **Alltagsleben grundlegend**. Ein Betroffener wird von einem Moment zum anderen aus dem Familien- und ggf. auch aus dem Berufsleben gerissen. Nicht selten lassen ihn Gedanken an die Firma, an berufliche Pflichten oder an vorherrschende Konfliktsituationen selbst auf der Intensivstation nicht zur Ruhe kommen, so daß er z.B. ständig telefonieren möchte.
Dem Herzinfarkt kann eine starke körperliche Anstrengung oder eine emotionell stark belastende Situation vorangehen.
Die Interpretation des Infarktgeschehens von seiten der Betroffenen kann sehr verschieden sein. So wird es z.B. als "***Notbremse***" und Wendepunkt im Leben, oder aber als sinnlose lästige Unterbrechung des Alltags, die zu weiterem Streß führt, gedeutet. **Schuldgefühle** aufgrund langjährigen Risikoverhaltens sind nicht selten.
Entsprechend kann die Zeit des stationären Aufenthaltes als **Chance**, die bisherige Lebensführung - evtl. gemeinsam mit nahestehenden Menschen - zu überdenken, genutzt oder vertan werden.
Für ältere Menschen kann der Herzinfarkt insbesondere die Auseinandersetzung mit dem eigenen Altern, evtl. auch mit Sterben und Tod, provozieren oder intensivieren.
Spätestens nach Überwindung der lebensbedrohlichen Krankheitsphase ist für viele (jüngere) Herzinfarktpatienten die Zeit der Bettruhe und der Schonung mit **schwer zu ertragender Passivität** verbunden. Sie neigen dazu, ihre Situation zu bagatellisieren und zu verleugnen. So läßt sich nicht selten beobachten, daß die Compliance* im Therapieverlauf zunehmend nachläßt.

Andere Menschen sind nach erlittenem Herzinfarkt jedoch **besonders vorsichtig**. Aus Angst, erneut einen Herzinfarkt zu erleiden und daran zu versterben, lehnen sie jegliche körperliche Mobilisation ab oder lassen sie unter großer seelischer Anspannung zu. Auch nach dem stationären Aufenthalt verhalten sie sich übertrieben vorsichtig.
Während der Anschlußheilbehandlung lernen die Betroffenen, die Möglichkeiten und Grenzen ihrer Belastbarkeit einzuschätzen. Leider wird deren Notwendigkeit für nicht mehr berufstätige Menschen oft verkannt. Die Ängste alter Menschen bleiben dann häufig bestehen und führen zu einer **ungerechtfertigten Inaktivität**, die ihrerseits Unselbständigkeit und unter Umständen auch Sekundärerkrankungen hervorruft.
Eine an das Herzinfarktgeschehen anschließende **Dauermedikation** kann, insbesondere wenn sie mit unerwünschten Wirkungen einhergeht, als belastend empfunden werden und eine **langfristige Compliance*** des Kranken erfordern (z.B. bei Therapie mit Kumarinderivaten).

4.2.4.4.3 Pflegeschwerpunkte

❐ Verhalten bei akutem Herzinfarkt

Der folgende Handlungsablauf umfaßt die **Notfallversorgung** eines Menschen mit akutem Herzinfarkt aus pflegerischer Sicht.

- Sofort einen Arzt benachrichtigen (lassen) bzw. einen Notarzt / Rettungsdienst anfordern (lassen), Name, Alter, Beschwerden und den Verdacht eines Herzinfarktes angeben.
- Möglichst Ruhe und Sicherheit ausstrahlen, beruhigend auf den Betroffenen einwirken.
- Den Kranken mit erhöhtem Oberkörper lagern, bei kardiogenem Schock den Oberkörper nur leicht erhöht lagern.
- Beengende Kleidung öffnen bzw. entfernen.
- Puls, Blutdruck und Atmung beobachten.
- Ggf. das bereits vor dem Infarktgeschehen verordnete Angina-pektoris-Therapeutikum verabreichen (in der Regel zwei Sprühstöße Nitroglyzerin in die Mundhöhle bzw. unter die Zunge geben oder zwei Kapseln Nitroglyzerin sublingual verabreichen). **Beachte**: Bei Schock und bei systolischem Blutdruck unter 100 mmHg sind Nitropräparate kontraindiziert!
- Entsprechend der Arztanordnung nasal Sauerstoff verabreichen (meist 2 - 4 l / min).
- Ärztliche Maßnahmen vorbereiten und assistieren
  - Notfallmedikamente bereithalten;
  - Legen eines venösen Zugangs;
  - Ableiten eines EKGs;
  - Schmerzbekämpfung (z.B. mittels intravenöser Morphingabe).
    Beachte: Atemdepression möglich - Atmung beobachten!
  - Nitroglyzeringabe über einen Perfusor;
    Beachte: Blutdruckabfall möglich! Blutdruckkontrollen erforderlich!
  - Sedierung (z.B. mittels 5-10 mg Diazepam® i.v.);
  - **bei stark hypotoner Kreislaufsituation** Stärkung der Herzkraft und Förderung der Nierendurchblutung durch i.v. Verabreichung von Katecholaminen über einen Perfusor (z.B. Dopamin Nattermann®, Dobutrex®);
  - **bei Herzstillstand** kardiopulmonale Reanimation, Suprarenin i.v., Defibrillation *(siehe Seite 419)*.
- Den Patienten auf die Intensivstation verlegen (Transport nur in ärztlicher Begleitung und mit Notfallkoffer), dort Monitor zur kontinuierlichen EKG-Ableitung anschließen.
- Weitere ärztliche Maßnahmen vorbereiten und assistieren
  - Blutentnahme für Labordiagnostik (CK, CK-MB, GOT, GPT, LDH, HBDH, BB, Lipase, Quick-Wert, AT III, PTT, Elektrolyte),
  - Infusion mit High-dose-Heparin,
  - Legen eines zentralen Venenkatheters,
  - ggf. Fibrinolysetherapie.
- Den Patienten, insbesondere seine Vitalzeichen, laufend beobachten.
- ***Beachte:*** Keine intramuskulären Injektionen verabreichen (dadurch würden sich herzspezifische Enzymwerte verändern; bei Fibrinolyse und bei Heparinisierung können Blutungen provoziert werden).
- Den Patienten weiterhin mit erhöhtem Oberkörper lagern; bei Komplikationen wie Herzinsuffizienz und Lungenödem empfiehlt sich die Lagerung im Herzbett, um den venösen Blutrückfluß zu vermindern und dadurch das Herz zu entlasten.

❐ Krankenbeobachtung

Die gezielte und kontinuierliche Krankenbeobachtung steht in den ersten Krankheitstagen im Vordergrund der Pflege, um - lebensbedrohliche - Komplikationen so früh wie möglich erkennen und behandeln zu können. Sie soll dem Betroffenen im Rahmen des Möglichen ein Gefühl der Sicherheit vermitteln und seine Ängste abbauen.

- **Kontinuierliche EKG-Ableitung** (Monitor), um Herzrhythmusstörungen (Tachykardien, Bradykardie, Extrasystolie, Kammerflimmern, AV-Block, Asystolie) sofort zu erkennen.
- Engmaschige **Puls- und Blutdruckkontrollen**, um zu starken Blutdruckabfall und Kreislaufzentralisation / -versagen (Schock) sowie Herzinsuffizienz und Reinfarkt rasch zu erkennen.
- Mehrmalige **Temperaturmessungen**, um Infektionen (z.B. eine Pneumonie) frühzeitig zu erkennen.
- Kontinuierliche bis stündliche **Beobachtung der Atmung** (Atemfrequenz, -tiefe, -rhythmus, -beschwerden, -geräusche), um frühzeitig Hinweise auf Atemdepression, Lungenödem / -embolie oder -entzündung zu bekommen.
- **Beobachtung der Urinausscheidung**, häufig mittels Harnableitung über einen Blasenverweilkatheter; Stundenurinmessung mittels Urimeter und Flüssigkeitsbilanzierung (8 - 24 stündlich, je nach Arztverordnung), um die Kreislaufsituation einzuschätzen und frühzeitig eine beginnende Einschränkung der Nierenfunktion zu erkennen.
- **Messung des zentralen Venendrucks** (auf Arztanordnung hin, meist 2 - 8 stündlich), um eine Herzinsuffizienz und einen kardiogenen Schock rasch zu erkennen.

- **Perkutane pO_2 - Messung** und **Hautbeobachtung** (Zyanose? Blässe? Rötung?) zwecks Kreislaufbeurteilung und zur Einschätzung des Dekubitusrisikos.
- **Beobachtung** (Erfragen) des **subjektiven Befindens** des Patienten (Schmerzen? Atemnot? Beklemmungsgefühl? Ängste? Wünsche?)
- **Beobachtung des Verhaltens**, um die Einsicht und die Kooperationsbereitschaft des Patienten bezüglich der Pflege- und Therapiemaßnahmen einschätzen zu können und um seine Bedürfnisse (z.B. Gesprächs- oder Ruhebedarf) zu erfassen.
- Ggf. gezielte **Beobachtung hinsichtlich** auftretender unerwünschter **Wirkungen bei Fibrinolysetherapie*** (Kopf- / Rückenschmerzen? Temperaturerhöhung? Allergische Reaktionen wie Gesichtsröte, Atemnot, Übelkeit, Tachykardie, Blutdruckabfall, Kreislaufstillstand? Haut- / Schleimhautblutungen? Blutbeimengungen im Urin / Stuhl?), um umgehend kompensierende / prophylaktische Maßnahmen ergreifen bzw. bei Auftreten allergischer Reaktionen die Infusion abstellen zu können.
- Gezielte **Beobachtung** hinsichtlich erwünschter und unerwünschter **Wirkungen** der verabreichten Medikamente, um den Therapieverlauf zu erfassen und um frühzeitig Nebenwirkungen erkennen zu können. *(Die einzelnen Wirkstoffgruppen werden bei der Koronaren Herzkrankheit bzw. der Herzinsuffizienz besprochen).*

❐ Prophylaktische Pflegemaßnahmen

Die individuelle Gefährdung hinsichtlich der Entwicklung von Sekundärerkrankungen ist sorgfältig zu analysieren. Im allgemeinen liegt der folgende Pflegebedarf vor.

❍ Thromboseprophylaxe

Aufgrund der Immobilisierung und der verminderten Herzleistung besteht ein Thromboserisiko. Die prophylaktischen Maßnahmen orientieren sich am aktuellen Befinden des Patienten und an den ärztlichen Anweisungen. Im allgemeinen entsprechen sie den in "Thromboseprophylaxe - Pflegestandard B" aufgeführten Maßnahmen *(siehe Seite 324)*; bei hochdosierter Antikoagulanzientherapie sind zusätzlich weitere Maßnahmen erforderlich *(siehe "Verhalten bei Antikoagulanzientherapie", Seite 304)*.

Weiter besteht die Möglichkeit, daß sich embolisierungsfähige Materialien aus dem Rand des Infarktgebietes lösen und eine arterielle Strombahn verlegen. Deshalb sind ruckartige Bewegungen und starkes Pressen des Patienten zu vermeiden.

❍ Pneumonieprophylaxe

Aufgrund einer flachen und beschleunigten Atmung bei Atemnot bzw. aufgrund flacher Atmung bei Immobilisierung besteht ein Pneumonierisiko. Die prophylaktischen Maßnahmen beziehen sich auf die Intensivierung der Atmung (Atemübungen), bei Bedarf zusätzlich auf die Erleichterung der Atmung (Oberkörperhochlage). Treten Komplikationen wie Herzinsuffizienz, Lungenödem oder Lungenembolie auf, orientiert sich die Planung und Durchführung der Pflegemaßnahmen an "Pneumonieprophylaxe - Pflegestandard D" *(siehe Seite 66)*.

❍ Dekubitusprophylaxe

Aufgrund der Immobilisierung, ggf. zusätzlich infolge der Minderdurchblutung in der Peripherie (bei Schock) bzw. infolge verringerter Schmerzwahrnehmung (bei Morphingabe) besteht ein Dekubitusrisiko. Weitere Risikofaktoren wie Fieber oder hohes Lebensalter potenzieren das Risiko.

Beachte: Viele Patienten mit akutem Herzinfarkt sind in der Lage, spontan druckentlastende Bewegungen auszuführen; hier bezieht sich die Prophylaxe auf die Anleitung des Patienten und auf die Beobachtung der Haut. In schweren Fällen muß evtl. vorübergehend auf Lageveränderungen verzichtet werden, um jegliche Belastung zu vermeiden.

❍ Harnwegsinfektionsprophylaxe

Bei liegendem Blasenverweilkatheter bestegt das Risiko der aufsteigenden Harnwegsinfektion. Die Prophylaxe erstreckt sich über die sorgfältige Intim- und Katheterpflege sowie über den sachgerechten Umgang mit dem Urinableitungssystem *(siehe "Pflegemaßnahmen bei Blasenverweilkatheter", Seite 208)*.

❍ Obstipationsprophylaxe

Aus der fehlenden Bewegung und dem Mangel an Faserstoffen kann eine Obstipationsneigung resultieren. Ggf. verordnet der Arzt ein Laxanz (z.B. Bifiteral®).

❍ Infektionsprophylaxe

An den Einstichstellen für venöse Zugänge besteht das Risiko einer Infektion. Für die Infektionsprophylaxe gelten die unter *"Überwachung und Versorgung des Venenzugangs"* *(siehe Seite 461)* besprochenen Regeln.

❍ Blutungsprophylaxe

Wird eine hochdosierte Antikoagulanzientherapie bzw. eine Fibrinolysetherapie durchgeführt, resultiert daraus eine Blutungsneigung. Die diesbezüglichen Pflegemaßnahmen gelten dem frühzeitigen Erkennen von Haut- und Schleimhautblutungen sowie der Vermeidung von Verletzungen. Bei einer Lysetherapie werden ggf. Druckverbände auf den Einstichstellen angelegt. *Weitere Informationen siehe Seite 334.*

❐ Vermittlung von Sicherheit, psychische Begleitung

Es ist Aufgabe des Pflegepersonals, **Streßsituationen** (z.B. durch Hektik, Bevormundung, Lärm) zu **vermeiden**, denn Streß erhöht die Sympathikusaktivität, führt zu vermehrter Katecholaminausschüttung und somit über die Herzfrequenzsteigerung zur Erhöhung des myokardialen Sauerstoffbedarfs. Außerdem wird bei psychischer Belastung die Lipolyse intensiviert.

So ist mit dem Patienten die **Besuchsregelung** zu besprechen; sie soll seinen Bedürfnissen entsprechen, ohne jedoch zur Überlastung zu führen. Aufregungen sind insgesamt vom Patienten fernzuhalten und Kränkungen - z.B. Vorwürfe oder Schuldzuweisungen wegen seines Risikoverhaltens - sind zu vermeiden.

Gerade in den ersten Krankheitstagen verspürt der Patient ein hohes Sicherheitsbedürfnis. Bereits die engmaschigen Maßnahmen der Krankenbeobachtung,

das Monitoring und die ständige intensive Betreuung in der akuten Kranheitsphase wirken im allgemeinen beruhigend auf den Patienten. Andererseits scheint die Intensivbetreuung die Bedrohlichkeit der Situation zu bestätigen und verstärkt so evtl. bestehende Ängste.
Der Kranke sollte ermutigt werden, über seine Gefühle, Ängste und Sorgen zu sprechen - auch mit seiner Familie. Solche **Gespräche** entsprechen den Bedürfnissen und haben Entlastungsfunktion. Bewußt "neutral" geführte Gespräche, die die aktuelle Situation mit ihrer Bedrohlichkeit ausklammern, belasten meist sowohl den Betroffenen als auch seine Angehörigen.
Einige Patienten verdrängen jedoch ihre Ängste und die Schwere ihrer Erkrankung und neigen dazu, sich zu überfordern. Sie interpretieren den Herzinfarkt nicht als Notbremse und Chance, ihre Lebensweise zu verändern, sondern eher als sinnlose Unterbrechung des Alltagsgeschehens. Im Umgang mit diesen Patienten ist es schwierig, ein Bewußtsein für die Risikofaktoren, die das Voranschreiten der KHK begünstigen, zu vermitteln.
Es sollte berücksichtigt werden, daß Menschen, die einen Herzinfarkt erlitten haben, häufig das sogenannte Typ-A-Verhalten *(siehe "Risikofaktoren der KHK", Seite 293)* zeigen und Passivität sowie Hilflosigkeit nicht ertragen können. Dieses Wissen erleichtert es, sich in die Situation eines Betroffenen einzufühlen. Es gilt, sein **Autonomiebestreben ernst** zu **nehmen** und bestehende Möglichkeiten zur Selbständigkeit auszuschöpfen, ohne den Patienten zu gefährden. So finden die psychischen und motorischen Bedürfnisse heute auch in den Programmen der Frühmobilisierung und der Rehabilitation Berücksichtigung.
In der Betreuung des Patienten nehmen **Information und Aufklärung** eine bedeutende Rolle ein. Sie dienen dem Patienten zur realistischen Einschätzung seiner Situation. So werden Ängste abgebaut, aber auch unvorsichtiges Verhalten und Überforderung deutlich.

❐ Schonung und Mobilisation

Bei komplikationslosem Verlauf eines Herzinfarktes hat sich die **Frühmobilisation nach** einem **Stufenprogramm** bewährt. Sie gilt als wirksame Prophylaxe gegenüber Sekundärerkrankungen und soll dazu beitragen, daß der Patient lernt, körpereigene Signale wahrzunehmen und sich entsprechend eigenverantwortlich zu verhalten. Ferner soll der Betroffene seine **individuelle Leistungsfähigkeit kennenlernen** und erreichen. Um einer Überlastung des Herzens vorzubeugen, wird die Frühmobilisation **unter sorgfältigster Krankenbeobachtung** durchgeführt. EKG und Puls werden kontinuierlich auf dem Bildschirm aufgezeichnet, die Atmung und Hautfarbe des Patienten werden beobachtet und Blutdruckkontrollen durchgeführt. Ebenso wichtig sind Informationen über das subjektive Befinden des Patienten, so daß er angehalten wird, Veränderungen sofort zu beschreiben. Dies gilt insbesondere für plötzlich auftretende Herzschmerzen / -sensationen (besonders Herzrhythmusstörungen), Atemnot und Schwindelgefühle. Dem Patienten sollte gleichzeitig vermittelt werden, daß er sich in pflegerisch - medizinischer Betreuung befindet und Veränderungen seines Zustandes sofort erfaßt und behandelt werden können. Auch ist er zu ermutigen, seine Ängste und Befürchtungen auszudrücken. Gelingt es, ein Vertrauensverhältnis aufzubauen, erleichtert dies die Frühmobilisation und fördert das Wohlbefinden des Patienten (und auch der Pflegenden).
Erste Geh- und Gymnastikübungen finden unter Anleitung einer Physiotherapeutin statt.
Beginn, Ausmaß und Tempo der Frühmobilisation sind vor allem abhängig vom Befinden des Patienten sowie von der Größe und Lokalisation des Infarktes. Der behandelnde Arzt entscheidet, zu welchem Zeitpunkt in welchem Ausmaß mit der Frühmobilisation begonnen wird.

Am Tag des Infarktgeschehens gilt es, jede Anstrengung und Aufregung des Patienten zu vermeiden, um den Sauerstoffbedarf des Herzmuskels so gering wie möglich zu halten. Der Kranke hat **strenge Bettruhe**, Pflegemaßnahmen zur Lagerung und Körperpflege werden auf das Nötigste reduziert und vollständig vom Pflegepersonal übernommen. Selbst beim Essen und Trinken wird Hilfestellung gegeben. Falls der Patient überhaupt das Bedürfnis verspürt, Nahrung zu sich zu nehmen, wird sie ihm in kleinen, leicht verdaulichen Portionen gereicht.
Am 2. und 3. Krankheitstag ordnet der Arzt weiterhin Bettruhe und meist Krankengymnastik in Form von Atemübungen und evtl. passiven / aktiv-assistiven Bewegungübungen an.
Der Patient ist anzuhalten, bei allen Bewegungen und Übungen das Pressen zu vermeiden und gleichmäßig weiterzuatmen (Vermeidung von Blutdruckschwankungen).
Die Pflegenden beginnen unter sorgfältiger Beobachtung des Patienten vorsichtig mit der **schrittweisen Mobilisation bei der Körperpflege**: zunächst soll der Patient sich selbständig die Zähne putzen und sein Gesicht waschen, am nächsten Tag zusätzlich den Oberkörper, evtl. auch die Intimregion, waschen. Sollte sich der Patient dabei überanstrengt fühlen oder gar Atemnot bzw. Stenokardien* empfinden, Kollapsneigung, Herzrhythmusstörungen oder andere deutliche Vitalzeichenveränderungen zeigen, ist die Mobilisation sofort abzubrechen und der Arzt zu informieren. Dieser entscheidet über das weitere Vorgehen.
Am Ende des dritten Infarkttages stuft der Arzt den Patienten - entsprechend des bisherigen Krankheitsverlaufs - in eine der drei folgenden Gruppen ein.

Gruppe A = Patienten, die keine Komplikationen in der Akutphase entwickelt haben.

Gruppe B = Patienten, die leichte bis mittelschwere Komplikationen in der Akutphase erlitten haben (z.B. AV-Block 1.-2. Grades, Tachykardien über 110 Pulsschläge / Min., anhaltender systolischer Blutdurck unter 100 mmHg).

Gruppe C = Patienten, die schwere Komplikationen in der Akutphase entwickelt haben (z.B. kardiogener Schock, schwere Linksherzinsuffizienz, AV-Block III. Grades, Papillarmuskelabriß, Kammerflimmern oder Asystolien an mehr als einem Tag).

Bei komplikationslosem Verlauf (Gruppe A) erfolgt in der Regel die **Verlegung auf eine Normalstation**, wo der Patient anhand eines Stufenprogramms mobilisiert wird. Dieses Programm darf nicht als starres Schema verfolgt werden, vielmehr dient es der Orientierung. Die Anwendbarkeit muß individuell überprüft werden; jede Stufe muß ärztlich angeordnet werden. Abbildung 4.8 zeigt ein Beispiel.

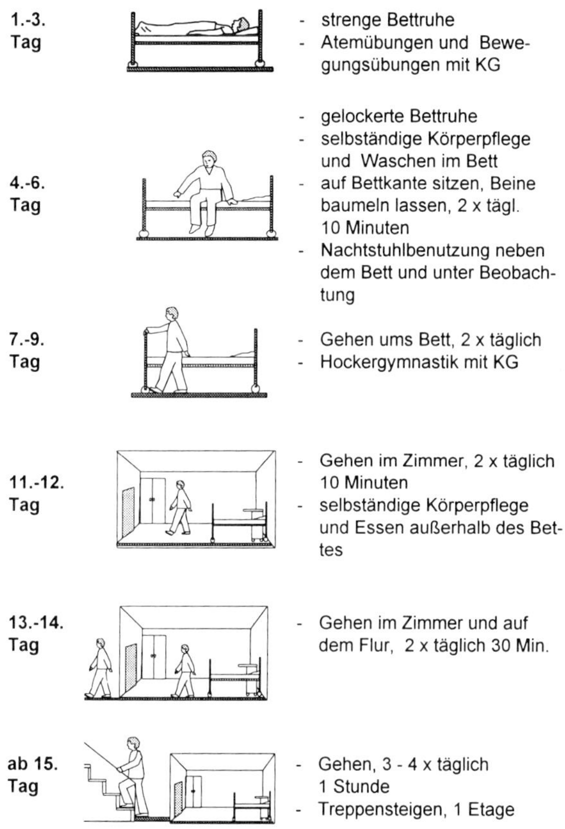

Abb. 4.8 ***Beispiel für ein Stufenmobilisationsprogramm nach Herzinfarkt***

Patienten der Gruppe B bleiben zunächst einige weitere Tage zur Überwachung und Therapie auf der Intensivpflegestation. Die Mobilisierung erfolgt verzögert und wird individuell nach Arztanordnung gestaltet. Meist können Patienten der Gruppe B ab der 2. oder 3. Krankheitswoche nach dem Mobilisierungsprogramm der Gruppe A betreut werden.
Patienten der Gruppe C werden mindestens 10 - 14 Tage auf der Intensivpflegestation überwacht. Hinsichtlich der Mobilisierung kann nur individuell und jeweils aktuell entschieden werden.

❒ Gesundheitsberatung, sekundäre Prävention

Der erlittene Herzinfarkt ist für viele der Betroffenen Anlaß, ihre **bisherige Lebensführung** zu **überdenken**. Der Wunsch und die Bereitschaft, gesundheitsbeeinträchtigendes Verhalten zu verändern, festigen sich. Viele Betroffene fühlen sich mit dem Älterwerden, evtl. auch mit dem näherrückenden Tod konfrontiert. Für einige ist dies Anlaß zu einer sinnvollen Auseinandersetzung mit der Thematik, andere können dies (noch) nicht zulassen und verdrängen die Gedanken. Die Zeit des stationären Aufenthaltes bietet die Gelegenheit zu ernstgemeinten Überlegungen, die daraufhin in der Anschlußheilbehandlung mit professioneller Unterstützung umgesetzt werden können.
Die für den Patienten verantwortlichen Pflegepersonen sollten **Gesprächsbereitschaft signalisieren** und ggf. die Auseinandersetzung des Betroffenen mit seinem bisherigen Lebensstil und/oder dem Altern unterstützen. Dies kann bereits durch **aktives Zuhören** gelingen, wobei zu bedenken ist, daß einige Menschen immer wieder Ermutigung brauchen, um über sich zu reden. Auf jeden Fall sollte das **Risikoverhalten nicht** im Sinne von Schuldzuweisungen **bewertet** werden. Vielmehr ist **Verständnis für menschliche Schwächen** und für menschliches Fehlverhalten zu zeigen sowie bei der Ergründung der Ursachen Hilfestellung anzubieten. Dabei kann es sinnvoll sein, die persönliche Lebensgeschichte eines Betroffenen zu berücksichtigen und das Teilnehmen der Angehörigen am Umdenkungsprozeß zu fördern.
Der behandelnde Arzt wird dem Patienten vermitteln, daß ein Abbau des Risikoverhaltens das Fortschreiten der koronaren Herzkrankheit aufhält und evtl. sogar eine Rückbildung der Veränderungen einleiten kann. Diese Informationen rufen häufig ausreichend Motivation zur Veränderung des Lebensstils hervor, ebenso wie die Aussicht, ein Leben ohne Herzschmerzen und ständige Angst vor einem weiteren Herzinfarkt führen zu können.
Die Beeinflussung der Risikofaktoren wird auf *Seite 294 - 296* besprochen.

❒ Umfassende Nachsorge, Rehabilitation

Die Anschlußheilbehandlung erfolgt in der Regel unmittelbar im Anschluß an den stationären Krankenhausaufenthalt. Sie dient der Wiedereingliederung ins Alltagsleben, ggf. der Wiederherstellung der Arbeitsfähigkeit, der **Reflexion** des bisherigen **Lebensstils** und dem **Abbau bestehender Risikofaktoren**. Der Patient wird unter ärztlicher Anleitung und Überwachung **an** die **Belastungen des Alltags- und Berufslebens gewöhnt**. So lernt er, realistisch mit seiner chronischen Erkrankung umzugehen. In diesem Prozeß muß auch mit Phasen der persönlichen Kränkung *("Warum trifft es gerade mich?")*, Wut und Auflehnung sowie Traurigkeit und Resignation gerechnet werden. Diese können unter Umständen 1 - 2 Jahre andauern.
Professionelle Hilfe finden die Betroffenen später auch in einer **ambulanten Herzgruppe** *(syn. Bewegungstherapie für Herzkranke; koronare Herzsportgruppe)*. Es handelt sich um regionale Gruppen, in denen herzkranke Menschen sich unter der Leitung eines Arztes und einer speziell ausgebildeten Krankengymnastin 1 - 2 mal wöchentlich treffen, um gemeinsam Bewegungs- und Entspannungsübungen sowie Gruppengespräche durchzuführen.
Die ambulante Herzgruppe bietet soziale Kontakte zu Menschen, die sich in einer ähnlichen Lebenssituation befinden. Dies wirkt einer Isolation des Herzkranken entgegen und fördert sowohl die Kontinuität als auch die Effektivität in der Auseinandersetzung mit dem eigenen Lebensstil. Somit ist die Mitgliedschaft in einer Herzgruppe - ebenso wie tragende Beziehungen, kör-

perliche Bewegung und vollwertige Ernährung - als **Schutzfaktor** in Hinsicht auf das Fortschreiten der koronaren Herzkrankheit wirksam. Zunehmend wird auch die Teilnahme der Lebenspartner an den Herzgruppen empfohlen, da auch sie lernen müssen, angemessen mit der Erkrankung des Partners umzugehen (z.B. eigene übertriebene Ängste abzubauen oder Risikoverhalten, das den Partner beeinflußt, zu verändern).

Nach der überstandenen akuten Krankheitsphase sollte der Patient den **Hinweis auf spezielle Broschüren und Bücher**, die für Betroffene und deren Angehörige verfaßt wurden, bekommen. Diese sind im Buchhandel erhältlich, zum Teil können sie über folgende Organisationen, die auch Adressen über regionale Herz (sport)gruppen vermitteln, bezogen werden.

Deutsche Arbeitsgemeinschaft für Kardiologische Prävention und Rehabilitation e.V.
Herbert-Hellmann-Allee 11
79189 Bad Krotzingen

Deutsche Gesellschaft für Prävention und Rehabilitation von Herz- und Kreislaufkrankheiten e.V.
Stresemannstr. 3
56068 Koblenz

Deutsche Herzstiftung e.V.
Wolfgangstr. 20
60322 Frankfurt / M.

Deutscher Verband für Gesundheitssport und Sporttherapie e.V.
Wiener Weg 1a
50858 Köln

❒ Verhalten bei Antikoagulanzientherapie

Bestimmten Personengruppen wird nach erlittenem Herzinfarkt eine länger - evtl. eine lebenslang - dauernde Antikoagulanzientherapie mit Kumarinderivaten (Marcumar®, Warfarin®) verordnet. Kumarine sind Vitamin - K - Antagonisten. Vitamin K wird als Koenzym zur Produktion der Gerinnungsfaktoren in der Leber benötigt; fehlt es, können die Faktoren II, VII, IX, X nicht synthetisiert werden.

Die Antikoagulanzientherapie dient der **Prophylaxe arterieller** und **venöser Thrombosen**. Die Thromboplastinzeit (*Quick-Wert*; Normalwert 70 - 120%) wird dazu auf 20 - 35% herabgesetzt, womit eine **erhöhte Blutungsbereitschaft** verbunden ist. Da die verschiedenen Thromboplastine aufgrund unterschiedlicher Labormethoden nicht vergleichbar sind, wurde ein international vergleichbarer Standard, der **I**nternational **N**ormalized **R**atio (INR) erarbeitet. Bei einer Therapie mit Kumarinderivaten wird ein INR von 2,0 - 3,0 angestrebt; in diesem Bereich sind Blutungskomplikationen seltener als bei höherem INR.

Bei der Antikoagulanzientherapie mit Kumarinderivaten kann es (relativ selten) zu **unerwünschten Wirkungen** wie allergischen Hautreaktionen, Fieber, Übelkeit oder Haarausfall kommen; Haarausfall zwingt zum Absetzen der Therapie.

Im Verletzungsfall mit großem Blutverlust benötigt der Betroffene - kombiniert mit **Vitamin K** (Konakion®) - **Frischblut / -plasma** oder ein Gerinnungsfaktorenkonzentrat (PPSB), um die fehlenden Substanzen sofort zu ersetzen. Vitamin K antagonisiert die Kumarinwirkung, braucht jedoch 24 Stunden und länger, um die Blutgerinnung vollständig wiederherzustellen.

Damit im Notfall rasch richtig gehandelt werden kann, bekommen die betroffenen Patienten einen entsprechenden **Ausweis** ausgehändigt, den sie ständig bei sich tragen sollen. Ihm lassen sich neben den persönliche Daten der aktuelle Quick-Wert / INR, die Medikation und der Name des Hausarztes entnehmen.

Im pflegerischen Umgang mit dem Betroffenen muß die erhöhte **Blutungsbereitschaft berücksichtigt** werden. Verletzungen und intramuskuläre Injektionen sind zu vermeiden. Um Haut- und Schleimhautblutungen vorzubeugen, ist z.B. eine weiche Zahnbürste der harten oder die Trockenrasur der Naßrasur vorzuziehen.

Die **Medikation** hat **nach** dem vorgegebenen **Zeitschema** zu erfolgen, die Gerinnungswerte müssen zunächst täglich, später wöchentlich überprüft werden.

Die **Krankenbeobachtung** ist ausgerichtet auf das frühzeitige Erkennen von Haut- und Schleimhautblutungen *(siehe auch Blutungsrisiko", Seite 936).*

Nach einem Sturz ist der Patient auf Anzeichen einer inneren Blutung zu beobachten (Pulsanstieg, Blutdruckabfall).

Der Patient sollte unbedingt über die Wirkungen des Kumarins informiert werden. Bezüglich seines Verhaltens erhält er folgende **Anweisungen**:

- Der Ausweis ist ständig mitzuführen.
- Die Tagesdosis ist genau einzuhalten und nach Zeitschema einzunehmen.
- Es besteht eine Blutungsneigung. Risikoreiche Sportarten und andere Aktivitäten, die mit einem erhöhten Verletzungsrisiko einhergehen, sind zu unterlassen.
- Die Einnahme weiterer Medikamente darf nur nach Rücksprache mit dem Hausarzt erfolgen.
- Der behandelnde Arzt ist regelmäßig (ca. 1 mal wöchentlich) aufzusuchen, um den Quick-Wert / INR kontrollieren zu lassen.
  (Für geeignete Patienten besteht nach einer entsprechenden Schulung die Möglichkeit, den Quick-Wert / INR selbst zu bestimmten).
- Weitere behandelnde Ärzte, z.B. der Zahnarzt, sind über die Medikamenteneinnahme zu informieren.
- Bei Auftreten von Blutungen und bei Verschlechterung des Allgemeinzustandes ist sofort der Arzt aufzusuchen.
- Vitamin K - reiche Lebensmittel wie grünes Gemüse, Salat und Leber sollten nicht in großen Mengen und nicht täglich verzehrt werden.

❒ Überwachung der medikamentösen Langzeittherapie

Nach überstandenem Herzinfarkt ist häufig eine medikamentöse **Langzeittherapie** erforderlich. Dazu werden verschiedene Medikamentengruppen - meist in Kombination - eingesetzt. Es handelt sich in der Regel um Kalziumantagonisten, ACE-Hemmer, Diuretika, Nitrate, Beta-Blocker, Digitalisglykoside.

Bei erforderlicher ambulanter Betreuung überwachen Pflegende ggf. die korrekte Einnahme der verordneten Medikamente; oft reicht eine Erinnerung an die Einnahme aus. Außerdem beobachten sie den Patienten hinsichtlich der erwünschten und unerwünschten Wirkungen. Diese werden unter *"Angina pektoris"*, Seite 297 bzw. *"Herzinsuffizienz"*, Seite 287 besprochen.

4.2.4.5 Herzrhythmusstörungen

Die verschiedenen Formen von Störungen des Herzrhythmus sind unter "*Rhythmus*", *Seite 275*, beschrieben.

4.2.4.5.1 Medikamentöse Therapie

Zur Therapie von Herzrhythmusstörungen werden **Antiarrhythmika** eingesetzt. Dabei handelt es sich um Medikamente verschiedener Wirkstoffgruppen, z.B.:
- Chinidin (z.B. Chinidin duriles®),
- Profafenon (z.B. Rytmonorm®),
- Flecainid (Tambocor®),
- Lidocain (Xylocain®),
- Mexiletin (Mexitil®),
- Amiodaron (z.B. Cordalex®),
- Sotalol (Sotalex®),
- Verapamil (Isoptin®).

Die **Krankenbeobachtung** richtet sich in bezug auf diese Therapie in erster Linie auf den **Puls** (eine Minute lang die Pulsschläge zählen und den Rhythmus beobachten), um die Wirkung (= Normalisierung des Herzrhythmus) und die Nebenwirkungen zu erfassen. Antiarrhythmika können ihrerseits Herzrhythmusstörungen hervorrufen; weitere mögliche **Nebenwirkungen** sind der Gebrauchsinformation des jeweiligen Medikamentes zu entnehmen; die Beobachtung des Kranken ist entsprechend auszurichten.

4.2.4.5.2 Herzschrittmachertherapie

Ein künstlicher Herzschrittmacher dient der **Elektrostimulation des Myokards** über eine transvenös in die rechte Herzkammer und/oder den rechten Vorhof eingebrachte Sonde, die mittels Impulsgeber Reize erhält.

Indikationen für einen künstlichen Herzschrittmacher sind z.B.:
- akut auftretende Bradykardien mit Adams-Stokes-Anfällen *(siehe Seite 276)*;
- höhergradiger AV-Block *(siehe Seite 276)*;
- Herzinsuffizienz mit andauernder Frequenz unter 4o / min.;
- Sick - Sinus - Syndrom *(Bradykardie - Tachykardie - Syndrom);*
- Kammertachykardien und Kammerflimmern (es wird ein sogenannter automatischer implantierbarer Cardioverter Defibrillator = AICD eingesetzt, der bei Bedarf mit niedriger Energie defibrilliert).

❐ Legen eines externen (temporären) Herzschrittmachers

Ein *externer* oder *temporärer* Schrittmacher wird **in Notfallsituationen vorübergehend** eingesetzt.
Der bevorstehende Eingriff ruft, da er das Herz betrifft, bei vielen Menschen Ängste hervor. Die Vermittlung von **Ruhe** und **Sicherheit** ist ebenso wichtig wie eine verständliche **Aufklärung** über den Ablauf des Eingriffs. Der Kranke sollte wissen, daß allenfalls geringfügige Schmerzen, wohl aber ein unangenehmes "Herzstolpern" *(Extrasystolen)* zu erwarten sind.
Der externe Schrittmacher wird in der Röntgen- oder in der kardiologischen Abteilung unter Monitoring und Röntgenkontrolle gelegt. Über die Vena subklavia oder die Vena jugularis wird die Schrittmachersonde in das rechte Herz vorgeschoben; das andere Ende der Sonde wird an den Impulsgeber, die Schrittmacherbatterie, angeschlossen.
Die Sonde wird an der Einstichstelle mit einer Hautnaht fixiert, dann eine sterile Schlitzkompresse aufgebracht. Auf diese wird vorsichtig (**Dislokationsgefahr!**) aus den ersten Zentimetern der austretenden Sonde eine Schlaufe gelegt und diese mittels Fixomull breitflächig befestigt. Zusätzlich wird die Sonde am Oberarm mit einem Pflasterzügel befestigt. Die angeschlossene Batterie ist sicher zu fixieren, z.B. mittels elastischer Binde am Oberarm.

❐ Legen eines internen (permanenten) Herzschrittmachers

Ist **dauerhaft** ein künstlicher Herzschrittmacher erforderlich, wird der **Impulsgeber implantiert**, z.B. in eine subkutane Tasche auf dem Muskulus pektoralis. Zuvor wird die Schrittmachersonde über die Vena cephalica in das rechte Herz vorgeschoben. Diese Operation erfolgt in Lokalanästhesie.

❐ Schrittmachertypen

Hinsichtlich der Impulssteuerung unterscheidet man zwischen dem
- **festfrequenten Schrittmacher**, der eine festgelegte Frequenz (meist 70 Schläge pro Minute) vorgibt (heute kaum noch eingesetzt) und dem
- **programmierbaren Bedarfsschrittmacher** *(Demandschrittmacher)*, der nur dann Impulse abgibt, wenn die Eigenaktionen des Herzens unzureichend sind. Je nach Bedarf stehen verschiedene Varianten zur Verfügung, z.B. Zweikammer-Schrittmacher, die Vorhöfe und Kammern zeitlich koordiniert stimulieren. Die Frequenz und die Reizstromstärke sind - auch nach erfolgter Implantation - mittels Spezialgerät von außen programmierbar. Dieser Schrittmachertyp wird heute bevorzugt eingesetzt.

❐ Pflegeschwerpunkte

❍ Krankenbeobachtung bei temporärem Schrittmacher

Bevor der Patient nach dem Legen eines Herzschrittmachers auf die Station zurückkehrt, sind das Ableiten eines EKG und **Vitalzeichenkontrollen** erforderlich.
Auf der Station wird der Patient per **Monitoring** überwacht und gezielt beobachtet, um frühzeitig mögliche **Komplikationen** zu **erkennen**. Hinweise auf
- Elektrodendislokation / -bruch und andere technische Mängel geben ein Frequenzabfall, Schwindel, Absencen* sowie das Fehlen von Spikes im EKG;
- eine Infektion geben die klassischen Entzündungszeichen;
- Vorhofflimmern geben ein Pulsdefizit und eine absolute Arrhythmie mit Pausen;
- Kammerflimmern sind Atemstillstand, Puls- und Bewußtlosigkeit sowie weite Pupillen.

Auf Anordnung des Arztes wird (täglich) ein EKG abgeleitet, um schrittmacherinduzierte "*Spikes*" nachzuweisen. **Schrittmacherkontrollen** erfolgen ebenfalls auf Arztanordnung. Die **Einstichstelle** und die **Fixierung** von Schrittmachersonde und Schrittmacherbatterie sind täglich zu **kontrollieren**.

❍ Vorbeugen einer Dislokation bei temporärem Schrittmacher

Heftige und abrupte Bewegungen, insbesondere mit dem Kopf, können eine Dislokation der Schrittmachersonde provozieren. Um dieser vorzubeugen, wird in der Regel **Bettruhe** verordnet und Unterstützung bei der Ausführung der ATL gewährleistet. Der Patient wird entsprechend informiert und zu vorsichtigem Verhalten aufgefordert.

❍ Postoperative Pflege nach Implantation eines permanenten Schrittmachers

Nach dem operativen Einbringen einer Schrittmachersonde und -batterie sind am OP-Tag engmaschige **Vitalzeichenkontrollen** durchzuführen; die Pulskontrolle erfolgt jeweils über 1 Minute! Am OP-Tag wird zwecks Erfolgskontrolle (Nachweis von Schrittmacherspikes) ein EKG abgeleitet.
Am OP-Tag soll der Operierte **Bettruhe** einhalten. Die Mobilisation erfolgt nach Arztanordnung. Meist wird am 2.-4. postoperativen Tag mit der aktiven **Mobilisierung** im Bett (selbständige Körperpflege; Krankengymnastik) und außerhalb des Bettes (Gehen ebener Strekken) begonnen.
Die Wunde wird auf Entzündungszeichen und Nachblutung hin **beobachtet**; um letzterer vorzubeugen, wird postoperativ für einige Stunden ein Sandsack auf die Wunde gelegt. Der Verbandwechsel erfolgt entsprechend der ärztlichen Anordnung.
Da der Operierte meist eine Schonhaltung einnimmt, die zur Einschränkung der Thoraxbeweglichkeit führt, ist er zu **Atemübungen** (vor allem zur Kontaktatmung) anzuhalten.

❐ Umgang mit einem permanenten Schrittmacher

Der Patient (bei Bedarf ein Angehöriger) erhält - in der Regel vom Arzt und dem Fachpersonal der kardiologischen Abteilung - einen **Schrittmacherausweis** und **Informationen bezüglich des Verhaltens**:

- Der Schrittmacherausweis enthält wichtige Daten, z.B. bezüglich Schrittmacher - Typ oder - einstellung. Er sollte ständig mitgeführt werden.
- Der Puls sollte täglich eine Minute lang gezählt werden; bei Abfall der Frequenz unter die eingestellte Schrittmacherfrequenz ist sofort der Arzt zu informieren.
- Es ist täglich auf Hinweise möglicher Komplikationen zu achten: Entzündungszeichen an der OP - Wunde; Veränderungen des Herzrhythmus; Schwindel- oder Ohnmachtsanfälle; Dislokation *("Verrutschen")* der Schrittmacherbatterie.
- Ein- bis zweimal jährlich sind Schrittmacherkontrollen durchführen zu lassen. Sie umfassen eine körperliche Untersuchung, das Ableiten eines EKGs und die Vermessung des Schrittmachers.
- Orte mit Magnetfeldern, z.B. elektronische Kontrollfelder in Flughafengebäuden und am Ausgang von Kaufhäusern, sind zu meiden, da sie die Schrittmachertätigkeit stören können.

4.2.4.6 Entzündliche Erkrankungen des Herzens

4.2.4.6.1 Krankheitsbilder

Entzündliche Erkrankungen des Herzens können durch eine **Infektion** (bakteriell, viral, mykotisch) sowie durch **Erreger - Toxine** oder **Autoimmunprozesse** hervorgerufen werden.

❐ Krankheitsbilder

Entsprechend der Lokalisation werden unterschieden:

- Endokarditis *(Entzündung der Herzinnenhaut)*,
- Myokarditis *(Entzündung des Herzmuskels)*,
- Perikarditis *(Entzündung des Herzbeutels)*,
- Pankarditis *(Entzündung aller Herzschichten)*.

In Tabelle 4.2 werden die wichtigsten Symptome, Ursachen und Komplikationen der entzündlichen Herzerkrankungen zusammengefaßt. Insgesamt sind **sehr verschiedene Krankheitsverläufe** zu beobachten: asymptomatische und symptomarme, akute, subakute und chronische, milde (gutartige) und tödliche (selten) Verläufe.

❐ Diagnose

Die Diagnose entzündlicher Erkrankungen des Herzens wird anhand der Ergebnisse verschiedener Untersuchungen gestellt:

- Anamnese, Klinik und körperliche Untersuchung;
- Blutbild, Blutkörperchensenkungsgeschwindigkeit;
- EKG und (transösophageale) Echokardiographie, Doppler-Echokardiographie;
- wiederholte Blutkulturen bzw. Virusserologie.

❐ Therapie

Die **kausale Therapie** wird entsprechend dem Krankheitserreger (Ergebnis des Antibiogramms bzw. der Virusserologie) ausgerichtet:

- bei Endokarditis sind Antibiotika,
- bei Perikarditis Antibiotika oder Glukokortikoide,
- bei Myokarditis ggf. Antibiotika oder Glukokortikoide angezeigt.

Bei schweren Krankheitsverläufen ist (strenge) **Bettruhe** des Kranken erforderlich.
Ansonsten werden Symptome und Komplikationen wie Schmerzen, Herzrhythmusstörungen oder Herzinsuffizienz behandelt.

<table>
<tr><th></th><th>Endokarditis</th><th>Myokarditis</th><th>Perikarditis</th></tr>
<tr><td>Ursache</td><td>Bakterien
Pilze
Antikörperbildung nach Streptokokkeninfektion</td><td>Viren, Bakterien, Pilze, Protozoen, Parasiten
Rheumatisches Fieber
Bestrahlung des Mediastinums</td><td>Viren
Bakterien
Immunologische oder allergische Prozesse
Bestrahlung des Mediastinums
Veränderungen bei Herzinfarkt, Urämie, Pleuritis</td></tr>
<tr><td rowspan="2">Symptome</td><td colspan="2">- Leistungsknick
- Herzrhythmusstörungen
- Tachykardien
- Herzinsiffizienz
- Fieber
- Atemnot
- Herzschmerzen</td><td></td></tr>
<tr><td>- Gewichtsverlust
- Nachtschweiß
- Anämie
- Petechien
- schmerzhafte Knötchen an Fingern und Zehen
- Mikroembolien
- evtl. Gelenkschmerzen
- Hämaturie, Proteinurie (Zeichen der Nierenbeteiligung)</td><td>- Müdigkeit</td><td>- Leistungsknick
- Atemnot
- Beklemmungsgefühl im Liegen
- stechender Schmerz hinter dem Brustbein
- Perikardreiben
- Herzinsuffizienz</td></tr>
<tr><td>Komplikationen</td><td>Embolien mit Ausfallerscheinungen im Gebiet der verlegten Endstrombahn, z.B. Gangrän, ischämisch zerebraler Insult</td><td>Herzrhythmusstörungen, Herzversagen</td><td>Herzbeuteltamponade mit Erguß</td></tr>
</table>

Tabelle 4.2 ***Symptome, Ursachen und Komplikationen entzündlicher Herzerkrankungen***

4.2.4.6.2 Zur Situation eines Betroffenen

Menschen, die an einer Entzündung des Herzens leiden, können die Erkrankung unterschiedlich erleben. Dieses wird maßgeblich von der Symptomatik bzw. den Komplikationen bestimmt. Fieber, Atemnot, Herzrhythmusstörungen, retrosternale Schmerzen, Embolien oder neurologische Ausfallerscheinungen beeinträchtigen das Allgemeinbefinden sehr und bedingen ein **starkes Krankheitsgefühl** verbunden mit dem **Wunsch nach Fürsorge**. Eine "totale Schwäche" kann sich sehr bestimmend auf die Gesamtsituation auswirken. *Lesen Sie dazu "Zur Situation eines Betroffenen" in den Abhandlungen über KHK, Angina pektoris, Herzinsuffizienz.*

Nicht selten befindet sich ein Betroffener bei Krankheitsbeginn bereits wegen einer anderen (ursächlichen) Erkrankung (z.B. Herzklappenfehler, Herzoperation) in ärztlicher Behandlung und erlebt die zusätzliche Erkrankung und Verschlechterung möglicherweise als Ungerechtigkeit.

Bei schleichenden Krankheitsverläufen können herzspezifische und massive Symptome fehlen; der Betroffene verspürt nur ein **geringes Krankheitsgefühl**. In diesen Fällen ist es für einen Betroffenen oft schwieriger, die länger dauernde Schonung und ggf. die medikamentöse Therapie zu akzeptieren.

4.2.4.6.3 Pflegeschwerpunkte

Der Bedarf an Pflege ergibt sich zum einen aus den aktuellen Bedürfnissen und der Befindlichkeit des Kranken und zum anderen aus den auftretenden Symptomen; die Pflege variiert dementsprechend.

Im folgenden werden Richtlinien, deren Anwendbarkeit jeweils geprüft werden muß, aufgeführt.

❐ Krankenbeobachtung

Die Zeitabstände zwischen den **Puls-** und **Blutdruckkontrollen** werden im Einzelfall vom Arzt festgelegt. Der Puls wird bei jeder Kontrolle eine Minute lang gezählt. Evtl. wird das EKG kontinuierlich auf einem Monitor aufgezeichnet. Die **Atmung** und die **Körpertemperatur** bedürfen ebenfalls besonderer Beobachtung.

Bei einer vermutlich bakteriellen Entzündung ist die Abnahme von **Blutkulturen** vorzubereiten. Der **Arzt** ist **bei Anstieg des Fiebers** sofort zu **benachrichtigen**, damit er möglichst in diesem Stadium und einige Stunden später Blutkulturen abnehmen kann.

❐ Schonung des Patienten

In der Regel wird, solange der Patient hohes Fieber hat, strenge **Bettruhe** verordnet. Zeigt der Kranke normale oder leicht erhöhte Körpertemperatur, wird meist gelockerte Bettruhe verordnet, d.h. der Kranke darf zur Toilette gehen. Auf jeden Fall ist - auch noch längere Zeit nach Abklingen der Symptome - **Schonung** zur Entlastung des Herzens notwendig (Vermeidung von Anstrengungen, viel Ruhe und Schlaf); das Ausmaß legt der Arzt für jeden Patienten gesondert fest.

Die **Mobilisation** erfolgt **schrittweise** unter sorgfältiger Beobachtung. Der Patient wird angehalten, sich auf keinen Fall zu überanstrengen.

Eventuell bedarf der Kranke vorübergehend weitestgehender **Hilfestellung** bei einigen ATL (Sich Pflegen und Kleiden, Essen und Trinken, Ausscheiden).

❒ Vermittlung von Sicherheit

Der Kranke hat aufgrund der Schwere der Erkrankung meist ein gesteigertes Sicherheitsbedürfnis. Ihm sollte vermittelt werden, daß er von qualifiziertem Pflegepersonal betreut wird. Dazu tragen z.B. **sicheres Auftreten und Handeln**, Ausstrahlen von Ruhe, aktives Zuhören, Einfühlungsvermögen, häufige Patientenkontakte und Gespräche bei.

❒ Prophylaktische Maßnahmen

Da viele der Betroffenen bereits vor der Erkrankung eine reduzierte Immunabwehr hatten, ist besondere Sorgfalt auf die **Hygienemaßnahmen** zu legen (z.B. Händedesinfektion, sorgfältige Haut- und Mundpflege). Auf Risikofaktoren, die sich aus der (relativen) Immobilität entwickeln (z.B. flache Atmung oder Bewegungsarmut), ist gezielt zu achten. Bei Bedarf sind entsprechende prophylaktische Maßnahmen zu ergreifen.

Bewegungs- und Atemübungen sind bei fast allen Erkrankten angezeigt.

❒ Therapiebedingte Pflegemaßnahmen

Die Therapie wird entsprechend der Ursache und den Folgeerscheinungen gestaltet. So werden neben der Schonung des Kranken z.B. **Antibiotika** (nach Antibiogramm*) und ggf. zusätzlich **Kortikoide** oder **Antiphlogistika** verordnet. Auch in diesem Zusammenhang wird der Kranke gezielt hinsichtlich der erwünschten Wirkungen und möglicher Nebenwirkungen beobachtet.

❒ Seelische Unterstützung

Bestehende **Ängste** des Kranken sind wahrzunehmen, ernstzunehmen und sollten angesprochen werden. Sie lassen sich häufig durch sachgerechte Information (Gespräch mit dem Arzt vermitteln), Zuwendung und sichere Pflege **abbauen**.

❒ Weitere Pflegemaßnahmen

Weitere Pflegemaßnahmen ergeben sich aus den Symptomen und Komplikationen. So sind ggf. zusätzlich die Prinzipien der **"Pflege bei Fieber"**, der **"Pflege bei Herzinsuffizienz"** oder der **"Hilfeleistungen bei Atemnot"** anzuwenden.

Bei leichterer Verlaufsform und bei zunehmender Genesung des Kranken können die mit der Schonung verbundenen Einschränkungen zu Langeweile führen. Dem Kranken ist verfügbares **Beschäftigungsmaterial** anzubieten; Angehörige sollten angeregt werden, Beschäftigungsmaterial mitzubringen.

4.2.5 Spezielle Untersuchungen und nicht operative Eingriffe am Herzen

4.2.5.1 Allgemeine Untersuchungen

Zur Standarddiagnostik bei allen hospitalisierten Patienten gehören die **Puls-** und **Blutdruckmessung** sowie die **Auskultation** *(Abhorchen des Herzens mittels Stethoskop zur Beurteilung der Herztöne und ggf. -geräusche)*. Kontrollmessungen von Blutdruck und Puls werden regelmäßig vom Arzt an das Pflegepersonal delegiert. Hervorzuheben ist im Zusammenhang mit Herzerkrankungen die sorgfältig durchzuführende Pulskontrolle über eine Minute.

4.2.5.2 Elektrokardiogramm

Das Elektrokardiogramm (EKG) ist eine schmerz- und nebenwirkungsfreie Untersuchung. Da dies nicht jedem Patienten bekannt ist, sollte hierüber informiert werden; unnötige Ängste lassen sich so vermeiden.
Beim EKG werden die während des Herzschlages entstehenden **elektrischen Spannungen an der Körperoberfläche abgeleitet und verstärkt**. Bei der Registrierung entstehen typische Kurven, deren einzelne Abschnitte einer bestimmten Phase der Herzaktion zugeordnet werden. Die Merkmale eines EKG werden mit sechs festgelegten Buchstaben bezeichnet, denen jeweils ein physiologischer Ablauf der Herzaktion zugeordnet ist.

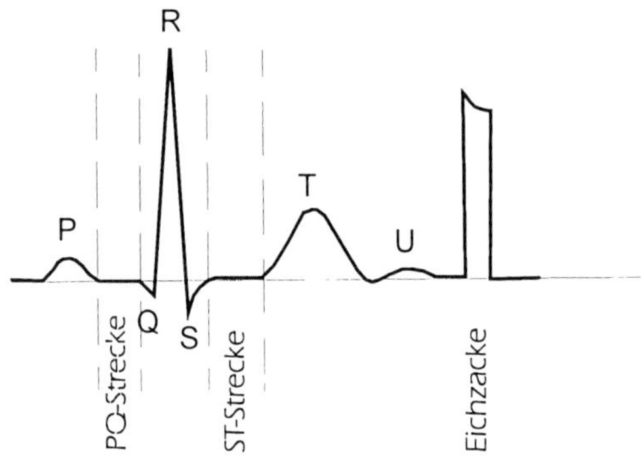

P-Welle	=	*Erregungsausbreitung im Vorhof*
PQ-Strecke	=	*vollständige Erregung beider Vorhöfe und Erregungsverzögerung im AV-Knoten*
Q-Zacke	=	*Kammerseptumerregung*
QRS-Komplex	=	*Erregungsausbreitung in den Kammern*
ST-Strecke	=	*vollständige Erregung beider Kammern*
T-Welle	=	*Erregungsrückbildung der Kammern*
U-Welle	=	*Membraninstabilität bei Dyselektrolytämie*

Abb. 4.9 ***Physiologisches EKG***

Vor der Ableitung eines EKGs werden ggf. Fettrückstände an den in Abb. 4.10 gekennzeichneten Körperstellen entfernt. Zur Verbesserung der Leitfähigkeit werden die Saugelektroden mit Kontaktgel, die Extremitätenelektroden mit wasserbefeuchtetem Elektrodenpapier versehen. Anschließend werden die Elektroden in jeweils festgelegter Farb- und Reihenfolge der Kabel an vorgegebenen Körperstellen angelegt.
Bei den **Extremitätenableitungen** *(Bipolare Extremitätenableitungen nach Einthoven)* gilt die Farbregelung wie bei den Verkehrsampeln: man beginnt am rechten Unterarm mit dem Befestigen des roten Kabels, dann folgt das gelbe Kabel am linken Unterarm, das grüne am linken Unterschenkel. Das schwarze Kabel wird am rechten Unterschenkel angebracht und leitet das Potential ab, das im EKG der Nullinie entspricht. Alle

EKG-Ausschläge beziehen sich auf die Potentialdifferenz zu dieser Elektrode.

Zur Beurteilung des EKGs werden den einzelnen Ableitungen bestimmte Bezeichnungen zugeordnet:

rot-gelb	=	I
rot-grün	=	II
gelb-grün	=	III

Das EKG-Gerät kann umgeschaltet werden, so daß bei belassener Elektrodenanordnung die *unipolaren Extremitätenableitungen nach Goldberger* durchgeführt werden können.
Für diese sind die folgenden Bezeichnungen festgelegt:

aVR für rot	=	rechter Unterarm
aVL für gelb	=	linker Unterarm
aVF für grün	=	linker Unterschenkel

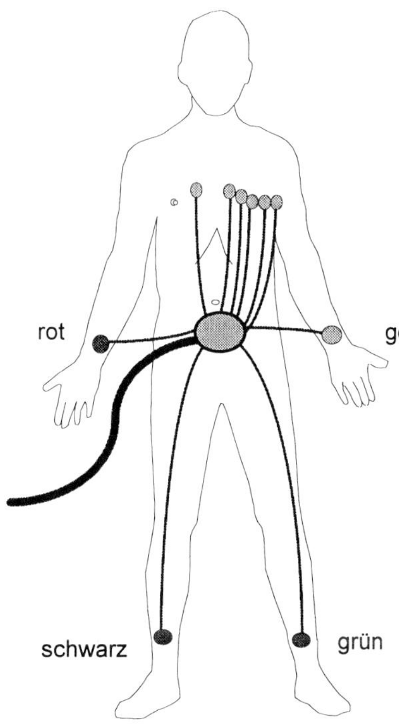

Abb. 4.10 ***Anbringen der EKG - Elektroden***

Bei den unipolaren **Brustwandableitungen** *(siehe Abb. 4.11)* werden farbig oder durch Nummern gekennzeichnete Kabel an bestimmten Körperstellen angebracht; sie werden mit V_1 bis V_6 bezeichnet:

V_1	=	im 4. ICR rechts vom Sternum *(4ter Zwischenrippenraum rechts neben dem Brustbein)*
V_2	=	im 4. ICR links vom Sternum
V_3	=	Mitte zwischen V_2 und V_4 auf der 5. Rippe *(bei schlanken Patienten Elektrode ggf. unter der Rippe anbringen)*
V_4	=	im 5. ICR links auf der Medioklavikularlinie
V_5	=	vordere Axillarlinie links in Höhe von V_4
V_6	=	mittlere Axillarlinie links in Höhe von V_4

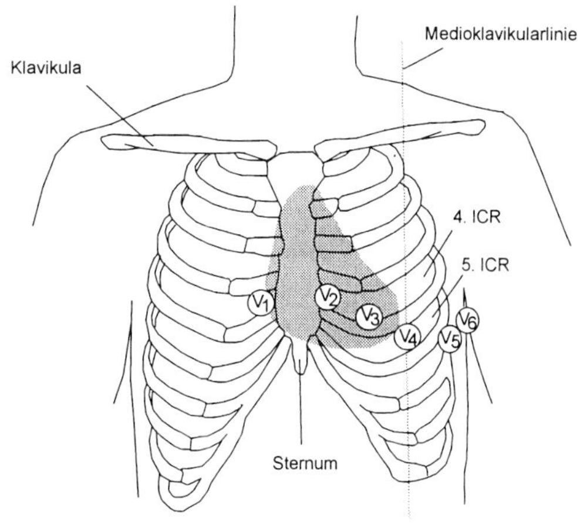

Abb. 4.11 ***EKG - Brustwandableitungen***

Nachdem ein EKG abgeleitet wurde, ist der EKG - Streifen sofort zu beschriften: Vor- und Zuname sowie Geburtsdatum des Patienten; Datum, Uhrzeit; Ableitungsmodus.
Die Beurteilung des EKGs erfolgt durch einen erfahrenen Arzt. Das EKG läßt **Rückschlüsse auf Herzfrequenz** und **Herzrhythmus**, **Erregungsbildung**, Erregungsausbreitung und Erregungsrückbildung sowie den Lagetyp des Herzens im Brustraum zu. Es können u.a. Herzrhythmusstörungen, Herzinfarkt und Zeichen einer Lungenembolie, Herzmuskelerkrankungen, koronare Durchblutungsstörugen sowie Elektrolytstörungen diagnostiziert werden.
Die (regelmäßige) EKG-Ableitung dient der Verlaufskontrolle, z.B. bei Herzschrittmachertherapie, bei Medikamenteneinnahme und bei den zuvor genannten Krankheiten.
Eine besondere **Vorbereitung des Kranken** auf das EKG ist nicht erforderlich. Auf die Bedeutung der Information wurde bereits zu Beginn dieses Abschnittes hingewiesen. Bei bettlägerigen Patienten ist darauf zu achten, daß der Oberkörper und die Unterschenkel leicht zu entkleiden sind. Patienten, die keine Unterhose tragen, sollten aus hygienischen Gründen und zum Schutz ihrer Intimsphäre vor Ableiten des EKGs mit einer Unterhose bekleidet werden.
Wenn bereits EKG-Aufzeichnungen von dem zu untersuchenden Patienten vorliegen, werden diese in den meisten Kliniken mit in die EKG-Abteilung gegeben, so daß sie zum Vergleich (Verlaufskontrolle) herangezogen werden können.

Das **Belastungs - EKG** wird unter körperlicher Belastung (z.B. auf dem Fahrradergometer im Sitzen oder Liegen) durchgeführt. Es dient z.B. dem **Erfassen von Herzrhythmusstörungen und von Störungen der Herzmuskeldurchblutung** unter körperlicher Belastung; ebenso können Kreislauf und **Blutdruckregulation** unter Belastung beurteilt werden.
Vor Beginn der Belastung, während jeder Belastungsstufe sowie während der Erholungsphase wird das EKG auf einem Monitor beobachtet und registriert.
Vor der Untersuchung wird der Patient angehalten, feste Schuhe anzuziehen und ein Handtuch mitzunehmen. Es ist ggf. abzuklären, ob der Patient am Unter-

Beachte: Sollte keine Thoraxschublehre verfügbar sein, wird der Nullpunkt 5 cm unterhalb des Sternums in der mittleren Axillarlinie festgelegt.)

❑ Vorbereitung der Meßeinheit

- NaCl-Infusion mit Venendruckmeßbesteck richten und aufhängen;
- Meßskala am Infusionsständer anbringen;
- Steigrohr an der Meßlatte anbringen;
- Infusionssystem aufdrehen und die drei Schenkel mit NaCl-Lösung luftleer auffüllen;
- Infusion abstellen und Dreiwegehahn so stellen, daß kein Ablaufen der Infusionslösung möglich ist;
- zum Patienten führenden Schenkel über den Dreiwegehahn mit dem Kavakatheter verbinden.

Beachte: Der zum Patienten führende Schenkel muß eine Schlaufe bilden, deren tiefster Punkt mindestens 20 cm unterhalb des Nullpunktes liegt. Bei hergestellter Verbindung bewegt sich die Flüssigkeit im Steigrohr atemsynchrom.

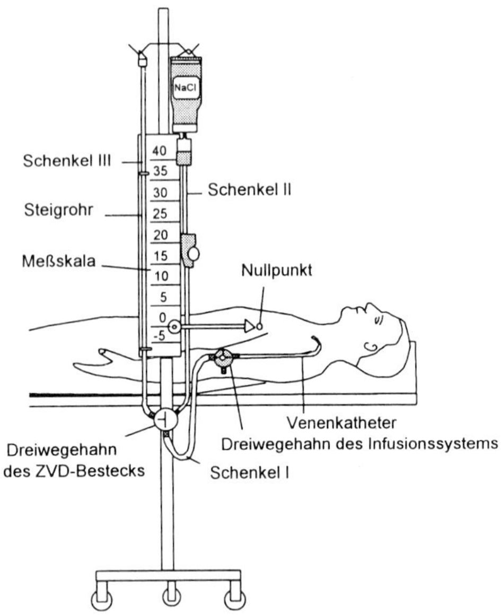

Abb. 4.15 ***Venendruckmessung; am Patienten angeschlossenes Venendruckmeßbesteck***

❑ Vorbereitung des Patienten

- Information bezüglich der bevorstehenden Maßnahme;
- Information über das gewünschte Patientenverhalten (Einnahme der flachen Rückenlage, ruhige Atmung, Schweigen).

❑ Durchführung der ZDV-Messung

- Patient soll 30 Minuten vor der Messung ruhig gelegen haben;
- laufende Infusion (wenn möglich) stoppen;
- vergewissern, daß der Venenkatheter durchgängig ist, indem er für einige Sekunden mit der NaCl-Lösung angespült wird (dazu Schenkel II öffnen);
- Patienten in flache Rückenlage bringen;
- den am Patienten eingezeichneten Nullpunkt mit dem an der Meßskala auf gleiche Höhe bringen (Niveau des Infusionsständers oder des Bettes entsprechend anpassen);
- Hände desinfizieren;
- Patienten auffordern, tief durchzuatmen und anschließend ruhig weiter zu atmen;
- für die Messung jetzt den an der Infusionsflasche befindlichen Schenkel (= II) abklemmen und den an der Meßskala befindlichen Schenkel (= III) sowie den zum Patienten führenden Schenkel (= I) öffnen,
- der an der Meßskala befindliche Schenkel (= III) verliert an Flüssigkeit, der Flüssigkeitsspiegel pendelt sich ein; Schwankungen sind atmungsbedingt;
- den Wert, den die Flüssigkeitssäule auf der Meßskala anzeigt, ablesen und notieren;
- zur Meßskala führenden Schenkel (= III) abklemmen;
- zur Infusionsflasche führenden Schenkel (= II) öffnen und Infusion mit gewünschter Tropfenzahl einstellen oder mittels Dreiwegehahn alle Zuläufe zum ZVD-Besteck unterbinden und zuvor gestoppte Infusionen wieder anhängen, Dreiwegehahn wieder öffnen.

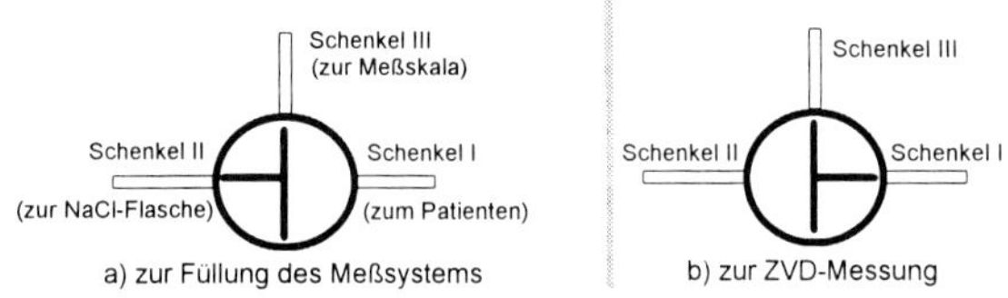

Abb. 4.16 ***Stellung des Dreiwegehahnes***

○ Nachsorge

- Patienten in gewünschte oder erforderliche Lage bringen;
- Meßergebnis dokumentieren;
- ggf. Materialien entsorgen.

4.2.5.6 Herzkatheterismus

❑ Diagnostischer Herzkatheterismus

Der Herzkatheterismus gehört zu den speziellen Untersuchungsmethoden. Die Durchführung erfolgt mit einem Spezialkatheter, der über eine Vene (*Rechtsherzkatheter*) oder eine Arterie (*Linksherzkatheter*) in der Ellenbeuge bzw. Leistenbeuge eingeführt wird und über das Herz in den Lungenkreislauf oder in die Linksherzabschnitte und Koronarostien gelangt.
Der Katheter ist über einen externen Druckwandler mit einem Registrierungsgerät verbunden, welches **typische Druckkurven** aus den einzelnen Gefäß- und Herzabschnitten aufzeichnet. Über den Katheter ist ferner die Einspritzung von Kontrastmitteln möglich, die eine röntgenologische **Darstellung der Herzhöhlen** und der **herznahen Blutgefäße** *(Pulmonalisangio-, Aortographie, Koronarangiographie)* erlaubt.

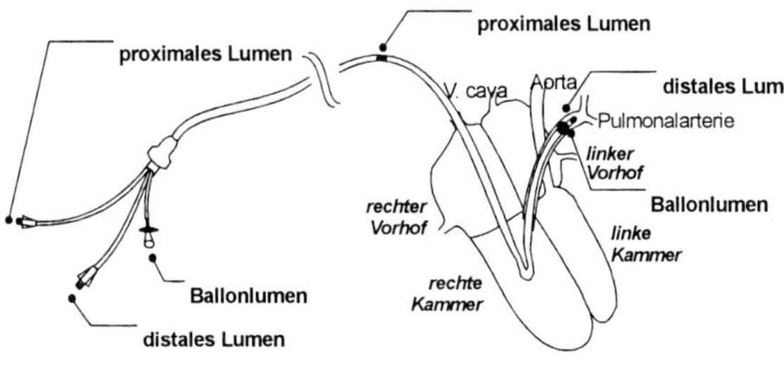

Abb. 4.17 **Rechtsherzkatheter (Pulmonalarterienkatheter)**

Die wichtigsten **diagnostischen Möglichkeiten des Herzkatheterismus** sind
- Druckmessung in den Herzhöhlen (und damit Druckgradientenmessung an den Herzklappen) und den herznahen Gefäßabschnitten;
- Bestimmung von Shuntvolumina;
- Bestimmung des pulmonalkapillaren Drucks, der dem linksventrikulären enddiastolischen Füllungdruck entspricht;
- Darstellung der Herzhöhlen, der herznahen Gefäßabschnitte und der Herzkranzgefäße mittels Kontrastmitteleinspritzung;
- Messung des Herzminutenvolumens;
- Bestimmung der Sauerstoffsättigung des Blutes.

Die Durchführung erfolgt am liegenden Patienten; um die Herz - Kreislaufsituation auch unter Belastung beurteilen zu können, wird häufig eine kontrollierte Fahrradergometrie integriert.
Die Punktionsstelle (beim Rechtsherzkatheterismus V. jugularis interna, V. subclavia oder V. femoralis; beim Linksherzkatheterismus A. femoralis) wird lokal betäubt. In der Regel verläuft die Untersuchung dann schmerzfrei, nur selten tritt ein schmerzhaftes Ziehen entlang der Gefäßbahn auf. Dennoch haben die meisten Menschen Angst vor dieser Untersuchung, weil sie am Herzen stattfindet.

Mögliche Komplikationen

Rhythmusstörungen, die ein medikamentöses Eingreifen erfordern, sind bei einer von 100 dieser Untersuchungen zu erwarten. Schwere **Rhythmusstörungen**, die elektrisch behandelt werden müssen, sind beim Linksherzkatheterismus bei einer von 300 Untersuchungen zu erwarten; beim Rechtsherzkatheterismus liegt dieses Risiko unter 1 : 1000.
Leichte **Kontrastmittelunverträglichkeiten** treten bei etwa 5 - 10 % der Patienten in Form von Übelkeit, Erbrechen oder Hautausschlag auf; schwere Überempfindlichkeitsreaktionen, die z.B. mit einem Kreislaufschock einhergehen können, sind sehr viel seltener (< 1 ‰). Das Risiko schwerwiegender Komplikationen, z.B. einer Thrombose, liegt bei ca. 1 %.
Der diagnostische Gewinn für die optimale Behandlung des Herzkranken ist meist größer als das Risiko.
Eine einfühlsame und patientengerechte **Aufklärung** von seiten des Arztes sowie eine **schriftliche Einwilligung** des Patienten sind unerläßlich.

❍ Pflegerische Aufgaben

Die pflegerischen Aufgaben bei der Vor- und Nachbereitung des Patienten auf der Station sind je nach Art der Untersuchung unterschiedlich. Die ärztlichen Anordnungen bezüglich der einzuhaltenden Bettruhe variieren.

❍ Vorbereitung des Patienten für den Rechtsherzkatheter

- am Vortag Blutgruppenbestimmung, evtl. Wiederholung von Routinelaboruntersuchungen;
- Information; Signalisieren der Bereitschaft, auf Fragen und Ängste einzugehen;
- Rasur der vorgesehenen Einstichstelle (falls erforderlich);
- bei geplanter Kontrastmitteleinspritzung: Patienten anhalten, am Untersuchungstag nüchtern zu bleiben;
- bei geplanter Untersuchung mit Belastung: Patienten anhalten, festes Schuhwerk mitzunehmen;
- falls angeordnet: Prämedikation (Sedativum o.ä.) verabreichen;
- Bereitstellung der Patientenunterlagen: Vorbefunde, (zwingend EKG, Röntgenaufnahme des Thorax, schriftliche Einverständniserklärung), Anordnungsschein, Dokumentationssystem.

❍ Nachbereitung

- nach Kontrastmittelverabreichung Beobachtung des Patienten auf Übelkeit, Erbrechen, Hautausschlag;
- Vitalzeichenkontrollen (Blutdruck- und Puls beobachten, Temperatur messen);
- nach Kontrastmittelverabreichung Patienten anhalten, drei Liter Flüssigkeit zu trinken (zwecks Kontrastmittelausscheidung);
- Zuwendung (Patient ist / war ggf. sehr angespannt und hat die Untersuchung „durchgestanden“, evtl. wurde ihm ein schlechtes Untersuchungsergebnis mitgeteilt, welches weitere Ängste auslöst).

❍ Vorbereitung des Patienten für den Linksherzkatheter

- wie für den Rechtsherzkatheter; zusätzlich:
- bei Diabetikern Blutzuckertagesprofil anmelden;
- bei den Begleitpapieren Befund des Belastungs-EKGs und des Rechtsherzkatheters mitgeben.

❍ Nachbereitung

- wie nach Rechtsherzkatheterismus; zusätzlich:
- Patienten anhalten, sich bei Störungen des Allgemeinbefindens (Schüttelfrost, Fieber, Kältegefühl in Armen oder Beinen) oder bei Nachblutungen sofort zu melden;
- für 4 - 6 Stunden Sandsack auf Punktionsstelle legen und Kontrollen des peripheren Fußpulses durchführen;
- Patienten anhalten, die ärztlich angeordnete Bettruhe (meist 24 Stunden) einzuhalten;
- nach Lösen des Druckverbandes und Auskultation zum Ausschluß von Strömungsgeräuschen, die bei arteriovenöser Fistelbildung auftreten (Arzt), Patienten vorsichtig und unter Kontrolle der Einstichstelle hinsichtlich Nachblutungen mobilisieren.

❒ Therapeutischer Herzkatheterismus

Der Herzkatheterismus bietet therapeutische Möglichkeiten:
- das Einbringen einer Schrittmacherelektrode in das rechte Herz *(siehe "Herzschrittmachertherapie" Seite 305);*
- die Dilatation *(Aufweitung)* proximaler Stenosen an den Koronararterien mittels Ballonkatheter (**PTCA**; **p**erkutane **t**ransluminale **K**oronar**a**ngioplastie *(siehe nachfolgend);*
- das intrakoronare Verabreichen von Medikamenten, insbesondere für die Thrombolyse bei akutem Herzinfarkt;
- die Entfernung von Plaques mittels Lasertherapie;
- die Stentimplantation nach PTCA *(Stent = röhrenförmiges Implantat, das ein verengtes Blutgefäß von innen offen hält).*

4.2.5.7 Perkutane transluminale koronare Angioplastie

Bei der **PTCA** *(perkutane transluminale koronare Angioplastie; Ballondilatation)* handelt es sich um eine bewährte Möglichkeit zur Beseitigung der Stenosen in den Koronarien. Sie wird erforderlich, wenn die Herzschmerzen bei koronarer Herzkrankheit trotz medikamentöser Therapie anhalten oder erneut auftreten. Im Vergleich zur Bypass-OP stellt sie einen für den Betroffenen weniger belastenden und aufwendigen Eingriff dar.
Mögliche **Komplikationen** sind Überempfindlichkeitsreaktionen auf das Röntgenkontrastmittel, Verletzungen von Gefäßen und Nerven, Herzrhythmusstörungen, Thrombose und Embolie.
Das Vorgehen bei der PTCA erfolgt ähnlich wie beim Linksherzkatheterismus. Der Arzt schiebt über die Arteria femoralis einen Führungskatheter bis zum verengten Koronargefäß vor. Durch diesen wird ein Führungsdraht vorsichtig an der Engstelle vorbeigeschoben. Unter Röntgenkontrolle wird dann der dünnere Ballonkatheter in erschlafftem Zustand über den Führungsdraht in die Engstelle eingeführt, wo der Ballon innerhalb einiger Minuten mehrfach unter hohem Druck (3 - 12 bar) mit Röntgenkontrastmittel entfaltet wird. Dadurch kommt es zu einer Verformung der Ablagerungen in dem betroffenen Herzkranzgefäß, so daß dieses im Idealfall später weit geöffnet ist und einen unbehinderten Blutfluß gewährleistet. Zusätzlich kann ein Stent implantiert werden.
Eine Erfolgskontrolle der Ballondilatation erfolgt direkt im Anschluß, indem eine Koronarangiographie* durchgeführt wird.

❍ Vorbereitung des Patienten
Die Vorbereitung des Patienten aus pflegerischer Sicht erfolgt wie die Vorbereitung zum Linksherzkatheter *(siehe vorstehend)*.
In vielen Kliniken werden zur Ökonomisierung der Herzarbeit, zur Angina - pektoris - Prophylaxe, zur Thromboseprophylaxe und zur Beruhigung ärztlich verordnete Medikamente verabreicht. Der Patient benötigt besondere Zuwendung, da der Eingriff und damit verbundene Komplikationen ihn ängstigen.

❍ Nachsorge
Nach Durchführung der PTCA wird der Patient 24 Stunden auf einer Wach- oder Intensivstation betreut.
Für die **pflegerische Nachsorge** gilt:
- bis zur Entfernung der Einführhülse und mindestens 6 Stunden danach für Bettruhe sorgen (Arztanordnung);
- den Patienten flach auf dem Rücken lagern und ihn auffordern, das betreffende Bein gerade zu halten;
- die Punktionsstelle absolut ruhigstellen, in den ersten 24 Stunden Druckverband und Sandsack anbringen;
- sofort und nach einigen Stunden ein EKG ableiten;
- evtl. kontinuierliche Überwachung der Herztätigkeit über Monitoring;
- zunächst engmaschig (¼ bis ½ stündlich) Vitalzeichen kontrollieren, bei stabilen Kreislaufverhältnissen in größeren Zeitabständen;
- periphere Fußpulse tasten und den Patienten nach Taubheitsgefühl in der betroffenen Extremität fragen;
- Druckverband auf Blutungen kontrollieren;
- Patienten auffordern, in den nächsten Stunden möglichst viel zu trinken (3 l in 24 Stunden), damit das Kontrastmittel schnell ausgeschieden werden kann;
- für das regelrechte Einlaufen der ärztlich verordneten Infusionen (Heparin, Nitroglyzerin) sorgen, auf mögliche unerwünschte Wirkungen achten;
- bei Auftreten von Beschwerden, insbesondere von Angina pektoris, sofort den Arzt benachrichtigen.

4.2.5.8 Defibrillation / Kardioversion

Die **Defibrillation** dient der Wiederherstellung einer regelmäßigen Herzaktion bei Kammerflimmern durch einen kurzen Elektroschock, der zur gleichzeitigen Depolarisation aller Herzmuskelzellen führt. So soll eine regelmäßige, vom Sinusknoten ausgehende Herzaktion wiederhergestellt werden. Bei der Defibrillation handelt es sich um eine lebensrettende Notfallmaßnahme.

Die **Kardioversion** dient der Wiederherstellung einer normfrequenten rhythmischen Herzaktion bei Vorhofflimmern durch zum QRS-Komplex synchronisierte Stromstöße. Diese therapeutische Maßnahme wird geplant durchgeführt.
Es ist eine **Vorbereitung des Patienten** erforderlich.
Der Arzt klärt den Patienten über den Sinn und das Vorgehen bei der Maßnahme auf und holt die **Einverständniserklärung** des Patienten ein. Er wird ggf. eine laufende Therapie mit Digitalispräparaten unterbrechen und eine **Heparinisierung** oder **Marcumarisierung** des Patienten zur Thromboembolieprophylaxe anordnen; außerdem legt er einen **venösen Zugang**.
Am Behandlungstag bleibt der Patient **nüchtern**. Vor Beginn der Kardioversion wird er aufgefordert, Blase (und Darm) zu entleeren und vorhandene Zahnprothesen sowie Schmuck abzulegen. Die Pflegenden sollten einfühlsam auf die **Ängste** des Patienten **eingehen** und Ruhe sowie Sicherheit vermitteln.

Der Patient wird liegend in eine Spezialabteilung (z.B. Intensivstation) gebracht und dort der zuständigen Pflegeperson vorgestellt.
Die Kardioversion erfolgt in Kurznarkose. Ein **Intubationsbesteck** und **Notfallmedikamente** müssen bereit liegen.

Vorgehen bei der Defibrillation / Kardioversion

Die Durchführung der Defibrillation / Kardioversion ist **Aufgabe des Arztes**.
Das Pflegepersonal bereitet sowohl den Patienten (Lagerung) als auch den Defibrillator vor.
- Elektroden zur EKG - Ableitung aufkleben und am Monitor anschließen.
- Den Patienten flach und auf harter Unterlage lagern (Reanimationsbereitschaft).
- Elektrodengel auf die Elektroden des Defibrillators geben (Erhöhung der Leitfähigkeit und Schutz vor Verbrennungen).
- Stromstärke am Defibrillator einstellen (empfohlene Energiemengen zur Defibrillation: 200 - 400 Joule bei

Erwachsenen, 100 - 200 Joule bei Kindern, 50 - 100 Joule bei Säuglingen; zur Kardioversion reicht die Energie von 20 - 200 Joule aus).

- Synchron-Schalter am Defibrillator zur Defibrillation ausschalten, für die Kardioversion einschalten.
- Gerät mittels Knopfdruck am entsprechenden Schalter laden, der daraufhin "ready" oder ein anderes Signal für die Betriebsbereitschaft anzeigt.
- Elektroden kräftig aufsetzen, die negative Elektrode unter dem rechten Schlüsselbein und die positive Elektrode unterhalb der linken Brustwarze; bei Patienten mit Herzschrittmacher die Elektroden nicht in unmittelbarer Nähe des Schrittmachers anbringen (Vermeidung einer Schädigung).
- Die bevorstehende Defibrillation **laut ankündigen** und alle Anwesenden auffordern, **jede Berührung des Patienten und des Bettes zu unterlassen** (Verhinderung der Weiterleitung des Stromes).
- Defibrillation / Kardioversion ausführen: den Kondensator mittels Knopfdruck entladen. (Die abgegebene Energie durchfließt das Herz, es kommt zur elektrischen Synchronisierung aller Herzmuskelzellen; dadurch wird im Erfolgsfall eine Erregungsausbreitung vom Sinusknoten möglich.)
- Erfolg kontrollieren: Herzrhythmus am EKG-Monitor beobachten und Puls tasten.
- Reanimation fortsetzen, wenn bei der Defibrillation der Erfolg ausbleibt.
- Bei Bedarf Kardioversion / Defibrillation mit zunehmender Energie wiederholen.

Anschließend wird der Patient unter **Monitoring** und **engmaschiger Vitalzeichenkontrolle** auf der Intensivstation überwacht. Am Überwachungsgerät wird die Arrhythmieeinheit, die bei AV-Block, Kammerflimmern und anderen Herzrhythmusstörungen Alarmtöne abgibt, eingestellt.

4.3 Aufrechterhaltung der Gefäßfunktionen

4.3.1 Anatomisch - physiologische Grundlagen

An der Entstehung von Blutgerinnseln und der dadurch bedingten Verlegung eines Blutgefäßes sind verschiedene Faktoren beteiligt. Um dieses Geschehen verstehen zu können, sind grundlegende Informationen über den Blutkreislauf, die Blutgerinnung und die Strömungsverhältnisse erforderlich.
Das Grundwissen über den Blutkreislauf wird im Kapitel "Aufrechterhaltung der Herz-Kreislauffunktionen" *(siehe Seite 272)* vermittelt.

❐ Die Strömungsverhältnisse im Gefäßsystem

Die **Strömung des Blutes** wird durch Druckunterschiede zwischen den Gefäßen gewährleistet. In den zuführenden Gefäßen herrscht ein höherer Druck als in den abführenden Gefäßen. So findet sich im venösen Gefäßsystem ein geringerer Druck als im arteriellen; im Bereich der Arme und der Beine sowie der abhängigen Rumpfabschnitte wird der venöse Rückstrom zusätzlich erschwert, weil das Blut gegen die Schwerkraft zum Herzen fließen muß. An der Innenwand der Venen befindliche Venenklappen sichern - wie ein Ventil - den Blutrückfluß zum Herzen.

Der Unterstützung des **venösen Rückstroms** dienen drei Mechanismen:

a) **Die Druck-Saug-Pumpe der Einatmungsmechanik**
Der Unterdruck im Brustraum übt eine Sogwirkung auf die im Thorax liegenden Venen aus. Diese dehnen sich und saugen das Blut aus den angrenzenden Venen an. Der Mechanismus wird bei der Einatmung verstärkt. Gleichzeitig kommt es durch die Zwerchfellsenkung während der Einatmung zur Druckerhöhung im Bauchraum, wodurch das Blut von dort in Richtung Brustkorb gedrückt wird.

b) **Sogwirkung durch die Herzaktion**
Durch die Herzarbeit, vor allem in der Phase der Diastole, wird das Blut in den großen Hohlvenen vom Herzen angesogen.

c) **Muskelpumpe und Arterienpuls**
Zieht sich ein Skelettmuskel zusammen, wie dies bei jeder Muskelarbeit der Fall ist, verdickt sich der Muskelbauch und drückt auf die umliegenden Venen. Diese werden sozusagen "ausgepreßt", das Blut wird in Richtung Herz gedrückt. Auch der Druck des benachbarten Arterienpulses pumpt das Blut in den Venen von Abschnitt zu Abschnitt.

Es wird deutlich, daß jede Form der körperlichen Betätigung über alle drei genannten Mechanismen den venösen Blutfluß unterstützt.
Die Strömungsverhältnisse in den Blutgefäßen haben Einfluß auf die Entstehung von Thrombosen und Embolien.
Eine **verringerte Fließgeschwindigkeit** begünstigt die Entstehung von Thromben. Dies erklärt auch den häufigeren Befall der Venen gegenüber den Arterien, denn die mittlere Strömungsgeschwindigkeit beträgt in den großen Arterien 20 cm / s, in den Venen 12 cm / s.
Auch in erweiterten Gefäßen, wie sie bei Varizen *(Krampfadern)*, Aneurysmen *(Ausweitung der Wand arterieller Gefäße)* oder bei erweiterten Herzvorhöfen vorliegen, fließt das Blut langsamer. Eine insgesamt verringerte Fließgeschwindigkeit findet sich bei Menschen mit insuffizientem *(leistungsschwachem)* Herzen. Die Kraft des Herzens reicht nicht mehr aus, um das venöse Angebot aufzunehmen (Rechtsherzinsuffizienz) und/oder um es in den arteriellen Kreislauf auszuwerfen (Linksherzinsuffizienz); die Fließgeschwindigkeit des Blutes in der Peripherie verringert sich entsprechend.

❐ Die Blutgerinnung

Die Blutgerinnung ist ein **physiologischer Schutzmechanismus**; sie verhindert das Verbluten bei Verletzungen.
Der Vorgang der Blutgerinnung läuft in mehreren Stufen ab. Beteiligt sind 13 **Gerinnungsfaktoren**, die in ei-

ner Kettenreaktion wirken. Fehlt einer der Faktoren (z.B. bei der Bluterkrankheit), so ist die gesamte Blutgerinnung gestört. Bei Verletzungen besteht dann die Gefahr, zu verbluten.
Neben den Gerinnungsfaktoren spielen die **Thrombozyten** *(Blutplättchen)* eine entscheidende Rolle; sie sorgen für die erste Blutstillung. Sobald die Gefäßinnenhaut verletzt wird, bleiben an dieser Stelle die Thrombozyten haften und ballen sich zusammen: So kann das Blut nicht aus dem Gefäß austreten, die Blutung ist vorläufig gestillt. Dieser Vorgang wird durch die gleichzeitige Kontraktion der umliegenden Blutgefäße und die zunehmende Klebrigkeit der Thrombozyten unterstützt. Dieser sogenannte "*weiße Thrombus*" dient jedoch lediglich der **vorläufigen Blutstillung**. Die Bildung eines "*roten*", sich nicht mehr auflösenden Thrombus, setzt gleichzeitig ein.
Mit der Verletzung des Gewebes und der Gefäßinnenhaut werden in einer Reaktionskette die ersten Gerinnungsfaktoren durch die Bildung der **Gewebs- und der Blutthrombokinasen** aktiviert und freigesetzt. Unter dem Einfluß von **Kalzium - Ionen** (Gerinnungsfaktor IV) beginnt jetzt die **erste Hauptphase der Blutgerinnung**: Prothrombin (Faktor II) wird zu Thrombin umgewandelt. Im Anschluß daran bildet in der **zweiten Hauptphase** Thrombin das im Blut vorhandene Fibrinogen zu dem eiweißspaltenden Enzym Fibrin um. Die einzelnen Fibrinfäden bilden das Gerüst des Gerinnsels: sie bewirken eine bleibende Zusammenlagerung der Thrombozyten, indem sie sich zusammenziehen und ein Gerüst um den weißen Thrombozyten-Thrombus bilden. In diesem Gerüst setzen sich zwischen den einzelnen Fibrinfäden weiter rote und weiße Blutkörperchen sowie Thrombozyten aus dem strömenden Blut fest. Jetzt bildet sich der rote, endgültige Blutpfropf; man spricht von der **irreversiblen Thrombozytenaggregation**. Die Blutgerinnung ist abgeschlossen. Wird der Thrombus nicht mehr zur Abdichtung einer Blutungsquelle benötigt, erfolgt seine Auflösung durch körpereigene Substanzen.
Das Ferment **Plasminogen**, eine Vorstufe des fibrinauflösenden Plasmins, wird unter bestimmten Voraussetzungen aktiviert und führt zur **Auflösung des Fibrins** (*Fibrinolyse*). Außerdem verfügt der menschliche Organismus über natürliche gerinnungshemmende Substanzen; die wichtigsten sind die Antithrombine und das Heparin. Letzteres kann in alle Gerinnungsphasen eingreifen, vor allem verzögert es die Bildung von Thrombin aus Prothrombin und hemmt die Wirkung von Thrombin auf Fibrinogen.
Aufgrund der physiologischen Mechanismen zur Gerinnungshemmung und -auflösung entwickelt sich beim Gesunden keine Thrombose von klinischer Bedeutung.

4.3.2 Thromboseprophylaxe

Hinweis:
Das Grundwissen über das thromboembolische Geschehen (Definition, Entstehung Risikofaktoren, Disposition, Symptome) wird im Kapitel 4.3.3.2 *"Thrombose"* vermittelt und ist dort nachzulesen, bevor die Thromboseprophylaxe durchgearbeitet wird.

4.3.2.1 Pflegerische Maßnahmen der Thromboseprophylaxe

Die Thromboseprophylaxe erfolgt entsprechend den vorliegenden Risikofaktoren. Folglich dienen die Pflegemaßnahmen vorrangig der **Förderung des venösen Rückflusses**.
Zusätzlich kann das Thromboserisiko durch weitere Maßnahmen gesenkt werden.
Um eine effektive Wirkung zu erzielen, müssen **kontinuierliche und intermittierende Maßnahmen** kombiniert eingesetzt werden.
Die **Kooperation** des thrombosegefährdeten Menschen ist von außerordentlicher Wichtigkeit; nicht zuletzt deshalb ist er hinsichtlich der Notwendigkeit, des Zwecks und der Durchführung thromboseprophylaktischer Maßnahmen in verständlicher Weise zu informieren und instruieren.
Dies kann durch geeignete Broschüren und Videos (die z.B. von ATS-Herstellern angeboten werden) unterstützt werden. Im Anschluß ist zu überprüfen, ob der thrombosegefährdete Mensch die Informationen und die Anleitung verstanden hat und inwieweit er bereit sowie fähig ist, aktiv prophylaktische Maßnahmen durchzuführen.
Alle Maßnahmen der Thromboseprophylaxe, die nicht direkt zu einer aktivierenden Pflege gehören, bedürfen der ärztlichen Anordnung.

4.3.2.1.1 Förderung des venösen Blutrückflusses

Eine Förderung des venösen Blutflusses kann über verschiedene Maßnahmen erreicht werden. Gemeinsames **Ziel** ist das **Heraufsetzen der Strömungsgeschwindigkeit** in den venösen Blutgefäßen *(Staseprophylaxe)*.

❒ Frühmobilisation
Der Begriff Frühmobilisation meint im stationären Alltag das **frühestmögliche Aufstehen** des Kranken nach einer Operation / Entbindung. Dies geschieht z.B. 6 - 8 Std. nach der Operation, indem der Patient zunächst auf der Bettkante sitzt und dann möglichst für kurze Zeit vor dem Bett steht bzw. wenige Schritte auf und ab geht. Das Gehen ist notwendig, um die Muskelvenenpumpe zu aktivieren.
Die Frühmobilisation bewirkt in diesem Zusammenhang die Anregung des **Herz - Kreislaufsystems**, die **Intensivierung der Atmung** und die **Aktivierung der Muskelvenenpumpe**.
(Vgl. "Strömungsverhältnisse im Gefäßsystem", Seite 315).

❒ Mobilisation
Mit der Mobilisation werden die bei der Frühmobilisation angestrebten Ziele weiter verfolgt. Die Mobilisation ist bei allen thrombosegefährdeten Menschen erforderlich, es sei denn, es liegt eine Kontraindikation vor. Aber auch in diesen Fällen ist meist zumindest die Durchführung passiver **Bewegungsübungen** sowie die Durchführung **isometrischer Spannungsübungen** angezeigt. Sowohl bei der Durchführung aktiver als auch passiver **Bewegungsübungen** liegt der Schwerpunkt

bei Bewegungen mit den Zehen, Füßen und Beinen, die stündlich durchgeführt werden sollten. Selbst Immobile sind meist in der Lage, Zehenbewegungen, Dorsalflexionen* und Kreisbewegungen der Füße sowie isometrische Spannungsübungen (selbständig) auszuführen. Besonders wirksam ist die Durchführung bei hochgelagerten Beinen. Für Bettlägerige kann die Betätigung eines Bettfahrrades empfehlenswert sein.
Die Mobilisation sollte - unter Berücksichtigung der Belastbarkeit und der Fähigkeiten des Patienten - so oft wie möglich als thromboseprophylaktische Maßnahme eingesetzt werden.
Lesen Sie zur Ergänzung "*Mobilisation*" *(Seite 544)*.

❐ Atemübungen

Übungen zur **Intensivierung der Atmung** *(siehe "Atemübungen", Seite 46)* verbessern den venösen Rückfluß, indem sie die physiologische Druck-Saug-Pumpe der Einatmungsmechanik verstärken. Sie können in vielen Fällen im Rahmen der ohnehin erforderlichen Pneumonieprophylaxe durchgeführt werden.

❐ Ausstreichen der Venen

Das Ausstreichen der Venen **fördert** ebenfalls den **venösen Rückfluß**, hat als alleinige Maßnahme jedoch keinen ausreichenden thromboseprophylaktischen Effekt.
Die Mehrzahl der Patienten empfindet diese Maßnahme als **wohltuend**, vor allem, wenn sie mit einer Einreibung der Beine verbunden wird. Sollte das Ausstreichen schmerzhaft sein, ist dies sofort abzubrechen und unverzüglich ein Arzt darüber zu informieren (Thromboseverdacht).

Beachte: Bei Verdacht auf eine Thrombose ist das Ausstreichen der Venen **kontraindiziert**, da es die Lösung eines Thrombus - und somit eine Embolie - verursachen kann.
Eine manifeste Herzinsuffizienz und massive Beinödeme stellen ebenfalls Kontraindikationen dar.

Die Maßnahme erfolgt beim liegenden Patienten; das Bein wird leicht angehoben, die Unterseite mit einer Hand umgriffen und ca. 4 mal mit kräftigen gleichmäßigen Bewegungen herzwärts ausgestrichen. Zunächst erfolgt dies am Oberschenkel, so wird ein evtl. bestehender Blutstau beseitigt. Dadurch sind die Oberschenkelvenen in der Lage, das durch anschließendes Ausstreichen der Unterschenkelvenen ankommende Blut aufzunehmen.
Das Ausstreichen der Venen erfolgt sinnvollerweise **vor** dem **Anziehen von Antithrombosestrümpfen**; es kann in die Körperpflege (Waschen und Eincremen der Beine) integriert werden.

❐ Anpassen und Anziehen von Antithrombosestrümpfen (ATS)

Antithrombosestrümpfe (ATS) führen bei immobilen und (überwiegend) bettlägerigen Menschen über eine Kompression der oberflächlichen Hautvenen zur **erhöhten Strömungsgeschwindigkeit** in den tieferliegenden Beinvenen, weil das Blut dann durch einen insgesamt kleineren Venenquerschnitt fließt.
Sie sollten während der gesamten Liegedauer, also **Tag und Nacht, getragen** werden, um die gewünschte kontinuierliche Wirkung zu erzielen.
Auch **bei Bewegungsübungen im Bett** und auf der Bettkante sind die ATS von Bedeutung. Zum einen wird durch die Kompression der Venen ihrer Dilatation und somit dem Versacken des Blutes infolge aufrechter Körperhaltung entgegenwirkt; zum anderen wird durch die Kompression von außen eine Verstärkung der Muskelpumpe erreicht, da die angespannten Muskeln auf ein elastisches Widerlager stoßen.
Zur Mobilisation **außerhalb des Bettes** (also beim Gehen und Stehen) sind ATS **ungeeignet**, da ihr Druck auf die Venen zu gering ist. Patienten mit hohem Risiko (Varikosis) sollten ggf. während des Aufstehens individuell angepaßte Kompressionsstrümpfe mit wesentlich höherem Druck tragen *(siehe Seite 326)*.
Die Kompression der Venen durch ATS erfolgt entlang ihres Verlaufs in unterschiedlicher Stärke. Der Druck nimmt kontinuierlich von rumpffern (*distal*) nach rumpfnah (*proximal*) ab. Er beträgt in Fußknöchelhöhe 16 - 18 mmHg, im Leistenbereich nur noch 7 - 8 mmHg.
ATS können ihrem Namen nur gerecht werden, wenn sie **korrekt angepaßt** und **angezogen** werden. Ein zu enger, einschnürender Strumpf führt zu Stauungen im venösen System, ein zu weiter Strumpf kann keine Wirkung erzielen. In solchen Fällen ist das Anziehen von ATS nicht nur ohne Nutzen, sondern auch als *Pflegefehler* anzusehen, da neben der fehlenden Prophylaxe auch noch zusätzliche Risikofaktoren, z.B. ein venöser Stau, geschaffen werden können.

❍ Das Anpassen der ATS

Die ATS werden von verschiedenen Firmen angeboten. Der jeweilige Hersteller liefert zur **Ermittlung der richtigen Strumpfgröße** ein Maßband und eine Maßtabelle.
Zunächst ist es angebracht, sich bezüglich der **Meßstellen** kundig zu machen. Diese können z.B. sein:

- der Oberschenkel an seiner dicksten Stelle, also unterhalb der Gesäßfalte (der ermittelte Umfang dient der Feststellung, ob für diesen Oberschenkelumfang überhaupt Strümpfe angeboten werden; beträgt der Umfang mehr als 63 cm, muß eine Sondergröße gewählt werden);
- die Wade an ihrer dicksten Stelle;
- die Beinlänge von der Ferse bis zur Gesäßfalte.

Je nach Hersteller stehen 3 - 9 verschiedene Größen zur Auswahl. Die ATS sind z.B.

- kurz / schmal
- normallang / schmal
- lang / schmal
- kurz / mittelweit
- normallang / mittelweit
- lang / mittelweit
- kurz / weit
- normallang / weit
- lang / weit.

Das Erkennen der richtigen Größe wird durch Farbmarkierungen, z.B. am Haftband und an der Zehenöffnung, gewährleistet.

❍ Das Anziehen der ATS

Das Anziehen der ATS erfolgt **im Liegen**. Zuvor werden die Beinvenen ausgestrichen oder die **Beine hochgelagert**, um das Einschließen von gestautem Blut in ausgesackten Venenabschnitten zu vermeiden. Das Anziehen der sehr straffen ATS bedarf einer **Technik**. Sie werden nicht wie normale Strümpfe angezogen, d.h. nicht aufgerollt, da dadurch der Elastikeffekt verstärkt und das Anziehen erschwert werden. Die Schwierigkeit liegt darin, den straffen Strumpf über den Fuß zu ziehen und gleichzeitig die Ferse in der vorgezeichneten Felderung zu positionieren.

Technik *(siehe Abbildung 4.18)*

- Mit der Hand bis zur Fersenrundung in den Strumpf fahren, so daß diese auf dem Handballen liegt; ①
- Mitte der Fersenrundung festhalten, indem die Finger auf den Handballen gelegt werden, dann den restlichen Teil des Strumpfes bis zur Fersenmarkierung auf links drehen; ②
- den Fuß des Strumpfes über den Vorfuß und die Ferse streifen; ③
- den Fersensitz kontrollieren (liegt die Ferse in der erkennbaren Fersenrundung?);
- falls der Sitz aufwendiger Korrekturen bedarf, empfiehlt es sich, den Strumpf auszuziehen und einen erneuten Versuch zu unternehmen, ansonsten
- den Schaft des ATS von oben zentimeterweise über Knöchel und Wade in Richtung Oberschenkel hochziehen, dabei dürfen sich keine Falten bilden; ④
- bei Erreichen des Knies darauf achten, daß die vorgegebene Kniefelderung (veränderte Stärke des Materials) ca. 2,5 - 5 cm unterhalb der Kniebeuge beginnt;⑤
- Strumpf bis zur Leiste hochziehen (das Haftband liegt mit der gummibeschichteten Seite unterhalb der Leiste auf, der keilförmige Einsatz sitzt an der Oberschenkelinnenseite);
- korrekten Sitz der ATS (Fersen- und Kniefelderung, Faltenfreiheit, Abschluß unterhalb der Leiste) kontrollieren. ⑥

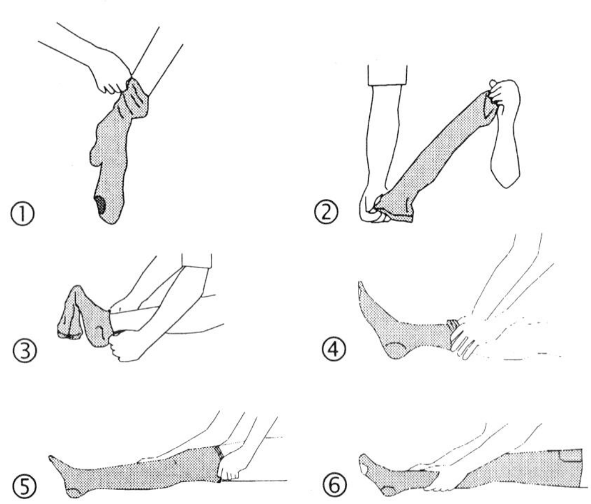

Abb. 4.18 ***Anziehen von ATS***

Menschen, die in der Lage sind, die ATS selbständig anzuziehen, sind entsprechend zu unterweisen.
Einige Hersteller bieten Anziehhilfen für ATS an.

Nach ca. 1 Stunde wird über das Zehenfenster die **Durchblutung** der Zehen **kontrolliert** und nach Beschwerden gefragt. Nicht selten empfindet der Betroffene die ATS als zu straff und unangenehm. Er sollte nochmals deutlich und verständlich über die Wirkung der Strümpfe informiert werden, um seine Kooperation zu fördern. Selbstverständlich ist auch zu prüfen, ob die richtige Strumpfgröße gewählt wurde.
Häufig kommt es durch das Tragen von ATS zur verstärkten Austrocknung der Haut im Bereich der Beine. Deshalb sind beim Waschen der Beine eine gute **Hautbeobachtung** (Trockene Haut? Hautrötung? Fersendekubitus?) und eine anschließende **Hautpflege** angezeigt.
Da die Haut unter den ATS meist stark schwitzt, müssen diese entsprechend häufig (jeden Tag oder jeden 2. - 3. Tag) gewechselt werden.

Die ATS werden in einem Wäschenetz gesammelt und wie normale Krankenhauswäsche gewaschen, dürfen jedoch höchstens 15 - 20 Minuten bei max. 121°C im Wäschetrockner behandelt werden.
Nach dem Waschen und Trocknen sollten die ATS anhand ihrer Farbmarkierungen der Größe entsprechend paarweise sortiert werden. Dabei sind beschädigte oder verunreinigte Exemplare auszusortieren.
Es empfiehlt sich, jede Wäsche des ATS durch einen Strich (mittels Wäschestift) am Haftband zu registrieren. Der jeweilige Hersteller garantiert bis zu einer bestimmten Anzahl (meist 10 - 15) von Waschvorgängen die Effektivität der ATS.
Wenn bereits benutzte Strümpfe wiederverwendet werden, sind diese auf ihre **Elastizität** hin zu **prüfen** und ggf. auszusortieren.

Kontraindikationen für das Anziehen von ATS sind:

- massive Wasseransammlungen (*Ödeme*) in den Beinen;
- Lungenödem bei Herzinsuffizienz;
- arterielle Durchblutungsstörungen;
- deformierte oder für die maßgefertigten Strümpfe zu dicke Beine bzw. zu dünne Beine;
- lokale Erkrankungen des Beines, z.B. Gangrän, Dermatitis.

❐ Anlegen eines Kompressionsverbandes

Das Wickeln der Beine führt ebenfalls über eine Kompression der oberflächlichen Venen zur **Erhöhung der Strömungsgeschwindigkeit** in den tiefliegenden Beinvenen. Heute erfolgt das Anlegen eines Kompressionsverbandes zur Thromboseprophylaxe meist nur noch, wenn keine passenden ATS zur Verfügung stehen. Dies ist z.B. bei sehr dünnen oder sehr dicken Beinen der Fall. Bei ausgedehnten Unterschenkelgeschwüren werden die Beine zugunsten eines gesicherten Verbandsitzes und eines höheren Kompressionsdrucks gewickelt.
Die **Kunst des Beinewickelns** besteht in der optimalen Dosierung der Kompression. Ein unsachgemäß angelegter Kompressionsverband erhöht das Thromboserisiko: zu geringer Zug verfehlt die erwünschte Wirkung, zu starker Zug führt zu Abschnürungen und somit zur Blutstauung.

Der Arzt ordnet die Höhe des anzulegenden Kompressionsverbandes an.

❍ Materialzusammenstellung

Die korrekte Wahl des Verbandmaterials ist von großer Bedeutung. So müssen für die Thromboseprophylaxe bei Immobilität wenig dehnbare **Binden mit niedrigem Ruhe- und hohem Arbeitsdruck** *(Kurzzugbinden)* gewählt werden.

Anmerkung:

Die Wahl des Bindenmaterials erfolgt entsprechend der jeweiligen Indikation des Kompressionsverbandes und der gewünschten Kompressionsstärke *(Ruhe- und Arbeitsdruck).*

- **Kurzzugbinden** sind nicht nur zur Thromboseprophylaxe, sondern auch zur Therapie bei Thrombophlebitits und Lymphödem sowie zur Unterstützung der medikamentösen Thrombosetherapie geeignet.
- **Langzugbinden** weisen eine hohe Dehnbarkeit auf und üben einen hohen Ruhe- und niedrigen Arbeitsdruck aus. Sie sind z.B. zur Prophylaxe und Nachbehandlung von Venenleiden geeignet. Während der Nachtruhe und während längerer Ruhephasen muß der Verband allerdings abgenommen werden, da er einen zu hohen Druck auf die feinen Blutgefäße der Haut ausübt.
- **Zinkleimbinden** sind unnachgiebig und setzen der arbeitenden Muskulatur größeren Widerstand entgegen. Sie üben einen niedrigen Ruhe- und hohen Arbeitsdruck aus und werden deshalb z.B. zur schnellen Entstauung und zur Beseitigung hartnäckiger Ödeme (am Fußrücken) bei Venenleiden eingesetzt.

Für das Anlegen des Kompressionsverbandes am Fuß und am Unterschenkel werden je nach Beinumfang 8 cm oder 10 cm breite Binden benötigt. Falls auch das Knie und der Oberschenkel eingebunden werden sollen, sind dazu 12 cm breite Binden bereitzulegen.

❍ Durchführung

Das Anlegen eines Kompressionsverbandes ist mittels verschiedener Techniken durchführbar, es gelten jedoch immer folgende **Prinzipien**:

- das zu wickelnde Bein wird zunächst ausgestrichen oder in entstauender Position hochgehalten bzw. hochgelagert;
- die Binden werden hinsichtlich ihres einwandfreien Zustandes überprüft;
- die Binde wird so in die Hand genommen, daß sie leicht abzuwickeln ist, der aufgerollte Teil *(Bindenkopf)* liegt oben und zeigt nach außen;
- sowohl Fuß als auch Knie werden in rechtwinkeliger Stellung gehalten;
- die Zehen werden nicht eingewickelt; dadurch wird die spätere Beurteilung der Hautdurchblutung ermöglicht;
- die Ferse (und beim Oberschenkelverband zusätzlich das Knie) wird eingeschlossen;
- die Führung der Binde erfolgt so, daß diese sich dem Bein anpaßt; dazu müssen beide Bindenkanten stets gleich stark angespannt werden und die Binde direkt auf der Haut geführt werden;
- der Fuß wird bis zu den Zehengrundgelenken eingebunden, man beginnt an der Fußinnenkante;
- die weitere Führung der Binde bis zum Knie folgt der Form des Beines, dabei darf die Binde den Kontakt zur Haut nicht verlieren;

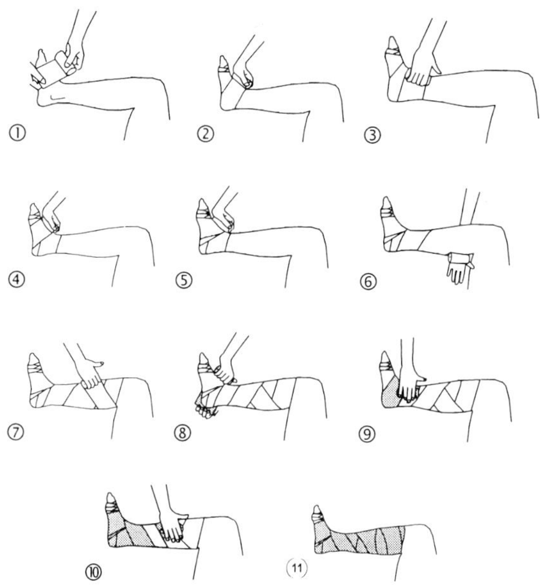

Abb. 4.19 ***Anlegen eines Unterschenkelkompressionsverbandes***

- von der Kniekehle aus wird die Binde über die Wade zurückgeführt, um die vorhandenen Lücken zu schließen;
- der Kompressionsdruck wird am Fuß am stärksten ausgeübt und in Richtung Oberschenkel kontinuierlich bis auf ca. 40% reduziert;
- falls das Knie eingebunden werden soll, dieses bei einer Beugung von ca. 45 Grad mit 12 cm breiter Binde vornehmen; dabei die Touren gegeneinander jeweils durch die Kniekehle vom Unter- auf den Oberschenkel und wieder vom Ober- auf den Unterschenkel führen und dachziegelartig aufeinanderlegen, bis sie sich über der Kniescheibe treffen;
- der Verband endet unterhalb des Knies oder unterhalb der Gesäßfalte (Arztanordnung) und wird mittels Pflasterstreifen fixiert;
- eine intensivere Wirkung übt der Verband aus, wenn weitere Binden in entgegengesetzter Ablaufrichtung angebracht werden *(**Kreuzverbandtechnik nach Pütter**);* dabei führt die erste Tour als Befestigungstour um den Außenknöchel und von dort über die Ferse zum Fußrücken;
- ca. ½ Std. nach Anlegen des Verbandes muß eine Kontrolle der Hautdurchblutung erfolgen, die Haut unter den Zehennägeln soll rosig aussehen (Hinweise auf eine zu starke Kompression sind Blauverfärbung oder Hautblässe sowie kühle Haut);
- der Verband wird alle 12 Stunden gelöst und neu angelegt, um Wirkungsverluste zu verhindern bzw. um Stauungen oder Druckstellen (Beobachtung der Haut) zu erkennen.

❐ Erzeugen eines Sohlendrucks

Das Erzeugen eines Sohlendrucks führt über die Entleerung der in diesem Bereich gelegenen Venen und über die Muskelanspannung zur **Verbesserung des venösen Blutrückflusses**. In angespanntem Zustand üben die Muskeln einen Druck auf die Venen aus und wirken somit der Venenweitstellung, zu der es bei fehlender Muskelanspannung kommt, entgegen.

Zur Erzeugung eines Sohlendrucks ist als Ausgangsstellung des **Fußes** der **90° Winkel zum Unterschenkel** einzunehmen. In dieser Position wird Druck auf die Fußsohle ausgeübt; ähnlich wie beim Stehen wird jetzt der **Muskeltonus erhöht**. Meist ist der intermittierende Einsatz einer **Bettkiste** erforderlich. Diese kann aus Holz gebaut sein, sollte jedoch immer mit Schaumstoff oder Kissen abgepolstert werden, um die Fußballen vor Druckstellen zu schützen. Gleichzeitig muß auch auf die Druckentlastung der Fersen geachtet werden. Günstig ist deren Freilagerung; dazu wird z.B. ein Kissen unter die Unterschenkel und Knie gelegt. Erreicht der Bettlägerige aufgrund seiner Körperlänge das Fußende ohne Bettverkürzung, wird er angehalten, die Fußsohlen mehrmals täglich gegen das Fußende zu drücken.

Es werden auch speziell angefertigte **Fußstützen**, die zur Befestigung hinter der Matratze eingesteckt werden, angeboten. Solche Fußstützen können auf die Beinlänge des jeweiligen Benutzers eingestellt werden und verkürzen in diesem Zustand das Bett.

Neben diesen Fußstützen werden andere **mit Arretierung** vertrieben. Sie sind beweglich und lassen ein gewisses Muskelspiel durch Bewegen der Füße zu. Im Liegen können Trittbewegungen imitiert und somit zusätzlich die Muskelpumpe betätigt werden.

(Siehe auch Abb. 6.64 "Verschiedene Fußstützen", Seite 556).

Alternativ kann der Bettlägerige auch aufgefordert werden, gegen andere am Bettende angebrachte Vorrichtungen zu treten, z.B. gegen einen Tennisball, der mit einem Schlauchverband am Bettende befestigt ist.

Das Erzeugen eines Sohlendrucks ist bei Menschen mit Neigung zu erhöhtem Muskeltonus (z.B. nach Schlaganfall und bei anderen spastischen Lähmungen) **kontraindiziert**. Hier kann ein erhöhter Druck auf den Fußballen eine Spastik* auslösen oder verstärken.

❐ Entstauende Lagerung

Die Hochlagerung der Beine **steigert** den **venösen Blutrückfluß** um über das Doppelte, **beugt** der **Ödembildung vor** und erleichtert die Rückresorption evtl. bestehender Ödeme. Sie sollte deshalb regelmäßig durchgeführt werden, sofern keine Kontraindikation besteht.

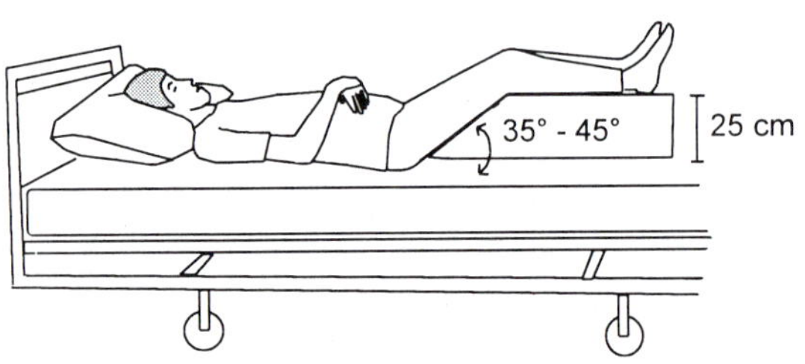

Abb. 4.20 ***Entstauende Lagerung***

Die Hochlagerung sollte so erfolgen, daß die **Unterschenkel** parallel zur Bettebene **ca. 15 bis 25 cm erhöht** liegen, während die Oberschenkel zur Bettebene einen Winkel von 35° bis 45° bilden *(Abb. 4.20)*. Hierzu können eine entsprechende Keilmatratze, ein Schaumstoffblock oder eine Lagerungsschiene eingesetzt werden.

Diese Lagerung hat gegenüber dem Anheben der Beine insgesamt zwei Vorteile: zum ersten kommt ein größerer Teil des Beines in eine Hochlage, wodurch der venöse Rückfluß verbessert wird, und zum zweiten wird ein unangenehmes Durchdrücken der Knie von vornherein vermieden.

Doch auch das **Anheben der Beine insgesamt** beeinflußt den venösen Rückfluß positiv. Dazu wird der untere Teil der Matratze angehoben bzw. das Fußende des Bettes höhergestellt. Unbedingt ist jedoch dafür zu sorgen, daß die Kniekehlen unterpolstert und somit leicht gebeugt werden.

Die entstauende Lagerung wird in Kombination mit anderen thromboseprophylaktischen Maßnahmen durchgeführt.

Sie ist **kontraindiziert** bei dekompensierter Herzinsuffizienz, Lungenödem und arterieller Verschlußkrankheit. Beschwerden im Hüftgelenk stellen eine relative Kontraindikation dar (Arztanordnung).

4.3.2.1.2 Medikamentöse Hemmung der intravasalen Blutgerinnung

Die gesteigerte Gerinnungsneigung des Blutes *(siehe Seite 331)* kann durch Medikamente, die hemmend in die Blutgerinnung eingreifen (*Antikoagulanzien*), herabgesetzt werden. Zur medikamentösen Thromboseprophylaxe ist die sogenannte ***"Low - Dose - Heparinisierung"*** das Mittel der Wahl; sie findet insbesondere bei Immobilisation sowie im operativen und geburtshilflichen Bereich Anwendung.

❐ Wirkung und Anwendung von Heparin

Die Heparinwirkung beruht auf seiner **Bindung an Antithrombin III**, welches in physiologischer Weise **gerinnungshemmend** wirkt. Die Reaktionsgeschwindigkeit von Antithrombin III wird so um ein Vielfaches beschleunigt; der aktivierte Faktor X wird blockiert, die Kette der ablaufenden Blutgerinnungsmechanismen wird gestört und somit gebremst. Außerdem hemmt Heparin die Thrombozytenaggregation.

Ein weiterer antithrombogener Wirkmechanismus des Heparins wird zur Zeit erforscht; demnach schützt Heparin das Gefäßendothel, macht also die Gefäßwände widerstandsfähiger.

Eine niedrige Dosis Heparin verzögert die Blutgerinnung nur geringfügig, so daß eine provozierte Blutungsneigung ausgeschlossen werden kann.

❐ Subkutane Verabreichung von Heparin

Die geringe Dosis Heparin (Low - Dose), meist sind es 15.000 I.E. täglich, wird in 1 - 3 subkutanen Injektionen verabreicht. Sowohl die Anordnung als auch die Dosierung fallen dabei in den ärztlichen Aufgabenbereich, die Durchführung der Injektion liegt nach Delegation im pflegerischen Aufgabenbereich.

Das ins Unterhautzellgewebe injizierte Heparin wird schnell resorbiert, hat also einen **raschen Wirkungseintritt**. Um die Wirkung konstant zu halten, muß das Heparin im 8 - bzw. 12 - oder 24 - stündigem Rhythmus injiziert werden.
Die Low - Dose - Heparin wird von verschiedenen Firmen in **Fertigspritzen** vertrieben. Diese bieten die Möglichkeit einer exakten Dosierung: eine eingearbeitete Luftblase über der Injektionslösung gewährleistet, daß alle Einheiten des Heparins injiziert werden. In der Kanüle verbleibt lediglich Luft. Eine weitere Besonderheit dieser Fertigspritzen liegt in der Länge (12 mm) der eingearbeiteten Kanüle. Sie ist so bemessen, daß sie bei gerader (!) Stichführung - also im 90 Grad Winkel zur Haut - die Subkutis trifft. (*Anmerk.*: Werden subkutane Injektionen mit den herkömmlichen 30 - 40 mm langen Kanülen durchgeführt, erfolgt die Stichführung im 45° Winkel; *vgl. "Subkutane Injektion", Seite 443*).
Bei den Fertigspritzen wird die Nadel vollständig eingeführt, die Spitze endet in einer gefäßarmen Region; auf ein kontrollierendes Aspirieren wird verzichtet.
Als **Injektionsstellen** eignen sich insbesondere die Hautbezirke rechts und links des Bauchnabels; dabei werden sowohl seitlich als auch unterhalb des Bauchnabels 1 - 2 cm Hautfläche ausgespart. Ansonsten kann die subkutane Injektion auch in die seitliche mittlere Oberschenkelregion gegeben werden *(vgl. Seite 170)*.
Vor Verabreichung der Injektion wird eine Händedesinfektion durchgeführt. Danach wird die Injektionsstelle desinfiziert; auf das Einhalten der Einwirkungszeit, die je nach Präparat 15 - 60 Sekunden beträgt, ist zu achten. Anschließend wird mit Daumen und Zeigefinger um die desinfizierte Stelle gefaßt und diese als Hautfalte abgehoben. In diese Hautfalte wird dann die Nadel wie oben beschrieben eingeführt; alsdann drückt man den Spritzenkolben langsam herunter, bis die Spritze vollkommen entleert ist. Danach wird die Nadel vollständig zurückgezogen, die Hautfalte losgelassen und die Injektionslösung durch kreisförmige Bewegungen mit dem Tupfer verteilt *(vgl. Abbildung 4.61, "Die subkutane Injektion mittels Fertigspritze", Seite 443)*.
Die benutzte Spritze ist als Einmalmaterial mit Verletzungsmöglichkeit in einem entsprechenden Behälter zu entsorgen.

4.3.2.1.3 Zusätzliche Maßnahmen

Neben den vorrangigen, bereits besprochenen thromboseprophylaktischen Maßnahmen können weitere Maßnahmen, die zusätzlich vorliegenden **Risikofaktoren entgegenwirken** bzw. diese ganz ausschalten, angezeigt sein.

❐ Orale Flüssigkeitszufuhr

Die Konzentration fester und flüssiger Bestandteile des Blutes hat Einfluß auf seine Fließeigenschaft. Je "dicker" das Blut, um so zähflüssiger der Blutfluß. Nimmt der Mensch zu wenig Flüssigkeit zu sich, dickt das Blut ein. Die dadurch bedingte **Viskositätserhöhung** stellt einen Risikofaktor dar.
Neben der Erhöhung der Blutviskosität kann es zur Veränderung der Bewußtseinslage kommen; die Ansammlung harnpflichtiger Substanzen im Blut führt dann zur Beeinträchtigung des Hirnstoffwechsels und somit zur Verwirrtheit des Betroffenen *(siehe "Akute Verwirrtheit", Seite 704)*. In solchen Fällen ist auch die Haut ausgetrocknet und läßt sich in schlaffen Falten abheben.
Eine zu geringe Flüssigkeitsaufnahme findet man häufig bei älteren Menschen mit verringertem Durstgefühl vor. Manchmal sind Menschen aufgrund ihrer Immobilität nicht in der Lage, an das Trinkgefäß heranzukommen und/oder es zum Mund zu führen. Wird ihnen nicht häufig - d.h. fast stündlich - ein Getränk angeboten, so nehmen sie nur sehr wenig Flüssigkeit zu sich.
Bei alten und/oder verwirrten Menschen kann eine Kontrolle der Ein- und Ausfuhrmengen durch **Führen eines Bilanzbogens** hilfreich sein.
Die **tägliche Trinkmenge** sollte - sofern keine anderslautende Arztanordnung vorliegt - **nicht unter 1,5 l / Tag** liegen. Zusätzliche Flüssigkeitsverluste, z.B. durch Schwitzen, Erbrechen oder Durchfälle, müssen außerdem ersetzt werden *(vgl. "Flüssigkeitsbilanzierung", Seite 199)*.

❐ Gewichtsreduktion

Ein überdurchschnittlich hohes Körpergewicht erhöht das Risiko, **Gefäßkrankheiten** zu entwickeln. Außerdem wird die **Fließgeschwindigkeit des Blutes** insgesamt **verlangsamt**.
Eine Gewichtsreduktion durch eine **kalorienarme** *(joulearme)*, **ausgewogene Kost** verspricht in den meisten Fällen den größten und vor allem langfristigen Erfolg.
Um einem Übergewichtigen falsche Eßgewohnheiten bewußt zu machen und ihm gleichzeitig eine gesundheitsfördernde Ernährungsweise nahe zu bringen, kann eine professionelle Beratung, z.B. durch eine Diätassistentin, sinnvoll sein *(siehe "Ernährungsberatung", Seite 133)*.

❐ Raucherentwöhnung

Das inhalative Zigarettenrauchen führt zur **Gefäßschädigung** und stellt somit einen Risikofaktor für die Thromboseentstehung im arteriellen Gefäßsystem dar. Thromboembolische Geschehen in diesem Bereich lassen sich kaum durch pflegerische Maßnahmen vermeiden. Durch Aufklärung bezüglich der durch das Rauchen entstehenden Schäden sowie durch Hinterfragen der Ursachen des Rauchens kann versucht werden, den Betroffenen zum Nichtrauchertraining bzw. zu einer deutlichen Reduzierung des Zigarettenkonsums zu motivieren *(siehe "Raucherentwöhnungstraining", Seite 58)*.

❐ Angemessenes Verhalten bei Varizen

Im Bereich von Varizen (*Krampfadern*) kommt es zur **lokalen Strömungsverlangsamung** und somit zu einem gewissen Thromboserisiko. Diesem kann durch bestimmte **Verhaltensweisen** entgegengewirkt werden. Sie sind unter Punkt 4.3.3.1.2 nachzulesen.

❐ Korrekter Umgang mit intravenös liegenden Zugängen

Eine in der Vene liegende Braunüle imitiert eine aufgerauhte Gefäßinnenwand und **aktiviert** deshalb die **Blutgerinnung**. An diesem Mechanismus kann durch pflegerische Maßnahmen nichts verändert werden. Hier erstrecken sich die Möglichkeiten auf das **Vermeiden zusätzlicher Risikofaktoren** und auf das frühzeitige **Erkennen einer beginnenden Thrombose** / Thrombophlebitis. Zusätzliche Risikofaktoren in diesem Zusammenhang würden durch unnötiges Manipulieren an der Braunüle oder durch unhygienisches Arbeiten geschaffen.

Weitere Informationen finden Sie unter *"Betreuung eines Kranken mit Infusionstherapie", Seite 460.*

4.3.2.2 Pflegeplanung

4.3.2.2.1 Informationssammlung "Thromboserisiko"

Gefäßwandveränderung
- ☐ Entzündung
- ☐ Gefäßerkrankung
- ☐ Trauma
- ☐ Operation
- ☐ intravasaler Kontakt mit Katheter oder Kanüle
- ☐ degenerative Gefäßveränderung

Verlangsamung der Strömungsgeschwindigkeit
- ☐ Immobilität, Inaktivität, Lähmung
- ☐ verordnete Bettruhe
- ☐ Herzinsuffizienz / -krankheit / -fehler
- ☐ Schilddrüsenunterfunktion
- ☐ Krampfaderleiden

Erhöhte Gerinnungsneigung
- ☐ Operation, postoperativer Zustand
- ☐ große Verletzungen oder Verbrennungen
- ☐ Schwangerschaft und Bettruhe
- ☐ Entbindung
- ☐ Einnahme oraler Antikonzeptiva bei längerer Bettruhe
- ☐ schwere (virusbedingte) Infektionskrankheit
- ☐ bösartige Tumorerkrankung
- ☐ Cortisontherapie
- ☐ Blutgerinnungsstörung
- ☐ plötzlicher Abbruch einer Thrombolyse- oder Antikoagulanzientherapie
- ☐ Mangel an Antithrombin III (Rauchen in Kombination mit Einnahme der Antibabypille)

Weitere Risikofaktoren
- ☐ erhöhtes Lebensalter (> 65 Jahre)
- ☐ überdurchschnittlich hohes Körpergewicht
- ☐ erhöhte Viskosität des Blutes (Polyglobulie, Polyzythämie)
- ☐ Hämokonzentration (Polyurie; Diuretikatherapie; Exsikkose; zu geringe Flüssigkeitsaufnahme)
- ☐ Strahlentherapie
- ☐ frühere Thrombose / Lungenembolie

Kooperation
- ☐ eingeschränkt
- ☐ nicht möglich
- ☐ wird abgelehnt

Ressourcen
- ☐ Fähigkeit und Bereitschaft zur Kooperation
- ☐ Mobilisation möglich und erwünscht

4.3.2.2.2 Pflegestandards zur Thromboseprophylaxe

Thromboseprophylaxe - Pflegestandard A

Probleme / Ressourcen	Ziele	Pflegemaßnahmen
Verlangsamung der Strömungsgeschwindigkeit infolge von - Immobilität, Inaktivität - (weitgehender) Bettruhe - Lähmung - ruhigstellender Lagerung - ruhigstellendem Verband. **Der Patient ist passiv,** zur Zeit ist keine Mobilisation erlaubt / möglich. ***Beachte***: Zusätzliches Risiko für die Entwicklung von Kontrakturen (Spitzfuß) und Dekubiti (Fersendekubitus). *(In vielen Fällen verändert sich nach einigen Tagen bzw. Wochen der Zustand des Kranken)* ⇩	***Der Patient*** - kennt Sinn, Wirkung und Durchführung der Maßnahmen und verhält sich kooperativ - hat entstaute Beinvenen und verbesserten venösen Blutrückstrom - hat zeitweise physiologische Fußstellung und angespannte Wadenmuskeln Verbesserter venöser Blutfluß	**Information des Patienten bzgl.** • Sinn, Wirkung und Durchführung der thromboseprophylaktischen Maßnahmen **Ausstreichen der Venen** in Herzrichtung • bei der Körperpflege • vor dem Anziehen der ATS **Erzeugen eines Sohlendrucks** durch zeitweises Anbringen einer abgepolsterten Bettverkürzung • Fuß im 90° Winkel zum Unterschenkel lagern • Fersen frei lagern ***Beachte***: Bei Patienten mit spastischer Lähmung kontraindiziert **Anpassen und Anziehen der ATS** bzw. Wickeln der Beine • Tag und Nacht belassen **Entstauende Lagerung** • Unterschenkel mittels Keilmatratze o.ä. ca. 15 - 25 cm erhöht lagern, oder • Fußende des Bettes um 10 - 15 cm höherstellen (Bettebene um ca. 35 Grad verstellen) **Durchführung passiver Bewegungsübungen** • mit oberen und unteren Extremitäten, mind. 2 mal täglich, möglichst öfter, jedes Gelenk durchbewegen (sofern keine Kontraindikation vorliegt) • stündlich Bewegungsübungen mit den Füßen und Zehen durchführen (lassen) **bzw.**
Ressourcen Der Patient kann im Bett mobilisiert werden und ist kooperativ. ⇩	***Der Patient*** - kennt Art und Häufigkeit thromboseprophylaktischer Übungen - führt mehrmals täglich, möglichst stündlich, aktive Bewegungsübungen durch - bewegt gezielt die Fuß- und Beinmuskulatur Beschleunigter Blutfluß, vertiefte Atmung	**Anleitung zur Durchführung aktiver Bewegungsübungen** • vormachen von Zehen-, Fuß- und Beinbewegungen • auffordern, diese mehrmals täglich durchzuführen • ggf. Bettfahrrad bereitstellen • auffordern, zwischendurch immer wieder die Fußsohlen gegen das Bettende zu stützen und die Wadenmuskulatur anzuspannen • zu isometrischen Spannungsübungen anleiten und auffordern **bzw.**
Ressourcen Der Patient kann, möchte und soll auch außerhalb des Bettes mobilisiert werden; er ist kooperativ.	***Der Patient*** - geht mehrmals täglich einige Schritte umher - nimmt die Mahlzeiten am Tisch ein - wäscht sich z.T. selbständig, hilft bei der Körperpflege mit - bewegt sich zunehmend außerhalb des Bettes - führt aktive Bewegungsübungen im Bett / außerhalb des Bettes durch	**Mobilisation außerhalb des Bettes** • Patienten mehrmals täglich einige Schritte gehen lassen • Patienten zu den Mahlzeiten an den Tisch setzen • Patienten zur Mithilfe bei der Körperpflege am Waschbecken anhalten • Steigerung der Mobilisation entsprechend der Arztanordnung und der Belastbarkeit des Patienten • Patienten zusätzlich zur Durchführung aktiver Bewegungsübungen im Bett bzw. während des Sitzens im Stuhl auffordern

Thromboseprophylaxe - Pflegestandard B

Probleme / Ressourcen	Ziele	Pflegemaßnahmen
Verlangsamung der Strömungsgeschwindigkeit infolge mangelhafter Herzleistung - bei Herzinsuffizienz - bei Herzkrankheiten - bei Herzfehlern.	*Der Patient* - hält Bettruhe ein, schont sich - hat eine effektivere Herzleistung (geringere Stauung der Beinvenen)	**Entlastung des Herzens durch** • Bettruhe (Arztanordnung) • zunächst weitgehende Übernahme der Körperpflege durch das Pflegepersonal • Vermeiden seelischer Belastungen
	- zeigt zunehmend geringere Stauungserscheinungen	**Verbesserung des venösen Blutflusses** • entstauende Lagerung - Fußende höherstellen oder - Unterschenkel mittels Keilmatratze lagern **Beachte:** bei dekompensierter Herzinsuffizienz und Lungenödem kontraindiziert
Beachte: Bei Ödembildung erhöht sich das Thromboserisiko aufgrund der dadurch bedingten Zähflüssigkeit des Blutes.	- führt wiederholt Bewegungsübungen durch - atmet mehrmals täglich tief durch	• zunächst passive, später aktiv-assistive, dann aktive Bewegungsübungen und Atemübungen durchführen (Arztanordnung)
	- hat erhöhten Muskeltonus in Füßen und Waden	**Erzeugen von Sohlendruck** • intermittierend Bettverkürzung anbringen, bei Bedarf gleichzeitig Fersen frei lagern
	Verbesserter venöser Blutfluß	**Kompression der Venen** • nur auf Arztanordnung • Anpassen und Anziehen von ATS bzw. Wickeln der Beine
	Hemmung der intravasalen Blutgerinnung	**Antikoagulanziengabe** • nach Arztanordnung • subkutane Verabreichung der Low-Dose-Heparin nach Zeitschema

Thromboseprophylaxe - Pflegestandard C

Probleme / Ressourcen	Ziele	Pflegemaßnahmen
Erhöhte Viskosität des Blutes aufgrund einer Hämokonzentration infolge - einer Krankheit, die mit Vermehrung der Blutkörperchen einhergeht - Polyurie - Diuretikagabe - anhaltenden Erbrechens - anhaltenden Durchfalls - starken Blutverlustes - zu geringer Flüssigkeitsaufnahme.	*Der Patient* - trinkt mind. 1500 ml in 24 Std. - gleicht unphysiologische Flüssigkeitsverluste durch entsprechend gesteigerte Zufuhr aus	**Information des Patienten bzgl.** • Notwendigkeit, ausreichend zu trinken • Mindesttrinkmenge von 1,5 l / 24 Std., sofern keine anderslautende Arztanordnung vorliegt; bei zusätzlichen Verlusten ist eine entsprechend höhere Flüssigkeitsaufnahme notwendig **Verabreichung der Flüssigkeiten** • immer wieder frische Getränke anbieten und Patienten auffordern, zu trinken • Getränke in Reichweite des Patienten plazieren, ggf. beim Trinken helfen • Ersetzen der z.B. durch Erbrechen, Durchfall entstandenen Flüssigkeitsverluste durch zusätzliche Getränke (ggf. auch Infusionstherapie anregen)
Anmerkung *Dieser Pflegestandard gilt bei erhöhter Viskosität des Blutes* **und gleichzeitigem Vorliegen weiterer Risikofaktoren***; er ergänzt also ggf. einen anderen Pflegestandard zur Thromboseprophylaxe.*	Ausgeglichene Flüssigkeitsbilanz *Der Patient* - hat physiologischen Hautturgor	**Ein- und Ausfuhrkontrolle** • über jeweils 24 Std. **Kontrolle des Hautturgors** • 1 mal täglich durch Abheben einer Hautfalte auf dem Handrücken

Thromboseprophylaxe - Pflegestandard D

Probleme / Ressourcen	Ziele	Pflegemaßnahmen
Erhöhte Gerinnungsneigung des Blutes	***Der Patient*** - kennt Sinn, Wirkung und Durchführung der Maßnahmen und verhält sich kooperativ	**Information des Patienten bzgl.** • Sinn, Wirkung und Durchführung der thromboseprophylaktischen Maßnahmen
infolge von - Operation - ausgedehnter Verletzung / Verbrennung - virusbedingter Infektionskrankheit	Hemmung der gesteigerten intravasalen Blutgerinnung	**Antikoagulanziengabe** • subkutane Verabreichung der ärztlich angeordneten Low - Dose - Heparin nach entsprechendem Zeitschema
- Gefäßerkankung - Cortisontherapie - Blutgerinnungsstörung - bösartiger Tumorerkrankung - plötzlichem Abbruch einer Thrombolyse- oder Antikoagulanzientherapie - Schwangerschaft und Bettruhe - oraler Antikonzeption und Bettruhe (und Rauchen)	Zeitweise aktivierte Muskelpumpe Verbesserter venöser Rückfluß ***Der Patient*** - führt stündlich (aktive) Bewegungsübungen durch	**Mobilisation** • bei Immobilität mind. 2 mal täglich passive Bewegungsübungen an allen Gelenken durchführen • so früh wie möglich: Anleitung zur Durchführung aktiver Bewegungsübungen, vor allem mit den Zehen und Füßen • nach OP und Entbindung Frühmobilisation • bei Varikosis Kompressionsstrümpfe anziehen, wenn Patient das Bett verläßt
- Entbindung. Der Patient ist weitgehend immobil, das Thromboserisiko wird durch die verlangsamte Strömungsgeschwindigkeit erhöht.	- spannt intermittierend einige Muskelgruppen gegen Widerstand an	**Erzeugung eines Sohlendrucks** • intermittierend Bettverkürzung o.ä. anbringen • wenn möglich, zur Durchführung isometrischer Spannungsübungen anleiten und anhalten
	Beschleunigter Blutrückfluß	**Anpassen und Anziehen von ATS** bzw. Wickeln der Beine bei Immobilität • tagsüber und nachts belassen

Thromboseprophylaxe - Pflegestandard E

Probleme / Ressourcen	Ziele	Pflegemaßnahmen

Lokal verminderte Strömungsgeschwindigkeit (lokale Turbulenzen) im Bereich von Krampfadern.
 	
Ressourcen:
Der Patient ist weitgehend mobil, orientiert und kooperativ.
	Der Betroffene
	- kennt Sinn und Durchführung thromboseprophylaktischer Maßnahmen
	- trägt tagsüber immer Kompressionsverband bzw. -strumpf
	- vermeidet langes Stehen und Sitzen
	- lagert zwischendurch die Beine hoch
	- führt aktive Bewegungsübungen durch
	- bewegt sich viel (außerhalb des Bettes)
	- duscht täglich seine Beine mit kaltem Wasser ab
	- unterläßt Sonnenbäder
	- trägt bequemes Schuhwerk mit flachem Absatz, hat maximale Aktivität der Muskelpumpe beim Gehen
		Aufklärung / Anleitung des Betroffenen bzgl.
		• Ziele der Thromboseprophylaxe
		• Ausstreichen der Venen
		• Wickeln des Beines / der Beine bzw.
		• Tragen angepaßter Kompressionsstrümpfe
		• angemessener Verhaltensweisen
		  - Vermeiden von langem Stehen und Sitzen
		  - Hochlagern der Beine im Liegen und im Sitzen
		• Gefäßtraining
		  - aktive Bewegungsübungen mit den unteren Extremitäten, z.B. im Liegen Radfahrbewegungen imitieren
		  - häufiges Bewegen (außerhalb des Bettes)
		  - ein- bis zweimal täglich Beine für 15 Sekunden mit kaltem Wasser, vom Fuß zur Leiste, abduschen
		• Vermeidung lokaler Wärmeeinwirkung
		• Tragen bequemen Schuhwerks mit flachem Absatz

Beachte: Bei Immobilisierung, nach einer Entbindung oder nach einer Operation erhöht sich das Thromboserisiko.	Regelrechter Muskeltonus ***Der Patient*** - führt stündlich Bewegungsübungen durch - trägt Kompressionsstrümpfe	**Zusätzliche Maßnahmen bei Immobilisierung** • Erzeugen eines Sohlendrucks durch Bettverkürzung • stündlich Durchführung passiver bzw. aktiv-assistiver Bewegungen mit den unteren Extremitäten, vor allem mit Zehen und Füßen • Anziehen von Kompressionsstrümpfen (mit niedrigem Kompressionsdruck!) oder ATS (Arztanordnung)
	Hemmung der intravasalen Blutgerinnung	• **Antikoagulanziengabe** nach Arztanordnung

4.3.3 Exemplarische Lebens- und Pflegesituationen bei Erkrankungen der Gefäße

4.3.3.1 Varikosis

4.3.3.1.1 Erscheinungsbild

Bei **Varizen** *(Krampfadern)* handelt es sich um **unregelmäßige schlauch- oder knotenförmige Erweiterungen der oberflächlichen Venen**. Meist ist die Vena saphena magna betroffen. Venenerweiterungen, die sich nur über wenige Millimeter erstrecken, werden als **Besenreiservarizen** bezeichnet. Sie stellen ein kosmetisches Problem dar und gelten als Indikator für eine venöse Insuffizienz.

Primäre Varizen entstehen in den oberflächlich verlaufenden Venen infolge einer **konstitutionellen Bindegewebsschwäche**, die zu einer Venenklappeninsuffizienz führt. Begünstigend wirken **Faktoren, die den intravasalen Druck erhöhen**: Schwangerschaften, Übergewicht, langjährige stehende oder sitzende berufliche Tätigkeit und Bewegungsmangel. Frauen sind häufiger betroffen als Männer.

Sekundäre Varizen bilden sich auf dem Boden einer venösen Abflußstörung, meist Jahre bis Jahrzehnte **nach Ablauf einer tiefen Venenthrombose**. Hier bilden die oberflächlichen Venen einen Umgehungskreislauf; aufgrund der stärkeren Beanspruchung kommt es zur Erweiterung *(Dilatation)* der Vena saphena magna, die letztendlich eine Klappeninsuffizienz bedingt.

❒ Symptome

Varizen machen häufig **lange Zeit keine** Symptome, können für den betroffenen Menschen jedoch ein **kosmetisches Problem** darstellen, wenn die geschlängelte Vene unter der Haut sichtbar ist. Mit Zunahme der Klappeninsuffizienz entwickelt sich jedoch ein **Schwere- und Spannungsgefühl** in den Beinen. Die Beschwerden treten unter anderem während des Sitzens und Liegens auf und nehmen bei Bewegung ab. Nicht selten wird über (nächtliche) **Wadenkrämpfe** geklagt.

Es bilden sich **Unterschenkelödeme**, die von Juckreiz und Ekzemen begleitet werden können. Im weiteren Verlauf kommt es zu **Pigmenteinlagerungen**, die lokale Ernährungsstörung führt zur **Atrophie* der Haut**. In diesem Bereich kann sich spontan oder durch geringste äußere Einwirkung ein **Ulkus cruris venosum** *(Unterschenkelgeschwür)* entwickeln.

4.3.3.1.2 Angemessenes Verhalten bei Varikosis

Die folgenden Empfehlungen dienen der **Verbesserung des subjektiven Befindens**, der **Unterstützung des venösen Blutflusses**, der **Prophylaxe** einer Thrombose / Embolie sowie der Verhinderung eines Ulkus cruris venosum.

Das entsprechende **Informationsgespräch** kann durch illustrierte Broschüren, die Hersteller von Kompressionsstrümpfen herausgeben, unterstützt werden. Die Eigenverantwortlichkeit hinsichtlich des persönlichen Wohlbefindens und der Verhütung von Komplikationen sollte deutlich angesprochen werden.

A) **Körperliche Bewegung**
zur Betätigung der Muskelvenenpumpe und zur Intensivierung der Atmung.
Geeignet sind insbesondere **Gehen**, Wandern, Treppensteigen, **Gymnastik** und **Schwimmen**. Außerdem sollten täglich **gezielte Bewegungsübungen** (Fußwippen, Gehen auf Zehenspitzen / auf den Fersen, Fußkreisen u.ä.) durchgeführt werden. Während unvermeidbaren Sitzens bzw. Stehens sollten die Füße ebenfalls gezielt bewegt werden. Beim Gehen ist der Fuß über die Zehenspitzen abzurollen, um die Muskelvenenpumpe zu intensivieren.
Abzuraten ist von Leistungssport und von Sportarten, bei denen Laufen (Joggen), Hüpfen, Springen oder Heben von Gewichten gefordert wird.
Krankenkassen und andere Institutionen bieten gezielte Trainingsprogramme in der Gruppe an.

B) **Tragen von Kompressionsstrümpfen**
zur Wiederherstellung des Venenklappenschlusses und des venösen Blutflusses sowie zur Intensivierung der Muskelvenenpumpe. Die durch den Strumpf erzeugte Spannung bietet den Muskeln Widerstand, so daß sie bei der mit der Muskelanspannung einhergehenden Ausdehnung verstärkt nach innen auf die Venen drücken.
Die Kompressionsstrümpfe müssen **individuell angefertigt** werden und sind tagsüber zu tragen. Sie werden in den **Kompressionsklassen** 1 - 4 (ca. 20, 30, 40, 60 mmHg) hergestellt. Kompressionsstrümpfe der Klasse 1 üben eine leichte Kompression aus und sind z.B. für Menschen mit leichter Varikosis geeignet. Dagegen üben Strümpfe der Klasse 4 eine sehr kräftige Kompression aus und werden z.B. für Menschen mit massiven Beinödemen verordnet.
Das Anziehen der sehr engen Strümpfe wird durch das Tragen von Haushaltshandschuhen aus Gummi sowie durch Anwenden bestimmter Techniken (siehe "Das Anziehen der ATS", Seite 317) und/oder Hilfsmittel (z.B. Flußgleiter, spezielle Strumpfanzieher) erleichtert.
Der Kompressionsstrumpf ist vor Einwirken von großer Hitze, Salbe, Oel, Fett, Fleckenwasser, scharfer Seife und Benzin zu schützen; er wird bei maximal 40 Grad C gewaschen und darf nicht ausgewrungen werden. Bei entsprechender Pflege behält der Kompressionsstrumpf ca. 6 Monate seine Funktion.
Alternativ zu den Kompressionsstrümpfen kann ein Kompressionsverband (siehe Seite 318) angelegt werden.

C) **Hochlagern der Beine**
zur passiven Beschleunigung des venösen Blutflusses.
Die Beine sollten **zwischendurch** und **nachts** etwas erhöht gelagert werden, so daß sich die Füße über Herzhöhe befinden. Dazu werden sie tags-

über wiederholt z.B. auf einen Stuhl gelegt; nachts ist das Fußende des Bettes um 15 - 25 cm höher zu stellen oder eine entsprechende Keilmatratze einzulegen. Ein schmerzhaftes Durchdrücken der Kniekehlen ist ggf. durch Unterpolstern mit einem Kissen zu verhindern *(siehe Abbildung 4.20)*.

D) **Anwenden kalten Wassers,**
um die Gefäße zu trainieren.
Die Beine sollten 1 - 2 mal täglich für 15 Sekunden mit kaltem (nicht mit eiskaltem) Wasser abgeduscht werden. Es werden einmal die Außen- und einmal die Innenseite des rechten und des linken Beines, vom Fuß beginnend bis zur Leiste, abgeduscht.
Auch weitere **Kneippsche Anwendungen**, z.B. das Wassertreten, sind empfehlenswert.

E) **Tragen geeigneten Schuhwerks,**
um eine optimale Muskelanspannung zu gewährleisten.
Die Schuhe sollten **bequem** sein und einen **flachen Absatz** aufweisen; zu hohe Absätze schalten die Muskelpumpe aus, unbequeme Schuhe mindern die Freude an der Bewegung.

F) **Abbauen von Übergewicht,**
um die Beine und Beinvenen zu entlasten.
Günstig ist eine Umstellung der Ernährung im Sinne der vitalstoffreichen **Vollwertkost** *(siehe Seite 107)*, um **langfristig Übergewicht** zu **vermeiden**. Unter Umständen ist vorübergehend eine **Reduktionskost** einzunehmen.

G) **Vermeiden stasefördernden Verhaltens**
Langes Stehen und **Sitzen** sind zu **vermeiden**; ist dies nicht möglich, müssen zwischendurch Bewegungsübungen mit den Füßen durchgeführt und/oder die Beine hochgelagert werden. Die Beine sollten während des Sitzens nicht übereinander geschlagen werden. Der Betroffene sollte sich **nicht übermäßigen Wärmeeinwirkungen** (über 28 Grad C), z.B. einem längeren Sonnen- oder Wannenbad, **aussetzen**, um einer Gefäßweitstellung als Reaktion auf die Wärme vorzubeugen. Auch sind **Wechselbäder** zu **vermeiden**, da die darauf folgende Blutfülle die Venenstauung begünstigt.
Auf Kleidungsstücke, die die Blutzirkulation beeinträchtigen (z.B. enge Strumpfbänder oder Korsagen), sollte verzichtet werden.

4.3.3.1.3 Verhalten nach Sklerosierung der Venen

Kleine Varizen, insbesondere Besenreiservarizen, können meist ambulant verödet werden. Die Sklerosierung erfolgt mittels **Einspritzung von Aethoxysklerol**, wodurch eine künstliche Entzündung erzeugt wird, die zum **Verschluß der Vene** führt. Anschließend wird ein Kompressionsverband angelegt (Ausnahme: nach Besenreisersklerosierung); der Betroffene wird angehalten, sich viel zu bewegen und die Beine im Sitzen bzw. Liegen hoch zu lagern.

4.3.3.1.4 Prä- und postoperative Pflegeschwerpunkte bei Varizenstripping

Großkalibrige Varizen, vor allem Stammvarizen der Vena saphena magna, werden chirurgisch entfernt. Gesunde Anteile der betroffenen Vene(n) werden erhalten, da sie evtl. später als Bypass zur Rekonstruktion einer Arterie benötigt werden könnten.
Die Entfernung des varikös veränderten Venenteils erfolgt nach der **Babcock-Operation** *(Venenstripping)*. Dabei wird, nachdem die Vena saphena magna am Innenknöchel und in der Leiste durch kleine Schnitte eröffnet wurde, die Vene auf eine spezielle Sonde gefädelt, um anschließend mit derselben von unten nach oben herausgezogen zu werden. Variköse Seitenäste wurden zuvor durch separate Hautschnitte durchtrennt. Außerdem werden die venösen Zuflüsse der oberflächlichen Venen in die Vena femoralis in der Leiste unterbunden.
Bei komplikationslosem Verlauf wird der Operierte nach einigen Tagen aus der stationären Behandlung entlassen.
Allgemeine **prä- und postoperative Maßnahmen** sind auf *Seite 368* nachzulesen.

Pflegestandard
"Prä- und postoperative Pflegemaßnahmen bei Varizenstripping"

Pflegebereich	Präoperative Ziele	Präoperative Pflegemaßnahmen	Postoperative Ziele	Postoperative Pflegemaßnahmen
Ernährung	***Der Patient*** - ist über Sinn und Notwendigkeit der prä- und postoperativen Karenz informiert - hält ab 00.00 Uhr des OP-Tages Flüssigkeits- und Nahrungskarenz ein und raucht nicht	• leicht verdauliche Kost bis einschließlich zum Abendessen vor dem OP-Tag • **Nahrungs- und Flüssigkeitskarenz** ab 00.00 Uhr des OP-Tages; entsprechende Instruktion des Patienten und des Küchenpersonals • **Nikotinabstinenz** ab 00.00 Uhr des OP-Tages	Vermeidung einer Aspiration von Nahrungsresten bei evtl. auftretendem postoperativen Erbrechen	• **Nahrungskarenz** am OP-Tag, abends Tee; entsprechende Instruktion des Patienten und des Küchenpersonals • **normale Kost ohne Einschränkungen** ab dem 1. postoperativen Tag
OP-Feld / OP-Wunde und entsprechende **Beobachtung**	Keimreduziertes Operationsgebiet Erkennen von Veränderungen / Verletzungen der Haut	• **Rasur** der zu operierenden Extremität, der Leistenregion und der Schambehaarung am OP-Tag, währenddessen • **Inspektion der Haut;** bei Veränderungen Informationsweitergabe an den Arzt • **Körperreinigung** mittels Duschbad und Fußnagelreinigung am Morgen des Operationstages	Frühzeitiges Erkennen von - Durchblutungsstörungen - Störungen der sensiblen / motorischen Funktionen - Nachblutungen - Sekretstau / -veränderungen	• **Beobachtung der operierten Extremität** hinsichtlich → Hautfarbe / -temperatur → Berührungsempfinden → Beweglichkeit → Fußpulse → Schmerzen → Nachblutungen → Wundsekretabfluß über Redondrainage in der Leiste (Durchgängigkeit und Sog der Drainage; Menge, Konsistenz, Farbe und Beimengungen des Sekretes)
			Optimaler Kompressionsdruck, regelrechte Durchblutung	• **Kontrolle des Verbandes** → Durchblutungsstörungen der Ferse oder der Zehen? (Kälte?, Blässe?) → Schmerzäußerungen? → Einschränkungen? → ggf. Arzt informieren (Verband neu anlegen bzw. lockern lassen, ggf. zusätzlich Ferse und Mittelgelenke der Zehen abpolstern)
			Frühzeitiges Erkennen von Infektionen	• **Beobachtung der Wunden** auf Infektionszeichen
			Beobachtung und Förderung der Wundheilung	• **Verbandwechsel** nach Arztanordnung (z.B. am 2. postoperativen Tag, danach täglich)

Pflegebereich	Präoperative Ziele	Präoperative Pflegemaßnahmen	Postoperative Ziele	Postoperative Pflegemaßnahmen
Lagerung	***Der Patient*** - kennt den Sinn und die korrekte Handhabung der Fußhochlagerung	• **Information des Patienten** → über Sinn und Durchführung der Lagerung mit erhöhten Beinen / Füßen → hinsichtlich der postoperativen Lagerung	***Der Patient*** - lagert seine Füße über Herzhöhe	• **Lagerung des operierten Beines** leicht erhöht auf einer Schaumstoffschiene (Keel-Schiene)
	Erleichterung des venösen Blutflußes	• **Erhöhung des Fußendes** um 15 cm während der Nachtruhe	Entlastung, ungehinderter venöser Blutfluß	• **Druckentlastung des operierten Beines** durch Aufstellen eines Bettbogens
Mobilisation und Thromboseprophylaxe	***Der Patient*** - kennt den Sinn und die einzelnen Maßnahmen der Thromboseprophylaxe	• **Information** hinsichtlich des postoperativen Thromboserisikos und des entsprechenden prophylaktischen Verhaltens, dabei die Wichtigkeit des kooperativen Verhaltens des Patienten betonen → viel Bewegung, dabei Kompressionsstrumpf und Schuhe mit leichtem Absatz tragen → möglichst wenig Sitzen; wenn unvermeidlich, Beine dabei hochlagern → beim Liegen Beine hochlagern • **Antithrombosestrumpf** für das nicht zu operierende Bein ausmessen und am OP-Morgen anziehen • **Verabreichung der** ärztlich verordneten Low-Dose-Heparin ab dem Morgen des OP-Tages	Erhöhte Strömungsgeschwindigkeit in den tiefen Beinvenen ***Der Patient*** - geht am 1. postop. Tag stündlich mindestens 5 Min. umher und steigert die Gehzeit täglich - steht und sitzt so wenig wie möglich und lagert ggf. dabei die Beine hoch - führt stündlich aktive Bewegungsübungen mit den Zehen sowie isometrische Spannungsübungen mit dem Fuß und der Wade durch - atmet mehrmals stündlich bewußt tief durch	• **Thromboseprophylaxe** → ATS am nicht operierten Bein → Heparin s.c. nach Arztanordnung → Kompressionsverband / -strumpf am operierten Bein → Beinhochlagerung *(siehe oben)* und • **Mobilisation** → am OP-Tag abends Patienten kurz Aufstehen lassen → Patienten anhalten, ab 1. postop.-Tag mindestens 5 Min. pro Stunde umherzugehen, die krankengymnastischen Übungen durchzuführen und sobald wie möglich so viel wie möglich umherzugehen → Patienten anhalten, möglichst wenig zu stehen und zu sitzen und währenddessen die Beine hoch zu lagern → Patienten auffordern, stündlich mehrmals die Zehen zur Nase zu ziehen (Dorsalflexion des Fußes), den Fuß und die Wade mehrmals gegen Widerstand anzuspannen sowie tief durchzuatmen

Pflege-bereich	Präoperative Ziele	Präoperative Pflege-maßnahmen	Postoperative Ziele	Postoperative Pflegemaßnahmen
Kontrolle / Regulierung der Blasen- und Darmtätigkeit	*Der Patient* - entleert am Abend des präoperativen Tages seinen Darm	• **Abführmaßnahmen** am präoperativen Tag → nach ärztlicher Anordnung Klysma verabreichen (bei geplanter Allgemeinnarkose), → Patienten hinsichtlich der Wirkung befragen	*Der Patient* - hat spätestens 8 Stunden nach der Operation Wasser gelassen	• **Beobachtung der Urinausscheidung am OP-Tag** → falls Patient 6-8 Std. nach OP kein Wasser gelassen hat, versuchen, den Entleerungsreflex zu fördern (z.B. Hand in warmes Wasser halten, Wasser laufen lassen) → Arzt informieren, wenn danach keine Miktion erfolgt
Information/ Instruktion	*Der Patient* - kennt die prä- und postoperativ auf ihn zukommenden Maßnahmen und versteht ihren Sinn - kann sich seine postoperative Situation vorstellen - weiß, welche postoperativen Verhaltensweisen notwendig sind, um einer Thrombose vorzubeugen und um die Venentätigkeit zu fördern	• **Informationsgespräche** führen hinsichtlich → präop. Maßnahmen *(siehe dort)* → postop. Maßnahmen *(siehe dort)* → postop. Verhaltensweisen *(siehe dort)* • **Instruktion des Patienten** → den angemessenen Kompressionsstrumpf noch 6-8 Wochen oder länger (Arztanordnung) zu Hause zu tragen → die postoperativ erforderlichen Verhaltensweisen auch dauerhaft zu berücksichtigen → hinsichtlich des selbständigen Anziehens des Kompressionsstrumpfes	*Der Patient* - hält sich an die empfohlenen Verhaltensweisen	• **Überprüfung des Verhaltens** → Patienten an präoperativ ausgesprochene Informationen erinnern → Verhaltensweisen des Patienten beobachten, ggf. Korrekturen veranlassen

4.3.3.2 Thrombose

Thrombose, griechisch *thrombosis* = Blutgerinnung

4.3.3.2.1 Krankheitsbilder

❒ Begriffserklärungen

Als Thrombose wird eine **intravasale*** **Blutgerinnung im lebenden Organismus** bezeichnet. Sie führt hier zur Bildung eines Blutpfropfs (*Thrombus*) und somit zum partiellen oder kompletten **Gefäßverschluß**.

Ein Thrombus bildet sich wesentlich häufiger in den Venen als in den Arterien.

Arterielle Thrombosen / Embolien sind **lebensbedrohlich**, weil das hinter dem Thrombus liegende Gewebe nicht mehr ausreichend mit O_2 versorgt wird. Je nach Lokalisation des Gefäßverschlusses kommt es z.B. zum Herzinfarkt, Schlaganfall oder Gewebsuntergang an einer Extremität.

Da arteriellen Thrombosen durch pflegerische Maßnahmen nicht direkt vorgebeugt werden kann, werden sie in diesem Zusammenhang nicht weiter besprochen. Prophylaktische Maßnahmen können unter *"Beeinflussung der Risikofaktoren - Gesundheitsberatung", Seite 294*, nachgelesen werden.

Venöse Thrombosen werden lebensbedrohlich, wenn sich der Thrombus löst und als Embolus *(auf dem Blutweg verschleppter Thrombus)* im Verlauf der arteriellen Strombahn des Lungenkreislaufs steckenbleibt.

Bei der **Lungenembolie** handelt es sich also um den embolischen Verschluß eines Lungenarterienastes durch einen Thrombus. Bei über 90% der Fälle stammt der Thrombus aus den tiefen Venen der unteren Extremitäten oder des Beckens.

Als Spätkomplikation einer tiefen Beinvenenthrombose tritt häufig das sogenannte **postthrombotische Syndrom** auf; dieses wird heute auch als **chronisch venöse Insuffizienz** bezeichnet.

❒ Entstehung einer Thrombose

Zur Entstehung einer Thrombose tragen mehrere Faktoren bei. Die wesentlichen wurden bereits 1856 von dem Pathologen Rudolf Virchow beschrieben und sind auch heute noch als "**Thrombogene Funktionstrias**" gültig.

Demnach entsteht eine Thrombose auf dem Boden folgender Veränderungen:

a) **Veränderung der Gefäßinnenwand**
Sie kann **entzündlich** *(Phlebitis)*, **degenerativ*** *(Arteriosklerose*)*, **traumatisch** *(Unfall, OP)* oder **allergisch** *(Allergene)* bedingt sein. Zu Gefäßwandveränderungen kommt es auch durch den intravasalen Kontakt mit nicht blutneutralen Oberflächen. Dies sind z.B. Venenkatheter, Braunülen.
An der veränderten bzw. beschädigten Gefäßwand bleiben die Thrombozyten haften und ballen sich zusammen *(Thrombozytenaggregation)*. Gleichzeitig werden vermehrt Gerinnungsfaktoren ausgeschüttet und zur verletzten Stelle transportiert. Es bildet sich rasch ein Thrombus.
Die Veränderung der Gefäßwand ist der wesentliche Faktor bei der Entstehung von arteriellen Thrombo - Embolien. Diese führen z.B. zum Schlaganfall oder Herzinfarkt.

b) **Erhöhte Gerinnungsneigung des Blutes (Hyperkoagulabilität)**
Hierbei handelt es sich um eine Störung des Zusammenspiels von Gerinnungs- und Thrombolysesystem. Die Thrombinfreisetzung und Fibrinbildung sind gesteigert. Die Konzentration von Antithrombin III, dem physiologischen Thrombininaktivator des Blutes, ist verringert, die Zähigkeit *(Viskosität)* des Blutes erhöht.
Die Hyperkoagulabilität tritt in Situationen, in denen ein Blutungsrisiko vorliegt, als physiologischer Schutzmechanismus auf; bei gleichzeitig bestehender Strömungsverlangsamung kommt es jedoch unter Umständen zur Thrombose.
Eine erhöhte Gerinnungsneigung des Blutes findet man:
- nach großen Operationen, insbesondere nach Operationen an den unteren Extremitäten sowie nach Hüftgelenks-, Prostata-, Blasen-, Milz- und Darmoperationen;
- bei Verletzungen mit größeren Gewebszerstörungen;
- gegen Ende der Schwangerschaft, insbesondere in Kombination mit Bettruhe;
- bei hormoneller Antikonzeption (*Empfängnisverhütung*) im Zusammenhang mit Bettruhe und Operation;
- bei virusbedingten Infektionskrankheiten;
- bei bösartigen Tumorerkrankungen;
- bei Cortisontherapie bzw. Morbus Cushing*;
- bei Störungen der Blutgerinnung;
- bei Mangel an Antithrombin III, z.B. postoperativ oder bei Frauen, die rauchen und Östrogene (Antibabypille) einnehmen;
- nach plötzlichem Abbruch einer thrombolytischen Therapie oder einer Antikoagulanzientherapie*.

c) **Verlangsamung der Strömungsgeschwindigkeit**
Zu einer verlangsamten Blutströmung kommt es, sobald die Muskel - Venen - Pumpe an den Extremitäten nur wenig oder gar nicht betätigt wird. Dies bezieht sich insbesondere auf den venösen Blutrückfluß aus den Beinvenen, denn hier erfolgt der Blutstrom quasi "bergauf".
Thrombosegefährdet sind diesbezüglich alle immobilen Menschen, wobei die **Immobilität** durch allgemeine Schwäche, Bettruhe, Lähmungserscheinungen, Gips- oder Schienenlagerung und andere Erscheinungen bedingt sein kann. Bereits nach 24 Stunden Bettruhe ist das Thromboserisiko erhöht.
Ebenso führt eine **Herzinsuffizienz** zur Verlangsamung des venösen Rückstroms.
Eine **lokale Strömungsverlangsamung** findet sich bei **Krampfadern** (*Varizen,* *siehe Seite 326*). Die Venenklappen, die an sich das Zurückfließen des Blutes verhindern, verschließen das Gefäßlumen nicht mehr vollständig, es kommt zum Zurückfließen des Blutes oder zu Wirbelbildungen im Bereich der Venenklappen. Fehlt zusätzlich die Muskelvenenpumpe, steigt das Thromboserisiko enorm an.
Zum verlangsamten Blutfluß und zur Ausbildung von Krampfadern in den Beinvenen kann es auch während der fortgeschrittenen **Schwangerschaft** kommen. Hier wird - zugunsten der verbesserten Entsorgung der Beckenorgane - die Entsorgung der Vena iliaca externa, die das Blut aus den Oberschenkelvenen aufnimmt, gedrosselt. Außerdem kommt es durch den erhöhten Druck im Bauchraum zur Kompression der unteren Hohlvene.
Ist der Blutstrom stark verlangsamt oder kommt er zum Stillstand, spricht man von der **Blutstockung** oder **Stase**. Sie wirkt auf verschiedene Weise thrombosefördernd:
➢ Die mechanische Wirkung - im Sinne einer mitreißenden Kraft - des strömenden Blutes auf einen sich bildenden Thrombus ist verringert; der Thrombus kann fast ungestört wachsen.
➢ Zugleich gelangen weniger gerinnungshemmende Stoffe des Blutes an den Ort der Thrombenbildung, so daß eine Neutralisation nicht gegeben ist.
➢ Die Thrombozyten können bei langsamer Blutströmung leichter an einer verletzten Gefäßwand haften bleiben.

Bei den venösen Thrombosen, auf die sich die folgenden Aussagen beziehen, stehen die verlangsamte Strömungsgeschwindigkeit und die Hyperkoagulabilität im Vordergrund, bei den arteriellen Thrombosen ist es die Gefäßwandveränderung.

❐ Disposition und Risikofaktoren

Die genannten und einige weitere Faktoren begünstigen erfahrungsgemäß das Entstehen einer Thrombose; es handelt sich um
- höheres Lebensalter;
- überdurchschnittlich hohes Körpergewicht;
- Immobilität;
- Krampfadern (*Varizen*);
- Schwangerschaft und Geburt;
- hormonelle Empfängnisverhütung *(Ovulationshemmer)*;

- erhöhte Viskosität des Blutes durch Vermehrung der Blutkörperchen, z.B. bei Polyglobulie* und Polyzythämie* (der Anteil der zellulären Blutbestandteile ist erhöht, das Blut wird zähflüssig);
- Hämokonzentration *(Konzentrierung der festen Blutbestandteile in wenig flüssigem Blutvolumen)*, die infolge erhöhter Flüssigkeitsverluste auftritt, z.B. bei
  - vermehrter Urinausscheidung durch Gabe entsprechender Medikamente (*Diuretika*),
  - anhaltenden Durchfällen (*Diarrhoe*),
  - anhaltendem Erbrechen (*Emesis*),
  - stark reduzierter Flüssigkeitsaufnahme,
  - großflächigen Verbrennungswunden;
- postoperative Zustände und ausgedehnte Traumen;
- Gefäßkrankheiten, insbesondere Entzündungen;
- bösartige Tumorerkrankungen;
- früher durchgemachte Thrombose;
- Herzinsuffizienz;
- virusbedingte Infektionskrankheiten;
- Lähmungserscheinungen der Extremitäten.

❒ Einteilung venöser Thrombosen entsprechend der Lokalisation

Die Einteilung venöser Thrombosen entsprechend ihrer Lokalisation bietet sich aufgrund der unterschiedlichen Komplikationen und Therapie an.

❍ **Thrombose der oberflächlichen Venen *(Thrombophlebitis)***

Sie entsteht häufig bei Varizen (*Krampfadern*, *siehe Seite 326*). In ca. 90% der Fälle sind die oberflächlichen Venen im Bereich der unteren Extremitäten betroffen. Wesentlich seltener sind die oberflächlichen Venen der oberen Extremitäten betroffen.

Da es sich entweder um die entzündlichen Reaktionen einer thrombotischen oberflächlichen Vene oder um eine Thrombose auf dem Boden einer Phlebitis *(Venenentzündung)* handelt, spricht man auch von der **Thrombophlebitis.**

Da das Blut in den engen oberflächlichen Venen relativ langsam fließt, ist es unwahrscheinlich, daß ein hier lokalisierter Thrombus durch das strömende Blut losgerissen und verschleppt wird. Der Thrombus füllt das gesamte Gefäßlumen aus und wächst an der Gefäßwand fest. Das hierdurch entstandene Strömungshindernis wird durch Ausbildung von Umgehungskreisläufen (*Kollateralkreisläufen*) überwunden. Das Embolierisiko ist gering.

Symptome der Thrombose einer oberflächlichen Vene sind:
- lokalisierter Schmerz einer strangförmig verdickten subkutanen Vene;
- häufig lokale Entzündungszeichen wie Rötung und Überwärmung;
- evtl. bläuliche Verfärbung mit umschriebener Schwellung.

❍ **Thrombose der tiefliegenden Venen (*Phlebothrombose*)**

Auch die Thrombose der tiefliegenden Venen betrifft überwiegend die unteren Extremitäten. Häufig liegt der Ausgangspunkt der Thrombose im Unterschenkel; von hier wächst der Thrombus weiter nach proximal *(rumpfwärts)* an. Es kann sogar zu einer aufsteigenden Beckenvenenthrombose kommen. Da die tiefliegenden Venen einen größeren Gefäßquerschnitt aufweisen und das Blut dort mit höherer Strömungsgeschwindigkeit fließt, ist das **Embolierisiko** relativ hoch.

Symptome - Erkennen einer Thrombose

Eine Phlebothrombose verläuft oft **symptomarm** und wird dadurch nicht erkannt.

Die Diagnosestellung der Thrombose obliegt dem Arzt. Trotzdem sollte ausgebildetes Pflegepersonal Veränderungen, die Hinweis auf eine beginnende bzw. bestehende Thrombose geben, erkennen können.

Die Durchführung prophylaktischer Maßnahmen, wie z.B. aktiver Bewegungsübungen, kann im Falle einer bereits bestehenden Thrombose zur lebensbedrohlichen Lungenembolie führen. Ferner ist die Thrombose im Frühstadium besser therapierbar.

Die auf Seite 333 beschriebene Symptomatik bezieht sich auf die Thrombose der tiefliegenden Beinvenen. Jedem Symptom werden entsprechende Beobachtungskriterien zugeordnet.

Bei gleichzeitiger Entzündung der Vene, die Ursache oder Folge der Thrombose sein kann, ist die Symptomatik ausgeprägter.

Werden die genannten Symptome beobachtet, veranlaßt der behandelnde Arzt in der Regel eine Phlebographie und/oder Doppler-Sonographie. Die Untersuchungsergebnisse führen ggf. zur **Diagnose** "*Phlebothrombose*".

4.3.3.2.2 Zur Situation eines Betroffenen

Die Diagnose "***Phlebothrombose***" führt zu einer plötzlichen und überraschenden Veränderung der Situation. Bei vielen Betroffenen waren Beschwerden und Unwohlsein gering oder zumindest erträglich, so daß kaum jemand mit einer Einweisung ins Krankenhaus - evtl. sogar auf die Intensivstation - gerechnet hat. Umso deutlicher wird die aktuelle **Bedrohung** wahrgenommen. Einige Menschen, vor allem ältere, bringen die Phlebothrombose mit der Möglichkeit einer tödlich verlaufenden Lungenembolie in Verbindung.

Tritt die Thrombose als Sekundärerkrankung auf, verschlechtert sie den ohnehin reduzierten Allgemeinzustand, führt zur **Immobilisierung** und meist zur Verlängerung der Krankheitszeit und des Krankenhausaufenthaltes.

Ängste vor einem Rezidiv und **Verhaltensunsicherheit** können den Erkrankten auch nach Abheilung der Thrombose belasten; er bedarf entsprechender Informationen.

Die Erkrankung fordert nicht nur während des akuten Stadiums die Kooperation des Betroffenen, sondern auch lange Zeit danach. Er wird angehalten, einen **Kompressionsstrumpf** zu **tragen**; dies wird häufig unangenehm empfunden und evtl. als kosmetisches Problem bewertet.

Auch die 3 - 12 monatige Antikoagulanzientherapie kann von dem Betroffenen als Beeinträchtigung erlebt werden und fordert die **Einhaltung bestimmter Verhaltensweisen** von ihm.

Tiefliegende Beinvenenthrombose

Symptome	Krankenbeobachtung
Zyanose des Beines (Ursache: Verlangsamte Blutzirkulation)	- Beobachten der Hautfarbe an Ober- u. Unterschenkel - Vergleich mit dem anderen Bein
Schwellung des Beines, zu Beginn meist nicht mit bloßem Auge erkennbar (Ursache: Abflußbehinderung und entsprechende Ödembildung)	- beidseitiges Messen des Waden- bzw. Oberschenkelumfangs an der dicksten Stelle; Markieren der Stelle, damit sie für weitere Messungen nutzbar ist (vergleichbare Werte) - Vergleichen und Dokumentieren der Werte
lokale **Überwärmung** der Haut (Ursache: Blutfülle, Stau, evtl. zusätzlich Venenentzündung)	- Prüfen der Hauttemperatur mit der Hand oder mittels Hautthermometer - Vergleichen mit der Hauttemperatur des anderen Beines
Subjektive Beschwerden wie Schwere- und Müdigkeitsgefühl oder Frösteln und Hitzegefühl im Bein; Unwohlsein	- gezieltes Befragen des Betroffenen nach Beschwerden
ziehender oder krampfartiger **Schmerz** (Ursache: Stauungserscheinungen)	- gezieltes Befragen des Betroffenen nach Schmerzen und Krämpfen - Achten auf Schmerzäußerungen (auch auf nonverbale)
derbe, **druckschmerzhafte Stränge** in der Tiefe (Ursache: ein entlang des Gefäßes wachsender Thrombus)	- vorsichtiges Palpieren der Druckpunkte *(siehe Abb. 4.21)* - Beobachten des Betroffenen auf / Befragen nach Schmerzen
lokaler **Druckschmerz** an bestimmten Punkten (Ursache: intravasale Gerinnung) A) Leiste B) Oberschenkelinnenseite C) Kniekehlenbereich D) Meyer-Druckpunkte im Verlauf der Vena saphena magna E) Fußknöchelinnenseite (Kulissenschmerz) F) Fußsohle (Plantarmuskulatur)	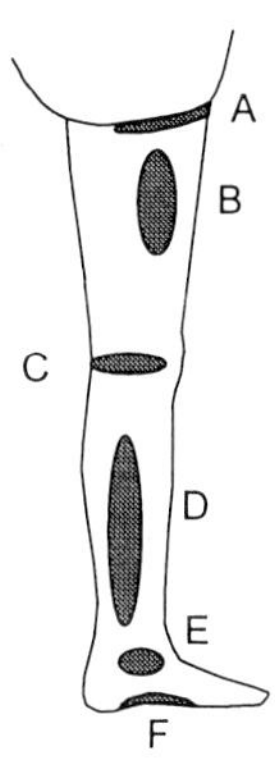 *Abb. 4.21*
Wadenschmerz, wenn der Fuß in Richtung Fußrücken gebeugt wird	- Auffordern des Betroffenen, den Fuß in Richtung Nase zu ziehen
uncharakteristische **Allgemeinsymptome** - leichte Temperaturerhöhung (max. 1° C) - geringe Pulsfrequenzerhöhung (max. 8 / Min)	- Messen der Körpertemperatur - Zählen der Pulsschläge

4.3.3.2.3 Pflegeschwerpunkte bei Thrombophlebitis

Eine **Thrombophlebitis der unteren Extremität** wird in der Regel ambulant behandelt. Die betroffene Person ist anzuhalten, einen **Kompressionsstrumpf** zu tragen, viel zu gehen und möglichst wenig zu sitzen. Während des Sitzens und Liegens sollten die **Beine hochgelagert** werden. Ziel dieser Maßnahmen ist es, das Fortschreiten der Thrombose entlang des Venenverlaufs sowie die Entstehung einer Thrombose in den tieferen Venen zu verhindern.

Der Arzt verordnet zur Behandlung der Thrombose und der Entzündung im allgemeinen die lokale Applikation **hirudoinhaltiger Salbe** (z.B. Hirudoid®), ggf. im Wechsel mit **kühlenden Umschlägen** (z.B. Alkohol- oder Quarkauflagen, Rivanolumschlag) sowie die Verabreichung systemisch wirksamer **Antiphlogistika**. Bei ausgedehnter Entzündung der Vena saphena magna wird zusätzlich eine **Low-Dose-Heparinisierung** angeordnet, um das Anwachsen des Thrombus in tiefergelegene Venen zu verhindern.

Eine **Thrombophlebitis der oberen Extremität** ist häufig die Folge einer lokalen Infektion bei liegender venöser Verweilkanüle. Die betroffene Extremität wird **hochgelagert** und mit **Hirudoinsalbe**, ggf. im Wechsel mit kühlenden Umschlägen, behandelt.

4.3.3.2.4 Pflegeschwerpunkte bei Phlebothrombose

- Besteht der Verdacht auf eine Phlebothrombose, wird der Betroffene angehalten, **ab sofort Bettruhe** einzuhalten. Bei Bestätigung der Diagnose verlängert der Arzt die angeordnete Bettruhe voraussichtlich um 10 - 14 Tage, sofern keine Lysetherapie erfolgt. Es wird davon ausgegangen, daß der Thrombus sich in dieser Zeit fest mit der Gefäßwand organisiert und folglich keine Embolie mehr auslösen kann.
- Es ist sehr wichtig, alle **Faktoren, die zur Mobilisierung des Thrombus - und somit zur Lungenembolie - führen könnten, auszuschalten.** Deshalb sollten neben dem Einhalten der absoluten Bettruhe
  - Anstrengungen vermieden werden,
  - ruckartige Bewegungen im Bett unterlassen werden,
  - der Einsatz der Bauchpresse umgangen werden (für weiche Stuhlkonsistenz sorgen, faserstoffreiche Kost, viel Flüssigkeit und nach Arztverordnung Abführmittel verabreichen),
  - Erschütterungen des Thorax vermieden werden (nicht abklopfen) und
  - der Patient einfühlsam aber deutlich hinsichtlich dieser Risikofaktoren und des gewünschten Verhaltens unterrichtet werden.
- Die **Vermittlung von Sicherheit** soll dem Kranken helfen, seine Ängste abzubauen und Vertrauen zu entwickeln. **Sachliche Informationen** ermöglichen ihm eine realistische Einschätzung seiner Situation.

Dabei muß deutlich werden, daß das Risiko einer Lungenembolie durch die medizinisch - pflegerischen Maßnahmen einerseits und das kooperative Verhalten des Kranken andererseits deutlich reduziert wird. Das Klima zwischen Patient und behandelndem / pflegendem Team sollte jederzeit die Äußerung und das Besprechen von Fragen sowie Ängsten ermöglichen.

- Das **betroffene Bein** wird mittels Schaumstoffschiene **hochgelagert** und ruhiggestellt, die Ferse weich- bzw. hohlgelagert.
- Die **Kompression der Venen** in diesem Krankheitsstadium ist **umstritten**; ein Kompressionsverband wird ggf. nur auf ärztliche Anordnung hin angelegt und muß 2x täglich erneuert werden.
- Tritt begleitend eine Phlebitis auf, ist die Anordnung von Rivanolumschlägen oder von kühlenden **Alkohol- oder Quarkauflagen** zu erwarten.
- Nach einigen Tagen wird ein Orthopädiemechaniker das Bein vermessen, um den passenden **Kompressionsstrumpf** (Konfektionsware) auszuwählen bzw. anzufertigen. Dieser ist bei der späteren Mobilisation unbedingt zu tragen. Meist wird auch für das nicht von der Thrombose betroffene Bein ein Kompressionsstrumpf gefertigt.
- Bis dahin wird das **nicht betroffene Bein** mittels passendem **Antithrombosestrumpf** versorgt, da hier ebenfalls mit einer Varikosis und einer Thromboseneigung zu rechnen ist. Weitere Maßnahmen zur Thromboseprophylaxe sind vorsichtig durchgeführte aktive **Bewegungsübungen mit dem nicht betroffenen Bein** (z.B. Zehen beugen, kreisende Fußbewegungen, Fuß zur Nase ziehen).
- Die **Mobilisation** des Patienten außerhalb des Bettes erfolgt nach Arztanordnung in der Regel frühestens ab dem 10. / 14. Tag unter Kompression der Venen. Bis dahin ist der Patient bei der Körperpflege und den Ausscheidungsvorgängen soweit zu **unterstützen**, daß seine Aktivitäten ihn **nicht anstrengen** und nicht zu heftigen und/oder ruckartigen Bewegungen führen.
- Zwecks **Pneumonieprophylaxe** wird der Patient angehalten, seine Atmung durch Atemübungen zu intensivieren.
- Das individuelle **Risiko** hinsichtlich weiterer **Sekundärerkrankungen** ist zu analysieren; ggf. sind entsprechende Prophylaxen durchzuführen.

4.3.3.2.5 Antikoagulanzientherapie

Sofern eine Therapie mittels Fibrinolyse oder Thrombektomie nicht möglich ist, muß die Thrombose konservativ mittels Antikoagulanzientherapie angegangen werden.

Die **medikamentöse Therapie** dient der Beeinflussung der Blutgerinnung, um einem **proximalen Anwachsen des Thrombus** und der **Entstehung weiterer Thromben vorzubeugen**. Der Arzt verordnet in der Regel eine **High-Dose-Heparinisierung** (30.000 IE/24 Stunden), die als Dauerinfusion über einen Perfusor verabreicht wird; hierbei ist 1 - 2 mal täglich die Kontrolle der partiellen Thromboplastinzeit (PTT) erforderlich. Daraufhin entwickelt der Patient eine **leicht erhöhte Blutungsneigung**; die **Krankenbeobachtung** ist entsprechend auszurichten (Haut- / Schleimhautblutungen? Blutbeimengungen in den Ausscheidungen?). Handlungen, die eine Blutung provozieren könnten (z.B. i.m. Injektion, Naßrasur, Benutzen einer harten Zahnbürste), sind zu unterlassen; der Patient wird entsprechend informiert.

4.3.3.2.6 Rezidivprophylaxe

Während der sofort wirksamen Heparinisierung wird mit der Verabreichung von **Cumarinderivaten** (z.B. Marcumar®) begonnen. Diese Behandlung zwecks Rezidivprophylaxe wird über ca. 3 - 12 Monate durchgeführt. Der Patient ist hinsichtlich der diesbezüglich empfohlenen Verhaltensweisen *(siehe Seite 304)* zu unterrichten.

Es ist angezeigt, bestehende Risikofaktoren (z.B. Einnahme der "Antibabypille", Übergewicht) zu reduzieren / auszuschalten. Außerdem wird der Patient angehalten, Kompressionsstrümpe zu tragen.

4.3.3.2.7 Medikamentöse Fibrinolyse und entsprechende Pflegemaßnahmen

Eine medikamentöse Fibrinolyse dient der **Auflösung des Gerinnsels**; sie führt zur Rekanalisation der betroffenen Vene und zur Verringerung der Komplikationen (Lungenembolie, Postthrombotisches Syndrom).

Das physiologisch vorhandene Plasminogen wird durch Fibrinolytika (z.B. Streptokinase®; Urokinase®; rt-PA®) zu dem aktiven Enzym Plasmin aktiviert, das den Abbau von Fibrin, Fibrinogen und anderen Gerinnungsfaktoren bewirkt. Die Fibrinolyse kann jedoch nicht in jedem Fall durchgeführt werden. **Kontraindikationen** sind z.B.

- ein Thrombus, der länger als eine Woche manifest ist,
- das Überschreiten des 75. Lebensjahres (relative Kontraindikation),
- eine bestehende Schwangerschaft (erstes Trimenon),
- bekannte Magen- oder Darmgeschwüre,
- eine kurz zurückliegende Operation oder Entbindung,
- Bluthochdruck.

Die Lysetherapie erfolgt auf der Intensivpflegestation, da sie mit zum Teil nicht unerheblichen Nebenwirkungen einhergehen kann. Der Patient bedarf der **laufenden Krankenbeobachtung**, um **Nebenwirkungen** frühzeitig erkennen zu können, z.B.

- Kopf- / Rückenschmerzen,
- Schüttelfrost und/oder Fieber,
- allergische - anaphylaktische Reaktionen, die mit Hauterscheinungen (Juckreiz, Exanthem), Dyspnoe oder anaphylaktischem Schock einhergehen können,
- Schleimhautblutungen sowie Spontanblutungen, vor allem aus Stichkanälen.

Ferner werden die Gerinnungswerte sowie der Hämoglobin- und der Hämatokritwert regelmäßig kontrolliert. Der immobilisierte Patient (absolute Bettruhe) benötigt **Unterstützung bei der Körperpflege**, der Nahrungsaufnahme und Ausscheidungsvorgängen. Treten Kompli-

kationen auf, werden weitere Pflegemaßnahmen (z.B. Pflege bei Fieber; Anlegen von Druckverbänden bei blutenden Stichkanälen) erforderlich.
Zur Inaktivierung des Fibrinolyse-Systems, z.B. bei Überdosierung oder gesteigerter Fibrinolyse, stehen **Antidota** *(Gegenmittel)* zur Verfügung: das sofort wirksame Aprotinin (z.B. Trasylol®, Antagosan®), Aminobenzolsäure (z.B. Gumbix®) und Tranexamsäure (Anvitoff®, Cyklokapron®, Ugurol®).
Nach Abschluß und Erfolgskontrolle der Lysetherapie wird der Kranke auf einer Normalstation betreut. Am betroffenen Bein wird ein **Kompressionsverband** angelegt, bis der passende Kompressionsstrumpf vorhanden ist. Der Patient wird **mobilisiert** (Umhergehen) und das betroffene Bein während des Sitzens und Liegens hochgelagert. Am anderen Bein werden ebenfalls thromboseprophylaktische Maßnahmen durchgeführt.

4.3.3.2.8 Thrombektomie und entsprechende Pflegemaßnahmen

Verbieten Kontraindikationen eine Thrombolyse, ist der Thrombus nicht älter als 3 - 5 (maximal 10) Tage und erlaubt der Zustand des Patienten eine Operation, wird der **Thrombus operativ entfernt** *(Thrombektomie)*. Die Operation erfolgt in Lokal- oder Allgemeinnarkose.
Der Thrombus wird entfernt, indem nach Freilegung der Vena femoralis in der Leiste ein Fogarty-Katheter (Ballonkatheter) am Thrombus vorbeigeführt, aufgeblasen und mitsamt dem Thrombus herausgezogen wird.

❒ Prä- und postoperative Pflegeschwerpunkte bei Thrombektomie

Die prä- und postoperativen Pflegeschwerpunkte / -maßnahmen entsprechen mit Ausnahme der Lagerung und **Mobilisation** denen vor- und nach einem Varizenstripping *(siehe Seite 328)*. Die präoperative **Lagerung** und Versorgung des betroffenen Beines erfolgt wie bei Phlebothrombose *(siehe Seite 334)*.
In der **postoperativen Phase** wird zur Verbesserung des venösen Blutstroms die gesamte Ebene des Bettes verschoben, so daß das Fußende höher und das Kopfende tiefer gestellt sind ***(Trendelenburglage)***; es ist auf das Wohlbefinden des Patienten zu achten.
Außerdem umfaßt die medikamentöse Thromboseprophylaxe eine **High - Dose - Heparinisierung** und die anschließende Langzeitbehandlung mit Cumarinderivaten (**Marcumarisierung**; *siehe "Verhalten bei Antikoagulanzientherapie", Seite 304)*.

4.3.3.3 Chronisch venöse Insuffizienz

4.3.3.3.1 Krankheitsbild

Die chronisch venöse Insuffizienz (CVI) gilt als **Sammelbegriff für alle Störungen des venösen Rückflusses** in den unteren Extremitäten; sie umfaßt Folgezustände der primären Varikosis und das postthrombotische Syndrom. Letzteres entwickelt sich bei unvollständiger oder fehlender Rekanalisation der Vene nach abgelaufener Thrombose. Im umliegenden Bereich des betroffenen Gefäßabschnittes bilden sich Kollateralen, die allerdings keine Venenklappen besitzen und zur Ausweitung neigen. So bilden sich im Laufe der Zeit (ca. 5 - 20 Jahre nach Phlebothrombose) sekundäre Varizen aus.

❒ Symptome

Die CVI geht mit schmerzhafter Schwellneigung, Schwere- sowie Spannungsgefühl, nächtlichen Wadenkrämpfen und Müdigkeit im Bein (bzw. in den Beinen) einher. Der weiteren Symtomatik entsprechend wird die CVI in **drei Schweregrade** eingeteilt.

Grad I
- Stauungsödem am Innenknöchel und prätibital
- Pinselfiguren, vor allem im unteren Drittel des Unterschenkels *(oberflächlich gelegene, erweiterte Kapillaren)*
- Besenreiservarizen, meist in der Kniekehle und an der Oberschenkelinnenseite.

Grad II
- zyanotische Färbung des Beines während des Stehens
- Pigmentflecken (Hämosiderinablagerungen infolge des stauungsbedingten Blutaustrittes aus den Kapillaren und der häufig darauf folgenden Melaninvermehrung in der Epidermis)
- trophische *(ernährungsbedingte)* Hautstörungen wie Stauungsdermatitis und Ekzeme.

Grad III
- florides *("blühendes")* oder abgeheiltes Ulkus cruris venosum
- gestörter Lymphtransport.

4.3.3.3.2 Zur Situation eines Betroffenen

Fortgeschrittene Venenleiden gehen mit **Beschwerden** (z.B. Spannungsgefühl, schmerzhafte Schwellneigung) und Hautveränderungen einher, die **das Leiden** - evtl. auch für andere Menschen - **sichtbar** machen. Vor allem Frauen ist dies häufig unangenehm und wird von ihnen als **Makel** ("dicke Beine", Krampfadern, Ekzeme) empfunden.
Ebenso kann das **Tragen von Kompressionsstrümpfen unangenehm** empfunden werden, obwohl moderne Kompressionsstrümpfe optisch kaum auffallen. Für viele Menschen bleibt das Tragen dieser Strümpfe zeitlebens unangenehm und erfordert immer wieder Überwindung.
Ein chronisches Venenleiden kann durch eine angepaßte **Lebensführung positiv** beeinflußt werden, so daß die Beschwerden gelindert werden können. Einige Betroffene bewerten dies positiv, sie fühlen sich nicht hilflos ausgeliefert. Andere sehen in der erforderlichen Mitarbeit (z.B. Bewegungsübungen, Tragen von Kompressionstrümpfen, Verzicht auf Sonnenbäder) eher eine **Einbuße an Lebensqualität**.

Komplikationen wie Thrombose oder Ulkus cruris venosum rufen **Ängste** hervor und erfordern langfristige Therapien sowie Krankenhausaufenthalte; diese verlangen einem Betroffenen **Geduld** und **kooperatives Verhalten** ab.

Berufliche Tätigkeiten in vorwiegend sitzender oder stehender Haltung wirken sich negativ auf das Venenleiden aus und können zu erheblichen Beschwerden führen.

4.3.3.3.3 Verhalten bei chronisch venöser Insuffizienz

Die chronisch venöse Insuffizienz ist nicht heilbar. In einigen Fällen werden insuffiziente Venen operativ entfernt oder/und kleine Venen unterbunden bzw. sklerosiert.
In der Regel ist die Therapie auf die Beseitigung bzw. Linderung der Symptome ausgerichtet; vorrangige Ziele sind **Ödembeseitigung und -prophylaxe**.
Die wichtigste und wirksamste Maßnahme dazu ist die **Kompression der Venen**, vor allem in Kombination mit **Bewegung**. Durch die von außen ausgeübte Kompression werden die Venen so eingeengt, daß die Venenklappen wieder schließen und die Wirksamkeit der Muskelvenenpumpe wiedererlangt bzw. intensiviert wird. Neben dem venösen Blutrückfluß wird auch der Lymphabfluß verbessert.
Der Betroffene wird hinsichtlich angemessener Verhaltensweisen informiert; hierbei sollte die Wirkungsweise der jeweiligen Maßnahme erläutert werden, um Einsicht und Kooperation zu fördern. Es gelten dieselben **Verhaltensregeln wie bei Krampfaderleiden** *(siehe "Angemessenes Verhalten bei Varikosis", Seite 326)*. Außerdem soll der Betroffene seine **Beine vor Verletzungen schützen.** Selbst bei einer banalen Verletzung ist der Arzt zu konsultieren, da sich aus ihr eine schlecht heilende, sich vergrößernde Wunde, das Ulkus cruris venosum, entwickeln kann.

Bei Immobilisierung eines Menschen mit CVI sind eine besonders intensive **Thromboseprophylaxe** und eine sorgfältige **Hautpflege** erforderlich.

4.3.3.3.4 Richtlinien zur Behandlung eines Ulkus cruris venosum

Beim Ulkus cruris venosum handelt es sich um ein **Unterschenkelgeschwür**, das durch mehrere Faktoren, insbesondere jedoch **durch eine chronische Venenstauung**, verursacht wird. Es tritt bevorzugt am Innenknöchel und an der Innenseite der distalen Unterschenkelregion auf. Es handelt sich um eine **schmerzende und nässende Wunde**, die nur schwer zu therapieren ist.

- Zwingende Voraussetzung für das Abheilen des Unterschenkelgeschwürs ist die **Kompression der Venen** (Kompressionsverband bzw. angepaßte medizinische Kompressionsstrümpfe in Kombination mit körperlicher Bewegung).
- Auf das Ulkus sollte zusätzlich ein **lokaler Druck** ausgeübt werden, indem passend ausgeschnittener Schaumstoff in die Wunde gelegt wird.
- **Längeres Stehen** und **Sitzen** sind möglichst zu vermeiden, um den venösen Blutfluß nicht zu erschweren; zur Erleichterung desselben sind die Beine während des Sitzens und Liegens erhöht zu lagern.
- Die **lokale Wundversorgung** richtet sich nach der Arztanordnung; allgemein gültige **Richtlinien** sind:
  - Großflächige und tiefe Nekrosen werden chirurgisch abgetragen (kommen allerdings selten vor).
  - Kleine und oberflächliche Nekrosen werden enzymatisch abgedaut, z.B. mittels Fibrolan®, Varidase®, Debrisorb® oder Iruxol®.
  - Eine lokale Entzündung wird mittels systemischer Antibiotikatherapie angegangen.
  - Die lokale Wundversorgung erfolgt z.B. mit Schaumstoff, der in mildem Desinfektionsmittel getränkt wurde oder mittels Hydrokolloidverband *(siehe Seite 375)*.
  - Die Heilung der sauberen Wunde wird mittels Hydrokolloidverband oder durch Feuchthalten mit in Ringerlösung getränkten Kompressen unterstützt. **Ringerlösung** hält die Wunde feucht und ermöglicht aufgrund seiner Zusammensetzung eine optimale Ernährung granulierenden Gewebes.

4.3.3.4 Lungenembolie

4.3.3.4.1 Krankheitsbild

Bei der Lungenembolie handelt es sich um den **Verschluß eines Lungenarterienastes** durch einen Thrombus aus dem venösen System (in 90% der Fälle aus den Venen der unteren Extremitäten oder des Bekkens).
Kleine Thromben bleiben in einem kleinen peripheren Lungenarterienast stecken (***Mikroembolie***) und verursachen allenfalls geringe Beschwerden wie leichte Atemnot oder Schmerzen in der Brust.
Große Blutgerinnsel bleiben in großlumigen Pulmonalarterien stecken und führen zu einer **ausgeprägten Symptomatik** *(siehe nachfolgend)*, im Extremfall sogar zum Herzkreislaufstillstand.
Die Verlegung eines Lungenarterienastes führt zu einer bedeutenden Verkleinerung des Gesamtquerschnittes der Lungengefäße und somit zum **pulmonalen Hochdruck**. Dieser bedingt eine mehr oder weniger ausgeprägte **Rechtsherzbelastung**; bei schwerem Verlauf spricht man vom akuten Cor pulmonale. Rezidivierende Mikroembolien können ein chronisches Cor pulmonale bedingen.
Im Versorgungsgebiet des verlegten Lungenarterienastes kann es zum Lungeninfarkt kommen; in diesem Gebiet findet sich eine keilförmige Einblutung.

❐ Symptome einer Lungenembolie

Je nach Größe der Embolie wird die nachfolgende Symptomatik mehr oder weniger ausgeprägt auftreten:

- plötzlich auftretender heftiger **Thoraxschmerz**, meist atemabhängig; evtl. Schonatmung;
- **Tachykardie**, kleiner Puls, evtl. Vorhofflimmern;
- **akute Atemnot**, Luftnot, Angst, Todesangst, kurze flache und beschleunigte Atemzüge;
- **Zyanose**, zunächst an den Akren;
- **Einflußstauung**, prall gefüllte Halsvenen;
- **Schock**: Blutdruckabfall, Pulsbeschleunigung, Hautblässe / -zyanose;
- nach 2-3 Tagen: **Husten mit blutigem Auswurf**, rötlich-schaumiges Sekret.

4.3.3.4.2 Pflegerische Sofortmaßnahmen

Die folgende Tabelle gibt Auskunft über die Notfallversorgung eines Patienten mit (Verdacht auf) Lungenembolie.

Lungenembolie	
Pflegerische Sofortmaßnahmen	**Begründung**
- Ruhigstellung des Kranken, absolute Bettruhe	- Reduzierung des Sauerstoffbedarfs und Verhinderung der Mobilisierung weiterer Thromben
- Vermittlung von Ruhe und Sicherheit	- Beruhigung des Kranken und Förderung seines Vertrauens
- Oberkörperhochlagerung; bei Schock nur leichte Hochlagerung des Oberkörpers	- Atemerleichterung - Unterstützung der Kreislauffunktion (Entlastung der Rechtsherzabschnitte)
- wenn möglich Sauerstoffverabreichung über Nasenkatheter, ca. 2-3 l / Min. bis zum Eintreffen des Arztes	- Verbesserung der Sauerstoffversorgung und Linderung der Atemnot - Senkung des pulmonalen Blutdrucks
- Benachrichtigung des Arztes und Vorbereitung der verordneten medikamentösen Therapie	- lebensbedrohlicher Zustand des Patienten
• Analgetika	- Schmerzlinderung und Senkung des Sauerstoffbedarfs
• Sedativa	- Beruhigung, Senkung des Sauerstoffbedarfs
• Heparin 10.000 IE als Bolus und 1000 IE/Std. über Infusomaten / Perfusor	- Verhinderung eines appositionellen Thrombenwachstums und Thromboseprophylaxe
• evtl. Nitrate und Kalzium-Antagonisten	- Weitstellung arterieller Gefäße, Vorlastsenkung
• evtl. Lysetherapie	- Auflösung des Gerinnsels
• ggf. Schocktherapie	- Normalisierung des Herzzeitvolumens, Kreislaufstabilisierung
- Überwachung der Vitalfunktionen	- frühzeitiges Erkennen eines beginnenden Schocks und einer Ateminsuffizienz
- ggf. Reanimation	- Aufrechterhaltung der Vitalfunktionen
- ggf. Intubation und Beatmung	- Korrektur einer insuffizienten Atmung
- Vorbereitung des Krankentransportes zur Intensivstation	- Intensivüberwachung aufgrund des lebensbedrohlichen Krankheitsbildes und ggf. der Lysetherapie erforderlich

Tabelle 4.3 ***Notfallversorgung bei Verdacht auf Lungenembolie***

In schweren Fällen wird, sofern die medizin-technischen Möglichkeiten gegeben sind, sofort eine chirurgische Entfernung des Thrombus durchgeführt *(Embolektomie)*.

4.3.3.4.3 Weitere pflegerische Versorgung

- Der Patient verbleibt auf der **Intensivstation**, bis die Vitalfunktionen stabilisiert sind und die Lysetherapie beendet ist.
- Auf der Normalstation erfolgt die pflegerische Versorgung **wie bei** der Diagnose **"Phlebothrombose"** (absolute Bettruhe, Vermeidung von Anstrengung, Ruhigstellung und Hochlagerung des betroffenen Beines u.a. Maßnahmen, *siehe Seite 333*).
- Die **Krankenbeobachtung** richtet sich auf das Befinden des Patienten, die Vitalzeichen und die Anzeichen möglicher unerwünschter Wirkungen durch die medikamentöse Therapie, insbesondere durch die Antikoagulanzientherapie.
- Zur **Unterstützung der Atmung** und zur Pneumonieprophylaxe sollte der Oberkörper hochgelagert und der Patient stündlich zu Atemübungen angehalten werden.
- Mit der **Mobilisation** darf erst nach Vorliegen der entsprechenden Arztanordnung begonnen werden; bis dahin wird der Patient weitgehend bei der Körperpflege unterstützt. Pflegerische **Hilfestellung** ist weiter bei den Ausscheidungsvorgängen, ggf. auch beim Essen und Trinken erforderlich.
- Die **Risikofaktoren** des jeweiligen Patienten hinsichtlich Sekundärerkrankungen müssen **analysiert** und entsprechende prophylaktische Maßnahmen durchgeführt werden.
- Bei ausgeprägter Rechtsherzbelastung ist eine **Flüssigkeitsbilanzierung** erforderlich; ggf. wird die Flüssigkeitszufuhr eingeschränkt (Arztanordnung) und muß entsprechend kontrolliert werden.
- Nach einer ausgeprägten Lungenembolie muß sich der Betroffene für 6 - 12 Monate einer **Antikoagulanzientherapie** (Marcumarisierung) unterziehen. Die Überwachung und Anleitung des Patienten bezüglich der Langzeitantikoagulanzientherapie wird auf *Seite 304* besprochen.

4.3.3.5 Arterielle Verschlußkrankheit

4.3.3.5.1 Krankheitsbild

❒ **Definition**

Bei der arteriellen Verschlußkrankheit (AVK) handelt es sich um eine **chronische, mit obliterierenden* bzw. stenosierenden* Gefäßprozessen einhergehende Erkrankung des arteriellen Gefäßsystems**, bei der einzelne Gefäßregionen (z.B. Koronar-, Hirn-, Nieren- oder Darmarterien) unterschiedlich stark betroffen sind. Am häufigsten manifestiert sich die Erkrankung jedoch an den Arterien der unteren Extremitäten und wird dann als periphere arterielle Verschlußkrankheit (pAVK) bezeichnet.

❒ Ursache und Risikofaktoren

Ursache der Stenosierung *(Einengung)* bzw. Obliteration *(Verschluß)* der Gefäße sind in 90% der Fälle **degenerative*** **Gefäßveränderungen** (Arteriosklerose*, Angiopathien* bei Diabetes mellitus), ansonsten liegen **entzündlich bedingte Veränderungen der Intima** *(Gefäßinnenwand)* zugrunde.

Risikofaktoren, die die Entstehung und Ausbreitung der AVK begünstigen, sind diejenigen, die arteriosklerotische Prozesse fördern: Hyperlipidämie, Hypertonie, Diabetes mellitus, Nikotinabusus, Übergewicht, Bewegungsmangel, Hyperfibrinogenämie, genetische Disposition und Hyperurikämie *(siehe "Risikofaktoren", Seite 292)*.

❒ Symptome

Folge der AVK sind **Durchblutungsstörungen**, die je nach Ausmaß und Lokalisation mit einer Ischämie und dadurch hervorgerufenen **Schmerzen** einhergehen, sofern nicht ausreichend funktionstüchtige Kollateralkreisläufe vorhanden sind. Es kommt z.B. zu Krankheitsbildern wie dem Herzinfarkt, Schlaganfall oder Mesenterialinfarkt.

Das Ausmaß der Durchblutungsstörungen (und somit der Krankheitszeichen) bei der pAVK wird nach FONTAINE in vier Stadien eingeteilt *(siehe nachfolgend)*.

4.3.3.5.2 Zur Situation eines Betroffenen

Bei der peripheren chronischen arteriellen Verschlußkrankheit stehen **Schmerzen** und **Bewegungseinschränkung** für den Betroffenen im Vordergrund. Sie beeinträchtigen seine Lebensqualität oft erheblich. Er wird dadurch veranlaßt, seine Erkrankung ernst zu nehmen.

Der Wunsch und die Bereitschaft, das Krankheitsgeschehen aktiv durch Veränderung der **eigenen Verhaltensweisen** zu **beeinflussen**, sind nicht immer gegeben. Einigen Betroffenen muß der Zusammenhang zwischen Risikoverhalten (z.B. Rauchen) und Gefäßleiden schrittweise vermittelt werden. Eine am intellektuellen Niveau des Betroffenen orientierte und wertfreie Beratung kann Einsicht und Verhaltensänderung fördern. Vielen Menschen fällt die **Veränderung bestimmter** (Konsum-) **Gewohnheiten**, z.B. das Aufgeben des Zigarettenrauchens, **sehr schwer**. Andererseits leiden sie unter **Schuldgefühlen**, d.h. sie klagen sich selbst wegen ihrer Gewohnheit an oder bekommen diese Gefühle von anderen Menschen vermittelt. Komplikationen wie Unterschenkelgeschwüre und Gefäßverschlüsse können längerdauernde Krankenhausaufenthalte und letztendlich Operationen bis hin zur Gliedmaßenamputation bedingen. Diese Umstände - begleitet von einer schlechten Wundheilung - erfordern außergewöhnlich **viel Geduld** vom Betroffenen. Aber auch von den Angehörigen und den Pflegenden werden Geduld und immer wieder Verständnis gefordert, wenn ein Kranker ungeduldig, mißmutig oder schlecht gelaunt reagiert.

4.3.3.5.3 Prophylaktische und therapeutische Maßnahmen sowie (selbst-)pflegerisches Verhalten

Es werden die **Stadien der pAVK nach Fontaine** beschrieben und entsprechende selbstpflegerische, pflegerische und therapeutische Maßnahmen zugeordnet.

Stadium I

Pulsausfall ohne Beschwerden

Es handelt sich um einen Zufallsbefund. Da die Durchblutungsstörung durch Ausbildung von Kollateralkreisläufen kompensiert wird, verspürt der Betroffene **keine Beschwerden**.

❒ Maßnahmen

- **Abbau von Risikofaktoren**
  Nach der Diagnosestellung sollte das Vorliegen von Risikofaktoren überprüft werden. Faktoren, die das Fortschreiten der Arteriosklerose begünstigen, sind möglichst auszuschalten oder zu verringern. Dazu sind **Verhaltensänderungen, diätetische Maßnahmen** und/oder die Einnahme von Medikamenten erforderlich. Hyperlipidämie, Hyperurikämie, Diabetes mellitus und Hypertonie sind sowohl auf diätetischem als auch auf medikamentösem Weg zu beheben bzw. optimal einzustellen. Eine **eingehende Information** und Beratung des Betroffenen, ggf. auch eines Angehörigen, sind von großer Wichtigkeit *(siehe "Beeinflussung der Risikofaktoren-Gesundheitsberatung", Seite 294)*.
  Beachte: Bei Diabetikern kann zusätzlich eine Polyneuropathie *(siehe Seite 164)* vorliegen, die mit einem verringerten Schmerzempfinden einhergeht. Druckstellen und Verletzungen, sogar Nekrosen können unbemerkt bleiben, wenn die Schmerzen nicht wahrgenommen werden.
- **Gehtraining**
  Der Betroffene ist zu täglichen **Spaziergängen** (insgesamt mindestens 1 Stunde) mit flottem Tempo anzuhalten. Das Gehtraining dient im Sinne eines aktiven Gefäßtrainings der **Förderung der Kollateralkreisläufe** und der Ausdehnung der schmerzfreien Gehstrecke.
- **Pflege der Füße**
  Eine sorgfältige und bewußte Pflege der Füße ist von großer Wichtigkeit, um eine intakte Haut zu erhalten. Täglich sollen die **Füße bewußt** auf Veränderungen und Verletzungen hin **inspiziert** werden. Fußpilze und Wunden / Verletzungen (auch kleine) müssen ärztlich behandelt werden.
  Die **Reinigung** der Füße geschieht sorgfältig und **mit milder Seife**. Um Verletzungen zu vermeiden, werden die **Fußnägel gefeilt** und nicht geschnitten. Besondere Probleme wie z.B. Hühneraugen, sind durch die **medizinische Fußpflege** zu versorgen. Aus demselben Grund sollte der Betroffene **nie barfuß gehen** und bequeme, intakte sowie **gut sitzende Schuhe** ohne Kappen, Riemchen und andere druckauslösende Faktoren tragen. Der Ab-

satz sollte maximal 2,5 cm Höhe haben. Die Schuhe sind täglich zu wechseln; dies gilt auch für die Socken. Außerdem sollten die **Socken** nicht einschnüren und **aus** schweißaufsaugenden **Naturfasern** (Wolle / Baumwolle) hergestellt sein.

- **Einnahme von Medikamenten**
  Eventuell verordnet der Arzt zur Embolieprophylaxe **Thrombozytenaggregationshemmer** (ASS®, Asasantin®, Colfarit®, Tyklid®).
  Die positive Wirkung **durchblutungsfördernder Medikamente** ist bei der AVK **umstritten.**

- **Kontraindizierte Maßnahmen**
  Kontraindiziert sind **direkte Kälte-** und **Wärmeanwendungen** wie **Wechselbäder** oder Wärmflaschen, da sklerotische Gefäße nicht wie intakte Gefäße auf Kälte- und Wärmereize reagieren und weil es den verengten bzw. verschlossenen Gefäßen nicht möglich ist, adäquat auf den durch die Gefäßweitstellung erhöhten Sauerstoffverbrauch zu reagieren.
  Ebenfalls kontraindiziert sind Maßnahmen, die den arteriellen Blutstrom beeinträchtigen können; hierzu zählen die **Kompression der Venen** und die **Hochlagerung der Beine**.

Stadium II

Belastungsschmerz, Claudicatio intermittens (zeitweiliges Hinken, "Schaufensterkrankheit")

Beträgt die beschwerdefreie Gehstrecke auf ebenem Boden mehr als 200 m, handelt es sich um das **Stadium IIa**; beträgt sie weniger als 200 m, befindet sich die pAVK im **Stadium IIb**. **Unter Belastung** (Gehen) kommt es zu **ischämiebedingtem Schmerz**, der den Betroffenen beim Weitergehen beeinträchtigt; ein ausgeprägter Sauerstoffmangel kann den Betroffenen sogar zwingen, vorübergehend stehen zu bleiben (daher *"Schaufensterkrankheit")*. Nach wenigen Minuten Gehpause verschwinden die Schmerzen und der Betroffene kann eine gewisse Wegstrecke zurücklegen, bis erneut Schmerzen auftreten.
Die **Füße** sind in diesem Stadium aufgrund der Durchblutungsstörung **kalt und blaß-livide** verfärbt. Bei Bettlägerigkeit des Betroffenen ist das Risiko, einen Fersendekubitus zu entwickeln, erhöht.

Maßnahmen

- **Abbau von Risikofaktoren, Pflege der Füße, Einnahme von Medikamenten und kontraindizierte Maßnahmen** wie bei Stadium I

- **Gehtraining**
  Um die **Ausbildung von Kollateralkreisläufen*** zu **fördern** und somit die beschwerdefreie Gehstrecke allmählich zu verlängern, wird der Betroffene zu einem **aktiven Gefäßtraining** angeleitet. Er soll täglich 1-2 Stunden gehen; bei Erreichen der Schmerzgrenze ist sofort eine kurze Pause zur Förderung des hydrostatischen Bluteinstroms einzulegen.
  Zusätzlich wird die regelmäßige (mehrmals täglich) Durchführung weiterer **Übungen wie Zehenstand** (20 mal) und Rollbewegungen der Füße empfohlen.
  Unter krankengymnastischer Anleitung erlernt der Betroffene weitere Übungen, die gezielt auf die Verbesserung der Muskeldurchblutung ausgerichtet sind.

- **Dekubitusprophylaxe**
  Bei **Immobilität** eines Betroffenen entsteht in der Regel ein erhöhtes **Dekubitusrisiko**; die Haut ist an den disponierten Stellen sorgfältig auf Hautrötungen (Dekubitus 1. Grades) und andere Veränderungen zu beobachten. Besondere Aufmerksamkeit ist auf die Fersen zu richten; dekubitusprophylaktische Maßnahmen (z.B. Freilagerung der Ferse bei tiefer gestelltem Fußende; lockerer Watteverband; Lagewechsel) sind in vielen Fällen erforderlich.

Stadium III

Ruheschmerz in der betroffenen Extremität, vor allem bei horizontaler Lage

Die **Durchblutung** der betroffenen Extremität - insbesondere in horizontaler Lage - ist **unzureichend**. Bei Herabhängen der Extremität lassen die Beschwerden infolge des erhöhten hydrostatischen Blutstroms vorübergehend nach. In diesem Stadium ist in der Regel eine **stationäre Behandlung erforderlich**.

Maßnahmen

- **Ruhigstellung und Lagerung der betroffenen Extremität(en)**
  Zur Senkung des Sauerstoffbedarfs und somit zur Schmerzlinderung wird die **betroffene Extremität ruhiggestellt**. Um den arteriellen Zustrom zu erleichtern, wird die Extremität durch Verstellen der Bettebene **tief gelagert**, bei dreiteiligen Matratzen kann ggf. zusätzlich die untere Matratze entfernt werden. Liegt gleichzeitig eine chronisch venöse Insuffizienz vor, muß der Arzt sorgfältig abwägen, welche Lagerung für den Kranken die günstigste ist.
  Bei nächtlichen Schmerzen wird das **Kopfende** um 20 - 30 cm **höher gestellt**, um den Perfusionsdruck in den Beinarterien zu erhöhen.

- **Schutz der betroffenen Extremität(en)**
  Um Wärmeverluste zu verhindern, wird ein **lockerer Watteverband** um Fuß und Unterschenkel gewickelt. Zur lokalen Druckentlastung ist ein **Deckenheber** einzubetten. Der Kranke wird aufgefordert, mit den Fersen **druckentlastende Bewegungen** durchzuführen. Ggf. muß die Ferse trotz Wattepolster mit superweichem Material unterlagert oder hohlgelagert werden.
  Die Fußgelenke werden zwecks Kontrakturenprophylaxe mehrmals täglich langsam im Wechsel gestreckt und gebeugt, die jeweilige Dauer der Übungen ist so kurz zu halten, daß keine Schmerzen provoziert werden.

Selbstverständlich gelten auch in diesem Stadium die bisher besprochenen Kontraindikationen.

- **Verbesserung der Fließeigenschaften des Blutes**
  In einigen Fällen verordnet der Arzt zur **Defibrinierung** *(Senkung des Fibrinspiegels)* **des Blutes** eine Therapie mit dem aus dem Gift der Grubenotter gewonnenen Ancrod (Arwin®). Die Senkung des normalen Fibrinspiegels von 200 - 400 mg% auf 50 - 100 mg% setzt die Viskosität des Blutes herab und verbessert seine Fließeigenschaften. Gleichzeitig kommt es zu einer **Blutungsneigung**; entsprechende Krankenbeobachtung und Pflegemaßnahmen sind erforderlich *(siehe "Verhalten bei Antikoagulanzientherapie", Seite 304)*. Außerdem ist in regelmäßigen Abständen die Überprüfung des Fibrinogenspiegels im Blut zu veranlassen.
  Weitere Möglichkeiten, die Fließeigenschaften des Blutes zu verbessern, bieten der **blutige Aderlaß** (der durch Senkung des Hämatokritwertes die Viskosität des Blutes herabsetzt) und das Infundieren von Hydroxyäthylstärke, z.B. HAES®steril6% (Blutverdünnung).
- **Rekonstruktion der Gefäße**
  Da ab Stadium III (evtl. Stadium IIb) konservative Maßnahmen nicht ausreichen, wird die Durchblutungssituation durch eine **gefäßchirurgische Operation** oder in einigen Fällen durch bestimmte **therapeutische Katheterverfahren** verbessert.
- **Psychische Betreuung des Kranken**
  siehe Stadium IV.

Stadium IV

Ulzeration und Gewebsuntergang (Nekrose oder Gangrän) mit oder ohne Ruheschmerz

Die Durchblutung verschlechtert sich, so daß peripheres Gewebe, **vor allem an den Fußzehen, betroffen** ist. Es kommt zur Nekrotisierung des Gewebes, die als Ulkus oder Gangrän sichtbar wird. Geht die ischämisch bedingte **Nekrose mit Autolyse** *(Selbstverdauung)* **des Gewebes** und Verfärbung infolge des Hämoglobinabbaus einher, wird sie als Gangrän bezeichnet. Eine **trockene Gangrän** geht mit Eintrocknung, Schrumpfung und Schwarzverfärbung *(Mumifikation)* einher. Bei zusätzlicher Infektion durch Fäulnisbakterien, die zu grünlicher Eiweißzersetzung und üblem Geruch führt, entwickelt sich eine **feuchte Gangrän** mit Erweichung und evtl. Verflüssigung des nekrotischen Gewebes. Die betroffene Gewebsregion ist livide verfärbt. Es besteht die Gefahr eines aufsteigenden Infektes (Phlegmone), der zur Sepsis oder zum Extremitätenverlust führen kann.

Maßnahmen

- **Erhebung und Dokumentation des Aufnahmebefundes**
  Bei Übernahme der pflegerischen Betreuung des Kranken ist zunächst ein Aufnahmebefund zu erheben und zu dokumentieren. Er bezieht sich auf Aussehen, Temperatur und Farbe der Extremität sowie auf die Lokalisation, Größe, Tiefe und Beschaffenheit der Wunde. Der weitere Wundheilungsverlauf wird ebenfalls beobachtet und dokumentiert.
- **Ruhigstellung, Lagerung und Schutz der betroffenen Extremität(en)**
  erfolgt wie bei Stadium II beschrieben.
- **Wundbehandlung und Infektbekämpfung**
  Ziel der Wundbehandlung ist zunächst eine **trokkene Gangrän**, d.h. eine feuchte Gangrän muß in eine trockene Gangrän umgewandelt werden, eine trockene Gangrän muß trocken bleiben. Salbenverbände, Fußbäder und andere **feuchte Anwendungen** sind **kontraindiziert**!
  Die Infektion wird konsequent mittels systemischer **Antibiotikatherapie** bekämpft; evtl. erfolgt zusätzlich eine lokale Therapie mit einem Antiseptikum.
  Zur **Wundreinigung** können z.B. **Hydrokolloidverbände** (nicht bei schweren Wundinfektionen) oder das Wundsekret aufsaugende Mittel wie Aktisorb® oder Actihaemyl® verwendet werden. Die Wunde wird **trocken verbunden**.
  Nach erfolgreicher Infektbekämpfung und Vorliegen einer trockenen Gangrän (ggf. auch eher) können Maßnahmen zur **Rekonstruktion der Gefäße** (z.B. PTA, Thrombendarteriektomie, Bypass-Operation; *siehe nachfolgend*) vorgenommen werden.
  Das **nekrotische Gewebe** wird erst **abgetragen**, wenn nach diesen Maßnahmen eine ausreichende Durchblutung der Extremität - und somit die Grundvoraussetzung zur Wundheilung - hergestellt ist. Die chirurgische Nekrosenabtragung erfolgt in Höhe der Demarkationslinie, also am Übergang vom nekrotischen zum durchbluteten Gewebe. Die Wunde bleibt offen (keine Naht); die Granulation führt zu sekundärer Wundheilung. Die Wunde wird steril und trocken verbunden.
  Eine **Gliedmaßenamputation** ist erst nach Ausschöpfung aller Therapiemöglichkeiten und bei Komplikationen wie Sepsis *(siehe Seite 470)* oder Osteomyelitis *(Knochenmarkentzündung)* indiziert.
- **Psychische Betreuung des Kranken**
  Die andauernden Schmerzen und (ggf.) die schlechte Wundheilung, aber auch der lange Klinikaufenthalt und evtl. die bevorstehende Gefäßoperation / Gliedmaßenamputation bedingen meist eine **schlechte seelische Verfassung** des Betroffenen. Es ist wichtig, **Verständnis** und **Geduld** aufzubringen, wenn sich der Kranke mißmutig, ungeduldig und schlecht gelaunt zeigt. Es sollte **Gesprächsbereitschaft** signalisiert werden; auf Fragen bezüglich der Operation / Amputation und der prothetischen Versorgung ist ausführlich einzugehen bzw. ein Gespräch mit dem Arzt zu vermitteln.
  Der Kranke muß wiederholt aufgefordert werden, sich an die Therapieregeln (Nikotinabstinenz, evtl. Diät, Einhalten der Bettruhe und andere Maßnahmen) zu halten.
  Einige der Betroffenen leiden unter einer Schuld, die sie sich selbst zuweisen oder von anderen vermittelt bekommen (Raucherbein!). Die Haltung

gegenüber dem Kranken sollte wertneutral sein und darauf zielen, ihm das Erkennen und Verstehen der Motive seines gesundheitsschädlichen Verhaltens zu ermöglichen.
Ablenkung, z.B. durch Besucher, gesprächige Mitpatienten, Literatur, Radio oder TV, erleichtert die Situation und fördert das Wohlbefinden des Kranken.

4.3.3.5.4 Gefäßchirurgische Eingriffe

❒ Medizinische Informationen

Je nach Gefäßstatus sind bei der pAVK Maßnahmen zur Rekonstruktion der Gefäße erforderlich, um eine ausreichende Durchblutung und somit auch Schmerzlinderung für den Betroffenen zu erzielen.

❍ PTA

In einigen Fällen kann dies durch therapeutische Katheterverfahren, z.B. die **perkutane transluminale Angioplastie** (PTA), gelingen. Dabei wird in Lokalanästhesie nach Punktion der Arteria femoralis ein nicht aufgefüllter Ballonkatheter bis zum verengten Gefäßabschnitt vorgeschoben und dort mehrfach aufgeblockt. Unter dem Druck werden die arteriosklerotischen Ablagerungen zusammengepreßt und somit die Arterie aufgedehnt *(vgl. "PTCA", Seite 314)*.

Häufig wird zur **Rekanalisierung des Gefäßes** eine **Operation** durchgeführt. Dazu eignen sich verschiedene Verfahren.

❍ Thrombendarteriektomie (TEA)

Das arteriosklerotische Material wird operativ mit Spezialgeräten entfernt, indem es samt der **Gefäßinnenschicht** *(Intima)* **ausgeschält** wird (daher auch "*Ausschälplastik*"). Anschließend wird die Arterie direkt durch eine fortlaufende Naht oder durch eine Patch-Plastik verschlossen, die der Erweiterung des Gefäßvolumens *(Erweiterungsplastik)* dient. Als Patch *("Flikken")* wird ein Teil der Vena saphena magna oder ein Kunststoffimplantat eingesetzt.
Die TEA wird nicht nur bei arteriosklerotischen Stenosen der Becken- und Beinarterien, sondern auch bei Karotisstenose durchgeführt.

❍ Bypass-Operation

Die arteriosklerotisch bedingte **Gefäßstenose wird überbrückt**, indem operativ ein Umleitungsgefäß (meist Material der Vena saphena magna) bzw. eine Kunststoffprothese oberhalb und unterhalb der Stenose mit der Arterie verbunden (anastomosiert) wird.
Ein Bypass kann fast im gesamten Arteriensystem angebracht werden; sinnvoll ist die Operation allerdings nur, wenn die Durchblutung der nachgeschalteten Körperregion gewährleistet ist (also distal der Stenose keine weiteren kritischen Stenosen vorliegen).
Gefäßchirurgische Operationen können sowohl in Allgemeinnarkose als auch in Lokalanästhesie (Spinalanästhesie) durchgeführt werden.

❒ Prä- und postoperative Pflegeschwerpunkte bei PTA und gefäßchirurgischen Eingriffen

❍ Präoperative Pflegemaßnahmen

- **Darmreinigung**
  - Verabreichung eines Klysmas vor Operation im Bereich der Becken- / oder Eingeweidearterien und vor der Operation in Allgemeinnarkose;
  - nicht erforderlich sind Abführmaßnahmen, wenn die Operation in Spinalanästhesie durchgeführt wird.
- **Nahrungsabbau**
  - Verabreichung leichter Kost bis einschließlich zur Abendmahlzeit;
  - Flüssigkeits- / Nahrungs- und Nikotinabstinenz ab 00.00 Uhr des OP-Tages; entsprechende Information des Patienten.
- **Vorbereitung des Operationsfeldes**
  - bei Operation im Bereich der Becken- oder Eingeweidearterien vorsichtige Rasur von der Achselhöhle bis zur Oberschenkelmitte;
  - bei Operation an einer Extremität vorsichtige Rasur der ganzen Extremität und der Leistenregion (inklusive Schambehaarung) bzw. der Achselhöhle (genaue Bestimmung des Rasurfeldes je nach geplanter Operation / Schnittführung);
  - sorgfältige Inspektion der Haut (Erkennen von Verletzungen und Veränderungen).
- **Thromboseprophylaxe**
  - Verabreichung von Heparin entsprechend der Arztverordnung;
  - Rücksprache mit dem Arzt hinsichtlich der Indikation bzw. Kontraindikation von ATS bei AVK.
    Beachte: bei pAVK im Stadium III und IV auch am nicht zu operierenden Bein keine ATS anziehen (Kompression von außen verschlechtert die Durchblutung).
- **Weitere allgemeine präoperative Maßnahmen**
  - wie üblich durchführen *(siehe Seite 368)*.

❍ Postoperative Pflegemaßnahmen

Postoperativ steht die **Überwachung** des Patienten im Vordergrund, um **Komplikationen** frühzeitig zu **erfassen**. Dies sind in erster Linie thrombotische Gefäßverschlüsse, Nachblutungen, Störungen der Wundheilung und Infektionen.

- **Vitalzeichenkontrollen**
  - in den ersten Stunden engmaschig, bei stabilen Werten im Normbereich Zeitabstände in Absprache mit dem Arzt vergrößern;
  - systolische Blutdruckwerte über 180 mmHg und unter 100 mmHg sofort dem Arzt melden.
    Beachte: Ein systolischer Blutdruck über 180 mmHg belastet die Gefäßnähte, ein systolischer Druck unter 100 mmHg kann den thrombotischen Verschluß eines Gefäßes im Operationsgebiet begünstigen.
- **Beobachtung der operierten Körperregion**
  - den Verband auf Nachblutung kontrollieren;
  - bei Verdacht auf Nachblutung wiederholt Beinumfang an markierter Stelle messen;
  - Inhalt der Redonflasche hinsichtlich Menge, Farbe und Konsistenz beobachten;

- die peripheren Pulse distal des Operationsgebietes *(siehe "Palpationsstellen der Arterien", Abb. 4.3 Seite 277)* kontrollieren;
- Durchblutung der Weichteile überprüfen (Hautfarbe / -temperatur, Venenfüllung);
- operierte Extremität hinsichtlich der Beweglichkeit, Sensibilität und auftretender Schmerzen beobachten

  Beachte: Bei Ausfall der Fußpulse, kalter und/oder livide verfärbter Extremität, schlechter Venenfüllung oder Schmerzen ist sofort der Arzt zu benachrichtigen (Verdacht auf arterielle Embolie).

- **Lagerung**
  - Oberkörper leicht erhöht lagern;
  - Fußende um wenige Zentimeter (nicht mehr) tieferstellen, um den arteriellen Zustrom zu verbessern, ohne gleichzeitig die Ausbildung des postoperativen Wundödems zu verstärken;
  - stärkere Beugungen - und somit Abknickungen - im Verlauf der operierten Arterie (im Bereich der Leiste bzw. des Knies) vermeiden, damit die Durchblutung nicht gedrosselt wird;
  - Fersen superweich oder hohl lagern (Dekubitusprophylaxe);
  - Deckenheber über operierter Region anbringen (Druckvermeidung).
- **Wundversorgung**
  - Verbandwechsel unter Wahrung der Asepsis durchführen *(siehe Seite 375)*;
  - trockenen sterilen Verband anlegen;
  - Verband stets trocken halten (in der Leiste kann es bei adipösen Menschen zwischen den aufeinander liegenden Hautfalten zur Feuchtigkeitsansammlung kommen;
  - operiertes Bein zum Schutz vor Wärmeverlusten und Druckeinwirkungen im lockeren Watteverband / -stiefel einwickeln;
  - zur Wundversorgung nach Unter- oder Oberschenkelamputation siehe *Seite 624*.
- **Mobilisation**
  - bis zum ersten Aufstehen aktive, aktiv-assistive oder passive Bewegungsübungen im Bett durchführen (lassen), am operierten Bein nur Zehenübungen (Dorsalflexion) durchführen lassen;
  - erstes Aufstehen je nach OP und Arztanordnung meist am 1., 2. oder 3. postoperativen Tag;
  - Gehhilfen zur Abstützung des Oberkörpers bereitstellen;
  - den Patienten hinsichtlich des gewünschten Verhaltens informieren: Gehen, Stehen und Liegen ohne Abknickungen sind günstig; längeres Sitzen ist, wenn es mit Beugung / Abknickung im operierten Bereich einhergeht, zu unterlassen.
- **Thromboseprophylaxe**
  - *siehe vorstehend "Mobilisation";*
  - Heparin nach Arztverordnung verabreichen;
  - ggf. Azetylsalizylsäure oder Kumarinderivate verabreichen und entsprechende, daraus resultierende Probleme sowie Pflegemaßnahmen berücksichtigen *(siehe "Antikoagulanzientherapie und entsprechende Pflegemaßnahmen", Seite 304);*
  - bei pAVK im Stadium III und IV keine ATS anziehen und keinen Kompressionsverband anlegen; ansonsten Rücksprache mit dem Arzt halten.
- **Regulieren der Darmtätigkeit**
  - beobachten, ob der Patient spätestens am 2. postoperativen Tag abgeführt hat;
  - nach Operation an einer Extremität ist in der Regel keine medikamentöse Anregung erforderlich;
  - nach Operation im abdominellen Bereich ggf. entsprechend der Arztverordnung mildes Abführmittel verabreichen (Vermeidung eines starken Einsatzes der Bauchpresse).
- **Weitere Pflegemaßnahmen**
  - wie allgemein nach Operation üblich *(siehe "Postoperative Pflegemaßnahmen", Seite 371);*
  - Dekubitusprophylaxe;
  - in den ersten Tagen Unterstützung bei der Körperpflege gewährleisten, um Anstrengung zu vermeiden.

Redon - Drainagen werden in der Regel nach 1 - 2 Tagen entfernt; die Entfernung der Fäden erfolgt zwischen dem 10. - 14. Tag.

Beim **Entlassungsgespräch** wird der Patient hinsichtlich

- des Abbaus von Risikofaktoren,
- eines Gehtrainings,
- der Pflege der Füße und
- kontraindizierter Maßnahmen

informiert und bei Bedarf instruiert *(siehe Seite 719)*.
In einigen Fällen ist nach der stationären Behandlung eine Rehabilitation angezeigt.

4.3.3.6 Akuter Arterienverschluß

4.3.3.6.1 Krankheitsbild

Der akute Verschluß einer Arterie wird in 60% der Fälle durch einen Embolus, in 40% der Fälle durch einen Thrombus verursacht. Zu einer arteriellen **Embolie** kommt es **durch Mobilisierung und Ausschwemmung eines Thrombus aus dem linken Herzen** (z.B. bei absoluter Arrhythmie mit Vorhofflimmern, nach Herzklappenersatz oder nach Herzinfarkt) in den großen Kreislauf oder durch **Verschleppung einer arteriosklerotischen Ablagerung** aus einem proximal gelegenen arteriellen Gefäß. Ebenso wie arterielle Gefäße der unteren Extremität (30% der Fälle) können auch das Gehirn (60% der Fälle), den Darm, die Niere (5% der Fälle) oder die oberen Extremitäten versorgende Arterien (5% der Fälle) betroffen sein.
Die **Thrombose** entwickelt sich dagegen **auf dem Boden einer vorgeschädigten Arterie**, z.B. infolge einer Arteriosklerose oder infolge einer Bypass-Operation. Dabei bildet sich an der Gefäßwand infolge einer Thrombozytenaggregation ein Appositionsthrombus.

Die **Symptome eines arteriellen Extremitätenverschlusses** werden als die sechs "P" zusammengefaßt:

- **Pain - Schmerz**; tritt infolge der lokalen Ischämie im versorgungsabhängigen Gebiet der betroffenen Arterie auf; setzt **peitschenschlagartig** ein und nimmt rasch an Intensität zu.
- **Pulselessness - Pulslosigkeit**; im Bereich der betroffenen Arterie ist der Puls nicht tastbar.
- **Palness - Blässe**; die Haut der betroffenen Extremität wird weiß und kalt.

Akuter Arterienverschluß	
Pflegerische Sofortmaßnahmen	**Begründung**
Tieflagerung der Extremität	Erhöhung des arteriellen Perfusionsdrucks
Ruhigstellung	Senkung des Sauerstoffbedarfs
Watteverband, locker und stiefelförmig angelegt	Verminderung von Wärmeverlusten, Schutz vor äußerer Druckeinwirkung
Vorbereitung der medikamentösen Therapie	
- intravenöse Injektion eines stark wirksamen Analgetikums (z.B. Dolantin®, Morphin®)	Intensive Schmerzbekämpfung und Senkung des Sauerstoffverbrauchs
- intravenöse Heparin-Injektion (5.000-10.000 IE) und Infusion (High-Dose über Perfusor)	Verhinderung / Reduzierung des appositionellen Thrombenwachstums
- bei Schock zusätzlich Plasmaersatzmittel, Dobutamin und Dopamin *(siehe "Schock", Seite 388)* vorbereiten	Kreislaufstabilisierung durch Volumensubstitution, Steigerung der Herzfrequenz und Erhöhung der Adrenalinausschüttung
Beachtung von **Kontraindikationen**	
- keine direkte Wärmeanwendung	Wärme steigert die Durchblutung und somit den Sauerstoffverbrauch im bereits ischämischen Gebiet
- keine intramuskulären Injektionen	bei anschließender Fibrinolysetherapie kann es zur Hämatombildung und zu Blutungen aus dem Stichkanal kommen
Operationsvorbereitung (Thrombo- / Embolektomie)	Verhinderung irreversibler Schäden (Gangrän)
- Information des Patienten aus pflegerischer Sicht	Informationsrecht des Patienten; Reduzierung von Unsicherheit und Angst
- Rasur der Extremität und der Leisten- bzw. Achselregion	Reduktion der Hautkeime im Operationsgebiet
- Flüssigkeits- und Nahrungskarenz	Minimierung des Risikos einer intra- und postoperativen Aspiration von Mageninhalt
- Blutentnahme (Routine-Parameter inklusive Gerinnungsstatus und Blutgruppe) vorbereiten	Ausschließen bzw. Erkennen von Operations- und Narkoserisiken
bzw.	
- Vorbereitung des Patienten zur Fibrinolysetherapie (perkutane lokale Thrombolyse) - Verlegung des Patienten auf die Intensivstation	Inoperabilität des Patienten oder kleine, periphere arterielle Thrombose bzw. Embolie (medikamentöse Gerinnselauflösung möglich)

Tabelle 4.4 ***Pflegerische Sofortmaßnahmen bei akutem Arterienverschluß***

- **Parästhesie - Gefühlsstörung**; die Sensibilität läßt nach.
- **Paralyse - Lähmung**; aktive Bewegungen werden nach und nach unmöglich.
- **Prostration - äußerste Erschöpfung**; in einigen Fällen entwickelt sich ein Schock (Kreislaufversagen).

Die Ischämie an den Extremitäten bedingt spätestens **nach 6 Stunden irreversible Schäden**, die eine Gangrän und eine Amputation nach sich ziehen können.

4.3.3.6.2 Notfallversorgung

Der akute Arterienverschluß stellt eine Notfallsituation dar. Pflegerische und therapeutische Sofortmaßnahmen müssen ineinander übergehen *(siehe Tabelle 4.4)*. Sofern keine Kontraindikation vorliegt, wird der Embolus bzw. der Thrombus chirurgisch entfernt = **Embolektomie** bzw. **Thrombektomie**. Dazu wird in Lokalanästhesie ein nicht aufgeblockter Ballonkatheter (*Fogarty-Katheter*) über eine punktierte Arterie (meist die Arteria femoralis) am Thrombus bzw. Embolus vorbeigeschoben, aufgeblockt und zurückgezogen. Dabei schiebt er das Blutgerinnsel vor sich her, bis es aus der eröffneten Arterie austritt.

4.3.3.6.3 Postoperative Pflege

Die postoperativen Pflegemaßnahmen entsprechen denen nach einer Thrombendarteriektomie *(siehe Seite 341)*.
Das erste Aufstehen erfolgt nach Operation an der oberen Extremität allerdings schon am Abend des Operationstages; wurde die Operation an der unteren Extremität durchgeführt, beginnt die Mobilisation außerhalb des Bettes meist am 3. / 4. postoperativen Tag.

4.3.4 Spezielle Untersuchungen

4.3.4.1 Phlebographie

Bei der Phlebographie handelt es sich um die **Röntgenkontrastdarstellung der Venen**. Sie wird zwecks Abklärung der Ursache bzw. der Kontrolle der therapeutischen Beseitigung einer venösen Abflußbehinderung oder zwecks Lokalisation von Varizen und Thromben durchgeführt.
Nach Punktion einer bestimmten Vene wird das Kontrastmittel eingespritzt; dabei kann der Patient ein Spannungsgefühl sowie einen leichten Schmerz empfinden.
Die Füllung der Venen wird mittels Röntgendurchleuchtung beobachtet; Röntgenaufnahmen halten den Befund fest.
Mögliche, jedoch sehr seltene **Komplikationen** sind allergische Reaktionen (Hauterscheinungen bis anaphylaktischer Schock) auf das Kontrastmittel sowie Thrombose, Lungenembolie und thyreotoxische Krise.

❐ Vorbereitung des Patienten

Am Tag vor der Untersuchung soll der Patient zur Entstauung der Venen einen **Kompressionsstrumpf / -verband** tragen und das Bein zeitweise hochlagern.

Am Untersuchungstag muß er 2 - 5 Std. vor der Untersuchung (je nach Arztanordnung) **nüchtern bleiben**, damit er bei etwaigem Erbrechen keinen Mageninhalt aspiriert.
Die vorgesehene **Punktionsstelle** wird bei Bedarf großzügig **rasiert**.
Eine schriftliche **Einverständniserklärung** des Patienten muß vorliegen.
Vor Untersuchungsbeginn wird der Patient aufgefordert, seine **Blase** zu **entleeren** und vorhandene Zahnprothesen zu entfernen.

❒ Nachsorge

Nach Durchführung der Phlebographie soll das Kontrastmittel möglichst schnell abtransportiert und ausgeschieden werden. Der Patient wird vom Arzt entsprechend informiert und angehalten, **in den ersten 30 Minuten umherzugehen** (oder gezielte Fußbewegungen durchzuführen) sowie in den nächsten Stunden möglichst **viel zu trinken**. Der angelegte **Kompressionsverband** ist in der Regel 48 Stunden zu belassen. Weiter wird der Patient aufgefordert, sich bei Störungen des Allgemeinbefindens und bei Beschwerden am untersuchten Bein sofort zu melden.

4.3.4.2 Angiographie, Arteriographie

Bei der Angiographie handelt es sich um die **röntgenologische Darstellung der Gefäße** (im engeren Sinn der Arterien) **mittels Kontrastmitteleinspritzung**.
Bei der **Arteriographie** werden bestimmte Arterien bzw. von ihnen versorgte Organe untersucht. Bei Darstellung der zerebralen Gefäße handelt es sich um die **Karotisangiographie**, bei Darstellung der Beinarterien um eine **Femoralisangiographie**.
Die Angiographie erfolgt **in Lokalanästhesie**. Während der Kontrastmitteleinspritzung empfindet der Patient ein allgemeines Wärmegefühl und evtl. ein Spannungsgefühl in der zu untersuchenden Körperregion.
Mögliche Komplikationen sind allergische Reaktionen bis hin zum anaphylaktischen Schock; Blutungen und Thromboembolien treten sehr selten auf. Bei Vorliegen unerkannter autonomer Adenome der Schilddrüse oder bei einer Hyperthyreose kann sich eine thyreotoxische Krise entwickeln.
Die Untersuchungen werden stationär im Krankenhaus durchgeführt.

❒ Vorbereitung des Patienten

Am Tag vor der geplanten Untersuchung werden zum Ausschluß einer Blutungsneigung die **Gerinnungswerte** des Patienten bestimmt (Thrombozyten, Quick, PTT). Meist ordnet der Arzt zur **Überprüfung der Nierenfunktion** die Kontrolle des Kreatininwertes an; sowohl eine Niereninsuffizienz als auch eine Blutungsneigung stellen **Kontraindikationen** für die Angiographie dar.
Am Untersuchungstag muß der Patient je nach Arztanordnung 2 - 5 Stunden vor Untersuchungsbeginn **nüchtern bleiben**, um bei Zwischenfällen einer Aspiration von Mageninhalt vorzubeugen.
Die vorgesehene **Punktionsstelle** wird **rasiert**.
Vor Untersuchungsbeginn wird der Patient aufgefordert, die **Blase** zu **entleeren** und vorhandene Zahnprothesen abzulegen.
Für die Untersuchung muß die schriftliche **Einverständniserklärung** des Patienten vorliegen.

❒ Nachsorge

Wegen der Gefahr einer Nachblutung soll der Patient am Untersuchungstag **Bettruhe** einhalten (die Dauer legt der Arzt fest). Meist ist ein **Druckverband** angelegt, der einige Stunden verbleibt (Dauer je nach Arztanordnung).
Die **Punktionsstelle** ist zunächst in engmaschigen Abständen hinsichtlich einer Nachblutung oder Hämatombildung zu **beobachten**. Um Kreislaufreaktionen und Blutungen frühzeitig zu erfassen, werden am Untersuchungstag mehrfach die **Vitalzeichen kontrolliert**.
Zwecks rascher Kontrastmittelausscheidung wird der Patient angehalten, am Untersuchungstag möglichst **viel** zu **trinken**.

4.4 Dekubitus

4.4.1 Definition

Der Begriff "Dekubitus" wird vom lateinischen Wort decumbere = *sich niederlegen* abgeleitet und meint im pflegerisch - medizinischen Sinn

"das Sichdurchliegen des Kranken bei mangelhafter Gewebsernährung".

Aufgrund der andauernden Ischämie* kommt es zum örtlichen Substanzverlust der Hautschichten (*Druckgeschwür*), letztendlich zum örtlichen Gewebstod (*Nekrose*).
Die deutsche Sprache kennt folgende **Synonyme** für den Begriff Dekubitus:
- Druckbrand, Druckgeschwür,
- Wundliegegeschwür, Durchliegegeschwür,
- Sichwundliegen, Sichdurchliegen.

4.4.2 Allgemeines Grundwissen

Dekubitus und Hautzustand stehen in enger **Wechselbeziehung**. Zum Beispiel ist eine nicht intakte Haut bei kontinuierlicher Druckeinwirkung besonders dekubitusgefährdet.
Dekubiti wiederum gehen mit einem oft erheblichen Hautdefekt und damit verbundenem **Verlust von Schutzfunktionen** der Haut einher.
Des weiteren gibt eine **gezielte Beobachtung** der Haut Hinweise auf eine vorliegende Dekubitusgefährdung bzw. auf sich entwickelnde Dekubiti.
Die **sorgfältige Pflege** der Haut hat eine gewisse dekubitusprophylaktische Wirkung und ist, in Kombination mit anderen prophylaktischen Maßnahmen, von großer Bedeutung. Die aufgeführten Zusammenhänge verdeutlichen, daß sich pflegerisches Wissen bezüglich der Dekubitusentstehung und -prophylaxe auch auf den Aufbau und die Funktionen der Haut erstrecken muß. *Bearbeiten Sie diesbezüglich "Die Haut" (Seite 629).*

4.4.3 Ursache und Risikofaktoren

❐ Ursache

Ein Dekubitus entsteht durch **lokale Minderdurchblutung** (*Ischämie*) und den dadurch bedingten **Zelltod**. Verursacht wird die Ischämie immer durch **Druckeinwirkung**. An der Dekubitusentstehung sind jedoch insgesamt drei Faktoren beteiligt:

Druck	⇨	Auflagedruck
Zeit	⇨	Druckverweildauer
Disposition	⇨	vorliegende Risikofaktoren

Diese Faktoren werden in den folgenden Abschnitten genau erläutert.

❍ Druckeinwirkung

Die Druckeinwirkung stellt die eigentliche Ursache des Dekubitus dar: **ohne Druck, der über eine bestimmte Zeit mit einer gewissen Stärke bei bestehender Disposition einwirkt, kann sich kein Dekubitus entwikkeln.**

Unter der Druckeinwirkung kommt es nacheinander zu folgenden Vorgängen:

- Der vorherrschende Auflagedruck an einem bestimmten Hautareal *(Kraft pro gedrückte Fläche)* ist höher als der Druck in den Hautkapillaren, so daß diese von außen komprimiert werden.
  Beachte: Besonders druckbelastet werden die Knochenvorsprünge, denn hier ist die gedrückte Fläche extrem klein.
- Im Gebiet der Druckeinwirkung ist die Blutzirkulation unterbrochen, die Zellen werden nicht mit O_2 versorgt und nicht von CO_2 entsorgt.
- Bei bedrohlichem O_2-Mangel im Gewebe wird Schmerz empfunden; dieser führt automatisch zu druckentlastenden Bewegungen / zur Lageveränderung (Schutzmechanismus).
- Liegt allerdings eine Störung der Schmerzwahrnehmung oder der Beweglichkeit vor, können druckentlastende Bewegungen ausbleiben.
- Nach einer gewissen **Druckverweilzeit** entstehen nun die ersten Hautschäden, eine konkrete, allgemeingültige Zeitangabe für die zu Hautschäden führende Druckverweilzeit gibt es nicht. Als Anhaltswert gilt:
  Hautzellen sterben bei kontinuierlicher Druckeinwirkung mit Unterbrechung der O_2-Zufuhr nach ca. 2 Stunden ab.
- Bei extrem hoher Druckintensität oder bei vorgeschädigter Haut bzw. bei Vorliegen anderer Risikofaktoren können die Hautzellen eher absterben.

Die **Druckverweilzeit** ist in der Regel **während des Schlafens am längsten**, denn dann ist die Mobilität am geringsten. Gesunde junge Menschen bewegen sich in jeder Stunde der Nacht ca. 4 mal so, daß die in Rükkenlage druckbelastete Kreuzbeinregion entlastet wird. **Alte Menschen** dagegen **bewegen sich im Schlaf wesentlich seltener**; bei einem 80-jährigen Menschen geht man von 2 - 3 Bewegungen pro Nacht aus, die zur kurzfristigen Druckentlastung des Kreuzbeins führen. Dieses relative Dekubitusrisiko wird sofort verstärkt, wenn eine zusätzliche Mobilitätseinschränkung hinzukommt.

❍ Wirkung der Scherkräfte

Die **Beanspruchung eines Körpers durch parallel zu einer festgehaltenen Querschnittsfläche wirkende Kräfte** nennt man Scherung; die dabei wirkenden Kräfte werden als Scherkräfte bezeichnet. In bezug auf die Dekubitusentstehung spielt die Wirkung von Scherkräften, die in sitzender oder halbsitzender Position verstärkt werden, eine bedeutende Rolle.

Eine **unphysiologische Belastung** des Rückens und des Gesäßes im Sitzen kommt **durch das Hinunterrutschen in Richtung Fußende** / Boden zustande. Während das Innere des Körpers der Schwerkraft folgt, bleibt die Haut des Rückens und des Gesäßes an der Matratze / dem Stuhl haften. Die Hautbezirke in Kreuzbein- und Schulterblattregion sind durch die gleichzeitige Druck- und Zugwirkung so extrem belastet, daß hier die lokale Durchblutung vermindert oder unterbrochen wird.

Durch die **Konstruktion der durchschnittlichen Krankenbetten** wird eine Verstärkung der Scherkräfte während der Oberkörperhochlage nahezu provoziert, denn der Hüftknick zwecks Kopfteilerhöhung ist 25 - 30 cm zu hoch angebracht. So erfolgt die Beugung des Rumpfes nicht - wie physiologisch - im Hüftgelenk, sondern bereits im Bereich der Brustwirbelsäule. Dies führt auf Dauer auch zu Rückenschmerzen.

In oben genannter Haltung rutscht der Kranke automatisch in Richtung Fußende. Für lange Beine ist die Liegefläche jetzt zu kurz, sie stoßen am Fußende an und werden im Kniegelenk gebeugt. Diese Stellung begünstigt bei entsprechender Disposition nicht nur das Entstehen von Dekubiti, sondern auch das von Beugekontrakturen im Knie- und Hüftgelenksbereich. Außerdem werden der venöse Blutrückfluß aus den Beinen zusätzlich erschwert und sowohl die Bewegungsfähigkeit als auch die Atmung (durch Einsinken des Brustkorbs) eingeschränkt.

Ist der Kranke kleiner als die Liegefläche des Bettes, so rutscht er in Oberkörperhochlage solange in Richtung Fußende, bis er dieselbe Position wie ein Mensch mit langen Beinen einnimmt.

Eine ähnlich **unphysiologische** und **belastende Haltung** findet man oft bei relativ immobilen, **im Sessel** sitzenden Menschen vor.

❐ Risikofaktoren und Disposition

Bei Vorliegen bestimmter Risikofaktoren und gleichzeitiger Druckeinwirkung über eine gewisse Zeitdauer ist die **Disposition** (*besondere Anfälligkeit*), einen Dekubitus zu entwickeln, gegeben. Diese Risikofaktoren werden in den nächsten Abschnitten detailliert besprochen.

Nach SEILER stellen die in *Tabelle 4.5* aufgeführten Risikofaktoren eine Indikation zur Dekubitusprophylaxe dar.

Zur Einschätzung des individuellen Dekubitusrisikos wurde von der Londoner Krankenschwester DOREEN NORTON die nach ihr benannte **Norton-Skala** entwikkelt. Die möglichen Risikofaktoren des Pflegebedürftigen werden anhand der Skala analysiert; den einzelnen Kriterien sind, entsprechend dem Ausmaß des Risikos, unterschiedliche Punktzahlen zugeordnet. Eine **Dekubitusgefahr** liegt **bei 14 und weniger Gesamtpunkten** vor.

Indikationen zur Dekubitusprophylaxe nach SEILER	
In jedem Alter	**In hohem Alter**
Koma Paraplegie Hemiplegie Kachexie Multiple Sklerose Schock Analgesie	Fieber über 39 Grad Exsikkose Anämie Prämedikation Narkose Aufwachphase starke Sedation schwere Depressionen

Tabelle 4.5 ***Indikationen zur Dekubitusprophylaxe nach SEILER***

Seit einigen Jahren ist in Deutschland die **Modifizierte Norton-Skala** verbreitet; sie wurde von CHRISTEL BIENSTEIN und den Teilnehmern des ersten Krankenpflege - Fachseminars 1987 im Bildungszentrum Essen des deutschen Berufsverbandes für Pflegeberufe erarbeitet. Sie ermöglicht ein gezielteres Erfassen der Gründe, die ein individuelles Dekubitusrisiko bedingen. Dadurch wird es Pflegenden möglich, auf die Ursache der Gefährdung zu reagieren, z.B. auf eine mangelhafte Kooperation oder auf eine Inkontinenz.
Nach dieser Skala besteht bei einer **Gesamtpunktzahl von 25 und weniger eine Dekubitusgefährdung** des Pflegebedürftigen. Die genannten Skalen sind auf *Seite 358* abgebildet.

❍ Bewegungseinschränkung

Die **Ursachen** für eine Einschränkung der Beweglichkeit können **sehr unterschiedlich** sein, z.B.:
- Halbseitenlähmung (*Hemiplegie*), Lähmung aller Gliedmaßen (*Tetraplegie*), Lähmung zweier symmetrischer Gliedmaßen (*Paraplegie*);
- starke Schmerzen, die durch Schonhaltung verringert oder ausgeschaltet werden können;
- Erschöpfung und Schwäche, bedingt durch hohes Lebensalter und/oder Krankheit;
- angeborene oder erworbene körperliche Behinderung;
- schwere psychische Störungen, z.B. Depressionen.

Bewegungseinschränkungen führen zu mangelhafter Druckentlastung, weil der Betroffene nicht fähig ist, einen selbständigen Lagewechsel zu vollziehen.

❍ Sensibilitätsstörungen

Die **Sensibilität** (*Fähigkeit der Sinnesorgane und des Nervensystems, Reize aufzunehmen und zu verarbeiten*) kann **durch verschiedene Erkrankungen** bzw. durch Wirkung bestimmter Substanzen vorübergehend oder dauerhaft **gestört** werden.

Häufig sind Sensibilitätsstörungen Folge
- neurologischer (*von den Nerven ausgehender*) Ausfallerscheinungen, z.B. bei Schlaganfall, multipler Sklerose (*MS*), Gehirntumoren, zerebralen Durchblutungsstörungen;
- einer Schädigung der Nervenenden durch Verletzung von außen, z.B. bei tiefen Schnitt- und Quetschwunden, nach Verbrennungen III Grades;
- einer schweren Depression (ein Betroffener nimmt Druck nicht oder verringert wahr);
- einer Schmerz- bzw. Schlafmitteleinnahme in hohen Dosen oder einer Narkotikanachwirkung, die zur Reduzierung bzw. Aufhebung der Schmerzwahrnehmung führen können.

Der Schutzreflex in Form automatischer Druckentlastung bei sauerstoffmangelbedingter Schmerzwahrnehmung fällt unter oben genannten Bedingungen aus. Im Alter läßt mit Abnahme der Hautfunktionen auch die Sensibilität nach.

Der von Sensibilitätsstörungen betroffene Mensch führt aufgrund der fehlenden / reduzierten Druck- und Schmerzwahrnehmung keine druckentlastenden Bewegungen durch.

❍ Reduzierter Allgemein- und Ernährungszustand

Im Extremfall führt ein reduzierter Allgemein- und Ernährungszustand zur Auszehrung, zum Kräfteverfall (*Kachexie*). Die **Kachexie** geht unter anderem mit einem **Schwund** (*Atrophie*) **von Fett- und Muskelgewebe** und damit verbundenem Elastizitätsverlust der Haut einher.

Sie tritt infolge verschiedener Erkrankungen auf, z.B.:
- bösartiger Tumorerkrankungen (Karzinomen, Sarkomen);
- schwerer Allgemeinerkrankungen (Infektionskrankheiten, z.B. Tuberkulose);
- großer Operationen;
- chronischer Erkrankungen der Verdauungsorgane;
- Anorexia senilis *(im Alter auftretende Herabsetzung des Triebes, Nahrung aufzunehmen;* tritt z.B. im Zusammenhang mit einer zerebrovaskulären Insuffizienz oder einer Depression auf).

Die Atrophie des Fett- und Muskelgewebes führt zum Verlust der Elastizität und der Polsterfunktion der Haut über den Knochenvorsprüngen.

Ist lediglich der **Allgemeinzustand reduziert**, z.B. bei hohem **Fieber**, läßt sich die Dekubitusgefährdung durch den erhöhten O_2- und Eiweißbedarf der Zellen erklären. Bei Druckeinwirkung reagieren diese wesentlich empfindlicher, die Widerstandskraft der Haut ist herabgesetzt. Oft wird die Haut durch gleichzeitiges Schwitzen zusätzlich belastet.

❍ Störungen des Bewußtseins

Bewußtseinsstörungen unterschiedlichen Ausmaßes, z.B. Benommenheit, Somnolenz, Koma, stellen eine Dekubitusgefährdung des Betroffenen dar, sobald die **Wahrnehmung / das Reagieren / das Handeln beein-**

trächtigt sind *(Lesen Sie dazu "Beobachtung des Bewußtseins", Seite 681).*

Bei Bewußtseinsstörungen nimmt der Betroffene die Druckeinwirkung und daraus resultierende Schmerzen nicht wahr. Gleichzeitig fehlt die Fähigkeit, spontane willkürliche Bewegungen durchzuführen.

❍ Herz-, Kreislauf- und Bluterkrankungen

Erkrankungen des Herzens und der Gefäße gehen oft mit **Veränderungen der Zirkulation, des Blutdrucks** und **der Blutgefäße** einher. Diese beeinträchtigen einerseits die O_2 - Versorgung der Zellen in der Peripherie und begünstigen andererseits das Entstehen von Ödemen.

Zu diesen Erscheinungen können unter anderem die folgenden Krankheiten / Bedingungen führen:

Herzinsuffizienz: Durch die Herzschwäche kommt es zum Anstieg des hydrostatischen Drucks im venösen System; folglich kann nicht die gesamte Flüssigkeitsmenge aus dem Gewebe ins Gefäßsystem rückresorbiert werden *(siehe "Ödeme", Seite 635)*. Es bilden sich **Ödeme**; diese führen in unmittelbarer Umgebung zur Komprimierung der Kapillaren und somit zur Minderdurchblutung der Haut.
Aufgrund der reduzierten Förderleistung des linken Herzens wird weniger O_2 - angereichertes Blut in die Aorta ausgeworfen. Somit nimmt die zirkulierende Blutmenge ab, die einzelnen **Zellen**, insbesondere die in der Peripherie, werden **schlechter versorgt**.
Infolgedessen **reagieren die Zellen empfindlicher und schneller auf zusätzlichen O_2 - Mangel**, der durch eine Druckeinwirkung ausgelöst wird. Erschwerend kommt hinzu, daß herzinsuffiziente Menschen in ihrer Mobilität eingeschränkt sind.

Niedriger Blutdruck: Auch ein zu niedriger Blutdruck kann zu einer **verringerten O_2 - Versorgung** in der Peripherie führen.

Periphere Durchblutungsstörungen: Verengte Gefäße im Bereich der Extremitäten führen dort zur O_2 -Minderversorgung. Die **Fersen** sind folglich **hochgradig dekubitusgefährdet**, sobald eine gewisse Druckeinwirkung vorhanden ist.

Arteriosklerose: Es handelt sich um eine krankhafte Veränderung der Arterien mit Verhärtung, Verdickung, Elastizitätsverlust und Lichtungseinengung. Durch die verengten Arterien wird **weniger O_2** - angereichertes Blut **zu den Zellen transportiert**; bei Druckeinwirkung kann relativ schnell ein Dekubitus entstehen.

Anämie: Es handelt sich um eine Verminderung der Erythrozytenanzahl und/oder des Hämoglobingehaltes. Da das Eisen im Hämoglobin den Sauerstoff bindet und die Erythrozyten ihn zu den Zellen transportieren, führt deren Mangel zwangsläufig zu einem **verringerten O_2 - Angebot** an die Zellen; die minderversorgten Zellen reagieren empfindlicher auf weiteren Sauerstoffmangel.

Herz-, Gefäß- und Blutkrankheiten treten nur dann als dekubitusdisponierender Faktor auf, wenn zusätzlich weitere Risikofaktoren wie Immobilität oder Sensibilitätsstörungen vorliegen. Dann aber verstärken sie das Dekubitusrisiko, denn die ohnehin O_2 - minderversorgten Zellen reagieren empfindlicher und schneller auf jeden zusätzlichen Sauerstoffmangel.

❍ Stoffwechselkrankheiten

Einige Stoffwechselerkrankungen gehen unter anderem mit pathophysiologischen Mechanismen bzw. mit Gefäßveränderungen einher, die zur **Herabsetzung der Gewebedurchblutung** führen können. Dies sind

Diabetes mellitus*: Im Verlauf des Diabetes mellitus kann es durch Gefäßveränderungen zu schweren **Durchblutungsstörungen** und zu **Sensibilitätsstörungen** kommen. Entsprechend hoch ist das Dekubitusrisiko bei kontinuierlicher Druckeinwirkung.

Adipositas* *(gesundheitsbeeinträchtigendes Übergewicht)*: Erfahrungen aus der Praxis lassen auf eine gewisse Dekubitusdisposition bei deutlich übergewichtigen Menschen schließen. Der auslösende Mechanismus ist nicht genau erfaßt; eine **schlechtere Hautdurchblutung** aufgrund der Zunahme des zu versorgenden Gewebes könnte eine Ursache darstellen.

Die relative Dekubitusdisposition bei den genannten Stoffwechselstörungen erklärt sich ebenso wie die bei Herz-, Gefäß- und Bluterkrankungen (s.o.).

❍ Höheres Lebensalter

Mit zunehmendem Alter setzen in individuellem Ausmaß und Tempo physiologische Alterserscheinungen ein.

Relevant in bezug auf die Dekubitusgefährdung sind:

- die Verdünnung der Haut *(siehe "Die Altershaut", Seite 630)*;
- die Abnahme der Sinnesfunktionen der Haut, insbesondere der Druckwahrnehmung;
- Faltenbildung und Elastizitätsverlust;
- verringerte Schweiß- und Talgproduktion, Austrocknung der Haut;
- die Abnahme der körperlichen Mobilität, vor allem der spontanen Bewegungen im Schlaf;
- ggf. Inkontinenz;
- ggf. Störungen des Bewußtseins;
- Multimorbidität *(gleichzeitiges Vorliegen mehrerer Krankheiten)*; im Alter treten nicht selten gleichzeitig mehrere Krankheiten, z.B. Diabetes mellitus, Arteriosklerose, Herzinsuffizienz, Durchblutungsstörungen und Verwirrtheitszustände, auf.

Außerdem sind relativ häufig Depressionen, die u.a. mit einer Reduzierung der Mobilität und der Sensibilität der Haut einhergehen können, zu beobachten *(vgl. "Depressionen", Seite 766)*.

Die physiologischen und pathologischen Erscheinungen im Alter stellen ein relatives Dekubitusrisiko dar, welches sich bei Auftreten von Immobilität und weiteren Risikofaktoren - vor allem bei Fieber über 39° C, Lähmungen, Narkose, Anämie, schweren Depressionen und Exsikkose - in hohem Maße verstärkt.

❍ Veränderungen der Haut

Der auf der Oberhaut befindliche, aus Schweiß und Talg gebildete Säuremantel der Haut liegt im pH - Bereich von 4,6 - 6,0 und bietet den hauteigenen, nicht pathologischen Keimen ein optimales Milieu. Solange diese leben und wachsen können, ist kein Platz für die Ansiedlung pathogener Keime. Eine **Zerstörung des Säuremantels** bedeutet Störung der physiologischen Flora und **Schwächung der natürlichen Abwehr**; sowohl das Wachstum pathogener Keime als auch ihr Eindringen in die Haut (und somit ins Körperinnere) werden begünstigt.

Hautareale mit beeinträchtigtem / zerstörtem Säuremantel sind infektgefährdet und gelten als vorgeschädigt, d.h. sie reagieren empfindlicher auf Druckeinwirkung als intakte Hautstellen.

Hinzu kommen oft eine lokale **Reizung** und ein Aufquellen der Haut **durch Kontakt mit zum Teil aggressiven Flüssigkeiten** wie:

Schweiß	(pH - Wert 4,2 - 7,0);
Urin	(pH - Wert 4,8 - 7,9);
Gärungsstühlen	(pH - Wert ca. 6,5);
Fäulnisstühlen	(pH - Wert ca. 8).

Diese Körperflüssigkeiten verändern den physiologischen pH - Wert der Haut, führen zum feucht-warmen Milieu und begünstigen somit Bakterienwachstum. Dünnflüssiger Kot enthält außerdem Enzyme, die die Eiweiße der Haut andauen.
Eine zusätzliche **Hautbelastung bei Harn- und Stuhlinkontinenz** entsteht durch das häufige Waschen / Reinigen. Es kommt rasch zum Wundsein; es entwickeln sich, insbesondere in den Hautfalten, Rötungen, Einrisse und eitergefüllte Bläschen. Dieser Zustand des Wundseins wird auch als "*Wolf*" oder im fachlichen Sprachgebrauch als **Intertrigo** bezeichnet. Das Wundsein gilt als Vorstufe des Dekubitus.

Auf dem Boden einer wunden Haut kann sich bei kontinuierlicher Druckeinwirkung rasch ein Dekubitus entwickeln.

Ausgetrocknete Haut kann ein bestehendes Dekubitusrisiko verstärken; aufgrund des Elastizitätsverlustes **kann sie Druck- und Zugeinwirkungen nicht** mehr **ausgleichen**. Es kommt schnell zu Verletzungen der Haut *(siehe "Exsikkose", Seite 112)*.

Vorgeschädigte - und deshalb auch besonders druckempfindliche - Haut liegt vor:
- bei Narbengewebe (z.B. abgeheilter Dekubitus / Verbrennung);
- bei Bestrahlung der Haut (Tumorbehandlung);
- bei akuter Verletzung der Haut;
- evtl. bei chronischen Hautkrankheiten.

❍ Zusätzliche Druckeinwirkung

Dieser Risikofaktor geht anders als die bisher genannten nicht vom Kranken selbst aus; er wird durch **Einwirkungen von außen** erzeugt. Es gibt zahlreiche Materialien, die eine **hohe Druckbelastung** an sonst nicht gefährdeten Hautarealen auslösen. Dies sind z.B.:
- Krümel und Falten auf dem Bettlaken;
- Schläuche, auf denen der Kranke liegt, z.B. von einem Blasenverweilkatheter;
- Kanülenkappen und andere Gegenstände, die versehentlich im Bett liegenbleiben;
- Schienen- und Gipsverbände, die auf Knochenvorsprünge drücken; nicht selten werden auch Fremdkörper eingeführt, die liegenbleiben und Druckstellen verursachen (z.B. eine Stricknadel, mit der der Betroffene den Juckreiz bekämpfen will).

Zusätzliche Druckeinwirkungen von außen werden durch Unachtsamkeit erzeugt und sind durch sorgfältiges, bewußtes Arbeiten vermeidbar!

4.4.4 Gefährdete Körperstellen

Dort, wo die Haut bei Druckbelastung gegen eine knöcherne Unterlage gedrückt wird, lastet ein hoher Druck auf einem relativ kleinen Hautbezirk. Diese Tatsache erklärt die **besondere Dekubitusgefährdung an den Knochenvorsprüngen**. Je nach Lage des Kranken sind unterschiedliche Körperstellen besonders hoher Druckbelastung ausgesetzt.

Dekubitusgefährdete Stellen in Rückenlage:
- Hinterhauptschuppe,
- Ellbogengelenk und -spitze,
- Schulterblattgräte und -spitze,
- Dornfortsätze der Wirbelsäule,
- Kreuz- und Steißbein (häufigste Lokalisation von Dekubiti),
- Ferse (häufige Lokalisation von Dekubiti),
- Fußballen,
- Zehenspitzen (durch Druck der Bettdecke).

Dekubitusgefährdete Stellen in (halb-)sitzender Position:
- Hinterhauptschuppe,
- Ellbogengelenk und -spitze,
- Schulterblattgräte und -spitze,
- Dornfortsätze der Wirbelsäule,
- Sitzbeinhöcker,
- Ferse,
- Fußballen.

Dekubitusgefährdete Stellen in 90° Seitenlage:
- Ohrmuschel,
- Jochbein,

- Schultergelenk,
- Ellbogengelenk,
- Kleinfingerkante bzw. Handgelenk (und Fingergrundgelenke bei aufliegendem Handrücken),
- seitliche Rippenbögen,
- Darmbeinkamm / -stachel,
- großer Rollhügel (Knochenwulst, der im oberen äußeren Oberschenkelbereich fühlbar ist; häufigste Dekubituslokalisation in 90° Seitenlage),
- inneres und äußeres Kniegelenk,
- Wadenbein mit Wadenbeinköpfchen (tastbar unterhalb des Kniegelenks an der Unterschenkelaußenseite),
- Fußaußenknöchel und -kante,
- Fußinnenknöchel und -kante (sofern das obenliegende Bein auf dem unteren ruht).

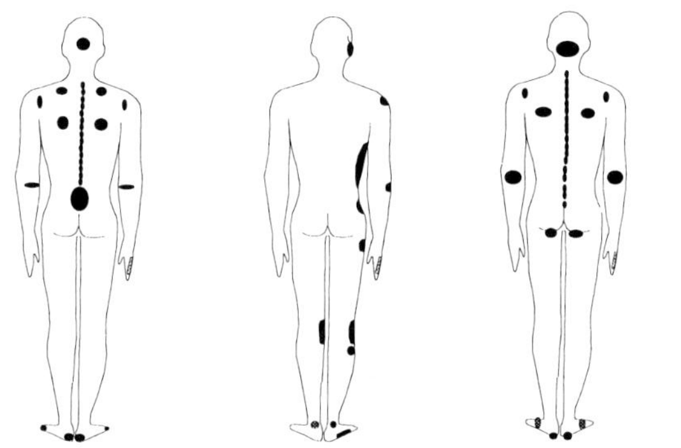

dekubitusgefährdete Stellen in Rückenlage — dekubitusgefährdete Stellen in 90° Seitenlage rechts — dekubitusgefährdete Stellen in (halb-) sitzender Position

Abb. 4.22 ***Dekubitusgefährdete Körperstellen***

Dekubitusgefährdete Stellen in Bauchlage:
- Stirn,
- Jochbein,
- Vorderseite der Schultergelenke,
- Ellbogenspitze (sofern der Arm oberhalb des Kopfes gelagert wird),
- Handgelenke und Handrücken (bei Lagerung der Arme seitlich vom Körper),
- vordere Rippenbögen,
- Brustbein,
- Kniescheibe,
- Schienbein,
- Zehenspitzen.

4.4.5 Erkennen eines Dekubitus

Die **Beobachtung der Haut** ist die einzige Methode zur Erkennung eines Dekubitus. Sie wird bei dekubitusgefährdeten Menschen erstmals zu Beginn des Krankenhausaufenthaltes bzw. bei Beginn der ambulanten Pflege durchgeführt. Die **Dokumentation** des Befundes ist sowohl aus Gründen der rechtlichen Absicherung als auch zur späteren Effektivitätskontrolle dekubitusprophylaktischer Maßnahmen notwendig.
Ein bereits vorhandener Dekubitus wird genau beschrieben; dazu gehören folgende Angaben:
- Lokalisation (z.B. Kreuzbein),
- Ausmaß der Gewebeschädigung (z.B. Stadium III),
- Ausbreitung (z.B. 5 Markstück groß),
- Besonderheiten (z.B. Eiterung der Wunde).

Die weitere Beobachtung der Haut erfolgt in regelmäßigen Zeitabständen, die dem Grad der Dekubitusgefährdung entsprechend bestimmt werden. Selbstverständlich wird die Haut während der Körperpflege und während des Umlagerns gezielt beobachtet. Veränderungen der Haut sind immer ein Alarmzeichen. Eine **Hautrötung**, die nach Druckentlastung blitzschnell auftritt und nicht innerhalb weniger Minuten verschwindet, wird bereits als Dekubitus im Stadium I bezeichnet und **fordert die Konsequenz der absoluten Druckentlastung**.

❐ Die Stadien des Dekubitus

Die Beurteilung eines Dekubitus erfolgt nach dem Ausmaß des Gewebsdefektes.
Die Einteilung erfolgt in Dekubiti 1. bis 5. Grades.

1. Grades	Hautrötung
2. Grades	Blasenbildung
3. Grades	Defekt aller Hautschichten
4. Grades	Nekrose *(örtlicher Gewebstod)*
5. Grades	Haut- und Gewebsdefekt mit Knochenbeteiligung

❍ Dekubitus 1. Grades: Hautrötung

Wird die bisher druckbelastete Hautstelle entlastet, tritt blitzartig eine auf diesen Bereich begrenzte Hautrötung ein. Die Hautrötung ist durch eine **reaktive Hyperämie** bedingt: im zuvor druckbelasteten Gebiet erfolgt eine reflektorische Gefäßweitstellung, um die liegengebliebenen Schlakkenstoffe möglichst schnell abzutransportieren und um gleichzeitig ein optimales Angebot an Sauerstoff und Nährstoffen zu gewährleisten.
Verschwindet diese Rötung nicht innerhalb von 2 - 3 Minuten, so handelt es sich um einen Dekubitus im Stadium I.
Ein Hautdefekt ist nicht sichtbar. Im Bereich der Druckeinwirkung wird infolge der Gefäßkomprimierung Flüssigkeit aus den Blutgefäßen in das Zwischenzellgewebe gepreßt. Hierdurch und durch eine erhöhte Kapillarpermeabilität* kommt es zur **Ödembildung** zwischen den einzelnen Hautschichten (meist nicht sichtbar).
Bei konsequenter Druckentlastung verschwinden die Symptome wieder.

❍ Dekubitus 2. Grades: Blasenbildung

Das lokale Ödem nimmt zu, die Oberhaut wird dadurch von der Lederhaut abgehoben. Es entsteht eine **Blase**. Löst sich die Oberhaut ab, so entsteht ein **stark nässender, schmerzhafter und infektanfälliger Hautdefekt.**
Beachte: An mit Hornhaut bedeckten Körperstellen (z.B. Fersen) kann die Blasenbildung unsichtbar in der Tiefe ablaufen. Ein äußerer Gewebsdefekt entsteht erst, wenn die Hornhaut abgeschliffen ist.

- **Dekubitus 3. Grades:**
  Defekt aller Hautschichten
  Der **Defekt betrifft alle Hautschichten**, meist dehnt er sich bis hin zur Knochenhaut (*Periost*) aus. **Bänder, Sehnen und Muskeln** sind in der Wunde **sichtbar**.
  Durch den lokal anhaltenden O_2 - Mangel erhöht sich die Durchlässigkeit der Kapillaren, so daß es zum Austritt von Plasma und Zellen (*Exsudat*) ins Gewebe kommt. Da das Gewebe jedoch nicht mehr durchblutet wird, **zerfallen hier die Eiweiße in eine käseartige Masse**; diese wird entweder abgestoßen und überzieht als gelblicher Belag die Wunde oder wird verkapselt.

- **Dekubitus 4. Grades:**
  Örtlicher Gewebstod (Nekrose)
  Zunehmend geht Gewebe unter, es bilden sich Nekrosen.
  Die Nekrose ist **dunkelblau-schwarz** verfärbt.
  Sie kann **trocken** sein **oder** aber **Wundsekret absondern**. Dabei kann es, je nach Ausmaß der Wunde, über das austretende Plasma zu erheblichem **Eiweißverlust** kommen.
  In tieferen Gewebeschichten kann es zur sogenannten **Taschenbildung** kommen. Eine Wundtasche gilt als optimaler Nährboden für pathogene Keime, begünstigt also eine lokale Infektion.

- **Dekubitus 5. Grades:**
  Haut- und Gewebsdefekt mit Knochenbeteiligung
  In diesem Stadium ist auch die unter der betroffenen Haut liegende **Knochensubstanz in Mitleidenschaft gezogen**. Es kann zur Entzündung und Eiterung des Knochenmarks kommen (*Osteomyelitis*). Diese Erkrankung belastet den Patienten zusätzlich durch **starke Schmerzen** und **Entzündungszeichen**, die oft chronisch werden.
  Der Abtransport der toxischen Abbau- und Zerfallsprodukte über die Lymph- und Blutbahnen kann zur Schädigung von Nieren und Leber, zu Blutbildverschiebungen und nicht zuletzt zur **bakteriellen Allgemeininfektion** (*Sepsis*) führen.

Insgesamt betrachtet ist der Dekubitus eine meist vermeidbare, zusätzliche Erkrankung des immobilen Menschen; Krankheitsgefühl und Schmerzen werden verstärkt. Das Ausmaß der Immobilität nimmt weiter zu.

4.4.6 Maßnahmen der Dekubitusprophylaxe

Die individuell angepaßte Dekubitusprophylaxe ist eine hohe Anforderung an die Pflegenden. An der Effektivität dieser Maßnahme wird nicht selten die Qualität der gesamten Pflege gemessen.
Die Wirkung vieler Maßnahmen war bis vor einigen Jahren nicht bekannt; Erfahrungswerte und Intuition begründeten ihren Einsatz. Inzwischen gibt es auch in Deutschland Forschungsergebnisse, insbesondere aus der Pflegeforschung, die eindeutige Aussagen über die Wirkung dekubitusprophylaktischer Maßnahmen machen.

Eine genaue Analyse vorliegender Risikofaktoren und die Erhebung des individuellen Pflegebedarfs bilden die Grundlage für die Auswahl angemessener dekubitusprophylaktischer Maßnahmen.

4.4.6.1 Lagerungen

Da Druck den wesentlichen Faktor bei der Dekubitusentstehung darstellt, muß die **Druckentlastung die adäquate Prophylaxe** sein. Bei gegebener Disposition wird die Mobilität des Patienten beobachtet. Reicht die Mobilität zur selbständigen Druckentlastung aus, ist der Patient über die Notwendigkeit regelmäßig durchzuführender, **druckentlastender Bewegungen** aufzuklären.
Werden diese nicht bzw. in unzureichendem Maße ausgeführt, ist die Indikation spezieller Lagerungen gegeben. Die unterschiedlichen Lagerungen dienen alle der Druckentlastung, entweder durch **gleichmäßiges Verteilen des Auflagedrucks** (*Weichlagerung*), **Verkürzung der Druckverweildauer** (*Umlagerung im mindestens 2 stündlichen Wechsel*) oder durch **Druckbefreiung einzelner Körperregionen** (*Hohllagerung*).
Bei der Entscheidung für bestimmte Lagerungen sollten die weiteren Probleme des Kranken berücksichtigt werden (z.B. Atemnot, Kontrakturengefahr).

❒ Weichlagerung

Die Weichlagerung dient der **Druckentlastung durch Vergrößerung der Auflagefläche**. Die Druckreduktion soll so weit gehen, daß der Auflagedruck den Druck in den Kapillaren (ca. 30 mmHg) nicht überschreitet.
Die Weichlagerung kann am gesamten Körper erfolgen; geeignete Mittel zur Durchführung sind:
- Auflage einer zweiten Matratze auf die erste;
- Auflage einer Kissenschicht auf die Matratze;
- sogenannte Antidekubitusmatratzen, die dreiteilig oder durchgehend sind und überwiegend aus Schaumstoff bestehen;
- Wasserbett.

Eine lokale Weichlagerung gefährdeter Knochenvorsprünge erreicht man durch ihre Abpolsterung mittels:
- Kissen, Spezialkissen;
- Schaumstoffplatten;
- Wasserkissen;
- Gelkissen;
- Schaffellen, synthetischen Fellen (die druckentlastende Wirkung ist häufig nicht ausreichend, *siehe "Felle", Seite 355*).

Die Effektivität der **Wirkung** ist bei jedem Gefährdeten individuell ausgeprägt und muß deshalb **überprüft** werden. Führt die Weichlagerung nicht zur ausreichenden Druckentlastung, so muß sie durch eine Superweichlagerung und/oder durch eine 2 stdl. Umlagerung in Schräglage ergänzt werden.
Weiter ist zu bedenken, daß die Weichlagerung zu einer gewissen **Mobilitätseinschränkung** führt, weil der Körper des Betroffenen in die Matratze einsinkt. Au-

ßerdem **verliert** der darauf gelagerte **Mensch** das **Gefühl für seinen Körper** (er spürt ihn kaum) und erfährt kaum noch Stimulation zur Bewegung.
In einigen Fällen, z.B. bei Knochenmetastasen, sind die gleichzeitige Druckentlastung und Bewegungseinschränkung jedoch erwünscht.

❒ Superweichlagerung

Hier erfolgt die **Druckentlastung durch Vergrößerung der Auflagefläche** mittels Lagerung auf einer superweichen Unterlage. Als *superweich* gilt ein Material, in welches ein Stab mit 1 cm^2 Durchmesser, den man mit 250 g belastet, 40 mm tief einsinkt. Superweiche Materialien sollen eine **uneingeschränkte Sauerstoffversorgung aller Hautareale** gewährleisten. Sie werden deshalb bei hohem Dekubitusrisiko (z.B. beim immobilen und kachektischen Menschen) eingesetzt.

Materialien zur Superweichlagerung sind:

- dreiteilige sowie einteilige Schaumstoffmatratzen, die mindestens 15 cm hoch sind;
- superweiche Kissen, in zwei Schichten auf die herkömmliche Matratze gelegt.

Sollte die Haut des superweich gelagerten Patienten dennoch Rötungen aufweisen, so muß im 2 stdl. Rhythmus ergänzend die Schräglage durchgeführt werden.

❒ Schräglage mittels schiefer Ebene

Die schiefe Ebene erzeugt eine Gewichtsverlagerung im Körper. Da lediglich ein Kippen der Matratze von 15 - 20 Grad erfolgt, wird der **Druck gleichmäßig auf die Weichteile der aufliegenden Körperhälfte verteilt**. Somit wird überall eine ausreichende Durchblutung gewährleistet. Gleichzeitig werden das Steißbein und die gegenüberliegende **Körperseite** weitgehend **druckentlastet**.
Die Lagerung mittels schiefer Ebene erfolgt im mindestens 2 stdl. Rhythmus: linke Seite - rechte Seite - Rückenlage usw. Sollten sich in der Kreuzbeinregion Hautrötungen oder Ödeme zeigen, wird auf die Rükkenlage verzichtet. Der Lagewechsel kann von einer Person durchgeführt werden, da das **Kippen der Matratze durch einfaches Unterschieben von Materialien unter ihre gesamte Länge** erfolgt. Das Material sollte ca. 20 cm hoch sein. Nicht die Position des Kranken, sondern die der Matratze wird also verändert.

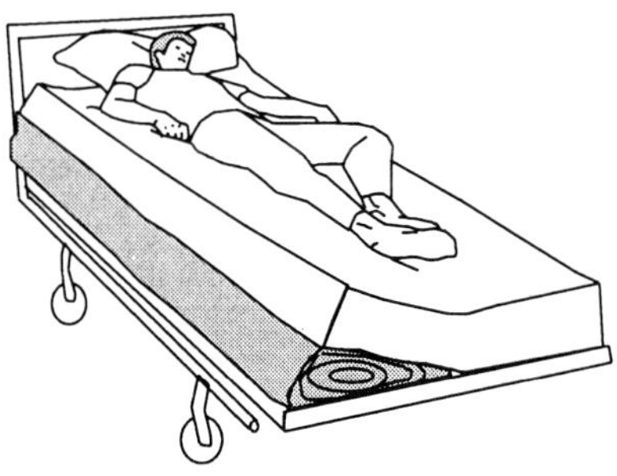

Abb. 4.23 ***Schräglage mittels schiefer Ebene***

Geeignete druckstabile Materialien sind z.B.:

- eine zusammengerollte Decke / Bettdecke;
- formstabile Kissen, z.B. aus Schaumstoff oder Roßhaar;
- Keile, z.B. aus festem Schaumstoff oder Holz;
- Textilien, sofern sie lang, dick und fest genug sind (z.B. Bademantel).

Die Schräglage mittels schiefer Ebene kann auch bei leicht erhöht gelagertem Oberkörper durchgeführt werden.
Diese Kombination ist häufig bei gleichzeitig pneumoniegefährdeten und/oder an Atemnot leidenden Menschen erforderlich.
Bei desorientierten, bewußtlosen oder sehr ängstlichen Menschen kann es ratsam sein, seitlich ein **Bettgitter anzubringen.**
Die Durchblutung der **Fersen** ist besonders zu **beobachten**; ggf. müssen sie frei gelagert werden.
Werden Hautrötungen beobachtet, so muß das Zeitintervall zwischen den Umlagerungen verkürzt werden und/oder die Lagerung auf weichem Material erfolgen.

❒ 30 - Grad - Schräglagerung

Auch die 30 - Grad - Schräglage dient der **Druckentlastung durch gleichmäßige Verteilung des Drucks auf die Weichteile der aufliegenden Körperseite** bei gleichzeitig weitgehender Druckentlastung der gegenüberliegenden Körperseite. Durch den **2 stdl. Wechsel** im Rhythmus: Rückenlage - linke Seite - rechte Seite - wird zusätzlich die Druckverweildauer verkürzt. Diese Lagerung wird, ebenso wie die Lagerung mittels schiefer Ebene, als Alternative zur Weichlagerung oder gleichzeitig mit der Weichlagerung durchgeführt.

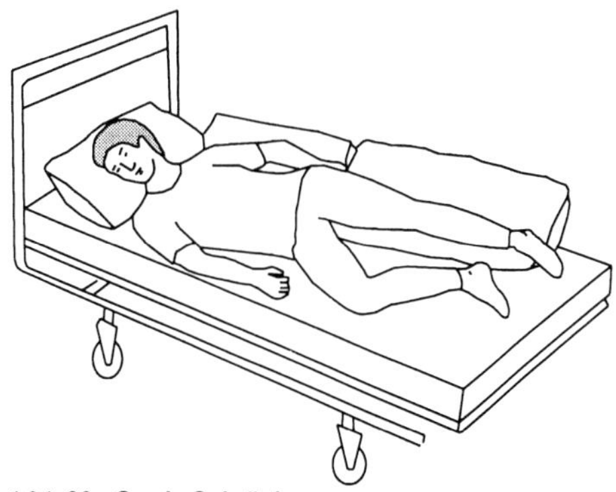

Abb. 4.24 ***30 - Grad - Schräglage***

Die Drehung des Körpers um 30° wird erreicht, indem Hilfsmittel auf der Matratze, hinter dem Patienten, angebracht werden, z.B.:

- schiffchenförmiges Kissen im Rücken-Gesäßbereich;
- 2 Kissen von der Schulterblatthöhe bis zum Unterschenkel;
- gerollte Decke von der Schulterblatthöhe bis zum Unterschenkel.

Entstehen in dieser Lage **Berührungspunkte** zwischen den unteren Extremitäten, so werden diese zur Vermeidung von Druckstellen **abgepolstert**. Die Durchblutung der Fersen bedarf besonderer Beobachtung; ggf. werden die Fersen frei gelagert.
Auch in dieser Position kann ein Seitengitter das Sicherheitsgefühl des ängstlichen Menschen fördern.

Beachte:

Bei gleichzeitig bestehender Pneumoniegefährdung ist oftmals die 90 - Grad - Seitenlage angezeigt. Da diese Lagerung aus dekubitusprophylaktischer Sicht höchst bedenklich ist (hohe Druckbelastung des großen Rollhügels und des Darmbeinkamms!), sollte sie in diesem Fall jeweils nur kurzfristig, für ungefähr 15 - 30 Min., durchgeführt werden. Sollte auch aus therapeutischen Gründen eine 90 - Grad - Seitenlage erforderlich sein (z.B. bei Schlaganfall), so ist die aufliegende Körperhälfte immer in regelmäßigen Zeitabständen auf Hautrötungen zu beobachten. Treten diese auf, so muß die 90 - Grad - Lage (zumindest zeitweise) durch die 30 - Grad - Lage ersetzt bzw. in häufigem Wechsel mit ihr durchgeführt werden.

❐ 135 - Grad - Lagerung

Diese Lagerung dient der völligen **Druckbefreiung im Rücken-, Kreuzbein- und Fersenbereich** und ist somit optimal zur Entlastung der am häufigsten druckbelasteten Gebiete.

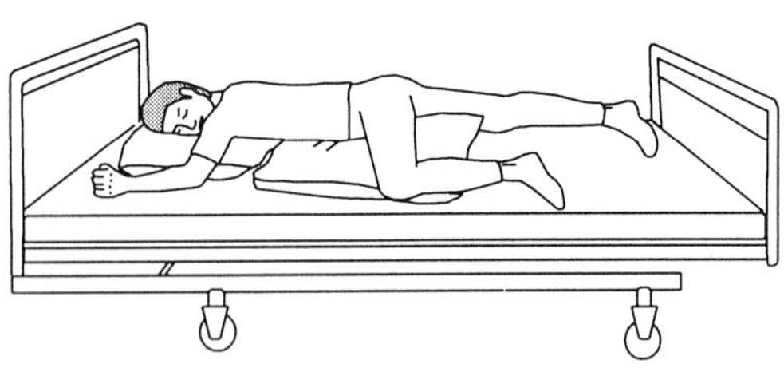

Abb. 4.25 ***135 - Grad - Lage***

Zur **Durchführung** werden ein oder zwei große, als Schiffchen geformte Kissen und ein - den Wünschen des Patienten entsprechendes - Kopfkissen benötigt. Das Schiffchen wird zunächst vor dem auf der Seite liegenden Patienten in Höhe Oberkörper - Knie positioniert. Dann winkelt dieser das obenliegende Bein an, legt es auf das Kissen und dreht den Oberkörper in Richtung Kissen. Der untenliegende Beckenkamm ist kaum mit Druck belastet. Der aufliegende Arm wird hinter dem Körper oder in Kopfhöhe gelagert. Die Knie- und Ellbogengelenke müssen hinsichtlich evtl. auftretender Hautrötungen beobachtet und ggf. druckentlastet werden.

Viele Menschen empfinden diese Lage als **bequem und angenehm**, da sie ihrer natürlichen Schlafposition ähnelt. Andererseits wird sie von **Immobilen eher abgelehnt**. Menschen, die unter Herzbeschwerden oder Atemnot leiden, werden diese Position wegen des Drucks auf dem Brustkorb und wegen des eingeengten Blickfeldes ablehnen.

Die 135 - Grad - Lage wird in den Rhythmus anderer Lagerungen integriert oder alternativ zur Rückenlage angewendet. Sie ist die **optimale Entlastungslage bei bereits bestehenden Dekubiti** im Bereich des Steißbeins, des Rückens und der Fersen.

❐ Bauchlage

Prinzip und erwünschte Wirkung der Bauchlage entsprechen denen der 135 - Grad - Lage. Es treten allerdings mehr unerwünschte Nebeneffekte auf. Die Bereitschaft vieler Menschen, in dieser Position gelagert zu werden, ist oftmals nicht gegeben, denn **Bewegungsfreiheit, Blickfeld** und **Atmung** werden **eingeschränkt**. Menschen, die in gesunden Tagen gern in Bauchlage geruht haben, werden diese auch als prophylaktische Lagerung begrüßen, sofern ihre Atmung nicht eingeschränkt ist.

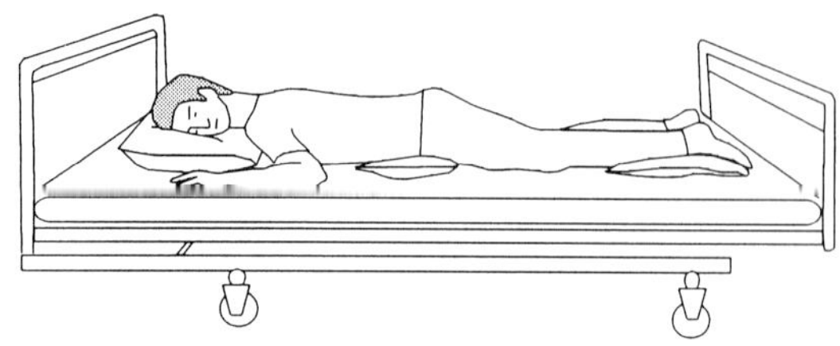

Abb. 4.26 ***Bauchlage***

Vor der Lagerung wird der Patient soweit wie möglich an eine der seitlichen Bettkanten gelegt. In Höhe des Kopfes und des Bauches wird je ein kleines Kissen angebracht. Der aufliegende Arm des Patienten wird hinter den Körper gelegt. Dann erfolgt die Drehung auf den Bauch. Die Arme werden entsprechend den Wünschen und Bedürfnissen des Patienten gelagert. Für eine Weichlagerung der Zehenspitzen ist zu sorgen.

❐ Fünf - Kissen - Lagerung

Diese Lagerungsart dient der **Entlastung druckgefährdeter Regionen in Rückenlage**. Die Entlastung wird durch Weich- und Hohllagerung *(Freilagerung)* erreicht.

Zur **Durchführung** eignen sich rechteckig geformte Lagerungskissen; notfalls können auch herkömmliche Kissen zu Schiffchen verformt werden. Das Material wird im Querformat zwischen Patient und Matratze gelegt:

- erstes Kissen unter den Kopf;
- zweites Kissen unterhalb der Schulterblätter (in den Rücken);
- drittes Kissen unterhalb des Kreuzbeins bis unter die Kniekehlen;
- viertes Kissen unter die Unterschenkel bis zum Fußknöchelbereich;
- fünftes Kissen aufgestellt zwischen den Füßen und dem Bettende (dient so als weiche Bettverkürzung und gleichzeitig der Druckentlastung am Fußballen, der Erzeugung eines Sohlendrucks *(siehe Seite 320)* und der Spitzfußprophylaxe *(siehe Seite 544)*.

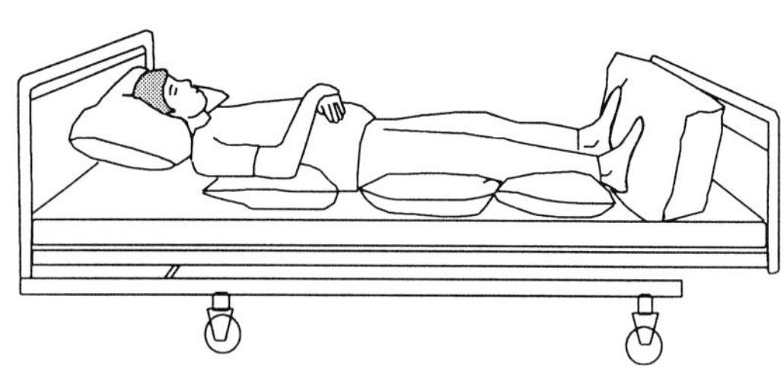

Abb. 4.27 ***Hohllagerung mittels fünf Kissen***

In dieser Position liegen die **Schulterblätter**, die **Kreuzbeinregion** und die **Fersen frei**, was im Idealfall zur absoluten Druckfreiheit dieser Regionen führt. Auch die Ellbogengelenke werden druckentlastet, da sie, auf dem 2. Kissen liegend, weich gepolstert werden.

❒ A - Lagerung

Die A - Lagerung dient ebenfalls der Hohllagerung; sie gilt allerdings ganz gezielt der Erzeugung einer **Druckfreiheit im Sakralbereich** und **an den Dornfortsätzen der Wirbelsäule**. Sie eignet sich deshalb für Menschen, die in diesen Bereichen Hautrötungen, Verletzungen oder Dekubiti aufweisen.
Die Lagerung erfolgt mittels zweier Federkissen, die nicht mehr prall gefüllt und - auch als Schiffchen geformt - nicht sehr dick sind. Ihre Maße sollten 20 x 80 cm nicht überschreiten. Zu große / dicke Kissen führen zur Hohlkreuzhaltung.

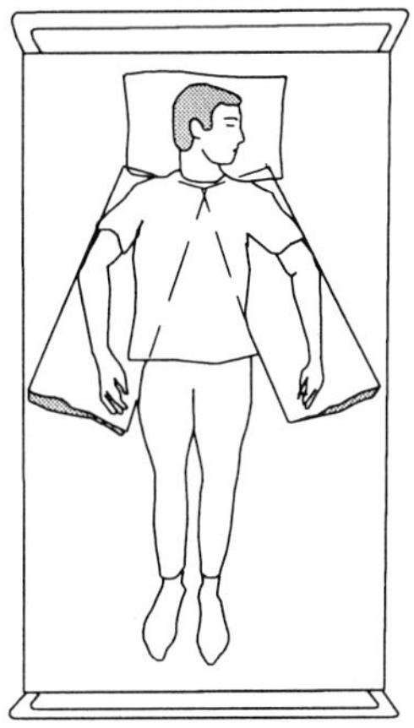

Abb. 4.28 ***A - Lagerung***

Während der Patient aufsitzt, werden die Kissen einander in Form eines Λ zugeordnet; dabei überlappen sie sich im Bereich der Halswirbelsäule. Der Kopf wird separat unterstützt. Die Seiten des Λ bieten eine weiche Ablage für die Arme.
Die A - Lagerung hat auch pneumonieprophylaktische Wirkung *(siehe "Pneumonieprophylaxe", Seite 43)*.

❒ V - Lagerung

Die V - Lagerung dient der Erzeugung einer **Druckfreiheit** an den Dornfortsätzen der **Wirbelsäule**, z.B. bei Dekubitusgefährdung oder bei Drainagen / Periduralkathetern in diesem Bereich.

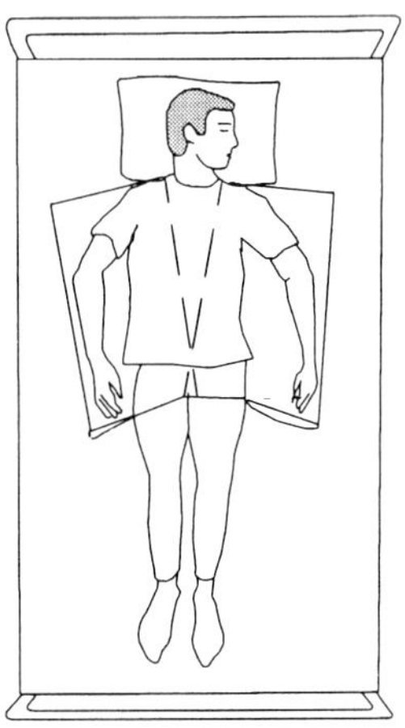

Abb. 4.29 ***V - Lagerung***

Die Durchführung erfolgt wie bei der A - Lagerung. Allerdings werden die Kissen einander so zugeordnet, daß sie sich im Sakralbereich überkreuzen, wodurch dieser einem erhöhten Druck ausgesetzt ist.

❒ T - Lagerung

Auch die T - Lagerung dient der gezielten lokalen Hohllagerung; durch sie wird die **Druckfreiheit an den Schulterblattspitzen und am unteren hinteren Rippenrand** erzielt.

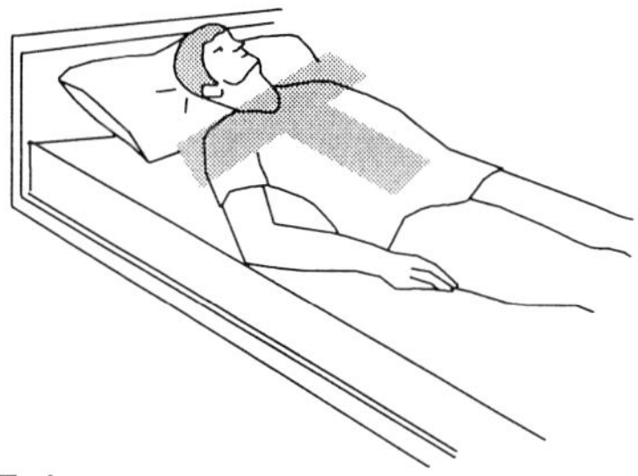

Abb. 4.30 ***T - Lagerung***

Es werden zwei dünne, schmale Kissen zu **Schiffchen geformt** und einander **in T - Form zugeordnet**. Das "T" wird so unter dem Kranken plaziert, daß Schultern und Wirbelsäule unterstützt werden. Dadurch liegen gleichzeitig Schulterblattspitzen und Rippenrand frei. Dieser Effekt ist sowohl in liegender als auch in sitzender Position erreichbar. Der Kopf wird separat mit einem zusätzlichen Kissen unterstützt.
Die T - Lagerung hat auch pneumonieprophylaktische Wirkung *(siehe "Pneumonieprophylaxe", Seite 43)*.

❒ Freilagerung der Fersen

Auf den Fersen lastet während der Rückenlage ein hoher Druck. Durch eine Weichlagerung kann bei Immobilität oft keine ausreichende Druckentlastung erzielt werden. Die Fersen müssen häufig **völlig druckfrei** gelagert werden, um eine physiologische Durchblutung zu gewährleisten. Zu diesem Zweck werden z.B. die **Unterschenkel und** die **Kniekehlen** mittels Schaumstoff oder Kissen leicht **erhöht gelagert**, so daß die Fersen oberhalb der Matratze ruhen. Um die Auflagefläche insgesamt nicht unnötig zu verkleinern, ist darauf zu achten, daß das Lagerungshilfsmittel nicht auch eine Freilagerung der Oberschenkel bewirkt. Alternativ kann z.B. ein gerolltes Handtuch unter die Achillessehne gelegt werden.

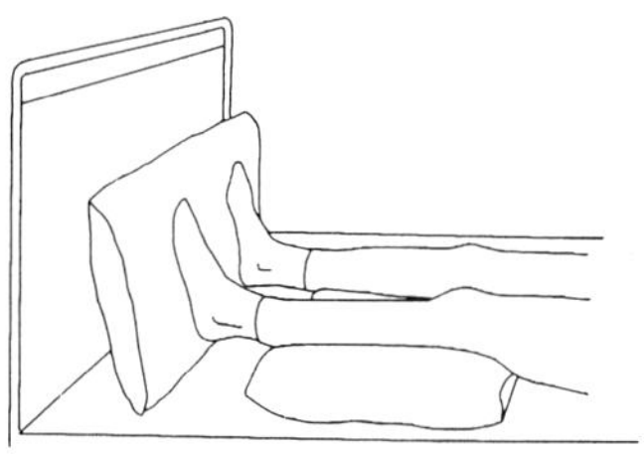

Abb. 4.31 ***Freilagerung der Fersen***

Ist gleichzeitig zwecks Thromboseprophylaxe eine Förderung des venösen Blutrückflusses angezeigt, erfolgt die Hochlagerung der unteren Extremitäten wie in *Abbildung 4.20* *(siehe Seite 320)*.

In der Regel ist außerdem eine Spitzfußprophylaxe erforderlich. Bei der entsprechenden Lagerung wird darauf geachtet, daß die Fußballen mittels Schaumstoff oder Kissen weich gelagert werden, um auch hier den Druck gleichmäßig zu verteilen *(siehe "Spitzfußprophylaxe", Seite 544)*.

❒ Korrekte Hüftbeugung
Um das Herunterrutschen des Patienten bei hochgestelltem Kopfteil zu vermeiden, wird auf die korrekte Beugung im Hüftgelenk geachtet *(vgl. Seite 42)*. Die Position sollte z.B. durch das Unterlegen eines gefalteten Bettlakens / Bettbezuges unter die Oberschenkel bis zu den Sitzbeinhöckern stabilisiert werden.

4.4.6.2 Lagerungshilfsmittel

Zur Dekubitusprophylaxe werden zahlreiche Hilfsmittel angeboten. Die Effektivität muß bei jedem Einsatz sorgfältig überprüft werden.
Das jeweils vorgesehene Hilfsmittel ist nach folgenden Kriterien auszuwählen.
- Benutzerfreundlichkeit:
  - bequem, angenehm, akzeptabel;
  - hautfreundlich;
  - ermöglicht Temperaturausgleich;
  - ermöglicht Luftzirkulation;
  - ermöglicht Feuchtigkeitsabgabe;
  - weich, druckentlastend;
  - nicht bewegungseinschränkend;
  - geräuscharm.
- Personalfreundlichkeit:
  - unkomplizierte Bedienung und Handhabung;
  - gute Kontrollmöglichkeit der Wirkung;
  - Kundenservice bei technischen Geräten.
- Hygiene:
  - abwaschbar, kochfest, desinfizierbar;
  - Einmalmaterial.
- Wirtschaftlichkeit:
  - preiswert;
  - haltbar; wiederverwertbar;
  - leicht entsorgbar (bei Einmalmaterial).

Bevor Lagerungsmittel eingesetzt werden, sind sie auf ihre Unversehrtheit und ggf. auf ihren Füllungszustand hin zu **überprüfen**. Anschließend werden sie meist mit einem **Schutzbezug** versehen.

Technische Hilfsmittel sind in regelmäßigen Abständen vom technischen Dienst zu **warten** und vor jeder Benutzung vom Anwender auf ihre Funktionstüchtigkeit zu kontrollieren.

❒ Federkissen
Herkömmliche Federkissen werden zur **Weichlagerung** und zur Stabilisierung von Lagerungen eingesetzt. Sie sind durchaus geeignet, **verlieren** jedoch schnell **an Stabilität und Füllung**. Bei einigen Teillagerungen, z.B. der V - Lage und der T - Lage, ist dies allerdings erwünscht.

❒ Spezielle Lagerungskissen
Die Industrie bietet zahlreiche Lagerungskissen zur Druckentlastung an. Sie variieren in Format, Größe und Füllungsart. Gemeinsam ist allen Materialien, daß sie eine gewisse **Luftzirkulation** und **Feuchtigkeitsaufnahme** sowie einen **Temperaturausgleich** gewährleisten.
Lagerungskissen sind sowohl benutzer- als auch personalfreundlich, da sie **auf der Haut angenehm** empfunden werden und **einfach zu handhaben** sind. Es ist allerdings darauf zu achten, möglichst wenig Kissen einzusetzen, damit die Bewegungsfreiheit des Patienten nicht unnötig eingeschränkt wird.
Der Anschaffungspreis von Lagerungskissen ist unterschiedlich hoch. Sie sind kochfest, staubfrei und lassen sich gut modellieren. Vor dem Einsatz sind sie auf ihren Füllungszustand hin zu überprüfen.
Lagerungskissen **erlauben** eine einfache und bequeme **Durchführung aller Lagerungsarten.**

❒ Schaumstoff
Schaumstoff wird als Lagerungshilfsmittel in verschiedenen Größen und Stärken als Platte, Kissen, Ring, Block, Keil oder Matratze angeboten. Er ist für den jeweils vorgesehenen Zweck passend bestellbar bzw. zuschneidbar. Schaumstoff bietet die Möglichkeit der gleichzeitigen **Weich- und Hohllagerung**: für die Knochenvorsprünge werden passende Löcher ausgeschnitten, die Umgebung ist weichgelagert.
Die Stärke des Schaumstoffs sollte bei Platten mindestens 2 - 4 cm, bei durchgehenden Matratzen mindestens 15 cm betragen.
Schaumstoff ist ein **optimales** und **preisgünstiges Hilfsmittel** und wird - mit Ausnahme der Matratzen - als Einmalmaterial gehandhabt. Durch seine chemische Struktur bietet er keinen Nährboden für Bakterien, verhindert also Bakterienwachstum / -vermehrung.
Durch seine hohe Elastizität und die gute Anmodellierung wird der Auflagedruck gleichmäßig verteilt und somit für die einzelnen Hautbezirke über den Knochenvorsprüngen reduziert. Schaumstoff läßt auch in gewissem Maße **Luftzirkulation** und **Temperaturausgleich** zu. Aufgrund der genannten Eigenschaften sollte Schaumstoff möglichst ohne Bezug verwendet werden; aufgezogene Schutzbezüge mindern die positive Wirkung.
Wird der Schaumstoff zur **Teillagerung** verwendet, ist am Übergang ein **Niveauausgleich** zu **schaffen**, um neue Druckstellen an den Kanten zu verhindern.

❒ Schaumstoffmatratzen
Es werden zahlreiche dreigeteilte und einteilige Schaumstoffmatratzen zur Druckentlastung - die sogenannten Antidekubitusmatratzen - angeboten. Durch das weiche Material soll der Auflagedruck geringer als 30 mmHg sein. Die regelrechte **Durchblutung der Kapillaren** wird also **gewährleistet**; für die Aufrechterhaltung des venösen Blutstroms muß der Auflagedruck allerdings bedeutend niedriger sein. Deshalb ersetzen Schaumstoffmatratzen Umlagerungen nicht; sie können allenfalls - bei sorgfältiger und regelmäßiger Hautbeobachtung - das Lagerungsintervall ausdehnen (genaue Dokumentation).
Einige Schaumstoffmatratzen bieten die **zusätzliche Möglichkeit der lokalen Hohllagerung**, indem einzelne

Elemente (z.B. in der Kreuzbeinregion) entfernt werden können.
Jedes auf die Matratze aufgebrachte Material verringert die Wirkung. Deshalb soll nur ein dünnes, **lose aufgelegtes Bettlaken über der Matratze** angebracht werden, um eine Verschmutzung so gering wie möglich zu halten.
Die Anschaffung der Matratzen ist relativ preisgünstig.
Die Benutzung ist sowohl für den Patienten als auch für das Pflegepersonal einfach, bequem und angenehm.
Negativ wirken sich Schaumstoffmatratzen jedoch auf die verbliebene Mobilität und auf die Körperwahrnehmung des Benutzers aus *(siehe "Weichlagerung", Seite 350)*.
Die Vor- und Nachteile müssen vor dem Einsatz einer Antidekubitusmatratze unter Berücksichtigung der Gesamtsituation des Patienten abgewägt werden.

❒ Spezielle Matratzen und Betten

In einigen Situationen ist der Einsatz von Spezialmatratzen bzw. Spezialbetten, die von verschiedenen Firmen angeboten werden, sinnvoll. Es ist im Einzelfall zu prüfen, welches Hilfsmittel geeignet ist. Bei der Anwendung ist die **Gebrauchsanweisung** des Herstellers zu **befolgen**. Immer ist eine **Effektivitätskontrolle** im Sinne einer 1 - 2 stündlich durchgeführten Hautbeobachtung, in vielen Fällen auch zusätzliches Umlagern, erforderlich.

❒ Wechseldruckmatratzen

Diese Spezialmatratzen verfügen über mehrere Luftkammersysteme, die über ein Pumpaggregat abwechselnd mit Luft gefüllt werden. So werden die verschiedenen **Hautregionen** immer wieder **für eine gewisse Zeitdauer druckentlastet**.
Es werden klein- und großzellige Wechseldruckmatratzen unterschieden. Während die großzelligen Wechseldruckmatratzen zyklusmäßig eine absolute Druckentlastung bestimmter Regionen gewährleisten, können die kleinzelligen unter Umständen durch Sauerstoffminderversorgung der Haut zur Dekubitusentstehung beitragen (BIENSTEIN et. al 1997).
Wechseldruckmatratzen haben einen relativ hohen Anschaffungspreis und bedürfen einer **regelmäßigen Wartung**. Durch spitze Gegenstände oder Hitzeeinwirkung kann es schnell zu Defekten kommen.
Auch beim Einsatz von Wechseldruckmatratzen ist eine **genaue Beobachtung** der gefährdeten Hautbezirke unerläßlich.

❒ Wassermatratzen

Diese Lagerungshilfsmittel bestehen aus weichem gummiähnlichen Material, das mit **körperwarmem Wasser gefüllt** wird. Wasser modelliert sich sehr gut an den Körper an, wodurch die Auflagefläche vergrößert wird. Zugleich verteilt sich der Druck gleichmäßig auf die aufliegenden Körperpartien, so werden Regionen höheren Drucks entlastet. Dieses kann bei gänzlich immobilen Menschen nützlich sein, nicht jedoch bei Menschen, die über eine gewisse Mobilität verfügen. Gerade weil sich das Wasser so rasch anmodelliert, folgt es auch minimalen druckentlastenden Bewegungen. Folglich bleibt der **Auflagedruck permanent**, eine Druckentlastung durch Gewichtsverlagerung ist nicht möglich und spontane Entlastungsbewegungen unterbleiben: die Mobilität wird insgesamt eingeschränkt.
Die Füllung des Wasserbetts erfolgt entsprechend den Herstellerhinweisen. Während der Benutzung einer Wassermatratze muß das Bett flach gestellt sein; ansonsten können die oft ohnehin bestehende leichte Hüft- und Kniegelenksbeugung verstärkt werden und zu Kontrakturen führen.
Die Matratze wird mit einem Stecklaken überspannt; ihr gummiähnliches Material verhindert einerseits das Aufsaugen von Flüssigkeit, andererseits kann es vermehrtes Schwitzen hervorrufen. Das Stecklaken muß entsprechend häufig gewechselt werden.
Der Einsatz einer Wassermatratze ist in der Regel lediglich für Menschen, die völlig immobil sind und weder mobilisiert noch umgelagert werden können, geeignet.

❒ Gelkissen

Gelkissen sind mit einer **gallertartigen, elastischen Silikonmasse** gefüllt; diese modelliert sich träge an den Körper an und läßt dadurch **bei spontaner Gewichtsverlagerung** eine kurzfristige **Druckentlastung** zu. Im Bereich des Gelkissens wird der **Auflagedruck gleichmäßig verteilt**. Die Wirkung ist ähnlich der des menschlichen Fettgewebes. Deshalb ist der Einsatz eines Gelkissens vor allem bei kachektischen Patienten, die über eine gewisse Mobilität verfügen, sinnvoll.
Gelkissen werden in unterschiedlichen Größen angeboten. Sie sind teuer und schwer. Zur lokalen Druckentlastung sind sie wirkungsvoll und werden vom Benutzer als angenehm empfunden.
Da sich ihre Füllungsmenge im Laufe der Zeit verringert, kann das Obermaterial Falten werfen. Dann ist das Gelkissen nicht mehr einzusetzen.

❒ Felle

Felle verringern den Auflagedruck nicht, reduzieren jedoch die Wirkung der Scherkräfte, wenn der Patient über das Fell gleiten kann. Somit müssen Felle unter dem Patienten auf der Liege- oder Sitzfläche angebracht werden - und nicht am Patienten befestigt werden.
Felle werden **aus natürlichen Materialien**, z.B. echtem Lammfell, oder **synthetisch** hergestellt. Sie werden in unterschiedlichem Format als Rücken- / Gesäßunterlage, Rollstuhlauflage oder als Ellenbogen- und Fersenschützer angeboten; letztere erzielen die gewünschte Wirkung allerdings nicht.
Echtes Lammfell besteht aus Wollfasern und chromgegerbtem Leder, welche aus natürlichen Eiweißmolekülen bestehen. Diese verhalten sich ähnlich wie die menschliche Haut. Die Oberfläche bietet durch das **Wollvlies viele kleine Aufliegeflächen**, die zur Reduzierung der Scherkräfte beitragen. Die vielen winzigen Zwischenräume gewährleisten eine **Luftzirkulation**; die Wollfasern können ein hohes Maß an **Feuchtigkeit aufnehmen** und binden, so daß die darauf liegende Haut trocken bleibt. Das Fell bietet weiter eine **knitterfreie, rutschfeste Unterlage**.
Felle, insbesondere die echten, werden vom Anwender meist angenehm empfunden.

Echtes Lammfell kann nur bei Temperaturen bis 30° C gewaschen werden, läßt sich jedoch zusätzlich desinfizieren.
Der Anschaffungspreis liegt höher als der von **synthetischen Fellen**; diese werden in Krankenhäusern angewendet, weil sie kochfest sind. Die Fähigkeit der Flüssigkeitsaufnahme ist relativ gering.

❒ Nicht geeignete Hilfsmittel

Zu den nicht geeigneten Hilfsmitteln der Dekubitusprophylaxe zählen **Gummi- und Luftringe**. Sie sind in der Mitte hohl und bieten von daher zwar die Möglichkeit der **Hohllagerung** gefährdeter Hautareale, führen aber gleichzeitig zu **extremer Druckbelastung der auf dem Ring liegenden Hautregion**. An den Übergangsstellen entsteht rasch eine zirkuläre Einschnürung. Ebenfalls ungeeignet ist das Material: Gummi **fördert das Schwitzen** und nimmt keine Feuchtigkeit auf.

4.4.6.3 Weitere Maßnahmen

Ergänzend zur Druckentlastung gibt es weitere Möglichkeiten der Dekubitusprophylaxe, die den Risikofaktoren entgegenwirken sollen.

❒ Mobilisation

Die Mobilisation fördert druckentlastende Bewegungen, die zur besseren Durchblutung aller Hautareale führen. Dies kann bereits durch das Sichdrehen oder durch das Anheben des Gesäßes im Bett geschehen. Die beste **Druckentlastung** und **Durchblutungsförderung** bietet die Bewegung außerhalb des Bettes. Weitere Informationen zur Mobilisation finden Sie im Kapitel *"Sich Bewegen"*.

❒ Hautpflege

Dekubitusgefährdete Haut bedarf besonderer Pflege, um widerstandsfähig zu bleiben bzw. zu werden. Außerdem sind die **druckbelasteten Hautstellen** über den Knochenvorsprüngen **mehrmals täglich** zu **inspizieren**, damit frühzeitig Rötungen, Einrisse, Austrocknung und andere Veränderungen erkannt werden. Um dies zu gewährleisten, dürfen **keine farbigen Lösungen** (Tinkturen, Desinfektionsmittel) aufgetragen werden. An besonders druckbelasteten Hautstellen kann ein **spezielles Hautschutzpräparat** verwendet werden. Geeignet sind Salben, die neben natürlichen Wirkstoffen auch Lanolin und Vitamine enthalten (z.B. mitosyl®, Vita-Merfen®).
Die **Hautpflege** wird dem vorliegenden **Hauttyp entsprechend** durchgeführt *(siehe dazu "Hautpflege", Seite 649)*.
Generell sollte die Haut nicht öfter als erforderlich gewaschen werden. Waschzusätze sind nur bei Verschmutzungen anzuwenden; sie sollten so wenig Zusatzstoffe wie möglich enthalten. Eine **Rückfettung der Haut** nach dem Waschen ist notwendig.
Insgesamt ist die Haut - besonders in den **Hautfalten** - stets **trocken** zu **halten**, um ein Wundwerden oder ein Aufweichen zu vermeiden. Dies gilt vor allem für inkontinente und stark schwitzende Menschen. Bei Inkontinenz sollte nach Möglichkeit zusätzlich ein Kontinenz-Training durchgeführt werden *(siehe "Toilettentraining", Seite 224 und "Beckenbodentraining", Seite 206)*.

❒ Angemessene Ernährung und Flüssigkeitszufuhr

Zur Unterstützung der Hautfunktionen sollte die Ernährung **eiweiß- und vitaminreich** sein. Bei kachektischen Menschen wird zusätzlich die Kalorienzufuhr gesteigert.
Für eine **ausreichende Flüssigkeitszufuhr** wird gesorgt, um ein Austrocknen und einen Elastizitätsverlust der Haut zu vermeiden. Selbstverständlich sind therapeutische Flüssigkeitsbeschränkungen, z.B. bei kardialen Ödemen, vorrangig.
Der Flüssigkeitsbedarf pro 24 Std. liegt in der Regel bei 2500 ml, wovon ca. 1000 ml mit der festen Nahrung zugeführt werden *(siehe "Prinzipien gesunder Ernährung", Seite 107)*. In einigen Fällen gelingt eine angemessene Flüssigkeitszufuhr nur mit Hilfe eines Trinkprotokolls oder einer Flüssigkeitsbilanzierung *(siehe "Flüssigkeitsbilanzierung", Seite 199)*.

❒ Förderung der lokalen Blutzirkulation

Maßnahmen, die der Förderung der lokalen Blutzirkulation dienen, sind **sehr umstritten**. Wird die effektivste Dekubitusprophylaxe, die Druckentlastung durchgeführt, so ist eine physiologische Durchblutung der Hautkapillaren gewährleistet. Liegt bei Druckentlastung bereits eine Hautrötung vor, so ist sie Zeichen einer lokalen Hyperämie, d.h. die Blutgefäße sind maximal weitgestellt und blutgefüllt - dieser natürliche Mechanismus ist nicht durch weitere Maßnahmen zu intensivieren.
Da in der Praxis trotzdem häufig angewendet, wird hier auf die durchblutungsfördernden Maßnahmen eingegangen. **Das Einreiben mit sogenannten hyperämisierenden Salben oder Lösungen** regt durch die Wirkung ätherischer Öle die lokale Durchblutung an. Je nach Stärke des angewandten Mittels und individueller Empfindlichkeit kann es zusätzlich zu Reizungen und zu allergischen Reaktionen der Haut kommen; am Übergang zu Schleimhäuten ist dies um so intensiver und kann zu Hautläsionen führen.
Das **Eisen und Fönen** zur Dekubitusprophylaxe ist nach den Ergebnissen der Pflegeforschung **kontraindiziert**. Wissenschaftliche Untersuchungen beweisen, daß 5 Minuten nach Durchführung dieser Maßnahme sogar bei gesunden Probanden die Haut im behandelten Gebiet **schlechter durchblutet ist als vorher**. Insgesamt wurde festgestellt, daß die physiologische Hyperämie nach Druckentlastung stärker ist als die nach anschließendem Eisen und Fönen. Die maximale natürliche Hyperämisierung der Haut wird allenfalls durch den gefäßerweiternden Wärme- und den gefäßverengenden Kältereiz gehemmt. Dies ist insbesondere bei sklerotischen *(verhärteten)* Gefäßen, deren Fähigkeit zur Eng- und Weitstellung stark eingeschränkt ist, der Fall. Oft wird die Durchführung der Maßnahme auch als **schmerzhaft** empfunden.
Aus hygienischen Gründen ist das Eisen und Fönen ebenfalls abzulehnen, da es zur **Vermehrung der Keimzahl** im behandelten Hautgebiet führt. Hierzu kommt es infolge der mechanischen Verteilung der Keime durch die Wirbeleffekte während des Fönens.

❐ Reduzieren weiterer Risikofaktoren
Grunderkrankungen, die im Zusammenwirken mit anderen Faktoren ein Dekubitusrisiko bedingen, sind entsprechend ihrer **Ursachen** zu **behandeln**. So führt z.B.. eine Stärkung der Herzleistung zur besseren Sauerstoffversorgung der Zellen und verhindert / verringert Ödembildungen.
Eine besondere Herausforderung für das Pflegepersonal stellt der **Umgang mit depressiven Menschen** dar. Hier ist es wichtig, einem Betroffenen Verständnis für seine Situation zu vermitteln, **Überforderung** zu **vermeiden** und trotzdem eine insgesamt **aktivierende Pflege** zu praktizieren *(siehe Seite 964)*.

Bei Inkontinenz / -gefährdung ist ein **Toilettentraining**, welches den Risikofaktor "Veränderung der Haut" reduzieren, bestenfalls ausschalten soll, angezeigt. Gleichzeitig werden Mobilität und eigenständige Gewichtsverlagerungen des Patienten gefördert.
Um **zusätzlichen Druck** von außen zu vermeiden, ist ein **sorgfältiges Ankleiden, Betten und Lagern** des Kranken erforderlich; er darf nie auf Falten, Krümeln, Schläuchen u.ä. liegen.
Aneinanderliegende Knochenvorsprünge werden stets weich gepolstert.

4.4.7 Pflegeplanung

4.4.7.1 Informationssammlung "Dekubitusrisiko"

Bewegungseinschränkung
- ☐ völlige Immobilität
- ☐ eingeschränkte Beweglichkeit (Lähmung, Schiene, Gips)
- ☐ körperliche Behinderung
- ☐ allgemeine Schwäche, hohes Lebensalter
- ☐ starke Schmerzen
- ☐ schwere Depression

Sensibilitätsstörungen
- ☐ Schädigung peripherer Nervenenden durch äußere Verletzung
- ☐ neurologische Ausfallerscheinungen (Schlaganfall, MS, Gehirn-TU, zerebrale Durchblutungsstörungen)
- ☐ reduzierte Schmerzwahrnehmung (Analgesie, Depressionen)

Schlechter Ernährungs- / Allgemeinzustand
- ☐ Kachexie
- ☐ bösartige Tumorerkrankung
- ☐ schwere Allgemeinerkrankung
- ☐ hohes Fieber

Bewußtseinsveränderung
- ☐ Koma
- ☐ Sopor, Stupor, Apathie
- ☐ Somnolenz
- ☐ Benommenheit, Desorientierung
- ☐ Narkose, Aufwachphase

Stoffwechselkrankheiten
- ☐ Diabetes mellitus
- ☐ Adipositas

Verminderte Durchblutung
- ☐ Herzinsuffizienz, -krankheit
- ☐ Hypotonie
- ☐ periphere Durchblutungsstörungen
- ☐ Arteriosklerose
- ☐ Anämie
- ☐ Schock
- ☐ Ödeme

Veränderte Hautbeschaffenheit
- ☐ Exsikkose
- ☐ Intertrigo
- ☐ Stuhl- und/oder Harninkontinenz
- ☐ starkes Schwitzen
- ☐ alte, faltige, trockene Haut
- ☐ Verletzung der Haut
- ☐ Bestrahlung der Haut
- ☐ Narbengewebe über Knochenvorsprüngen
- ☐ chronische Hautkrankheit
- ☐ abgeheilter Gewebsdefekt (Dekubitus)

Zusätzliche lokale Druckeinwirkung
- ☐ Katheter (Blasenverweilkatheter, Nasenkatheter)
- ☐ Schiene, Gipsverband
- ☐ Sonde (Magensonde, Wunddrainage)

Kooperation
- ☐ eingeschränkt (z.B. durch Schwäche, Orientierungsstörungen, Depressionen)
- ☐ unmöglich (z.B. bei Bewußtlosigkeit)
- ☐ wird abgelehnt

Ressourcen
- ☐ Durchführung von Spontanbewegungen
- ☐ Bewegungen erfolgen nach Aufforderung
- ☐ Bereitschaft und Fähigkeit zur Kooperation
- ☐ intakte Schmerzwahrnehmung
- ☐ intakte Haut

Zur besseren Erkennung des Dekubitusrisikos kann die **modifizierte Norton Skala** eingesetzt werden *(siehe dazu nachfolgend Tabelle 4.6)*.

Tabelle 4.6 **Modifizierte Norton-Skala** zur besseren Erkennung der Dekubitusgefahr

Bereitschaft zur Kooperation / Motivation	Alter	Hautzustand	Zusatzerkrankungen	körperlicher Zustand	geistiger Zustand	Aktivität	Beweglichkeit	Inkontinenz
voll 4	< 10 4	4	keine 4	gut 4	klar 4	geht ohne Hilfe 4	voll 4	keine 4
wenig 3	< 30 3	schuppig trocken 3 *)	Abwehrschwäche Fieber Diabetes Anämie 3 *)	leidlich 3	apathisch teilnahmslos 3	geht mit Hilfe 3	kaum eingeschränkt 3	manchmal 3
teilweise 2	< 60 2	feucht 2	MS, Ca erhöhtes Hämatokrit Adipositas 2	schlecht 2	verwirrt 2	rollstuhlbedürftig 2	sehr eingeschränkt 2	meistens Urin 2
keine 1	> 60 1	Wunden Allergie Risse 1	Arterielle Verschlußkrankheit 1	sehr schlecht 1	stupurös (stumpfsinnig) 1	bettlägerig 1	voll eingeschränkt 1	Urin und Stuhl 1

*) je nach Ausprägungsgrad

ursprüngliche Norton - Skala (körperlicher Zustand, geistiger Zustand, Aktivität, Beweglichkeit, Inkontinenz)

1. Wählen Sie die zutreffende Patienten-Beschreibung (4., 3., 2. oder 1. Punkt) unter jeder neuen Überschrift und notieren Sie das Ergebnis (mit einem wasserlöslichen Stift) in das freie Feld unterhalb der Skala.
2. Addieren Sie das Ergebnis.
3. Übertragen Sie das Ergebnis in den Pflegebericht oder die Kurve. Benutzen Sie diese Tabelle wöchentlich oder immer dann, wenn sich der Zustand des Kranken und/oder die Pflegebedingungen ändern.
4. Dekubitusgefahr besteht bei 25 Punkten und weniger, prophylaktische Maßnahmen müssen geplant und durchgeführt werden!

Richtlinien zum Gebrauch der Tabelle

Bereitschaft zur Kooperation / Motivation

4 = Eine hohe Bereitschaft ist durch die kontinuierliche Mitarbeit gekennzeichnet.
3 = Der Patient zeigt unter Aufforderung Bereitschaft zur Mitarbeit.
2 = Der Patient zeigt selbst bei Aufforderung eine wechselnde Bereitschaft zur Mitarbeit.
1 = Der Patient zeigt keine Bereitschaft.

Alter

4 = jünger als 10 Jahre
3 = zwischen 10 - 30 Jahre
2 = zwischen 30 - 60 Jahre
1 = älter als 60 Jahre

Hautzustand

4 = intakte / gesunde Haut — Je nach Ausprägungsgrad:
3 = leichte Veränderungen ⇒ z.B. schuppig, trocken,
2 = mittlere Veränderungen — rissig, wund, feucht,
1 = schwere Veränderungen — mazeriert, dehydriert etc.

Zusatzerkrankungen

4 = keine — Je nach Ausprägungsgrad:
3 = leichte Form ⇒ z.B. Diabetes ohne bis zu schweren
2 = mittelschwere Form — Folgeschäden; lokales therapierbares
1 = schwere Form — Carcinom bis generalisiertes Carcinom.

Körperlicher Zustand

4 = gut
3 = leidlich (geschwächt)
2 = schlecht (z.B. Kachexie, Adipositas)
1 = sehr schlecht (Patient ist durch seinen allgem. körperl. Zustand sehr gefährdet, z.B. extreme Kachexie)

Geistiger Zustand

4 = klar
3 = apathisch / teilnahmslos
2 = verwirrt / desorientiert in Zeit, Ort, Person
1 = stupurös / bewußtlos

Aktivität

4 = geht ohne Hilfe = völlige Unabhängigkeit
3 = geht mit Hilfe = benötigt leichte Unterstützung
2 = rollstuhlbedürftig = benötigt umfassende Unterstützung
1 = bettlägerig = kann keine Aktivität von sich aus entfalten

Beweglichkeit

4 = voll = völlig erhalten
3 = kaum eingeschränkt = leichte Veränderungen (z.B. im Schulter-, Hüft- oder Kniegelenk)
2 = sehr eingeschränkt = stark reduzierte Beweglichkeit (z.B. Hüftoperation, Streck, umfassender Gips etc.)
1 = voll eingeschränkt = kann keine Bewegungen ausführen (selbst passiv nur unter größten Schwierigkeiten)

Inkontinenz

4 = keine
3 = manchmal
2 = meistens Urin
1 = Urin und Stuhl ständig

4.4.7.2 Pflegestandards zur Dekubitusprophylaxe

Dekubitusprophylaxe - Pflegestandard A

Probleme / Ressourcen	Ziele	Pflegemaßnahmen
Der Patient ist immobil; eine selbständige Druckentlastung ist nicht möglich aufgrund von: • ruhigstellender/m Schiene / Verband • Lähmungen • Bewußtlosigkeit • starken Schmerzen • Erschöpfung, Schwäche • hohem Lebensalter • körperlicher Behinderung.	***Der Patient hat*** - gut durchblutete, intakte Haut - druckentlastete Knochenvorsprünge - zeitweise druckfreie Körperregionen - freiliegende Fersen - hat intakte, geschmeidige Haut Frühzeitiges Erkennen von Zellstoffwechselstörungen Druckentlastung	**Umlagerung** - Schräglage rechts, Rückenlage, Schräglage links mittels schiefer Ebene oder mittels 30 - Grad - Lagerung, Wechsel im ca. 2 stdl. Rhythmus, bei Bedarf Verkürzung des Lagerungsintervalls - wenn möglich: zwischendurch statt Rückenlage 135 - Grad - Lage oder Bauchlage - Freilagern der Fersen **Sorgfältige Körper- und Hautpflege** entsprechend dem Hauttyp **Kontrolle der Hautdurchblutung** - an den druckbelasteten Körperstellen, mind. 2 stdl. ❐ *Bei Bedarf zusätzlich:* **Kontinuierliche Druckentlastung** - Weich- bzw. Superweichlagerung oder - Hohllagerung mittels fünf Kissen
(Evtl. verfügt der Patient über Ressourcen) **Ressourcen** Der Patient kann einzelne Hautregionen **zeitweise** durch **Gewichtsverlagerung** druckentlasten; er ist **orientiert**, **aufnahmefähig** und **kooperativ**.	***Der Patient*** - ist informiert und kooperativ - führt mehrmals stündlich druckentlastende Bewegungen durch - hat eine physiologische Hautdurchblutung - kann seine Beweglichkeit voll ausnutzen	❐ *Wenn möglich (siehe Ressourcen) alternativ:* **Information und Anleitung bzgl.** - Notwendigkeit druckentlastender Bewegungen - Variationen druckentlastender Bewegungen - Erinnerung an / Aufforderung zu Bewegungen, mehrmals täglich **2 stdl. Umlagerung** (s.o.) möglichst keine Weichlagerung (erschwert Spontanbewegungen)

Dekubitusprophylaxe - Pflegestandard B

Probleme / Ressourcen	Ziele	Pflegemaßnahmen
Der Patient hat kein regelrechtes Druck- und Schmerzempfinden infolge einer • Schädigung peripherer Nerven • hochdosierten Schmerz- oder Schlafmitteleinnahme • Narkose • Bewußtseinsstörung • neurologischen Ausfallerscheinung. Deshalb führt er keine / zu wenig druckentlastende Bewegungen aus.	Erkennen des Ausmaßes der Sensibilitätsstörung Frühzeitiges Erfassen von Bewußtseinsstörungen ***Der Patient hat*** - gut durchblutete Haut - intakte Haut - zeitweise druckfreie Körperregionen - druckentlastende Knochenvorsprünge Frühzeitiges Erkennen von Zellstoffwechselstörungen Druckentlastung	**Prüfen der Sensibilität** - Setzen äußerer Reize, z.B. durch Streichungen der Haut, Berührungen - Beobachten der Reaktion des Patienten **Beobachtung der Bewußtseinslage** **2 stdl. Umlagerung** - Schräglage rechts, Rückenlage, Schräglage links - in Rückenlage Fersen frei lagern - dabei gezielte Beobachtung der Hautdurchblutung, insbesondere über den Knochenvorsprüngen - bei Bedarf Verkürzung des Lagerungsintervalls **Gezielte Beobachtung der Haut** mehrmals täglich **Weich- oder Superweichlagerung** - wenn trotz regelmäßiger Umlagerungen Hautrötungen beobachtet werden, einzelne Körperpartien oder den gesamten Körper zusätzlich weichlagern
(Evtl. verfügt der Patient über Ressourcen) **Ressourcen** Der Patient ist ansprechbar, **orientiert** und **kooperativ**; er **kann druckentlastende Bewegungen ausführen**.	***Der Patient*** - ist informiert und kooperativ - führt stündlich eigenständig Gewichtsverlagerungen durch	❐ *Wenn möglich (siehe Ressourcen) alternativ:* **Anleitung und Information bzgl.** - Notwendigkeit und Durchführung druckentlastender Bewegungen - zunächst 1 mal stündlich daran erinnern und überprüfen

Dekubitusprophylaxe - Pflegestandard C

Probleme / Ressourcen	Ziele	Pflegemaßnahmen

Die Mobilität des Patienten ist eingeschränkt;
gleichzeitig ist die **O_2 - Versorgung der Hautzellen beeinträchtigt**, der Zellstoffwechsel reagiert empfindlich auf zusätzliche Minderdurchblutung; zugrunde liegt ein/e:
	Möglichst geringer O_2 - bedarf der Zellen, ausreichende O_2 - Versorgung aller Hautzellen
	
	Der Patient
	- führt (sofern möglich) selbständig - druckentlastende Bewegungen durch
		Unterstützung der Herz- Kreislauftätigkeit
		- entsprechend dem Zustand des Kranken
		- entsprechend der Arztanordnung
		  - Bettruhe oder vorsichtige Mobilisation
		  - Aufforderung zu Lageveränderungen im Bett

• Herzinsuffizienz / -krankheit • periphere Durchblutungsstörung • Arteriosklerose • Schock • Anämie • Diabetes mellitus • Adipositas.	Druckentlastung	**2 stdl. Umlagerung** - Schräglage rechts, Rückenlage, Schräglage links - Freilagerung der Fersen **Weichlagerung** - zusätzlich, wenn Umlagerung nicht ausreicht
	Frühzeitiges Erkennen von Hautstoffwechselstörungen und Veränderungen des Hautturgors	**Hautbeobachtung** - Hautdurchblutung - Hautturgor (Ödeme? Exsikkose?)
Beachte: Das Risiko erhöht sich mit zunehmendem Lebensalter, vor allem bei hohem Fieber und Lähmungen!	***Der Patient*** - hat einen physiologischen Hautturgor - führt die angemessene Flüssigkeitsmenge zu	**Flüssigkeitszufuhr** - bei Ödemen reduzieren (< 1500 ml / 24 Std., siehe Arztanordnung) - bei Exsikkose steigern (> 1500 ml / 24 Std.) - ansonsten ca. 1500 ml / 24 Std.
	- nimmt pro Woche z.B. 500g Gewicht ab	**Gewichtsreduktion** - bei Adipositas - ggf. bei Diabetes mellitus

Dekubitusprophylaxe - Pflegestandard D

Probleme / Ressourcen	Ziele	Pflegemaßnahmen
Der Patient ist immobil und stuhl- und/oder urininkontinent (bzw. schwitzt übermäßig), infolgedessen kann es zur / zum • Mazeration • pH - Wert-Verschiebung • Wundsein der Haut kommen. Dann reagieren die Hautzellen empfindlicher auf Druckeinwirkung.	***Der Patient*** - hat intakten Säureschutzmantel der Haut - liegt auf einer trockenen, faltenfreien Unterlage - hat intakte, geschmeidige und regelrecht durchblutete Haut	**Hautpflege** - entsprechend dem Hauttyp - bei Bedarf die Haut sofort vorsichtig und sorgfältig reinigen, trocknen und rückfetten - Haut stets trocken halten, insbesondere die Hautfalten - evtl. besonders belastete Hautregionen mit speziellem Hautpräparat einreiben
	Frühzeitiges Erkennen von Hautveränderungen und Zellstoffwechselstörungen	**Hautbeobachtung** - mindestens 2 stündlich **Wäschewechsel** - so oft wie notwendig Inkontinenzhilfen (ggf. auch Leib- und Bettwäsche) wechseln
	Der Patient - hat weniger unwillkürliche Urin- / Stuhlabgänge - ist (überwiegend) kontinent	**Toilettentraining** - regelmäßig Steckbecken bzw. Toilettengang anbieten - Ausscheidungsprotokoll führen
	- hat druckentlastete Knochenvorsprünge	**regelmäßig 2 stdl. Umlagerung** - Schräglage rechts, Rückenlage, Schräglage links - Fersen mindestens in Rückenlage freilagern
	- bewegt sich entsprechend seinen Möglichkeiten	**Weichlagerung** - zusätzlich, wenn Umlagerung nicht ausreicht **Mobilisation** (soweit möglich)
	- hat physiologischen Hautturgor - hat nachts verringerte Urinproduktion	**Flüssigkeitszufuhr** - tagsüber regelmäßig - ab ca. 19.00 Uhr deutlich verringern (bei Harninkontinenz)

Dekubitusprophylaxe - Pflegestandard E

Probleme / Ressourcen	Ziele	Pflegemaßnahmen
Der Patient befindet sich in reduziertem Allgemein- / Ernährungszustand; gleichzeitig sind der tägliche Eiweißbedarf erhöht und die **Mobilität erheblich eingeschränkt**.	***Der Patient*** - bewegt sich im Rahmen seiner Möglichkeiten	**Mobilisation soweit wie möglich**
	- hat gut durchblutete, intakte Haut	**2 stdl. Umlagerung** - Wechsel von Schräglage rechts, Rückenlage (bzw. 135 - Grad-Lage), Schräglage links
Fett- und Muskelgewebe sind atrophisch, die Knochenvorsprünge nicht mehr abgepolstert; zugrunde liegt eine • bösartige Tumorerkrankung • schwere Allgemeinerkrankung • chronische Magen- Darmerkrankung.	Druckentlastung	❐ *bei Bedarf ergänzend:* **Weich- bzw. Superweichlagerung** - an den Knochenvorsprüngen, ggf. am gesamten Körper oder **Hohllagerung** - mittels Fünf-Kissen-Methode, V- oder T-Lage
	- nimmt eine eiweiß-, vitamin- und kalorienreiche Kost zu sich - hat widerstandsfähige Haut - nimmt an Gewicht zu - trinkt mind. 1500 ml / 24 Std.	**Aufbauende Ernährung** - eiweiß- und vitaminreiche Kost, z.B. Milchprodukte, frisches Obst, Rohkostsalate und Vollkornprodukte anbieten - ggf. hochkalorische Kost - mind. 1500 ml / 24 Std. Trinkmenge zuführen
	- hat intakte, geschmeidige Haut	**Sorgfältige Körper- und Hautpflege** entsprechend dem Hauttyp
	Frühzeitiges Erkennen von Zellstoffwechselstörungen	**Hautbeobachtung** 2 stündlich durchführen
Ressourcen Der Patient führt - zumindest teilweise - **druckentlastende Bewegungen** durch; er ist **aufnahmefähig** und **kooperativ**.	***Der Patient*** - erfaßt die Notwendigkeit druckentlastender Bewegungen	**Information und Anleitung bzgl.** - Notwendigkeit und Durchführung druckentlastender Bewegungen
	- führt so oft wie möglich selbständig druckentlastende Bewegungen durch	**Erinnerung an die Durchführung der jeweiligen Bewegungen** zunächst 1 mal stündlich

4.4.8 Maßnahmen zur Dekubitusbehandlung

Zur Behandlung eines Dekubitus sind zahlreiche Arznei- und Hausmittel in Gebrauch. Oft ist die therapeutische Wirkung sehr fragwürdig oder nicht nachweisbar. Ein heilender Effekt kann meist ebenso auf die regelmäßige Druckentlastung (und sei es nur während der mehrmals täglich durchgeführten Dekubitusversorgung) zurückzuführen sein.
Seit mehr als 15 Jahren führen Dr. WALTER O. SEILER und sein Team in einer medizinisch - geriatrischen Klinik in der Schweiz erfolgreich eine **standardisierte Dekubitustherapie** durch. Positive **Forschungs- und Beobachtungsergebnisse** bestätigen die Effektivität der angewandten Maßnahmen.

Demnach gelten folgende **Prinzipien zur lokalen Dekubitusbehandlung.**

a) **Optimale lokale Blutzirkulation durch ständige lokale Druckentlastung.**
   - Nur bei ausreichender Sauerstoffzufuhr kann die Wundheilung erfolgen; dies ist nur durch absolute Druckentlastung des betroffenen Gewebes möglich.
   - Der Kranke wird auf superweichen Materialien gelagert, gleichzeitig erfolgt ein regelmäßiges (mind. 2 stündlich) Umlagern bzw. die Mobilisation außerhalb des Bettes.
   - Der Dekubitus bleibt immer druckfrei, er darf auch nicht für kurze Zeit druckbelastet werden.
   - Erreicht wird dies durch den Wechsel von 30-Grad-Lage (bzw. Schräglage mittels schiefer Ebene) rechts, links und Rückenlage, die Fersen werden frei gelagert - wobei jeweils die Lagerung auf dem vom Dekubitus betroffenen Bezirk ausgelassen wird.

     Beispiele
     - *Dekubitus am rechten Trochanter:* Wechsel von Rückenlage und Schräglage links;
     - *Dekubitus in der Kreuzbeinregion:* Wechsel von Schräglage rechts und Schräglage links; evtl. auch Bauchlage oder 135-Grad-Lage ergänzen;
     - *Dekubitus an den Sitzbeinhöckern:* Schräglage rechts und links im Wechsel mit Rückenlage (keine Lagerung in sitzender / halbsitzender Position).
   - Die Superweichlagerung kann auch durch die Fünf-Kissen-Hohllagerung ersetzt oder durch

teilentlastende Hohllagerungen ergänzt werden; die Schräglage sollte zusätzlich durchgeführt werden.

Beispiele

- *Dekubitus in der Kreuzbeinregion:* 5 - Kissen - Hohllagerung (oder ausgeschnittenen Schaumstoff so unter den Dekubitus legen, daß dieser druckfrei ist; Höhenunterschiede ausgleichen!) und Wechsel von Schräglage rechts und links;
- *Fersendekubitus:* Fersenfreilagerung (z.B. mittels 5 - Kissen - Hohllagerung) und Wechsel von Schräglage rechts und links;
- *Dekubitus im Bereich der Dornfortsätze:* A - oder V - Lagerung und Wechsel von Schräglage rechts und links, wenn möglich zwischendurch 135-Grad- oder Bauchlage integrieren;
- *Dekubitus im Bereich der Schulterblattspitzen oder des unteren hinteren Rippenrandes* (auf dem Rücken): T - Lagerung und Wechsel von Schräglage rechts und links, wenn möglich zwischendurch 135 - Grad- / Bauchlage integrieren.

b) **Nekrosefreie und gereinigte Wunde durch chirurgisches und enzymatisches Debridement*, evtl. auch durch Ringerlösung.**

- Nekrosen verdecken das Ulkus, fördern Bakterienwachstum und verhindern die Bildung von Granulationsgewebe; deshalb sind Nekrosen zu entfernen.
- Ausgedehnte Nekrosen werden **chirurgisch entfernt** (Arzt). Es wird meist schrittweise vorgegangen; Nekrosereste bleiben stehen, um Blutungen und Schmerzen in Grenzen zu halten.
- Kleinere Nekrosen und Nekrosereste werden **enzymatisch abgedaut**; die denaturierten Eiweiße werden gespalten und abgebaut, so daß sie beim Verbandwechsel mittels NaCl - Lösung 0,9% entfernt werden können. **Beachte**: Geeignet sind lokal anwendbare Substanzen, die Streptokinase, Plasmin, Kollagenase, Fibrinolysin, Streptodornase oder Desoxyribonukleinsäure enthalten; ebenso können Hydrokolloidverbände zur Anwendung kommen *(siehe Seite 375)*.
- Sollte die enzymatische Nekroseabdauung nach siebentägiger Anwendung ohne Erfolg bleiben, wird die Wundreinigung statt dessen mit Ringerlösung durchgeführt,
  - die Wunde muß ständig feucht gehalten werden;
  - der Verbandwechsel erfolgt zunächst 4 mal täglich, dann 2 - 3 mal täglich.

  Beachte: Ringerlösung enthält Natrium- und Kalziumchlorid zur Ernährung des Gewebes; sie ermöglicht das Überleben von Fibroblasten* und Epithelzellen*.

c) **Bekämpfung der lokalen Infektion mittels Antibiotikagabe.**

- Infektionen verzögern den Heilungsverlauf und können zu septischen Komplikationen führen; sie sind deshalb zu bekämpfen.
- Infektionen sollten erst bekämpft werden, wenn der Dekubitus nekrosefrei ist.
- Das **Erkennen einer lokalen Infektion** wird durch das Auftreten der klassischen Entzündungszeichen möglich; die tägliche Beobachtung der Wunde / Wundränder ist entsprechend ausgerichtet auf Rötung, Schwellung, Überwärmung und Schmerz.
- Auch schmierige, übelriechende Beläge sowie eine grünliche Verfärbung des Verbandes sind Hinweise auf eine Infektion.
- Treten die Entzündungszeichen auf, ist der Arzt zu informieren; er sollte einen bakteriologischen Abstrich vornehmen und ggf. eine dem Ergebnis entsprechende **systemische Antibiotikatherapie** anordnen.
- Eine Anwendung von Lokaldesinfektionsmitteln ist im allgemeinen nicht zu empfehlen, da diese eine toxische Wirkung auf das neugebildete Granulationsgewebe ausüben, immunologisch aktive Substanzen im Ulkus inaktivieren und die phagozytierenden* Zellen schädigen.

d) **Förderung von Granulationsgewebe durch Schaffen physiologischer Bedingungen für die Wundheilung.**

- Granulationsgewebe* braucht ein bestimmtes Milieu, um zu wachsen; das optimale Milieu für das Granulationsgewebe wird durch einen **Hydrokolloidverband** oder durch **Ringerlösung** geschaffen:
  - die Wunde wird durch einen mit Ringerlösung getränkten Verband **feucht gehalten**;
  - der Verbandwechsel erfolgt zunächst 3 - 4 mal täglich, nachts kann die Ringerlösung unter den Verband direkt auf das Ulkus gegeben werden;
  - der Verbandwechsel wird nur noch 2 mal täglich vorgenommen, wenn Granulationsgewebe (*Gewebe von himbeerartigem Aussehen; kleine rote, leicht blutende Fleischwärzchen*) sichtbar wird;
  - Hydrokolloidverbände werden bei Bedarf (siehe Gebrauchsanweisung des Herstellers) gewechselt; in der späten Wundheilungsphase können sie in der Regel mehrere Tage auf der Wunde belassen werden.
- Oberflächliche Dekubiti, deren Ulkustiefe weniger als zwei Millimeter beträgt, erfordern lediglich einen schützenden Wundverband:
  - die Wunde wird durch einen Hydrokolloidverband oder eine sehr dünne Kompresse oder Gaze, die mit Paraffin getränkt wird, vor äußeren Einflüssen geschützt;
  - **Paraffin** ist eine ölige Substanz mit nur geringer chemischer Reaktionsbereitschaft und ermöglicht ein Abnehmen des Verbandes, ohne daß dabei Granulationsgewebe losgelöst wird.

e) **Schutz vor Keimverschleppung durch hygienisches Arbeiten.**

- Beim Entfernen des Verbandes sind Handschuhe zu tragen.
- Die Wunde wird von außen nach innen und mit sterilen Materialien gereinigt.

- Bei Erneuerung des Verbandes sind sterile Handschuhe und Verbandmaterialien zu verwenden.
- Die Wundversorgung erfolgt unter sterilen Kautelen.

Neben der lokalen Behandlung sind auch **allgemeine Maßnahmen zur Dekubitusbehandlung** erforderlich.

a) **Ausschalten der vorliegenden Risikofaktoren durch prophylaktische und therapeutische Maßnahmen**
(Lesen Sie dazu die unter Punkt 4.4.6.3. aufgeführten Maßnahmen der allgemeinen Dekubitusprophylaxe; sie sind ebenso gültig für die Dekubitustherapie):
- Mobilisation soweit wie möglich;
- sorgfältige Hautbeobachtung und -pflege;
- ausreichende Flüssigkeitszufuhr (mindestens 1500 ml / 24 Std., falls nicht kontraindiziert);
- vitamin- und eiweißreiche Kost, täglich mindestens 1,5 g Eiweiß pro kg Körpergewicht;
- ggf. Toilettentraining und ggf. Behandlung einer Diarrhoe (um eine ständige Kontamination der Wunde zu verhindern);
- ärztliche Behandlung der Risikofaktoren, z.B. des Fiebers, der Hypotonie*, der Anämie*, der Herzinsuffizienz, der Exsikkose*, der Depression.

b) **Standardisierte Wundversorgung**
- Alle an der Pflege und Therapie beteiligten Personen müssen bei der Wundversorgung einheitlich handeln;
- die Festlegung der Pflegeziele und -maßnahmen erfolgt im Team; sie haben verbindlichen Charakter;
- auf die Vielfalt der Arznei- und Hausmittel muß verzichtet werden, genutzt werden nur die im Pflegeplan festgelegten Substanzen;
- eine genaue Beobachtung und Dokumentation des Wundzustands ist erforderlich, um die Wirkung der durchgeführten Maßnahmen nachvollziehen zu können (*Qualitätskontrolle*).

c) **Psychische Betreuung**
Ein Dekubitus verschlechtert das Allgemeinbefinden eines Betroffenen erheblich, z.B. durch Schmerzen und verstärkte Abhängigkeit. Nicht selten vermittelt ein Dekubitus das Gefühl, "am lebendigen Leibe zu verwesen", unangenehm zu riechen und für andere unzumutbar zu sein. Zukunftsängste und Depressionen können daraus resultieren bzw. verstärkt werden.
Ein Betroffener braucht vor allem
- Zuwendung, Verständnis, Hoffnung und Zuversicht, daß der Dekubitus abheilt;
- soziale Kontakte (Besuche fördern) und Hautkontakte;
- eine aktivierende Pflege, die seine persönlichen Möglichkeiten und Grenzen berücksichtigt;
- ggf. eine angemessene Begegnung (Pflege, Therapie) seiner Depression *(siehe Seite 766)*.

4.4.8.1 Pflegestandards zur Dekubitusbehandlung

Analyse des Dekubitus

Ausmaß der Gewebsschädigung
- ☐ 1. Grad, Hautrötung
- ☐ 2. Grad, Blasenbildung
- ☐ 3. Grad, Defekt aller Hautschichten
- ☐ 4. Grad, Nekrose
- ☐ 5. Grad, Knochenbeteiligung

Schmerzen
- ☐ keine
- ☐ geringfügige
- ☐ mäßige
- ☐ starke

Lokalisation (Hautveränderungen einzeichnen)

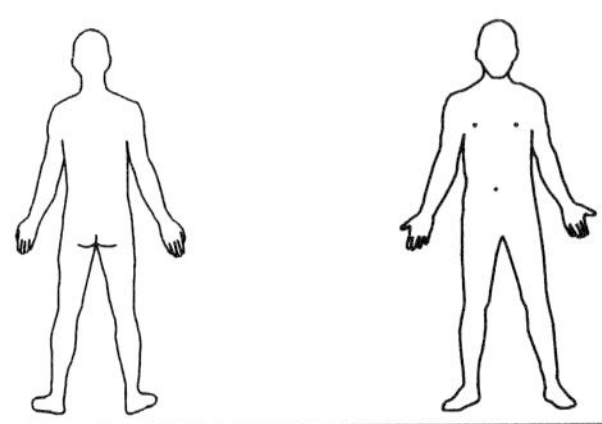

Ausbreitung (Größe)

____

Besonderheiten
- ☐ Infektion
- ☐ Eiterung
- ☐ Wundtasche
- ☐ gelblicher Wundbelag

____

____

Datum: ______________________

Dekubitusbehandlung - Pflegestandard A

Probleme / Ressourcen	Ziele	Pflegemaßnahmen
Dekubitus 1. Grades • lokale Hautrötung, die wenige Minuten nach Druckentlastung bestehen bleibt.	***Der Patient*** - liegt nicht auf der geröteten Hautstelle	**Absolute Druckentlastung!** - gerötete Stellen nicht mit Druck belasten - evtl. Hohllagerung der betroffenen Region **Gezielte Hautbeobachtung** an allen gefährdeten Stellen, vor allem an den Fersen
	- hat regelrecht durchblutete Haut	**Die bisherigen prophylaktischen Maßnahmen intensivieren** (z.B. Zeitabstände zwischen den Umlagerungen verkürzen, mehr Mobilisation, Superweichlagerung)
	- hat geschmeidige und intakte Haut	**Sorgfältige Hautpflege** - Haut sauber und trocken halten - rückfettende Substanzen oder Hautschutzpräparat auftragen
Ressourcen Der Patient kann gewisse Bewegungen ausführen.	- ist kooperativ	**Instruktion des Betroffenen**, sich öfter zu bewegen (sofern möglich) und die geröteten Hautstellen nicht zu belasten

Dekubitusbehandlung - Pflegestandard B

Probleme / Ressourcen	Ziele	Pflegemaßnahmen
Dekubitus 2. Grades • Blasenbildung	*wie bei Dekubitus 1. Grades zusätzlich:*	**Absolute Druckentlastung und weitere Maßnahmen** wie bei Dekubitus 1. Grades **Evtl. sterilen Schutzverband anlegen**
• Füllungszustand der Blase(n) nimmt zu	Erkennen von Veränderungen	**Beobachtung der Blase hinsichtlich** - Füllungszustand, Entzündungszeichen, Erweiterung
• Eröffnung der Blase, oberflächlicher Hautdefekt: schmerzhafte, infektanfällige, nässende Wunde.	Nachlassen der Schmerzen	**Bei Erweiterung oder Entzündung der Blase** - Information des Arztes; er trägt die Blase steril ab oder punktiert die Flüssigkeit ab
	Geschützte, infektfreie Wunde	**Nach Eröffnung der Blase** - Wunde steril und feucht verbinden, z.B. Hydrokolloidverband aufbringen

Dekubitusbehandlung - Pflegestandard C

Probleme / Ressourcen	Ziele	Pflegemaßnahmen
Dekubitus 3. Grades • Defekt aller Hautschichten; Bänder, Sehnen und Muskeln sind sichtbar	***Der Patient*** - bewegt sich soviel wie möglich außerhalb des Bettes - liegt **nicht** auf dem Gewebsdefekt - hat eine regelrechte Durchblutung der Wunde - hat insgesamt eine ausreichende Hautdurchblutung	**Absolute Druckentlastung des betroffenen Gewebes** - Information des Betroffenen - mind. 2 stdl. Umlagerung und Mobilisation außerhalb des Bettes soweit wie möglich - abwechselnde Lagerung in Schräglage rechts, Schräglage links, Rückenlage, wenn möglich 135°- oder Bauchlage, dabei Auslassen der Lagerung, die zur Druckbelastung des Dekubitus führen würde (z.B. bei Kreuzbeindekubitus die Rückenlage auslassen) - zusätzlich Freilagerung der Fersen ❐ *evtl. alternativ zu den Umlagerungen* Hohllagerung des betroffenen Gewebes durch 5-Kissen-Hohllagerung oder Lagerung auf ausgeschnittenem Schaumstoff; den Höhenunterschied an den Übergängen ausgleichen
• gelblicher Wundbelag, evtl. Austritt von verkästem Gewebe	Belagfreie saubere Wunde	**Reinigung der Wunde** - mit Ringerlösung - 3 - 4 mal täglich vor dem Auftragen enzymatischer Substanzen **Enzymatische Abdauung des Wundbelags** - mit enzymatischen Substanzen (z.B. Fibrolan®, Varidase®, Debrisorb®, Iruxol®) - oder mittels Hydrokolloidverband **Bei Bildung von Granulationsgewebe** Wunde ständig durch Hydrokolloidverband oder mit Ringerlösung feucht halten *(siehe Pflegestandard D)*
• infizierte (aber nekrosefreie) Wunde - Heilungsverlauf wird verzögert	Rückgang der Entzündungszeichen	**Beobachtung** - gezielte Beobachtung der Wunde - Informationsweitergabe an den Arzt **Wundreinigung** - z.B. mit NaCl -Lösung 0,9% (Arztanordnung)
- septische Komplikationen möglich	Infektionsfreie gereinigte Wunde	**Verabreichung eines Antibiotikums** entsprechend der Resistenzprüfung und nach ärztlicher Anordnung
• Schmerzen.	Schmerzreduktion / -freiheit	**Schmerztherapie entsprechend der Arztverordnung**

Dekubitusbehandlung - Pflegestandard D

Probleme / Ressourcen	Ziele	Pflegemaßnahmen
Dekubitus 4. Grades • großflächige Nekrose	***Der Patient*** - hat spätestens in 2 Wochen eine nekrosefreie Wunde	**Chirurgische Abtragung der Nekrose durch den Arzt** **Enzymatische Abdauung der Nekroseränder:** - Aufbringen eines Hydrokolloidverbandes oder - 2 - 3 mal täglich Auftragen einer enzymatischen Substanz *(siehe Pflegestandard C)* - Abspülung gelöster, verflüssigter Nekrosereste mit NaCl -Lösung 0,9%
	Geschützte Wunde	- Anlegen eines luftdurchlässigen, sterilen Verbandes
• kleine Nekrose	***Die Wunde*** - wird zunehmend sauberer (weniger Nekrosegewebe) - ist ständig feucht - ist spätestens in 7 Tagen nekrosefrei	**Enzymatische Abdauung** (s.o.), falls die Nekrose nach 7 Tagen nicht abgedaut ist - Wunde statt dessen mit Ringerlösung reinigen und - ständig mit Ringerlösung feuchthalten - zunächst 4 mal täglich Verbandwechsel - bei Besserung des Wundzustandes 2 - 3 mal täglich Verbandwechsel

(Fortsetzung auf der nächsten Seite)

Probleme / Ressourcen	Ziele	Pflegemaßnahmen
• Wundtasche; die Nekrose hat sich in der Tiefe ausgebreitet	Rückbildung der Wundtasche	**Lagerung** auf der der Wundtasche entgegengesetzten Seite **Lockeres Austamponieren** der Wundtasche mit dem Mittel, das für die übrige Wundversorgung eingesetzt wird
• beginnende Bildung von **Granulationsgewebe**; entsprechendes Nährmilieu notwendig	Optimales Milieu für das Granulationsgewebe Ständig feuchte und geschützte Wunde	**Wunde ständig feucht halten** - Hydrokolloidverband aufbringen (Verbandwechsel bei Bedarf) oder - dünne luftdurchlässige Kompresse / Gaze mit Ringerlösung anfeuchten und direkt auf das Ulkus geben - Verbandwechsel zunächst 2 - 4 mal täglich - bei Zunahme des Granulationsgewebes 2 mal täglich Verbandwechsel
• Ulkustiefe ist geringer als 2 mm.	Geschützte Wunde Granulationsgewebe verklebt nicht mit Wundverband	Wunde ständig mit paraffingetränkter Gaze feucht halten und abdecken oder Hydrokolloidverband anlegen

Dekubitusbehandlung - Pflegestandard E

Probleme / Ressourcen	Ziele	Pflegemaßnahmen
Die Wundheilung ist erschwert aufgrund der vorliegenden Risikofaktoren (die die Dekubitusentstehung begünstigt haben).	Risikofaktoren sind reduziert bzw. ausgeschaltet ***Der Patient*** - bewegt sich soweit und soviel wie möglich - trinkt mindestens 1500 ml in 24 Stunden - hat physiologischen Hautturgor	**Reduzieren / Ausschalten der Risikofaktoren:** **Mobilisation** soweit und soviel wie möglich **Anregung und Kontrolle der Flüssigkeitsaufnahme** - Zufuhr von mindestens 1500 ml / 24 Std. (sofern nicht kontraindiziert) - evtl. Einfuhrbogen führen
Eiweißverlust über die Wunde.	- nimmt pro Tag 1,5 Gramm Eiweiß pro Kilogramm Körpergewicht zu sich - nimmt vitaminreiche- und ggf. hochkalorische Kost zu sich - entwickelt besseren EZ und AZ	**Eiweiß- und vitaminreiche Kost**, auch Zwischenmahlzeiten anbieten **Kalorienzufuhr** dem Ernährungszustand anpassen
	- hat trockene, geschmeidige Haut	**Hautpflege** entsprechend dem Hauttyp Für trockene und faltenfreie **Bett- und Leibwäsche** sorgen
	- ist (weitgehend) kontinent	Ggf. **Kontinenztraining**
	Erkennen einer Sauerstoffminderversorgung	Beobachtung des Patienten hinsichtlich der Wirkung der ärztlichen Behandlung (z.B. Linderung von Atemnot, Rückgang einer Zyanose, Stimmungsaufhellung)
	Frühzeitiges Erkennen von Hautrötungen	**Sorgfältige Beobachtung** der Haut
	Der Patient - fühlt sich nicht ausgegrenzt - glaubt an die Heilung des Dekubitus	**Zuwendung und Vermittlung von Zuversicht** hinsichtlich der Dekubitusheilung

4.5 Durch operative Eingriffe bedingte Sicherheitsbedürfnisse

4.5.1 Allgemeine Informationen

Unter einer **Operation** versteht man einen zu therapeutischen oder diagnostischen Zwecken durchgeführten chirurgischen Eingriff. Da ein solcher immer mit einer Verletzung des Körpers einhergeht, setzt er die **Einwilligung des Betroffenen** voraus.
Ein operativer Eingriff stellt für den Kranken sowohl eine **seelische** als auch eine **körperliche Belastung** dar.
Notfalloperationen, die z.B. bei akuter Erkrankung oder nach einem Unfall dringend erforderlich sind, werden von einem Betroffenen oft **besonders bedrohlich** empfunden und können Existenzängste hervorrufen. Dies gilt ebenso für Operationen, die der Differentialdiagnose eines unklaren Befundes dienen.
Geplante Operationen, z.B. im Zusammenhang mit einer chronischen Erkrankung, **gewähren** dagegen Zeit und somit die Möglichkeit, sich zu informieren, Ängste abzubauen und **sich auf mögliche Veränderungen vorzubereiten**. Dadurch können viele Menschen einer Operation relativ gelassen entgegensehen.

Die **Narkose** birgt, je nach Art, gewisse Risiken in sich. Ein erhöhtes Risiko besteht bei Patienten mit reduziertem Allgemeinzustand, Herz-, Lungen- und Stoffwechselerkrankungen.
Jede Operation geht mit einer **Verletzung** der natürlichen Schutzschicht, der Haut, einher. Daraus resultieren ein **Infektionsrisiko** und **Schmerzen** unterschiedlichen Ausmaßes. Durch den Eingriff können auch innere Organe und Gefäße verletzt werden. Hierdurch kann es postoperativ zu **Blutungen** und **Kreislaufschwierigkeiten** kommen.
Um die Sicherheit des Patienten vor, während und nach einer Operation zu gewährleisten, sind spezielle pflegerische Maßnahmen und Beobachtungen erforderlich.

4.5.2 Zur Situation eines Betroffenen

Ein operativer Eingriff stellt eine **Ausnahmesituation** im menschlichen Leben dar. Er geht mit seelischen und körperlichen Belastungen einher. Die Vorstellung, durch eine Allgemeinnarkose oder durch eine Lokalanästhesie die Kontrolle über sich zu verlieren, kann das **Gefühl, ausgeliefert und machtlos zu sein**, hervorrufen. Nicht jedem Menschen gelingt es, sich vertrauensvoll fremden Menschen in einer fremden Umgebung anzuvertrauen, um sich einem unbeeinflußbaren Geschehen, das mit Verletzung der persönlichen Integrität verbunden ist, auszusetzen. Die nachfolgend zu erwartende vorübergehende Abhängigkeit und Hilfsbedürftigkeit rufen ebenfalls unangenehme Gefühle hervor.
Unsicherheiten und Ängste des Patienten beziehen sich im allgemeinen vor allem auf die Narkose (Angst, aus diesem Zustand nicht wieder aufzuwachen), auf postoperative Schmerzen, Mobilitäts- und Sensibilitätseinschränkungen, Verstümmelung, Abhängigkeit sowie die Diagnosestellung.
Im Zusammenhang mit bestimmten Operationen kommen **Verhaltensunsicherheiten** und Zukunftsängste hinzu.
Einige Operationen führen zu langfristigen Veränderungen der Lebensqualität und des Lebensrhythmus; diese beschäftigen den Kranken und können **soziale Fragen**, z.B. nach einer Umschulung, aufwerfen. Andererseits werden Operationen in vielen Fällen mit Hoffnungen, z.B. auf Heilung oder Linderung von Schmerzen und anderen Krankheitsauswirkungen, verbunden.
Menschen, die sich Linderung oder **Heilung** eines längere Zeit bestehenden Leidens **erhoffen**, gehen einer Operation eher zuversichtlich entgegen. Ist dieser Erfolg mit gravierenden Veränderungen (z.B. einer Amputation) verbunden, können sehr **zwiespältige Gefühle** aufkommen; ein Betroffener braucht in dieser Situation Zeit, fachlichen Rat und menschliche Anteilnahme, um eine für ihn tragbare Entscheidung zu treffen.
Im allgemeinen kann sich ein informierter Mensch eher auf eine Operation einlassen, weil er die intra- und postoperative Situation realistisch einschätzen kann. Das Ausmaß der individuell gewünschten Informationen variiert allerdings erheblich. Deshalb ist es wichtig, daß Pflegende bewußt die persönlichen Bedürfnisse des Patienten wahrnehmen und darauf eingehen.
Immer kommt eine freundliche und offene Atmosphäre, die dem Patienten vermittelt, daß er als Person und nicht als „Fall" betreut wird, seinen Bedürfnissen entgegen. Dazu gehört auch der Wunsch, mit allen Ängsten ernstgenommen zu werden und Fragen stellen zu können.

❒ Seelische Begleitung

In der besonderen Situation vor einer Operation ist es wichtig, daß Pflegende aufmerksam gegenüber den Bedürfnissen, Ängsten und Wünschen eines Patienten sind und ein Klima schaffen, daß ihn ermutigt, seine Befürchtungen, **Fragen und Ängste auszusprechen**.
Gesprächsbereitschaft sollte immer wieder signalisiert werden, denn in **Gesprächen** können nicht nur Informationen, sondern auch Verständnis und Anteilnahme vermittelt werden; außerdem haben sie entlastende Funktion und können helfen, Ängste abzubauen.
Das Ausstrahlen von **Zuversicht** hilft dem Kranken, die positiven Aspekte der Operation in den Vordergrund zu rücken. Gleichzeitig sind die persönlichen Bedürfnisse und Gefühle des Patienten ernstzunehmen. Gut gemeinte Redewendungen wie *"wird schon gut gehen"* spenden vielen Betroffenen keinen Trost, sondern signalisieren eher Unverständnis und können dazu führen, daß der Kranke seine Gefühle nicht mehr äußert und so mit ihnen allein bleibt.
Sicheres und **fachkompetentes Auftreten** sowie die Vermittlung gewünschter **Informationen**, z.B. über das Verhalten bei Zu- und Ableitungen, fördern Wohlbefinden und Vertrauen und bauen Ängste ab.
In der praeoperativen Phase ist die **Entspannung** zu fördern; z.B. kann dem Kranken empfohlen werden, ihm bekannte Entspannungsübungen durchzuführen, sich ggf. auf die von der Station angebotene Entspannungsmusik einzulassen oder einer Beschäftigung nachzugehen, die ihm Freude bereitet.

Vor allem abends sind sehr unruhigen und ängstlichen Patienten zur Entspannung die Durchführung einer atemstimulierenden Einreibung *(siehe Seite 48)*, eine wohltuende Einreibung / Massage sowie Gespräche anzubieten.

Hinweis:
Die folgenden Ausführungen beziehen sich auf die allgemein üblichen prä- und postoperativen Pflegemaßnahmen. Die für die Vor- und Nachbereitung der verschiedenen Operationen zusätzlich erforderlichen Maßnahmen und die besondere Situation eines Betroffenen werden in den einzelnen Kapiteln unter *"Exemplarische Lebens- und Pflegesituationen"* besprochen.
Die intraoperative Betreuung des Patienten und die weiteren pflegerischen Aufgaben werden vom Pflegefachpersonal der Anästhesie- und der Operationsabteilung übernommen; in dieser Abhandlung werden sie nicht besprochen.

4.5.3 Allgemeine präoperative Pflegemaßnahmen

Zur Vorbereitung des Kranken auf eine Operation sind verschiedene pflegerische Maßnahmen erforderlich; sie reduzieren die Angst des Kranken und das Risiko von Komplikationen.

❒ Aufklärung und Einwilligung des Patienten

Da ein operativer Eingriff im Rechtssinn eine Körperverletzung darstellt, ist er nur erlaubt, wenn der Patient oder sein gesetzlicher Vertreter seine schriftliche Einwilligung zur Operation gegeben hat. Dem geht ein umfassendes **Aufklärungsgespäch** durch den Arzt voraus. Der Patient wird über den Befund, über Art, Chancen und Risiken des Eingriffs sowie über Alternativen hierzu unterrichtet; eine standardisierte Aufklärung allein durch Formblätter genügt im allgemeinen nicht. Die Information hat so rechtzeitig zu erfolgen, daß dem Patienten ausreichend Gelegenheit zu eigener Überlegung und Willensbildung bleibt. Hierauf hat der Patient einen Rechtsanspruch *(Aufklärungspflicht des Arztes)*. Eine aufgrund unzureichender Aufklärung erteilte Einwilligung ist unwirksam.
Der Arzt ist auch für das Beibringen der **schriftlichen Einwilligungserklärung** des Patienten verantwortlich.
Manchmal bietet sich eine Kontaktvermittlung zu einem positiv eingestellten Patienten, der bereits erfolgreich operiert wurde, an. Dieser kennt die präoperativen Ängste ebenso wie die postoperative Situation und kann einen beruhigenden sowie ermutigenden Einfluß ausüben.
Unruhe und Angst können außerdem durch Aufklärung und Information von seiten des Pflegepersonals gemindert werden. So sollte dem Patienten der **prä- und postoperative Pflegeablauf geschildert** werden, damit er einschätzen kann, was auf ihn zukommt und welchem Zweck die Maßnahmen dienen. Erfolgt die erste postoperative Überwachung im Aufwachraum bzw. auf der Intensivstation, sollte der Patient schon jetzt darüber informiert werden.

❒ Routineuntersuchungen

Vor einer Operation werden **Körpergröße und -gewicht** gemessen. Die Ergebnisse dienen als Ausgangswert und zur Festlegung individuell angepaßter Medikamentendosen (Prämedikation, Narkotika).
Weitere Routineuntersuchungen dienen der Überprüfung lebenswichtiger Organfunktionen; dazu gehören (meist ab dem 40sten Lebensjahr) das **EKG** (*Elektrokardiogramm*), eine **Röntgenaufnahme des Thorax** und **blutchemische Untersuchungen** (*Blutbild, Blutsenkung, Elektrolyte, Gerinnungsstatus, Leber- und Nierenwerte, Blutgruppe*). Zu weiteren diagnostischen Zwecken werden z.B. ein **Urinstatus** erhoben und eine Lungenfunktionsprüfung sowie eine Blutgasanalyse durchgeführt.
In einigen Fällen werden Blutkonserven bestellt oder Blut für die Eigenbluttransfusion entnommen.
Selbstverständlich werden präoperativ auch die **Vitalzeichen** kontrolliert.

❒ Therapeutische Maßnahmen

Patienten mit schweren Erkrankungen und/oder reduziertem Allgemeinzustand bedürfen meist einer **zusätzlichen Operationsvorbereitung**. Diese umfaßt therapeutische Maßnahmen, die sich auf das Grundleiden beziehen. So wird z.B. einem Patienten mit Blutarmut vor der Operation eine Bluttransfusion verabreicht oder bei Herzkrankheiten das Herz medikamentös unterstützt. Pflegerische Maßnahmen beziehen sich in diesem Zusammenhang größtenteils auf die gezielte Beobachtung und Unterstützung des Kranken.
Patienten, deren **Diabetes mellitus** mit oralen Antidiabetika oder Depot-Insulin eingestellt ist, werden zur besseren Steuerung des Blutzuckers spätestens am OP-Tag morgens - fortdauernd bis zur postoperativen Wiederaufnahme der normalen Ernährung - **auf Altinsulin umgestellt**. Über den gesamten Zeitraum werden **Blutzuckertagesprofile** bestimmt. Blutzuckerwerte über 200 mg % werden mittels Altinsulininjektion korrigiert (Arztanordnung).
Um einer Hypoglykämie* vorzubeugen, wird meist 5%ige Glucose-Lösung infundiert.
Das Pflegepersonal **beobachtet** den Diabetiker auf **Zeichen einer Hypo- und Hyperglykämie** und fordert ihn auf, sich bei Veränderung seines Allgemeinbefindens sofort zu melden. Weitere Informationen finden Sie unter *"Diabetes mellitus", Seite 160*.

❒ Einüben bestimmter Fähigkeiten

Oft sind postoperative Einschränkungen, insbesondere im Bereich der Mobilität, bereits vor der Operation absehbar. Möglichkeiten, diese mit wenig Anstrengung und Schmerzen zu kompensieren, sollten bereits präoperativ geprüft und eingeübt werden. In der **präoperativen Phase** fällt dem Patienten das **Einüben bestimmter Fähigkeiten und Techniken leichter**. Beherrscht er diese, fühlt er sich insgesamt sicherer und selbständiger; die Abhängigkeit vom Pflegepersonal kann so reduziert werden.

Beispiele für Fähigkeiten und Techniken, die ein Patient praeoperativ einüben kann:
- Atemübungen verschiedener Art *(siehe Seite 46)*;
- Abhusten unter gleichzeitigem Ausüben von Gegendruck auf die Bauchdecke;
- Durchführung aktiver Bewegungsübungen *(siehe Seite 545)*;
- Gehen mit Unterarmgehstützen *(siehe Seite 552)*;

- Benutzen eines Bettbügels mit Triangel (sofern dies nicht kontraindiziert ist);
- Benutzen von Urinflasche / Steckbecken;
- Drehen und Aufstehen "en bloc" *(siehe Seite 547)*.

Der Patient wird bezüglich Sinn und Durchführung der Maßnahme / Technik aufgeklärt und angeleitet. Die Durchführung der Übungen ist geduldig und aufmunternd zu begleiten bzw. zu kontrollieren, bis der Kranke sie beherrscht.

❐ Körperreinigung

Der optimale Zeitpunkt zur Reinigung des Körpers durch ein Dusch- oder Wannenbad ist aus hygienischer Sicht der **Morgen des Operationstages**. Kann dieser aus organisatorischen Gründen nicht genutzt werden, so wird die Körperreinigung bereits am Vorabend vorgenommen. Sie dient der **Reduzierung der Hautkeime**. Körperregionen, in denen Keime vermehrt vorzufinden sind (Bauchnabel, Hautfalten, Zwischenfinger- / -zehenräume), werden dabei besonders berücksichtigt. Die Reinigung des Bauchnabels kann durch Benutzung eines Wattestäbchens unterstützt werden.

Außerdem sollten die Finger- und Fußnägel gereinigt werden.

Patienten, die ein Vollbad nehmen, sollten sich anschließend **unbedingt mit frischem Wasser abduschen**. Ein Vollbad bietet für viele Menschen die Möglichkeit zur Entspannung und fördert so das Wohlbefinden. Aus diesem Grund sollte es gerade in der angespannten präoperativen Phase angeboten werden, sofern keine medizinische Kontraindikation vorliegt.

Kann der Patient das Bett nicht verlassen, so wird eine gründliche Körperpflege im Bett vorgenommen.

Patienten, die lackierte Finger- oder Fußnägel haben, werden angehalten, den **Lack** zu **entfernen**, da Nagellack splittern kann, ein Keimfänger ist und die Kontrolle der Hautfarbe (Durchblutung) beeinträchtigt. Der Patient ist dabei über den Sinn dieser Maßnahme aufzuklären. Make-up ist ebenfalls zu entfernen, damit die Durchblutung von Lippen und Haut beurteilt werden kann.

❐ Vorbereitung des Operationsfeldes

Da **Haare** bevorzugte Bakterienträger sind, müssen sie vor einer Operation **im Bereich des Operationsfeldes großzügig entfernt** werden, d.h. auch in dessen Umfeld, im Abstand bis zu ca. 15 cm. Dies gilt nicht für Operationen im Gesichts- und Kopfbereich; die Augenbrauen werden in der Regel nicht entfernt.

Die von Haaren befreite Haut kann außerdem besser desinfiziert werden. Klebende Wundverbände lassen sich unproblematisch aufbringen und entfernen.

Die Entfernung der Körperhaare wird **nach dem Reinigungs- / Duschbad am OP-Tag** vorgenommen, weil die Haut dann weich und somit wenig verletzlich ist; ein früherer Zeitpunkt vergrößert das Infektionsrisiko.

Es stehen **verschiedene Methoden der Haarentfernung** zur Wahl.

- **Naßrasur:**
  - ist für alle Hautbereiche geeignet;
  - ist das hautschonenste Rasurverfahren;
  - muß sehr vorsichtig geschehen, da die Verletzungsgefahr bei Abrutschen der Klinge sehr groß ist (Haut*verletzung = Eintrittspforte für Keime*).
- **Haarentfernung mittels spezieller Enthaarungscreme** *(chemische Depilation)*:
  - ist mit Ausnahme des Intimbereichs (Schleimhautreizungen) für alle Körperregionen geeignet;
  - ist das für den Patienten angenehmste Verfahren;
  - muß zunächst am praeoperativen Tag an einer vom Operationsfeld entfernten Hautstelle (am besten in der Ellenbeuge) getestet werden, da die Enthaarungscreme Allergien hervorrufen kann;
  - hat den Vorteil, daß sie keine Hautverletzungen hervorruft (sofern sich keine Allergie entwickelt);
  - muß entsprechend der Gebrauchsanweisung erfolgen: mit Spatel oder Handschuh Creme auftragen, einwirken lassen, abduschen / -waschen von Schaum und Haaren.
- **Stutzen der Haare mit einer Schere** oder eine **elektrische Rasur:**
  - sind Verfahren mit dem geringsten Wundinfektionsrisiko;
  - können in vielen Fällen ausreichend sind.
- **Trockenrasur:**
  - verursacht häufiger Verletzungen und Schmerzen als die Naßrasur;
  - ist aus genannten Gründen zur Operationsvorbereitung nicht geeignet.

Während der Rasur ist die Haut auf Veränderungen wie Hautunreinheiten, Muttermale oder Warzen zu beobachten und in diesem Bereich besonders vorsichtig (Verletzungsgefahr) zu verfahren.

Nach Beendigung der Rasur ist die Effektivität zu prüfen, evtl. zugefügte Verletzungen und beobachtete Besonderheiten / Hautveränderungen werden dem Arzt mitgeteilt. Der Patient wird darüber informiert, daß die Haut jetzt nicht mehr manipuliert werden darf, d.h. kein Kratzen, Einreiben, Pudern der Haut.

Weitere besondere Vorbereitungen des Operationsfeldes beziehen sich auf die Körperreinigung *(siehe vorstehend)*. Manchmal muß die Haut von Pflasterresten befreit werden; dieses erfolgt mittels waschbenzingetränktem Tupfer. Nicht selten wird das Operationsfeld schon auf der Station ein erstes Mal desinfiziert.

❐ Darmreinigung

Eine präoperative Darmreinigung erfolgt **vor jedem chirurgischen Eingriff am Abdomen** und **vor jeder** größeren Operation in **Allgemeinnarkose**. Findet der Eingriff nicht am Magen-Darm-Trakt statt, wird im allgemeinen ein Klysma oder Suppositorium zur Entleerung des Rektum verordnet. Weitere Indikationen werden individuell gestellt.

Die Darmreinigung erfolgt, um die Operationsbedingungen zu verbessern und eine Stuhlentleerung während der Operation zu vermeiden.

Zur Darmreinigung stehen verschiedene Möglichkeiten zur Verfügung: **Reinigungseinlauf, Klistier, orthograde Darmspülung oder orale Abführmittel**.

Vor **Operationen am Darm** wird evtl. eine spezielle Vorbereitung, die zusätzlich der Abtötung von Darmbakterien dient, vorgenommen *(siehe Seite 257)*.

Die Art der Darmreinigung richtet sich nach der ärztlichen Anordnung. Sie wird meist am Mittag oder Nachmittag des präoperativen Tages vorgenommen. Zur Durchführung der einzelnen Abführmaßnahmen siehe "Darmeinläufe", *Seite 212*, "Orthograde Darmspülung", *Seite 257*, und "Laxanzien", *Seite 215*.

Der Patient ist bezüglich des voraussichtlichen Wirkungseintrittes (Zeit) zu informieren. Spätestens am Abend des präoperativen Tages muß die zuständige Pflegeperson den Erfolg der Maßnahme erfragen bzw. kontrollieren.

❒ Präoperative Ernährung

Patienten mit reduziertem Ernährungszustand werden, sofern möglich, mehrere Tage vor dem Operationstermin **hochkalorisch** und **vitaminreich** ernährt.

Die präoperative Ernährung richtet sich nach der Art der geplanten Operation. Bei **Operationen an den Verdauungsorganen** wird bereits 3 bis 4 Tage vor der Operation mit dem Nahrungsabbau begonnen.

Vor sonstigen Operationen wird in der Regel am präoperativen Tag mittags und abends noch leicht verdauliche Kost verabreicht.

Ab **12 Stunden** vor dem geplanten **Operationstermin** darf der Patient **keine feste Nahrung** mehr zu sich nehmen. Die Aufnahme von Flüssigkeiten wird 8 Stunden vor dem Operationsbeginn eingestellt. Die Karenz dient der Aspirationsprophylaxe.

In vielen Krankenhäusern gilt eine einheitliche Regelung; danach müssen alle Patienten **ab 0.00 Uhr des Operationstages nüchtern** bleiben. Die Karenz bezieht sich nicht nur auf die Aufnahme von fester und flüssiger Nahrung, sondern auch auf das Rauchen.

Eine entsprechende **Information des Patienten** erfolgt eindeutig und eindringlich, da seine Kooperation sehr wichtig ist.

In diesem Zusammenhang ist auch die **Information der Nachtwache** und des am Operationstag tätigen **Küchenpersonals** unerläßlich.

❒ Thromboseprophylaxe

Thromboseprophylaktische Maßnahmen werden bereits **am Morgen des Operationstages** durchgeführt.

Der Patient wird über den Effekt der Antithrombosestrümpfe, wenn möglich auch über die Technik des Anziehens von ATS, informiert. Sodann ist festzustellen, welche Strumpfgröße zu wählen ist. Das Anziehen der ATS erfolgt spätestens vor Verabreichung der Prämedikation, sofern keine Kontraindikation vorliegt *(siehe auch "Anpassen und Anziehen von ATS", Seite 317)*.

Die medikamentöse Thromboseprophylaxe beginnt ebenfalls am Morgen des Operationstages. In der Regel ordnet der Arzt die Low-Dose-Heparinisierung an *(siehe Seite 320)*.

❒ Prämedikation

Der Begriff "Prämedikation" meint die **medikamentöse Vorbereitung auf die Narkose.** Sie wird vom Narkosearzt (*Anästhesisten*) verordnet und dient der **Beruhigung** und **Angstlösung**.

Da der Patient der Operation angstfreier entgegensieht, ist eine bessere Narkoseeinleitung möglich.

Es werden **Benzodiazepine** gegeben, z.B.

- kurzwirksame wie Dormicum® (vor ambulanten Operationen) oder
- langwirksame wie Tranxillium® vor stationären Operationen.

Die Medikamente werden am Abend vor der Operation und am Morgen des Operationstages nach telefonischer Anweisung des Operationsteams (ca. 60 Minuten vor Operationsbeginn) mit einem Schluck Wasser verabreicht, dies verstößt nicht gegen das Nüchterngebot.

Der Patient entscheidet, ob er eine Medikation zur Beruhigung haben möchte.

Bei besonders unruhigen oder ängstlichen Menschen kann eine atemstimulierende Einreibung *(siehe Seite 48)* zur Entspannung führen.

Die Verabreichung der Prämedikation muß genau **dokumentiert** werden; wichtig ist auch die Notierung des Zeitpunktes.

Hinweis:

Patienten sollen in der Regel am Operationstag ihre übliche Medikation erhalten; dies erfolgt nach Anordnung des Anästhesisten. Wichtig ist vor allem die Verabreichung von Antiepileptika, Antihypertonika und Antiasthmatika.

Diabetiker, die mit oralen Antidiabetika behandelt werden, sollten diese nicht erhalten, da das Medikament sehr lange nachwirkt; insulinpflichtige Diabetiker erhalten eine Glukoseinfusion mit Insulin.

❒ Letzte Maßnahmen vor der Operation

Bevor der Patient nach der (telefonischen) Aufforderung aus der Operationsabteilung prämediziert wird, erfolgen letzte vorbereitende bzw. überprüfende Maßnahmen. Dazu gehören:

- Zusammenstellung aller erforderlichen Krankenunterlagen: Patienten - Dokumentationsmappe, Anästhesieunterlagen, Röntgenbilder und andere Untersuchungsergebnisse; Einverständniserklärung;
- Information des Patienten;
- Aufforderung des Patienten zum Wasserlassen;
- Nachfragen, ob der Patient abgeführt hat und nüchtern geblieben ist;
- Erkundigung nach dem Befinden des Patienten, ggf. Weitergabe von Besonderheiten an den Arzt;
- Überprüfen der Rasurstelle;
- Veranlassung des Ablegens von Prothesen, Schmuck und anderen Wertgegenständen; diese in einen mit dem Namen des Patienten beschrifteten Umschlag legen und im Schwesterndienstzimmer einschließen;
- Hilfeleistung beim Anziehen eines offenen, krankenhauseigenen Operationshemdes und Entfernung anderer Kleidungsstücke;
- sofern nicht bereits geschehen, Information des Patienten über die Wirkung der Prämedikation;
- Verabreichen der Prämedikation (**Beachte:** Danach darf der Patient nicht mehr aufstehen);
- Prüfung, ob das Krankenbett mit dem Namen des Patienten und der Stationsbezeichnung versehen ist;
- Transport des Patienten in die Operationsabteilung, dabei Beobachtung des Patienten; die Pflegeperson sollte einfühlsam und entsprechend dem Zustand

des Patienten reagieren, d.h. ein schläfriger Patient wird nicht gestört und ein gesprächiger wird unterhalten, getröstet, ermutigt o.ä.;
- spätestens jetzt Entfernung verbliebener Hilfsmittel wie Brille, Hörgerät oder Perücke;
- Übergabe des Patienten an das Pflegepersonal im Operationssaal, Bekanntmachen des Patienten und der Pflegeperson, Verabschiedung;
- Übergabe der Patientenunterlagen an das Operationsteam, ausdrückliche Mitteilung beobachteter Besonderheiten.

4.5.4 Allgemeine postoperative Pflegemaßnahmen

❒ Vorbereitung von Bett und Zimmer

Bevor der Patient aus dem Operationssaal bzw. Aufwachraum abgeholt wird, erfolgt die **Vorbereitung seines Bettes**:
- Bettwäsche abziehen, Bettgestell desinfizieren;
- wasserdichten Bettschutz zwischen Matratze und Bettlaken anbringen, Bettzeug frisch beziehen;
- Haltevorrichtungen für Infusions- / Wundsekretflaschen, Urinauffangbeutel, Magensonde u.ä. anbringen;
- ggf. Lagerungshilfsmittel (richten sich nach Art der Operation) vorbereiten;
- Nierenschale und Zellstoff ans Kopfende stellen;
- Bett unter einem Lichtbogen anwärmen.

Kommt der Patient nach kleineren Eingriffen sofort in sein Zimmer zurück, wird dieses so vorbereitet, daß eine **Absaugvorrichtung** zur Verfügung steht, die **Umgebung ruhig** ist und sowohl **Beatmungsbeutel** als auch **Guedel- oder Wendeltubus** bereitliegen.

❒ Übernahme des Patienten

Die Schwere der durchgeführten Operation und der Zustand des Patienten sind ausschlaggebend für die Intensität der postoperativen Betreuung.
Nach kleineren Eingriffen mit komplikationslosem Verlauf wird der Operierte auf die **Normalstation** zurückverlegt; ansonsten ist seine Überwachung in einem speziell ausgestatteten Funktionsbereich (**Aufwachraum**) erforderlich. Hier verbleibt der Patient, bis die Spontanatmung ausreichend ist, sich die Kreislaufsituation normalisiert und stabilisiert hat und der überwiegende Teil der Narkotika abgebaut ist.
Nach großen Operationen ist - insbesondere bei reduziertem Allgemeinzustand - manchmal eine mehrstündige / -tägige Überwachung und Betreuung auf der **Intensivstation** erforderlich.

Für die Übernahme des Patienten aus dem Operationssaal / Aufwachraum gelten folgende Richtlinien:
- Sie erfolgt **immer zu zweit**; mindestens eine der beiden Pflegepersonen verfügt über das Krankenpflegeexamen.
- Bei der Übergabe des Patienten werden seine Identität geprüft und bisherige **Beobachtungen sowie Besonderheiten** während der Operation **in schriftlicher und mündlicher Form weitergegeben**; diese beziehen sich auf
  - die Art der durchgeführten Operation und des angewandten Narkoseverfahrens,
  - evtl. Zwischenfälle,
  - ermittelte Vitalwerte (Kreislaufsituation des Kranken),
  - Bewußtseinslage des Operierten,
  - liegende Zu- und Ableitungen (Wunddrainagen, Katheter, Magensonde, Braunülen etc.),
  - laufende und angeordnete Infusionen,
  - Anordnungen des Narkosearztes (Kontrolle der Vitalzeichen und laborchemische Untersuchungen in bestimmten Zeitabständen),
  - die angeordnete Lagerung.
- **Der Patient darf nur transportiert werden, wenn**
  - die Atem- / Kreislaufsituation dies zuläßt (zur Beurteilung müssen Puls, Blutdruck, Hautfarbe und Atmung kontrolliert werden);
  - der Operierte auf Ansprache reagiert (antwortet) und nach Aufforderung die Augen öffnet;
  - die Ab- und Zuleitungen kontrolliert, durchgängig und sicher fixiert sind;
  - der Wundverband hinsichtlich einer Nachblutung inspiziert wurde;
  - ein Beatmungsbeutel (Ambu-Beutel) mitgeführt werden kann;
  - die Krankenunterlagen, insbesondere die schriftliche Anordnung für die weitere Betreuung des Patienten, vorliegen;
  - ein zügiger Transport gewährleistet ist.

Während des Transportes befindet sich der Operierte im allgemeinen in flacher Rückenlage, sein Kopf ist zur Seite geneigt (sofern die Art der durchgeführten Operation dies erlaubt). Eine **ständige Beobachtung** des Bewußtseinszustandes ist erforderlich; Veränderungen sind erste Anzeichen bedrohlicher Störungen. Um sie zu erkennen, spricht man mit dem Kranken und fordert ihn dabei zu Reaktionen auf. Des weiteren werden die Hautfarbe und die Atemfrequenz, Atemtiefe sowie der Atemrhythmus beobachtet.

❒ Laufende Kontrollmaßnahmen

In den ersten postoperativen Stunden ist das Risiko von Komplikationen besonders hoch. Diese sind meist durch Nachwirkungen der Narkotika, die Operation selbst oder durch Blutungen aus dem Operationsfeld verursacht. Es ist Aufgabe des Pflegepersonals, den Patienten **sorgfältig und engmaschig** (zunächst $^1/_4$-, dann $^1/_2$-, schließlich 1-stündlich) zu **beobachten**, um Komplikationen frühzeitig zu erkennen.
Die Ergebnisse der Beobachtungen werden auf einem speziellen **Überwachungsbogen** dokumentiert.

Die Kontrollen beziehen sich auf
- **Puls**frequenz, -rhythmus, -qualität und **Blutdruck**, um eine Kreislaufinstabilität / ein Kreislaufversagen zu erkennen, bei Bedarf werden die Herzaktionen mittels EKG-Monitoring überwacht;
- die **Bewußtseinslage**, um O_2-Mangel (löst Unruhe aus), Narkotikaüberhang (Patient ist nicht oder nur sehr schwer weckbar) und Komplikationen (zunehmende Eintrübung) zu erkennen; **Ansprechbarkeit**

und **Reaktionsfähigkeit** werden durch freundliche Aufforderungen (z.B. die Augen zu öffnen) und Hautkontakt (Streichungen) getestet; außerdem werden Fragen gestellt, deren Antworten Rückschlüsse auf die örtliche und zeitliche **Orientierung** zulassen;

- die **Schleimhaut- und Hautfarbe**, insbesondere an den Akren, um einen O_2-Mangel im Gewebe zu erkennen;
- die **Atmung**: Atemfrequenz, -rhythmus, -geräusche, -beschwerden, um eine beatmungs- oder narkotikabedingte Atemdepression oder -insuffizienz festzustellen;
- die **Körpertemperatur**, um Wundinfektionen und andere Entzündungen (z.B. Pneumonie) zu erkennen (***Beachte***: Resorptionsfieber bis 38,5°C ist in den ersten Tagen als physiologisch anzusehen) *(siehe dazu "Resorptionsfieber", Seite 506)*;
- ggf. die **motorischen und sensorischen Fähigkeiten**, um evtl. intraoperativ entstandene Verletzungen festzustellen;
- die **Urinausscheidung**, um ein Nieren- / Kreislaufversagen frühzeitig zu erkennen; die erste Spontanmiktion sollte spätestens 6 - 8 Stunden nach der Operation erfolgen, andernfalls wird der Urin mittels Katheter entnommen;
  Beachte: Die Harnverhaltung kann auch psychische Ursachen haben; hier ist es wichtig, eine vor fremden Blicken geschützte Umgebung zu schaffen;
  - der Miktionsbeginn kann z.B. durch das Geräusch laufenden Wassers erleichtert werden; in Extremfällen hilft auch die Injektion eines krampflösenden Mittels (Arztanordnung);

  Beachte: Eine vorübergehende Harn- und Stuhlinkontinenz kann Folge einer Spinalanästhesie sein;
- ggf. **Flüssigkeitszufuhr und -verluste** (einschl. Wundsekret, Magensaft, starker Schweißsekretion), um eine Flüssigkeitsbilanz *(siehe Seite 199)* erstellen zu können;
- das **Wundgebiet**, um Nachblutungen oder Mängel am Verband (z.B. Einschnürungen) zu erkennen; nach Operationen im Bauchraum ist evtl. eine stündliche Kontrolle des Bauchumfanges notwendig; dabei ist es wichtig, immer in derselben Höhe zu messen (Markierung mit wasserfestem Stift);
- **Drainagen**, um deren Funktion zu prüfen und den Blutverlust zu erfassen *(siehe Seite 378)*.
- die **venösen Zugänge**, um deren Funktion sicherzustellen; paravenöses Einlaufen der Infusionslösung bzw. Entzündungen und Thrombosen sollen frühzeitig erkannt werden;
- das **subjektive Befinden** des Patienten, z.B. auf Schmerzäußerungen, Übelkeit, Schwindel, um Störungen des Allgemeinbefindens zu erkennen.
  Beachte: Postoperative Schmerzen müssen erfaßt und behandelt werden, um Folgeerscheinungen wie flache Atmung, Tachykardie und Stimmungstief zu vermeiden *(siehe Seite 904)*.

Ferner sind die ärztlich angeordneten **Laborkontrollen** (meist Hb, HK, Blutgasanalyse, Elektrolyte, Blutzucker) zu veranlassen.

❐ Prophylaxen

In der postoperativen Phase ist der Patient gefährdet, verschiedene **Sekundärerkrankungen** zu entwickeln; die individuellen Risikofaktoren sind sorgfältig zu analysieren. Die entsprechenden Prophylaxen werden in diesem Zusammenhang nur genannt, ausführliche Informationen sind den jeweiligen Kapiteln zu entnehmen.

Die Operation selbst bedingt eine erhöhte Gerinnungsneigung des Blutes; weitere **Thromboserisikofaktoren** (verlangsamter Blutrückfluß aufgrund des Bewegungsmangels, Gefäßwandverletzung) kommen hinzu.

Die **Thromboseprophylaxe** umfaßt:

- Frühmobilisation und weitere Mobilisation,
- Tragen von Antithrombosestrümpfen bzw. Wickeln der Beine bei Immobilität,
- auf ärztliche Anordnung low-dose-Heparinisierung,
- ausreichende Flüssigkeitszufuhr,

(siehe dazu "Thromboseprophylaxe", Seite 316).

Die Atmung ist nach Operationen meist oberflächlich, insbesondere, wenn Schmerzen im Bauch- oder Brustraum vorliegen *("**Schonatmung**")*. Das daraus resultierende **Pneumonierisiko** wird nach einer Intubationsnarkose durch eine vermehrte Sekretion von Bronchialschleim verstärkt. Ein Abhusten des Sekrets wird häufig unterlassen, um Schmerzen zu vermeiden.

Die Atmung bedarf der besonderen Beobachtung. Bei Auftreten von Schmerzen und Schonatmung ist der Arzt zu informieren; er verordnet in der Regel eine medikamentöse Schmerzbehandlung. Ebenso sollte der Arzt über die Sekretion zähen Bronchialschleims bzw. über eine vermehrte Sekretion in Kenntnis gesetzt werden, damit er weitere Maßnahmen anordnen kann. Die **Pneumonieprophylaxe** umfaßt in der Regel:

- Atemübungen,
- atemerleichternde Lagerung,
- Sekretverflüssigung,

(siehe dazu "Pneumonieprophylaxe", Seite 41).

Ein gewisses **Dekubitusrisiko** resultiert aus der reduzierten Schmerzwahrnehmung nach Narkotika- und Analgetikagabe. Hat die Operation eine Immobilität des Patienten zur Folge, so liegt darin ein weiterer Risikofaktor. Maßnahmen der **Dekubitusprophylaxe** sind hier in erster Linie:

- zweistündliche Umlagerungen und/oder Weich- / Hohllagerung,
- Sorge für ein trockenes Hautmilieu,
- Früh- / Mobilisation,

(siehe dazu "Dekubitusprophylaxe", Seite 350).

Das **Risiko von Affektionen im Mundbereich** liegt nur bei längerer Nahrungskarenz vor. Eine Abwehrschwäche, vor allem in hohem Alter, verstärkt die Gefährdung.

Zur **Prophylaxe** werden durchgeführt:

- regelmäßiges Anfeuchten der Mundschleimhaut,
- allgemeine, ggf. spezielle Mundpflege,
- Anregung der Kautätigkeit,

(siehe dazu "Mundpflege", Seite 651).

Das **Risiko, eine Kontraktur zu entwickeln**, besteht insbesondere nach Operationen in Gelenknähe, am Bewegungsapparat und bei therapeutischer Ruhigstel-

lung bestimmter Körperteile. Immobilität ist ein weiterer Risikofaktor.
Die **Kontrakturenprophylaxe** bezieht sich auf:
- Mobilisation in und möglichst außerhalb des Bettes,
- gezielte Bewegungsübungen,
- regelmäßige Umlagerungen bei immobilen Patienten,

(siehe dazu "Kontrakturenprophylaxe", Seite 542).

Des weiteren ist zu beachten, daß jeder Zugang ins Körperinnere (z.B. Wunddrainagen) und die Operationswunde ein **Infektionsrisiko** darstellen.
Der **Infektionsprophylaxe** dienen folgende Prinzipien:
- Verbandwechsel unter Wahrung der Asepsis,
- sichere Fixation und sterile Abdeckung von Braunülen, zentralen Venenkathetern, Sonden, Drainagen u.ä.,
- sachgerechter Umgang mit Braunülen, Venen- und Blasenverweilkathetern,

(siehe dazu "Nosokomiale Infektionen", Seite 479).

❒ Unterstützung der Magen- und Darmfunktion

Nach intraabdominellen Operationen *(Operationen mit Eröffnung des Magen-Darm-Traktes)* kommt es in der postoperativen Phase oft vorübergehend zur **Magen - Darm - Atonie**. Die Dauer der zu erwartenden Atonie ist von der Art des Eingriffs und den individuellen Besonderheiten des Patienten abhängig.
Das **Einsetzen der Darmtätigkeit** ist durch Darmgeräusche, die mit einem Stethoskop über dem Abdomen abgehört werden können, nachvollziehbar.
Bei Bedarf erfolgt eine **Anregung der Darmtätigkeit** mittels Darmrohr, lokaler Wärme, Klysma, intravenös verabreichten Medikamenten oder Abführmitteln (Arztanordnung).
Mit Einsetzen der Darmperistaltik können **Blähungen** auftreten. Falls diese starke Schmerzen verursachen, werden den Abgang **erleichternde Maßnahmen** ergriffen *(siehe "Maßnahmen bei Blähungen", Seite 212).*
Das erste postoperative Abführen stellt in vielen Fällen eine körperliche **Belastung** für den Patienten dar. Befindet sich die Operationswunde im Bauch- oder Brustraum, entstehen durch die Betätigung der Bauchpresse **Schmerzen**. Um diese so gering wie möglich zu halten, wird der Patient angeleitet, mit seinen Händen einen **Gegendruck auf die Wunde auszuüben**. Nach Möglichkeit sollte die Defäkation ungestört und auf der Toilette ermöglicht werden.
In seltenen Fällen kann sich aus der postoperativen Darm - Atonie ein paralytischer **Ileus** *(Darmverschluß)* entwickeln.
Anzeichen eines Ileus *(siehe Seite 255)* sind unverzüglich dem Arzt zu melden. Auch eine ausbleibende Wirkung der Abführmaßnahmen ist stets als Hinweis auf eine Darmlähmung anzusehen.
Die Therapie muß unverzüglich einsetzen und zwar - je nach Ursache - auf medikamentösem oder operativem Weg. Weitere Informationen siehe *"Ileus", Seite 255.*
Nach Operationen am Magen-Darm-Trakt tritt vorübergehend eine Magenatonie auf; da der Magen-Darm-Trakt in diesem Zustand seiner Transportfunktion nicht nachkommt, aber weiterhin Sekret in den Magen-Darm-Trakt abgegeben werden, wird das System über eine **Magen- oder Duodenalsonde** entlastet. Konsistenz, Aussehen und Menge des ablaufenden Sekretes werden beobachtet, die Ergebnisse protokolliert. Mit dieser Flüssigkeit gehen auch Elektrolyte verloren. Sie müssen entsprechend den ermittelten Laborwerten ebenso ersetzt werden wie die Flüssigkeitsverluste. Pathologisch ist eine Magen-Darm-Atonie, die länger als erwartet andauert und/oder als Zeichen einer Peritonitis *(siehe Seite 150)* bzw. eines Ileus auftritt *(siehe Seite 255).* Sie geht mit **Überlauferbrechen** einher. Der Kranke zeigt oft tiefliegende Augen, eine trockene borkige Zunge, hat zusätzliche Schmerzen und Angst. Nicht selten leidet er unter einem Schluckauf. Ein Betroffener bedarf **besonders intensiver Beobachtung und Zuwendung**. Während des Erbrechens ist Hilfestellung zu leisten. Es ist darauf zu achten, daß der Kranke nicht aspiriert. Das Erbrochene ist auf Menge, Farbe und Beschaffenheit zu beobachten; die Ergebnisse werden dokumentiert *(vgl. "Hilfestellung beim Erbrechen", Seite 132).*
Brechreiz und Erbrechen können auch durch Nachwirkung der verabreichten Narkotika bedingt sein, treten dann jedoch in wesentlich geringerem Ausmaß und nur am OP-Tag auf.

❒ Mobilisation

Die postoperative Mobilisation ist eine im Hinblick auf mögliche Sekundärerkrankungen mehrfach wirksame **Prophylaxe**. Sie sollte bereits am Operationstag einsetzen *(siehe "Frühmobilisation", Seite 544)* und insgesamt **so oft und so intensiv wie möglich** durchgeführt werden. Dem sind jedoch gerade in den ersten postoperativen Tagen häufig enge Grenzen gesetzt. Entscheidend für den Umfang der Mobilisationsmaßnahmen sind das Befinden des Operierten, die Art der durchgeführten Operation und die Anordnung des Arztes. Es ist Aufgabe der Pflegenden, die **individuellen Möglichkeiten einzuschätzen**.
Hindernisse, z.B. durch Infusionsschläuche, können evtl. vorübergehend **ausgeschaltet** werden.
Liegende Wundsekretdrainagen, Katheter und ähnliche **Ableitungen** sind zu beachten. Sie müssen **richtig gelagert und sicher fixiert** sein. Manipulationen sollten vorsorglich vermieden werden, denn sie lösen Schmerzen aus und können den Patienten gefährden.
Wichtigste **Ziele** der postoperativen Mobilisation sind die Thromboseprophylaxe und die Wiedererlangung der individuell möglichen Selbständigkeit.
Nach Operationen am Bewegungsapparat muß die Mobilisation häufig mit dem **Einüben neuer Bewegungstechniken** kombiniert werden. Hierzu sind Mitarbeit und Rat der KrankengymnastInnen erforderlich.

❒ Körperpflege

Das **Ausmaß der Hilfsbedürftigkeit** nach einer Operation ist **sehr unterschiedlich;** es ist sowohl von der Art der durchgeführten Operation als auch vom Zustand und Befinden des Kranken abhängig. Nach großen Operationen ist der Patient zunächst oft zu geschwächt, um Teile der Körperpflege selbst auszuführen. In diesen Fällen wird die Körperpflege zunächst vom Pflegepersonal übernommen. Es sollte **auch zwi-**

schendurch an **erfrischende Abwaschungen** des Gesichts und der Hände gedacht werden. Bei Fieber kann das Wohlbefinden durch kühle Waschungen gefördert werden.
Die Unterstützung bei der Körperpflege bietet häufig eine gute **Möglichkeit zur Mobilisation** und zur **Krankenbeobachtung**.

❒ Ernährung

Da der Patient unmittelbar nach der Operation erbrechen und aspirieren könnte, wird für die ersten postoperativen Stunden **Nahrungs- und Flüssigkeitskarenz** verordnet. Den Zeitpunkt für die erste Flüssigkeitsaufnahme legt der Anästhesist im Narkoseprotokoll fest.
Nach extraabdominellen Operationen darf im allgemeinen bereits nach wenigen Stunden getrunken werden. Voraussetzung ist, daß der Operierte ansprechbar ist und keinen Brechreiz verspürt. Pflegende prüfen vor Verabreichung von Flüssigkeit, ob der Operierte wach und frei von Übelkeit ist.
Nach Regionalanästhesien (z.B. Peridural- oder Spinalanästhesie) darf der Patient meist wenige Stunden nach der Operation essen und trinken.
Die postoperative Ernährung wird in erster Linie durch die Art der durchgeführten Operation bestimmt. Entscheidend ist, ob das **Bauchfell eröffnet** wurde und ob **an den Verdauungsorganen** operiert wurde. Ist dies der Fall, so muß über **mehrere Tage Nahrungskarenz** eingehalten werden. In dieser Zeit können die Operationsnähte und Anastomosen ungestört verheilen und die Verdauungsorgane ihre Funktion langsam wieder aufnehmen. Bis dahin wird der Kranke **parenteral** * ernährt.
Operationen im Bereich der Speiseröhre, des Magens und des **Darms** erfordern eine **bis zu achttägige Nahrungskarenz**; die genaue Karenzdauer wird jeweils durch Arztanordnung festgelegt.
Die **orale Flüssigkeitszufuhr** wird **nach intraabdomineller Operation** in den ersten postoperativen Tagen in der Regel auf eine bestimmte Menge **begrenzt**. Die zusätzlich notwendige Flüssigkeitsmenge wird dann über intravenös verabreichte Infusionslösungen zugeführt. Um das Austrocknen von **Lippen und Mundschleimhaut** zu verhindern, werden diese mehrmals täglich mit tee- und wassergetränkten Tupfern **angefeuchtet**. Alternativ können z.B. auch Pagavit - Stäbchen oder synthetischer Speichel verabreicht werden. Dem Patienten wird geholfen, die erlaubte Trinkmenge gleichmäßig über den Tag / die Nacht zu verteilen; so wird auch das Durstgefühl reduziert.
Der **Nahrungsaufbau** nach den verschiedenen Operationen wird im Zusammenhang mit der jeweiligen Lebens- und Pflegesituation besprochen.
Sobald die Darmtätigkeit eingesetzt hat, kann der Kranke **leichte Kost** zu sich nehmen. Zeichen für die eingesetzte Darmtätigkeit sind Windabgang und Geräusche über dem Abdomen. Nach Absetzen des ersten postoperativen Stuhls kann **Vollkost** aufgenommen werden.

❒ Wundversorgung

Die Versorgung der Operationswunde erfolgt immer unter sorgfältiger Berücksichtigung der hygienischen Prinzipien. Die **Regeln der Asepsis sind einzuhalten**, um eine Wundinfektion zu vermeiden. Liegt bereits eine Wundinfektion vor, gilt es, eine weitere Ausbreitung zu verhindern. **Wundinfektionen** führen zur Störung der Wundheilung, verursachen Schmerzen und beeinträchtigen das Allgemeinbefinden des Patienten. Häufig führen sie zu einer Verlängerung des Krankenhausaufenthaltes.
Während der **Wundheilung** kommt es zur Neubildung von Kapillaren, zur Vermehrung von Bindegewebs- und Epithelzellen sowie zur Bildung von kollagenen Fasern. Es werden zwei Verlaufsformen der Wundheilung unterschieden:

- Die **primäre Wundheilung** ist durch ein direktes, komplikationsloses Miteinanderverkleben der Wundränder innerhalb von 4 - 6 Tagen nach der Operation gekennzeichnet. Die Narbe ist zart und meist strichförmig.
  Der Verlauf der primären Wundheilung kann bei nicht infizierten Wunden beobachtet werden.
- Zur **sekundären Wundheilung** kommt es durch Infektionen, Quetschung der Wundränder und ähnliche Manipulationen, die vor, während oder nach der Operation erfolgen können. Folge ist eine verzögerte Wundheilung; zwischen den Wundrändern kommt es zur verstärkten Narbenbildung. Die Narbe ist entsprechend verbreitert und unregelmäßig.

❍ Trockene Wundbehandlung

- **Abdeckung trockener Wunden**
  Trockene geschlossene Operationsnähte u.a. Wunden werden allenfalls **zum Schutz vor mechanischen Einflüssen** (z.B. das Reiben der Nachtwäsche, das zu Irritationen an den Fäden führen kann) abgedeckt. Geeignet ist eine trockene Wundabdeckung, z.B. mit sterilem Pflaster, Cosmopor® steril *(selbsthaftender Wundverband)* oder sterilen (Vliesstoff-) Kompressen, die mit Fixierpflaster / -flies befestigt werden.
- **Abdeckung offener nicht infizierter Wunden**
  Wunden, die operativ nicht verschlossen wurden, nicht infiziert sind und sich in der Granulationsphase befinden, werden mit einer **nicht mit der Wunde verklebenden Wundauflage** versorgt, um eine Verletzung des Granulationsgewebes beim Verbandwechsel zu vermeiden. Geeignet sind z.B. Mepithel®-Folien, Salbenkompressen (z.B. Branolind®N, Grassolind®). Sie werden in Kombination mit einer sekundären Wundauflage (sterile Mullkompresse) angewendet.

❍ Feuchte Wundbehandlung

Bei der feuchten Wundbehandlung wird im Wundgebiet durch die Wundabdeckung die **Haut ersetzt**. Ziel ist die **Wegführung der Flüssigkeit aus dem Wundgebiet**. Eine Abheilung der Wunde erfolgt unter dem Wundschorf. Es wird ein feuchtes Milieu erhalten, wie es unter intakter Haut oder unter Wundschorf vorliegt. Dadurch können Gefäße schneller ins Wundgebiet einsprießen, Abwehrzellen sind in ihrer Aktivität nicht gehemmt, Bindegewebe kann einwachsen; die Wundheilung ist beschleunigt.
Eine feuchte Wundbehandlung ist **bei sekundär heilenden Wunden, die durch Austrocknung gefährdet sind** (z.B. chronische, schlecht heilende Wunden wie

Ulkus cruris, Dekubitus; infizierte und sezernierende Wunden) angezeigt. Ein feuchtes Wundmilieu wirkt in den einzelnen Phasen der Wundheilung stimulierend und regulierend.
Verbände zur feuchten Wundbehandlung tragen durch Absaugen von Sekret zur Säuberung der Wunde und somit zur **Infektionsprophylaxe** bei; das feuchte Wundmilieu ermöglicht die körpereigene Abwehr durch eine Wanderung von Makrophagen. **Bei Infektionen** saugen sie Sekret und Eiter aus der Wunde, d.h. die Wunde wird gesäubert und die **Keimzahl reduziert**. Außerdem schützen die Verbände die Wunde vor Sekundärinfektionen.
Verbände zur feuchten Wundbehandlung **verkleben nicht** mit der Wunde; so wird beim Verbandwechsel eine Verletzung des jungen, äußerst empfindlichen Epithels vermieden.
Bei Sättigung der Hydrokolloide zeigt sich über der Wunde eine blasenähnliche Ausformung des Verbandes, der dann gewechselt werden sollte.

Material für die feuchte Wundabdeckung (Kurzübersicht):

- **Semipermeable Abdeckfolien**
  Semipermeable Abdeckfolien werden zur **Behandlung oberflächlicher, nicht infizierter, wenig exsudierender Wunden** eingesetzt. Sie halten ein feuchtes Wundmilieu aufrecht und stellen eine antibakterielle Barriere dar; die Temperatur im Wundgebiet ist gegenüber der klassischen Wundabdeckung erhöht.
  Bei semipermeablen Abdeckfolien handelt es sich um Polyurethanfolie mit Polyacrylatkleber (z.B. Primamed®-Folien, OpSite®, Opraflex®, Bioclusive® select, Cutifilm®, Askina®Derm, Tegaderm®).
  Die Anwendung semipermeabler Abdeckfolien ist bei infizierten und stark sezernierenden Wunden **kontraindiziert**.

- **Hydrogele**
  Hydrogele werden bei relativ **gering sezernierenden Wunden** verwendet.
  - Bei **Hydrogelpräparaten** handelt es sich um Wundgele mit einem sehr hohen Wassergehalt (über 95%) zur Behandlung von Wunden mit nekrotischen und/oder fibrinösen Belägen. Das Gel kann mit einem nicht haftenden Verband abgedeckt werden.
    Beispiele für Wundgele: Geliperm®, Nu-Gel®, Intra-Site®Gel, Primamed ®Gel, Comfeel®Purilon Gel.
    Außerdem sind mit Gel getränkte Schaumstoffkompressen (z.B. aus Polyurethan) im Handel, z.B. Primamed® Gel-Kompresse.
    Nachteile: Gel kann eintrocknen oder besonders bei stark exsudierenden Wunden die Wundumgebung mazerieren.
  - **Hydrogelkompressen** bestehen aus einer elastischen Gelschicht (Wassergehalt 35 - 60%), die auf eine Polyurethanfolie als Trägermaterial aufgebracht ist. Die Feuchtigkeit der Kompresse fördert die Ablösung von trockenen Nekrosen und Fibrinbelägen.
    Es entsteht ein feuchtes Wundmilieu, überschüssiges Wundsekret wird in der Kompresse gebunden. Der Sekretfluß aus der Wunde heraus wird unterstützt. Die Polyurethanfolie auf der Rückseite verhindert das Antrocknen des Gels. Seine Wasseraufnahmekapazität hält übermäßige Feuchtigkeit von der Haut fern. Beispiele: Hydrosorb®, Opragel®, Askina®, Transorbent®, Nobagel®.

- **Hydrokolloide Verbände**
  Hydrokolloide Verbände werden bei **mittelstarker Wundexsudation** verwendet. Sie bestehen aus Substanzen, die ein vielfaches ihres Eigengewichts in Form von Flüssigkeit (Wundsekret) aufnehmen können. Diese Stoffe sind auf einen Polyurethanfilm aufgebracht. Die Kompressen leiten den Sekretfluß aus der Wunde ab und nehmen das Sekret auf. Der Polyurethanfilm verhindert, daß zuviel Flüssigkeit verdunstet und gewährleistet damit ein feuchtes Wundmilieu.
  Die Verbände kleben auf der intakten Haut. Die Klebewirkung nimmt aber an feuchten Stellen (Wundgebiet) ab. Beispiele: Varihesive®E, Comfeel®Plus, Hydrocoll®, Suprasorb®, Tegasorb®, Traumasive®, Algoplaque®, SureSkin®, Cutinova®hydro.
  Hydrokolloide Verbände sind **kontraindiziert** bei schweren Wundinfektionen, arterieller Minderdurchblutung, Allergien gegen Inhaltsstoffe, Verbrennungen III. Grades (ausschließlich Cutinova®hydro darf auch bei Verbrennungen III. Grades angewendet werden).

- **Alginatverbände**
  Alginatverbände werden aufgrund ihrer hohen Saugkraft **bei stark sezernierenden, schwer heilenden Wunden** eingesetzt. Sie quellen durch Sekretaufnahme zu einem Gel an. Dies bedeckt die Wunde und gewährleistet ein physiologisches (feucht - warmes) Wundmilieu. Das Alginatgel verklebt nicht mit der Wunde und kann schmerzfrei entfernt werden. Beispiele: Algosteril®, Nobaalgin®, Sorbsan®, Comfeel®Alginat, Tegagel®.

- **Schaumstoffverbände**
  Schaumstoffverbände aus inertem Material (z.B. Polyurethanschaum) werden aufgrund ihrer hohen Saugkraft **bei stark sezernierenden Wunden** eingesetzt. Ein besonderes Einsatzgebiet ist die temporäre Wundabdeckung vor Hauttransplantationen (z.B. bei großflächigen Verbrennungen). Beispiele: Allevyn®, Epigard®, SYSpur-derm®, Tielle®.

- **Weitere Möglichkeiten zur Behandlung offener (infizierter) Wunden** werden unter *"Wundversorgung bei Verbrennungen"* *(siehe Seite 518)*, *"Maßnahmen zur Dekubitustherapie"* *(siehe Seite 361)*, *"Arterielle Verschlußkrankheit - Stadium IV"* *(siehe Seite 340)* und unter *"Richtlinien zur Behandlung eines Ulkus cruris venosum"* *(siehe Seite 336)* besprochen.

❐ Verbandwechsel

Beim Verbandwechsel muß, um die Wundheilung nicht zu gefährden und um eine Wundinfektion zu vermeiden, ein **Kontaminieren der Wunde verhindert** werden. Dazu ist das Einhalten aseptischer Bedingungen erforderlich.
Der Begriff **Asepsis** meint das Prinzip der Keimfreiheit zur Vermeidung einer Infektion oder Kontamination

durch die Anwendung von Desinfektion bzw. Sterilisation. Die Keimfreiheit bezieht sich auf alle Gegenstände, die mit der Wunde in Berührung kommen, ebenso auf die Hände des Pflegepersonals, des ärztlichen Personals und auf Wundauflagen / Verbandstoffe. Um die Asepsis zu wahren, darf steriles Gut nur mit sterilen Materialien angefaßt werden und ist streng von unsterilem zu trennen.
Zur Wahrung der Asepsis wird beim Verbandwechsel eine **zweite assistierende Pflegeperson** benötigt.
Pflegende, die an einer Erkältungskrankheit leiden, müssen während des Verbandwechsels einen Mund-Nasen-Schutz tragen.

• Vorbereitung

Vor einem Verbandwechsel wird eine hygienische **Händedesinfektion** durchgeführt, das jeweils **erforderliche Material** (Verbandstoffe, Salben, Lösungen, Tupfer, Pinzette, Handschuhe, Pflaster, Verbandschere u.ä.) zusammengestellt und auf einem **Mehrzweckwagen** in das Zimmer des Patienten gefahren. Dieser Wagen soll eine **Abwurfmöglichkeit**, eine **Abstellfläche** und eine **Arbeitsfläche** bieten.
Eine andere Möglichkeit besteht darin, das für den jeweiligen Patienten benötigte Material auf einem Tablett zu richten; der Auszug des Nachtschranks wird als Abstell- und Arbeitsfläche genutzt, ein Abwurf ist an geeigneter Stelle zu plazieren.
Beachte: Ein Verbandwagen, in dem alle Materialien für die Wundversorgung aufbewahrt und transportiert werden, darf wegen der Keimverschleppungsgefahr nicht in das Krankenzimmer geschoben werden. Geschieht dies doch, wird eine anschließende Desinfektion der offenen Flächen und freistehenden Materialien erforderlich.
Vor Beginn des Verbandwechsels ist der **Kranke** über die bevorstehende Maßnahme zu **informieren**. Die Fenster werden geschlossen, um Durchzug und Aufwirbeln von Staub zu vermeiden.
Falls erforderlich, muß ein Patient ca. 20 Minuten vor einem Verbandwechsel ein Schmerzmittel (ärztliche Anordnung) erhalten.
Auf der Arbeitsfläche wird nun zunächst das unsterile, sodann separat das sterile **Material gerichtet**. Die Verpackung von steril angebotenen Materialien kann häufig als **sterile Unterlage** genutzt werden.

• Prinzipien

> *Während des Verbandwechsels ist oberstes Gebot, die Wunde nicht mit unsterilem Material zu berühren.*

Optimal ist die Zuhilfenahme steriler Instumente (*Non-touch-Technik*).
Der erste Verbandwechsel wird in der Regel vom behandelnden Arzt vorgenommen. Wenn bei weiteren Verbandwechseln kein Arzt anwesend ist, muß dieser schon bei Verdacht auf Wundheilungsstörungen informiert werden; das weitere Vorgehen erfolgt entsprechend der gegebenen Anordnung. Der Verlauf der Wundheilung muß mit Hilfe der Dokumentation nachzuvollziehen sein.

❍ Verbandwechsel bei aseptischen Wunden

Aseptische Wunden sind relativ keimarm; sie wurden nach aseptischen Eingriffen durch eine Naht verschlossen und weisen **keine Wundheilungsstörungen** auf.

Vorbereitung

Die Vorbereitung des Verbandwechsels erfolgt wie oben beschrieben. Der Kranke wird nach Beschwerden (Schmerzen) an der Wunde befragt.

Durchführung

Bei der Durchführung sollten die folgenden Prinzipien und die angegebene Reihenfolge eingehalten werden:
- Desinfektion der Hände;
- Anziehen von Einmalhandschuhen;
- Lösen des alten Verbandes, vorsichtiges Entfernen der direkten Wundauflage / Kompresse;
- Beobachten des Verbandes auf Sekretabsonderungen;
- Abwurf des Materials in einen dafür vorgesehenen Behälter;
- Ausziehen und Abwerfen der Handschuhe;
- Inspektion der Wunde auf Rötung, Schwellung, Sekretabsonderung;
- Desinfizieren der Wunde von innen nach außen (also von der relativ keimarmen zur keimbesiedelteren Region), das Hautdesinfektionsmittel aufsprühen oder mit einem sterilen Tupfer aufbringen, den Tupfer dabei nur mit sterilem Instrument oder sterilem Handschuh berühren; mit jedem Tupfer nur einmal wischen;
- Desinfektion der Wundumgebung;
- Aufbringen der sterilen Wundauflage, die nur mit steriler Pinzette oder mit sterilen Handschuhen berührt wird;
- Fixieren des Verbandes mit Pflaster, Fixomull oder Mullbinde;
- Kontrolle des Verbandes auf korrekten, nicht zu straffen Sitz.

Nachsorge

Nach dem Verbandwechsel wird der Kranke in die gewünschte Position gebracht und wieder zugedeckt.
Um eine Kontamination der Umgebung zu vermeiden, sollten benutzte Instrumente sofort nach Gebrauch in eine bereitstehende Desinfektionsmittellösung gelegt werden (*Naßentsorgung*); am günstigsten sind spezielle Instrumentenwannen. Die verwendeten Materialien werden entsprechend entsorgt und alle benutzten Flächen desinfiziert.
Abschließend erfolgen eine **hygienische Händedesinfektion** und die **Dokumentation** der Durchführung und der Beobachtungen.

❍ Verbandwechsel bei septischen Wunden

Bei septischen (*Sepsis = Fäulnis*) Wunden handelt es sich um infizierte Wunden. Auch hier gelten für den Verbandwechsel die oben genannten Regeln der Asepsis. Zusätzlich ist in hohem Maße darauf zu achten, daß eine Keimverschleppung im Wundgebiet und in die Umgebung des Patienten vermieden wird.

Vorbereitung

Die Vorbereitung erfolgt wie zuvor beschrieben. Zusätzlich werden Substanzen zur Behandlung der Infektion (Arztanordnung) und das zur Verabreichung benötigte Material zurechtgelegt. Bei der Versorgung größerer Wunden sollten ein **Schutzkittel** und ein Mund-Nasen-Schutz getragen werden.

Durchführung

Bei der Durchführung des Verbandwechsels sind grundsätzlich folgende Prinzipien und die aufgeführte Reihenfolge einzuhalten:

- Anziehen von Einmalhandschuhen;
- Entfernen des Verbandes, die direkte Wundauflage mittels Pinzette entfernen;
- bei Verkleben des Verbandes mit der Wunde diesen vorsichtig lösen, indem er mit steriler, physiologischer NaCl- oder Ringerlösung getränkt wird (Lösung mittels Spritze auftragen);
- Kontrollieren des Verbandmaterials auf Verunreinigungen und anschließender Abwurf;
- Ausziehen der getragenen Einmalhandschuhe, Anziehen steriler Handschuhe;
- Reinigen der Wunde
  - mit (steriler Pinzette und) sterilem Tupfer,
  - Wischrichtung von außen nach innen (von der keimarmen zur keimreichen Region),
  - mit jedem Tupfer nur einmal wischen,
  - ggf. ärztlich verordnete Substanzen auftragen;
- Auflegen des sterilen Verbandmaterials mittels steriler Pinzette;
- lockere aber sichere Fixation des Verbandes;
- Kontrollieren des Verbandes.

Nachsorge

Die Nachsorge erfolgt wie zuvor beschrieben. Zusätzlich wird das **kontaminierte Einmalmaterial in** einem **verschlossenen Plastiksack** in den großen Abfallbehälter gegeben.

❍ An- und Ausziehen von Handschuhen

Das Tragen von Schutzhandschuhen wird auf *Seite 488* besprochen.

Beim Anziehen steriler und beim Ausziehen kontaminierter Handschuhe ist eine bestimmte Vorgehensweise erforderlich. Sie wird in den folgenden Abbildungen dargestellt.

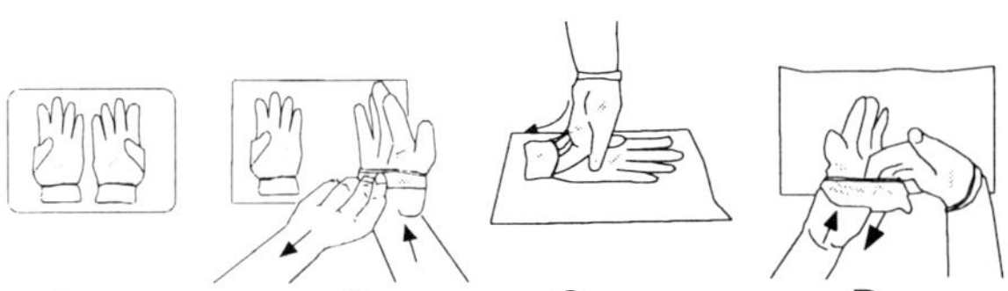

Um sich allein sterile Handschuhe **anzuziehen**, werden sie aus der Verpackung genommen und mit dem Einpackpapier so hingelegt, daß die Stulpen nach vorn zeigen (A). Ein Handschuh wird mit einer Hand an der Stulpe angefaßt und über die andere Hand gezogen (B). Die behandschuhte Hand greift nun unter die Stulpe des anderen Handschuhs (C) und zieht ihn über die unbehandschuhte Hand (D).

Abb. 4.32 ***Anziehen steriler Handschuhe***
(Entnommen aus: Bergen / Klimke: Primärprävention im Krankenhaus)

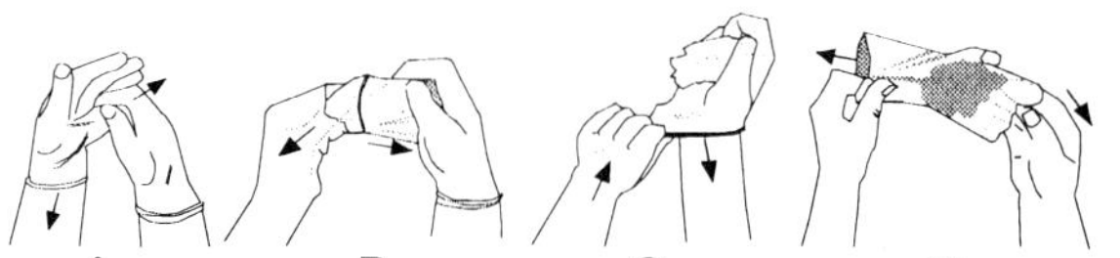

Um die kontaminierten Handschuhe wieder **auszuziehen**, greift eine Hand in die Innenfläche der anderen Hand (A), hebt ihn an, zieht ihn ab (B) und hält ihn fest. Die unbehandschuhte Hand faßt nun unter die Stulpe der behandschuhten Hand (C) und zieht ihn ebenfalls ab, so daß am Ende der Handschuh umgekrempelt ist und den anderen in sich behält (D).

Abb. 4.33 ***Ausziehen kontaminierter Handschuhe***
(Entnommen aus: Bergen / Klimke: Primärprävention im Krankenhaus)

❐ Umgang mit Wunddrainagen

Unter einer **Wunddrainage** versteht man die Ableitung von Wundsekret aus einer Operationswunde; dazu wird ein Ablaufrohr aus Silikon oder Latex, auch Drain genannt, in das zu entlastende Gebiet eingelegt.

Hinweis: Gazestreifen, die den Wundverschluß verhindern sowie den Sekretablauf und die Wundheilung fördern sollen, werden als Tamponade bezeichnet.

Die Drainage eines Wundgebietes wird häufig nach Operationen am Bewegungsapparat bzw. am Abdomen notwendig. Sie kann über verschiedene Funktionsprinzipien erfolgen.

• Offene Drainage

Eine offene Drainage meint die Ableitung mittels eines im Wundgebiet liegenden Drains (z.B. Lasche, Penrose - Drain), welcher über der Haut offen in einem saugfähigen Verband endet.

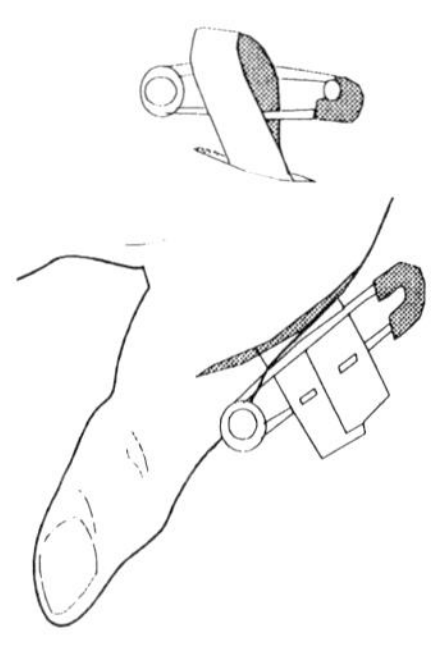

Abb. 4.34 ***Offene Drainage***

Sie kommt z.B. zur Ableitung von Eiter bei einem Abszeß zur Anwendung. Offene Drainagen werden mit einer sterilen Sicherheitsnadel und/oder mit einer Hautnaht vor dem Verrutschen geschützt.

• Halboffene Drainge

Wird der Drain in einen am Körp ·r aufgeklebten Beutel geleitet, handelt es sich um eine nalboffene Ableitung. Sie ist hygienischer als die offene Ableitung und die Flüssigkeitsverluste können exakter bilanziert werden. Halboffene Ableitungen (z.B. Easy - Flow - Drain) finden vor allem nach Operationen in der Bauchhöhle

Anwendung, denn hier sind Sogdrainagen kontraindiziert.

• **Geschlossene Drainage**
Eine geschlossene Drainage (z.B. Robinson - Drainage, Redon - Drainage) leitet das Wundsekret / Blut und/oder Luft (Thorax - Drainage) über eine geschlossene Schlauchverbindung direkt in eine Flasche oder einen Beutel. Dadurch wird das Infektionsrisiko deutlich reduziert. Geschlossene Drainagen kommen nach zahlreichen Operationen bzw. beim Pneumo- / Hämatothorax *(siehe Seite 95)* zur Anwendung.
Der Drain wird mit einer Naht an der Haut fixiert.
Geschlossene Drainagen funktionieren entweder nach dem Heber - Prinzip oder durch einen Unterdruck mit Sogwirkung.

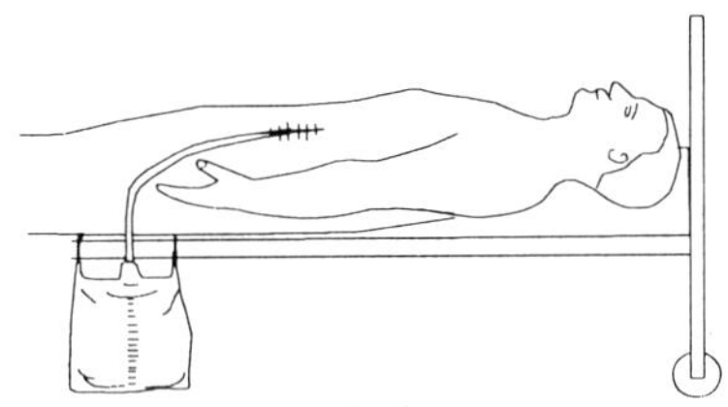

Heber-Drainage

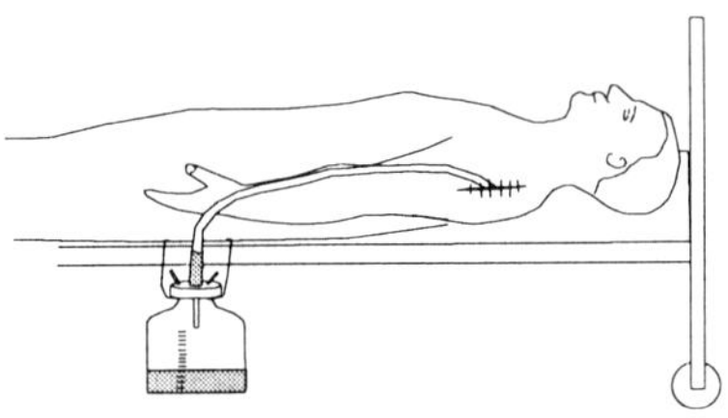

Sog-Drainage

Abb. 4.35 ***Drainagen***

Die Wirkung der **Heber - Drainage** kommt durch den Gewebedruck einerseits und die Schwerkraft andererseits zustande. Der Sekretfluß wird aufgrund des Druckgefälles von der Wunde zum tieferliegenden Auffangbehälter möglich. Voraussetzung ist das Anbringen des Auffanggefäßes unterhalb des Niveaus des Wundbettes. Eventuell vorhandene Blutkoagel müssen aus dem Schlauch entfernt werden.
Heber - Drainagen werden zur Ableitung von Flüssigkeiten aus Körperhöhlen, z.B. der Bauchhöhle, eingesetzt, denn in diesem Bereich ist die Anwendung von Sog kontraindiziert.
Andere Drainagen (z.B. Redon - Drainage) funktionieren über ein **Vakuum** mit Saugwirkung. Das Wundsekret / Blut fließt direkt und kontinuierlich über den Drain aus dem Wundgebiet in eine Vakuumflasche. Bei ordnungsgemäßer Funktion und Lage wird die Bildung von Hohlräumen und Hämatomen verhindert.
Redon - Drainagen werden bei zahlreichen Operationen angebracht, z.B. bei Operationen am Bewegungsapparat, an den Blutgefäßen oder den Nieren. Sie haben in der Regel nach 1 - 2 Tagen ihre Funktion erfüllt und werden bei geringer Förderleistung (auch wegen des steigenden Infektionsrisikos) vom Arzt entfernt.
Ein **definierter Sog** wird bei der Thoraxdrainage *(siehe Seite 58)* eingesetzt.

Für den Umgang mit liegenden Drainagen gelten folgende Richtlinien:
• Mehrfachdrainagen deutlich kennzeichnen, damit die Fördermenge der einzelnen Draingen beobachtet werden kann;
• Fixation des Drains an der Austrittsstelle überprüfen;
• Patienten so lagern, daß die Drainage nicht unter dem Patienten liegt, nicht abgeknickt wird und kein Zug entsteht;
• Drainageschlauch durchkneten, damit er nicht verstopft;
• Auffangbehältnisse immer unterhalb des Patientenniveaus am Bett anbringen, um einen Reflux des abgeleiteten Wundsekretes zu vermeiden; bei einer T-Drainage (nach Choledochusrevision) wird der Auffangbeutel evtl. auf oder über dem Patientenniveau angebracht (Arztanordnung);
• auf Anzeichen eines Drainverschlusses (Schmerzen, gespannte Naht, kein Sekretabfluß, an der Drainageaustrittsstelle feuchter Verband) achten;
• bei Redon - Drainage Vakuumstand kontrollieren;
• bei Heberdrainage Gefälle von der Wunde zum Auffangbehälter kontrollieren;
• vor Manipulationen an dem Wunddrainagesystem immer die Hände desinfizieren;
• zum eigenen Schutz beim Umgang mit Wundsekreten Einmalhandschuhe tragen;
• bei unvermeidbarer Öffnung des Drainagesystems aseptisch arbeiten;
• Verbindungsstellen *(Konnektionsstellen)* bzw. Ablaßventil desinfizieren, ggf. anhaftendes Sekret entfernen;
• Sekretauffangbehälter wechseln, wenn dieser $^{1}/_{3}$ gefüllt bzw. der Sog zu gering ist;
• bei Wechsel des Sekretauffangbehälters den Drain oberhalb der Verbindungsstelle 2-fach abklemmen;
• neue Ableitungen müssen steril sein;
• das Wundsekret auf Menge, Farbe, Konsistenz und Beimengungen kontrollieren, anschließend Dokumentation; **Beachte**: Flüssigkeits- und Elektrolytverluste müssen ersetzt werden;
• Auffälligkeiten sofort dem Arzt melden;
• ein Verbandwechsel an der Drainaustrittsstelle erfolgt unter aseptischen Bedingungen (*Eintrittspforte für Keime* !), die Austrittstelle wird beobachtet (Entzündungszeichen?) und mit einer sterilen Schlitzkompresse abgedeckt;
• bei offenen Drainagen erfolgen Wundkontrolle und Verbandwechsel ggf. mehrmals täglich, evtl. muß die Wundumgebung mit Salben vor Sekretbenetzung geschützt werden;
• während der Mobilisation für eine sichere Fixation des Drainagesystems sorgen.

Der Kranke hat bezüglich der Wunddrainage ein besonderes **Informationsbedürfnis**. Nicht selten lösen der Anblick des Ableitungsschlauches und des Wundsekrets beim Operierten Angst, Unsicherheit und/oder Ekel aus. Mancher fürchtet, den Schlauch aus der Wunde zu ziehen, und hat deshalb Angst, sich zu bewegen oder einzuschlafen.
Neben der **patientengerechten Aufklärung** bezüglich der Funktion des Drains ist es angezeigt, den Kranken im Umgang mit der Drainage **anzuleiten**. Er sollte wis-

sen, wie er die Auffangvorrichtung während des Aufstehens sicher fixiert.
Der Operierte wird aufgefordert, sich bei Auftreten von Schmerzen sofort zu melden.

❐ Lagerung

Die Lagerung des Operierten **orientiert sich an** seinen **Bedürfnissen**, seinem **Zustand** und an der Art der durchgeführten **Operation**.
Sofern keine spezielle Lagerung angeordnet oder aufgrund besonderer Ereignisse erforderlich wurde, erfolgt in der ersten postoperativen Phase eine **Flachlagerung** des Patienten. Sobald dieser voll ansprechbar ist und stabile Kreislaufverhältnisse aufweist, kann er eine **bequeme, entspannende** und **schmerzarme Lage** einnehmen. Durch Muskelanspannung bzw. -dehnung in der Wundregion bedingte Schmerzen können durch gezieltes Anbringen von Kissen, einer Knierolle oder anderen Lagerungshilfsmitteln verhindert bzw. gelindert werden.
Häufig wird die **Rückenlage mit leicht erhöhtem Oberkörper** und **leicht gebeugten Knien** (Kissen oder Knierolle unterlegen) - im Wechsel mit rechter und linker Seitenlage - als angenehm empfunden.
Es ist darauf zu achten, daß die Funktion liegender Zu- und Ableitungen durch die Lagerung und während der Lagerungswechsel nicht beeinträchtigt wird.

Eine **spezielle Lagerung** des Patienten ist erforderlich nach

- Operationen am Schädel,
- Operationen an der Schilddrüse, der Lunge, den Gefäßen,
- orthopädischen Operationen,
- operativer Frakturbehandlung,
- Operationen an der Wirbelsäule,
- Operationen in der Analregion.

Die einzelnen Lagerungen werden in den entsprechenden Kapiteln besprochen.

4.6 Pflegen und Gepflegt werden auf einer Intensivstation

4.6.1 Die Intensivstation

❐ Definition

Eine Intensivstation ist eine Station mit **speziell ausgerüsteten Betteneinheiten**, die der Überwachung, Behandlung und Pflege schwerstkranker Menschen mit (potentiell oder tatsächlich) lebensbedrohlichen Störungen der Vitalfunktionen dient. Dies wird vor allem möglich durch:

- einen hohen Personalschlüssel und die Stellenbesetzung mit überwiegend weitergebildetem Pflegefachpersonal (Fachkrankenschwester / - pfleger für Intensivpflege);
- die kontinuierliche Anwesenheit eines Arztes;
- die Ausrüstung mit medizin - technischen Geräten / Vorrichtungen;
- die besondere architektonische Raumgestaltung, die kurze Wege und eine ständige Sicht zwischen Schwesterndienstzimmer, zentralem Überwachungsplatz und Patientenbetten ermöglicht.

Kleinere Krankenhäuser verfügen im allgemeinen über eine interdisziplinäre *(mehrere Fachbereiche betreffende)* Intensivstation; in größeren Kliniken stehen in den einzelnen Fachdisziplinen entsprechende Intensivstationen zur Verfügung. Zusätzlich wurden in vielen Krankenhäusern zur kurzfristigen Überwachung frisch operierter Patienten (Auf-) Wachstationen eingerichtet.

❐ Aufbau und Ausstattung

Eine Intensivstation gliedert sich in

- eine **Betriebszone**, in der sich die Dienstzimmer inklusive eines zentralen Überwachungsplatzes, die Teeküche, Geräte- und Lagerräume, sanitäre Anlagen für das Personal und Pflegearbeitsräume befinden;
- einer **Schleuse**, in der sich Personen, die die Intensivstation betreten, spezielle Schutzkleidung überziehen (Besucher, Laborpersonal u.a.) bzw. Bereichskleidung anziehen (Pflegepersonal, Ärzte), um eine Keimverschleppung zu verhindern;
- eine **Krankenzone;** die einzelnen **Pflegeeinheiten** befinden sich in Einzelzimmern und/oder einem Großraum, in dem sie durch Vorhänge oder Paravents optisch voneinander getrennt werden können.

Der Patientenplatz: Ausrüstung

Schwerpunkte:
1. Gewährleistung der Erst- und Notfallversorgung: übliches Notfallzubehör laut Zimmerliste vorhanden und funktionstüchtig
2. Minimierung der zurückzulegenden Wege: gebräuchliches Material vorhanden
3. Übersichtlichkeit der Materiallagerung: Bestückung mit realistischen Mengen, orientiert am 24 stündlichen Verbrauch

Überwachungsanlage:
- ■ rote und gelbe Verschlußstopfen
- ■ dreiadriges Patientenkabel
- ■ Temperatursonde
- ■ NIBP Messung
- ■ invasive Meßeinheit nach Bedarf
- ■ einheitliche Monitorkonfiguration
- ■ Schublade: EKG - Elektroden, Thermometerhüllen, Einmalrasierer
- ➲ Kabellagerung: keine Abknickstellen, kein Zug = Gefahr des Materialbruchs
- ➲ Elektrodenlagerung: geschlossener Behälter = Gefahr der Austrocknung und der mangelnden Leitfähigkeit

Sauerstoffanlage / Beatmungsbeutel
- ■ Befeuchtung (bei Anbruch mit Datum versehen, mit ausreichendem Feuchtigkeitsspiegel)
- ■ eine Verlängerung
- ■ fünf Sauerstoffsonden
- ■ Ambubeutel mit verpacktem Filter (mit blauer Klemme befestigt), hängend an der Sauerstoffanlage

Absauganlage:
- ■ hygienisch einwandfrei, funktionstüchtig
- ■ Absaugkatheter CH 12, CH 14 und CH 16

Patiententisch:
- ■ Klingelanlage mit Verlängerung
- ■ "Pflegekiste": Äther, Kodanspray
- ■ patienteneigenes Mundpflege- und Rasierzeug
- ➲ weitere Pflegemittel nach individuellem Bedarf!

Bett:
- ■ nach Vorinformation über den Kranken individuell vorbereitet (Wasserbett, Wärmedecke, Waffelbett, Bettgitter, Aufrichter etc.)

Abb. 4.36 ***Ausrüstung eines Patientenplatzes***
(Beispiel; mit freundlicher Genehmigung des Allgemeinen Krankenhauses für die Stadt Hagen gGmbH, Hagen)

Zu einem **Pflegeplatz** gehören:
- Krankenbett (Intensivpflegebetten verfügen über eine durchgehende Rückenfläche, die eine Herzdruckmassage erlaubt; ansonsten gleicht der Aufbau dem eines Herzbettes) und Nachttisch;
- apparative Überwachungsvorrichtungen, die eine kontinuierliche Registrierung von EKG, Herz- und Atemfrequenz, Temperatur, Blutdruck, und Sauerstoffsättigung des Blutes ermöglichen;
- Ambubeutel;
- Wandanschlüsse für Sauerstoff und Druckluft;
- Notfallmedikamente, Infusionen, Perfusoren, Defibrillator;
- Pflegeset für die Mund- und Körperpflege;
- komplette Absaugvorrichtung inklusive Kathetern;
- Händedesinfektionsmittel im Wandspender;
- Aufhängevorrichtungen für zu- und ableitende Schläuche;
- Abfallbehältnis.

❐ Indikationen für eine Intensivbehandlung

Häufige Indikationen für die Einweisung bzw. Verlegung auf eine Intensivstation sind:
- akute lebensbedrohliche Erkrankungen der inneren Organe,
- lebensbedrohliche Störungen der Vitalfunktionen, Atem- und/oder Herzstillstand,
- Schockzustände,
- Unfall mit lebensbedrohlichen Auswirkungen,
- schwere Verbrennungen,
- schwere Vergiftungen,
- bestimmte Therapien, die unter Überwachung der Vitalfunktionen vorgenommen werden müssen (z.B. Lysetherapie);
- Zustand nach großen Operationen oder endoskopischen Eingriffen (z.B. PTCA), die eine kontinuierliche Beobachtung des Kranken erfordern.

4.6.2 Zur Situation eines Betroffenen

Die Aufnahme oder Verlegung auf eine Intensivstation trifft einen Menschen in der Regel unvorbereitet. Die plötzliche Bedrohung des Lebens durch eine akute Erkrankung, die extreme Verschlechterung einer chronischen Erkrankung oder einen Unfall ruft **existentielle Ängste** hervor. Ein Betroffener erwartet medizinische und pflegerische Hilfe, rasche Linderung seiner Beschwerden und Fürsorge. Um zu überleben, muß er sich in eine *„fremde Welt“* begeben und sich fremden Personen und technischen Geräten "ausliefern". Je nach Einstellung wird dies z.B. als eine **unerträgliche Hilflosigkeit** und **Abhängigkeit** oder als hoffnungsvolle Möglichkeit, durch professionelle Hilfe Rettung zu erfahren, erlebt. Entsprechend reagiert ein Betroffener z.B. mit Wut und Auflehnung oder aber beruhigt, weil er behandelt und umsorgt wird.
Ablehnung und Ängste bestehen - auch bei Angehörigen - oft dahingehend, daß die Technik vordergründig Berücksichtigung finde und der Mensch vergessen werde; gleichzeitig hegen viele Menschen die Hoffnung, dank der medizin - technischen Möglichkeiten überleben zu können.

Ein Mensch erlebt als Patient einer Intensivstation, daß „es schlecht um ihn steht“, aber auch, daß alles Menschenmögliche für ihn getan wird. Aus den Medien und aus Erfahrung wissen viele, daß die Intensivmedizin nicht nur Leben retten, sondern auch das Sterben verlängern und unwürdig machen kann.
Die laufenden Überwachungsmaßnahmen und damit verbundene Störungen verdeutlichen einem Betroffenen fortwährend seinen lebensbedrohlichen Zustand. Sie stören, ebenso wie Zu- und Ableitungen, ständige Geräusche und Lichteinflüsse Ruhe und Schlaf erheblich.
In der fremden Umgebung mit all den unbekannten Eindrücken kann vor allem bei Menschen, die sediert werden oder unter Bewußtseinsstörungen leiden, zeitweise die **Orientierung verlorengehen**.
Die Abhängigkeit und das **Abgeschnittensein von der Außenwelt** werden für viele Betroffene durch deutliche Einschränkungen der Kommunikationsfähigkeit verschlimmert. Die **Kommunikation** wird z.B. durch Bewußtseinsstörungen, Sedierung, Beatmung oder Tracheotomie des Patienten **beeinträchtigt**. Dabei sind auch die nonverbalen Kommunikationsmöglichkeiten betroffen. Angehörige kommen evtl. zu selten zu Besuch, trauen sich nicht, den Kranken zu berühren (z.B. aus Angst, die Funktion der Schläuche zu beeinträchtigen) oder sind angesichts der auch sie überfordernden Situation sprachlos. Nicht selten erfahren Patienten einer Intensivstation zu wenig Ansprache, es wird eher über sie als mit ihnen gesprochen. In vielen Fällen bekommt ein Betroffener „viel mehr mit“, als andere denken. Obwohl ein Patient auf der Intensivstation objektiv betrachtet nie allein ist, kann sich ein Gefühl des Alleinseins, der **Isolation** entwickeln; ein Betroffener möchte jedoch gerade jetzt nicht allein sein und benötigt Zuwendung sowie Anteilnahme.
HÜRNY (in HEIM UND WILLI, 1986) geht davon aus, daß Schmerzmittel häufig wegen des eingeschränkten Mitteilungsvermögens unterdosiert werden. Ob Verwirrtheitszustände, Wahnvorstellungen und Halluzinationen vorwiegend situationsbedingt, also psychogen, oder vor allem durch metabolische Störungen, Neben- bzw. Wechselwirkungen von Medikamenten bedingt sind, sei kontrovers. Im Einzelfall müsse man immer beide Möglichkeiten in Betracht ziehen, oft liege wahrscheinlich eine Kombination des Situativen und des Hirnorganischen vor.
MITTERMAYER UND REIMANN (1996) weisen darauf hin, daß das Krankheitsgefühl durch die eingeschränkte Bewegungs- und Kommunikationsfähigkeit sowie durch die zunehmende Orientierungslosigkeit durch Psychopharmaka und den ständigen Wechsel von Reizarmut und Reizüberflutung in erheblichem Maße verstärkt werden kann.
Belastend empfunden wird auch das Miterleben von Leid und Not, evtl. auch Sterben der anderen Patienten.
Hinweis: Die besondere Situation eines Menschen im Koma wird auf *Seite 701* besprochen.

4.6.3 Zur Situation der Pflegenden

Das Arbeiten auf der Intensivstation stellt eine besondere **Herausforderung** für Pflegende dar und kann tiefe Zufriedenheit vermitteln. Es setzt neben einem fundierten pflegerischen Fachwissen und einer sozialen Kompetenz die Bereitschaft, besondere Verantwortung zu übernehmen sowie ein gewisses technisches Verständnis voraus.

Die Pflegenden sind **dauernden hohen Belastungen** und zusätzlich Belastungsspitzen, z.B. durch Reanimationen, ausgesetzt; Erfolgserlebnisse im Sinne der Gesundung eines Patienten fehlen. Die Kranken werden nur während extremer Situationen erlebt; nach Überwindung des lebensbedrohlichen Zustandes werden sie in eine andere Abteilung verlegt. Einige Patienten sterben auf der Intensivstation. Der Tod kann von den professionellen Helfern als Versagen gedeutet werden und Schuldgefühle hervorrufen. Vor allem nach einer längeren Begleitung des Patienten und seiner Angehörigen haben Pflegende oft eine Beziehung zu den Betroffenen aufgebaut und entwickeln **Mitgefühl** und **Trauer**. Mancher erkennt und akzeptiert dies nicht als menschliche Reaktionen, sondern erlebt es als unprofessionell und wehrt sich gegen seine Gefühle.

Die ständige Konfrontation mit schwerstkranken und sterbenden Menschen erfordert zum einen eine Auseinandersetzung mit dieser Problematik und zum anderen ein positives Lebensgefühl und ein recht ausgeglichenes Privatleben. Ist dies nicht der Fall, kommt es vor, daß Pflegende sich hinter der Technik „verschanzen" und die menschlichen Aspekte vernachlässigen oder daß sie von ihren Gefühlen überwältigt und aus dem seelischen Gleichgewicht gebracht werden.

Die in vielen Fällen **erschwerte Kommunikation** mit den schwerkranken Menschen belastet Pflegende ebenfalls. Einzige Rückmeldung sind oft kleinste, schwer wahrzunehmende Äußerungen des Kranken.

Der **Umgang** mit den meist hilflosen, mitleidenden und angsterfüllten **Angehörigen** stellt eine weitere Herausforderung für das Pflegepersonal dar.

Auf der Intensivstation ist eine enge und kooperative **Zusammenarbeit** unerläßlich. Pflegende und Ärzte müssen in Notfallsituationen Hand in Hand arbeiten, die Kompetenz jeden Mitarbeiters ist erforderlich. Immer wieder treten Situationen auf, in denen ein Pflegender **Angst** hat, die Situation nicht richtig zu erfassen, die Ruhe zu verlieren, falsch zu handeln oder Notwendiges zu unterlassen.

Fragen nach der **moralischen Vertretbarkeit** medizinisch - technischer Maßnahmen treten in bestimmten Fällen auf und rufen Unsicherheit, Zweifel und evtl. Vorwürfe hervor. Nicht selten werden Handlungen von Pflegenden erwartet, denen sie kritisch gegenüberstehen, deren Sinn sie bezweifeln oder sogar verneinen.

Der **Umgang mit dem Sterben** und Tod eines Menschen muß nicht hilflos und überfordernd erlebt werden. Eine bewußte Sterbebegleitung und eine menschliche Begleitung der Angehörigen können helfen, die pflegerischen Möglichkeiten zu erkennen, zu nutzen und darin Sinn zu erfahren.

Um die emotionalen Belastungen in der Intensivkrankenpflege zu bewältigen, ist ein offenes Ansprechen der Gefühle und Probleme im Kreis der Mitarbeiter sinnvoll. Bewährt haben sich regelmäßige Gesprächskreise, die von einem Psychologen geleitet werden, z.B. Teamsupervision oder Balint - Gruppen.

Außerdem ist es wichtig, daß Pflegende ihre **persönliche Gesundheit pflegen**, für Streßabbau und Ausgleich sorgen, ihren Bedürfnissen nachgehen und soziale Kontakte pflegen. Die tägliche Konfrontation mit Leid und Tod braucht einen Gegenpol in einem positiven Lebensgefühl und in belebenden, erfreuenden Ereignissen.

Neue Mitarbeiter und Auszubildende bedürfen einer intensiv betreuten Einarbeitungsphase, die ihnen ermöglicht, die - dem Ausbildungsstand entsprechende - Sicherheit zu erlangen und sich bezüglich der besonderen Probleme auszutauschen. Auszubildende arbeiten nur unter Anleitung einer Krankenschwester / eines Krankenpflegers.

Nicht zuletzt sind neben der **Weiterbildung** zur Fachkrankenschwester / zum Fachkrankenpfleger für Intensivpflege und Anästhesie bzw. Kardiologie themenbezogene Fortbildungen bei der Bewältigung des beruflichen Alltags hilfreich.

4.6.4 Besonderheiten der Pflege eines Menschen auf der Intensivstation

Ein Mensch, dessen Gesundheitszustand die Pflege auf einer Intensivstation erfordert, ist in der Regel bei der Ausführung der Aktivitäten des täglichen Lebens teilweise oder komplett eingeschränkt.

❒ Für Sicherheit sorgen

Aufgrund des lebensbedrohlichen Zustandes ist eine kontinuierliche Überwachung der Herz - Kreislauffunktionen erforderlich. Dazu dienen die geschulte **Beobachtung** des Patienten und das **Monitoring** (*apparative Überwachung)*; so wird das sofortige Erkennen und Registrieren von Veränderungen möglich.

Die klinische Krankenbeobachtung erstreckt sich auf:

- die Bewußtseinslage und ggf. die Pupillenreaktion,
- den Puls,
- den Blutdruck (evtl.),
- die Atmung,
- die Körpertemperatur,
- die Haut und Schleimhäute (Farbe, Aussehen, Beschaffenheit, Turgor),
- das subjektive Befinden,
- die seelische Verfassung,
- die Kommunikationsfähigkeit,
- das Verhalten,
- die Ausscheidungen,
- den Flüssigkeitshaushalt (Ein- und Ausfuhrkontrolle, ggf. Stundenurinmessung, Flüssigkeitsbilanz, Beobachtung des Hauturgors).

Selbstverständlich sollten die Pflegenden auch sonstige Veränderungen und Besonderheiten wahrnehmen.

Die Beobachtungen sind sorgfältig in der Tageskurve zu **dokumentieren**, bei auffälligen oder bedrohlichen

Abweichungen ist der diensthabende Arzt sofort zu informieren.
Beim **Monitoring** werden die ermittelten Werte kontinuierlich angezeigt; bei bedrohlichen Abweichungen von der Norm (die oberen und unteren Grenzwerte werden individuell festgelegt und eingestellt) erscheint ein akustisches und/oder optisches Alarmzeichen. Eine Speicherung der registrierten Werte ist im allgemeinen möglich.
Mittels Monitoring werden in der Regel folgende Parameter registriert:
- Elektrokardiogramm,
- peripherer und zentraler Puls,
- Blutdruck (invasive Messung des arteriellen Blutdrucks mittels arterieller Kanüle in der Arteria radialis oder A. femoralis oder manuelle / maschinelle Blutdruckmessung mit Registrierung der Werte auf dem Monitor),
- zentraler Venendruck (neben manueller auch elektronische Messung möglich),
- Pulsoxymetrie *(transkutane Messung der arteriellen Sauerstoffsättigung im Blut)*,
- Atemfrequenz,
- ggf. Körpertemperatur (rektale Messung über intermittierend liegende Sonde oder Messung über Temperaturfühler in speziellem Blasenverweilkatheter).

Zusätzlich können bei Bedarf z.B. der Pulmonalarteriendruck und der pulmokapilläre Verschlußdruck *(Wedge - Druck)* sowie das Herzminutenvolumen über einen **Pulmonaliskatheter** *(mehrlumiger Ballonkatheter, der wie ein Rechtsherzkatheter gelegt wird; die Spitze wird in einem Pulmonalarterienast plaziert)* gemessen werden.
Bei einer maschinellen Beatmung können die Beatmungsparameter an einer entsprechenden Vorrichtung des Respirators eingestellt und abgelesen werden *(siehe Seite 400)*.
Der korrekte Umgang mit Zu- und Ableitungen wird in den entsprechenden Kapiteln besprochen. An dieser Stelle muß darauf hingewiesen werden, daß Zugänge zu Arterien mit roten Dreiwegehähnen / Verschlußstopfen versehen werden, um die Injektion intravenös zu verabreichender Medikamente in die arterielle Blutbahn zu vermeiden.

Ein akut lebensbedrohlich erkrankter Mensch spürt im allgemeinen die Gefahr für sein Leben. Sein Bedürfnis nach Sicherheit hat Priorität. Da er selbst keine Kontrolle ausüben kann, muß er sich professionellen Helfern anvertrauen.
Zur **Vermittlung von Sicherheit und Geborgenheit** tragen folgende Verhaltensweisen und Handlungen von Pflegenden bei:
- sicheres und ruhiges Auftreten, Ausstrahlen von Fachkompetenz;
- Präsent sein, Zeigen von Verantwortungsgefühl;
- Respektieren der menschlichen Würde;
- Eingehen auf die Ängste und Fragen des Kranken (und seiner Angehörigen), Vermitteln von Anteilnahme und Verständnis;
- Zuwendung, vor allem durch Berührungen und Förderung derselben auf Seiten der Angehörigen;
- Abbau von Ängsten, z.B. durch Erklärungen und ggf. durch Anleitung, z.B. bezüglich der Bewegungen bei Zu- und Ableitungen;
- Akzeptieren der Entscheidungen und Wünsche des Patienten;
- Anbringen einer Klingel in Reichweite;
- Informieren über die Handlungen und Geschehnisse, die den Patienten betreffen;
- Vermeiden, am Patientenbett über den (statt mit dem) Kranken zu reden;
- Ermöglichen und Fördern von Besuchen der Angehörigen (sofern dies aus medizinischer Sicht vertretbar ist);
- Vermeiden unnötiger Fehlalarme, die infolge unüberlegten Einstellens auftreten;
- Informieren über die Möglichkeit von Fehlalarm;
- Einschalten des Zentral- und Ausschalten des Zimmeralarms, wenn dies vertretbar ist (Absprache mit dem Arzt);
- Gewährleisten eines Sichtschutzes, damit der Kranke nicht ständig mit der lebensbedrohlichen Situation anderer Menschen konfrontiert wird;
- Vermitteln realistischer Hoffnung (sofern möglich);
- Umsorgen sterbender Menschen, Vermitteln, daß ein Sterbender nicht allein gelassen wird und daß erleichternde Maßnahmen wie eine Schmerztherapie weiter durchgeführt werden.

❒ Atmen

Störungen der Atmung sind sehr häufig die Ursache für die lebensbedrohliche Situation eines Menschen; in manchen Fällen sind sie Folgeerscheinung anderer Krankheiten. Atemstörungen können Unruhezustände, Atemnot und Bewußtseinsveränderungen hervorrufen und werden von Betroffenen als unangenehm und bedrohlich empfunden.
Bei allen Patienten ist die Atmung in regelmäßigen Abständen, ggf. kontinuierlich, zu **beobachten**.
Maßnahmen zur **Unterstützung der Atmung** sind in vielen Fällen erforderlich, z.B. atemerleichternde Lagerung bei Atemnot, Atemübungen bei flacher Atmung, Anfeuchtung der Atemluft bei Atemwegserkrankungen, Absaugen von Sekret aus Mund-, Nasen-, und Rachenraum sowie Aspirationsprophylaxe bei Bewußtlosigkeit.
Um die Versorgung der Körperzellen mit Sauerstoff und die Entsorgung von Kohlendioxid zu gewährleisten, können eine endotracheale Intubation und eine **Beatmung** mittels Beatmungsgerät erforderlich sein *(siehe Seite 400)*.

❒ Wach sein, Ruhen und Schlafen

Die besondere Situation auf der Intensivstation (24 stündige Überwachung, engmaschige Durchführung pflegerischer und therapeutischer Maßnahmen, künstliches Licht, beständige Geräuschkulisse, Alarmsignale) und die Verabreichung sedierender / analgesierender Medikamente führen zu erheblichen **Störungen des Tag - Nachtrhythmus** und evtl. zu einem **Schlafdefizit**. Durch den Wegfall der natürlichen äußeren Zeitstruktur kann ein Betroffener seine Orientierung verlieren.
Bewußtseinsstörungen oder Bewußtlosigkeit erschweren oder verhindern die Orientierung zusätzlich.

Andererseits sind der **Ruhe- und Schlafbedarf** während schwerer Krankheit **erhöht**, viele Patienten werden aus therapeutischen Gründen sediert.
Wegen der Notwendigkeit der Intensivbetreuung kann Ruhestörungen nur begrenzt entgegengewirkt werden.
Möglichkeiten, das Ruhen und Schlafen in dieser Situation zu fördern, sind z.B.:
- Maßnahmen soweit wie möglich koordinieren und am Tage durchführen,
- individuelle Schlaf - Wachzyklen beobachten und die Pflegemaßnahmen diesem Rhythmus soweit wie möglich anpassen,
- Störfaktoren (z.B. Schmerzen, unbequeme Lage, Dauerton bei EKG-Ableitung, Alarmauslösung durch leergelaufene Infusionen, unnötig brennendes Licht) reduzieren,
- schlaferleichternde Maßnahmen, z.B. abends beruhigendende Ganzkörperwaschung oder atemstimulierende Einreibung durchführen,
- Oropax und Augenbinde anbieten,
- bewußtseinsklare Patienten nicht neben beatmete Patienten legen.

Zu anderen Zeiten ist **die Förderung der Wahrnehmungsfähigkeit und der Orientierung sinnvoll;** dies trifft insbesondere für wahrnehmungsbeeinträchtigte, desorientierte und verwirrte Menschen zu. Auch auf Intensivstationen sollte:
- am Patientenbett stets mit dem - und nicht über den - Kranken gesprochen werden,
- ein Kranker mit seinem Namen angesprochen und in angemessenem Umfang über die bevorstehenden Maßnahmen informiert werden,
- der Kranke oft und ohne Handschuhe - auch unabhängig von Pflegemaßnahmen - bewußt berührt werden,
- der Kranke Orientierungspunkte wie Uhren, Kalender und persönliche Fotografien vorfinden,
- ein Kranker angemessen stimuliert werden *(Basale Stimulation, siehe Seite 742)*,
- Bedingungen und Umgangsformen vorfinden, die eine Teilnahme am Leben attraktiver erscheinen lassen als einen inneren Rückzug.

Die regelmäßige **Beobachtung der Bewußtseinslage** und des Verhaltens ist wegen der möglichen oder tatsächlichen Bewußtseinsstörungen unerläßlich. Einen besonderen Stellenwert nimmt sie bei der Pflege von Patienten mit Schädel - Hirn - Trauma, Erkrankungen des Gehirns oder Schock / Koma sowie während einer medikamentösen Sedierung ein.

❒ Kommunizieren

Die Kommunikationsfähigkeit eines Menschen, der auf einer Intensivstation betreut wird, kann aus verschiedenen Gründen gestört sein; die häufigsten sind **Bewußtseinsstörungen**, **Sedierung**, maschinelle **Beatmung** und **Tracheotomie**. Der Kranke ist sowohl als Sender wie auch als Empfänger von Nachrichten beeinträchtigt; betroffen ist in vielen Fällen nicht nur die verbale, sondern auch die nonverbale Kommunikation.
In einer lebensbedrohlichen Situation führt das Problem, sich nicht (in ausreichendem Umfang) mitteilen zu können, zur Verstärkung des Gefühls, hilflos und ausgeliefert zu sein. Oft entstehen zusätzliche Probleme, z.B. weil der Kranke sein Schmerzgeschehen nicht beschreiben und Bedürfnisse nicht ausdrücken kann. Auch kann er das Ausmaß von Nähe und Distanz zu seinen Kontaktpersonen im allgemeinen nicht beeinflussen.
Eine deutlich reduzierte Kommunikation kann **Reaktion auf die unerträglich empfundene Situation** und Ausdruck des inneren Rückzug sein.

Die Kommunikation kann durch folgende Maßnahmen / Verhaltensweisen gefördert werden:
- Ressourcen erkennen; die individuell erhaltenen Möglichkeiten, andere zu verstehen und sich selbst verständlich zu machen, beobachten;
- Ressourcen nutzen, z.B. dem Kranken eine Schreibtafel oder eine Kommunikationstafel mit Symbolen (für Hunger, Durst, Schmerz etc.) oder einen speziellen Schreibautomaten anbieten;
- verständlich kommunizieren; den Ausdruck der gesprochenen Worte durch eindeutige Mimik und Gestik unterstützen, Blickkontakt halten, deutlich und langsam sprechen, einfache Sprache und Sätze benutzen, Handlungen mit Worten begleiten;
- jede Pflegehandlung verbal und ggf. mit einer Initialberührung ankündigen und erklären;
- bewußtseinsgestörte Patienten bewußt und wiederholt berühren sowie gezielt stimulieren;
- nonverbale Reaktionen vor allem auf Berührungsreize, z.B. Ent- oder Anspannung der Muskulatur, Schweißausbruch, Atem-, Puls-, Blutdruckveränderungen, Tränenfluß, Augenbewegungen beobachten;
- subjektives Befinden erfragen und beobachten, z.B. Schmerzempfinden;
- Besuch von Angehörigen fördern und diese ermutigen, mit dem Kranken zu sprechen und ihn zu berühren (auch wenn der Eindruck besteht, der Kranke „bekomme nichts mit".

Beachte: Es ist bekannt, daß auch komatöse Menschen ihre Umgebung bruchstückhaft wahrnehmen und Berührung vermissen können. Deshalb sind beim Umgang mit bewußtseinsgestörten Menschen die üblichen Kommunikationsregeln (z.B. persönliche Ansprache mit dem Namen, Ankündigen von Veränderungen und Informieren über bevorstehende Maßnahmen, Ernstnehmen von Äußerungen) einzuhalten.

❒ Ausscheiden

Die **Ausscheidungsfunktionen** können auf verschiedene Weise **beeinträchtigt** sein. Beispiele:
- tatsächliches oder drohendes Nierenversagen bei Schock und schweren Erkrankungen der inneren Organe;
- Inkontinenz, z.B. infolge von Bewußtseinsstörungen;
- Obstipationsneigung / Obstipation bei Mangel an Bewegung und Faserstoffen und/oder peristaltikhemmender Wirkung einiger Medikamente;
- psychische Hemmungen bei Verletzung der Intimsphäre durch Anwesenheit anderer Personen.

Die genannten und weitere Krankheiten sowie Begebenheiten (z.B. zusätzliche Flüssigkeitsverluste durch Erbrechen, Ableitung von Wundsekret, Verdauungssekreten, Diarrhoe, Blutverluste) erfordern einerseits eine engmaschige **Krankenbeobachtung**, andererseits **unterstützende, prophylaktische** sowie **therapeutische Pflegemaßnahmen**. Beispiele:

- Flüssigkeitsbilanzierung inklusive Stundenurinmessung (in vielen Fällen ist hierzu das Legen eines suprapubischen oder transurethralen Blasenverweilkatheters erforderlich),
- Beobachtung der Urin- und/oder Stuhlausscheidung;
- Unterstützung bei der Verrichtung der Ausscheidungen und Sorge für die Wahrung der Intimsphäre im Rahmen des Möglichen;
- soweit möglich, nicht medikamentöse Maßnahmen der Obstipationsprophylaxe anwenden, meist ist jedoch vorübergehend die Verabreichung von Klistieren oder Laxanzien entsprechend der Arztanordnung angezeigt;
- bei liegendem Blasenverweilkatheter, Inkontinenz und Diarrhoe die üblichen Maßnahmen unter sorgfältiger Prüfung der Anwendbarkeit auswählen und durchführen.

❐ Essen und Trinken

Probleme in diesem Lebensbereich entstehen in erster Linie durch:

- die krankheitsbedingte Einschränkung / Unfähigkeit des Patienten zur oralen Nahrungsaufnahme;
- Appetitlosigkeit, Übelkeit, Erbrechen;
- Verletzungen im Bereich des Kauapparates;
- Schluckstörungen;
- erhöhten Kalorienbedarf, z.B. bei Fieber, Sepsis, Verbrennungskrankheit, Schädel - Hirn - Trauma, Polytrauma;
- die medizinisch erforderliche Nahrungskarenz nach Operationen am Magen - Darm - Trakt;
- erhöhten Flüssigkeitsbedarf bei Stoffwechsellagen, die zu einem vermehrten Anfall harnpflichtiger Substanzen führen, z.B. Zustand bei Polytrauma und Sepsis;
- erhöhte Flüssigkeitsverluste, z.B. bei Fieber, Verbrennungskrankheit, Diarrhoe, Erbrechen;
- die extreme Streßsituation, die zur Entwicklung eines Streßulkus führen kann.

Zur **Unterstützung der Nahrungs - und Flüssigkeitszufuhr** können vor allem folgende Maßnahmen angezeigt sein:

- parenterale Ernährung über eine Venenverweilkanüle / einen Venenverweilkatheter;
- künstliche enterale Ernährung über eine Magen- / Duodenalsonde;
- Unterstützung bei der oralen Nahrungsaufnahme;
- Schlucktraining inklusive basaler Stimulation;
- der jeweiligen Situation angemessene Kalorien-, Nährstoff- und Flüssigkeitszufuhr;
- Korrektur des Flüssigkeitshaushaltes bei erhöhten Flüssigkeitsverlusten;
- Hilfestellung während des Erbrechens;
- medikamentöse Streßulkusprophylaxe *(siehe Seite 414)* und Beobachtung hinsichtlich Blutungszeichen wie Teerstuhl und Hb - Abfall.

❐ Sich Bewegen

Einschränkungen der Beweglichkeit ergeben sich vor allem aus:

- medizinischen Gründen;
- der Schwere der Erkrankung, dem Zustand des Patienten;
- der Art der Verletzung / Operation / Krankheit;
- der Behinderung durch zu- und ableitende Schläuche, Verbände und Lagerungen,
- therapeutisch erforderlichen Maßnahmen, z.B. Lysetherapie.

Aus der Immobilität ergeben sich ein **Risiko für Sekundärerkrankungen** (Dekubitus, Thrombose, Kontraktur, Pneumonie), eine relative Kreislauflabilität, im Alter der **Abbau bisheriger Fähigkeiten** und bei einigen wachen Kranken **Unzufriedenheit**. Entsprechend sind folgende Maßnahmen angezeigt:

- Analyse der individuell vorliegenden Risikofaktoren und Ergreifen geeigneter prophylaktischer Maßnahmen;
- Mobilisation in medizinisch vertretbarem Rahmen und entsprechend dem subjektiven Befinden;
- Einbeziehen der Ressourcen, z.B. der Fähigkeit, selbständig Lageveränderungen im Bett vorzunehmen.

❐ Sich Pflegen und Kleiden

In diesem Lebensbereich sind fast alle Patienten auf der Intensivstation **vorübergehend hilfsbedürftig**. Das Ausmaß ist abhängig von der Art und Schwere der Erkrankung, dem individuellen Zustand des Kranken, der Behinderung durch zu- und ableitende Schläuche sowie durch Verbände.

Angezeigt sind häufig folgende Pflegemaßnahmen:

- Unterstützung bei / **Übernahme der Körperpflege**, dabei ist der gesundheitliche Zustand zu berücksichtigen; in einigen Situationen ist lediglich eine Teilwaschung oder sogar der weitgehende Verzicht auf Körperpflege angezeigt, in anderen Fällen, z.B. bei Fieber, sind häufige Teilwaschungen sinnvoll;
- in vielen Situationen ist eine basalstimulierende Ganzkörperwaschung entsprechend den individuellen Bedürfnissen angezeigt;
- bei fehlendem Lidschlag und bei Bewußtlosigkeit ist zum Schutz der Hornhaut vor Austrocknung eine **spezielle Augenpflege** erforderlich;
- bei nasal liegender Sonde, starker Sekretion und Verkrustungen im Nasenbereich ist eine **spezielle Nasenpflege** veranlaßt;
- bei Verkrustungen und Sekretaustritt aus den Ohren ist eine vorsichtige **Säuberung der Ohrmuschel** und des äußeren Gehörgangs mit einem zum Zipfel geformten, evtl. in Öl getränktem Mulltupfer angezeigt;
- bei parenteraler und bei künstlicher enteraler Ernährung sowie bei Bewußtseinsstörungen und maschineller Beatmung ist eine **spezielle Mundpflege** unter Beachtung der Aspirationsgefahr *(siehe Seite 653)* durchzuführen;
- bei bewußtlosen und bei beatmeten Patienten ist wegen des Aspirationsrisikos und der möglichen Tubusbeschädigung durch Zubeißen auf das Einsetzen von Zahnprothesen zu verzichten.

❒ Regulieren der Körpertemperatur

Bei intensivpflegebedürftigen Patienten ist relativ häufig Fieber zu beobachten. **Hohes Fieber** tritt z.B. bei Infektionen / Sepsis und Schädel - Hirn - Trauma auf, **Resorptionsfieber** kommt z.B. nach Herzinfarkt, großen Operationen und Traumen vor.

Ein weiteres Problem stellt der vorübergehende **Verlust der Fähigkeit**, den **Wärmehaushalt zu regulieren**, dar; hierzu kommt es bei Schädel - Hirn - Traumen und bei der Verbrennungskrankheit.

- Neben den üblichen Maßnahmen bei Fieber kann ein **Wärmeentzug** über kühle Arm- und Wadenwickel erfolgen.
- Die **Temperaturkontrolle** kann kontinuierlich über eine mit dem Monitor verbundene Ösophagus- oder Rektalsonde erfolgen; Pulmonaliskatheter und spezielle Blasenverweilkatheter verfügen über eine integrierte Meßsonde, die kontinuierlich die Kerntemperatur aufzeigt.
  Beachte: Eine Rektalsonde wird vom Patienten unangenehm empfunden und kann Druckulzerationen hervorrufen.
- Patienten mit **Hypothermie** und schweren lokalen **Erfrierungen** werden zunächst auf der Intensivstation behandelt und gepflegt. Vorrangig sind die **langsame Erwärmung** des Körpers und die Überwachung der Vitalfunktionen *(siehe Seite 510)*.

❒ Sinn finden

Menschen, die wegen einer lebensbedrohlichen Erkrankung auf die Intensivstation eingewiesen werden, können der **Konfrontation mit der Endlichkeit ihres Lebens** kaum ausweichen. Selbst wenn sich ein Betroffener nicht schwerkrank fühlt, wird ihm die Bedrohlichkeit seiner Situation durch die Atmosphäre der Intensivstation bewußt.

Die Durchführung lebensrettender Maßnahmen verhindert nicht selten, daß ein Sterbender und seine Angehörigen Abschied voneinander nehmen können. Erschwerend kommt oft hinzu, daß der Tod plötzlich kommt und eine vorherige Auseinandersetzung mit Sterben und Tod nicht stattgefunden hat.

Schwerkranke (und ihre Angehörigen), die mit bleibenden Folgen wie einer Querschnittslähmung oder der Entstellung durch großflächige Narben konfrontiert werden, reagieren meist zunächst mit **Zukunftsängsten** und **Hoffnungslosigkeit**; mancher ist unsicher, ob er lieber sterben oder überleben möchte *(siehe dazu Seite 519)*.

In welcher Weise bewußtlose Menschen die unmittelbare Konfrontation mit dem Tod erleben, ist weitgehend unbekannt. Von einigen Überlebenden wissen wir, daß sie traumähnliche Erlebnisse hatten.

Pflegende können schwerstkranken Menschen und ihren Angehörigen helfen, indem sie in der Krisensituation Beistand leisten, die **Betroffenen** begleiten, sie **nicht allein lassen** und **Anteilnahme**, menschliche Wärme sowie Fürsorge zeigen. Betroffene sollten ermutigt werden, ihre Gefühle zuzulassen und spüren, daß Pflegende zu Gesprächen bereit sind. Immer sollten ein Betroffener und seine Angehörigen wissen, daß alles Menschenmögliche getan wird und daß man ggf. darauf bedacht ist, das Leiden nicht unnötig zu verlängern und ein Sterben in Würde zu ermöglichen.

Auf Wunsch kann ein Seelsorger und/oder ein Psychologe die Begleitung der Menschen in einer Krisensituation unterstützen.

Weitere Aspekte werden im Kapitel *„Die Begleitung des unheilbar kranken und sterbenden Menschen", Seite 981*, besprochen.

❒ Geschlechtliches Erleben und Verhalten

Die **Intimsphäre** von Kranken auf der Intensivstation kann in mehrfacher Hinsicht **verletzt** werden:

- Frauen und Männer werden in einem Raum, der auch *„Schlafzimmer"* ist, gepflegt;
- die Kranken tragen im allgemeinen nur ein offenes Krankenhaushemd, fiebernde Patienten sind evtl. nur im Rumpfbereich mit einem Laken bedeckt;
- die Bettdecke wird häufig zurückgeschlagen, um z.B. die Lage von Drainagen, Wundverbände oder Elektroden zu kontrollieren, um das Abdomen abzuhören oder Wunden zu beobachten; der Unterleib des Kranken ist nicht bekleidet und für fremde Menschen sichtbar;
- die Körperpflege und Manipulationen im Urogenitaltrakt werden von fremden, ggf. anders geschlechtlichen Pflegepersonen ausgeführt;

Angehörige unterlassen aus Angst, die Funktion der Zu- und Ableitungen behindern zu können, oder aufgrund bestehender Hemmungen und Unsicherheit (zärtliche) **Berührungen**.

Ein besonderes Problem stellt das sogenannte „**Durchgangssyndrom**" dar. Diese körperlich begründbare und reversible Psychose* kann sich bei vorübergehenden Störungen der Hirnfunktion, z.B. im Rahmen eines Schädel - Hirn - Traumas oder eines starken Blutverlustes, entwickeln. Ein Betroffener fällt durch Halluzinationen, Konfabulation, motorische Unruhe und sexuelle Enthemmung auf; Affektivität und Gedächtnisleistungen sind gestört. Während dieser Zeit kann ein Betroffener u.a. gegenüber dem Personal und anderen Patienten anzügliche Bemerkungen machen und unangemessene, sexuell motivierte Handlungen vornehmen.

- Aus pflegerischer Sicht gilt es, die allgemein üblichen Umgangsformen zu wahren (Respektierung der Person als geschlechtliches Wesen, Gewährleistung von Sichtschutz, nach Möglichkeit Organisation der Körperpflege durch gleichgeschlechtliches Personal, Ankündigung von Berührungen).
- Angehörige sind zu zärtlichen Berührungen zu ermutigen; es ist ggf. darauf hinzuweisen, daß auch ein bewußtloser Mensch Berührungen wahrnehmen und menschliche Nähe spüren kann.
- Unschickliche Verhaltensweisen während eines Durchgangssyndroms sind als krankhaft einzustufen; so fällt es auch leichter, Verständnis zu entwickeln und Nachsicht zu üben.

❒ Sich Beschäftigen

Während der Hospitalisierung auf einer Intensivstation erinnert kaum etwas an das „normale" Alltagsleben; ein Kranker ist **von der Außenwelt isoliert**. In dem Stationsalltag fehlt selbst die übliche Zeitstruktur. Aktive

Beschäftigung ist nur wenigen Patienten möglich. Den meisten wachen Patienten bleiben die Wahrnehmung der Geschehnisse um sie herum und die gedankliche sowie gefühlsmäßige Beschäftigung mit ihnen; nicht selten kommt es zu einer übertriebenen Selbstbeobachtung und zur einer Fixierung der Gedanken auf das Krankheitsgeschehen. Ängste, Unruhe, depressive und aggressive Gefühle können die Folge sein.

Pflegende können dieser **Problematik entgegenwirken**, indem sie z.B.:

- soweit möglich eine Zeitstruktur herstellen;
- in individuell angemessenem Ausmaß Kontakte zur Außenwelt fördern (Besuch, private Fotografien, Tageszeitung, Gespräche über familiäre Begebenheiten, gesellschaftliche, kulturelle, politische Ereignisse);
- bei wachen Patienten für eine den individuellen Bedürfnissen und Möglichkeiten entsprechende Beschäftigung sorgen (Angehörige bitten, z.B. Lesestoff oder Kreuzworträtsel mitzubringen);
- Lichteinflüsse soweit möglich entsprechend dem natürlichen Tag- Nachtrhythmus regulieren.

4.6.5 Exemplarische Lebens- und Pflegesituationen

4.6.5.1 Schock

4.6.5.1.1 Krankheitsbild

❒ Definition, Ursache und Formen

Beim Schock handelt es sich um ein akut einsetzendes, fortschreitendes Kreislaufversagen, das mit einer gestörten Mikrozirkulation und dadurch bedingter Hypoxie *(Verminderung des Sauerstoffgehalts in den Körpergeweben)* und metabolischen (*stoffwechselbedingten)* Störungen einhergeht.

Entsprechend der jeweils vorliegenden Ursache werden verschiedene Schockformen unterschieden.

- **Kardiogener Schock:** Ursache des kardiogenen Schocks ist das Pumpversagen des Herzens, z.B. infolge von Herzinfarkt, Myokarditis, Perikarditis, Herzklappenfehler, Herzrhythmusstörung, Lungenembolie.
- **Hypovolämischer Schock:** Ursache ist eine kritische Verminderung der zirkulierenden Blutmenge, z.B. durch große Blut- / Plasmaverluste oder massive Flüssigkeitsverluste bei anhaltendem Erbrechen und Durchfällen.
- **Septischer Schock:** Ursache ist das Versagen der peripheren Kreislaufregulation bei relativem Flüssigkeitsmangel infolge einer massiven Gefäßweitstellung, die durch Bakterientoxine hervorgerufen wird. Ein septischer Schock kann sich z.B. im Rahmen einer schweren Gallenwegs- oder Harnwegsinfektion, einer Peritonitis, eines Aborts oder einer Infektion durch einen zentralen Venenkatheter entwickeln. Besonders gefährdet sind abwehrgeschwächte Menschen.
- **Anaphylaktischer Schock:** Ursache ist das Versagen der peripheren Kreislaufregulation bei einer massiven allergischen Reaktion vom Soforttyp, die mit einer starken Histaminausschüttung und dadurch bedingt mit Gefäßweitstellung, Blutdruckabfall und Bronchospasmus einhergeht. Auslösende Allergene können z.B. Medikamente (Sulfonamide, Penicillin, jodhaltige Röntgenkontrastmittel, Lokalanästhetika, Acetylsalizylsäure u.a.), Fremdeiweiße (Bluttransfusionen, Insekten- und Schlangengifte, Impfstoffe u.a.) sowie Allergene bei Hyposensibilisierungen sein.
- **Neurogener Schock**: Ursache ist eine gestörte Kreislaufregulation mit bedrohlichem Blutdruckabfall infolge einer Einwirkung auf das ZNS, z.B. bei Schädel - Hirn - oder Rückenmark - Trauma, Spinalanästhesie oder medikamentöser Intoxikation (Barbiturate, Narkotika, Tranquilizer). Es entwickelt sich ein hypovolämischer Schock.

❒ Symptome

Die folgenden Symptome sind bei jeder Form des Schocks zu beobachten (je nach Ursache treten weitere Symptome auf):

- **Tachykardie**, Pulsfrequenz über 100;
- **Blutdruckabfall** (systolischer Wert unter 90 mmHg, physiologische Werte bei Hypertonikern) und erniedrigte Blutdruckamplitude;
- **Schockindex größer als 1**

$$\text{Schockindex} = \frac{\text{Puls}}{\text{systolischer Blutdruck}}$$

  Bei einem Schockindex über 1 besteht Schockgefahr!
- **Veränderung des Bewußtseins**, zunächst Unruhe und Angst, dann zunehmende Bewußtseinseintrübung, Koma;
- **Kreislaufzentralisation** *(Umverteilung der zirkulierenden Restblutmenge, um die Durchblutung von Gehirn und Herz zu gewährleisten)*, Zeichen und Folgen sind
  - feuchte, kalte und blaßgraue Haut an den Extremitäten (nicht in der Frühphase des septischen Schocks, bei kardiogenem Schock grau - zyanotisch),
  - zyanotische Haut und Schleimhäute (nicht bei einer Kohlenmonoxidvergiftung),
  - Tachypnoe / Hyperventilation, bei metabolischer Azidose* Dyspnoe und Kußmaul - Atmung, später ARDS (= **a**dult **r**espiratory **d**istress **s**yndrome, *Schocklunge; akute Ateminsuffizienz im Rahmen eines fortschreitenden Schockgeschehens mit unspezifischen Reaktionen der Alveolen, Kapillaren und des interstitiellen Gewebes);*
  - starke Differenz zwischen Haut- und Kerntemperatur;
  - verringerte Urinausscheidung, Oligurie bis Anurie, später **Schockniere** *(akutes Nierenversagen infolge der länger andauernden Minderdurchblutung der Nieren)*;
- **Verbrauchskoagulopathie** *(massiver Verbrauch an Gerinnungsfaktoren durch Mikrothrombenbildung in den Kapillaren, in dessen Folge sich rasch eine Blutungsneigung mit Verblutungsgefahr entwickelt)*;

➢ **bei kardiogenem Schock zusätzlich**
  - Orthopnoe und brodelnde Atmung (Zeichen der Lungenstauung),
  - blasse - bis zyanotische Hautfarbe,

- gestaute Halsvenen (Zeichen der Rechtsherzinsuffizienz);

➢ **bei hypovolämischem Schock zusätzlich**
- kollabierte Halsvenen,
- Durstgefühl,
- weite, kaum reagierende Pupillen,
- erniedrigter Hautturgor;

➢ **bei septischem Schock zusätzlich**
- Verwirrtheit,
- häufig Fieber (evtl. mit Schüttelfrost),
- evtl. Pusteln, Blasen, Hautblutungen u.a. Hauterscheinungen,
- in der Frühphase trockene, warme und gut durchblutete Haut, später kalte, zyanotische Haut,

➢ **zusätzlich bei anaphylaktischem Schock** *(siehe auch Seite 437)*
- Unruhe, Kopfschmerzen, Schwindelgefühl u.a. Allgemeinsymptome,
- Juckreiz, Nesselsucht, Hautrötung u.a. Hauterscheinungen,
- Übelkeit, Erbrechen, Durchfall,
- Fieber mit Schüttelfrost,
- Asthmaanfall (Bronchospasmus),
- evtl. Epiglottis *(Entzündung von Kehlkopf / -deckel)* mit inspiratorischem Stridor,
- Atem- und Kreislaufstillstand.

❒ Diagnostik

Ein Schock muß sofort erkannt werden, um unverzüglich lebensrettende Maßnahmen und eine kausale Therapie einleiten zu können. Zur Diagnosestellung sind erforderlich:

- körperliche Untersuchung (Beobachtung der klinischen Symptome), ggf. in Kombination mit der bekannten Anamnese;
- Blutuntersuchungen: großes Blutbild, Elektrolyte, Blutzucker, Kreatinin, Herz- und Pankreasenzyme, Gerinnungsparameter, Blutgruppe und Kreuzblut, Blutgasanalyse; evtl. Blutkultur;
- Urinstatus;
- EKG, evtl. Echokardiographie;
- ggf. weitere Untersuchungen entsprechend der Verdachtsdiagnose, z.B. Röntgenaufnahmen des Thorax oder des Abdomens, Oberbauchsonographie, ZVD - Messung.

❒ Therapie

Die Behandlung eines Schocks muß unverzüglich einsetzen.

- **Beseitigung der Ursache**, z.B. Stillen einer Blutung, Unterbrechung der Allergenzufuhr, Flüssigkeits - / Blutersatz, medikamentöse Infektbekämpfung, Behandlung des Herzinfartes;
- **Aufrechterhaltung / Korrektur der Atmung**, z.B. Freihalten der Atemwege, nasale Sauerstoffverabreichung, Intubation, Beatmung;
- **kontinuierliche Beobachtung** von
  - Puls und Blutdruck (Schockindex),
  - Atmung und Blutgasen,
  - Hautfarbe, - temperatur und Schweißsekretion,
  - EKG,
  - ggf. ZVD,
  - Urinausscheidung, Flüssigkeitsbilanz,
  - Blutbild, Hb, Hk, Gerinnungsstatus, Elektrolyten, Kreatinin und ggf. weiteren Blutwerten;
- **Legen eines zentralvenösen Zugangs**;
- bei Bedarf Sedierung und Schmerzbekämpfung;

➢ **zusätzlich bei kardiogenem Schock**
- Oberkörperhoch- und Beintieflagerung,
- Gabe von Dobutamin und/oder Dopamin und Nitraten,
- Verringerung des zirkulierenden Blutvolumens durch Verabreichung von Diuretika, Einschränkung der Flüssigkeitszufuhr und Lagerung *(siehe vorstehend)*;

➢ **zusätzlich bei Volumenmangelschock**
- Beinhochlagerung,
  Beachte: Die Beinhochlagerung ist **kontraindiziert** bei Blutungen im Bereich des Kopfes, der Lunge und des oberen Magen - Darm - Traktes; betroffene Patienten werden mit erhöhtem Oberkörper gelagert;
- Volumen- und Elektrolytsubstitution mittels Plasmaexpander und Elektrolytlösungen (Kontrolle mittels ZVD - Messung), bei Blutungsschock mittels Erythrozytenkonzentraten und Frischblut,
- Korrektur einer metabolischen Azidose durch Infundieren von Bikarbonatpuffern,
- bei Bedarf Kreislaufunterstützung mittels Katecholamingabe über einen Perfusor;

➢ **zusätzlich bei septischem Schock**
- Beinhochlagerung,
- Volumen- und Elektrolytsubstitution mittels Plasmaexpander und Elektrolytlösungen unter ZVD - Kontrolle,
- intravenöse Verabreichung von Antibiotika (nach Abnahme einer Blutkultur),
- bei anhaltender Hypotonie intravenöse Verabreichung von Dopamin,
- Korrektur einer metabolischen Azidose durch Infundieren von Bikarbonatpuffern,
- Low - Dose - Heparinisierung zur Prophylaxe einer Verbrauchskoagulopathie;

➢ **zusätzlich bei anaphylaktischem Schock**
- Verabreichung von Adrenalin als Spray und als Injektionslösung zur Kreislaufstabilisierung,
- Volumensubstitution,
- intravenöse Verabreichung von Histaminantagonisten und Glukokortikoiden,
- bei Bronchospasmus $Beta_2$ - Sympathomimetikum als Dosieraerosol - Spray oder intravenös, und Theophyllin als Kurzinfusion,
- bei anhaltender Hypotonie intravenöse Verabreichung von Dopamin.

Beachte: Trotz Therapie kommt es in mehr als 50% der Fälle zum tödlichen Verlauf eines Schocks!

Wirkstoff / Fertigarznei	erwünschte Wirkung	Besonderheiten unerwünschte Wirkungen
Herz / Kreislauf		
Katecholamine: Noradrenalin (z.B. Arterenol®)	Blutdrucksteigerung durch - Engstellung der peripheren Gefäße - Steigerung der Herzkraft Erhöhung der Herzfrequenz	Tachykardie, Rhythmusstörungen, Stenokardie Kombination mit Dopamin / Dobutamin möglich
Orciprenalin (z.B. Alupent®)	Bronchospasmolyse Verbesserung der Erregungsbildung und -leitung Herzfrequenzsteigerung Steigerung der Herzkraft	Tachykardie und Blutdruckabfall Antidot bei Betablockerüberdosierung
Dopamin (z.B. Dopamin® Giulini)	Diureseförderung (dosisabhängig) Blutdrucksteigerung durch - Herzkraftsteigerung - Engstellung der peripheren Gefäße (dosisabhängig) Herzfrequenzerhöhung	Tachykardie Herzrhythmusstörungen Stenokardie
Dobutamin (z.B. Dobutrex®)	Blutdrucksteigerung durch Erhöhung der Herzkraft Herzfrequenzsteigerung (dosisabhängig)	Extrasystolie
Nitrate Glycerolnitrat (z.B. Nitrolingual®, perlinganit®, Gilustenom®, Corangin®)	Koronarspasmolyse Senkung des Herzsauerstoffverbrauchs Vorlastsenkung	Blutdruckabfall Kopfschmerz (häufig!) Gesichtsröte
Betablocker (z.B. Tenormin®, Beloc®, Sotalex®)	Herzfrequenzsenkung Blutdrucksenkung Senkung des Herzsauerstoffverbrauchs Verminderung der Herzerregbarkeit	Bradykardie Blutdruckabfall Bronchokonstriktion
ACE Hemmer (z.B. Xanef®, Lopirin®, Tensobon®)	Blutdrucksenkung Verminderung der Herzstrukturveränderung nach Infarkt	Testdosisgabe, da möglicherweise bedrohlicher Blutdruckabfall Reizhusten bei 5-10% der Patienten
Antihypertensiva Dihydralazin (z.B. Nepresol®)	Gefäßweitstellung	Mittel der Wahl in der Schwangerschaft
Urapidil (z.B. Ebrantil®)	Hemmung der Aktivität des Kreislaufregulations-zentrums Gefäßweitstellung	keine Beeinflussung der zerebralen Durchblutung und des intrakraniellen Druckes
Kalziumantagonist ohne antiarrhythmische Komponente Nifedipin (z.B. Adalat®)	Weitstellung der Gefäße und der Koronararterien	Gesichtsröte
Clonidin (z.B. Catapresan®)	Herabsetzung des Herzminutenvolumens	Sinusbradykardie psychogene Wirkkomponente ermöglicht günstige Beeinflussung der Therapie von Opioid- und Alkoholentzug
Volumenersatz Plasmaexpander (z.B. Makrodex®, Haes® 6% steril)	Blutdrucksteigerung Mikrozirkulationsverbesserung	(selten) anaphylaktische Reaktion Gerinnungsverzögerung
Antiarrhythmika Kalziumantagonist mit antiarrhythmischer Komponente Verapramil (z.B. Isoptin®)	Herzfrequenzsenkung und Rhythmisierung bei tachykarden Vorhofarrhythmien	Bradykardie Blutdruckabfall
Propafenon (z.B. Rythmonorm®)	Rhythmisierung bei Vorhof- und Kammertachykardien	Blutdruckabfall Tremor
Ajmalin (z.B. Gilurytmal®)	Herzfrequenzsteigerung bei supraventrikulären und ventrikulären Tachykardien	Bradykardie Inkompatibel mit Lasix® und Natriumbikarbonat
Niere		
Diuretika Furosemid (z.B. Lasix®)	Steigerung der Natrium- und Wasserausscheidung über die Niere Herzvorlast- und -nachlastsenkung	Blutdruckabfall Elektrolytverlust reversibler Hörverlust
Bronchien		
Bronchospasmolytika Theophyllin (z.B. Solosin®, Euphyllin®, Pulmidur®)	Bronchodilatation	Tachykardie Unruhe Krampfanfall
Sonstige		
Glukokortikoide Prednisolon (z.B. Solu Decortin H®)	Entzündungshemmung Immunsupression	Stoß- und Kurzzeittherapie zeigen kaum unerwünschte Wirkungen
Antihistaminika Clemastin (z.B. Tavegil®)	antiallergisch, Juckreizstillung, Gefäßabdichtung, zentrale Sedierung Bronchodilatation	Sedierung Schwindel Tachykardie
Analgetika	*Siehe Seite 912*	
Sedativa	*Siehe Seite 693*	

Tabelle 4.7 ***Notfallmedikamente*** *(Kurzinformation)*

4.6.5.1.2 Pflege- und Überwachungsmaßnahmen

Bei der Notfallversorgung eines Patienten im Schock ist eine **lückenlose Zusammenarbeit** aller mitwirkenden Personen erforderlich. Kompetenzen müssen grundsätzlich geklärt und akzeptiert sein, Verzögerungen durch Meinungsverschiedenheiten sind in dieser Situation unbedingt zu vermeiden.
Die ärztlichen und pflegerischen Maßnahmen sind eng miteinander verknüpft, zum Teil gehen sie ineinander über, um einen reibungslosen Ablauf zu gewährleisten.

Pflegerische Schwerpunkte während der Notfallversorgung sind:
- Lagerung des Patienten;
- Beruhigung des Patienten;
- Beobachtung des Patienten (Vitalzeichen, Bewußtsein, Haut, ZVD, Urinausscheidung);
- Vorbereitung und Assistenz der vom Arzt angeordneten Maßnahmen (Anbringen der EKG - Elektroden und Anschluß des Monitors, Aufziehen von Medikamenten, Vorbereiten von Infusionen / Transfusionen, Materialvorbereitung und Assistenz beim Legen eines venösen Zugangs / zentralen Venenkatheters, Legen eines Blasenverweilkatheters, Veranlassung / Vorbereitung diagnostischer Maßnahmen, ggf. Vorbereitung / Mitarbeit bei Intubation und Reanimation u.a.).
  Beachte: Die **Medikamente** dürfen wegen der Mikrozirkulation in der Peripherie **nicht subkutan** und **nicht intramuskulär** verabreicht werden. Die leeren Ampullen werden auf einem Tablett gesammelt, so daß nachvollziehbar ist, welche Medikamente verabreicht wurden.
- Dokumentation der durchgeführten Maßnahmen, der Beobachtungsergebnisse und der Besonderheiten.

Nach der Notfallversorgung ergeben sich folgende Pflegeschwerpunkte:
- intensive engmaschige Beobachtung des Kranken;
- Überwachung / Durchführung delegierter therapeutischer / diagnostischer Maßnahmen, z.B. im Rahmen der Infusions- und der Schmerztherapie;
- Durchführung der angeordneten Kontrollen;
- Beruhigung und Begleitung des Kranken;
- Verhinderung von Sekundärerkrankungen (**Beachte:** Hohes Dekubitusrisiko!);
- Unterstützung des Kranken bei den ATL in jeweils erforderlichem Ausmaß *(siehe „Besonderheiten der Pflege eines Menschen auf der Intensivstation", Seite 381);*
- Dokumentation.

4.6.5.2 Vergiftungen

4.6.5.2.1 Allgemeine Informationen

Als **Gift** wird eine Substanz bezeichnet, deren Einnahme in entsprechend großer Menge zu Gesundheitsschäden oder zum Tod führt. Die durch die Aufnahme eines Giftes hervorgerufenen Gesundheitsschäden werden als **Intoxikation** (*Vergiftung*) bezeichnet.

Ein Gift kann inhalativ, oral, transkutan und intravenös aufgenommen werden und sich nach der Resorption im ganzen Körper verteilen.
- **Substanzaufnahme über die Verdauungsorgane**; das oral zugeführte Gift wirkt systemisch (z.B. Arzneimittel, Toxine des Clostridium botulinum, Alkohol) und/ oder lokal (z.B. Säuren, Laugen).
- **Substanzaufnahme über die Atmungsorgane**; das eingeatmete Gift, z.B. Rauchgas, kann sowohl lokal Schäden an den Atemwegsorganen hervorrufen als auch systemisch schwerste Störungen an Organfunktionen verursachen. Andere Gifte, z.B. Kohlenmonoxid, wirken nur systemisch.
- **Substanzaufnahme über die Haut / Schleimhaut**; das über die Haut einwirkende Gift, z.B. Salzsäure, Ätznatron, Schwefelsäure, Gift eines Insektes, verursacht schwerste Schäden an der Haut (evtl. werden weitere Organsysteme in Mitleidenschaft gezogen.
- **Substanzaufnahme über die Blutbahn**; die Substanz, z.B. Opioid, Arzneimittel, wird direkt in die Blutbahn injiziert und führt zu schwersten Allgemeinreaktionen.

Das Ausmaß einer Vergiftung hängt von mehreren Faktoren ab; die wichtigsten sind:
- Toxizität* und Dosis der einwirkenden Substanz,
- Einwirkungsdauer,
- allgemeiner Gesundheitszustand und Alter des Betroffenen.

Vergiftungen können rasch ein lebensbedrohliches Ausmaß annehmen; ein Betroffener bedarf der sofortigen (intensiv-) medizinschen Behandlung.
Vergiftungen werden von Erwachsenen nicht selten in Selbsttötungsabsicht herbeigeführt; bei Kindern kommt es in der Regel durch Unwissenheit und Neugierde zu Vergiftungen (z.B. mit getrunkenen Reinigungsmitteln).

❒ Diagnostik

Zur Erfassung der Vergiftungsursache und zur Einleitung gezielter Maßnahmen werden nach Möglichkeit folgende Daten erfaßt:
- zugeführte **Substanz** (Welches Präparat? Welche Flüssigkeit? Welches Nahrungsmittel? Welches Gas? Typischer Geruch der Atemluft, z.B. nach Alkohol?);
- **Zeitpunkt** der Substanzaufnahme;
- **Dosis** des aufgenommenen Giftes;
- **Hintergrund** der Substanzzufuhr (Verzehr infizierter oder giftiger Nahrungsmittel; Versehen, Verwechslung, Überdosierung im Rahmen einer Suchtmittelabhängigkeit, suizidale Absicht).

Sofern möglich, werden der Betroffene und seine Begleitpersonen gezielt befragt. Weiter ist **Material für** den **toxikologischen Nachweis** des Giftes sicherzustellen; dazu werden Proben von Ausscheidungen aufgefangen, Blutproben entnommen und ggf. mitgebrachte Tablettenschachteln, Flüssigkeiten, Speisereste u.a. ans Labor weitergeleitet.
Neben den bei Notfällen üblichen Laboruntersuchungen wird ggf. ein sogenanntes **Drogenscreening** *(Suchtest zum Nachweis einer Drogeneinnahme)* durchgeführt, der Alkoholspiegel bestimmt und/oder spezielle toxikologische Analysen durchgeführt.

Zusätzliche Untersuchungen werden je nach Verdachtsdiagnose und Vergiftungserscheinungen angeordnet, z.B. EKG, Röntgen - Thorax, neurologische Untersuchung.

4.6.5.2.2 Leitsymptome und Sofortmaßnahmen

Die häufigsten Vergiftungen, die wichtigsten Leitsymptome und die angezeigten Sofortmaßnahmen werden in *Tabelle 4.8* zusammengefaßt.

Giftige Substanz	Leitsymptome	Sofortmaßnahmen
Kohlenmonoxid	Kopfschmerzen, Schwindel Erregung, Herzklopfen, Atemnot Übelkeit, evtl. Erbrechen rote Gesichtsfarbe Blutdruckabfall, Tachykardie Krämpfe Koma (mit Cheyne - Stokes - Atmung) Lungenödem Atemlähmung	Entfernung aus der Gefahrenzone Sauerstoffzufuhr
Arzneimittel (Benzodiazepine, Barbiturate, Neuroleptika, Antidepressiva)	Bewußtseinstrübung bis Koma flache Atmung, Atemdepression bis Atemstillstand, Zyanose Blutdruckabfall, Tachykardie (evtl. Bradykardie) herabgesetzte / fehlende Schmerzempfindlichkeit Pupillenerweiterung erloschene Schutzreflexe	Freihalten der Atemwege ggf. Beatmung (und Herzmassage) induziertes Erbrechen bzw. Magenspülung Aufbewahren von Substanzproben (Tablettenschachtel)
Opioide, z.B. Morphin, Heroin	Atemdepression Koma Pupillenverengung	Sauerstoffverabreichung, ggf. Beatmung Aufbewahren von Substanzproben (Tablettenschachtel, Spritze) Verabreichung des Antidots Lorfan® oder Narcanti® **Beachte:** Bei Abhängigkeit von Opioiden kann das Antidot Entzugserscheinungen hervorrufen
Alkohol	psychomotorische Erregung, später Bewußtseinstrübung bis Koma Übelkeit, Erbrechen Koordinationsstörungen Verlangsamung der Reaktionen Hautrötung Abfall der Körpertemperatur Atemdepression	induziertes Erbrechen bzw. Magenspülung Atemregulation Schutz vor Auskühlung ggf. Volumensubstitution
Botulinus-Toxin (durch Verzehr von infiziertem Fleisch, Käse, Gemüse aus der Konserve)	nach 12 - 36 Stunden Übelkeit, Erbrechen, Sehstörungen, Herabsinken der Augenlider, Schielen Schwindel Pupillenverengung Heiserkeit Schlucklähmung Atemlähmung	Magenspülung Verabreichung von antitoxischem Botulismus - Serum und Laxanzien ggf. Intubation und Beatmung
Pflanzenschutzmittel, z.B. chlorierte Kohlenwasserstoffe, E 605, DDT	psychomotorische Übererregbarkeit, Krämpfe Pupillenverengung Atemlähmung (bei Bewußtsein), Herzstillstand bei E 605- Vergiftung zusätzlich Bauchkrämpfe, Erbrechen, Speichelfluß, erhöhte Schweißsekretion, Bradykardie, Zyanose, Koma	Regulierung der Atmung induziertes Erbrechen bzw. Magenspülung zu Beginn Gabe von Kohle und Glaubersalz, Instillation hyperosmolarer Lösungen ggf. Gabe des Antidots Toxogonin evtl. Hämoperfusion*
Säuren, z.B. Salz-, Schwefel-, Salpetersäure **und Laugen,** z.B. Ätznatron / -kali	Verätzungen (Belag- oder Schorfbildung, Schleimhautschwellung, Aufquellen der Haut) und Schmerzen im Bereich der kontaminierten Körperregionen: Lippen, Mundschleimhaut, Zunge, Rachen, Speiseröhre, Magen und/oder Haut, Augen Bluterbrechen Zyanose, Atemnot Krämpfe evtl. Koma und Schock	**bei Laugenverätzung** - Trinken von maximal 200 ml Wasser **bei Säurenverätzung** - Trinken von maximal 200 ml Wasser wiederholtes Spülen kontaminierter Haut und Augen mit Wasser **Beachte**: Induziertes Erbrechen und Magenspülung sind kontraindiziert! (Verstärkung der Schleimhautschäden)

Tab. 4.8 ***Leitsymptome und Sofortmaßnahmen bei Vergiftungen***

Auskünfte zur Diagnose und Therapie bei Vergiftungen geben spezielle **Informations- und Behandlungszentren für Vergiftungen**:

Berlin	☎ 030 / 19240	Mainz	☎ 06131 / 19240
Bonn	☎ 0228 / 287 - 3211	München	☎ 089 / 19240
Erfurt	☎ 0361 / 730 - 730	Nürnberg	☎ 0911 / 3982451
Freiburg	☎ 0761 / 270 - 4361	Wien	☎ (0043) (0) 1 / 40643430
Homburg / Saar	☎ 06841 / 19240	Zürich	☎ (0041) (0) 1 / 2515151
Leipzig	☎ 0341 / 9724666		

4.6.5.2.3 Therapie und Pflege

Schwerpunkte der medizinisch - pflegerischen Versorgung eines Patienten mit einer schweren akuten Vergiftung sind die Wiederherstellung und die **Aufrechterhaltung der Vitalfunktionen,** die **Elimination des Giftes** und ggf. die **Therapie / Kompensation von Schock u.a. Vergiftungserscheinungen**. Außerdem sind

- eine sorgfältige und **engmaschige Beobachtung** des Kranken (Vitalzeichen, Bewußtsein, Pupillenreaktion und -größe, Haut und Schleimhäute),
- die Prophylaxe von Sekundärerkrankungen (z.B. Dekubitusprophylaxe bei Schlaf- oder Schmerzmittelintoxikation) sowie
- die Unterstützung bei den ATL

erforderlich.

Bei **Alkoholintoxikation** mit Hypothermie ist ein Kranker durch Wärmezufuhr vor weiterem Auskühlen zu schützen.

Bei Vorliegen der **Abhängigkeit von einem Suchtmittel** (Alkohol, Medikamente, illegale Drogen) können lebensgefährliche Entzugssymptome auftreten; neben einer gezielten Beobachtung müssen ggf. Medikamente verabreicht und weitere Maßnahmen ergriffen werden *(siehe Seite 765)*. Nach der akuten Entgiftungsphase ist eine Langzeittherapie anzustreben.

Besonderheiten im Umgang mit Menschen, die einen **Suizidversuch** unternommen haben, sind unter *„Suizid“ (siehe Seite 776)* nachzulesen.

Nach **oraler Giftaufnahme** ist in vielen Fällen eine parenterale Ernährung erforderlich.

❒ Elimination des Giftes

Eine rasche Elimination *(Entfernung)* des Giftes ist außerordentlich wichtig, um seine Resorption* und die Schädigung des Organismus so gering wie möglich zu halten.

Die **primäre Entfernung** des Giftes meint die Entleerung des Magens durch induziertes *(ausgelöstes)* Erbrechen oder eine Magenspülung, um die Resorption der im Magen befindlichen Giftmenge zu verhindern.

Die **sekundäre Elimination** des Giftes meint die beschleunigte Entfernung des bereits resorbierten Giftes durch spezielle Maßnahmen wie die Hämoperfusion*, Hämodialyse *(siehe Seite 234)*, forcierte Diurese* oder Verabreichung eines Antidots*.

❍ Induziertes Erbrechen

Das induzierte Erbrechen ist nach oraler Giftaufnahme bei ansprechbaren Patienten angezeigt.

Kontraindikationen stellen Bewußtlosigkeit, Verätzungen durch Trinken von Säuren und Laugen, Vergiftungen durch Schaumbildner (z.B. Spülmittel) oder fettlösliche Substanzen (z.B. Pflanzenschutzmittel) dar.

Das Erbrechen wird im allgemeinen durch eine der folgenden Maßnahmen ausgelöst.

- Trinken von 1 - 2 l Wasser innerhalb von ca. 5 Minuten; infolge der Überdehnung des Magens kommt es nach wenigen Minuten zum Erbrechen. Ansonsten kann die hintere Rachenwand mit einem Spatel (bei Kindern mit dem Finger) gereizt und so der Brechreflex ausgelöst werden. Der Vorgang ist solange zu wiederholen, bis die erbrochene Flüssigkeit klar und ohne Beimengungen ist.
- Trinken von Salzwasser (zwei Teelöffel Kochsalz in 200 ml warmem Wasser auflösen); den Vorgang wiederholen, bis die erbrochene Flüssigkeit klar und ohne Beimengungen ist. **Beachte**: Bei diesem Verfahren kann es zur Hypernatriämie mit Dehydratation kommen. Für eine ausreichende Volumensubstitution ist zu sorgen.
- Einnahme von Ipecacuanha-Sirup, der reflektorisch auf das Brechzentrum wirkt. Sofort nach der Einnahme muß der Patient 1 - 2 Gläser trinken; nach ca. 20 - 30 Minuten kommt es zum Erbrechen.

❍ Magenspülung

Indikationen für eine Magenspülung sind schwere orale Vergiftungen und akute orale Vergiftungen, die mit einer (drohenden) Bewußtseinsstörung einhergehen.

Die Durchführung ist im allgemeinen **nur in den ersten 4 Stunden nach der Giftaufnahme sinnvoll**.

Kontraindikationen stellen Vergiftungen mit Säuren und Laugen, Verdacht auf Magen- / Ösophagusperforation, Ösophagusvarizen / -stenosen, gastrointestinale Blutungen, Zustand nach Magenoperation, Schock und Herzinsuffizienz dar.

Bei Bewußtseinsstörungen (Aspirationsgefahr) und Ateminsuffizienz muß der Patient vor der Magenspülung intubiert werden.

Zusammenstellung des Materials

- Magenschlauch (15 - 20 mm Durchmesser), großer Trichter, Verbindungsstück, Schlauchklemme;
- Meßgefäß, 10 - 80 l warmes Wasser;
- großes Auffanggefäß;
- Bettschutz (Gummiunterlage), wasserdichte Schürze, Einmalhandschuhe, Zellstoff;
- Lokalanästhetikum (Spray oder Gel);
- Beißschutz;
- sterile Laborröhrchen;
- in Wasser oder Glaubersalz (Arztanordnung) aufgelöste Kohlekompretten;
- betriebsbereites Absauggerät und Absaugschläuche.

Vorbereitung des Patienten

- Information;
- Anbringen der EKG - Elektroden, Anschließen des Monitors;
- Legen eines venösen Zugangs (Arzt);
- ggf. Intubation (Arzt);
- i.v. Injektion von Atropin bei Bradykardie (Gefahr der Vagusreizung durch Magenschlauch; Arzt);
- Lagerung in stabiler Seitenlage und Kopftieflage, evtl. sitzende Lagerung bei bewußtseinsklaren Patienten.

Durchführung

- Anziehen von Handschuhen (Selbstschutz);
- Rachenanästhesie oder Bestreichen des Magenschlauches mit Lokalanästhetikum;
- Einlegen des Beißschutzes;
- Einführen des Magenschlauches (Arzt) und Lagekontrolle durch Aspirieren von Magensaft;
- Abfüllen des ersten Magensaftes in Laborröhrchen für die toxokologische Untersuchung;
- Anbringen des Trichters am Magenschlauch und Einfüllen von ca. 300 ml warmem Wasser;

- Hochhalten des Trichters, so daß die Flüssigkeit einfließen kann (Heberprinzip);
- Tiefhalten des Trichters, so daß der Mageninhalt zurückfließen kann;
- Wiederholung des Vorgangs, bis die Spülflüssigkeit klar und ohne Beimengungen zurückfließt;
- währenddessen Absaugen des Rachenraumes durch eine zweite Pflegeperson;
- zum Abschluß Applizieren von Aktivkohle (Erwachsene 30 - 100g, Kinder 1 - 2g / kgKG) und Glaubersalz (Erwachsene 15 - 20g, Kinder 0,25g / kgKG), um das Gift zu binden und die Darmpassage zu beschleunigen;
- Abklemmen oder Abknicken (sonst Aspirationsgefahr durch zurücklaufendes Wasser) und Entfernen des Magenschlauches (Arzt).

Nachsorge
- Lagerung in Seitenlage bei Bewußtseinstrübung, ansonsten Lagerung in bequemer Position;
- Mundpflege;
- Bilanzierung der ein- und ausgeführten Spülmenge;
- Dokumentation;
- Beobachtung des Patienten;
- Weiterleitung des Untersuchungsmaterials;
- Reinigung / Entsorgung des Materials.

❍ Forcierte Diarrhoe
Durch physikalische Giftbindung (z.B. an Aktivkohle) im Magen-Darm-Trakt kann häufig die Toxinaufnahme entscheidend vermindert werden. Ein Laxanz beschleunigt die enterale Ausscheidung des gebundenen Giftes.
Die **beschleunigte Darmpassage** *(forcierte Diarrhoe)* wird durch die orale (Magensonde) oder rektale (Einlauf) Verabreichung von 20 - 30g Natriumsulfat oder 250 ml Sorbitlösung herbeigeführt.
Wenn möglich, erfolgt die Ausscheidung auf dem Toilettenstuhl; bei Bedarf ist ein großflächiger Bettschutz anzubringen.
Während der Zeit des Abführens ist eine sorgfältige **Krankenbeobachtung** inklusive Flüssigkeitsbilanzierung erforderlich.

❍ Forcierte Diurese
Die forcierte Diurese (*durch medizinische Maßnahmen geförderte Harnausscheidung)* dient der Beschleunigung der renalen Ausscheidung bereits resorbierter Substanzen (z.B. Lithium, Barbiturate, Amphetamine, Salicylate) und ihrer Abbauprodukte. Dazu werden Diuretika* und Infusionslösungen verabreicht. Eine forcierte Diurese ist nur bei Vergiftungen mit wasserlöslichen oder zerfallenden Substanzen sinnvoll; deshalb findet sie nur selten Anwendung.
Kontraindikationen stellen Nieren- und Herzinsuffizienz sowie Hirnödem dar.
Bei einer forcierten Diurese werden große Flüssigkeitsmengen (ca. 10 - 12 l / 24 Stunden) infundiert und ausgeschieden; zur Entlastung des Kranken und zur Erleichterung der Flüssigkeitsbilanzierung wird vorübergehend ein Blasenverweilkatheter gelegt. Wegen der Gefahr einer Überwässerung (mit drohendem Lungenödem) wird in vielen Fällen ein zentraler Venenkatheter gelegt, der die Kontrolle des zentralen Venendrucks ermöglicht.
Während der Maßnahme ist eine engmaschige **Krankenbeobachtung** erforderlich:
- Vitalzeichenkontrolle;
- Stundenurinmessung und Flüssigkeitsbilanzierung;
- ggf. ZVD - Messung;
- Veranlassung von Elektrolytkontrollen.

❍ Blutreinigung
Einige bereits resorbierte Substanzen (z.B. Amphetamine, Barbiturate, Lithium, Thallium) können über eine **Dialyse** *(siehe Seite 233)*, eine **Hämoperfusion** *(Entgiftungsverfahren, bei dem das Blut außerhalb des Körpers über eine das Toxin bindende Kohle- oder Kunstharzkapsel geleitet wird)* oder eine **Plasmapherese** (*Plasmaaustauschtherapie; das Plasma - und somit die an das Eiweiß gebundenen toxischen Substanzen - wird gegen eine eiweißhaltige Ersatzlösung ausgetauscht)* aus dem Blut entfernt werden.

4.6.5.3 Schädel - Hirn - Trauma
Elke Hurling

4.6.5.3.1 Krankheitsbild

❐ Definition, Ursachen und Diagnose
Das Schädel-Hirn-Trauma *(SHT)* ist eine **akute Verletzung des Schädels und des Gehirns** durch eine äußere Gewalteinwirkung.
Häufigste Ursache für Schädel-Hirn-Traumen sind Unfälle im Straßenverkehr. Schwerste Traumen erleiden oft Fußgänger, Fahrrad- und Motorradfahrer; am häufigsten sind Männer zwischen 20 und 30 Jahren betroffen. Bei ca. $^2/_3$ aller tödlichen Unfälle spielen Schädel-Hirn-Traumen eine entscheidende Rolle.
Neben den Schädel-Hirn-Verletzungen kommt es bei Unfällen häufig zu weiteren unterschiedlich schweren Verletzungen (**Polytrauma**).
Die **Diagnose** eines SHT wird durch die Anamnese in Verbindung mit dem Hergang des Unfalls, der zu dem Trauma geführt hat, gesichert. Weitere Hinweise liefern die Symptome des Verletzten *(siehe nachfolgend)* und eine neurologische Untersuchung, z.B. Überprüfung der Pupillenreaktion, der Bewußtseinslage oder der Beweglichkeit. Zur apparativen Diagnostik gehören ein **CCT** (craniale **C**omputer**t**omographie) und eine **Röntgenaufnahme des Schädels.** Computertomographische Untersuchungen werden später nach Bedarf wiederholt, zur weiteren Diagnostik dienen **EEGs***.

❐ Prognose und Einteilung
Wichtig für die Prognose eines Patienten ist die **Dauer der Bewußtlosigkeit** nach dem Trauma, da diese ein Hinweis auf die Schwere der Hirnschädigung sein kann.
Nach **Schädelprellungen** *(Trauma des Schädels ohne Bewußtlosigkeit)* werden Patienten zum Ausschluß von Verletzungen in einer Klinik untersucht und in der Regel nicht stationär aufgenommen. Da sich in Ausnahmefällen auch hier Komplikationen einstellen kön-

nen, benötigen Patienten oder deren Angehörige entsprechende Informationen. Sie müssen darüber aufgeklärt werden, welche Symptome auf eine Komplikation hinweisen, und wissen, daß sie beim Auftreten dieser Zeichen **sofort** ärztliche Hilfe in Anspruch nehmen müssen.
Schädel-Hirn-Traumen werden nach ihrer Schwere unterschieden.
Ein **SHT I. Grades** liegt vor, wenn ein Verletzter **kurzzeitig bewußtlos** ist. Die Betroffenen haben eine Erinnerungslücke für die Zeit **vor (retrograde Amnesie)** und **nach dem Trauma (anterograde Amnesie).** Bei einer **Bewußtlosigkeit unter 30 Minuten** wird von einem **SHT II. Grades** gesprochen. Bei jeder **länger als 30 Minuten andauernden Bewußtlosigkeit** hat der Patient ein **SHT III. Grades;** es ist mit einer Defektheilung zu rechnen, d.h. ein Betroffener trägt bleibende Schäden davon.
Die **klassische Einteilung** erfolgt in Comotio cerebri, Contusio cerebri und Compressio cerebri.
Die leichte Form einer Hirnverletzung ist die **Comotio cerebri** *("Gehirnerschütterung" mit kurzer Bewußtlosigkeit).* Ein Betroffener hat evtl. eine Gedächtnisstörung mit Erinnerungslücke (**Amnesie**), die unterschiedlich schwer ausgeprägt sein kann. Außerdem kann es vorübergehend zu vegetativen Regulationsstörungen kommen, die z.B. mit Schwindel oder Übelkeit verbunden sind. Das Gehirn ist nicht geschädigt.
Die schwere Form einer Hirnverletzung ist die **Contusio cerebri.** Sie geht mit unterschiedlich langer Bewußtlosigkeit einher und führt zu einer dauerhaften Schädigung des Gehirns.
Bei einer **Compressio cerebri** *(Hirnquetschung)* liegt eine schwere primäre Schädigung des Hirngewebes vor.

Komplikationen und posttraumatische Schäden

Die Gefahr einer weiteren, **sekundären Hirnschädigung** durch **Komplikationen**, z.B. verzögert auftretende intrakranielle Blutung, Hirnschwellung, ist groß.
Hirnblutungen werden nach ihrer Lokalisation unterschieden. Die **epidurale Blutung** ist eine Blutung zwischen Schädelknochen und Dura mater*. Sie wird verursacht durch Verletzung oder Riß der Arteria meningia media. Bei einer **subduralen Blutung** bildet sich ein Hämatom zwischen Dura mater* und Arachnoidea*. Eine Blutung in das Hirngewebe (**intrazerebrale Blutung**) als Folge eines Schädel-Hirn-Traumas ist ebenfalls möglich. Jede Blutung innerhalb des knöchernen Schädels kann durch Komprimierung von Hirngewebe zu einer sekundären Hirnschädigung führen.
Bei einem **offenen Schädel-Hirn-Trauma** liegt eine äußere Verbindung vor; es besteht erhöhte Infektionsgefahr.
Posttraumatische Schäden können kurzzeitig auftreten oder sich nach längerer Zeit, in der Regel durch eine gezielte Rehabilitation, zurückbilden. Einige Patienten tragen **Langzeitschäden** davon. Häufige Folgeschäden eines Schädel-Hirn-Traumas sind:

- Konzentrationsschwäche,
- Gedächtnisstörungen,
- Störungen der Persönlichkeit (in Abhängigkeit von der Lokalisation der Hirnverletzung),
- Sprachstörungen,
- Lähmungen,
- posttraumatische Epilepsie.

Als Folge eines schweren Schädel-Hirn-Traumas besteht immer die Gefahr, daß Patienten in ein **Langzeit-Koma** fallen oder eine besondere Form des Komas, ein **Apallisches-Syndrom** entwickeln *(siehe "Apallisches-Syndrom", Seite 696).*

4.6.5.3.2 Überwachung und Beratung von Patienten mit leichteren Schädel-Hirn-Traumen

Leichtere Schädel-Hirn-Traumen werden sehr häufig durch Stürze auf den Kopf verursacht, z.B. beim Sport.
Patienten mit leichteren Schädel-Hirn-Traumen werden je nach Art und Schwere ihrer Beschwerden einige Tage stationär betreut und überwacht. Nach Ausschluß von Begleitverletzungen erfolgt eine **symptomatische Behandlung**, z.B. mit Gabe von Analgetika bei Kopfschmerzen oder Antiemetika bei Übelkeit und Brechreiz.
Ein Patient soll sofort aufstehen, wenn er sich dazu in der Lage fühlt, z.B. nicht unter Schwindel oder Übelkeit leidet.
Zu den Aufgaben des Pflegepersonals gehört neben der Überwachung der Kreislauffunktion (vor allem Kontrollen des Blutdrucks) die genaue **Beobachtung der Bewußtseinslage**. Motorische Unruhe, Orientierungsstörungen, Schläfrigkeit oder Benommenheit eines Patienten sind Hinweise auf eine Bewußtseinsveränderung. Zur Erfassung der Bewußtseinslage kann es nötig sein, einen Patienten nachts vorsichtig zu wecken.
Das Pflegepersonal leistet **Hilfe bei der Körperpflege** oder begleitet einen Patienten, wenn dieser unsicher ist, zur Toilette.
Es besteht die Möglichkeit, daß Patienten mit (scheinbar) leichten Traumen anfangs symptomarm oder -frei sind und nach einiger Zeit akut eintrüben. In diesen Fällen handelt es sich häufig um Komplikationen in Form von Hirnblutungen. Typisch für ein **epidurales Hämatom** ist die verzögert einsetzende oder wieder (nach einem freien Intervall) auftretende Bewußtseinsstörung nach einem Trauma des Kopfes. Oft liegt eine (langsam) blutende Verletzung eines Hirngefäßes vor.
Durch eine **computertomographische Untersuchung des Schädels** *(CCT)* ist eine Hirnblutung schnell und sicher diagnostizierbar. Die Behandlung richtet sich nach Größe und Lokalisation der Blutung und muß sofort eingeleitet werden. In der Regel erfolgt die Behandlung eines epiduralen Hämatoms durch einen neurochirurgischen Eingriff, bei dem nach Eröffnung des Schädelknochens *(Trepanation)* das Hämatom ausgeräumt wird.

4.6.5.3.3 Phasen der Behandlung, Pflege und Rehabilitation von Patienten mit schweren Schädel-Hirn-Traumen

1. Rettungsmedizinische Versorgung am Unfallort
2. Intensivmedizinische Therapie und Pflege in der Akutphase
   "Der Patient ist vollkommen passiv".
3. Rehabilitation
   - Frührehabilitation in der postakuten Phase
   - Langzeitrehabilitation

   "Der Patient ist aktiviert und mobilisiert."

❒ Rettungsmedizinische Versorgung am Unfallort

Die **Schnelligkeit** und **Qualität** der **Erstversorgung** am Unfallort spielt neben der Schwere des Schädeltraumas und möglicher anderer Verletzungen eine wichtige Rolle für die Prognose eines Patienten.
Viele Verletzte sind **polytraumatisiert**, d.h. sie haben Vielfachverletzungen, die durch die starke Gewalteinwirkung während des Unfalls entstanden sind und oft lebenswichtige Organe oder Organsysteme betreffen.
Die **Aufrechterhaltung der Vitalfunktionen** steht an erster Stelle. Fast alle Patienten sind bewußtlos und viele werden, bei Hinweisen auf eine Ateminsuffizienz, zur Sicherung der Sauerstoffversorgung am Unfallort intubiert und beatmet. Zur Sicherung der Kreislauffunktion werden sichtbare Blutungsquellen komprimiert und eine Infusionstherapie eingeleitet.
Die Verletzungen des Patienten werden mit den Möglichkeiten der Notfallmedizin versorgt, z.B. Schienung von Frakturen der Extremitäten, Anlegen einer Thoraxdrainage bei Verletzungen von Brustkorb und Lunge.
Sobald die Situation des Verletzten es zuläßt, muß ein schonender, schneller Transport (evtl. mit einem Rettungshubschauber) möglichst in eine **neurochirurgische Fachklinik** erfolgen. Dort findet die weitere intensivmedizinische Therapie und Pflege statt und es können, falls erforderlich, neurochirurgische Eingriffe vorgenommen werden.

❒ Intensivmedizinische Therapie und Pflege in der Akutphase

Während der **Akutphase** (in der Regel die ersten Tage nach dem Trauma) steht neben der **Behandlung** und **Überwachung** die **Schonung** eines Schädel-Hirn-Verletzten im Vordergrund. Sobald sich der Zustand stabilisiert hat, muß im Sinne einer Frührehabilitation die Aktivierung und Mobilisierung des Patienten beginnen.

❍ Beobachtung und Überwachungsaufgaben

Verletzte mit einem schweren SHT sind fast immer lebensbedrohlich erkrankt. Dieser kritische Zustand kann über längere Zeit bestehen bleiben und erfordert ein Maximum an Therapie und Pflege.
Parallel zur **kontinuierlichen Beobachtung** eines Verletzten muß eine umfassende engmaschige Kontrolle bestimmter Parameter stattfinden; Art und Häufigkeit werden vom Arzt angeordnet.

Die **Überwachung** ist ein wesentlicher Aspekt intensivmedizinischer Tätigkeit. Sie dient der Sicherheit des Patienten und hat das Ziel, Verschlechterungen seines Zustandes so früh wie möglich zu erkennen.
Nach der primären Schädigung des Gehirns durch das Trauma kann es im weiteren Verlauf zu Komplikationen (z.B. Hirnödem, Ischämie) kommen, die eine sekundäre Hirnschädigung nach sich ziehen.
Medizinische Geräte, die zur Überwachung eines Patienten eingesetzt werden, schaffen nur dann zusätzliche Sicherheit, wenn sie einwandfrei funktionieren und vom Pflegepersonal sicher bedient werden können. Der Einsatz von Geräten darf auf keinen Fall dazu führen, den Blick für einen Patienten zu verlieren.
Neben den allgemeinen Überwachungsaufgaben gibt es bei einem neurochirurgischen Intensivpatienten typische Überwachungsschwerpunkte; diese werden ausführlicher dargestellt.

- **Bewußtseinslage**

Bewußtsein ist ein Zustand, der mit Hilfe bestimmter Merkmale, z.B. Reaktions- und Orientierungsfähigkeit, beschrieben wird *(siehe "Beobachtung des Bewußtseins", Seite 681)*. Patienten mit schwerern Schädel-Hirn-Traumen haben fast immer Bewußtseinsstörungen, die in ihrer Schwere und Dauer sehr unterschiedlich sein können *(siehe "Beobachtung des Bewußtseins", Seite 681)*. Um eine Aussage über die Bewußtseinslage machen zu können, kann eine **Reaktions-Skala** (z.B. die "**Glasgow-Koma-Skala**") angewandt werden. Diese Skala gibt vor, welche Reaktionen und Fähigkeiten des Patienten überprüft werden.

zu überprüfende Fähigkeit	Reaktion des Patienten	Punkte
Augen öffnen	- spontan	4
	- nach Aufforderung	3
	- durch Schmerzreize	2
	- kein Augenöffnen	1
Sprache	- sofortige Antwort / Pat. ist vollständig orientiert	5
	- zögernde Antwort / Pat. ist nicht vollständig orientiert	4
	- nicht adäquate Antwort / mangelnde Zusammenhänge	3
	- unverständliche Antwort / einzelne Laute	2
	- keine sprachliche Reaktion	1
Motorik	- befolgt Aufforderungen sofort	6
	- gezielte Abwehrbewegung bei Schmerzstimulus	5
	- ungezielte Abwehrbewegung bei Schmerzstimulus	4
	- Beugesynergismen*	3
	- Strecksynergismen*	2
	- keine motorische Reaktion	1

Tabelle 4.8 ***Skala zur Erfassung der Bewußtseinslage***

Ein Patient muß fortlaufend nach den Kriterien der Reaktions-Skala überwacht werden, indem seine **Reaktionen erfaßt, bewertet** und **dokumentiert** werden. Diese regelmäßigen Kontrollen ermöglichen eine gute **Beurteilung des Verlaufs**. Die Beurteilung der Bewußtseinslage wird objektiver, da sie nicht mehr von der subjektiven Einschätzung und Beschreibung der jeweiligen Pflegeperson abhängt. Als allgemeine Aussage gilt: Je weniger Punkte ein Patient erreicht, desto schwerer ist seine Hirnschädigung.

Die Praxis, bei komatösen Patienten routinemäßig festgelegte Reaktionen zu überprüfen, hat Kritiker. Bei der Anwendung von Reaktionskalen wird nicht nach den individuellen Ausdrucks- und Reaktionsmöglichkeiten eines Betroffenen gesucht. Er muß auf vorher festgelegte Weise reagieren können. Die Anwendung von Schmerzreizen wird besonders in Frage gestellt *(siehe auch "Die besondere Lebens- und Pflegesituation während eines Komas", Seite 700).*

• Pupillenreaktion und -form

Die reflexartige Anpassung von Pupille (Sehloch) und Regenbogenhaut (Iris, mit individueller Augenfarbe) an den jeweiligen Lichteinfall ist ein physiologischer Vorgang und wird als Pupillenreaktion bezeichnet. Bei sehr hohem Lichteinfall schiebt sich die Regenbogenhaut über die Pupille und schützt die Netzhaut vor Schädigung. Bei wenig Licht, z.B. in der Dämmerung, zieht sich die Regenbogenhaut zusammen (vergleichbar einer Linse beim Fotoapparat), die Pupillen sind weit, so daß möglichst viel Licht einfallen kann.
Die Steuerung der Anpassung an den momentanen Lichteinfall erfolgt durch das vegetative Nervensystem; die Reaktion ist **sofort sichtbar** und bei beiden Augen gleich (**seitengleich**).
Wenn bei Patienten mit Schädel-Hirn-Trauma Störungen der Pupillenreaktion auftreten, kann eine Schädigung des Nervus oculomotorius (Augenmuskelnerv) zugrunde liegen. Die Schädigung kann am Ursprungsort des Nervens (im Hirnstamm) oder in seinem weiteren Verlauf sein; die Anpassungsvorgänge von Pupille und Regenbogenhaut an den jeweiligen Lichteinfall sind gestört.

Die **Beurteilung der Pupillen** erfolgt nach den Kriterien:
- **Weite**
- **Reaktion auf Licht**
- **Form**.

Bei der **Pupillenweite** werden **enge** ("Stecknadelkopf"), **mittlere** und **weite** Pupillen unterschieden.
Zur Beurteilung der **Lichtreaktion** wird in jedes Auge ein Lichtreiz gegeben, z.B. mit einer Taschenlampe; dabei muß das jeweils andere Auge verschlossen sein. Die physiologische Reaktion ist die **sofortige** (prompte) Verengung der Pupille. Wenn sich die Reaktion **verzögert** oder **keine Reaktion** erfolgt, deutet das auf eine Schädigung im Bereich des Nervus oculomotorius hin.

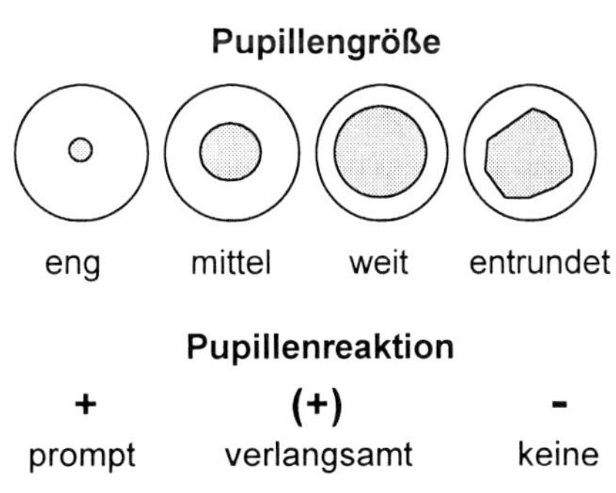

Abb. 4.37 ***Pupillenlegende***

Weite und Lichtreaktion der Pupillen müssen **seitengleich** sein. **Formveränderungen** der Pupillen, z.B. Entrundungen, können ein oder beidseitig auftreten und sind Zeichen einer schweren Hirnschädigung.
Bei der Beurteilung der Pupillenreaktion muß ausgeschlossen sein, daß der Patient Medikamente erhält, die Veränderungen der Pupillenreaktion bewirken, z.B. Morphin (z.B. MST®), Buprenorphin (Temgesic®), Pentazocin (Fortral®), Codein (z.B. Codipront®); einige Augentropfen beeinträchtigen ebenfalls die Pupillenreaktion, z.B. Pilocarpin (Piloman®).

• Hirndruck

Der **Hirndruck** ist der im Schädelinneren herrschende Druck; andere Bezeichnungen sind **intrakranieller Druck** oder **ICP** *(engl. intracranial pressure)*. Der **physiologische Hirndruck** liegt zwischen 0-15 mmHg, er unterliegt Schwankungen in Abhängigkeit vom arteriellen Blutdruck und der Position des Kopfes. Bei körperlichen Anstrengungen, z.B. Husten, Niesen, Einsatz der Bauchpresse, kommt es kurzzeitg zu einem leichten Anstieg.
Bei Patienten mit Schädel-Hirnverletzungen ist die **Autoregulation der Hirndurchblutung gestört**, d.h. die Durchblutung wird nicht mehr automatisch den jeweils herrschenden Bedingungen angepaßt. Die Durchblutung des Gehirns ist ein Faktor, der eine **Hirndrucksteigerung** bewirken kann. Weitere Faktoren sind die **primäre Schädigung von Hirngewebe durch das Trauma** und die **Einlagerung von Flüssigkeit** in das Gehirn *(siehe nachfolgend "Lagerung").*
Wenn der Hirndruck über längere Zeit erhöht ist und zwischenzeitlich nicht auf den Normalwert sinkt, liegt eine behandlungsbedürftige **pathologische Hirndrucksteigerung** vor.
Da im Schädelinneren nur geringe Ausgleichsmöglichkeiten bestehen, bewirkt Volumenzunahme eine Hirndrucksteigerung. Ein starker Anstieg des Hirndrucks führt zu einer Kompression des Hirngewebes mit Durchblutungsstörungen. Die Sauerstoffversorgung ist nicht mehr gewährleistet und es kommt, je nach Dauer des Sauerstoffmangels, zu einer vorübergehenden Funktionseinschränkung oder einer irreversiblen Zerstörung von Hirngewebe.
Als Folge eines Hirndruckanstiegs auf 50 mmHg (LARSEN 1994) können Teile des Gehirns eingeklemmt werden. Für den Patienten besteht Lebensgefahr.
Klinische Zeichen für eine Hirndrucksteigerung sind oft unspezifisch. Unruhe, Kopfschmerzen, Übelkeit und Erbrechen, Sehstörungen, Bradykardie, Bewußtseinseintrübung, Pupillenveränderungen, können Hinweise sein. Symptome einer Hirndrucksteigerung sind bei einem Patienten in der Akutphase oft nicht erkennbar, da er in der Regel sediert ist.
Zur **Kontrolle des Hirndrucks** können regelmäßig **Messungen** vorgenommen werden. Es gibt unterschiedliche Methoden der Hirndruckmessung. Katheter oder Meßsonden mit Drucküberträger können in einem Hirnventrikel*, im Subduralraum* oder im Raum zwischen Dura mater* und Schädelknochen (Epiduralraum) plaziert und über spezielle Meßsysteme der Hirndruck ermittelt werden. Eine kontrollierte Hyperventilation, die zur Abnahme des intrakraniellen Blutvolumens und

zur Senkung des intrakraniellen Drucks führt, wird ermöglicht. Die Höhe des Hirndrucks in Beziehung mit der Höhe des arteriellen Blutdrucks ermöglicht eine Aussage über die Hirndurchblutung des Patienten.

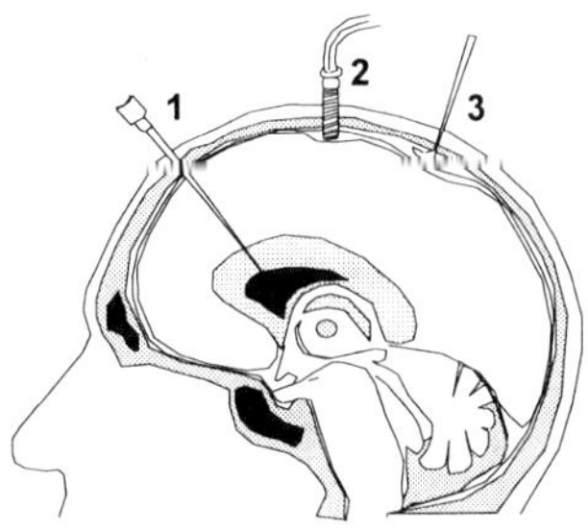

1 Hirnventrikel 2 Subduralraum 3 Epiduralraum

Abb. 4.38 ***Lage von Meßsonden zur Hirndruckmessung***

Bei einer Ventrikeldruckmessung kann über den Katheter auch Liquor abgelassen werden **(Ventrikeldrainage)**. Die Entnahme von Liquor (Menge nach ärztlicher Anordnung) bewirkt kurzzeitig eine Hirndrucksenkung.
Bei der Ventrikeldruckmessung und -drainage besteht eine erhebliche **Infektionsgefahr**. Der Bereich um die Eintrittsstelle des Katheters ist rasiert, die Eintrittsstelle wird unter sterilen Bedingungen verbunden.
In der Akutphase muß die Behandlung und Pflege des Patienten schonend erfolgen, um auch kurze Hirndrucksteigerungen zu vermeiden *(siehe nachfolgend)*.

Beispiele für **Medikamente**, die **zur Hirndrucksenkung** eingesetzt werden können:
- **Mannit-Infusionslösung 20%** (Osmotherapeutikum).
- **Glukokortikoide** (unterdrücken die Freisetzung von Entzündungsmediatoren*), z.B. Dexamethason (Dexa-ratiopharm®, Fortecortin®).
  Es gibt widersprüchliche Untersuchungen über die Wirksamkeit von Glukokortikoiden bei Schädel-Hirn-Traumen. Auch neuere Studien haben keine klaren Ergebnisse geliefert.
- **Barbiturate** (Narkotika), z.B. Thiopental (Trapanal®), Methohexital (Brevimytal®).
  Die hochdosierte Anwendung von Barbituraten (Barbiturat-Koma) bei Schädel-Hirn-Verletzten führt zur Senkung des Hirndrucks und des Sauerstoffverbrauchs. Der positive Einfluß auf den weiteren Verlauf ist noch nicht nachgewiesen.

• Atmung

Atmet ein Patient **spontan**, müssen die üblichen Maßnahmen zur Überwachung der Atmung erfolgen *(vgl. "Beobachtung der Atmung", Seite 33)*. Zur Unterstützung dient eine Monitorüberwachung mit Darstellung der Atemkurve und Anzeige der Atemfrequenz. Auf ärztliche Anordnung wird regelmäßig eine Blutgasanalyse (BGA) vorgenommen, durch die u.a. die Sauerstoffsättigung des Blutes überprüft wird.
Die **Pulsoxymetrie** ermöglicht eine nicht invasive Überwachung der Sauerstoffsättigung des arteriellen Blutes. Die Messung erfolgt mit Hilfe eines Spezialgerätes. Das Gerät wird am Ohrläppchen oder am Fingerendglied befestigt und ermöglicht eine Überwachung, z.B. bei einem Transport des Patienten zu einer Untersuchung.
Bei den meisten Patienten mit einer schweren Schädel-Hirn-Verletzung erfolgt umgehend eine **Beatmung**. Über die Beatmung soll die Sauerstoffversorgung gesichert und der Kohlendioxidgehalt des Blutes im Normbereich gehalten werden; eine mögliche Aspiration wird verhindert.
Wenn sich eine Langzeitbeatmung abzeichnet, wird in der Regel ein Tracheostoma angelegt *(siehe auch "Tracheostoma", Seite 39 / "Umgang mit einem Tracheostoma", Seite 412)*.
(Zur Information über die Pflegesituation bei Beatmungspatienten siehe Seite 410).

• Kreislauf

Die Überwachung der Herz- und Kreislauffunktion (Puls, Blutdruck und EKG) erfolgt wie bei allen Intensivpatienten über ein **Monitoring** *(siehe Seite 381)*. Bei Patienten mit SHT müssen Blutdruckschwankungen möglichst vermieden werden, da durch Störung der Autoregulation die Hirndurchblutung nicht mehr entsprechend angepaßt werden kann *(siehe vorstehend "Hirndruck")*. Bei einem zu niedrigen Blutdruck ist die Durchblutung des Gehirns nicht mehr ausreichend, ein zu hoher Blutdruck kann zu einer Hirndrucksteigerung führen.

• Temperatur

Die **kontinuierliche Messung** der Körperkerntemperatur ist bei einem Patienten mit schwerer Hirnschädigung außerordentlich wichtig und erfolgt schonend über eine **Rektalsonde** oder über eine spezielle, in die Spitze eines Blasenverweilkatheters integrierte Sonde.
Eine Temperaturerhöhung kann Hinweis auf eine Infektion des Gehirns oder die Entwicklung einer Sekundärerkrankung sein, z.B. Pneumonie, Zystitis. Zu Regulationsstörungen und starken Temperaturschwankungen kommt es bei Schädigung im Bereich des Hypothalamus* *(zentrales Fieber, siehe Seite 506, sowie "Wärmehaushalt und Temperaturregulation", Seite 502)*.

• Ausscheidung

Zur exakten Erfassung der **Urinausscheidung** erhält der Patient einen Blasenverweilkatheter; die ausgeschiedene Urinmenge wird, je nach ärztlicher Anordnung **stündlich** oder in längeren Abständen gemessen.
Dem Patienten muß ein **regelmäßiger Stuhlgang** ohne Einsatz der Bauchpresse (Hirndruckerhöhung) ermöglicht werden. Als Folge der Sedierung kann es zu Darmträgheit kommen. Zur Anregung der Darmtätigkeit können milde Laxanzien, z.B. Lactulose (Bifiteral®), verabreicht werden. Regelmäßige Darmmassagen regen die Peristaltik an und verkürzen dadurch die Passagezeit des Darminhaltes. Um die Stuhlentleerungen aufzufangen, kann ein Fäkalkollektor eingesetzt werden *(siehe Seite 249)*.

• Bilanzierung

Eine Bilanzierung einschließlich ZVD-Kontrolle erfolgt nach ärztlicher Anordnung und ermöglicht Aussagen über den Flüssigkeitshaushalt des Patienten und das Blutvolumen *(siehe "Flüssigkeitsbilanz", Seite 199)*. Bei Komplikationen, z.B. Hirndrucksteigerung, kann unter Umständen eine stündliche Bilanzierung erforderlich sein. Da das intravasale Volumen Einfluß auf den Hirndruck hat, wird vom behandelnden Arzt entsprechend dem Ergebnis der Bilanzierung das Infusionsvolumen angepaßt.

• **Beobachtung**
Der Patient bedarf trotz apparativer Überwachung einer kontinuierlichen umfassenden Beobachtung; diese hat das Ziel, Verschlechterungen seines Zustandes frühzeitig zu erkennen. Zu den Beobachtungsschwerpunkten gehören z.B.:
- klinische Zeichen für eine Hirndruckerhöhung,
- Hinweise auf zerebrale Krampfanfälle,
- Hinweise auf Lähmungen oder andere Ausfallerscheinungen,
- Auftreten von Synergismen*. Synergismen gelten als ein Zeichen für eine Verschlechterung des Zustandes, da übergeordnete Bereiche des Gehirns ausgefallen sind und die Auslösung dieser Synergismen nicht mehr bremsen.

❍ Lagerung

Ein **Hirnödem** entsteht durch vermehrte **Einlagerung von Flüssigkeit** in das Hirngewebe. Diese Störung ist bedingt durch eine Schädigung der Blut-Hirn-Schranke* oder der Blut-Liquor-Schranke*.
Bei einem Patienten mit Schädel-Hirn-Trauma kann es durch die Hirnschädigung zu einer **Hirnschwellung** kommen. Hierbei handelt es sich um einen posttraumatischen Vorgang, der bis 48 Stunden später auftreten kann. Der genaue Pathomechanismus ist nicht sicher erforscht, vermutlich handelt es sich um eine Wechselwirkung unterschiedlicher Faktoren (traumatische Hirnsubstanzschädigung, Einlagerung von Flüssigkeit, Hirndurchblutung). Die Bezeichnungen Hirnödem und Hirnschwellung werden häufig gleichgesetzt; in beiden Fällen führt die Volumenzunahme des Gehirns zu einer **Erhöhung des Hirndrucks** *(siehe vorstehend "Hirndruck")*.
Um sekundären Hirnschäden vorzubeugen, muß eine Erhöhung des Hirndrucks unbedingt vermieden werden. In der Akutphase wird durch eine spezielle **Lagerung** Einfluß genommen.
Der Patient wird in **Rückenlage** gebracht und eine **Oberkörperhochlagerung** auf maximal 30 Grad vorgenommen. Wenn die Möglichkeit einer ständigen ICP-Kontrolle besteht, kann die Position bis mindestens 15 Grad Oberkörperhochlagerung verändert werden. Bei der Lagerung ist unbedingt darauf zu achten, daß der **Kopf** des Patienten **gerade** liegt. Eine seitliche Abknickung kann zu einer Abflußbehinderung der Halsvenen führen und damit eine Hirnschwellung begünstigen.
Diese Art der Lagerung dient zur **Unterstützung des venösen Rückflusses** und bewirkt eine Senkung des intrakranialen Drucks.
Der Patient darf auf keinen Fall in eine Kopftieflage gebracht werden, da das massive Blutangebot nicht reguliert werden kann.
Weitere Information zur Lagerung siehe nachfolgend "Prophylaxen".

❍ Schonende Pflege

• **Bedeutung und Begründung**
In der Akutphase der Versorgung von Schädel-Hirn-Verletzten gilt der Grundsatz: **"Der Patient ist vollkommen passiv"**. Es werden nur die Maßnahmen durchgeführt, die unbedingt erforderlich sind. Der Betroffene soll bei den notwendigen pflegerischen Verrichtungen so wenig wie möglich belastet werden, um Erhöhungen des Hirndrucks zu vermeiden; THOME (1997) spricht vom **minimal handling**.
Diese Form der Pflege, im folgenden als "Schonpflege" bezeichnet, erfolgt nach ärztlicher Anordnung und erstreckt sich in der Regel über die ersten Tage der Akutphase; bei Komplikationen verlängert sich der Zeitraum.
Besonders belastende Pflegesituationen, die zu einer Hirndruckerhöhung führen, sind z.B. (endotracheales) Absaugen, Pflege des Mundes oder Umlagerungen. Das Absaugen muß auf ein Minimum reduziert werden, vorher erhält der Patient eine Medikation, die u.a. die Auslösung eines Würg- oder Hustenreizes unterdrückt.
Alle Pflegemaßnahmen müssen gut vorbereitet, zügig und für den Patienten schonend, wenn möglich unter ICP-Kontrolle, durchgeführt werden. Die Ruhe, die die ausführende Pflegeperson dabei vermittelt, überträgt sich auf den Patienten.
In der Akutphase erfolgt bei Bedarf eine **Sedierung** des Patienten, d.h. eine medikamentöse Behandlung mit Beruhigungsmitteln, evtl. in Kombination mit zentral wirksamen **Analgetika** (Opioide).
Auf die Bereiche Körperpflege, Dekubitus- und Kontrakturenprophylaxe unter den Bedingungen einer "Schonpflege" wird beispielhaft eingegangen.

• **Körperpflege**
Die gesamte Körperpflege wird auf ein Minimum reduziert oder vollständig unterlassen. Wenn erforderlich, werden nach Möglichkeit nur die in Rückenlage zugänglichen Bereiche des Körpers gereinigt. Auf Veränderungen der Körperposition soll dabei soweit wie möglich verzichtet werden.
Wenn keine "Schonpflege" mehr erforderlich ist, bietet die Ganzkörperwaschung die Möglichkeit zur Stimulation und Anregung der Körperwahrnehmung und trägt damit zur Aktivierung des Patienten bei *(siehe auch "Basalstimulierende Ganzkörperwaschung", Seite 648)*.
Bei der Mundpflege ist besonders zu beachten, daß jede Manipulation im Bereich des Gesichtes oder Mundes zur Auslösung oraler Automatismen* führen kann. Alle Maßnahmen sind schonend und zügig durchzuführen, dabei darf die Position des Kopfes nicht verändert werden.

• **Dekubitusprophylaxe**
Regelmäßiges **Umlagern** oder andere **mobilisierende Maßnahmen** sind nicht möglich. Zur Vermeidung von Druckschäden wird beim Patienten eine Ganzkörperweichlagerung, z.B. mit einer Schaumstoff-Würfel-Matratze, vorgenommen. Unter Einhaltung der speziellen Lagerungsvorschriften kann eine **Weichlagerung** der Extremitäten erfolgen, die Fersen müssen besonders beachtet werden. Auf den Zustand der Haut und eine entsprechende **Hautpflege** ist im Zusammenhang mit

der reduzierten Körperpflege zu achten. Auf ein Richten des Patientenbettes wird weitgehend verzichtet.
Nach der Akutphase wird der Patient regelmäßig umgelagert, und es kann mit einer Frühmobilisation begonnen werden.

- **Kontrakturenprophylaxe**

Während der Akutphase wird der Patient wie vorstehend beschrieben gelagert. Krankengymnastische Maßnahmen, z.B. Bewegungsübungen, oder Umlagerungen dürfen erst in der Stabilisierungsphase erfolgen. Falls erforderlich, sollten dann ebenfalls **spastikreduzierende Lagerungen** (nach Bobath) vorgenommen werden *(siehe "Das Bobath-Konzept", Seite 599)*.

- **Schonende Gestaltung der Umgebung**

Der Patient wird nach Möglichkeit in einem ruhigen Zimmer untergebracht. **Lichtreize** und störende **Geräusche** werden **auf** ein **Minimum reduziert**. Beim Aufenthalt im Patientenzimmer sollten alle Anwesenden ihr Verhalten anpassen, z.B. keine lauteren Gespräche führen, keine unnötigen Geräusche verursachen.

❍ Ernährung

Die Patienten werden **so früh wie möglich enteral ernährt**, oft schon innerhalb der ersten 24 Stunden. Die Versorgung mit Nährstoffen und Flüssigkeit erfolgt über eine Sonde, die im Magen, bei Magenatonie im Jejunum plaziert wird. Eine enterale Ernährung ist physiologischer, der Darm kann seine Funktionen weiterhin erfüllen und einer Einwanderung von Keimen aus dem Darm in den Körper wird vorgebeugt.
Begleitend erfolgt eine parenterale **Infusionstherapie** (ZVK). Der **Flüssigkeitsbedarf** muß den jeweils herrschenden Bedingungen, z.B. Höhe des Hirndrucks, Flüssigkeitsverlusten durch Fieber, vermehrtes Schwitzen oder vermehrte Speichelproduktion *(Hypersalivation)*, angepaßt werden *(siehe vorstehend "Bilanzierung")*. Der **Energiebedarf** von Schädel-Hirn-Verletzten ist nicht, wie früher angenommen, erhöht, sondern wird nach den für Intensivpatienten üblichen Vorgaben berechnet. Der Blutzucker des Patienten muß sich im Normbereich befinden. Regelmäßige **Blutzuckerkontrollen** dienen der Vorbeugung und Früherkennung hyperglykämischer Stoffwechsellagen; eine Hyperglykämie wirkt schädigend auf das Gehirn.
Sobald es der Zustand des Patienten ermöglicht, sollte während der **Mundpflege** neben der **Stimulation** eine gezielte **Anregung** der **Geschmackswahrnehmung** erfolgen. Die orale Aufnahme von Nahrung und Flüssigkeit im Rahmen eines Schluck- sowie Eß- und Trinktrainings ist ein weiterer Schritt der Frührehabilitation *(siehe auch "Schlucktraining", Seite 128 / "Eß- und Trinktraining", Seite 131)*.

4.6.5.3.4 Zur Situation eines Betroffenen

Der Betroffene wird durch das akute Ereignis des Traumas **urplötzlich aus** seinen **Lebensbezügen gerissen** und trägt in vielen Fällen lebensgefährliche Verletzungen davon. Er befindet sich in einer bedrohlichen, für ihn nicht einschätzbaren Situation. Fast immer ist er nicht in der Lage, sich mitzuteilen, leidet unter erheblichen Schmerzen oder anderen durch das Unfalltrauma verursachten Beschwerden. Zum Befinden und Erleben eines (sedierten) Patienten in der Akutphase siehe auch *"Die besondere Lebens- und Pflegesituation während eines Komas / Zur Situation eines Betroffenen"*, *Seite 701*.
Zu der Situation von Patienten in Intensivpflege-Einheiten siehe auch *"Pflegen und Gepflegt werden auf einer Intensivstation / Zur Situation eines Betroffenen"*, *Seite 380*.

4.6.5.3.5 Zur Situation der betroffenen Angehörigen

"Sie haben Ihre Tochter nach dem Unfall das erste Mal gesehen, können Sie das kurz beschreiben." - "Ja - ich habe sie abends in der Klinik gesehen, - das war so gegen 22.30 Uhr. Da lag sie auf der Intensivstation - und war ohne Bewußtsein. Beschreiben kann man das nicht, - ich jedenfalls nicht, ich glaube, daß können nur die Menschen beschreiben und verstehen, die eine ähnliche Situation schon mal erlebt haben."
Bei Begegnungen und Gesprächen mit nahen Angehörigen muß berücksichtigt werden, unter welcher **außerordentlichen Belastung** diese stehen. Sorge und Angst um das Leben eines Familienmitgliedes bestimmen das Denken und Handeln und dauern in der Regel so lange an, bis beim Verletzten eine Stabilisierung des Zustandes eingetreten ist.
Weitere Belastungen sind die **Ungewißheit über den Verlauf** der Hirnverletzung und Befürchtungen über bleibende schwere Folgeschäden, z.B. geistige oder körperliche Behinderung.
Angehörige werden akut damit konfrontiert, daß ein nahestehender Mensch sich in intensivmedizinischer Behandlung befindet. Das Betreten einer Intensivstation ist für die meisten Menschen eine völlig fremde Situation, die Ängste und Unsicherheit auslöst.
Aufgabe der zuständigen Pflegeperson ist es, Angehörige auf den ersten Besuch vorzubereiten. Sie sollten vorsichtig darauf aufmerksam gemacht werden, wie sie den Verletzten vorfinden werden. Dazu gehört die Information über das evtl. stark veränderte Aussehen (z.B. durch Gesichtsverletzungen oder durch Entfernung der Kopfbehaarung wegen einer Schädeloperation).
Die Angehörigen müssen wissen, daß der Patient bei der Begegnung mit ihnen keine sichtbaren Reaktionen zeigen wird. Dabei ist zu betonen, wie wichtig ihre Anwesenheit sein kann, und daß der Patient auf seine Weise spüren kann, daß eine nahestehende Person in seiner Nähe ist.
Beatmungs- und Überwachungsgeräte, Sonden und Katheter lösen bei Angehörigen oft Erschrecken aus. Es kann hilfreich sein, zu betonen, daß diese Maßnahmen wichtig für die Behandlung sind und der Sicherheit des Verletzten dienen.
Um Unsicherheiten abbauen zu können, brauchen Angehörige genaue Informationen, wie sie sich auf der Intensivstation und beim Patienten verhalten sollen.
Bei der ersten Begegnung müssen sie zum Bett des Patienten begleitet werden und können kurze Zeit dort verweilen. Um den Patienten in der Akutphase nicht zu belasten, sind die Besuche weniger ausgewählter Be-

zugspersonen sehr kurz zu halten, sollten aber mit einer gewissen Regelmäßigkeit erfolgen.
Diesen Bezugspersonen sollte die Möglichkeit eingeräumt werden, sich zu bestimmten Zeiten telefonisch zu melden.
Bei Stabilisierung des Zustandes kann die Besuchszeit ausgedehnt werden und die Angehörigen sollten aufgefordert werden, Gegenstände mitzubringen, die dem Patienten vertraut sind.

4.6.5.3.6 Rehabilitation

❐ Zur aktuellen Situation der Rehabilitation Schädel-Hirn-Verletzter

Ein Mensch mit einer schweren Behinderung, hier bedingt durch ein Unfalltrauma, sollte alle Chancen erhalten, wieder ein selbständiges, selbstbestimmtes Leben zu führen. Verkehrsunfälle mit schweren Schädel-Hirn-Traumen sind die häufigste Ursache für Schwerstbehinderungen bei Jugendlichen. Die Rettungs- und Akutmedizin in Deutschland ist sehr leistungsfähig und flächendeckend ausgebaut. Zur Versorgung Schwerverletzter stehen ausreichend Einrichtungen mit speziell geschultem Fachpersonal zur Verfügung.
Eine **Unterversorgung** besteht hingegen im Bereich der **(Früh-)Rehabilitation Schädel-Hirn-Verletzter**. Im Moment gibt es in Deutschland nicht genügend Plätze für eine post-akute Behandlung in neurologischen Kliniken.
Viele Betroffene erhalten daher nicht die Chance einer bestmöglichen Rehabilitaion und werden immer auf Hilfe angewiesen sein. Oft ist es die Familie eines Betroffenen, die die sich anschließende Langzeitpflege übernimmt. Für Menschen, die nach einem schweren Schädel-Hirn-Trauma dauerhaft auf Pflege angewiesen sind, stehen außerhalb der Familie kaum geeignete Wohneinrichtungen zur Verfügung, viele müssen daher in Alten- / Pflegeheimen oder psychiatrischen Langzeiteinrichtungen leben. Dort fehlt es in der Regel an speziell geschultem Personal, um auch langfrisitig eine aktivierende Pflege sicherzustellen. In jüngster Zeit entstehen in Deutschland vereinzelt Einrichtungen mit vorübergehenden Wohnmöglichkeiten, die auf die Bedürfnisse jüngerer hirngeschädigter Menschen zugeschnitten sind.

❐ Früh- und Langzeitrehabilitation

Nach Überwindung der kritischen Phase müssen noch auf der Intensivstation **frührehabilitative Maßnahmen** beginnen, dazu gehört u.a. die gezielte Anregung und Wahrnehmungsförderung nach den Grundlagen der basalen Stimulation *(siehe "Basale Stimulation", Seite 742)*.
Wenn sich der Zustand eines Betroffenen zunehmend stabilisiert hat, erfolgt die Betreuung mit dem Ziel "Der Patient ist aktiviert und mobilisiert".
Die Bedingungen für die Aufnahme eines Schädel-Hirn-Verletzten in eine Einrichtung der Frührehabilitation sind in der Regel gegeben, wenn der Patient nicht mehr beatmet werden muß, kein pathologischer Hirndruck mehr vorliegt und alle durch den Unfall verursachten Verletzungen ausreichend therapiert sind. Eine Bewußtseinsveränderung oder andere schwerwiegende Folgen der Hirnverletzungen sprechen nicht gegen eine Verlegung.

Bei allen Maßnahmen der Frühförderung muß die geringe Belastbarkeit eines Schädel-Hirn-Verletzten berücksichtigt werden; er ist anfangs oft nur wenige Minuten in der Lage, sich zu konzentrieren. Eine Überforderung birgt (wie eine Unterforderung) die Gefahr, daß der Patient sich verweigert und zurückzieht.
Mängel in der Frührehabilitation können Schäden verursachen, die nicht oder nur mit hohem therapeutischen Aufwand und schweren Belastungen für einen Betroffenen wieder behebbar sind, z.B. schwere Kontrakturen, chronische Entzündungen. Die Dauer des Aufenthaltes in einer Einrichtung der Frührehabilitation sollte sich nach den individuellen Bedürfnissen eines Betroffenen richten.
Ein Ziel der Frührehabilitation ist es, einem Betroffenen den Eintritt in eine **Langzeitrehabilitation** zu ermöglichen. In diesen Einrichtungen liegen die Schwerpunkte in der schulischen (besonders für Kinder und Jugendliche), beruflichen und sozialen Wiedereingliederung (weiterführende Rehabilitation).
(Zur weiteren Information über die Früh- und Langzeitrehabilitation bei Schädel-Hirn-Verletzten siehe auch "Apallisches Syndrom", Seite 696).

4.6.5.3.7 Kontaktadressen

Es gibt Selbsthilfeorganisationen und andere Vereinigungen, die Angehörige von Schädel-Hirn-Verletzten beraten und sich für die Interessen und Rechte Betroffener einsetzen.

Bundesverband für Schädel-Hirn-Verletzte, Patienten im Wachkoma, Apallisches Durchgangssyndrom - und ihre Angehörigen
Bayreuther Straße 33
92224 Amberg

Schädel-Hirnpatienten in Not e.V.
Bayreuther Straße 33
92224 Amberg

Der Verein **"Schädelhirnpatienten in Not e.V."** mit ca. 2000 Mitgliedern hat sich zur Aufgabe gemacht, auf die Benachteiligung von Schädel-Hirn-Verletzten, Koma- und Apoplexpatienten und deren mangelnde Versorgung in Krankenhäusern und anderen Therapieeinrichtungen aufmerksam zu machen. Betroffenen und deren Angehörigen soll geholfen werden. Der Verein gibt eine Fachzeitschrift ("Not") heraus und unterhält ein **Notruftelefon** (09621) 64800.

KURATORIUM ZNS
für Unfallverletzte mit Schäden des
zentralen Nervensystems e.V.
Humboldtstraße 30
53115 Bonn
Telefon (0228) 631153

Bund Deutscher Hirngeschädigter e.V. (BDH)
Humboldtstraße 32
53115 Bonn
Telefon (0228) 651012

Interessengemeinschaft Frührehabilitation
für Hirnverletzte e.V.
Guttenbergstraße 13
96151 Breitbrunn
Telefon (09536) 491

4.6.5.4 Die maschinelle Beatmung

Claudia Mittermayer

4.6.5.4.1 Begriffserläuterung und Ziel

Die maschinelle Beatmung bedeutet die **Übernahme der äußeren Atmung** *(siehe Seite 31)* **durch** ein **Beatmungsgerät** oder einen **Respirator** *(von respiratio – Atmung)*. Hierbei handelt es sich um ein medizinisch-technisches Gerät der Klasse I der Medizingeräteverordnung *(MedGV)*.
Der häufig benutzte Begriff "künstliche" Beatmung beschreibt nur doppelt den bereits unnatürlichen Vorgang der **Be**atmung gegensätzlich zur physiologischen **Atmung.**

Die **Ziele** der Beatmungstherapie sind:

- Sicherstellung der Atmung durch Verteilung von Atemgas in der Lunge
- teilweise oder vollständige Übernahme der Atemarbeit
- Erhaltung und Regeneration der gasaustauschenden Oberfläche
- individuell angepaßte Einstellung von Zusammensetzung, Feuchtigkeit und Temperatur der Atemgase.

4.6.5.4.2 Prinzipien der maschinellen Beatmung

Bei der **spontanen Atmung** entsteht durch Brustkorbausdehnung und Zwerchfellkontraktion in der Inspiration ein Unterdruck in den Alveolen, der die Luftströmung in die Lunge erst physikalisch ermöglicht.
Das elastische Lungengewebe neigt zum Kollaps, d.h. zur Lösung von der Thoraxwand mit Verkleinerung der gasaustauschenden Oberfläche. Durch negativen Druck im Pleuraspalt wird die Lunge am inneren Brustkorb fixiert. Inspiratorisch nimmt der Druck im Pleuraspalt weiter ab, die Lunge muß der Thoraxbewegung folgen und die Luft strömt ein. Die Ausatmung ist im Gegensatz zur Einatmung ein passiver Vorgang.
Eine ruhige Atmung erfordert also nur geringe Druckschwankungen.

Bei der **Beatmung** erfolgt die Strömung des Atemgases durch Druckerhöhung in den oberen Atemwegen entlang des Druckgefälles bis zu den Alveolen. Endinspiratorisch steigen daher alle intrathorakalen Drücke an. Die Ausatmung ist passiv und wird zunächst nicht beeinflußt.

Die maschinelle Beatmung erfordert erheblich höheren Druck und größere Druckschwankungen als eine normale Atmung und bleibt hämodynamisch nicht ohne Folgen *(siehe dazu "Nebenwirkungen der Beatmungstherapie", Seite 401)*.

Funktionsgrundlagen einer Beatmungseinheit

Um Luft in ein elastisches, geschlossenes Organ zu "pumpen", wird ein sicherer Zugang gebraucht: ein **Endotrachealtubus** oder eine **Trachealkanüle** *(siehe "Intubation und Tracheotomie", Seite 402)*. Die **Beatmungsmaske** ist zur Beatmung in einer Notfallsituation oder zur Einleitung einer geplanten Intubation geeignet, nicht zur Langzeitanwendung.
An den Tubus wird die Beatmungsmöglichkeit angeschlossen, ein **Beatmungsbeutel** oder eben ein **Respirator**.

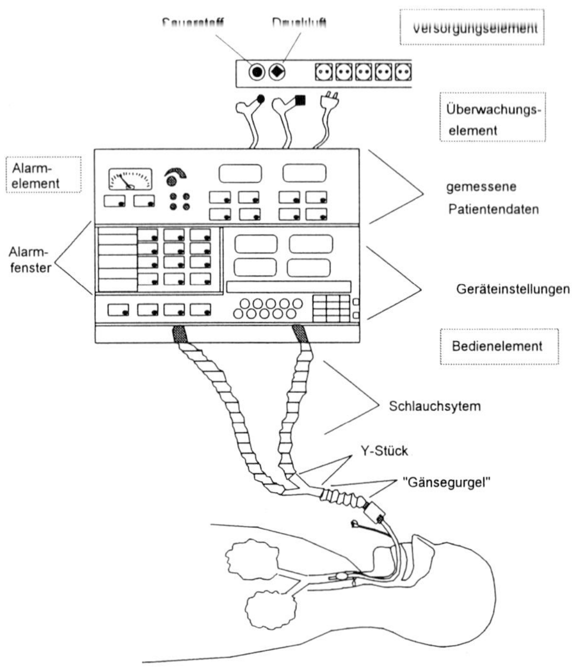

Abb. 4.39 ***Funktionsgrundlagen einer "Beatmungseinheit"***

Ein Beatmungsgerät regelt Zusammensetzung, Feuchtigkeit, Temperatur, Menge der Atemgase und bestimmte zeitliche Abläufe des Atemzyklus. Das verbindende **Schlauchsystem** ist sterilisiert (Infektionsgefahr) und besteht aus einer luftzuführenden (Inspirations-) Seite und einer luftabführenden (Exspirations-) Seite, die über eine **Y- Verbindung** und ein flexibles Schlauchstück, der Gänsegurgel, mit dem Tubus verbunden sind. Die **Gänsegurgel** verringert die Manipulation am Tubus bei der täglichen Pflege, z.B. beim Lagern des Patienten. Unnötige Bewegungen des Endotrachealtubus mit Dislokalisationsgefahr und Schmerzreizen werden minimiert. Y- Stück, Tubusverbinder und Tubus bzw. Trachealkanüle enthalten frische und verbrauchte Luft, die als Totraum *(siehe Seite 34)* berücksichtigt werden muß. Der physiologische Totraum des intubierten Kranken ist vergrößert und kann die Atmung insbesondere bei alten und lange beatmeten Menschen in der Entwöhnungsphase sehr erschweren. Die Trachealkanüle verringert den Totraum und erleichtert das Abtrainieren vom Gerät.
Da Luft dem Weg des geringsten Widerstandes folgt und nicht in die Lunge gelangen, sondern über den Ausatemschenkel entweichen würde, muß das Beatmungsgerät während der Inspiration die Exspirationsseite mit einem Ventil verschließen. Bei der passiven Exspiration wird die Inspirationsseite verschlossen, damit die verbrauchte Luft nicht wieder ins Gerät und noch einmal in die Patientenlunge, sondern gefiltert in den Raum geleitet wird.

Jedes Gerät hat in der Regel einen **Strom-, Druckluft- und Sauerstoffanschluß** und wird an die **zentrale Versorgungsleiste** angeschlossen, da Flaschenbetrieb für längere Beatmungszeiten nicht geeignet ist.
Mit dem **Bedienelement** werden die gewünschten Parameter wie Atemfrequenz, Hubvolumen, Sauerstoffkonzentration, zeitlicher Ablauf u.a. eingestellt.
Das **Überwachungs- und Alarmelement** zeigt gemessene Werte (z.B. Frequenz, Volumen, Sauerstoff etc.) und setzt sie nach Bedarf in ein Alarmfenster. Nach Über- / Unterschreiten der Alarmgrenze erfolgt ein optischer und/oder akustischer Alarm. Der häufigste Alarm betrifft den Beatmungsdruck, der durch seine große Bedeutung relativ eng begrenzt wird.
Steigt der Beatmungsdruck plötzlich, ist das System durch Schleim, Gegendruck bei Husten oder Abknickung verengt bzw. verlegt (**Stenose**). Zu beobachten sind Hustenanfälle oder hektische Einatembemühungen bei Verengung. Schleimansammlungen sind als typische Rasselgeräusche hörbar. Bei plötzlicher Senkung des Beatmungsdruckes liegt eine **Diskonnektion** vor, d.h. das System weist ein Leck oder eine komplette Unterbrechung auf. Das Fehlen effektiver Atembewegungen des Brustkorbes fällt auf, möglicherweise ist das Zischen entweichender Luft deutlich zu hören. Grau- bläuliche Veränderung der Hautfarbe und Abfall der Sauerstoffsättigung sind die Folgen. Diese Störungen müssen behoben werden, da das Gerät nicht mehr volumenkonstant arbeitet und unter Umständen **Lebensgefahr** besteht.

4.6.5.4.3 Indikationen und unerwünschte Wirkungen

❒ Indikationen

Indiziert ist die Beatmungstherapie bei **plötzlicher Atemschwäche** verschiedenster Ursachen:
- Lungengewebsschädigung bei Pneumonie, Lungenkontusion, -ödem, -embolie, ARDS*
- Dekompensation chronischer Erkrankungen wie chronisch obstruktive Lungenerkrankungen, Fibrose
- Störungen des Zentralnervensystems bei den verschiedenen Komaformen, Schädel- Hirn- Trauma, Intoxikation, Krampfleiden
- Atemwegsverlegung durch Verletzung, Entzündung, Fremdkörper, Anaphylaxie, Atelektasen, persistierenden Asthmaanfall
- Behinderungen der Atemmechanik bei Zwerchfelldysfunktionen, Pneumothorax, Thoraxtrauma, postoperativer Atemschwäche
- Nerven- und Muskeldysfunktionen bei Myopathien, Gabe von Muskelrelaxanzien, Toxinwirkung von z.B. Tetanus und Botulismus.

Einige Parameter, die zu einer Entscheidung für eine Respiratortherapie herangezogen werden, sind Atemfrequenz, Vitalkapazität, Kohlendioxidpartialdruck und die Sauerstoffanreicherung im Blut *(Oxygenisierung)*. Die Schwere des Krankheitsbildes und der individuelle Zustand des Kranken müssen sorgfältig diskutiert werden, denn die Beatmung ist eine der unphysiologischsten Therapieformen, die wir kennen.

Bei schwer chronisch Kranken und sehr alten Menschen mit stark beeinträchtigtem Organismus, ausgeprägter Abwehrschwäche und voraussichtlich langwieriger und komplikationsreicher Entwöhnungsphase vom Gerät werden alternativ spezielle Pflege mit Atemübungen, sorgfältiger Bronchialtoilette, Motivation des Patienten und intensive physikalische Maßnahmen überlegt.

❒ Nebenwirkungen

Der folgende Auszug von möglichen **Nebenwirkungen** der Respiratortherapie verdeutlicht die Wichtigkeit einer gut überlegten Entscheidung, um Nutzen und Schaden für den Kranken gegeneinander abzuwägen. Selbstverständlich bleibt die Notfallsituation in der Regel von diesen Überlegungen ausgeschlossen, denn hier hat "Handeln" erste Priorität.

- **Erhöhung des intrathorakalen Druckes**
  Durch Einbringen des Atemgases mit Überdruck werden der venöse Rückstrom und das Herzminutenvolumen sowie der arterielle Blutdruck vermindert. Blutvolumen wird nach extrathorakal verschoben, der peripher- venöse Druck erhöht sich und es entsteht eine allgemeine Ödemneigung. Zu beobachten ist ein typisch "aufgeschwemmter" Beatmungspatient mit mehr oder weniger ausgeprägt "instabilem" Kreislauf.
- **Infektanfälligkeit**
  Bei Schwerstkranken besteht eine allgemeine, krankheitsbedingte Abwehrschwäche. Unphysiologische Erregereintrittspforten (Blasenverweilkatheter, Zentralvenenkatheter, Drainagen **und** arterielle Kanüle **und** Endotrachealtubus / Tracheostoma) bedrohen den Organismus mit Keimüberflutung. Der Wegfall der Funktion von Mund- und Nasen- Rachen- Raum als Anwärmungs- und Befeuchtungsorgan führt zur Veränderung der natürlichen Keimflora. Daraus folgt die zwingende Notwendigkeit hygienisch einwandfreier Arbeiten an den zu- und ableitenden Systemen. Hygienefehler beim Umgang mit Tubus / Tracheostoma und Beatmungsschläuchen (Beispiel: Bronchialtoilette, Systemwechsel) bieten potentiell pathogenen Keimen die Möglichkeit der Lungenbesiedlung. Tatsächlich steigt der prozentuale Anteil der Pneumonien mit der Beatmungsdauer signifikant an!
- **Beeinträchtigung der Nierenfunktion**
  Die Verminderung des Herzminutenvolumens führt zur Herabsetzung der exkretorischen Nierenfunktion mit Natrium- und Wasseretention. Eine Stundenurinmessung unter 30 ml erfordert unsere Aufmerksamkeit, im Wiederholungsfall wird die notwendige Therapie mit dem Arzt besprochen.Weitere Kriterien sind möglicherweise ein steigender zentraler Venendruck durch Zunahme des Flüssigkeitsvolumens im Blutkreislauf, ausgeprägtere periphere Ödeme und Zeichen eines Lungenödems.
- **Barotrauma (Druckverletzung)**
  Der benötigte Druck zur Einbringung der Beatmungsluft kann entsprechend der Lungensituation des Kranken sehr hohe Werte erreichen. Es besteht die Gefahr eines Pneumothorax, -mediastinums, -perikards. Um die Drücke so hoch wie nötig (ausreichendes Volumen) und so niedrig wie möglich zu

halten, gelten die gleichen Gesichtspunkte wie zur Vermeidung von hohen Sauerstoffkonzentrationen.

- **Sauerstofftoxizität**
  Sauerstoffkonzentrationen von mehr als 50% in der Beatmungsluft über einen längeren Zeitraum schädigen direkt das Lungengewebe bis hin zum bindegewebigen Umbau *(Fibrose)*. Bei nicht zufriedenstellender Blutgasanalyse des Patienten wird zunächst versucht, andere Beatmungsparameter wie Atemzeitverhältnis oder Gasflußgeschwindigkeit zu optimieren. Bauchlage, 135 Grad- Seitenlage oder Schaukellagerung im Spezialbett unterstützen diese Maßnahmen, da die Lungenbelüftung und -durchblutung verbessert werden.
- **Atrophie der Atemmuskulatur**
  Abhängig von der Beatmungsdauer wird der Patient seiner Spontanatmung und dem Gebrauch seiner Atemmuskulatur entwöhnt. Die Koordination zwischen Atemzentrum und Muskulatur ist gestört, die Atemmuskeln sind untrainiert, möglicherweise atrophiert. Dieser Effekt bestimmt u.a. maßgeblich die Dauer der Entwöhnung und die kritische Phase nach der Extubation.
- **Herzbelastung**
  Die Zunahme des Lungenvolumens führt zur Einengung der Kapillarstrombahn mit Druckerhöhung im Lungenkreislauf und Mehrarbeit für das rechte Herz unter Umständen bis zum Herzversagen. Zu Beginn der Beatmungstherapie wird, verstärkt durch notwendige hämodynamisch wirksame Analgo- Sedierung *(siehe Seite 406)*, häufig ein mehr oder weniger beherrschbarer Kreislaufzusammenbruch beobachtet.
- **(Mikro-) Atelektasenbildung**
  Ein Teil der Alveolen kann nicht mehr am Gasaustausch teilnehmen, da ihre Oberflächen aneinander liegen. Mögliche Ursachen sind Sekretanschoppung, hochkonzentrierte Sauerstoffbeatmung oder Störungen des Surfactant *(Faktor, der die Oberflächenspannung der Alveolen ähnlich des Seifenblasenprinzips erhält)*.

4.6.5.4.4 Intubation und Tracheotomie

Unter **Intubation** versteht man die Einführung eines Spezialschlauches *(Tubus)* auf nasalem oder oralem Weg in die Trachea.
Eine **Tracheotomie** bedeutet die traumatische Eröffnung der Trachea durch die Haut.

Indikationen zur Intubation:
- Atemstillstand
- Verminderung oder Fehlen von Schutzreflexen bei Schädel-Hirn-Trauma, Intoxikationen
- Herz- und Kreislaufstillstand
- Verlegung der Atemwege
- Einleitung einer Beatmungstherapie
- Narkoseeinleitung.

Indikationen zur Tracheotomie:
- Unmöglichkeit der Intubation durch Trauma im Gesichts- / Halsbereich, Hämatom, Ödem, Karzinosen
- vorhersehbare Langzeitbeatmung mit individuell zu beurteilendem Zeitfaktor
- unter Umständen bei sehr schwierig zu entwöhnenden bereits beatmeten Patienten zur Verkleinerung des Totraumes und des oralen Reizes.

❒ Vorbereitung, Funktionsprüfung und Umgang mit Intubationszubehör

Wenn möglich, erfolgt zunächst die ausführliche Information des Patienten (und seiner Angehörigen). Freundliche Zuwendung und eine gewissenhafte Arbeitsweise von Ärzten und Pflegenden vermitteln dem Kranken die Gewißheit qualifizierter Betreuung. Hektische Betriebsamkeit führt zu unnötiger Angst und Unsicherheit.
Zur weiteren Vorbereitung des Patienten gehören die Entfernung von Zahnprothesen und Sehhilfen sowie das Legen eines sicheren venösen Zugangs. Unter Umständen kann die Anlage einer Magensonde zur Sekretableitung vor der Intubation notwendig werden. Die nicht immer nüchternen Patienten können erbrechen und aspirieren. Der Kranke wird zunächst auf dem Rücken mit erhöhtem Oberkörper gelagert.
Vor, während und nach der Maßnahme ist eine engmaschige Vitalzeichenkontrolle erforderlich, um nicht tolerable Werte entsprechend schnell behandeln zu können.

Funktionsprüfung und Umgang mit Intubationszubehör
- **Absaugvorrichtung**
  Zuerst erfolgt die Kontrolle auf Vollständigkeit, Vakuumaufbau und eine ausreichend zur Verfügung stehende Auswahl an Absaugkathetern. Der Verbindungsschlauch wird mit einem Katheter konnektiert und unter ständigem Sog in Griffnähe des Intubierenden und seiner Assistenz plaziert. Mageninhalt kann im Bedarfsfall sofort abgesaugt und eine mögliche Aspiration verhindert werden. Schleimansammlungen im Nasen-Rachenraum, die eine ausreichende Sicht erschweren können, sind so zügig zu entfernen.
  Intrapulmonale Sekretanhäufungen sollten nicht durch die Überdruckbeatmung in tieferliegende Lungenabschnitte transportiert, sondern wenn eben möglich vorher abgesaugt werden.
  Die Funktionstüchtigkeit der Absauganlage ist also für jede Intubation von großer Bedeutung!
- **Beatmungsmöglichkeit**
  Respiratoren / Narkosegeräte müssen nach MedGV geprüft und ihre Betriebsbereitschaft gesichert sein.
  Handbeatmungsbeutel werden auf Dichtigkeit und korrekte Ventilfunktion laut Herstellerhinweisen kontrolliert. Sauerstoff kann auch bei diesen Beuteln über einen Einlaßstutzen insuffliert werden.
  Beatmungsmasken werden in mehreren Größen bereitgelegt. Die Auswahl richtet sich nach Gesichtsform und - umfang des Patienten (Richtlinie: Frauen Größe 3 - 4, Männer Größe 4 - 5). Bei Bartträgern kann eine unter Umständen entstehende Undichtigkeit mit Fettcreme abgedichtet werden.
- **Pharyngealtuben**
  Sie dienen dem Freihalten der Atemwege und verhindern nach der Muskelerschlaffung das Zurücksin-

ken der Zunge. Die Tuben werden mit der pharyngealen Öffnung nach kranial entlang der Zunge eingeführt und dabei um 180° gegen den Uhrzeigersinn gedreht.
Die Drehung verhindert eine Verdrängung des Zungengrundes in den Rachen beim Vorschieben des Pharyngealtubus. Güdeltuben in Größe 3 - 4 werden bei weiblichen Patienten gewählt, 4 - 5er Tuben bei Männern.

- **Sedierung-Analgesie-Muskelrelaxierung**
  Ihre Notwendigkeit ergibt sich aus der gewünschten Bewußtlosigkeit, Schmerzfreiheit und Muskelerschlaffung des Kranken während der Intubation. Die Medikation orientiert sich in der Regel an der Neurolepteinleitung im Anästhesiebereich. Individuelle Auswahl und Dosierung richten sich nach Erkrankung und Allgemeinzustand des Patienten.
- **Laryngoskop**
  Es handelt sich um ein Spezialinstrument zur Darstellung des Kehlkopfbereiches mit integrierter Lichtquelle, bestehend aus einem Handgriff und Spateln in verschiedenen Ausführungen. Zur Verfügung stehen gerade (Foregger) und gebogene (Macintosh) Spatel in mehreren Größen. Die Energiequelle befindet sich im Griff und besteht aus einem Akku oder einer herkömmlichen Batterie. Für ein regelmäßiges Aufladen des Akkus ist zu sorgen. Vor Gebrauch werden korrektes Einrasten und Lichtfunktion des gewählten Spatels überprüft.
- **Endotrachealtuben**
  Von der Industrie werden eine Vielzahl unterschiedlicher Tuben angeboten, z.B.:
  - ET (Endotrachealtubus) **nach Magill**:
    Durch leichte Krümmung entsteht eine gute Anpassung an die Rachen- und Kehlkopfanatomie. Er ist zur oro- und nasotrachealen Intubation geeignet. Die leicht angeschrägte Spitze erleichtert das Einführen. Die erforderliche Größe bei Frauen beträgt etwa 7,5 - 8,5 mm Innendurchmesser, bei männlichen Patienten 8 - 9,5 mm.
  - ET **nach Oxford** (auch ONK = Oxford non kinking)
    Dieser Tubus ist nur zur orotrachealen Intubation geeignet. Seine starre, kurze Form ermöglicht eine zügige und verhindert die einseitige Intubation, allerdings besteht bei längerer Liegedauer die Gefahr einer intratrachealen Druckschädigung durch starke Kompression der Blockermanschette. Für weibliche Patienten benötigt man einen Tubusinnendurchmesser von 8 - 9 mm, für Männer 9 - 10 mm.
  - ET **nach Woodbridge**
    Dieser flexible Spiraltubus verändert sein Lumen bei Operationen im Kopf- / Halsbereich und in Bauchlage nicht. Nachteilig ist die Gefahr der Cuffhernie mit Verlegung des Lumens durch nahen Sitz der Blockermanschette an der Tubusspitze. 32 CH - Tuben werden bei Frauen eingesetzt, Größe 34 - 36 CH bei Männern.
  - ET **nach Carlens und White**
    Es handelt sich um Spezialtuben zur seitengetrennten Intubation in der Thoraxchirurgie und seitengetrennten Beatmungstherapie in der Intensivpflege. Der Tubus nach Carlens wurde zur linksseitigen-, der ET nach White zur rechtsseitigen Intubation entwickelt.

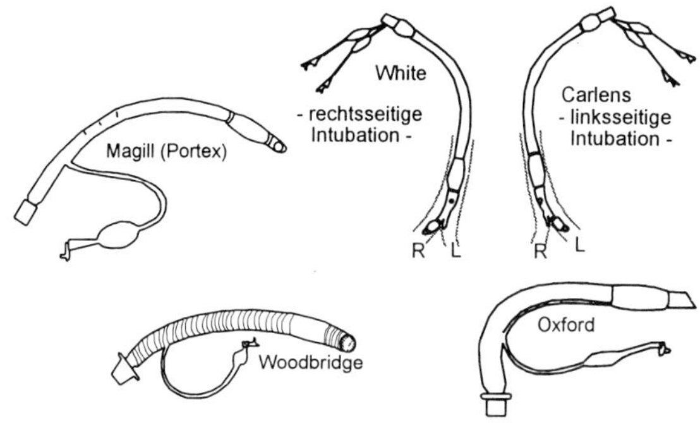

Abb. 4.40 ***Endotrachealtuben nach Magill; Oxford; Woodbridge; Carlens und White***

Der Tubus muß vor Gebrauch auf Dichtigkeit der Blockermanschette *(Cuff)* überprüft werden. Durch die separate Zuleitung wird mit einer 10 ml Spritze oder einem speziellen Cuffdruckmeßgerät Luft injiziert, um eine bestehende Leckage auszuschließen. Wird der Füllungsdruck gehalten, entblockt man den Tubus durch Absaugen der Luft. Bei der gesamten Vorbereitung ist auf sterile Handhabung zu achten, um Keimverschleppung zu vermeiden.

- **Gleitgel**
  Um ein leichteres Einführen zu erreichen, werden die Tubusspitze und der Cuffbereich mit Gel oder ähnlicher steriler Flüssigkeit gleitfähig gemacht.
- **Blockerspritze**
  Sie sollte mit Pflasterstreifen oder Filzstift markiert sein, um eine versehentliche Injektion von Flüssigkeitsresten aus benutzten Spritzen in die Blockmanschette zu verhindern. Die Zuleitung könnte sonst verkleben, so daß Entblocken unmöglich wird. Bei Cuffundichtigkeit würden unter Umständen hochwirksame Medikamente in die Lunge gelangen.
- **Peanklemme**
  Sie dient zur Sicherung des Cuffverschlusses, falls kein Rückschlagventil vorhanden ist.

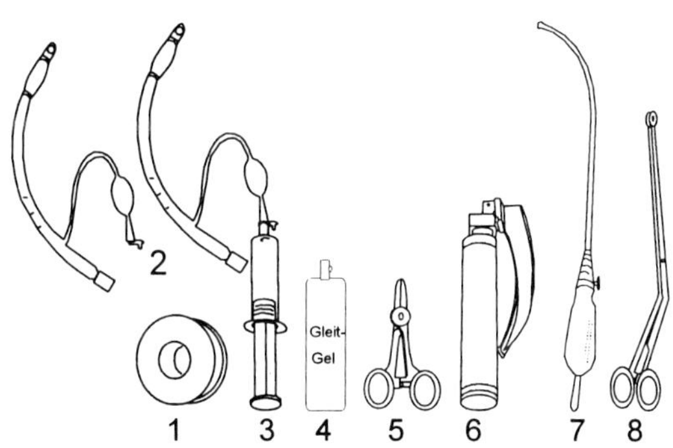

1 Pflaster
2 Endotrachealtuben
3 Blockerspritze
4 Gleitgel
5 Peanklemme
6 Laryngoskop
7 Führungsstab
8 Magillzange

Abb. 4.41 ***Intubationszubehör***

- **Stethoskop**
  Nach der Intubation wird die Belüftung beider Lungenhälften durch Auskultation überprüft, ggf. die Tubuslage korrigiert. Die Gefahr der zu tiefen, einseiti-

gen Intubation ist durch den höheren, steileren Abgang des rechten Hauptbronchus von der Trachea gegeben. Eine mögliche Fehlintubation in den Magen kann durch das fehlende Ventilationsgeräusch und eine zusätzliche Auskultation des Magens erkannt werden.

- **Markierung**
  Nach Feststellung der korrekten Lage wird der Tubus mit einem gut klebenden Pflasterstreifen in Höhe der Zahnreihe markiert. So wird das Pflegepersonal im weiteren Verlauf auch optisch auf eine Fehllage aufmerksam.
- **Fixierung**
  Sie sollte sicher und hautfreundlich sein. Zur Auswahl stehen Pflasterstreifen, Mullbänder und verschiedene von der Industrie angebotene Tubusfixierungssets. Um den Tubus vor durch das Gebiß verursachten Defekten zu schützen, ist vor der Fixierung ein Pharyngealtubus einzulegen.
- **Magillzange**
  Ihr Einsatz wird bei erschwerter und nasaler Intubation zur Führung der Tubusspitze durch den Kehlkopfeingang notwendig.
- **Führungsstab**
  Ein Mandrin wird in verschiedene Tuben eingelegt, um die Krümmung verändern und die Intubation bei erschwerten Sichtverhältnissen erleichtern zu können. Der Mandrin sollte nicht über die Tubusspitze hinausgeschoben werden, da sonst das erhöhte Risiko der Trachealperforation besteht. Er muß ausreichend lang sein, um nach erfolgter Intubation sicher und schnell wieder entfernt werden zu können.

❐ Technik und Assistenz der Intubation / Tracheotomie

- **Orale Intubation:**
  Nach ca. 10 cm Hochlagerung und leichter Überstreckung des Kopfes (Schnüffelstellung, verbesserte Jackson-Position) wird das Laryngoskop mit der linken Hand oral eingeführt. Dabei wird die Zunge nach links geschoben, um freie Sicht auf den Kehlkopf zu erhalten. Gebogene Spatel werden mit der Spitze in der Epiglottisfalte plaziert und der Kehldeckel mit gleichmäßiger Anhebung des Laryngoskopes aus dem Handgelenk hochgezogen. Wichtig ist dabei, den Spatel nicht als Hebel zu benutzen, da die Verletzungsgefahr der Zähne und Lippen stark erhöht wird. Gerade Spatel werden mit der Spitze direkt über den Kehldeckel geschoben, der Tubus wird gerade an ihm entlanggeführt. Der Kehlkopfeingang mit Stimmritze und Stimmbändern sollte sich gut sichtbar darstellen. Durch geringen äußeren Druck wird die Auffindung erleichtert und kann, falls nötig, bei der Einführung des Tubus von der / dem Assistierenden übernommen werden.
  Mit der rechten Hand erfolgt eine möglichst atraumatische Einführung. Der Tubus wird vorgeschoben, bis die Blockermanschette sicher hinter der Stimmritze liegt.
  Danach blockt der / die Assistierende den Cuff und schließt die Beatmungsmöglichkeit an. Unter Ventilation werden zügig Lunge und Magen auskultiert. Bei korrekter Lage erfolgt die Markierung, Fixierung und aus Sicherheitsgründen eine erneute Auskultation.

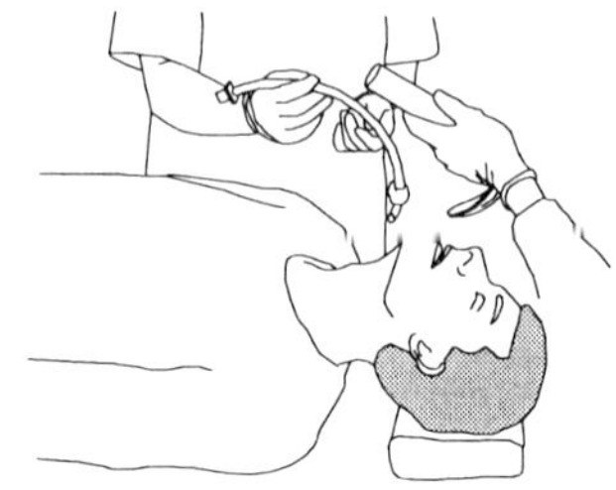

Abb. 4.42 ***Anreichung des Endotrachealtubus***

- **Nasale Intubation:**
  Vor Beginn wird eine orientierende Laryngoskopie durchgeführt. Durch Vorbehandlung der Nasenschleimhaut mit einem Vasokonstringans (z.B. Otriven®) kann das Nasenlumen vergrößert, eine Schwellung verringert und eine starke Blutung bei Schleimhautverletzung vermieden werden. Danach wird der Tubus vorsichtig vorgeschoben, bis die Spitze frei im Rachen liegt. Das weitere Vorgehen entspricht der Technik der oralen Intubation. Da die Richtung des Tubus durch die Schienung des Nasen- Rachenraumes erschwert zu beeinflussen ist, benötigt man zur Führung der Spitze durch die Stimmritze die Magillzange. Dabei ist darauf zu achten, daß der Cuff nicht beschädigt wird.

Materialien zur Intubation
- Tubus
- Gleitgel
- Blockerspritze
- Peanklemme
- Laryngoskop mit Spatel
- Pflaster zur Markierung und Fixierung.

Der Notfallpatient ist in der Regel nicht nüchtern, so daß mit erhöhter **Aspirationsgefahr** zu rechnen ist. Das Risiko der Maskenbeatmung bei vollem Magen ist gegen das der Hypoxiedauer sorgfältig abzuwägen. Eine nicht beim ersten Versuch erfolgreiche Intubation ohne initiale Oxygenisierung bedeutet einen nicht unerheblichen Zeitverlust und kann bei der geringen Toleranz des menschlichen Gehirns bezüglich Sauerstoffmangels unter Umständen zu bleibenden Folgeschäden führen.

Eine Aspirationspneumonie bedeutet Antibiotika-Therapie und in der Regel eine Verzögerung des Heilungsprozesses. Bei fulminanter Aspiration sind auch infauste Verläufe beschrieben.

Der Krikoiddruck nach Sellick schützt sehr wirksam vor Aspiration. Der Druck auf den Ringknorpel führt zur Kompression des Speiseröhrenmundes.

Zeichen einer erfolgten Aspiration
- Plötzlich auftretendes Giemen;
- Hypoxie (Klinik, periphere Sauerstoffsättigung, abfallender pO_2 in der Blutgasanalyse = akutes toxisches Lungenödem);

- Nachweis von Mageninhalt in der Trachea, ggf. pH-Bestimmung;
- Im weiteren Verlauf Lungeninfiltrate (Röntgen-Thorax).

Sofortmaßnahmen
- Intubation;
- Kopftieflage;
- endotrachiale Absaugung, Bronchoskopie;
- Beatmung mit 100 % Sauerstoff;
- Glukokortikoide bei pH des Aspirats unter 4 (z.B. 1 g Prednisolon i.v.);
- gezielte Antibiotika-Therapie bei Aspirationspneumonie (Neigung zur Abzedierung);
- IAL (intermittierende alveoläre Lavage per Bronchoskopie).

Technik der Tracheotomie
Sie sollte als Wahleingriff unter Intubationsnarkose im OP erfolgen. Es werden drei Techniken unterschieden:
- mediane Tracheotomie;
- Tracheotomia inferior;
- Tracheotomia superior.

Da die mediane Tracheotomie die geringste Komplikationsrate hat, wird sie in der Regel am häufigsten durchgeführt.
- Rückenlage mit überstrecktem Hals,
- Hautspaltung zwischen Ringknorpel und Jugulum,
- Fensterung der Trachea in Höhe des dritten oder vierten Trachealringes,
- Extubation,
- Einführung der Trachealkanüle,
- Auskultation,
- Fixierung und Verband,
- Röntgen-Thorax.

Ein Notfalltracheotomiebesteck muß auf jeder Intensivstation vorhanden und die Pflegenden auf seinen Gebrauch vorbereitet sein.

4.6.5.4.5 Schlaf, Schmerzfreiheit und Muskelerschlaffung

Die Tiefe der Sedierung sollte so gewählt werden, daß der **Patient erweckbar** ist und einfache Anweisungen befolgen kann, aber die Beatmung **ohne** ständiges Husten und **Gegenatmen** toleriert. Er muß selbstverständlich **schmerzfrei** gehalten werden, deshalb ist in den meisten Fällen eine Analgesie unumgänglich, da schon der Tubus / das Tracheostoma einen Schmerzreiz darstellt.
Dank der potenten Wirkung und vielfältigen Auswahl der Analgo- / Sedierungsmedikamente wird eine Relaxierung nur bei besonderer Indikation notwendig (unter Umständen bei Patienten mit Schädel- Hirn- Trauma zur Vermeidung intrakranieller Druckanstiege, bei Patienten mit durch extrem schlechte Lungenverhältnisse schwierig zu führender Beatmungstherapie und bei Kranken mit offener Wundbehandlung, z.B. Platzbauch oder Reißverschlußversorgung in der Bauchchirurgie, um intraabdominale Druckspitzen zu verhindern).

❐ Sedierung
Die beruhigende Wirkung dieser Mittel kann dosierungsabhängig zur schlaffördernden Wirkung gesteigert werden.

- **Benzodiazipine**
  Bei ihrer Verstoffwechselung können Metabolite mit zum Teil langanhaltender sedierender Wirkung entstehen. Dieser Überhang muß zu Beginn der Entwöhnung vom Beatmungsgerät berücksichtigt werden. Substanzen wie Midazolam (z.B. Dormicum®), Flunitrazepam (z.B. Rohypnol®) und Diazepam (z.B. Valium®) verstärken die Wirkung der Muskelrelaxanzien *(siehe nachfolgend)*.
  Hinweis: Bei unzureichender Sedierung kann regelmäßig ein Neuroleptikum zugegeben werden, um obere Dosisgrenzen nicht zu überschreiten, Opioideinsparung zu erreichen und die antiemetische Wirkung auszunutzen.
- **Neuroleptika**
  Ihre Wirkstoffe verstärken die Wirkung von anderen Beruhigungsmitteln und von Alkohol. Sie hemmen den Antrieb / das Interesse und verursachen Müdigkeit sowie emotionale Gleichgültigkeit, erzeugen aber keine Abhängigkeit.
  Man unterscheidet Substanzen mit stark antipsychotischem, gering sedierendem Effekt wie Haloperidol (z.B. Haldol®) und schwacher antipsychotischer, mehr sedierender Wirkung wie Promethazin (z.B. Atosil®).
  Alle haben über zentrale Beeinflussung eine antiemetische Wirkkomponente.
  Unerwünschte Wirkungen:
  - Frühdyskinesien (Blickkrämpfe, Krämpfe der Mund- und Halsmuskulatur); sie sind reversibel durch Akineton i.v.
  - Medikamentöser Parkinsonismus (Tremor, Rigor, Akinesie); er tritt Stunden bis Tage nach Gabe auf und ist schwer therapierbar.
  - Spätdyskinesien (unwillkürliche Bewegungen der Hände und der mimischen Muskulatur, stereotypes Schmatzen und Kauen); die Symptome treten erst Jahre nach der Neuroleptikagabe auf und sind schwer zu behandeln.
  - Malignes Neuroleptikasyndrom (Hyperthermie, Muskeltonussteigerung, Stupor); tritt sehr selten auf, hat aber eine Letalität von 20%! Angezeigt ist eine unspezifische Behandlung mit Abbruch der Neuroleptikaverabreichung, Gabe von Dantrolene® und dopaminergen Substanzen.
  - Butdruckabfall.
  - Rhythmusstörungen durch direkt toxische Wirkung auf Arbeitsmyokard und Reizleitungssystem.
  - Zerebrale Krampfanfälle durch Erniedrigung der Krampfschwelle.
  - Paradoxe Reaktion.
- **Barbiturate**
  Sie wirken (dosisabhängig) hypnotisch und antikonvulsiv. Ihre Wirkung wird unter anderem durch Benzodiazipine, Neuroleptika und Analgetika verstärkt. Durch die Senkung des intrakraniellen Druckes und der Hirndurchblutung werden sie z.B. bei Patienten mit Schädel - Hirn - Trauma, neurochirurgischen Eingriffen etc. eingesetzt. Substanzen sind unter ande-

ren Thiopental (z.B. Trapanal®) und Metohexital (z.B. Brevimytal®).

Unerwünschte Wirkungen:
- Atemdepression,
- Herz- und Kreislaufbeeinträchtigung,
- Anaphylaxie,
- Zunahme des Schmerzempfindens,
- Laryngo- / Bronchospasmus,
- starke Venenreizung,
- Abhängigkeit,
- Induktion der Porphyrie *(Störung der Blutsynthese vorwiegend in der Leber)*.

Kontraindikationen:
- obstruktive Atemwegserkrankungen,
- schwere Leberschäden *(hepatische Porphyrie)*.

❐ Sedierung und Analgesie = Ketamin (z.B. Ketanest®)

Ketamin ist ein Anästhetikum mit stark analgetischer Wirkung und dem Effekt oberflächlicher Bewußtlosigkeit. Durch Symphatikusstimulierung steigen Herzfrequenz und Blutdruck. Die Reflexe im Hals- und Rachenbereich bleiben erhalten, der Hustenreflex wird gesteigert.

Ketamin verursacht Halluzinationen und sollte deshalb mit einem Benzodiazipin kombiniert werden.

Es hat einen ausgesprochen bronchodilatatorischen Effekt und wird zur Analgo-Sedierung, z.B. bei Patienten mit chronisch obstruktiven Lungenerkrankungen, verordnet.

Unerwünschte Wirkungen:
- Erhöhung von Herzarbeit und Blutdruck (um 35%),
- Steigerung des myokardialen Sauerstoffverbrauchs (um 70%) und der Koronardurchblutung),
- Erhöhung des intrakraniellen Druckes,
- Hypersekretion.

Kontraindikationen:
- frischer Herzinfarkt,
- instabile Angina pectoris,
- Schädel Hirn Trauma,
- Apoplex,
- manifeste Herzinsuffizienz,
- Aorten- und Mitralstenose,
- Hyperthyreose,
- Praeeklampsie, Eklampsie.

❐ Analgetika

Peripher und zentral wirksame Analgetika verhindern die Entstehung / Empfindung von Schmerz *(siehe dazu Seite 912)*.

❐ Muskelrelaxanzien

Sie verursachen eine reversible, schlaffe Lähmung der Skellettmuskulatur durch Hemmung der Impulsübertragung an der motorischen Endplatte.

Nach dem Wirkmechanismus unterscheidet man stabilisierende (**nicht depolarisierende**) Relaxanzien, die durch Blockade der Rezeptoren an der motorischen Endplatte die Depolarisation durch den Transmitter Acetylcholin verhindern und **depolarisierende** Substanzen, die die Erregungsleitung durch eine anhaltende Depolarisation der Endplatte verhindern.

Indikationen:
- Erleichterung der Intubation,
- Senkung des Anästhetikabedarfs,
- Verbesserung der Behandlungsbedingungen bei Operationen und Beatmungstherapien.

• **Depolarisierende Muskelrelaxanzien** wie Suxamethonium (z.B. Succinylcholin®, Lysthenon®) sind zur Daueranwendung bei Beatmungspatienten nicht geeignet, sie werden in der Regel nur zur Intubation verabreicht. Sie sind durch einen schnellen Wirkungseintritt (0,5 - 2 Min.), eine mehr oder weniger ausgeprägte Muskelfaszikulation und eine kurze Wirkdauer (5-8 Min.) gekennzeichnet.

Unerwünschte Wirkungen:
- Bradykardie und Herzstillstand,
- Histaminfreisetzung,
- Tonussteigerung im Magen-Darm-Trakt,
- Anstieg des Serumkaliums.

Kontraindikationen:
- Polytrauma,
- Verbrennungskrankheit,
- ausgeprägte Hyperkaliämie,
- erhöhter Hirndruck.

• **Nicht depolarisierende Muskelrelaxanzien** wie Diallylnortoxiferin (z.B. Alloferin®), Pancuronium (z.B. Pancuronium Organon®), Vecuronium (z.B. Norcuron ®) werden wegen der längeren Wirkdauer und weniger dramatischen Nebenwirkungen zur Langzeitrelaxierung bei den beatmeten Kranken eingesetzt.

Merkmale:
- Freisetzung von Histamin erst nach Gabe von hohen Dosen,
- längere bis lange Wirkdauer (20-60 Min.),
- kardiovaskuläre Beeinträchtigung wie Tachykardie, Arrythmien und Blutdruckabfall,
- keine Muskelfaszikulation.

Pancuronium wird unverändert renal eleminiert, es ist daher bei Patienten mit Anurie und Myasthenie* kontraindiziert.

Vecuronium wird zu 70% unverändert biliär ausgeschieden und ist bei Patienten mit Niereninsuffizienz die bessere Alternative.

Als **Antidot** der Relaxanzienwirkung steht Physiostigmin (z.B. Prostigmin®) zur Verfügung.

4.6.5.4.6 Überwachung während der Beatmung und Entwöhnung

Die vielfältigen Möglichkeiten der elektronischen Überwachung liefern den Pflegenden eine Unmenge von Daten, die Aufnahme, Einschätzung, Reaktion und Dokumentation erfordern.

Das "Bild des Kranken" tritt dabei leicht in den Hintergrund und ist doch eine direkte und schnelle Informationsquelle. Das Lösen einer EKG- Elektrode hat nicht nur einmal zur Einleitung von Reanimationsmaßnahmen bei nicht vital gefährdeten Patienten geführt, wo eine Palpation des Pulses mit gezielter Beobachtung des Kranken zur Einschätzung des Alarms ausgereicht hätte.

Fundierte Krankenbeobachtung und apparative Überwachung in ausgewogenem Verhältnis zueinander sind die Grundlagen der Pflege und Behandlung beatmeter Menschen.

❒ Krankenbeobachtung und klinisches Bild

In diesem Zusammenhang werden nur die Besonderheiten der Krankenbeobachtung / Überwachung beatmeter Patienten herausgegriffen.
Eine der umfassendsten Informationquellen ist die **Haut**. Sie hat eine Vielzahl von Funktionen und reagiert empfindlich auf Störungen. Bei den verschiedensten pflegerischen Tätigkeiten ist sie leicht zugänglich für optische und taktile Begutachtungen.

- Die **Hautfarbe** kann unter anderem auf eine schlechte Beatmungssituation hinweisen (fahle Blässe, Akrenzyanose). **Starkes Schwitzen**, insbesondere beim Abtraining, kann ein Erschöpfungszeichen sein. **Warme, gut durchblutete** Haut bei Kranken im Schock deuten auf ein septisches Geschehen hin.
  Plötzliche Veränderungen der Hautfarbe und Schweißbildung erfordern immer erhöhte Aufmerksamkeit und weitere Kontrollen.
  Subtile Veränderungen sind schwerer wahrzunehmen und setzen eine gute Beobachtungsgabe voraus.
- Der **Hautturgor** kann ein Hinweis auf den Zustand des Flüssigkeitshaushaltes sein, allerdings ist er zur Einschätzung bei beatmeten Patienten als alleiniger Parameter unbrauchbar. Ein herabgesetzter Turgor schließt bei einem Patienten mit Linksherzinsuffizienz eine Überwässerung mit dem Risiko der Lungenstauung nicht aus. Überdruckbeatmung und PEEP* begünstigen die **Ödembildung** an den Extremitäten und im Gesicht, so daß trotz Wasseransammlung im Gewebe durchaus noch Volumenbedarf bestehen kann.
- An der **Mimik** der Kranken lassen sich z.B. Schmerzen, Erschöpfung und auch Wohlbefinden erkennen. Bei tief sedierten und relaxierten Patienten entfällt diese Form der Beobachtung fast völlig.
- Die **Motorik** ist ebenfalls durch Sedierung / Relaxierung und möglicherweise Fixierung eingeschränkt. Im weiteren Verlauf kann sie durch Verwirrtheitszustände oder Muskelatrophie nach Langzeitbeatmung unkoordiniert sein und ist schwer sicher zu beurteilen.
- An der **Körperhaltung** läßt sich unter anderem der für die Respiratortherapie sinnvolle Entspannungszustand beurteilen. Sie gibt weiter Hinweise auf Schmerzen (Schonhaltung) und beginnende oder bestehende Kontrakturen.
- Die Beobachtung der **Bewußtseinslage** kann engmaschig erfolgen, da eine hohe Anwesenheitsfrequenz am Bett besteht und Veränderungen der Reaktion auf Ansprache, Anfassen oder Bewegen schnell wahrgenommen werden. Einschätzung der Sedierungstiefe, Überhänge in der Abtrainingsphase und des Ausmaßes der Hirnschäden nach einem neurologischen Ereignis, Trauma, Kreislaufdepression oder -stillstand sind wichtige Informationen über das weitere Vorgehen.

> Änderungen rechtzeitig erkennen und entsprechend zu handeln, können für das Leben des Kranken entscheidend sein!

❒ Vitalzeichenmonitoring

- **EKG** und **Arrhythmie** *(siehe Seite 275)*
- **Pulsoxymetrie und peripherer Puls**
  Ziel: Bestimmung der Sauerstoffsättigung und Pulsschläge in der Peripherie
  Signalabnahme: photoelektrische Pulsrezeptoren im Fingerclip oder auf Klebestreifen
  Anzeige: Sauerstoffkonzenration in % im kapillären Blut und Anzahl der Pulswellen in der Peripherie pro Minute.

Störungen	Maßnahmen
Bewegungsartefakte	Neuplazierung des Sensors
Lichtquelle blockiert	Patient überprüfen Nagellack entfernen Sensorlage kontrollieren Sensoranschluß prüfen
Signal schwach	Patient überprüfen Sensorlage wechseln Sensor auswechseln

- **NIBP** ***(nicht invasiver Blutdruck)***
  Ziel: Feststellung von Kreislauflage, -stabilität und -veränderungen
  Signalaufnahme: Manschette mit automatischer Kompression und Elemente zur Verarbeitung der Korotkoff-Töne plus Steuerung des Meßvorganges
  Anzeige: in frei wählbaren Zeitintervallen systolischer-, diastolischer- und mittlerer Druck in mmHg

Störungen	Maßnahmen
Artefakt	Patient prüfen Manschette neu plazieren
Ausgang blockiert	Manschette und Schlauch kontrollieren, Knickstellen beseitigen, ggf. auswechseln
Schlauch offen	Manschette und Schlauch richtig anschließen oder erneuern
keine Pulse	Patient überprüfen! manuell nachmessen Manschettensitz kontrollieren, ggf. neu plazieren

- **Arterieller Blutdruck**
  Signalaufnahme: invasiver Katheter und Druckumwandler *(Transducer)* mit Kabelverbindung zum Monitor
  Anzeige: in den pulsierenden Gefäßen systolischer-, diastolischer- und mittlerer Druck in mmHg, Druckkurve zum Vergleich mit dem EKG
  Ziel: Kontinuierliche Messung zur permanenten Kreislaufüberwachung bei instabilen Patienten und hochdosierter Katecholamintherapie, Zugang zu arteriellem Blut für die Bestimmung der Blutgasanalyse.

❐ Pflegehinweise für arterielle Zugänge

Mögliche Probleme	prophylaktische und therapeutische Maßnahmen	Begründung
Nekrose durch arterielle Minderversorgung der Extremität	**Allen Test** durchführen: Eine Faust bilden, A. ulnaris abdrücken bis die Hand blaß wird. Die Faust öffnen und A. ulnaris freigeben. Die Hand wird innerhalb von fünf Sekunden rosig. Bei einer Dauer von zehn Sekunden oder länger: nicht kanülieren!	Versorgung **vor** Anlage des Zugangs sicherstellen
Diskonnektion (Verblutungsgefahr) und **Dislokalisation** (unnötiges Trauma der Neuanlage)	Fixierenden Verband, evtl. Handfessel anlegen. Festen Sitz der Konnektionsstellen beim Betten und Lagern überprüfen und Zug vermeiden.	Ausreichende **Sicherung** des Systems und des gesamten Zubehörs
	Nach Lagewechsel die **Hand mit der Kanüle** und das System gut sichtbar **auf die Bettdecke** legen.	Zügige optische Wahrnehmung ermöglichen.
Infektion der Punktionsstelle	Inspektion, Reinigung und Desinfektion alle 24 Stunden und bei Bedarf vornehmen.	Schutz der Wunde vor pathogenen Keimen
Kontamination des Katheters durch die Blutentnahme	Nach der Blutentnahme mit Flüssigkeit aus dem System durchspülen.	Blutreste im System beseitigen
	Vor und nach der Entnahme Dreiwegehahn desinfizieren. Dreiwegehahn alle 24 Stunden beim Verbandwechsel und bei Bedarf erneuern.	Entnahmestelle keimarm halten
Verstopfung des Spülsystems und der Kanüle (Thrombose / Embolie)	**Spülsystem** anschließen; Spülflüssigkeit mit 5.000 I. E. auf 500 ml NaCl 0,9% **heparinisieren; Druck** auf dem System mit der Druckmanschette sicher über dem arteriellen Druck bei **300 mmHg** halten.	Freie Durchgängigkeit sichern
Intraarterielle Injektion (Nekrose / Verlust der distalen Extremität)	**Rote Dreiwegehähne** benutzen. **Schriftlichen Hinweis "arterieller Zugang"** auf dem Verband anbringen.	Deutliche Unterscheidung zum venösen Zugang hervorheben
	Als Bestandteil der praktischen Einarbeitung weitergeben, auf entsprechenden Standard hinweisen.	Information neuer Mitarbeiter
	Injektion sofort **unterbrechen**, Kanüle **nicht entfernen**, nach Arztanweisung **Lokalanästhetika**, Glukokortikoide und einen Vasodilatator wie Hydergin® intraarteriell verabreichen.	Schadensbegrenzung

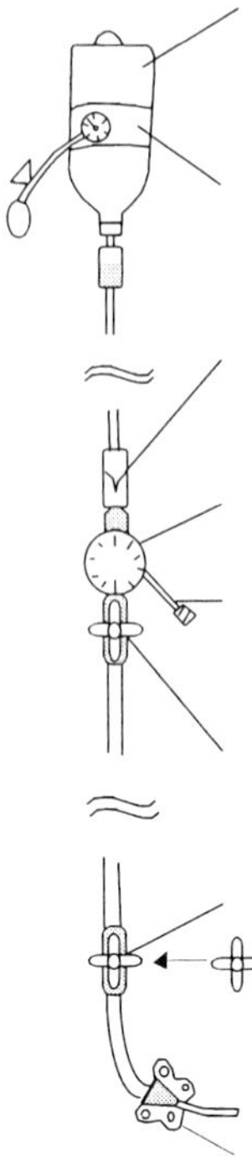

Abb. 4.43 ***Aufbau des arteriellen Spülsystems***

❐ Respiratorisches Monitoring

Die unterschiedlichsten Überwachungsgrößen sind an den Beatmungsgeräten einstellbar. Die **Kontrolle von Volumen, Beatmungsdrücken und inspiratorischem Sauerstoffgehalt** gehört zu den wichtigsten Maßnahmen, da starke Abweichungen vital bedrohlich werden können bzw. plötzlich fallende oder steigende Drücke und Volumina auf eine akute Störung hinweisen.

Die Überwachung der **Atemfrequenz**, in sinnvolle Alarmgrenzen gesetzt, hat das Ziel, auf **unerwünscht** hohe oder niedrige Atemfrequenzen aufmerksam zu machen.

Tachypnoe ist oft erstes Erschöpfungszeichen in der Entwöhnungsphase, zur Hypoventilation neigen Kranke mit Sedativa-, Opioid- und Relaxanzienüberhang, ZNS-Störungen etc. im Spontanatmungsprogramm. Wichtig ist auch, ob der Kranke mehr atmet als eingestellt ist, ferner ist die Korrelation zur Volumenanzeige bedeutsam.

Das Respiratormonitoring dient der **Patientensicherheit** und ermöglicht die Beurteilung der Wechselwirkung zwischen Krankem und Beatmungsgerät, dem ordnungsgemäßen Betrieb des Apparates und der **Realisierung der gewünschten Beatmungssituation**.

Die Effizienz der Respiratortherapie wird dann durch die arterielle Blutgasanalyse und das Bild des Kranken überprüft.

Die verschiedenen Überwachungsgrößen (die aufgeführten sind nur ein Auszug aus den gesamten Möglichkeiten) sollten zweistündlich (und bei Bedarf) abgelesen und im **Beatmungsprotokoll** dokumentiert werden. Änderungseinstellungen und Verläufe werden überschau- und nachvollziehbar. Im Schichtdienst, bei hoher Personalfluktuation und ständiger Einarbeitung neuer Mitarbeiter ist die Transparenz der Beatmungstherapie ein unbedingtes "Muß".

❒ Die Blutgasanalyse

Ziel: Beurteilung der Ventilation und Oxygenisierung, Differenzierung von respiratorischer / metabolischer Alkalose und Azidose und Feststellung ihres Kompensationsgrades

***Normwerte** bei 21% Sauerstoff und 37° Celsius Körpertemperatur*

paO_2	arterieller Sauerstoffteildruck	90 mmHg	(70-105)
$paCO_2$	arterieller Kohlendioxidteildruck	40 mmHg	(35-45)
ph	Säuregrad des arteriellen Blutes	7,4	(7,35-7,45)
$St.HCO_3$	Standardbicarbonat	23 mmol / l	(21-25)
BE	Basenüberschuß	0 mmol / l	(+-3)
Sauerstoffsättigung		97 %	(95-98)

- **Sauerstoff**
  Der kleinere Teil ist im Blut physikalisch gelöst, der größte Anteil wird chemisch ans Hämoglobin gebunden. Deshalb ist die Sauerstofftransportkapazität bei Anämie stark erniedrigt.
- **Kohlendioxid**
  Der Kohlendioxidanteil ist abhängig vom Atemminutenvolumen:
  - $paCO_2$ erhöht: Hypoventilation,
  - $paCO_2$ erniedrigt: Hyperventilation.
- **ph Wasserstoffionenkonzentration** = Säuregrad des Blutes:
  - **ph > 7,45 = Alkalose** (niedrige Wasserstoffionenkonzentration, alkalisches Blut), mögliche Folgen:
    - Tetanie,
    - Neigung zu Krampfanfällen,
    - Blutdruckentgleisungen,
    - Arrhythmieneigung,
    - zentrale Vasokonstriktion.
  - **ph < 7,35 = Azidose** (hohe Wasserstoffionenkonzentration, saures Blut), mögliche Folgen:
    - schlechte Wiksamkeit von endogenen und exogenen Katecholaminen,
    - primärer Blutdruckanstieg, sekundärer Blutdruckabfall,
    - Arrhythmieneigung, Tachykardie.

Kompensation von Azidose und Alkalose durch Puffersysteme des Organismus.

Puffersysteme als Regulationsmechnismen

1. Puffersubstanzen im Blut (Bicarbonat, Phosphat, Protein)
2. Lunge (Kohlendioxid)
3. Niere (Bicarbonat), sie reagiert erst Stunden bis Tage nach Beginn der Störung.

Respiratorische Azidose wird metabolisch über die Niere mit Steigerung der H^+ Ionenausscheidung und Bicarbonatbildung versuchsweise kompensiert.

Respiratorische Alkalose wird metabolisch über die Niere mit Verringerung der H^+ Ionenausscheidung und Bicarbonatbildung versuchsweise kompensiert.
- ph normal = vollständige Kompensation,
- ph noch pathologisch = versuchte Kompensation.

Metabolische Azidose versucht der Organismus respiratorisch über Änderung des Atemminutenvolumens (vermehrte CO_2 - Elimination) zu regulieren.

Metabolische Alkalose versucht der Organismus respiratorisch über Änderung des Atemminutenvolumens (verringerte CO_2 - Elimination) zu regulieren.
Eine Vollkompensation wird gewöhnlich nicht erreicht.

- **Sauerstoffsättigung**
  Sie informiert über die aktuelle Sauerstoffsättigung des Hämoglobins in %.
  100%ige Sättigung wird nicht erreicht, da eine geringe Blutmenge nicht am Gasaustausch teilnimmt und sie um etwa 3% herabsetzt.

4.6.5.4.7 Bedeutung für einen Betroffenen

Nicht mehr über sich selbst zu bestimmen, seine elementaren Bedürfnisse und Funktionen anderen zu überlassen, prägt in unserer individual - betonten Gesellschaft das Empfinden eines Beatmeten / zu Beatmenden. Abhängig vom Krankheitsbild und der Persönlichkeit des Kranken kann das technisch dominierte Umfeld mit hoher Personalpräsenz ein Gefühl von **Vertrauen** vermitteln (Der hochentwickelte Apparat der Intensivmedizin und - pflege wird für die eigene Gesundheit eingesetzt!) oder ein gewisses **Mißtrauen**, zum Teil durch Medienberichterstattung beeinflußt, verstärken (Priorität Krankheitsbild oder Mensch? Testperson für Medikamente oder Maßnahmen?).
In der Notfallsituation steht in der Regel die **Todesangst** im Vordergrund, bei geplanter Intubation berichten Patienten über die Angst, nicht wieder aufzuwachen oder danach nicht wie "vorher" zu sein. Nur wenige Patienten erleben den Beginn der Beatmungstherapie relativ gelassen und beruhigt.
Im weiteren Verlauf ist durch die Erkrankung selbst und/ oder den Einsatz zentral wirksamer Medikamente wie Sedativa und Analgetika das **Bewußtsein ausgeschaltet oder beeinträchtigt**. Die Ausschaltung des Bewußtseins ist in der Regel im Akutstadium, ein erweckbarer Schlafzustand nach der Stabilisierung und während der Entwöhnung sinnvoll.
Viele Patienten können sich an die Beatmungszeit nicht erinnern *(Amnesie)*, auch wenn sie einfache Aufforderungen befolgt und auf die Pflegenden einen "wachen" Eindruck gemacht haben. Andere werden als gut analgo- sediert eingestuft und erzählen in der Rekonvaleszenz z.B. über die als extrem unangenehm empfundene Maßnahme des endotrachealen Absaugens mit plötzlichen Schmerzen, Lufthunger und Panik.
Halluzinationen können vorkommen: *Ein 48jähriger Lkw- Fahrer wurde nach einem Herzinfarkt beatmungspflichtig und war auffällig schwer zu beruhigen. Kurzfristig war es notwendig, ihn an Händen und Füßen zu fixieren. Er erzählte später, er habe geglaubt, unter seinem Laster zu liegen, die Extremitäten unter den Reifen eingeklemmt und das Auspuffrohr im Mund zu haben.* So wird seine Gegenwehr und Bettflüchtigkeit nachvollziehbar, aber eben erst viel später.
Einsamkeit durch kurze Besuchszeiten, häufiger Personalwechsel, die technisch- sterile Umgebung, Mitteilungsschwierigkeiten, fehlender Tag / Nacht- Rhythmus und auf das Zentralnervensystem wirkende Pharmaka können zu unterschiedlich ausgeprägter **Desorientierung** führen. Sie beeinflußt das Verständnis der Behandlung und die Kooperation negativ.

Die Pflegenden sind durch die häufige Anwesenheit am Bett in der Lage, den Problemen entgegen zu wirken. Ruhiges, kompetentes Auftreten vermittelt Sicherheit, Verständnis und Mitgefühl schaffen Vertrauen. Gezielte und verständliche Erklärungen bei notwendigen Maßnahmen informieren und erleichtern die Mitarbeit des Kranken. Beispiel: *"Sie werden jetzt abgesaugt!"* Oder: *"Sie müssen nun kräftig husten!"*. Welche Formulierung ist dem Kranken (den Pflegenden) geläufiger?
Ein Patient kann seine Bedürfnisse (z.B. Schmerzen, Datum, Tageszeit, Durst, Kälte) nur durch Mimik oder Gestik zum Ausdruck bringen und ist auf einfühlsame Beobachtung angewiesen.
Deutliche Berührungen mit unmißverständlicher Ansprache können auch den wahrnehmungsbeeinträchtigten Patienten erreichen und stellen Kontakt her. Flüchtiges, punktuelles Anfassen, Papierrascheln von auf seiner Brust abgelegtem Handschuhpapier oder mehr als zwei an ihm arbeitende Hände verwirren ihn und erzeugen Abwehr.

4.6.5.4.8 Zur Situation der Pflegenden

Bei den beatmeten Kranken können eine Vielzahl von übergreifenden pflegerischen-, medizinischen- und technischen Problemen entstehen. Ihre Registrierung, Einschätzung und der oft rasche und gezielte Handlungsbedarf machen den **Reiz** und die **Herausforderung** der Pflege dieser Menschen aus. Ihre Betreuung wird durch ständig wachsende Fortschritte in Pflege, Medizin und Technik und wechselnde Ansprüche (reanimierte und rekonvaleszente Patienten mit unterschiedlichen Anforderungen an die Pflege) noch interessanter.
Die Unfähigkeit des Kranken zur Regulation seiner Körperfunktionen erfordert die Übernahme der ATL durch die Pflegenden. Atmen, Husten, Körperpflege, Ausscheidungen und die Durchführung therapeutischer sowie prophylaktischer Maßnahmen liegen in ihrer Verantwortung. Dies erfordert **Motivation, fundiertes Wissen** und **manuelles Geschick**.
Der Krankheitsverlauf, das Sterben der Schwerstkranken und das Leid der Angehörigen führen zu einer **hohen seelischen Belastung**. Um mit"fühlen" zu können, ohne mitzu"leiden" und die Fähigkeit, dies den Patienten und ihren Angehörigen zum Ausdruck zu bringen, setzt bei den Pflegenden Einfühlungsvermögen und eine gewisse psychische Stabilität voraus.
Durch verschiedene Kompensationsmechanismen versuchen die Pflegenden sich vor zu starken Einflüssen zu schützen und die Spannung ihrer häufig hochkonzentrierten Arbeit abzubauen:
- Distanziertes Verhalten nach außen, oft fälschlich als Arroganz ausgelegt,
- Späße und Lachen in scheinbar unpassenden Situationen,
- Versachlichung der Ereignisse in betontem Fachjargon.

Die Kompensation bedrückender Erlebnisse und die Effektivität der Pflege sind maßgeblich von der **Zusammenarbeit** des Intensivteams abhängig. Die Teilnahme an einer **Supervision** bietet eine weitere Möglichkeit zur Entlastung, Reflektion und Verarbeitung dieser Situationen *(siehe dazu "Supervision", Seite 792)*. Gegenseitige Anregung und Unterstützung fördern die Qualität der Arbeit, unterhalten den permanenten Lernprozeß und helfen dabei, eine positive Berufseinstellung zu bewahren *(siehe "Burnout-Syndrom", Seite 789)*.

4.6.5.4.9 Schwerpunkte der Pflege beatmeter Menschen

Übersicht

Atmen		**Essen und Trinken**
- endotracheales Absaugen, - mögliche Probleme durch Intubation und Tracheotomie, - spezielle Lagerung, - Tracheostomapflege, - mögliche Probleme während und nach der Extubation.		- Nahrungszufuhr, - Stressulkusprophylaxe.
Ausscheiden	**Für Sicherheit sorgen**	**Regulieren der Körpertemperatur**
Beobachtung von - Stundenurin, - Magensaft, - Schweiß.	"Überwachung während der Beatmung und Entwöhnung" *(siehe Seite 406).*	Bedeutung und Maßnahmen bei: - Fieber, - Hypothermie.
Sich Bewegen	**Sich Pflegen und Kleiden**	**Wach sein, Ruhen und Schlafen**
- Mobilisation, - Kinästhetik, - Zu- und Ableitungen.	Besonderheiten - bei der Mund / Nasenpflege, - bei der Augenpflege, - beim An- und Auskleiden.	Sorge für - Tag / Nachtrhythmus, - Erholungszeit, - Schlaf u. Schmerzfreiheit.

❒ Atmen

Beatmete Patienten sind in der Regel nicht in der Lage, entstehenden Schleim effektiv abzuhusten. Die Ursachen sind der fehlende Epiglottisschluß durch den liegenden Tubus, die Bewußtseinsbeeinträchtigung durch die Sedierung / Analgesie, die allgemeine krankheitsbedingte körperliche Schwäche und die fehlende Verbindung nach außen durch das geschlossene Schlauchsystem.

❍ Endotracheales Absaugen

Unter endotrachealem Absaugen versteht man die **Entfernung von Sekret, Blut oder Aspirat** mit einem **unter Vakuum** gehaltenen Katheter **über** einen **direkten Trachealzugang** wie Tubus oder Trachealkanüle. Diese Maßnahme findet unter sterilen Kautelen statt, da eingeschleppte pathogene Keime ein lebenswichtiges Organ infizieren und in seiner Funktion beeinträchtigen können.
Die Art der Durchführung ist im wesentlichen vom Materialangebot abhängig. Katheter mit einer Öffnung und glatter Spitze werden ohne Sog eingeführt und unter Vakuum mit leichten Drehbewegungen herausgezogen. Katheter mit einer zentralen Öffnung und mehreren seitlichen Perforationen, die zusätzlich mit einem "Kragen" an der Spitze ausgestattet sind, können sich nicht an der Trachealwand festsaugen und werden unter Sog ein- und ausgeführt. Eine Diskonnektion des

Systems ist bei beiden Varianten nötig. Beim geschlossenen System ist der Absaugkatheter in einer Plastikhülle im Schlauchsystem integriert und kann nach Bedarf ohne Unterbrechung der Beatmung und ohne Kontaminationsgefahr (durch geöffnetes Beatmungssystem / Einführen des Katheters) benutzt werden.

Vorbereitung des Kranken:

- abhängig vom Zustand des Patienten wird eine Präoxigenisierung *(2 Minuten lang Beatmung mit 100% Sauerstoff)* durchgeführt,
- bei einer PEEP Einstellung über 5 mmHg erfolgt ein Absenken in 2mmHg- Schritten auf 5mmHg (verhindert Atelektasenbildung),
- bei enteraler Ernährung über eine Sonde wird die Nahrungszufuhr unterbrochen und ein Beutel zum Dauerablauf angeschlossen.

Vorbereitung des Materials:

- Absauganlage anstellen, auf Vollständigkeit und (prompten) Vakuumaufbau überprüfen,
- Einmalhandschuhe, einen sterilen Handschuh für die den Katheter führende Hand und einen Mundschutz bereitlegen,
- Verbindungsschlauch zur Absauganlage und Fingertip *(Swivel - Konnektor)* mit Katheter konnektieren, Schutzhülle dafür nur am Konus öffnen und den Rest steril verpackt lassen.

Durchführung:

- Diskonnektionsalarm unterdrücken,
- Hände desinfizieren,
- Gänsegurgeladapter desinfizieren,
- Mundschutz befestigen,
- Einmalhandschuhe und sterilen Handschuh anlegen,
- Schutzhülle komplett entfernen, Katheter mit der sterilen Hand fassen,
- Kranken verständlich informieren,
- mit der unsterilen Hand Absaugadapter der Gänsegurgel entfernen und Katheter mit der anderen Hand unter Sog steril einführen, bis ein leichter Widerstand zu fühlen ist,
- Katheter mit leichten Drehbewegungen saugend zurückziehen,
- Gänsegurgel verschließen,
- Material entsorgen.

Bei einer **Bronchiallavage** wird vor Einführen des Katheters 5-10 ml Nacl 0,9% unter sterilen Kautelen in den Tubus gespritzt und beim Absaugvorgang wieder entfernt. Sie dient zur Sekretverflüssigung und unterstützt die Sekretgewinnung für bakteriologische Untersuchungen.

Im Anschluß wird der Nasen- Rachenraum mit einem frischen Katheter abgesaugt und eine gründliche Mundpflege durchgeführt. Dabei erfolgt die Kontrolle der regelrechten Tubuslage. Menge, Konsistenz, Aussehen des Sekrets und die durchgeführte Maßnahme werden dokumentiert. Der PEEP wird wieder normalisiert und Sauerstoff- und Alarmrückstellung überprüft.

Beachte: Der Absaugvorgang sollte nicht länger als **15 Sekunden dauern**! Und: Durch Vagusreizung besteht die Gefahr einer **Bradykardie**, deshalb den Monitor im Auge behalten!

❍ Mögliche Probleme durch Intubation / Tracheotomie

Durch das Einführen und Verweilen eines Tubus oder einer Trachealkanüle können einige sehr spezielle Probleme auftreten, die zum Teil lebensbedrohlich sein können, mindestens aber den Heilungsprozeß verzögern. Die Kenntnis der möglichen Komplikationen und der erforderlichen Gegenmaßnahmen ermöglicht den Pflegenden bei entsprechender Beobachtung ein rasches Handeln und gezielte Assistenz.

Mögliche Probleme	Prophylaktische und therapeutische Maßnahmen
Sauerstoffminderversorgung durch primäre oder sekundäre **Fehllage** von Tubus / Tracheostom	**Feststellen der korrekten Lage** durch: - **Auskultation** von Lunge und Magen (auch nach jedem Lagewechsel), - **Röntgenbild** vom Thorax (der Tubus sollte nicht direkt vor der Bifurkation plaziert sein, da es sonst schon bei unwesentlichen Lageveränderungen zur Dislokalisation kommen kann). **Erkennen einer Fehllage** durch: - **Auskultation** von Lunge und Magen, ***Beachte***: Ein einseitiges Atemgeräusch kann auch krankheitsbedingt sein (Pneumektomie, Atelektase, Pneumonie, Pneumothorax), - **klinisches Bild / Krankenbeobachtung.** Hinweise auf eine Fehllage können sein: - keine oder **einseitige Atembewegungen** des Thorax bei Inspiration, - **Zyanose,** - **Tachy- / Bradykardie, Hyper- / Hypotonie**, - **Aufblähung des Abdomens** nach mehreren Beatmungen, - die **Pflastermarkierung** als optisches Signal der Tubuslage befindet sich **nicht** mehr in **Höhe der Zahnreihe**, - **gezielte Inspektion** (bei jeder Pflegetätigkeit sollte die **Beobachtung** auf die **Gefahr** der **Dislokalisation** mit unter Umständen lebensbedrohlichen Folgen gerichtet sein), - **BGA** (**Akuter**, mit der Erkrankung nicht zu erklärender **Abfall der Sauerstoffspannung** im Blut, kann u.a. auf eine Fehllage hinweisen).
orale und **nasale Druckstellen** durch den Tubus	**Druckpunkte wechseln und verteilen**: - Tubuslage achtstündlich wechseln, - bei nasaler Intubation Naseneingang mit Watte oder Schaumstoff abpolstern. **Hautschutz**: - intensive Hautpflege (geschmeidig, trocken und sauber halten), - direkter Hautschutz, z.B. mit Hautschutzplatten (z.B. Stomahesive®). **Bei Dekubitus Heilung ermöglichen:** - **absolute Druckentlastung,** - Umintubation, - gezielte Wundbehandlung.
Intratracheale Druckstellen	**Vermeidung von unnötig hohen Drücken**: - **Tubusgröße** so **gering** wie möglich wählen *(siehe Seite 403)*, - Einmaltuben aus **gewebefreundlichem Material** wie PE mit Silikonüberzug wählen, keine härteren, mit Latex überzogenen Gummituben, - gezielte **Cuff-Auswahl** (runde Blockermanschetten üben mehr Druck auf eine geringere Fläche aus als z.B. ein birnenförmiger Cuff), - Überwachung und Anpassung des **Cuffdruckes** (er sollte **15 mmHg**/20 cmH_2O endexspiratorisch **nicht überschreiten**, um eine Beeinträchtigung der Schleimhautdurchblutung zu vermeiden. Die Messung erfolgt achtstündlich, zusätzlich nach jeder Auf- / Entblockung oder kontinuierlich).

Mögliche Probleme	Prophylaktische und therapeutische Maßnahmen
Hautläsionen durch die Tubusfixierung	- Sichere, aber **atraumatische** Befestigung wählen (Mullwickel, Klebepads mit Klettbändern, Schaumstoffbefestigung etc.), - **Klebestellen** häufig **wechseln**, - bei Patienten mit **empfindlicher Haut** oder vorliegenden Hautschäden **keine Pflasterfixierung**, sondern Gaze verwenden, - gefährdete Stellen mit Mull **abpolstern**, - entstandene Hautschäden entsprechend des Wundzustandes versorgen.
Infektionsgefahr - durch **Sekretstau**	- **Entfernung** von Sekret durch die sterile Bronchialtoilette, - **Verflüssigung / Mobilisierung** von Schleim (mit Hilfe physikalischer Atemtherapie wie Vibrationsmassagen, Beatmungsinhalation, steriler Lavage mit Nacl 0,9 %, systemischer Sekretolytikagabe).
- durch kontaminierte Hilfsmittel oder durch hygienisch nicht einwandfreie Durchführung	- Lungenpflege immer unter sterilen Kautelen! - jede Diskonnektion mit sterilen Handschuhen und steriler Unterlage zur Ablage der Schlauchenden durchführen, - 24stündlichen sterilen Wechsel der Beatmungsschläuche oder 24stündlichen Filterwechsel vornehmen (bei Filtereinsatz erfolgt der Systemwechsel dann nach Studienergebnissen, z.Zt. alle sieben Tage).
- durch Fehlen des Nasen-Rachenraumes als Wärme- und Befeuchtungsorgan	- Erwärmen und Befeuchten des Atemgases durch Einsatz von Sterilwasserkaskaden oder Spezialfiltern sichern und damit eine feuchte Schleimhaut erhalten.
Nicht ausreichende Ventilation durch Stenose / Diskonnektion	**Ungehinderte Strömung** des Atemgases erreichen: - Sekret regelmäßig absaugen, - freie Durchgängigkeit der Beatmungsschläuche ermöglichen (Kondenswasser entfernen, Schläuche ohne Lumenverengung plazieren), - ausreichende Sedierung / Analgesie gewährleisten, um ständige, starke Hustenstöße zu vermeiden. **Verhindern ungewollter Diskonnektion**: - Tubus / Trachealkanüle sicher fixieren, - angemessen sedieren und analgesieren, - evtl. Hände fixieren, - vorsichtige Manipulation bei pflegerischen Maßnahmen, - beim Lagern und Betten immer mit einer Hand den Tubus / die Trachealkanüle und das Schlauchsystem sichern, - festen, zugfreien Sitz des Systems gewährleisten. Bei **notwendiger Diskonnektion** eine **Beeinträchtigung** so **gering** wie möglich halten: - Indikation prüfen, - praeoxygenisieren: 2 Minuten vorher 100 % O_2 verabreichen, - Diskonnektionsdauer nicht länger als 15 Sek., sonst konnektieren oder Handbeatmung durchführen.

Tubuspflege (Zusammenfassung)

- Lage im Mund alle acht Stunden wechseln, auskultieren.
- Blockermanschettendruck so gering wie möglich halten.
- Fixierung bei der Gesichtspflege und nach Bedarf wechseln, Markierung kontrollieren, auskultieren.
- Steriles endotracheales Absaugen.
- Wechsel der Beatmungsschläuche und Filter nach geltendem Standard (alle 24 Stunden).
- Schläuche immer zugfrei plazieren und bei Umlagerung des Kranken mit einer Hand sichern!

❍ Tracheostomapflege

Ziel: Infektionsprophylaxe, Vermeidung von Inkrustierungen der Kanüle, Gewährleistung einer sicheren Fixierung

Verbandwechsel

- **Vorbereitung des Patienten:**
  - Information
  - Rückenlage mit relativ flachem Oberkörper
  - Einschätzen und Abdecken von Analgetika- und Sedierungsbedarf.
- **Vorbereitung des Materials:**
  - sterile Handschuhe
  - Mundschutz
  - Hautdesinfektionsmittel
  - sterile Kompressen
  - Metalline Spezialkompresse für Tracheostoma (eingeschnittene 7,5 x 7,5 cm Kompresse)
  - bei Bedarf ein frisches Halteband.
- **Durchführung**
  - Hände desinfizieren
  - Einmalhandschuhe überziehen
  - Verband entfernen
  - Material entsorgen
  - Haut desinfizieren
  - steriles Material zurechtlegen
  - sterile Handschuhe überziehen
  - Wunde säubern
  - Metallinekompresse auflegen
  - bei Bedarf Halteband wechseln, dabei Trachealkanüle mit einer Hand sichern
  - Material entsorgen
  - Händedesinfektion
  - Dokumentation.

Beachte: Innerhalb der ersten sieben Tage nach Tracheostomaneuanlage besteht bei Dekanülierung die Gefahr des Stomaverschlusses, deshalb bei jeder Pflegemaßnahme die sichere, zugfreie Befestigung der Kanüle gewährleisten und ein Rekanülierungsset (Trachealspreizer, Ersatzkanülen verschiedener Größen) am Bett plazieren. Beatmungs- und Intubationszubehör in erreichbarer Nähe sind selbstverständlich. Der Wechsel der Kanüle aus hygienischen Gründen erfolgt nach sieben Tagen alle drei Tage.

❍ Spezielle Lagerung bei Kranken mit schlechter Beatmungssituation

Bei intermittierender Durchführung der **Bauchlage oder der 135° Grad Lagerung** *(kinetische Therapie)* bei Patienten mit ARDS* konnte die Sterblichkeitsrate durch die bessere Ventilation der hinteren Lungenabschnitte und eine gleichmäßigere Verteilung der interstitiellen Flüssigkeit gesenkt werden. Die Bauchlage bewirkt eine starke Druckbelastung der unten liegenden Körperabschnitte, eine 135° Seitenlage hat eine bessere Druckverteilung und Senkung des Dekubitusrisikos bei gleich guter pulmonaler Wirkung.

135 ° Seitenlage

Wirkung:

- relativ starke Kreislaufbelastung, aber oft nur direkt nach dem Lagewechsel mit zügiger Normalisierung;

- gute Belüftung der dorsalen Lungenabschnitte, vergleichbar mit der Bauchlage;
- gute Druckentlastung;
- gute Druckverteilung der unten liegenden Körperpartien;
- sehr bequeme und physiologische Lage;
- Einschränkung von Mobilität und Blickfeld bei wachen Patienten.

Lagerungsintervall:
Die 135° Lage dauert 6-8 Stunden, dann erfogt der Seitenwechsel ebenfalls 6-8 Stunden, den Rest des Tages wird der Patient wie üblich 2stündlich rechts / links 30° und auf dem Rücken gelagert.
Die Planung der Lagerungszeiten sollte organisatorische Abläufe wie die Ganzkörperwäsche, das tägliche Röntgen und andere diagnostische Maßnahmen berücksichtigen.

Durchführung:
1. Zu- und ableitende Systeme in Abhängigkeit der Zielseite sinnvoll arrangieren bzw. kurzfristig entfernen (z.B. NIBP Manschette).
2. Patienten **möglichst weit** zur gegenüber liegenden Seite ziehen.
3. Den Arm der Zielseite gerade **unter** den Rumpf legen.
4. Quergerollte Bettdecke, beginnend in Schlüsselbeinhöhe, nicht zu dicht neben den Patienten legen.
5. Den Patienten weit genug auf die Rolle drehen, daß der Brustkorb glatt aufliegt (Druckgefahr v.a. bei weiblichen Patienten).
6. Den unten liegenden Arm vorsichtig (arterieller Zugang, Konnektionsstellen) holen, entsprechend die Schulter vorziehen.
7. Die Zugänge überprüfen, sichern, sortieren.
8. Unteren Arm / Schulter lagern:
   Ziel: Die Schulter sollte flach und gerade, der Arm ebenfalls gerade gelagert werden.
   Die Unterpolsterung von Arm und Schulter entfällt, wenn:
   A. Ausreichend **schiefe Ebene** zum Fußende (enorme Gewichts- = Druckentlastung) hergestellt wird !
   B. Der Patient **weit genug** auf die Rolle gezogen wird, daß die Schulter flach aufliegt (Druckverteilung)!
9. Kopf lagern:
   Ziel: Stabilität, Freilagerung von Ohr, Auge und Tubus
   - mit Kopfring
     Ring aus Polsterwatte mit Schlauchgazeüberzug **dick** genug herstellen, um effektive Freilage zu ermöglichen.
   - mit "Fritzchen"
     Zwei 30 cm Kissen zu Schiffchen eindrehen und unter Kinn und Schläfe legen.
10. unteres Bein lagern:
    Ziel: Freilagerung von Knöchel und Zehen
    Beachte: Erfolgt die Hochlagerung zu steil, entsteht Druck auf das Kniegelenk.
    Die Unterpolsterung des gesamten Beins ist in der Regel nicht notwendig.
11. Oberen Arm lagern:
    Er wird leicht angewinkelt und etwas abfallend auf einer weichen Unterlage (flaches Kissen) plaziert. Ist die Unterlage zu dick, wird die Schulter unphysiologisch überstreckt.
12. Oberes Bein lagern:
    Es liegt leicht angewinkelt auf der Deckenrolle, evtl. auf einer Kissenverlängerung, dabei bei männlichen Patienten die Genitalien frei lagern.
13. Schiefe Ebene (!) zur **ausreichenden** Druckentlastung von Kopf und Oberkörper einstellen (Kreislaufsituation beachten).

❍ Atemerleichternde Lagerung beim Abtraining
(siehe Seite 46)

❍ Mögliche Probleme während und nach der Extubation

Mögliche Probleme	Prophylaktische und therapeutische Maßnahmen
Glottisödem Folgen: inspiratorischer Stridor und vermehrte Atemarbeit bis zur insuffizienten Atmung	**Vorbeugung:** - bei Praedisposition Extubation unter **Kortisonschutz**. **Reduzieren der Angst** durch: - Information, Beruhigung, - Anwesenheit, - ggf. Gabe von Sedativa, Neuroleptika. **Abschwellen der Schleimhaut**: - Glukokortikoidgabe, - Inhalation mit" Croup" Cocktail (8 ml NaCl 0,9 %, 1 Pipette Otriven®, 25 mg Solu Decortin H®), - abschwellende Medikamente wie Reparil®, *(nichtsteroides Antiphlogistikum)*. **Ausreichende Oxygenisierung:** - O_2 Insufflation, - ggf. Intubation oder Tracheotomie und maschinelle Beatmung. **Verflüssigung des Sekrets:** - Sekretolytikagabe, - Inhalation, - ausgewogene Flüssigkeitsbilanz.
Laryngospasmus *(krampfartiger Verschluß der Stimmritze)* Folge: **Atmung** mechanisch **unmöglich** bei **vollem Bewußtsein**!	**Minimierung der Reize:** - keine Extubation im Excitationsstadium. **Bewußtsein ausschalten!** - Gabe eines Hypnotikums, später entsprechend des Verlaufs sedieren und analgesieren. Erreichen von **Entkrampfung** : - spontan oder mit Einsatz von kurzwirksamen Muskelrelaxanzien. Ausreichende **Oxygenisierung** gewährleisten: - Intubation, Beatmung mit Sauerstoff.
Bronchospasmus *(krampfartige Verengung der Bronchiolen)* Folge: Luftnot	**Vermindern** der **Irritation** der Bronchialschleimhaut: - keine Extubation im Excitationsstadium, - bei bekannter Neigung Extubation unter Kortisonschutz. **Reduzieren** der **Angst**: - Information, Beruhigung, - Anwesenheit, ggf. Sedativum / Neuroleptikum verabreichen. **Bronchodilatation**: - Theophyllin, Glukokortikoide. **Ausreichende Oxygenisierung**: - Sauerstoffgabe (**Beachte**: Atemantrieb über CO_2 oder O_2?), - Maskenbeatmung, ggf. Intubation durchführen.

Mögliche Probleme	Prophylaktische und therapeutische Maßnahmen
Pneumonie durch nicht ausreichende Expektoration	**Fördern** der **Motivation** des Patienten: - angemessene Information, - Hervorheben von Fortschritten, - Festlegen von aus der Sicht des Patienten erreichbaren Teilzielen. **Schmerzreduktion** durch angemessene Analgetikagaben. **Mobilisation** des Kranken (fördert das Abhusten und die Motivation). **Verflüssigung** und Mobilisation des **Sekrets:** - Sekretolytikagabe, - Inhalation, - Atemtherapie (Vibrax, Atemtrainer), - Lagewechsel und Lagerungsdrainage, - Krankengymnastik. **Entfernung** des **Sekrets**: - schonendes endotracheales Absaugen durch die Nase (mit dünnem Katheter, dessen Spitze mit sterilem Gleitgel versehen werden kann).
Erschöpfung des Patienten	**Priorität: Atmung!** - Zurückstellen aller nicht unbedingt notwendigen pflegerischen und ärztlichen Maßnahmen. Anbieten von **Erholungsmöglichkeit** : - Einhaltung der Nachtruhe, - nach Bedarf auch am Tage Pausen, - ggf. Sedativa / Neuroleptikagabe. Gewährleistung ausreichender **Oxygenisierung**: - Sauerstoffgabe über Nasensonde, - Masken-CPAP*, - ggf. Reintubation. Übernahme der **Sekretentfernung**: - sterile Bronchialtoilette so oft wie nötig, so wenig wie möglich.

Nach Stabilisierung der Atemfunktion wird die **Selbständigkeit** in **Nahrungsaufnahme**, **Körperpflege** und **Mobilisation** gefördert. Alle pflegerischen Maßnahmen richten sich nach den Bedürfnissen des Patienten. Bei unproblematischem Verlauf nach Extubation kann z.B. ein aktiver Atemtrainer allein genügen, während bei einem Patienten mit sehr eingeschränkten Ressourcen alle Mittel eingesetzt werden müssen, die zur Verfügung stehen.

❒ Essen und Trinken

- In der Akutsituation werden beatmete Patienten **parenteral** über einen Zentralvenenkatheter ernährt. Flüssigkeit und Nährstoffe sind gleichmäßig über 24 Stunden verteilt, der Magen-Darm- Trakt wird nicht belastet.
- Wenn keine Kontraindikationen bestehen, erfolgt die zügige Umstellung auf eine künstliche enterale Ernährung *(siehe Seite 120)*. In der Regel liegt bereits eine Magensonde; vor Verabreichung der Nahrung wird die Sondenlage mittels Kontrastmitteldarstellung überprüft.
  Die Anlage einer Dünndarmsonde oder einer PEG wird nur bei besonderer Indikation durchgeführt. Die **enterale** Nahrungszufuhr ist physiologisch und relativ unproblematisch durchzuführen. Nasal intubierte oder tracheotomierte Menschen können, abhängig vom Krankheitsbild, auf Wunsch nach Aufblasen der Blockermanschette **schluckweise** Flüssigkeit zu sich nehmen.
- Die medikamentöse **Stressulkusprophylaxe** wird mit der Gabe von H_2 Blockern (z.B. Ranitic®) oder Schutzfilmbildnern (z.B. Ulcogant®) durchgeführt.
- Die pflegerische Stressulkusprophylaxe erfolgt durch Gewährleistung von Analgesie und ausreichender Abschirmung (Sedierung) sowie Minimierung beeinflußbarer Stressfaktoren (Tag / Nachtrhythmus, Geräuschkulisse, Besuchszeiten.......).

❒ Ausscheiden

Die Beurteilung von Menge, Aussehen, Beschaffenheit und Geruch der verschiedenen Ausscheidungen hat eine zentrale Bedeutung bei der Pflege beatmeter Patienten, da Veränderungen oft genug auf potentielle Komplikationen hinweisen.

- Plötzliche **Schweißbildung** kann ein Zeichen für Erschöpfung oder Schmerzen sein.
- Die **Stundenurinkontrolle** über einen Blasenverweilkatheter ist durch den Einfluß der Überdruckbeatmung auf die Nierenfunktion *(siehe "Nebenwirkungen der Beatmungstherapie", Seite 401)* obligat. Stundenurinmengen unter 30 ml sind melde- und behandlungsbedürftig.
- Erste Warnzeichen einer Stressulkusblutung können Hämatinbeimengungen im Magensaft und/oder Teerstuhl sein und erfordern weitere Kontrollen sowie die Einleitung einer gezielten Therapie. Die Ursachen einer starken Zunahme von **Magensekret** können Stressituationen (Entwöhnungsstress, mangelnde Abschirmung), eine Magen- Darm- Atonie (Opioidwirkung, Immobilität) oder ein beginnender Ileus sein.
- Die Beobachtung des **Trachealsekretes** kann z.B. auf pulmonale Infekte (gelb-eitriges Sekret) oder ein bestehendes Lungenödem (schaumig-flüssige Absonderung) hinweisen.
- Probleme der **Darmfunktion** sind häufig zu beobachten: Zu Beginn der Behandlung steht eine Obstipationsneigung durch hochdosierte Opioidgaben und Bettruhe im Vordergrund, nach der Umstellung auf enterale Sondennahrung entwickelt sich häufig eine Diarrhoe. Therapeutische und pflegerische Maßnahmen werden, wenn nötig, entsprechend eingeleitet.
- Eine Prüfung der **Wundsekrete** kann Aufschluß geben über Undichtigkeiten und Infektionen im Wundbereich.

❒ Für Sicherheit sorgen

Siehe "Überwachung während der Beatmung und Entwöhnung", Seite 406.

❒ Regulieren der Körpertemperatur

Abweichungen von der Temperaturnorm sind bei den beatmeten Kranken häufig zu beobachten. Höhe und Verlauf eines Temperaturanstiegs können wichtige Daten zur Diagnoseerhebung darstellen. Meistens sind hohe Temperaturen **Infektzeichen**, es gibt jedoch auch medikamenteninduziertes "**drug fever**".

- Da Fieber generell alle Stoffwechselvorgänge erhöht, **steigt** der **Sauerstoffbedarf** des Organismus. Bei Beatmungspatienten mit nicht medikamentös oder physikalisch therapiertem Fieber über 38,5 Grad

Celsius kann eine Erhöhung des inspiratorischen Sauerstoffgehaltes der Atemgase nötig werden.
Die allgemeine Erhöhung des Grundumsatzes führt zur Steigerung von Puls, Atemfrequenz, Kalorienbedarf, HZV und CO_2 - Anfall. **Beruhigungs- und Schmerzmedikamente** werden **schneller abgebaut** und müssen unter Umständen vorübergehend höher dosiert werden.
- In der Weaning Phase verursachen hohe Körpertemperaturen allgemeine **Unruhe**, Unwohlsein und **Hyperventilation**, die eine geplante Extubation verzögern können.
- Der **Flüssigkeitsbedarf** steigt pro Grad Temperaturerhöhung um etwa 1 l / die (> 38° 0,5 l, > 39 ° 1 - 1,5 l); dies ist bei der Bilanzierung unbedingt zu berücksichtigen, um eine Dehydratation zu verhindern und die durch das Fieber verursachte **Kreislaufbelastung** nicht zu verschlimmern.

Untertemperatur *(unter 36 Grad Celsius)* entsteht über zu **große Wärmeabgabe**, durch kalte Umgebungstemperatur im Zusammenhang mit Bewußtlosigkeit, externe Blutkreisläufe, zu geringe Wärmebildung im Schock oder **Dysregulation der Temperaturzentren** bei Frühgeborenen sowie bei Patienten mit Schädel-Hirn-Trauma, Gehirntumor oder Vergiftungen.

Möglichkeiten der Temperatarursenkung
- Zentrale Dämpfung durch Beeinflussung der Temperaturzentren mit Opiatalkaloiden (z.B. Dolantin®),
- vermehrte Wärmeabgabe durch medikamentös induzierte periphere Vasodilatation (z.B. mit Hydergin®),
- Verabreichung von Antipyretika (z.B. Novaminsulfon, Paracetamol, *siehe Seite 912)*,
- Physikalische Maßnahmen:
  - Minderung der Isolierung durch Abdecken und Reduzieren der Lagerungshilfsmittel,
  - Steigerung der Verdunstung durch Wadenwickel und Körperwickel,
  - Erhöhung der Wärmeleitung durch Eispackungen in Achselhöhlen und Leisten (sind auch bei zentralisierten Kranken effektiv),
  - Erhöhung der Wärmestrahlung durch Absenkung der Raumtemperatur (technische Grenzen), gekühlte Infusionen, Magenspülungen mit kalter Flüssigkeit oder mittels externem Blutkreislauf *(Hämofiltration)*.

Beachte: Temperaturfühler im Zwischenhirn reagieren vorwiegend auf Überwärmung, die Kälte- / Wärmerezeptoren der Haut vorwiegend auf Unterkühlung. Durch Ausschüttung von Symphatikomimetika wie Adrenalin und Noradrenalin kommt es zur Zentralisation, die eine physikalische Fiebersenkung über die Körperperipherie erschwert.

Möglichkeiten der Temperatursteigerung
Beachte: Die Temperaturerhöhung sollte **nicht schneller als 1,0 Grad Celsius / h** erfolgen. Es besteht die Gefahr des Kreislaufzusammenbruchs!
- Erhöhung der Raumtemperatur auf 25 - 30 Grad Celsius,
- Verstärkung der Isolierung durch Decken oder wärmerückstrahlende Folie,
- Magenspülung mit 40 Grad Celsius warmer Elektrolytlösung (150 ml, 10 Minuten im Magen belassen und wieder ableiten),
- Verabreichung angewärmter Infusionen,
- Anwärmung des Atemgases auf 40 Grad Celsius,
- externer Blutkreislauf, Peritonealdialyse.

Beachte: Bei Wiedererwärmung können durch Aufhebung der Zentralisation **extreme Blutdruckabfälle** auftreten. Es besteht die Neigung zu **Herzrhythmusstörungen** durch Beeinträchtigung des Erregungsbildungs- und Leitungssystems des Herzens. Verschiebungen des Elektrolyt- und Säure-Basen Haushaltes sind häufig und erfordern engmaschige Kontrollen.

❒ Sich Bewegen
Die beatmeten Kranken sind durch die Schwere ihrer Grunderkrankung, die Analgo-Sedierung und die zahlreichen Zu- und Ableitungen in ihrer Beweglichkeit **stark eingeschränkt**. Die **Mobilisation** ist für einen Betroffenen **enorm wichtig** (Fortschritt) und wird im Rahmen seiner Ressourcen möglich gemacht. Allerdings gilt es, das Beatmungssystem und die Leitungen durch eine Pflegeperson extra abzusichern.
Komplikationen wie Dekubitalgeschwüre, Kontrakturen und Thrombose werden durch die Mobilisation entgegengewirkt. Zweistündlicher Lagewechsel, krankengymnastische Betreuung und Heparinisierung unterstützen dieses Ziel. Die Kinästhetik ist eine enorm erleichternde Methode bei Lagewechsel und Mobilisation und ermöglicht enge Interaktion zwischen Pflegenden und (auch bewußtlosen) Kranken *(siehe Seite 534)*.

❒ Sich Pflegen und Kleiden

❍ Mund- und Nasenpflege
Sie ist ausführlich unter "Mögliche Probleme durch Intubation und Tracheotomie" *(siehe Seite 411)* beschrieben. Schwerpunkte sind die Vermeidung von Druckstellen durch einen oralen oder nasalen Tubus und die sichere Fixierung auch bei Manipulationen. Zähneputzen und Mundspülung sind möglich, nur sollte vorher der Manschettenblock verstärkt werden. Die Spülflüssigkeit wird anschließend oral oder nasal abgesaugt und der Cuffdruck normalisiert. Abschließend erfolgt die Auskultation.

❍ Augenpflege
Ihre Durchführung entspricht den allgemeinen Richtlinien *(siehe Seite 650)*. Hinweis: Bei relaxierten Patienten besteht kein Lidschlag und häufig ist das Auge nicht geschlossen. Daher ist die Gefahr der Austrocknung mit Entwicklung unter Umständen bleibender Schäden in relativ kurzer Zeit gegeben.

❍ Kleidung
Die Bekleidung hat in der Regel eine hohe persönliche Bedeutung für einen Menschen *(siehe dazu Seite 628)*. Bei einem akut Schwerstkranken wird durch die existenzielle Angst diese Bedeutung auf ein Minimum reduziert. Die Behandlung seiner Erkrankung hat für ihn die höchste Priorität. Therapeutisch und prophylaktisch ist der einfache Zugriff auf seinen Körper wichtig (häufige Berührungen, Beobachtungen, Messungen und Pflegemaßnahmen). Dem gegenüber stehen die Wahrung

seiner Würde und die Akzeptanz seines Schamgefühls. Je nach Art und Anzahl der zu- und ableitenden Systeme ist ein Krankenhausnachthemd störend und teilweise risikoreich, z.B. entzieht sich ein Subklaviakatheter unter dem Hemd der Sichtkontrolle, die Dreiwegehähne können sich leicht in den Nachthemdfalten verheddern und Zug auf den Katheter ausüben. Es ist jedoch selbstverständlich, Brust- und Genitalbereich durch Tücher zu schützen.
Mit Stabilisierung des Zustands und Reduzierung der angeschlossenen Systeme kann zu einer angemessenen Bekleidung übergegangen werden. Persönliche Nachtwäsche der Patienten empfiehlt sich aus praktischen und hygienischen Gründen nicht.

❒ Wach sein, Ruhen und Schlafen

Schlaf, Schmerzfreiheit und Muskelerschlaffung

Die Führung der Analgo-Sedierung bei beatmeten Patienten erfordert eine gezielte Krankenbeobachtung sowie fachliche Kompetenz von Pflegenden zur Einschätzung der Patientensituation und des Handlungsbedarfs.
Das **Ziel der Sedierung** ist ein in Abhängigkeit vom Krankheitsbild entspannter, ruhig atmender (beatmeter), erweckbarer Patient, der einfache Anweisungen befolgen kann. Dadurch wird die Zusammenarbeit zwischen Patient und Pflegenden wesentlich erleichtert; die teilweise mögliche Kommunikation erhöht das Verständnis und die Mitarbeit bei der Beatmungs- und besonders der Entwöhnungstherapie.
Eine Sedierung ist notwendig, weil die vielfältigen Veränderungen durch die Intensivbehandlung (Hilflosigkeit, Krankheitsgefühl, fremdartige Umgebung, unangenehme Maßnahmen, eingeschränkte Kommunikation, fehlender Tag-Nacht-Rhythmus..............) eine zu große körperliche und seelische Belastung darstellen.
Die Beruhigungsmedikamente ersetzen nicht die Zuwendung und Erklärungen von Pflegepersonal und Ärzten.
Zeichen einer unzureichenden Sedierung können sein:
- Angst, Erregung,
- motorische Unruhe,
- ständiges "Reizhusten,"
- Gegenatmen,
- Tachykardie, Blutdruckanstieg,
- Schwitzen.

Sie führt auf jeden Fall zur Zustandsverschlechterung mit der Gefahr einer nicht mehr zufriedenstellenden Respiratortherapie mit hohen Beatmungsdrücken und Sauerstoffminderversorgung.
Zusätzlich zur kontinuierlichen Sedierung können dann Bolusgaben verabreicht werden.
Bei häufiger Zusatzgabe sollte die Dosierung erhöht oder ein Medikament gewechselt / ergänzt werden.

Schmerzreize bei den Patienten können außer von Operationswunden und Verletzungen auch von Schäden am Bewegungsapparat sowie von Kontrakturen (bei Langzeitpatienten) ausgehen. Auch die Beeinträchtigung durch die üblichen Zu- und Ableitungen in der Intensivpflege sollte bei Auftreten von Schmerzverhalten und Unruhe nicht unterschätzt werden.
Schmerzäußerung ist den Kranken durch die mangelnde Kommunikationsfähigkeit sehr erschwert, doch einige der folgenden **unspezifischen Symptome können durch Schmerzempfinden verursacht sein:**
- Hypertonie,
- Tachykardie,
- motorische Unruhe,
- Schwitzen,
- Schmerzmimik,
- Körper(schon)haltung.

Grundsätzlich ist die **kontinuierliche Analgetikagabe** der Einzelverabreichung vorzuziehen, muß aber individuell nach Allgemeinzustand, Krankheitsbild und voraussichtlicher Beatmungsdauer entschieden werden. Durch permanente Analgesie, z.B. mit einem Fentanyl® perfusor, können Schmerzspitzen vermieden werden, da der Wirkstoffspiegel über 24 Std. konstant bleibt.
Bei Hinweisen von Schmerzempfinden muß zunächst differenziert werden:
- Ist die Analgesie grundsätzlich unzureichend (Gewöhnungseffekt)?
- Ist das Schmerzereignis durch bestimmte Manipulationen verursacht (Lagerung, Bronchialtoilette, Verbandwechsel)?
- Ist die Ursache eine akut auftretende Veränderung im Krankheitsverlauf (Pneumothorax, akutes Abdomen)?
- Sind die Schmerzen medikamenteninduziert (Gabe von Parasymphatikomimetika)?

Danach wird entschieden, ob eine zusätzliche Gabe, eine Dosiserhöhung, ein Wechsel des Analgetikums oder andere therapeutische Maßnahmen notwendig sind.
Mangelnde Schmerzausschaltung kann außer zur massiven Beeinträchtigung des Wohlbefindens zur Stressulkusentstehung im Magen-Darm-Trakt und zur Enzym- bzw. Hormonfreisetzung mit Schädigung des Kapillarendothels und Neigung zur Schocklunge führen.
Da sich Patienten mit einer notwendigen Schmerztherapie in völliger Abhängigkeit vom behandelnden Team befinden, muß die Einhaltung einer angemessenen Analgesie bei Beatmungspatienten eine hohe Priorität in der Pflege einnehmen.

Die Notwendigkeit der **Muskelrelaxierung** stellt eine Besonderheit in der Respiratortherapie dar und wird z.B. bei aggressiven Beatmungsmustern (IRV*, hoher PEEP* etc.) eingesetzt.
Es kommen lang wirksame, nicht depolarisierende Substanzen wie Pancuronium zur Anwendung. Sie garantieren bei regelmäßiger Gabe ausreichende Muskelerschlaffung beim unbedingt angemessen analgosedierten Kranken. Beim Einsatz von Muskelrelaxanzien ergeben sich einige **pflegerische Besonderheiten:**
- fehlender Lidschlag,
- keinerlei Spontanbewegungen,
- Atemstillstand.

Relaxierte Patienten bedürfen daher der intensiven Augenpflege, Dekubitus- und Kontrakturenprophylaxe sowie der besonderen Beachtung des Zeitfaktors (15 Sek.) bei der Bronchialtoilette.
- Muskelrelaxanzien haben **keinerlei zentrale Wirkung** und dürfen nicht zur Vertiefung einer zu flachen Bewußtlosigkeit oder ohne Zugabe von Analgosedie-

rung angewendet werden. Bei Einzelgaben von Schmerz- und Beruhigungsmitteln muß unbedingt die Wirkdauer beachtet werden! (Pancuronium wirkt z.B. 20 - 45 Minuten, Dormicum aber in der Praxis oft wesentlich kürzer, und der Patient hat durch die vollständige Lähmung keine Möglichkeit, auf sich aufmerksam zu machen.)

- Ein Nachlassen der Muskelerschlaffung macht sich unter anderem durch steigende Beatmungsdrücke, Reflexwiederkehr (Kornealreflex) und Zu- bzw. Gegenatmen bemerkbar.

Erholungszeit
Sie sollte inbesondere bei zu entwöhnenden Kranken, die an die Grenzen ihrer Möglichkeiten gelangt sind, eingeräumt werden *(siehe Seite 418)*.

Tag / Nachtrhythmus
Einheitliche Aktivität, Geräuschkulisse und Lichtverhältnisse bei Tag und Nacht bedeuten permanente Anspannung, Reizüberflutung und Schlafentzug. Dies führt zur Desorientierung und Unkooperation des Kranken. Eine problemorientierte Organisation der Arbeitsabläufe kann den Patienten trotz kontinuierlicher Überwachung eine weitgehend ungestörte Nachtruhe ermöglichen.

4.6.5.4.10 Hinweise zur Entwöhnung vom Beatmungsgerät, zur Extubation und Dekanülierung

Durch eine lange Beatmung wird der Patient seiner Spontanatmung und dem Gebrauch seiner Atemmuskulatur entwöhnt. Atemzentrum und Atemmuskulatur sind untrainiert, die Atemmuskeln wahrscheinlich atrophiert.
Atemholen bedeutet körperliche Anstrengung und ist zu Beginn des Abtrainings oft ineffektiv (Tachypnoe bis zur Hyperventilation, Hypoventilation, ständiger Hustenreiz, unkoordinierte Atembewegungen).
Es besteht in der Regel eine unterschiedlich ausgeprägte **Amnesie**. Der Patient braucht pflegerische Informationen, um sich zeitlich und örtlich zurechtzufinden.
Orientierungslosigkeit führt zu Angst und Erregungszuständen, die seine Kooperation bei der Entwöhnung vermindern. Durchgangssyndrome sind relativ häufig zu beobachten.
Wiederholte, geduldige Erklärungen und Zuwendung können den Kranken beruhigen und den Einsatz von Sedativa reduzieren. Jede Manipulation wird vorher angekündigt und erklärt, um Angst, Unverständnis und das totale Abhängigkeitsgefühl zu mildern.
Der Patient sollte erfahren, daß die **Kommunikationsstörung** durch die Intubation / Tracheotomie vorübergehend ist und eine Verständigung durch Lippenlesen, Gestik und Schreiben eingeschränkt möglich sein wird.
Es ist sinnvoll, ihn über einen längeren Zeitraum ohne allzu großen Personalwechsel zu pflegen, da er sich geborgener fühlen kann und wir uns unmittelbar an seinen Fortschritten beteiligt sehen (Sinn finden). Die qualifizierte Begleitung ist ein wesentlicher Faktor zum Gelingen des Abtrainings.

Gezielte Beobachtung gibt den Pflegenden schnell Auskunft über die Möglichkeiten und Grenzen des Kranken bei seiner Entwöhnung. Erschöpfungszeichen sind Tachypnoe, Schweißausbruch, Tachykardie, Rhythmusstörungen, Blutdruckanstieg und Unruhe. Jedes auftretende Problem erfordert individuelle Maßnahmen entsprechend den aktuellen Bedürfnissen.

Diese schwierige Phase der Respiratortherapie kann durch Verständnis von Sinn und Notwendigkeit einzelner Maßnahmen (die ausreichender Information bedürfen) und einer der Persönlichkeit des Patienten entsprechenden Motivation zur Mithilfe für ihn und die Pflegenden wesentlich vereinfacht werden.

❒ Praxis der Entwöhnung

❍ Vorüberlegungen

Um den Beginn der Entwöhnung festzulegen, werden eine Reihe von **beeinflussenden Faktoren** im Team diskutiert. Zum Beispiel können Fieber, Azidose oder Anämie das Weaning erheblich erschweren.
Mit Dauer der Beatmung erhöhen sich die Komplikationsrisiken und die Schwäche der Atemmuskulatur, deshalb sollte ein **frühzeitiger** Beginn der Entwöhnung angestrebt werden.
Nosokomiale Pneumonien sind nach einer Beatmungsdauer von weniger als 24 Std. bei etwa 5%, von mehr als 24 Std. bei ca. 25% und von mehr als 10 Tagen bei über 80% der Kranken nachgewiesen!
Langsame, kleine Schritte **motivieren** den Kranken und helfen **Rückschläge vermeiden**. In der Regel steht die **Beatmungszeit** in enger **Korrelation** mit dem **Zeitbedarf des Weanings**, d.h. die Entwöhnung benötigt bei sehr lange beatmeten Patienten entsprechend mehr Zeit als nach einer nur kurzen Respiratortherapie.
Die Abtrainingsdauer ist weiter individuell von der Grunderkrankung, dem Eintritt von Komplikationen und dem Allgemeinzustand abhängig.

❍ Möglichkeiten der Durchführung

- **Reduzierung des inspiratorischen Sauerstoffgehaltes**
  Er sollte soweit erniedrigt sein, daß der noch benötigte Anteil problemlos auch über eine Sauerstoffsonde zu verabreichen ist und keine Dekompensation durch Sauerstoffmangel bei körperlicher Anstrengung mehr zu erwarten ist.

- **Abbau des PEEP**
  Er sollte schrittweise reduziert werden, da sonst die Gefahr einer plötzlichen Shuntzunahme, Atelektasenbildung und Herzbelastung durch vermehrtes venöses Volumenangebot besteht.

- **Senkung der Frequenz**
  Durch Verminderung des Minutenvolumens erhält der Patient den Anreiz zur Spontanatmung.

- **Atemhilfe**
  Sie erleichtert dem Kranken durch Unterstützung der spontanen Atemzüge die Atemarbeit wesentlich und kann ihm zur schonenderen Entwöhnung verhelfen.

- **Sedierung / Analgesie**
  Die Sedierung wird zu Beginn individuell ausgeschlichen, die Analgesie in der Regel reduziert oder auf Einzelgaben umgestellt. Abruptes, vollständiges Abstellen der Beruhigungs- und Schmerzmedikamente ist wegen der Entzugssymptomatik (abhängig von der Behandlungsdauer) nicht ratsam.

Je kräftiger und koordinierter die Atmung wird, desto mehr können maschinelle Hübe und später Atemhilfe schrittweise reduziert werden, bis die Spontanatmung ohne Gerät über längere Zeit effektiv bleibt und der Patient schließlich extubiert werden kann.

Atemtherapie und Lungenpflege erfolgen nach Bedürfnis und Ressourcen des Kranken. Physikalische Maßnahmen können in der Regel mit zunehmender Kraft und Kooperation auch aktiv durchgeführt werden.

Der **Erfolg** des Abtrainings ist im wesentlichen nicht von einer bestimmten Beatmungsform oder Vorgehensweise abhängig, sondern von der klinischen Erfahrung und der Fähigkeit, seine Kenntnisse für jeden Kranken speziell einzusetzen.

Der **zeitliche Ablauf** dieser Schritte ist nicht planbar, da jeder Patient unterschiedliche Möglichkeiten und Ansprüche hat. Oft folgen auf zunächst ruhige, effektive Spontanatmung Phasen der Erschöpfung mit schneller, flacher Atmung etc.; diese müssen gezielt behoben werden, z.B. durch intensivere Begleitung, mehr Atemhilfe, eine längere Pause, Sedierung / Analgesie usw.

Die **Wahl und Größe der Atemunterstützung** ist abhängig vom Ventilationsmuster des Patienten und seiner Koordination mit dem Beatmungsgerät. Sehr wache Kranke können zum "Kampf" mit dem Respirator bei druckunterstützter Atemhilfe neigen und empfinden Flowunterstützung als wesentlich angenehmer. Bei vielen sehr schwachen Menschen ist diese Art der Atemhilfe nicht ausreichend, um das benötigte Volumen zu erzielen. Sie sind mit der Druckhilfe dann momentan angemessener unterstützt.

Nicht zu unterschätzen ist die **Totraumbelastung** durch den Tubus vor allem bei alten Menschen. Sie atmen, insbesondere nach kurzer Beatmungszeit, oft extubiert effektiver als mit Unterstützung am Gerät. Durch ihre erniedrigte Belastbarkeit bedeutet der zusätzliche Totraum eine relativ starke Schwächung ihrer Atemfähigkeit.

Bei allen zu entwöhnenden Patienten ist es sinnvoll, den **Nachtschlaf** als Erholungszeit mit Sedierung und mehr Atemhilfe zu ermöglichen. Ein erkennbarer Tag-Nacht-Rhythmus fördert die zeitliche Orientierung, der Kranke kann physisch und psychisch für die nächste Phase der Entwöhnung Kraft schöpfen. Auch am Tag sollten Erholungspausen nach Bedürfnissen der Patienten möglich sein, um Erschöpfung mit dem Gefühl von Rückschritt zu vermeiden.

Die **einzelnen Fortschritte** in der Entwöhnungsbehandlung sollten vom Kranken als aufbauendes Erlebnis erfahren werden, aber nicht über die Grenzen seiner Leistungsfähigkeit hinaus, da ein so teuer erkaufter Erfolg zur erheblichen Verlängerung des Weanings führen kann.

Die **Körperpflege** bleibt seinen Bedürfnissen angepaßt, aber die Entwöhnung sollte Vorrang vor belastenden Maßnahmen (Haarwäsche, Abführmaßnahmen etc.) haben. Nicht zwingend notwendige Diagnostik, die mit einem Transport oder Beeinträchtigung in irgendeiner Form verbunden ist, sollte auf einen späteren Termin verschoben werden, damit der Patient seine Konzentration auf seine Atemfähigkeit richten kann.

Ein weiteres Problem nach Langzeitbeatmung ist die **psychische Abhängigkeit** vom Respirator. Für einige Patienten ist es physisch möglich, effektive Atemarbeit zu leisten, aber von der seelischen Einstellung her stellt das Gerät noch die unverzichtbare Brücke zum Leben dar.

Ein 43jähriger Patient war nach dreimonatiger Beatmungszeit in der Lage, am Gerät ohne jede Atemhilfe problemlos über lange Zeit spontan zu atmen. Sobald der Respirator entfernt wurde, begannen Unruhe, Hechelatmung und Kaltschweißigkeit mit einer deutlichen Verschlechterung der peripheren Sauerstoffsättigung. Nachdem sich dieser Vorgang mehrmals wiederholte, informierte man ihn versuchsweise nicht über die Diskonnektion des Beatmungsgerätes. Die Schläuche blieben an eine Probelunge angeschlossen, um die Beatmungsgeräusche hörbar zu lassen. Die Spontanatmung war über Stunden völlig akzeptabel und selbst nach Information über dieses Manöver blieb seine psychische Abhängigkeit durchbrochen. Er selbst war bis zur Verlegung von der Intensivstation überzeugt, daß er ohne diese zugegeben recht radikale Maßnahme "nie von der Maschine losgekommen wäre."

So verläuft jedes Abtraining mit anderen Schwerpunkten, von den Pflegenden sind Einfallsreichtum und Flexibilität gefragt. Zuwendung und menschliches Interesse an der Person, die zu entwöhnen ist, in Kombination mit fundiertem Fachwissen, sind die Voraussetzungen zur Erkennung und gezielten Lösung auftretender Probleme.

Atmet der Kranke ausreichend, wird der Respirator entfernt und eine "**Kunstnase**" auf den Tubus aufgesetzt. Sie verhindert den Verlust der in der Ausatemluft enthaltenen Feuchtigkeit und damit das Austrocknen der Schleimhäute sowie das Eindicken des Sekretes. Für größere Partikel ist sie nicht durchgängig und schützt den Patienten vor Schmutz und die Pflegenden vor abgehustetem Sekret.

Der Vorteil der Kunstnasenatmung liegt neben der Verkleinerung des Totraumes (Wegfall der Gänsegurgel) und der Entfernung der Beatmungsschläuche (Fortschritt für den Patienten) in der Verfügung über einen sicheren Zugang für die endotracheale Bronchialtoilette. Sauerstoffgabe über einen speziellen Aufsatz ist möglich.

Bei stabiler Atmung und positivem Hustenreflex kann der Kranke **extubiert** oder die **Dekanülierung** eingeleitet werden.

❒ Die Extubation

- **Vorbereitung und Information des Patienten.**
  Die Extubation wird möglichst in Rückenlage mit erhöhtem Oberkörper des Patienten durchgeführt, um ihm die Atmung zu erleichtern und bei einer potentiellen Reintubation freien Zugang zu haben.
  Der Kranke sollte 6 - 8 Stunden keine enterale Nahrung mehr erhalten haben (Aspirationsgefahr).

Er wird über die Maßnahme und den unangenehmen, bei Thorax- / Abdominaleingriffen unter Umständen schmerzhaften Hustenreiz ausführlich und angemessen informiert. Die Gabe von Analgetika empfiehlt sich, muß aber wegen der atemdepressiven Wirkung (Beispiel: Opioide) im Einzelfall entschieden werden.

- **Vorbereitung des Materials**
  - funktionstüchtige Absauganlage,
  - verschiedene Absaugkatheter,
  - Abwurf,
  - Zellstoff zum Abhusten,
  - Blockerspritze zum Entblocken des Cuffs,
  - Sauerstoffinsufflationsgerät mit Sonden,
  - Mundepflegeset,

  ⇨ Reintubationsbereitschaft.

- **Durchführung der Extubation**

  Die Tubusfixierung und der Pharyngealtubus werden entfernt. Die **Mundhöhle** wird gründlich **abgesaugt**. Nach steriler **Bronchialtoilette** wird vom Assistierenden der **Cuff entblockt** und der **Tubus** mit dem **unter Sog** gehaltenen Katheter unter Mitnahme des noch vorhandenen Sekrets zügig **entfernt**.

  Danach sollte der Patient zum **Abhusten** angehalten werden, um Sekretrückstände zu vermeiden und die Effektivität des Hustenstoßes zu überprüfen.

  Ein **Sprechversuch** gibt Aufschluß über den Zustand der Stimmbänder. Es erfolgt eine Prüfung des in- und exspiratorischen Atemgeräusches zur Erkennung eines eventuell bestehenden Glottisödems / Bronchospasmus.

Im Anschluß wird eine gründliche **Mundpflege** durchgeführt. Sie trägt zum Wohlbefinden des Patienten bei und ermöglicht den Pflegenden eine Mundinspektion auf mögliche Verletzungen, Feuchtigkeitsgehalt etc.

Eine **nasale Sauerstoffgabe** um 3 l / Min. erleichtert die ausreichende Oxygenisierung nach der Extubation.

> **Extubation**
> - Fixierung und Beißschutz entfernen
> - Absaugen der Mundhöhle
> - Endotracheale Absaugung
> - Blockermanschette entlüften
> - Herausziehen des Tubus mit unter Sog gehaltenem Katheter

❍ Die Dekanülierung tracheotomierter Patienten

Während die **geblockte Trachealkanüle** (z.B. Tracheoflex®) noch einliegt, erfolgt sinnvollerweise bereits der erste Schluckversuch mit Tee oder Heilwasser. Sie verbleibt nur so lange, bis der Schluckvorgang normal funktioniert. Dadurch wird das Aspirationsrisiko nach Dekanülierung vermindert.

Danach wird die geblockte Kanüle gegen eine **ungeblockte** (z.B. Bisalski®) ausgetauscht.

Diese besteht aus einer Außen- und einer Innenkanüle. Der innere Einsatz soll die Inkrustierung der Trachealkanüle verhindern und wird entsprechend häufig gewechselt.

Durch verschiedene Aufsätze ist die **Bisalski® Kanüle** vielseitig verwendbar:

- Der **Hustenaufsatz** gewährleistet freien Abgang des hochgehusteten Schleims ohne ungezieltes Sprühen der Partikel durch die Kanüle, da die Flüssigkeit im flachen Winkel abgeleitet wird.
- Der **"Filter"adapter** ermöglicht den Einsatz einer "künstlichen Nase" zur Reinigung und Anfeuchtung der Atemluft, eine darüber mögliche intermittierende oder permanente Sauerstoffzufuhr und im Notfall den Anschluß eines Beatmungsbeutels (**Beachte**: Volumenverlust durch fehlende Blockermanschette!).
- Das Ventil des **Sprechaufsatzes** öffnet sich bei der Einatmung und ermöglicht ungehindertes Luftholen, während der Ausatmung schließt es sich. Die Luft muß die Stimmbänder passieren. Sprechen und Abhusten kann auf physiologischem Weg erfolgen.

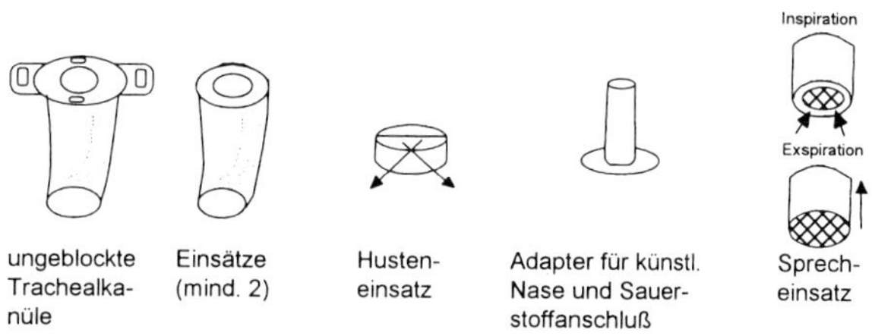

Abb. 4.44 ***Bisalski® Trachealkanüle***

Eine weitere Möglichkeit ist die Versorgung mit einer **Silberkanüle** *(siehe Seite 56)*. Sie ist absolut formstabil und verfügt ebenfalls über eine Außen- und Innenkanüle sowie einen Sprechaufsatz.

Bei Bedarf kann die Bronchialtoilette von den Pflegenden durch die Kanülen ausgeführt werden.

Bei ausreichender Expektoration und regelrechter Funktion von Glottis und Stimmbändern wird die ungeblockte Trachealkanüle entfernt und je nach chirurgischem Vorgehen verschlossen (Naht oder luftdichter Dachziegelverband mit späterem spontanen Verschluß).

4.6.6 Maßnahmen der Wiederbelebung

❒ Rahmenbedingungen

Pflegende können sowohl im stationären als auch im ambulanten Bereich mit einem plötzlichen Atem- und/oder Herz-Kreislaufstillstand konfrontiert werden. Sie müssen in der Lage sein, qualifiziert lebensrettende Sofortmaßnahmen bis zum Eintreffen der Ärztin / des Arztes einzuleiten. Um die in der Ausbildung erworbene Kompetenz zu erhalten und um das Fachwissen zu aktualisieren, sind **regelmäßig** entsprechende (innerbetriebliche) **Fortbildungen** zu **besuchen**.

Jeder Mitarbeiter des Pflegedienstes muß die krankenhausinterne **Notfallnummer** bzw. die öffentliche Notfall-Rufnummer **kennen**. Sie sollte deutlich sichtbar am Telefon und in dessen unmittelbarer Nähe angebracht sein. Nach Anwählen dieser Nummer sind die **Art des Notfalls**, die **Station** und die **Zimmernummer** (bzw. die Straße, die Hausnummer und die Etage) **anzugeben**; die Durchsage wird einmal wiederholt.

Nach dem Notruf müssen die Sofortmaßnahmen unverzüglich eingeleitet werden; die Krankenschwester /

der Krankenpfleger bleibt auf jeden Fall bis zum Eintreffen des Arztes bzw. des Reanimationsteams beim Patienten. In vielen Fällen ist auch im weiteren Verlauf der Reanimation ihr / sein Mitwirken erforderlich.
Nicht beteiligte KollegInnen sollten ggf. dafür sorgen, daß Mitpatienten und Besucher in einen anderen Raum geführt und beruhigt werden.
Auf jeder Station muß sich ein Notfallkoffer, -rucksack oder -wagen befinden. Der Aufbewahrungsort ist entsprechend zu kennzeichnen und muß jedem neuen Mitarbeiter gezeigt werden.
Der **Notfallkoffer ist regelmäßig** auf Vollständigkeit und Funktionstüchtigkeit zu **überprüfen**; dies übernimmt in der Regel ein Mitarbeiter der Anästhesieabteilung. **Zur Mindestausstattung eines Notfallkoffers / Notfallwagens / Notfallrucksacks gehören** neben den in *Tabelle 4.9* aufgeführten Medikamenten

- Spritzen, Kanülen, Materialien zum Legen eines venösen Zugangs;
- Ambubeutel und Beatmungsmaske;
- Güdel - Tubus;
- Intubationsbesteck *(siehe Seite 403)*;
- Blutdruckmeßgerät;
- Absaugkatheter;
- Handschuhe.

Beachte: Bei eingetretener Notfallsituation ist ein aufgeladener Akkumulator (oder Batterie) für das Laryngoskop mitzunehmen.

❒ Medizinische Informationen

Der Stillstand der Atmung und des Herzens bedingen einander: dem Atemstillstand folgt spätestens nach 3 - 5 Minuten der Herz- Kreislaufstillstand; dem Herzstillstand folgt innerhalb von einer Minute der Atemstillstand.
Die Zeit zwischen dem Ausfall der Atem -, Herz - und Kreislauffunktion bis zum Auftreten einer irreversiblen, sauerstoffmangelbedingten Organschädigung wird als **Wiederbelebungszeit** bezeichnet. Herz und Gehirn reagieren am empfindlichsten auf Sauerstoffmangel. Bei normaler Körpertemperatur beträgt die Wiederbelebungszeit des Gehirns 4 - 6 Minuten, die des Herzens 15 - 3o Minuten. Bei Säuglingen, Kindern und unterkühlten Menschen kann die Wiederbelebungszeit verlängert sein.
Die **Wiederbelebungsmaßnahmen** müssen sofort nach der Feststellung eines Atem- und/oder Herz- Kreislaufstillstandes und innerhalb der Wiederbelebungszeit begonnen werden.

❒ Durchführung

Die Basismaßnahmen der Herz- Lungen- Wiederbelebung werden nach dem ***A B C D-Schema*** durchgeführt:

> **A - Atemwege freimachen,**
> **B - Beatmung,**
> **C - Cirkulation in Gang bringen (Herzdruckmassage),**
> **D - Drogen (Medikamente).**

A - Freimachen und Freihalten der Atemwege

Der Bewußtlose wird zur Beatmung aus der stabilen Seitenlage in die **Rückenlage** gebracht; evtl. in Rachen oder Mundhöhle befindliche Fremdpartikel (z.B. Erbrochenes, Blut, Zahnprothese) werden mit dem Finger entfernt. Der Helfer sollte zum eigenen Schutz Handschuhe tragen.
Um die Atemwege freizuhalten, wird der Kopf in den Nacken überstreckt und durch Vorschieben des Unterkiefers an beiden Kieferwinkeln die Verlegung des Rachens durch die eventuell zurückfallende Zunge verhindert.

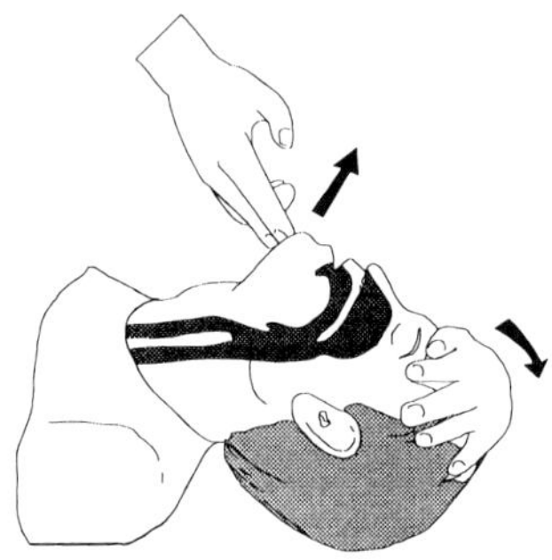

Abb. 4.45 ***Überstrecken des Kopfes nackenwärts***

Der Unterkiefer wird mittels **Esmarch - Heiberg - Handgriff** nach vorn oben geschoben, so daß die untere Zahnreihe vor die obere kommt.

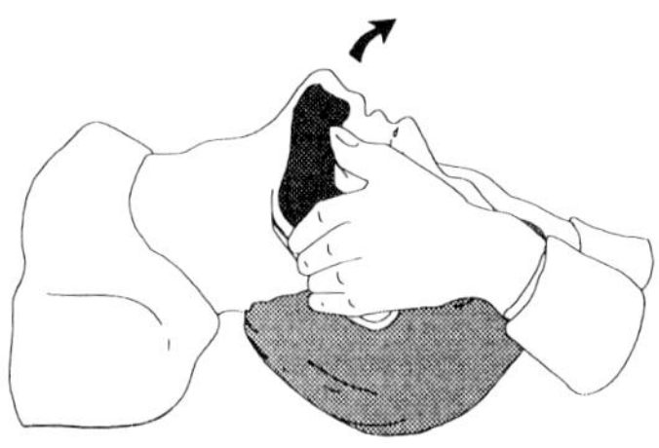

Abb. 4.46 ***Esmarch-Heiberg-Handgriff***

Zusätzlich kann das Freihalten der Atemwege durch Einlegen eines *Guedel - oder Safar - Tubus* unterstützt werden.

B - Beatmung

Sodann erfolgt in Rückenlage die **Atemspende** (Beatmung). Sie kann als Mund - zu - Mund, Mund - zu - Nase - Beatmung oder mittels Ambubeutel durchgeführt werden.
Die **Mund - zu - Mund - Beatmung** geschieht bei zugehaltener Nase. Sie birgt die Gefahr der Magenüberblähung, da der Spitzendruck der Beatmung sehr hoch ist.
Effektiver und leichter durchzuführen ist die **Mund - zu - Nase - Beatmung**. Sie erfolgt bei geschlossenem Mund. Der Spitzendruck - und somit auch die Gefahr der Magenüberblähung - ist während der Beatmung gering.

Bei **Säuglingen und Kleinkindern** bis zum 2. - 3. Lebensjahr erfolgt die Beatmung über **Mund - zu - Mund - und Nase**.

Beachte: Bei Säuglingen darf der Kopf nicht überstreckt werden, da die Atemwege dadurch verengt werden können.

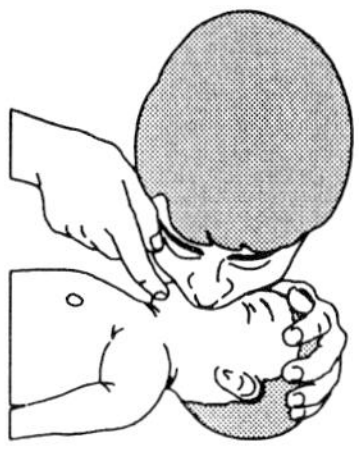

Abb. 4.47 ***Atemspende beim Säugling und Kleinkind***

Die **Durchführung der Mund - zu - Nase - Beatmung** geschieht folgendermaßen:
- der Bewußtlose befindet sich in Rückenlage, sein Kopf ist in den Nacken überstreckt, das Kinn ist angehoben;
- der Helfer steht oder kniet seitlich in Schulterhöhe des Bewußtlosen;
- eine Hand des Helfers liegt über dem Stirnhaaransatz des Bewußtlosen, die andere unter dem Kinn - der Daumen liegt dabei in der Kinngrube (= sicherer Mundschluß);
- der Helfer atmet ein und stülpt seinen geöffneten Mund so über die Nase des Bewußtlosen, daß keine Luft entweichen kann;

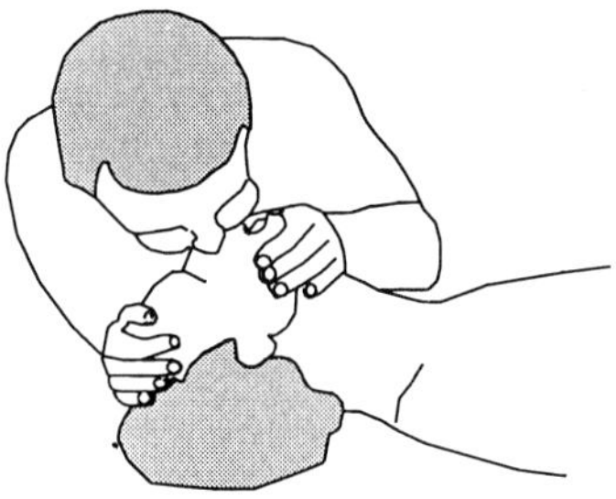

Abb. 4.48 ***Mund-zu-Nase-Beatmung***

- der Helfer bläst kräftig, aber ohne Anstrengung seine Ausatmungsluft in die Nase des Bewußtlosen;
- die Ausatmung des Bewußtlosen erfolgt passiv, der Helfer wendet währenddessen sein Gesicht von ihm ab und schöpft neue, unverbrauchte Luft;
- der Beatmungsvorgang wird 12 - 15 mal pro Minute wiederholt;
- in der Ausatmungsphase ist die Effektivität der Beatmung zu überprüfen, indem die Brustkorb - und Luftbewegungen (Spontanatmung?) sowie die Hautfarbe (rosiger?) und die Pupillen (Verengung?) beobachtet werden;
- **Beachte**: Bei Verdacht auf eine Infektion oder auf eine Intoxikation mit Kontaktgift (z.B. mit Pestiziden oder Herbiziden) muß die Beatmung zum Schutz des Helfers über einen Tubus oder einen Ambubeutel und Gesichtsmaske durchgeführt werden. An den Ambubeutel kann eine Sauerstoffsonde angeschlossen werden. Die Gesichtsmaske wird fest über Mund und Nase angebracht, der Mund bleibt durch Halten des Unterkiefers geschlossen.

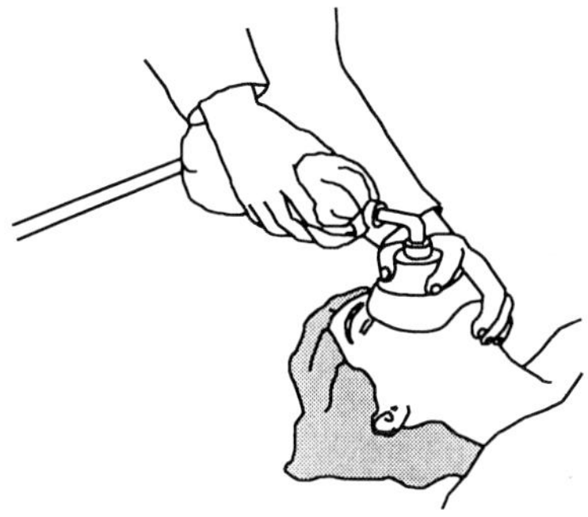

Abb. 4.49 ***Beatmung über Ambubeutel und Gesichtsmaske***

C - Cirkulation in Gang bringen
(Extrathorakale Herzdruckmassage)

Die plötzliche Unterbrechung des Kreislaufs *(Herzstillstand)* führt innerhalb von 15 Sekunden zur Bewußtlosigkeit und nach 60 Sekunden zum Atemstillstand.

Weitere Zeichen des Herzstillstands sind:
- Pulslosigkeit der Arteria carotis und der Arteria femoralis;
- nach ca. 60 Sekunden weite, lichtstarre Pupillen;
- graue oder zyanotische Hautfarbe;
- zerebrale Krämpfe (infolge des Sauerstoffmangels);
- Herztöne sind nicht hörbar;
- Blutdruck ist nicht meßbar.

Die sofortige Durchführung der Herzmassage und der Atemspende sind erforderlich. Während der **Herzdruckmassage** wird das Herz durch von außen ausgeübte Kraft zwischen der Unterseite des Brustbeins und der Brustwirbelvorderseite zusammengepreßt. **Druckpunkt** ist das untere Brustbeindrittel.

Durchführung der Herzdruckmassage:
- der Bewußtlose wird auf eine harte Unterlage gebracht (Fußboden), oder es wird ein hartes Brett untergelegt (**Beachte**: Auf einer weichen Unterlage ist die Herzdruckmassage erfolglos);
- der Helfer legt einen Handballen auf das untere Drittel des Brustbeins, die gestreckten Finger liegen quer zur Körperachse;
- der zweite Handballen wird so über der anderen Hand angesetzt, daß die Handwurzeln übereinander liegen;

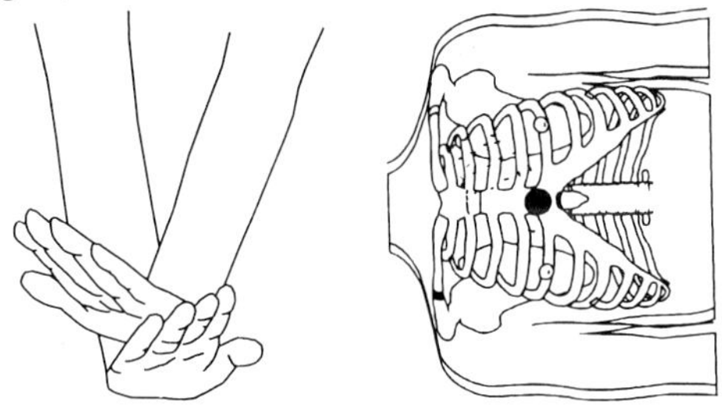

Abb. 4.50 ***Herzdruckmassage beim Erwachsenen***

- über die gestreckten Arme verlagert der Helfer nun sein Körpergewicht auf das untere Brustbeindrittel und drückt dieses 60 - 80 mal pro Minute 4 - 5 cm herunter;

- **Beachte**: Die Handballen werden während der Herzdruckmassage nicht abgehoben, sondern am Brustbein belassen;
- die Beine sollten nach Möglichkeit hochgelagert werden, um den venösen Blutrückfluß zu fördern.

Für die Herzmassage beim Neugeborenen gilt:
- die Handflächen des Helfers können als harte Unterlage dienen;
- der Druckpunkt ist direkt unter der Verbindungslinie zwischen den Mamillen;
- das Brustbein wird ca. 1 cm tief komprimiert.

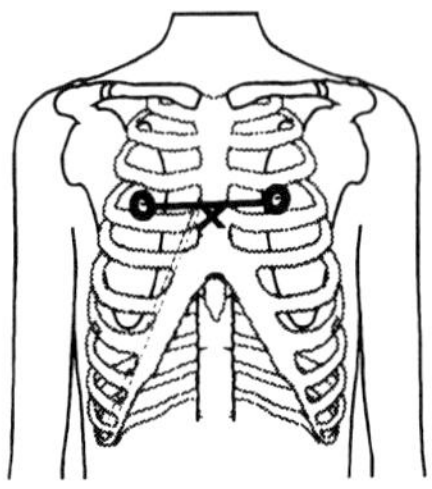

Abb. 4.51 ***Druckpunktbestimmung beim Neugeborenen***

Für die Herzmassage beim Säugling und Kleinkind gilt:
- der Druckpunkt ist eine Fingerbreite unter der Verbindungslinie der Mamillen;
- das Brustbein wird mit Mittel- und Ringfinger ca. 1,5 - 2,5 cm tief komprimiert.

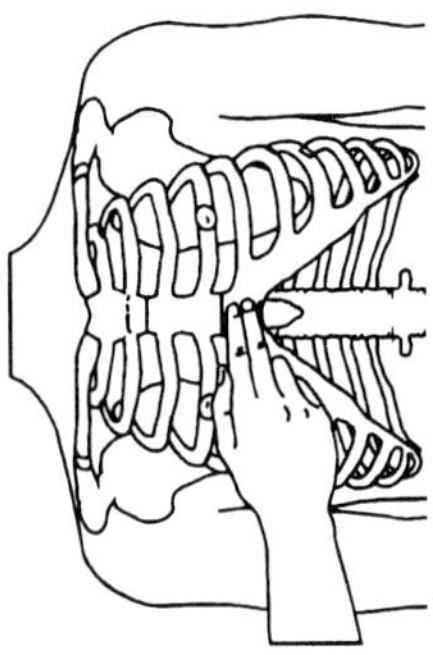

Abb. 4.52 ***Herzdruckmassage beim Säugling und Kleinkind***

Für die Herzmassage beim älteren Kind gilt:
- mit Zeige- und Mittelfinger den Rippenbogen ertasten;

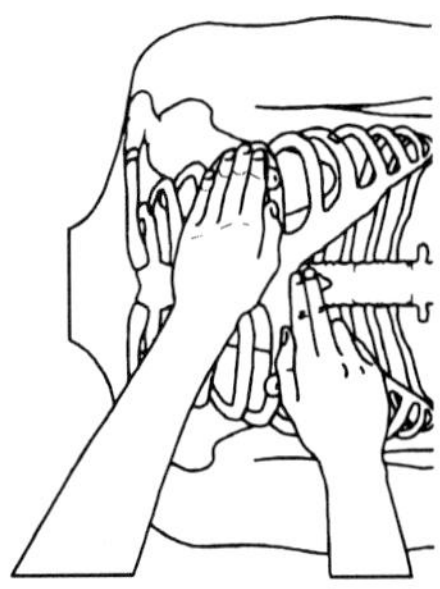

Abb. 4.53 ***Herzdruckmassage beim älteren Kind***

- den Rippenbogen bis zum Treffpunkt der Rippe mit dem Brustbein verfolgen;
- zweifingerbreit darüber den Handballen auflegen und den Brustkorb mit abgespreizten Fingern und durchgestreckten Armen 2,5 - 4 cm tief komprimieren.

Die Herzdruckmassage ist nur in Kombination mit der Atemspende sinnvoll. Die Durchführung der **Herz - Lungen - Wiederbelebung** erfolgt - je nach Anzahl der Helfer - in folgendem Rhythmus:

Ein - Helfer - Methode
(15mal Herzmassage, 2mal Beatmung):
- Ausgangsposition wie unter "Atemspende" beschrieben;
- der Bewußtlose wird rasch aufeinanderfolgend 2 - 4 mal beatmet;
- danach erfolgen 15 Druckstöße zur Herzmassage;
- daraufhin wird 2mal beatmet;
- im Rhythmus 15mal Herzmassage und 2mal Atemspende wird weiter reanimiert;
- während einer Minute erfolgen ca. 8o Druckstöße.

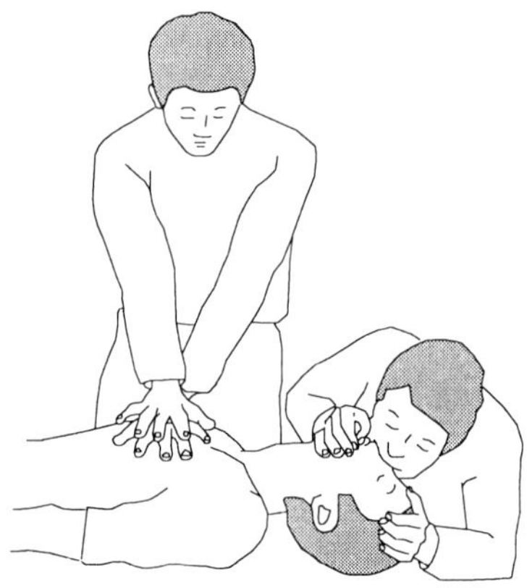

Ein-Helfer-Methode 15 : 2
Zwei-Helfer-Methode 5 : 1

Abb. 4.54 ***Atemspende und Herzdruckmassage***

Zwei - Helfer - Methode
(5mal Herzmassage, 1mal Beatmung):
- Ausgangsposition wie unter "Atemspende" beschrieben;
- der erste Helfer kniet seitlich vom Kopf des Bewußtlosen, der zweite seitlich vom Brustkorb;
- der erste Helfer beginnt mit fünf rasch aufeinanderfolgenden Beatmungen;
- der zweite Helfer führt im Anschluß fünf Druckstöße zur Herzmassage aus;
- danach wird im Rhythmus einmal Atemspende, fünfmal Herzmassage weiter gearbeitet;
- insgesamt werden in einer Minute ca. 60 mal die Herzmassage und 12 - 15 mal die Atemspende durchgeführt;
- bei **kleineren Kindern** wird im Rhythmus 3 (Herzmassage) zu 1 (Atemspende) bis 4 zu 1 reanimiert;
- bei **größeren Kindern** wird im Rhythmus 5 zu 1 reanimiert;
- die **Erfolgskontrolle** wird einmal pro Minute durchgeführt, indem der Karotispuls getastet wird, die Pupil-

len (Verengung?), die Hautfarbe (rosiger?), die Atmung (spontan?) und das Bewußtsein (ansprechbar?) beobachtet werden.

D - Drogen (Medikamente)

Neben den genannten Maßnahmen werden zur Behandlung des Herz-Kreislaufstillstands bestimmte **Medikamente intravenös** verabreicht *(siehe Tabelle 4.9)*. Um das Sauerstoffangebot zu verbessern, wird in der Regel 100%iger **Sauerstoff** verabreicht.
Pflegende bereiten die Injektionen und Infusionen rasch und sorgfältig vor und assistieren bei deren Verabreichung. Ampullen und Infusionsflaschen werden aufbewahrt, bis eine Gelegenheit zur gewissenhaften Dokumentation der verabreichten Medikamente genutzt werden kann.

Die Reanimation wird in der Regel 20 - 30 Minuten lang durchgeführt. Nur ein Arzt darf den Abbruch der Reanimation veranlassen.

Nach erfolgreicher Reanimation wird der Patient auf der Intensivpflegestation beobachtet, behandelt und gepflegt. Der Transport dorthin muß ggf. so organisiert sein, daß sofort auf Komplikationen reagiert werden kann und erforderliche Maßnahmen fortgeführt werden können. Dazu müssen mindestens ein Arzt und eine Krankenschwester anwesend sein. Nach der Übergabe an das Personal der Intensivpflegestation erfolgt die Dokumentation der durchgeführten Maßnahmen und Beobachtungen.

Anmerkung: Die elektrische Defibrillation des Herzens wird auf *Seite 314*, die Intubation auf *Seite 404* besprochen.

Wirkstoff / Fertigarznei	Erwünschte Wirkung	Besonderheiten
Adrenalin (z.B. Suprarenin®)	Blutdruckerhöhung Herzfrequenzsteigerung Herzkraftsteigerung	verschiedene Konzentrationen im Handel! (i.v. Standardkonz. 1ml / 0,1 mg Adrenalin)
Atropin (z.B. Atropinsulfat®)	Herzfrequenzsteigerung Speichel- und Schleimproduktionshemmung	zwei Konzentrationen im Handel! (i.v. Standardkonz. 1 ml / 0,5 mg Atropinsulfat)
Lidocain (z.B. Xylocain®)	Hemmung der Erregungsbildung und -leitung, v.a. bei tachykarden, ventrikulären Rhythmusstörungen	Bradykardie
Diese Medikamente sind auch auf endotrachealem Weg zu verabreichen!		
Natriumbikarbonat (z.B. Natriumbikarbonat 8,4% ®)	Pufferung einer metabolischen Azidose	Wirkungsverlust der Katecholamine, nie gleichzeitig über einen Zugang verabreichen Kalziuminkompatibel!

Tabelle 4. 9 ***Medikamente zur Behandlung des Herz-Kreislauf-Stillstands***

4.7 Arzneimittel

In dieser Abhandlung wird der fachgerechte und sichere **Umgang mit Arzneimitteln unter pflegerisch relevanten Aspekten** besprochen.
Pflegende übernehmen im Zusammenhang mit der medikamentösen Therapie Aufgaben und Verantwortung: Sie nehmen die ärztliche Verordnung entgegen und bestellen die Medikamente, bereiten deren Verabreichung vor und verabreichen sie bei entsprechender Delegation; außerdem beobachten sie die Auswirkungen der medikamentösen Therapie auf das Befinden des Kranken. Weiter obliegt dem Pflegepersonal die Verwaltung des Medikamentenbestandes auf der Station.

4.7.1 Theoretische Grundlagen

4.7.1.1 Begriffserläuterungen

❍ **Pharmakon**
Bei einem **Pharmakon** handelt es sich um einen körperfremden oder körpereigenen Stoff, der nach Aufnahme im Körper oder an dessen Oberflächen erwünschte und unerwünschte Wirkungen hervorruft.

❍ **Arzneimittel**
Arzneimittel *(syn. Medikamente)* sind pflanzliche, tierische oder synthetische Stoffe, die am oder im menschlichen Körper angewendet werden.
Sie werden eingesetzt
- zur **Diagnostik** (z.B. Kontrastmittel, Glukose - Toleranztest),
- zur **Beeinflussung des Zustands und der Funktionen** des menschlichen Körpers einschließlich seelischer Zustände (z.B. Analgetika*, Emetika*),
- als **Ersatz für natürlich** vom menschlichen Körper **erzeugte Wirkstoffe oder Körperflüssigkeiten** (z.B. Elektrolyte, Hormone, Blutersatzmittel, Tränenflüssigkeit) sowie
- zur **Beseitigung** oder zum **Unschädlichmachen** von **Krankheitserregern**, **Parasiten** oder **körperfremden Stoffen** (z.B. Hautdesinfektionsmittel, Antibiotika, Impfstoffe, medizinische Kohle).

Arzneimittel verfügen jeweils über drei Namen,
- einen **chemischen Namen**, der lediglich für Chemiker und Apotheker Bedeutung hat, z.B. 2 - Acetoxybenzoesäure;
- einen **Freinamen**, der von der WHO empfohlen wird, wenn der chemische Wirkstoff in der klinischen Medizin einen gewissen Wert besitzt; er wird dann international gebraucht, z.B. Acetylsalicylsäure;
- einen **Handelsnamen**, der von der Firma, die das Arzneimittel in den Handel bringt, verliehen wird - man spricht auch von der **Fertigarznei** *(oder Arzneimittel = Wirkstoff und Hilfsstoffe)*, z.B. Aspirin®, ASS - ratiopharm®, Colfarit®, Alka - Seltzer®, Temagin®.

❍ **Rezeptur**
Bei einer **Rezeptur** handelt es sich um ein Arzneimittel, das in individueller Zusammensetzung - meist auf Anweisung des Arztes - frisch zubereitet wird (z.B. bestimmte Augentropfen, Hautsalben).

❍ **Medizinprodukte**
Früher als fiktive Arzneimittel bezeichnete Produkte wie **Nahtmaterial, Verbandstoffe, Katheter, Spritzen oder Testsubstanzen** werden seit Juli 1994 als Medizinprodukte bezeichnet. Das Inverkehrbringen und Verwenden von Medizinprodukten wird durch das Medizinproduktegesetz geregelt.
Weitere Medizinprodukte sind z.B. **Infusionspumpen, Röntgen- und Beatmungsgeräte, Herzschrittmacher,** Dentalfüllstoffe, Reagenzien, Labordiagnostika oder künstliche Gelenke.

❍ **Resorption**
Als Resorption wird die **Aufnahme des Arzneimittels in** das **Blutgefäß- oder Lymphgefäßsystem** bezeichnet. Sie erfolgt - je nach Applikationsart - über die Schleimhäute (der Verdauungsorgane, des Bronchialsystems, der Genitalorgane, des Auges, der Nase) oder über die Haut.

❍ **Lokale Wirkung**
Entfaltet das Medikament seine **Wirkung am Ort der Applikation** (z.B. Augentropfen im Auge), spricht man von lokaler Wirkung.

❍ **Systemische Wirkung**
Wird eine **Wirksubstanz über das Blut im gesamten Körper verteilt** (z.B. nach oraler, parenteraler oder rektaler Applikation) und erreicht auf diesem Weg das / die Zielorgan/e, ist es systemisch wirksam.

❍ **Therapeutische Breite**
Die **Spanne zwischen der therapeutischen und der toxischen Wirkung** eines Arzneimittels wird als therapeutische Breite bezeichnet. Je größer diese Spanne ausfällt, desto risikoärmer ist die Dosierung des Medikamentes.

4.7.1.2 Applikationsarten

Arzneimittel können auf verschiedene Weise verabreicht *(appliziert)* werden. Die Art der Applikation eines Medikamentes beeinflußt die Resorption des Arzneimittels wesentlich. Man unterscheidet folgende Applikationsarten.

❒ **Parenterale Applikation**
- erfolgt unter Umgehung des Magen - Darm - Traktes durch eine Injektion oder eine Infusion;
- führt zu einem raschen Wirkungseintritt;
- ermöglicht sowohl die rasche Herbeiführung eines hohen Wirkstoffspiegels (z.B. in Notfallsituationen) als auch die kontinuierliche Erhaltung eines gleichmäßigen Wirkstoffspiegels;
- ist auch geeignet bei Störung der enteralen Resorption (z.B. bei Durchfall, Erbrechen; postoperativ);
- muß für Medikamente, die im Verdauungstrakt inaktiviert werden (z.B. Impfstoffe, Insulin), gewählt werden.

❒ **Topische Applikation**
- erfolgt z.B. über eine Einreibung, eine Inhalation oder ein transdermales therapeutisches System;

- der Wirkstoff wird über die Haut oder Schleimhaut resorbiert;
- führt zu einer hohen lokalen Wirkstoffkonzentration;
- ruft nur wenig systemische Nebenwirkungen hervor.

❒ Orale Applikation

- erfolgt durch den Mund *(peroral; per os)*; das Arzneimittel wird geschluckt (z.B. in Form einer Tablette, von Tropfen oder Saft) und über die Schleimhaut des Magen-Darm-Traktes resorbiert;
- ermöglicht dem Kranken die selbständige Medikamenteneinnahme;
- läßt eine Beeinflussung der Medikamentenresorption durch verschiedene Faktoren (z.B. Motilität des Magen - Darm - Traktes, gleichzeitige Aufnahme bestimmter Nahrungsmittel) zu; deshalb ist darauf zu achten,
  - ob das Medikament vor, während oder nach den Mahlzeiten eingenommen werden soll,
  - daß es mit viel Wasser aufgenommen wird, um seine Auflösung und Resorption zu beschleunigen;
  - ob die Einnahme mit Milch die Medikamentenresorption be- oder verhindert (wie dies z.B. bei Tetracyclinen, Bisacodyl und Eisensalzen der Fall ist);
- in Form von Tabletten, Kapseln oder Dragees sollte immer in aufrechter Oberkörperhaltung erfolgen, außerdem ist sofort anschließend Flüssigkeit zu trinken, um Ösophagusulzerationen durch liegengebliebene Medikamente zu vermeiden.

❒ Sublinguale, perlinguale und bukkale Applikation

- erfolgt unter / auf die Zunge bzw. auf die Wangenschleimhaut, indem es dort durch Zerbeißen einer wirkstoffhaltigen Kapsel, durch Auflösen einer Tablette oder durch ein Spray aufgebracht wurde;
- ermöglicht aufgrund der guten Durchblutung des Applikationsortes bei bestimmten Medikamenten eine rasche Resorption, so daß die Wirkung bereits nach 1 - 2 Minuten eintritt;
- ist z.B. geeignet zur sofortigen Senkung eines extrem hohen Blutdrucks (Adalat® Kapsel) oder zur Linderung eines Angina - pektoris - Anfalls (Nitrolingual®Spray).

❒ Rektale Applikation

- erfolgt über den Mastdarm (z.B. in Form eines Suppositoriums oder Klistieres);
- kann eine systemische und/oder lokale Wirkung des Medikamentes herbeiführen, da der Wirkstoff zum Teil direkt auf die Schleimhaut des Rektums wirkt und zum Teil über die Rektalvenen und die Pfortader in den großen Kreislauf gelangt;
- ist geeignet für Kranke, die oral keine Medikamente aufnehmen wollen oder können bzw. an einer Erkrankung des Analbereichs / Rektums leiden;
- wird von vielen Menschen als sehr unangenehm empfunden und deshalb zum Teil abgelehnt.

❒ Lokale Applikation

- erfolgt auf der Haut, die Resorption erfolgt über die Haut bzw. die Schleimhaut des erkrankten Organs;
- erzielt eine hohe Wirkstoffkonzentration am Ort der Verabreichung;
- dient der lokalen Therapie, vor allem von Hautkrankheiten, ist aber auch geeignet zur Therapie von Venenleiden, Hals - Nasen - Ohren- / Augen- und Atemwegserkrankungen, Pilzinfektionen sowie Entzündungen im Uro - Genitalbereich.

❒ Applikation über transdermale therapeutische Systeme

- stellt eine relativ neue Möglichkeit zur Verabreichung von Arzneimitteln dar, vorausgesetzt, der Wirkstoff ist so beschaffen, daß er
  - über die Haut ins Blut diffundieren kann,
  - in kleinen Dosen wirksam ist und
  - eine große therapeutische Breite aufweist;
- erfolgt durch Aufbringen des Wirkstoffs mittels Spezialträger *(Okklusiv - Verband)*, der auf die Haut aufgeklebt wird *(transdermales therapeutisches System)* und von dort ins Blut diffundiert;
- ermöglicht eine kontinuierliche und gleichmäßige Abgabe des Wirkstoffs, der somit langsam resorbiert wird und eine systemische Wirkung entfaltet;
- hat sich bisher bewährt in Form von
  - nikotinhaltigen Pflastern (zur Raucherentwöhnung),
  - scopolaminhaltigen Pflastern (zur Prophylaxe und Therapie der Reisekrankheit),
  - nitroglyzerinhaltigen Pflastern (zur Prophylaxe und Therapie von Angina - pektoris - Anfällen bei der koronaren Herzkrankheit),
  - östrogenhaltigen Pflastern (zur Therapie klimakterischer Beschwerden, die auf Östrogenmangel zurückzuführen sind).

❒ Inhalation

- erfolgt durch Einatmen des wirkstoffhaltigen Gases, Aerosols, Dampfes oder Feinstaubs (z.B. als Dosieraerosol oder Inhalationslösung);
- erzielt im Respirationstrakt lokale Wirkung;
- kann bei entsprechend hoher Dosierung rasch eine systemische Wirkung ausüben (z.B. als Inhalationsnarkotikum).

❒ Intranasale Applikation

- erfolgt durch nasales Einatmen eines Aerosols;
- kann bei bestimmten Medikamenten systemische Wirkung erzielen und erspart so wiederholte Injektionen; es handelt sich um die Hormonpräparate Desmopressin Acetat, Gonadorelin, Buserlin Acetat, Nafarelin Acetat.

4.7.1.3 Arzneiformen

Arzneimittel können hergestellt und verabreicht werden in

- **fester Form** (Pulver, Kapseln, Tabletten, Dragees, transdermale therapeutische Systeme), in
- **halbfester Form** (Salben, Zäpfchen), in
- **flüssiger Form** (Lösungen, Emulsionen, Suspensionen, Klistiere, Inhalationsmittel).

Im folgenden werden die verschiedenen Arzneiformen vorgestellt und entsprechende pflege - sowie benutzerrelevante Anwendungs - und Aufbewahrungshinweise zugeordnet.

Arzneiform	Anwendungshinweise	Aufbewahrungshinweise
Pulver - zerkleinerte Zubereitungen, die aus festen, losen, trockenen und mehr oder weniger feinen Teilchen bestehen	- **Pulver** als Trockensubstanz zur intravenösen Anwendung nach Herstellervorschrift auflösen (Art und Menge des Lösungsmittels sowie sterile Handhabung beachten) - Pulver zur peroralen Anwendung in der Regel in Wasser auflösen	**Pulver, Granulat und Puder** trocken und geschlossen aufbewahren, da sie Flüssigkeit anziehen und feucht (klumpig) werden; durch Feuchtigkeit können sich die Arzneistoffe zersetzen und somit in ihrer Wirksamkeit beeinträchtigt werden
• **Puder** - feines Pulver, meist in Streudosen oder Sprayflaschen - Pulver zur lokalen Anwendung auf der Haut, den Schleimhäuten oder zur Wundbehandlung	- **Puder zur lokalen Anwendung** (Wundversorgung) muß steril sein - **Pudersprayflaschen** vor der Anwendung schütteln - **Puder** in der Regel nur auf trockene Haut aufbringen, da er bei feuchten Dermatosen Verklumpungen bilden kann und einen Sekretstau sowie Infektionen hervorrufen kann - Haut sorgfältig von Puderresten befreien, da diese eine ideale Keimbesiedlungsstätte darstellen	
Granulate - feste trockene Körner, die aus Pulverpartikeln gebildet werden - häufig zur Weiterverarbeitung in Tabletten oder Kapseln verwendet	- **Granulat zur peroralen Anwendung** je nach Gebrauchsinformation kauen bzw. vor der Einnahme auflösen oder mit Flüssigkeit schlucken; Mund gut nachspülen	
Tabletten - in Trägerstoffe eingebundene und anschließend komprimierte sowie in eine bestimmte Form gebrachte Wirksubstanzen - enthalten eine Einzeldosis aus einem oder mehreren Wirkstoffen, die evtl. durch Teilung reduziert werden kann	- **Tabletten** sind zur peroralen Anwendung bestimmt - Gebrauchsinformation beachten: einige Tabletten müssen zerkaut, andere in Wasser aufgelöst, die meisten jedoch als Ganzes geschluckt werden; einige Tabletten sollen im Zusammenhang mit Mahlzeiten (vor, während, nach dem Essen, ohne Milch etc.) eingenommen werden - Tabletten in aufrechter Oberkörperhaltung einnehmen (lassen) und anschließend mind. 100 ml Flüssigkeit trinken (lassen) - Tabletten bei Schluckstörungen / -schwierigkeiten und bei Ernährung über eine Magensonde zermörsern und in Flüssigkeit auflösen	**Tabletten und Dragees** - nicht in andere Behältnisse umfüllen (weil dann die Chargennummer nicht mehr feststellbar ist) - in der Originalverpackung lassen, eingeschweißte Einzeldosis vom Blisterstreifen abtrennen (ist hygienisch und ermöglicht jederzeit die Identifikation der Fertigarznei) - vor Feuchtigkeit schützen - bei Temperaturen unter 35 Grad C aufbewahren - vor Licht geschützt aufbewahren
• **Lutschtabletten** - dienen der Therapie von Beschwerden und Erkrankungen im Mund- und Rachenraum	- **Lutschtabletten** im Mund zergehen lassen, nicht kauen, nicht herunterschlucken	
• **Brausetabletten** - enthalten Zusätze, die ihren raschen Zerfall in Wasser ermöglichen	- **Brausetabletten** unmittelbar vor der Einnahme in Wasser auflösen	
• **Kautabletten**	- **Kautabletten** im Mund behalten, bis sie zerkaut sind, dann mit wenig Flüssigkeit herunterschlucken	

Arzneiform	Anwendungshinweise	Aufbewahrungshinweise
• **Dragees** - Tabletten mit Überzug (z.B. aus Zucker, Lack, Farbstoff oder Wachs) - schützen leicht verderbliche Arzneistoffe vor Zersetzung, bieten eine Geschmacks- u. Geruchsverbesserung sowie eine farbliche Kennzeichnung, eine Einnahmeerleichterung und die Möglichkeit, den Resorptionsort zu bestimmen (Auflösen der Lackschicht bei einem bestimmten pH - Wert)	- **Dragees** sind leicht zu schlucken, auf die Einnahme mit Flüssigkeit darf dennoch nicht verzichtet werden - Dragees müssen unzerteilt als Ganzes geschluckt werden	*siehe Tabletten*
Kapseln - Arzneistoffe mit einer harten oder weichen Hülle (Weich- oder Hartgelatine), die sich im Körper auflöst und dann den festen, flüssigen oder pastösen Wirkstoff freigibt • **Kau- / Zerbeißkapseln** - enthalten den Wirkstoff meist in flüssiger Form; dieser muß unter die Zunge oder an die Wangenschleimhaut gelangen, um rasch resorbiert zu werden und nach 1 - 2 Minuten zu wirken	- **Kapseln** in aufrechter Körperhaltung als Ganzes und mit mind. 100 ml Wasser schlucken (lassen) - **Hartgelatine - Kapseln** nicht aus der Blisterpackung drücken, sondern erst nach dem Aufreißen bzw. Abziehen der Aluminiumfolie ohne stärkeren Druck entnehmen (die äußere Lackschicht kann sonst rissig werden) - **Kaukapseln** zerbeißen (lassen) oder anstechen und die Flüssigkeit unter der Zunge oder an der Wangenschleimhaut verteilen, nicht herunterschlucken; Gelatinehülle ausspucken (lassen) - Kaukapseln nicht unmittelbar vor dem Essen und Trinken einnehmen / verabreichen (Wirkstoff wird aus der Mundhöhle gespült, bevor er resorbiert werden kann)	**Kapseln** - dicht verschlossen lagern (vor Feuchtigkeit schützen) - bei Temperaturen unter 30 Grad C lagern - in der Originalverpackung lassen und nicht in große Behältnisse umfüllen *(siehe "Tabletten")*
Salben - halbfeste Arzneizubereitungen zur Anwendung auf der Haut oder einigen Schleimhäuten - bestehen aus einer Grundlage (z.B. Paraffin, Vaseline), in der ein oder mehrere Wirkstoffe gelöst oder feinverteilt (emulgiert / suspendiert) enthalten sind - enthalten überwiegend lipophile Bestandteile - dienen der Hautpflege und der Therapie von Hautkrankheiten *(Dermatika)* oder von anderen Erkrankungen	- **Salben** werden aufgetragen oder eingerieben - Salben, die auf großen offenen Wunden / Hautverletzungen aufgetragen werden, müssen steril sein - ranzig riechende Salben sind nicht mehr anwendbar - Salbenstrang nicht mit kontaminierten Fingern oder Gegenständen von der Tubenöffnung abstreichen - zur Entnahme von **therapeutisch eingesetzten Salben** aus Kruken *(Töpfchen)* sterile Spatel verwenden - **Salben mit therapeutischem Wirkstoff** sind wie in der Gebrauchsinformation beschrieben zu dosieren, z.B. mit einer Dosierpumpe oder einer Folie mit aufgedruckter Skala einer definierten Länge des Salbenstranges	- **Salbentuben** und andere Aufbewahrungsbehältnisse nach Gebrauch fest verschließen - Tubeninhalt innerhalb einer gewissen Zeit nach Anbruch aufbrauchen, Haltbarkeitsdatum beachten: Rezepturarzneimittel ohne Konservierungsstoffe sind nur sehr begrenzt (ca. 8 Tage) haltbar - bei Raumtemperatur lagern

Arzneiform	Anwendungshinweise	Aufbewahrungshinweise
• **Cremes** - **Emulsionen** mit größerem Wasseranteil	- **Cremes** sind besonders streichfähig - hydrophobe (*wasserabstoßende*) Cremes *(Salben)* zur Behandlung trockener Haut einsetzen - hydrophile (*wasserfreundliche*) Cremes erzeugen durch Verdunstung einen Kühleffekt	
• **Gele** - in Form von Gelen gebundene Flüssigkeiten - wirken kühlend	- *siehe "Salben"*	**Gele** - dicht verschlossen aufbewahren
• **Pasten** - Salben, die große Anteile fein verteilten Puders enthalten - dienen dem Schutz oder der Abdeckung der Haut	- **Pasten** bilden nach Verdunstung ihrer Flüssigkeit feste Beläge, die nur mit trockenen Stoffen abgewischt werden können - Pasten dünn auftragen (sonst werden die Feuchtigkeits- und Wärmeabgabe über die Haut beeinträchtigt)	
Suppositorien - Zäpfchen; Arzneimittel in einer meist torpedoförmigen, festen, bei Körpertemperatur jedoch schmelzenden bzw. löslichen Masse zur rektalen bzw. vaginalen Anwendung - Sonderformen von Suppositorien sind **Ovula**, **Vaginaltabletten** oder **-kapseln** zur vaginalen Anwendung	- **Suppositorien** möglichst in den entleerten Darm einführen - Suppositorien lassen sich leichter einführen, wenn Sie vorher kurz in lauwarmes Wasser eingetaucht oder mit Salbe bestrichen werden - ein **Hämorrhoidalzäpfchen** nur so weit in den Analkanal einführen, daß es mit der Fingerkuppe noch zu tasten ist (soll lokale Wirkung entfalten) - **Suppositorien zur vaginalen Anwendung** möglichst tief, d.h. bis vor den Gebärmutterhals, einführen; Applikator verwenden	- **weiche Suppositorien** kühl, bei 2 - 8 Grad C, lagern - **Suppositorien** in der Originalverpackung aufbewahren (Wärme- und Feuchtigkeitsschutz; Chargennummer)
Klistiere - Flüssigkeiten zur rektalen Anwendung (*Klysma, Mikroklistier*)	- während und einige Zeit nach der Anwendung eines Klistieres auf der linken Seite liegen (besseres Einfließen in den absteigenden Dickdarmabschnitt) - **großvolumige Klistiere** (Volumen über 100 ml) vorher in warmem Wasser auf Körpertemperatur erwärmen - einzuführende Klistierkanüle befeuchten oder einfetten (Erleichtern des Einführens) - **Klistiere, die lokale Wirkung erzielen** sollen, nach der Darmentleerung anwenden; Ausnahme: Klistiere mit abführender Wirkung - **Mikroklistiere** nach dem Entleeren mit zusammengedrücktem Füllkörper aus dem Enddarm ziehen (Vermeiden, daß Flüssigkeit ins Klysma zurückgesogen wird)	**Klistiere** - in der Originalverpackung und bei Raumtemperatur lagern
Lösungen - ein oder mehrere Wirkstoffe in Wasser oder Lösungsmittel - können oral, parenteral oder lokal verabreicht werden	- **Lösungen**, die als kühlende entzündungshemmende Umschläge angewendet werden, so anbringen, daß Wasser / Alkohol verdunsten können (keine wasserundurchlässigen Materialien anbringen, da sie einen Wärmestau und eine Hyperämie verursachen würden) - Lösungen bei Trübung oder Farbveränderung nicht mehr verwenden - die Anwendung **alkoholhaltiger Lösungen** ist für Alkoholiker ungeeignet	**Lösungen** dicht verschlossen aufbewahren

Arzneiform	Anwendungshinweise	Aufbewahrungshinweise
• **Suspensionen** - feine feste, in einer Flüssigkeit aufgeschwemmte Teilchen	- **Suspensionen** vor Gebrauch gut schütteln, um die festen Teilchen gleichmäßig in der Flüssigkeit zu verteilen - ***Beachte***: Insulinsuspensionen nicht schütteln, sondern zwischen den Händen rollen - nicht aufschüttelbare Suspensionen nicht mehr anwenden	**Suspensionen** - dicht verschlossen lagern - keinen zu großen Temperaturschwankungen aussetzen
• **Emulsionen** - Gemische zweier oder mehrerer ineinander nicht mischbarer Flüssigkeiten ⇨ Wasser-in-Oel-Emulsionen weisen einen relativ hohen Fettanteil auf ⇨ Oel-in-Wasser-Emulsionen weisen einen relativ hohen Wasseranteil auf *(Lotion)*	- **Emulsionen** vor Gebrauch gut schütteln - bei lokaler Anwendung von **W / O- und O / W-Emulsionen** zur Hautpflege jeweiligen Hauttyp beachten *(siehe Seite 644 und 649)* - **Lotionen** eignen sich zur Anwendung auf behaarter Haut, da sie nicht kleben	*siehe "Suspensionen"*
• **Tropfen** - stärker konzentrierte flüssige Zubereitungen von Wirkstoffen in wäßriger, alkoholischer oder öliger Lösung	- Tropfenfläschchen vor Gebrauch schütteln - Tropfen genau dosieren - Sehbehinderte und Personen mit Störungen der Feinmotorik unterstützen - Gebrauchsinformation beachten: Müssen die Tropfen verdünnt eingenommen werden?	**Tropfen** - fest verschließen (Lösungsmittel kann schnell verdunsten, so daß die Wirkstoffkonzentration steigt) - aus verschiedenen Fläschchen bei Anbrüchen nicht zusammengießen
• **Augentropfen** - sterile, wäßrige oder ölige Lösungen bzw. Suspensionen eines oder mehrerer Wirkstoffe zur tropfenweisen Anwendung am Auge	- **Augentropfen** nur tropfenweise (in der Regel ist nur ein Tropfen pro Auge indiziert) verabreichen; vorher Hände desinfizieren bzw. waschen; Tropfen aus dem senkrecht gehaltenen Fläschchen in den unteren Bindehautsack träufeln, ohne Auge und Wimpern zu berühren; Augentropfenfläschchen nur bei einer Person anwenden (Gefahr der Keimverschleppung)	- **Augentropfen**, die als Rezeptur hergestellt wurden, sind nicht konserviert 24 Stunden, konserviert 4 Wochen haltbar - 4 - 6 Wochen nach Anbruch sind Augentropfen zu verwerfen (Keimbesiedelung)
• **Nasentropfen** - wäßrige oder ölige Lösungen, Suspensionen oder Emulsionen eines oder mehrerer Arzneistoffe, die zur Anwendung durch Eintropfen oder Versprühen in die Nase bestimmt sind	- **Nasentropfen** in Mehrdosenpackung nur bei einer Person anwenden (Gefahr der Keimverschleppung) - vor Verabreichung von Nasentropfen Nase schneutzen lassen, während der Verabreichung Kopf nach hinten neigen und durch die Nase Luft einziehen lassen; spätestens wenn das Medikament im Rachen wahrgenommen wird, den Kopf für 1-2 Minuten stark nach vorne unten beugen und ½ Minute lang schnüffeln (lassen), um die Medikamentenverteilung im Nasenraum zu begünstigen - **Tropfpipetten und Sprayflaschen** zusammengedrückt aus der Nase ziehen (damit das Nasensekret nicht ins Arzneimittel gezogen wird; Pipettenspitze und Adapter mit sauberem Tuch abwischen	- **Nasentropfen** 6 Wochen nach Anbruch verwerfen (Kontamination durch Nasensekret)
• **Ohrentropfen** - mittels Tropfpipette ins Ohr einzubringende arzneistoffhaltige Lösung, Emulsion oder Suspension	- **Ohrentropfen** vor Anwendung einige Zeit mit den Händen umschließen, so daß sie körperwarm verabreicht werden können (Verhinderung von Schmerzen und Schwindelgefühlen) - bei Verabreichung von Ohrentropfen Ohrmuschel leicht nach hinten oben ziehen und Kopf seitlich neigen; Kopfhaltung einige Minuten beibehalten (lassen), um das Einfließen zu verbessern und um eine Benetzung des tieferen Gehörgangbereichs zu erzielen	- **Ohrentropfen** dicht verschlossen lagern

Arzneiform	Anwendungshinweise	Aufbewahrungshinweise
• **Säfte** - Lösungen (Suspensionen, Emulsionen) zur oralen Anwendung, die löffelweise eingenommen werden	- Saftmenge mittels Dosierhilfe des Herstellers abmessen - **Säfte** vor Verabreichung gut schütteln - **Trockensäfte** nach Herstelleranweisung in Wasser auflösen	- **Säfte** kühl lagern, je nach Herstellerhinweis im Schrank oder Kühlschrank - angebrochene Säfte innerhalb von 14 Tagen aufbrauchen
• **Sirup** - konzentrierte Zuckerlösung mit einem oder mehreren Wirkstoffen	- bei Diabetikern den Zuckergehalt des Sirups beachten und bei den Broteinheiten berechnen oder eine andere Arzneiform wählen - *siehe "Saft"*	- **Sirup** kühl (2-8 Grad C) lagern
• **Tinkturen** - alkoholische oder alkoholwäßrige Extrakte (konzentrierte Auszüge) aus pflanzlichem oder tierischem Material - dienen der innerlichen oder äußerlichen Anwendung	- **Tinkturen** sind aufgrund ihres Alkoholgehaltes für Alkoholiker nicht geeignet - vor Gebrauch schütteln	- Tinkturen dicht verschlossen und vor Licht geschützt lagern
• **Injektionslösungen** - sterile pyrogenfreie Arzneimittel zur Injektion, die Einzeldosis beträgt maximal 20 ml	***Anmerkung**: Der Umgang mit Injektionslösungen wird auf Seite 441 besprochen.*	- **lichtempfindliche Injektionslösungen** (in braunen Ampullen) in einem Schrank bzw. dunklen Raum aufbewahren - **Insulinvorräte** im Kühlschrank lagern - **angebrochene Insulinfläschchen** zum täglichen Gebrauch können bei Raumtemperatur aufbewahrt werden; Temperaturen über 40 Grad C, direkte Sonneneinstrahlung und Frost unbedingt vermeiden
• **Infusionslösungen** - sterile und pyrogenfreie Arzneimittel zur intravenösen Verabreichung über einen längeren Zeitraum	***Anmerkung**: Der Umgang mit Infusionslösungen wird unter "Infusionstherapie", Seite 453, besprochen.*	- **lichtempfindliche Infusionslösungen** in Schränken oder dunklen Räumen aufbewahren
Transdermale therapeutische Systeme (TTS) - Spezialträger mit Wirkstoff, die auf die Haut geklebt werden und von dort aus den Wirkstoff kontinuierlich ins Blut abgeben	- **TTS** an der jeweils vorgeschriebenen Körperregion aufkleben; vorher überprüfen, ob betreffendes Hautareal intakt und reizlos sowie sauber und trocken ist; möglichst eine wenig behaarte Hautstelle wählen, die sich bei Bewegung nicht in Falten legt (verändert die Resorption) - Klebefläche nach Abziehen der Schutzfolie nicht berühren / kontaminieren, auf die gewählte Hautstelle bringen und das Pflaster bzw. seinen Haftrand (gemäß Gebrauchsinformation) einige Sekunden lang fest auf die Haut drücken	- **TTS** bei Raumtemperaturen unter 25 Grad C aufbewahren - vor Feuchtigkeit schützen

Arzneiform	Anwendungshinweise	Aufbewahrungshinweise
	- TTS nach vorgeschriebener Zeit (spätestens nach 2 Tagen) abziehen - bei erneutem Anbringen eines TTS eine andere Körperregion wählen ***Beachte***: Die Funktion des Pflasters wird durch Baden, Duschen oder Schwimmen nicht beeinträchtigt, aber durch Schwitzen, da Wasser zwischen Haut und Pflaster gelangt	
Inhalationsmittel - feste und flüssige Arzneizubereitungen zur Inhalation	- korrekte Handhabung der **Inhalationshilfen** beachten (Gebrauchsinformation und -anleitung lesen!), sie ist maßgeblich für den Therapieerfolg	
• **Staub- / Puderaerosole** - feinste feste Teilchen in einem gasförmigen Medium - entstehen durch Zerstäuben feinster Pulverteilchen mittels Handzerstäuber (***Nebulator***) oder mittels System ohne Treibmittel (***Spinhaler, Rotahaler***)	- **Inhalationskapseln** vorschriftsgemäß in den Inhalator einlegen und deren Inhalt mit dem Sog der Einatmung anziehen - **Mundstück des Inhalators** nach Anwendung reinigen und trocknen	- **Inhalatoren** in gesäubertem und trockenem Zustand aufbewahren - **Inhalationskapseln** in der Originalverpackung aufbewahren (Feuchtigkeitsschutz)
• **Nebel- / Dampfaerosole** - flüssige Teilchen in einem gasförmigen Medium - entstehen durch Versprühen der Flüssigkeit mittels Kaltwasservernebler, Wasserdampf(-bad) oder Verdampfungsapparaten	- **Apparate** regelmäßig nach Herstellervorschrift reinigen und desinfizieren (feuchtes Milieu dient als Keimreservoir) - auch **Apparate, die privat benutzt werden**, sofort nach Gebrauch reinigen und trocknen sowie in gewissen Abständen desinfizieren - **Inhalationslösungen für elektrische Zerstäuberapparate** und die dazugehörigen Trägerlösungen hygienisch handhaben, damit auch nach häufiger Entnahme der mikrobiologisch einwandfreie Zustand des Arzneimittels erhalten bleibt - möglichst Apparate einsetzen, die beim Kranken verbleiben können	- **Verneblungs- und Verdampfungsapparate** in gereinigtem, getrocknetem und desinfiziertem Zustand aufbewahren - **Dosieraerosole mit Treibgas** nicht über 50° Celsius lagern
• **Inhalate** - Dämpfe von Arzneistoffen (ätherischen Oelen), die sich bei Raumlufttemperatur verflüchtigen und mit Luft gemischt eingeatmet werden	***Anmerkung:*** *Die Verabreichung von Inhalaten wird unter "Inhalationsbehandlung", Seite 48, besprochen.*	- **Behältnisse mit Inhalaten** luftdicht verschließen
• **Dosier-Aerosole** - mittels Treibgas oder manuellen Pumpen zerstäubte und verschäumte Aerosole, die durch Betätigung eines Ventils als Sprühstoß (Hub) in therapeutischer Dosis freigesetzt und direkt eingeatmet werden	***Anmerkung****: Die Verabreichung von Dosier-Aerosolen wird unter "Unterstützung der Atmung", Seite 55, besprochen.*	- **Druckbehältnis** vor Temperaturen über 50° Celsius und vor dem Gefrieren schützen

4.7.1.4 Tee aus Heilpflanzen

Die Kräfte der Heilpflanzen werden in zahlreichen Heil- und Arzneimitteln genutzt. Voraussetzung für die Entfaltung ihrer Wirkung sind sowohl die **richtige und rechtzeitige Anwendung** als auch die **korrekte Zubereitung**.
In Deutschland wird in den letzten Jahren der **Heilkraft** der Pflanzen wieder mehr Bedeutung zugemessen. So finden Heilkräuter als Teebereitung immer häufiger ihren Platz in der **Selbstbehandlung leichterer Befindlichkeitsstörungen** und Krankheitserscheinungen. Aber auch in Pflegeeinrichtungen werden verschiedene Teesorten angewendet, z.B. zur Pflege und Behandlung der Mundschleimhaut, zur Linderung von Magen- und Verdauungsbeschwerden oder zur Beruhigung.
Zur Anwendung von Heilpflanzen ist eine diesbezügliche **Sachkenntnis** erforderlich; dies nicht nur, um die gewünschte und optimale Wirkung zu erzielen, sondern auch um Gesundheitsstörungen, z.B. infolge einer falschen Zubereitung oder Überdosierung, zu vermeiden.
Gezielte Informationen, Ratschläge und Anleitung können z.B. über Fachliteratur und Broschüren oder in Reformhäusern und Apotheken eingeholt werden.
Heilpflanzen können sowohl der innerlichen als auch der äußerlichen Anwendung dienen.
Äußerliche Anwendung finden sie z.B. als Inhalationsmittel, Gurgelwasser, Badezusatz oder (Wirkstoff einer) Kompresse.
Zur innerlichen Anwendung werden Heilpflanzen als Tropfen oder Tee zubereitet und eingenommen bzw. getrunken.

Tee wird **aus getrockneten Pflanzenteilen** (Blättern, Blüten, Holz, Rinde, Wurzeln) gewonnen. Der meist verwendete **Schwarztee** findet als **Genußmittel** und **Durstlöscher** Verwendung; er wird aus Blattknospen und jungen Blättern des Teestrauchs hergestellt.

Die **Zubereitung** des Tees beeinflußt seine Wirksamkeit. Es werden die folgenden Zubereitungsarten unterschieden:

- **Aufguß**
  Die zerkleinerten Pflanzenteile werden in der vorgegebenen Menge (meist 1 - 2 Teelöffel) mit der entsprechenden Menge (meist 250 ml) kochendem Wasser übergossen. Dann deckt man den Aufguß ab, läßt ihn über die vorgeschriebene Zeitdauer (meist 5 - 10 Minuten) ziehen und seiht ihn anschließend ab *(abseihen = abfiltern, durchsickern lassen)*.

- **Abkochung (Heißwasserauszug)**
  Getrocknete Pflanzenteile (meist Wurzeln, Rinden, Hölzer) werden in der vorgegebenen Menge (meist 1 Teelöffel) mit der entsprechenden Menge kaltem Wasser (meist 1 Tasse) angesetzt. Dieser Ansatz wird zum Sieden gebracht und ca. 3 Minuten lang gekocht. Nachdem der Tee 5 - 10 Minuten gezogen hat, wird er abgeseiht und warm getrunken.

- **Kaltwasserauszug**
  Die zerkleinerten Pflanzenteile werden in der vorgegebenen Menge (meist 1 - 2 Teelöffel) mit einer bzw. zwei Tassen kaltem Wasser übergossen. Man läßt den Kaltaufguß gut verschlossen ca. 8 - 12 Stunden ziehen und seiht ihn ab. Vor dem Trinken wird der Tee erwärmt.

Tee muß **trocken**, **luftdicht** und **lichtgeschützt aufbewahrt** werden. Das Anbruchdatum ist auf der Verpackung zu vermerken, da der Tee nach Anbruch noch ca. 6 Monate haltbar ist.

In *Tabelle 4.10* werden verschiedene Heilpflanzen, ihre Zubereitung und Dosierung sowie Anwendungsgebiete vorgestellt.

(entnommen aus "Kleine Heilpflanzen - Fibel". Herausgeber: Apothekerverband Westfalen - Lippe e.V., Münster)

Tabelle 4.10 **Zubereitung, Dosierung und Anwendungsgebiete von Heilpflanzen**

Heilpflanze	Anwendungsgebiet	Zubereitung und Dosierung	Bemerkungen
ANIS Fructus Anisi Pimpinella anisum (L.)	Blähungen Bronchitis trockener Husten	Aufguß: 1-2 Teel. der zerquetschten Anisfrüchte mit ¼ Liter kochendem Wasser übergießen, 5 Min. ziehen lassen. 2-3 mal tgl. 1 Tasse trinken.	
ARNIKA Flores Arnicae Arnica montana (L.)	Als Gurgelmittel bei Entzündungen der Mundschleimhaut und der Rachenhöhle Äußerlich als Tinktur: zu Umschlägen bei Blutergüssen, Quetschungen und Zerrungen	Aufguß: 1 Teel. der Blüten mit ¼ Liter kochendem Wasser übergießen, 10 Min. ziehen lassen. zu Umschlägen: 1 Eßl. der Tinktur mit ¼ Liter Wasser verdünnen. Umschläge mehrmals tgl. erneuern.	Arnikatinktur ohne ärztliche Verordnung nur äußerlich und in verdünnter Form anwenden. Arnikatee sollte nicht getrunken werden (Herzjagen).
BALDRIAN Radix Valerianae Valeriana officinalis (L.)	Nervosität Schlafstörungen nervöse Herz- und Magenstörungen	Kaltwasserauszug: 2 Teel. der zerkleinerten Wurzeln mit ¼ Liter kaltem Wasser übergießen, 8 Stunden ziehen lassen. Abends 1-2 Tassen warm trinken.	Baldriantinktur zur Beruhigung: ½ Teel. Tinktur einnehmen, evtl. mit 2 Eßl. Wasser verdünnen. Baldriantinktur zum Schlafen: 1 Teel. ½ Std. vor dem Zubettgehen einnehmen.
BIRKENBLÄTTER Folia Betulae Betula pendula (Roth) Betula pubescens (Ehrh.)	Milde entwässernde Wirkung	Aufguß: 1-2 Teel. der Blätter mit ¼ Liter kochendem Wasser übergießen, 10 Min. ziehen lassen, 3 mal täglich 1 Tasse trinken.	Wassertreibender Tee: Birkenblätter, Ackerschachtelhalm, Löwenzahn, Bohnenschalen, Hagebutten je 20 g 1 Teel. auf 1 Tasse Wasser; 2-3 Tassen pro Tag.
BOHNENSCHALEN Fructus Phaseoli sine semine Phaseolus vulgaris (L.)	Milde entwässernde Wirkung	Abkochung: 1 gehäufter Eßl. Bohnenschalen auf ¼ Liter Wasser, kalt ansetzen, zum Sieden erhitzen und 3-5 Min. kochen lassen. 2-3 mal tgl. 1 Tasse trinken.	Die blutzuckersenkende Wirkung ist sehr gering, der Tee ist keinesfalls Ersatz für Arzneimittel bei Diabetes.
BRENNESSEL Herba Urticae Urtica dioica (L.)	Anregung der Harnausscheidung	Abkochung: 1-2 Teel. Brennesselblätter auf ¼ Liter Wasser, kalt ansetzen, zum Sieden erhitzen, 1 Min. kochen, 15 Min. ziehen lassen, 2 mal tgl. 1 Tasse trinken.	
EICHENRINDE Cortex Quercus Quercus robur (L.) Quercus petraea (Matt.)	Als Badezusatz bei Fußschweiß Frostbeulen Hämorrhoiden Als Gurgelmittel bei Zahnfleischbluten Zu Umschlägen bei nässenden Ekzemen	Badezusatz für Teilbäder Abkochung: 500 g Eichenrinde mit 3 Liter Wasser übergießen, zum Sieden erhitzen, 10 Min. kochen lassen, dem Badewasser zusetzen. Umschläge und Gurgelmittel Abkochung: 1-2 Eßl. Eichenrinde mit ½ Liter Wasser übergießen, zum Sieden erhitzen, 5 Min. kochen lassen.	Umschläge erneuern, sobald diese zu trocknen beginnen (ca. alle 15-20 Minuten).
FENCHEL Fructus Foeniculi Foeniculum vulgare (Miller)	Blähungen Bronchitis Husten	Aufguß: 1-2 Teel. zerquetschte Fenchelfrüchte mit ¼ Liter kochendem Wasser übergießen, 10 Min. ziehen lassen. Bei Husten: 2-5 mal tgl. 1 Tasse trinken, evtl. mit Honig süßen.	Teemischung bei Blähungen: Kümmel Fenchel Wermut Schafgarbe je 20 g 1 Teel. auf ¼ Liter Wasser.
HOPFEN Strobuli lupuli Humulus lupulus (L.)	Nervosität nervöse Beschwerden leichte Schlafstörungen nervöse Magenbeschwerden	Aufguß: 1 Eßl. Hopfen mit ¼ Liter kochendem Wasser übergießen, 10 Min. ziehen lassen. Abends 1 Tasse trinken. Bei Bedarf auch am Tage als Beruhigungsmittel (bis zu 3 Tassen). Kräuterkissen: Stoffsäckchen mit Hopfenzapfen füllen und zunähen.	Teemischung bei Schlafstörungen: Baldrian Hopfen Melisse je 30 g 1 Eßl. auf ¼ Liter Wasser, 15 Min. ziehen lassen. Kräuterkissen: Bei nervösen Schlafstörungen unter das Kopfkissen legen.
JOHANNISKRAUT Herba Hyperici Hypericum perforatum	Nervosität leichte depressive Verstimmung klimakterische Beschwerden Äußerlich zur Förderung der Wundheilung	Aufguß: 2 Teel. Johanniskraut mit ¼ Liter kochendem Wasser übergießen, 10 Min. ziehen lassen. 2-3 mal tgl. 1 Tasse trinken. Äußerlich schmerzende Stellen mit Johanniskrautöl einreiben, evtl. Kompressen auflegen.	Teekur über mehrere Wochen durchführen. Intensive Sonnenbestrahlung vermeiden, da Johanniskraut die Haut lichtempfindlich macht.
KAMILLE Flores Chamomillae Matricaria chamomilla (L.)	Krampfartige Magen- und Darmbeschwerden Magen- und Darmschleimhautentzündungen Zur Inhalation bei Entzündungen des Mund- und Rachenraums Äußerlich zur Förderung der Wundheilung	Aufguß: 1-2 Teel. Blüten mit ¼ Liter kochendem Wasser übergießen, 10 Min. ziehen lassen; 1 Tasse zwischen den Mahlzeiten trinken. Äußerlich zum Gurgeln, für Umschläge und Kompressen.	Hausteemischung: Fenchel Hagebutten Brombeerblätter je 20 g Kamille Himbeerblätter je 10 g 2 Teel. auf ¼ Liter Wasser. Kompressen feucht und warm verwenden, öfters erneuern.
KÜMMEL Fructus Carvi Carum carvi (L.)	Blähungen, Krämpfe im Magen- und Darmbereich	Aufguß: ¼ - ½ Teel. zerquetschte Früchte mit ¼ Liter kochendem Wasser übergießen, 10 Min. ziehen lassen. Bei Bedarf 2 mal täglich 1 Tasse trinken.	Teemischung gegen Blähungen (siehe Fenchel).
LINDENBLÜTEN Flores Tiliae Tilia cordata (Miller) Tilia platyhpyllos (Scopoli)	Schweißtreibend bei Erkältungskrankheiten und grippalen Infekten. "Schwitzkur"	Aufguß: 1 Eßl. Lindenblüten mit ¼ Liter kochendem Wasser übergießen, 10 Minuten ziehen lassen, 2-3 mal tgl. 1 Tasse trinken.	Teemischung: Lindenblüten Holunder Kamille je 30 g 2 Teel. auf ¼ Liter Wasser.

Heilpflanze	Anwendungsgebiet	Zubereitung und Dosierung	Bemerkungen
LÖWENZAHN Radix Taraxaci cum Herba Taraxacum officinale (Wiggers.)	Mild wirkendes Bittermittel bei Magen- und Darmbeschwerden	Abkochung: 4 Teel. Löwenzahn mit ¼ Liter kaltem Wasser ansetzen, zum Sieden erhitzen, 15 Min. ziehen lassen. 2 mal tgl. 1 Tasse trinken.	
MALVE Flores Malvae Malva silvestris (L.)	Bronchitis Husten Reizlinderung bei Entzündungen des Mund- und Rachenraumes	Abkochung: 2 Teel. Blüten mit ¼ Liter kaltem Wasser ansetzen, zum Sieden erhitzen, 15 Min. ziehen lassen. 2 mal tgl. 1 Tasse trinken bzw. mehrmals gurgeln.	
MARIENDISTEL Fructus Cardui Mariae Herba Cardui Mariae Silybum marianum (L.)	Leberschutztherapie (regenerativ bei Fettleber). Durch Leberstörungen bedingte Magen- und Darmbeschwerden	Aufguß: 1-2 Teel. der Früchte oder des Krautes mit ¼ Liter kochendem Wasser übergießen, 15 Min. ziehen lassen, 3 mal tgl. 1 Tasse trinken.	
MELISSE Folia Melissae Melissa officinalis (L.)	Blähungen Unruhezustände nervöse Magen- und Darmbeschwerden Schlafstörungen	Aufguß: 2-3 Teel. Blätter mit ¼ Liter kochendem Wasser übergießen, 10 Minuten ziehen lassen, 3 mal tgl. 1 Tasse trinken. Aufguß von frischem Melissenkraut als erfrischender Sommertee.	Vollbald: 100 g Melisse mit 1 Liter Wasser zum Kochen bringen, 20 Min. ziehen lassen, abseihen und dem Badewasser zusetzen. Temp. 34-36 Grad C., Badedauer: 10-15 Minuten.
MISTEL Herba Visci albi Viscum album (L.)	Altersbedingte Herz- und Kreislaufbeschwerden	Kaltauszug: 2-3 Teel. mit ¼ Liter kaltem Wasser übergießen, 8 Stunden stehen lassen, 2 mal tgl. 1 Tasse trinken.	Blutdrucksenkende Wirkung sehr unzuverlässig, keinesfalls vom Arzt verordnete Arzneimittel weglassen.
PFEFFERMINZE Folia Menthae piperitae Mentha piperita (L.)	Blähungen Übelkeit Brechreiz Anregung des Gallenflusses	Aufguß: 1 Teel. Blätter mit ¼ Liter kochendem Wasser übergießen, 10 Min. ziehen lassen, bei Bedarf 1 Tasse trinken.	Bei Verdacht auf Magenschleimhautreizung sowie für Säuglinge und Kleinkinder wegen Kollapsgefahr nicht geeignet.
SALBEI Folia Salviae Salvia officinalis (L.)	Hemmung der Schweißsekretion. Als Gurgelmittel bei Entzündungen des Mund- und Rachenraumes	Abkochung: 3 Teel. Salbeiblätter mit ¼ Liter kaltem Wasser übergießen, zum Sieden erhitzen. 10 Min. ziehen lassen, 2-3 mal tgl. 1 Tasse trinken. Auch als Gurgelmittel geeignet.	Nicht zu lange Zeit einnehmen. Für Magenempfindliche nicht geeignet (Schleimhautreizung).
SCHACHTELHALM (Zinnkraut) Herba Equiseti arvensis Equisetum arvense (L.)	Förderung der Harnausscheidung, Frostbeulen, Hautleiden. Zur Unterstützung der Rheuma- und Gichttherapie.	Aufguß: 2 Teel. mit ¼ Liter kochendem Wasser übergießen, 30 Min. ziehen lassen. Über mehrere Wochen hinweg morgens und abends 1 Tasse trinken. Äußerlich: Vollbad: 100 g Kraut mit 1 Liter kochendem Wasser übergießen, 1 Stunde ziehen lassen, dem Badewasser zusetzen.	Achtung! Vergiftungsgefahr beim Selbstsammeln wegen Verwechslung mit anderen Schachtelhalmarten.
SCHAFGARBE Herba Millefolii Achillea millefolium (L.)	Krampflindernd bei Gallen- und Darmbeschwerden, appetitanregend	2 gehäufte Teel. Kraut mit ¼ Liter kochendem Wasser übergießen, 15 Min. ziehen lassen, bei Bedarf 2-3 Tassen mäßig warm trinken.	Empfehlenswert ist eine Mischung von Schafgarbe, Kamille und Pfefferminze.
SPITZWEGERICH Folia Plantaginis Plantago lanceolata (L.)	Bronchitis Husten Entzündung der oberen Luftwege	Aufguß: 1-2 Teel. Blätter mit ¼ Liter kochendem Wasser übergießen, 10-15 Min. ziehen lassen, 2-3 mal täglich 1 Tasse warm trinken, evtl. mit Honig süßen.	
THYMIAN Herba Thymi Thymus vulgaris (L.)	Bronchitis Reizhusten Keuchhusten Verdauungsstörungen	Aufguß: 1-2 Teel. Kraut mit ¼ Liter kochendem Wasser übergießen, 10 Minuten ziehen lassen, 3-4 mal tgl. 1 Tasse trinken.	
WEIDENRÖSCHEN Herba Epilobii Epilobium angustifolium (L.) und kleinblütige Arten	Prostataleiden	Aufguß: 1 Teel. Weidenröschen mit ¼ Liter kochendem Wasser übergießen, 10 Min. ziehen lassen, 2 mal tgl. 1 Tasse trinken.	Die Wirkung ist wissenschaftlich nicht bewiesen. Der Tee ist keinesfalls zur Krebsbehandlung geeignet.
WEISSDORN Flores Crataegi Folia Crataegi Crataegus Oxyacantha (L.)	Altersherz, Durchblutungsstörungen der Herzkranzgefäße, Herz- und Kreislaufbeschwerden	Aufguß: 2 Teel. Weißdorn mit ¼ Liter kochendem Wasser übergießen, 20 Min. ziehen lassen, 2-3 mal tgl. 1 Tasse (mehrere Wochen lang) trinken.	Erfolg nur bei langer bzw. ständiger Anwendung. Kein Ersatz für eine Digitalis-Therapie.
WERMUT Herba Absinthii Artemisia absinthium (L.)	Bittermittel gegen Magen- und Darmverstimmung, Anregung der Verdauungsdrüsen	Aufguß: 1 Teel. Wermutkraut mit ¼ Liter kochendem Wasser übergießen, 5 Min. ziehen lassen, 3 mal tgl. 1 Tasse trinken. (bei Appetitlosigkeit ½ Std. vor dem Essen, bei Verdauungsstörungen 1 Std. nach dem Essen).	Tee nicht süßen, nicht während der Schwangerschaft trinken.

4.7.2 Umgang mit Arzneimitteln

4.7.2.1 Bestellen der Arzneimittel

Das Pflegepersonal bestellt die ärztlich verordneten Medikamente **in der Krankenhausapotheke** bzw. in der das Krankenhaus versorgenden Apotheke. Dazu wird - meist 2 - 3 mal wöchentlich - ein Bestellschein ausgefüllt. Es handelt sich um ein **spezielles Formular** mit zwei Durchschlägen, auf dem jeweils der vollständige Name (z.B. Diazepam®), die Arzneiform (z.B. Tabletten), die Dosierung (z.B. 5 mg) und die Menge (z.B. 20 Tabletten) des Arzneimittels anzugeben sind.
Die **Anforderung** ist **dem tatsächlichen Bedarf anzupassen**, der Vorrat soll für einige Tage, maximal für 14 Tage reichen; es ist unwirtschaftlich und umweltbelastend, Medikamente zu horten und verfallen zu lassen. Aus demselben Grund sind demnächst das Verfalldatum überschreitende und zur Zeit nicht mehr gebrauchte sowie nicht mehr verordnete Arzneimittel an die Krankenhausapotheke zurückzugeben; von dort aus können sie zum baldigen Einsatz weiter vermittelt werden.
Das **Verfalldatum** ist bei Medikamenten auf der Verpackung aufgedruckt. Der **Bestand** und das Verfalldatum der auf der Station befindlichen Medikamente sollte in regelmäßigen Abständen (½ jährlich) **vom Krankenhausapotheker überprüft** werden.
Der vom **Arzt unterschriebene Anforderungsschein** und ein Durchschlag desselben, das Leergut (z.B. Tropfenfläschchen) sowie nicht mehr benötigte / verfallene oder demnächst verfallende Arzneimittel werden in einem geschlossenen Behälter (sogenannter *"Apothekenkasten"*) in der Apotheke abgegeben. Der zweite Durchschlag des Bestellscheins bleibt als Kontrolle auf der Station.
Die **Lieferung** aus der Apotheke wird beim Auspacken auf der Station anhand des Lieferscheins auf Vollständigkeit und Korrektheit **überprüft**.
Das **Einordnen der Medikamente** erfolgt **entsprechend der bestehenden Systematik**; die neu gelieferten Medikamente sind hinter den bereits vorhandenen zu plazieren, so daß letztere zuerst ausgegeben werden.

4.7.2.2 Aufbewahren der Arzneimittel

Bei der Aufbewahrung der Medikamente auf einer Station sind allgemeine **Richtlinien** zu berücksichtigen. Darüber hinaus für die einzelnen Arzneiformen gültige Aufbewahrungshinweise wurden zuvor unter *"Arzneiformen"* *(Seite 426 - 431)* aufgeführt.
Medikamente werden im Stationsdienstzimmer (*"Schwesternarbeitsraum"*, *"Schwesternzimmer"*) in einem **verschließbaren Schrank aufbewahrt**. Der Medikamentenschrank sollte über treppenförmig angeordnete Regale, über Schubladen und Fächer in den Türinnenseiten sowie über ein ausziehbares Brett (zum Richten der Medikamente) verfügen. Um zu verhindern, daß Unbefugte Zugriff zu den Medikamenten haben, sollte der Schrank stets verschlossen sein und der/die Schlüssel von examiniertem Pflegepersonal aufbewahrt werden. Für den Fall, daß Unbefugte Medikamente aus dem nicht verschlossenen Medikamentenschrank entwenden, können unter Umständen die verantwortlichen Pflegepersonen haftbar gemacht werden.
Das Ordnen der Medikamente erfolgt **übersichtlich** und **systematisch**, um das einzelne Medikament jederzeit schnell finden zu können. Es bietet sich an, die Medikamente entsprechend ihrer Arzneiform (Tabletten / Dragees / Kapseln; Salben; Tropfen; Suppositorien etc.) und ihrem Anwendungszweck (innerliche oder äußerliche Anwendung) sowie in alphabetischer Reihenfolge einzuordnen.

Bevor das einzelne Medikament im Schrank eingeordnet wird, sind die entsprechenden **Lagerungsvorschriften** (Gebrauchsinformation) zu beachten. Allgemein gilt:

- **Kühl, d.h. bei 2 - 8 Grad C in einem** eigens dafür vorgesehenen **Arzneimittelkühlschrank** (und niemals im Gefrierschrank!) aufzubewahren sind u.a. Impfstoffe, Sera, Blut und Blutprodukte, Suppositorien, Säfte, Sirupe, trinkfertige antibiotikahaltige Säfte und Insulinvorräte. Insulinfläschchen, die im täglichen Gebrauch sind, können bei Raumtemperatur, d.h. zwischen 15 und 25 Grad C, aufbewahrt werden.
- Medikamente in Druckbehältnissen, z.B. in Spraydosen, sind vor Hitze, d.h. **vor Temperaturen über 50 Grad C, zu schützen** (Explosionsgefahr).
- Feuergefährliche Flüssigkeiten, z.B. Alkohol und Benzin, sind bei Raumtemperaturen **unter 20 Grad C zu lagern** (Explosionsgefahr).
- Substanzen in braunen Flaschen / Ampullen, z.B. Wasserstoffsuperoxid, sind **lichtgeschützt**, d.h. in dunklen Räumen bzw. verschlossenen Schränken zu lagern und dürfen nicht umgefüllt werden.
- **Betäubungsmittel** müssen in einem **zusätzlichen abschließbaren Fach** innerhalb des Medikamentenschrankes verschlossen aufbewahrt werden *(siehe Seite 915)*.
- Sämtliche Arzneimittelbehältnisse müssen **fest verschlossen** sein, um - je nach Arzneiform - die Verdunstung flüssiger Bestandteile, die Aufnahme von Feuchtigkeit, das Einwirken von Licht und eine Kontamination zu vermeiden.
- Die Medikamente sind **in der Originalverpackung** zu belassen, da diese die Chargennummer und das Haltbarkeitsdatum trägt.
  Medikamente, die in einem Herstellungsgang unter Gebrauch gleicher Ausgangssubstanzen gefertigt sind, bezeichnet der Hersteller mit einer **Chargen - Nummer**, um so bei Beanstandungen und qualitativen Mängeln nachvollziehen zu können, wo ein Produktionsfehler liegt.

4.7.2.3 Richten der Arzneimittel

Das Richten der verordneten Medikamente **bedarf äußerster Konzentration**, um Fehler zu vermeiden. Die Arbeit sollte so organisiert sein, daß Störungen möglichst ferngehalten werden.

Vor dem Richten der Medikamente sind die **Hände** gründlich zu **waschen** (ggf. zu desinfizieren) und sau-

bere Medikamentenschälchen *(Medikamentendispenser)*, Tropfengläschen sowie ein sauberes Medikamententablett bereitzustellen.
Die entsprechende Vorbereitung und das Richten von Injektions- und Infusionslösungen werden auf *Seite 441* und auf *Seite 453* besprochen.

Das Richten der Medikamente erfolgt exakt **entsprechend der ärztlichen Verordnung**; diese muß vollständig und in schriftlicher Form vorliegen:
- Name und Vorname des Patienten,
- Name des Medikamentes (z.B. Lasix®),
- Arzneiform (z.B. Tablette),
- Applikationsintervall (z.B. 1x täglich),
- Dosierung in 24 Stunden (z.B. 40 mg) und
- Applikationsart (z.B. per os).

Für das Applikationsintervall gilt im allgemeinen, d.h. sofern nicht vom behandelnden Arzt anders kommentiert, die folgende Handhabung:
- einmal täglich = morgens (evtl. abends); schriftlich dokumentiert z.B. als 1-0-0;
- zweimal täglich = morgens und abends; schriftlich dokumentiert z.B. als 1-0-1;
- dreimal täglich = morgens, mittags und abends; schriftlich dokumentiert z.B. als 1-1-1;
- zur Nacht = 20.00 Uhr oder eine andere bestimmte Zeit am Abend, dokumentiert z.B. als 0-0-0-1.

Einige Medikamente müssen in genau vorgeschriebenem Zeitintervall verabreicht werden; z.B. bedeutet die Verordnung 3 x täglich 5000 IE Heparin s.c., daß das Medikament im 8stündlichen Rhythmus zu verabreichen ist.
Auch ist zu beachten, daß sich die Medikation täglich oder an bestimmten Tagen verändern kann.

Die **Medikamentenverordnung wird direkt vom Verordnungsblatt** in der Pflegedokumentationsmappe **abgelesen** und die entsprechenden Medikamentenpackungen werden aus dem Schrank genommen.

Beachte: Die ärztliche Verordnung sollte nicht auf andere Formulare übertragen werden, um Übertragungsfehler auszuschließen.
Bevor die Einzeldosen entnommen und in das Behältnis für den jeweiligen Patienten gegeben werden, sind der Name und Vorname des Patienten auf dem Verordnungsblatt und auf dem Medikamentendispenser bzw. -tablett hinsichtlich ihrer **Übereinstimmung** zu **vergleichen**.
Anschließend ist zu prüfen, ob die in der Verordnung angegebenen Daten (Medikamentenname, Dosis, Arzneiform, Applikationsart) mit denen auf der Medikamentenverpackung übereinstimmen.
Bei Öffnen einer neuen Verpackung ist diese entsprechend zu **kennzeichnen**, z.B. mit "X". Medikamente, die nach Anbruch nur noch eine bestimmte Zeit haltbar sind (z.B. Augen- und Ohrentropfen, Säfte, Insuline), werden mit dem Öffnungsdatum versehen. Das **Verfalldatum** des jeweils verwendeten Medikamentes ist zu **beachten**. Die **Einzeldosis** folienverschweißter Tabletten, Dragees, Kapseln und Suppositorien ist **an der Perforierung** durch Abtrennung, Abreißen oder Abschneiden **vom Blisterstreifen zu trennen**. Das Belassen in der Originalverpackung ist hygienisch und ermöglicht auch zu späteren Zeitpunkten die Identifikation eines Medikamentes.
Tropfen, Sirup und Säfte werden erst **direkt vor** der **Verabreichung** entsprechend der Verordnung (genaue Milliliterangabe) aus den Mehrdosenbehältnissen in kleine Gläschen gefüllt; dabei sind ggf. vom Hersteller beigefügte Dosierlöffel zu benutzen.
Beachte: In Aussehen, Geruch oder Beschaffenheit veränderte Medikamente werden nicht verabreicht; bei Verunsicherung ist der Apotheker hinzuzuziehen.
Bevor das Medikament in das Kästchen oder in die Schublade zurückgestellt wird, ist nochmals zu prüfen, ob es sich um das richtige Medikament handelt.

4.7.2.4 Verabreichen der Arzneimittel

Die Verteilung und Verabreichung der Medikamente erfolgt **mit frisch gewaschenen Händen** und nach nochmaligem **Vergleich der** gestellten **Medikamente mit der** schriftlichen **Verordnung**; dabei ist zu prüfen, ob der jeweilige Patient tatsächlich die für ihn verordneten Medikamente erhält. Nach Möglichkeit sollte die examinierte Pflegeperson, die die Medikamente gerichtet hat, diese auch verteilen; die vorherige Kontrolle sollte jedoch von einer anderen Person durchgeführt werden.
Die Medikamente - häufig die gesamte Tagesdosis - werden auf den Nachttisch des jeweiligen Patienten gestellt. Er wird hinsichtlich der **Einnahmevorschriften** informiert:
- **Applikationsart** (z.B. Tablette lutschen; Kapsel mit einem Glas Wasser schlucken; Suppositorien in den Enddarm einführen);
- **Applikationszeitpunkt** (z.B. Medikament 30 Min. vor der Mahlzeit oder während bzw. nach der Mahlzeit einnehmen);
- **Verhalten bei der Medikamenteneinnahme per os** (z.B. in aufrechter Oberkörperhaltung; feste Arzneiformen mit mindestens 150 ml Flüssigkeit "hinunterspülen");
- **Zubereitung** (z.B. Auflösung einer Brausetablette in einem Glas Wasser).
  Das Glas, gefüllt mit der vom Patienten gewünschten Flüssigkeit, wird in Reichweite plaziert.

Eine **Information des Patienten** hinsichtlich der Wirkung und unerwünschter Wirkungen der Medikamente ist Aufgabe des Arztes und sollte bereits bei der Verordnung geschehen. Bei Fragen von seiten des Patienten sollte die Pflegeperson die Informationen des Arztes wiederholen bzw. ein erneutes Informationsgespräch zwischen Arzt und Patient vermitteln.
In einigen Fällen, z.B. bei Vergeßlichkeit, Verwirrtheit oder Suizidgefahr des Patienten, sind die Medikamente nicht auf seinem Nachttisch, sondern im Dienstzimmer aufzubewahren.
Die Pflegeperson sollte bei hilfsbedürftigen Kranken während der **Einnahme** der Medikamente in unterstützender und kontrollierender Absicht **anwesend sein**. Grundsätzlich ist zu beobachten, ob der einzelne seine

Medikamente einnimmt und ob er dazu Hilfe benötigt. So sind z.B. viele der bettlägerigen Patienten, aber auch sehbehinderte oder geistig behinderte Menschen auf Hilfestellung angewiesen.
Sollte Pflegenden ein **Fehler bei der Verabreichung** der Medikamente unterlaufen, ist dieser **unverzüglich dem Arzt mitzuteilen**. Der Patient kann gezielt beobachtet und ggf. behandelt werden, z.B. durch Verabreichung eines Antidots*.
Die **Verabreichung** jeden einzelnen Medikamentes ist in der vorgeschriebenen Weise auf dem entsprechenden Kurvenblatt und mit Eintragung des Handzeichens zu dokumentieren.
Besonderheiten wie die Verweigerung der Medikamenteneinnahme, bei der Verabreichung unterlaufene Fehler oder das Auftreten von unerwünschten Wirkungen, sind dem Arzt mitzuteilen und im Pflegebericht zu **dokumentieren**.

Beachte: Bei der Verabreichung von Medikamenten sollte sich die Pflegeperson ihrer möglichen Wirkung auf den Patienten bewußt sein. Sie vermittelt - verbal oder nonverbal, bewußt oder unbewußt - ihre persönliche Einstellung gegenüber der medikamentösen Therapie. Das Verhalten sollte deshalb sachlich sein und keinesfalls zur Verunsicherung des Kranken beitragen. Er hat sich nach der Beratung mit dem Arzt für diese Therapie entschieden und sollte darin auch bestärkt werden. Es ist bekannt, daß die innere Einstellung zum Medikament Einfluß auf die Wirkung ausübt; der **Glaube an die Wirksamkeit des Medikamentes mobilisiert Selbstheilungskräfte**. Dieser Prozeß sollte von den Pflegenden unterstützt werden.

4.7.2.5 Beobachten des Patienten

Die Erfolgskontrolle der medikamentösen Therapie erfolgt durch Beobachtung des Patienten. Der Arzt veranlaßt mitunter z.B. labortechnische oder funktionsbezogene Untersuchungen und beobachtet / befragt den Patienten gezielt hinsichtlich der beabsichtigten Wirkung und möglicher unerwünschter Wirkungen. Öfter sind auch kontinuierliche Kontrollen, z.B. von Puls und Blutdruck, erforderlich; diese werden in der Regel an das Pflegepersonal delegiert.

Auch beobachten die Pflegenden die Wirkungen und Nebenwirkungen der Medikamente auf die ATL, z.B.:
- Verhindert / verringert das Antiemetikum die Übelkeit?
- Tritt die Diarrhoe im Zusammenhang mit der Verabreichung bestimmter Medikamente auf?
- Lindert / verhindert das Analgetikum den Schmerz?
- Werden die Atemnot und die Angst durch das Medikament gelindert?
- Fühlt der Kranke sich besser oder schlechter, ist er leistungsfähiger oder leidet er unter Müdigkeit?
- Tritt die Verwirrtheit im Zusammenhang mit der medikamentösen Therapie auf?

Die Beobachtungen sind dem Arzt mitzuteilen und im Pflegebericht zu dokumentieren.

Allergische Reaktionen können als sehr unangenehm und beunruhigend empfunden werden und zum Teil ein lebensbedrohliches Ausmaß annehmen. Folgende Beobachtungen können auf eine allergische Reaktion hinweisen und sind sofort dem Arzt mitzuteilen:
- plötzlich auftretende Haut- und Schleimhauterscheinungen wie z.B. Juckreiz oder ein Exanthem (häufigste Form der Arzneimittelallergie);
- Fieber unbekannter Genese;
- bisher nicht vorhandene Störung des Allgemeinbefindens, Fieber, Schleimhautgeschwüre, Hautnekrosen, Lymphknotenschwellungen oder Purpura *(kleinfleckige Kapillarblutungen in Haut und Schleimhaut)* können durch Schädigung des blutbildenden Apparates (*Granulozytopenie; Thrombozytopenie, hämolytische Anämie*) bedingt sein.

Anaphylaktische Reaktionen bis hin zum **anaphylaktischen Schock** treten Sekunden bis Minuten nach der Verabreichung des (als Allergen wirkenden) Medikamentes - vor allem nach intravenöser Applikation - auf und können im Extremfall unbehandelt einen tödlichen Verlauf nehmen.
- Übelkeit, Erbrechen, Kaltschweißigkeit, Tachykardie und Exantheme können **Vorboten** eines anaphylaktischen Schocks sein.
- Plötzlich auftretende Atemnot kann durch einen anaphylaktisch bedingten Bronchospasmus *(Krampf der Bronchialmuskulatur)* und/oder ein Glottisödem (*lebensbedrohliche Schleimhautschwellung im Kehlkopfbereich*) verursacht sein.
- Urticaria *(Nesselsucht; stark juckende Quaddeln)* und Quincke - Ödem *(plötzlich auftretende Schwellung der Gesichtshaut und Augenlider)* entstehen infolge der Freisetzung von Histamin u.ä. Substanzen, die eine massive Erweiterung und Durchlässigkeit der Kapillaren bedingen.
- Rhinitis (*Schnupfen*) und Konjunktivitis (*Augenbindehautentzündung*) können ebenfalls Ausdruck einer anaphylaktischen Reaktion sein.
- Plötzlicher Blutdruckabfall / Hypotonie und Tachykardie sind Zeichen des Volumenmangels und können auf den beginnenden Schock hinweisen.
- Herz- und Atemstillstand treten bei extremster Form des anaphylaktischen Schocks auf.

Bei Beobachtung der genannten Reaktionen ist die laufende Infusion sofort abzustellen und unverzüglich der Arzt zu rufen. Er wird zur Behebung des Zustandes sofort Medikamente verabreichen (z.B. Adrenalin, Kortikoide, Volumenersatzmittel, Antihistaminika, Bronchospasmolytika) und ggf. eine Reanimation, Intubation / Beatmung bzw. Tracheotomie durchführen. Der Patient bedarf einer intensiven Überwachung und Betreuung auf der Intensivstation.

4.7.2.6 Pflegestandard "Sichere orale Verabreichung von Medikamenten"

Sichere orale Verabreichung von Medikamenten

Richten	Verteilen	Beobachten
❒ **Prinzipien** Die staatlich examinierte Pflegeperson - erfüllt nur eine schriftliche, eindeutige und leserliche Anordnung des Arztes - befolgt die vom jeweiligen Arzneimittelhersteller vorgegebenen Zubereitungsvorschriften - richtet ausschließlich Medikamente in einwandfreiem Zustand - befolgt exakt die ärztliche Anordnung und - überprüft mehrfach die Übereinstimmung der von ihr gerichteten Medikamente mit der entsprechenden ärztlichen Verordnung. ❒ **Vorgehen** - Hände waschen - saubere Medikamentenschälchen, Tropfengläschen und ein Tablett bereitstellen und deren - korrekte Beschriftung prüfen - ärztliche Verordnung in der Pflegedokumentationsmappe auf Gültigkeit, Vollständigkeit und Lesbarkeit prüfen - verordnetes Medikament aus dem Schrank nehmen, Medikamentenname, Arzneiform, Applikationsart sowie Haltbarkeitsdatum prüfen - Medikament aus der Verpackung entnehmen und entsprechend der Verordnung ins Medikamentenschälchen geben - Übereinstimmung des Patientennamens auf dem Verordnungsbogen und dem Medikamentenschälchen prüfen - vor dem Zurückstellen des Medikamentes Inhalt des Medikamentenschälchens mit der Arztverordnung vergleichen • Medikamentenname • Arzneiform • Applikationsintervall und Dosierung (in 24 Stunden) • Applikationsart - beschriebene Vorgehensweise bei dem Richten jeden weiteren Medikamentes wiederholen - neu angebrochene Medikamentenverpackungen mit einem Symbol bzw. dem Datum (nach Anbruch begrenzt haltbare Medikamente) versehen - in Folie eingeschweißte Tabletten, Dragees und Kapseln einzeln vom Blisterstreifen abtrennen / abschneiden und in der Originalverpackung lassen - Tropfen, Sirupe und Säfte erst direkt vor der Verabreichung zubereiten und exakt dosiert abfüllen.	❒ **Ziele** Der Patient erhält das/die für ihn verordnete/n Medikament/e - in einwandfreiem Zustand, - in der richtigen Arzneiform, - in der richtigen Applikationsart, - in der richtigen Dosis und - im richtigen Applikationsintervall. Der Patient - kennt, versteht und berücksichtigt die Einnahmevorschriften - nimmt die verordneten Medikamente zum richtigen Zeitpunkt ein. ❒ **Vorgehen** - Hände waschen - die für den einzelnen Patienten gestellten Medikamente mit der schriftlichen Verordnung vergleichen - Medikamente (Einzel- bzw. Tagesdosis) auf den Nachttisch der entsprechenden Patienten stellen Ausnahmen: Medikamente, die für verwirrte, vergeßliche, suizidale, psychisch kranke oder geistig behinderte Menschen verordnet wurden, im Stationsdienstzimmer aufbewahren und deren Einnahme kontrollieren - Patienten hinsichtlich der Einnahmevorschriften informieren • Applikationsart und -zeitpunkt • Verhalten (z.B. Oberkörperhochlage einnehmen, Tabletten mit Flüssigkeit schlucken, Brausetabletten auflösen) - sich vergewissern, ob der Patient in der Lage und willens ist, die Medikamente einzunehmen - dem Patienten ggf. die erforderliche Hilfestellung geben - bei Verweigerung der Medikamenteneinnahme nach dem Grund fragen und Verweigerung akzeptieren, dokumentieren und dem Arzt mitteilen - bei Informationsbedürfnis und Medikamentenverweigerung von seiten des Patienten ein Informationsgespräch mit dem Arzt vermitteln - ggf. unterlaufene Fehler unverzüglich dem Arzt mitteilen und im Pflegebericht dokumentieren, den Patienten beobachten - Medikamentenverabreichung durch Eintragung des persönlichen Handzeichens auf dem Verordnungsblatt, Besonderheiten im Pflegebericht dokumentieren.	❒ **Ziele** Frühzeitiges Erkennen von Nebenwirkungen. Erkennen der Auswirkungen der medikamentösen Therapie auf die ATL. Der Patient - teilt Veränderungen seines Befindens unverzüglich mit. ❒ **Vorgehen** - Patienten auffordern, sich bei Veränderungen / Beschwerden zu melden - ärztlich angeordnete Kontrollen (z.B. der Vitalzeichen, des Blutzuckers) durchführen - erwünschte und unerwünschte Auswirkungen der medikamentösen Therapie im Bereich der ATL beobachten, z.B.: • Treten Müdigkeit, Übelkeit und Verwirrtheit auf? • Lassen Atembeschwerden oder Schmerzen nach? • Ist der Kranke leistungsfähiger oder belastbarer? • Wie ist das subjektive Befinden des Patienten? - bei Anzeichen einer allergischen / anaphylaktischen Reaktion • Haut- / Schleimhautveränderungen (z.B. Juckreiz, Exantheme, Quaddeln, Ödeme) • Fieber, Störung des Allgemeinbefindens • Veränderungen der Vitalzeichen (Tachykardie, Hypotonie, Atembeschwerden) und • Kaltschweißigkeit unverzüglich den Arzt benachrichtigen - beobachtete Reaktionen / Veränderungen im Pflegebericht dokumentieren und dem Arzt mitteilen.

4.7.2.7 Verabreichung von Scheinmedikamenten *(Plazebo)*

Eine therapeutische Behandlung, die beabsichtigt, eine Therapie zu simulieren, wird als **Plazebo** bezeichnet. Demnach sind nicht nur Scheinmedikamente, sondern auch andere Behandlungen, z.B. eine unspezifische chirurgische Behandlung, als Plazebo einzustufen. Im engeren Sinn sind jedoch unwirksame Medikamente, sogenannte **Scheinmedikamente** (z.B. NaCl), gemeint.

Der Einsatz von Plazebo ist nur gerechtfertigt, wenn die Beschwerden des Kranken ernstgenommen werden und nach sorgfältiger Prüfung keine wirksamere spezifische Therapie zur Verfügung steht (bzw. diese durch Plazebo ergänzt wird).

Es ist ethisch nicht vertretbar, die Beschwerden eines Kranken als von ihm eingebildet zu bewerten und ihn durch die Verabreichung eines Plazebos (anstelle eines spezifisch wirksamen Medikamentes) zu "überführen", indem eine subjektiv empfundene Wirkung als Beweis für die angeblich eingebildete Krankheit gedeutet wird. Ein solches Verhalten zeigt auch mangelnde Sachkenntnis, denn der Erfolg einer unspezifischen Behandlung mit Plazebo ist durch zahlreiche Studien bekannt.

Die **Suggestivwirkung** des Plazebo **führt** beim Anwender **zu unspezifischen psychologischen und psychophysiologischen Veränderungen**.

Bis heute konnte der genaue Wirkmechanismus von Plazebo nicht erklärt werden. Gesichert ist jedoch die Erkenntnis, daß sein Effekt bis zu zwei Drittel des Therapieerfolges ausmachen kann. Er wird auf verschiedene Faktoren, die von einer Plazebobehandlung ausgehen, zurückgeführt. Von diesen wirken **Angstreduktion**, **konditioniertes Lernen** *(z.B. "Die Einnahme von Tabletten hat mir bisher immer Schmerzlinderung verschafft".)*, **neurohumorale Mechanismen** (z.B. über die Ausschüttung körpereigener - schmerzlindender - Endorphine, *vgl. Seite 901*), vor allem aber die **positive Erwartungshaltung** (von Therapeut und Patient).

Letzteres verdeutlicht, daß alle an der Therapie Beteiligten (auch die Pflegenden) durch ihre Einstellung den Erfolg einer Behandlung beeinflussen können. Positiv wirkt vor allem eine überzeugende positive Grundhaltung - am besten Begeisterung - gegenüber der Therapie. Das **Vertrauen in eine Therapie** und den Therapeuten übt bei jeder Art der Behandlung - sei es eine schulmedizinische Therapie, ein alternatives Heilverfahren (z.B. Akupunktur) oder ein Plazebo - einen wesentlichen Einfluß auf das Ergebnis aus.

Die Höhe der Erfolgsrate eines Plazebo hängt auch von der Art der Störung bzw. Erkrankung ab. Spielen bei deren Entstehung neurophysiologische und neurohumorale Mechanismen eine Rolle, ist Plazebo in der Regel wirksam. So ist die Wirkung von Plazebo bekannt bei

- Schmerz- und Angstzuständen,
- Schwindelgefühlen,
- Phobien, Psychoneurosen,
- Bluthochdruck,
- Asthma bronchiale.

Der Einsatz eines Scheinmedikamentes kann andererseits der **klinischen Erprobung** eines neuen Medikamentes dienen. Dazu wird ein sogenannter **Blindversuch** durchgeführt. Eine Gruppe von Testpersonen erhält das Medikament, eine andere Gruppe (*Kontrollgruppe*) erhält Plazebo. Beide Gruppen wissen nicht, ob sie den Wirkstoff oder das Scheinmedikament erhalten. Hiermit soll eine unbewußte Verfälschung der Ergebnisse bezüglich der Wirkung des Medikamentes verhindert werden.

Weiß auch der das Arzneimittel applizierende Untersuchungsleiter nicht, welche Probanden das Scheinmedikament bzw. das Medikament bekommen, spricht man vom **Doppelblindversuch**.

4.7.3 Injektionen

4.7.3.1 Einführung

❒ Begriffserläuterungen

Als **Injektion** wird das relativ schnelle **Einspritzen von gelösten Arzneimitteln** in den Körper bezeichnet.

Beachte: Beträgt die Flüssigkeitsmenge mehr als 20 ml, wird sie langsam (tropfenweise) verabreicht; man spricht dann von einer **Infusion**.

❒ Vorteile

Im Vergleich zur oralen Applikation eines Medikamentes bietet die Injektion folgende Vorteile:

- Der Magen - Darm - Trakt wird umgangen,
  - Unverträglichkeiten und Beschwerden am Magen-Darmtrakt werden verhindert;
  - Wirkstoffe, die durch die körpereigenen Fermente inaktiviert würden (z.B. Heparin, Insulin), können wirksam verabreicht werden;
  - das Medikament kann auch bei Resorptionsstörungen des Verdauungstraktes gegeben werden.
- Das Medikament kann exakt dosiert werden.
- Das Medikament kann auch bewußtseinsgestörten / bewußtlosen Menschen sowie Menschen mit Schluckstörungen verabreicht werden.
- Der Wirkungseintritt des Medikamentes ist kalkulierbar,
  - Wirkungseintritt nach i.v. Injektion erfolgt sofort / innerhalb weniger Minuten;
  - Wirkungseintritt nach i.m. Injektion erfolgt nach 10 - 15 Minuten;
  - Wirkungseintritt nach s.c. Injektion erfolgt nach 20 - 30 Minuten.

❒ Verantwortungsbereich

Injektionen bedürfen generell der **ärztlichen Anordnung**; auch die Durchführung gehört in den **ärztlichen Aufgabenbereich**.

Die Durchführung der intrakutanen, der subkutanen sowie der intramuskulären Injektion kann - nach ausdrücklicher und **schriftlicher Delegation** - von Krankenschwestern / -pflegern übernommen werden. Das Pflegepersonal muß sich bezüglich der delegierten Aufgabe kompetent fühlen; im allgemeinen wird die **Handlungskompetenz** während der staatlich anerkannten Ausbildung erworben. Unter besonders schwierigen Bedingungen und bei zu erwartenden Komplikationen kann die Durchführung der Injektion abgelehnt werden.

Während der staatlich anerkannten Krankenpflegehilfeausbildung wird ausschließlich die Kompetenz zur Durchführung der subkutanen Injektion erworben.
Für die Durchführung einer Injektion ist allein der Ausführende verantwortlich und somit im Schadensfall haftbar (**Durchführungsverantwortung**); dies trifft jedoch nicht für Auszubildende zu. Sie dürfen nur unter Anleitung und Aufsicht einer Krankenschwester / eines Krankenpflegers oder einer Ärztin / eines Arztes eine Injektion vornehmen; die Verantwortung trägt die anleitende und aufsichtführende Person.

4.7.3.2 Injektionsarten

Die Injektionsarten unterscheiden sich durch das Gewebe, in welches die Injektionslösung verabreicht wird:
- **Intrakutan** (Abk. i.c.) = in die Oberhaut (*Epidermis*) hinein; verabreicht werden z.B. Impfstoffe oder Allergene. Im Injektionsgebiet bildet sich eine Quaddel.
- **Subkutan** (Abk. s.c.) = unter die Haut; in das Unterhautzellgewebe *(Subkutis)* hinein; verabreicht werden ausschließlich wässrige Lösungen, z.B. Insulin, Heparin.
- **Intramuskulär** (Abk. i.m.) = tief in den Muskel hinein; verabreicht werden wässrige oder ölige Lösungen, z.B. Analgetika*, Antiphlogistika*, Spasmolytika*.
- **Ventroglutäal** (Abk. v.g.) = in den bauchwärtsgerichteten Teil des mittleren Gesäßmuskels *(Muskulus glutäus medius)* hinein; Möglichkeit der i.m. Injektion.
- **Intravenös** (Abk. i.v.) = in die Vene hinein; verabreicht werden z.B. Digitalis - Präparate*, Beruhigungsmittel.
- **Intraarteriell** (Abk. i.a.) = in die Arterie hinein; verabreicht werden z.B. gefäßerweiternde Medikamente.
- **Intraartikulär** = in das Gelenk *(Articulatio)* hinein; verabreicht werden z.B. entzündungshemmende Medikamente.

4.7.3.3 Spritzen und Kanülen

Spritzen zur Injektion werden heute überwiegend als **steril verpacktes Einmalmaterial** aus Kunststoff angeboten. Sie erleichtern das hygienische Arbeiten und sind einfach zu handhaben.

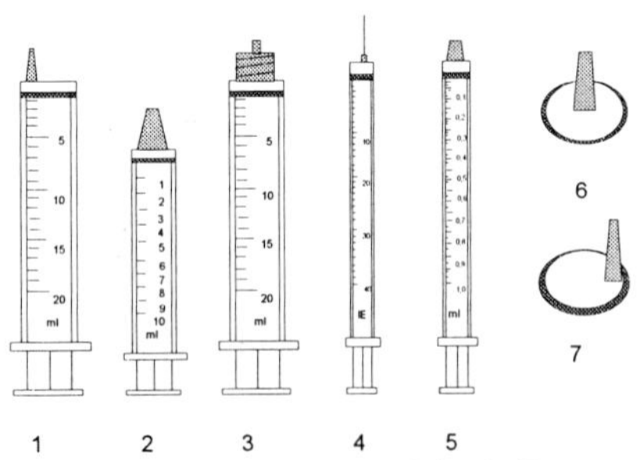

1 = Einmalspritze 20 ml mit Rekord - Konus
2 = Einmalspritze 10 ml mit Luer - Konus
3 = Einmalspritze 20 ml mit Luer - Lock - Konus
4 = Insulinspritze 1 ml = 40 IE mit integrierter Kanüle
5 = Tuberkulinspritze 1 ml (Skalenwert 0,01 ml)
6 = Konusansatz - zentrisch
7 = Konusansatz - exzentrisch

Abb. 4.55 ***Spritzenarten***

Die Spritzen sind mit einer **Milliliter - Skala** versehen, die bis in Zehntel eingeteilt ist. Spezielle Spritzen für die Tuberkulin- und Insulininjektion weisen eine **Spezialgraduierung** auf. Hier läßt sich die Menge (und somit die Dosis) des aufgezogenen Medikamentes genau ablesen. Solche Spezialspritzen sind für die Injektion von 1 - 2 ml Lösung geeignet; die herkömmlichen Spritzen fassen 2, 5, 10 oder 20 ml Injektionslösung.

Die **Injektionskanülen** sind ebenfalls **steril und einzeln verpackt**; sie sind aus rostfreiem Material hergestellt und weisen eine **kurz- oder langgeschliffene Spitze** für den Einstich auf. An der Ansatzstelle für den Spritzenkonus sind sie je nach Durchmesser und Länge herstellerspezifisch **durch bestimmte Farben gekennzeichnet**. Die Kanüle wird durch eine leicht abnehmbare Plastikkappe geschützt.
Die Verpackung jeder Kanüle weist die Länge und den Durchmesser in Millimeterangaben aus; eine Numerierung erleichtert die **Unterscheidung** zwischen den Kanülenarten. Im allgemeinen gilt:
- Für die **intrakutane Injektion** werden Kanülen mit 0,30 - 0,45 mm Durchmesser und 3 - 16 mm Länge gewählt.
- Für die **subkutane Injektion** werden Kanülen mit 0,45 - 0,55 mm Durchmesser und 12 - 25 mm Länge bzw. gebrauchsfähige Einmalspritzen mit integrierter Kanüle (12 mm) gewählt.
- Für die **intramuskuläre Injektion** werden Kanülen mit 0,70 - 0,90 mm Durchmesser gewählt; die Länge der Kanüle ist abhängig vom Injektionsort und der Gewebedicke des Menschen.
- Für die **ventroglutäale Injektion nach von Hochstetter** oder **nach Sachtleben** (*Crista - Methode)* wird die Länge der zu benutzenden Kanüle entsprechend dem Geschlecht, der Körpergröße und dem Körpergewicht des jeweiligen Patienten berechnet. So wird gewährleistet, daß die Injektion wie beabsichtigt ins Muskelgewebe - und nicht ins Fettgewebe - erfolgt.
  In Tabelle 4.11 ist die nach Forschungsergebnissen (HÖHNE, 1980) jeweils optimale Kanülenlänge abzulesen.

Optimale Kanülenlänge für die ventroglutäale Injektion nach von Hochstetter und nach Sachtleben		
Gewicht	**Frauen**	**Männer**
Untergewicht, Unterschreitung des Idealgewichtes	47 mm	48 mm
Gewicht zwischen Normal- und Idealgewicht	52 mm	51 mm
Gewicht zwischen Normalgewicht und 10% darüber	53 mm	55 mm
Übergewicht, mind. 10% und max. 20% über Normalgewicht	60 mm	61 mm
Übergewicht, Überschreitung des Normalgewichtes über 20%	69 mm	71 mm

Tabelle 4.11 ***Optimale Kanülenlänge für die ventroglutäale Injektion***

- Für die **intramuskuläre Injektion in den Musculus deltoideus** werden 30 - 32 mm lange, bei Übergewicht evtl. längere Kanülen gewählt. (**Beachte**: Stichführung senkrecht zur Hautoberfläche.)

- Für die **intramuskuläre Injektion in den Oberschenkel** *(Musculus quadriceps femoris)* werden 35 - 40 mm lange Kanülen gewählt.
- Für die **intravenöse Injektion** werden Kanülen mit 0,55 - 0,70 mm Durchmesser und 30 - 40 mm Länge gewählt. (Informationen zu Venenverweilkanülen finden Sie unter *"Infusionen", Seite 454.)*

4.7.3.4 Umgang mit verschiedenen Injektionslösungen

Vor dem Aufziehen einer Injektionslösung ist eine hygienische **Händedesinfektion** durchzuführen.

Die Injektionslösungen werden in unterschiedlichen Behältern angeboten.

Glasampullen:
- sie enthalten in der Regel die gewünschte Einzeldosis;
- **Beachte**: Zu kühle Medikamente werden in der Hand erwärmt;
- der Ampullenhals ist durch klopfende Bewegungen vom Inhalt zu befreien;
- am Ampullenhals befindet sich eine (kreisförmige) Markierung, an dieser Stelle kann die Ampulle aufgesägt oder aufgebrochen werden, dabei ist ein Tupfer an den Ampullenhals zu legen, um sich nicht zu verletzen;
- sowohl Spritze als auch Aufziehkanüle werden unmittelbar vor der Benutzung aus der sterilen Verpakkung entnommen, indem diese vorschriftsmäßig auseinandergezogen wird; zuvor ist zu prüfen, ob die Verpackung unbeschädigt und ungeöffnet ist;
- die Aufziehkanüle sollte ein möglichst kleines Lumen aufweisen, um die Gefahr, Glassplitter anzusaugen, gering zu halten;
- das Medikament wird aufgezogen, ohne dabei die Kanüle zu berühren, auch die Kolbenstange sollte möglichst nicht berührt und nicht unnötig hin- und herbewegt werden;
- die Spritze wird mit der Kanüle nach oben gehalten und die Luft aus dem Zylinder gedrückt;
- die Aufziehkanüle wird gegen eine Injektionskanüle ausgewechselt und sofort entsorgt; die Injektionskanüle wird unverzüglich aufgesetzt, die Plastikkappe wird nicht entfernt;
- die aufgezogene Spritze wird mit dazugehöriger Ampulle und Namensschild des Patienten auf ein Tablett gelegt, um Medikamentenverwechselungen zu vermeiden.

Stechampullen:
- sie ermöglichen die mehrfache Entnahme einzelner Dosen des Medikamentes, z.B. von Insulin;
- bei der ersten Entnahme wird das Anbruchdatum auf der Stechampulle vermerkt;
- vor jeder Entnahme sind Gummikappe und Metallring mit einem alkoholischen Präparat zu desinfizieren;
- die Entnahme erfolgt mittels Belüftungskanüle oder steriler Kanüle; diese wird anschließend mit einem sterilen Stöpsel verschlossen;
- sollen größere Mengen entnommen werden, injiziert man zuvor die entsprechende Menge Luft (nicht erforderlich bei Einsatz einer Belüftungskanüle);
- nach dem Aufziehen wird die Injektionskanüle unverzüglich aufgesetzt, ohne daß die Plastikkappe entfernt wird;
- wird die Injektion nicht sofort durchgeführt, bleibt die Stechampulle neben der aufgezogenen Spritze und dem Namensschild des Patienten stehen;
- bei weiteren Entnahmen ist die vom Hersteller angegebene Haltbarkeitsdauer zu beachten.

Injektionsfläschchen mit Trockensubstanz:
- die Trockensubstanz wird unmittelbar vor der beabsichtigten Injektion mit dem vom Hersteller vorgegebenen Lösungsmittel aufgelöst;
- vor dem Einspritzen werden Gummikappe und Metallring der Stechampulle mit einem alkoholischen Präparat desinfiziert;
- das Lösungsmittel wird mit einer Überleitungskanüle, die zunächst in die Ampulle mit dem Lösungsmittel, dann in die Ampulle mit der Trockensubstanz eingestochen wird, übergeleitet oder unter sterilen Kautelen aufgezogen und in die Stechampulle hineingespritzt;
- es wird beobachtet, ob sich die Trockensubstanz vollständig auflöst, evtl. muß der Prozeß mit leichten Schüttelbewegungen unterstützt werden;
- nur das vollständig aufgelöste Medikament wird in die Spritze aufgezogen;
- die Aufziehkanüle wird gegen eine Injektionskanüle ausgewechselt und sofort entsorgt, die Injektionskanüle wird unverzüglich aufgesetzt, die Plastikkappe wird nicht entfernt.

Fertigspritzen:
- das Medikament wurde bereits vom Hersteller aufgezogen und steril verpackt;
- die Injektionskanüle befindet sich gebrauchsfertig auf dem Kanülenansatz (*Konus*);
- die Spritze wird mitsamt der aufgesteckten Kanüle unmittelbar vor Gebrauch vorschriftsmäßig aus der Verpackung genommen und injiziert.

4.7.3.5 Vorbereitung einer Injektion

Zunächst wird die **schriftliche Anordnung des Arztes überprüft**:
- Daten des Patienten (Vor- und Nachname, Zimmernummer);
- Medikamentenverordnung (Handelsname, Konzentration, Dosis und Applikationsart des Präparates);
- Zeitpunkt der Verabreichung
  Beachte: Das Medikament sollte unmittelbar vor dem Verabreichungszeitpunkt, unter Umständen höchstens eine Stunde vorher aufgezogen werden, um seine Wirkung und Sterilität nicht zu gefährden.

Auf einem desinfizierten Tablett werden sodann folgende Materialien bereitgestellt:
- Injektionslösung, ggf. mit Lösungsmittel,
- ggf. Ampullenfeile,
- kleinlumige Aufziehkanüle (f. ölige Medikamente sind entsprechend größere Kanülendurchmesser zu wählen),
- passende Spritze und Injektionskanüle *(siehe vorstehend)*,
- sterilisierte Tupfer,

- Hautdesinfektionsmittel (nach Möglichkeit mit Sofortwirkung, d.h. die Einwirkzeit beträgt 15 Sekunden),
- für eine intravenöse Injektion zusätzlich Stauschlauch und Pflaster.

Das **Aufziehen der Injektionslösung** geschieht wie im vorherigen Abschnitt beschrieben; die leere Ampulle bleibt bis nach der Injektion auf dem Tablett liegen.

Bevor das Medikament verabreicht wird, müssen bestimmte **Informationen eingeholt** und bestimmte **Kontrollen durchgeführt** werden. Ebenso sind vor, nach und während der Verabreichung einer Injektion gezielte **Beobachtungen** vorzunehmen. Diese allgemein gültigen Prinzipien im Umgang mit Medikamenten sind auf *Seite 435 "Umgang mit Arzneimitteln"* exemplarisch aufgeführt und dort nachzulesen.

4.7.3.6 Durchführungshinweise

- **Der Kranke ist darauf hinzuweisen**, daß er den Einstich, evtl. auch ein Druckgefühl (vor allem bei großen Mengen und bei öliger Injektionslösung) spüren wird. So kann er sich auf die - meist geringfügigen - Unannehmlichkeiten einstellen.
- Die Pflegeperson führt eine **hygienische Händedesinfektion** durch.
- Nachdem der **Kranke informiert** wurde und sein **Einverständnis** ausgedrückt hat, wird er in der richtigen Position - entspannend und entsprechend der vorgesehenen Injektionstechnik - gelagert.
- Die vorgesehene **Einstichstelle wird inspiziert**; das Gewebe muß intakt sein.
  Beachte: In ödematöses, entzündetes, vernarbtes oder mangeldurchblutetes Gewebe darf nicht injiziert werden.
- Menschen, die unter einer **Blutungsneigung** leiden oder eine hochdosierte Antikoagulanzientherapie bekommen, erhalten wegen der wahrscheinlichen Hämatombildung **keine intramuskulären Injektionen**. **Kontraindiziert** sind Injektionen auch bei Schockzuständen (verminderte und/oder verzögerte Resorption) und bei Verdacht auf Herzinfarkt (veränderte CK - Werte und evtl. folgende Lysetherapie).
- Die Einstichstelle wird nach einer bestimmten Methode *(siehe "Injektionstechniken", Seite 443 - 446)* aufgesucht. Sodann erfolgt die **Desinfektion der** vorgesehenen **Einstichstelle** mit einem Hautdesinfektionsmittel; die vom Hersteller angegebene Einwirkzeit ist unbedingt einzuhalten. Das Desinfektionsmittel soll antrocknen; so wird verhindert, daß es in den Stichkanal gelangt und dort ein Brennen verursacht. Die desinfizierte Hautstelle sollte nicht mehr berührt werden; falls erforderlich, wird sie mit einem sterilisierten Tupfer abgewischt.
- **Die Haut** des vorgesehenen Injektionsfeldes wird **zur i.m. Injektion** in die Gesäß- bzw. Oberschenkelmuskulatur **gespannt**; bei **kachektischen Menschen** und zur i.m. Injektion in den Deltamuskel wird sie **umfaßt und leicht abgehoben**.
  Die **subkutane Injektion** erfolgt in eine **abgehobene Hautfalte**; bei kachektischen Menschen ist die Hautfalte meist zu dünn. Dann wird die Haut gespannt und die Kanüle nur einige Millimeter tief im 90 - Grad - Winkel eingeführt.
- Die **Spritze** wird **wie ein Schreibstift in der Hand gehalten**, die Kanüle mit der spitzzugeschliffenen Seite zuerst und rasch eingestochen. Von der Kanüle bleibt ca. 1 cm sichtbar.
  Beachte: Sollte die Kanüle bereits vorher auf den Knochen treffen, wird sie ca. 1 cm zurückgezogen. Treten spontan **starke Schmerzen oder Lähmungserscheinungen** auf, ist die **Kanüle sofort zu entfernen** und der Arzt zu informieren.
- Der **Kanülenansatz** wird bei der i.m. Injektion mit dem Daumen und Zeigefinger der freien Hand - die auf dem Gesäßmuskel aufgestützt wird - festgehalten; so lassen sich **Nadelbewegungen vermeiden**.
- Vor dem Einspritzen des Medikamentes wird überprüft, ob evtl. ein Blutgefäß punktiert wurde. Dazu ist der sogenannte **Aspirationsversuch** durchzuführen: der Spritzenstempel wird etwas zurückgezogen.

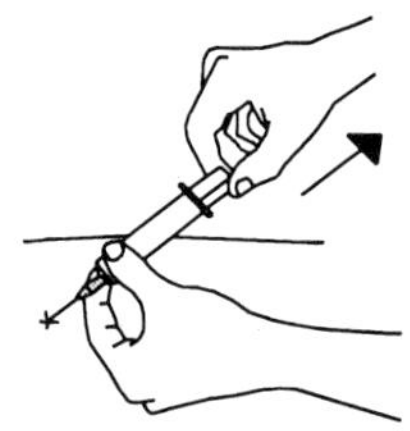

Abb. 4.56 ***Aspirationsversuch***

Beachte: Sollte **Blut** angesogen werden, ist die **Kanüle** zu **entfernen** und die Einstichstelle zu komprimieren. Die Injektion muß erneut vorbereitet und an anderer Stelle durchgeführt werden. Die gebrauchten Utensilien und das Medikament werden verworfen.

Bei der subkutanen Injektion sollte **keine Aspiration** erfolgen (ein Verletzen größerer venöser Gefäße ist in der Regel nicht möglich), da sie zu Gewebsschäden führen kann.

- Wird die **Injektion bei abgehobener Hautfalte** vorgenommen, kann diese mit dem Daumen und Ringfinger der nicht injizierenden Hand gehalten werden, während Zeige- und Mittelfinger beim Einstich gespreizt über der Einstichstelle liegen und beim Aspirationsversuch den Kanülenansatz fixieren.
- **Während der Injektion** sind die Schmerzen durch **korrekte Stichführung** und langsames Einspritzen gering zu halten.
- Das **Entfernen der Kanüle** erfolgt **rasch**. Die Einstichstelle wird mit einem trockenen sterilisierten Tupfer kurz und leicht komprimiert; dabei sollte das Medikament (ausgenommen Heparin und Insulin) durch kreisende Fingerbewegungen im Gewebe verteilt werden.

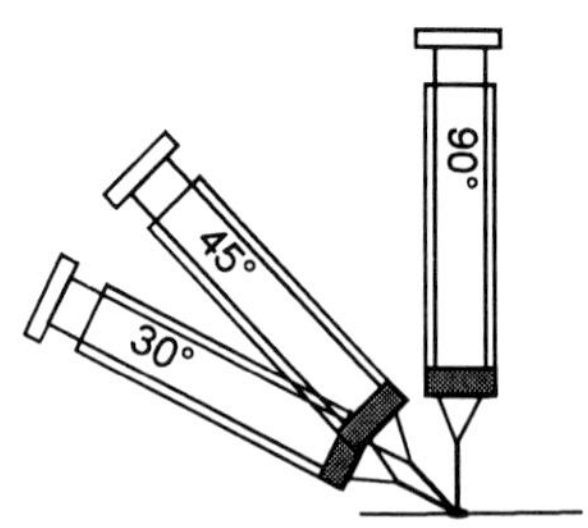

Abb. 4.57 ***Verschiedene Einstichwinkel***

4.7.3.7 Injektionstechniken

❒ Intrakutane Injektion

- Injektionsort ist die Oberhaut
    - an der Unterarminnenseite,
    - an der Oberarmaußenseite,
    - im Rücken- und Schulterblattbereich;
- zur Injektion wird die Haut gespannt;
- die Kanüle wird flach zur Oberhaut eingeführt, bis die Kanülenöffnung nicht mehr sichtbar ist;
- die Lösung wird langsam injiziert, es bildet sich sofort eine Quaddel.

Anmerkung: Die intrakutane Injektion mittels Tine - Test - Stempel wird auf *Seite 84* besprochen.

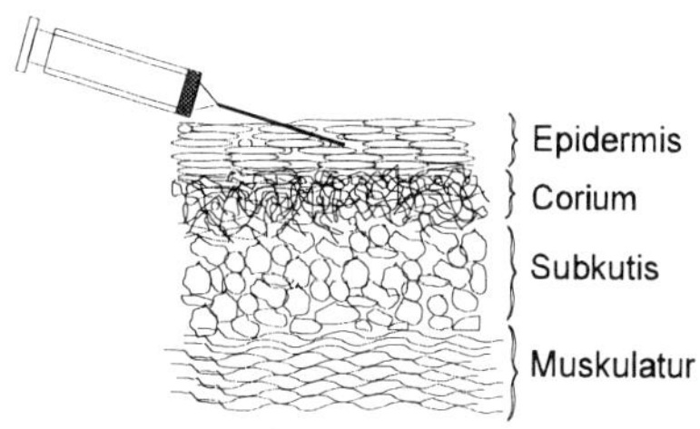

Abb. 4.58 ***Die intrakutane Injektion***

❒ Subkutane Injektion

- Injektionsort ist das Unterhautzellgewebe des / der
    - mittleren äußeren und vorderen Oberschenkeldrittels,
    - oberen äußeren Oberarmregion,
    - Bauchdecke zwischen Nabel, Crista iliaca und Symphyse (unter Aussparung der Region, die sich 1 - 2 cm um den Bauchnabel herum befindet),
    - ober- und unterhalb der Schulterblätter,
    - Flankenbereiche.

    Beachte: Bei regelmäßigen Injektionen ist die Einstichstelle jedes Mal neu zu wählen; systematisches Vorgehen, z.B. wochenweiser Wechsel des Injektionsfeldes, wird empfohlen *(siehe dazu "Diabetes mellitus", Seite 170)*.
- Zur Injektion wird die Hautfalte mit Daumen und Zeigefinger abgehoben;
- die Kanüle wird im 45 - Grad - Winkel zur Hautoberfläche eingestochen *(Abb. 4.57)*.

    Beachte: Extra kurze Kanülen (12 mm) werden im 90 - Grad-Winkel eingestochen *(siehe unten)*.

    Nach einer Insulininjektion muß auf die zeitgerechte Nahrungsaufnahme - je nach Insulinart 15 - 45 Minuten nach der Injektion - geachtet werden.

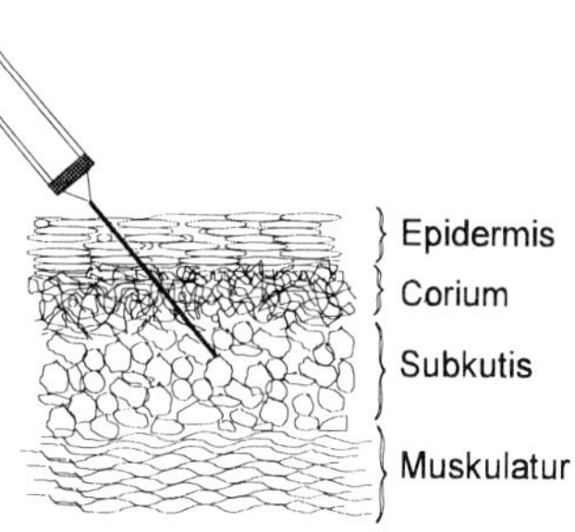

Abb. 4.59 ***Die subkutane Injektion***

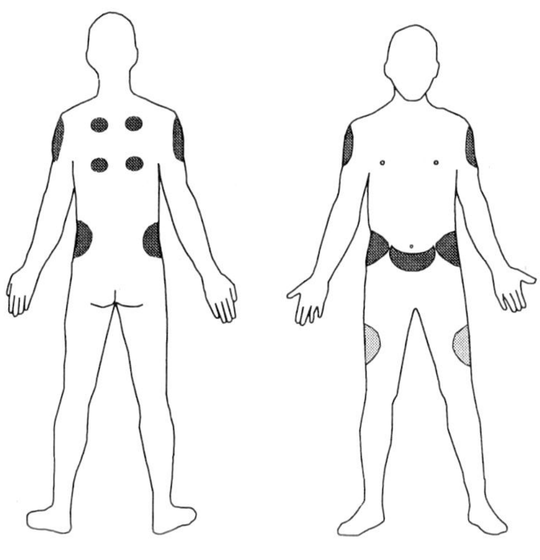

Abb. 4.60 ***Einstichstellen für subkutane Injektionen***

❍ *Handhabung von Fertigspritzen mit extra kurzer Kanüle* *(Abb. 4.61)*

- Nach Desinfektion des Injektionsortes wird mit Daumen und Zeigefinger eine Hautfalte abgehoben. Eventuell vorhandene Tropfen von der Nadelspitze abschütteln, niemals abstreifen. Die Hautfalte festhalten, die Nadel senkrecht (im 90-Grad-Winkel) zur Hautoberfläche einstechen und in ihrer ganzen Länge einführen.
- Das Medikament wird appliziert. Die eingearbeitete Luftblase sorgt für eine vollständige Entleerung der Spritze. Die Nadel wird gerade herausgezogen, erst danach die Hautfalte loslassen.

Anmerkung: Die Handhabung eines Pen und einer Insulin - Fertigspritze wird unter "Injektionshilfen", Seite 170, besprochen.

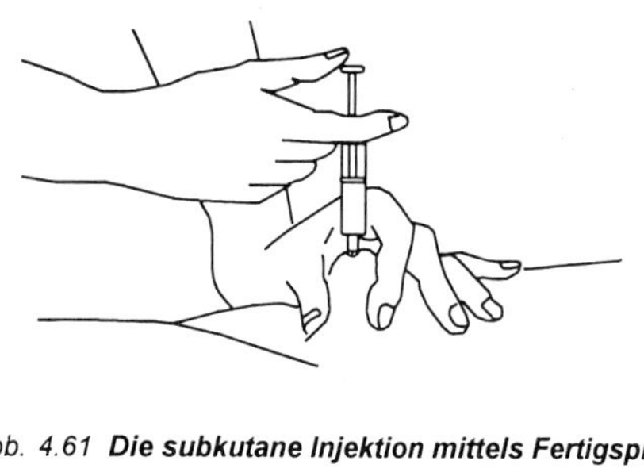

Abb. 4.61 ***Die subkutane Injektion mittels Fertigspritze***

❐ Intramuskuläre Injektionen

a) Ventroglutäale Injektion nach von Hochstetter

- Injektionsort ist das nerven- und gefäßarme Muskelgewebe der ventralen *(bauchwärtsliegenden)* Gesäßregion (*M. glutaeus medius oder minimus*).
- Die genaue Injektionsstelle wird durch Aufsuchen festgelegter Orientierungspunkte gefunden (= gedachtes Dreieck zwischen Eminentia cristae iliacae, Spina iliaca anterior superior und Trochanter major).
- Die Injektion in den Gesäßmuskel erfolgt beim liegenden Patienten
  - in flacher Seitenlage, das oben liegende Bein ist leicht angezogen (Muskelentspannung);
  - Schwerkranke können von erfahrenem, examiniertem Pflegepersonal die Injektion in Rückenlage erhalten.

Beachte: Die ventroglutäale Injektion nach von Hochstetter ist nur bei Erwachsenen durchzuführen.

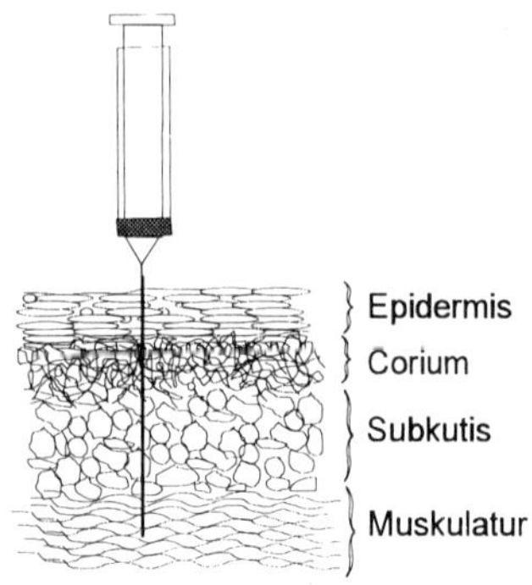

Abb. 4.62 ***Die intramuskuläre Injektion***

❍ Aufsuchen der Injektionsstelle nach von Hochstetter

Orientierungspunkte *(Abb. 4.63)*

- Crista iliaca *(Darmbeinkamm)* = "C",
- Eminentia cristae iliacae *(Vorsprung des Darmbeinkamms, Darmbeinhügel)* = "E",
- Spina iliaca anterior superior *(vorderer, oberer Darmbeinstachel)* = "S",
- Trochanter major *(großer Rollhügel)* = "T",
- Injektionsstelle *(unteres Drittel des Dreiecks zwischen Zeige- und Mittelfinger)* = "J".

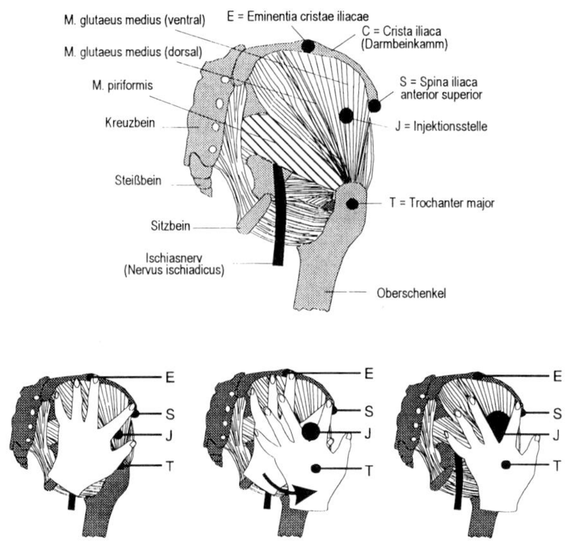

Abb. 4.63 ***Aufsuchen der Injektionsstelle nach von Hochstetter***

Abmessen mit der linken Hand auf der rechten Hüfte *(Abb. 4.64)*

- Der Kranke befindet sich in Seitenlage, sein Rükken ist der Pflegeperson zugewandt, das obenliegende Bein ist leicht angezogen;
- der Zeigefinger tastet den vorderen, oberen Darmbeinstachel = "S";
- der Mittelfinger fährt den Darmbeinkamm = "C" entlang, bis er unterhalb des höchsten Punktes, dem Darmbeinhügel = "E" aufliegt;
- der Handteller wird um ca. 2 cm verschoben, bis er auf dem großen Rollhügel = "T" liegt; dabei bleibt der Zeigefinger auf dem Darmbeinstachel liegen, der Mittelfinger wird um ca. 2 Querfinger verschoben;
- die Injektionsstelle = "J" liegt im unteren Drittel des von Zeige- und Mittelfinger gebildeten Dreiecks.

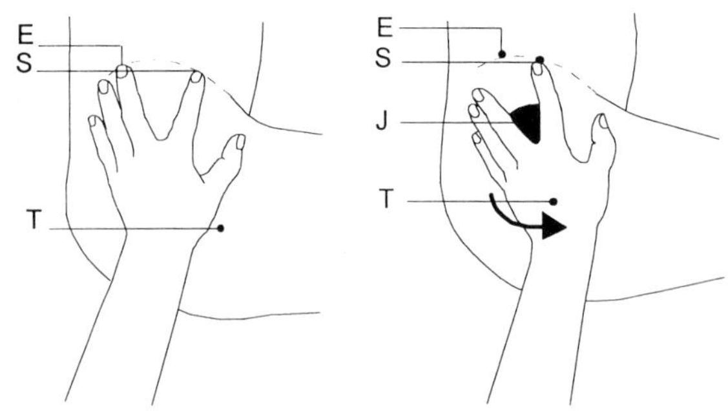

Aufsuchen der Orientierungspunkte

Festlegung der Injektionsstelle durch Bauchwärtsverschieben der Hand um ca. 2 cm

Abb. 4.64 ***Abmessen mit der linken Hand auf der rechten Hüfte***

Abmessen mit der linken Hand auf der linken Hüfte *(Abb. 4.65)*

- Der Kranke befindet sich in Seitenlage, sein Rükken ist der Pflegeperson zugewandt, das obenliegende Bein ist leicht angezogen;
- der Mittelfinger tastet den vorderen, oberen Darmbeinstachel = "S";
- der Zeigefinger fährt den Darmbeinkamm = "C" entlang, bis er unterhalb des höchsten Punktes, dem Darmbeinhügel = "E", aufliegt;
- der Handteller wird nun um ca. 2 cm verschoben, bis er auf dem großen Rollhügel = "T" liegt; dabei bleibt der Mittelfinger auf dem Darmbeinstachel liegen, der Zeigefinger wird um ca. 2 Querfinger verschoben;
- die Injektionsstelle = "J" liegt im unteren Drittel des von Zeige- und Mittelfinger gebildeten Dreiecks.

Stichführung *(Abb. 4.66)*

- Die Haut des Kranken wird zwischen Zeige- und Mittelfinger gespannt;
- die Kanüle wird im 90-Grad-Winkel zur Körperoberfläche (also senkrecht) eingeführt.

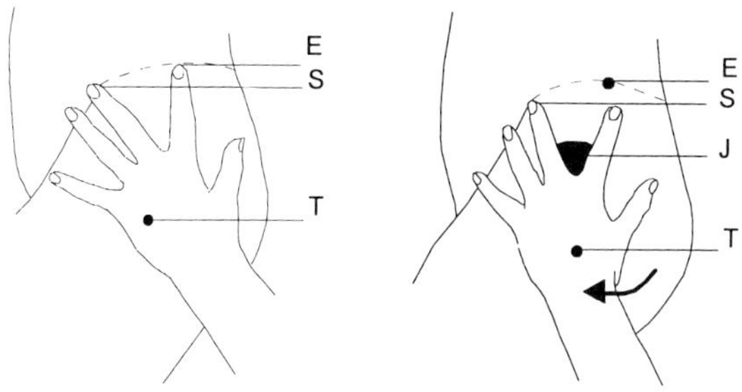

Aufsuchen der Orientierungspunkte

Festlegung der Injektionsstelle durch Bauchwärtsverschieben der Hand

Abb. 4.65 ***Abmessen mit der linken Hand auf der linken Hüfte***

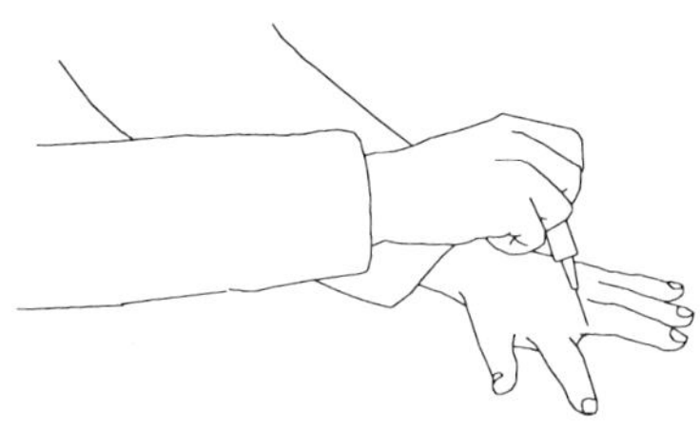

Abb. 4.66 ***Stichführung (90-Grad-Winkel)***

b) Intramuskuläre Injektion nach Sachtleben

(*Crista-Methode*)

- **Injektionsort** ist der Muskulus glutaeus medius bzw. minimus (identisch mit der nach von Hochstetter bezeichneten Injektionsstelle) *(Abb. 4.67)*;
- der Kranke liegt auf der Seite; liegt sein Kopf rechts von der Pflegeperson, wird
  - die linke Hand in seine Flanke gelegt, der Zeigefinger liegt dabei auf der Knochenleiste des Darmbeinkammes = "C";
  - links vom Zeigefinger, ca. drei Finger breit (oder ca. fünf cm) unterhalb des Darmbeinkamms (also in Höhe des kleinen Fingers) - auf der gedachten Verbindungslinie zwischen der Mitte des Darmbeinkammes und dem großen Rollhügel = "T" - liegt die Injektionsstelle = "J";
- die Pflegeperson kann auch vor dem auf der Seite liegenden Kranken stehen (sein Kopf liegt dann links von ihr) und mit der rechten Hand die Injektionsstelle abmessen,
  - zunächst tastet sie mit der linken Hand die Knochenleiste des Darmbeinkamms,
  - parallel dazu legt sie den Zeigefinger der rechten Hand an,
  - unterhalb des rechten Zeigefingers, ca. 3 fingerbreit unterhalb des Darmbeinkamms, findet man - wie oben beschrieben - die Injektionsstelle;
- bei der Crista-Methode kann der Kranke neben der Seitenlage auch die Rückenlage einnehmen.

Beachte: Bei Kindern bis ca. 75 cm Körpergröße liegt die Injektionsstelle einen Querfinger, bei Kindern bis 125 cm Körpergröße zwei Querfinger breit unterhalb des Darmbeinkamms.

Stichführung

- Die Kanüle wird senkrecht (90-Grad-Winkel) zur Körperoberfläche eingeführt.

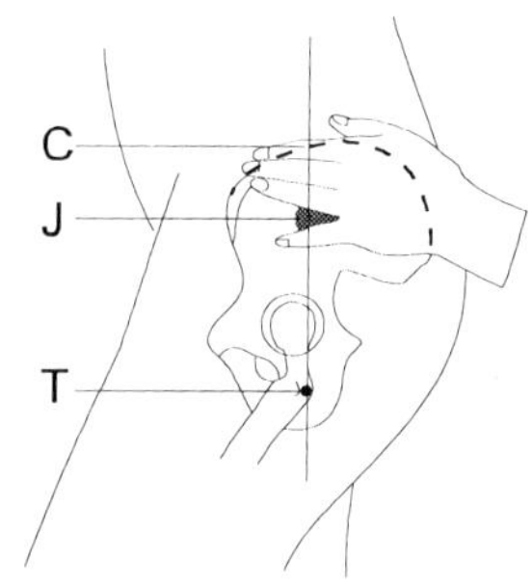

a) hinter dem Kranken stehend

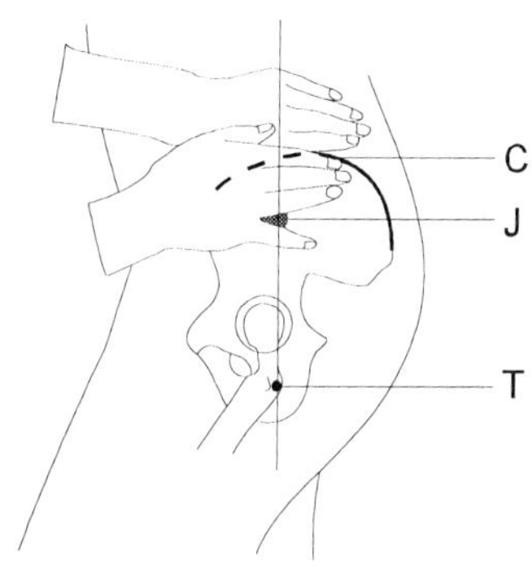

b) vor dem Kranken stehend

Abb. 4.67 ***Abmessen der Injektionsstelle mittels Crista-Methode nach Sachtleben***

c) Intramuskuläre Injektion in den Oberschenkel

- **Injektionsort** ist das mittlere Drittel der seitlichen Oberschenkelmuskulatur (M. quadrizeps femoris = Übergang vom Muskulus rectus femoris zum Muskulus vastus lateralis) *(Abb. 4.68)*;
- beim liegenden Kranken werden
  - der kleine Finger der einen Hand am Trochanter major *(großer Rollhügel)* angelegt,
  - der kleine Finger der anderen Hand an der Patella *(Kniescheibe)* angelegt,
  - in Gedanken eine Linie zwischen Trochanter major und Patella gezogen;
- der **Injektionsbereich** befindet sich im mittleren Drittel dieser gedachten Linie = "J";
- die Injektionsstelle wird mit sanftem Druck umgriffen und leicht abgehoben.

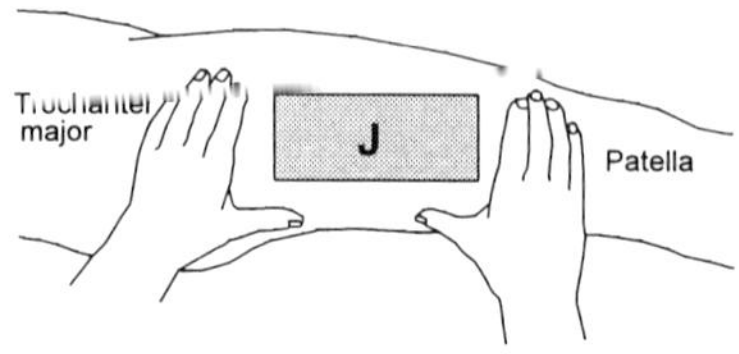

Abb. 4.68 ***Abmessen der Injektionsstelle zur intramuskulären Injektion in den Oberschenkel***

Stichführung
- Der Kanüleneinstich erfolgt senkrecht zur Körperoberfläche in Richtung Oberschenkelknochen (*Femur*).
  Beachte: Das Bein darf nicht in Außenrotation liegen, da in dieser Lage Gefäße getroffen werden könnten. Es sollten keine öligen Flüssigkeiten und maximal 2-5 ml verabreicht werden, um unnötige Schmerzen zu vermeiden.

d) Intramuskuläre Injektion in den Oberarm

- Sie ist für den Kranken relativ schmerzhaft;
- die Gefahr, Nerven und Gefäße zu verletzen, ist relativ groß;
- aufgrund der geringen Muskelmasse ist eine relativ kurze Kanüle zu wählen; es dürfen max. 2 Milliliter - aber keine öligen Substanzen - injiziert werden;
- nach Möglichkeit sind andere Injektionsorte für eine i.m. Injektion vorzuziehen (die Durchführung kann von Pflegenden auch aufgrund des relativ hohen Komplikationsrisikos abgelehnt werden);
- **Injektionsort** kann die obere Region der Oberarmaußenseite = "J", unterhalb der Schulterblatthöhe *(Muskulus deltoideus)* sein *(Abb. 4.69)*;
- die Einstichstelle findet sich drei Querfinger breit unterhalb der Schulterhöhe *(Akromion)* an der höchsten Stelle der Muskelwölbung;
- die Kanüle wird senkrecht (im 90-Grad-Winkel) zur Körperoberfläche eingestochen.

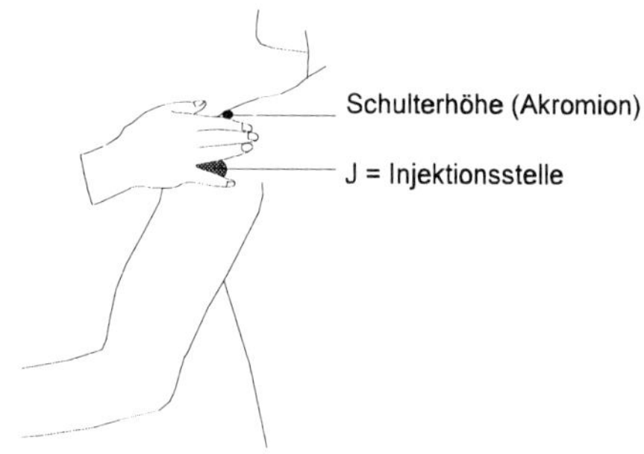

Abb. 4.69 ***Abmessen der Injektionsstelle zur intramuskulären Injektion in den Oberarm (Muskulus deltoideus)***

4.7.3.8 Mögliche Komplikationen

- Nach **subkutanen Injektionen** treten Komplikationen selten auf. Es handelt sich um
  - **Infektionen** infolge unzureichender Hygienemaßnahmen (die in Ausnahmefällen zum Spritzenabszeß führen können);
  - **allergische Reaktionen** an der Injektionsstelle;
  - **beschleunigten Wirkungseintritt** bei versehentlicher Injektion in einen Muskel.
- Nach **intramuskulären Injektionen** können folgende Komplikationen auftreten:
  - **Hämatombildung** infolge versehentlichen Anstechens eines Gefäßes (meist bei unterlassenem Aspirationsversuch bzw. Nichtbeachten der Kontraindikationen);
  - **Nervenschädigung** (Sofortschmerz, Lähmungserscheinungen) infolge Anstechens eines Nervs (unsachgemäßes Aufsuchen der Injektionsstelle) oder infolge der Deponierung des Medikamentes in unmittelbarer Nähe des Nervs (subakuter Schmerz / Lähmung);
  - **Spritzenabszeß** (schmerzhafte lokale Vereiterung an der Injektionsstelle) infolge eines primär oder sekundär infizierten Hämatoms oder durch Verschleppung von Mikroorganismen infolge unhygienischen Arbeitens (mangelhafte Hautdesinfektion) bzw. verunreinigter Injektionslö-

sung; tritt vor allem bei abwehrgeschwächten Menschen auf;

- **aseptische Nekrose** (nach einigen Tagen auftretende Verdickung an der Einspritzstelle, mäßige subjektive Mißempfindungen des Betroffenen) als Unverträglichkeitsreaktion des Gewebes gegenüber dem injizierten Medikament oder durch Fehlinjektion einiger Medikamente (z.B. Depot-Kortikoide) in die Subkutis;
- **Embolia cutis medicamentosa** *(syn. Nicolau-Syndrom);* durch Medikamentenübertritt bedingter Arterienverschluß und Blockade des venösen Abflusses in der Subkutis nach i.m. Fehlinjektion (in ein arterielles Blutgefäß) und Arzneimittelreiz; mit livider Hautverfärbung, Schmerzen und Nekrosenbildung einhergehend;
- **Kanülenabbruch** am Konusansatz infolge eines Materialfehlers oder durch unangebrachte rotierende Bewegungen bei starker Verhornung der Haut; durch Verwendung von Einmalmaterial selten gewordene Komplikationen.

4.7.3.9 Nachbereitung

- Die Kanüle wird in einem speziell dafür vorgesehenen Behälter entsorgt, ohne daß die Kanülenkappe wieder aufgesteckt wird (Verletzungs- / Infektionsgefahr);
- die Spritze und der Tupfer werden in den Abfallbehälter gegeben;
- die Glasampulle wird im Spezialbehälter für Glas entsorgt;
- die Injektionsart, der Handelsname, die Konzentration und Dosis des verabreichten Medikamentes sowie ggf. aufgetretene Besonderheiten werden dokumentiert.

4.7.4 Infusionstherapie

Elke Hurling

4.7.4.1 Grundlagen

❒ Definition Infusion

Die Bezeichnung "Infusion" leitet sich ab von *"infundere = hineingießen"* und meint das **tropfenweise Einfließen von Flüssigkeit** in den menschlichen Körper unter Umgehung des Magen-Darm-Traktes.

Eine sogenannte **Dauerinfusion** erfolgt **kontinuierlich**, z.B. über 24 Stunden oder mehrere Tage, häufig zum Zweck der parenteralen Ernährung *(siehe nachfolgend "Indikationen")*.

Eine **Kurzinfusion** wird in der Regel zur Applikation von Medikamenten vorgenommen und dauert, je nach ärztlicher Anordnung, 15 - 30 Minuten oder wenige Stunden.

❒ Applikationsmöglichkeiten

Die Flüssigkeit wird in Form von Infusionslösungen

- direkt in den Blutkreislauf = *intravenöse oder intraarterielle Infusion*, oder
- in das Unterhautfettgewebe = *subkutane Infusion* gegeben.

Die **häufigste Applikationsform** ist die **intravenöse Infusion**; diese kann, je nach Indikation, periphervenös *(in eine periphere Vene)* oder zentralvenös *(in die obere Hohlvene / Vena cava)* erfolgen.

Eine **intraarterielle Infusion** wird nur **selten** vorgenommen.

Eine subkutane Infusion wird ausschließlich zur **Substitution*** **von Flüssigkeit** bei älteren Menschen vorgenommen.

Mit Hilfe einer Infusion ist die Menge der in einem bestimmten Zeitraum aufzunehmenden Flüssigkeit und der darin gelösten Stoffe gut bestimmbar.

❒ Aufgaben- und Verantwortungsbereiche

Die **Anordnung einer Infusionstherapie** mit Angabe der Infusionslösung und der zu infundierenden Menge pro Zeiteinheit erfolgt **schriftlich durch den behandelnden Arzt**. Die Aufgabe des Arztes ist es, den betroffenen **Patienten** über die geplante Infusionstherapie **zu informieren** und sein **Einverständnis einzuholen**.

Das **Legen eines venösen Zugangs** und das **Anschließen einer Infusion** ist ebenfalls ärztliche Tätigkeit. Ausnahmen bilden das Legen von peripheren Venenzugängen in Notfallsituationen und das Anlegen einer subkutanen Infusion in der geriatrischen Pflege.

Der behandelnde Arzt entscheidet über das weitere Vorgehen, wenn sich im Zuge der Infusionstherapie Komplikationen ergeben, z.B. Infektionen.

Im ambulanten Pflegebereich muß der Hausarzt ein Rezept über die Infusionslösung(en) und die für eine Infusionstherapie benötigten Materialien ausstellen.

Pfegerische Aufgabe ist die **Vorbereitung der Infusion** und das **Richten der Materialien** für das Legen des Venenzugangs. Hierbei trägt die jeweilige Pflegekraft die **Durchführungsverantwortung**.

Weiterhin gehören zu den pflegerischen Aufgaben **die Betreuung des Patienten** und die **Überwachung der Infusion(en)**, außerdem der Wechsel von Infusionsflaschen und Zuleitungssystemen oder das Entfernen einer Infusion.

Bei Unverträglichkeitsreaktionen oder Paravasaten muß die betreuende Pflegekraft die Infusionszufuhr unverzüglich stoppen und weitere Maßnahmen entsprechend der ärztlichen Anordnung vornehmen.

Die Pflegekraft kontrolliert den Venenzugang, führt bei Venenverweilkanülen oder zentralen Venenkathetern regelmäßig einen **Verbandwechsel** durch und **dokumentiert** alle Besonderheiten im Zusammenhang mit der Infusionstherapie.

Mit entsprechender Qualifikation, z.B. Fachschwester oder -pfleger für Anästhesie und Intensivmedizin, haben Pflegekräfte die Befähigung erworben, wirkstoffhaltige Infusionslösungen anzuschließen oder Medikamente über den Zuspritzteil einer Venenverweilkanüle zu applizieren.

Ängstlichen oder unruhigen Patienten können beim Legen einer Venenverweilkanüle die Anwesenheit und die Beruhigung durch eine Pflegeperson helfen; beim Legen eines zentralen Venenkatheters liegt die zentrale Aufgabe in der Betreuung des Patienten.

❐ Indikationen

Indikationen für eine Behandlung mit Infusionen sind:

- Störungen des Wasser- und Elektrolythaushaltes, z.B. Dehydratation*, Hyperkalziämie*, Hypokaliämie*;
- Störungen der Nahrungsaufnahme, z.B. durch Nahrungskarenz oder bei schweren Schluckstörungen (die Zufuhr von Nährstoffen, Vitaminen und Mineralstoffen durch Infusionen wird als **parenterale Ernährung** bezeichnet);
- Störungen des Säure-Basen-Haushaltes* (Alkalose*, Azidose*);
- vorübergehende Nahrungskarenz, z.B. nach operativen Eingriffen im Magen - Darm - Bereich;
- Applikation von Medikamenten, z.B. Antibiotika, Zytostatika.

❐ Wasser- und Elektrolythaushalt

Für einen ausgewogenen Wasser- und Elektrolythaushalt des Körpers ist die Aufnahme einer bestimmten Flüssigkeitsmenge von großer Bedeutung. Der gesunde Erwachsene sollte mindestens 1500 ml täglich trinken. Diese Flüssigkeitsmenge wird benötigt, um neben dem Wasserverlust des Körpers über Verdunstung und Abatmung (mindestens 900ml) noch eine **Ausscheidung harnpflichtiger Substanzen** über die Nieren (mindestens 600ml Urin) **sicherzustellen**.

Bei erhöhten Außentemperaturen, großer körperlicher Anstrengung oder Störungen der Temperaturregulation *(Fieber)* ist der Flüssigkeitsbedarf entsprechend erhöht *(siehe "Flüssigkeitsbilanz", Seite 199)*.

Beim älteren Menschen ist häufig ein verändertes Trinkverhalten (zu geringe Flüssigkeitsaufnahme) zu finden, unter anderem bedingt durch unzureichendes Durstgefühl *(siehe "Durst", Seite 115)*.

Der Anteil von Wasser am menschlichen Körper unterliegt physiologischen Veränderungen und ist unter anderem abhängig von Alter, Geschlecht und individuellem Körperbau. Bei Frauen liegt der Anteil an Körperwasser etwas unter dem von Männern, da sie einen höheren Anteil an wasserarmem Fettgewebe haben.

Der Körper eines Neugeborenen besteht zu etwa 75%, der eines Menschen mittleren Alters zu etwa 60% und der eines älteren Menschen zu etwa 50% aus Wasser.

❐ Verteilung des Körperwassers

Der Hauptanteil des Körperwassers eines Menschen mittleren Alters, ca. 66%, befindet sich **in den Zellen** *(intrazellulär)*; diese stehen in einem Stoff- und Wasseraustausch mit den Zellzwischenräumen.

Zwischen den Zellen *(interstitiell*)* befinden sich ca. 27% des Körperwassers. Der kleinste Anteil des Körperwassers, ca. 7 %, fließt **in den Blutgefäßen** *(intravasal)*.

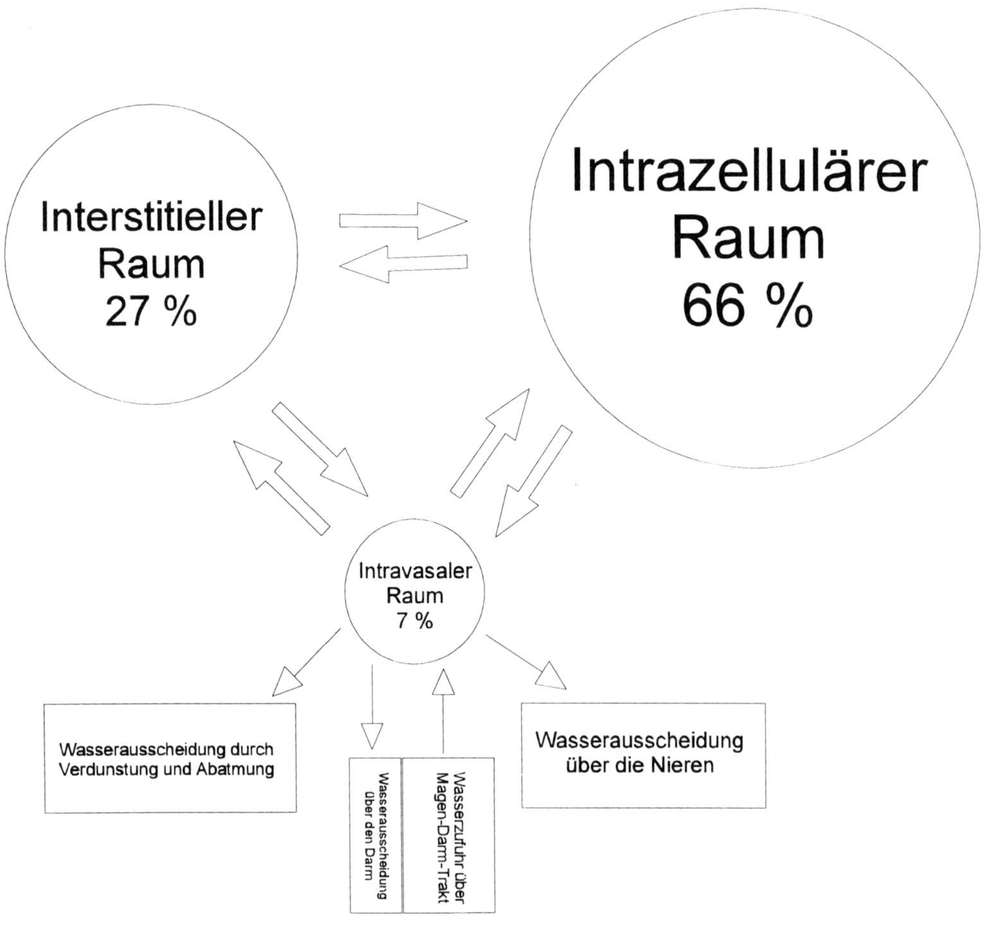

Abb. 4.70 ***Verteilung des Körperwassers***

Je nach Bestimmungsmethode schwanken die Angaben; die genannten Prozentzahlen sind Richtwerte. Das Körperwasser **außerhalb der Zellen** wird als **extrazelluläre** Flüssigkeit bezeichnet.

Der Körper eines 70 kg schweren Menschen mittleren Alters besteht zu 42 kg aus Wasser, davon befinden sich im intrazellulären Raum 27,7 l Wasser und im interstitiellen Raum 11,3 l Wasser. Der intravasale Raum enthält 3 l Wasser.
Beim älteren Menschen verringert sich das Gesamtkörperwasser, in erster Linie bedingt durch eine Flüssigkeitsabnahme innerhalb der Zellen. Gleichzeitig kommt es mit steigendem Alter zu einer Zunahme von wasserarmem Fettgewebe.
Diese Veränderungen in Verbindung mit einem nachlassenden Durstgefühl erhöhen beim älteren Menschen die Gefahr einer Dehydratation*.

4.7.4.2 Infusionslösungen

Echte Lösungen sind Infusionslösungen, deren Partikel als Ionen* oder kleine Einzelmoleküle vollständig gelöst, d.h. von Wassermolekülen umgeben sind.
Bei **kolloidalen Lösungen** handelt es sich um größere Moleküle, die in Wasser löslich oder aufgeschwemmt sind.
Aufgrund ihrer Teilchengröße können die für eine Infusion verwendeten **Emulsionen**, z.B. Fette bei der parenteralen Ernährung, noch als kolloidale Lösungen aufgefaßt werden. Emulsionen sind (wie bei der Milch) fein in Wasser verteilte Fett-Tröpfchen.

Infusionslösungen können wie folgt *(in Anlehnung "Rote Liste 1997")* **eingeteilt werden:**

- **Lösungen zur Zufuhr von Elektrolyten**
  Elektrolytlösungen sind Lösungen von Salzen, z.B. Natriumchlorid, Kaliumchlorid, Kalziumchlorid, Natriumlactat, in Wasser.
  Diese Lösungen werden eingesetzt
  - als Trägerlösungen für Arzneimittel; als Standard NaCl-Lösung 0,9%;
  - zur Zufuhr von extrazellulärer Flüssigkeit, z.B. Ringer-Lösung oder Ringer-Lactat-Lösung;
  - zum Ausgleich von Wasser- und Elektrolytverlusten bei isotoner* Dehydratation, z.B. Normofundin ® X 2,5, Tutofusin® OP, Jonosteril® Na 100;
  - zum Ausgleich von Wasser- und Elektrolytverlusten bei hypertoner* Dehydratation, z.B. Tutofusin ® BG, Parenteral BG5;
  - zum Ausgleich von Wasser- und Elektrolytverlusten bei hypotoner* Dehydratation, z.B. NaCl-Lösung 0,9%.
- **Lösungen zur Zufuhr von Energie**
  Lösungen zur Zufuhr von Energie enthalten Kohlenhydrate und Fette.
  Kohlenhydratinfusionen dienen
  - zur Zufuhr von Energie, z.B. Glukose- oder Xylit-Lösungen in unterschiedlichen Konzentrationen; 5%ige Lösungen sind isotonisch* und können periphervenös gegeben werden;
  - als Trägerlösung für Arzneimittel (5%ige Glukose-Lösung).

  Fetthaltige Infusionen dienen
  - zur Vervollständigung einer parenteralen Ernährung und als Nahrungsergänzung, da sie essentielle Fettsäuren enthalten und Kalorien liefern, z.B. Salvilipid®, Abbolipid®, Lipofundin® N.
- **Lösungen zur parenteralen Ernährung**
  Eine parenterale Ernährung ist erforderlich, wenn eine enterale Nahrungszufuhr ganz oder teilweise nicht möglich ist oder bestimmte Erkrankungen vorliegen, z.B. schwere Schäden von Leber oder Nieren. Lösungen zur parenteralen Ernährung enthalten einzeln oder in Kombination Aminosäuren, Kohlenhydrate und Elektrolyte. Sie werden je nach Zusammensetzung peripher- oder zentralvenös infundiert.
  Kombinierte Lösungen für eine periphervenöse Applikation sind z.B. Salviamin® 3,5% G-E, Periamin® G oder Periplasmal® 3,5% XE.
  Bei einer längerfristigen und/oder vollständigen parenteralen Ernährung ist das Legen eines zentralen Venenkatheters unumgänglich. Lösungen zur zentralvenösen Applikation sind z.B. Combifusin® 4,5% oder Combiplasmal® 4,5% GXE.

Um dem Kranken neben Nährstoffen und Mineralstoffen auch die erforderlichen Vitamine zu applizieren, können diese entweder direkt injiziert oder den Infusionslösungen zugegeben werden.

- **Lösungen zur Korrektur des Säure-Basen-Haushaltes***
  Der pH-Wert* des Blutes liegt zwischen 7,37 und 7,43; ein Unterschreiten des unteren Wertes bedeutet Azidose* (z.B. bei Diabetes mellitus oder Niereninsuffizienz), ein Überschreiten des oberen Wertes bedeutet Alkalose* (z.B. bei massivem Erbrechen oder Hypoventilation).
  Zur Korrektur einer Alkalose kann L-Arginin-Hydrochlorid-Lösung zum Einsatz kommen. Bei einer Azidose erfolgt die Korrektur durch Natriumhydrogencarbonat-Lösung oder THAM-Infusion.
- **Lösungen zur Osmotherapie**
  Infusionen zur Osmotherapie enthalten osmotisch* wirksame Substanzen und werden zur Ausschwemmung von Ödemen, forcierter Diurese, Senkung von Hirndruck und Augeninnendruck eingesetzt.
  Zur Anwendung können Mannit-Lösungen in Konzentrationen von 10, 15 und 20% und Sorbit-Lösung 40% kommen.
- **Lösungen zum Ersatz von Volumen**
  Lösungen zum Volumenersatz enthalten kolloidal gelöste Stoffe, z.B. Dextran, Hydroxäthylstärke. Im Gegensatz zu Elektrolyten oder Zuckern (siehe vorstehend) verbleiben kolloidal gelöste Stoffe nach intravenöser Gabe im Blutgefäßsystem. Durch ihre osmotische Wirksamkeit halten sie das mit der Infusion gegebene Wasser im Blutkreislauf und verhindern dadurch eine übermäßige Ausscheidung. Bei einem Blutungsschock werden z.B. Macrodex® 6% oder HAES-steril® 6% infundiert.
  Lösungen zum Volumenersatz werden ebenfalls eingesetzt, wenn die Fließeigenschaften des Blutes verbessert werden sollen, z.B. bei Durchblutungsstörungen Rheomacrodex® 10% oder Expafusin®.

- **Humanalbuminlösungen**
  Humanalbumine werden aus Blutplasma gewonnen und sind kolloidale Lösungen von menschlichem Eiweiß. Sie besitzen keine antigenen Eigenschaften und können daher ohne Blutgruppenbestimmung appliziert werden. Humanalbuminlösungen, z.B. Albumin 5% Human, Human Albumin 20%, werden eingesetzt bei Volumenmangel und/oder Albuminmangel. Wie bei allen Blutprodukten sollte eine Dokumentation der verabreichten Charge *(siehe Seite 435)* erfolgen.

4.7.4.3 Materialien

❒ Infusionslösungsbehälter

Infusionslösungen stehen abgefüllt in Glasflaschen, Kunststoff-Flaschen und Kunststoffbeuteln, in Größen von 50ml, 100ml, 250ml, 500ml und 1000ml, zur Verfügung. Infusionslösungen in Enghalsflaschen bis 100ml Inhalt werden als Kurzinfusionen bezeichnet.

- **Glasflaschen**
  Es dürfen nur Behältnisse definierter chemischer Stabilität und Qualität Anwendung finden. Glas für Infusionsflaschen ist speziellen Produktionsbedingungen unterworfen, um eine Wechselwirkung zwischen Infusionslösung und dem Glas so gering wie möglich zu halten.
  Recyclingglas darf nur für die Herstellung von Infusionsflaschen benutzt werden, wenn es ausschließlich aus Glas von Infusionsflaschenqualität gewonnen wird.
  Glasflaschen zeichnen sich durch eine hohe Durchsichtigkeit aus.
  Lichtempfindliche Infusionslösungen, z.B. mit Vitaminzusätzen, können durch Verwendung von dunklem Glas geschützt werden. Nachteile von Glasflaschen sind Zerbrechlichkeit, (nicht erkannte) Splitterbildung und das hohe Gewicht.
- **Kunststoff-Flaschen**
  Es dürfen nur Kunststoffe einer gewissen Qualität verwendet werden. Bei ihnen darf eine Herauslösung von Produktionshilfsstoffen aus dem Kunststoff bzw. eine Einlagerung von Teilchen der Infusionslösung in den Kunststoff [z.B. Äthylen-Vinylacetat (EVA), Polyäthylen (PE), Polypropylen (PP)] nur minimal sein.
  Kunststoff-Flaschen haben eine hohe mechanische Festigkeit, ein geringes Gewicht und sind flexibel in ihrer Form.
  Ein Nachteil kann, je nach Art des verwendeten Kunststoffs, mangelnde Durchsichtigkeit sein. Die Wasserdampfdurchlässigkeit darf bei vorschriftsmäßiger Lagerung nicht die Qualität der Infusionslösung beeinträchtigen.
  Berücksichtigt werden muß die elektrostatische Aufladung der Flaschenoberfläche, da diese leicht zum Anhaften von Staubpartikeln führt, die durch Abwischen, auch mit einem feuchten Tuch, nur unzureichend entfernt werden können.
  Wiederaufbereitete Kunststoff-Abfälle, z.B. alte Infusionsflaschen und -beutel, dürfen für die Herstellung von Behältnissen für Arzneimittel nicht verwendet werden.
- **Kunststoff-Beutel**
  Die bei der Herstellung von Kunststoff-Beuteln verwendeten Materialien sind Polyvinylchlorid (PVC) und Äthylenvinylacetat (EVA), auch in Kombination mit anderen Kunststoffen. Die Beutel weisen eine gute Durchsichtigkeit auf. Von Nachteil ist die schon bei den Kunststoff-Flaschen erwähnte Durchlässigkeit von Wasserdampf. Die genannten Kunststoffe sind auch durchlässig für Alkohol und andere organische Lösungsmittel; sie sollten daher z.B. nicht mit Filzstiften beschriftet werden.

❒ Verschlüsse von Infusionsbehältern

Die Verschlüsse von Infusionslösungsbehältern haben grundsätzlich dieselben Anforderungen zu erfüllen wie die Behältnisse.
Die verwendeten Stopfen werden aus unterschiedlichen Rohstoffen hergestellt, z.B. Isoprenkautschuk, Butylkautschuk, Gummi.

❒ Infusionssystem

(Infusionsbesteck bzw. -gerät)

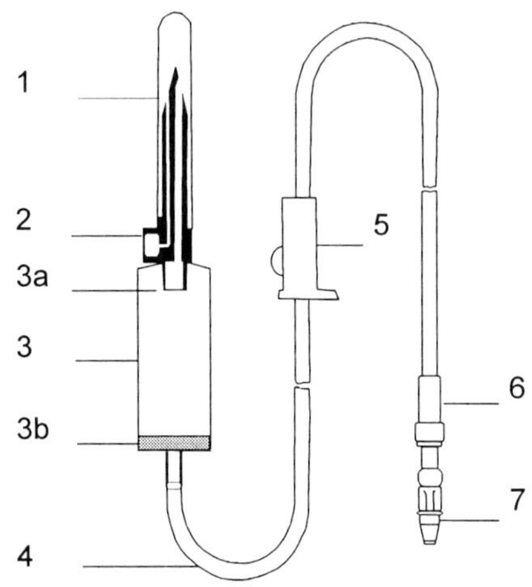

1 Einstichdorn mit Schutzkappe
2 Belüftungsteil
3 Tropfkammer
3a Tropfrohr
3b Flüssigkeitsfilter
4 Schlauch
5 Rollklemme
6 Latex - Zwischenstück
7 Luer - Lock - Anschluß mit Schutzkappe

Abb. 4.71 ***Infusionssystem***

Ein Infusionssystem besteht aus Kunststoff (PVC oder EVA) und setzt sich nach DIN-Norm 58 362 aus folgenden Teilen zusammen:

1. Einstichdorn mit Schutzkappe;
2. Belüftungsteil (je nach Produkt mit Ventil oder Filter als Kontaminationsschutz; Produkte mit Filter haben zusätzlich einen klappbaren Verschluß, der vor dem Füllen der Tropfenkammer zu öffnen ist);
3. Tropfkammer (durchsichtig; zum Einstellen des Flüssigkeitsspiegels flexibel);

3a. Tropfrohr (Das Volumen bzw. Gewicht eines Tropfens ist abhängig von der Oberflächenspannung* und der Dichte* der Infusionslösung. Die Tropfgeschwindigkeit wird von der Viskosität* der Infusionslösung bestimmt.);

3b. Flüssigkeitsfilter (hält Stopfenabrieb und andere Schwebeteilchen zurück);

4. Schlauch (in der Regel 150 cm lang);
5. Roll(en)klemme (mechanischer Durchflußregler; die Fließgeschwindigkeit muß wegen Ungenauigkeit des Durchflußreglers regelmäßig überprüft werden);
6. Latex-Zwischenstück (Möglichkeit zum Zuspritzen von Medikamenten);
7. Luer-Lock-Anschluß für Venenverweilkanüle (verhindert Lösen der Verbindung) mit Schutzkappe.

❒ Infusionszubehör - spezielle Anschlüsse und Leitungen

Das Angebot an speziellem Infusionszubehör ist groß; bei einer aufwendigen Infusionstherapie, z.B. zur parenteralen Ernährung, ist spezielles Zubehör unverzichtbar, unter anderem um die Sicherheit des Kranken zu gewährleisten; hier einige Beispiele:

- **Mehr-Wege-Hahn, Mehrfachverbinder oder Hahn-Bänke**
  Diese Mehrfachanschlüsse ermöglichen die Applikation verschiedener Infusionslösungen über eine Venenverweilkanüle.
  Ein sogenannter 3-Wege-Hahn *(siehe Abbildung 4.72)* findet außer bei einer Infusionstherapie Anwendung beim Messen des zentralen Venendrucks.

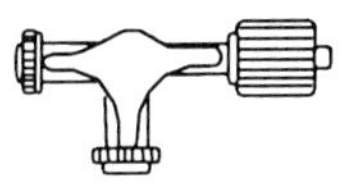

Dreiwege-Hahn

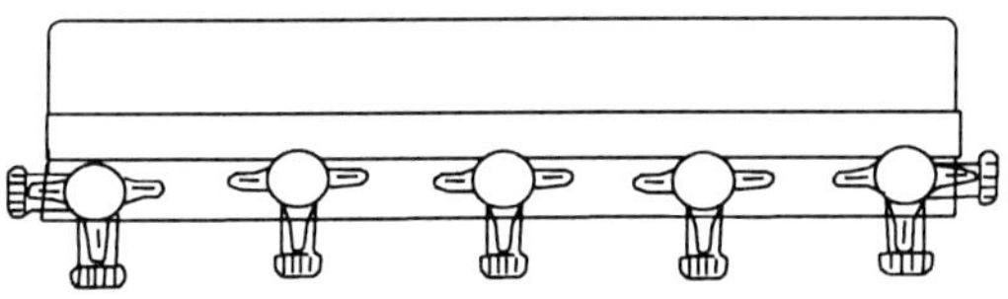

Hahn-Bank

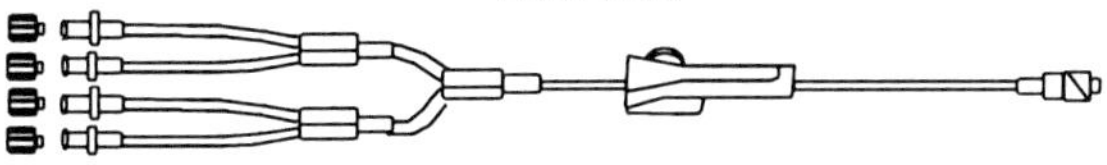

Mehrfachverbindung

Abb. 4.72 ***Mehrwegehahnsysteme***

- **Rückschlagventil**
  Ein Rückschlagventil verhindert ein Zurücklaufen von Infusionsflüssigkeit in das Infusionssystem bei Mehrfachinfusionen.
  Rückschlagventile sind unbedingt einzusetzen bei sogenannten Simultaninfusionen, d.h. der Kombination von Schwerkraftinfusion und Druckinfusion (z.B. mit Hilfe einer Infusionspumpe).
- **Verlängerungsschläuche**
  Verlängerungsschläuche, sogenannte "Heidelberger Verlängerungen", werden je nach Hersteller in unterschiedlicher Länge, z.B. 30, 70, 140cm, angeboten.
- **Lichtundurchlässige Infusionssysteme und -leitungen**
  Für Infusionen und medikamentöse Zusätze, z.B. Adalat®, die durch Licht zerstört werden, ist lichtundurchlässiges Zubehör anzuwenden.
- **Infusionsfilter**
  Es sind verschiedene Filtersysteme im Handel. Filter zur **Vermeidung partikulärer Kontamination** *(siehe Abb. 4.73)* werden bei Mehrfachinfusionen eingesetzt, um den Körper des Patienten vor Ausfällungen und Mikropartikeln anderer Art, z.B. Glassplitter oder Abrieb von Gummistopfen, zu schützen.

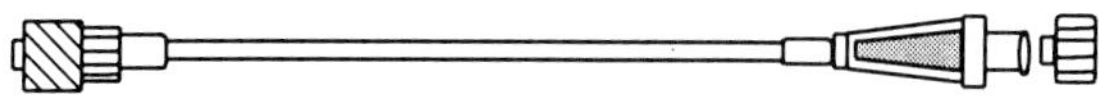

Filter zur Vermeidung einer partikulären Kontamination

Filter zur Vermeidung einer mikrobiellen Kontamination

Abb. 4.73 ***Infusionsfilter***

Feinere Filter *(siehe Abb. 4.73)* können **Mikroorganismen zurückhalten** und kleinere Luftmengen aus der Lösung entfernen.
Die Filter sind **patientennah zwischenzuschalten**; Hinweise zur Anwendung, z.B. Dauer der Wirksamkeit, sind der jeweiligen Herstellerinformation zu entnehmen.

4.7.4.4 Technik der Infusion

❒ Schwerkraft - Infusion

Bei einer Schwerkraft-Infusion muß die Infusionsflasche in einer bestimmten Höhe oberhalb des Kranken hängen. Durch die Wirkung der Schwerkraft entsteht ein Flüssigkeitsdruck, der höher ist als der in den Venen des Patienten, so daß die Flüssigkeit einströmen kann. Eine Regulierung der Infusionsgeschwindigkeit ist durch den mechanischen Durchflußregler (Rollenklemme) möglich.
Außerdem gibt es Infusionssyteme mit **integriertem Präzisionstropfenregler**, der eine genauere Durchflußrate gewährleistet. Am Tropfenregler befindet sich eine Skala, an der die jeweils gewünschte Flußrate eingestellt werden kann.

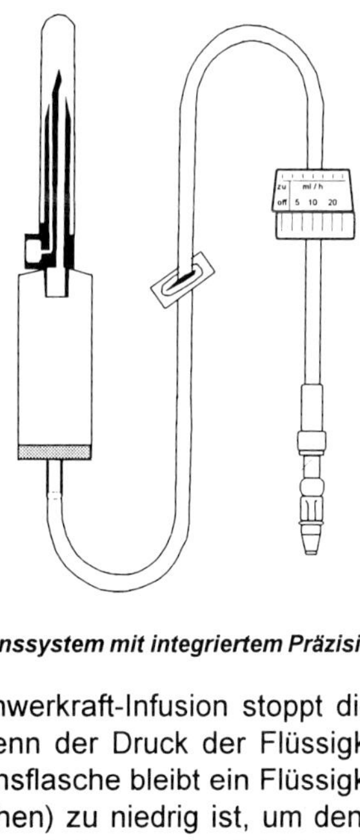

Abb. 4.74 ***Infusionssystem mit integriertem Präzisionstropfenzähler***

Bei einer Schwerkraft-Infusion stoppt die Infusion automatisch, wenn der Druck der Flüssigkeitssäule (bei leerer Infusionsflasche bleibt ein Flüssigkeitsspiegel im Schlauch stehen) zu niedrig ist, um den Druck in den Venen zu überwinden; es besteht keine Gefahr, daß Luft in das Gefäßsystem kommt.

❒ Infusionsgeräte und Zubehör

Die apparative Infusionstherapie, d.h. der Einsatz von **Infusionspumpen** und **Infusionsspritzenpumpen** *(siehe Abb. 4.75)*, findet Anwendung, wenn Infusionslösungen und (hochwirksame) Medikamente in genauester Dosierung pro Zeiteinheit appliziert werden müssen.

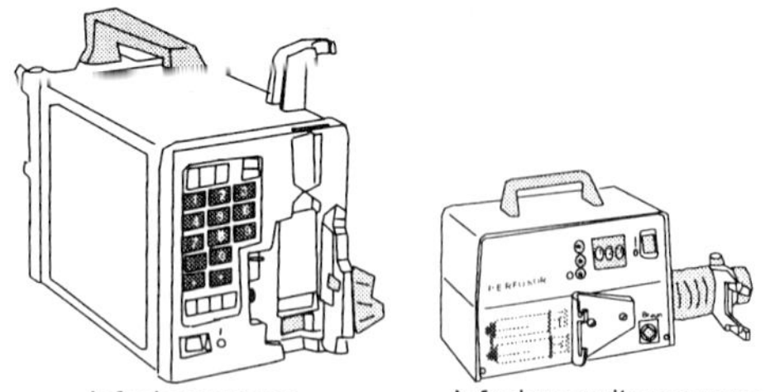

Infusionspumpe Infusionsspritzenpumpe

Abb. 4.75 ***Infusionspumpe / Infusionsspritzenpumpe***

Ihr Einsatz erhöht nur dann die Sicherheit für den Kranken, wenn sie in einwandfreiem technischen Zustand sind und vom Anwender sicher und fehlerfrei bedient werden können. Der Kranke und das Gerät sind regelmäßig zu überwachen *(siehe nachfolgend)*.

Die Geräte dürfen nur von Pflegekräften bedient werden, die vorher von einer qualifizierten Person speziell für das jeweilige Gerät geschult wurden *(Einweisung des Personals / §10 MedG; siehe nachfolgend)*.

In anderen Fällen ist eine Anwendung des Gerätes abzulehnen.

In Infusionspumpen und Infusionsspritzenpumpen (z.B. Perfusor®) darf nur **spezielles Zubehör** eingesetzt werden. Die **Spritzen**, **Leitungen** oder **Filter** müssen eine **Kompatibilitätsbescheinigung*** für das entsprechende Gerät besitzen oder die Herstellerfirmen müssen die **ISO-Zertifizierung*** nachweisen.

Die Kombination von Schwerkraft- und Druckinfusion birgt Gefahren. Diese werden im folgenden Merkblatt näher beschrieben. Außerdem werden vorbeugende Maßnahmen und das Vorgehen beim Auftreten von Komplikationen erörtert.

❒ Hinweise zur MedGV / zum MPG

Die **Medizingeräteverordnung - MedGV -** (am 01.01. 1986 in Kraft getreten) soll dazu beitragen, Unfälle zu vermeiden, indem die Sicherheit der **medizinisch-technischen Geräte (Medizintechnik)** erhöht wird. Die Einhaltung der Vorgaben der MedGV ist Aufgabe des jeweiligen Betreibers einer Pflegeeinrichtung oder des praktizierenden Arztes.

Infusionspumpen und Infusionsspritzenpumpen gehören nach § 2 MedGV (Einteilung der medizinisch-technischen Geräte) zur Gruppe 1 und damit zu den energetisch betriebenen Geräten, deren **Ausfall oder Funktionsstörung** eine **Gefährdung für Kranke**, Anwender oder andere Personen bedeuten kann.

Für jedes dieser Geräte hat der Betreiber ein **Gerätebuch** zu führen, in dem alle Gerätedaten, z.B. Einkauf, Wartungen, Reparaturen, vermerkt werden müssen (§ 13).

Die Gebrauchsanweisung dieser Geräte muß für jeden Anwender zugänglich aufbewahrt werden (§ 14).

Jeder Anwender ist vor dem Benutzen eines Gerätes dazu verpflichtet, dessen Funktionssicherheit zu prüfen (§ 6).

Merkblatt

Gemeinsam herausgegeben von den für die Medizingeräteverordnung (MedGV) zuständigen obersten Landesbehörden und dem Bundesministerium für Gesundheit.*

Gefahren bei paralleler Anwendung von Schwerkraft- und Druckinfusionen

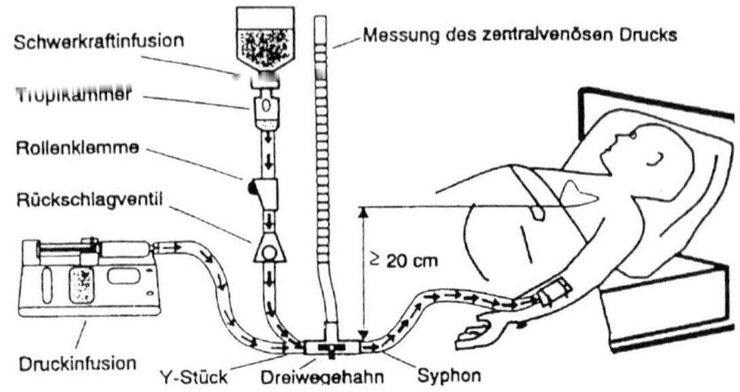

Zu den Bereichen höchster Gefährdung zählen die weniger überwachten Einzelzimmer auf Normalstationen. Aber auch auf Intensivstationen, Wachstationen und im Op-Bereich sind wegen des intensiven Einsatzes der Infusionstechnik erhöhte Aufmerksamkeit und zusätzliche technische Sicherheitsvorkehrungen geboten.

Problem	Gefahr	Maßnahmen
Infusionsleitung wird abgequetscht oder geknickt, kein Durchfluß vorhanden.	**Unterförderung**	Infusionsregler, Infusionssteuergeräte, Rückschlagventile einsetzen.
Verschluß der Infusionsleitung wird unsachgemäß aufgehoben, z.B. nach einer Abknickung.	**Überförderung**	Besondere Vorsichtsmaßnahmen bei Handhabung verschlossener Infusionsleitungen treffen (siehe dieses Merkblatt).
Schwerkraftinfusion läuft leer, keine ausreichende Syphonschleife vorhanden.	**Luftinfusion**	Infusionsleitung in einer Syphonschleife mind. 20 cm unter Herzniveau verlegen.
Rollenklemme ist verschlossen und/oder Infusionsbehälter nicht belüftet.	**Ruptur**	Druckfestes Infusionbebesteck wählen, Rückschlagventil einsetzen.
Kleine Förderraten, mögliche Ausweichwege der Infusion (z.B. paravasale Gabe, Rückförderung in die Schwerkraftinfusion), langes Gesamtüberleitsystem.	**Alarmverzögerung**	Minimalen Abschaltdruck wählen bzw. Schwerkraftinfusion einsetzen, Förderraten nicht zu klein wählen! Gesamtüberleitsystem so kurz wie möglich halten.

Vorbeugende Maßnahmen

Bei jeder Druckinfusion:

- Druckfestes Infusionsbesteck verwenden (P-Geräte, orange).
- Patientenzuleitung im Syphon mindestens 20 cm unterhalb des Herzens verlegen.
- In Räumen ohne durchgehende personelle Überwachung (Normalstation) die Infusionspumpe / -spritzenpumpen zusätzlich an den Personalruf anschließen.

Bei Kombination mit Schwerkraftinfusionen:

Die parallele Anwendung von Schwerkraft- und Druckinfusionen **ohne** zusätzliche technische Sicherheitsvorkehrungen ist gefährlich und zu unterlassen!

- **Mindestens:** Rückschlagventile in den Schwerkraftinfusionsleitungen und druckfeste Infusionsbestecke auch an den Schwerkraftinfusionen.
- **Besser:** Patientennahe Druck- oder Flußüberwachung.
- **Am besten:** Infusionsregler, Überwachungsgeräte oder Steuergeräte für die Schwerkraftinfusionen.

Die engmaschige persönliche Kontrolle ist durch keine Alarmfunktion zu ersetzen!

Vorgehen bei gefährlichen Situationen

❶ **Infusions-Stopp!**
Rollenklemme schließen, Druckinfusion stoppen.

❷ **Patient?**
Befinden des Patienten kontrollieren, ggfs. Notfallmaßnahmen treffen.

❸ **Problem?**
Problem erfassen, Fehlerursache feststellen.

❹ **Fehlerbeseitigung**
Infusionsleitung an geeigneter Stelle druckentlasten bzw. entlüften.

❺ **Kontrolle**
Nach Wiederanschluß der Infusionsleitung Kontrolle des gesamten Infusionssystems (Behälter, Besteck, Kanüle, usw.) durchführen.

❻ **Freigabe?**
Infusion erst **nach** der Freigabe durch den für die Infusion Verantwortlichen fortsetzen.

❼ **Überwachung**
Weitere, ausreichende Überwachung der Infusion sicherstellen.

❽ **Information**
Bei Fehlfunktionen den Geräteverantwortlichen informieren.

Ausführliche Informationen finden Sie in der MedGV-Information "Hinweise zur Anwendung von Parallelinfusionen", die bei Ihrer Krankenhausleitung erhältlich ist.

*) Erstellt im Auftrag der Herausgeber von Dipl.-Ing. Manfred Kindler, Fachverband Biomedizinische Technik (fbmt), Gießen, und Dr.-Ing. Anton Obermayer, Universitätsklinikum Erlangen-Nürnberg. Beratung: Dr. med. Dipl.-Ing. Hans Haindl, Wennigsen.

Seit dem 01.01.1995 gilt (mit einer Übergangsfrist bis zum 13.06.1998) das **Medizinproduktegesetz - MPG -**; es handelt sich um ein Gesetz, das alle **Medizinprodukte** erfaßt und deren Qualität sicherstellen soll. Darin sind neben den medizinisch-technischen Geräten alle anderen Produkte erfaßt, die am Menschen zur Anwendung kommen, z.B. Verbandstoffe, Spritzen, Nahtmaterial, Handschuhe, Hörhilfen *(vgl. Seite 424)*.

4.7.4.5 Vorbereitung einer Infusion

Bei der Vorbereitung einer Infusion gelten dieselben Regeln wie beim Richten von Medikamenten *(siehe Seite 435)*.
Die Vorbereitung erfolgt grundsätzlich **vor dem unmittelbaren Gebrauch** der Infusion:

- Richten des Materials;
- Händedesinfektion;
- Prüfung der Infusionslösung (auf Trübung, Ausflockung, Kristallbildung) und des Behälters (auf Beschädigung), diesen dazu vor eine Lichtquelle oder gegen das Tageslicht halten;
- Prüfen des Verschlusses;
- Kontrolle des Haltbarkeitsdatums;
- Flasche auf einer Arbeitsfläche abstellen;
- Verschlußkappe entfernen, bei Metallverschlüssen Verletzungsgefahr beachten;
- Sprüh-Desinfektion des Stopfens unter Beachtung der Einwirkzeit (Hautdesinfektionsmittel);
- Verpackung des Infusionssytems überprüfen (Haltbarkeitsdatum, evtl. Defekte) und System entnehmen;
- Rollklemme öffnen und Schutzkappe entfernen (zum Druckausgleich - um eine evtl. Benetzung des Belüftungsfilters zu vermeiden);
- Einstichdorn unter Wahrung der Asepsis senkrecht (drehend) durch die Markierung des Stopfens in die Flasche stechen;
- Rollklemme schließen;
- Infusionsflasche am Infusionsständer aufhängen und Verschlußklappe des Belüftungsteils öffnen (bei Infusionssystem mit Ventil automatische Belüftung);
- Tropfenkammer durch leichtes Komprimieren zu $^2/_3$ mit Flüssigkeit füllen;
- Rollklemme vorsichtig öffnen und Infusionsleitung vollständig mit Flüssigkeit füllen;
  Beachte: Die Leitung muß absolut frei von Luftblasen sein;
- Namen des Kranken auf den Infusionsbehälter schreiben; bei Kunststoff - Behältern Klebeetiketten benutzen.

❒ Zuspritzen von Medikamenten

Das Zuspritzen von Medikamenten in eine Infusionsflasche und die sich daraus ergebende Dosierung erfolgt **nach Anordnung des** behandelnden **Arztes**, der für die Kompatibilität* von Infusionslösung und Medikament Verantwortung trägt.
Geeignete, häufig verwendete Trägerlösungen sind physiologische Kochsalzlösung (NaCl 0,9 %ig) und Glucoselösung 5 %ig.
Beim Zumischen sind folgende Punkte zu beachten:

- Wahrung der Asepsis;
- Zuspritzen erst unmittelbar vor dem Gebrauch der Infusionslösung;
- das Zuspritzen erfolgt mit Spritze und Kanüle durch den vorher desinfizierten Stopfen an der dafür markierten Stelle;
- zum Druckausgleich wird die dem Zuspritzvolumen entsprechende Luftmenge aspiriert;
- zur Durchmischung Infusionsflasche schütteln;
- Infusionslösung auf Trübungen, Ausflockungen und Stopfenabrieb kontrollieren;
- Dorn des Infusionssystems einstechen;
- Namen des Kranken, Art und Dosis des Medikaments sowie den Zeitpunkt der Herstellung deutlich sichtbar auf dem Infusionsbehälter vermerken;
- Infusion mit Zumischung innerhalb der nächsten 12 Stunden verbrauchen.

Für das Zuspritzen von Medikamenten oder die Entnahme von Flüssigkeit aus einer Infusionsflasche wird spezielles Zubehör, sogenannte **Entnahme- und Zuspritzspikes** (z.B. Mini-Spike Plus®) angeboten; diese ermöglichen einen Druckausgleich durch einen Belüftungsfilter.
Grundsätzlich ist das Zuspritzen von Medikamenten in eine bereits laufende Infusion zu unterlassen, weil das Volumen der Trägerlösung und damit die Konzentration des Medikaments nicht mehr genau bestimmbar ist.

4.7.4.6 Anlegen einer Infusion

Das Anlegen einer Infusion ist **Aufgabe des Arztes**.

❒ Vorbereitung des Materials

Das notwendige Material wird von der zuständigen Pflegeperson gerichtet:

- vorbereitete Infusion einschließlich Infusionsständer;
- sterilisierte Tupfer;
- Einmalhandschuhe;
- hautfreundliches Pflaster (zum Fixieren des Infusionsschlauches);
- evtl. gepolsterte Schiene (zum Fixieren des Arms).

Wenn beim Kranken noch kein Venenzugang liegt, sind weitere Utensilien zu ergänzen *(siehe nachfolgend)*.

❒ Venenzugänge

Der behandelnde Arzt entscheidet über die Art des Venenzugangs; dabei spielen die Osmolarität* der Infusionslösung(en), die voraussichtliche Dauer der Behandlung mit Infusionen und die Situation des Kranken (z.B. unruhig, kooperativ) eine Rolle.

❍ Periphere Venenverweilkanüle

- **Indikationen**
  Indikationen für das Legen eines peripheren Venenzugangs sind
  - täglich mehrmalige Behandlung mit Kurzinfusionen, sehr häufig Antibiotika;
  - kurzzeitige Behandlung mit Infusionslösungen, die im wesentlichen der Konzentration der Körperflüssigkeit entsprechen, z.B. postoperativ oder zur Substitution von Flüssigkeit;

- Schaffung eines sicheren Venenzugangs, z.B. in einer Notfallsituation, während einer Operation, einer belastenden und oder invasiven Untersuchung.

- **Punktionsorte**
  Für das Legen eines peripheren Venenzugangs sind die Venen der Handrücken und der Unterarme *(z.B. Vena basilica, Vena cephalica)* geeignet. Bei der Punktion der Ellenbeugenvenen ist wegen ihrer Nähe zu arteriellen Gefäßen Vorsicht geboten. Venen der Fußrücken sollten nur in Notfällen punktiert werden, da eine erhöhte Thromboseneigung besteht. Bei entzündlich veränderten oder verhärteten Venen darf keine Punktion erfolgen.
- **Flügelkanüle**
  Eine Flügelkanüle, auch "Butterfly" genannt (z.B. Venofix®), besteht aus einer kurzen angeschliffenen Edelstahlnadel, zwei Halte- und Fixierflügeln und einer Zuleitung mit Konus (Luer-Lock) zum sicheren Anschluß des Infusionssystems. Sie kommt hauptsächlich bei Kurzinfusionen zum Einsatz, wenn der Kranke in der Lage ist, sich ruhig zu verhalten.

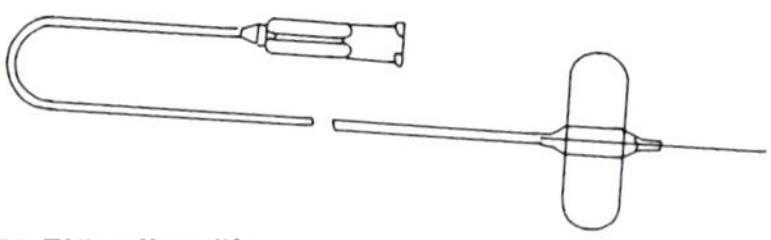

Abb. 4.76 ***Flügelkanüle***

- **Venenverweilkanüle und Zubehör**
  Venenverweilkanülen, auch Braunülen genannt, (z.B. Mediport®, Venflon®) bestehen aus einer flexiblen Kunststoffkanüle (meistens aus Teflon), die eine angeschliffene Edelstahlkanüle ummantelt. Die Edelstahlkanüle dient zur Punktion der Vene und Führung der Kunststoffkanüle und wird vor dem Anschließen der Infusion entfernt.
  Die meisten Venenverweilkanülen haben zusätzlich Fixierflügel und einen Zuspritzteil zur Applikation von Medikamenten; dem Kranken werden dadurch weitere Venenpunktionen erspart.
  Venenverweilkanülen stehen in unterschiedlichen Größen (farbliche Kennzeichnung) zur Verfügung; dazu passend werden, zum Abstöpseln der Kanüle, **Mandrins** aus Kunststoff angeboten.
  Venenverweilkanülen und Mandrins sind nur passend und damit sicher anzuwenden, wenn sie vom selben Hersteller stammen.
  Bei einer **Sicherheitsvenenverweilkanüle** schiebt sich mit dem Entfernen der Stahlkanüle ein Plastikschutz über die Kanüle. Dadurch wird die Verletzungsgefahr reduziert. Diese Venenverweilkanülen finden bevorzugt Anwendung in der Notfallmedizin.

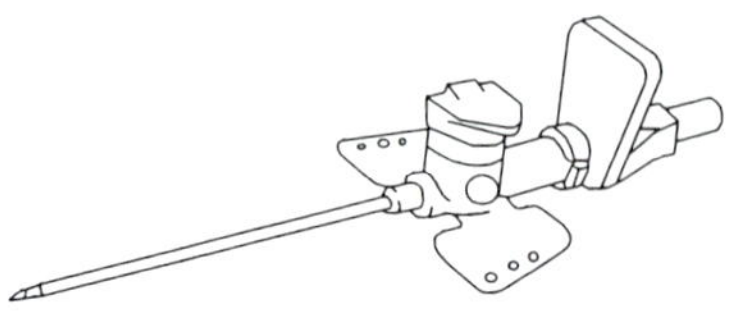

Abb. 4.77 ***Venenverweilkanüle***

- **Legen einer peripheren Venenverweilkanüle**

Material

Folgendes Material wird auf einem Tablett gerichtet:

- Venenverweilkanülen (mindestens 2 wegen möglicher Fehlpunktionen und Wahrung der Asepsis);
- Hautdesinfektionsmittel;
- sterilisierte Tupfer;
- Einmalhandschuhe;
- evtl. Einmalrasierer (zum Entfernen von Körperbehaarung);
- Stauschlauch;
- Unterlage;
- steriles Pflaster, z.B. Hansapor® steril 7,5 x 5cm, Primapore® 7,5 x 5cm oder steriler Fertigverband für Venenverweilkanülen, z.B. Vecaseal®, Applica® i.v. oder sterile Folienverbände, z.B. Tegaderm®, Opsite®;
- evtl. Mullbinde oder elastische Binde (zum Fixieren der Braunüle);
- evtl. Mandrins (zu der Venenverweilkanüle passend, wenn nicht umgehend eine Infusion angeschlossen wird);
- Kanülensammler (für benutzte Stahlkanüle, um Verletzungs- und Infektionsgefahr zu verringern).

Hinweise zur Durchführung

Ein peripherer Venenzugang wird **vom** behandelnden **Arzt gelegt**; dieser informiert den Kranken umfassend.

Vor der Punktion wird beim Kranken eine leichte Oberkörperhochlagerung vorgenommen. Der entsprechende **Arm** wird (evtl. auf einem Kissen) **gelagert**; bei Rechtshändern ist nach Möglichkeit der linke und bei Linkshändern der rechte Arm zu wählen. Eine Venenverweilkanüle sollte nach Möglichkeit am Unterarm plaziert werden, da sie dort den Patienten am wenigsten belastet. Bei der Punktion einer Vene im Bereich der Ellenbeuge verursacht jede Bewegung des Arms Beschwerden und führt zu einer Reizung des Gefäßes.

Wenn beim Kranken trotz **Anlegen einer Stauung** die Venen nicht sicht- und/oder tastbar werden, kann durch Herunterhängenlassen des Arms oder durch die kurzzeitige Anwendung einer feucht-warmen Auflage (ca. 10 Minuten) eine bessere Füllung der Venen erreicht werden.

Damit eine schmerzfreie und sichere Fixierung der Verweilkanüle mit Pflaster vorgenommen werden kann, sollte falls erforderlich im Bereich der Einstichstelle eine **Rasur** erfolgen. Um die Punktion zu erleichtern, kann die Haut mit einer Lanzette angeritzt und eine Lokalanästhesie gesetzt werden.

Die Punktion der Vene erfolgt in ähnlicher Weise wie bei einer Blutentnahme oder einer intravenösen Injektion.

Nach dem Anlegen einer Staubinde und einer Hautdesinfektion wird die Vene punktiert. Es werden zwei Techniken beschrieben: bei der sogenannten **direkten Punktion** werden nacheinander in einem Winkel die Haut durchstoßen und die darunterliegende Vene punktiert.

Bei der sogenannten **indirekten Punktion** wird zunächst die Haut durchstoßen und dann in einem zweiten Schritt die Kanüle flach in die Vene vorgeschoben. Die indirekte Punktion wird empfohlen bei sehr dünnen und oder tiefliegenden Venen.

Bei erfolgreicher Punktion füllt sich die Venenverweilkanüle mit Blut und wird einige Millimeter in die Vene vorgeschoben. Dann wird die Punktionskanüle ein Stück zurückgezogen und gleichzeitig die flexible Kunststoffkanüle weiter in die Vene vorgeschoben, anschließend wird die Staubinde gelöst. Da beim völligen Zurückziehen der Punktionskanüle sofort Blut austritt, sollte ein Mulltupfer untergelegt werden. Um das Austreten größerer Mengen Blut zu verhindern, kann die punktierte Vene direkt oberhalb der Verweilkanüle komprimiert werden. In dem Moment, in dem die Stahlkanüle vollständig entfernt wird, wird die bereitstehende Infusion angeschlossen.
Wenn nicht sofort eine Infusion angeschlossen werden soll, wird empfohlen, die Venenverweilkanüle mit physiologischer Kochsalzlösung zu spülen, bevor sie mit einem Mandrin abgestöpselt wird.
Die Fixierung der Verweilkanüle erfolgt in den meisten Fällen mit einem sterilen Fertigverband. Der Schlauch des Infusionssystem wird in eine Schleife gelegt und ebenfalls mit Pflasterstreifen fixiert *(siehe Abb. 4.78)*; zusätzlich kann die Fixierung mit einer Mullbinde geschützt werden.

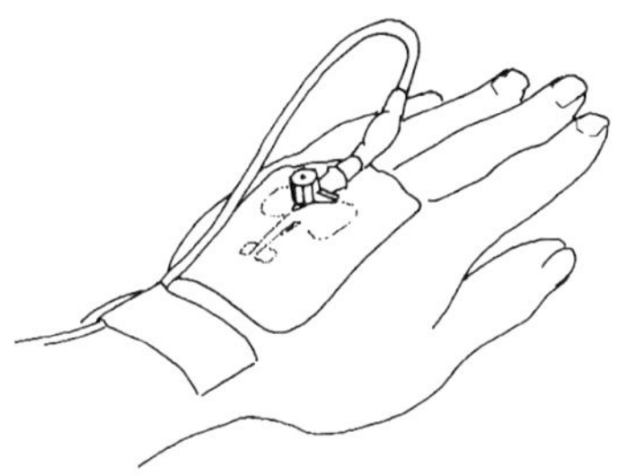

Abb. 4.78 ***Braunüle mit Fertigverband***

Beachte: Bei nierenkranken Patienten sollten die Venen im Bereich der Unterarme geschont werden. Eine Belastung der Venen durch Infektionen oder Thrombosierungen gefährdet unter Umständen die Anlage eines Shunts bei möglicher späterer Dialysepflichtigkeit.
Der Arzt entscheidet, wie lange bei einem Patienten eine periphere Venenverweilkanüle erforderlich ist. Eine Venenverweilkanüle sollte nicht länger als 48 Stunden liegen. Das Entfernen (und Legen einer neuen) Venenverweilkanüle wird nötig, wenn Rötungen oder andere Entzündungszeichen an der Einstichstelle oder im Verlauf der punktierten Vene auftreten, der Patient über Schmerzen klagt, die Kanüle nicht mehr durchgängig ist oder es zum Austritt von Flüssigkeit aus der Einstichstelle kommt. *(siehe auch "Komplikationen einer Infusionstherapie").*

○ Zentraler Venenkatheter

Ein zentraler Venenkatheter (ZVK) wird häufig auch als **Kava-Katheter** bezeichnet, da das Ende des Katheters in der Vena cava superior vor dem rechten Herzen liegt.
Venenkatheter unterscheiden sich in der Länge (je nach Punktionsort) und der Legetechnik *(siehe nachfolgend)*. Es gibt **ein- oder mehrlumige Venenkatheter**. **Mehrlumige Venenkatheter** bieten die Möglichkeit über einen Venenzugang gleichzeitig parenteral zu ernähren und Arzneimittel zuzuführen, ohne daß es zu Wechselwirkungen, z.B. Ausflockungen, zwischen den applizierten Stoffen kommt. Bei 3 - lumigen Kathetern kann eine ZVD-Kontrolle vorgenommen werden, ohne die Zufuhr von Infusionen oder Medikamenten stoppen zu müssen.
Ein sorgfältig gelegter und sachgerecht versorgter ZVK kann bei komplikationslosem Verlauf wesentlich länger liegen (bis zu einigen Wochen) als eine periphere Venenverweilkanüle, erspart einem Patienten ständige Venenpunktionen und bietet ihm mehr Bewegungsfreiheit der Arme.

- **Indikationen**
  Wegen möglicher Komplikationen, z.B. Thrombenbildung, Infektionen, Gefahr der Luftembolie oder Katheterfehllagen *(siehe "Komplikationen")*, sollten die Indikationen für das Legen eines ZVK sehr eng gestellt sein; mögliche Indikationen sind:
  - zu erwartende längere Therapiezeiten;
  - parenterale Ernährung;
  - Behandlung mit stärker hypertonen* Infusionslösungen oder Zumischungen von Arzneimitteln;
  - Behandlung mit größeren Mengen von Infusionslösungen;
  - Messung des zentralen Venendrucks (ZVD);
  - nicht punktierbare periphere Venen.

  Wenn sich abzeichnet, daß Patienten, z.B. wegen Bewußtseinsstörungen oder Schluckstörungen, über einen längeren Zeitraum nicht oral ernährt werden können, sollte die Möglichkeit der Ernährung und Medikation über eine PEG - Sonde genutzt werden *(siehe "Künstliche enterale Ernährung", Seite 120).*
- **Punktionsorte**
  Es können unterschiedliche Venen, über die der Venenkatheter bis zur Vena cava vorgeschoben wird, punktiert werden. Als zentral liegende Venen sind die **Vena subclavia** (sehr oft), die **Vena jugularis externa** und die **Vena jugularis interna** geeignet. Über die **Vena basilica** oder die **Vena cephalica** kann ein Venenkatheter von peripher gelegt werden; der Punktionsort liegt im Bereich der Ellenbeuge *(siehe Abb. 4.79).*

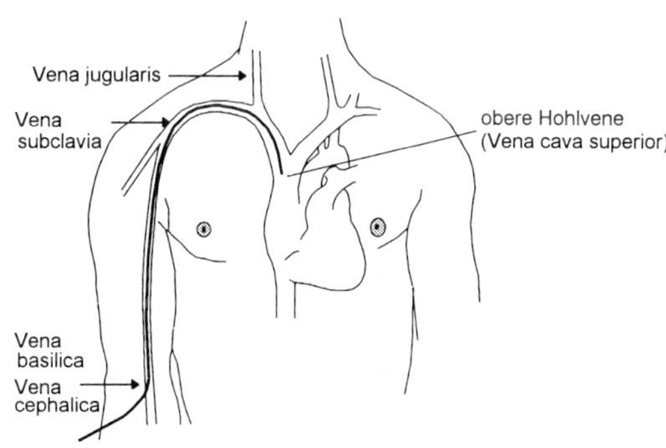

Abb. 4.79 ***Lage eines ZVK von peripher gelegt und mögliche Punktionsstellen***

- **Legen eines zentralen Venenkatheters**
  Das Legen eines zentralen Venenkatheters ist ein **größerer invasiver Eingriff**, der unter strenger Wahrung der Asepsis erfolgen muß. Eine Ausnahme kann eine Notfallsituation sein. Wenn sich der Zustand des Patienten stabilisiert hat, muß der notfallmäßig gelegte Katheter entfernt und ein neuer Ka-

theter gelegt werden. Ein ZVK wird von einem Arzt gelegt, der in der jeweiligen Technik geübt ist.
Nachdem ein Katheter gelegt und sicher fixiert ist, muß durch eine **Röntgenaufnahme des Thorax** die **Lage des Katheters** kontrollliert werden.

Vorbereitung des Patienten

Der Patient wird vom Arzt über die geplante Maßnahme informiert und muß seine Einwilligung erteilen. Im Bereich der Punktionsstelle vorhandene Körperbehaarung muß evtl. entfernt werden.
Bei geplanter Punktion der Vena jugularis interna oder Vena jugularis externa werden die Kopfkissen aus dem Bett entfernt und eine **Oberkörpertieflage** von ca. 15 Grad vorgenommen, um eine **bessere Füllung des venösen Systems** zu erreichen. Es wird eine flüssigkeitsdichte Unterlage untergelegt und der Patient gebeten, seinen Kopf etwas zur gegenüberliegenden Seite zu drehen. Wenn eine Punktion der Vena subclavia vorgenommen werden soll, wird zusätzlich der Arm des Patienten leicht unter Zug gebracht.
Beim Abdecken der Punktionsstelle mit dem sterilen Lochtuch muß darauf geachtet werden, daß dem Patienten nicht die Sicht genommen wird.

Material

Es sind **gebrauchsfertige sterile Punktionssets** im Handel:

a. Set zur zentralen Venenkatheterisierung

- Punktionsnadel (aus Edelstahl) mit Flügel und Spritzenansatz einschließlich Schutzkappe
- Einführungskanüle mit Flügel (aus Polypropylen)
- Katheter (z.B. aus Teflon oder Polyurethan) mit Graduierung und Röntgenkontraststreifen (in unterschiedlichen Längen, z.B. 20 cm, 32 cm, 45 cm, 70 cm; die Länge richtet sich nach dem Punktionsort) mit Mandrin in einer Schutzhülle aus Plastik *(siehe Abb. 4.80);*

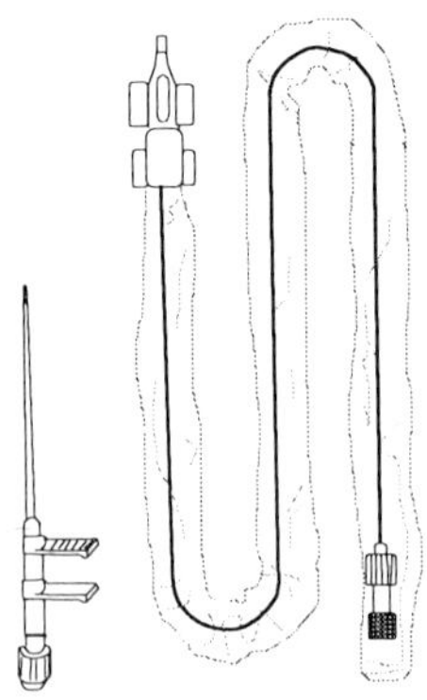

Abb. 4.80 ***ZVK-Set***

b. Set zur zentralen Venenkatheterisierung nach Seldinger (schwedischer Arzt)

- Punktionsnadel (aus Edelstahl) mit Flügel und Spritzenansatz einschließlich Schutzkappe
- Einführungskanüle mit Flügel (aus Polypropylen)
- Katheter (z.B. aus Teflon oder Polyprophylen) mit Graduierung und Röntgenkontraststreifen (in unterschiedlichen Längen, z.B. 20 cm, 32 cm, 45 cm, 70 cm; die Länge richtet sich nach dem Punktionsort) in einer Schutzhülle aus Plastik
- Seldinger Draht (spiralförmig gewundenes elastisches Drahtgeflecht).

Da Fehlpunktionen möglich sind oder ein Katheter kontaminiert werden kann, müssen mindestens zwei Kathetersets bereit liegen.

Weitere Materialien, die gerichtet werden müssen:

- Händedesinfektionsmitttel
- Hautdesinfektionsmittel (gefärbt)
- für die Lokalanästhesie
- Lokalanästhetikum, z.B. Lidocain (z.B. Xylocain®)
  - 2 Stück 5 - 10ml Spritzen
  - 2 Stück dünne Kanülen, z.B. 12er oder 18er
- für eine evtl. Hautinzision steriles Skalpell oder sterile Lanzette
- 2 Paar sterile Handschuhe (Größe angepaßt)
- Mund-Nasen-Schutz
- evtl. steriler (Einmal)-Kittel / Haarschutz
- steriles Lochtuch
- für eine evtl. Hautnaht steriles Nahtmaterial, steriler Nadelhalter, sterile Schere
- 6 - 8 sterile Tupfer
- 2 Stück 10 ml Spritzen (gefüllt mit physiologischer Kochsalzlösung)
- Einmalunterlage (flüssigkeitsdicht)
- evtl. Stauschlauch (bei Punktion peripherer Venen)
- Abwurf
- Kanülensammler
- Abdeck- und Fixierungsmaterial, z.B.
  - sterile Mullkompressen, elastisches Klebevlies (z.B. Fixomull strech®)
  - Fertigverband (z.B. Cutiplast steril®)
  - Folienverband mit Wundpad (z.B. Cutifilm plus®)
- vorbereitete Infusion einschließlich des erforderlichen Zubehörs, z.B. Mehr-Wege-Hahn, Filter.

• **Hinweise zur Durchführung**

Die verantwortliche Pflegekraft bereitet den Patienten und das Material vor. Betreuung und Beobachtung, besonders von ängstlichen und unruhigen Patienten, ist Hauptaufgabe der Pflegekraft. Wenn sie dem Arzt sterile Materialien anreicht, führt sie zuvor eine Händedesinfektion durch.

Das Legen eines ZVK erfolgt durch den Arzt:

- Vorbereitung und Information des Patienten
- großflächige Desinfektion im Bereich der Einstichstelle unter unbedingter Beachtung der Einwirkzeit
- Setzen der Lokalanästhesie
- erneute Hautdesinfektion
- Händedesinfektion
- Anziehen steriler Handschuhe
- Abdecken der Einstichstelle mit einem sterilen Lochtuch
- evtl. Hautschnitt
- Punktion der Vene mit aufgesetzter Spritze (gefüllt mit NaCl-Lösung) unter dauernder Aspiration
- nach erfolgreicher Punktion (Spritze füllt sich mit Blut) Entfernen der Punktionsnadel

- Einführen des Katheters über die Einführungskanüle
- Fixierung des Katheters, evtl. mittels Hautnaht.

Nach der **Röntgenkontrolle** kann der Mandrin entfernt, die vorbereitete Infusion angeschlossen und die endgültige Fixierung und sterile Abdeckung der Einstichstelle vorgenommen werden.

Das Legen eines ZVK nach der **Seldinger-Technik** unterscheidet sich durch die Methode, mit der der Katheter eingeführt wird:
- Punktion der Vene mit aufgesetzter Spritze (gefüllt mit NaCl-Lösung) unter dauernder Aspiration
- Entfernung der Punktionsnadel
- Schieben des Seldinger Drahtes über die Einführungskanüle
- Einführen des Katheters über den Seldinger Draht
- Entfernen des Seldinger Drahtes
- Fixierung des Katheters, evtl. mittels Hautnaht
- Anschließen der vorbereiteten Infusion
- Röntgenkontrolle.

Der **Vorteil** der Venenkatheterisierung nach Seldinger besteht darin, daß der Seldinger Draht sich unter Drehbewegungen relativ leicht in die Vene vorschieben läßt, ohne abzuknicken oder sich aufzurollen, die Traumatisierungsgefahr sinkt. In einem zweiten Schritt dient der Seldinger Draht als Führungssonde für den Katheter.

- **Fixierung**

Ein zentraler Venenkatheter muß sehr sorgfältig fixiert werden, um Lageveränderungen oder Abknickungen zu vermeiden; evtl. wird eine Fixierung mittels Hautnaht vorgenommen. Es sind unterschiedliche Fixierungsmaterialien im Handel *(siehe vorstehend "Material")*; in jedem Fall muß die Kathetereintrittsstelle steril abgedeckt werden und der Verband unter sterilen Bedingungen regelmäßig (24 - 48 Stunden) erneuert werden.

- **Komplikationen**

Bei zentralen Venenkathetern kann es zu unterschiedlichen Komplikationen kommen:
- Fehlpunktion
- Gefäßperforation
- Verletzung der Lunge mit Luftansammlung im Pleuraspalt *(Pneumothorax)*
- Einblutung in den Pleuraspalt *(Hämatothorax)*
- Blutung mit Hämatombildung
- Punktion einer Arterie
- Luftembolie
- Herzrhythmusstörungen durch Katheterfehllagen (wenn sich die Spitze des Katheters in den rechten Vorhof vorschiebt; das ist schon durch Bewegungen des entsprechenden Arms möglich)
- Verletzung von Nerven.

Weitere Informationen über Komplikationen werden unter "Komplikationen einer Infusionstherapie", *Seite 459,* und "Betreuung eines Patienten mit einer Infusionstherapie", *Seite 460,* gegeben.

- **Besondere Hinweise zum Umgang mit einem ZVK**
  - Der **betroffene Patient** muß ausführlich, möglicherweise in mehreren Schritten, über die Funktion eines ZVK, die erforderlichen Verhaltensregeln und mögliche Komplikationen, z.B. bei Lageveränderung, informiert werden.
  - **Mobile Patienten** müssen gut angeleitet werden.
  - Die **Flüssigkeitszufuhr** über einen ZVK darf **nicht unterbrochen** werden, um die Gefahr von Thrombosierungen so gering wie möglich zu halten.
  - **Blutentnahmen über einen ZVK** sollten wegen möglicher Komplikationen (Thrombosierung, Infektion) nur in Ausnahmefällen (vom Arzt) vorgenommen werden.
  - **Bei der Blutentnahme** ist streng aseptisches Vorgehen angezeigt. Vor jeder Konnektion ist eine gründliche Desinfektion der Verbindungsstellen erforderlich; die ausführende Person trägt zum Selbstschutz Handschuhe. Um Untersuchungsergebnisse nicht zu verfälschen, z.B. durch Reste von elektrolythaltigen Infusionslösungen, müssen mindestens 10 ml Blut entnommen und verworfen werden. Da Blutreste ein Nährboden für Bakterien sind, müssen sie entfernt oder gegebenenfalls kontaminierte Anschlüsse (z.B. Drei-Wege-Hahn, Mehrfachverteiler) erneuert werden. Nach der Blutentnahme ist die Durchgängigkeit des Katheters sicherzustellen.
  - Jedes **Zeichen einer Infektion**, z.B. Entzündungszeichen an der Einstichstelle oder Temperaturerhöhung bei Ausschluß anderer Ursachen, macht das sofortige Entfernen des Katheters erforderlich. Bei Verdacht auf eine katheterbedingte Sepsis *(Überschwemmung des Blutes mit Erregern und Erregertoxinen)* wird eine mikrobiologische Untersuchung der Katheterspitze empfohlen.
  - Ein **ZVK** wird nach ärztlicher Anordnung **entfernt**. Der Verband und die evtl. Fixierung per Hautnaht müssen gelöst werden. Nach einer Desinfektion der Einstichstelle werden Einmalhandschuhe angezogen und der Katheter vorsichtig aber zügig herausgezogen. Die Einstichstelle wird mit einem sterilen Tupfer kurzzeitig komprimiert und mit einem sterilen Pflaster abgedeckt.
  - Zur **Vermeidung einer Luftembolie** sollte der Katheter bei jedem Lösen vom zuleitenden System oder Verbindungsstück abgeklemmt werden. Beim Patienten sollte wenn möglich eine Oberkörperflachlagerung vorgenommen werden, da diese zu einer Sogminderung im venösen System führt.

❍ Venae sectio

Wenn es nicht möglich ist, auf üblichem Wege einen Venenzugang zu schaffen, kann eine operative Freilegung und Eröffnung einer Vene *(Venae sectio)* vorgenommen werden; in die so vorbereitete Vene wird ein flexibler Katheter gelegt. Diese Methode wird heute äußerst selten angewandt.

❍ Implantierbare Kathetersysteme

Ein implantierbares Kathetersystem, auch als **"Portsystem"** *(lat. porta = die Pforte)* bezeichnet, ist ein Langzeitkatheter und kann zur Injektion von Medikamenten und zur (Dauer-) Infusion von Flüssigkeiten genutzt werden.

Das Einsetzen eines Portsystems ist ein kleinerer operativer Eingriff, der unter Umständen auch ambulant durchgeführt wird.
Das Kathetersystem besteht aus einer unter der Haut fixierten **Injektionskammer mit** einer festen **Verbindung zu** einem **Katheter**. Je nach Indikation kann über einen Port ein dauerhafter Zugang zum venösen (z.B. Vena jugularis, Vena cava superior) oder arteriellen Gefäßsystem sowie zum Spinal- oder Epiduralraum geschaffen werden.

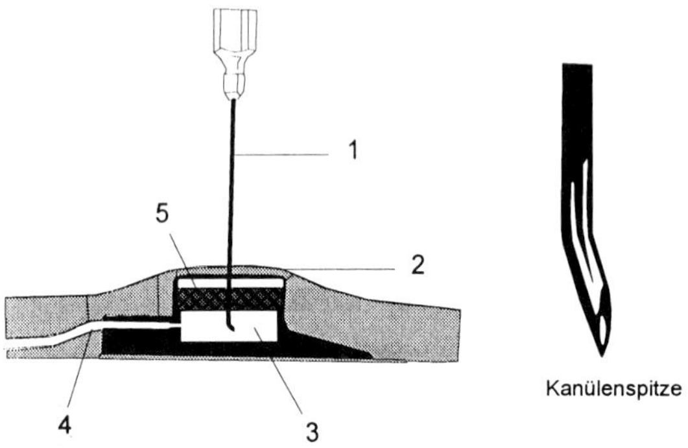

1 Spezialkanüle *4 Katheter*
2 Haut *5 Membran*
3 Injektions-Kammer

Abb. 4.81 ***Implantierbarer Langzeitkatheter (Portsystem) mit Spezialkanüle***

Die Injektionskammer hat eine Membran aus Silikon, die bis zu 2000 mal punktiert werden kann. Zur Punktion dürfen nur spezielle Kanülen (Huber - mit Löffelschliff) verwendet werden, da diese nicht zum Ausstanzen der Membran führen.
Die Implantation eines Portsystems kann vorgenommen werden, wenn Kranke sich langdauernden ambulanten Therapien, z.B. einer Zytostatikabehandlung, unterziehen müssen. Eine weitere Indikation ist eine über einen langen Zeitraum erforderliche (ambulante) Infusions- oder Schmerztherapie.
Der wesentliche Vorteil liegt darin, daß bei sachgerechtem Umgang dauerhaft ein venöser Zugang mit relativ geringer Infektions- und Komplikationsgefahr zur Verfügung steht und dieser unsichtbar unter der Haut liegt.

Die Injektionen zur Applikation von Medikamenten oder das Anlegen einer **Infusion** sind ausschließlich **ärztliche Tätigkeiten**. In besonderen Fällen, z.B. bei Langzeitkranken, können diese Tätigkeiten nach einer sorgfältigen Einweisung von Pflegepersonen oder pflegenden Angehörigen vorgenommen werden.
Die Punktion eines Ports darf nur nach gründlicher Hautdesinfektion und mit sterilen Handschuhen erfolgen. Die Haut über der Injektionskammer wird zwischen 2 Fingern gespannt, bevor die Spezialkanüle eingeführt wird.
Neben der Einhaltung der Hygieneregeln ist die Kenntnis über mögliche Komplikationen (z.B. Infektionen, Schmerzen, Funktionsstörungen) entscheidend. Jede Veränderung ist unverzüglich dem behandelnden Arzt zu melden.

Aus Sicht eines Betroffenen bietet ein Port folgende **Vorteile**:
- keine Fehlpunktionen
- relativ schmerzarme Punktion
- sehr häufige Punktionen möglich
- geringe Infektionsgefahr
- Punktion kann nach Anleitung auch von Angehörigen durchgeführt werden
- übliche Körperpflege möglich
- keine Einschränkung der Bewegungsfreiheit.

❐ Intraarterielle Infusion

Bei einer intraarteriellen Infusion wird die Infusionslösung über einen Spezialkatheter (z.B. Leader-Cath®) unter hohem Druck (Überdruckinfusion) in eine Arterie gepumpt; hierzu sind Infusionspumpen erforderlich.

Indikationen

Indikationen für intraarterielle Infusionen können sein:
- Behandlung bestimmter Stadien peripherer arterieller Durchblutungsstörungen mit Vasodilatanzien*, z.B. Prostavasin®;
- Lysebehandlung bei akuten arteriellen Verschlüssen;
- Zytostatikabehandlung einzelner Organe, z.B. der Leber.

Punktionsorte

Mögliche Punktionsorte können die **Arteria femoralis** (in der Leistengegend), die **Arteria carotis externa** (am Hals) und in der Peripherie die **Arteria radialis** sowie die **Arteria brachialis** sein.

Hinweise zur Punktionstechnik

Die Punktion einer Arterie erfolgt wie bei einer Venenpunktion (ohne Stauung), sehr häufig nach der Seldinger-Technik. Nach erfolgreicher Punktion tritt stoßweise Blut (entsprechend dem Pulsschlag) aus der Kanüle aus.

Überwachung des Patienten und Entfernen des Katheters

Ein Patient mit einem arteriellen Katheter bedarf einer sehr guten allgemeinen Überwachung; im Versorgungsgebiet der punktierten Arterie sind die **Hautfarbe**, die **Temperatur** und die **Sensibilität** zu **überprüfen**. Um Verwechslungen mit einem venösen Katheter zu vermeiden, ist ein **arterieller Katheter** als solcher zu **kennzeichnen** und darf nur von fachkundigen Personen versorgt werden.
Die Entfernung des Katheters erfolgt nach ärztlicher Anordnung; ähnlich wie nach einer arteriellen Punktion muß die **Einstichstelle** mit gleichmäßig hohem Druck ca. 10 Minuten **komprimiert** werden. Dabei ist darauf zu achten, die Arterie nicht vollständig abzudrücken; eine Kontrolle kann über das Fühlen des peripheren Pulses erfolgen.

❐ Subkutane Infusion

Indikation

Eine subkutane Infusion kann vorgenommen werden bei älteren Menschen mit Zeichen einer Dehydratation*, die nicht (mehr) ausreichend trinken können und

durch eine i.v. Infusion oder das Legen einer Magensonde nicht belastet werden sollen.
Die subkutane Infusion eignet sich nur für eine **kurzfristige Zufuhr kleinerer Mengen Flüssigkeit**, bis 1000ml pro 24 Stunden, das entspricht ca. 40 ml pro Stunde.

Besonderheiten
Damit bei einer Infusion in die Subkutis keine Reizung des Gewebes entsteht, dürfen ausschließlich isotone* Infusionslösungen, z.B. NaCl-Lösung 0,9%, Glukoselösung 5% oder Gemische von beiden, appliziert werden.
Um eine bessere Verteilung der Infusionsflüssigkeit zu ermöglichen, kann das Medikament Hyaluronidase (Hylase®) am Ort der Infusion injiziert oder der Infusionslösung beigemischt werden.

Beobachtung und Überwachung erfolgen wie unter "Betreuung eines Kranken mit Infusionstherapie" und "Überwachung der Infusion" *(siehe nachfolgend)* beschrieben.
Bei der subkutanen Infusion entsteht ein **lokales Ödem**. Die Infusionslösung wird aus dem interstitiellen Raum langsam und kontinuierlich in die Blutgefäße aufgenommen und im Körper verteilt. Im Gegensatz zur intravenösen Infusion wird der intravasale Raum bei der subkutanen Infusion nicht auf einmal mit größeren Flüssigkeitsmengen belastet.
Das entstehende Ödem kann beim Kranken ein Spannungsgefühl verursachen; evtl. ist die Tropfgeschwindigkeit zu verringern.

4.7.4.7 Komplikationen einer Infusionstherapie

❒ Infektionen
Infektionen können im Bereich der Einstichstelle und/oder im Verlauf der punktierten Vene *(Phlebitis)* auftreten. Sie sind durch **Rötung** (im Venenverlauf), leichte **Schwellung** und **Schmerzen** gekennzeichnet.
Entzündungsfördernde Faktoren sind neben der Vermehrung von Bakterien auch der mechanische Reiz, den eine Verweilkanüle auf die Venenwand ausübt und die Belastung bei Infusion hypertoner* Lösungen.
Bei Verdacht auf eine Infektion muß die Venenverweilkanüle nach Information des behandelnden Arztes unverzüglich entfernt werden. Die Einstichstelle wird gründlich desinfiziert und mit einem sterilen Pflaster bedeckt. Über weitere entzündungshemmende Maßnahmen entscheidet der behandelnde Arzt.
Hygieneregeln zur Vermeidung von Infektionen werden unter *"Infektionsprophylaktische Maßnahmen", Seite 461,* erläutert.

❒ Thrombenbildung / Gefahr einer Embolie
Punktieren einer Vene und dauerhaftes Einführen einer Kanüle sind immer mit dem Risiko einer Thrombenbildung verbunden. Das Lösen eines Thrombus bedeutet eine Gefahr für den Kranken, da die Verschleppung eine Embolie verursachen kann. Kleinste Thromben können zu **Mikroembolien** führen, die oft asymptomatisch verlaufen, aber gehäuft auftretend schwere Schäden verursachen.

Die Verringerung der Infusionsgeschwindigkeit kann Hinweis auf eine Thrombosierung sein. Auf keinen Fall darf hier die Venenverweilkanüle unter Druck mit einer Lösung durchgespült werden, da sich Thromben lösen und für den Kranken zu einer akuten Gefahr werden können. Das gleiche gilt für das sogenannte "Pumpen" am Latexzwischenstück eines Infusionssystems *(siehe auch "Lungenembolie", Seite 336).*

❒ Allergische Reaktionen
Lokale, d.h. im Bereich der Fixierung des Venenzugangs auftretende Hautveränderungen, sind in der Regel **Unverträglichkeitsreaktionen auf** das **Verbandmaterial**. Das Wechseln des Materials oder das Verwenden von Pflastern mit hautfreundlichen Klebstoffen können Abhilfe schaffen.
Die Möglichkeit einer **allgemeinen allergischen Reaktion** besteht beim Infundieren von z.B. Penizillinen, Dextranen oder Proteinen.
Eine Reaktion ist auch dann möglich, wenn der Kranke eine bestimmte Infusion zum wiederholten Mal erhält.
Allergische Reaktionen sind bei Applikation von Trägerlösungen nicht zu erwarten.
Eine allgemeine allergische Reaktion kann sich in schweren Fällen zu einem **akuten lebensbedrohlichen Ereignis** entwickeln. Die Kranken geraten in einen anaphylaktischen *(allergischen)* Schock, der sich durch Unruhe, Kribbeln, Übelkeit und Blässe ankündigen kann. Der Kranke zeigt zunehmend (oft innerhalb weniger Minuten) die Zeichen eines schweren Schocks. In dieser Situation ist unverzüglich intensivmedizinische Behandlung einzuleiten. Bei Versagen der Vitalfunktion muß eine Reanimation des Patienten erfolgen.

❒ Paravasate
Bei einer paravenösen Infusion fließt die Infusionslösung nicht mehr in die Vene und wird zügig abtransportiert, sondern sickert mit verlangsamter Geschwindigkeit in das Gewebe; evtl. ist der Verband durchnäßt, wenn geringe Mengen Flüssigkeit aus der Einstichstelle des Venenzugangs austreten.
Symptom ist eine **zunehmende lokale Schwellung**, die **Schmerzen** verursacht. Bei einigen Infusionslösungen (z.B. Zytostatika) besteht die Gefahr von **Nekrosenbildung**.
Bei Verdacht ist die Infusion sofort abzustellen und nach Rücksprache mit dem behandelnden Arzt die Venenkanüle zu entfernen. Die Einstichstelle wird gründlich desinfiziert und mit einem sterilen Pflaster bedeckt. Abschwellende Maßnahmen sind Hochlagerung der Extremität oder Kühlung (nicht um Bereich der Einstichstelle) mit feucht-kalten Umschlägen.

❒ Luftembolie
Die Gefahr einer Luftembolie, d.h. das Eintreten von Luft in das Gefäßsystem, besteht kaum bei Schwerkraft-Infusionen, die über einen peripheren Venenzugang erfolgen. Bei Infusionspumpen ist diese Möglichkeit eher gegeben, da diese Geräte weiter fördern, wenn das Infusionssystem bereits flüssigkeitsleer ist und das Alarmsystem versagt.

Bei einem ZVK kann durch den vom Blutstrom verursachten Unterdruck Luft in die Vene gesogen werden, wenn sich Luft im Infusionssystem befindet.

Zur **Prophylaxe einer Luftembolie** sollten folgende Regeln beachtet werden:

- Umgang mit Infusionspumpen nur nach gründlicher Einweisung und genauer Kenntnis der Bedienung der Geräte
- Das Wechseln von Infusionsflaschen bei Kranken mit ZVK sollte erfolgen, bevor die Infusionsflasche leer ist (spätestens wenn der Flüssigkeitsspiegel in der Tropfkammer sinkt).
- Das Wechseln von Infusionssystemen muß zügig erfolgen. Eine Flach- oder Tieflagerung des Oberkörpers vermindert den Sog im venösen System.

Die Symptome einer Luftembolie ähneln den Symptomen einer Thromboembolie *(siehe Seite 337)*. Bei Verdacht auf eine Luftembolie ist sofort ein Arzt zu benachrichtigen und Sauerstoff zu verabreichen. In der Regel wird der Patient zur weiteren Therapie auf die Intensivstation verlegt.

❒ Folgen einer zu schnellen Infusion

Bei einer zu hohen Infusionsgeschwindigkeit wird der intravasale Raum mit großen Flüssigkeitsmengen belastet *(Hypervolämie)*, die zu einer Überlastung von Herz und Kreislauf führen. Bei einem Patienten mit Herzinsuffizienz besteht die **Gefahr eines** akuten **Lungenödems**. Symptome und einzuleitende Sofortmaßnahmen werden im Pflegestandard *"Pflege eines an einer Herzinsuffizienz leidenden Patienten"*, *Seite 289*, besprochen.

Bei Infusionslösungen mit Zumischung von Medikamenten und bei Elektrolytinfusionen kann eine zu rasche Infusion zu **Überdosierungen** führen, die akute Komplikationen verursachen können. Zur Vorbeugung sollte die Infusion hochwirksamer Lösungen nur mit Infusionspumpen erfolgen.

4.7.4.8 Betreuung eines Patienten mit Infusionstherapie

❒ Zur Situation eines Betroffenen

Wenn ein Patient eine Infusion erhalten soll, muß immer bedacht werden, daß daraus für ihn eine erhebliche **Einschränkung seiner Bewegungsfreiheit** resultiert. Ängste und **Unsicherheiten** bezüglich des Verhaltens mit einer Infusion können den Kranken belasten.

Außerdem ist es möglich, daß ein vorhandenes **Krankheitsgefühl** durch das Anlegen einer Infusion und die damit verbundenen Einschränkungen massiv **verstärkt** wird.

Besonders schwierig gestaltet sich die Situation bei desorientierten Patienten. Da sie in der Regel nicht einordnen können, welchem Zweck das Anlegen einer Infusion dient, können sie stark verunsichert werden oder sich bedroht fühlen. Fixierungsmaßnahmen, z.B. Lagerung des Arms mit der Infusion in einer Schiene, provozieren oft Unruhezustände und verstärken die Orientierungslosigkeit des Kranken. Zu ihrem Schutz bedürfen die Betroffenen einer besonders intensiven Überwachung; dabei gilt es auch, Manipulationen des Kranken an der Venenverweilkanüle oder dem Infusionssystem zu verhindern und Komplikationen (z.B. Blutungen oder Infektionen) zu vermeiden.

❒ Information

Nur eine umfassende, dem Auffassungsvermögen des Kranken angepaßte **Information** kann Ängste und Unsicherheiten abbauen. Der Kranke sollte über das (Bewegungs-) Verhalten mit einer Infusion und wichtige Hygieneregeln informiert werden.

Ihm muß deutlich gemacht werden, jederzeit Hilfe anfordern zu können, z.B. beim Verändern seiner Lage oder beim vermehrt zu erwartenden Wasserlassen.

❒ Unterstützung

Wenn möglich, sollte der **Zeitpunkt** für das Anlegen einer Infusion **mit den Bedürfnissen** des Betroffenen **in Einklang** gebracht werden, z.B. nach dem Frühstück oder nach einer Beschäftigung.

Der mobile Kranke wird darauf aufmerksam gemacht, vor dem Anlegen der Infusion die Toilette aufzusuchen; ggf. wird er dabei unterstützt.

Bei einer dauerhaften Infusionstherapie muß der Kranke bei vielen alltäglichen Verrichtungen, z.B. Körperpflege, Nahrungsaufnahme, unterstützt werden. Falls der Kranke es wünscht, sind Möglichkeiten zur Kurzweil anzubieten.

Eine **bequeme Lagerung** mit **Fixierung des Arms**, z.B. in einer gepolsterten Schiene, bietet Sicherheit.

❒ Beobachtung

Zu den regelmäßig durchzuführenden Überwachungsaufgaben gehören die **Vitalzeichenkontrollen** (Atmung, Puls, Blutdruck), um Aussagen über die Auswirkungen der Infusionstherapie auf die Kreislaufsituation machen zu können. Regelmäßige **Temperaturkontrollen** helfen, eine Infektion frühzeitig zu erkennen.

Mit der Kontrolle der ausgeschiedenen **Urinmenge** kann eine Einlagerung von Flüssigkeit frühzeitig erkannt werden. In besonderen Fällen, z.B. bei Kranken mit einer Herzinsuffizienz, ist - nach ärztlicher Anordnung - eine Ein- und Ausfuhrkontrolle *(Bilanzierung)* vorzunehmen, um eine Überlastung des Herzens auszuschließen.

Ein Kranker mit Infusionstherapie sollte regelmäßig nach seinem **Befinden** befragt werden, da Unwohlsein und Übelkeit erste Anzeichen einer Unverträglichkeitsreaktion sein können *(siehe vorstehend "Allergische Reaktionen")*.

Alle Daten und Besonderheiten, die sich im Zusammenhang mit einer Infusionstherapie ergeben, sind in der Patientendokumentation festzuhalten.

❒ Überwachung der Infusion

Infusionsdauer und -geschwindigkeit werden vom behandelnden Arzt festgelegt.

Als Berechungsgrundlage für die **Einstellung der Tropfenzahl pro Minute** gilt, daß 1 ml Flüssigkeit durchschnittlich 20 Tropfen enthält. Um die Tropfenzahl pro Minute zu ermitteln (TPM), müssen Infusionsmenge und Infusionsdauer bekannt sein.

$$\text{TPM} = \frac{\text{Infusionsmenge in ml} \times 20\text{ Tropfen}}{\text{Infusionsdauer in Std.} \times 60\text{ Minuten}} \qquad \begin{matrix}(1\text{ ml} = 20\text{ Tropfen})\\(1\text{ Std.} = 60\text{ Minuten})\end{matrix}$$

TPM = Tropfen pro Minute

Beispiel: Ein Kranker soll in 6 Stunden 500 ml NaCl 0,9% erhalten.

$$TPM = \frac{500 \times 20}{6 \times 60} = \frac{1000}{360} = 27{,}77$$

Die Infusionsgeschwindigkeit wird in diesem Beispiel mit 28 Tropfen pro Minute eingestellt (Uhr mit Sekundenzeiger erforderlich).
Eine Orientierung über die bereits infundierte Flüssigkeitsmenge ermöglicht die auf fast allen Infusionsbehältern vorhandene Graduierung in Milliliter (ml).
Eine absolut genaue und regelmäßige Tropfgeschwindigkeit kann nur durch apparative Unterstützung, z.B. mit einer Infusionspumpe, sichergestellt werden.
Die Überwachung des Kranken und der Infusion hat in **regelmäßigen Abständen** zu erfolgen, dabei sind folgende Punkte zu beachten:

- Kontrolle der Infusionsgeschwindigkeit / Tropfenzahl pro Zeiteinheit; bei Abweichungen ist eine Neueinstellung des Durchflußreglers erforderlich, die wiederum regelmäßig zu kontrollieren ist;
- das Infusionssystem (und die damit verbundene Venenverweilkanüle) darf nicht unter Zug stehen und keine Abknickungen oder Drehungen aufweisen; es sollte in einer Schlaufe liegend fixiert sein;
- die Konnektionsstellen, z.B. zwischen Infusionssystem und Venenverweilkanüle oder Infusionszubehör, müssen auf Dichtigkeit überprüft werden;
- bei Dauerinfusion muß der Wechsel der Infusionsflasche erfolgen, bevor der Flüssigkeitsspiegel in der Tropfenkammer sinkt.

Eine **Verringerung der Infusionsgeschwindigkeit** kann unterschiedliche Ursachen haben:

- Abknickungen im Schlauchsystem;
- Verstopfung des Venenzugangs (durch Thrombosierung);
- Verschieben einer peripheren Kanüle in der Vene und Anliegen der Kanülenöffnung an der Venenwand;
- Verschiebung der Kanüle mit paravenöser Infusion.

Die möglichen Ursachen sollten durch exakte Inspektion ermittelt werden; bei Unsicherheiten über das weitere Vorgehen ist der Arzt zu informieren.

❒ Überwachung und Versorgung des Venenzugangs

Das Legen eines Venenverweilzugangs geht einher mit der Zerstörung intakter Haut, die damit ihre Aufgabe als physiologische Keimbarriere nicht mehr vollständig erfüllen kann. An der **Einstichstelle** besteht die **Gefahr der Keimverschleppung** (auch primär apathogener Hautkeime) in die tieferen Schichten der Haut und die punktierte Vene. Die zusätzliche permanente Reizung des Gewebes durch den Fremdkörper verstärkt das Risiko einer Infektion.
Die Einstichstelle einer Venenverweilkanüle oder eines ZVK wird unmittelbar nach der Punktion mit einem **sterilen Verband** geschützt, um eine Kontamination mit exogenen Keimen (aus der Umgebung des Kranken) auszuschließen; zusätzlich dient der Verband der sicheren Fixierung des Zugangs.

Täglich wird der **Verband** im Bereich der Einstichstelle vorsichtig **palpiert** und der **Verlauf** der punktierten **Vene beobachtet**. Bei Auffälligkeiten muß der Verband vorsichtig (ohne ein Verrutschen der Venenverweilkanüle zu provozieren) entfernt und die Einstichstelle genau inspiziert werden. Bei Anzeichen einer Infektion ist der behandelnde Arzt zu informieren *(siehe "Komplikationen - Infektion", Seite 459)*.
Ein **Verbandwechsel** erfolgt unter Wahrung der Asepsis alle 48 Stunden. Die Einstichstelle wird großflächig mit einem Hautdesinfektionsmittel eingesprüht und Verkrustungen werden vorsichtig entfernt, dabei ist immer von der Einstichstelle weg zu wischen.
Der Verband ist trocken zu halten und muß bei Durchnässen unverzüglich entfernt und erneuert werden.
Die **Entfernung einer peripheren Verweilkanüle** kann nach Anordnung des Arztes von einer Pflegeperson vorgenommen werden. Zum Schutz sollten Einmalhandschuhe getragen werden. Die Einstichstelle wird unmittelbar nach dem Entfernen der Kanüle mit einer sterilen Kompresse einige Zeit **kräftig komprimiert** und abschließend mit einem **sterilen Verband** geschützt; nach erfolgter Krustenbildung kann dieser entfernt werden.

❒ Infektionsprophylaktische Maßnahmen

Die konsequente Einhaltung folgender **Hygieneregeln** ist Voraussetzung, um das Risiko einer im Zusammenhang mit einer Infusionstherapie auftretenden Infektion so gering wie möglich zu halten.

- Alle Verpackungen direkt vor dem Verbrauch auf Haltbarkeit und Unversehrtheit überprüfen und die Materialien vorschriftsmäßig entnehmen; die Infusionslösung(en) ebenfalls prüfen.
- Die Vorbereitung einer Infusion erfolgt unmittelbar vor dem Anlegen und unter Einhaltung der Asepsis.
- Bei allen Desinfektionsmaßnahmen, z.B. Hände- und Hautdesinfektion, Desinfektion des Verschlußstopfens, die erforderlichen Einwirkzeiten beachten.
- Kein Einstechen von Kanülen zur Belüftung von Infusionsflaschen.
- Zuspritzungen nach Möglichkeit vermeiden.
- Medikamente unter Einhaltung der Asepsis zuspritzen; eine Infusion mit Zumischung sollte nicht länger als 12 Stunden laufen.
- Auf alle nicht erforderlichen Verzweigungen (z.B. Mehrfachverteiler, Mehrwegehähne) oder Verlängerungen verzichten.
- Jede unnötige Manipulation, besonders das Lösen von Verbindungen *(Diskonnektion)*, vermeiden.
- Vor jeder erforderlichen Manipulation eine hygienische Händedesinfektion vornehmen, um das Risiko einer Berührungskontamination zu verringern.
- Vor dem Lösen oder Wechseln von Schlauchsystemen an den entsprechenden Stellen eine Sprühdesinfektion vornehmen, nur Teile berühren, die nicht mit dem Körperinneren des Kranken (direkt oder indirekt) in Kontakt kommen.
- Wechseln von Infusionssystemen bei Dauerinfusionen mindestens alle 48 Stunden; bei Risikopatienten, z.B. im Intensivpflegebereich oder in der Onkologie, spätestens nach 24 Stunden.

- Zur Erhöhung der Sicherheit bei Patienten können zusätzlich Filter eingesetzt werden *(siehe vorstehend "Infusionszubehör")*.
- Bei Blutrückständen im Infusionssystem oder möglichen Verbindungsstücken müssen diese erneuert werden, da Blutreste ein idealer Nährboden für Bakterien sind.
- Legen von Venenzugängen unter Wahrung der Asepsis.
- Venenzugänge, die in Notfallsituationen gelegt wurden (Einhaltung der hygienischen Vorschriften erschwert), sind wieder zu entfernen; ab 48 Stunden ist mit einer erheblichen Zunahme von Komplikationen, vor allem Infektionen, zu rechnen.
- Venöse Zugänge sind sicher zu fixieren.
- Periphere Venenverweilkanüle **spätestens** nach 72 Stunden entfernen; ab 48 Stunden ist mit einer erheblichen Zunahme von Komplikationen, vor allem Infektionen, zu rechnen.
- Abstöpseln einer peripheren Verweilkanüle unter Wahrung der Asepsis mit dem vom Hersteller vorgesehenen Mandrin.
- Mindestens täglich eine vorsichtige Palpation des Verbandes über der Einstichstelle des Venenzugangs vornehmen; bei Schmerzäußerung des Kranken sowie bei Schwellung oder Verhärtung im Bereich der Einstichstelle Verband entfernen und auf Entzündungzeichen inspizieren.
- Bei Verdacht auf eine lokale oder eine allgemeine Entzündung (Entwicklung von Fieber) sofort den behandelnden Arzt informieren.
- Verbandwechsel unter Wahrung der Asepsis alle 48 Stunden vornehmen; bei transparenten Verbänden verlängern sich die Abstände.
- Verbandwechsel bei ZVK unter sterilen Bedingungen vornehmen, einschließlich großflächiger Desinfektion im Bereich der Einstichstelle.
- Information des Kranken und/oder der pflegenden Angehörigen über die einzuhaltenden Hygieneregeln und das Verhalten bei Beschwerden, z.B. Schwellung, Schmerzen, Wärmegefühl.

4.7.5 Transfusionen

Elke Hurling

4.7.5.1 Theoretische Grundlagen

❒ Definition

Bei einer **Transfusion** handelt es sich um das **Übertragen von Blut oder Blutbestandteilen** von einem Spender auf einen Empfänger.

Die Bezeichnung Transfusion leitet sich ab von lat. transfusio = *hinübergießen*, und bezieht sich auf die direkte Blutübertragung, die heute kaum noch vorkommt, und bei der Blut unmittelbar von einem Spender auf einen Empfänger übertragen wird. Mittlerweile findet die Übertragung von Blut in Form von **Blutkonserven** statt *(indirekte Transfusion)*.

❒ Indikationen

Die Indikationen für eine Transfusion sind wegen möglicher **Risiken** *(siehe nachfolgend)* **eng zu stellen**. Bei geplanten Operationen mit zu erwartenden hohen Blutverlusten kommen immer häufiger Autotransfusionen vor *(siehe Seite 469)*. Eine Bluttransfusion sollte nur erfolgen, wenn eine andere gleichwertige Behandlung nicht möglich ist und der Patient ohne Transfusion gesundheitlichen Schaden nehmen würde. Bei der Entscheidung für eine Transfusion spielen nicht nur die Laborwerte (Hämoglobin / Hb, Hämatokrit / HK) eine Rolle, sondern auch der Zustand, das Alter und das Geschlecht des Patienten sowie die Dauer, Schwere und Ursache des Blutmangels.

Folgende **Indikationen** können eine Transfusion erforderlich machen:

- akuter Blutverlust mit Absinken des HK, z.B. hypovolämischer Schock (ab 30 % Blutverlust); (bei älteren und oder herzkreislauferkrankten Menschen kann eine Transfusion schon ab 20 % Blutverlust erforderlich werden);
- hoher Blutverlust bei Operationen; (bei geplanten Operationen heute häufig Autotransfusion);
- chronische Blutverluste, z.B. Blutungsanämie;
- schwere Gerinnungsstörungen.

❒ Risiken einer Bluttransfusion

Trotz einer möglichen Überwachung von Spendern, Vorschriften für die Gewinnung und Lagerung von Blutkonserven und Überprüfungen der Blutgruppen sowie anderer umfangreicher Verträglichkeitskontrollen können unterschiedliche Transfusionskomplikationen auftreten, z.B.:

❍ Immunologische Reaktionen

- **Hämolyse**

  Eine Hämolyse ist die Auflösung *(Lyse)* von Erythrozyten durch Schädigung der Zellmembran und kann die Folge einer Unverträglichkeitsreaktion im AB Null-Blutgruppensystem sein. Schon nach Transfusion weniger Milliliter blutgruppenungleichen Blutes kann eine Hämolyse auftreten. Es kommt beim Empfänger zu einer Antigen-Antikörper-Reaktion mit Schüttelfrost, Temperaturanstieg, Übelkeit und Erbrechen. Die Patienten haben eine beschleunigte Atmung, Tachykardien und einen Blutdruckabfall. In schweren Fällen kann ein Nierenversagen eintreten.

  Die Transfusion muß sofort abgebrochen und eine intensivmedizinische Überwachung und Behandlung eingeleitet werden. Eine Transfusion blutgruppenungleichen Blutes kann durch fachkundiges und sorgfältiges Vorgehen vermieden werden!
- **Fieber**

  Durch mikrobielle Kontamination einer Blutkonserve kann es als Reaktion auf die im Spenderblut enthaltenen Bakterien beim Empfänger zu einer Temperaturerhöhung oder Fieber, evtl. mit Schüttelfrost, kommen. Bakterientoxine können ebenfalls zu Komplikationen führen. Die Transfusion muß abgebrochen und der Patient antibiotisch behandelt werden.
- **Allergien**

  Es besteht die Möglichkeit, daß der Empfänger auf Eiweiße des Spenders allergisch reagiert. Es kann zu Hautrötungen, aber auch zu schweren allergischen Reaktionen mit Schüttelfrost, Fieber, Übelkeit oder Blutdruckabfall kommen. Die Transfusion muß sofort abgebrochen werden; der unverzüglich informierte Arzt entscheidet über das weitere Vorgehen.

- **Hypervolämie**
  Bei Transfusion zu großer Mengen Blut kann es zu einer akuten Überlastung des Kreislaufs kommen. Diese Gefahr besteht besonders bei Herz- und Kreislauferkrankten; die Tropfgeschwindigkeit einer Transfusion muß bei diesen Patienten unter Umständen reduziert werden (ärztliche Anordnung).
- **Infektionen**
  Infektionen sind als Spätkomplikationen zu betrachten. Bei jeder Bluttransfusion besteht ein Risiko der Übertragung von Krankheitserregern, z.B. Hepatitis-Viren, HI-Viren. Trotz umfassender Untersuchungen des Spenderblutes (HIV I/II Antikörper, HBV-, HCV-Antikörper u.a.) besteht eine **diagnostische Lücke.** Das Blut frisch infizierter Spender spricht auf einige Labortests noch nicht an. Zur Erhöhung der Sicherheit muß eine gezielte Spenderauswahl und anschließende Spenderbetreuung (Nachuntersuchung) erfolgen.

❒ Blut

- **Blutmenge**
  Das Blut ist die im Gefäßsystem *(intravasaler Raum)* zirkulierende Flüssigkeit und kann als ein fließendes Organ bezeichnet werden. Die physiologische Blutmenge eines Erwachsenen Menschen beträgt ca. 8 % seines Körpergewichtes; eine 70 kg schwere Person hat ca. 5-6 Liter Blut. Der Verlust von 500 bis 800 ml Blut, z.B. bei einer Blutspende, wird vom Körper ohne Funktionseinschränkungen toleriert. Bei größeren Blutverlusten (ab ca. 30 % des Volumens) kommt es zu einem hypovolämischem Schock *(siehe Seite 386)*.
- **Zusammensetzung und Bestandteile**
  Blut setzt sich zusammen aus dem
  - **Blutplasma** (ca. 55 % des Volumens) und den
  - **korpuskulären Bestandteilen** / Blutkörperchen (ca. 45 % des Volumens).

  Das Blutplasma besteht zu ca. 90 % aus Wasser; weitere Bestandteile sind Elektrolyte, Hormone, Farbstoffe, Proteine (z.B Gerinnungsfaktoren, Albumine, Globuline), Kohlenhydrate und Fette. Bei dem (Blut) **Serum** handelt es sich um Blutplasma ohne Gerinngungsfaktoren.

  Der **Hämatokrit** *(HK)* gibt den Volumenanteil der Blutkörperchen in 100 ml Blut an; bei einer Frau liegt er etwas niedriger (42) als bei einem Mann (47).

  Bei den **Blutkörperchen** werden
  - **Erythrozyten** *(rote Blutkörperchen)*,
  - **Leukozyten** *(weiße Blutkörperchen)*,
  - **Thrombozyten** *(Blutplättchen)* unterschieden.

  Die **Erythrozyten** bilden die größte Gruppe der Blutkörperchen (99 %); in 1 µl (Mikroliter) Blut befinden sich bei einem Mann ca. 5 Millionen, bei einer Frau ca. 4,5 Millionen Erythrozyten. Erythrozyten werden im roten Knochenmark gebildet, die Lebensdauer beträgt ca. 120 Tage; Bildung und Abbau (Leber, Milz, Knochenmark) sind bei einem gesunden Menschen im Gleichgewicht. Das **Hämoglobin / Hb** *(sogenannter "roter Blutfarbstoff")* befindet sich in den Erythrozyten. Hämoglobin bindet Sauerstoff und transportiert ihn zu den Körperzellen.

  Die **Leukozyten** werden eingeteilt in:
  - Granulozyten (60 - 70 %) / Lebensdauer 8 - 14 Tage / Bildungsort Stammzellen im Knochenmark;
  - Lymphozyten (20 - 30 %) / Lebensdauer durchschnittlich mehrere Monate / Bildungsort im Knochenmark und im lymphatischen Gewebe (z.B. Milz, Tonsillen, Lymphknoten);
  - Monozyten (Makrophagen *(siehe nachfolgend "Abwehr")* (2 - 6 %) / Bildungsort im Knochenmark.

  Den Leukozyten kommt eine zentrale Rolle bei der **Körperabwehr** zu. Die Anzahl der Leukozyten schwankt stark; Werte von 4 000 - 10 000 pro µl *(Mikroliter)* liegen im Normbereich. Bei fast allen **Infektionen** kommt es zu einer **Leukozytose** *(Vermehrung der Leukozytenzahlen im Blut)*.

  Die **Thrombozyten**zahl beträgt 160 000 - 300 000 pro µl *(Mikroliter)* Blut. Die Lebensdauer beträgt 1 - 2 Wochen. Thrombozyten werden im Knochenmark aus Knochenmarksriesenzellen *(Megakaryozyten)* gebildet. Thrombozyten spielen eine wichtige Rolle bei der **Stillung von Blutungen** und bei der **Blutgerinnung**; sie zerfallen am Ort einer Gewebeverletzung und setzen Gerinnungsfaktoren frei.

❍ Funktionen und Aufgaben des Blutes

Das Blut befindet sich ständig im Fluß und kann daher folgende **Funktionen** übernehmen:

- **Transport**
  Die Zellen des Körpers werden mit Sauerstoff und Nährstoffen versorgt, gleichzeitig werden Kohlendioxid als Karbonat* und andere Stoffwechselprodukte zur Ausscheidung gebracht.
  Es kommt, in Abhängikeit vom Durchblutungsgrad der unterschiedlichen Gewebe, zu einer Verteilung aller in das Gefäßsystem aufgenommenen Stoffe, z.B. Medikamente.
- **Abwehr**
  Ein Teil der unspezifischen zellulären Abwehr des Körpers wird von speziellen Zellen des Blutes übernommen, den Makrophagen (aus Monozyten hervorgegangen); diese machen Krankheitserreger unschädlich, indem sie sie in ihre Zelle aufnehmen und enzymatisch zersetzen *(Phagozytose)*. Die neutrophilen Granulozyten *(Mikrophagen)* sind ebenfalls an der unspezifischen Abwehr beteiligt.
  Bei der spezifischen Abwehr des Blutes unterscheidet man die an Zellen *(T-Lymphozyten)* gebundenen und die frei im Plasma zirkulierenden Antikörper, die von den B-Lymphozyten gebildet werden.
- **Wärmeregulation**
  Die ständige Zirkulation des Blutes sorgt für einen Wärmetransport und die Aufrechterhaltung einer gleichmäßigen Körperkerntemperatur. (Zu weiteren Mechanismen der Wärmeregulation *siehe auch "Wärmehaushalt und Temperaturregulation", Seite 502)*.
- **Puffer**
  Der physiologische pH - Wert des Blutes ist schwach alkalisch und wird durch Pufferung im Mittel bei pH 7,40 konstant gehalten. Als Puffer wird ein System bezeichnet, das die Zugabe von Säuren oder Basen ausgleicht. Für die Puffereigenschaften des Blutes sind Karbonate*, Phosphate und Serumeiweiße wichtig.

❒ Blutgruppensysteme

Schon seit Jahrhunderten wurden immer wieder Versuche unternommen, Blut (auch von Tieren) auf Menschen zu übertragen. Die dabei häufig auftretenden akuten Reaktionen und Todesfälle konnten nicht erklärt werden.

Nach der **Entdeckung der Blutgruppen** (1901 entdeckte Landsteiner das ABNull System) und des Rhesus-Faktors (Landsteiner und Wiener 1940) verbesserte sich die Verträglichkeit bei der Übertragung von Blut erheblich. Die heutige Transfusionsmedizin wurde begründet.

Grundlage der Blutgruppensysteme ist die **charakteristische Struktur der Erythrozytenmembran** (antigene Eigenschaften). Blut einer fremden Blutgruppe erkennt das Immunsystem eines Menschen als fremd und bildet Antikörper.

Heute sind viele unterschiedliche Blutgruppensysteme bekannt. Die größte klinische Bedeutung haben das ABNull- und Rhesus-System.

❍ ABNull - System

Das **ABNull - System** teilt Blut in 4 verschiedene Gruppen ein, A, B, AB und 0.

Menschen mit der Blutgruppe A haben auf ihren Erythrozyten das Strukturmerkmal A, Menschen mit der Blutgruppe B haben das Strukturmerkmal B. Bei der Blutgruppe AB sind beide Strukturmerkmale auf den Erythrozyten vorhanden, bei der Blutgruppe Null sind weder das Strukturmerkmal A noch B vorhanden. Menschen mit Blutgruppe A haben im Serum Antikörper gegen die Blutgruppe B, Menschen mit Blutgruppe B gegen die Blutgruppe A. Menschen mit Blutgruppe 0 haben Antikörper gegen die Blutgruppen A und B, während Menschen mit der Blutgruppe AB im Serum keine Antikörper haben.

Bei Kontakt von Blut ungleicher Blutgruppen kommt es zu einer Unverträglichkeit von Erythrozytenantigenen und Serumantikörpern mit Bildung unlöslicher Komplexe *(Agglutination)*.

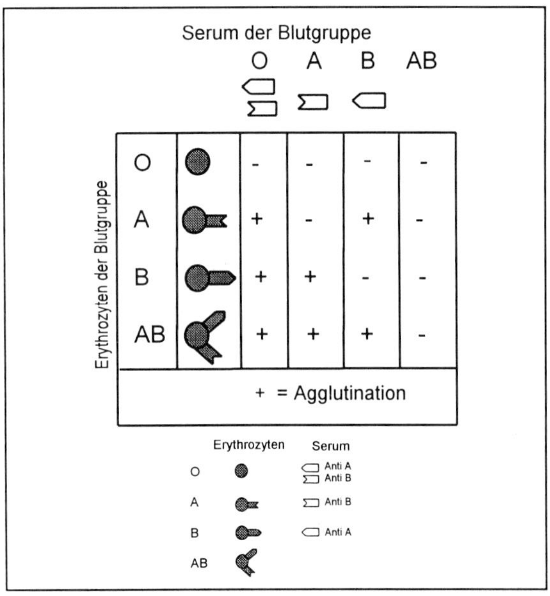

Abb. 4.82 ***Schema der AB Null - Blutgruppeneigenschaften und der auftretenden Agglutinationsreaktionen bei Mischung von nicht blutgruppengleichem Blut***

❍ Rhesus - System

Beim Rhesus - System *(Rh - System)* werden viele Gruppen unterschieden, 5 Gruppen sind von Bedeutung, diese werden mit D, C, c, E und e bezeichnet. Die Gruppe D ist immunologisch sehr entscheidend, da sie die stärksten antigenen Eigenschaften hat; ca. 85 % der Europäer sind **Träger des Rhesusantigen D (Rh - positiv, D - positiv)**.

Ein **rh - negativer** *(Schreibweise beachten!)* Empfänger darf kein Blut eines RH - positiven Spenders erhalten, um die Bildung von Rhesus-Antikörpern zu verhindern. Rhesus-Antikörper können z.B. während einer Schwangerschaft (5%) gebildet werden. Wenn eine rh-negative Mutter ein Rh-positives Kind austrägt, bildet der mütterliche Organismus Rhesus - Antikörper.

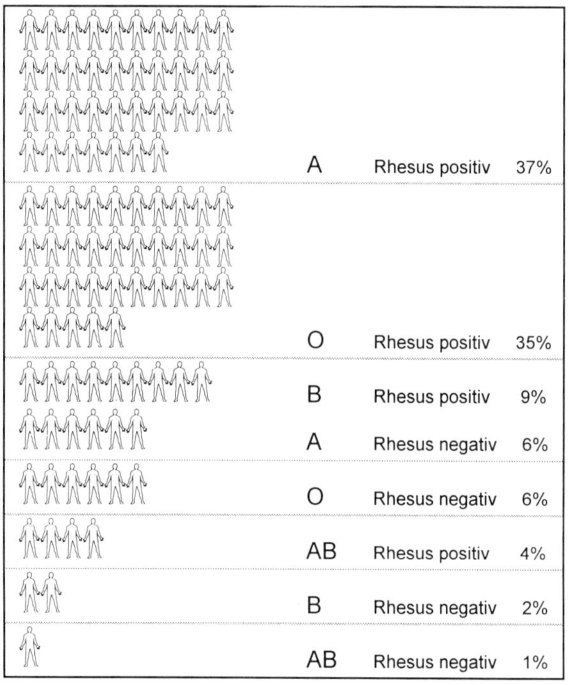

Abb. 4.83 ***Häufigkeit der A B Null- und Rhesus - Blutgruppen***

Von den weiteren Blutgruppensystemen kommt dem **Kell - System** eine klinische Bedeutung zu.

❒ Bestimmung der Blutgruppen / Antikörpersuchtest

Eine Transfusion darf nur erfolgen, wenn **aktuell** eine Blutgruppenbestimmung vorgenommen wurde.

Die Bestimmung von Blutgruppen erfolgt über den Nachweis von Blutgruppenmerkmalen (-antigenen) auf den Erythrozyten durch die Anwendung spezieller Testseren. Um die Sicherheit bei der Bestimmung zu erhöhen, wird mit weiteren speziellen Testseren (antigenreiche Erythrozyten) ebenfalls das Serum des Patienten auf das Vorhandensein von Antikörpern überprüft.

Eine Blutgruppenbestimmung wird von einem Arzt bzw. unter Aufsicht eines Arztes von einer qualifizierten medizinisch-technischen Laborassistentin (MTLA) vorgenommen. Das Ergebnis muß dokumentiert und unterzeichnet werden.

Neben der Blutgruppenbestimmung erfolgt nach den "Richtlinien zur Blutgruppenbestimmung und Bluttrans-

fusion" ein **Antikörpersuchtest** *(Coombs - Test)*. Dieser Test dient der **Ermittlung nicht regelmäßig** (d.h. nur bei einigen Menschen) **vorkommender Antikörper gegen Erythrozyten**. Beim Vorliegen klinisch wichtiger Antikörper erfolgt eine Eintragung in den Blutgruppenausweis der betreffenden Person.
Wenn im Blut eines Patienten Antikörper nachgewiesen wurden, wird durch weitere Untersuchungen (in der Regel in einem Speziallabor) das passende Spenderblut gesucht.

4.7.5.2 Blut und Blutkomponenten

Je nach Indikation können Blut oder Blutkomponenten übertragen werden; diese gelten als **Arzneimittel** und unterliegen dem Arzneimittelgesetz.
Vollblut wird nur in Ausnahmesituationen, z.B. große Blutverluste bei Verletzungen, transfundiert. Fast immer handelt es sich bei Transfusionen um die Gabe von **Blutkomponenten** *(einzelne Blutbestandteile)*.

❍ **Erythrozytenkonzentrate *(EK)***
- häufigste Art einer Transfusion;
- Herstellung aus frischem Vollblut einer Einzelspende;
- Leukozyten, Thrombozyten und Plasma sind weitgehend abgetrennt;
- Lagerung bei plus 2 bis plus 6 Grad Celsius, die Kühlkette darf nicht unterbrochen werden;
- Haltbarkeit nach Herstellerangabe auf der Etikettierung;
- Indikation bei Patienten mit akutem Blutverlust, chronischen Anämien.

Alle weiteren Blutpräparate werden sehr aufwendigen speziellen Behandlungen unterzogen, sind erheblich teurer und kommen seltener zur Anwendung.

❍ **Spezielle Erythrozytenkonzentrate**
- **Leukozytendepletierte Erythrozytenkonzentrate**
  - haben durch Filterung einen geringen Gehalt an Leukozyten;
  - Indikation z.B. bei Patienten mit Leukämie, immunsuppressiver Therapie, bekannter Reaktion auf Leukozyten.
- **Gewaschene Erythrozytenkonzentrate**
  - werden in speziellen Verfahren von einem großen Teil ihrer antigenen Strukturen befreit;
  - geeignet für Patienten mit positivem Antikörpersuchtest, Patienten die schon viele Transfusionen erhalten oder eine Unverträglichkeitsreaktion gezeigt haben.
- **Bestrahlte Erythrozytenkonzentrate**
  - durch Bestrahlung wird eine Reduzierung der Leukozyten erzielt;
  - Indikation z.B. bei Patienten mit Knochenmarktransplantation, Patienten mit schwerem Immundefektsyndrom.

❍ **Thrombozytenkonzentrate**
- Herstellung aus Vollblut;
- nur sehr begrenzte Haltbarkeit;
- Indikation z.B. bei Patienten mit Thrombozytopenie nach starkem Blutverlust.

❍ **Granulozytenkonzentrate**
- Herstellung aus einer Einzelspende;
- Indikation z.B. bei Patienten mit Granulozytopenie, bei denen trotz Behandlung mit Antibiotika keine Besserung eintritt.

❍ **Frischplasma**
- Herstellung von zellarmem Plasma mit Gerinnungsfaktoren aus einer Vollblut-Einzelspende;
- wird nach der Gewinnung schockgefroren *(Fresh Frozen Plasma)*, um auch instabile Gerinnungsfaktoren zu erhalten;
- Transfusion muß sofort nach dem Auftauen erfolgen;
- Indikation z.B. bei Patienten mit schweren Gerinnungsstörungen.

4.7.5.3 Richtlinien für die Transfusionsmedizin

In Deutschland kann für den Bereich der Transfusionsmedizin eine Orientierung erfolgen an den
- **"Richtlinien zur Blutgruppenbestimmung und Transfusion (Hämototherapie)"**. Die novellierten Richtlinien traten 1996 in Kraft und haben Gültigkeit für alle Ärzte. Sie wurden erstellt vom Wissenschaftlichen Beirat der Bundesärztekammer in Zusammenarbeit mit z.B. dem Bundesministerium für Gesundheit und dem Paul-Ehrlich-Institut.
- **"Leitlinien zur Therapie mit Blutkomponenten und Plasmaderivaten"**. Diese Richtlinien wurden 1995 vom Vorstand und Wissenschaftlichen Beirat der Bundesärztekammer herausgegeben. Sie sollen einem behandelnden Arzt bei der Verordnung von Blut oder Blutprodukten als Richtschnur dienen.

Die genannten Richtlinien sind Empfehlungen.

❒ **Aufgaben und Zuständigkeitsbereiche bei einer Transfusion**

Bei jeder Transfusion müssen **Verwechslungen von Blutkonserven** oder **andere Fehler**, die eine Gefährdung von Patienten nach sich ziehen, **sicher ausgeschlossen werden**. Die erforderlichen Kontrollen sind, auch in Notfallsituationen, mit Konzentration und Gewissenhaftigkeit durchzuführen.

❍ **Zu den Aufgaben des verantwortlichen Arztes gehören:**
- die Information und Aufklärung des Patienten;
- eine Blutentnahme (mit Unterschrift) für die
  - Bestimmung der Blutgruppe und des Rhesusfaktors,
  - Kreuzprobe;
- Durchführung oder Beaufsichtigung der Kreuzprobe;
- die Anforderung der Blutkonserve(n);
- die Durchführung des Bedside-Tests;
- das Anlegen der Transfusion;
- die Durchführung des Biologischen Tests einschließlich der Überwachung des Patienten in der ersten Phase der Transfusion;
- die Anordnung der Transfusionsgeschwindigkeit / Tropfenzahl pro Minute;
- das Ausfüllen des Transfusionsberichtes;

- die schriftliche Information an den zuständigen Blutspendedienst bei Transfusionzwischenfällen.

❍ Zu den Aufgaben der verantwortlichen Pflegekraft gehören:

- die Vorbereitung des Patienten auf die Transfusion;
- das Richten des notwendigen Materials;
- die Vorbereitung der Transfusion mit Anschließen des Transfusionssystems (nach Delegation des Arztes);
- die Betreuung und Überwachung des Patienten während der Transfusion;
- die Information des Arztes bei Auffälligkeiten;
- die Einleitung von Sofortmaßnahmen und Information des Arztes bei Unverträglichkeitsreaktionen;
- das Beenden der Transfusion (nach Delegation des Arztes);
- die korrekte Aufbewahrung des Blutbeutels einschließlich Transfusionssytems mit ca. 10 ml Blut für 24 Stunden;
- die entsprechenden Dokumentationen in der Patientenkurve.

4.7.5.4 Transfusionstechnik

❒ Blutkonserven

Spenderblut wird unter Einhaltung der Sterilität gewonnen und in spezielle, pyrogenfreie* Kunststoffbeutel eingefüllt. Mit besonderen Zusätzen wird eine Gerinnung verhindert. Die "Richtlinien zur Blutgruppenbestimmung und Bluttransfusion" sehen eine einheitliche Etikettierung und exakte Kennzeichnung vor, z.B. Name und Anschrift des Herstellers, Bezeichnung des Präparates, Angaben zu den Blutgruppen des ABNull- und Rhesussystems, evtl. weitere Blutgruppenmerkmale, Chargenbezeichnung (Spendennummer), Entnahme- und Verfalldatum.
Blutkonserven müssen in Umluftkühlschränken, bei denen es nicht zu Erschütterungen kommt, bei plus 4 Grad Celsius gelagert werden und sind dann ca. 3 Wochen haltbar.
Die **Kühlkette** darf **nicht unterbrochen werden**. Wenn eine Blutkonserve nicht mehr gekühlt wird, muß sie innerhalb der nächsten Stunden transfundiert werden. Jede längere Unterbrechung der Kühlung kann dazu führen, daß sich in der Blutkonserve enthaltene Bakterien massiv vermehren und bei einer Transfusion schwere Komplikationen hervorrufen!
Wird eine angewärmte Blutkonserve nicht mehr benötigt, muß sie verworfen werden! Eine geöffnete Blutkonserve muß, wegen der Gefahr der mikrobiellen Kontamination (auch bei vorschriftsmäßiger Kühlung), innerhalb der nächsten 6 Stunden transfundiert werden ("Richtlinien zur Blutgruppenbestimmung und Bluttransfusion").

❒ Vorbereitung und Durchführung einer Transfusion

❍ Kreuzprobe

Um Transfusionszwischenfällen vorzubeugen, wird **im Labor** eine **Kreuzprobe** *(Kreuztest)* vorgenommen. Es handelt sich um eine Prüfung der Verträglichkeit von Spender- und Empfängerblut, d.h. Blut des Patienten wird mit dem Blut der Spenderkonserve zusammengebracht. An der Blutkonserve befindet sich ein in ca. 20 blutgefüllte Abschnitte unterteilter Schlauch. Zur Durchführung einer Kreuzprobe wird jeweils ein Abschnitt geöffnet und das erforderliche Blut entnommen. Beim sogenannten **Majortest** wird die Verträglichkeit von Spendererythrozyten und Empfängerserum überprüft. Der sogenannte **Minortest** besteht darin, Empfängererythrozyten und Spenderserum gegeneinander zu kreuzen *(siehe Abbildung 4.84)*.

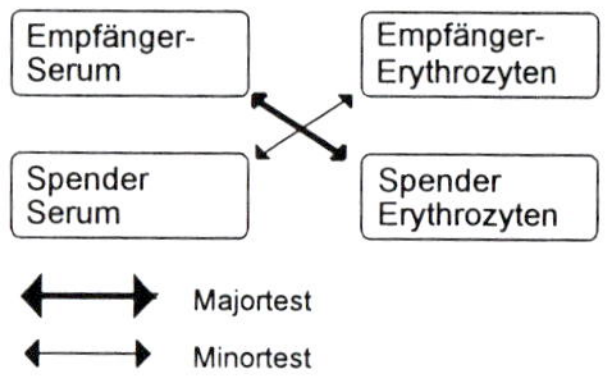

Abb. 4.84 ***Kreuzprobe***

Die zuständige MTLA führt die Kreuzprobe durch und unterschreibt das Ergebnis. Der zuständige Arzt zeichnet sich verantwortlich, kontrolliert das Ergebnis und unterzeichnet ebenfalls.
Im Zusammenhang mit einer Kreuzprobe wird immer ein **Antikörpersuchtest** *(siehe vorstehend)* durchgeführt.
Nach einer Kreuzprobe wird die Konserve für den jeweiligen Patienten 72 Stunden bereit gehalten. Wird die Blutkonserve zu einem späteren Zeitpunkt angefordert, müssen erneut eine Kreuzprobe und ein Antikörpersuchtest erfolgen.
Zur Durchführung einer Kreuzprobe werden 5 - 10 ml Nativ-Blut des Empfängers benötigt, das speziell für diesen Zweck abgenommen wird (zitrat*freies Blutröhrchen).

❍ Vorbereitung des Materials

Die verantwortliche Pflegekraft richtet die für die Durchführung des Bedside-Tests und das Anlegen der Transfusion erforderlichen Materialien:

- Blutkonserve einschließlich Begleitpapiere
- Händedesinfektionsmittel
- Hautdesinfektionsmittel
- Einmalhandschuhe
- Infusionsständer
- Transfusionsbesteck
- sterile Einmalspritze, z.B. 5 ml (Blutprobe)
- Blutgruppen-Identitätskarte mit aufgebrachten Testseren (z.B. Serafol® - D)
- Stäbchen (Verrühren des Blutes auf der Identitätskarte)
- Abdeckfolie (Schutz der Blutgruppen-Identitätskarte).

Wenn der Patient keine Venenverweilkanüle hat, wird zusätzlich das entsprechende Material zusammengestellt *(siehe "Anlegen einer Infusion / Legen einer peripheren Venenverweilkanüle", Seite 454)*.
Bluttransfusionen sollen nach Möglichkeit über eine nur dafür genutzte großlumige periphere Venenverweilkanüle erfolgen. Über diesen Venenzugang kann auch die Entnahme des für den Bedside-Test nötigen Blutes erfolgen.

❍ Transfusionssysteme und spezielles Zubehör

Die zur Transfusion verwendeten **Transfusionssysteme** müssen einen **speziellen Filter** mit einer vorgeschriebenen Porengröße haben (DIN 58360/1). Diese Filter dienen der **Zurückhaltung von Mikrothromben.**

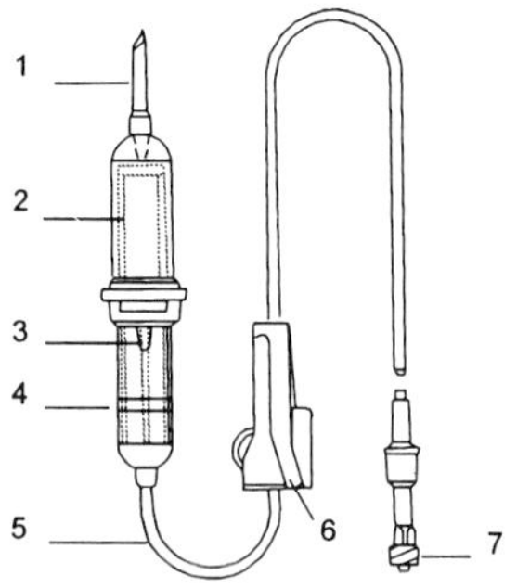

1 Einstichdorn
2 Filter (Mikrothromben)
3 Tropfer
4 Tropfkammerunterteil
5 Schlauch
6 Dosier - Rollklemme
7 Luer - Lock - Ansatz

Abb. 4.85 ***Transfusionssystem***

Ein Transfusionssytem sollte laut "Richtlinien zur Blutgruppenbestimmung und Bluttransfusion" nur 6 Stunden verwendet werden, während dieser Zeit können über das System mehrere Transfusionen erfolgen.
Bei immungeschwächten Patienten, z.B. Tumorkranken, Transplantierten, sind für die Transfusion von Erythrozytenkonzentraten Transfusionssysteme mit Spezialfiltern einzusetzen. Diese Filter entfernen Leukozyten und mindern damit das Risiko einer transfusionsbedingten Immunsuppression*.

❍ Vorbereitung der Konserve

Der behandelnde Arzt fordert mit einem speziellen Formular die erforderliche(n) Blutkonserve(n) im Labor an. Die Blutkonserve darf mindestens **30 - 60 Minuten** vor der geplanten Transfusion **nicht mehr gekühlt** werden, damit sie sich auf **Zimmertemperatur** erwärmt.
In Notfallsituationen oder bei Massiv-Transfusionen kann eine **schnellere Erwärmung** erforderlich werden, diese erfolgt nach ärztlicher Anordnung. Heute stehen **spezielle Geräte** (z.B. Durchlauferwärmer) zur Verfügung, die verhindern, daß es zu Schädigungen des Blutes durch Überwärmung kommt. Eine nicht exakt kontrollierbare Erwärmung (z.B. in einem Wasserbad) ist laut "Richtlinien zur Blutgruppenbestimmung und Bluttransfusion" nicht zulässig!
Vor dem Öffnen der Blutkonserve und dem Anschließen des Transfusionssystems sollten von zwei Personen die **Angaben auf der Konserve** und die **Angaben des Patienten überprüft werden**.
Beim Umgang mit Blut und den für eine Transfusion erforderlichen Materialien ist auf die **Einhaltung infektionsprophylaktischer Maßnahmen** großer Wert zu legen. Eine Kontamination der Blutkonserve oder des Transfusionssystems durch unsachgemäßen Umgang muß verhindert werden. Zum Selbstschutz sind immer Einmalhandschuhe zu tragen *(siehe auch „Betreuung eines Patienten mit Infusionstherapie / Infektionsprophylaktische Maßnahmen", Seite 461).*
Beim **Anschließen des Transfusionssystems** an den Blutbeutel sind folgende Punkte zu beachten:

- Händedesinfektion und Desinfektion der Arbeitsfläche;
- Einmalhandschuhe anziehen;
- Blutkonserve durch vorsichtiges Drehen mischen;
- bei Erythrozytenkonzentraten kann über die zweite Öffnung des Blutbeutels eine Zumischung von physiologischer Kochsalzlösung erfolgen (z.B. Ery-Set®), die Mischung dient der Verbesserung der Fließeigenschaften;
- Rollklemme des Transfusionssystems kurz unterhalb der Tropfkammer plazieren und schließen;
- Blutbeutel auf der Arbeitsfläche ablegen;
- Schutzkappe des Beutels entfernen und Einstichdorn unter leichter Drehung einführen;
- Rollklemme öffnen und Blutbeutel vorsichtig zusammendrücken bis sich der Filter des Transfusionssystems bis zur Markierung blasenfrei mit Blut gefüllt hat;
- Rollklemme schließen und Blutbeutel am Infusionsständer aufhängen;
- Rollklemme öffnen und Transfusionsleitung blasenfrei mit Blut füllen, Rollklemme schließen.

Weitere Hinweise sind der Herstellerinformation zu entnehmen.

❍ Bedside - Test

Auf der Station erfolgt **am Bett des Patienten** eine Kontrolle der ABNull- und Rhesus-Eigenschaften (D) von Spender- und Empfängerblut mit dem sogenannten **Bedside - Test** (die "Richtlinien zur Blutgruppenbestimmung und Bluttransfusion" sehen eine Bestätigung der ABONull-Eigenschaften des Empfängers vor).
Der Bedside-Test soll die **Sicherheit** bei Transfusionen erhöhen. Verwechslungen wird vorgebeugt, da dem Patienten die für den Test erforderliche Blutprobe direkt entnommen wird, z.B. über eine liegende Venenverweilkanüle und die Probe des Spenderblutes aus der vorbereiteten Transfusion stammt. Für den Bedside-Test können industriell vorgefertigte **Blutgruppen-Identitätskarten** benutzt werden; die erforderlichen Antiseren* sind bereits auf die Karte aufgebracht. Blutgruppen-Identitätskarten sind nur begrenzt haltbar (Verfallsdatum beachten!) und müssen im Kühlschrank gelagert werden.
Es wird jeweils ein Tropfen Blut auf die entsprechenden Testfelder aufgebracht und mit einem Stäbchen 30 Sekunden gerührt; vor dem Rühren des nächsten Feldes muß das Stäbchen gründlich gereinigt werden. Nach vorsichtigem Schwenken der Karte kann nach 30 - 60 Sekunden das Ergebnis abgelesen werden. Weitere Informationen und **Durchführungshinweise** sind der jeweiligen Herstellerinformation zu entnehmen. Die Blutgruppen - Identitätskarte wird vom zuständigen Arzt unterschrieben, später evtl. mit einer Folie überklebt, damit das eingetrocknete Blut nicht abfällt und in der Patientendokumentation abgelegt.

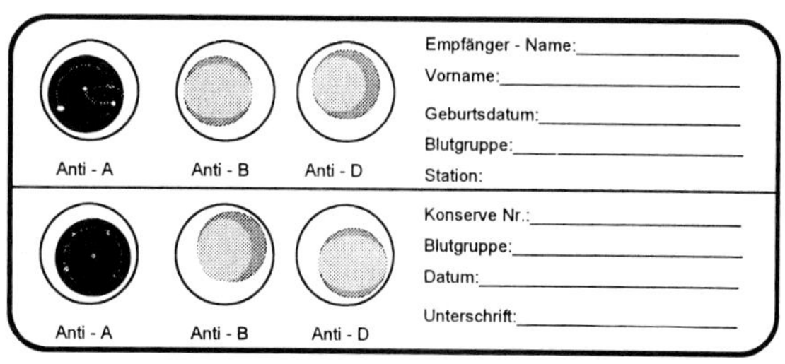

Abb. 4.86 ***Blutgruppen-Identitätskarte für einen Bedside-Test***

❍ Anschließen einer Transfusion

Der Patient braucht für eine Transfusion einen Venenzugang in Form einer peripheren Venenverweilkanüle, dieser muß evtl. gelegt werden *(siehe "Legen einer peripheren Venenverweilkanüle", Seite 454).*

Das Anschließen der Transfusion ist eine **ärztliche Tätigkeit**, die nicht delegiert werden kann. Der Arzt muß vor dem Anschließen der Transfusion die Identität des Patienten überprüfen. Die Schutzkappe der Transfusionsleitung wird entfernt und das Transfusionssytem unter Wahrung der Asepsis angeschlossen; zum Eigenschutz trägt der Arzt Handschuhe.

Biologischer Test (Öhlecker)

Da sich Unverträglichkeitsreaktionen gehäuft schon nach der Gabe weniger Milliliter Blut zeigen, kann nach dem Anschließen der Transfusion ein sogenannter "Biologischer Test" nach Öhlecker vorgenommen werden. Der Arzt läßt relativ rasch ca. 50 ml Blut einlaufen und kontrolliert in den folgenden 10 Minuten persönlich das Befinden des Patienten.

4.7.5.5 Betreuung eines Patienten mit einer Transfusion

❍ Information und Unterstützung

Viele Patienten wissen um die Risiken einer Transfusion, vor allem über die mögliche Infektionsgefahr. Eine **umfassende Information** des Patienten kann helfen, evtl. vorhandene Ängste und Befürchtungen bezüglich der geplanten Transfusion abzubauen; die Informationspflicht liegt beim behandelnden Arzt. Bei wiederholt erforderlicher Transfusion sind die Patienten mit dem Vorgang vertraut und können sich frühzeitig auf die Situation einstellen. Viele Betroffene haben die Erfahrung gemacht, daß sich ihre Befindlichkeit nach einer Transfusion bessert.

Die zuständige Pflegeperson macht den Patienten darauf aufmerksam, **vor dem Anlegen** der Transfusion die **Toilette aufzusuchen**. Anschließend wird der Patient gebeten, sich bequem hinzulegen oder bei der Lagerung unterstützt. Bei unruhigen oder unsicheren Patienten kann während der Transfusion der Arm mit der Venenverweilkanüle auf einer Schiene gelagert werden *(siehe Abb. 6.70, Seite 557).*

Der Patient muß darüber informiert sein, daß er sich während der Transfusion **bei** Anzeichen von **Unwohlsein**, Unruhe oder anderen Beschwerden **sofort melden** muß. Die Klingel muß in ereichbarer Nähe sein.

❍ Beobachtung und Überwachung des Patienten

Nur durch eine gezielte, regelmäßige Beobachtung und Überwachung des Patienten können **Transfusionszwischenfälle frühzeitig erkannt** werden. Die Überwachung hat in einer Weise zu erfolgen, die den Patienten nicht beunruhigt, sondern ihm ein Gefühl von Sicherheit vermittelt.

Vor Beginn der Transfusion empfiehlt es sich, Blutdruck, Puls und Temperatur des Patienten zu ermitteln, um Vergleichswerte für spätere Kontrollen zu haben.

Zu den Beobachtungs- und Überwachungsaufgaben gehören:

- Erfassen der Befindlichkeit des Patienten durch Befragen und Beobachten des Aussehens,
- Beobachten der Haut,
- Vitalzeichenkontrollen,
  - regelmäßig (ca. alle 15 Minuten) Puls und Atmung kontrollieren,
  - bei Bedarf Blutdruck und Temperatur messen.

❍ Transfusionszwischenfälle, Symptome und Sofortmaßnahmen

Unverträglichkeitsreaktionen können schon in den ersten Sekunden bis Minuten nach dem Anschließen einer Transfusion auftreten. Der Patient sollte während der ersten Phase (10 - 15 Minuten) nicht allein gelassen werden. Beispiele für immunologisch bedingte Transfusionszwischenfälle werden unter "Risiken einer Transfusion", Seite 462, gegeben.

Unterschiedliche Symptome können auf einen **Transfusionszwischenfall** hinweisen:

- Angst, Unruhe, Unwohlsein, Enge- und Beklemmungsgefühl,
- Blässe, Schweißausbrüche,
- Atemnot,
- Tachykardie, Blutdruckabfall,
- Hautrötungen, Bläschenbildung,
- Kopfschmerzen, Schwindel,
- Übelkeit, evtl. mit Erbrechen,
- diffuse Gelenkschmerzen.

Eine
- Temperaturerhöhung und das Auftreten von
- Schüttelfrost

können Hinweise auf eine bakterielle Kontamination der Blutkonserve sein.

Beim Auftreten von **Beschwerden** muß die **Transfusion sofort unterbrochen**, d.h. die Blutzufuhr gestoppt werden. Unverzüglich ist der behandelnde Arzt zu informieren. Der Patient darf auf keinen Fall allein gelassen werden. Die Pflegekraft sollte beruhigend auf den Patienten einwirken und bei leichteren Symptomen evtl. Blutdruck und Puls kontrollieren. Die Venenverweilkanüle muß, z.B. durch Infusion von physiologischer Kochsalzlösung, offen gehalten werden, da sie für die Applikation einer evtl. (Notfall-) Medikation zur Verfügung stehen muß.

In schweren Fällen kann eine akute **Schocksymptomatik** mit Ateminsuffizienz, Bewußtseinsverlust und Nierenversagen eintreten, und es muß sofort eine intensivmedizinsiche Überwachung und Therapie erfolgen.

Bei Transfusionszwischenfällen (auch leichterer Art) muß der Arzt einen entsprechenden Bericht anfertigen und diesen einschließlich der betreffenden Blutkonserve zur weiteren Untersuchung an den Blutspendedienst zurückschicken.

❍ Überwachung der Transfusion

Die Einstellung der Tropfenzahl pro Minute erfolgt nach ärztlicher Anordnung. In der Regel beträgt die Tropfgeschwindigkeit 40 - 60 Tropfen pro Minuten. *(Weitere Hinweise zur Überwachung siehe auch "Überwachung einer Infusion", Seite 460).*

❍ **Beenden der Transfusion und Nachsorge**

Die Blutkonserve darf **nicht vollständig leer laufen**, es müssen ca. 10 ml Blut im Beutel verbleiben. Nach dem Abnehmen der Konserve muß die Venenverweilkanüle des Patienten mit physiologischer Kochsalzlösung gespült, eine Infusion angeschlossen oder die Kanüle mit einem Mandrin verschlossen werden. Der Patient behält die Venenverweilkanüle für einige Zeit, damit bei evtl. einsetzenden Unverträglichkeitsreaktionen ein Venenzugang zur Verfügung steht.

Die **Konserve** mit dem **Blutrest** wird einschließlich **Transfusionssystem** in einem Plastikbeutel verpackt und **24 Stunden im Kühlschrank aufbewahrt**. Bei Auftreten von Transfusionskomplikationen steht Blut für immunologische und oder bakteriologische Untersuchungen zur Verfügung.

Hilfsbedürftige Patienten werden nach der Transfusion auf Wunsch versorgt, z.B. bequem gelagert oder zur Toilette begleitet. In den nächsten Stunden muß eine **regelmäßige Überwachung** erfolgen.

❍ **Dokumentation**

Im Zusammenhang mit einer Transfusion müssen folgende Angaben in der Patientenkurve dokumentiert werden:

- Datum der Transfusion(en),
- Beginn und Ende der Transfusion(en),
- Nummer(n) und Bezeichnung der Blutkonserve(n). Die Eintragungen erfolgen in der Regel mit einem Rotstift. Besonderheiten während oder nach der Transfusion werden im Pflegebericht vermerkt.

Der behandelnde Arzt füllt ein Transfusionsprotokoll aus, das in der Patientendokumentation verbleibt.

4.7.5.6 Autotransfusion

Steigender Blutbedarf bei gleichzeitigem Rückgang der Spendenbereitschaft, die nicht auszuschließende Infektionsgefahr durch Fremdblut und die geringere Komplikationsrate bei Eigenblutspende sind die Hauptgründe dafür, daß die Transfusion von Eigenblut **(Autotransfusion / autologe Hämatotherapie)** eine immer größere Rolle spielt. Es gibt unterschiedliche Möglichkeiten der Autotransfusion, z.B.

- nach präoperativer **Eigenblut- oder Eigenblutkomponentenentnahme**.
  Wenn eine Operation geplant ist, bei der mit größeren Blutverlusten gerechnet werden muß, kann ein Patient nach vorherigem Ausschluß von Kontraindikationen Eigenblut spenden. Ab einen Monat vor der Operation besteht die Möglichkeit, daß ein Betroffener wöchentlich einmal ca. 400 ml Blut spendet. Dieses kann als Vollblut retransfundiert werden. Eine andere Möglichkeit besteht darin, während einer Spende eine Trennung von Blutbestandteilen mittels eines speziellen Gerätes **(Blutzellseperator)** vorzunehmen. Bei jeder Spende erfolgt eine Sammlung und Konservierung der Erythrozyten und Retransfusion der übrigen Bestandteile. Das zuletzt gewonnene Blut erhält der Patient bei Bedarf zuerst, da es die beste Qualität hat. Nicht benötigtes Blut muß vernichtet werden.
- durch **maschinelle Aufbereitung von Patientenblut** während einer Operation mittels eines Blutzellseparators.
  Das während der Operation abgesaugte Blut wird in dem Zellseperator gesammelt und durch Zusatz von Antikoagulanzien vor Gerinnung geschützt. Gleichzeitg erfolgt eine Überwachung des Blutes, z.B hinsichtlich einer Hämolyse*. Die gewonnenen Blutbestandteile *(Erythrozyten)* können dann intra- oder postoperativ retransfundiert werden. Bei Patienten mit Infektionen oder Tumoren im Operationsgebiet ist dieses Verfahren nicht möglich.

Patienten müssen bei Operationen mit zu erwartendem Transfusionsbedarf vom behandelnden Arzt über die Möglichkeiten der autologen Hämatotherapie informiert werden.

4.8 Infektionsprophylaxe

Elke Hurling

4.8.1 Krankenhaushygiene

4.8.1.1 Bedeutung und rechtliche Grundlagen

Eine **umfassende Infektionsprophylaxe** gewinnt, seitdem in Akutkrankenhäusern und anderen Einrichtungen der stationären Versorgung kranker Menschen die Verpflichtung zur **Qualitätssicherung** besteht (§ 137 Sozialgesetzbuch V / SGB), noch mehr an Bedeutung. **Die Qualität der Krankenhaushygiene** ist ein entscheidender Faktor der Qualität eines Krankenhauses; Hygiene ist ein Qualitätsmerkmal.

Auch die Zunahme von **nosokomialen Infektionen**, also im ursächlichen Zusammenhang mit dem Krankenhausaufenthalt stehenden Infektionen (siehe nachfolgend), unterstreicht die Wichtigkeit einer **lückenlosen Verhütung von Infektionen**.

Die konsequente Einhaltung der jeweils erforderlichen Hygieneregeln durch alle im Krankenhaus Tätigen, die direkt, z.B. am Patienten oder indirekt, z.B. in der Zentralküche, mit Patienten in Kontakt kommen, dient neben dem **Schutz des Patienten** auch dem **Schutz der eigenen Person** und **dem Schutz der Umgebung**.

Die Maßnahmen zur Infektionsprophylaxe in Krankenhäusern werden in verschiedenen **Gesetzen, Richtlinien, Vorschriften und Empfehlungen** beschrieben und geregelt.

Aus dem **Behandlungsvertrag** (nach dem BGB / Bürgerliches Gesetzbuch), der zwischen einem Patienten und einem Krankenhausträger bzw. einem Arzt (bei ambulanter Behandlung) geschlossen wird, geht die Verpflichtung zu einer sachgemäßen Behandlung und Pflege hervor. Das schließt die Einhaltung hygienischer Vorschriften ein.

Die „**Richtlinie zur Erkennung, Verhütung und Bekämpfung von Krankenhausinfektionen des Robert-Koch-Institutes**" (RKI / früher Bundesgesundheitsamt / BGA) hat Empfehlungscharakter.

Der Gesetzgeber hat den Unfallversicherungsträgern, z.B. der Berufsgenossenschaft für Gesundheitsdienst und Wohlfahrtspflege, durch die Reichsversicherungsordnung vorgeschrieben, an der Verhütung von Arbeitsunfällen (und Berufskrankheiten) mitzuwirken. Dies geschieht durch die **„Unfallverhütungsvorschriften (UVV) der Berufsgenossenschaft für Gesundheitsdienst und Wohlfahrtspflege“**; diese haben Gesetzescharakter.
Weiterhin gelten das **Bundesseuchengesetz (BSeuchG)** und die **Liste der Desinfektionsmittel und Desinfektionsverfahren des RKI** zur Anwendung bei meldepflichtigen Infektionserkrankungen. Die **Desinfektionsmittelliste der Deutschen Gesellschaft für Hygiene und Mikrobiologie (DGHM)** gibt einen Überblick über die im Handel befindlichen Desinfektionsmittel und deren Einsatzkonzentrationen und Einwirkzeiten. Die Richtlinie zur Erkennung, Verhütung und Bekämpfung von Krankenhausinfektionen schreibt vor, nur die in der DGHM - Liste aufgeführten Desinfektionsmittel einzusetzen.
Regelungen für den Umgang mit Sterilgut finden sich in der **Medizingeräteverordnung (MedGV)** und dem **Medizinproduktegesetz (MPG)** bzw. seinen Anwendungsverordnungen.

4.8.1.2 Hygiene

Die Krankenhaushygiene ist ein Teilgebiet der Hygiene. Der **Begriff „Hygiene“** leitet sich ab vom griechischen Wort für **„gesund“** (hygieinos); **„Hygieia“** ist die griechische **Göttin der Gesundheit**.
Die Hygiene ist eine Wissenschaft, die prophylaktische Maßnahmen zur Erhaltung der Gesundheit erforscht und lehrt.

Hygiene ist ein umfangreiches Fachgebiet und wird in verschiedene **Bereiche** unterteilt, z.B.:

- **Individualhygiene**
  Die Individualhygiene ist die Hygiene jedes Einzelnen und wird auch als persönliche Hygiene bezeichnet.
- **Psychohygiene**
  Die Psychohygiene umfaßt alle Maßnahmen zur seelischen Gesunderhaltung des Menschen; sie kann auch als ein Aspekt der Individualhygiene gelten.
- **Sozialhygiene**
  Die Sozialhygiene beschäftigt sich mit den Wechselwirkungen zwischen sozialer Umwelt von Menschen und ihrer Gesundheit, z.B. der Frage, welche Auswirkung Langzeitarbeitslosigkeit auf die Gesundheit eines Betroffenen (und seiner Angehörigen) haben kann. Das Ziel der Sozialhygiene ist, auf soziale Belastungen aufmerksam zu machen und deren Reduzierung oder Ausschaltung zu unterstützen.
- **Umwelthygiene**
  Im Bereich der Umwelthygiene geht es um die Gesunderhaltung des Menschen und der Umwelt, in der er lebt. In diesem Zusammenhang taucht häufig der Begriff „Ökologie“ auf. Ökologie ist ein Teilgebiet der Biologie und erforscht die Wechselwirkungen zwischen Lebewesen und ihrer Umwelt. Die Bezeichnung „Ökosystem“ deutet auf die wechselseitigen Beziehungen innerhalb verschiedener Systeme (z.B. See, Meer, Wald, Wüste, Gebirge) hin, wobei alle Systeme zusammen wieder ein Ganzes bilden.
- **Krankenhaushygiene**
  Die Krankenhaushygiene ist das Fachgebiet der Hygiene, das die größtmögliche Gesundheit der Menschen im Krankenhaus erhalten soll.

4.8.2 Infektion

4.8.2.1 Begriffsbestimmungen

Eine **Infektion** wird definiert als das **Eindringen** und die **Vermehrung** von Mikroorganismen in einen Makroorganismus, d.h. den Körper eines Menschen oder eines Tieres. In dem jeweiligen Wirtsorganismus können unterschiedliche **Reaktionen** ausgelöst werden. In jedem Fall wird die Infektionsabwehr des Körpers *(siehe nachfolgend)* aktiviert und der Organismus kann durch die Bildung von Antikörpern eine spezifische Immunität erwerben.
Bei vielen Infektionen treten allgemeine Infektionszeichen auf, z.B. Fieber, Schwäche, Unwohlsein, Kopf- oder Gliederschmerzen.
Von einer **latenten** *(verdeckten)* **Infektion** spricht man, wenn eine Infektion von einem Betroffenen nicht bemerkt wird, also symptomlos verläuft; der Erregerkontakt kann ausreichen, eine Antikörperbildung zu bewirken.
Eine sogenannte **lokale Infektion** ist eine örtlich begrenzte Infektion, die in der Regel im Bereich der Erreger-Eintrittspforte abläuft.
Eine **allgemeine Infektion** (auch System - Infektion) tritt auf, wenn sich Erreger über Blutgefäße oder Lymphbahnen im Organismus ausbreiten; dabei können je nach Erregerart bevorzugt bestimmte Organe oder Organsysteme befallen werden.
Eine **opportunistische Infektion** entsteht durch einen normalerweise apathogenen Erreger. Wenn ein Mensch mit einer schlechten Abwehrlage mit diesem Erreger in Kontakt kommt, kann er sich infizieren, z.B. Pneumocystis carinii bei AIDS - Kranken.
Eine **Sepsis** *(Septikämie)* ist die schwerste Form einer Infektion, bei der es zu einer Überschwemmung des Blutes mit Bakterien (selten Pilze) und ihren **giftigen Stoffwechselprodukten** *(Toxinen)* kommt. Bei einem Patienten mit einer Sepsis liegt in den meisten Fällen eine Abwehrschwäche vor.
Der Betroffene hat Schübe mit hohem Fieber, unter Umständen Schüttelfrost und leidet unter einer sehr starken Beeinträchtigung seines Allgemeinbefindes; in schweren Fällen können sich Verwirrtheitszustände entwickeln.
Lebenswichtige Organe, z.B. Herz, Lunge oder Nieren, werden in vielen Fällen durch die Toxine irreversibel geschädigt und versagen. Außerdem kann es zu Absiedelungen von Erregern und Eiterungen in Organen kommen.
Ein Patient mit Sepsis wird intensivmedizinisch betreut und überwacht. Unverzüglich muß er mit hochwirksamen Antibiotika behandelt werden; vor Applikation des ersten Antibiotikums müssen Blutkulturen entnommen werden. Die weitere Behandlung richtet sich nach den

vorliegenden Symptomen, z.B. medikamentöse Unterstützung der Herz- Kreislauffunktion, Beatmung, operative Sanierung von Infektionsherden.
Die Prognose ist ungünstig; in ca. 50 % der Fälle verstirbt ein Betroffener trotz intensivmedizinischer Therapie oft an **Multiorganversagen** oder **septisch - toxischem Schock**.

4.8.2.2 Infektionskette

Eine **Infektionskette** hilft, die Ausbreitung von Infektionen zu erklären und Maßnahmen zur Verhütung und Bekämpfung von Infektionen gezielt einzusetzen. Eine Infektionskette besteht aus folgenden Gliedern: **Infektionsquelle - Infektionsweg - Eintrittspforte - Infektionsempfänger - Austrittspforte.**
Ziel der Krankenhaus-Hygiene ist die Unterbrechung einer Infektionskette, bevor Mikroorganismen zum Patienten gelangen.

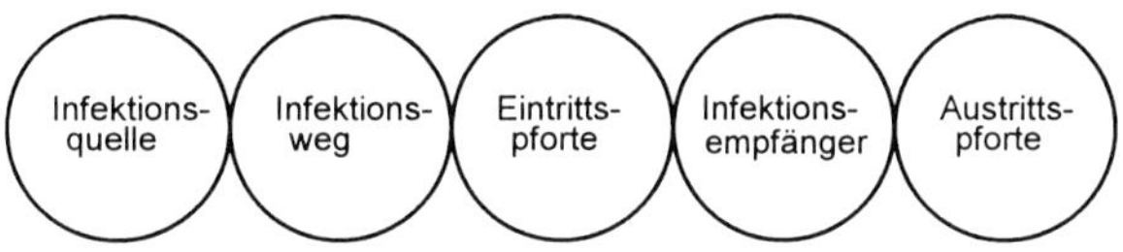

Abb.4.87 ***Glieder einer Infektionskette***

Die **Infektionsquelle** *(Erregerreservoir)* ist der Ausgangspunkt einer Infektion, z.B. der natürliche Lebensraum von Mikroorganismen wie Gartenerde oder Wasser. Eine Infektionsquelle im Krankenhaus kann ein mit Ausscheidungen kontaminierter Pflegeartikel oder eine infizierte Wunde sein.
Mikroorganismen sind auf unterschiedliche Weise übertragbar, wobei es für viele Krankheitserreger typische **Infektionswege** gibt. Wegen der Bedeutung des Infektionsweges für eine gezielte Infektionsprophylaxe folgen im Kapitel *„Übertragung von Mikroorganismen"* detailliertere Informationen.
Infektionseintrittspforten sind die Stellen, an denen die Erreger in einen Makroorganismus eintreten. Natürliche Eintrittspforten sind die Nase und der Mund (sehr häufig), die Schleimhaut der Augen, die Harnröhrenöffnung, bei der Frau die Vagina und seltener der Anus. Im klinischen Pflegebereich spielen unnatürliche Körperöffnungen ebenfalls eine Rolle, z.B. Eintrittsstellen von Blasen- und Venenverweilkathetern, Austrittstellen von Drainagen und Saugsystemen, Wunden oder Haut- und Schleimhautdefekte.
Der **Infektionsempfänger** ist der Makroorganismus, in dem die Erreger eine Infektion verursachen. Die Situation, in der sich der Infizierte befindet, ist mitentscheidend für die Schwere einer Infektion *(siehe auch nachfolgend „Bedingungen für eine Infektion" und „Infektionsabwehr des Körpers")*.
Die **Erregeraustrittspforte** kann mit der Eintrittspforte identisch sein, z.B. bei der Lungentuberkulose. Erreger von Magen-Darm-Infektionen wie Salmonellose oder Cholera, werden in der Regel oral aufgenommen und in großen Mengen mit dem Stuhl ausgeschieden.

4.8.2.3 Übertragung von Mikroorganismen / Infektionsweg

Die jeweilige Art und Weise der Infektion wird als **Infektionsweg** oder Infektionsmodus bezeichnet. Es wird grundsätzlich zwischen **direkter** und **indirekter Infektion** unterschieden.
Bei einer **direkten** Infektion liegt eine Übertragung von Mikroorganismen **von Mensch zu Mensch** vor, z.B durch Schleimhautkontakt. Von einer **indirekten** Infektion spricht man, wenn **kontaminierte Gegenstände**, z.B. Pflegeartikel oder Instrumente, Mikroorganismen übertragen. Eine indirekte Infektion kann auch über einen sogenannten **Zwischenwirt**, der Überträger der Mikroorganismen ist, erfolgen. Hierbei handelt es sich sehr häufig um Insekten, die Überträger subtropischer oder tropischer Infektionserkrankungen sind, z.B. die Anopheles-Mücke als Überträgerin der Malaria.
Eine **endogene Infektion** *(Autoinfektion)* liegt vor, wenn ein **Mensch selbst die Quelle** oder **das Reservoir** der Mikroorganismen ist. Bei einer **Abwehrschwäche** können bestimmte Keime verschleppt werden oder sich an Ort und Stelle soweit vermehren, daß sie eine Infektion verursachen. Auf diese Weise ist auch eine Infektion mit primär apathogenen, physiologischen Mikroorganismen möglich *(siehe nachfolgend „Infektionsabwehr des Körpers")*.
Um eine **exogene Infektion** handelt es sich, wenn die Mikroorganismen **aus der Umgebung** des Patienten stammen und direkt oder indirekt übertragen werden.
Bei einer exogenen Infektion lassen sich verschiedene Übertragungsweisen unterscheiden, z.B. Tröpfcheninfektion, Kontaktinfektion als sogenannte Schmierinfektion *(fäkal-orale-Infektion)* oder eine Infektion durch direkten Kontakt von Haut oder Schleimhaut.
In *Tabelle 4.12* werden die genannten Übertragungsweisen detaillierter beschrieben und die jeweiligen infektionsprophylaktischen Maßnahmen genannt.

4.8.2.4 Bedingungen für eine Infektion

Ob eine Infektion entsteht, wird nicht nur durch den **Kontakt und das Eindringen von Mikroorganismen in einen Makroorganismus** bestimmt, sondern hängt von **weiteren Bedingungen** ab. Jede Infektion ist also ein **multikausales Geschehen**, bei dem die Infektionserreger und der Infektionsempfänger in individueller Weise aufeinander reagieren.

- **Infektionserreger**
  - **Infektiosität des Erregers**
    Die Infektiosität ist das Vermögen eines Erregers, in einen Makroorganismus einzudringen und sich dort zu vermehren. Die Infektiosität wird bestimmt durch die Übertragbarkeit auf den Organismus, das Anhaftungsvermögen am Gewebe, das Eindringvermögen ins Gewebe, die Vermehrungsfähigkeit und das Verteilungsvermögen im Organismus.

Übertragungsweise	Infektionsprophylaktische Maßnahmen
Tröpfcheninfektion - direkte Infektion - die Keimübertragung erfolgt über die Luft durch kleinste Flüssigkeitströpfchen von Mund/Rachen- und Nasensekret die Tröpfchen werden eingeatmet oder über den Mund aufgenommen - erfolgt während des Sprechens und verstärkt beim Husten und Niesen **Beispiele** - Tuberkulose, Grippe (Influenza), Erkältungskrankheiten, Meningitis, Streptokokken-Angina, Scharlach, Keuchhusten	- beim Husten und Niesen Papiertaschentuch benutzen - bei Gefahr einer Tröpfcheninfektion 1 - 2 m Abstand halten - falls sich engerer Kontakt mit einem Infizierten nicht vermeiden läßt, Mund-Nasen-Schutz tragen und regelmäßig, mindestens stündlich, wechseln - falls möglich, Schutzimpfungen vornehmen - Erkrankte je nach Notwendigkeit isolieren
Kontaktinfektion / Schmierinfektion (oral-fäkale Infektion) - die Keimübertragung erfolgt durch die Kontamination („Verschmieren") mit infektiösem Material auf nicht intakte Haut oder Schleimhaut oder durch die orale Aufnahme des infektiösen Materials - infektiöse Materialien können alle Körperausscheidungen (Stuhl, Urin, Sputum) und Körperflüssigkeiten (z.B. Blut, Wundsekret, Eiter) sein - eine Infektion ist auch durch kontaminierte Lebensmittel möglich, besonders wenn diese nicht vorschriftsmäßig gelagert werden und die Erreger sich vermehren können **Beispiele** - Salmonellosen und andere infektiöse Darmerkrankungen, Cholera, Hepatitis A, infektiöse Hauterkrankungen, Wundinfektionen	- konsequente Händehygiene durch Händedesinfektion (im klinischen Pflegebereich) und Händewaschung - direkten Kontakt mit infektiösem Material durch das Tragen von Handschuhen und evtl. Schutzkitteln vermeiden, z.B. bei Kontakt mit Ausscheidungen und Körperflüssigkeiten - Desinfektion von Ausscheidungen, falls das Krankenhaus nicht über eine geeignete Abwasserentsorgung verfügt und/oder eine entsprechende Anordnung vom zuständigen Gesundheitsamt vorliegt - regelmäßige Desinfektion und/oder Sterilisation von Flächen und Gebrauchsgegenständen - gezielter Einsatz von Einmalartikeln und korrekte Entsorgung und Vernichtung benutzter Artikel - bei Infektionsgefahr evtl. Isolierung Erkrankter - Einhaltung lebensmittelhygienischer Vorschriften, z.B. Lebensmittel zugedeckt und kühl aufbewahren, Verzicht auf den Verzehr von rohen Eiern oder rohem Fleisch - Lebensmittelkontrollen durch das Gesundheitsamt
Kontaktinfektion / Infektion durch Haut- und Schleimhautkontakt - die Keimübertragung erfolgt durch den Kontakt von Haut und/oder Schleimhaut, z.B. durch Körperflüssigkeiten wie Sperma, Vaginalsekret oder Blut bei sexuellen Kontakten - intakte Haut ist in vielen Fällen ein wirksamer Schutz vor dem Eindringen von Mikroorganismen **Beispiele** - Syphillis, Gonorrhoe, HIV-Infektion	Im persönlichen Bereich - bei Gefahr oder Verdacht einer Infektion, Sexualkontakt meiden oder Schutz durch Kondome (Anwendungshinweise beachten) - bei bestehender Infektion fachärztliche Behandlung und intensive Aufklärung des Erkrankten über erforderliches Verhalten, z.B. Meiden von Sexualkontakten bis zur Heilung - bei meldepflichtiger Erkrankung Meldung an das zuständige Gesundheitsamt Im beruflichen Bereich - direkten Kontakt mit infektiösem Material durch das Tragen von Handschuhen vermeiden - Einmalartikel gezielt einsetzen, benutzte Artikel korrekt entsorgen und vernichten - *siehe auch „Schutz vor sexuell übertragbaren Krankheiten", Seite 820, und „Die besondere Lebens- und Pflegesituation bei HIV-Infektion und Aids / Prophylaxe", Seite 823*

Tabelle 4.12 ***Übertragungsweisen von Mikroorganismen und infektionsprophylaktische Maßnahmen***

- **Pathogenität des Erregers**
  Die Pathogenität ist die Fähigkeit eines Erregers, dem Organismus oder Teilen davon seinen Stoffwechsel aufzuzwingen. Die frei werdenden Stoffwechselprodukte, z.B. Toxine oder Pyrogene* erzeugen im Organismus Krankheitssymptome.
- **Virulenz des Erregers**
  Die Virulenz ist die Summe der Infektiosität und Pathogenität eines Erregers.
- **Anzahl der Erreger**
  Die Zahl der in den Makroorganismus eingedrungenen oder aufgenommenen Erreger kann für das Auftreten einer Infektion eine Rolle spielen.

❍ Infektionsempfänger

- **Empfänglichkeit bzw. Unempfänglichkeit des Makroorganismus**
  Die Empfänglichkeit ist ein genetisch festgelegtes Reaktionsmuster von Lebewesen auf einen Erregerkontakt, z.B. haben Menschen eine Empfänglichkeit für Tuberkuloseerreger.
- **Disposition des Makroorganismus**
  Die Disposition für eine Infektion ist die aktuelle Anfälligkeit bzw. die aktuelle Resistenz eines Organismus. Bei Kontakt mit Tuberkuloseerregern erkrankt nur ein Teil der Betroffenen; hierbei handelt es sich um die Menschen mit einer Disposition zur Tuberkulose.
  Die Disposition ist Änderungen unterworfen. Sie wird von vielen Faktoren bestimmt, z.B. Qualität der Ernährung, physische und psychische Verfassung, Schlafqualiät, Witterungsverhältnisse.
  Eine aktuelle Anfälligkeit beruht auf einer reduzierten Immunabwehr; sie ist z.B. zu erwarten:
  - bei hohem Lebensalter;
  - bei chronischen Erkrankungen wie Diabetes mellitus;
  - bei oder nach Zytostatikatherapie und Bestrahlung;
  - nach schweren, langandauernden operativen Eingriffen;
  - bei und nach immunsuppressiven* und antimikrobiellen Therapien.
- **Immunität**
  Es kann zwischen **angeborener** und **erworbener Immunität** unterschieden werden.
  a. Die angeborene Immunität entsteht durch die Übertragung von Antikörpern von der Mutter auf das ungeborene Kind.
  b. Der Mensch kann eine durch Erregerkontakt und darauf folgende immunologische Reaktion mit Bildung von Antikörpern Immunität erwerben; im Falle eines erneuten Erregerkontaktes stehen die Antikörper zur Verfügung.

4.8.2.5 Mikroorganismen

Die **Mikrobiologie** als die Wissenschaft von den „Kleinstlebewesen" erforscht Mikroorganismen und ihre Bedeutung für das Leben auf der Erde.
Mikroorganismen können unterteilt werden in Bakterien, Pilze, Viren (einschließlich subvirale Erreger) und Parasiten.

Abb. 4.88 ***Mikroorganismen (Bakterien und Viren) im Größenvergleich mit einem Erythrozyten***

❐ Bakterien

❍ Ursprung und Bedeutung

Bakterien sind sogenannte **niedere Einzeller**, d.h. wenig differenzierte einzellige Lebewesen, die aber einen vielseitigen und flexiblen Stoffwechsel haben.
Sie sollen zu den ältesten Formen des Lebens auf der Erde gehören und sind in der Lage, sich den jeweils herrschenden Umgebungsbedingungen anzupasssen.
Bakterien spielen nicht nur als Krankheitserreger eine große Rolle. Viele apathogene Formen sind von entscheidender Bedeutung für das ökologische Gleichgewicht auf der Erde, z.B. durch ständig stattfindende Gärungs- und Fäulnisprozesse in der Natur.

❍ Aufbau

Eine Bakterienzelle ist aufgebaut aus:

(1) einer **Zellwand** *(Murein).*
Murein ist ein Makro-Molekül, bestehend aus Polysaccharid-Ringen, die durch Eiweißbrücken quervernetzt sind und eine Art Gitternetz bilden. Die Zellwand gibt dem Bakterium seine Form und Stabilität.
Durch Antibiotika (Penizilline, Cephalosporine) kann die Zellwand von Bakterien zerstört werden. Da menschliche Zellen keine Zellwand haben, ist eine selektive Therapie bakterieller Infektionen möglich.

(2) einer **Zytoplasmamembran.**
Diese aktive Membran ermöglicht einen intensiven Stoffwechsel des Bakteriums mit seiner Umgebung.

(3) den **zellkernähnlichen Bestandteilen** *(Kernäquivalente).*
Diese sind Träger der Erbinformation *(Genom)* und schwimmen frei im Zytoplasma.

(4) dem **Zytoplasma.**
Dabei handelt es sich um Wasser, in dem Kohlenhydrate, Fette, Proteine und Salze gelöst sind.

(5) evtl. **Geißeln.**
Geißeln sind Plasmafortsätze, die einzeln oder mehrfach vorkommen und in der Zellwand verankert sind. Geißeln können als Differenzierungsmerkmal dienen.

evtl. einer **Kapsel.**
Einige Bakterien sind in der Lage, Stoffe auszuscheiden, die sich in einem schleimigen Film um ein Bakterium oder eine Gruppe von Bakterien legen, eine Art Kapsel bilden und das Bakterium vor Zerstörung schützen.

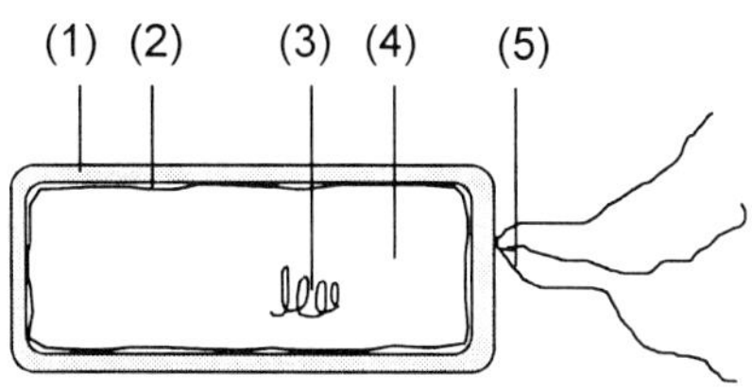

Abb. 4.89 ***Aufbau einer Bakterienzelle***

❍ Formen

Bakterien werden ihrer Form nach in **Stäbchen** oder **Kugeln** *(Kokken)* eingeteilt. Eine weitere Gruppe bilden

sogenannte Sonderformen, z.B. Spirochäten oder Vibrionen *(Kommabakterien)*.
Die folgende Tabelle zeigt Beispiele für Bakterienformen.

Stäbchen- Bakterien
 Salmonella enteritis
Kugel-Bakterien / Kokken
Diplokokken  z.B. Meningokokken
Haufen- oder Traubenkokken 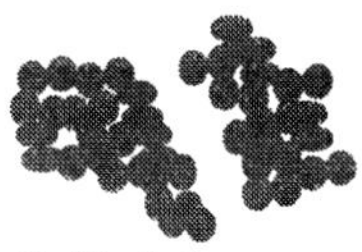 z.B. Staphylococcus aureus
Ketten- oder Streptokokken  z.B. Streptococcus pyogenes (hämolysierende Streptokokken Gruppe A)
Sonderformen
Kommabakterien oder Vibrionen  z.B. Vibrio cholera
Spirochäten 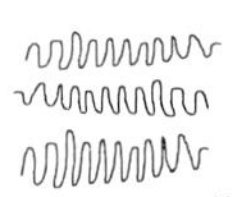 z.B. Treponema pallidum 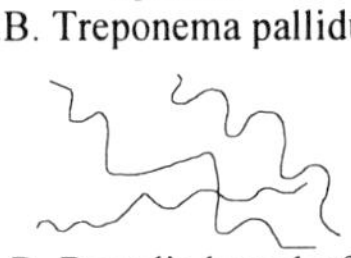 z.B. Borrelia burgdorferi

Tabelle 4.13 ***Bakterien-Formen***

❍ Färbeverhalten

Um Bakterien, z.B. für diagnostische Zwecke, besser differenzieren zu können, wurden verschiedene Färbemethoden entwickelt. Die bekannteste ist die **Färbung nach GRAM** (dänischer Bakteriologe). Bakterien werden je nach ihrem Färbeverhalten in gram-positive oder gram-negative Stäbchen oder Kokken eingeteilt.

❍ Vermehrung

Bakterien vermehren sich durch **ungeschlechtliche einfache Querteilung**, nachdem eine Reduplikation des Genoms stattgefunden hat. Die jeweilige Dauer eines Teilungszyklus wird als **Generationszeit** bezeichnet und kann, je nach Bakterienart unterschiedlich lang sein, z.B. bei Salmonellen ca. 20 Minuten und bei Mycobakterium tuberkulosis ca. 18 Stunden. Während der Teilung ist ein Bakterium weniger vor Umwelteinflüssen geschützt, so lockert sich z.B. die Zellwand durch enzymatische Prozesse auf. Das Bakterium kann bei Kontakt mit einem Antibiotikum oder einem Desinfektionsmittel leichter abgetötet werden.
Die Dauer der Vermehrung ist abhängig von den **Umgebungsbedingungen eines Bakteriums**. Faktoren, die die Vermehrung beeinflussen, sind:

- **das Nährstoffangebot**
  Einige Bakterien brauchen für ihre Vermehrung eine nährstoff-reiche Umgebung, andere sind in der Lage, sich in nahezu nährstoff-freier Umgebung zu vermehren.
- **der Feuchtigkeitsgehalt**
  Zellen von Mikroorganismen bestehen zu ca. 80 - 90 % aus Wasser. Bakterien brauchen Feuchtigkeit in ihrer Umgebung, um sich zu vermehren. Bei Feuchtigkeitsmangel oder völligem -entzug kommt es zur Austrocknung der Zelle mit Erhöhung des osmotischen Drucks *(siehe nachfolgend)* innerhalb der Zelle und Störungen der Diffusion von Sauerstoff und Nährstoffen sowie zur Hemmung enzymgesteuerter Stoffwechselvorgänge.
- **die Temperatur**
  Die Umgebungstemperatur spielt eine große Rolle. Jede Bakterienart hat ein charakteristisches Wachstumsoptimum, d.h. eine bestimmte Temperatur, bei der, in Abhängigkeit von den übrigen Faktoren, eine maximale Vermehrung stattfinden kann. Die meisten Krankheitserreger vermehren sich optimal im Bereich der Körpertemperatur des Menschen.
  Bei niedrigen Umgebungstemperaturen, z.B. Kühlschranktemperatur mit +4 Grad Celcius, verlangsamt sich die Bakterienvermehrung. Bei Temperaturen weit unter 0 Grad, z.B. Tiefkühltemperaturen -10 bis -20 Grad Celsius, findet keine Vermehrung mehr statt. Sobald die Temperatur sich erhöht, setzt die Vermehrung wieder ein. Bakterien, die nicht in der Lage sind, sich zu versporen *(siehe nachfolgend)*, werden bei Temperaturen ab +60 Grad Celsius abgetötet. Temperaturen von +100 Grad Celsius führen zur Abtötung aller Mikroorganismen einschließlich Viren. Mit Temperaturen über +120 Grad kann eine Abtötung hitzeresistenter Bakteriensporen erzielt werden.
- **der Sauerstoffgehalt**
  Bakteriengattungen, die für ihre Vermehrung Sauerstoff benötigen, werden als **Aerobier** bezeichnet, z.B. Campylobacter, Pseudomonaden, Legionellen oder Mykobakterien (Mycobacterium tuberkulosis).
  Anaerobier sind Bakteriengattungen, die in einer sauerstoffhaltigen Umgebung absterben. Clostridium tetanie, der Erreger der Tetanuserkrankung *(Wundstarrkrampf)*, versport sich in Anwesenheit von Sauerstoff *(siehe nachfolgend „Sporenbildung")*. Das Bakterium kommt überall vor *(ubiquitär)* und kann bei jeder Bagatellverletzung, z.B. bei der Gartenarbeit, in den Körper gelangen. Wenn das Wundgewebe schlecht durchblutet ist, kann der Erreger sich entsporen und ist wieder vermehrungsfähig. Die von Clostridium tetanie gebildeten giftigen Stoffwechselprodukte *(Toxine)* werden auf dem Blutweg im Körper verteilt

und lösen die für Tetanus typischen Symptome aus; die Erreger bleiben im Wundgebiet.
Wenn Bakteriengattungen in der Lage sind, sich dem Sauerstoffgehalt ihrer jeweiligen Umgebung anzupassen, werden sie als **fakultative Anaerobier** bezeichnet, z. B. Streptokokken, Salmonellen, Shigellen, Enterobacter oder Escherichia.

- **der pH - Wert**
  Es gibt Bakterien, die unter extremen pH-Bedingungen lebensfähig sind, z.B. im sauren Bereich die Laktobakterien (dazu gehören die Döderlein-Stäbchen in der Vagina) oder im alkalischen Bereich die Pseudomonaden *(sogenannte Naßkeime)*. Für die meisten humanpathogenen Bakterien liegt der für die Vermehrung optimale pH - Wert im neutralen Bereich.
- **der osmotische Druck**
  Die meisten Bakterien werden durch einen hohen osmotischen Druck ihrer Umgebung, z.B. eine hochkonzentrierte Salz- oder Zuckerlösung, in ihrem Wachstum gehemmt, da ihnen Wasser entzogen wird. Diese Tatsache ist Grundlage für die Konservierung einiger Lebensmittel, z.B. Früchte in Zucker (Marmelade) oder Fisch in Salz.
- **die Lichtverhältnisse**
  UV-Strahlen können die Erbinformation von Bakterien verändern und damit deren Wachstum hemmen. Durch spezielle Reparaturmechanismen können diese Defekte nach einiger Zeit wieder behoben werden. Die Wirkung von UV-Strahlen auf Bakterien wird z.B. in der Lebensmittelindustrie oder in Operationsbereichen ausgenutzt, um die Keimzahlen der Luft zu reduzieren.

❍ Sporenbildung

Sporenbildner sind Bakteriengattungen, die in der Lage sind, bei Verschlechterung ihrer Umgebungsbedingungen **widerstandsfähige Dauerformen** zu bilden. Bakteriensporen befinden sich im Ruhezustand, d.h. es laufen keine Stoffwechselvorgänge ab. Mehrere spezielle Schutzschichten umgeben das genetische Material und sichern damit das Überleben, unter Umständen über Jahrzehnte. Über besondere Rezeptoren ist die Spore in der Lage, eine Verbesserung der Lebensbedingungen zu registrieren und wieder in die vermehrungsfähige (vegetative) Form überzugehen.
Bakteriensporen sind besonders widerstandsfähig gegen chemische (z.B. Desinfektionsmittel) und physikalische Einflüsse (z.B. Hitze, Austrocknung). Apathogene Bakteriensporen (auch Bioindiaktoren oder „Testkeime") werden zur Überprüfung von Sterilisationsverfahren *(siehe nachfolgend)* verwendet.
Bakteriengattungen, die sich bei **Sauerstoffkontakt** versporen, werden als **Clostridien** bezeichnet. Die wichtigsten Vertreter sind Clostridium tetanie *(siehe vorstehend „Sauerstoffgehalt")*, Clostridium botulinum (Botulismus*-Erreger) und Clostridium perfringens (Gasbrand*-Erreger). Die giftigen Stoffwechselprodukte *(Toxine)* dieser Bakterien können akute Infektionen mit hoher Letalität auslösen.
Bazillen versporen sich bei **Entzug von Sauerstoff**; ein wichtiger humanpathogener Keim ist Bacillus anthracis, der Erreger von Milzbrand*.

❍ Züchtung

Die Züchtung von Bakterien erfolgt zu diagnostischen Zwecken, z.B. mit Material eines Wundabstrichs oder einer Urinprobe. Durch die Schaffung idealer Umgebungsbedingungen wird eine maximale Vermehrung erreicht. Unter aseptischen Bedingungen werden unterschiedlich zusammengesetzte Nährböden mit Spuren des zu untersuchenden Materials beimpft und für eine vorgegebene Zeit in einem Wärmeschrank (ca. Körpertemperatur) aufbewahrt. Durch die Vermehrung einzelner Bakterien entstehen massive Anhäufungen von Bakterien, die **Bakterienkolonien**; diese sind ohne Mikroskop sichtbar. Anhand ihres typischen Aussehens und ihres Wachstumsverhaltens kann eine Erregerart von einer entsprechend ausgebildeten Fachkraft näher eingegrenzt oder exakt bestimmt werden.

❍ Antibiogramm

Mit Hilfe eines Antibiogramms kann die Wirksamkeit von Antibiotika gegen bestimmte Bakterien ermittelt werden. So kann z.B. ein Nährboden mit dem zu untersuchenden Material beimpft werden. Auf den Nährboden werden mit verschiedenen Antibiotika getränkte Plättchen gelegt. Nach der Anzüchtung unter optimalen Lebensbedingungen sind um die Antibiotika-Plättchen, die gegen die Bakterien wirksam sind, bakterienfreie Räume, sogenannte **Hemmhöfe**, entstanden. Wenn die Bakterien gegen ein Antibiotikum resistent sind, wachsen sie bis an das Plättchen heran *(siehe Abb. 4.90)*.

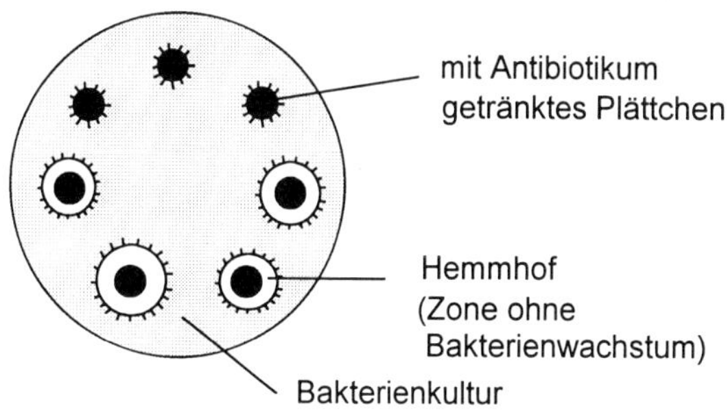

Abb. 4.90 ***Antibiogramm***

Es sollten die Antibiotika zum klinischen Einsatz kommen, die die beste Wirksamkeit gegen die angezüchteten Bakterien haben. Mit Hilfe eines Antibiogramms kann auch die notwendige Dosierung eines Antibiotikums ermittelt werden.
Bevor bakterienhaltiges Material, z.B. Blut oder Wundsekret, für ein Antibiogramm gewonnen wird, sollte der Patient kein Antibiotikum erhalten haben.
Die folgende Tabelle gibt einen Überblick über wichtige humanpathogene Bakterien und die jeweilige(n) Erkrankung(en).

Namen	Erkrankung(en)
Stäbchen (gram-positiv)	
Sporenbildner	
Clostridien:	
Clostridium tetanie	Tetanus (Wundstarrkrampf)
Clostridium botulinum	Botulismus*
Clostridium perfringens	Gasbrand*
Bazillen:	
Bacillus anthracis	Milzbrand
Mykobakterien:	
Mycobacterium tuberkulosis	Tuberkulose *(siehe auch Seite 84)*
Mycobacterium leprae	Lepra
Corynebakterien:	
Corynebacterium diphtheriae	Diphterie
Stäbchen (gram-negativ)	
Legionellen:	
Legionella pneumophila	Legionärskrankheit / Pneumonie
Chlamydien:	
Chlamydia pneumoniae	chronische Infektion der Atemwege
Chlamydia trachomatis	Infektionen des Uro-Genital-Trakts (Hinweis: Es wird ein Zusammenhang zwischen Chlamydien-Infektionen der Gefäße und arteriosklerotischen Veränderungen vermutet.)
Enterobakter, die spezifische Infektionen hervorrufen	
Campylobacter:	
Campylobacter pylori	Beteiligung an der Ulkuserkrankung des Magens *(siehe auch 143)*
Salmonellen:	
Salmonellen der Enteritis-Gruppe	Gastroenteritis
Salmonellen der Typhus-Gruppe	Typhus
Yersinien:	
Yersinia pestis	Pest
Shigellen:	
Shigella dysenteriae	Gastroenteritis
Stäbchen (gram-negativ), die als opportunistische Bakterien oft nosokomiale Infektionen hervorrufen	
Pseudomonaden:	
Pseudomonas aeruginosa	Wundinfektionen, Sepsis, Endocarditis, Blaseninfektionen, Pneumonien u.a.
Enterobakter	
Klebsiellen:	
Klebsiella pneumoniae	Harnwegsinfektionen, Pneumonien
Escherichia:	
Escherichia coli	Harnwegsinfektionen, Wundinfektionen, Sepsis, Peritonitis u.a.
Kokken (gram-positiv)	
Staphylokokken:	
Staphylokokkus aureus	Wundinfektion, Pneumonie, Panaritium, Furunkel, Abzesse u.a.
Streptokokken:	
Streptokokken der Gruppe A	Scharlach, Rheumatisches Fieber, Pneumonie, Bronchitis u.a.
Kokken (gram-negativ)	
Neisserien:	
Gonokokken (Neisseria gonorrhoeae)	Gonorrhoe
Meningokokken (Neisseria meningitidis)	Meningitis
Sonderformen	
Vibrionen:	
Vibrio cholera	Cholera
Spirochäten:	
Treponema pallidum	Lues (Syphilis)
Borrelia burgdorferi	Lyme-Borreliose (typische Hauterscheinungen, Lyme-Arthritis, Neuroborreliose)

Tabelle 4.14 ***Wichtige humanpathogene Bakterien***

❒ Pilze

❍ Bedeutung

Pilze *(Fungi)* sind überall verbreitet und sehr anpassungsfähig. Sie bilden mit weit über 100.000 Arten neben Pflanzen und Tieren ein eigenes Reich. Über 200 Arten von Pilzen sind als humanpathogene Erreger bekannt. **Pilzerkrankungen** *(Mykosen)* gewinnen zunehmend an Bedeutung, vor allem in Form von **opportunistischen Infektionen** *(siehe vorstehend)*.

Pilze haben für den Menschen einen erheblichen Nutzen bei der Verarbeitung von Lebensmitteln, z.B. beim Backen, beim Brauen von Bier, bei der Herstellung bestimmter Käsesorten. Beim Verderb von Nahrungsmitteln und der Zersetzung organischer Substanzen spielen Pilze ebenfalls eine große Rolle.

❍ Einteilung und Wachstum

Pilze haben alle Merkmale einer echten Zelle sowie eine Zellwand aus Chitin*. Sie werden nach ihrem charakteristischen Wachstum in **Faden- oder Schimmelpilze** und **Sproßpilze (Hefen)** eingeteilt.

Faden- oder Schimmelpilze bilden Fäden *(Hyphen)*, aus denen ein verzweigtes Geflecht, das Pilzmyzel, entsteht *(siehe Abb. 4.91)*. Das Myzel wächst sowohl an der Oberfläche (sichtbar als Luftmyzel oder „Pilzrasen") als auch in die Tiefe eines pilzbefallenen Substrats.

Um sich in ihrer weiteren Umgebung auszubreiten, bilden Fadenpilze am Ende der Hyphen des Luftmyzels kleine Auftreibungen *(Konidien)*, die **Pilzsporen** enthalten. Die Sporen der Pilze werden durch Luftbewegungen weitergetragen; es handelt sich also um Vermehrungsformen, die nicht mit Sporen sporenbildender Bakterien verwechselt werden dürfen.

Sproßpilze vermehren sich durch **Aussprossung einzelner Zellen** *(siehe Abb. 4.91)*. Bei der Anzüchtung auf einem Nährboden bilden Hefen eine glatte Oberfläche, ähnlich wie bei der Bäckerhefe.

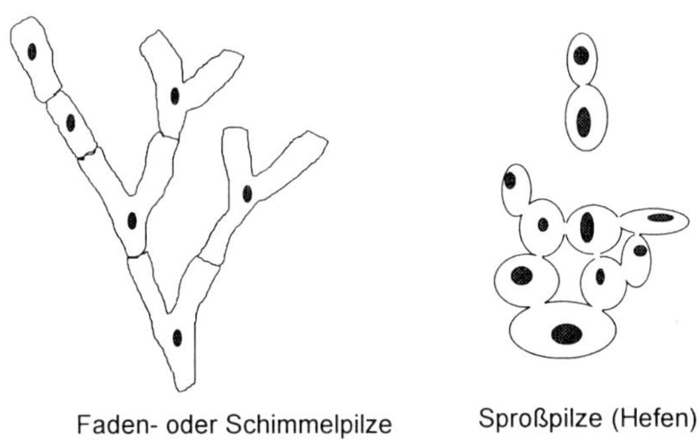

Abb. 4.91 ***Pilze***

❍ Vermehrungsbedingungen

Pilze brauchen zur Vermehrung organische Substanzen als Nährsubstrate sowie eine feuchte und sauerstoffhaltige Umgebung. Sie bevorzugen ein schwach saures Milieu, sind aber auch bei neutralem oder schwach alkalischem pH-Wert lebensfähig.

❍ Nachweis von Pilzen

Aufgrund ihrer Größe können Pilze mit Hilfe eines Lichtmikroskops im Nativpräparat* nachgewiesen werden. Um eine weitere Differenzierung vorzunehmen, müssen sie, ähnlich wie Bakterien auf speziellen Nährböden, angezüchtet werden. Das Material zum Anlegen einer **Pilzkultur** steht durch die Entnahme von Gewebeproben (z.B. Hautschuppen) oder durch Gewinnung von Körpersekreten (z.B. Schleimhautabstrich) sowie Ausscheidungen (z.B. Stuhlproben) zur Verfügung.

❍ Erkrankungen durch Pilze

Da Pilze überall verbreitet sind, kommt jeder Mensch ständig damit in Kontakt.
An verschiedenen Stellen des menschlichen Organismus sind Pilze angesiedelt, ohne Schaden zu verursachen, z.B. im Darm oder im Mund.
Jeder Infektion durch Pilze *(Mykose)* geht eine **Abwehrschwäche** des Makroorganismus voraus. Nach KLISCHIES sind „Pilzinfektionen immer Erkrankungen von Kranken". Mykosen können nach Kontakt mit Pilzen oder durch die unkontrollierte Vermehrung im Körper angesiedelter Pilze entstehen. Eine solche Vermehrung kann z.B. unter Zytostatikatherapie oder im Zuge einer Störung der physiologischen Bakterienflora des Darmes nach einer Antibiotikatherapie entstehen („Wo die Bakterien weichen, wachsen die Pilze!").
Pilzinfektionen können unterschieden werden in:
- Oberflächenmykosen mit Befall von Haut und Schleimhaut,
- System- oder Organmykosen mit Befall von Organen oder Organsystemen, z.B. Respirationstrakt.

Die Behandlung von Mykosen erfolgt mit **Antimykotika**. Antimykotika werden in die Zellmembran eingelagert und stören dadurch u.a. den Aufbau der Chitinzellwand *(fungistatische Wirkung)*. Einige Antimykotika verändern die Durchlässigkeit der Zellmembran und wirken fungizid.
Bei Mykosen der Haut müssen Antimykotika (z.B Canesten®) über einen längeren Zeitraum appliziert werden, da auch tiefere Schichten der Haut befallen sein können. Bei Nagelmykosen erstreckt sich die Behandlung über Monate. Um eine bessere Haftung der antimykotischen Substanzen zu erzielen, wendet man spezielle Nagellacke an, z.B Loceryl®. Bei Befall von Schleimhäuten, z.B. im Mund oder Darm, werden nicht resorbierbare Antimykotika per os appliziert (z.B. Moronal®, Daktar-Gel®). Bei systemischen Mykosen erfolgt die Behandlung oral mit resorbierbaren Antimykotika oder mittels Infusionslösungen (z.B. Diflucan®).

Weitere Erkrankungen, die durch Pilze und ihre Stoffwechselprodukte verursacht werden, sind:
- Vergiftungen durch giftige Stoffwechselprodukte *(Mykotoxikosen),*
- allergische Reaktionen, z.B. nach Inhalation von Pilzsporen.

Tabelle 4.15 zeigt wichtige humanpathogene Pilze ihr Vorkommen und mögliche Erkrankungen *(geordnet nach dem heute üblichen **DHS-System:***
> ***D** = Dermatophyten,*
> ***H** = Hefen,*
> ***S** = Schimmelpilze).*

Namen	Vorkommen	Erkrankung(en)
Dermatophyten Trichophyton: Trichophyton rubrum	überall in der Natur, in Feuchträumen (Sauna, Schwimmbad)	Tinea*
Hefen (oder Sproßpilze) Candida: Candida albicans	Haut und Schleimhaut, z.B. Mundhöhle, Darm	Candidiasis / Soor *(siehe „Beobachtung der Mundschleimhaut", Seite 642)*
Schimmelpilze Aspergillus: Aspergillus fumigatus	überall in der Natur	Aspergillose, z.B. der Lunge und Bronchien

Tabelle 4.15 ***Wichtige humanpathogene Pilze***

❒ Viren

❍ Ursprung und Bedeutung

Die Bezeichnung (das, auch der) **Virus** kommt aus dem Lateinischen und heißt „Schleim" oder „Gift". Die Virologie ist eine junge Wissenschaft, da erst die Entwicklung des Elektronenmikroskops in den 30er Jahren dieses Jahrhunderts den endgültigen Beweis für die Existenz von Viren ermöglicht hat.
Viren kommen überall vor; über ihren Ursprung ist wenig bekannt. Einige Viren haben als Erreger von Krankheiten große Bedeutung. Viren werden in der gentechnologischen Forschung und Anwendung genutzt.

❍ Aufbau

Viren sind im Gegensatz zu Bakterien und Pilzen **keine vollständigen Zellen**. Sie bestehen aus:
1. **Nukleinsäure.**
   Die DNA* oder die RNA* ist Trägerin der genetischen Information. Die Art der Nukleinsäure ist ein Klassifikationsmerkmal für Viren.
2. einer **Kapsel** *(Kapsid)*.
   Die Kapsel ist eine Art Schutzhülle aus Proteinen. Die Untereinheiten dieser Kapsel werden als Kapsomeren bezeichnet. Die Kapsel hat vielfältige antigene Eigenschaften, die im Falle einer Infektion die Antikörperbildung einleitet. Zusätzlich hat die Kapsel bestimmte Aufgaben beim Eindringen eines Virus in eine Wirtszelle.
3. Einige Viren haben zusätzlich eine **Hülle** *(Envelope)*.
   Die Hülle verfügt wie die Kapsel über antigene Eigenschaften.

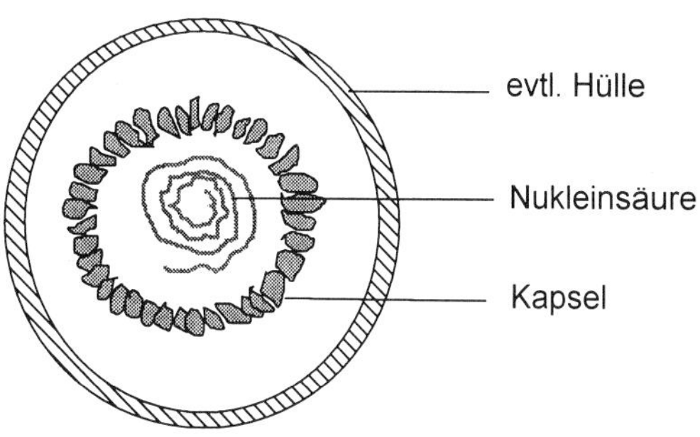

Abb. 4.92 ***Aufbau eines Virus***

Die **häufigsten nosokomialen Infektionen** sind:
- Harnwegsinfektionen (ca. 40%),
- Pneumonien (ca. 20%) und
- postoperative Wundinfektionen (ca. 20%).

Weitere nosokomiale Infektionen betreffen den Gastrointestinaltrakt, die oberen Atemwege oder das Gefäßsystem, gehäuft bei Patienten mit Venenverweilkanülen.
Insgesamt steht in Deutschland über nosokomiale Infektionen wenig Zahlenmaterial zur Verfügung; vorhandene Angaben schwanken je nach Veröffentlichung. Die Dunkelziffern sind hoch, da der Nachweis einer nosokomialen Infektion schwierig ist. Außerdem liegt eine statistische Ermittlung und Auswertung von Infektionsdaten nicht immer im Interesse der Verantwortlichen.

❒ Ursachen

Eine nosokomiale Infektion hat wie jede Infektion nicht nur eine Ursache, sondern ist ein **multikausales Geschehen**.
Folgende **Bedingungen** spielen für die Entstehung nosokomialer Infektionen eine Rolle:
- **Risikobereiche**
  In bestimmten Bereichen des Krankenhauses, z.B. Intensivstationen, Frühgeborenenabteilungen, onkologischen Stationen, kommt es zu einer Konzentration von schwer- und/oder mehrfachkranken Menschen.
- **Risikopatienten**
  Mehrfach- und chronisch Kranke entwickeln eine Abwehrschwäche. Auch als Folge bestimmter Behandlungen (z.B. Zytostatika, Immunsuppressiva, Kortikoide, Bestrahlung) tritt ein höheres Infektionsrisiko auf.
- **Risikoverhalten**
  Medizinischem und pflegerischem Personal fehlt es in vielen Fällen an Hygienebewußtsein; grundlegende Hygienevorschriften, z.B. hinsichtlich der Händedesinfektion, werden nicht konsequent eingehalten. Oft herrscht Unsicherheit bei der Umsetzung von Hygienewissen in die Praxis; auch fehlende Unterstüzung kann ein Grund dafür sein. Es gibt Kliniken, in denen Fachpersonal für Hygiene fehlt.
- **Risiken bei Diagnostik und Therapie**
  Invasive diagnostische Maßnahmen, z.B. ERCP, Herzkatheteruntersuchung, haben für den Patienten einen Nutzen, bergen aber gleichzeitig eine Infektionsgefahr, da es zu einer Verschleppung von Erregern kommen kann. Bestimmte Behandlungen bringen die Gefahr einer Infektion mit sich, so steigt das intraoperative Infektionsrisiko mit der Dauer und dem Ausmaß einer Operation.
- **Risiko-Erreger (Hospitalkeime)**
  Erreger nosokomialer Infektionen sind sehr häufig **patienteneigene, primär apathogene Keime**, die sich bei lokaler oder allgemeiner Abwehrschwäche unkontrolliert vermehren. Außerdem besteht im Krankenhaus die Gefahr einer exogenen Infektion durch sogenannte **Hospitalkeime**. Diese Erreger sind dadurch gekennzeichnet, daß sie besondere Widerstandskräfte (Resistenzfaktoren) entwickelt haben. Das Auftreten multiresistenter, mit den zur Verfügung stehenden Antibiotika nicht mehr bekämpfbarer Bakterien, spielt eine immer größere Rolle.
  Oxacillinresistente Staphylokokken *(ORSA)* und Pseudomonaden sind Beispiele für multiresistente Keime.
  Beim Auftreten von Hospitalkeimen werden neben den sonst üblichen Maßnahmen zur Vermeidung von Infektionen besondere Vorkehrungen erforderlich, z.B. Tragen von Schutzhandschuhen, Schutzkitteln und Mund-Nasen-Schutz.

❒ Folgen

Aus Sicht eines Betroffenen bedeutet eine nosokomiale Infektion eine zusätzliche Belastung, da damit zu rechnen ist, daß der Krankenhausaufenthalt sich verlängert oder sich evtl. eine längere ambulante Nachbehandlung ergibt. Der Betroffene kann unter starken Schmerzen oder anderen Symptomen einer Infektion leiden. Bei vielen nosokomialen Infektionen ist eine erweiterte Diagnostik und Behandlung erforderlich. Durch die zusätzliche Einnahme von Medikamenten, z.B. Antibiotika oder Schmerzmittel, wird der Organismus vermehrt belastet. In schwereren Fällen kann ein Patient bleibende Schäden davontragen, z.B. Bewegungseinschränkungen oder Versteifungen nach Gelenkinfektionen, verstärkte Narbenbildung nach Wundinfektionen.
Den Versicherungsträgern entstehen zusätzliche Kosten für den längeren Krankenhausaufenthalt und andere Folgen einer nosokomialen Infektion. Ein Krankenhausträger muß durch die längere Behandlung ebenfalls mit finanziellen Einbußen rechnen.

Fazit

Die Möglichkeit, durch den Einsatz von Hygienefachpersonal und durch die Umsetzung von Hygienerichtlinien die Rate nosokomialer Infektionen zu senken, wurde durch einige Studien belegt. Mittel, die für diesen Zweck eingesetzt werden, kommen nicht nur den Patienten zugute, sondern dienen der Kostensenkung insgesamt.
Die praktische Umsetzung von Hygienerichtlinien zur Vermeidung nosokomialer Infektionen wird exemplarisch unter *"Infektionsprophylaxe bei Patienten mit Blasenverweilkatheter"* (siehe Seite 208), *"Betreuung eines Patienten mit Infusionstherapie / infektionsprophylaktische Maßnahmen"* (siehe Seite 461) sowie unter *„Verbandwechsel“* (siehe Seite 375) dargestellt.

4.8.4 Verhütung von Infektionen

4.8.4.1 Infektionsabwehr des Körpers

Ein **gesunder Organismus** kann bei Kontakt mit oder Eindringen von Mikroorganismen mit **verschiedenen Abwehrmechanismen** reagieren. Alle Mikroorganismen, die eine **Immunreaktion** auslösen, haben **antigene Eigenschaften**, z.B. Krankheitserreger.
Nach einem Antigen-Kontakt reagiert der Körper zunächst mit einer **ungezielten, unspezifischen Immunreaktion**, indem **phagozytierende* Zellen**, z.B. Mono- oder Granulozyten (Gruppe der Leukozyten), die Mikroorganismen angreifen. Dabei umschließen die Phagozyten die Fremdkörper, nehmen sie in sich auf

und machen sie durch enzymatische Zersetzung unschädlich.

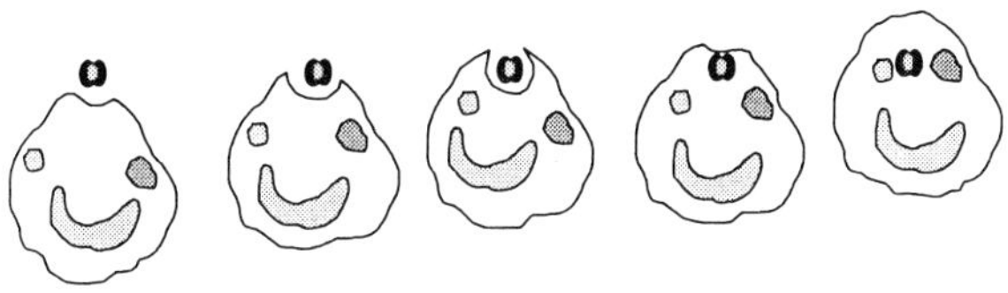

Bakterien werden von der phagozytierenden Zelle umschlossen, in die Zelle aufgenommen und durch enzymatische Prozesse zerstört

Abb. 4.93 ***Phagozytose von Bakterien***

Durch diese unspezifische Immunreaktion wird die **Antikörperproduktion** aktiviert.
Ist der Körper bereits vorher mit den Mikrorganismen in Kontakt getreten, so werden bei erneutem Kontakt **spezifische Antikörper** ausgeschüttet und in großer Zahl neu gebildet. Der Bildungsort der Antikörper ist das Knochenmark der langen Röhrenknochen, dort werden aus **B-Lymphozyten** die Antikörper freigesetzt. Die spezifischen Antikörper leiten die Zerstörung der Mikroorganismen ein, die **T-Lymphozyten** organisieren diese Abwehrreaktionen.
Eine wichtige Abwehrfunktion für den Organismus hat die **intakte Haut.** Durch ihren speziellen Aufbau und die Produktion von schützenden Stoffen (Säureschutzmantel) bildet sie einen mechanischen und chemischen Schutz, eine Art Barriere für Mikroorganismen und andere schädigende Stoffe. Einen weiteren Schutz, besonders vor der Ansiedlung und Vermehrung von pathogenen Erregern, bietet die **physiologische mikrobielle Besiedelung** der Haut ***(Hautflora)***. Die Schleimhautauskleidungen der Körperhöhlen und des Magen-Darm-Traktes haben ebenfalls eine bestimmte mikrobielle Besiedelung, die der Infektionsabwehr dient. Wenn dieses Gleichgewicht gestört wird, kann es zu einer Infektion kommen. Bei Patienten mit Nahrungskarenz führen die verminderte Kautätigkeit und die zurückgehende Speichelproduktion z.B. zu Störungen der physiologischen Keimbesiedlung in der Mundhöhle. In der Folge können sich im Mund ansässige Pilze (Candida albicans) unkontrolliert vermehren.
Eine Schutzfunktion für die Atmungsorgane üben der **Husten- und Niesreflex** aus.
Das **saure Milieu im Magen** verhindert bis zu einem gewissen Grad die Besiedelung mit pathogenen Keimen. Die Anwesenheit von Antikörpern im Bereich des gesamten Verdauungstraktes und eine regelmäßige Peristaltik schützen vor Infektionen.

4.8.4.2 Schutzimpfungen und Serumprophylaxe

Bei **Schutzimpfungen** wird die **Antikörperbildung** nach **Antigenkontakt** ausgenutzt. Die Impfstoffe für eine aktive Immunisierung enthalten abgeschwächte oder abgetötete Krankheitserreger oder antigene Teile davon. Abgeschwächte Toxine können ebenfalls zur Impfung eingesetzt werden.
Die Antikörperbildung erzeugt eine spezifische Immunität, die in der Regel 14 Tage nach der Verabreichung der letzten Impfstoffdosis wirksam wird.

Die meisten aktiven Schutzimpfungen führen erst nach 2 bis 3-maliger Impfstoffverabreichung zur ausreichenden Antikörperbildung. Zahlreiche Schutzimpfungen werden von der **Ständigen Impfkommission am Robert Koch-Institut** (STIKO) empfohlen, z.B. Röteln-, Masern-, Mumps-, Poliomyelitis-, Diphtherie-, Pertussis- und Tetanusimpfung für Säuglinge, Kinder und Jugendliche.
Für Erwachsene empfiehlt die STIKO (Stand Oktober 1995) folgende Auffrisch- und Nachholimpfungen. Die Impfung gegen

- **Diphtherie**, für alle Personen 10 Jahre nach der letzten Diphtherie-Impfung zur Auffrischung des Impfschutzes.
- **Hepatitis B**, für Patienten in psychiatrischen Anstalten oder vergleichbaren Einrichtungen für Zerebralgeschädigte oder Verhaltensgestörte.
- **Influenza**, für Personen über 60 Jahre; die Impfung sollte jährlich, vorzugsweise im Herbst, mit einem Impfstoff mit aktueller, von der WHO empfohlener Antigenkombination erfolgen.
- **Pneumokokken-Infektionen**, für Risikopatienten, z.B. Menschen mit chronischen Lungen- und Herz-Kreislauf-Krankheiten, Diabetes mellitus, Leberzirrhose, Krankheiten der Nieren, der blutbildenden Organe, Aspleniesyndrom.
- **Tetanus**, für alle Personen 10 Jahre nach der letzten Tetanusimpfung zur Auffrischung des Impfschutzes und bei Exposition (Verletzung).

Die **Hepatitis-B-Schutzimpfung** *(siehe auch Seite 180)* wird zur Vermeidung einer berufsbedingten Infektion allen in Einrichtungen des Gesundheitswesens Tätigen empfohlen, der Arbeitgeber trägt die Kosten. Ein Impfstoff steht in Deutschland seit 1982 zur Verfügung; seitdem die Möglichkeit einer gentechnologischen Herstellung besteht, gibt es kein Infektionsrisiko mehr. Heutige Impfstoffe sind Gen H-B-Vax® und Engerix®-B. Die Impfung erfolgt durch eine intramuskuläre oder subkutane Injektion.
Nach einem Wahlzeitpunkt für die erste Impfung erfolgt die zweite nach 4 Wochen und die dritte 6 Monate nach der Erstimpfung.

Kontraindikationen

Impfungen sollen nicht erfolgen bei akuten Erkrankungen, Rekonvaleszenz, chronischen Infektionen und Immundefekten (z.B. Behandlung mit Immunsuppressiva; Strahlentherapie, Leukämie). Bei bestimmten Impfstoffen, z.B. Tuberkulin intracutan, Röteln- und Tollwutimpfstoff, muß eine Schwangerschaft unbedingt ausgeschlossen sein.

Impfreaktionen

Mögliche lokale Impfreaktionen sind Rötungen, Schwellungen und Schmerzen. Als Reaktionen des gesamten Organismus können z.B. Kopf- und Gliederschmerzen, Temperaturerhöhungen, ein allgemeines Krankheitsgefühl und Allergien auftreten.

Bei der **Serumprophylaxe**, häufig auch als „passive Impfung" bezeichnet, werden **Antikörper** *(Immunglobuline)* injiziert oder infundiert (**passive Immunisierung**). Diese Antikörper werden aus Serum immunisierter Menschen oder Tiere gewonnen. Neben spezifischen

Immunglobulin-Präparaten, z.B. Hepatitis-B-Immunglobulin, werden auch Gemische von Immunglobulinen appliziert, z.B. Endobulin®, Beriglobulin®. Bei der Gabe von Immunglobulinen ist ein Infektionsrisiko nie ganz auszuschließen (z.B. Hepatitis, HIV-Infektion).
Eine passive Immunisierung wird nach Erregerkontakt, z.B. nach einer Stichverletzung mit einer benutzten Kanüle, zur Vorbeugung bestimmter Erkrankungen (hier Hepatitis B) vorgenommen.

Bei Ausbruch einer Infektion kann antikörperhaltiges Serum zur **Therapie** verabreicht werden.
Als **Simultanimpfung** wird die gleichzeitige passive und aktive Immunisierung bezeichnet. Sie wird bei Personen mit frischen Hautverletzungen, die keinen ausreichenden Impfschutz haben, zur **Tetanusprophylaxe** durchgeführt. Durch die Gabe von Antikörpern (Tetagam®) soll eine Tetanuserkrankung abgewehrt werden, durch die Verabreichung von Antigenen (Tetanol®) wird die Bildung körpereigener Antikörper angeregt.
Beachte: Um einen langfristigen Impfschutz zu erlangen, ist die aktive Impfung gegen Tetanus unbedingt nach 4 - 8 Wochen und nach 4 - 12 Monaten zu wiederholen *(Grundimmunisierung)*. Um die Antikörperproduktion aufrecht zu erhalten, ist außerdem alle 5 - 10 Jahre eine **Auffrischimpfung** durchzuführen.

4.8.4.3 Isolierung

4.8.4.3.1 Arten von Isolierung

Bei der Isolierung, d.h. der **Absonderung eines Patienten**, werden zwei Arten unterschieden, die Isolierung **zum Schutz des Patienten** und die Isolierung **zum Schutz der Umgebung.**

❒ Isolierung zum Schutz eines Patienten

Diese Form der Isolierung wird auch als **Umkehrisolierung** oder **protektive** *(schützende)* **Isolierung** bezeichnet.
Ein **infektionsgefährdeter Patient** soll vor Kontakt mit Infektionserregern aus seiner Umgebung geschützt werden. Die notwendigen Maßnahmen richten sich nach dem **Grad der Immunschwäche** und werden vom behandelnden Arzt angeordnet. Folgende Maßnahmen lassen sich umgehend realisieren:

- den Patienten in ein Einzelzimmer verlegen, nach Möglichkeit mit integrierter Naßzelle und Toilette;
- der Patient sollte das Zimmer nach Möglichkeit nicht verlassen; beim Verlassen muß er einen Mund-Nasen-Schutz tragen;
- das Zimmer mit dem Hinweis, daß Besucher sich vor dem Betreten des Zimmers beim Pflegepersonal melden sollen, kennzeichnen;
- Besuch reduzieren, nur enge Bezugspersonen;
- Menschen, die an einer Infektion leiden (Erkältungskrankheiten eingeschlossen), sollen das Zimmer des Schutzisolierten nicht betreten;
- alle Personen, die das Zimmer betreten, müssen vorher eine Händedesinfektion durchführen, einen Schutzkittel und einen Mund-Nasen-Schutz (einmaliger Gebrauch) tragen; bei direktem Kontakt mit dem Patienten müssen Einmalhandschuhe getragen werden; der Kranke und seine Besucher sind hinsichtlich der Notwendigkeit und der Durchführung der Schutzmaßnahmen zu informieren und anzuleiten;
- Kontakte mit dem Pflegepersonal werden reduziert; pro Schicht sollte jeweils eine Pflegeperson den Patienten betreuen (Bezugsperson sein);
- regelmäßiger Wäschewechsel;
- regelmäßige Körperpflege ermöglichen oder durchführen; nach jeder Ausscheidung gründliche Händewaschung;
- regelmäßige Flächendesinfektion;
- regelmäßige Desinfektion aller Gebrauchsgegenstände, die im Zimmer benötigt werden;
- evtl. sind Ernährungseinschränkungen erforderlich, z.B. Verzicht auf Rohkost.

Alle benutzten Gegenstände, Pflegemittel, Wäsche oder Abfälle aus dem Zimmer des Patienten werden in üblicher Weise desinfiziert oder entsorgt.
Der Patient muß über die Bedeutung der schützenden Isolierung umfassend informiert werden, um die erforderlichen Maßnahmen akzeptieren zu können. Der Belastung, unter der ein Betroffener steht, ist im Umgang mit ihm unbedingt Rechnung zu tragen. Angst, Unsicherheit und Verlassenheitsgefühle haben einen negativen Einfluß auf das Krankheitserleben und das Immunsystem des Patienten *(siehe auch nachfolgend "Zur Situation eines isolierten Patienten", Seite 484).*
Eine extreme Form der schützenden Isolierung ist die Aufnahme eines Patienten in eine **Sterilbett - Einheit** *(life-island)*.
Indikationen für eine Umkehrisolierung in eine Sterilbett-Einheit können sein:

- großflächige Verbrennungen (die Behandlung erfolgt in speziellen Verbrennungskliniken, siehe auch *"Verbrennungskrankheit"*, Seite 520);
- Behandlung mit hohen Dosen Immunsuppressiva oder Zytostatika *(siehe "Bösartiges Tumorleiden", Seite 938).*

❒ Isolierung zum Schutz der Umgebung

Alle Personen in der Umgebung sollen vor Kontakt mit **Krankheitserregern** geschützt werden, **die von einem Patienten ausgehen**. Der Patient gilt als Infektionsquelle, daher kann diese Form der Isolierung auch als **Quellenisolierung** bezeichnet werden.
Es handelt sich in der Regel um Patienten, die an einer **meldepflichtigen Infektionserkrankung** leiden; der behandelnde Arzt muß eine Meldung an das zuständige Gesundheitsamt vornehmen (Bundesseuchengesetz).
Bei Patienten mit Infektionen durch **multiresistente Bakterien** kann ebenfalls eine Isolierung erforderlich sein. Die Entscheidung wird in der Regel nach Absprache des behandelnden Arztes mit einer Hygienefachkraft getroffen.
Das jeweils zuständige **Gesundheitsamt** hat die Aufsicht über die Durchführung von Isolierungsmaßnahmen und muß bei Unsicherheiten hinzugezogen werden. Wenn Patienten sich der von einem Arzt angeordneten Isolierung entziehen, können rechtliche Schritte eingeleitet werden (Bundesseuchengesetz, Unterbringungsgesetze der Länder).

❍ Isolierstation

Isolierstationen sollen nach der Richtlinie für Krankenhaushygiene und Infektionsprophylaxe

- nicht in Durchgangsbereichen liegen;
- weit entfernt von Abteilungen mit erhöhtem Infektionsschutz (z.B. Säuglingsstation, Intensivstation) liegen;
- in mehrgeschossigen Bauten keine lufthygienisch ungesicherten Verbindungen zu Treppenhäusern, Fahrstuhlschächten oder ähnlichem haben.

Die Aufnahme eines Patienten sollte unter Umgehung der Patientenaufnahme erfolgen können. Aus wirtschaftlichen Gründen müssen Isolierstationen in kleineren Krankenhäusern auch für nicht infektiöse Patienten genutzt werden.

❍ Aufbau einer Isoliereinheit

Eine Isoliereinheit besteht aus einem **Patientenzimmer mit integrierter Naßzelle** oder Badezimmer einschließlich Toilette. Das Zimmer des jeweiligen Patienten ist vom Stationsflur aus nur über einen **Vorraum** zu betreten, dieser hat die Funktion einer Schleuse. Die Türen, besonders die Tür zum Stationsflur, sind stets geschlossen zu halten. Der Vorraum muß eine Möglichkeit zur Händewaschung und -desinfektion haben *(siehe nachfolgend "Ausstattung eines Waschplatzes")*. Die Schutzkleidung (Schutzkittel evtl. mit Armbündchen, Einmalhandschuhe, Mund-Nasen-Schutz, evtl. Hauben) werden im Vorraum in ausreichender Anzahl deponiert. Die für den jeweiligen Patienten erforderliche Schutzkleidung wird in der Schleuse angelegt und nach Verlassen des Patientenzimmers entsprechend entsorgt. In der Schleuse befindet sich ein spezieller Wäscheabwurf und ein Abfallbehälter für infektiösen Müll.

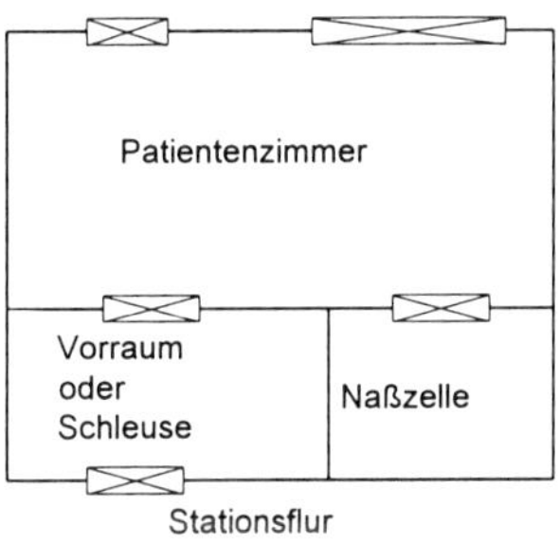

Abb. 4.94 ***Beispiel für den Aufbau einer Isoliereinheit***

Wenn zur Isolierung eines Patienten keine spezielle Isoliereinheit zur Verfügung steht, wird er in einem **Einzelzimmer** nach Möglichkeit mit Naßzelle und Toilette untergebracht. Die erforderlichen Materialien (z.B. Schutzkleidung, Händedesinfektionsmittel) werden vor der Zimmertür deponiert. Schutzkittel, die mehrfach verwendet werden, müssen im Patientenzimmer aufgehängt werden.

❍ Versorgung eines isolierten Patienten

Es sind folgende Regeln zu beachten:

- **Speisen und Getränke** sind wie gewohnt anzubieten; das benutzte Geschirr und Besteck wird desinfiziert und danach in üblicher Weise in die Spülküche zurückbefördert.
- **Wäsche** soll nur in begrenztem Umgang in das Zimmer des Patienten mitgenommen werden; benutzte Wäsche wird in der Schleuse in einem Wäscheabwurf entsorgt; dieser ist mit einem speziell gekennzeichneten flüssigkeitsdichten Plastikbeutel umgeben (Doppelsackverfahren) und wird so der Wäscherei zugeführt.
- **Abfälle** aus dem Patientenzimmer werden in einem Spezialbehälter für infektiösen Müll entsorgt; diese Behälter sind sicher verschließbar; eine Kontamination der Umgebung beim Transport wird damit vermieden; die Behälter müssen verbrannt werden (C - Abfälle).
- **Pflegeutensilien und Geräte,** die regelmäßig wieder benötigt werden, z.B. Waschschüssel(n), Nierenschale, Steckbecken, Urinflasche, Blutdruckmeßgerät, Fieberthermometer, verbleiben im Patientenzimmer und werden regelmäßig desinfiziert.

❍ Laufende Desinfektion

Die laufende Desinfektion erfolgt mit dem Ziel, alle vom Patienten kommenden Erreger (Patient als Infektionsquelle) so schnell wie möglich abzutöten. Es hat regelmäßig (fortlaufend) eine Wisch - Desinfektion aller Flächen und Einrichtungsgegenstände zu erfolgen. Alle Verschmutzungen, vor allem mit Körperflüssigkeiten oder -ausscheidungen des Patienten, sind unverzüglich mittels Wischdesinfektion zu entfernen. Die Desinfektion darf nur mit Desinfektionsmitteln erfolgen, die in der **DGHM - Liste** *(siehe nachfolgend)* aufgeführt sind. Desinfektionsmaßnahmen, die vom Reinigungspersonal vorgenommen werden, müssen überwacht werden; die Reinigungskraft wird entsprechend eingewiesen.

❍ Besuchsregelung

Die Tür des Patientenzimmers wird mit einer **Aufschrift** gekennzeichnet, die einen Besucher darauf hinweist, sich bei der verantwortlichen Pflegekraft zu melden. Auf diese Weise kann ein unkontollierter Zutritt verhindert werden. Entsprechend der Befindlichkeit des Patienten und der Art seiner Infektion sollte der Besuch angepaßt werden; oft werden, in Absprache zwischen Arzt und Patient, bestimmte Personen ausgewählt. Die Besucher müssen genau informiert und eingewiesen werden. Über die Bedeutung der Schutzmaßnahmen und Verhaltensregeln auch in bezug auf ihre eigene Gesundheit muß eine umfassende Aufklärung erfolgen. Personen, die einen Patienten mit einer Infektionserkrankung besuchen, sollten nach Möglichkeit nicht unter schwereren gesundheitlichen Beeinträchtigungen leiden. Zur Unterstützung können im Vorraum entsprechende Hinweistafeln aufgehängt werden.

❍ Aufhebung der Isolierung

Die Aufhebung einer Isolierung erfolgt nach ärztlicher Anordnung. Wenn der Patient das Zimmer verlassen hat oder verlegt wurde, muß eine **Schlußdesinfektion** vorgenommen werden. Bei einer Schlußdesinfektion werden alle Einrichtungsgegenstände und Flächen (Wände, Fußboden) einer **Wisch- und Scheuerdesinfektion** unterzogen. Alle Gebrauchsgegenstände werden ebenfalls desinfiziert.

Eine Raum-Desinfektion durch Formalinverdampfung wird nur in Ausnahmefällen vorgenommen, z.B. Aufhebung der Isolierung bei Patienten mit hochinfektiösen Viruserkrankungen. Nach der Raum-Desinfektion erfolgt eine Wisch- und Scheuerdesinfektion in üblicher Weise.

❍ Grad der Isolierung

In bezug auf Art und Umfang von Isolierungsmaßnahmen herrschen oftmals unterschiedliche Auffassungen. Zur Orientierung für alle beteiligten Personen sollten für die jeweils erforderlichen Maßnahmen einschließlich weiterer Ausführungshinweise Hygienepläne erarbeitet werden.
Grundsätzlich können beim **Grad der Isolierung** zwei Arten unterschieden werden:

- **Standardisolierung**
  Eine Standardisolierung erfolgt bei Patienten, bei denen eine Infektion durch **direkten Kontakt** oder **Kontakt mit infektiösen Körperflüssigkeiten oder -ausscheidungen** erfolgen kann.
  Bei direktem Kontakt mit dem Patienten oder der Gefahr einer Kontamination durch Körperflüssigkeiten oder -ausscheidungen trägt das Pflegepersonal einen Schutzkittel und Einmalhandschuhe. Die Schutzkittel müssen täglich, bei Kontamination sofort, gewechselt werden. Wenn der Schutzkittel weiter benutzt werden soll, wird die äußere Seite nach innen geschlagen und der Kittel in der Schleuse aufgehängt. Die Handschuhe werden verworfen. Nach dem Verlassen des Patientenzimmers ist eine hygienische Händedesinfektion erforderlich. Der Patient muß über den möglichen Infektionsweg informiert sein und sein Verhalten anpassen, z.B. gründliche Händehygiene nach jedem Toilettenbesuch, direkten Kontakt mit anderen Personen meiden.
- **Strikte Isolierung**
  Eine strikte Isolierung ist erforderlich bei Patienten, bei denen sowohl eine Infektionsgefahr bei **direktem Kontakt** und **Kontakt mit Körperflüssigkeiten oder -ausscheidungen** als auch über **Tröpfcheninfektion** besteht.
  Der Patient darf sein Zimmer nur zu Untersuchungen oder Behandlungen verlassen und muß dabei immer einen Mund-Nasen-Schutz tragen. Wegen der erhöhten Infektionsgefahr sollten nur wenige, ausgesuchte Personen den Patienten besuchen, diese müssen genau über die erforderlichen Schutzmaßnahmen informiert werden.
  Alle Personen müssen vor dem Betreten des Patientenzimmers Schutzkleidung anlegen, dazu gehören ein Schutzkittel, Einmalhandschuhe, ein Mund-Nasen-Schutz und unter Umständen eine Haube. Nach dem Verlassen des Patientenzimmers wird in der Schleuse die Schutzkleidung ausgezogen und im Wäscheabwurf bzw. Behälter für infektiösen Abfall (Einmalmaterial) entsorgt. Abschließend erfolgt eine Händedesinfektion.

4.8.4.3.2 Zur Situation eines isolierten Patienten

Isolierung bedeutet **Einschränkung der Bewegungsfreiheit** und **Absonderung** von anderen Menschen. Die wenigen Kontakte, die ein isolierter Patient hat, sind immer mit einer gewissen Distanz verbunden. Die Betroffenen können Gefühle der **Einsamkeit** und **Verlassenheit** entwickeln; diese wirken sich in der Regel negativ auf das Krankheitserleben aus. Über lange Phasen sind Patienten allein und haben viel Zeit, über ihre Erkrankung und die damit verbundene Situation nachzudenken. Das kann zu psychischen Veränderungen führen, z.B. Apathie, Rückzug, Regression.
Kontakte zu nahestehenden Menschen sind oft erheblich eingeschränkt. **Berührungen erfolgen nie direkt**; die berührende Person trägt immer Handschuhe. Bei einer strikten Isolierung tragen alle Personen, die das Zimmer betreten, neben der übrigen Schutzkleidung einen Mund-Nasen-Schutz, dieser bedeckt große Teile des Gesichtes; eine Orientierung an Gesicht und Mimik der gegenüberstehenden Person ist nicht möglich.
Patienten werden in vielen Fällen dadurch belastet, daß von ihnen eine gewisse Gefahr für andere Menschen ausgehen kann. Als Folge können Betroffene Ängste entwickeln, sich immer mehr zurückziehen und unter Umständen eine Zusammenarbeit verweigern. Es ist ebenfalls möglich, daß Patienten die Isolierung als gegen ihre Person gerichtet erleben und sich erniedrigt fühlen.

4.8.4.3.3 Betreuung eines isolierten Patienten

Das **Pflegepersonal** kann versuchen, den Bedürfnissen eines isolierten Patienten gerecht zu werden, indem es Sensibilität für seine besonderen Lebensumstände entwickelt und ihm einfühlsam und **ohne Scheu begegnet**. Durch Organisation einer bereichsbezogenen Pflege kommt ein Patient nur mit wenigen Pflegekräften in Kontakt und kann zu diesen einen persönlichen Bezug aufbauen. Die Kombination mehrerer Tätigkeiten macht es möglich, daß eine Pflegeperson sich länger im Zimmer aufhalten und diese Zeit nutzen kann, mit dem Patienten intensiver ins Gespräch zu kommen. Oft entwickelt sich erst im Laufe eines längerern Gesprächs eine Vertrauensbasis. Der Patient muß die Möglichkeit haben, über seine Befürchtungen und Ängste zu sprechen.
Die betreuende Pflegeperson kann entsprechend der Befindlichkeit des Patienten Vorschläge zur Gestaltung der Zeit machen, z.B. Spielen, Basteln, Malen, Lesen, Schreiben, Musik / Hörspiele hören. Der Patient fühlt sich wahrgenommen und die mögliche Ablenkung wirkt sich positiv aus.
Eine umfassende Aufklärung und ein regelmäßiger Informationsfluß sind Voraussetzung für eine gute Kooperation zwischen dem Patienten und den Pflegenden.

❍ Infektionsschutz des Pflegepersonals

Bei der Pflege von Patienten mit Infektionserkrankungen spielt die **Fachkompetenz** der jeweiligen Pflegeperson eine entscheidende Rolle. Fundiertes Fachwissen, z.B. über Infektionserkrankungen, mögliche Infektionswege, Vorschriften zur Desinfektion, erhöht die Handlungssicherheit. Die konsequente **Einhaltung der Hygienevorschriften**, z.B. vollständiges Anziehen der Schutzkleidung, und ein überlegtes Vorgehen auch in Notfall- oder anderen Belastungssituationen tragen erheblich zum Selbstschutz bei.
Pflegepersonal auf Infektionsstationen sollte einen umfassenden **Impfschutz** haben und regelmäßig **arbeits-**

medizinisch untersucht werden. Weitere Möglichkeiten zur Stärkung des Immunsystems sind z.B. eine ausgewogene vollwertige Ernährung und regelmäßige Bewegung (Ausdauersport).

Zur **Isolierung bei speziellen Erkrankungen** siehe auch *"Tuberkulose"* *(Seite 86)* und *"Hepatitis B"* *(Seite 178)*.

4.8.4.4 Persönliche Hygiene im klinischen Pflegebereich

❒ Bedeutung und Bereiche

Zu der persönlichen Hygiene **(Individualhygiene)** einer Pflegekraft gehören u.a. die Bereiche:

- Körperpflege einschließlich Händehygiene
- Bekleidungshygiene
- Ernährung und Umgang mit Genußmitteln
- Vorbeugung vor und Verhalten bei Stichverletzungen.

Die Einhaltung der persönlichen Hygiene dient dem **Schutz der eigenen Person** und dem **Schutz der Patienten** sowie der **Umgebung**. Eine gepflegte äußere Erscheinung kann das eigene Wohlbefinden steigern, Sicherheit geben und dazu beitragen, bei anderen Menschen Vertrauen zu erwecken.

❒ Körperpflege

Eine **Körperpflege** zum Zweck der Reinigung und Erfrischung sollte sehr regelmäßig (mindestens täglich) erfolgen, z.B. in Form von Waschungen oder kurzen Duschbädern. Wannenbäder dienen, je nach Dauer und Zusätzen, mehr der Entspannung oder Anregung und sollten nur selten erfolgen, da sie die Haut austrocknen können. Zur Reinigung der Haut stehen Seifen oder sogenannte Syndets zur Verfügung *(siehe auch "Reinigungsmittel", Seite 643)*.

Eine besondere Pflege der Haut nach dem Duschen oder Waschen kann durch Ganzkörpereinreibungen mit Körperlotionen erfolgen, ist bei normaler Haut aber nur hin und wieder erforderlich *(siehe auch "Hautpflegemittel", Seite 643)*.

Körperpflegemittel zur Vermeidung von Körpergeruch, z.B. Deostifte oder -sprays, spielen eine größere Rolle, da sie auch über einen längeren Zeitraum und in belastenden Situationen bakterielle Zersetzungvorgänge mindern können und geruchshemmend wirken. Da es in vielen Situationen zu einem engen Körperkontakt zwischen Pflegenden und Patienten kommt, ist auf einen angenehmen Körpergeruch Wert zu legen.

Alle Pflegemittel dürfen nur einen **dezenten Duft** haben, um für die Umgebung und besonders für schwerkranke Menschen keine Belästigung darzustellen. Die Benutzung von Parfüm und anderen Duftstoffen während der beruflichen Tätigkeit sollte nur mit großer Zurückhaltung erfolgen oder gänzlich unterbleiben.

Die **Haare** müssen regelmäßig gewaschen und frisiert werden. Eine Kurzhaarfrisur oder das konsequente Zusammenbinden oder Zurückstecken längerer Haare schützt vor Kontamination, z.B. beim Drehen und Lagern von Patienten. Um eine Keimverschleppung zu vermeiden, sollten das Gesicht und die Haare während der Tätigkeit auf der Station nicht mit den eigenen Händen berührt werden.

Eine konsequente **Händehygiene** ist ein wichtiger Punkt der Individualhygiene und wird ausführlich unter *"Händehygiene"* *(Seite 487)* beschrieben.

❒ Bekleidungshygiene

Während der Tätigkeit auf der Station trägt die Pflegekraft spezielle **Berufs- oder Dienstkleidung**, die die Funktion einer **Schutzkleidung** hat. Schutzkleidung muß vom Arbeitgeber in ausreichender Stückzahl zur Verfügung gestellt werden.

Schutzkleidung darf nur im Bereich des Krankenhauses getragen werden. Sie muß täglich und bei Bedarf, z.B. nach einer Verschmutzung, sofort gewechselt werden.

Vor dem Aufsuchen der Personalcafeteria oder anderer Speiseräume muß die Kleidung gewechselt werden oder zu diesem Zweck ein bestimmter Kittel oder Kassak bereitgehalten werden.

Die **Entsorgung der Schutzkleidung** erfolgt direkt nach dem Auskleiden in einen speziellen Wäscheabwurf. Getragene Schutzkleidung darf nicht mit der Privat- oder Straßenkleidung in Kontakt kommen. Die Reinigung gehört zu den Pflichten des Krankenhausträgers; es ist verboten, Dienstkleidung zu Hause zu reinigen.

Berufskleidung für die Tätigkeit im stationären Pflegebereich sollte genügend Bewegungsfreiheit gewährleisten. Außerdem muß sie kurze Ärmel haben, um jederzeit eine Desinfektion der Unterarme durchführen zu können. Bei allen Arbeiten, die mit einer starken Kontaminationsgefahr einhergehen, sollten **zusätzlich Schürzen** oder **Schutzkittel** getragen werden; diese sind mehrmals täglich oder sofort nach Beendigung einer bestimmten Arbeit zu entsorgen.

In **Bereichen mit erhöhtem Infektionsrisiko**, z.B. Intensivstationen, Dialyseeinheiten oder OP - Abteilungen, trägt das Personal eine **farbige Schutzkleidung**. Diese Kleidung ist ausschließlich innerhalb der jeweiligen Abteilungen zu tragen. Das Verlassen oder Betreten von Bereichen mit erhöhtem Infektionsrisiko sollte über eine Schleuse mit entsprechenden Umkleidemöglichkeiten erfolgen.

Strickjacken oder andere nicht entsprechend zu reinigende Kleidungsstücke sind im klinischen Pflegebereich nicht erlaubt.

Schmuck an Händen und Unterarmen *(siehe auch "Händehygiene", Seite 487)* darf nicht getragen werden, da es zu einer **Keimverschleppung** kommen kann und **Verletzungsgefahr** besteht. Lange Ketten und lange Ohrringe dürfen wegen erhöhter Verletzungsgefahr ebenfalls nicht getragen werden.

Schuhe müssen den Füßen genügend Halt geben und sollten daher geschlossen sein oder einen Fersenriemen haben. Falls möglich ist eine rutschsichere Sohle zu bevorzugen. Glattes Obermaterial erleichtert das Entfernen von Verunreinigungen und das regelmäßige Putzen. Um der Lärmentwicklung entgegenzuwirken, dürfen im Krankenhaus nur Schuhe getragen werden, mit denen leises Gehen möglich ist.

❒ Ernährung und Umgang mit Genußmitteln

Zur **Unterstützung des Immunsystems** ist Pflegekräften eine **ausgewogene und vollwertige Ernährung** zu empfehlen. Die Grundsätze werden unter *"Prinzipien gesunder Ernährung"*, Seite 107, erläutert. Die in fast al-

len Krankenhäusern angebotene Personalverpflegung entspricht nicht immer den Grundsätzen einer gesunden Ernährung; der regelmäßige Verzehr von frischem Obst oder Gemüse-Rohkost kann als Ergänzung dienen.
Trotz ständig wechselnder Arbeitszeiten muß eine regelmäßige Nahrungsaufnahme gesichert sein; lange Nüchternphasen sollten vermieden werden. Die Nahrung muß während der Pausen und unbedingt in einem Speiseraum außerhalb der Station eingenommen werden. Schwarzer Tee und Kaffee können als anregende Getränke genutzt werden, wenn sie gezielt und in kleineren Mengen getrunken werden. Als Durstlöscher sind Mineralwasser, Obstsäfte sowie Früchte- und Kräutertees geeignet.
Auf Speisen und Getränke, die für längere Zeit zu einer Geruchsbelästigung führen können, muß verzichtet werden.
In vielen Krankenhäusern gilt ein **Rauchverbot**. Für Patienten, Besucher und Personal wurden oft sogenannte Raucherzimmer eingerichtet. Dabei muß berücksichtigt werden, daß schon ein kurzer Aufenthalt in diesen Räumen zu einer nachhaltigen Geruchsbelästigung führt.

❐ Vorbeugung von und Verhalten bei Stichverletzungen

Der Umgang mit benutzten Kanülen, Lanzetten oder ähnlichen spitzen / scharfen Gegenständen birgt immer eine **Verletzungs-** und damit verbunden eine **Infektionsgefahr**.
Die **häufigste berufsbedingte Infektion** ist die **Hepatitis B** *(siehe Seite 176)*. Die Wahrscheinlichkeit, sich durch eine Nadelstichverletzung mit Hepatitis-B-Viren zu infizieren, ist um ein Vielfaches höher als die Gefahr einer Infektion mit HIV.
Das Hepatitis-B-Virus (HBV) ist (außerhalb des Körpers) widerstandsfähiger als das HI-Virus. In eingetrocknetem Blut können HBV wahrscheinlich einige Wochen infektiös bleiben. Bei Aufnahme von HBV-haltigem Blut durch eine Nadelstichverletzung kommt es in 25 - 30 % zu einer Infektion, bei HIV-haltigem Blut liegt die Infektionsrate unter 1% *(siehe "Infektionsschutz am Arbeitsplatz / Allgemeine Hinweise", Seite 824)*.
Weil Hepatitis-B-Viren besonders im trockenen Zustand sehr stabil sind, ist die Möglichkeit einer Schmierinfektion durch Kontakt mit virushaltigem Material nicht ausgeschlossen.
Da in vielen Fällen nicht bekannt ist, daß ein Patient an einer infektiösen Erkrankung leidet, gelten die Maßnahmen zur Vermeidung von Stichverletzungen für alle Patienten. Jede gebrauchte Nadel o.ä. muß als mögliche Infektionsquelle betrachtet werden. Oft sind Unwissenheit oder Hektik, aber auch Gleichgültigkeit und mangelnde Sorgfalt die Ursache für berufsbedingte Infektionen; dem kann nur durch entsprechende Aufklärung entgegengewirkt werden.
Zur **Vermeidung von Stichverletzungen** müssen folgende Regeln beachtet werden:

- Jede Station muß mit einer ausreichenden Anzahl **durchstichsicherer Abwurfbehälter** ausgestattet sein. Wenn diese Behälter vorschriftsmäßig verschlossen sind, garantieren sie eine verletzungssichere Entsorgung.
- Durchstichsichere Abwurfbehälter müssen bei allen Arbeiten, bei denen mit spitzen Gegenständen umgegangen wird, **in unmittelbarer Nähe plaziert** werden.
- Ein durchstichsicherer Abwurfbehälter muß **zum jeweiligen Patienten mitgenommen** werden, wenn die Möglichkeit einer Verletzung gegeben ist, z.B. bei einer Injektion, beim Legen einer Braunüle.
- Ungeschützte Nadeln oder andere spitze Gegenstände dürfen, auch in hektischen Situationen, nicht zusammen mit Papier- oder anderen Abfällen abgelegt werden.
- Das **Zurückstecken von Schutzkappen** *(recapping)* auf eine benutzte Kanüle ist die **häufigste Ursache** für Verletzungen mit nachfolgender Infektion und muß unbedingt unterbleiben.
- Vor der Entsorgung in den Restmüll müssen die durchstichsicheren Behälter gut verschlossen werden, um Verletzung während des Transportes auszuschließen.

Jede **Verletzung** gilt als **Arbeitsunfall** und muß unbedingt dem betriebsärztlichen Dienst gemeldet werden.
Die **Erstversorgung** besteht darin, die Verletzung bluten zu lassen, anschließend das Wundgebiet mit einem HBV - wirksamen Desinfektionsmittel zu desinfizieren und die Wunde abzudecken *(siehe auch "Infektionsschutz am Arbeitsplatz / Verhaltensweisen bei Kontakt mit potentiell infektiösem Material", Seite 825)*.
Der betriebsärztliche Dienst nimmt eine **Dokumentation** vor. Dazu gehören Angaben zur Person des Verletzten und ihrem Arbeitsplatz sowie, wenn bekannt, Angaben über den Patienten, bei dem die Nadel oder ähnliches benutzt wurde.

Wenn ein Betroffener nicht gegen Hepatitis B geimpft ist oder keine sicheren Angaben zum Impfstatus vorliegen, sind folgende Maßnahmen erforderlich:

- sofort (spätestens nach 6 Stunden) **Serumprophylaxe** mit Hepatitis-B-Immunglobulin und gleichzeitig eine **aktive Impfung**, z.B. mit Gen H-B-Vax® *(siehe auch "Schutzimpfungen und Serumprophylaxe", Seite 481)*;
- Bestimmung der HBV - Serologie;
- Bestimmung von Antikörpern gegen HC-Viren sofort und nach 12 Monaten;
- Bestimmung von Antiköpern gegen HI - Viren sofort, nach 3 und nach 12 Monaten;
- Tetanusprophylaxe (falls kein ausreichender Schutz besteht).

Bei Betroffenen, die einen sicheren Impfschutz gegen Hepatitis B haben, wird ein Immunstatus erstellt:

- Bestimmung von Antikörpern gegen HC - Viren sofort und nach 12 Monaten;
- Bestimmung von Antikörpern gegen HI - Viren sofort, nach 3 und 12 Monaten.

Falls erforderlich, erfolgt eine Tetanusprophylaxe.
Das Verhalten / Vorgehen nach einer Stichverletzung mit einer evtl. HIV - kontaminierten Kanüle wird auf *Seite 826* besprochen.

4.8.4.5 Händehygiene

4.8.4.5.1 Bedeutung und Maßnahmen

Hände sind die **häufigsten Keimüberträger** im Krankenhaus. Aus diesem Grund kommt einer konsequenten Händehygiene eine außerordentlich große Bedeutung zu. Zu den Maßnahmen der Händehygiene gehören:

- die Händedesinfektion,
- die Händewaschung,
- das Tragen von Schutzhandschuhen,
- die Pflege der Hände.

4.8.4.5.2 Händedesinfektion

Die Händedesinfektion ist die **wichtigste Maßnahme der Händehygiene** im Krankenhaus, da nur eine korrekt durchgeführte Desinfektion eine Abtötung von Mikroorganismen in ausreichender Zahl bewirkt und damit eine Infektion verhindert werden kann. Es wird zwischen einer **hygienischen** und einer **chirurgischen Händedesinfektion** unterschieden.

❒ Hygienische Händedesinfektion

Die hygienische Händedesinfektion hat das Ziel, die auf der Haut befindlichen **Anflug- oder Kontaktkeime** *(hautfremde Keime / transiente Hautflora)* vollständig abzutöten, da es sich bei diesen Keimen vermehrt um Krankheitserreger handeln kann. Gleichzeitg kommt es zu einer Reduzierung der hauteigenen Keime *(physiologische Keime / residente Hautflora)*.
Um die Gefahr von Anwendungsfehlern zu reduzieren, wird die Händedesinfektion mit gebrauchsfertigen Lösungen durchgeführt. Es handelt sich dabei um Alkohole in wässriger Lösung. Als weitere Bestandteile sind Fette oder fettähnliche Substanzen und andere hautpflegende Zusätze sowie Farb- und Geruchsstoffe enthalten.
Die Desinfektionsmittellösung sollte sich in speziellen Spendern befinden, die eine Entnahme ohne Berührung (mit kontaminierten Händen) möglich machen *(siehe nachfolgend "Ausstattung eines Waschplatzes")*.
Durch den Wirkstoff Alkohol (Propanol, Äthanol) kann eine Keimabtötung in relativ kurzer Zeit (ab 30 Sekunden) erzielt werden *(siehe auch "Desinfektionsmittel", Seite 490)*.
Folgende **Anforderungen** müssen an ein **Händedesinfektionsmittel** gestellt werden:

- breites Wirkungsspektrum,
- schnelle Wirksamkeit,
- einfache Handhabung,
- gute Verträglichkeit.

Eine **hygienische Händedesinfektion** ist z.B. angezeigt:

- vor Schichtbeginn, nach Schichtende;
- vor Kontakt mit Medikamenten, Speisen und Getränken;
- vor invasiven Eingriffen, z.B. Legen eines Blasenverweilkatheters, Verabreichen einer Injektion;
- vor und nach Kontakt mit potentiellen Eintrittspforten für Erreger, z.B. Venenverweilkanülen;
- vor aseptisch durchzuführenden Arbeiten, z.B. Vorbereitung einer Injektion oder Infusion;
- vor allen pflegerischen Tätigkeiten bei abwehrgeschwächten Patienten;
- nach Kontakt mit Patienten, von denen eine Infektion ausgeht oder ausgehen könnte;
- nach dem Kontakt mit kontaminierter Haut (z.B. infizierte Wunden), kontaminierten Flächen oder Gegenständen (z.B. Verbände, Wäsche, Instrumente);
- nach Kontakt mit Ausscheidungen.

Die hygienische Händedesinfektion ist die wichtigste und häufigste Maßnahme der Händehygiene im Krankenhaus; mögliche Indikationen können natürlich nur beispielhaft genannt werden. Es liegt in der Verantwortung der einzelnen Pflegekraft, die Notwendigkeit für eine Händedesinfektion zu erkennen und entsprechend zu handeln.

❍ Durchführung einer hygienischen Händedesinfektion

Die trockenen Hände werden mit 3-5 ml (Bilden einer hohlen Hand) eines Händedesinfektionsmittels gleichmäßig eingerieben. Wenn eine Desinfektion der Unterarme erforderlich ist, muß die Desinfektionsmittelmenge entsprechend erhöht werden.
Nur eine **lückenlose Benetzung** kann die erforderliche Keimabtötung garantieren. Bereiche wie die Fingerzwischenräume, Fingerkuppen, Nagelfalze und Daumen werden oft vernachlässigt. Es empfiehlt sich, bei der Einreibung eine bestimmte Reihenfolge einzuhalten; die Bewegungsabfolge läuft dann nach einiger Zeit "automatisch" ab. Während der Dauer der Einwirkungszeit sollte das Desinfektionsmittel kontinuierlich verrieben werden.
Es dürfen keine Ringe oder Armbanduhren getragen werden, da eine lückenlose Desinfektion erschwert wird. Das feucht-warme Milieu unter einem Ring kann zudem die Vermehrung von Mikroorganismen begünstigen.
Die **Einwirkzeit** eines Händedesinfektionsmittels von mindestens **30 Sekunden** ist unbedingt abzuwarten. Das Desinfektionsmittel hat seine volle Wirkung erzielt, wenn die Hände trocken sind. Es darf nicht mit Wasser vermischt werden. da die Wirksamkeit nachläßt.
Sichtbare Verunreinigungen mit möglicherweise infektiösen Sekreten müssen mit einem desinfektionsmittelgetränkten Papierhandtuch vollständig entfernt werden, bevor eine gründliche Desinfektion erfolgt *(siehe auch "Infektionsschutz am Arbeitsplatz / Verhaltensweisen bei Kontakt mit potentiell infektiösem Material", Seite 825)*.
Um eine Keimverschleppung zu vermeiden, muß immer **zuerst** eine **Händedesinfektion** durchgeführt werden, bevor evtl. eine Händewaschung *(siehe nachfolgend)* erfolgt; hier werden sehr häufig Fehler gemacht.

❒ Chirurgische Händedesinfektion

Die chirurgische Händedesinfektion dient neben dem **Abtöten von Anflug- oder Kontaktkeimen** auch der Reduzierung der hauteigenen Keime *(residente Flora)*. Sie wird vor allen **Operationen** oder anderen **invasiven Eingriffen** durchgeführt und hat das Ziel, eine Verschleppung von Hautkeimen des Operateurs in den Körper zu verhindern.
Zu einer Verschleppung kann es kommen, wenn die sterilen Operationshandschuhe perforieren, undicht sind oder werden. Auch über kleinste Defekte (Mikrorisse), die unbemerkt bleiben, können Hautkeime austreten.

Bei der chirurgischen Händedesinfektion erfolgt zuerst eine kurze Waschung und dann eine Desinfektion der Hände und Unterarme.
Die Entnahme des Desinfektionsmittels muß per Fuß- oder Ellenbogenbedienung möglich sein. Bei der Desinfektion werden anfangs die Unterarme und dann die Hände 3 - 5 Minuten (je nach Präparat) gründlich eingerieben. Anschließend erfolgt das Anziehen der sterilen Operationshandschuhe.

4.8.4.5.3 Händewaschung

Neben der Händedesinfektion ist die Händewaschung eine wichtige Maßnahme der Infektionsprophylaxe. Sie führt zur Ablösung und Abspülung von Verschmutzungen. Der Grad der Keimreduzierung durch eine gründliche Händewaschung (bis zu 90%) ist nicht unerheblich, bleibt aber hinter dem Grad der Keimreduzierung einer hygienischen Händedesinfektion (99,99%) zurück. Eine Händewaschung soll nur erfolgen, wenn keine Infektionsgefahr besteht.

Im klinischen Bereich werden an die **Ausstattung eines Waschplatzes** bestimmte Anforderungen gestellt:
- Spender für Flüssigseife und Händedesinfektionsmittel
  - günstig mit Ellenbogenbedienung oder Lichtschranke in Bereichen mit hoher Infektionsgefahr;
  - wenn Spenderflaschen mehrfach verwendet werden, müssen sie vor dem Wiederauffüllen gereinigt und desinfiziert werden;
- Spender für Papierhandtücher;
- Abwurf
  - günstig mit Fußbedienung für die Öffnung des Deckels;
- Pflegemittel;
- Waschbecken
  - dürfen keinen Verschluß (Stopfen) haben;
  - der Wasserstrahl soll nicht direkt in das Abflußrohr fallen, um ein Aufspritzen von verkeimten Wassertropfen (Pseudomonaden) zu verhindern.

Bei der **Händewaschung** sind folgende Punkte zu berücksichtigen:
- Hände nur unter fließendem Wasser waschen;
- kälteres Wasser (unter 40 Grad Celsius) verhindert eine zu starke Entfettung der Haut;
- als Flüssigseifen werden neben alkalischen Präparaten häufiger Seifen angeboten, die einen neutralen oder schwach sauren pH-Wert aufweisen (Syndet-Seife / synthetisches Detergenz); auch unter den Syndet-Seifen gibt es verschiedene Qualitäten; die Verträglichkeit der Seifen ist individuell und wird von den Inhaltsstoffen beeinflußt;
- alle Bereiche der Hände müssen gleichmäßig eingeschäumt werden;
- die Seife muß sehr gründlich abgespült werden, da Seifenreste, die längere Zeit auf der Haut verbleiben, eine Reizwirkung haben können;
- sorgfältiges Trocknen der Hände, dabei zu starkes Reiben vermeiden;
- wenn keine andere Vorrichtung vorhanden ist, muß der Wasserhahn zur Vermeidung einer Rekontamination der Hände mit dem benutzten Einmalhandtuch abgedreht werden;
- starkes Verspritzen vermeiden;
- nach der Händewaschung nach Möglichkeit eine Hautpflege vornehmen.

4.8.4.5.4 Tragen von Schutzhandschuhen

Schutzhandschuhe bewirken einen **Infektionsschutz**. Ihr gezielter Einsatz reduziert die Gefahr einer Keimverschleppung erheblich. Bei allen Arbeiten mit möglicherweise infektiösen Substanzen oder Materialien (z.B. Entsorgung von Ausscheidungen, Kontakt mit Körperflüssigkeiten) dienen Einmalhandschuhe dem **Selbstschutz des Pflegepersonals**. Wenn Einmalhandschuhe (zusätzlich) einen **Infektionsschutz für Patienten** bieten sollen, z.B. bei der Durchführung einer Mundpflege, dürfen sie erst unmittelbar vorher aus der Verpackung entnommen und angezogen werden.
Vor dem Anziehen von Einmalhandschuhen ist, je nach vorausgegangener Tätigkeit, eine Händedesinfektion erforderlich.
Kontaminierte Einmalhandschuhe sind sofort nach Beendigung der entsprechenden Tätigkeit auszuziehen, um eine Keimverschleppung durch weiteres Berühren zu vermeiden. Das **Ausziehen** sollte mit einer Technik erfolgen, bei der die Handschuhe so übereinander gezogen werden, daß die Innenflächen außen sind.

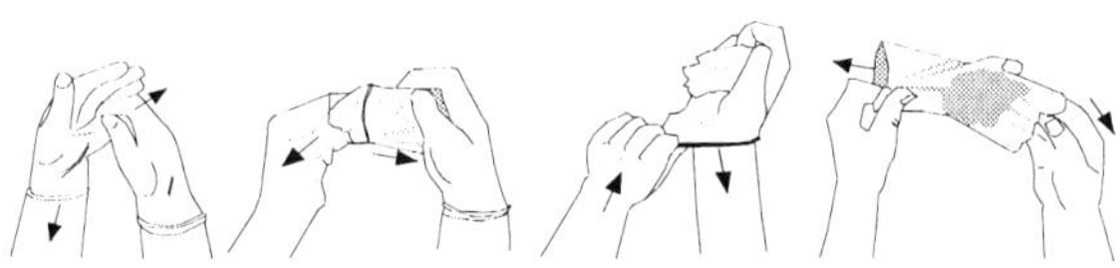

Abb. 4.95 ***Technik des Ausziehens kontaminierter Handschuhe***
Quelle: Bergen / Klimke: Primärpraevention im Krankenhaus

Durch das Tragen von Schutzhandschuhen wird die Händedesinfektion nicht überflüssig. Wenn die Handschuhe kontaminiert wurden oder Defekte aufweisen, ist nach dem Ausziehen unbedingt eine Desinfektion erforderlich.

Einmalhandschuhe bestehen aus verschiedenen Materialien. Die im klinischen Alltag am häufigsten verwendeten Handschuhe sind aus **Naturlatex**. Das Material ist sehr elastisch und ermöglicht ein gutes Tastempfinden. Durch die verbreitete Anwendung von Latex-Handschuhen haben in den letzten Jahren **Allergien gegen Latex** zugenommen. Dabei spielen auch vereinfachte Produktionstechniken eine Rolle. Die Allergien richten sich hauptsächlich gegen die im Latex befindlichen Restproteine. Diese haften dem Handschuhpuder an und haben dadurch intensiven Kontakt mit der Haut.
Nicht jede Hautveränderung ist vorschnell als eine allergische Reaktion auf das Tragen von Latex-Handschuhen anzusehen. Es muß eine sorgfältige Anamnese und Austestung durch einen Dermatologen erfolgen.
Bei Überempfindlichkeiten bieten sich zunächst ungepuderte Latex-Handschuhe als Alternative an. Diese werden während der Produktion mehrfach ausgewaschen und enthalten daher weniger Restprotein. Um

ein problemloses Anziehen zu ermöglichen, werden die puderfreien Handschuhe zusätzlich einer Oberflächenbehandlung mit chlorhaltigen Lösungen unterzogen. Die Oberflächenbehandlung führt nicht zu einer Belastung des Anwenders.
Latex - Handschuhe sind einem **Qualitätsstandard** unterworfen, der die Dichtigkeit ausdrückt. Dieser Standard heißt **AQL** *(engl. acceptable quality. level)* und gibt an, wieviele Handschuhe pro tausend geprüfter Handschuhe undicht sind. Der AQL sollte nicht größer als 1,5 sein.
Durchsichtige Schutzhandschuhe bestehen aus **copolymerem* Kunststoff**. Diese Handschuhe sind kaum elastisch, sie reißen leicht ein und ihre Dichtigkeit ist unzuverlässig.
Vinyl - Handschuhe *(PVC)* sind genauso undurchlässig wie Latex-Handschuhe. Das Material ist wenig elastisch und beeinträchtigt das Tastvermögen. Vinyl-Handschuhe sind bei bekannter Latexallergie in vielen Fällen eine Alternative.
Nitril - Handschuhe wurden zunächst als Schutzhandschuhe für die chemische Industrie entwickelt und sind daher für Desinfektionsmittel und andere Stoffe sehr undurchlässig. Das Material ist etwas unelastischer und das Tastvermögen etwas schlechter als bei Latex-Handschuhen. Sie sind eine Alternative bei Latexallergien.
Zum **Umgang mit Schutz - Handschuhen** sind folgende Hinweise zu geben:
- Handschuh-Verpackungen bei Raumtemperatur und trocken lagern;
- eine geöffnete Verpackung muß vor Staub und direkter Sonneneinstrahlung geschützt werden;
- die Entnahme aus der Verpackung muß kontaminationsarm erfolgen, vorher ist evtl. eine Händedesinfektion durchzuführen.

4.8.4.5.5 Pflege der Hände

Die Hände des Pflegepersonals sind durch häufiges Waschen mit Seife und Tragen von Schutzhandschuhen hohen Belastungen ausgesetzt.
Das sachgerechte Desinfizieren ist für eine Entfettung der Haut weniger verantwortlich als das Waschen. Das Fett wird im Alkohol gelöst, bleibt aber auf der Haut, (wenn nicht nach der Desinfektion eine Waschung erfolgt). Die Benutzung von Händedesinfektionsmitteln ist sehr viel seltener die Ursache für schwerwiegende Hautschäden oder allergische Reaktionen als allgemein angenommen.
Trockene, rissige und gerötete Haut der Hände kann ein Zeichen für die Vernachlässigung der Hautpflege sein. Zum Schutz und zur Pflege der stark beanspruchten Hände wird regelmäßiges Eincremen mit einer Lotion oder Creme empfohlen. Bei gereizter Haut sind Präparate mit Harnstoffzusätzen hilfreich, da das Wasserbindungsvermögen der Haut normalisiert wird, z.B. Laceran®, Basodexan® Soft Creme.
Die individuellen Bedürfnisse der Haut einer Pflegeperson müssen bei der Auswahl von Pflegemitteln Berücksichtigung finden; evtl. ist eine Beratung durch einen Apotheker oder Dermatologen erforderlich.
Eine Pflege der Hände sollte immer dann erfolgen, wenn Zeit für die Einwirkung des Präparates gegeben ist, unbedingt aber vor Beginn einer Pause und nach Beendigung der Arbeit.
Wenn Hautveränderungen wie juckende Ekzeme oder flüssigkeitsgefüllte Bläschen auftreten, kann eine allergische Reaktion (Kontaktallergie) vorliegen. Bei Verdacht sollte umgehend ein Dermatologe aufgesucht werden, um eine entsprechende Diagnostik und Behandlung einzuleiten.

❍ Versorgung von Verletzungen
Jede (auch die kleinste) Verletzung an den Händen bzw. Fingern muß mit einem flüssigkeitsdichten Pflaster versorgt werden; bei bestimmten Arbeiten, vor allem Kontakt mit Wasser oder anderen Flüssigkeiten, sind zusätzlich Schutzhandschuhe zu tragen *(siehe auch vorstehend "Verhalten bei Stichverletzungen")*.

❍ Reduzierung von Belastungen im außerdienstlichen Bereich
Zur Schonung und Pflege der Hände tragen folgende Verhaltensweisen bei:
- schonende Nagelpflege durchführen, dabei Verletzungen, z.B. Einreißen der Nagelhaut, vermeiden;
- bei längerem Kontakt mit Putzmitteln und Wasser Haushaltshandschuhe tragen;
- bei Tätigkeiten, die mit Verletzungsgefahr einhergehen, z.B. Gartenarbeit, Schutzhandschuhe tragen;
- regelmäßiges Einreiben mit einem Pflegemittel;
- besonders in der kalten Jahreszeit durch das Tragen von Handschuhen Hände vor Kälteeinwirkung schützen.

4.8.4.6 Desinfektion

4.8.4.6.1 Definiton

Eine **Desinfektion** ist eine Maßnahme, bei der die **Zahl von Infektionserregern so weit reduziert** werden muß, daß eine **Übertragung bzw. Infektion nicht mehr möglich** ist; es findet keine 100%ige Keimreduzierung statt.

4.8.4.6.2 Verfahren der Desinfektion

Zur Erreichung dieses Ziels können unterschiedliche Methoden angewandt werden.

❒ Physikalische Desinfektion
Eine **Physikalische Desinfektion** erfolgt durch Einwirkung von:
- **Strahlen**
  - UV-Strahlen zur Desinfektion von Raumluft, z.B. in OP-Schleusen; das Verfahren ist umstritten, da ein ständiger Luftaustausch eine ausreichende Keimzahlreduzierung erschwert;
- **trockener Hitze**
  - Desinfektion durch Abflammen, d.h. hitzestabile Materialien (z.B. Glasröhrchen oder Metallösen) werden kurzzeitig in die Flamme eines Bunsenbrenners gehalten, die Anwendung erfolgt hauptsächlich in Laboratorien;
  - Desinfektion durch Verbrennung von infektiösem Material;
- **feuchter Hitze**
  - Desinfektion durch strömenden Dampf, z.B. von Matratzen, Kissen, Decken, nicht kochbarer Klei-

dung; erfolgt im sogenannten Dampfströmungsverfahren mit gesättigtem Wasserdampf von 100 Grad Celsius und einer Einwirkungszeit von 15 Minuten;
- Desinfektion durch Auskochen (z.B. hitzestabile Gebrauchsgegenstände); durch Zusatz von 0,5 % Soda kann die Wirkung verstärkt werden; das Verfahren sollte nur dann angewandt werden, wenn keine anderen Möglichkeiten bestehen.

Bei der Kombination von Hitze und chemischen Desinfektionsmitteln spricht man von thermo-chemischer Desinfektion, z.B. thermo-chemische Instrumentendesinfektion in speziellen Spülmaschinen.

❒ Chemische Desinfektion

Die chemische Desinfektion spielt im Pflegebereich die größte Rolle, sie erfolgt durch den Einsatz von Desinfektionsmitteln, d.h. von Substanzen, die eine **mikrobizide* Wirkung** haben.

❍ Anforderungen an ein chemisches Desinfektionsmittel

An chemische Desinfektionsmittel werden z.B. folgende Anforderungen gestellt:
- breite antimikrobielle Wirksamkeit (erfassen möglichst aller Arten pathogener Mikroorganismen und 99,999 % Abtötung),
- geringe Toxizität,
- einfache Handhabung,
- geringe Geruchsbelästigung,
- gute Benetzungsfähigkeit,
- Wirtschaftlichkeit (Anwendbarkeit in geringer Konzentration).

Da Desinfektionsmittel nicht allen Anforderungen in gleicher Weise gerecht werden können, müssen sie nach ihrem Verwendungszweck unterschieden werden.

❍ Einteilung der Desinfektionsmittel nach Verwendungszweck

Grundsätzlich können Desinfektionsmittel danach unterschieden werden, ob sie für die **Anwendung am Menschen** geeignet sind oder nicht. Desinfektionsmittel für die Hände-, Haut-, Schleimhaut- und Wunddesinfektion dürfen nur eine geringe Toxizität haben, gleichzeitig müssen sie eine antimikrobielle Wirksamkeit zeigen. Desinfektionsmittel für die Flächen- und Instrumentendesinfektion enthalten Substanzen, die für Menschen toxisch sind *(siehe Tabelle „Desinfektionsmittel", Seite 491)*.

❍ DGHM - Liste

Desinfektionsmittel, die am Menschen zur Anwendung kommen, müssen als Arzneimittel zugelassen werden. Sie sollten einer bestimmten Qualitätsnorm gerecht werden. Die **Deutsche Gesellschaft für Hygiene und Mikrobiologie** (DGHM) legt Kriterien für die Prüfung und Anerkennung von Desinfektionsmitteln fest. Die **DGHM-Liste** wird regelmäßig aktualisiert und ermöglicht einen Überblick über die im Handel befindlichen Desinfektionsmittel. In der Liste sind den jeweiligen Desinfektionsmitteln die möglichen Indikationen zugeordnet. Darüber hinaus muß der Hersteller für die Qualität unter klinischen Bedingungen garantieren (z.B. Virussicherheit). In einer **Liste des Robert-Koch-Instituts** werden die Desinfektionsmittel aufgeführt, die bei behördlich angeordneten Desinfektionsmaßnahmen eingesetzt werden müssen.

❍ Wirkungsweisen chemischer Desinfektionsmittel

Bei der Anwendung chemischer Desinfektionsmittel kommt es zu Veränderungen von Eiweißen der Mikroorganismen (Denaturierung*). Außerdem können Lipidmembranen geschädigt werden. Einige Desinfektionsmittel verursachen eine Schädigung der Nukleinsäuren von Mikroorganismen. Nicht nur die Art der Wirkstoffe entscheidet über die Wirksamkeit eines Desinfektionsmittels, sondern auch die enthaltenen Hilfsstoffe (oberflächenaktive Stoffe = Tenside). Diese Stoffe ermöglichen erst, daß das Desinfektionsmitttel an seinen Wirkort Mikroorganismus gelangt.
Einen Überblick über wichtige Wirkstoffe gibt die Tabelle *"Desinfektionsmittel"*, *Seite 491*.

❍ Methoden der chemischen Desinfektion / Vor- und Nachteile

Bei der chemischen Desinfektion können unterschiedliche Methoden zur Anwendung kommen; es ist die jeweils geeignete Methode zu wählen.

- **Einlegen / Tauchbad**
  Bei einer Desinfektion mittels Tauchbad müssen alle Gegenstände vollständig mit Lösung bedeckt sein. Schläuche und andere Hohlräume sind sorgfältig mit Lösung zu füllen. Tauchbäder müssen mit kaltem Wasser hergestellt und abgedeckt werden, um einem Abdampfen von Wirkstoffen vorzubeugen.
  Aus einer Trübung einer Desinfektionsmittellösung kann nicht unbedingt auf eine Unwirksamkeit geschlossen werden. Dieser Nachweis muß durch einen bakteriologischen Test erfolgen. In der Regel wird die Lösung täglich erneuert.
- **Sprühen**
  Bei jeder Sprühdesinfektion muß unbedingt beachtet werden, daß die zu desinfizierende Fläche vollständig benetzt wird. Es muß ein gewisser Abstand eingehalten werden, da die zu desinfizierende Fläche nicht mit dem Sprühkopf berührt werden darf. Ein zu großer Abstand führt zu einer Belastung der Raum- bzw. Atemluft mit Aerosolen. Eine Sprühdesinfektion ist nur für kleine Flächen geeignet.
- **Wischen**
  Die Wischdesinfektion hat den Vorteil, daß gleichzeitig eine mechanische Reinigung erfolgt, d.h. es werden Verschmutzungen gelöst und entfernt. Die Fläche muß vollständig benetzt werden und anschließend trocknen. Ein Wischlappen sollte eine hohe Saugfähigkeit haben und zur Verhinderung einer Verschleppung von Mikroorganismen regelmäßig gewechselt werden.

Desinfektionsmittel		
Anwendungsbereich	**Wirkstoffgruppen** (in Anlehnung an DGHM-Liste 1997) Desinfektionsmittel sind fast immer Gemische unterschiedlicher Wirksubstanzen und Tenside (Seifen).	**Beispiele** (Handelsname)
Flächendesinfektion	z.B. - Aldehyde - Quaternäre Ammoniumverbindungen - Phenole - Alkylaminderivate - Guanidine	- Baktobod® - Descosal® - Incidin® plus - Meliseptol® - Mucocid®-GN - Tegodor® - Terralin®
Instrumentendesinfektion	z.B. - Aldehyde - Quaternäre Ammoniumverbindungen - Phenole - Alkylaminderivate - Guanidine	- Descoton® forte - Korsolex® AF - Sekusept® plus Für alle Präparate wird ein jeweils abgestimmter Reinigungsverstärker zur Auslösung von Eiweiß und anderen Verunreinigungen angeboten.
Haut-, Hände- und Schleimhautdesinfektionsmittel sowie Wundantiseptika müssen neben den üblichen Anforderungen an ein Desinfektionsmittel als Arzneimittel zugelassen sein, da sie direkt am Menschen zur Anwendung kommen.		
Händedesinfektion	z.B. - Alkohole - Jodabspaltende Verbindungen - Phenolderivate - Guanidine - Quaternäre Ammoniumverbindungen Die meisten Händedesinfektionsmittel sind auf alkoholischer Basis, die anderen Stoffe dienen zur Erzielung einer remanenten Wirkung.	- AHD® 2000 - Promanum® N - Spitaderm® - Sterillium®
Hautdesinfektion Lösungen zur Hautdesinfektion werden gefärbt und ungefärbt angeboten. Gefärbte Lösungen markieren die benetzten Hautbezirke	z.B. - Alkohole - Jodabspaltende Verbindungen - Phenolderivate - Guanidine - Quaternäre Ammoniumverbindungen Die meisten Hautdesinfektionsmittel sind auf alkoholischer Basis, die anderen Stoffe dienen zur Erzielung einer remanenten Wirkung.	- Cutasept® F - Freka® Derm farblos - Kodan® Tinktur forte - Skinsept® F - Softasept® N
Schleimhautdesinfektion	- Jodabspaltende Verbindungen in wäßriger Lösung	- Betaisodona® - Braunol® 2000
An Schleimhautdesinfektionsmittel werden die gleichen Anforderungen (Grad der Keimreduzierung) gestellt wie an Hautdesinfektionsmittel. Diesen Anforderungen können in nicht schädigender Konzentration nur jodabspaltende Verbindungen gerecht werden. Als Alternative werden Schleimhautantiseptika angeboten. Diese erfüllen nicht die Anforderungen der Richtlinien für die Prüfung chemischer Desinfektionsmittel der DGHM für die Hautdesinfektion.		
Antiseptische Maßnahmen an Schleimhäuten und Wunden	z.B. - Wasserstoffperoxid - Chlorhexidin - Phenoxyäthanol - Octenidinhydrochlorid - organische Quecksilberverbindungen - Äthacridinlactat	- Hexoral® - Mercuchrom® - Octenisept® - Rivanol® - Skinsept® mucosa

Tabelle 4.18 ***Desinfektionsmittel***

❍ Laufende Desinfektion und Schlußdesinfektion

Die **laufende Desinfektion** wird im klinischen Bereich regelmäßig vorgenommen und soll eine **Ausbreitung von Infektionserregern** verhindern. Zu einer laufenden Desinfektion gehören folgende Maßnahmen:

- **Flächendesinfektion**
  Wischdesinfektion von Fußböden, Türen, Wänden, Naßzellen und sanitären Anlagen, Fensterbänken, Versorgungs- und Lichtleisten, Nachtschränken, Stühlen und Hockern; die Flächen müssen vollständig benetzt sein und anschließend trocknen;
- **Desinfektion von Gebrauchsgegenständen**
  erfolgt nach Gebrauch von Gegenständen, z.B. Fieberthermometer, Urinflasche, Steckbecken, Infusionsständer, Waschschüsseln, Nierenschalen, mit der jeweils geeigneten Methode *(siehe vorstehend)*.

Die laufende Desinfektion schließt **Desinfektionsmaßnahmen am Patienten** ein, z.B. die Desinfektion der Haut oder Schleimhaut. Eine korrekte persönliche Hygiene der Pflegekräfte, einschließlich regelmäßig durchgeführter **Händedesinfektion**, ist ebenfalls zwingende Voraussetzung für den Erfolg der laufenden Desinfektion.

Alle Maßnahmen der laufenden Desinfektion müssen im **Desinfektionsplan** der jeweiligen Station aufgeführt sein.

Eine **Schlußdesinfektion** dient der gründlichen Desinfektion von Räumen, in denen Patienten mit Infektionserkrankungen gelegen haben *(siehe dazu "Isolierung / Aufhebung der Isolierung und Schlußdesinfektion", Seite 483)*.

❍ Herstellen einer Desinfektionsmittellösung

Viele Desinfektionsmittel, z.B. für die Haut- und Händedesinfektion, sind gebrauchsfertig im Handel. In einigen Kliniken werden Desinfektionsmittel-Dosieranlagen benutzt. Sie erhöhen bei regelmäßiger Kontrolle und Wartung die Anwendungssicherheit von Desinfektionslösungen.
Bei der Herstellung einer Desinfektionsmittellösung muß die vorgeschriebene Dosierung genau erzielt werden. Viele Hersteller bieten Dosierhilfen, z.B. Meßbecher mit entsprechender Graduierung, an. Bei Unkenntnis bezüglich Dosierung und Einwirkzeit muß die Hersteller-Information oder der Desinfektionsplan eingesehen werden.

❍ Grundregeln des Umgangs mit chemischen Desinfektionsmitteln

Insgesamt ist ein **verantwortungsvoller und sorgsamer Umgang** mit Desinfektionsmitteln zu fordern. Folgende Regeln müssen allgemein Beachtung finden:

- Um eine Keimverschleppung zu vermeiden, muß vor jeder Reinigung eine Desinfektion erfolgen (z.B. Hände, Instrumente).
  Grundsätzlich gilt: Erst desinfizieren, dann reinigen!
- Die vorgegebene **Dosierung** von Desinfektionsmitteln muß **genau eingehalten** werden, da sonst keine optimale Wirkung erzielt wird. Eine **Überdosierung** ist aus umwelthygienischen und wirtschaftlichen Gründen nicht vertretbar; die schädigende Wirkung erhöht sich und die klinische Wirksamkeit verbessert sich nicht.
  Eine **Unterdosierung** schwächt die Wirkung der Desinfektionsmittellösung ab, außerdem wird die Gefahr der Ausbildung von resistenten Mikroorganismen erhöht.
- Die **Einwirkzeit** von Desinfektionsmittellösungen muß **genau eingehalten** werden. In diesem Zusammnenhang werden die häufigsten Fehler bei der Hände- und Hautdesinfektion gemacht.
- Den Desinfektionsmittellösungen dürfen nur vom Hersteller empfohlene Zusätze, z.B. Reinigungsverstärker, zugegeben werden. Die Zugabe von Seife oder anderen Reinigungsmitteln führt zu Wirkungsverlusten.
- Ein Hautkontakt mit Desinfektionsmittellösungen, die nicht für die Anwendung am Menschen geeignet sind, ist zu vermeiden. Bei einer Wischdesinfektion größerer Flächen empfiehlt es sich, Haushaltshandschuhe zu tragen.
- Bei Verspritzen von Desinfektionsmittellösung in die Augen sind diese umgehend mit klarem Wasser zu spülen; zur Sicherheit sollte ein Augenarzt konsultiert werden.
- Desinfektionsmittel müssen vor Mißbrauch geschützt, z.B. kindersicher gelagert werden und dürfen nicht in Behältnisse mit einer anderen Etikettierung umgefüllt werden.

4.8.4.6.3 Haut- und Schleimhautdesinfektion

Bei allen Eingriffen, bei denen die Haut durchstochen oder durchtrennt wird, ist eine **Hautdesinfektion** erforderlich, da die Gefahr einer Keimverschleppung besteht. Ein Hautdesinfektionsmittel muß **schnell wirksam** sein und ein **breites Wirkungsspektrum** haben. Neben der transidenten muß auch die residente Hautflora abgetötet werden. Für eine Markierung zu desinfizierender Hautbereiche steht gefärbtes Hautdesinfektionsmittel zur Verfügung. Da Hautdesinfektionsmittel direkt am Menschen zur Anwendung kommen, können nur verträgliche, gering toxische Wirkstoffe eingesetzt werden, z.B. Alkohole und jodabspaltende Verbindungen *(siehe Tabelle "Desinfektionsmittel", Seite 491)*.

Die **Einwirkzeit** richtet sich nach der Art des Eingriffs, (wobei sie sich in Körperregionen mit einer höheren Talgbildung verlängert):

- Vor einer Injektion muß je nach Präparat eine Einwirkzeit von 15 - 30 Sekunden eingehalten werden, in Körperregionen mit hoher Talgproduktion 60 Sekunden.
- Vor einer Punktion, z.B. eines Gelenks oder einer Durchtrennung der Haut für eine Operation, erhöht sich die Einwirkzeit auf mehrere Minuten, außerdem wird eine wiederholte Benetzung empfohlen, z.B. 2 mal 2½ Minuten Einwirkzeit, bei talgdrüsenreicher Haut 2 mal 5 Minuten. Vor Punktionen oder Operationen wird gefärbtes Desinfektionsmittel benutzt. Dieses wird entweder aufgesprüht oder (vor operativen Eingriffen) mit einer sterilen Kornzange und sterilen Tupfern aufgetragen. Durch die mechanische Wirkung bei der Wischdesinfektion kann das Desinfektionsmittel besser in die oberen Hornhautschichten eindringen und wirksam werden. Eine Rekontamination ist unbedingt zu vermeiden.
  Beachte: Eine **wirksame Hautdesinfektion** ist nur möglich, wenn der entsprechende Hautbezirk vollständig benetzt und die jeweilige Einwirkzeit (Herstellerhinweise sind Mindesteinwirkzeiten!) abgewartet wird; vor Injektionen werden diesbezüglich die meisten Fehler gemacht.

Bei der **Schleimhautdesinfektion** muß berücksichtigt werden, daß Schleimhaut sehr empfindlich ist und leicht Reizungen sowie Sensibilisierungen auftreten. Wegen der guten Durchblutung der Schleimhaut können aufgebrachte Substanzen teilweise resorbiert werden und im Körper eine toxische Wirkung entfalten. Wirkstoffe, die bei Schleimhautdesinfektion zur Anwendung kommen, müssen eine gute Verträglichkeit aufweisen und dürfen nicht toxisch sein. Gleichzeitig müssen sie eine ausreichende Keimzahlreduzierung bewirken. Die besten Ergebnisse erzielen jodabspaltende Verbindungen *(siehe Tabelle "Desinfektionsmittel", Seite 491)*. Aus Sicherheitsgründen dürfen jodhaltige Präparate bei Schwangerschaft, Allergiebereitschaft und Schilddrüsenerkrankungen nicht zur Anwendnung kommen.
Zur Keimreduzierung im Bereich der Schleimhäute werden auch **Antiseptika** eingesetzt. Diese erzielen nicht den Grad der Keimreduzierung wie Desinfektionsmittel. Die erreichte **Keimarmut** soll eine Infektion verhindern *(siehe Tabelle "Desinfektionsmittel", Seite 491)*.
Nach der Durchführung einer Haut- oder Schleimhautdesinfektion kommt es in kurzer Zeit wieder zu einer **Neubesiedelung** des entsprechenden Hautareals. Desinfektionsmittel im operativen Bereich (chirurgische

Händedesinfektion / Hautdesinfektion vor Operationen) müssen daher eine remanente, d. h. länger anhaltende Wirksamkeit haben.

4.8.4.6.4 Instrumentendesinfektion

Chirurgische Instrumente müssen sofort nach ihrer Benutzung in eine Desinfektionsmittellösung gelegt werden (**Naßentsorgung**). Durch dieses Vorgehen wird eine Keimverschleppung ausgeschlossen und die Infektionsgefahr für Patienten und Personal reduziert. Gleichzeitg wird ein Antrocknen von Blut oder anderen Sekreten verhindert und eine wirksame Keimabtötung erleichert.
Für die Instrumentendesinfektion im stationären Bereich können spezielle kleinere Instrumentenwannen zum Einsatz kommen. Diese sind immer geschlossen zu halten, über eine kleinere Öffnung können die Instrumente ohne Abnehmen des Deckels eingelegt werden. Die Instrumente müssen vollständig mit Desinfektionsmitteln bedeckt sein, Scheren, Klemmen o. ä. sind zu öffnen, Luftblasen an den Instrumenten müssen entfernt werden.
Der Desinfektionsmittellösung darf ein vom Hersteller empfohlener Reingungsverstärker zugesetzt werden *(siehe Tabelle "Desinfektionsmittel", Seite 491)*. Nach der entsprechenden Einwirkzeit werden die Instrumente gereinigt, mit klarem Wasser abgespült (Siebeinsatz der Instrumentenwanne) und müssen trocknen. Die weiteren Maßnahmen im Rahmen der Wiederaufbereitung der Instrumente, z.B. Wartung und Pflege, Verpackung, Sterilisation, erfolgen in der Regel in der Zentralsterilisation.
Ein Hautkontakt mit Instrumentendesinfektionsmittellösung muß auf jeden Fall vermieden werden.

4.8.4.6.5 Flächendesinfektion

Zum Ziel der Flächendesinfektion siehe vorstehend *"Laufende Desinfektion"*. Die Wirksamkeit der Flächendesinfektion als Maßnahme der Infektionsprophylaxe ist umstritten. In vielen Fällen, z.B. nach der Desinfektion von Fußböden, findet innerhalb kürzester Zeit eine Neubesiedelung statt. Die regelmäßige Flächendesinfektion ist unbedingt erforderlich in Bereichen mit hohem Infektionsriskio für Patienten (z.B. OP, Intensivstation, Säuglingsstation) und Bereichen, von den eine Infektion ausgehen kann, (z.B. Isolierstationen oder -zimmer, Intensivstation). Bei sichtbaren Verschmutzungen von Flächen, z.B. mit Blut, Urin, Sputum oder Verunreinigungen unbekannter Herkunft, muß unabhängig vom Infektionsrisiko des jeweiligen Bereichs unverzüglich eine Wischdesinfektion vorgenommen werden.

"Hygienische und chirurgische Händedesinfektion"
siehe "Händehygiene", Seite 487.

4.8.4.7 Sterilisation

❒ Definition

Der Vorgang der **Sterilisation** hat, im Gegensatz zu einer Desinfektion, das Ziel der **Abtötung aller Mikroorganismen** (einschließlich Sporen), es soll **Keimfreiheit** erreicht werden.

❒ Verfahren der Sterilisation

Die Versorgung eines Krankenhauses mit Sterilgut erfolgt in der Regel durch die **Zentralsterilisation** (z.B. OP - Siebe, Verband-Wechsel-Sets) und den Einkauf industriell aufbereiteter Materialien (z.B. sterile Einmalartikel).
Je nach Sterilisationsgut kommen unterschiedliche Verfahren zur Anwendung.

❍ Physikalische Verfahren

Die keimabtötende Wirkung beruht auf der Einwirkung von Hitze, diese führt zu einer irreversiblen Veränderung *(Denaturierung*)* der Eiweiße von Mikroorganismen.

- **Heißluftsterilisation**
  - erzielt ihre Wirkung durch heiße, trockene und bewegte Luft;
  - erfolgt in einem Heißluftsterilisator;
  - die Sterilisationszeiten sind abhängig von der Höhe der Temperatur, z.B. bei 200 Grad Celsius / 10 Minuten, bei 180 Grad Celsius / 30 Minuten;
  - kann angewandt werden bei hitzestabilen Materialien, z.B. Metall, Glas.

  Die Heißluftsterilisation findet im klinischen Bereich kaum noch Anwendung.
- **Dampfsterilisation**
  - wird in einem Dampfsterilisator (Autoklaven) durchgeführt;
  - erzielt ihre Wirkung durch gespannten, gesättigten Wasserdampf;
  - im Autoklaven wird die Luft durch gespannten Wasserdampf (120 Grad Celsius) vertrieben, bis eine wasserdampfgesättigte Atmosphäre vorliegt;
  - das Sterilisiergut wird mit dampfdurchlässigem Material verpackt, z.B. Spezialpapier, Metallcontainer mit Lochung (Filter), Folien; eine Kombination dieser Materialien mit Textilien ist möglich;
  - der Autoklav darf nur so weit beschickt werden, daß der Dampf überall eindringen kann;
  - die **Betriebszeit** eines Autoklaven setzt sich zusammen aus:
    - der Anheizzeit bzw. Entlüftungszeit (Herstellen eines Vakuums im Autoklaven);
    - der Ausgleichszeit (Erreichen der erforderlichen Temperatur auch im Inneren des Sterilisiergutes);
    - der Einwirkungszeit; diese setzt sich zusammen aus der Abtötungszeit und einem Zeitzuschlag (Sicherheitszuschlag); die üblicherweise erforderliche Abtötungszeit beträgt: bei 121 Grad Celsius und 2,05 bar Überdruck 15 Minuten;
    - der Kühlzeit (Abkühlung und Auslüftung des Sterilisiergutes);
  - kann angewandt werden für z.B. Textilien, Papier, Glas, Metall, Gummi;
  - ist wegen ihrer breiten Anwendbarkeit und Umweltfreundlichkeit die bevorzugte Sterilisationsmethode.
- **Strahlensterilisation**
  - erzielt ihre Wirkung durch Beta- oder Gammastrahlen; die ionisierenden Strahlen führen zu einer Zellschädigung durch Zerstörung der Nukleinsäuren;
  - kommt nur in der industriellen Produktion von Sterilgut zur Anwendung, z.B. für Einmalartikel.

❍ Chemische Verfahren

- **Gassterilisation**
  - die keimabtötende Wirkung wird erzielt durch Denaturierung* von Eiweißen der Mikroorganismen;
  - erzielt ihre Wirkung durch ein toxisches Gas (Äthylenoxid), das in eine Kammer (Gassterilisator) eingelassen wird;
  - wegen der hohen Toxizität des Gases werden an Gasterilisatoren und die erforderlichen Räumlichkeiten strenge Sicherheitsanforderungen gestellt;
  - erfolgt bei relativ niedriger Temperatur (55 Grad Celsius), wird daher auch als Kaltsterilisation bezeichnet;
  - die Einwirkzeit liegt je nach Sterilisationsgut zwischen 20 Minuten und 6 Stunden;
  - kann bei allen thermolabilen Materialien zur Anwendung kommen, z.B. Instrumente mit Optiken, Gummi- und Kunststoffartikel;
  - die Auslüftung / Ausgasung muß in speziellen Räumen erfolgen;
  - die Auslüftungszeit richtet sich nach der Art und Menge des Sterilisiergut.

  Neben Äthylenoxid können andere toxische Gase zur Sterilisation eingesetzt werden, z.B. Formaldehyd, Betapropiolacton / BPL, Ozon.

❒ Qualitätsanforderungen / Kontrolle der Sterilität

Um den heutigen Qualitätsanforderungen gerecht zu werden und Sterilität garantieren zu können, werden an Sterilisatoren hohe technische Anforderungen gestellt. Das verantwortliche Personal der Zentralsterilisation kommt in der Regel aus dem Pflegebereich (günstig mit Berufserfahrung im OP) und muß eine erweiterte Kompetenz aufweisen. Diese kann durch Teilnahme an speziellen Fortbildungen erworben werden. Eine Fachweiterbildung für Personal in Zentralsterilisationen wird angestrebt.

Eine **Kontrolle der Sterilisation** kann mit unterschiedlichen Methoden erfolgen:

Durch den Einsatz von **Farbindikatoren** kann nachgewiesen werden, daß das Sterilisiergut für eine bestimmte Zeit einer bestimmten Temperatur ausgesetzt war, es erfolgt ein Farbumschlag. Farbindikatoren werden in das Sterilisiergut gelegt oder auf die Verpackung geklebt. Jede Sterilgutpackung ist mit einem Farbindikator versehen.

Bei sogenannten **Bio-Indikatoren** handelt es sich um für den Menschen harmlose Bakteriensporen in speziellen Teststreifen (*„Sporenpäckchen"*), diese werden in das Sterilisiergut, z.B. ein OP - Sieb, gelegt; eine Sterilisation erfolgt in üblicher Weise. Bei der Benutzung des OP - Siebes wird das Sporenpäckchen entnommen und bakteriologisch untersucht. Es darf kein Bakterienwachstum stattfinden. Sterilitätskontrollen mit Bio-Indikatoren werden einmal pro Charge vorgenommen.

4.8.4.8 Umgang mit Sterilgut

❒ Verpackung

- Als Verpackungsmaterialien werden **Papierbögen oder -beutel** sowie **Klarsichtfolien**, die einer DIN-Vorgabe unterliegen, benutzt. Folien haben den Vorteil, daß der Inhalt und die Anordnung des Sterilgutes sichtbar sind. Eine weitere Verpackungsform sind **Metallcontainer**; hier erfolgt die Verpackung häufig in Kombination mit Textilien, z.B. bei Instrumentensieben für den OP.
- Eine Verpackung muß so erfolgen, daß eine **aseptische Entnahme** des Sterilgutes möglich ist.
- Um Beschädigungen vorzubeugen, sind unnötige Manipulationen an der Verpackung zu unterlassen.
- Bei einer **Sterilgut - Einfachverpackung** handelt es sich um eine einlagige Verpackung, **Sterilgut - Zweifachverpackungen** sind Doppelverpackungen. **Sterilgut - Lagerverpackungen** sind staubdichte, wiederverschließbare Verpackungen, in der Regel handelt es sich um einen Umkarton. Eine Sterilgutlagerverpackung muß vor dem Anbruch entstaubt werden.

❒ Lagerung

- Die Lagerung muß möglichst **staubfrei** erfolgen, z.B. in Schubläden oder Schränken; bei Öffnen der Verpackung aufgewirbelter Staub führt zu einer Kontamination des Sterilgutes. Der Lagerplatz muß ebenfalls gut belüftet und trocken sein, große Temperaturschwankungen müssen vermieden werden.
- Sterilgut darf **nicht im Kühlschrank** gelagert werden, da sich im Kühlschrank Kondensationswasser bildet, das die Packung durchfeuchtet.
- Eine **Bevorratung** sollte möglichst **knapp** sein und sich an dem realistischen Bedarf orientieren. Ein kleiner Vorrat erleichert den Überblick und verhindert ein Überschreiten der Sterilisationsgarantie (Wirtschaftlichkeit).
- Materialschütten, z.B. für Spritzen, Kanülen, dürfen erst dann wieder aufgefüllt werden, wenn der Inhalt vollständig verbraucht ist. Sie sind regelmäßig zu entstauben (Wischdesinfektion).
- Der Verbrauch von Sterilgut richtete sich nach dem Verfalldatum, das jeweils älteste Produkt wird zuerst verbraucht.
- Für die **Lagerdauer** ist entscheidend, ob es sich um eine ungeschützte (Regal) oder geschützte (Schublade, Schrank) Lagerung handelt.
- Lagerdauer von **Sterilgut-Einfachverpackungen**:
  - ungeschützt 24 Stunden;
  - geschützt 6 Wochen.
- Lagerdauer von **Sterilgut-Zweifachverpackungen**:
  - ungeschützt 6 Wochen;
  - geschützt 6 Monate.
- **Sterilgutlagerverpackung:**
  - ungeöffnet 5 Jahre;
  - nach Öffnung 6 Monate (Anbruchdatum notieren!).

❒ Gebrauch

Vor dem Gebrauch steriler Materialien muß deren Überprüfung erfolgen. Dazu wird:

- die Verpackung auf Unversehrtheit kontrolliert (Aussehen? Defekte? Gelöste Schweißnähte? Hinweise auf Kontakt mit Feuchtigkeit? Farbveränderungen?);
- das Sterilisations- bzw. Haltbarkeitsdatum kontrolliert;
- der Farbindikator auf der Verpackung kontrolliert.

Beachte: Jede Farbveränderung einer Sterilgutverpackung kann ein Hinweis auf einen Lagerungsfehler, z.B. Kontakt mit Feuchtigkeit, sein; die Sterilität ist nicht mehr sicher gegeben. Im Zweifelsfällen muß eine solche Verpackung verworfen oder resterilisiert werden.

Beim Arbeiten mit sterilem Material sind folgende Punkte zu beachten:
- vor dem Arbeiten mit sterilem Material eine Händedesinfektion vornehmen;
- für ausreichend Ablagefläche sorgen;
- steriles immer deutlich getrennt von unsterilem Material ausbreiten;
- nicht über ausgebreitetem sterilen Material sprechen;
- bei ausgebreitetem sterilen Material keine Luftbewegungen verursachen, die Staub aufwirbeln können;
- zu sterilen Materialien einen Sicherheitsabstand einhalten;
- bei Arbeiten mit Sterilgut in unmittelbarer Nähe eines Patienten diesen entsprechend informieren;
- Sterilgut vorsichtig und vorschriftsmäßig (Herstelleranweisung) öffnen und dabei nicht berühren;
- Sterilgut nur unter Einhaltung der Asepsis entnehmen, z.B. mit steriler Pinzette oder sterilen Handschuhen (Sterilität ist absolut!);
- Anreichen steriler Materialien, z.B. bei der Versorgung größerer oder infizierter Wunden, nach Möglichkeit durch eine zweite Pflegeperson.

4.8.4.9 Hygieneplan

Die **Unfallverhütungsvorschrift „Gesundheitsdienst“** (VBG 103) gilt unter anderem für Unternehmen und Teile von Unternehmen, in denen bestimmungsgemäß Menschen stationär medizinisch untersucht, behandelt oder gepflegt werden und gibt insbesondere Maßnahmen zur Infektionsprophylaxe vor.
Der Paragraph 9 der Unfallverhütungsvorschrift sieht die Erstellung eines Hygienplans vor. Dazu heißt es:
„Der Unternehmer hat für die einzelnen Arbeitsbereiche entsprechend der Infektionsgefährdung Maßnahmen zur Desinfektion, Reinigung und Sterilisation sowie zur Ver- und Entsorgung schriftlich festzulegen und ihre Durchführung zu überwachen.“
In der Durchführungsanweisung zu § 9 heißt es:
„Die Forderung ist erfüllt, wenn der Unternehmer in einem Plan festgelegt hat, welche Maßnahmen und Verfahren zur Desinfektion, Reinigung und Sterilisation sowie zur Ver- und Entsorgung durchzuführen sind und welche Personen mit der Durchführung und Überwachung in den einzelnen Bereichen beauftragt sind.“
Die **Erarbeitung von Hygieneplänen** muß **bereichsspezifisch** erfolgen und alle hygienisch relevanten Maßnahmen der jeweiligen Abteilung erfassen. Neben der Erfassung der erforderlichen **Desinfektionsmaßnahmen** *(siehe Tabelle 4.19 "Desinfektionsplan einer Pflegestation")* sollten auch alle **Pflegemaßnahmen** erfaßt werden, die im Rahmen der **Infektionsprophylaxe von Bedeutung** sind. Hier sind beispielhaft zu nennen:
- Verbandwechsel
- Legen und Versorgen eines ZVK
- Vorbereiten und Verabreichen einer Injektion
- Vorbereiten einer Infusion
- Legen eines transurethralen Blasenkatheters
- Umgang mit einem geschlossenen Urinabteilungssystem
- Durchführen einer Ganz- oder Teilwaschung
- Vorbereitung und Durchführung einer Mundpflege
- Umgang mit Sondenkost.

Um eine Akzeptanz zu erreichen und die Umsetzung in die Praxis zu unterstützen, sollte die Erarbeitung der Hygienepläne in Kooperation zwischen Hygienefachpersonal und Vertretern des Personals der entsprechenden Abteilung erfolgen. Hygienepläne sind für das gesamte Personal **verbindlich** und müssen jederzeit zugänglich sein, z.B. an einem zentralen Punkt aushängen oder ausliegen (Hygieneplanordner). Hygienepläne erleichtern die Orientierung und Einarbeitung, z.B. für Berufsanfänger, -wiedereinsteiger oder Auszubildende.

4.8.4.10 Hygienekommission

Die Hygienekommission eines Krankenhauses unter Leitung des ärztlichen Direktors ist für die Hygiene in einem Krankenhaus verantwortlich; sie sollte folgende Mitglieder haben:
- **Ärztlicher Leiter**
  Der ärztliche Direktor hat den Vorsitz der Hygienekommission, er beruft die regelmäßigen Sitzungen ein.
- **Verwaltungsleiter**
- **Pflegedienstleitung**
- **Krankenhaushygieniker**
  Krankenhäuser ab 800 Betten sollten einen Krankenhaushygieniker (Facharzt für Hygiene) beschäftigen. Für kleinere Krankenhäuser empfiehlt sich ein Beratervertrag mit einem Krankenhaushygieniker oder die Zusammenarbeit mit einem Hygieneinstitut.
- **Hygienebeauftragter**
  Als Hygienebeauftragter kann ein Arzt mit erweiterten Kenntnissen im Bereich der Mikrobiologie und Krankenhaushygiene berufen werden.
- **Hygienefachkraft** *(siehe nachfolgend).*

Weitere Personen, die nach Bedarf an einer Sitzung der Hygienekommission teilnehmen müssen, sind z.B. der
- technische Leiter,
- Hauswirtschaftsleiter,
- Krankenhausapotheker (falls vorhanden),
- Medizintechniker,
- Krankenhausdesinfektor.
  Ein Desinfektor ist eine Pflegekraft mit Fortbildungen auf dem Gebiet der Hygiene. Er arbeitet weisungsgebunden und führt z.B. Schädlingsbekämpfungsmaßnahmen oder Raumdesinfektionen durch.

Zu den **Aufgaben einer Hygienekommission** gehören u.a.:
- die Sicherung der Einhaltung gesetzlicher Vorgaben zur Verhütung und Bekämpfung von Krankenhausinfektionen. Beim Auftreten von nosokomialen Infektionen muß die Hygienekommission sofort einberufen und die notwendigen Maßnahmen zur Eindämmung veranlaßt werden, z.B. Ermittlung von Infektionswegen, Isolierung von betroffenen Patienten.

DESINFEKTIONSPLAN					
Was		**Wann**	**Wie**	**Konzentration / Zeit**	**Womit**
 Desinfektion - Hand	Händedes-infektion (hygienisch)	z.B. nach Kontakt mit infektiösem Material; vor Kontakt mit Speisen und Medikamenten; vor aseptischen Tätigkeiten	Konzentrat in die trockenen Hände einreiben	30 Sek.	Promanum® N
 Desinfektion - Hand	Hände-waschung Händepflege	bei Bedarf, i.d.R. nach vorheriger Händedesinfektion nach Bedarf	waschen, gut abspülen und mit Einmalhandtuch abrocknen		Lifosan® soft / Baktolin® Cewisan P® Stokolan®-Pflegecreme
 Desinfektion - Haut	Hautdesin-fektion	vor Injektionen; Desinfektion bei Verbandwechsel für Venenverweilkanülen	beim Einsprühen Abstand einhalten, Hautbereiche vollständig benetzen, Einwirkzeit beachten	15 Sek.	Cutasept F® Cutasept G®
 Desinfektion - Haut	Schleimhaut-desinfektion	vor Legen eines transurethralen Blasenkatheters	mit sterilem Tupfer auftragen	1 - 2 Min.	Braunol® 2000
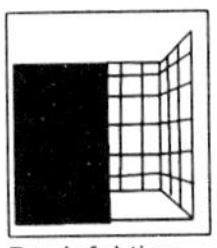 Desinfektion - Fläche	Fläche	1 x täglich und bei Bedarf	wischen, auf vollständige Benetzung achten, trocknen lassen	0,5% / 1 Std.	Descosal® 1)
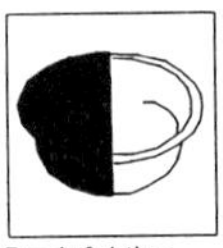 Desinfektion - Behälter	Wasch-schüsseln	nach Gebrauch	auswischen, auf vollständige Benetzung achten, trocknen lassen	0,5% / 1 Std.	Descosal® 1)
 Desinfektion - Instrumente	Instrumente	nach Gebrauch	einlegen in die Desinfektionsmittellösung, (evtl. Reinigungsverstärker Instru Plus® zugeben), nach Einwirkzeit reinigen, mit Wasser abspülen, trocknen lassen	1% / 1 Std.	Descoton® forte1)

1) Bei Anwendung dieser Desinfektionsmittel schreibt die Berufsgenossenschaft das Tragen von Handschuhen vor.

Tabelle 4.19 ***Desinfektionsplan für eine Pflegestation*** *(Beispiel)*

• die Sicherung der Finanzierung und Organisation von Fortbildungen auf dem Gebiet der Hygiene für das Personal.
• die Berücksichtigung hygienischer Forderungen bei baulichen Maßnahmen oder der Anschaffung technischer Geräte.

4.8.4.11 Hygienefachkraft

Die **Weiterbildung** zur / zum **Krankenschwester / -pfleger bzw. Kinderkrankenschwester / -pfleger für die Krankenhaushygiene**, im folgenden als **Hygienefachkraft** bezeichnet, ist eine Qualifikationserweiterung für Pflegekräfte auf dem Gebiet der Krankenhaushygiene. Die Bedingungen der Weiterbildung zur Hygienefachkraft
sind in der **„Richtlinie für Krankenhaushygiene und Infektionsprävention des Robert - Koch - Instituts" - 5.3.7. - Krankenschwester für Krankenhaushygiene - Oktober 1994** veröffentlicht. Zulassungsvoraussetzungen sind eine erfolgreich abgeschlossene Kranken- oder Kinderkrankenpflegeausbildung. Eine mindestens 3-jährige Berufstätigkeit mit Erfahrungen in Pflege- und Funktionsbereichen wird ebenfalls vorausgesetzt. Die Weiterbildung kann berufsbegleitend (zwei Jahre) oder als Vollzeitlehrgang (1 Jahr) absolviert werden. Sie umfaßt mindestens 720 Stunden theoretischen Unterricht (z.B. Grundlagen der Hygiene und Mikrobiologie, - der Krankenhaushygiene, - der technischen Krankenhaushygiene und des Krankenhausbaus, - der Krankenhausbetriebsorganisation, sozialwissenschaftliche Grundlagen) und ein 30-wöchiges Praktikum. Die Weiterbildung schließt mit einer schriftlichen und mündlichen Prüfung ab.
Die Aufgaben einer Hygienefachkraft werden ebenfalls in der vorstehend genannten Richtlinie beschrieben, dazu gehören u.a.:

"- *Mitwirkung bei der Einhaltung der Regeln der Krankenhaushygiene durch*
  - *regelmäßige Begehungen aller Bereiche des Krankenhauses*
  - *Überwachung der Pflegetechniken (z.B. Verbandwechsel, Katheterpflege) und anderer Arbeitsabläufe (z.B. Maßnahmen der Desinfektion, Sterilisation und Reinigung)*
  - *Erstellung, Fortschreibung und Überwachung der Einhaltung von Hygieneplänen*
- *Mitwirkung bei der Erkennung von Krankenhausinfektionen durch*
  - *Aufzeichnung der Daten bezüglich Krankenhausinfektionen*
  - *Mitarbeit bei der Erstellung von Infektionsstatistiken und deren Auswertung*
  - *Mitarbeit bei epidemiologischen Untersuchungen*
- *Unverzügliche Unterrichtung der für die entsprechenden Bereiche Verantwortlichen bei Verdacht auf Krankenhausinfektionen*
- *Mitwirkung bei der Verhütung und Bekämpfung von Krankenhausinfektionen durch allgemeine oder bereichsspezifische Beratung*
- *Schulung und praktische Anleitung des Personals*
- *Mitwirkung bei der Auswahl hygienerelevanter Verfahren oder Produkte (z.B. Desinfektionsmittel, Einmalprodukte)*
- *Vorbereitungen der Sitzungen der Hygienekommission in enger Zusammenarbeit mit dem Vorsitzenden und den übrigen Mitgliedern."*

Eine Hygienefachkraft kann den hohen Anforderungen und Erwartungen, die oft an sie gestellt werden, nur gerecht werden, wenn sie bei ihrer Arbeit eine Unterstützung der übrigen Mitglieder der Hygienekommission erfährt. Diese haben fast alle Weisungsbefugnis gegenüber Nachgeordneten und damit größeren Einfluß als eine Hygienefachkraft.

4.9 Umweltbelastung und Umweltentlastung in Pflegeeinrichtungen

In Krankenhäusern u.ä. Institutionen sind Entlastung und **Schutz der Umwelt** ebenso **erforderlich** wie in jeder anderen Einrichtung. Außerdem sollte jeder Betriebsangehörige - ebenso wie jeder Bürger - **Verantwortungsbewußtsein** für die Umwelt und somit für die Erhaltung bzw. Rettung der Lebensgrundlage der Menschen zeigen. **Umweltschutz bedeutet somit auch Gesundheitsfürsorge, -vorsorge, -bildung und Krankheitsvorbeugung.**

❒ Umweltbelastungen

Abfälle, die in Krankenhäusern u.ä. Institutionen anfallen, werden laut ZfA-Merkblatt Nr. 8 *(Merkblatt Nr. 8 der Zentralstelle für Abfallbeseitigung)* in drei Gruppen eingeteilt.

Gruppe 1
• Abfälle, die grundsätzlich jeder Beseitigungsmethode zugänglich sind
  - dem Hausmüll ähnliche Abfälle wie Papier, Verpackungsmaterial, Glas, Metall, Kunststoffe, Einwegartikel
  - krankenhausspezifische Abfälle wie Wund- und Gipsverbände, Einwegartikel, desinfizierte Abfälle aus Infektionsstationen und Einrichtungen, in denen mikrobiologisch gearbeitet wird.

Gruppe 2
• Abfälle, die im allgemeinen verbrannt werden müssen, wie
  - Körperteile und Organabfälle aus der Pathologie, Chirurgie, Gynäkologie, Geburtshilfe und anderen Bereichen
  - Abfälle, die nach § 10a Absatz 1 BSeuchG vernichtet werden müssen.

Gruppe 3
• Abfälle, die einer besonderen Behandlung bedürfen, wie
  - Chemikalien und Medikamente, wenn sie wegen zu großer Menge nicht unter Gruppe 1 einzuordnen sind

chend erhöht. Die Umgebungsluft muß allerdings relativ trocken sein; bei hoher Luftfeuchtigkeit (tropischer Urwald) können nur Außentemperaturen bis zu 33° C vom Menschen toleriert werden. Höhere Temperaturen bei hoher Luftfeuchtigkeit führen zum Hitzestau *(siehe "Hitzschlag", Seite 507)*.

5.3 Beobachtung der Körpertemperatur

Die Beobachtung der Körpertemperatur liefert wichtige **diagnostische Hinweise**.
Normabweichende Temperaturwerte können ein erster Hinweis auf Komplikationen, Entzündungen, Wundinfektionen und andere Störungen der Körperfunktionen sein. Die Art, das Ausmaß und der Verlauf des Temperaturanstiegs können spezifische Symptome eines Krankheitsbildes sein.
Kontrollmessungen können die Beurteilung des Krankheitsverlaufs und der therapeutischen Maßnahmen erleichtern.

5.3.1 Ermittlung der Körpertemperatur

Die Beobachtung der Körpertemperatur geschieht in erster Linie durch das **Messen** der Körpertemperatur.
Sie erfolgt erstmalig bei der Aufnahme des Patienten, um einen Ausgangswert zu erhalten. Die Häufigkeit weiterer Messungen ist abhängig vom Krankheitsbild bzw. von diagnostischen Zwecken. Bei Temperaturwerten außerhalb des Normbereichs erfolgen mehrmals täglich Kontrollmessungen.
Da Bewegung und Aufregung die Körpertemperatur beeinflussen, sollte die Messung **im Liegen** und nach 30 minütiger Ruhepause erfolgen.

Die Temperaturmessung ist mit verschieden konstruierten Thermometern möglich.
Das **Maximalthermometer** beinhaltet in einer Glashülle eine in Zehntelgrade, von 35 - 42° C eingeteilte Skala und ein Quecksilberdepot mit einer Kapillare. Die Quecksilbersäule bleibt während der Messung beim höchsten gemessenem Wert stehen, weil der Quecksilberfaden bei Abkühlung abreißt. Vor erneuter Verwendung muß die Quecksilbersäule heruntergeschlagen werden.
Fieberthermometer mit geradem oder leicht kugeligem Quecksilberdepot eignen sich für die orale Messung.
Eine **schmale Spitze** wird bei der axillaren, eine abgerundete Spitze bei der rektalen Messung bevorzugt.
Digitalthermometer sind quecksilberfrei, bruchsicher und wasserdicht. Eine Temperaturmessung dauert ca. 30 - 60 Sekunden, das Ende des Vorgangs wird über einen Signalton angekündigt. Der Temperaturwert kann über eine Digitalanzeige abgelesen werden.
Immer häufiger stehen auch **elektronische Geräte** zur rektalen und zur sublingualen Temperaturmessung zur Verfügung. Ein Temperaturfühler, der mit einer Schutzhülle versehen wird, registriert sekundenschnell die Temperatur und leitet die Werte an das Meßgerät weiter. Hier erscheint mittels Digitalanzeige der registrierte Wert. Das Erreichen des maximalen Wertes wird durch ein besonderes akustisches oder optisches Signal vermittelt. Elektronische Geräte sind zwischen den Meßvorgängen im Ladegerät aufzubewahren.
Infrarot - Ohrthermometer messen innerhalb von 1 - 3 Sekunden am äußeren Gehörgang die Temperatur der vom Trommelfell abgegebenen Infrarotstrahlung. Diese entspricht der Temperatur im Körperinneren. Nach Aufsetzen einer Meßhülle auf den Meßkonus wird dieser so auf den Gehörgang aufgesetzt, daß der Ohrkanal abgedichtet ist. Der Meßvorgang wird durch Drücken des Startknopfes ausgelöst und sein Ende nach 1 - 3 Sekunden durch einen Signalton angezeigt. Das Ergebnis ist auf einem Digitaldisplay ablesbar.

Die **genauesten Werte** bezüglich der Temperatur im Körperinneren **liefert die rektale Messung**; deshalb wird sie zu diagnostischen Zwecken bevorzugt durchgeführt. Routinemessungen erfolgen meist oral (sublingual), da diese Meßart angenehmer empfunden wird.

❒ Meßarten

Je nach Meßart sind die im folgenden aufgeführten Punkte zu beachten.

❍ **Rektale Messung:**
- normal sind Werte von 36,5 - 37,4° C;
- erfolgt mit dem Rektalthermometer, welches mit einer Schutzhülle versehen wird;
- wird in Bauchlage oder Seitenlage, notfalls in Rückenlage durchgeführt;
- das mit einer Schutzhülle versehene Thermometer wird ggf. mit Wasser angefeuchtet und unter drehender Bewegung mit der Spitze in den Darm eingeführt;
- bei Kindern und bei unruhigen / verwirrten Menschen ist das Thermometer während der gesamten Meßdauer von der Pflegeperson festzuhalten;
- erfolgt 3 - 5 Minuten lang;
- kann auch mittels Rektalsonde zwecks Dauerüberwachung der Temperatur erfolgen, dazu wird eine Sonde mit Meßfühler ca. 10 cm in das Rektum eingeführt und mit einem elektronischen Überwachungsgerät verbunden; dieses ermöglicht eine kontinuierliche optische Darstellung der Temperaturwerte.

❍ **Axillare Messung:**
- normal sind Werte von 36,0 - 36,9° C;
- erfolgt mittels Thermometer, das über eine lange Spitze verfügt;
- die Achselhöhle wird getrocknet, dann die Thermometerspitze in die Achselhöhle einlegt;
- der Arm muß während der Messung dicht am Oberkörper gehalten werden;
- ist ungeeignet, wenn der Patient nicht kooperativ ist;
- erfolgt 8 - 10 Minuten lang;
- liefert relativ ungenaue Werte.

❍ **Orale Messung (sublinguale Messung):**
- normal sind Werte von 0,3 - 0,5° C unter der rektalen Temperatur, ca. 36,1 - 37,1° C;

- erfolgt mit einem Spezialthermometer, das unter der Zunge in Höhe des Übergangs vom Zungengrund zum Mundboden, rechts oder links neben dem Zungenbändchen plaziert wird;
- die Lippen sind währenddessen geschlossen zu halten (deshalb bei unvollständigem Lippenschluß und bei Atemnot ungeeignet);
- erfordert, daß der Patient ab 15 Minuten vor der Messung keine heißen oder eißgekühlten Getränke zu sich nimmt (ansonsten Verfälschung der Meßwerte!);
- ist nicht geeignet bei Patienten, die das Thermomether zerbeißen könnten;
- dauert bei Verwendung eines Spezialthermometers 7 - 9 Minuten lang, bei Einsatz eines elektronischen Meßgerätes weniger als eine Minute.

Nach Ablauf der jeweils einzuhaltenden Meßdauer wird das Thermometer zur **Temperaturablesung** waagerecht gehalten. Der abgelesene Wert wird sofort aufgeschrieben, optimal ist die Einzeichnung mit einem Blaustift in der Temperaturkurve; dabei muß die Art der Messung durch stationsübliche Symbole gekennzeichnet werden. Deutliche Abweichungen von der Norm werden dem Arzt zusätzlich mündlich mitgeteilt.

Nach Gebrauch werden die Maximalthermometer in Desinfektionslösung eingelegt und nach Ablauf der Einwirkzeit gereinigt, klar abgespült und abgetrocknet. Der Quecksilberfaden ist durch leichtes, ruckartiges Schütteln herunterzuschlagen.
Elektronische Geräte werden lediglich von außen mit einem Desinfektionsmittel abgewischt.

5.3.2 Veränderungen der Körpertemperatur

5.3.2.1 Erhöhte Körpertemperatur und Hitzeschäden

Die Erhöhung der Körpertemperatur wird in verschiedene Stufen eingeteilt:

• subfebrile Temperatur	37,1 - 38,0° C
• mäßiges Fieber	38,0 - 38,5° C
• hohes Fieber	38,5 - 40,5° C
• sehr hohes Fieber	über 40,5° C

Die oben genannten Werte beziehen sich auf eine axillare Messung.
Eine Erhöhung der Körpertemperatur **ohne Krankheitswert** entsteht infolge einer Stoffwechselerhöhung bei körperlicher Arbeit oder emotionalen Erregungszuständen.

❒ Fieber (*Febris*)

Als Fieber wird eine durch Symptome der Temperaturerhöhung geprägte, krankhafte **Veränderung des Allgemeinzustandes** bezeichnet.

Bei Fieber sind sowohl **objektive** als auch **subjektive Zeichen** zu beobachten. Letztere werden vom Betroffenen angegeben.
In *Tabelle 5.1* sind den Fieberzeichen die jeweiligen Ursachen zugeordnet.

Objektive Fieberzeichen	Ursachen
- Temperaturerhöhung	- Pyrogene oder - Verletzung der thermoregulatorischen Zentren im Gehirn oder - Zerfallsprodukte körpereigener Zellen
- beschleunigte Atemfrequenz	- der erhöhte Stoffwechsel bedingt einen höheren O_2-Bedarf - Ermöglichung einer gesteigerten Wärmeabgabe über die Ausatmungsluft
- erhöhte Pulsfrequenz um 8 Schläge / Min. pro 1° C Temperaturanstieg	- erhöhter O_2-bedarf aufgrund der Stoffwechselsteigerung - Erhöhung des Herzminutenvolumens, um die fiebererzeugenden Stoffe schneller abzutransportieren und um körpereigene Abwehrstoffe rascher zu transportieren
- Muskelzittern, Zähneklappern, Schüttelfrost	- reflektorisch veranlaßte Wärmeproduktion
- Veränderungen der Haut · Blässe und Kälte · Rötung, Hitze, Trockenheit · Rötung, Hitze, Schweiß	 - Gefäßengstellung zum Schutz vor Wärmeverlusten bei Fieberanstieg - Gefäßweitstellung zwecks Wärmeabgabe bei erreichtem Sollwert - Gefäßweitstellung zwecks Wärmeabgabe zur Erreichung des normalen Sollwertes (Fiebersenkung)
- verminderte Urinausscheidung; dunkler (konzentrierter) Urin	- hohe Flüssigkeitsverluste über die Haut (Schweißdrüsen)
- trockene belegte Zunge	- hohe Flüssigkeitsverluste - verminderte Speichelproduktion, mangelhafte Kautätigkeit, Mundatmung
- Obstipation	- mangelhafte Anregung der Darmmotorik aufgrund Flüssigkeits- / Bewegungs- / Faserstoffmangel
- allgemeine Unruhe bis Schlaflosigkeit	- Stoffwechselerhöhung
- Fieberdelirium (Bewußtseinstrübung mit Wahnideen und motorischer Unruhe)	- toxische Wirkung der fiebererzeugenden Stoffe
- abwechselndes Hitze- und Kältegefühl (Frösteln)	- Körpertemperatur liegt jeweils über bzw. unter dem Soll-Wert
- Kopf- und Gliederschmerzen	- ständig erhöhter Muskeltonus - Wirkung des Muskelzitterns (und der Bakterientoxine)
- allgemeines Krankheitsgefühl: Schwäche, Müdigkeit, Appetitlosigkeit	- Wirkung der Toxine - Stoffwechselerhöhung
- Durst	- erhöhter Flüssigkeitsbedarf infolge des erhöhten Flüssigkeitsverlustes
- Lichtempfindlichkeit der Augen	- unbekannt

Tabelle 5.1 ***Fieberzeichen***

Fieber tritt oft als **Begleitsymptom** von Infektionskrankheiten oder von lokalen Entzündungsprozessen auf. Verursacher sind dabei meist die exogenen Pyro-

gene. Hierunter versteht man Stoffe, die von den Krankheitserregern (Bakterien, Viren, Pilze) abgegeben werden und die die Makrophagen zur Bildung von endogenen Pyrogenen* anregen. Diese **erhöhen** den **Sollwert der Körpertemperatur** im Hypothalamus*. Um diesen zu erreichen, wird sofort eine Engstellung der Hautgefäße zwecks Drosselung der Wärmeabgabe veranlaßt. Gleichzeitig wird durch Muskelzittern die Wärmeproduktion gesteigert; im Extremfall kommt es hierbei zum **Schüttelfrost**. Erst wenn der erhöhte Sollwert erreicht ist, wird das Muskelzittern eingestellt.
Zum **Fieberabfall** kommt es, wenn der Sollwert wieder auf ein niedrigeres Niveau eingestellt ist. Dies geschieht auf natürliche Weise durch das Abklingen der Infektion, also den Wegfall der Pyrogene oder durch die Wirkung fiebersenkender Medikamente (*Antipyretika*). Zwecks Wärmeabgabe erfolgt nun eine vermehrte Hautdurchblutung und Schweißsekretion; unter Umständen sind sogar Schweißausbrüche zu beobachten. Der langsame, allmähliche Fieberabfall wird als **Lysis** bezeichnet. Einen schnellen Fieberabfall, bei dem die Temperatur innerhalb von 24 Stunden auf Werte unter 38,0° C abfällt, bezeichnet man als **Krisis**.
Bei Fieber werden phagozytierende Zellen, welche die Krankheitserreger unschädlich machen, freigesetzt. Es handelt sich somit um eine **Abwehrreaktion des Organismus**. Trotzdem muß andauerndes hohes Fieber medikamentös behandelt werden, da es ansonsten zu Gehirnschäden kommen kann. Bei Erhöhung der Körpertemperatur auf über 42° C kommt es infolge der Zerstörung der Körpereiweiße zum Tod.
Zerfallsprodukte von Körperzellen sind ebenfalls **fiebererzeugende Stoffe**. Sie fallen nach größeren aseptischen Verletzungen, Operationen, bei Gewebsuntergang und bei bösartigem Tumorwachstum mit Zerfall gesunder Zellen an. Die dadurch bedingte Temperaturerhöhung beträgt ca. 1,0 - 1,5° C und dauert meist nicht länger als 5 Tage an; die Temperatur fällt langsam und gleichmäßig. Da dieses Fieber durch die Aufnahme von zerstörten Gewebselementen und Toxinen bedingt ist, spricht man vom **Resorptionsfieber**.
Bei Verletzungen der Temperaturzentren im Gehirn, z.B. infolge eines Schädel - Hirn - Traumas, kann es ebenfalls zum veränderten Sollwert und somit zu Fieber kommen (**zentrales Fieber**).

❒ Fiebertypen

Nach Ausmaß und zeitlichem Verlauf der Temperaturschwankungen unterscheidet man verschiedene Fiebertypen.

Kontinuierliches Fieber

Das Fieber ist **gleichbleibend hoch**, die Tagesschwankungen bleiben unter 1° C. Dieser Fiebertyp ist z.B. bei Lungenentzündung, Scharlach oder Typhus abdominalis zu beobachten.

Remittierendes Fieber

Das Fieber **dauert mehrere Tage** an, die Tagesschwankungen bleiben unter 1,5° C. Diesen Fiebertyp findet man z.B. bei bakteriellen Entzündungen der Niere, bei Tuberkulose oder septischen Prozessen.

Intermittierendes Fieber

Es kommt **stundenweise** zu **Fieberanfällen**. Im Tagesverlauf wechseln hohe Temperaturen und fieberfreie Intervalle. Bei schnellem Fieberanstieg kann Schüttelfrost auftreten. Dieser Fieberverlauf ist eine typische Erscheinung bei der Sepsis *(siehe Seite 470)*.

Rekurrierendes Fieber

Da mehrtägige Fieberschübe und fieberfreie Intervalle (2 - 15 Tage) wiederholt wechseln, spricht man auch vom Rückfallfieber. Es tritt z.B. bei Borreliosen *(typische Infektionskrankheiten durch bestimmte Erreger)* oder bei Malaria auf.

Undulierendes Fieber

Es findet sich eine **wellenförmige Fieberkurve** mit langsamem Fieberanstieg, hohem Fieber über einige Tage und langsamem Fieberabfall. Einige fieberfreie Tage bilden das Tal der Welle, bevor sie erneut wie oben beschrieben an- und absteigt. Das Auftreten dieses Fiebertyps kommt vor bei Brucellosen *(Infektionskrankheiten, die durch Brucellen ausgelöst werden)* und bei Morbus Hodgkin.

Biphasisches *(Diphasisches)* Fieber

Das Fieber tritt in **zwei Phasen** auf; Anstieg und Abfall verlaufen in jeweils typischer Form, so daß die Aufzeichnung dem Umriß eines Dromedares gleicht *(Dromedarkurve)*. Dieser Fieberverlauf ist typisch bei Infektionskrankheiten wie Kinderlähmung, Masern und Hepatitis epidemica.

Anmerkung: Aufgrund des therapeutischen Einsatzes bestimmter Medikamente, insbesondere der Antibiotika, werden die besprochenen typischen Fieberverläufe verändert. Oft wird das Fieber schnell gesenkt, so daß sich die krankheitstypische Fieberkurve nicht beobachten läßt.

❒ Sonnenstich

Ein Sonnenstich *(Insolation)* entwickelt sich **bei längerer Sonneneinstrahlung auf** den **unbedeckten Kopf** und Nacken; Menschen mit wenig oder nicht behaarter Kopfhaut sind besonders gefährdet.

Symptome sind heftige Kopfschmerzen bei hochrotem heißem Kopf, Übelkeit, Ohrensausen, Schwindel, Tachykardie, Hyperthermie* und Bewußtseinsstörung / Kollaps. Es handelt sich hierbei um die Folgen einer übermäßigen Gehirndurchblutung *(Hyperämie)* und einer Entzündung der Hirnhäute *(seröse Meningitis)*; ein **tödlicher Verlauf** ist **möglich**.

❒ Hitzeerschöpfung

Bei der Hitzeerschöpfung findet sich **keine Erhöhung der Körpertemperatur**. Der Zustand ist **Folge nicht ausgeglichener Flüssigkeitsverluste** bei starkem Schwitzen. Häufig begleitend auftretendes Erbrechen und Diarrhöen führen zu weiteren Flüssigkeits- und Elektrolytverlusten.
Eine Hitzeerschöpfung kann sich z.B. nach (extremen) körperlichen Anstrengungen wie langen Wanderungen oder Ausdauersport entwickeln.
Die Hitzeerschöpfung kann in einen Hitzschlag übergehen.

Zeichen sind Erregung - Delir *(Durchgangssyndrom)*, Muskelzuckungen - Krämpfe, Bewußtseinsstörung - Bewußtlosigkeit, Tachypnoe und Schocksymptomatik.

❒ Hitzschlag

Beim Hitzschlag handelt es sich um eine **Störung der Wärmeabgabe** nach längerem Einfluß hoher Außentemperaturen. Die Entstehung eines Hitzschlags wird durch vermehrte Wärmeproduktion, z.B. bei körperlicher Betätigung, begünstigt. Bei einer Außentemperatur, die über der Körpertemperatur liegt, kann diese nur über die Verdunstung gesenkt werden. Bei hoher Luftfeuchtigkeit und bei geringer Luftströmung ist dieser Mechanismus jedoch erschwert und unzureichend.
So kann es zum **Hitzestau** kommen: Die Körpertemperatur liegt über 40° C, die Haut ist rot, trocken und heiß. Wenn zuviel Flüssigkeit verlorengegangen ist, wird auch die Schweißsekretion unmöglich.
Zur Steigerung der Wärmeabgabe werden die Hautgefäße extrem weitgestellt; die dadurch verringerte Hirndurchblutung bedingt eine Ohnmacht.
Als **Vorboten** des Hitzschlags treten Kopfschmerzen, Schwindel, Übelkeit und Erbrechen auf. Weitere **Symptome** sind Bewußtseinstrübung / -losigkeit, Krämpfe, Tachykardie und Atemstörungen.

5.3.2.2 Erniedrigte Körpertemperatur

Eine **physiologisch** erniedrigte Körpertemperatur findet sich aufgrund der **Stoffwechselreduzierung** im Schlaf.
Derselbe Mechanismus liegt bei Schilddrüsenunterfunktion vor, hat hier allerdings Krankheitswert.

❒ Untertemperatur

Liegt die **Körpertemperatur unter 36° C**, so spricht man von Untertemperatur. Sie entsteht entweder durch zu große Wärmeabgabe (mangelhafte Bekleidung, Lawinenunglück, Sturz ins kalte Wasser), durch zu geringe Wärmeproduktion oder durch unzureichende Regulierung über die Temperaturzentren.
Eine **zu geringe Wärmeproduktion** findet man bei Menschen im **Schock** infolge der Stoffwechselreduzierung, die zur Senkung des O_2-Bedarfs führt. Gleichzeitig erfolgt die Kreislaufzentralisation; sie führt zur Unterkühlung der Körperschale, die Haut ist blaßzyanotisch, kalt und feucht.
Auch **bewegungslose Menschen**, z.B. Bewußtlose, die im Schnee liegen, produzieren wenig Wärme und kühlen schnell aus. Ein eventuell vorausgegangener **Alkoholkonsum** beschleunigt die Unterkühlung aufgrund seiner gefäßerweiternden Wirkung.
Bei **Schädigung der Temperaturzentren** (infolge von Gehirnverletzungen / Gehirntumoren oder Vergiftungen) kann es ebenfalls zur Untertemperatur kommen.
Zeichen der Untertemperatur sind neben des unter 36° C liegenden Temperaturwertes das Frieren, das Muskelzittern und eine kühle, bläulich verfärbte Haut.
Je nach Grad der Unterkühlung sind weitere Zeichen zu beobachten.
Eine **Untertemperatur bis zu 34° C** geht mit Gefäßverengung (blasse kalte Haut), Schmerzen und erhöhtem O_2 - Verbrauch einher. Pulsschlag und Blutdruck sind erhöht.
Sinkt die **Körpertemperatur auf 34 - 27° C**, so setzt eine Schmerzunempfindlichkeit ein. Die Viskosität des Blutes ist erhöht; dazu tragen sowohl die Kälte als auch der Volumenmangel bei. Die Kreislaufgegenregulation bricht zunehmend zusammen, es kommt jetzt zum Puls- und Blutdruckabfall und zur Reduzierung des Energiestoffwechsels. Die Muskeln werden starr, die Reflexe zeigen sich abgeschwächt. Der Betroffene ist schläfrig.
Sinkt die **Temperatur unter 32° C**, kommt es zur Bewußtseinstrübung / Bewußtlosigkeit.
Liegt die Körpertemperatur **unter 27 - 22° C**, so erlöschen alle autonomen Körperfunktionen (Kammerflimmern, Atemstillstand).
Im Alter kann es aufgrund der veränderten zentralen Temperaturregulation - vor allem bei Herzkranken - schon vor Erreichen der kritischen Körpertemperatur zum Herzversagen kommen.

❒ Erfrierungen

Durch langfristig einwirkende Minustemperaturen kommt es zu **lokalen Erfrierungen**, insbesondere an den Akren *(Finger, Zehen, Nasenspitze, Ohrläppchen)*.
Feuchtigkeit und Nikotinabusus sowie eine periphere Minderdurchblutung beschleunigen das Entstehen von Erfrierungen.
Analog zu den Verbrennungen werden die Erfrierungen in drei Grade eingeteilt.

Erfrierung 1. Grades:
- Hautblässe;
- Abkühlung;
- Gefühllosigkeit;
- Auftreten von leichten Schmerzen, Juckreiz und Hyperämie nach Wiedererwärmung.

Erfrierung 2. Grades:
- Blasenbildung;
- Schwellungen (sogenannte Frostbeulen);
- Abheilung ohne Narbenbildung.

Erfrierung 3. Grades:
- Blutblasen (blaurot) oder Nekrosen; sie heilen immer unter Narbenbildung ab.

5.4 Beobachtung der Schweißabsonderung

Die Beobachtung des Schweißes (*Sudor*) kann Hinweise auf die psychische und physische Verfassung des Menschen geben.

5.4.1 Physiologische Beschaffenheit

Zusammensetzung und Absonderung des Schweißes wurden bereits zu Anfang des Kapitels (*"Die Schweißsekretion", Seite 503*) besprochen.
Frischer Schweiß ist **geruchsneutral**; lediglich die sogenannten apokrinen Schweißdrüsen in der Genitalre-

gion und in der Achselhöhle erzeugen alkalische, geschlechtsspezifische Duftstoffe.
Ein **unangenehmer Schweißgeruch** kommt erst durch bakterielle Zersetzungsprozesse, vor allem in schlechtbelüfteten Körperregionen und Kleidungsstükken, zustande.

5.4.2 Veränderungen der Schweißsekretion

Eine **vermehrte Sekretion** warmen, großperligen Schweißes (*Hyperhidrosis*) findet man bei Aufregung, vermehrter Muskelarbeit, hohen Außentemperaturen und Adipositas. Bei erheblichem Übergewicht wird die Zersetzung des Schweißes in den Körperfalten begünstigt; Intertrigo und Körpergeruch können sich schneller bilden.
Auch die Einnahme bestimmter Medikamente, z.B. kortikoid- und salizylsäurehaltiger Präparate, sowie Störungen des Zentralnervensystems können zu vermehrter Schweißsekretion führen.
Schweißausbrüche sind z.B. bei Fieberabfall und in vielen Fällen bei der Parkinson - Krankheit zu beobachten.

Kalter, kleinperliger Schweiß ist immer als Alarmzeichen zu werten. Er tritt bei vegetativen Störungen, Erbrechen, (beginnendem) Kreislaufzusammenbruch und Unterzuckerung (*Hypoglykämie*) auf.

Eine vermehrte nächtliche Schweißsekretion kann durch vegetative Störungen bedingt sein. Nachtschweiß kann auch Hinweis auf eine Erkrankung, z.B. eine aktive Tuberkulose, Schilddrüsenüberfunktion oder Störung der Nierenfunktion, sein.

Eine übermäßige Schweißsekretion auf nur einer Gesichts- oder Körperhälfte (*Hemihyperhidrosis*) kommt vor bei Halbseitenlähmung, Parkinson-Krankheit, Gehirnentzündungen / -tumoren oder Affektionen des Halssympathikus.

Eine verminderte Schweißsekretion (*Hyphidrosis*) findet sich bei Schilddrüsenunterfunktion und nach Verabreichung des Wirkstoffs Atropin.
Bei endogenen Ekzemen und Schuppenflechte kommt es durch Verlegung der Schweißdrüsengänge zur verminderten Schweißabsonderung.

Eine fehlende Schweißsekretion *(Anhydrosis)* ist selten. Zugrunde liegt ein angeborenes (erblich bedingtes) Fehlen der Schweißdrüsen oder deren Zerstörung, z.B. durch Verbrennungen.
Beachte: Von verringerter oder fehlender Schweißsekretion betroffene Menschen sind besonders gefährdet, einen Hitzschlag zu erleiden.

5.5 Unterstützung der Temperaturregulation

5.5.1 Pflegemaßnahmen bei Fieber

Menschen mit hohem Fieber müssen **kontinuierlich beobachtet** und bei der **Temperaturregulation unterstützt** werden. Den Begleiterscheinungen des Fiebers wird entgegengewirkt. Das starke Krankheitsgefühl und die Unruhe erfordern einen **einfühlsamen** und häufigen **Kontakt** mit dem Fiebernden.
Entsprechend dem Fieberstadium erfolgt die Unterstützung bei der Wärmebildung und der Wärmeabgabe.

❒ Unterstützung während der Phase des Fieberanstiegs

Während dieser Phase ist für eine **warme Umgebung** zu sorgen. Das Fenster sollte geschlossen werden, evtl. ist die Heizung höherzustellen. Der Kranke wird mit **wärmenden Decken** vor Wärmeverlusten geschützt. Die Wärmebildung wird durch das **Trinken warmer Flüssigkeiten** und durch das Auflegen von Wärmflaschen unterstützt.

Maßnahmen bei Schüttelfrost
Bei rascher Wärmeproduktion durch extremes Muskelzittern kommt es zum Schüttelfrost. Der unruhige, zitternde Kranke bedarf besonderer **Zuwendung**.
Der benachrichtigte Arzt wird evtl. zwecks Erregernachweis oder Resistenzbestimmung die Entnahme von Blut zur Anlage einer **Blutkultur** anordnen. Er führt sie möglichst bei Einsetzen des Fieberanstiegs, ansonsten direkt nach Beendigung des starken Muskelzitterns durch.
Sobald der Schüttelfrost beendet ist, wird die **Körpertemperatur** durch rektale Messung **ermittelt**.

❒ Unterstützung während des Stadiums der Fieberhöhe

Dem Schüttelfrost / Fieberanstieg folgt die zweite Phase des Fiebers; sie wird als Stadium der Fieberhöhe bezeichnet. Die erhöhte Solltemperatur ist erreicht, die vermehrte Wärmebildung durch Muskelzittern ist nicht mehr erforderlich.
Zunächst werden die während des Fieberanstiegs eingesetzten **Wärmespender entfernt**. In regelmäßigen Zeitabständen - je nach Krankheitsbild stündlich bis achtstündlich - ist die **Körpertemperatur** durch rektale Messung zu **ermitteln**.
Dem Kranken werden **kühle** (aber nicht eisgekühlte) **Getränke** angeboten.
Zur Unterstützung der Wärmeabgabe können **Waschungen mit lauwarmem Wasser** durchgeführt werden. Je größer die gewaschene Fläche, um so intensiver die Wirkung, aber auch die Kreislaufbelastung. Deshalb wird je nach Zustand des Kranken entschieden, ob eine Ganzkörperwaschung oder nur eine Teilwaschung erfolgt. Dem Waschwasser kann **Pfefferminztee** beigefügt werden. Dazu werden 2 Eßlöffel Pfefferminzblätter mit einem Liter heißem Wasser

übergossen. Nachdem der Tee 3 - 5 Minuten gezogen hat, wird er durch ein Sieb in eine Waschschüssel mit 4 Liter auf ca. 18° C temperiertem Wasser gegossen. Sodann wird in Wuchsrichtung der Körperhaare gewaschen *(siehe "Basalstimulierende Ganzkörperwaschung", Seite 648)*; die Durchführung geschieht immer zügig. Der Kranke wird anschließend nicht abgetrocknet, sondern nur zugedeckt, so kann der kühlende Effekt andauern. Die Maßnahme kann halbstündlich wiederholt werden.
Da die Wärmeabstrahlung durch eine kühlere Umgebungstemperatur erleichtert wird, sollte die **Luft** im Krankenzimmer zwischen **17 - 19° C temperiert** sein. Die **Kleidung** des Kranken darf **nicht zu dick** sein, da sonst die Wärmeabstrahlung behindert wird.

❍ Wadenwickel

Bei hohem Fieber können Wadenwickel, die durch Erzeugung von Verdunstungskälte zur Wärmeabgabe verhelfen, eingesetzt werden.
Wadenwickel werden nur angelegt, **wenn** die **Temperatur 39° C überschreitet** und nachdem man sich vergewissert hat, daß die Beine des Kranken regelrecht durchblutet werden. **Bei** kalten Füßen und/oder **Durchblutungsstörungen** der Beine sind Wadenwickel **kontraindiziert**.

• Materialzusammenstellung

Zur Durchführung werden **zwei dünne Handtücher** aus Baumwolle oder Leinen, **zwei Woll-** oder **Frottiertücher** und eine wasserabweisende oder eine Unterlage zum **Bettschutz** sowie eine mit **Wasser gefüllte Schüssel** benötigt. Die Temperatur des Wassers sollte maximal 8 - 10° C unter der Körpertemperatur liegen und somit handwarm sein. Dadurch wird die Durchblutung der Beine nicht beeinträchtigt; da Eiswasser eine Gefäßengstellung bewirkt, würde seine Anwendung der Wärmeabgabe entgegenwirken.

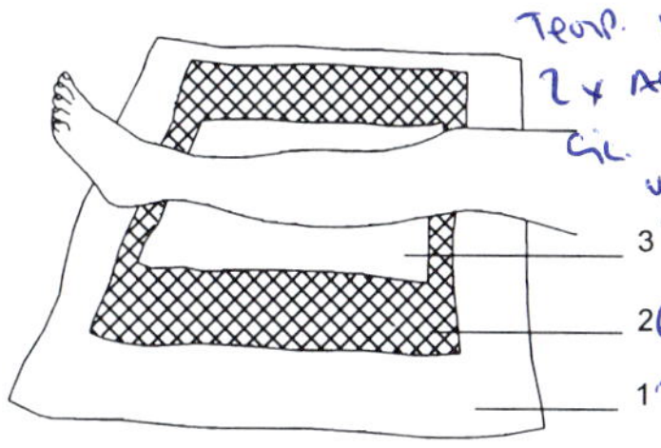

1 *wasserabweisende Unterlage*
2 *Woll- oder Frottiertuch*
3 *dünnes feuchtes Baumwolltuch*

Abb. 5.2 ***Anlegen eines Wadenwickels***

• Durchführung

Vor Anlegen der Wickel wird der Patient über die bevorstehende Maßnahme informiert und seine Körpertemperatur gemessen. Die Bettdecke schlägt man bis zum Knie hoch, so daß die Unterschenkel unbedeckt sind. Hautfarbe und -temperatur werden beobachtet; der gesamte Körper muß warm sein. Die Füße des Patienten werden mit wärmenden Socken versehen.
Die wasserabweisende Unterlage wird in Höhe der Unterschenkel auf die Matratze gelegt. Nun wird ein dünnes Tuch ins Wasser getaucht und etwas ausgewrungen. Es wird sodann faltenfrei um den gesamten Unterschenkel, und zwar **von den Fußknöcheln bis zum Knie**, gelegt. Darüber wird das dickere Woll- oder Frottiertuch gewickelt. Auf der gegenüberliegenden Seite wird ebenfalls ein Wadenwickel angelegt. Die Unterschenkel werden nicht weiter zugedeckt, da dies das Entstehen der Verdunstungskälte verhindern würde.
Nach ca. 10 Min., bevor die Temperatur der Wadenwickel die des Körpers erreicht hat, werden die Wickel erneuert. Dies geschieht ca. 3-4 mal hintereinander, dann erfolgt erneut eine Temperaturkontrolle und eine längere Pause. Die **Körpertemperatur** wird **um max. 1° C gesenkt**, dem Fieber wird die Spitze genommen.
Der Wärmeentzug stellt eine **Kreislaufbelastung** dar. Deshalb wird während der Maßnahme die Kreislaufsituation durch **Beobachtung** von Hautdurchblutung, Puls, Blutdruck und Temperatur kontrolliert.
Ein **vorzeitiger Abbruch** der Maßnahme ist bei Unwohlsein oder Kreislaufveränderungen angezeigt.
Sowohl die Durchführung des Wadenwickels als auch die währenddessen ermittelten Werte sind zu dokumentieren.

Eispackungen oder andere **Kältespender**, die bevorzugt in den Leistenbeugen angebracht werden, führen kurzfristig zur erhöhten Wärmeableitung in diesem Bereich. Bei kontinuierlicher bzw. längerer Anwendung verringert die kältebedingte Gefäßengstellung diese Wirkung jedoch.
Eine fiebersenkende Wirkung kann auch durch das Trinken eines **schweißtreibenden Tees** (z.B. Lindenblütentee) oder die Einnahme **fiebersenkender Medikamente** (*Antipyretika, z.B. Acetylsylizylsäure oder Paracetamol,* *siehe Seite 912*) erzielt werden. Bei Infektionen erfolgt häufig eine medikamentöse Bekämpfung der Erreger mittels spezieller Medikamente (z.B. Antibiotika).
Während der Fieberhöhe kann die Haut sowohl trokken als auch schweißbedeckt sein. In jedem Fall ist eine **sorgfältige Körper- und Hautpflege** erforderlich. Insbesondere ist für trockene Hautfalten zu sorgen, um ein Aufquellen oder Wundwerden der Haut zu verhindern.
Aufgrund der Kreislaufbelastung, aber auch um eine zusätzliche Wärmebildung zu vermeiden, soll der Fieberkranke weitgehend **Bettruhe** einhalten. Sowohl körperliche Anstrengungen als auch seelische Belastungen sind zu vermeiden. Durch die Bettruhe und die evtl. erhöhte Viskosität des Blutes infolge hoher Flüssigkeitsverluste sind ggf. **thromboseprophylaktische Maßnahmen** erforderlich. Die Notwendigkeit dekubitus-, obstipations- und pneumonieprophylaktischer Maßnahmen sowie einer speziellen Mundpflege muß individuell geprüft werden. Bei betagten Menschen sind meist alle genannten Prophylaxen erforderlich.
Die **Ernährung** des Fieberkranken richtet sich **nach** seinen **Bedürfnissen**. Während der Zeit der Appetitlosigkeit sollte der Kranke nicht zum Essen überredet werden. Angebote **kühler, erfrischender Speisen** werden zum Teil angenommen; bevorzugt werden Kaltschale, Joghurt, Quarkspeisen, Kompott und Pudding. Auch leicht bekömmliche Suppen wie Fleischbrühe werden vom Fieberkranken meist akzeptiert. Sobald er mehr Appetit verspürt, sollte er kohlenhydrat- und eiweißreiche, leichtverdauliche Kost erhalten.

Die **Flüssigkeitszufuhr** gewinnt mit Ausmaß des Schwitzens an Bedeutung. Der Ersatz von Flüssigkeit ist **wichtig**, um die Fähigkeit des Schwitzens - und somit der Wärmeabgabe über Verdunstung - zu erhalten. Außerdem muß eine Dehydratation *(siehe Seite 992)* verhindert werden. Die reichliche Flüssigkeitszufuhr hat zudem auch eine gewisse obstipationsprophylaktische Wirkung.

❒ Unterstützung während des Stadiums des Fieberabfalls

In dieser Fieberphase schwitzt der Kranke, es kann zu **Schweißausbrüchen** kommen. Die Entfieberung stellt eine **Herz- Kreislaufbelastung** dar; je schneller der Fieberabfall, um so höher die Kreislaufbelastung. Der betroffene Patient bedarf einer gezielten **Krankenbeobachtung**. Neben Temperatur-, Puls- und Blutdruckkontrollen ist die Beobachtung der Haut und des subjektiven Befindens von großem Wert.
Blässe und kalter Schweiß müssen als Vorboten eines **Kreislaufkollaps** gedeutet werden. In diesem Fall wird die Wärmeabgabe durch **warmes Zudecken** gebremst.
Die zusätzlichen **Flüssigkeitsverluste** müssen ersetzt werden. Der Kranke erhält stets frische Getränke seiner Wahl; bevorzugt sind Früchtetee, Mineralwasser und Fruchtsäfte anzubieten.

Die Häufigkeit des **Leib- und Bettwäschewechsels** sowie der **Körperpflege** richten sich nach dem Ausmaß des Schwitzens und nach dem Wunsch des Kranken.

Das individuelle Risiko, Sekundärerkrankungen zu entwickeln, wird weiterhin täglich analysiert und bei Bedarf werden geeignete **prophylaktische Maßnahmen** durchgeführt. Die **Mobilisation** erfolgt schrittweise und unter Beachtung der Kreislaufsituation (Kollapsneigung).

In den **ersten Tagen nach Abfall des Fiebers** ist der Kranke noch erschöpft und bedarf ausgedehnter **Ruhephasen**; diese sind zu ermöglichen.
Des weiteren werden in größeren Zeitabständen die Vitalzeichen, insbesondere die Körpertemperatur, beobachtet.

5.5.2 Maßnahmen bei Untertemperatur

❒ Sofortmaßnahmen

Bei Unterkühlung muß die **Kälteexposition** sofort **unterbrochen** werden, der Betroffene wird von der Kältequelle entfernt und so vor weiterem Wärmeverlust geschützt. Um eine schnelle Mischung des warmen Blutes aus dem Körperkern mit dem kalten Blut der Körperschale zu verhindern, sind **Bewegungen auf** das mögliche **Minimum** zu **beschränken**.
Der Betroffene ist in einen warmen windgeschützten Raum zu bringen; noch ansprechbare Menschen werden entkleidet, in **warme Decken** gehüllt und erhalten **warme gezuckerte Getränke**. Bewußtlosen läßt man die Kleidung an; häufig sind Wiederbelebungsmaßnahmen erforderlich.
Bei Feststellung einer Unterkühlung ist sofort ein **Notarzt** zu benachrichtigen. Die betroffene Person muß so schnell wie möglich in ein Krankenhaus gebracht werden.

❒ Pflege und Therapie im Krankenhaus

Da die Untertemperatur eine hohe Kreislaufbelastung darstellt, darf der von ihr Betroffene nur **langsam erwärmt** werden. Der stündliche Temperaturanstieg soll 0,5° C nicht überschreiten.
Die Vitalzeichen werden engmaschig, zunächst ¼ - stündlich, beobachtet. Messungen der Körpertemperatur erfolgen mittels Spezialthermometer mit nach unten erweiterter Skala.
Die **Raumtemperatur** sollte zwischen 25° und 30° C liegen, um die Wärmeabstrahlung zu verringern.
Der Patient wird in Decken oder in eine **wärmerückstrahlende Folie** gehüllt. Die isolierte Erwärmung der Extremitäten ist kontraindiziert, weil das Blut in der Peripherie versacken und so ein Volumenmangelschock entstehen könnte.
Falls der Patient bei Bewußtsein ist, wird er aufgefordert, **warme gezuckerte Getränke** zu sich zu nehmen. Ansonsten wird angewärmte Glukoselösung infundiert.

Evtl. bestehende **Erfrierungen** werden steril abgedeckt und durch einen **Watteverband** langsam erwärmt. Nekrosen werden chirurgisch abgetragen, ggf. ist eine Gliedmaßenamputation erforderlich.

5.5.3 Sofortmaßnahmen bei Hitzeerschöpfung

Die von einer Hitzeerschöpfung betroffene Person wird in kühler Umgebung zwecks Kreislaufstabilisierung in die Flachlage oder die **Schocklage** gebracht. Enganliegende Kleidungsstücke werden geöffnet bzw. entfernt. Ein **Notarzt** ist zu rufen; er leitet die Volumenersatztherapie mit isotonischer Elektrolytlösung ein und entscheidet, ob eine Einweisung ins Krankenhaus erforderlich ist.

5.5.4 Maßnahmen beim Sonnenstich

Der Betroffene wird **sofort** in eine **kühlere Umgebung** gebracht. Dort ist er mit **erhöhtem Oberkörper** zu lagern. Zur Kühlung wird der **Kopf in kalte Tücher** gehüllt. Der gerufene **Notarzt** veranlaßt ggf. eine Einweisung ins Krankenhaus.
Dort wird der Betroffene sorgfältig beobachtet (Kreislaufkontrolle); falls erforderlich, erfolgen Hirnödemprophylaxe und Sedierung des Patienten.

5.5.5 Sofortmaßnahmen bei Hitzschlag

Beim Hitzschlag ist sofort das **Kühlen des erhitzten Körpers**, z.B. durch kalte Umschläge, erforderlich. Der Betroffene wird in eine kühlere Umgebung gebracht. So rasch wie möglich wird ein **Notarzt** gerufen. Die **Vitalzeichen** sind zu **beobachten**. Ansprechbare Personen werden in die Oberkörperhochlage, bewußtlose in die stabile Seitenlage gebracht. Eine stationäre Behandlung ist zwingend erforderlich.

5.6 Physikalische Therapie

Unter der physikalischen Therapie (*Synonym: Physiotherapie*) wird die **Behandlung gestörter Körperfunktionen mit sogenannten natürlichen Mitteln** verstanden. Dazu zählen Anwendungen von oder im Wasser, von Licht, Luft, Wärme und Kälte sowie Massage, Krankengymnastik und Elektrotherapie.
Ziel ist die **Wiederherstellung**, **Verbesserung** oder **Erhaltung** der physiologischen **Leistungsfähigkeit** und **des** psychischen **Wohlbefindens**.

Die **Hauptaufgaben der physikalischen Therapie** sind:
- Regulierung des Muskeltonus;
- Durchblutungsförderung;
- Schmerzlinderung / -stillung;
- Dämpfung von Entzündungen;
- Funktionsverbesserung des Bewegungsapparates;
- Vor- und Nachbehandlung bei chirurgisch-orthopädischen Eingriffen;
- Prophylaxe, z.B. von Kontrakturen;
- Rehabilitation;
- Einsparung von Medikamenten.

5.6.1 Kälteanwendung - Kryotherapie

Aufgrund unterschiedlicher Wirkungsmechanismen muß zwischen **Kurzzeit- und Langzeitkältetherapie** unterschieden werden.
Durch lokale Kälteanwendung kommt es immer zur lokalen **Arteriolenkonstriktion** sowie zur **Stoffwechselverringerung** und **-verlangsamung**. Die Dauer der lokalen Kälteapplikation ist ausschlaggebend für weitere Wirkungsmechanismen.

❒ Kurzzeitkältetherapie

Erfolgt die Kälteanwendung nur für wenige Sekunden - Minuten, so hat sie eine reaktive Hyperämie zur Folge, sie wirkt also **lokal durchblutungsfördernd**. Diese Reaktion trifft nicht auf sklerotisch veränderte Gefäße zu; sie reagieren eher mit einem Gefäßspasmus.
Weitere Effekte sind eine lokale **Muskelanspannung**, ein Herabsetzen der peripheren Erregbarkeit und Nervenleitgeschwindigkeit sowie **Schmerzlinderung** (Heraufsetzen der Schmerzgrenze). Die Kurzzeitkältetherapie übt keine entzündungshemmende Wirkung aus.
Der kurzfristige Einsatz von Kälte zwecks Wärmeaustausch bei Fieber wurde bereits zuvor besprochen.
Zur Kurzzeitanwendung von Kälte eignen sich Eis- und Alkoholabreibungen, kühle Bäder (15 bis 30° C), Kühlelemente *(mit speziellem Gel gefüllte Beutel, Cold-Hot-Pack)* und Umschläge.
Zur **intensiven Kälteanwendung** wird auch mit tiefgekühlter Luft, Stickstoff oder Kohlensäureschnee gearbeitet (ca. -180° C über 1 - 2 Minuten). Diese Verfahren finden z.B. in der Therapie rheumatischer Erkrankungen Anwendung; vorrangig angestrebte Ziele sind Schmerz- und Entzündungshemmung sowie Muskelentspannung.

❒ Langzeitkältetherapie

Bei längerdauernder Kältetherapie über ca. 20 Minuten kommt es zur **Stoffwechselreduzierung**, zur Abnahme der Muskeldurchblutung und zur Temperaturabnahme in Muskulatur und Gelenken. Dadurch werden **Schmerzen und Entzündungen gelindert**, die **Muskeln entspannt** und **Blutungen gestillt**; Blutergüsse, Schwellungen und entzündungsbedingte Ödeme bilden sich zurück.

Kältespender sind Eispackungen und Cold-Hot-Packs sowie kalte Umschläge und Bäder. Feuchte Kältespender entziehen dem Körper mehr Wärme als trokkene.
Eisstücke oder Eischips gibt man in vorgeformte Gummiblasen / -schläuche, bis diese zur Hälfte gefüllt sind. Nach dem Verschließen werden sie mit einem Schutzbezug versehen.
Cold - Hot - Packs werden in gefrorenem (dickflüssigen) Zustand dem Eisfach entnommen und mit einem dünnen Schutzbezug versehen. Sollen sie an Körperstellen anmodelliert werden, so benötigen sie eine Temperatur von ca. - 4° C. Wird die gelartige Masse unter Einwirkung der Körperwärme weich, so wird das Kühlelement gewechselt.
Bei **Anwendungen im Kopf- / Halsbereich** ist die vor dem Ohr liegende Austrittsstelle des Nervus trigeminus durch Unterlegen eines Wattepolsters zu schützen.
Muß eine Druckeinwirkung des Kältespenders auf die erkrankte Körperregion vermieden werden, so wird er schwebend, z.B. an einer Reifenbahre oder Bettstange direkt über der zu behandelnden Region aufgehängt.

Kälteanwendungen dürfen nur bei warmer Haut vorgenommen werden. Sie sind **kontraindiziert** bei schweren Sensibilitätsstörungen, arteriellen Durchblutungsstörungen, Gefäßentzündungen, Kälteüberempfindlichkeit, Kältehämoglobinurie, schweren Herz-Kreislaufkrankheiten, Störungen des Lymphgefäßsystems sowie Nieren- und Blasenaffektionen.

Beispiele für die Anwendung von Kälte in der Pflege
- Anwendung von Cold - Hot - Packs und Eispackungen zur Schmerzlinderung.
- Anlegen eines kühlen Halswickels bei Angina tonsillaris *(Mandelentzündung)*, um eine abschwellende und schmerzlindernde Wirkung zu erzielen.
  Beachte: Einige Menschen bevorzugen in diesem Fall eine Wärmeanwendung.
- Anlegen einer Eiskrawatte (um den Hals) nach Operation im Rachenbereich, um eine Gefäßverengung zu erzielen (Blutungsprophylaxe).
- Anlegen von Wadenwickel oder Durchführung einer kühlenden Waschung bei Fieber.

5.6.2 Wärmeanwendung

Sowohl die lokale als auch die generalisierte Anwendung von Wärme führt zur entsprechenden Erwärmung, **Stoffwechselerhöhung** und **Verstärkung der Phagozytose**. Muskelkrämpfe und **Schmerzen** werden **gelindert**. Außerdem kann Wärme eine entzündungshemmende und beruhigende Wirkung ausüben. Die **gesteigerte Durchblutung** kann sich bis auf tieferliegende Organe erstrecken.

Positive Effekte der verstärkten Kapillardurchblutung sind ein vermehrtes Angebot von Sauerstoff, Nährstoffen, Antikörpern und Leukozyten an die Zellen der erkrankten bzw. verletzten Körperregion. Der Abtransport von Wärme und von Stoffwechselendprodukten ist entsprechend gesteigert.
Ein **negativer Effekt** der verstärkten Kapillardurchblutung kann die lokale Ödembildung sein. Auch kann eine wärmeinduzierte Venenweitstellung an den Extremitäten den venösen Rückfluß beeinträchtigen.
Feuchte Wärme kann die Schweißverdunstung hemmen und somit zum Wärmestau *(siehe nachfolgend)* führen.
Als Wärmespender werden Wasser, Mikrowellen- und Infrarotstrahlen, Umschläge, Cold-Hot-Packs, Heizkissen, Wärmflaschen sowie Kataplasmen *(feucht heiße Breiumschläge)* eingesetzt.

Beispiele für die Anwendung von Wärme in der Pflege

- **Wärmflasche**
Die Wärmflasche wird zwecks allgemeiner Wärmezufuhr eingesetzt. Die **trockene Wärme** führt zur Schmerzlinderung und Muskelentspannung. Die Temperatur des einzufüllenden Wassers beträgt ca. 60° C; sie ist mittels Badethermometer zu prüfen. Man bedenke, daß Menschen mit Bewußtseins- und Sensibilitätsstörungen evtl. auftretende Verbrennungszeichen nicht wahrnehmen können. Falls ein Thermometer fehlt, ist die Temperatur durch Anlegen der Wärmflasche am eigenen Unterarm zu prüfen.
Bevor die bis zur Hälfte gefüllte Wärmflasche verschlossen wird, streicht man die Luft aus dem Innenraum. Nach Anbringen des Verschlußstopfens wird die Wärmflasche mit der Öffnung nach unten gehalten, um sich bezüglich der Dichtigkeit zu vergewissern. Aus hygienischen Gründen wird ein Schutzbezug über die Flasche gezogen, bevor sie an den Körper des Patienten gebracht wird. Dabei ist darauf zu achten, daß der Verschluß nicht am, sondern seitlich vom Körper liegt. Der Patient wird angewiesen, sich bei unangenehmer Hitzeempfindung sofort zu melden bzw. die Wärmflasche zu entfernen.
Sobald das Wasser in der Wärmflasche Körpertemperatur hat, wird die Anwendung beendet oder erneut heißes Wasser eingefüllt.

- **Heizkissen**
Elektrische Heizkissen können zur **Erwärmung eines leeren Bettes** eingesetzt werden. Sollen sie der direkten Erwärmung von Körperteilen dienen, so müssen sie zur Vermeidung eines Kurzschlusses mit einem wasserdichten Bezug versehen sein. Aufgrund der erhöhten **Unfallgefahr** sollte generell nachts und bei verwirrten Menschen auf den Einsatz von Heizkissen verzichtet werden.
Die Wärmezufuhr über das Heizkissen wird mittels Schalter reguliert.

- **Feuchtwarme Umschläge und Auflagen**
Feuchtwarme Umschläge (Wickel) und Auflagen fördern ebenfalls die Durchblutung und wirken **entspannend, beruhigend** sowie **schmerzlindernd**. Sie werden in bestimmten Regionen als Waden-, Brust-, Bauchwickel etc. angelegt.
Da dieser Wärmestau für 30 bis 60 Minuten belassen wird, sollte der Patient vorher zur Toilette gehen. Das Pflegepersonal bereitet unterdessen das **Material** vor.

Benötigt werden:
- 1 saugfähiges, anschmiegsames Tuch aus Baumwolle oder Leinen in passender Größe *(Innentuch);*
- 1 Baumwolltuch, welches die Breite des Innentuchs überragt *(Zwischentuch);*
- 1 dickeres Tuch aus Flanell oder Wolle, das etwas schmaler als das Zwischentuch ausfällt (so kommt das Tuch nicht mit der verschwitzten Haut in Berührung; *Außentuch);*
- Sicherheitsnadeln;
- 1 Schüssel mit warmem Wasser und ggf. angezeigten / angeordneten Zusätzen wie Alkohol, essigsaure Tonerde oder Kamillenextrakt;
- Badethermometer.

Durchführung:
Die **Temperatur** des Wassers ist für einen warmen Wickel auf 36 - 40° C, für einen heißen Wickel auf 40 - 45° C zu **regulieren**.
Zuerst legt man das dickere Tuch unter den zu behandelnden Körperteil; darüber wird das Baumwolltuch ausgebreitet. Die oberste Lage bildet das saugfähige, flüssigkeitsgetränkte, aber nicht tropfende Tuch. Der entsprechende Körperteil wird auf dieses Tuch gelegt und dann nacheinander mit allen Tüchern umwickelt. Es ist darauf zu achten, daß die Tücher dicht abschließen, so daß keine Verdunstungskälte entstehen kann. Sie können zu diesem Zweck mit Sicherheitsnadeln befestigt werden.
Während der Wickel angelegt ist, hält der Kranke **Bettruhe** ein. Eine entsprechende **Information** und die Sorge für eine Schelle in Reichweite sind selbstverständlich. Die **Kreislaufsituation** des Patienten muß **beobachtet** werden, denn je nach Art der Wickellösung kann die Maßnahme kreislaufbelastend sein.
Nach der Anwendung soll der Patient ruhen. Seine Haut wird beobachtet und getrocknet.

- **Heublumensack**
Heublumen sammeln sich beim Lagern getrockneten Heus auf dem Boden an. Sie enthalten duftende ätherische Öle, welche eine **leicht hautreizende** und **durchblutungsfördernde Wirkung** ausüben. Außerdem wird den Heublumen ein **schmerzlindernder** und **ausscheidungsfördernder Effekt** zugesprochen.
Die Anwendung eines mit Heublumen gefüllten Sacks ist vor allem geeignet zur **Linderung rheumatischer Schmerzen**, zur Anregung der Ausscheidung (heißer Bauchwickel) und zur Verbesserung muskulärer sowie psychovegetativer Spannungszustände.
Heublumen können in einem Säckchen abgefüllt erworben werden; in diesem Zustand sind sie 2 - 3 mal anwendbar, wenn sie nach dem Gebrauch getrocknet werden.
Vor der Anwendung wird der Heublumensack in einem großen Topf **über Wasserdampf erhitzt**. Das warme Säckchen wird, solange es Wärme abgibt,

auf der betroffenen Körperregion belassen. Anschließend sollte eine Stunde geruht werden.
Im allgemeinen erfolgt diese Maßnahme einmal täglich, bei rheumatischen Erkrankungen sind täglich wiederholte Anwendungen empfehlenswert.

- **Warme Bäder**
  Warme Bäder (36 - 40° C) üben eine beruhigende und **entspannende Wirkung** aus; bei höheren Temperaturen wirken sie **schweißtreibend**, **kreislaufanregend**, evtl. auch kreislaufbelastend. Deshalb sind sehr warme Vollbäder bei Menschen mit Herz-Kreislauferkrankungen zu unterlassen.
  Einige Patienten bedürfen während des 10 - 20 minütigen Bades einer Kreislaufkontrolle. *(Nähere Informationen zur Durchführung finden Sie unter "Baden und Duschen", Seite 658).*

Die **lokale Wärmeanwendung** ist **kontraindiziert** bei Störungen der Blutzirkulation und des Temperaturempfindens, bei akuten Blutungen, Ödemen, aktiver Tuberkulose sowie bei Säuglingen und sehr alten Menschen.

5.7 Pflegeplanung

5.7.1 Informationssammlung "Besonderheiten im Bereich der Temperaturregulation"

Körpertemperatur
- ☐ Untertemperatur
- ☐ subfebrile Temperatur
- ☐ Fieber
- ☐ Hitzeerschöpfung
- ☐ Hitzschlag
- ☐ wechselnde Körpertemperatur
- ☐ Erfrierungen

Befinden
- ☐ Schwitzen (akut)
- ☐ Frieren (akut)
- ☐ Hitzegefühl (akut)
- ☐ Schweißneigung (immer)
- ☐ Frösteln (häufig)

Stoffwechsellage
- ☐ gesteigerter Stoffwechsel
- ☐ verringerter Stoffwechsel
- ☐ Bewegungsarmut
- ☐ Überaktivität

Bekleidung
- ☐ zu luftig
- ☐ wärmestauend
- ☐ zu warm

Beeinträchtigungen
- ☐ Sensibilitätsstörungen
- ☐ Störungen der Schweißsekretion

Gewohnheiten
- ☐ Wärmflasche (tagsüber; nachts)
- ☐ dicke Socken (tagsüber; nachts)
- ☐ Strickjacke u.ä. (tagsüber; nachts)

____

Pflegebedarf
- ☐ ____ x tägl. (rektale) Temperaturkontrolle
- ☐ Temperatursenkung
- ☐ Körpererwärmung
- ☐ häufiger Wäschewechsel
- ☐ Wärmeanwendung
- ☐ Kälteanwendung
- ☐ Beratung / Anleitung
- ☐ Substitution von Flüssigkeitsverlusten

Ressourcen
- ☐ kleidet sich angemessen
- ☐ ist kooperativ

5.7.2 Pflegestandard - Pflege eines Fieberkranken

Probleme / Ressourcen	Ziele	Pflegemaßnahmen

Der Patient friert; er
• leidet unter Muskelzittern
• hat Schüttelfrost
• ist unruhig
aufgrund eines erhöhten Sollwertes der Körpertemperatur.
	Der Patient
	- erfährt Unterstützung bei der Wärmebildung
		Unterstützung während des Fieberanstiegs
		- Schaffen einer warmen Umgebung, Fenster schließen
		- Zuführen von Wärme
		  - warme Getränke anbieten
		  - Wärmflasche auflegen

	- gibt möglichst wenig Wärme nach außen ab	- **Verringern der Wärmeabstrahlung**
		  - angemessene Bekleidung, evtl. Strickjacke, Socken, Bettschuhe anziehen
		  - warme Decken auflegen

	- weiß sich in Sicherheit	- **Betreuung des Kranken**
		  - Ruhe und Sicherheit vermitteln
		  - häufig Zuwendung zeigen
		  - Schelle in Reichweite anbringen

		Benachrichtigung des Arztes, ggf. Vorbereitung der Abnahme einer Blutkultur
	Ermittlung der Körpertemperatur	**Nach Ende des Schüttelfrostes** - Messen der rektalen Temperatur
Der Patient hat hohes Fieber. Folgen sind: • heiße trockene bzw. feuchte Haut	***Der Patient*** - fühlt sich erfrischt - gibt Wärme nach außen ab	**Fördern der Wärmeabgabe** - Entfernen der zuvor eingesetzten Wärmespender - Waschungen einzelner Körperteile oder des gesamten Körpers, je nach Wunsch und Kreislaufsituation des Betroffenen - Anbieten kühler Getränke, insbes. fiebersenkenden Tees - Regulieren der Zimmertemperatur auf 17 - 19° C - wiederholtes Lüften (Zugluft vermeiden)
	- verliert zusätzlich Wärme über Verdunstungskälte	- Anlegen eines Wadenwickels bei andauernden Temperaturen über 39° C (Rücksprache mit dem Arzt); dazu nach entsprechendem Pflegestandard arbeiten
	- produziert so wenig Wärme wie möglich (hält Bettruhe ein)	**Verringern der Wärmeproduktion** - weitgehende Bettruhe - den Toilettenstuhl am Bett benutzen lassen
• Puls- und Atembeschleunigung	Frühzeitiges Erkennen / Vermeiden von Komplikationen	**Regelmäßiges Messen** der rektalen Körpertemperatur (Zeitabstände müssen individuell bestimmt werden) **Mehrmals täglich Beobachtung von** - Puls, Atmung - Urinausscheidung
• Kollapsneigung		**Vor dem Aufstehen** - Puls- und Blutdruckkontrolle **Während des kurzfristigen Aufstehens** beim Kranken bleiben und ihn beobachten
• feuchte Haut, Mazeration und Intertrigo möglich	***Der Patient*** - hat trockene, intakte Haut / Hautfalten	**Hautpflege** - Wäsche so oft erforderlich wechseln - Haut, besonders in den Hautfalten, gut abtrocknen - spezielle Hautpflege (nach entsprechendem Standard "Hautpflege")

• erhöhte Flüssigkeitsverluste über die Haut und die Atmung
  - trockene Schleimhäute, Dehydratation und Obstipation möglich
  - verstärktes Durstgefühl
	- trinkt mind. 2000 ml / 24 Std.
	- hat physiologischen Hautturgor
	- hat feuchte, geschmeidige Schleimhäute
		Ausreichende Flüssigkeitszufuhr
		- ständig frische, vorzugsweise kühle Getränke anbieten
		- morgens den Hautturgor am Handrücken überprüfen
		- mehrmals täglich Lippen anfeuchten, bei Bedarf einfetten

Probleme / Ressourcen	Ziele	Pflegemaßnahmen
• starkes Krankheitsgefühl, Unruhe	***Der Patient*** - weiß sich in behüteter Umgebung - ist ruhiger	**Sicherheit und Ruhe vermitteln** - Verständnis zeigen - Kranken oft aufsuchen - Ruhe ausstrahlen
• Appetitlosigkeit	- erfährt Akzeptanz der Ablehnung von Nahrung - nimmt auf eigenen Wunsch erfrischende, nährstoffreiche Getränke / Speisen zu sich	**Angepaßte Ernährung** - Ablehnung von Speisen akzeptieren, Kranken nicht zum Essen überreden - Energiezufuhr mit der Flüssigkeit: Früchte- / Gemüsesäfte, Boullion, Suppe nach Wunsch des Kranken, Tee mit Traubenzucker - bei geringem Appetit leicht verdauliche Speisen anbieten: Schleimsuppen, Milch- / Quarkspeisen, Kaltschale, Früchtekompott und Speisen, die der Kranke verlangt
• evtl. Verwirrtheitszustand (Fieberdelirium)	- weiß, daß er nicht alleine ist - ist vor Verletzungen geschützt	**Für Sicherheit sorgen** - häufig nach dem Kranken sehen - Bewußtseinslage beobachten - Kranken beruhigen; sich durch Hautkontakt und Ansprache bemerkbar machen - ggf. Bettgitter anbringen (wenn akute Gefahr besteht, daß der Kranke aus dem Bett fällt)
• erhöhtes Dekubitusrisiko	- hat trockene, intakte Haut	**Dekubitusprophylaxe** nach Pflegestandard
• Pneumonierisiko bei entsprechender Disposition (höheres Lebensalter, Atemwegs- / Lungenkrankheiten)	- atmet regelmäßig tief durch	**Pneumonieprophylaxe** nach Pflegestandard
• bei entsprechender Disposition (Abwehrschwäche, Nahrungskarenz, Mundatmung) Risiko, Mundaffektionen zu entwickeln	- hat intakte Mundschleimhaut	**Mundpflege** nach Pflegestandard
• Obstipationsrisiko aufgrund von Bewegungs- / Flüssigkeitsmangel, faserstoffarmer Ernährung	- führt entsprechend den früheren Gewohnheiten ab (z.B. 1 mal täglich)	**Obstipationsprophylaxe** nach Pflegestandard
• Thromboserisiko bei entsprechender Disposition (Krampfadern, Immobilität, Dehydratation).	- hat verbesserten venösen Blutrückfluß	**Mobilisation / Thromboseprophylaxe** nach Pflegestandard
Schneller Fieberabfall Der Patient schwitzt, hat ggf. Schweißausbrüche; infolgedessen kommt es zu: • erhöhten Flüssigkeitsverlusten • Kreislaufbelastungen (weitere Probleme s.o.) • erhöhtem Ruhebedürfnis (auch in den ersten Tagen nach langsamem Fieberabfall).	Frühzeitiges Erkennen von Kreislaufveränderungen ***Der Patient*** - hält die notwendigen Ruhephasen ein - wird zunehmend mobiler, ohne den Kreislauf zu überlasten	**Beobachtung** (z.B. stündlich) von - Puls, Blutdruck, Hautfarbe - Temperatur, Schweißsekretion **Kreislaufschonung** - Patienten nur in Begleitung und nach Kontrolle der Vitalzeichen aufstehen lassen - bei Kollapsneigung: Bettruhe einhalten lassen - bei Kreislaufschwäche ggf. die Wärmeabgabe durch Zudecken bremsen - bei Temperaturen unter 38° C: Mobilisation langsam zunehmend steigern, aber ausreichende Ruhephasen garantieren **Durchführung weiterer Maßnahmen** - Körper- / Hautpflege, Wäschewechsel und Flüssigkeitszufuhr - Zuwendung

5.7.3 Pflegestandard - Wadenwickel

Problem	Ziele	Pflegemaßnahmen
Die Körpertemperatur liegt anhaltend über 39° C.	**Ermittlung des Ausgangswertes**	**Messen der rektalen Körpertemperatur**
	Der Patient - gibt Wärme über Verdunstungskälte ab	**Anlegen von Wadenwickel** (**nicht** bei kalten Füßen und Durchblutungsstörungen in den unteren Extremitäten); - nur bei insgesamt warmem Körper - nur nach Rücksprache mit dem Arzt
		Materialvorbereitung - wasserabweisende Unterlage - Schüssel mit Wasser, dessen Temperatur maximal 8 - 10° C unter der Körpertemperatur liegt - 2 dünne Tücher aus Leinen oder Baumwolle - 2 Woll- oder Frottiertücher
	- kennt Ablauf und Wirkung der Maßnahme - meldet sich bei Beschwerden / Veränderungen	**Information des Kranken bezüglich** - Durchführung und Wirkung der Maßnahme - des zu erwartenden Kältegefühls - der Kreislaufbelastung und möglicher Begleiterscheinungen, bei deren Auftreten er schellen soll
		Durchführung am rechten und linken Unterschenkel - Bettdecke hochschlagen, so daß die Unterschenkel aufgedeckt sind - Beobachtung der Hautfarbe und Hauttemperatur - Patienten warme Socken anziehen - über der Matratze wasserabweisende Unterlage anbringen - Woll- / Frottiertücher unter den Unterschenkeln ausbreiten - dünnes Tuch anfeuchten und faltenfrei um den gesamten Unterschenkel legen - Woll- / Frottiertuch ebenfalls um den Unterschenkel schlagen - am gegenüberliegenden Unterschenkel ebenso verfahren - bevor Wadenwickel körperwarm sind (nach ca. 10 Min.), die dünnen Handtücher erneut anfeuchten
	Frühzeitiges Erkennen von Kreislaufveränderungen	**Vitalzeichenkontrolle** - ½ - 1 stdl. Puls und Blutdruck-Kontrolle - nach Beendigung der Maßnahme Messen der Körpertemperatur
	Temperaturabfall bis max. 1° C Vermeiden großer Kreislaufbelastung	**Beenden der Maßnahme** - wenn Körpertemperatur um 1° C gesenkt wurde - spätestens nach der vierten Erneuerung des Umschlages (nach ca. 45 Minuten) - bei stärkeren Kreislaufveränderungen - bei Unwohlsein des Kranken - bei zyanotischer Verfärbung an den Unterschenkeln
		Dokumentation der Durchführung und Wirkung

5.8 Exemplarische Lebens- und Pflegesituation bei Verbrennungen

5.8.1 Verbrennungen

5.8.1.1 Krankheitsbild

❐ Definition, Schweregrade und Prognose

Bei einer Verbrennung handelt es sich um die **Schädigung der Haut** ab 50° C **durch Einwirken von Hitze** (z.B. Sonnenstrahlen, offenes Feuer, heißes Bügeleisen, heiße Flüssigkeit, heißer Dampf) oder durch Einwirken von elektrischem Strom. Wird die Schädigung durch den Kontakt mit einer heißen Flüssigkeit hervorgerufen, wird sie auch als **Verbrühung** bezeichnet.
Eine ausgedehnte Verbrennung hat schwerwiegende Veränderungen am gesamten Organismus zur Folge und wird deshalb als **Verbrennungskrankheit** bezeichnet. (Das Krankheitsbild wird gesondert besprochen.)
Die **Schwere einer Verbrennung** ergibt sich aus der Tiefe und der Ausdehnung der Gewebeschädigung.
Zur Beurteilung der Tiefenausdehnung orientiert man sich an der folgenden Gradeinteilung.

- **Verbrennung 1. Grades:** Die Schädigung betrifft nur die Oberhaut und ist durch **Rötung** *(Hyperämie)*, Schwellung *(Ödem)* und Schmerzen gekennzeichnet.
- **Verbrennung 2. Grades:** Die Schädigung betrifft Oberhaut und Lederhaut und ist durch **Blasenbildung** mit Austritt von Plasma sowie durch **starke Schmerzen** gekennzeichnet.
- **Verbrennung 3. Grades:** Die Schädigung betrifft alle Hautschichten und die Hautanhangsgebilde; sie ist zunächst durch Entzündungen und Ödeme, später durch Nekrosen gekennzeichnet. Bei völliger Zerstörung der Haut gehen die sensiblen Fähigkeiten verloren, so daß ein Betroffener in dieser Region keine Schmerzen wahrnimmt.
  Lediglich kleine verbrannte Hautregionen heilen durch Narbenbildung ab. Bei ausgedehnteren Verbrennungen ist eine Selbstheilung unmöglich, so daß eine Hauttransplantation erforderlich wird.
- **Verbrennung 4. Grades (oder tiefe Verbrennung 3. Grades):** Die Schädigung betrifft auch die unter der Haut liegenden Gewebe (Muskeln, Sehnen Knochen, Nerven); sogenannte „Verkohlung".

Die Einschätzung der **Flächenausdehnung** erfolgt anhand der sogenannten **Neunerregel** nach Wallace. Diese teilt die Körperoberfläche eines Erwachsenen in "9% - Regionen" ein; bei Säuglingen und Kindern erfolgt aufgrund der anderen Relation zwischen Kopf und Rumpf eine modifizierte Einteilung *(siehe Abb. 5.3)*.
Der Verlauf einer Verbrennung wird entscheidend von der Tiefen - und der Flächenausdehnung der Gewebeschädigung sowie von dem Alter des Betroffenen beeinflußt. Bei Verbrennungen 3. Grades zwischen 60% - 80% ist die **Prognose** vor allem bei älteren Menschen schlecht, bei noch ausgedehnteren Schäden verläuft die Erkrankung tödlich.

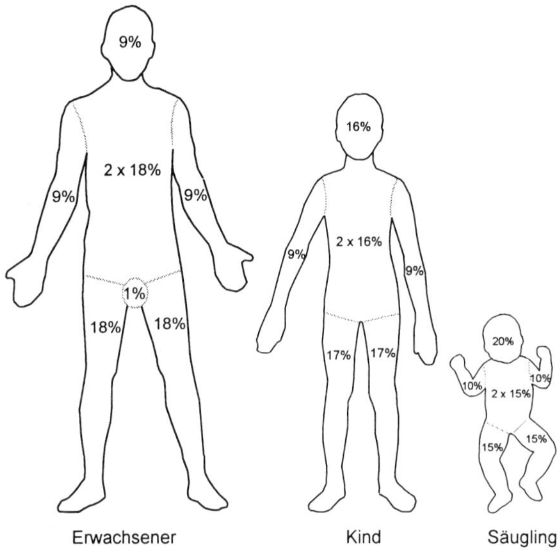

Abb. 5.3 ***Neunerregel (nach Wallace) zur Einschätzung der verbrannten Körperoberfläche***

Hinweis: Aspekte zur Situation eines Betroffenen werden im Zusammenhang mit der Verbrennungskrankheit *(siehe Seite 519)* ausführlich besprochen.

5.8.1.2 Erstversorgung an der Unfallstelle

Bei Verbrennungen muß rasch und gezielt gehandelt werden, um das Ausmaß der Gewebeschädigung so gering wie möglich zu halten.

- **Löschen brennender Kleidung;** wenn möglich, die brennende Person mit kaltem Wasser übergießen oder in Wasser eintauchen, ansonsten die Flammen mit einer Decke ersticken oder den Brennenden am Boden wälzen.
- Entfernen der verbrannten bzw. verbrühten Kleidung
  Beachte: Kleidung aus synthetischem Material verklebt mit der Wunde, deshalb wird sie erst im Krankenhaus entfernt.
- **Kaltwasserbehandlung.** Verbrannte Körperregion ca. 10 - 20 Minuten lang mit kaltem Leitungswasser kühlen (Schmerzlinderung und Stoppen des „Nachbrennens" in der Tiefe). **Beachte**: Kein Eiswasser einsetzen, denn es würde zusätzlich Kälteschäden hervorrufen. Keine flächenhafte Kühlung am Rumpf, denn sie kann zur Auskühlung des Verletzten führen.
- Chemikalien abspülen.
- **Sterile Abdeckung verbrannter Körperregionen.** Stehen keine sterilen Materialien zur Verfügung, Wunde unbedeckt lassen. **Beachte:** Keine Substanzen, z.B. Salbe oder Puder in die Verbrennungswunde bringen.
- Ggf. Atemspende / kardiopulmonale Reanimation bzw. Schocklagerung / stabile Seitenlagerung bei Bewußtlosigkeit.
- **Rascher Transport in das nächste Krankenhaus oder Verbrennungzentum.** Einleitung der systemischen Behandlung durch Infundieren von Ringer - Laktat - Lösung und intravenöse Applikation eines Analgetikums; ggf. Schockbekämpfung, Intubation (Notarzt).

Jede Verbrennung 2. oder 3. / 4. Grades muß ärztlich versorgt werden. Eine ambulante Behandlung ist in der Regel möglich, wenn die verbrannte Fläche bei Erwachsenen weniger als 10%, bei Kindern weniger als 5% der Körperoberfläche beträgt; bei größerer Flächenausdehnung muß die Behandlung vor allem wegen des Risikos einer Schockentwicklung stationär erfolgen.

5.8.1.3 Therapie und Pflege

Die lokale Therapie dient in erster Linie der **Verhinderung einer Wundinfektion**, die eine systemische Infektion nach sich ziehen kann. Weitere **Ziele** sind Schmerzlinderung, Förderung der Wundheilung und Schaffen optimaler Bedingungen für die weitere operative Therapie.

Bei Brandwunden ist ein ausreichender **Tetanusschutz** erforderlich *(siehe Seite 482)*.

Prinzipiell erfolgt die Versorgung von Verbrennungswunden unter strenger **Wahrung der Asepsis** *(siehe Seite 375)*. Sämtliche Materialien, Verbandstoffe und Schutzkleidung des Personals (Handschuhe, Schutzkittel, Mund-Nasen-Schutz, Haube) müssen steril sein.

Die **Wundversorgung** erfolgt unter angemessener Analgesierung (*Schmerztherapie)* des Patienten. Sie wird in der Regel zunächst vom Arzt vorgenommen; Pflegende bereiten die Materialien vor, assistieren während der Maßnahme und betreuen den Patienten. Im postoperativen Krankheitsverlauf wird die Wundversorgung zum Teil an besonders geschultes Pflegepersonal delegiert; für die Durchführung sind mindestens zwei Krankenschwestern / -pfleger erforderlich.

Die Versorgung von ausgedehnten Verbrennungswunden ist **zeitaufwendig** und sowohl für den Kranken als auch für das medizinisch - pflegerische Personal **sehr anstrengend**. Es ist wichtig, den Patienten gut zu informieren und vor sowie nach der Maßnahme Ruhephasen zu gewährleisten. Pflegende bereiten sich gut auf die Maßnahme vor und planen ausreichend Zeit ein.

❒ Wundversorgung bei Verbrennungen 1. Grades

Bei Verbrennungen 1. Grades erfolgt eine **lokale Kühlung** durch Aufbringen eines entsprechenden Gels oder einer Salbe (z.B. Aristamid - Gel®, Systral®Gel, Nobecutan®Spray). Bei Sonnenbrand kann statt dessen auch Quark angewendet werden. Die betroffene Region wird nicht verbunden.

❒ Wundversorgung bei Verbrennungen 2. Grades

- Zunächst werden die Brandwunden **gereinigt**; bei kleineren Wunden kann dies mit steriler Ringer - Lösung oder einem milden Desinfektionsmittel geschehen; großflächige Verletzungen sind unter fließendem Wasser abzuspülen.
- Aus geschlossenen **Blasen** wird die Flüssigkeit **steril abpunktiert**, defekte Brandblasen werden abgetragen.
- **Abdeckung** der Verbrennungen, z.B. mit Silbersulfadiazin (z.B. Flammazine®), SOFRA-Tüll®oder mit INADINE®, und täglicher Verbandwechsel bis zur Abheilung. Hydrokolloid-Verbände, z.B. Varihesive® E, Hydrokoll®, Comfeel®plus können ebenfalls angewendet werden.
- Abdeckung von Verbrennungswunden im Gesicht und an den Händen mit homologer Spalthaut *(frische oder konservierte menschliche Haut)*, die einheilt und nach Regeneration der eigenen Haut (nach ca. 3 Wochen) wieder abgestoßen wird.
- **Halboffene Wundbehandlung** (d.h. festes Auflegen einer sterilen, z.B. mit Ringerlösung getränkten Gaze ohne zusätzlichen Wundverband) bei relativ sauberen tiefen Verbrennungen 2. - 3. Grades nach Entfernung von Nekrosen.
- Tiefergehende Verbrennungen 2. Grades werden ab dem 3. posttraumatischen Tag nach dem Prinzip der **Frühexzision** operativ versorgt.

❒ Wundversorgung bei Verbrennungen 3. und 4. Grades

- **Erste Wundreinigung** wie bei Verbrennungen 2. Grades.
- **Reinigung der Wunden** mehrmals täglich zunächst mit Ringer - Lösung, Entnahme eines Abstrichs und anschließend Benetzen der Wunde mit PVP - Jod (4 - 6stündlich).
- Inspektion der Wunde und Beurteilung des Wundzustands.
- Bei kleineren Verbrennungen 3. Grades Wundversorgung z.B. mit hydroaktivem Wundverband (z.B. Cutinova®hydro) oder Wundbehandlung mit z.B. Flammazine® oder SOFRA-Tüll® und sterilen Kompressen. Diese beim Verbandwechsel mit Ringer - Lösung befeuchten und vorsichtig lösen.
- Bei tiefen großflächigen Wunden bis zur chirurgischen Abtragung der Nekrose möglichst Hochlagerung der betroffenen Körperregion(en), Funktionsstellung der Gelenke und offene Wundbehandlung, z.B. mit Povidonjod (Betaisodona®); die Wundfläche 4 - 6stündlich benetzen (Desinfektion und Austrocknung).
- Operative sterile **Abtragung der Nekrosen** und Abdeckung der Defekte mit **Hauttransplantaten** *(Spalthaut = aus Ober- und Lederhaut bestehende Hautlappen aus nicht verbrannten Regionen des Patienten)* oder künstlichen Materialien (z.B. Epigard®, Allevyn®, SYS-derm®) .
- Nach Nekrosenabtragung **offene Wundbehandlung,** d.h. die Wunde offen und trocken halten (der trockene Wundschorf bildet eine Schutzbarriere, die Bildung eines feucht - warmen Milieus wird verhindert), bis zur Bildung einer trockenen Kruste wiederholtes Entfernen des Exudats mit sterilen Kompressen und durch Spülen der Wunde mit Ringer - Lösung. Während dieser Zeit Lagerung des unbekleideten Kranken auf einer sterilen Auflage (z.B. OP - Tuch; Metalline® - Bettuch). Darunter sollte sich eine Schaumstoffmatratze befinden. Alternativ kommen Spezialbetten zum Einsatz. Freihalten der Wunde von Druckeinwirkungen, d.h. weder Kleidung noch Bettdecke auflegen.
- **Kontinuierliche Beobachtung** der Wunde (Aussehen; Sekretion; Infektionszeichen wie gerötete Wundränder, Geruchsentwicklung, Eiterbildung oder feuchte, mazerierte Nekrosen).

- **Bei Eiterbildung** Entfernung des verkrusteten Wundschorfs.
- **Halboffene Wundbehandlung** nach Säuberung eitriger Wunden und nach Transplantation von Spalthaut.

❐ Pflegerische Besonderheiten nach einer Hauttransplantation

- **Ruhigstellung** der operierten Körperregion (evtl. mittels einer mit synthetischer Watte abgepolsterten Schiene), um das Hauttransplantat nicht zu gefährden.
- **Hochlagerung** der operierten Areale und der Körperregion, in der die Spalthaut entnommen wurde, um einer Ödembildung entgegenzuwirken; ggf. Regionen mit weiteren Verbrennungswunden ebenfalls hochlagern.
- **Erster Verbandwechsel** etwa am 3. postoperativen Tag (Arzt), danach bei komplikationslosem Verlauf jeden 2. - 3. Tag Wiederholung. **Beachte**: Es dürfen keine Zug - und Scherkräfte auf die noch nicht fest mit dem Wundbett verwachsenen Transplantate ausgeübt werden.
  - Aufschneiden und Entfernen der obersten Verbandschichten;
  - vorsichtiges Entfernen der über den Transplantaten aufgebrachten Fettgaze;
  - Beobachtung der transplantierten Hautregion und der Umgebung (bei Anwachsen des Transplantats am ca. 4. / 5. postoperativen Tag weist dieses eine leichte rosarote Färbung auf);
  - ggf. steriles Abpunktieren von Blasen, die sich unter der transplantierten Haut gebildet haben;
  - Abtupfen der Transplantate mit feuchten Mullkompressen;
  - Auflegen neuer Fettgaze;
  - Auflegen trockener Mullkompressen und Fixierung mittels Mullbinden oder Lagerungsschienen.
- **Belassen** des trockenen **Verbandes über der Entnahmestelle**; erst nach 14 Tagen vorsichtige schichtweise Ablösung des Verbandes; bei Festhaften der im Operationssaal aufgelegten Fettgaze Auftragen fetthaltiger Creme, um das Ablösen zu erleichtern.
- **Schonung der transplantierten Haut**, sie darf eine gewisse Zeit nicht belastet werden, da es z.B. zu Einblutungen unter die Transplantate kommen kann. **Mobilisation** erst nach entsprechender Anordnung des Arztes und unter physiotherapeutischer Anleitung.
- Veranlassung der Anpassung von **Kompressionskleidung**, die ein Betroffener ca. 12 - 15 Monate 23 Stunden täglich über dem angewachsenen Transplantat tragen muß, um durch den gezielten Druck die Narbenbildung zu verringern und das kosmetische Ergebnis zu verbessern.
- Anleitung zum Anziehen der Kompressionskleidung und zur täglichen Pflege des Transplantats mit Fettsalbe.
- Information und Motivation, regelmäßig den behandelnden Arzt (Facharzt für plastische Chirurgie) aufzusuchen.

5.8.2 Verbrennungskrankheit

5.8.2.1 Krankheitsbild

❐ Definition und Phasen

Als Verbrennungskrankheit wird die durch verschiedene systemische Reaktionen **bei schweren Verbrennungen**, die mehr als 15% der Körperoberfläche betreffen, **hervorgerufene Störung des Gesamtorganismus** bezeichnet. Sie verläuft in drei Phasen.

Schockphase (Akutphase, Frühphase)

Die Akutphase beginnt direkt nach dem Trauma; sie umfaßt die in den ersten 2 Tagen nach der Verbrennung zu beobachtenden pathophysiologischen Prozesse. Diese entwickeln sich aufgrund des Verlustes der Hautfunktionen in der verbrannten Region und infolge der gesteigerten Durchlässigkeit der geschädigten Zellmembranen, die zur Entwicklung von massiven Ödemen führt. Es kommt zu erheblichen Verlusten von Flüssigkeit, Elektrolyten, Plasmaeiweißen und Körperwärme, die zum **Schock** und zum **Multiorganversagen** führen können, wenn nicht in den ersten Minuten / Stunden eine konsequente Volumensubstitution erfolgt *(siehe nachfolgend "Therapie und Pflege").*

Intermediärphase (Spätphase)

Nach der Stabilisierung der Vitalfunktionen und Substitution der Verluste beginnt die Intermediärphase. In diesem Krankheitsstadium entwickeln sich häufig durch körpereigene Keime und Kreuzinfektionen bedrohliche **bakterielle Infektionen** und ggf. nachfolgend eine Sepsis. Außerdem kommt es zum **Hypermetabolismus** (*gesteigerte Stoffwechselaktivität*).

Rehabilitationsphase

Die Rehabilitationsphase beginnt nach Überwindung der akuten Lebensgefahr *(weitere Informationen siehe "Rehabilitation und Nachbetreuung", Seite 525).*

5.8.2.2 Zur Situation eines Betroffenen

„Das Leben nach einer schweren Verbrennung wird für einen Betroffenen nie mehr sein, wie es vorher war."

Schwere Verbrennungen zählen zu den extremsten Verletzungen und gehen mit **gravierenden körperlichen, seelischen** und **sozialen Belastungen** sowie lebenslangen Folgen einher.

Ein Betroffener wird nicht nur mit einem schrecklichen Unfall und einer lebensbedrohlichen Situation konfrontiert, sondern auch mit starken Schmerzen, Entstellung, Verstümmelung, Behinderung und Ausgrenzung. Brandopfer müssen das **Schockerlebnis** des Unfalls, die **schwere Erkrankung** sowie die **lebenslangen Folgen** und deren Auswirkungen **verarbeiten**. Mit der Verbrennung wurde die Haut, natürliche Barriere und zugleich wichtige Kontaktbrücke zur Außenwelt, verletzt. Aus dem Schutz-, Wahrnehmungs-, Ausdrucks- und Kontaktorgan Haut wurde ein schutzloses, verletztes Organ, eine Quelle lebensbedrohlicher Infektionen und ein Ort des Schmerzes. Das Aussehen, ein individuell mehr oder weniger wichtiger Bestandteil der Persönlichkeit, kann völlig verändert sein und beim Betroffenen sowie bei seinen Mitmenschen Unsicherheit, Mitleid, Befremden, Abscheu und Ablehnung hervorrufen.

Ein entstellter Mensch hat plötzlich eine völlig neue Wirkung auf andere Menschen; er **nimmt die Reaktionen seiner Mitmenschen** - auch die der Pflegenden - **empfindsam wahr**. Selbstwertgefühl und Selbstvertrauen leiden meist sehr unter der Entstellung und Verstümmelung, ein Brandverletzter kann z.B. befürchten, nicht mehr liebens- und begehrenswert zu sein.
Zunächst stehen die lebensbedrohliche Krankheit und das Überleben im Vordergrund *(siehe dazu „Zur Situation eines Intensivpatienten", Seite 380)*. Nach Überwindung der Akutphase stellt sich vielen Betroffenen die **Frage nach dem Sinn** der Geschehnisse. Nicht wenige sehen keinen Sinn in einem Weiterleben als verunstalteter und verstümmelter Mensch und haben ausgeprägte Hemmungen sowie Ängste vor ablehnenden Reaktionen anderer. Zusätzlich ist diese Krankheitsphase durch körperliche Qualen, vor allem bei Bewegungen, und durch die soziale Isolation in dem „Verbrennungzimmer" geprägt. Mancher wünscht sich, er hätte den Unfall nicht überlebt. In dieser extremen Lebenssituation hat ein Betroffener ein **ausgeprägtes Bedürfnis nach Zuwendung** und **menschlicher Wärme**, nach **Anteilnahme**, Trost und Verständnis. Die Erfüllung dieser Bedürfnisse wird durch die notwendige Isolation erschwert. Nur wenige Menschen können den Kranken besuchen; Berührungen sind je nach Lokalisation und Ausdehnung der Verbrennung nur mit sterilen Handschuhen vertretbar, die Verbrennungen vereiteln häufig die ersehnte Umarmung.
Bei Besserung des Allgemeinbefindens stellen sich depressive und aggressive Reaktionen sowie **Trauer** ein; ein Betroffener trauert z.B. um seine verlorene Schönheit, um seine Unversehrtheit, seine Beweglichkeit und/oder seine Unbekümmertheit. Er steht vor der Aufgabe, sich mit der Situation eines behinderten und entstellten Menschen auseinanderzusetzen; in vielen Fällen muß ein Betroffener **Abschied nehmen von** bestimmten **Zukunftsplänen** sowie **neue Werte** und **Lebensziele entwickeln**.
Für einen Brandverletzten beginnt nach dem Unfall unter Umständen ein „zweites Leben", in dem fast alles anders ist. Um so mehr braucht er Hilfen, um seine Identität zu finden, z.B. das Bewußtmachen seiner Ressourcen, seiner menschlichen Qualitäten und seiner Fähigkeiten. Nicht jeder Mensch kann diese extreme Herausforderung schon kurze Zeit nach dem Unfall verarbeiten; einige Betroffene entwickeln eine reaktive Depression *(siehe Seite 766)*, andere verleugnen die Realität.
Die Erinnerung an den Unfallhergang und die **Verarbeitung des Unfallgeschehens** können zunächst verdrängt werden und erst später in den Vordergrund rükken.
Viele Betroffene machen sich selbst oder anderen Vorwürfe, den Unfall (mit-)verursacht zu haben. SCHRADER (in GRABOSCH / GÜNNEWIG, 1991) weist darauf hin, daß einige Brandunfälle (z.B. durch Einschlafen mit brennender Zigarette verursachte) nach einer meist schon längere Zeit andauernden, psychisch desolaten Situation geschehen, und wirft die Frage nach einem unbewußten selbstschädigender und suizidalen Mitwirken des Opfers auf.

Bis zur Wiedereingliederung in das Alltagsleben hat ein Betroffener einen **langen Leidensweg,** der seine Lebensqualität erheblich beeinträchtigt hat, hinter sich. Mit der Entlassung aus der stationären Behandlung beginnt bei unbefriedigendem kosmetischem / funktionellem Ergebnis der Behandlung ein **zweiter Leidensweg**; die Zeit der Rückkehr in das gesellschaftliche Leben wird von Hemmungen und Ängsten begleitet. Tatsächlich wird ein Betroffener überall mit den Reaktionen seiner Mitmenschen konfrontiert, er wird angestarrt, **entsetzte oder mitleidige Blicke** haften an ihm oder werden rasch abgewendet. Zahlreiche Menschen können den Anblick eines Verbrennungsopfers nicht ertragen, z.B. weil er sie hilflos macht und Ängste in ihnen hervorruft. Auch die Angehörigen müssen sich mit ihren Gefühlen und Ängsten auseinandersetzen und lernen, damit umzugehen.
Verstümmelungen und Narbenkontrakturen vereiteln in einigen Fällen die Wiederaufnahme der bisherigen Berufstätigkeit; Umschulung, Teil- oder Frühberentung können erforderlich sein. Dadurch entwickeln sich unter Umständen weitere Probleme, z.B. eine soziale Isolation.

5.8.2.3 Therapie und Pflege

Patienten mit einer Verbrennungskrankheit werden wegen der (möglichen) Komplikationen auf der **Intensivstation** behandelt; für die Versorgung Schwerbrandverletzter stehen speziell ausgerüstete Verbrennungszentren / -stationen zur Verfügung. Wegen der Infektionsgefahr und des Verlustes der Fähigkeit, die Körpertemperatur zu regulieren, ist die Unterbringung in einem **keimarmen und vollklimatisierten Einzelzimmer** erforderlich; die Zimmer sind häufig mit einer Laminar - air - flow - Anlage ausgestattet *(siehe Seite 939)*.
Spezialeinrichtungen für Verbrennungskranke verfügen über weitere Besonderheiten:
- Schleusen für Mitarbeiter und Besucher;
- eine Patientenschleuse;
- Behandlungseinheiten, zu denen jeweils
  - ein Vorraum für die Aufbewahrung der Pflegeutensilien und weiterer Materialien,
  - möglichst eine Patiententoilette,
  - ein Spezialbett (z.B. Luftkissenbett, Spezialbett mit Laminar - flow - System, Intensivbett für Brandverletzte),
  - eine regulierbare Temperatureinstellung und Luftbefeuchtung sowie
  - über Knopfdruck oder Druckschienen zu bedienende Türen gehören;
- einen Operationssaal;
- ein Behandlungsteam, bestehend aus ÄrztInnen, Krankenschwestern / -pflegern (mit Fachweiterbildung für Intensivkrankenpflege), PhysiotherapeutInnen, ErgotherapeutInnen, PsychologInnen und SozialarbeiterInnen.

Ziele der Therapie und Pflege von Brandopfern sind das Überleben des Betroffenen, ein bestmögliches funktionelles und kosmetisches Ergebnis sowie die seelische Verarbeitung des Unfallerlebnisses.

❒ Therapie und Pflege während der Schockphase

In den ersten Minuten und Stunden stehen die Aufrechterhaltung der Vitalfunktionen und der **Ausgleich der Verluste** über die Verbrennungswunden im Vordergrund = **Schocktherapie / -prophylaxe**. Die intravenöse **Flüssigkeitszufuhr** (z.B. mit Ringer - Laktat - Lösung) erfolgt nach Berechnung des Flüssigkeitsbedarfs anhand spezieller Formeln (z.B. Formel nach Brooke oder Parkland, Ludwigshafener Formel). Elektrolyte und Eiweiße werden ebenfalls über entsprechende Infusionen substituiert. Das weitere therapeutische und pflegerische Vorgehen bei Schock wird auf *Seite 387* besprochen.

Bei thermischen Verletzungen der Atmungsorgane ist in vielen Fällen eine **Intubation**, ggf. auch eine Tracheotomie angezeigt; die entsprechenden therapeutischen und pflegerischen Maßnahmen sind auf *Seite 402 und 410* nachzulesen.

Eine **konsequente Schmerztherapie** nach Schema *(siehe Seite 912)* ist auch bei Verbrennungswunden 3. / 4. Grades (in deren Folge die Schmerzrezeptoren im betroffenen Gebiet zerstört wurden) erforderlich, da die zweitgradig verbrannten Randgebiete stärkste Schmerzen verursachen.

Zur Infektionsprophylaxe wird eine systemische **Antibiotikatherapie** verordnet.

❒ Therapie während des weiteren Krankheitsverlaufs

- Vor allem bei zirkulären Verbrennungen werden **Entlastungsschnitte an den Extremitäten** vorgenommen, um einer Minderdurchblutung infolge der Gefäßkompression bei massiven Ödemen vorzubeugen.
- Die Verbrennungskrankheit ruft bei vielen Betroffenen Erosionen oder Ulzerationen der Magen- / oder Duodenalschleimhaut (*Streßulkus*) hervor. Zur **Ulkusprophylaxe** werden H_2 - Blocker, z.B. Zantic® und/oder Protonenpumpenhemmer, z.B. Antra®, verabreicht *(siehe auch „Prinzipien der Ulkusbehandlung", Seite 145).* Prophylaktisch wirkt auch der frühzeitige Beginn einer **künstlich enteralen Ernährung** *(siehe dazu Seite 120).*
- Die **Ernährung** wird wegen des Hypermetabolismus **hochkalorisch** (3000 - 6000 Kalorien / 24 Stunden) sowie **eiweiß- und vitaminreich** gestaltet. In den ersten Tagen erfolgt die Nahrungszufuhr **parenteral** *(siehe Seite 128)*, sobald möglich **enteral**, ggf. über eine Magensonde oder eine PEG *(siehe Seite 124).*
- Zur Thromboseprophylaxe und zur Vorbeugung einer Verbrauchskoagulopathie *(siehe Seite 386)* erfolgt eine **Low - dose - Heparinisierung**.
- **Wundversorgung** und **Tetanusprophylaxe** werden unter „Verbrennungen" *(siehe Seite 518)* besprochen.
- In der Spätphase der Verbrennungskrankheit können sich durch **Wundinfektion** oder andere **Infektionen** (z.B. Pneumonie, Harnwegsinfektion) eine Sepsis und ein septischer Schock entwickeln. Die Therapie eines septischen Schocks wird auf *Seite 387*, die einer Sepsis auf *Seite 470* besprochen.

❒ Pflege während des weiteren Krankheitsverlaufs

Belastungen der Pflegenden

Die Pflege eines schwerbrandverletzten Menschen stellt **höchste Anforderungen** an die **Fachkompetenz,** das **Einfühlungsvermögen** sowie an die körperliche und seelische **Belastbarkeit** eines Pflegenden. Besondere Belastungen stellen der ständige Anblick des Leids, der Verunstaltung und der Verstümmelung von Menschen sowie das Arbeiten in einem von der Umwelt abgetrennten Raum bei über 30° C Wärme dar. Weitere Aspekte sowie die Besonderheiten der Pflege eines Menschen auf der Intensivstation werden im Kapitel „Pflegen und Gepflegt werden auf der Intensivstation" *(siehe Seite 379) besprochen.*

Schwerpunkte und Ziele der Pflege sind

- die Wiederherstellung / Aufrechterhaltung der vitalen Funktionen,
- die Verhinderung / Früherkennung von Komplikationen (vor allem Infektionen),
- die Förderung der Wundheilung,
- die Unterstützung des Schwerkranken bei den Lebensaktivitäten sowie
- die Begleitung bei der seelischen Verarbeitung des Unfallerlebnisses und der Folgen der Verbrennungen.

Die Verbrennungskrankheit ruft in allen Lebensbereichen eines Betroffenen Probleme hervor. Nachfolgend werden die Besonderheiten und die entsprechenden Pflegemaßnahmen - gegliedert nach den ATL - besprochen.

❍ Regulieren der Körpertemperatur

Durch die Schädigung eines größeren Hautareals geht die Fähigkeit, die Körpertemperatur zu regulieren, verloren. Lebensbedrohliche Flüssigkeits- und Wärmeverluste (über Verdunstung) sind die Folge. Um den Wärmeverlust so gering wie möglich zu halten, werden

- die **Zimmertemperatur** auf 30 - 32° C und
- die **Luftfeuchtigkeit** auf ca. 40% (eine höhere Luftfeuchtigkeit würde das Keimwachstum fördern) reguliert sowie
- Zugluft vermieden.

Die **Temperatur** im Körperkern ist **regelmäßig** oder kontinuierlich mittels rektaler Temperatursonde *(siehe Seite 504)* zu **kontrollieren**. Bei Absinken der Körpertemperatur unter 37,0° C ist die Raumtemperatur zu erhöhen. Temperaturwerte bis 38,5° C werden wegen des gesteigerten Stoffwechsels toleriert; höhere Temperaturen sind meist Zeichen einer Infektion.

❍ Für Sicherheit sorgen

- In der Schockphase stehen die **Beobachtung und Aufrechterhaltung der Vitalfunktionen** sowie die **Überwachung der Infusionstherapie** *(siehe Seite 460)* im Vordergrund; es sind alle unter „Schock - Pflege und Überwachungsmaßnahmen" *(siehe Seite 389)* besprochenen Maßnahmen durchzuführen. Um die Beobachtung des Flüssigkeitshaushaltes und die Infusionstherapie zu erleichtern, wird das **Körpergewicht** des Kranken bei der Aufnahme und im weiteren Krankheitsverlauf mit Hilfe einer Bettenwaage **ermit-**

fühls beitragen können. Nach der Entlassung aus der Therapie / Rehabilitation, also bei der Rückkehr in das Alltagsleben, wird das wiederaufgebaute Selbstvertrauen auf eine harte Probe gestellt. Eine psychologische Begleitung und der Anschluß an eine Selbsthilfegruppe sind in dieser Phase im allgemeinen sehr hilfreich.
- Die Möglichkeit, über Radio oder Fernseher an den Geschehnissen der Außenwelt teilzuhaben, sollte angeboten werden.

❍ Ausscheiden

- In der ersten Krankheitsphase benötigt der Kranke pflegerische **Hilfestellung** bei der Verrichtung der Ausscheidungen.
- Um eine genaue Flüssigkeitsbilanz erstellen zu können, wird in der ersten Krankheitsphase ein Blasenverweilkatheter eingebracht und mit einem Stundenurinmesser versehen. Die **Harnwegsinfektionsprophylaxe** *(siehe Seite 208)* ist äußerst sorgfältig durchzuführen.
- Wegen der krankheitsbedingten **Verringerung der Magen - Darm - Motilität** können sich eine Obstipation und ein paralytischer Ileus *(siehe Seite 255)* entwikkeln. Die Darmtätigkeit wird deshalb beobachtet; Störungen können den Arzt zur Verordnung **peristaltikfördernder Medikamente** (z.B. Prostigmin®) oder früher enteraler Ernährung veranlassen.

❍ Sinn finden

- Schwerbrandverletzte Menschen müssen das **Trauma** des Unfalls, die **schwere Erkrankung** sowie die lebenslangen **Folgen** und deren Auswirkungen **verarbeiten**; lesen Sie dazu *„Zur Situation eines Betroffenen"*. An dieser Stelle werden Vorschläge zur seelischen Begleitung und Unterstützung gemacht.
- Verbrennungsopfer brauchen mitmenschliche **Anteilnahme**, **Verständnis** für ihre Gefühle und **psychologische Hilfe**, um diese Situation zu meistern; dies gilt ebenso für die mitbetroffenen Angehörigen. Im Umgang mit Betroffenen hat sich **Ehrlichkeit**, die Vertrauen anbahnt und die Chance eröffnet, die Realität zu erfassen, bewährt. Ein Betroffener ist dabei zu unterstützen, nach und nach seine Möglichkeiten und Grenzen kennenzulernen und realistische Erwartungen aufzubauen.
- Bei der seelischen Verarbeitung des Unfallgeschehens braucht ein Betroffener Hilfe. Die kann er in Form menschlicher Wärme, geduldigen Zuhörens oder in Gesprächen erfahren; es ist allerdings nicht sinnvoll, bohrende und fordernde Fragen nach dem Hergang und dem Erleben des Unfalls zu stellen; vielmehr gilt es, präsent zu sein und Gesprächsbereitschaft zu signalisieren. Meist erfolgt zusätzlich die Betreuung durch einen Psychologen.
- Im pflegerischen Alltag sollten Menschen mit Verbrennungen die Erfahrung machen, daß sie nicht gemieden werden und daß andere sie als Persönlichkeit achten. **Gefühlsausbrüche** sind ohne Wertung **zuzulassen**, daß Ausdrücken von Gefühlen ist zu fördern. Ein Betroffener (ebenso seine Angehörigen) sollte immer wieder Verständnis erfahren. **Nonverbale Zuwendung** durch Berührungen, Blicke oder Aufmerksamkeit können besonders wohltuend erlebt werden.

❍ Geschlechtliches Erleben und Verhalten

- Wegen der großflächigen Wunden muß in der ersten Zeit auf die Bekleidung des Brandverletzten verzichtet werden. Die **Nacktheit** ruft **Schamgefühle** hervor und verdeutlicht die Verunstaltung des Äußeren. Selbstverständlich wahren Pflegende im Rahmen des Möglichen die Intimsphäre und respektieren die Gefühle des Kranken. In einigen Fällen kann der Patient mit einem sterilen Bettuch (wenigstens im Intimbereich) zugedeckt werden; es ist aber dafür zu sorgen, daß es nicht mit den Wunden in Berührung kommt (z.B. durch Anbringen von Deckenhebern).
- Die Veränderung des äußeren Erscheinungbildes durch entstellende Narben kann das Gefühl, als Frau bzw. Mann nicht mehr attraktiv und begehrenswert zu sein, hervorrufen. Partnerschaften können eine harte Bewährungsprobe erfahren. Jugendliche, die sich noch mit ihrer Geschlechtsrolle identifizieren müssen und Menschen, denen das äußere Erscheinungsbild bedeutsamer Bestandteil der Persönlichkeit ist, werden besonders schwer belastet. Für den Umgang mit dieser Problematik gelten die zuvor unter „Sinn finden" besprochenen Verhaltenshinweise. Außerdem sollte ein Betroffener über die Möglichkeit der kosmetischen Abdeckung der Narben informiert werden *(siehe "Rehabilitation und Nachbetreuung")*.
- Die **erotische Ausstrahlung leidet** im allgemeinen unter dem Anblick entstellender Narben. Ein anderes Problem kann der Verlust der **Fähigkeit zu sinnlichen Empfindungen** darstellen. Betroffene und ihre Partner können einander bei der Verarbeitung dieser Probleme stützen; oft ist eine psychologische Begleitung zu empfehlen. Außerdem kann das kosmetische Ergebnis zum Teil durch chirurgische Eingriffe verbessert werden.
- Verbrennungen der äußeren Geschlechtorgane können neben psychologischen Auswirkungen auch Schmerzen und **Funktionseinbußen** nach sich ziehen. Trauerreaktionen sollten zugelassen und gefördert werden.

❍ Wach sein, Ruhen und Schlafen

- Wie bei allen schweren Erkrankungen ist der Ruhe- und Schlafbedarf erhöht *(siehe Seite 685)*.
- In den ersten Krankheitstagen erfolgen zur Entlastung des Kranken eine medikamentöse **Sedierung** und eine Schmerztherapie nach Schema, die den Kranken in einen schlafähnlichen Zustand versetzen. Der **Bewußtseinszustand** wird **beobachtet**.
- Die Besonderheiten des Zimmers für einen Schwerbrandverletzten wurden bereits besprochen.

❍ Sich Beschäftigen

- Während der Unterbringung in einem keimarmen Einzelzimmer kann es bei Besserung des Allgemeinzustandes zu Langeweile und/oder Grübeleien kommen; diesen kann durch Kontakte / Besuche und Beschäftigung entgegengewirkt werden. Materialien zur Beschäftigung müssen zunächst sterilisiert werden.
- Die **berufliche Zukunft** kann durch Funktionseinbußen und Entstellungen **beeinträchtigt** werden. Mög-

Gelenkarten

Aufgrund ihres knöchernen Aufbaus lassen sich mehrere Gelenkarten unterscheiden.
Die vier wichtigsten sind:

a) Das Scharniergelenk
Es handelt sich um die einfachste Gelenkart; sie ist mit dem Scharnier einer Tür vergleichbar. Beide sind nur um eine Achse in zwei Richtungen zu bewegen. Fast alle Röhrenknochenverbindungen stellen Scharniergelenke dar, z.B. Finger- und Zehengelenke.

b) Das Kugelgelenk
Diese Gelenkart läßt Bewegungen um drei Hauptachsen mit 6 Bewegungsrichtungen zu. Außerdem sind viele Mischbewegungen möglich. Da sowohl das Schultergelenk als auch das Hüftgelenk in relativ viele Richtungen bewegt werden können (z.B. durch Beugung, Streckung, Abspreizen, Anziehen, Innendrehung und Außendrehung), bezeichnet man sie annähernd als Kugelgelenke.

c) Das Sattelgelenk
Es erlaubt Bewegungen um zwei Achsen und somit in vier Hauptbewegungsrichtungen. Ein Beispiel ist das Daumengrundgelenk, welches zwischen Handwurzel- und Mittelhandknochen liegt. An- und Abspreizen sowie Beugen und Strecken sind möglich.

d) Das Zapfengelenk (Drehgelenk)
Hierbei handelt es sich um einen dem Scharniergelenk ähnlichen Aufbau, der ebenfalls nur zwei Bewegungsrichtungen um eine Achse (Längsachse) ermöglicht. Ein Beispiel ist das Gelenk zwischen dem ersten und dem zweiten Halswirbel, welches sich nur nach rechts und links drehen läßt.

Viele Gelenke unseres Körpers lassen sich nicht nur einer Gelenkart zuordnen. So ist z.B. das Ellenbogengelenk ein Dreh- und Scharniergelenk, es läßt Beugung und Streckung sowie Pronation (Drehung des Handtellers nach unten) und Supination (Drehung des Handtellers nach oben) zu.

Gelenkbewegungen

Gelenkbewegungen sind in Richtung und Ausmaß von der Gelenkart abhängig. Die möglichen Bewegungsrichtungen werden am ***Beispiel des Schulter- und Ellenbogengelenks*** aufgezählt.

- **Beugung** *(Flexion)*
  - ***Beispiel Ellenbogen:*** Hand zur Schulter führen
  - ***Beispiel Schultergelenk:*** Arm bis 180° nach vorne anheben *(Anteversion)*
- **Streckung** *(Extension)*
  - ***Beispiel Ellenbogen:*** Hand von der Schulter weg führen
  - ***Beispiel Schultergelenk:*** Arm nach hinten strecken *(Retroversion)*

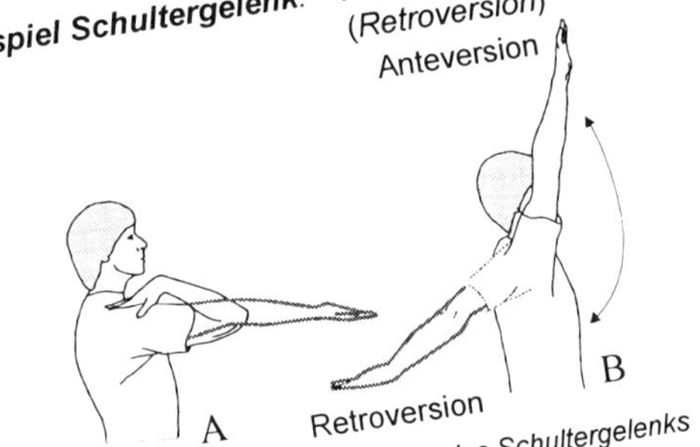

A) des Ellenbogengelenks
B) des Schultergelenks
Abb. 6.2 **Beugung und Streckung**

- **Abspreizen** *(Abduktion)*
  - ***Beispiel Schulter:*** Arm vor
- **Heranziehen** *(Adduktion)*
  - ***Beispiel Schulter:*** Arm an

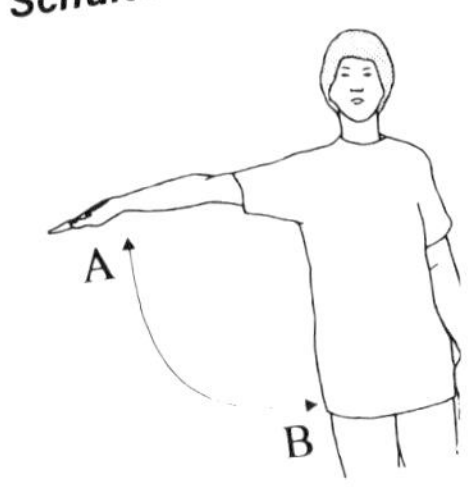

A) Abspreizen
Abb. 6.3 **Abspreizen und Heranzieh**

- **Drehung nach innen** *(Innen*
  - ***Beispiel Schulter:***
- **Drehung nach außen** *(Auße*
  - ***Beispiel Schulter:***

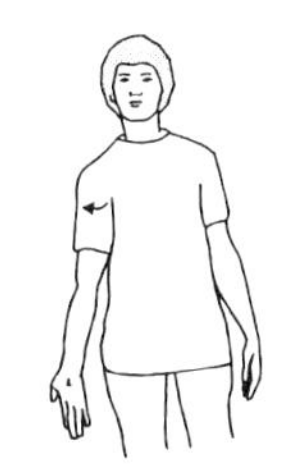
Abb. 6.4 **Drehung nach auße**

- **Einwärtsdrehung** *(Pro*
  (Anmerkung: Der Begriff Pro des Handtellers bzw. auf die
  - ***Handteller:***
  - ***Fußrand:***
- **Auswärtsdrehung** *(S*
  (Anmerkung: Der Begriff S des Handtellers bzw. auf
  - ***Handteller:***
  - ***Fußrand:***

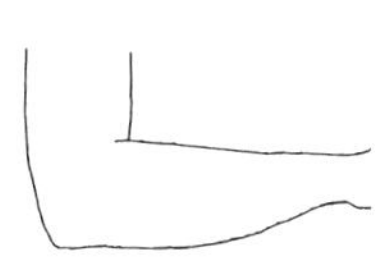

Abb. 6.5 **Einwärt des Ha**

Außer von der der **Gelenkführ formen untersc**

a) Die Knoche
Die Bewegun enden, die p legt. So lass Fingern und gen und stre

lichkeiten des Einsatzes von Hilfsmitteln, einer Umschulung oder Teil- / Frühberentung werden in der Rehabilitationsmaßnahme erörtert und eingeleitet.

- Die Ausübung von Freizeitbeschäftigungen und Tätigkeiten im Haushalt kann ebenfalls beeinträchtigt sein; auch in diesem Fall können **Rehabilitationsmaßnahmen** und **der Einsatz von Hilfsmitteln** die Situation verbessern oder zur Lösung des Problems beitragen.

5.8.2.4 Rehabilitation und Nachbetreuung

Ziel der Rehabilitation nach einer schweren Verbrennung ist die Führung eines **lebenswerten Lebens**. Dazu gehören ein für den Betroffenen akzeptables **kosmetisches und funktionelles Ergebnis** der Therapie.

- Die Rehabilitation beginnt bereits nach Überwinden der Akutphase mit den kontrakturenprophylaktischen **Lagerungen** und **krankengymnastischen Übungen**; letztere sind auch in der nachstationären Phase unverzichtbar.
- Nach Einheilung des Hauttransplantats wird zwecks Verhinderung bzw. Verringerung einer hypertrophen Narbenbildung durch gezielten Druck eine **Kompressionskleidung** angepaßt; diese muß ein Brandverletzter ungefähr 1 - 2 Jahre lang Tag und Nacht tragen; die Kleidung wird nur während der Körperpflege abgelegt. Diese Maßnahme erfordert eine hohe Kooperation des Betroffenen.
- Das funktionelle und das kosmetische Ergebnis können Monate nach dem Unfall in vielen Fällen operativ (**plastische Chirurgie**) verbessert werden.
- **Spezial - Makeup** (z.B. DERMACOLOR Camouflage System) bietet die Möglichkeit, **Narben** u.a. Hautanomalien **farblich abzudecken**. Es kann zwischen zahlreichen Farbtönen gewählt werden.
  Das Spezial - Makeup schützt vor schädlichen UV-Strahlen, ist abrieb- und wasserfest sowie schweiß- und hitzebeständig; laut Hersteller bleibt es selbst unter extremen Bedingungen (körperliche Anstrengung, Schwimmen, Hitze) bis zu 36 Stunden beständig.
  Zum Entfernen des Makeup werden ein spezielles Gel / eine Creme angeboten.
  Die erste Anwendung sollte unter Anleitung einer geschulten Kosmetikerin erfolgen.
- Behinderungen im Alltag können in vielen Fällen zumindest teilweise durch den **Einsatz von Hilfsmitteln** kompensiert werden. Auswahl und Anleitung erfolgen im allgemeinen durch ErgotherapeutInnen.
- Körperliche Behinderungen nach Gliedmaßenamputationen können zum Teil durch die Anpassung von **Prothesen** ausgeglichen werden.
- Eine berufliche **Umschulung** und eine **Früh- / Teilberentung** können ggf. mit Hilfe einer Sozialarbeiterin beantragt werden.
- Auch in der nachstationären Zeit der Rückkehr in den Alltag und in das gesellschaftliche Leben ist für viele Betroffene eine **psychologische Betreuung** angezeigt.
- In einigen Städten haben brandverletzte Menschen die Möglichkeit, in einer **Selbsthilfegruppe** Erfahrungen mit anderen Betroffenen auszutauschen.

Literaturhinweise

Assmann, C.: Pflegeleitfaden. Alternative und komplementäre Methoden. Urban & Schwarzenberg, München 1996

Augustin, M. u.a.: Praxisleitfaden Naturheilkunde. Jungjohann, Neckarsulm 1993

Brandis v. / Schönberger: Anatomie und Physiologie für Krankenschwestern und andere Medizinalfachberufe. Fischer, Stuttgart 1994

Brüggemann, W.: Kneipptherapie. Ein bewährtes Naturheilverfahren. Springer, Berlin 1986

Eichler, Els: Wickel und Auflagen. Aus der Praxis geisteswissenschaftlicher Medizin. Anleitung für Pflegende. Verein für ein erweitertes Heilwesen e.V., Bad Liebenzell 1982

Grabosch, A. / Günnewig, M.: Die Pflege des Brandverletzten. Springer, Berlin / Heidelberg 1991

Grabosch, A. / Günnewig, M.: Die Pflege des Brandverletzten. Springer, Berlin Heidelberg New York 1991

Hofmann, H.P. / Kleinsorge, H.: Kleine Pharmakologie. Fischer, Stuttgart 1993

Kolster, B. / Ebelt-Paprotny, G.: Leitfaden Physiotherapie. Behandlung, Rehabilitation. Jungjohann, Neckarsulm, Lübeck, Ulm 1996

Krauss, H.: Physiotherapie zu Hause. Hippokrates Ratgeber. Volk und Gesundheit, Berlin 1985

Kretz, F.J. / Kretz, A.: Medikamentöse Therapie. Thieme, Stuttgart 1993

Lanzendörfer, C. / Scholz, J.: Psychopharmakologie für Krankenpflegeberufe. Springer, Heidelberg 1993

Larsen, R.: Anästhesie und Intensivpflege für Schwestern und Pfleger. Springer, Heidelberg 1994

Lawin, P.: Praxis der Intensivbehandlung. Thieme, Stuttgart 1993

Lüllmann, H.: Taschenatlas der Pharmakologie. Thieme, Stuttgart 1994

Melzer, H. / Walter M.: Arzneimittellehre. Urban & Schwarzenberg, München1993

Mutschler, E.: Arzneimittelwirkungen. Wissenschaftliche Verlagsgesellschaft mbH, Stuttgart 1996

Schettler, G.: Innere Medizin - Band I und II. Thieme, Stuttgart 1998

Sitzmann, F. (Hrsg.): Pflegehandbuch Herdecke. Springer, Heidelberg 1993

Speckmann / Wittkowski: Bau und Funktion des menschlichen Körpers. Urban und Schwarzenberg, München 1994

Thüler, M.: Wohltuende Wickel. Wickel und Kompressen in der Kranken- und Gesundheitspflege. Thüler, Worb (Schweiz) 1994 (Buchversand für Deutschland: A. Sonn, Felsenstraße 16, 72820 Sonnenbühl 2)

Vonarburg, B.: Natürlich gesund mit Heilpflanzen. AT, Aarau und Stuttgart 1988

Weiss, R.F.: Lehrbuch der Phytotherapie. Hippokrates, Stuttgart 1985

6. Sich Bewege

6.1 Bedeutung

Sich zu bewegen ist ein menschliches **Bedürfnis**, das individuell unterschiedlich ausgeprägt ist.
Die Fähigkeit, sich bewegen zu können, hat maßgeblichen Einfluß auf weitere Aktivitäten des täglichen Lebens.
Jede Form der Aktivität setzt ein gewisses Maß an Beweglichkeit voraus. Letztendlich vermittelt Beweglichkeit **Unabhängigkeit** und **Freiheit**. Wer sich uneingeschränkt bewegen kann, verfügt über die Möglichkeit, seine Umwelt zu erkunden und sowohl Ort als auch Dauer seines Aufenthaltes zu bestimmen.
Körperliche Beweglichkeit ermöglicht das Gewinnen von Eindrücken und Erfahrungen, **fördert** also auch die **geistig - seelische Entwicklung**.
Beweglichkeit ermöglicht weiterhin Unabhängigkeit bei der Nahrungsaufnahme, bei der Körperpflege und der Sexualität, bei den Ausscheidungen, der Kommunikation und der Beschäftigung.
Mit Bewegung ist immer auch eine Stimulation des Gleichgewichtssinns verbunden, so daß wir bei jeder Veränderung der Körperlage veranlaßt werden, darauf zu reagieren. Bei Immobilität geht diese Fähigkeit jedoch innerhalb kurzer Zeit verloren; Folgen sind z.B. unsichere schwankende Bewegungen bei aufrechter Körperhaltung.

Bewegung wirkt positiv auf die Körperfunktionen, es kommt zur:
- Beanspruchung und zum Training des Bewegungsapparates;
- Beanspruchung und zum Training des Herz- Kreislaufsystems;
- Intensivierung der Atmung;
- Anregung von Stoffwechselvorgängen und Verdauung;
- Stimulation des Gleichgewichtsinns;
- Erweiterung der Wahrnehmung;
- Förderung des allgemeinen Wohlbefindens.

Bewegung, eingesetzt als bewußte körperliche Aktivität, kann Freude, Kreativität und Selbstbewußtsein vermitteln.
In der Bewegung selbst kann sich die **Lebensfreude** des Menschen **ausdrücken**.
Über Bewegung, z.B. durch Sport, lassen sich angesammelte seelische und/oder körperliche **Spannungen abbauen**. Energien, die in Streßsituationen vom Organismus bereitgestellt, aber nicht genutzt wurden, können durch Bewegung abgebaut werden; der Organismus befindet sich danach wieder im Gleichgewicht. Es ist bekannt, daß z.B. ein Waldlauf oder emsiges Holzhacken helfen, Aggressionen abzubauen. Werden seelische Erregungszustände nicht abgebaut, können sie bei langfristigem Bestehen zu psychosomatischen Veränderungen führen (siehe "Auswirkungen von Distreß", Seite 893).
Weiter geben Bewegung und Körperhaltung **Hinweise auf das seelische Befinden**. Jeder weiß, wie z.B. ein beschwingter Gang oder herabhängende Schultern auf den Betrachter wirken.

6.2 Anatomiscl Grundlage

6.2.1 Aufbau und Gelenkes

Die **bewegliche Verbin** Gelenk (*Diarthrose*) be Die Kontaktstellen der glasartigem (*hyalinem* lenkknorpel gleicht zwischen den beider bei Bewegung besse ohne sich aneinand der Gelenkknorpel schen Verformbark teilung zwischen de

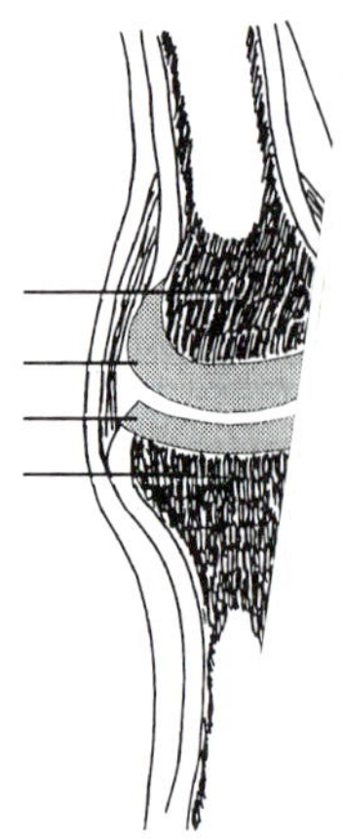

Meist sind di lenkflächen fläche ist o **Gelenkkopf** durch ents Passen di wie dies z knorpelige als kleine gleich. Z mer ein lenk bild **lenkkap** Schicht derstan Sie wir daß ei gem Z sorge Die ir nen lerta Gele mit

6.6.4 Psychische Veränderungen

Zahlreiche psychische Störungen gehen u.a. mit körperlicher **Hypo- oder Hyperaktivität** einher (siehe Seite 757). Letzteres ist z.B. bei der Manie der Fall.
Depressive Menschen leiden u.a. an **Antriebslosigkeit**, die sich auf das Bewegungsverhalten auswirken kann (siehe "Depressionen", Seite 766).

6.6.5 Schmerzen

Schmerzen am Bewegungsapparat oder an inneren Organen können zur **Mobilitätseinschränkung** und zur Einnahme einer **schmerzentlastenden Lage** (*Schonhaltung*) führen.
Traumatische und entzündliche Veränderungen an Gelenken oder in Gelenknähe können besonders starke Schmerzen auslösen, die durch eine Schonhaltung gelindert oder vermieden werden sollen. Eine dauerhaft eingenommene Entlastungslage kann zur Kontraktur führen.

6.6.6 Pathologische Gelenkveränderungen

Pathologische Gelenkveränderungen können die Beweglichkeit eines Menschen sowohl vorübergehend als auch dauerhaft beeinträchtigen und zur Entwicklung einer Kontraktur führen.

❒ **Gelenkverschleiß (*Arthrose*)**
Der Begriff Arthrose steht für **degenerative Gelenkerkrankungen** (*Verschleißerscheinungen der Gelenkflächen*). Sie entstehen durch übermäßige Beanspruchung einzelner Gelenkanteile. Dies kann entweder direkt durch Schwerstarbeit, extreme und einseitige sportliche Belastungen sowie zu hohes Körpergewicht oder indirekt durch Leistungsminderung des Gewebes, wie dies bei Alterungsprozessen oder gewissen Stoffwechselveränderungen vorkommt, bedingt sein. Aber auch Unfälle, angeborene Fehlformen der Gelenke und Stoffwechselstörungen können Ursache der Arthrose sein.
Der Gelenkknorpel büßt zunehmend an Funktionstüchtigkeit ein, da er nicht ausreichend ernährt wird. Letztendlich kann er abgerieben und zerstört werden, wodurch sich der **Gelenkspalt verschmälert**. Später kommt es zu kleinen Knochenwucherungen / -neubildungen in Form von Höckern, Zacken u.ä. Diese sogenannten "*Osteophyten*" haben eine **Inkongruenz*** **der Gelenkflächen** zur Folge.
Einzelne **Bewegungen** werden jetzt für den Betroffenen **schmerzhaft**, er verspürt zunächst ein Spannungsgefühl und Steifigkeit in den betroffenen Gelenken, Schmerzen zu Beginn der Bewegungen, später jedoch auch unter Belastung.
Im fortgeschrittenen Stadium finden sich dann **Dauerschmerzen**, die auch nachts auftreten können. Diese Schmerzen und Entzündungsschübe führen zur **Schonhaltung**, d.h. der Betroffene hält das Gelenk in der Position, in der er die geringsten Schmerzen verspürt; gleichzeitig vermeidet er schmerzauslösende Bewegungen. Dadurch werden die einzelnen Gelenkanteile auf die Dauer nicht ausreichend genutzt und weiter funktionseingeschränkt.

❒ **Gelenkentzündung (*Arthritis*)**
Die Gelenkentzündung geht mit Schwellung, Rötung, Erwärmung, Schmerzen und Bewegungseinschränkung einher. Letztere wird häufig durch eine **Schonhaltung**, mit der weitere Schmerzen verhindert werden sollen, verstärkt.
Gelenkentzündungen werden z.B. durch Bakterien, Autoimmunprozesse oder bestimmte Stoffwechselstörungen verursacht.
Die Bezeichnung "**Rheuma**" meint im Sprachgebrauch medizinischer Laien hauptsächlich die chronische Polyarthritis. Aus medizinischer Sicht werden jedoch unter dem Sammelbegriff "Rheuma" sowohl **entzündliche als auch degenerative* Erkrankungen der Gelenke und der Weichteile** zusammengefaßt. Entsprechend wird zwischen Gelenk- und Weichteilrheumatismus unterschieden. Letzterem liegen zum Teil entzündliche, zum Teil degenerative Prozesse zugrunde, die z.B. die Muskeln, Sehnen oder das Bindegewebe betreffen.
Die **rheumatische Arthritis** wird auch als Gelenkrheumatismus bezeichnet, der akut oder chronisch verlaufen und ein oder mehrere Gelenke befallen kann.
Der **primär-chronische Gelenkrheumatismus** (auch: *progressiv-chronische- Polyarthritis = PCP*) geht u.a. mit Entzündungen an der Gelenkkapsel und mit Veränderungen der knöchernen Gelenkfläche infolge Zerstörung des Gelenkknorpels einher. Weiter können die Sehnen und der Kapsel-Band-Apparat so weit destruiert werden, daß der Betroffene durch instabile Gelenke einen **Kraft- und Bewegungsverlust** verspürt.
Die knöchernen Gelenkveränderungen können schließlich zur **Gelenkversteifung** führen.
Die **Gicht** (*Arthritis urica*) zählt zu den stoffwechselbedingten Gelenkentzündungen. Es handelt sich um eine allgemeine Stoffwechselerkrankung, bei der u.a. harnsaure Salze im Knorpelgewebe abgelagert werden; häufig ist das Großzehengrundgelenk betroffen.

6.6.7 Muskelerkrankungen (*Myopathien*)

Muskelkrankheiten gehen mit **Funktionsstörung der Muskulatur** einher, die sich für den Betroffenen meist in Form von Kraftlosigkeit und Müdigkeit sowie durch Schmerzen, "Muskelkater" oder Verkrampfungen bemerkbar macht. Später kommt zur **Muskelschwäche** nicht selten ein **Muskelschwund** hinzu.
Die Ursachen der verschiedenen Muskelkrankheiten sind sehr vielfältig, zum Teil auch noch ungeklärt.
Der Verlauf ist meist chronisch. Bei vielen Betroffenen entwickeln sich schwere Behinderungen der Motorik, ebenso der Rumpf- und Kopfstabilität. Der Muskelschwund führt langfristig über mangelhafte Gelenkbewegungen bzw. über **Zwangshaltungen** der Gelenke zu **Kontrakturen**.
Eine besondere Disposition für die Entwicklung von Kontrakturen bergen die teils erblich bedingten **dystrophischen* Myopathien** in sich. Infolge einer Störung des Muskelstoffwechsels kommt es zunehmend zu Muskelveränderungen, z.B. zum lokalen Muskelschwund bei gleichzeitiger Pseudovermehrung des

Gewebes an anderen Stellen. Hier handelt es sich nur scheinbar um Muskelzuwachs; tatsächlich führen Binde- und Fettgewebszuwachs zur Zunahme des Muskelumfangs. Im weiteren Verlauf führen diese Veränderungen zu **Stürzen** des Betroffenen; letztendlich entwickeln sich **Kontrakturen**.

6.6.8 Veränderungen infolge langer Ruhigstellung

Eine längerfristige Ruhigstellung des Bewegungsapparates kann aus therapeutischen Gründen angezeigt sein. Starke Schmerzen, erhebliche Schwäche, Lähmungen oder Bewußtlosigkeit können mit einer Ruhigstellung einhergehen.
Wird die Funktionseinheit eines Gelenks längere Zeit nicht betätigt, so bilden sich die Strukturen der Gewebe zurück. Zunehmend kommt es zu **Verkürzungen von Sehnen, Bändern und Muskeln, die Gelenkkapsel schrumpft**.

6.6.9 Knochenbrüche (*Frakturen*)

Knochenbrüche, die nicht in physiologischer Stellung der Knochenenden zusammenwachsen, führen zu einer **inkongruenten*** **Stellung** der beiden Gelenkflächen. Das Gelenk kann nicht in physiologischem Ausmaß und nur unter **Schmerzen** bewegt werden. Selten kommt es durch die Fehlstellung der Gelenkflächen zur Kontraktur. Auch ein ärztlich versorgter Knochenbruch kann infolge langer Ruhigstellung *(siehe vorstehend)* zur Kontraktur führen.

6.6.10 Kontraktur

❒ Begriffserläuterung

Als Kontrakturen bezeichnet man **anhaltende Funktions- und Bewegungseinschränkungen von Gelenken**, die durch Verkürzung von Muskeln, Sehnen, Bändern und/oder Schrumpfung der Gelenkkapsel und/oder Verwachsungen der Gelenkflächen bedingt sind.
Letztendlich kann es zur völligen Gelenkversteifung kommen.

❒ Ursachen, Risikofaktoren und Einteilung

Zahlreiche Krankheiten und pathologische Veränderungen können die Entwicklung einer Kontraktur bedingen bzw. begünstigen. Sie können ausgehen

- **vom Gelenk selbst**, z.B. bei
  - Gelenkentzündung, insbesondere Rheumatismus,
  - Gelenkverschleiß;
- **vom Weichteilapparat**, z.B. bei
  - Muskelkrankheiten,
  - Verletzungen an Sehnen, Bändern, Muskeln, Kapseln,
  - langer Ruhigstellung aus therapeutischen Gründen (Gips- oder Schienenlagerung);
- **von anderen Erkrankungen**, die einhergehen mit
  - Schmerzen, die zur Schonhaltung führen,
  - Immobilität,
  - Bewußtlosigkeit (Ausfall von Nervenimpulsen für die Willkürmotorik);
- **von einer Verletzung / einem Ausfall peripherer oder zentraler Nerven**, z.B. bei
  - Schlaganfall,
  - Gehirnverletzung;
- **von Verbrennungen und Operationswunden in Gelenknähe**, denn
  - jede Narbe hat Schrumpfungstendenz,
  - die Haut über der Verletzung kann möglicherweise nicht mehr entsprechend den Gelenkbewegungen gedehnt werden;
- **von unsachgemäßer und/oder mangelhafter Durchführung von Lagerungen**, z.B. bei
  - Immobilität,
  - Bewußtlosigkeit,
  - Lähmung.

Entsprechend der Fehlstellung, in der ein Gelenk funktions- und bewegungseingeschränkt ist, wird zwischen **Beuge-, Streck-, Abduktions- und Adduktionskontraktur** unterschieden.
Bei immobilen Menschen, die über lange Zeiten in halbsitzender Position gelagert werden, können sich Beugekontrakturen im Hüft- und Kniegelenk entwickeln. Die häufigste im Krankenhaus erworbene Kontraktur ist der **Spitzfuß**. Hier ist der Vorfuß in Richtung Fußsohle gebeugt (*Plantarflexion**), der Fußinnenrand wird nach oben gezogen (*Supination*). Eine Streckung in Richtung Fußrücken (*Dorsalextension**) ist weder aktiv noch passiv möglich. Folglich kann der Betroffene nur noch auf den Zehen / Fußballen gehen und den Fuß nicht mehr abrollen. Die Mobilität ist erheblich eingeschränkt.

Die häufigsten Ursachen eines Spitzfußes sind

- langdauernde Fehlhaltung des Fußes bei Immobilität.
  Es kommt zum physiologischen Überwiegen des Ruhetonus der Beugemuskeln; diese Haltung wird durch den Druck der Bettdecke und den Einfluß der Schwerkraft verstärkt und fixiert.
- Lähmungen des Beines.
  Diese sind durch Ausfälle am Zentralnervensystem, z.B. bei Schlaganfall, Hirnverletzungen oder durch Ausfälle peripherer Nerven (insbesondere bei Verletzung des Nervus peronaeus) bedingt.

❒ Symptome und entsprechende Beobachtungskriterien

Typisch für eine Kontraktur sind folgende **Symptome**:

- Zwangshaltung,
- schmerzhafte Bewegungseinschränkung,
- unharmonischer Bewegungsablauf,
- eingeschränkte passive Beweglichkeit.

Entsprechende **Beobachtungskriterien** sind:

- Gelenkstellung
  - Ist das Gelenk in einer bestimmten Position fixiert? (Zwangshaltung?)
  - Ist die Zwangshaltung auch bei passivem Durchbewegen des Gelenks nicht überwindbar?
  - Liegt eine sichtbare Muskelatrophie vor?
- Schmerzäußerungen
  - Besteht ein Schmerz, der zur Schonhaltung veranlaßt?

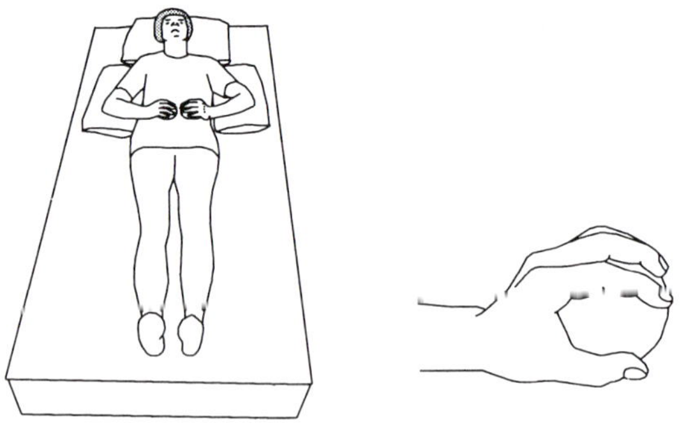

Lagerung in Funktionsstellung ***Dorsalextension des Handgelenks***
Abb. 6.28

Durchführung

- Der **Kopf** wird in Mittelstellung, also zwischen maximaler Streckung und maximaler Beugung gelagert; dazu wird ein kleines Kissen untergelegt;
- die **Oberarme** werden 30 Grad vom Oberkörper abgespreizt *(30 Grad Abduktion der Schultergelenke)*;
- **Ober- und Unterarmknochen** *(Ellenbogengelenke)* sind so zueinander gestellt, daß sie einen Winkel von 100 Grad bilden;
- die **Handgelenke** werden in Richtung Handrücken gestreckt *(Dorsalextension*)*;
- die Fingergelenke werden leicht gebeugt, der Daumen gestreckt; Schalenhaltung / Apfelsinengriff *(siehe Abbildung 6.23)*;
- die **Hüftgelenke** werden gestreckt, so daß sie eine Ebene mit dem Oberkörper bilden; hierzu ist eine flache Lage auf fester Unterlage erforderlich;
  Beachte: Gibt die Matratze zu sehr dem Gewicht im Rücken- / Gesäßbereich nach, so muß sie ausgetauscht bzw. mit einem harten Brett unterlagert werden;
- die **Kniegelenke** werden ebenfalls gestreckt, d.h. sie werden in natürlicher Stellung belassen;
- die **Fußgelenke** bilden durch entsprechende Bettverkürzung mit weichem Material einen 90 Grad Winkel zum Unterschenkel;
  Beachte: Eine Innen- oder Außenrotation ist zu vermeiden, entsprechende Fehlhaltungen werden durch Lagerungshilfsmittel korrigiert;
- die **Zehen** werden vor dem Druck der Bettdecke geschützt, z.B. durch einen Deckenheber oder Bettbogen;
- die **Wirbelsäule** wird gerade und gestreckt gelagert, eine seitliche Neigung des Rumpfes ist mittels Kissen zu korrigieren.

❒ Lagerung nach Bobath

Die Lagerung nach Bobath dient der Hemmung bzw. **Vermeidung von Spastizität**, der Anbahnung richtiger Haltungsmuster und der **Stimulation** der betroffenen Körperhälfte **bei Hemiplegie**. Sie ist somit auch kontrakturenprophylaktisch wirksam.
Angezeigt ist die Bobath - Lagerung bei Menschen, die infolge eines Schlaganfalls oder einer anderen Gehirnverletzung Lähmungen (meist Halbseitenlähmungen) aufweisen. An den gelähmten Körperteilen entwickelt sich häufig nach wenigen Tagen / Wochen eine Spastik*.

Die Durchführung der Bobath-Lagerung wird im Zusammenhang mit der Pflege des von einem Schlaganfall betroffenen Menschen besprochen *(siehe Seite 599)*.

❒ Spitzfußprophylaxe

Zur Spitzfußprophylaxe werden die **Füße** des Immobilen während der Rückenlage **im rechten Winkel zu den Unterschenkeln** gelagert. Dies wird mittels Fußstützen *(siehe Seite 556)* erreicht. Zusätzlich werden die Zehen mittels Deckenheber vom Druck der Bettdecke entlastet. Bei ausreichender Zimmertemperatur kann statt dessen die Bettdecke oft einfach über das Fußbrett gehängt werden.
Beachte: Zur Dekubitusprophylaxe ist eine gleichzeitige Hohl- bzw. Weichlagerung der Fersen erforderlich!
Bei spastischer Lähmung der unteren Extremität ist auf die übliche Spitzfußprophylaxe zu verzichten, da kontinuierlicher Druck auf die Fußballen die Spastizität fördert. Statt dessen ist das Sitzen im Stuhl mit korrekt gelagerten Füßen als "natürliche" Spitzfußprophylaxe zu fördern *(siehe "Sitzen im Stuhl am Tisch", Seite 600)*; diese Haltung ist im allgemeinen bei Spitzfußgefährdung die effektivste Prophylaxe.

6.7.2 Mobilisation

❒ Begriffserläuterung

Der Begriff Mobilisation meint: **in Bewegung setzen, beweglich machen**.
Dies kann sich sowohl auf ein einzelnes Gelenk als auch auf den gesamten Körper und/oder auf die geistigen Fähigkeiten beziehen.
Im Krankenhausalltag wird der Begriff Mobilisation in bestimmten Situationen mit dem Aufstehen des Patienten gleichgesetzt.

Als **Frühmobilisation** bezeichnet man das frühestmögliche Aufstehen des Patienten nach einer Operation. Dies findet meist in den ersten 4 - 10 Stunden nach der Operation statt.
Nach großen Operationen, schweren Erkrankungen und verordneter Bettruhe müssen Art und Ausmaß der Mobilisation ärztlich angeordnet werden.

Mit der **Mobilisation der geistigen Fähigkeiten** ist deren Aktivierung und Förderung gemeint. Sie wird unter *"Training der geistigen Fähigkeiten "*, Seite 959, besprochen.

❒ Stellenwert in der Pflege

Die Mobilisation nimmt einen hohen Stellenwert in der Krankenpflege ein. **Sie dient der**

- Erhaltung und Wiederherstellung der Gesundheit;
- Erhaltung und Wiederherstellung der Alltagskompetenzen;
- Verhinderung weiterer Erkrankungen (*Sekundärerkrankungen*) wie Dekubitus, Pneumonie, Obstipation, Thrombose oder Kontrakturen und zusätzlicher Krankheitsauswirkungen wie Schmerzen oder Immobilität;
- größtmöglichen Selbständigkeit und Unabhängigkeit des Patienten;
- Förderung der Genesung.

❒ Wirkung

Meist entfaltet die Mobilisation ihre Wirkung nicht allein durch Inanspruchnahme des Bewegungsapparates; vielmehr werden gleichzeitig verschiedene Körperfunktionen angeregt.

Während der Mobilisation kommt es zur

- Förderung der vorhandenen Kräfte und Energien *(Ressourcen),* so daß auch Selbständigkeit und Selbstwertgefühl des Kranken gefördert bzw. erhalten werden.
- Beanspruchung des Bewegungsapparates; die vorhandene Beweglichkeit wird erhalten bzw. gefördert, Defizite werden abgebaut.
- Anregung des Herz-Kreislaufsystems, um dessen Leistungsfähigkeit entsprechend den individuellen und krankheitsbezogenen Möglichkeiten zu erhalten bzw. zu fördern.
- Intensivierung der Atmung und somit zur gleichmäßigen Belüftung aller Lungenbezirke.

Die Mobilisation des Kranken kann auf verschiedenen Wegen erfolgen. Jedes aktive **Einbeziehen** des Patienten in **Handlungen und in Denkvorgänge** führt zur Mobilisierung körperlicher und geistiger Kräfte. Dies geschieht z.B. durch ein Höherrutschen im Bett, den Gang zur Toilette, die Durchführung der Körperpflege, die selbständige Auswahl eines Menüs oder das bewußte Führen eines Gesprächs.

Die Mobilisation läßt sich also in viele pflegerische Maßnahmen integrieren. Dabei richten sich Art und Ausmaß nach den Möglichkeiten des Kranken. Somit wird die Mobilisation zur **Grundlage der aktivierenden Pflege**.

Gezielte Übungen zur Mobilisation werden in den folgenden Abschnitten besprochen.

6.7.2.1 Bewegungsübungen

Anmerkung: Die Durchführung von Bewegungsübungen fällt weitgehend in den Aufgabenbereich der KrankengymnastInnen. Einfache Bewegungsübungen, die der allgemeinen Mobilisation und Kontrakturenprophylaxe dienen, sollen jedoch auch vom Pflegepersonal durchgeführt werden.

❒ Passive Bewegungsübungen

Passive Bewegungsübungen werden am Patienten durchgeführt, ohne daß er aktiv mithilft.

Indikation

Sie werden bei jedem bettlägerigen, immobilen Patienten durchgeführt, sofern keine anders ausgerichtete Anordnung des Arztes vorliegt. Meist handelt es sich um gelähmte oder stark geschwächte Menschen.

Passive Bewegungsübungen werden auch zur Vorbereitung aktiver Übungen nach langer Ruhigstellung einzelner Körperteile durchgeführt.

Ziele

Die Durchführung passiver Bewegungsübungen dient der Erhaltung eines funktionstüchtigen Bewegungsapparates. Durch eine gewisse Dehnung und Kontraktion aller Muskeln werden die Muskel- und Hautdurchblutung angeregt sowie der venöse Blutrückfluß gefördert. Das Gewebe bleibt locker, die Gelenke können leicht bewegt werden.

Durchführung

Die Durchführung erfolgt **mindestens 2 mal täglich**. Vor Beginn wird der Betroffene über Sinn, Zweck und Handhabung der Übungen informiert. Während der Durchführung können verständliche Erklärungen abgegeben und ggf. eine spätere Mitarbeit vorbereitet werden.

Jedes Gelenk wird - entsprechend den möglichen physiologischen Grundbewegungen - mehrmals vorsichtig und langsam **durchbewegt**. Man beginnt an den kleinen Gelenken und fixiert immer das nächstliegende Gelenk.

❒ Aktive und aktiv - assistive Bewegungsübungen

Hilft der Patient bei der Durchführung der Bewegungsübungen mit, so handelt es sich um aktiv - assistive Übungen; führt er diese völlig selbständig durch, spricht man von der Durchführung aktiver Bewegungsübungen.

Indikation

Aktive und aktiv - assistive Bewegungsübungen werden durchgeführt, wenn das **Herz-Kreislaufsystem** und/ oder der **Bewegungsapparat beansprucht** und - mehr oder weniger intensiv - trainiert werden sollen.

Ziele

Verfolgte Ziele sind neben einem intakten Bewegungsapparat die angeregte Herz-Kreislauftätigkeit, eine aktivierte Muskel-Venen-Pumpe, ein verbesserter venöser Blutstrom, eine vertiefte Ein- und Ausatmung sowie eine intensivierte Durchblutung von Haut und Bewegungsapparat.

Insgesamt sollen **Selbständigkeit und Selbstwertgefühl** sowie die allgemeine Beweglichkeit des Patienten erhalten bzw. wiederhergestellt und gefördert werden.

Durchführung

Vor Beginn der Übungen wird der Patient gut **informiert**, ermutigt und angeleitet. Auch ist es wichtig, seinen Zustand und sein Befinden zu erkunden. Dazu werden Puls und Blutdruck gemessen, die Hautfarbe, die Atmung und der Gesichtsausdruck beobachtet sowie das subjektive **Befinden erfragt**. Entsprechend den Ergebnissen werden Art, Dauer und Tempo der Übungen festgelegt.

Falls erwartet wird, daß starke Schmerzen die Durchführung behindern, kann entsprechend einer ärztlichen Anordnung 20 - 30 Minuten vor Beginn ein schmerzlinderndes Medikament *(siehe "Analgetika", Seite 912)* verabreicht werden. Im allgemeinen sollten schmerzauslösende Übungen jedoch unterlassen werden.

Um den notwendigen Bewegungsfreiraum zu schaffen, sind folgende Tätigkeiten auszuführen:

- Entfernung der Bettdecke oder Austausch gegen ein leichtes Laken;
- Entfernung von Lagerungshilfsmitteln wie Kissen oder Schaumstoffplatten;
- sichere Fixation von ab- und zuleitenden Schlauchsystemen, z.B. bei liegendem Blasenverweilkatheter, Infusionen und Drainagen.

Die Durchführung der Übungen kann **individuell variiert** werden. Es werden einzelne, mehrere oder alle

Die Technik sollte möglichst in der präoperativen Phase eingeübt werden.

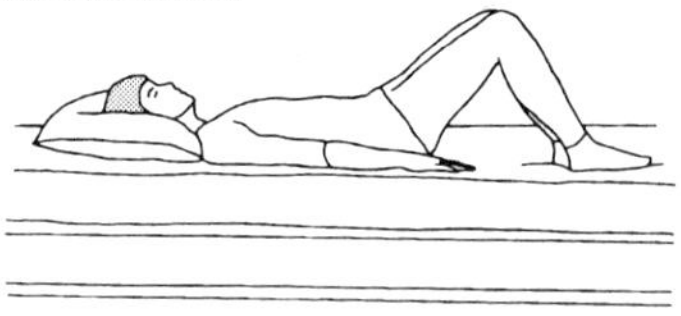

a) flache Rückenlage einnehmen und die Knie nacheinander beugen

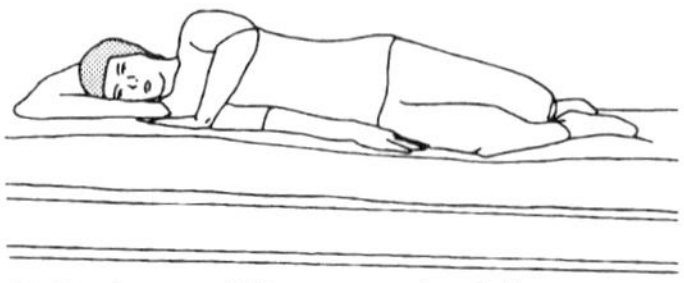

b) Drehung auf die gewünschte Seite

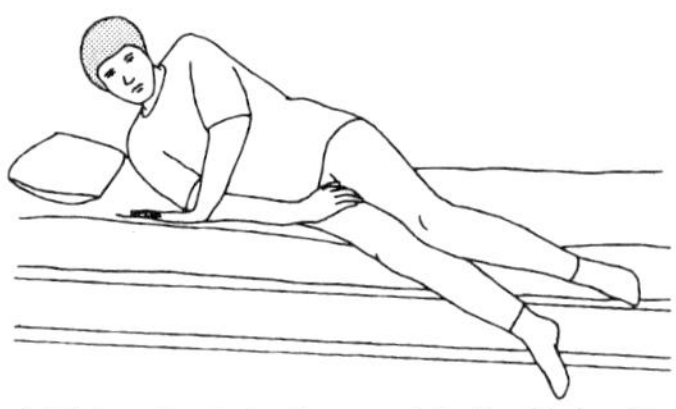

c) Unterschenkel mit angewinkelten Knien über die Bettkante führen

d) in sitzende Position stemmen

Abb. 6.35 ***Drehen und Aufsetzen "en bloc"***

❒ Drehen und Aufsetzen mit Hilfe

Wird der Patient auf die Seite gedreht, so stellt sich die **Pflegeperson auf die zu drehende Seite** und zieht ihn leicht zu sich hin. Sie verhindert dadurch, daß der Patient aus dem Bett fällt, gleichzeitig vermittelt sie ein Sicherheitsgefühl.

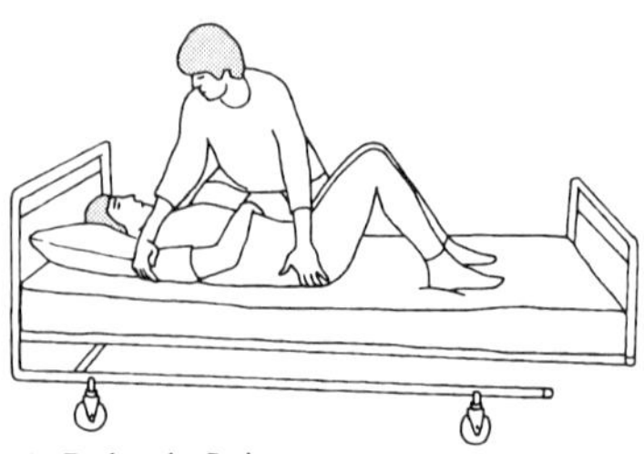

a) Drehen des Patienten

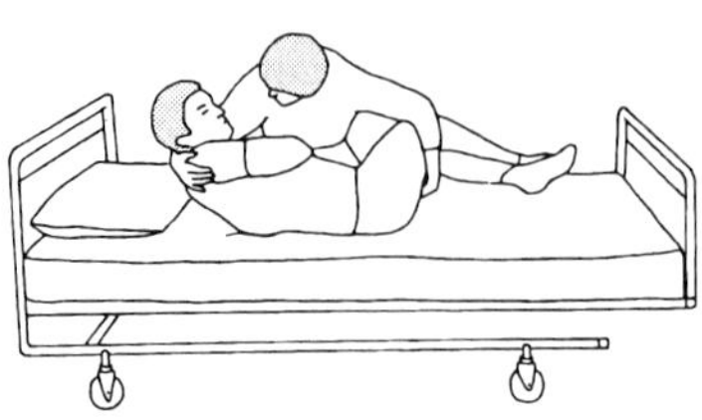

b) Aufsetzen auf die Bettkante

Abb. 6.36 ***Drehen und Aufsetzen mit Hilfe***

Zur Unterstützung der Drehung werden die Beine aufgestellt und oberhalb der Kniekehlen oder am Oberschenkelansatz unterstützt. Einen weiteren Unterstützungspunkt bietet die obenliegende Schulter.
Zur Hilfestellung beim Aufsetzen auf die Bettkante wird an denselben Körperstellen unterstützt.
Patienten mit einer Verletzung / Operationswunde im Bauchraum werden angehalten und ggf. unterstützt, mit der Hand Gegendruck auf die Wunde auszuüben und so Schmerzen im Wundbereich zu reduzieren.
Beachte: Für Menschen, die an einer Hemiplegie leiden, wurde ein spezielles Handling entwickelt *(siehe "Handling", Seite 602)*.

6.7.2.4.1 Hilfsgriffe

Bei teilweiser oder vollständiger Immobilität ist der Einsatz verschiedener Hilfsgriffe **zur Entlastung** des Pflegepersonals und des Betroffenen sinnvoll.

❒ Stütz- und Hebegriff

Der Stütz- und Hebegriff wird zur **Aufrichtung des Oberkörpers** eingesetzt. Der Kopf des Immobilen liegt auf dem ihm untergeschobenen Unterarm der Pflegeperson; deren Hand umgreift das Schultergelenk der entfernt liegenden Seite. Mit dem zweiten Arm unterstützt die Pflegeperson den Immobilen, indem sie von vorn durch die Achselhöhle der ihr zugewandten Seite greift, bis sie mit der Hand das Schultergelenk oder den Oberarm umfassen kann. Aus dieser Ausgangsposition heraus kann der Oberkörper des Immobilen bequem aufgerichtet werden.
Mit Hilfe des Stütz- und Hebegriffs kann auch das **Höherrutschen im Bett** erleichtert werden. Hierzu stellt der Patient seine Füße möglichst nahe dem Gesäß auf und drückt sich damit auf das vereinbarte Kommando hin nach oben. Gleichzeitig hebt die Pflegeperson seinen Oberkörper in Richtung Kopfende.

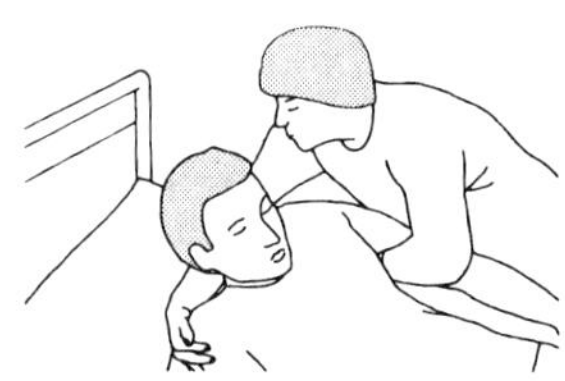

Abb. 6.37 ***Stütz- und Hebegriff***

❒ Hakengriff (*Australia - Griff*)

Der Hakengriff wird angewendet, um einen **immobilen Menschen zu zweit höherzuziehen**.

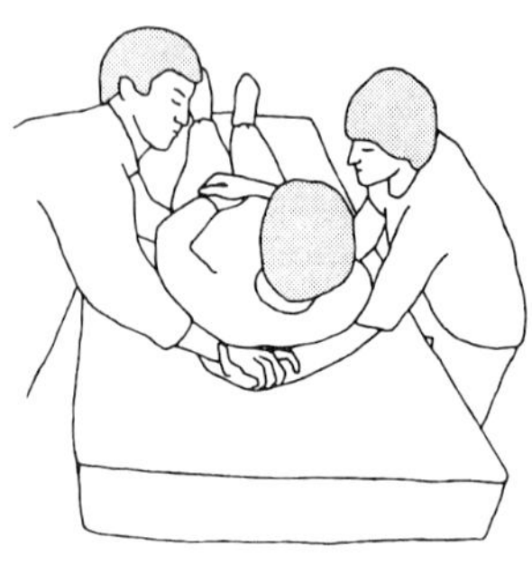

Abb. 6.38 ***Hakengriff (Australia-Griff)***

Dieser muß allerdings seinen Kopf aktiv halten können. Die beiden Pflegepersonen stehen einander gegenüber und umfassen fest ihre Handgelenke, die unter dem Immobilen liegen. Die oberen Hände / Arme werden dabei unterhalb der Schulterblätter, die unteren unterhalb des Gesäßes am Oberschenkelansatz plaziert.

❐ Höherziehen mittels Stoffunterlage

Einfacher und bequemer in der Handhabung ist das Höherziehen des Immobilen mittels einer zusätzlichen, **unter dem Gesäß- / Rückenbereich plazierten Stoffunterlage**. Dazu kann z.B. ein Stecklaken zwei- oder dreifach zusammengelegt werden. Die Pflegepersonen fassen jeweils an den seitlichen Enden das Stecklaken, bitten den Pflegebedürftigen, den Kopf in Richtung Brust zu nehmen und ziehen - auf das vereinbarte Kommando hin - den Immobilen in Richtung Kopfende.
Die Pflegepersonen sollten dabei die Schrittstellung einnehmen und das Körpergewicht vor dem Höherziehen auf das hintere, während des Höherziehens auf das vordere Bein verlagern; der Rücken bleibt gerade.

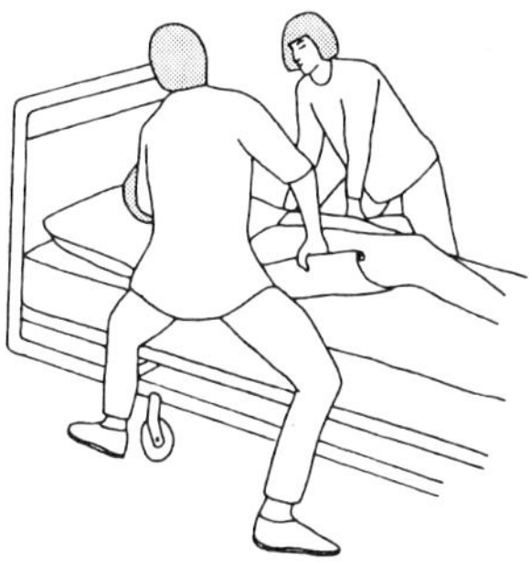

Abb. 6.39 ***Höherziehen mit Stoffunterlage***

❐ Haken-Stütz-Griff

Dieser Griff wird von zwei Personen angewendet, wenn der Patient so **immobil** ist, daß er auch seinen **Kopf nicht aktiv halten kann**. Dieser wird dann mittels Stützgriff von dem rechten Unterarm der ersten Pflegeperson gehalten. Ihre linke Hand verhakt sie mit der linken Hand der Kollegin unter der Gesäßmitte des Immobilen. Die rechte Hand der zweiten Pflegeperson stützt die Oberschenkel.
Auch hier kann durch Unterlegen einer Stoffunterlage das Unterschieben der linken Hände ersetzt werden. Diese greifen statt dessen die unter dem Immobilen liegende Stoffunterlage; die rechten Hände unterstützen jeweils den Kopf bzw. die Oberschenkel.

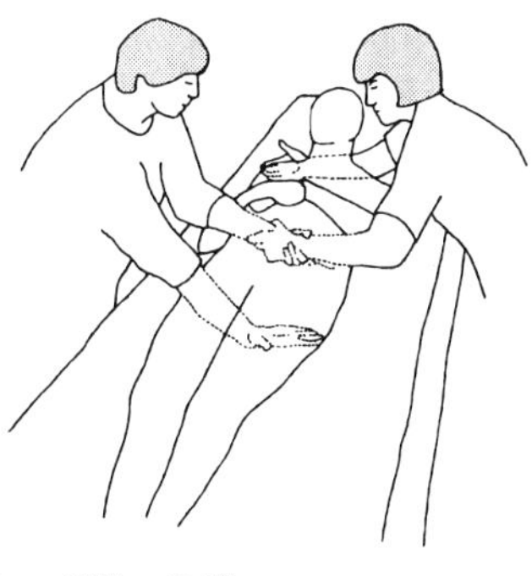

Abb. 6.40 ***Haken - Stütz - Griff***

❐ Anheben einer kranken Gliedmaße

Das **Mobilisieren** einer erkrankten Gliedmaße erfolgt immer mit dem Einsatz beider Hände, wobei die eine Hand gelenknah (z.B. kurz oberhalb des Ellenbogens) und die andere am Ende der Gliedmaße (z.B. an der Hand) stützt. Eine Überstreckung ist dabei zu vermeiden.

Das Anheben eines Beines nach Hüftgelenksersatz wird auf *Seite 620* beschrieben.

Abb. 6.41 ***Anheben einer kranken Gliedmaße***

6.7.2.5 Aufstehen

Das erste Aufstehen des bisher bettlägerigen Patienten bedarf der ärztlichen Anordnung und geschieht immer **zu zweit**. Der Patient wird bezüglich des Ablaufs und seiner Möglichkeiten zur Mithilfe beim Aufstehen informiert.
Für eine **angemessene Bekleidung** - feste Schuhe, Schlüpfer, Morgenmantel - ist zu sorgen.
Bevor der Patient auf die Bettkante gesetzt wird, sind seine **Ressourcen** und **die individuelle Hilfsbedürftigkeit einzuschätzen**. Der angemessene Einsatz von Hilfsmitteln wie Gehstützen, Rollstuhl oder ein am Kopfende plazierter Stuhl kann ggf. organisiert werden. Weiter orientiert sich die Pflegeperson bezüglich der Ableitungen; vorübergehend kann eine Infusion evtl. abgestöpselt oder ein Katheterbeutel am Bein befestigt werden.
Zur **Beurteilung der aktuellen Kreislaufsituation** werden die Puls- und Blutdruckwerte des Patienten gemessen, die Hautdurchblutung beobachtet und sein momentanes Befinden erkundet. Liegen die ermittelten Werte im Normbereich, so kann mit der Mobilisation begonnen werden. Mitunter ist es notwendig, vorher kreislaufanregende Übungen im Bett durchzuführen.

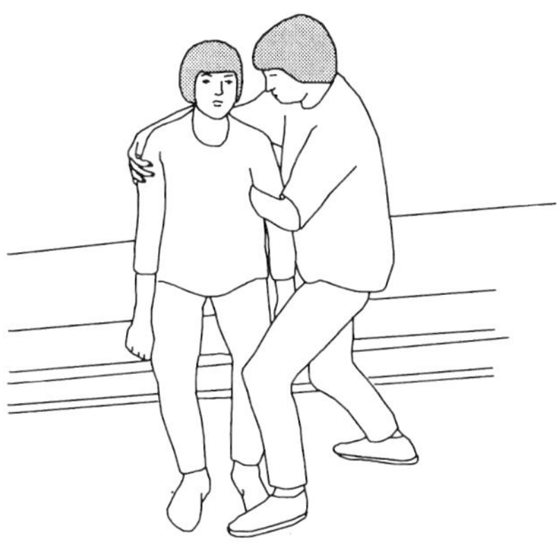

Abb. 6.42 ***Hilfe beim Aufstehen***

Zuerst wird der Patient **auf die Bettkante gesetzt**. Hier bewegt er aktiv die Füße, um den venösen Blutrückfluß zu fördern. Wenn sich der Kreislauf an die aufrechte Körperhaltung angepaßt hat, läßt man den Kranken vorsichtig so weit wie möglich bis zur Bettkante rutschen. Dies geschieht über abwechselnde Gewichtsverlagerungen von einer Gesäßhälfte auf die

❒ Bewegliches Gehgestell

Bewegliche Gehgestelle, z.B. die "Reciprocal-Gehhilfe", verfügen über vier Stahlrohre mit rutschfesten Gummipuffern und bieten somit **sicheren Halt**. Zur Fortbewegung werden die Seiten wechselseitig angehoben und vorgesetzt. Rutschfeste und anatomisch vorgeformte Handgriffe sorgen für einen sicheren Griff. Das Gestell ist höhenverstellbar; der Benutzer faßt die Handgriffe bei ganz leicht gebeugten Ellenbogen.
Der Einsatz eines beweglichen Gehgestelles setzt eine gewisse Kraft und die Fähigkeit, koordinierte Bewegungen auszuführen, voraus.

❒ Starres Gehgestell

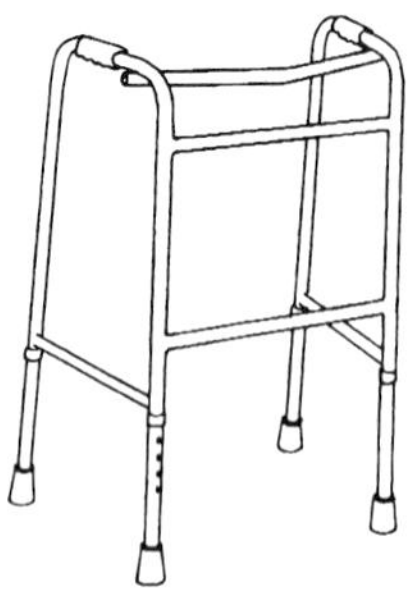

Abb. 6.50
Starres Gehgestell

Starre Gehgestelle, z.B. der "Gehbock", weisen einen nicht beweglichen Rahmen auf, ansonsten sind sie wie ein bewegliches Gehgestell konstruiert.
Sie bieten ebenfalls einen **sicheren Stand und Halt**; ihr Einsatz ist sinnvoll bei Gangunsicherheit und gleichzeitigen Koordinationsstörungen, wenn das Gehen mit einem beweglichen Gehgestell zu unsicher ist.

❒ Vierfußgehstütze

Die Vierfußgehstütze weist vier rutschfeste Füße und einen anatomisch geformten Handgriff auf. Somit bietet sie einen **sicheren Stand und Halt**. Die Höhe des Handgriffs muß entsprechend der Körpergröße des Benutzers eingestellt werden. Dazu bittet man den Benutzer, den Arm locker herabhängen zu lassen und stellt den Handgriff auf der Höhe seines Handgelenks fest.
Diese Gehhilfe eignet sich nur zur Unterstützung des Gehens, wenn der Benutzer keine Gleichgewichts- und Koordinationsstörungen aufweist.

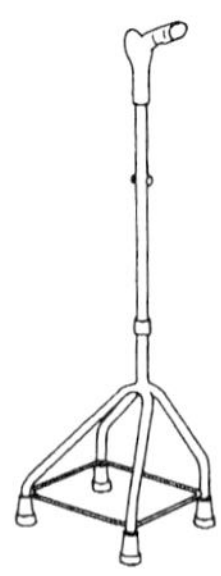

Abb. 6.51
Vierfußgehstütze

❒ Gehstöcke, Handstöcke

Bei Gehstöcken, z.B. dem "Fritzstock", handelt es sich um einfache Handstöcke; sie werden in verschiedenen Größen und mit unterschiedlichen Handgriffen angeboten. Bei der Auswahl muß auf die richtige Höhe des Handgriffs geachtet werden *(siehe "Vierfußgehstütze")*.
Die Benutzung eines Gehstocks dient der **Unterstützung eines sicheren Gangs** und der **Entlastung einzelner Gelenke**, die zur Schmerzlinderung / -vermeidung führt; sie setzt ein sicheres Gehen und Stehen des Patienten voraus.

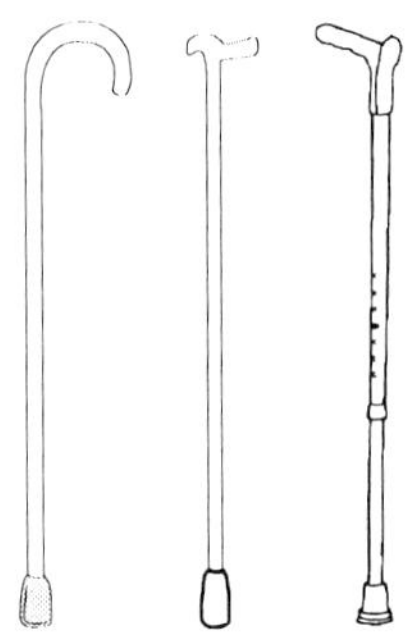

Abb. 6.54 ***Gehstöcke***

In einigen Fällen ist die gleichzeitige Benutzung von zwei Gehstöcken sinnvoll. Ansonsten wird die Gehhilfe auf der beschwerdefreien Körperseite eingesetzt.
Für Menschen, die durch Rheuma und Arthritis gehbehindert sind, wird eine spezielle **Arthritis-Gehstütze** angeboten.
Der Unterarm wird auf einer Manschette gebettet und mittels Gurt fixiert. Ein individuell verstellbarer Handgriff ist vor allem bei Handgelenksversteifungen eine ideale Stütze.

Abb. 6.52
Arthritis-Gehstütze

❒ Unterarmgehstützen

Unterarmgehstützen (*UAG*) werden zur **Entlastung bei gezielten Gehübungen** eingesetzt.
Oft ist dies nach Operationen am Bewegungsapparat der Fall. Es ist wichtig, die Gehhilfen korrekt anzupassen und den Benutzer zur korrekten Handhabung anzuleiten.

Anpassung der Unterarmgehstützen

Der verstellbare **Handgriff** wird auf die gleiche Höhe wie die des Handgelenks seines Benutzers beim locker herabhängenden Arm **eingestellt**. Die **Unterarmstütze** wird, sofern möglich, 3 - 4 fingerbreit unter dem Ellenbogen **eingestellt**; häufig ist allerdings nur der Handgriff verstellbar.

Der **Gummipfropfen** am unteren Ende des Gehstocks ist auf Rutschfestigkeit, Trockenheit und intaktes Profil zu **prüfen** und ggf. auszuwechseln.

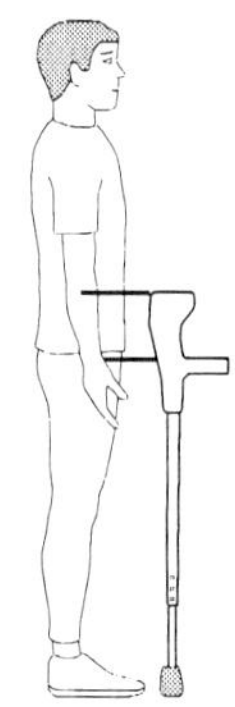

Abb. 6.53
Einstellung der Unterarmgehstützen

Die Anleitung zum Gehen mit Unterarmgehstützen erfolgt durch die KrankengymnastInnen.
Die Gangart richtet sich nach der therapeutischen Zielsetzung, d.h. konkret, daß die gewünschte Ent- bzw. Belastung des kranken Beins ausschlaggebend ist.

Drei-Punkte-Gang ohne Belastung:
- beide Stützen etwas vor den Füßen aufsetzen;
- gesundes Bein etwas vor den Stützen aufsetzen, dabei die Arme kraftvoll einsetzen;
- das kranke bzw. zu entlastende Bein
  - entweder: heranziehen und ohne Belastung neben das gesunde stellen,
  - oder: mit gebeugtem Knie etwas hochhalten,
  - evtl. mit Scheinabrollen in der Luft und nur Schritte mit dem gesunden Bein machen.

Drei-Punkte-Gang mit Teilbelastung bis max. 20 kg:
- Position gesundes Bein und Stützen wie s.o.;
- das kranke Bein

- wird entweder zum gesunden Bein vorgeholt und von der Ferse zu den Zehen hin abgerollt oder
- macht einen kleinen Schritt vor die Stützen, dabei ist der größte Teil des Körpergewichts auf den Armen.

Vier-Punkte-Gang mit zunehmender Belastung:
- die Stütze auf der einen und das Bein der anderen Seite werden nacheinander vorgestellt, z.B.
  - rechte Stütze vor, dann linkes Bein daneben,
  - danach linke Stütze vor, rechtes Bein daneben;
- bei Zunahme der gewünschten Belastung geht der Vier-Punkte-Gang langsam in den Zwei-Punkte-Gang über.

Zwei-Punkte-Gang:
- rechte Stütze und linkes Bein werden gleichzeitig vorgeholt, danach
- linke Stütze und rechtes Bein nach vorne setzen;
- die Belastung mit dem Körpergewicht nimmt vorsichtig zu, die Gehstützen bringen weiterhin dosierte Entlastung.

Gehen an einer Stütze:
- erfolgt, wenn der Zwei-Punkte-Gang problemlos durchgeführt wurde und zunehmend volle Belastung angestrebt wird;
- die Stütze wird nicht auf der betroffenen, sondern auf der gegenüberliegenden Seite geführt.

Beachte: Bei angeordneter Teilbelastung muß erst mittels Waage ausprobiert werden, welche Belastung wieviel Kilogramm ausmacht.

6.7.2.8.2 Rollstuhl

Der Rollstuhl bietet dem Benutzer **weitgehende Beweglichkeit** und ermöglicht die **Teilnahme am gesellschaftlichen Leben**. Somit ist der Rollstuhl mehr als nur eine körperliche Mobilisationshilfe.

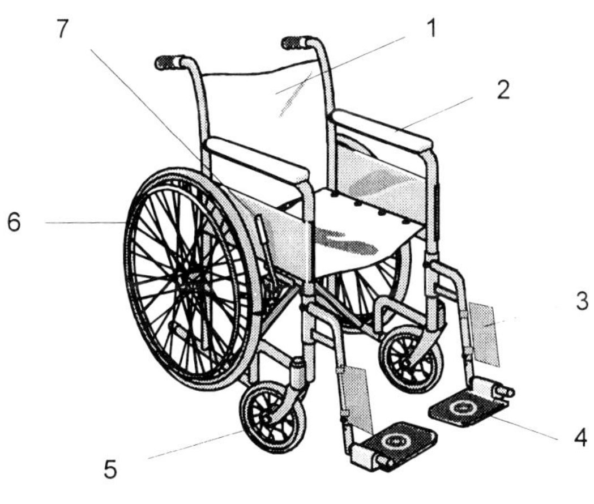

1 Rückenlehne (verstellbar)
2 Armstütze (verstellbar, abnehmbar)
3 Beinstütze (verstellbar, abnehmbar)
4 Fußstütze (hochklappbar, abnehmbar)
5 Lenkrad
6 Rollrad
7 Bremse

Abb. 6.55 ***Rollstuhl***

Rollstühle werden in verschiedensten Ausführungen angeboten. Gemeinsam sind ihnen meist folgende **Teile**:
- verstellbare Rückenlehne;
- gepolsterte, abnehmbare Armstützen (bei deren Entfernung die Sitzfläche des Rollstuhls direkt an die Liegefläche des Bettes angeschoben werden kann);
- großes Lenkrad;
- kleines Rollrad;
- mit der Hand zu betätigende Bremse;
- gepolsterte, seitlich abklappbare und abmontierbare Beinstützen;
- hochklappbare Fußstützen;
- Schiene, auf der die höhenverstellbaren Fußplatten entsprechend der Beinlänge eingestellt werden können.

Für die Sitzflächen werden verschiedene Auflagen zur Weichlagerung angeboten.
Bei der Handhabung des Rollstuhls sollte daran gedacht werden, daß die **Fußstützen** sich einige Zentimeter über dem Fußboden befinden. Sie müssen, bevor sich der Benutzer hinstellt, **hochgeklappt** werden; ansonsten kommt es durch die Schwerpunktverlagerung zum Vornüberkippen des Stuhls und des Benutzers.

6.7.2.8.3 Bettbügel mit Triangel

Ein Bettbügel mit Triangel wird auch als Aufrichter mit Dreieck bezeichnet. Diese Vorrichtung dient dem **selbständigen Aufrichten und Höherrutschen** des bettlägerigen Menschen.
Sie sollte **nicht** angebracht werden **bei Rückenverletzten** und **nicht bei Halbseitengelähmten**; hier kann es während der Benutzung zu Überanstrengung und Fehlbelastungen kommen. Außerdem werden dadurch die intakten Funktionen beansprucht, die trainingsbedürftigen jedoch vernachlässigt.

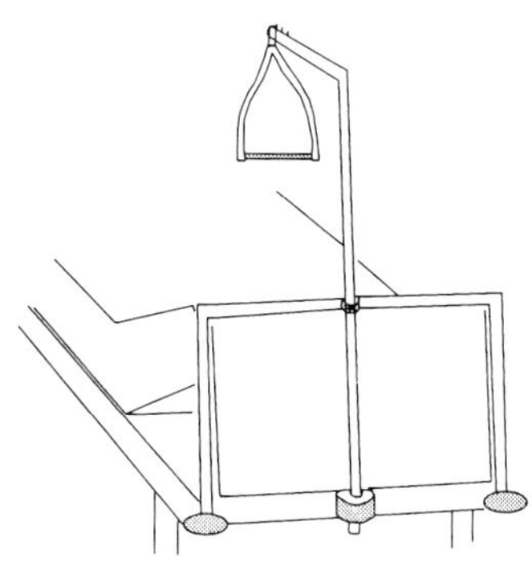

Abb. 6.56 ***Bettbügel mit Triangel***

6.7.3 Umbetten eines immobilen Menschen

Soll ein immobiler Patient in ein anderes Bett umgebettet werden, so arbeitet man mit mindestens 2, besser mit 3 Personen. Die Betten werden so plaziert, daß der Immobile **nicht unnötig hin- und hergetragen** werden muß.

Folgende Plazierungen sind günstig:
- Die Betten stehen sich gegenüber, dabei sind Kopf- und Fußteil jeweils entgegengesetzt plaziert; der Immobile wird angehoben, die Pflegepersonen füh-

❐ Fußstützen

Fußstützen dienen der Lagerung und Stabilisierung der Füße in 90-Grad-Stellung zum Unterschenkel; gleichzeitig verhindern sie das Hinunterrutschen zum Fußende.
Einzelne Firmen bieten **verstellbare Fußstützen** an, die mittels Halteschienen an der Matratze rutschfest angebracht werden. Die aufrecht gestellte Platte kann entsprechend der Körperlänge des Bettlägerigen weiter vorne oder hinten festgestellt werden.

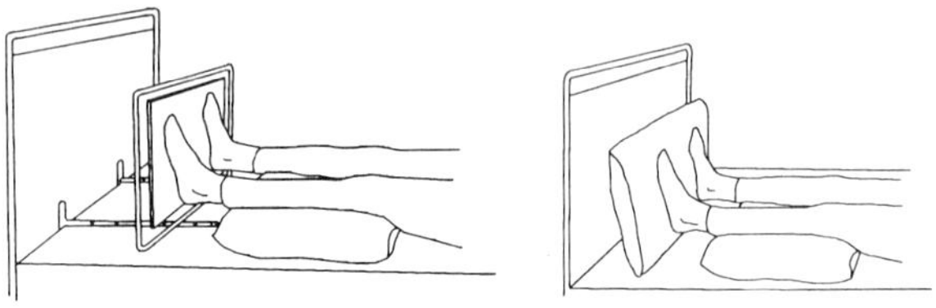

Fußstütze mit Arretierung *Fußstütze aus einem Kissen*

Abb. 6.64 ***Fußstützen***

Fußstützen mit Arretierung erlauben eine gewisse Bewegung der Füße; ansonsten gewährleisten sie die 90-Grad-Stellung der Füße zu den Unterschenkeln. Zusätzlich haben sie durch die Möglichkeit der Betätigung der Muskel-Venen-Pumpe thromboseprophylaktische Wirkung.
Unbewegliche Fußstützen sind mittels anderer Materialien selbst baubar. Geeignet sind z.B. stabile, zu Schiffchen geformte Kissen oder Schaumstoffblöcke / -platten.
Eine **hölzerne Bettkiste** kann zur Bettverkürzung und als Fußstütze nur eingesetzt werden, wenn sie durch weiche Materialien (Schaumstoff, Kissen) abgepolstert wird.
Bei Menschen, die unter einer neurologischen Erkrankung leiden und dadurch bedingt bei Druck auf den Fußballen eine Spastik entwickeln können, sollte auf eine Fußstütze verzichtet werden *(vgl. Spitzfußprophylaxe", Seite 544)*.

❐ Deckenheber

Es gibt verschieden geformte Deckenheber, die als Bettbogen oder -gabel auf das Fußende der Matratze gestellt werden. Sie halten so die Füße und Unterschenkel frei vom Druck der Bettdecke; dies ist z.B. für die Spitzfußprophylaxe oder bei Wunden am Unterschenkel bedeutsam.

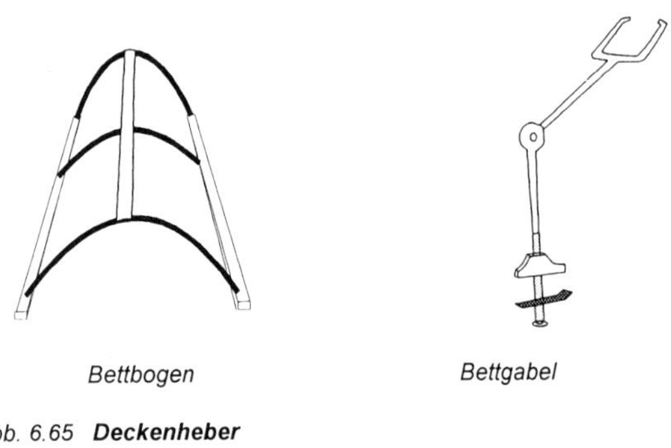

Bettbogen *Bettgabel*

Abb. 6.65 ***Deckenheber***

6.7.5 Therapeutische Lagerungshilfsmittel

Elke Hurling

6.7.5.1 Schienen

6.7.5.1.1 Allgemeine Grundlagen

Schienen sind **Lagerungshilfsmittel**, die eine therapeutisch erwünschte **Ruhigstellung** (*Fixierung*) sicherstellen. Zusätzlich können Schienen einer **Hochlagerung** von Extremitäten nach einer Verletzung, Operation oder während einer Erkrankung dienen.
Die Ruhigstellung bewirkt eine Schonung und kann zu einer Schmerzlinderung beitragen.
Beim Einsatz von Schienen muß unbedingt beachtet werden, daß durch die Ruhigstellung die **Gefahr von Sekundärerkrankungen** (z.B. Thrombose, Dekubitus) steigt; bei langfristiger Anwendung von Schienen können sich Kontrakturen entwickeln.
Außerdem muß beachtet werden, daß ein betroffener Patient eine erhebliche **Bewegungseinschränkung** erfährt und sich in einer **Zwangslage** befindet. Das kann unterschiedliche Auswirkungen haben, z.B. Schlafstörungen oder Schmerzen durch Muskelverspannungen.

6.7.5.1.2 Einsatzmöglichkeiten von Schienen

- **Einsatz in der Notfallmedizin**
  Mit Hilfe von **aufblasbaren Kunststoff - Schienen** (*Schnellbandagen*) können Extremitäten oder Teile des Körpers eines Verletzten notfallmäßig ruhiggestellt werden. Diese Schienen passen sich gut der Körperform an und erhöhen die Sicherheit während des notwendigen Transports.
- **Einsatz in der Chirurgie, Orthopädie, Rheumatologie**
  Durch den Einsatz unterschiedlicher Schienen kann eine **Ruhigstellung**, z.B. im Rahmen einer konservativen Frakturbehandlung, während der Wundheilung, bei Infektionen von Knochen oder Weichteilen, erzielt werden.

Dient die Schiene gleichzeitig der **Hochlagerung**, bewirkt sie eine Verbesserung des venösen Rückflusses (**Ödemprophylaxe / -therapie**).
Durch den Einsatz sogenannter **Bewegungsschienen** kann eine kontrollierte Mobilisation erfolgen.

6.7.5.1.3 Arten von Schienen

Aus der Vielfalt unterschiedlicher Schienen werden einige Beispiele aufgeführt:
- **Cramer-Schiene**
  - verformbares Drahtgestell (auch als **Drahtleiterschiene** bezeichnet), das den individuellen Bedingungen einer Extremität angepaßt werden kann;
  - Anwendung als Hand- oder Unterarmschiene möglich;

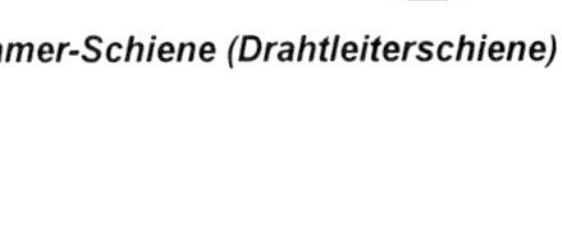

Abb. 6.66 ***Cramer-Schiene (Drahtleiterschiene)***

- die Fixierung der Polsterung sollte mit Schlauchmull erfolgen;
- die Schiene wird mit elastischen Binden angelegt, dabei ist auf druckfreies Anwickeln zu achten.

• **Braunsche - Schiene**
- stabiles Rahmengestell *(Braunsche - Leerschiene)*;
- eine in der Länge verstellbare Beinschiene, auf der das Bein in halb gebeugter Stellung gelagert werden kann;
- die Schiene muß mit elastischen Binden gewickelt werden; bei der Wicklung der Schiene können je nach Bedarf Stellen ausgespart werden, z.B. im Bereich einer Wunde;
- der Fußrahmen wird ebenfalls gewickelt und stützt dadurch den Fuß *(Spitzfußprophylaxe)*.

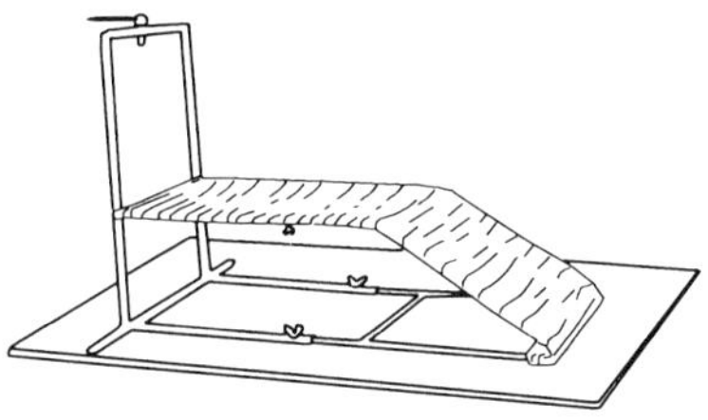

Abb. 6.67 ***Braunsche - Schiene*** *mit Befestigungsbrett und Teilpolsterung*

• **Volkmann - Schiene**
- auch als **T - Schiene** bezeichnet;
- eine Beinschiene aus Metall mit einer Aussparung für die Ferse und einer Fußplatte (Spitzfußprophylaxe / Bettdecke liegt nicht direkt auf);
- unterhalb der Fußstütze ist ein T-Stück angebracht, das die Schiene stabilisiert und eine Höhenverstellung ermöglicht;
- die Polsterung sollte mit Schlauchmull fixiert werden;
- das Bein liegt in Streckstellung, dabei ist die Zusatzpolsterung *(siehe nachfolgend)* zu beachten;
- abschließend wird die Schiene mit elastischen Binden angewickelt.

Abb. 6.68 ***Volkmann - Schiene*** *(T - Schiene)*

• **Schaumstoffschienen**
- werden in unterschiedlichen Ausführungen angeboten (z.B. nach Braun, nach Keel, nach Volkmann);

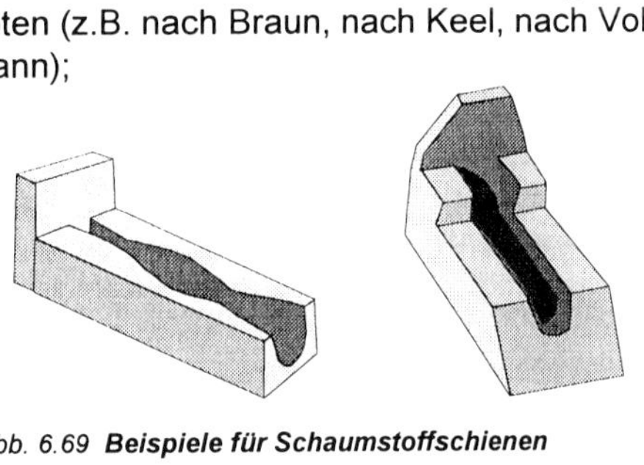

Abb. 6.69 ***Beispiele für Schaumstoffschienen***

- kommen zur Anwendung als Lagerungsschienen für die unteren Extremitäten;
- durch die erhöhten Ränder ist eine sichere und realtiv bequeme Lagerung möglich;
- um Verschmutzungen zu verhindern, muß eine Schiene mit einem entsprechenden Bezug oder mit einer Auflage geschützt werden.

• **Bewegungsschienen**
- ermöglichen frühzeitige Bewegungsübungen im Bereich der unteren Extremitäten nach Frakturen oder operativen Eingriffen;
- die Schienen können entsprechend der individuellen Bedingungen des Patienten eingestellt werden, z.B. zur Durchführung passiver Bewegungsübungen im Bereich des Kniegelenks;
- wegen der **Vielfalt der Modelle** sind eine Einweisung in den Umgang mit der Schiene und eine Information über die möglichen Funktionen an Ort und Stelle erforderlich.

• **Infusionsschutzschiene**
- dient zur Ruhigstellung des Arms während einer Infusion oder Transfusion;
- durch die Fixierung des Arms wird einer Lageveränderung des Venenzugangs vorgebeugt und die Komplikationsrate gesenkt;
- das Anlegen einer Schiene ist besonders bei unsicheren oder unruhigen Patienten sowie bei Patienten mit schlechten Venenverhältnissen zu empfehlen.

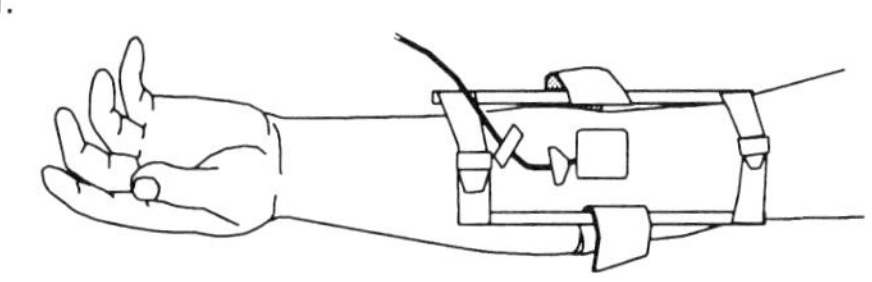

Abb. 6.70 ***Infusionsschutzschiene***

6.7.5.1.4 Grundsätze der Pflege

Der behandelnde Arzt entscheidet, welche Lagerungsschiene ein Patient erhält; die Dauer der Lagerung ("So kurz wie möglich, aber so lange wie nötig!") und evtl. zu beachtende Besonderheiten richten sich ebenfalls nach ärztlicher Anordnung.

❐ Vorbereitung einer Schiene

• **Auswahl und Anpassung**
- Auswahl und Anpassung der Schiene entsprechend der Länge und des Durchmessers der zu lagernden Extremität; die Anpassung muß an der gesunden Extremität erfolgen;
- zu große oder breite Schienen bieten zu viel Bewegungsfreiraum, eine ausreichende Ruhigstellung ist nicht gewährleistet, ein geringer Ausgleich kann mit einer sehr großzügigen Anwendung von Polstermaterial geschaffen werden;
- eine zu kurze oder zu schmale Schiene bietet nicht genügend Halt und erhöht die Gefahr der Entstehung von Druckstellen.

• **Polsterung**
- alle Schienen aus Metall müssen sorgfältig gepolstert werden;
- als **Polstermaterialien** sollten spezielle Vliespolsterwatte und/oder Schaumstoff zur Anwendung kommen; andere wasseraufsaugende Materialien wie Zellstoff oder Baumwollwatte sind nicht geeignet;

Abb. 6.79 ***Kirschnerdr***

Lochstabgeräte sin
sammengebaut un
möglichen eine Fix
sition.
Um die Unfallgefah
den der Metallrohre

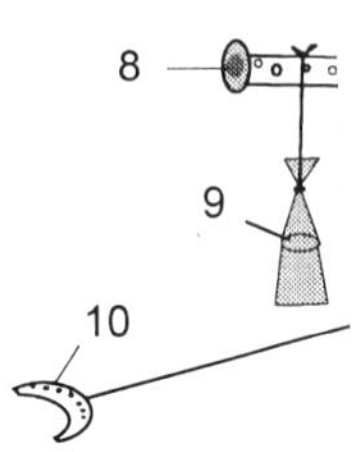

1 Einspannstab
2 Querstab (gerade)
3 Querstab (abgewinkelt)
4 Kreuzhülse
5 Rollenhalter mit Rolle 1

Abb. 6.80 ***Lochstabgerät***

Das **Einführen eines I**
sterilen Bedingungen.
chiger Desinfektion im
trittsstellen wird eine Al
vorgenommen. Der Pat
sie, falls eine Repositi
narkose. Mit Hilfe ein
wird der Draht eingefü
nach der Art der Fraktu
tensionsbügel befestigt
überstehenden Enden v
Austrittsstellen des Ex
sterilen Kompressen ab
Die Höhe des Zuggewic
cher Anordnung; bei ei
trägt das Gewicht in de
pergewichtes des Patien
Das **Gewicht** muß unbe
nicht pendeln, die Rich
nicht verändert werden.
tes ist nur nach vorhe
möglich. Der Drahtzug
z.B. durch eine aufliegen

6.9 Pflegeplanung

6.9.1 Informationssammlung "Kontrakturenrisiko"

Veränderungen am Gelenk / Knochen

- ☐ Gelenkverschleiß
- ☐ Gelenkentzündung, z.B. bei Gicht, PCP und anderen rheumatischen Erkrankungen
- ☐ Gelenkverletzung
- ☐ Knochenbruch

Veränderungen am Weichteilapparat

- ☐ Muskelkrankheit
- ☐ Verletzung / Entzündung an Sehnen, Muskeln, Bändern, Gelenkkapsel
- ☐ Atrophie am Halteapparat des Gelenks bei langer Ruhigstellung (Schienen- / Gipslagerung)

Neurologische Störungen

- ☐ Verletzung / Erkrankung peripherer Nerven
- ☐ Verletzung / Erkrankung des ZNS
- ☐ Hemiplegie rechts / links
- ☐ Paraplegie
- ☐ Tetraplegie
- ☐ Monoplegie
- ☐ Neurologische Erkrankung, z.B. MS

Weitere Risikofaktoren

- ☐ Schonhaltung bei Schmerzen
- ☐ Narbengewebe in Gelenknähe (nach OP, Verbrennung)
- ☐ Immobilität, körperliche Schwäche
- ☐ Bewußtlosigkeit

Kooperation

- ☐ eingeschränkt
- ☐ nicht möglich
- ☐ wird abgelehnt

Ressourcen

- ☐ Durchführung von Spontanbewegungen
- ☐ Bewegungen erfolgen nach Aufforderung
- ☐ Fähigkeit und Bereitschaft zur Kooperation

Kontrakturenprophylaxe - Pflegestandard C

Probleme / Ressourcen	Ziele	Pflege[...]
Ruhigstellung Der Patient soll aus therapeutischen Gründen ein Gelenk / mehrere Gelenke nicht bewegen, da ein / eine • Gelenkentzündung • Gelenkverletzung • Knochenverletzung • Knochenbruch • Entzündung am Weichteilapparat • Verletzung am Weichteilapparat vorliegt: es kann zur Atrophie der Gewebe kommen.	*Der Patient* - kennt Sinn und Handhabung der Gelenkruhigstellung - ist einsichtig und kooperativ - hält sein(e) Gelenk(e) in Funktionsstellung - erfährt keine zusätzliche (Nerven-) Verletzung durch die Fixation des Gelenks	**Information des Patient[...]** - bzgl. des therapeutiscl[...] bung der Ruhigstellunc[...] **Ruhigstellung** des betroffenen Gelenks [...] Funktionsstellung - mittels Schiene bzw. Gi[...] der Sensibilität / Motorik[...] fenen Gliedmaße(n) - mittels anderer Hilfsmitt[...]
Ressourcen: Der Patient ist orientiert, bewußtseinsklar, aufnahmefähig und kooperativ; er kann und möchte bei den Pflegemaßnahmen aktiv mitarbeiten.	*Der Patient* - kennt Sinn und Technik der isometrischen Spannungsübungen - führt mehrmals täglich bis zu 15 Übungen hintereinander durch - hat einen angeregten Muskelstoffwechsel	**Information über / Anleit[...]** - Durchführung isometrisc[...] (Arztanordnung): mehrm[...] hintereinander durchführ[...] ***(Beachte:** Nicht durchfü[...] wegungen einen verstärk[...] entwickeln!)* - Durchführung aktiver, gg[...] gen mit den nicht betroffe[...]

Kontrakturenprophylaxe - Pflegestandard D

Probleme / Ressourcen	Ziele	Pflegema[...]
Der Patient weist Funktionsstörungen, Kraftlosigkeit, Schmerzen und Verkrampfungen aufgrund einer Muskelerkrankung auf.	*Der Patient* - bewegt so oft wie möglich alle Gelenke - kann sich ggf. mit Hilfsmitteln bewegen	**Allgemeine Mobilisation sc[...]** - ggf. Gehhilfen einsetzen - isometrische und isotonisc[...] KG, Patienten zu Wiederh[...]
Infolgedessen kommt es zu Muskelschwund und bevorzugten Haltungen, die ein deutliches Kontrakturenrisiko darstellen.	- verliert möglichst keine (so wenig wie möglich) weitere Muskelkraft	- schwerpunktmäßig Übunge[...] durchführen, die der jeweils[...] gegenwirken
Der Patient ist - mehr oder weniger stark ausgeprägt - bewegungseingeschränkt und benötigt ggf. Hilfestellung bei den ATL.	- kennt die Grenzen seiner Belastbarkeit - beansprucht alle Muskelgruppen	- nicht bis zur Ermüdung der[...] enten arbeiten, sondern früh[...] pen trainieren; Patienten en[...]
Ressourcen: Der Patient möchte dem Fortschreiten der Erkrankung aktiv entgegenwirken.	- hält die Gelenke in verschiedenen Positionen - erfährt keine weiteren Bewegungseinschränkungen - ist weitgehend selbständig - kennt seine Möglichkeiten und die Grenzen der Belastbarkeit	**Lagerung einzelner Gelenke** - entsprechend dem Befund w[...] entgegenwirkend gelagert; - hierzu Informationen vom Or[...] **Hilfestellung bei den ATL** - entsprechend der Einschränk[...] sten, dabei den Patienten au[...] zuarbeiten, ohne sich zu übe[...]

6.9.2 Pflegestandards zur Kontrakturenprophylaxe

Für die verschiedenen Pflegestandards "Kontrakturenprophylaxe" gilt übergreifend:

Probleme	Fernziele	Allg. Pflegemaßnahmen
Es liegt das Risiko einer Funktions- und Bewegungseinschränkung an einem / mehreren Gelenken vor.	*Der Patient hat* • einen intakten Bewegungsapparat • frei bewegliche Gelenke • einen harmonischen Bewegungsablauf	• Mobilisation • Bewegungsübungen • prophylaktische / therapeutische / ruhigstellende Lagerung

3996

Kontrakturenprophylaxe - Pflegestandard A

Probleme / Ressourcen	Ziele	Pflegemaßnahmen
Der Patient leidet unter neurologischen Störungen aufgrund einer/s • Verletzung / Erkrankung peripherer Nerven • Verletzung / Erkrankung des ZNS • Schlaganfalls • Bewußtlosigkeit. Infolgedessen können **Lähmungserscheinungen** wie • Monoparese* / Monoparalyse* • Hemiparese* / Hemiparalyse* • Tetraparese* / Tetraparalyse* • Paraparese* / Paraparalyse* • Sensibilitätsstörungen* auftreten.	*Der Patient* - hat leicht bewegliche Gelenke - behält / steigert seine vorhandene Beweglichkeit	Begleitend und in Zusammenarbeit mit der KG werden folgende Maßnahmen durchgeführt: **bei schlaffer Lähmung** - betroffene Gelenke im 2-stdl. Rhythmus abwechselnd in Beuge- und Streckstellung lagern - zusätzlich 30°-Lagerung oder Lagerung in schiefer Ebene (Dekubitusprophylaxe) - mindestens 2 mal täglich passive Bewegungsübungen mit allen Gliedmaßen **bei Monoparese** - die betroffene Extremität evtl. (Arztanordnung) kontinuierlich in derselben Stellung (= in der der Fehlhaltung entgegengesetzten Position) lagern - an unteren Extremitäten: Spitzfußprophylaxe durchführen
Die Gelenke verharren in der Position, die der Ruhetonus der Muskeln vorgibt.	- nimmt die gelähmte(n) Körperpartie(n) zunehmend wahr	**bei Sensibilitätsstörungen** - verschiedenartige Reize wie Druck, Vibration, Berührung, Wärme und Kälte anbieten
Bei spastischer Lähmung kommt es durch den erhöhten Muskeltonus zu Fehlhaltungen, z.B. zur Spitzfußhaltung. **Beachte:** Druck auf den Fußballen löst Spastik aus; der Deckendruck verstärkt die Spitzfußstellung.	- zeigt einen geringer ausgeprägten Hypertonus der Muskulatur - entwickelt Bewußtsein und Gefühl für die gelähmte Seite - lernt, den Muskeltonus zu regulieren - sitzt mehrmals täglich im Stuhl - kennt spastizitätsfördernde Haltungen / Bedingungen und weiß, wie sie zu umgehen sind	**bei spastischer Lähmung** - **Lagerung nach Bobath:** im ca. 2 stündlichen Wechsel entsprechende Lagerungen → auf der betroffenen Seite → (möglichst) sitzend im Stuhl am Tisch, sonst Langsitz oder Rückenlage → und auf der nicht betroffenen Seite durchführen - **Förderung der Sensibilität** s.o. - bei "einschießender" Spastik während der passiven Bewegungsübungen diese abbrechen; bei KG erkundigen, welche speziellen Bewegungen / Stellungen bzw. Streichungen die Spastik vermindern können - **Spitzfußprophylaxe:** Patienten möglichst oft in sitzender Position im Stuhl lagern, dabei auf korrekte Fußstellung und festes Schuhwerk achten; in Rückenlage Zehen vom Druck der Bettdecke entlasten - Patienten über spastizitätsauslösende und -hemmende Bedingungen informieren - Hinweis geben, daß später ggf. orthopädische Schuhe angefertigt werden können, die den spastizitätsauslösenden Druck am Fußballen verringern

Fortsetzung auf der nächsten Seite

Probleme / Ressourcen	Ziele	
Ressourcen Der Patient ist orientiert, aufnahmefähig und kooperativ, die Funktion der nicht gelähmten Körperteile / -hälfte ist weitgehend intakt; der Patient möchte und kann aktiv mitarbeiten und das Bett verlassen.	- führt (entsprechend seinen Möglichkeiten) mehrmals täglich aktive Bewegungen durch - hilft ggf. bei Bewegungsübungen der gelähmten Seite mit - bezieht seine gelähmten Körperteile in die täglichen Verrichtungen mit ein	**Allgemeine M** - soweit das E des Krankhe Patienten m wegungsübu maßen; pass mit den geläl **bei Hemiplegi** - bei der Ausül Bobath-Konz

Kontrakturenprophylaxe - Pflegestandard B

Probleme / Ressourcen	Ziele	P
Veränderungen an Gelenken liegen vor / sind zu erwarten aufgrund von • Gelenkverschleiß • Gelenkentzündung (Rheuma, PCP) • Gelenkverletzung • Immobilität • ausgeprägter körperlicher Schwäche.	***Der Patient*** - kennt Sinn und Technik der Bewegungsübungen / Lagerungen - kann die physiologischen Bewegungsmöglichkeiten des betroffenen Gelenks nutzen bzw. - erfährt keine weitere Funktionseinschränkung	**Information des** - vorliegender R - Stellenwert so Übungen und I **Spezielle kranke** - mit Krankengy - ggf. Weiterführ sonal informier
Infolge von Schmerzen und von Schonhaltung kann es zu zusätzlicher Bewegungs- und Funktionseinschränkung kommen.	- hat wenig / keine Schmerzen	- ggf. laut Arztan rung der Übung oder physikalis
Trotz der Beschwerden soll(en) das (die) betroffene(n) Gelenk(e) mobilisiert werden.	- hat bewegliche Gelenke	**Passive Bewegu** - mindestens 2 m troffenen Gelen chend der physi oder:
	- führt mindestens 4 mal täglich aktive Bewegungsübungen mit den gefährdetem Gelenken und mit den Nachbargelenken durch	**Aktive Bewegung** - nach Möglichkei assistiven) Bewe physiologischen ten, diese minde
	- hat ausgeglichenes Zusammenspiel von Agonisten und Antagonisten - vermeidet einseitige Schonhaltungen	**Lagerung** - zwischendurch L ge- und Streckst
Der Patient ist in der Durchführung der ATL eingeschränkt. ***Ressourcen:*** Der Patient kann und möchte in den eingeschränkten Lebensbereichen (teilweise) selbständig sein.	- kann seine Möglichkeiten realistisch einschätzen - übernimmt zunehmend die Durchführung von Tätigkeiten im Bereich der ATL bzw. - bleibt soweit möglich in der Durchführung der ATL selbständig	**Allgemeine Mobilis** - Ressourcen bewu fe / Selbständigke - bei eingeschränkt lenke vor bestimm oder Nahrungsauf wegen und Patient durchzuführen; Hil sten - Hilfsmittel (z.B. Ge len

6.10 Exemplarische Lebens- und Pflegesituationen bei neurologischen Erkrankungen

6.10.1 Parkinson-Krankheit

Synonym: Parkinsonsche Erkrankung, Morbus Parkinson, Parkinson-Syndrom, Parkinsonismus

Die Krankheit wurde erstmals 1817 von dem englischen Arzt James Parkinson beschrieben.

6.10.1.1 Krankheitsbild

❐ Definition

Beim Morbus Parkinson handelt es sich um eine Erkrankung des **extrapyramidal-motorischen Systems**, bei der es infolge eines allmählichen Untergangs der dopaminbildenden Substantia nigra* zu einem **Mangel an Dopamin** und einem **relativen Überwiegen von Acethylcholin** - und den entsprechenden Folgeerscheinungen - kommt. Die Krankheit ist durch einen chronischen Verlauf gekennzeichnet und führt unbehandelt zu vollständiger Immobilität und zum Tod.

❐ Erkrankungshäufigkeit

In Deutschland sind ca. 100 000 - 200 000 Menschen von der Parkinson-Krankheit betroffen. Die Erkrankungshäufigkeit steigt mit zunehmenden Alter; so leiden ungefähr 1% der über 65jährigen und 2% der über 75jährigen an einem Parkinsonsyndrom.

❐ Krankheitsentstehung

Dopamin ist eine für die Motorik wichtige Überträgersubstanz *(Neurotransmitter)* im Zentralnervensystem. Es wird in der Substantia nigra* gebildet und über besondere Nervenfasern zum Striatum* geleitet. Von dort steuert Dopamin den Muskeltonus.
Ein anderer Überträgerstoff, das **Acetylcholin**, wirkt dem Dopamin in gewisser Hinsicht entgegen. Diese Überträgerstoffe halten sich beim Gesunden im Gleichgewicht und sorgen für ausgeglichene, koordinierte sowie fließende Körperbewegungen.
Bei der Parkinson-Krankheit entsteht jedoch infolge des allmählichen Untergangs der Substantia nigra ein **Dopaminmangel**; dieser bedingt eine Bewegungsarmut (*Hypo- / Akinese*). Außerdem kommt es aufgrund des Dopaminmangels zu einem **relativen Überwiegen des Acetylcholins**, welches in erster Linie ein Muskelzittern *(Tremor)*, aber auch eine Muskelstarre *(Rigor)* bewirkt.

❐ Formen

Die Ursache für den Untergang der Substantia nigra ist in den meisten Fällen nicht bekannt; man bezeichnet die Erkrankung dann als **primäres** oder **idiopathisches Parkinson-Syndrom** (*Paralysis agitans*).
Entwickelt sich die Krankheit dagegen aus einer anderen Erkrankung, handelt es sich um ein **sekundäres Parkinson-Syndrom**. Bei dieser Form der Erkrankung werden aufgrund der ursächlichen Störung folgende Syndrome unterschieden:

- Postencephalitisches Parkinson-Syndrom; es entsteht während einer Hirnhautentzündung oder Jahre später.
- Arteriosklerotisches Parkinson-Syndrom; arteriosklerotische Prozesse führen zur Minderdurchblutung des Gehirns, welche zu Ernährungsstörungen und letztendlich zum Untergang der Hirnzellen führt.
- Toxisches Parkinson-Syndrom; es entwickelt sich im Anschluß an eine Vergiftung, z.B. durch Kohlenmonoxid, Quecksilber oder Methylalkohol.
- Medikamentös bedingtes Parkinson-Syndrom; es entwickelt sich unter der Therapie mit bestimmten Psychopharmaka oder Antihypertonika und ist in den meisten Fällen bei Absetzen der Medikamente reversibel.
- Ein durch andere Ursachen bedingtes Parkinson-Syndrom entwickelt sich sehr selten, z.B. infolge eines Hirntumors, eines schweren Schädel-Hirn-Traumas oder einer degenerativen Erkrankung des Zentralnervensystems.

❐ Krankheitszeichen

Die Symptome einer Parkinson-Krankheit sind bei den Betroffenen **unterschiedlich** stark **ausgeprägt** und nehmen trotz Behandlung im Laufe der Jahre zu; auch treten nicht bei jedem Kranken alle Symptome auf. So fehlt z.B. bei 20% der Erkrankten das an sich typische Muskelzittern.
Zu Beginn der Erkrankung können unter Umständen nur Myalgelosen *(Muskelschmerzen)*, Depressionen und psychomotorische Verlangsamung beobachtet werden.
Die Störungen beginnen meist in der Hand oder im Arm, so daß zunächst die Feinbeweglichkeit behindert ist. Entsprechend fällt eine Ungeschicklichkeit des Betroffenen, z.B. beim Essen, auf.
Die Parkinson-Krankheit ist durch **drei Hauptsymptome**, Akinese, Rigor und Tremor, gekennzeichnet. Zusätzlich sind in der Regel psychische Veränderungen und vegetative Störungen zu beobachten.

❍ Akinese

Bewegungslosigkeit, Bewegungshemmung

Treffender wäre die Bezeichnung **Hypokinese** (*Bewegungsarmut*), die einen Mangel an Willkür- und Reaktivbewegungen sowie physiologischen Mitbewegungen meint. Die Bewegungen sind insgesamt verlangsamt.
Der Gang ist kleinschrittig, evtl. schlurfend, das Mitschwingen der Arme fehlt (weitgehend).
Es fällt dem Betroffenen besonders schwer, **Bewegungen** zu beginnen und zu beenden. Plötzliche Bewegungen, z.B. durch Stolpern oder ein Anrempeln ausgelöst, können nicht durch ausgleichende Bewegungen aufgefangen werden, so daß es häufig zu Stürzen kommt.
Kopfdrehungen sind nur möglich, wenn gleichzeitig Schultern und Rumpf gedreht werden.
Die Bewegungsarmut findet sich auch in dem sogenannten "**Maskengesicht**" *("Wachsgesicht")* des Parkinsonkranken wieder. Seine Mimik ist starr und ausdruckslos, wirkt jedoch oft traurig oder ängstlich. Die **Augenbewegungen** sind häufig nicht betroffen und verleihen dem Kranken eine gewisse Ausdruckskraft.

Lidschlag und **Schluckbewegungen** erfolgen seltener als beim Gesunden.
Auch die **Gestik** ist vermindert oder aufgehoben.
Beim **Schreiben** nimmt die Höhe der Buchstaben zum Zeilenende ab (*Mikrographie*).
Auch die **Kehlkopf-** und **Atemmuskulatur** sind von der Bewegungsarmut betroffen. Das daraus resultierende flache Atmen und das unzureichende Abhusten von Fremdkörpern bedingen ein erhöhtes Risiko, an Atemwegsinfektionen zu erkranken. Außerdem wird die **Stimme** leiser, mitunter heiser, und die Aussprache verwaschen. Die **Sprache** ist monoton und verlangsamt.
Die Akinese und der Rigor führen zu einer typischen **Körperhaltung** des Parkinsonkranken (siehe Abb. 6.83). Das Verändern dieser Haltung gelingt nur teilweise und nur unter großer Anstrengung.

- *Kopf- und Rumpf vornübergebeugt*
- *Schultern nach vorne innen fallend*
- *Arme leicht nach innen gedreht, an den Oberkörper herangezogen und im Ellenbogengelenk leicht gebeugt*
- *Handgelenke und Grundgelenke der Finger leicht gebeugt, Fingerendgelenke gestreckt, Daumen am Zeigefinger anliegend*
- *Hüft- und Kniegelenke leicht gebeugt*

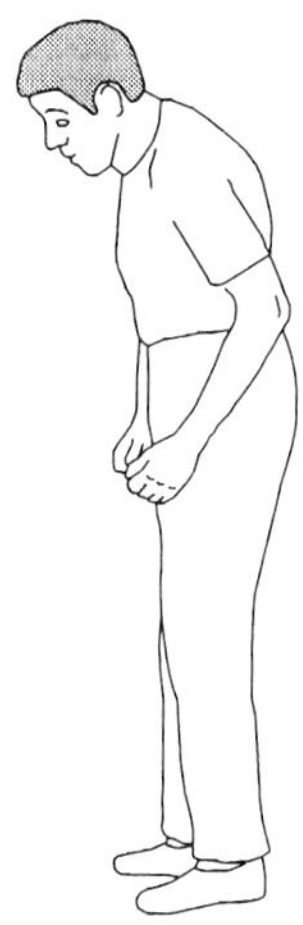

Abb. 6.83 ***Typische Körperhaltung des Parkinsonkranken***

❍ Rigor

Starre anhaltende Erhöhung des Muskeltonus

Der **Tonus der Muskulatur** ist stets erhöht, so daß es zu einer Steifigkeit am ganzen Körper kommt; die Muskulatur kann nie völlig entspannt werden.
Bei passiven Bewegungen bieten die Muskeln einen **wächsernen Widerstand** (wie eine Wachskerze bei dem Versuch, gebogen zu werden); dabei kann der Widerstand ungleichmäßig und ruckartig nachlassen (**Zahnradphänomen**). Die Beugemuskeln sind stärker betroffen als die Streckmuskeln; dadurch kommt es zu der typischen nach vorn gebeugten Haltung. Der Kranke muß die Muskelsteifheit bei jedem Bewegungsablauf überwinden.
Im **Schlaf** verringert sich der Rigor, bei **Gemütsbewegungen** dagegen wird er stärker.
Infolge der anhaltenden Muskelanspannung kann es zur schmerzhaften Überlastung der Gelenke, vor allem im Schulter-, Hüft- und Rückenbereich, kommen. Zu Beginn der Krankheit werden diese Symptome nicht selten als Zeichen einer Erkrankung des Bewegungsapparates fehlgedeutet.

❍ Tremor

Zittern

Das Zittern tritt bei der Parkinson - Krankheit vor allem **in Ruhe** auf und kann bei zielgerichteten Bewegungen abnehmen oder aufhören. Häufig zu beobachten ist ein Tremor der antagonistischen Beuge- und Streckmuskeln von Daumen und Zeigefinger, der zu typischen Bewegungen führt, die an das Zählen von Münzen oder das Drehen von Pillen erinnern (**Pillendreher-** oder **Münzenzählertremor**). Das Zittern kann auch auf die **Füße** und **Beine** und/oder den **Kopf** übergehen. Die Zitterbewegungen des Kopfes werden, angelehnt an ihre Verlaufsrichtung, als "**Ja-** oder **Neintremor**" bezeichnet.
Sowohl die Ausbreitung als auch die Stärke der Zitterbewegungen nehmen bei Gemütsbewegungen und bei Ermüdung zu. Kälte bedingt ebenfalls eine Zunahme des Tremors, während **Wärme** ihn verringert. Im **Schlaf**, manchmal auch bei völlig entspannter Lagerung, verschwindet der Tremor.

❍ Psychische Veränderungen

Von der Parkinson-Krankheit betroffene Menschen reagieren nicht selten mit depressiven Verstimmungen oder mit einer **Depression** auf ihre veränderte Lebenssituation. Ebenso oder zusätzlich kann der Dopaminmangel eine Depression begünstigen bzw. bedingen (vgl. "Depressionen", Seite 766). Oft können **Antriebsarmut** und **Lustlosigkeit** beobachtet werden. Die Betroffenen neigen zu innerer Unruhe und Angstgefühlen.
Das primäre Parkinson-Syndrom geht nicht mit Entwicklung einer Demenz einher; das Denken kann jedoch eingeengt und verlangsamt, die affektive Schwingungsfähigkeit vermindert sein.
Die Gedanken sind zähflüssig, aus der Sicht eines Betroffenen manchmal wie "einzementiert". Es ist möglich, daß sich die Einengung auch auf die **geistigen Interessen** erstreckt.
Das arteriosklerotische Parkinson-Syndrom geht mit einer Einbuße der intellektuellen Leistungsfähigkeit einher.

❍ Vegetative Störungen

Häufig kommt es im Zusammenhang mit der Parkinson-Krankheit zu einer **gesteigerten Speichelsekretion**; aufgrund der Akinese ist der Betroffene jedoch oft nicht in der Lage, den gesamten Speichel zu schlukken und aus dem Mundwinkel laufenden Speichel abzuwischen.
Ebenfalls gesteigert ist meist die **Talgsekretion** der Haut; fettig-glänzende Haut und Haare sind die Folge. Man spricht in diesem Zusammenhang auch vom "**Salbengesicht**". Bei einigen Betroffenen führt die vermehrte Talgsekretion der Kopfhaut zu Haarausfall.
Störungen der **Temperaturregulation** können ebenfalls auftreten. Sie äußern sich in Hitzewallungen und Schweißausbrüchen, die bevorzugt nachts auftreten. Die **Schweißsekretion** kann nur halbseitig stattfinden.
Eine Umkehr des **Schlaf-Wach-Rhythmus** ist möglich; ein Betroffener ist nachts unruhig und schlaflos, während er tagsüber erschöpft und müde ist.
Ist die **Regulation der Weite der Blutgefäße** gestört, kommt es bei Lageveränderungen schnell zu Blutdruckabfällen, die mit Schwindelgefühlen und Kollapsneigung einhergehen können.

So ist es möglich, daß ein alleinlebender (alter) Mensch im fortgeschrittenen Stadium seiner Erkrankung mehr als ambulante Pflege- und Hilfsdienste benötigt und in ein Pflegeheim umziehen muß.
Anderen Betroffenen ist es möglich, mit Hilfe ihres Partners und/oder ihrer Angehörigen auch weiterhin ein Leben in der gewohnten Umgebung und Gemeinschaft zu führen. Sie benötigen zunächst vor allem pflegerische **Beratung und Anleitung**; den Angehörigen müssen die Bedeutung und das Prinzip der aktivierenden Pflege nahegebracht werden.
Pflegerisches Prinzip ist eine **aktivierende Pflege**, die dem Betroffenen die Bewältigung des Alltags im Rahmen seiner individuellen Möglichkeiten gestattet. Die Pflege konzentriert sich solange wie möglich auf die **Erhaltung der Ressourcen**, die Anleitung und ggf. die **Unterstützung bei selbstpflegerischen Maßnahmen**. Nur wenn diese nicht mehr ausreicht, werden Teilbereiche der Selbstpflege eines Betroffenen übernommen.
Bis der Kranke pflegerische Unterstützung benötigt, ist er in vielen Fällen schon längere Zeit erkrankt. Er - ggf. auch seine Angehörigen - haben in dieser Zeit **Selbsthilfestrategien** entwickelt und erprobt. Professionell Pflegende sollten sich diesbezüglich erkundigen und die Strategien **in** ihre **Pflegeplanung integrieren**.
Neben der **Zusammenarbeit** mit einem Betroffenen und seinen Angehörigen ist auch eine Kooperation mit dem behandelnden Arzt, der Physiotherapeutin und ggf. der Logopädin und der Ergotherapeutin anzustreben.

Die aktivierende Pflege eines parkinsonkranken Menschen ist durch folgende Schwerpunkte gekennzeichnet:

- Beratung und Anleitung des Betroffenen und ggf. seiner Angehörigen;
- Bewußtmachen der Ressourcen;
- Fördern der Fähigkeiten des Betroffenen;
- Fördern von Aktivitäten und Sozialkontakten;
- Beobachten und ggf. Korrigieren des selbstpflegerischen Verhaltens;
- Vermitteln von positiven Erfahrungen und Bestätigung;
- Unterstützen eines positiven Selbstwertgefühls;
- Unterstützen bei den ATL in erforderlichem Ausmaß, Übernahme einzelner ATL nur, wenn unbedingt erforderlich.

❐ Pflegeplanung

Um die vorhandenen Ressourcen und den Pflegebedarf eines Betroffenen zu erkennen, ist eine umfassende **Informationssammlung** erforderlich. Diese sollte durch eine gezielte Fragestellung erfolgen, gleichzeitig jedoch den Blick für weitere Beobachtungen offen lassen. Eine **sorgfältige Analyse** des aktuellen Befindens, der Ressourcen, der Einschränkungen und Krankheitsauswirkungen sowie deren individuelle Bedeutung für den Betroffenen bietet die Grundlage für eine individuell geplante Pflege.
Der folgende Pflegestandard ist nach den ATL gegliedert. Informationssammlungen - bezogen auf die einzelnen Lebensbereiche - sollen das Erfassen der persönlichen Situation erleichtern. Die möglichen Ressourcen und Probleme eines parkinsonkranken Menschen werden vorgestellt und Pflegemaßnahmen, die zur Erhaltung der Ressourcen bzw. zur Verhinderung / Lösung der Probleme beitragen, zugeordnet. Die Pflegenden verfolgen dabei in der Regel - und möglichst in Absprache mit dem Betroffenen - folgende **Grobziele**:

Der Betroffene

- akzeptiert seine Erkrankung und möchte das "Beste aus seinem Leben mit der Parkinson-Krankheit machen".
- erlebt sich als vollwertiges und akzeptiertes Mitglied der Gesellschaft.
- erfährt Verständnis und Geduld von seiten seiner Mitmenschen.
- nimmt im Rahmen seiner individuellen Möglichkeiten am gesellschaftlichen Leben teil.
- weiß um die Notwendigkeit der täglichen Übungen und der regelmäßigen Medikamenteneinnahme.
- geht seinen Interessen (soweit möglich) nach.
- "trainiert" täglich seine Alltagsfähigkeiten.
- führt täglich sein krankengymnastisches, ggf. auch sein logopädisches und ergotherapeutisches Übungsprogramm durch.
- akzeptiert die Grenzen seiner Leistungsfähigkeit, nimmt sich ausreichend Zeit für seine Aktivitäten / Bewegungen.
- kennt sinnvolle Hilfsmittel / Techniken und setzt diese ein.
- pflegt soziale Kontakte auch außerhalb der Familie.
- stellt einen strukturierten Tagesplan auf und gestaltet seinen Tag entsprechend.
- hat Erfolgserlebnisse und entwickelt zunehmend Selbstvertrauen und Lebensfreude.
- bleibt möglichst selbständig.
- muß so wenig wie möglich unter den unerwünschten Wirkungen der medikamentösen Therapie leiden.

Der Erfolg der Pflege ist anhand dieser Ziele - ggf. auch weiterer Feinziele - zu überprüfen.

Pflege eines Menschen mit Parkinson - Krankheit — Pflegestandard

Sich Bewegen

Informationssammlung

- Welche Bedeutung hatte Bewegung vor der Erkrankung im Leben des Betroffenen?
- Auf welche Bewegungsmöglichkeiten möchte der Betroffene auf keinen Fall verzichten?
- Welche Bewegungsmöglichkeiten stehen noch in welchem Ausmaß zur Verfügung, in welchen Bewegungen überwiegt die Beeinträchtigung?
- Wie reagiert der Betroffene darauf?
- Welche Gefahren resultieren aus den Beeinträchtigungen?
- Sind bei dem Betroffenen unwillkürliche abnorme Bewegungen zu beobachten? Wie reagiert der Betroffene, wie reagieren seine Mitmenschen darauf?
- Wie ist seine Einstellung zu den Trainingsmöglichkeiten verschiedener Bewegungsabläufe?
- Welche Selbsthilfestrategien hat der Betroffene bereits entwickelt?
- Bei welchen Bewegungen benötigt er Unterstützung?
- Leidet der Betroffene aufgrund des Rigors *(Muskelsteifigkeit)* unter Schmerzen, Verspannungen und/oder Kontrakturen?

Mögliche Ressourcen und Probleme	Pflegemaßnahmen
Der Betroffene	
- bewegt sich insgesamt verlangsamt, die Bewegungen strengen ihn an	• viel Zeit lassen, nie Zeitdruck ausüben, keine Hektik aufkommen lassen
- kann willkürliche Bewegungen nur unter Anstrengung in Gang setzen → bewegt sich seltener → kann eine unangenehme Lagerung nur schwer verändern → ist bei Bettlägerigkeit dekubitusgefährdet → ist in seiner Bewegungsfreiheit beeinträchtigt	• Hinweise zur Erleichterung des Gehens / des In-Gang-Setzens geben (bzw. diese einsetzen) - das Gehen durch ein akustisches Signal (z.B. "rechts, links, rechts" etc. oder Klatschen bei jedem Schritt) erleichtern - Gehstock mit unten angebautem Querstock einsetzen, der das Abheben der Füße vom Boden (das Überschreiten des Hindernisses) und das Gehen erleichtert; Verschreibung eines speziellen Gehstocks oder Umbau eines herkömmlichen Gehstocks vorschlagen - Kreidestriche auf den Boden zeichnen und diese überschreiten lassen
- bewegt die Arme beim Gehen kaum (nicht) mit, der Gang ist kleinschrittig, ungelenk und unsicher → kleine Unebenheiten des Bodens können zum unüberwindbaren Hindernis werden	• Mitschwingen der Arme einüben, dazu den Betroffenen auffordern, seine Arme locker hängen zu lassen und neben ihm gehend eine Hand fassen, spiegelbildlich den Schritt beginnen und den Arm im Gehrhythmus des Betroffenen schwingend mitführen • auf das Tragen haltgebender Schuhe achten; • sichere Gestaltung der Gehwege im Wohnbereich, Hindernisse (Teppichkanten, Elektrokabel, Telefonschnur etc.) entfernen *(siehe "Sturzprophylaxe", Seite 566)* • Anbringen von Haltegriffen und Handläufen anregen / veranlassen, z.B. seitlich an der Wand vor Türen (der Betroffene kann sich festhalten und gleichzeitig leichter die Tür öffnen und die Schwelle überschreiten)
- kann Bewegungsabläufe nur schwer stoppen, → fällt bei abruptem Abbremsen einer Bewegung nach vorn, nach hinten oder zur Seite und verletzt sich möglicherweise	• empfehlen, beim Treppensteigen in die Gitterstäbe statt an den Handlauf zu fassen (ermöglicht Halt bei Fallneigung) *(siehe auch "Für Sicherheit sorgen")*
- leidet bei raschen Lageveränderungen unter Blutdruckschwankungen, Schwindelgefühlen und Kollapsneigung → Sturzgefahr beim Aufstehen und beim Bücken	• Betroffenen anleiten, sich beim Aufstehen möglichst abzustützen und mit dem Gehen zu warten, bis er schwindelfrei ist (bzw. sich bei andauerndem Schwindelgefühl wieder zu setzen) • empfehlen, sich nicht zu bücken, sondern eine Greifzange ("verlängerte greifende Hand") zu benutzen, um etwas vom Boden aufzuheben
- hat Mühe, aus niedrigen, tiefen weichen Sitzgelegenheiten aufzustehen	• auf geeignete Sitzflächen hinweisen (und dafür sorgen): Stühle, die über eine breite Aufstellfläche, eine Rückenlehne und Armlehnen sowie eine etwas erhöhte, nicht nachgebende Sitzfläche verfügen • zum Aufstehen vom Stuhl anleiten - Arme auf den Seitenlehnen ablegen - Füße leicht auseinandergestellt halb unter der Sitzfläche auf den Boden stellen

Fortsetzung auf der nächsten Seite

Sich Beschäftigen

Informationssammlung

- Womit hat sich der Betroffene vor seiner Erkrankung gerne beschäftigt?
- Welche Beschäftigungsmöglichkeiten bevorzugt er heute und gelingt es ihm, diese zufriedenstellend auszuüben?
- Entsprechen seine Neigungen und Fähigkeiten eher geistigen oder eher körperlichen Beschäftigungen?
- Welchen Stellenwert haben und hatten gesellschaftliche Kontakte und Veranstaltungen?
- Vermeidet er bestimmte Aktivitäten und Kontakte, um zu verhindern, daß andere seine Behinderung miterleben?

Mögliche Ressourcen und Probleme	Pflegemaßnahmen
Der Betroffene - zeigt aufgrund seiner Antriebsarmut wenig Interessen und Aktivitäten - hat ein Hobby (z.B. Blumenpflege)	• den Betroffenen täglich zu körperlichen und geistigen Aktivitäten ermutigen • mit dem Betroffenen gemeinsam einen strukturierten Tagesplan aufstellen, der seine persönlichen Neigungen und Fähigkeiten berücksichtigt, z.B. - relativ zeitiges Aufstehen (nicht erst am späten Vormittag aufstehen) - Körperpflege - Frühstück mit Einnahme der Medikamente - Bewegungen, z.B. durch Erledigen kleinerer Haus- und Gartenarbeiten, Einkaufen, Spazierengehen - Ruhepause - krankengymnastische Übungen (die zuvor mit der Krankengymnastin eingeübt wurden) - Mittagessen mit Einnahme der Medikamente - Mittagsruhe für 1-2 Stunden - Beschäftigung, die Freude bereitet und nicht überanstrengt (empfehlenswert sind kreative Hobbies, die über Erfolgserlebnisse Selbstwertgefühl und Lebensfreude stärken) - Abendessen mit Einnahme der Medikamente - Gestaltung eines ruhigen Abends (Lesen, Musikhören, Unterhalten, Fernsehen, Gesellschaftsspiele u.ä.) - ausreichende Nachtruhe (so daß der Betroffene morgens ausgeschlafen ist) ***Beachte:*** Der Tagesplan soll Anreize und feste Zeiten bieten, aber auf keinen Fall zu Überforderung führen und ausreichend Zeit für zusätzliche soziale Kontakte und gesellschaftliche Veranstaltungen lassen
- hat sich aus dem gesellschaftlichen, evtl. auch aus dem familiären Leben zurückgezogen (oder neigt zu diesem Verhalten); evtl. trifft dies auch auf den Partner oder andere Angehörige zu	• den Betroffenen (und seine Angehörigen) anregen, soziale Kontakte zu pflegen (bzw. diese organisieren) - Einladungen auszusprechen - wie früher an gesellschaftlichen Ereignissen und kulturellen Veranstaltungen teilzunehmen (sofern dies nicht zu anstrengend ist) - Kontakte mit Angehörigen, Nachbarn, Mitbewohnern zu pflegen und diese über die Krankheit aufzuklären - den Kontakt zu einer regionalen Selbsthilfegruppe aufzunehmen und regelmäßig zu pflegen
- kann einigen Hobbies aufgrund der krankheitsbedingten Behinderungen nicht mehr nachgehen	• gemeinsam nach möglichen Hilfsmitteln suchen (in Katalogen und Sanitätshäusern; mit der Ergotherapeutin) • Suche nach neuen Hobbies / Beschäftigungsmöglichkeiten anregen und unterstützen
- hat Schwierigkeiten bei der Haushaltsführung, da die Feinmotorik der Hände behindert ist → kann Schlüssel im Schloß nicht drehen → kann Dosen, Gläser nicht öffnen → kann Kartoffeln nicht mit dem Messer schälen	• verdeutlichen, daß verdickte Griffe die Handhabung vieler Geräte und Bestecke erleichtern • Ausprobieren verschiedener Haushaltshilfen anregen, z.B. - Schlüsseldrehhilfe - Spezialzange zum Öffnen von Gläsern - Kartoffel- und Gemüseschäler - Saugnäpfe, an denen eine Gemüsebürste befestigt werden kann
- ermüdet rasch bei der Hausarbeit	• empfehlen, möglichst im Sitzen statt im Stehen zu arbeiten
- kann schwerere Putzarbeiten nicht mehr ausführen	• mit dem Betroffenen beraten, welche Entlastungsmöglichkeiten in Frage kommen, z.B. - Hilfe bei schwereren Putzarbeiten durch Kinder, Nachbarn, Haushaltshilfe zu beanspruchen - Umzug in eine kleinere Wohnung

Sinn finden

Informationssammlung

- Welche Bedeutung hat die Erkrankung für den Betroffenen?
- Akzeptiert der Betroffene / akzeptieren seine Angehörigen die Krankheit?
- Hat er / haben seine Angehörigen die Krankheit in das Alltagsleben integriert?
- Wird der Betroffene von einem sozialen Netz getragen, findet er Geborgenheit und Zuwendung?
- Fühlt sich der Betroffene / fühlen sich seine Angehörigen diskriminiert? Ziehen sich die Mitmenschen zurück?
- Wie ausgeprägt sind die Minderwertigkeitsgefühle, auf welche Bereiche beziehen sie sich?
- In welchen Lebensbereichen überwiegt das Selbstvertrauen?
- Leidet der Betroffene unter Depressionen?
- Findet der Betroffene sein Leben lebenswert?

Mögliche Ressourcen und Probleme	Pflegemaßnahmen
Der Betroffene - kann seine Erkrankung (noch) nicht akzeptieren - schämt sich wegen seiner Krankheit, fühlt sich minderwertig → zieht sich zurück - ist depressiv verstimmt (oder leidet unter einer Depression) → ist antriebsarm, verspürt keine Lebensfreude → zieht sich zurück	• den Betroffenen (und seine Angehörigen) ermutigen, die Krankheit zu akzeptieren und schildern, wie andere Betroffene sie in ihr Leben integrieren • Betroffenem und Angehörigen empfehlen, eine regionale Selbsthilfegruppe aufzusuchen und sich dort mit anderen Betroffenen auszutauschen • dem Betroffenen durch das persönliche Verhalten vermitteln, daß er ein wertvoller und geschätzter Mensch ist • im Alltagsgeschehen die Ressourcen bewußt machen und in den Vordergrund stellen • kleine Fortschritte bewußt machen und angemessen loben • Trauer- und Wutreaktionen zulassen, Verständnis zeigen • darauf hinweisen, den Rückzug einiger Menschen nicht als persönliche Ablehnung, sondern als Hilflosigkeit im Umgang mit einem Kranken zu sehen • Betroffenen ermutigen, mit sich selbst geduldig zu sein und zu akzeptieren, daß bei ihm alle Aktivitäten etwas mehr Zeit beanspruchen • ggf. die Inanspruchnahme psychotherapeutischer Hilfe anregen *(siehe auch "Depressionen", Seite 766)*
- erfährt Zuwendung und Geborgenheit in der Partnerschaft und Familie	• die Angehörigen in der Fürsorge für den Betroffenen positiv verstärken und auch für deren Sorgen "ein offenes Ohr zeigen"
- möchte "das Beste aus seiner Situation" machen und lernen, mit der Parkinson-Krankheit zu leben	• mit dem Betroffenen besprechen, womit er sich vorrangig beschäftigen möchte und gemeinsam (auch mit der Krankengymnastin, der Logopädin, der Ergotherapeutin und dem Arzt) ein Übungsprogramm aufstellen und Hilfsmittel für die Alltagsbewältigung ausprobieren • den Betroffenen motivieren, seinem Befinden angemessene Aufgaben zu übernehmen • den Betroffenen und seine Angehörigen ermutigen, soziale Kontakte zu pflegen, an gesellschaftlichen Veranstaltungen teilzunehmen sowie die Mitmenschen über die Krankheit zu informieren

Krise aus. Wie bei anderen schweren und unheilbaren Erkrankungen (z.B. „Krebs") kommt es zu wechselnden Reaktionen wie Nichtwahrhabenwollen, Zorn, Wut, Aggression, Depression, Hadern und Versöhnung mit dem Schicksal *(vgl. Seite 979)*. Die **Annahme der Krankheit** ist besonders **schwierig**, weil sie in jungen Jahren auftritt und die geplante familiäre sowie die berufliche Zukunft durchkreuzt und/oder die angestrebte Selbständigkeit und Lösung von den Eltern verhindert.
Der Krankheitsverlauf kann nicht vorhergesagt werden; die **ungewisse Zukunft** belastet viele Betroffene und ihre Angehörigen sehr. Während einige Menschen optimistisch sind, befürchten andere das Schlimmste. Oft sind auch eher optimistische Phasen im Wechsel mit eher pessimistischen zu beobachten. Etwa 20% der Betroffenen zeigen **depressive Reaktionen**, ebenso viele sind **emotional - psychisch labil**.
Remissionsphasen über Wochen, Monate oder Jahre erlauben Aktivität und - fast - das Vergessen der Krankheit. Neue Krankheitsschübe können einen Betroffenen und seine Angehörigen bei der Krankheitsverarbeitung zurückwerfen, erfordern immer wieder eine **Neuanpassung** und Auseinandersetzung mit der Erkrankung. **Stimmungsschwankungen** und Gefühlsausbrüche können familiäre Probleme hervorrufen, wenn sie nicht erklärt werden.
Vor allem Kinder beziehen emotionale Reaktionen schnell auf sich, fühlen sich „schuldig", meinen z.B., durch ihr Verhalten die Mutter / den Vater verärgert zu haben. Kinder MS - kranker Menschen brauchen ebenfalls Informationen und Unterstützung bei der Auseinandersetzung mit der Krankheit. Sie werden direkt mit den Folgen, z.B. mit der Müdigkeit und Kraftlosigkeit oder mit Immobilität, konfrontiert und erleben, daß ein Elternteil „anders ist als normal" und nicht zu jeder erwünschten Aktivität in der Lage ist. Sie müssen evtl. früh Verantwortung tragen und selbständig werden. Dies wiederum belastet oft die Eltern und kann **Schuld- sowie Minderwertigkeitsgefühle** hervorrufen.
Krankheitsbedingte Probleme können (müssen aber nicht) in allen Lebensbereichen auftreten und zum Teil gravierende Veränderungen bedingen. Häufige Sorgen beziehen sich auf die Partnerschaft, die Betreuung kleiner Kinder oder die finanzielle Sicherheit der Familie bei Arbeitsunfähigkeit. In dieser Situation braucht ein Betroffener neben Hoffnung und einem positiven Selbstwertgefühl ein Netz tragender sozialer Beziehungen sowie persönliche Wertschätzung durch andere.
Multiple Sklerose hat viele Gesichter. Die Symptome können sehr unterschiedlich ausgeprägt und für Außenstehende nicht oder aber sofort erkennbar sein, womit positive (z.B. Rücksichtnahme, Behandlung wie ein Gesunder) wie negative (z.B. Diskriminierung, Überforderung) Reaktionen verbunden sein können.
Die **körperliche** und **psychomentale** *(seelisch - geistige)* **Belastbarkeit** ist in vielen Fällen bereits im frühen Krankheitsstadium **herabgesetzt**, so daß ein Betroffener seine individuellen Möglichkeiten und Grenzen ausloten sowie akzeptieren muß, um seinen Alltag gut zu bewältigen.
Angehörige, die **immer mitbetroffen** sind, müssen sich ebenfalls auf diese neue Situation einstellen; evtl. ist eine neue Organisation des häuslichen Familienlebens erforderlich, in dem z.B. Rollen und Arbeiten umverteilt werden.
MS - erkrankten Menschen wird geraten, das Leben so zu gestalten, daß **extreme** seelische und körperliche **Belastungen vermieden** werden, da diese zu einer Verschlechterung des Krankheitsbildes führen können. Unter Umständen kann dies die Vermeidung von Prüfungen und anderen Streßsituationen abverlangen, wodurch zusätzliche Probleme (z.B. fehlender Studienabschluß) entstehen können.
Von der MS betroffene Menschen sehen sich nicht selten auch **mit Vorurteilen konfrontiert**, z.B. der Erwartung einer zwangsläufigen Veränderung ihres Wesens, eines Abbaus geistiger Fähigkeiten oder völliger Pflegeabhängigkeit. Sie fürchten sich vor Diskriminierung und gesellschaftlicher Ausgrenzung. Tatsächlich finden sich lediglich bei 6% der Betroffenen eine Nivellierung, Kritikminderung und unbegründete Euphorie. Konzentrations- und Gedächtnisschwäche sind in 11% der Fälle zu beobachten; eine Demenz betrifft 1% - 3% der Erkrankten im späteren Krankheitsverlauf.
Einige jüngere Betroffene werden aus verschiedensten Gründen (z.B. Gebrechlichkeit pflegender Eltern, Trennungswunsch des Partners, vor allem bei Auftreten geistiger / psychischer Veränderungen in Kombination mit körperlichen Komplikationen) in einem **Pflege- oder Altenheim** betreut; diese Situation kann das Gefühl, die „Endstation des Lebens" 30 - 50 Jahre zu früh erreicht zu haben, auslösen und den **Abschied von einem altersgerechten Leben** mit Familie, Beruf und Freizeitaktivitäten bedeuten. Damit sind Trauer und nicht selten Verbitterung verbunden.
Anmerkung: Zur Situation eines behinderten Menschen siehe auch "Behinderung - Auswirkungen", *Seite 896*.

6.10.2.3 Pflege und Rehabilitation

Das Ausmaß der Pflegebedürftigkeit ist je nach Schwere, Verlauf und Stadium der Krankheit sowie dem Gesamtbefinden eines betroffenen Menschen sehr unterschiedlich ausgeprägt. Die **Ressourcen** und der aktuelle **individuelle Pflegebedarf** sind immer wieder zu **analysieren**. Dabei stehen zunächst nicht die Defizite, sondern die **Ressourcen im Vordergrund** *(aktivierende - rehabilitierende Pflege)*.
Ein MS - kranker Mensch soll sein **Leben** soweit und solange wie möglich aktiv **im gewohnten Stil fortsetzen**, d.h. seinem Beruf nachgehen, seine familiären Freuden und Pflichten wahrnehmen und Freizeitaktivitäten beibehalten; **Überforderung** ist allerdings zu **vermeiden**.
Pflegerische Aufgaben bei der Betreuung MS - kranker Menschen haben ihren Schwerpunkt zunächst in der **Beratung, Anleitung und Motivation** sowie in der **seelischen Begleitung**; dies gilt ebenso für den Umgang mit (pflegenden) Angehörigen. Im fortgeschrittenen Verlauf einer schweren Erkrankung rücken vor allem **Mobilisation** und **Selbsthilfetraining** sowie die **Verhinderung von Sekundärerkrankungen** und Komplikationen in den Vordergrund.
Um die körperlichen, seelischen und sozialen Auswirkungen der chronischen Krankheit möglichst gering zu halten, die Selbständigkeit zu fördern und die Bewälti-

gung der Alltagsprobleme zu erleichtern, sind **spezielle Rehabilitationsmaßnahmen** angezeigt. Sie können im Anschluß an den Krankenhausaufenthalt als stationäre Maßnahme oder ambulant durchgeführt werden.

Pflegestandard - Pflege eines an MS erkrankten Menschen

Die im Verlauf der Erkrankung möglichen Probleme eines Betroffenen entstehen zum einen aus den Symptomen, zum anderen aus der persönlichen Situation und dem individuellen Umgang mit der Krankheit. Die am häufigsten zu erwartenden Probleme und die entsprechenden Pflegemaßnahmen werden im folgenden - geordnet nach den ATL - in einem Pflegestandard vorgestellt; dieser ist vor Anwendung entsprechend den individuellen Ressourcen und Defiziten des Patienten zu modifizieren.

Mit den Pflegemaßnahmen werden insgesamt folgende **Ziele** verfolgt:

Ein an MS erkrankter Mensch

- ist über die Krankheit, mögliche Verläufe und die Krankheit beeinflussende Faktoren informiert;
- kann die Erkrankung einschätzen, erkennt und akzeptiert seine individuellen Möglichkeiten und Grenzen;
- behält seine gewohnten familiären, beruflichen und außerberuflichen Aktivitäten soweit und solange wie möglich bei;
- trainiert im Alltag seine Fähigkeiten;
- bleibt solange wie möglich mobil und selbständig;
- führt die empfohlenen Bewegungsübungen regelmäßig aus;
- kennt die Möglichkeiten krankengymnastischer und rehabilitativer Maßnahmen und nimmt diese in Anspruch;
- kennt und nutzt Möglichkeiten, die Krankheitsauswirkungen zu verringern;
- findet familiäre und pflegerische Unterstützung / Begleitung;
- ist über Selbsthilfegruppen informiert und schätzt den Nutzen seiner persönlichen Teilnahme ab;
- weiß, wie sich die Spastik reduzieren oder vermeiden läßt und verhält / bewegt sich entsprechend;
- erleidet keine vermeidbaren Sekundärerkrankungen / Komplikationen.

Mögliche Probleme und Ressourcen	Pflegemaßnahmen
Sich Bewegen	
Der Betroffene • leidet unter Kraftlosigkeit und Ermüdungserscheinungen in den Extremitäten • leidet unter spastischen Lähmungserscheinungen, ist dadurch mobilitätseingeschränkt, dekubitus-, kontrakturen- sowie thrombosegefährdet und leidet evtl. unter Schmerzen	• **aktives Funktionstraining** im Alltag entsprechend den individuellen Möglichkeiten (Ausschöpfen der Ressourcen, aber Vermeidung von Überanstrengung und Überforderung), Mobilisation bei der Durchführung der ATL • Motivation, ggf. Anleitung zu regelmäßigen **aktiven Bewegungsübungen**, ggf. auch im Bett • Motivation / Unterstützung bei den täglichen krankengymnastischen Übungen (z.B. Muskeltraining mittels Einsatz eines Trainingsgerätes) • **Unterstützung der Bewegung** nur in jeweils erforderlichem Ausmaß, möglichst Anleitung zu eigenständigen Bewegungungen / Lageveränderungen, Anbringen von Hilfsgriffen, Einsetzen eines Rollstuhls nur, wenn dies die einzige Fortbewegungsmöglichkeit darstellt • Empfehlen, die **Körperwahrnehmung** zu **schulen** und somit mehr Sicherheit im Alltag zu erlangen, z.B. durch autogenes Training, Krankengymnastik, Eutonie, Atemtraining oder Akupressur • Arbeiten und Anleiten nach dem Bobath - Konzept (Handling, Lagerungen, Alltagsfähigkeiten *(siehe Seite 599)* • bei Immobilität **Thrombose-, Dekubitus-, Kontrakturenprophylaxe** nach entsprechenden Pflegestandards *(siehe Seite 323-325, Seite 359-361 und Seite 569-571)*, vor allem passive Bewegungübungen und Bobath - Lagerung • bei Bedarf und ärztlicher Verordnung Verabreichung eines Analgetikums
• leidet unter Sensibilitätsstörungen	• bei Sensibilitätsstörungen Erinnerung des Patienten an druckausgleichende Bewegungen
• hat Koordinationsstörungen und bewegt sich dadurch unsicher, ist evtl. sturzgefährdet	• **bei Koordinationsstörungen** Anweisung des Patienten, seine Aufmerksamkeit auf ein Ziel zu konzentrieren, weil die Störungen sich so durch ständiges Training in gewissem Ausmaß in Willkürbewegungen umsetzen lassen • **Vermitteln von Sicherheit**, z.B. durch persönliche Anwesenheit, durch Einsetzen von Stützhilfen, Gehhilfen • bei Bedarf **Sturzprophylaxe** *(siehe Seite 566)*

Mögliche Probleme und Ressourcen	Pflegemaßnahmen
Sinn finden	
Der Betroffene • setzt sich mit seiner chronischen, nicht heilbaren Erkrankung auseinander (dies kann sich z.B. zunächst in Ablehnung, Verdrängung und Vergessen, dann in allmählichem Sichabfinden mit und Akzeptieren der Krankheit äußern) • ist zeitweise traurig, hadert mit seinem Schicksal • hat Angst vor dem weiteren Krankheitsverlauf • findet Unterstützung / Halt in der Familie, Partnerschaft (o.ä. Beziehungen) • ist bereit, seine Erkrankung anzunehmen, sie in sein Leben zu integrieren	• Information über die Krankheit, vor allem über die verschiedenen Verläufe und die zur Verfügung stehenden Rehabilitationsmaßnahmen • Ermutigung, die Gedanken und Gefühle zuzulassen und auszusprechen, auch gemeinsam mit den ebenfalls betroffenen Angehörigen • ggf. gemeinsame Erörterung familiärer Probleme wie die der Versorgung minderjähriger Kinder, ggf. Einschalten professioneller sozialer Hilfe • Vorschlag, sich mit anderen Betroffenen (Angehörigen) auszutauschen (Selbsthilfegruppe) • Anerkennung und positive Verstärkung der gemeinsamen Problembewältigung in der Familie
• leidet unter Depressionen	• Ernstnehmen der Gefühle, Zeigen von Verständnis, Aufzeigen der individuellen Ressourcen, Vermittlung positiver Alltagserlebnisse *(weitere Hinweise zum Umgang mit depressiven Menschen siehe Seite 771)*
Für Sicherheit sorgen	
Der Betroffene • ist durch Bewegungsstörungen sturz- und verletzungsgefährdet • hat bei Immobilität ein erhöhtes Risiko, Sekundärerkrankungen (Komplikationen) zu erleiden	• **Unterstützen des Sitzens / Gehens** *(siehe"Sich Bewegen")* • **Durchführung prophylaktischer Maßnahmen** *(siehe vorstehend)*
• kann im Rahmen der Therapie mit Kortisonpräparaten und/oder Immunsuppressiva unerwünschte Nebenwirkungen und Infekte erleiden, die das Allgemeinbefinden / den Krankheitsverlauf verschlechtern können	• **Mobilisation**, möglichst Vermeidung von Immobilität • **Beobachtung** hinsichtlich möglicher gravierender unerwünschter Wirkungen - gastro-intestinale Blutungen ? **Beachte**: Erhöhtes Risiko bei Ulkuskrankheit - Hypertonie? - Blutzuckeranstieg? **Beachte**: Ein Diabetes mellitus kann entgleisen - Ödeme? Gewichtszunahme? - Übelkeit? Brechreiz? - Zunahme von Infekten? • **Laborkontrollen** (Blutbild, Leberwerte, Blutzucker), • **Infektionsprophylaxe** durch Einhalten der allgemeinen Hygieneprinzipien, Kontakte des Patienten mit infizierten Menschen vermeiden bzw. Schutzmaßnahmen (z.B. Tragen eines Mund-Nasen-Schutzes) veranlassen
• ist bei extremen körperlichen und seelischen Belastungen (Fieber, hohe Außentemperatur, Krankheit jeglicher Art) gefährdet, einen akuten Krankheitsschub zu erleiden	• **Information über Faktoren, die** einen **Krankheitsschub auslösen** können und (ggf. wiederholte) Empfehlung, Extrembelastungen zu vermeiden sowie ein möglichst geregeltes Leben zu führen
Sich Beschäftigen	
Der Betroffene • befürchtet, berufliche, sportliche und gesellschaftliche Aktivitäten krankheitsbedingt aufgeben zu müssen	• Ermutigung, wenn möglich **Sport** zu treiben, da dies die Leistungsfähigkeit verbessert, das Selbstbewußtsein fördert und Sozialkontakte erhält • Hinweis, **Unfallrisiken** zu **erkennen,** sich **nicht** zu **überfordern** und keinen Leistungssport zu treiben
• ist in seiner Handfertigkeit eingeschränkt, wird z.B. beim Schreiben oder Telefonieren behindert	• **Anregung,** sich bei ErgotherapeutInnnen oder im Sanitätshaus über **Hilfsmittel** zur Alltagsbewältigung (z.B. Schlüsseldrehhilfe, Greifzange, Schreibhilfe) zu informieren und diese **auszuprobieren** • ggf. Anregung einer behindertengerechten **Umrüstung im Haushalt**

Mögliche Probleme und Ressourcen	Pflegemaßnahmen
Der Betroffene • wird bei Immobilität in seinen Aktivitäten eingeschränkt	• bei unvermeidbarer Immobilität **Sorge für** angemessene, den individuellen Bedürfnissen und Fähigkeiten **entsprechende Beschäftigung**, ggf. auch Ergotherapie anregen
• muß evtl. an einer Umschulungsmaßnahme (Berufsunfähigkeit) teilnehmen, die Arbeitszeit verkürzen oder Frührente beantragen (Erwerbsunfähigkeit)	• Motivieren, an **Rehabiliationsmaßnahmen** teilzunehmen, wenn das berufliche und/oder private Leben neu organisiert werden muß
Geschlechtliches Erleben und Verhalten	
Der Betroffene • leidet unter Minderwertigkeitsgefühlen, befürchtet (oder wird tatsächlich), vom Partner abgelehnt zu werden • erlebt Störungen im Sexualleben	• **Signalisieren von Gesprächsbereitschaft und Verständnis** für persönliche Probleme (sofern man sich tatsächlich dazu in der Lage fühlt) • **Ermutigung**, die Probleme offen mit der Partnerin / dem Partner zu besprechen • **Hinweis** auf Möglichkeit des Austausches mit anderen Betroffenen und Mitbetroffenen
• ist hinsichtlich einer geplanten Elternschaft verunsichert	• Hinweis auf die Behandlungsmöglichkeit einiger Sexualstörungen • **Empfehlung**, sich hinsichtlich einer Elternschaft von spezialisierten Ärzten und Psychologen beraten zu lassen (Elternschaft generell in einer stabilen Krankheitsphase unter medizinischer Betreuung möglich, jedoch in bestimmten Krankheits- und Behandlungsphasen ungünstig)
Sich Pflegen und Kleiden	
Der Betroffene • wird evtl. durch sensomotorische Störungen bei der Körperpflege sowie beim An- und Auskleiden behindert, kann diese Aktivitäten jedoch (zum Teil) selbständig ausführen	• **tägliches Training selbständiger Körperpflege und selbstständigen An- und Auskleidens** soweit und solange wie möglich, Hinweis, sich dabei auf die Bewegungsabläufe zu konzentrieren • **Erleichterung feinmotorischer Bewegungen** durch Einsatz von - weiter, dehnbarer Kleidung statt enganliegender, - Reißverschlüssen statt Knöpfen, - Klettverschlüssen statt Schuhbändern • **Anleitung, beim Anziehen** der Kleidungsstücke mit der jeweils motorisch stärker eingeschränkten Körperseite zu beginnen • Empfehlung, bei Bedarf Anziehhilfen wie Strumpf- und Schuhanzieher einzusetzen • **Empfehlung**, bei Bedarf die Körperpflege durch **Einsatz von Hilfsmitteln** (z.B. eine verlängerte Badebürste, Nagelschere mit Federzug) zu erleichtern
• benötigt Hilfe bei der Körperpflege / beim An- und Auskleiden	• **Unterstützung bei der Körperpflege** entsprechend der individuellen Hilfsbedürftigkeit
Regulieren der Körpertemperatur	
Der Betroffene • ist gefährdet, bei Fieber und bei außergewöhnlich hohen Außentemperaturen einen akuten Krankheitsschub zu erleiden	• **Empfehlen, extreme Temperaturen zu vermeiden** • **allgemeine Infektionsprophylaxe**, Empfehlen, bei Anzeichen einer Infektion den Arzt aufzusuchen
• kann durch ein heißes Bad eine vorübergehende Verschlechterung der Krankheit erfahren	• Information über die möglichen ungünstigen Auswirkungen eines heißen Bades
• leidet unter einer Störung des Temperaturempfindens, kann z.B. keine Wärme vertragen oder friert in normal temperierten Räumen	• **Regulieren der Raumtemperatur** und ggf. Unterstützung bei Auswahl geeigneter Kleidungsstücke entsprechend dem Bedürfnis des Betroffenen

Informationen und Beratung hinsichtlich der Krankheit und daraus resultierender Probleme sowie über Selbsthilfegruppen sind zu beziehen über:

Deutsche Multiple Sklerose Gesellschaft
Bundesverband e.V.
Vahrenwalder Straße 2o7 - 207
30165 Hannover
Telefon 0511 63 30 23 / Telefax 0511 63 38 87

Regel bei einem Rechtshänder die linke Körperhälfte betroffen).
Der Betroffene schiebt oder **drückt seinen Körper aus jeder Position** heraus **zur hemiplegischen Seite** hin, ohne dies zu bemerken. Weitere Zeichen des Pusher-Syndroms sind die Vernachlässigung der betroffenen Seite, das Nichterkennen der Krankheit sowie Störungen bei der räumlichen Orientierung und bei der Bewältigung komplexer Aufgaben. Diese Störung behindert die Rehabilitation erheblich.

Weitere Störungen
Ferner sind **Störungen der Aufmerksamkeit, der Konzentration** sowie der **Lern- und Gedächtnisleistungen** zu beobachten. Auch hierbei handelt es sich um neuropsychologische Störungen und nicht etwa um eine Intelligenzminderung oder Interessenlosigkeit.

❍ Sehstörungen
Das Sehen kann durch **gleichseitige Gesichtsfeldausfälle** beider Augen *(homonyme Hemianopsie)* beeinträchtigt werden; das Gesichtsfeld wird verkleinert, da auf beiden Augen die linke oder die rechte Hälfte betroffen ist. Die Teilblindheit kann dazu führen, daß der Kranke häufig mit der betroffenen Körperseite an Hindernisse stößt. Auch kann das **scharfe Sehen zeitlich begrenzt** sein; ein Lesen über längere Zeit ist dann nicht möglich. Das Sehen von **Doppelbildern** kann den Betroffenen ebenfalls beeinträchtigen.

❍ Inkontinenz
Ein Kontrollverlust über die Blasen- und Darmtätigkeit ist **häufig im Akutstadium** zu beobachten und zunächst auf die Bewußtseinsstörungen zurückzuführen. Tritt die Harninkontinenz darüber hinaus gelegentlich oder regelmäßig auf (dies ist bei ca. 40% der Betroffenen der Fall), handelt es sich meist um eine **Dranginkontinenz**, die sich aufgrund der **ungehemmten neuropathischen Harnblase** *(siehe Seite 221)* entwickelt.
Manchmal kommt es infolge der Bewegungs- und/oder Hirnleistungsstörungen zur Inkontinenz, z.B. weil sich der Kranke nicht äußern kann, er nicht rechtzeitig die Toilette erreicht oder er nicht in der Lage ist, sich schnell genug zu entkleiden.

❍ Psychische Veränderungen und Störungen
Infolge der Hirnschädigung können Aufmerksamkeit und **Konzentration** sowie **Lern-** und **Gedächtnisleistungen beeinträchtigt** sein. Der Kranke erschöpft schneller und benötigt mehr Zeit und Ruhe als in gesunden Tagen. Sehr häufig ist die Kontrolle über die Gefühle beeinträchtigt *(Affektinkontinenz)*, deutliche **Gefühlsschwankungen** belasten den Kranken. Viele Betroffene weinen bei Mißerfolgen, aber auch spontan. Meist sind sie - zumindest zeitweise - antriebsgemindert, hoffnungslos und depressiv verstimmt. Auch aggressive Reaktionen, z.B. bei Mißerfolgen, können beobachtet werden. Ängste, z.B. vor Stürzen, aber auch vor Abhängigkeit und vor sozialer Isolation, sind nicht selten.
Die Gefühlsschwankungen sind zum einen Folge der Hirnschädigung, zum anderen Reaktion auf die gravierenden krankheitsbedingten Veränderungen.

❍ Schmerzen
Insbesondere im Akutstadium der Erkrankung treten bei einigen Betroffenen **Kopfschmerzen** auf; sie werden meist durch einen Bluthochdruck, einen erhöhten Hirndruck (bei Hirnödem) oder durch eine Gefäßweitstellung der am Umgehungskreislauf beteiligten Gefäße verursacht.

Schmerzen im Bereich der betroffenen Schulter entwickeln sich bei der Mehrzahl der Kranken; sie sind meist Folge der nicht korrigierten Fehlhaltung.

Schmerzen der betroffenen Hand treten in Verbindung mit einer Schwellung / Ödembildung in der Hand auf. Sie werden möglicherweise durch eine Lymph- und Venenstauung und/oder durch Mikrotraumen (infolge von Verletzungen, die durch Unachtsamkeit bzw. "Vergessen" der Hand entstanden sind) verursacht.

❍ Schluck- und Kaustörungen
Die Lähmungserscheinungen können auch die am Kau- und Schluckakt beteiligten Muskeln betreffen. Folglich sind die Kiefer-, Kau- und Schluckbewegungen beeinträchtigt; die Zunge ist unfähig, Speisereste aus der Wangentasche zu entfernen.
Essen und Trinken können außerdem durch **Mißempfindungen** und Taubheitsgefühle gestört werden.

❒ Diagnostik
Die Verdachtsdiagnose Schlaganfall wird anhand
- der Anamnese (bekannte Risikofaktoren),
- der klinischen Symptome und
- der neurologischen Untersuchung gestellt.

Weitere Untersuchungen dienen der Klärung der Ursache und Abgrenzung anderer Erkrankungen mit diesen Symptomen (Differentialdiagnose).
- Blutzuckerspiegel (Hypoglykämie?),
- Computertomographie des Gehirns (Infarktlokalisation / -ausdehnung; Hirnblutung?),
- EKG (Vorhofflimmern? Herzinfarkt?),
- Echo - Kardiogramm (Blutgerinnsel in den Herzhöhlen? Erweiterte Herzhöhlen? Herzklappenfehler und -auflagerungen?),
- Doppler - Sonographie der hirnversorgenden Arterien, besonders der A. Karotis beidseits *(Halsschlagadern)* oder zerebrale Angiographie (*Kontrastmitteldarstellung der Hirngefäße;* arteriosklerotische Plaques / Stenosen?).

❒ Risikofaktoren und Prophylaxe
Dem Schlaganfall kann in vielen Fällen durch Erkennen der Risikofaktoren und durch deren Abbau / Beseitigung vorgebeugt werden.
Risikofaktoren sind jene Faktoren, die die Entwicklung der **Arteriosklerose*** begünstigen und die Gefäßinnenwände schädigen:
- Bluthochdruck (Hauptrisikofaktor!)
- Fettstoffwechselstörung
- Diabetes mellitus
- inhalierendes Rauchen
- fortgeschrittenes Lebensalter.

Zusätzlich wird die Arteriosklerose durch Übergewicht, übermäßigen Alkoholkonsum, Bewegungsmangel und Distreß gefördert. Das gleichzeitige Vorhandensein

mehrerer Risikofaktoren erhöht die Gefahr, einen Schlaganfall zu erleiden. Detaillierte Informationen dazu finden Sie unter "*Risikofaktoren*", Seite 292.
Tritt vorübergehend eine deutliche Minderdurchblutung gewisser Hirnregionen auf, kommt es zu einer **transitorischen ischämischen Attacke** *(siehe vorstehend)*, deren Zeichen unbedingt als **Warnsignal** erkannt werden müssen und unverzüglich einen **Arztbesuch** veranlassen sollten! (Die Ausfallerscheinungen können auch andauern und fortschreiten bzw. bald erneut auftreten und dann bereits die Anzeichen eines Schlaganfalls sein). Der Arzt kann den Betroffenen gezielt untersuchen, die **Risikofaktoren** feststellen und **verringern** oder die Ursache unmittelbar beseitigen. Veränderungen in der Lebens- und Ernährungsweise, die optimale Einstellung von Stoffwechselstörungen und ggf. die medikamentöse Senkung des Blutdrucks und der Blutfette sind häufig angezeigt. Lesen Sie dazu "*Beeinflussung der Risikofaktoren - Gesundheitsberatung*", Seite 294.
Um Gefäßverschlüssen im Gehirn vorzubeugen, werden **Thrombozytenaggregationshemmer** (z.B. ASS®, Tyklid®) verordnet.
In einigen Fällen liegt eine hochgradige Einengung der Halsschlagader durch arteriosklerotische Ablagerungen zugrunde; diese können operativ entfernt werden.
Gravierende Herzrhythmusstörungen werden medikamentös behandlet.

❐ Therapie
In vielen Fällen ist im Akutstadium eine intensivmedizinische und -pflegerische Überwachung / Betreuung des Patienten erforderlich.
Vorrangig ist zunächst die **Gewährleistung der lebenswichtigen Funktionen**; Atemstörungen können eine Intubation und maschinelle Beatmung erfordern, Störungen der Herzfunktion werden behandelt, um eine Verschlechterung der zerebralen Durchblutung zu vermeiden.
Häufig liegt ein **Bluthochdruck** vor, der bei Werten ab 190 / 100 mmHg **medikamentös** vorsichtig **gesenkt** wird. Um die zerebrale Durchblutung zu gewährleisten, muß dies langsam geschehen; der Blutdruck muß stets mindestens 100 / 80 mmHg betragen, bei Hypertonikern mindestens 170 / 90 mmHg. In der Regel wird Nifedipin (z.B. Adalat®) verabreicht. Unerwünschte Nebenwirkungen, z.B. Kopfschmerzen, Tachykardie, Ödeme in den unteren Extremitäten, allergische Reaktionen, Übelkeit, Erbrechen und Juckreiz können auftreten.
Zur **Verbesserung der Mikrozirkulation** des Gehirns kann man Hydroxyäthylstärke (z.B. Haes - steril® 6% oder 10%) infundieren; es verbessert die Fließeigenschaften des Blutes.
Nach Hirnembolien durch ein aus dem linken Herzen stammendes Blutgerinnsel und bei embolieverdächtiger Stenose der Arteria Carotis interna ist eine **High - Dose - Heparinisierung** *(siehe Seite 334)* angezeigt, um weiteren Embolien vorzubeugen; Voraussetzung ist der Ausschluß einer Hirnblutung. Anschließend kann eine lebenslange **Beeinflussung der Blutgerinnung** mittels Dicoumarol (z.B. Marcumar®) erforderlich sein *(siehe dazu Seite 304)*.

Liegen kritische Stenosen der Karotiden vor, ist in vielen Fällen eine **operative Dehnung** *(perkutane transluminale Angioplastie der Karotis)* **oder Beseitigung** *(Thrombendarteriektomie*, *siehe Seite 341*) **der Engstelle** angezeigt.

Kleine Hirnblutungen ohne Komplikationen werden konservativ behandelt.
Bei größeren Hirnblutungen wird eine Operation mit Ausräumung des Hämatoms erforderlich.

Zur Vorbeugung erneuter Schlaganfälle hat sich die **Rezidivprophylaxe** mit Azetylsalizylsäure (z.B. 1 - 3mal täglich 1 Tablette Aspirin® 100, in besonderen Fällen mit Dicoumarol, z.B. Marcumar®) durchgesetzt. Ferner wird versucht, die Risikofaktoren zu verringern bzw. zu beseitigen *(siehe Seite 596, „Risikofaktoren und Prophylaxe“)*.

6.10.3.2 Zur Situation eines Betroffenen

Der Schlaganfall verändert plötzlich und unerwartet die Lebenssituation eines Betroffenen. Er wird **"schlagartig"** aus dem aktiven Leben gerissen, ist **abhängig** von fremder Hilfe, ist körperlich **behindert**, nimmt sich und seine Umwelt verändert wahr und findet sich darin nicht mehr zurecht.
In manchen Fällen ist ein Betroffener auch in seiner Kommunikationsfähigkeit eingeschränkt, kann sich nicht mitteilen und/oder andere nicht verstehen.
Von Hirnleistungsstörungen betroffene Menschen müssen häufig erleben, daß sie **für unintelligent** oder verwirrt **gehalten** werden. Das ohnehin verletzte und reduzierte Selbstwertgefühl kann durch solche Kränkungen gänzlich verlorengehen. Ein Betroffener **fühlt sich z.B. wertlos**, nutzlos und lästig sowie unattraktiv. Viele der betroffenen Menschen - und ihre Angehörigen - blicken Unheil ahnend, verzweifelt und **hoffnungslos** in die Zukunft. Leider werden sie oft und zu Unrecht darin bestätigt, denn nicht nur unter medizinischen Laien ist das Vorurteil, "nach dem Schlaganfall ist nichts mehr zu machen", weit verbreitet. Die Möglichkeiten der Rehabilitation sind vielerorts wenig bekannt und werden - insbesondere ältere Menschen betreffend - zu wenig genutzt.
Die Reaktionen der betroffenen Menschen und ihr Umgang mit der Krankheit sind individuell verschieden. Sie werden vor allem von folgenden Faktoren beeinflußt: Schweregrade und Folgeerscheinungen des Schlaganfalls; allgemeiner Gesundheitszustand und geistige sowie körperliche Mobilität vor dem Schlaganfall; Bereitschaft und Fähigkeit, sich an veränderte Situationen anzupassen; individuelles Krankheitserleben.
Der vom Schlaganfall betroffene Mensch ist plötzlich in Lebensbereichen auf Hilfe angewiesen, in denen sich Erwachsene in der Regel unabhängig und sicher fühlen. Alltagsfähigkeiten, die im Kleinkindalter mühelos und spielerisch erlernt wurden, gehen bei einem Schlaganfall zum Teil verloren. Der Kranke muß (je nach Schwere des Schlaganfalls) unter Umständen *"wieder ganz von vorne anfangen"* und Bewegungsabläufe, Körperpflege, An- und Auskleiden, Sprechen sowie Essen und Trinken neu erlernen. Dies kostet ihn viel Mühe, Geduld und Zeit; die verlorenen Funktionen

❒ Gestaltung des Umfeldes

Es ist wichtig, dem halbseitig gelähmten Menschen seine **betroffene Körperhälfte bewußt** zu **machen**, sie einzubeziehen und zu **stimulieren**. Dies gilt insbesondere, wenn zusätzlich eine Hemineglegance zu beobachten ist.
Alle pflegerischen Handlungen werden von der hemiplegischen Seite her ausgeführt.
Einrichtungs- und Gebrauchsgegenstände wie Nachttisch, Besucherstuhl, Radio, Fernseher und Bilder gehören **auf die hemiplegische Seite** und ins Blickfeld. So wird der Betroffene an seine zweite Körperhälfte "erinnert" und angeregt, die Reize aus seiner Umwelt über die hemiplegische Seite aufzunehmen und sich ihr zuzuwenden. Außerdem kann ein bestehender Gesichtsfeldausfall kompensiert werden.
Beachte: Bei Hemineglegance muß der Klingelknopf auf der nicht betroffenen Seite angebracht werden, sonst findet der Betroffene ihn nicht.

❒ Lagerung

Durch die Bobath-Lagerung wird vor allem der taktil-kinästhetische Sinn wiederholt, regelmäßig und in gleichartiger Weise stimuliert; das Gehirn erhält dadurch Informationen über das richtige Haltungsmuster. So wird die **Entwicklung einer Spastik verhindert / gehemmt** und der Betroffene lernt mit der Zeit, sich korrekt zu lagern und darüber seinen **Muskeltonus** zu **kontrollieren**.
Bei Bettlägerigen hat diese therapeutische Lagerung zusätzlich kontrakturen-, dekubitus- und pneumonieprophylaktische Wirkung.

Die Bobath-Lagerung bezieht sich auf die Möglichkeiten des Sitzens und Liegens und schließt die **Vermeidung spastikfördernder Faktoren** ein:

- Am Bettgestell wird **kein Patientenaufrichter** angebracht, denn dieser fördert die Kompensation über die nicht betroffene Seite bei gleichzeitiger Vernachlässigung der betroffenen Seite; außerdem fördert die anstrengende Bewegung die Spastizität.
- **Anstrengung** und **Überforderung** des Betroffenen sind grundsätzlich zu **vermeiden**, da sie spastizitätsfördernd wirken.
- Kontinuierlicher Druck auf den Fußballen provoziert ebenfalls die Spastizität, deshalb ist **auf** die **übliche Spitzfußprophylaxe** zu **verzichten** und statt dessen das Sitzen im Stuhl als "natürliche" Spitzfußprophylaxe zu fördern.
- Druck auf die Fingergrundgelenke löst den Greifreflex aus und provoziert Spastizität und die Entwicklung von Kontrakturen. Entsprechend sind die üblichen kontrakturenprophylaktischen Maßnahmen zur Erhaltung der Funktionsstellung, z.B. das Einlegen einer **Rolle** oder eines **Balles** in die Hand, **kontraindiziert**.
- In Rückenlage ist das **Kopfende immer ganz flach** zu **stellen**, da eine Rumpf- und Hüftbeugung spastizitätsfördernd wirken.
- Vor Verlassen des Zimmers sollte die Pflegeperson sich immer vergewissern, ob der Betroffene den **Klingelknopf** wahrnehmen und **erreichen** kann, ggf. ist die Position des Klingelknopfes zu korrigieren.

Lagerungshilfsmittel
Zur Stabilisierung der Lagerungen eignen sich gut **modellierbare Kopfkissen**. Sie sollten gezielt (und in möglichst geringer (aber ausreichender) Zahl - meist reichen drei bis vier - eingesetzt werden, um die Bewegungsfreiheit und die Sicht des Kranken nicht unnötig einzuschränken.
Im allgemeinen ist eine normal **feste Matratze** einer (super-)weichen Spezialmatratze vorzuziehen, weil sie mehr taktil-kinästhetische Wahrnehmungen zuläßt. Antidekubitusmatratzen verringern dagegen die Wahrnehmung des eigenen Körpers und erschweren das Handling.

Beachte: Bei Lagewechsel sind die druckbelasteten Hautstellen über den Knochenvorsprüngen auf Druckschäden zu beobachten; ggf. sind das Zeitintervall zwischen den Lagewechseln zu verkürzen und/oder die Knochenvorsprünge abzupolstern.

Beachte: Nicht jede der im folgenden beschriebenen Lagerungen wird in der angestrebten Position und über die erwünschte Zeitdauer vom Betroffenen akzeptiert. Sein **Wohlbefinden ist vorrangig** und seine **Kooperation unverzichtbar**; deshalb sind ggf. in seinem Sinne **Kompromisse einzugehen**, die meist langsam zugunsten der korrekten Lagerung abgebaut werden können.
Die Lagerungen werden in der Reihenfolge ihres therapeutischen Stellenwertes besprochen.

❍ Sitzen im Stuhl am Tisch

Das Sitzen im Stuhl stellt die aus therapeutischer Sicht **effektivste Lagerung** dar (Tonusregulierung, Spastikhemmung, Wahrnehmung des Umfeldes).

Abb. 6.84 ***Sitzen im Stuhl am Tisch***

Der Betroffene sollte - sofern keine medizinische Kontraindikation besteht - mehrmals täglich, vor allem während der Mahlzeiten, korrekt gelagert im Stuhl sitzen. Nach Möglichkeit wird ein Stuhl mit gerader Sitzfläche, stabiler durchgehender Rückenlehne sowie Armlehnen gewählt.

- **Gesäß** des Betroffenen weit hinten auf der Sitzfläche plazieren, **Lendenwirbelsäule** mit Kissen unterstützen (Oberkörper neigt mit aufgerichteter Wirbelsäule vom Hüftgelenk aus leicht nach vorn);

- **Füße** parallel und hüftbreit aufstellen, auf durchgehenden Bodenkontakt der Fußsohlen achten;
- **Unterarme** gestreckt auf einem Tisch lagern;
- **Oberkörper** mit aufgerichteter Wirbelsäule leicht nach vorne geneigt lagern, Kissen zwischen Brustkorb und Tischkante anbringen;
- bei Bedarf die betroffene Seite mit einem zusätzlichen Kissen stützen.

❍ Lagerung auf der betroffenen Seite

Die Lagerung auf der betroffenen Seite übt eine deutlich **tonusregulierende** und **stimulierende Wirkung** aus; außerdem ermöglicht sie Aktivitäten mit der nicht betroffenen Seite.

- Sie erfolgt in **90-Grad-Seitenlage,**
  - den Betroffenen zuvor zur Bettkante an der nicht betroffenen Körperhälfte rutschen lassen bzw. ihn dort hin legen,
  - den betroffenen Arm 90° vom Oberkörper abgewinkelt lagern,
  - den Kranken parallel zur Bettkante in die 90-Grad-Seitenlage drehen; zur Stabilisierung der Lage ein Kissen hinter Oberkörper / Gesäß legen;

  Beachte: Ein Seitengitter verhindert das Verrutschen der Kissen und vermittelt dem Kranken Sicherheit;

Abb. 6.85 ***Lagerung auf der betroffenen Seite***

- der **Kopf** liegt auf der hemiplegischen Seite und wird durch ein separates Kissen unterstützt (es ist darauf zu achten, daß die Sicht nicht behindert wird);
- die zurückgezogene **Schulter** wird vorsichtig nach vorne geholt; bei korrekter Lagerung liegt der mediale Rand des Schulterblattes an der Brustwand an; die Schulter liegt frei auf der Matratze (kein Kissen unterschieben);
- der **gelähmte Arm** bildet einen ca. 90-Grad-Winkel zum Oberkörper, ist gestreckt (nicht überstreckt) und außenrotiert;
- der **Handrücken** liegt auf der Matratze, die **Handinnenfläche** ist nach oben geöffnet; ist die Matratze nicht breit genug, muß sie z.B. durch einen Stuhl, dessen Sitzfläche durch ein Hilfsmittel erhöht wird, verbreitert werden; eine weitere Möglichkeit, das Bett zu verbreitern, bietet ein seitlich eingeschobenes Brett; der Niveauunterschied zur Matratze wird dabei durch ein Kissen ausgeglichen;
- der **nicht betroffene Arm** liegt in natürlicher Stellung, z.B. auf der oberen Rumpfseite;
- das **gelähmte Bein** liegt in gerader Haltung direkt auf der Matratze, die Hüfte ist gestreckt, das Knie leicht angewinkelt (so daß es nicht überstreckt wird);
- die **aufliegende Hüfte** wird leicht nach vorne gezogen;
- der **Rücken** wird gegen das hinter ihm liegende Kissen gelehnt;
- das **nicht betroffene Bein** ist im Hüftgelenk ca. 80-90° gebeugt, durch Unterlegen eines Kissens ist für Niveauausgleich zum höherliegenden Hüftgelenk gesorgt;
- die **Füße** liegen in natürlicher Stellung.

❍ Lagerung auf der nicht betroffenen Seite

Die Lagerung auf der nicht betroffenen Seite kommt hauptsächlich wegen ihrer **tonusregulierenden Wirkung** zum Einsatz.

- Sie erfolgt ebenfalls in **90-Grad-Seitenlage,**
  - vom Kranken wird sie zunächst meist abgelehnt, da sie zur völligen Blockierung der nicht betroffenen Körperhälfte - und somit aller Bewegungsmöglichkeiten - führt; hier ist eine wiederholte und verständliche Information von außerordentlicher Wichtigkeit;
  - zunächst wird der Betroffene parallel zur Bettkante an der betroffenen Seite, möglichst weit hinten, in die 90-Grad-Seitenlage gebracht;

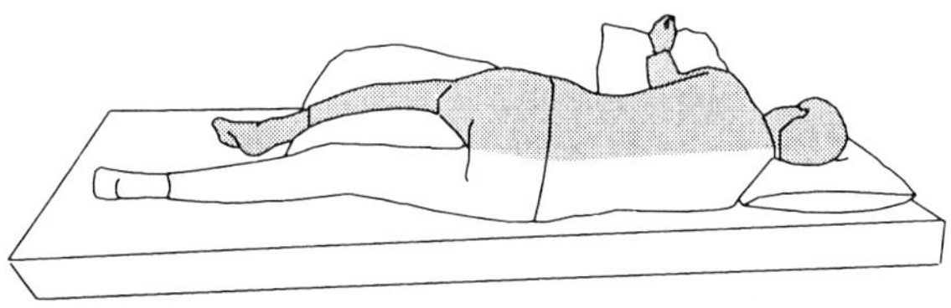

Abb. 6.86 ***Lagerung auf der nicht betroffenen Seite***

- der **Kopf** liegt leicht nach vorne gebeugt auf der nicht betroffenen Seite und wird durch ein separates Kissen gestützt;
- das **Schultergelenk** wird nach vorne geholt (*protrahiert*), der **hemiplegische Arm** in Schulterhöhe gestreckt auf einem vorgeformten Kissen "gebettet", das **Ellenbogengelenk** ist leicht gebeugt, die **Finger** sind gestreckt, der Daumen zeigt nach oben;
- das **hemiplegische Bein** wird im Hüftgelenk ca. 80-90 Grad gebeugt und durch ein untergelegtes Kissen unterstützt;
- der betroffene **Fuß** wird ebenfalls auf dem Kissen gelagert;
- das **nicht betroffene Bein** befindet sich parallel zur Bettkante in gestreckter Stellung;
- der **nicht betroffene Arm** liegt entsprechend der Gewohnheit bzw. dem Wunsch des Kranken vor dem Brust- / Bauchraum oder unter dem Kopf;
- das aufliegende **nicht betroffene Becken** wird leicht nach hinten gezogen;
- die Haltung des **Oberkörpers** wird durch ein vor dem Bauch angebrachtes Kissen stabilisiert.

❍ Sitzen im Bett

Die sitzende Lagerung im Bett erfolgt als sogenannter **Langsitz**. Sie beeinflußt die Spastizität im allgemeinen

- Patienten auffordern, seinen Kopf auf das vereinbarte Kommando hin zu heben, gleichzeitig den eigenen Oberkörper mit gestreckten Armen zurücklehnen.
- Oberkörper auf der gewünschten Seite ablegen.
- Kompletter Bewegungsablauf: Becken anheben - zur Seite rutschen - Oberkörper heben und seitlich ablegen; Vorgänge wiederholen, bis der Patient die gewünschte Position erreicht hat.

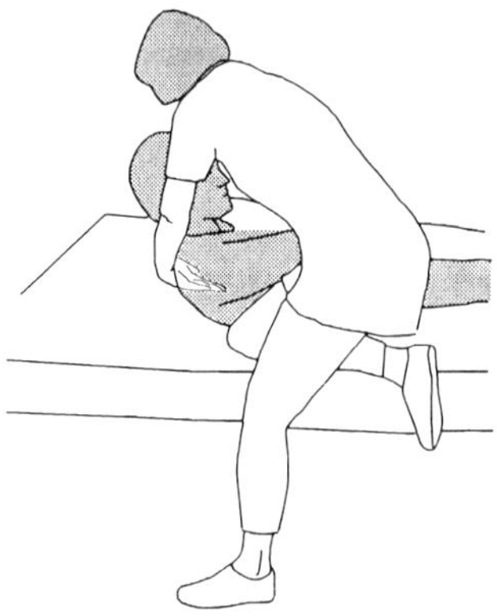

Abb. 6.94 ***Oberkörper anheben und seitlich absetzen***

❍ Drehen auf die betroffene Seite

- Patienten wie vorstehend beschrieben zur nicht betroffenen Seite hin bewegen.

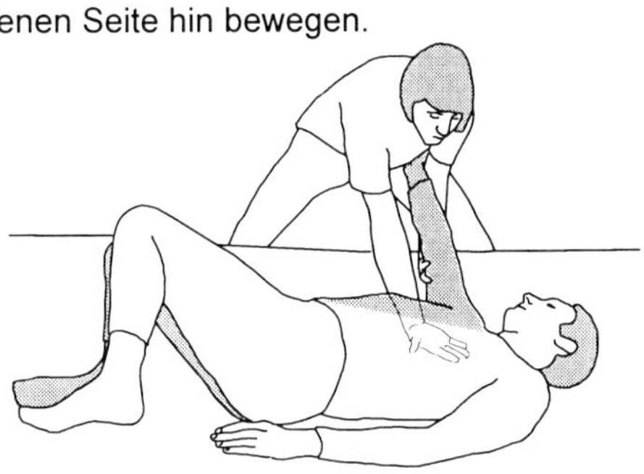

Abb. 6.95 ***Vorbereiten und Führen der Schulter beim Drehen auf die betroffene Seite***

- Betroffenes Bein gestreckt, nicht betroffenes Bein gebeugt zur betroffenen Seite hin ablegen; dient das Drehen der Vorbereitung des Aufstehens, beide Beine gebeugt zur betroffenen Seite hin ablegen.
- Patienten auffordern, die ineinander gefaltenen Hände zu lösen.

- Den betroffenen Oberarm fassen und ca. 90 Grad vom Rumpf abgewinkelt halten; bei Schulterschmerzen eine Hand unter das Schulterblatt schieben, den Oberarm des Patienten auf dem eigenen Unterarm ablegen und während des Drehens die Schulter nach vorne holen. Gleichzeitig
- Patienten auffordern, den Kopf anzuheben und sich mitzudrehen.

❍ Drehen auf die nicht betroffene Seite

- Patienten wie vorstehend beschrieben zur betroffenen Seite hin bewegen.
- Patienten auffordern, die gefalteten Hände / Arme in Richtung Fußende zu strecken.
- Das betroffene Bein wie beschrieben beugen und zur nicht betroffenen Seite hin ablegen (nicht betroffenes Bein bleibt gestreckt oder wird zur Erleichterung des Drehens gebeugt). Gleichzeitig
- Patienten auffordern, den Kopf anzuheben und sich mitzudrehen.
- Bei Bedarf Unterstützung am gelähmten Schulterblatt und Becken geben.

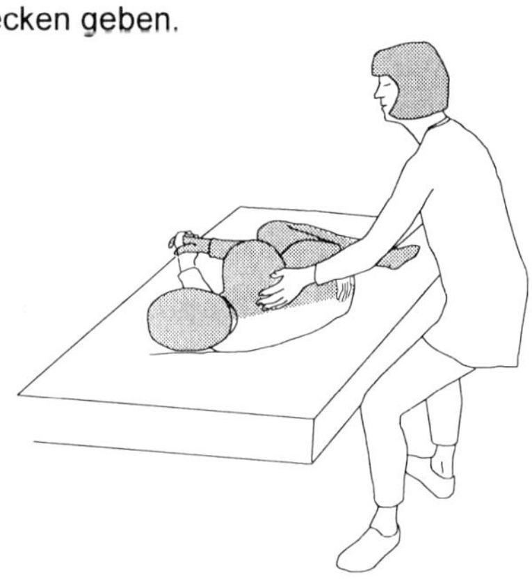

Abb. 6.96 ***Drehen auf die nicht betroffene Seite***

❍ Höherrutschen

- Beine des Patienten wie zuvor beschrieben beugen und anstellen.
- Das Fußgelenk des betroffenen Beines mit dem Gabelgriff umfassen und fixieren.
- Den Patienten auffordern, den Kopf zu heben, sich mit dem Becken abzudrücken und höher zu rutschen.

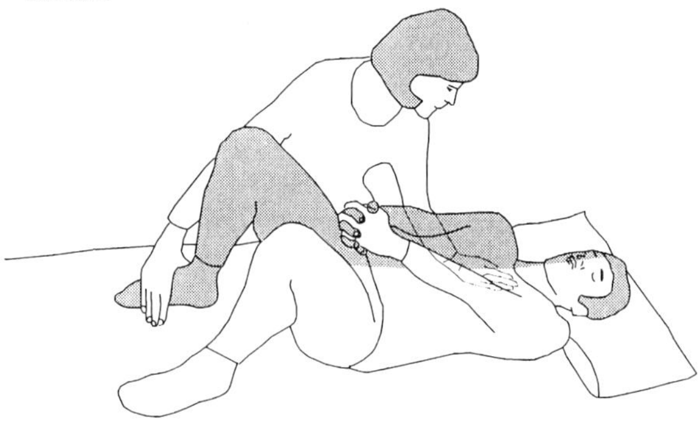

Abb. 6.97 ***Höherrutschen mit Unterstützung der Schulter***

- Sollte sich die Schulter nicht mitbewegen, dieser durch Unterlegen der freien Hand eine Gleitfläche bieten.
- Den Patienten auffordern, die Füße entsprechend nachzustellen.
- Vorgang wiederholen, bis die gewünschte Position erreicht ist.

❍ Auf die Bettkante setzen

- Den Patienten wie zuvor beschrieben auf die betroffene Seite drehen.
- Mit gegrätschten Beinen vor der betroffenen Seite des Patienten stehen und in die Knie gehen, bis die korrekte Arbeitshöhe erreicht ist.
- Patienten auffordern, die Beine zu beugen und die Unterschenkel aus dem Bett zu führen; dabei mit

Die **Störungen der Kommunikationsfä** und beeinträchtigen den Betroffenen d jetzigen Situation ist es besonders wic len und austauschen zu können. Statt Aphasiker häufig erleben, daß sie **n werden**, einige haben ihr **Sprachverst** und verstehen zusätzlich nicht, was an ihnen mitteilen möchten. Außerder manchmal - zu Unrecht - für unintellig behindert gehalten.
Die weiteren Folgeerscheinungen de verstärken das Gefühl, unverstanden, geliefert zu sein. Mancher verzweifelt tion, wird aggressiv oder depressiv un seinen Lebenswillen.
Eine Dysarthrie führt über die verwas che zu **Verständigungsschwierigkeite** bei uninformierten Mitmenschen unter Eindruck, die Störungen des Betroffene koholkonsum zurückzuführen.
Die Sprachstörungen des Aphasikers si nicht heilbar, sie können allerdings dur **therapie** - in einigen Fällen ganz wese sert werden. Im ersten Jahr nach dem heitsgeschehen kann häufig eine spont der Sprache beobachtet werden; de Sprachtherapie nicht überflüssig und sc möglich begonnen werden. Aber auc Jahre später hat eine Sprachtherap Aussicht auf (wenn auch etwas geringe sollte bei Bedarf von Pflegenden angere

Ziel der Sprachtherapie ist es, die Res benen Sprache wieder verfügbar zu ma reits mögliche **Leistungen zu schulen sieren**. Der **vollständige Wiedererwerb** Sprache ist **nicht möglich**. Der Betroffe betreuenden Personen sollten dies wiss alistischen Erwartungen in die Therapie nen. So werden Frustrationen vermi Wahrnehmung auf die kleinen, langsam fortschreitenden Erfolge (im Sinne einer der Sprachfunktionen) gerichtet.
Pflegende und Angehörige sollten sich gang und das Üben mit dem Aphasike delnden Logopäden beraten lassen. Übungen werden häufig, aber jeweils nu durchgeführt, weil der Aphasiker schnel Ermüdung ihrerseits die Sprachleistung tert.
Das pflegerische Verhalten im Umg Aphasiker sollte von **Verständnis, Aufme Geduld** geprägt sein; Möglichkeiten, die und die Sprachfunktionen zu verbessern, *"Hilfen bei Sprech- und Sprachstörung* 727) vorgestellt.

❒ Sich Beschäftigen

Nach einem Schlaganfall sind die bishe keiten, sich zu beschäftigten **aufgrund de** (evtl. auch der sensiblen) **Ausfallersch geschränkt**. Neuropsychologische Stör psychische Veränderungen (Antriebslosi

dem eigenen Oberschenkel Halt bieten, so daß die Beine noch nicht hinuntergleiten.

- Den Patienten anhalten, seine nicht betroffene Hand vor der Brust aufzustützen und sich, wenn das vereinbarte Kommando gegeben wird, damit abzustützen, um sich zum Sitzen aufzurichten.
- Mit einer Hand den betroffenen Ellenbogen des Patienten umfassen und seinen Unterarm mit dem eigenen Unterarm schienen.
- Die andere Hand von hinten um die nicht betroffene Schulter oder auf den Beckenkamm legen.
- Auf das vereinbarte Kommando hin die nicht betroffene Schulter in Richtung Beckenkamm ziehen oder alternativ das nicht betroffene Becken nach unten drücken. (Der Patient drückt sich gleichzeitig mit der nicht betroffenen Hand ab.)
- Gleichzeitig den stützenden Oberschenkel von den Unterschenkeln des Patienten wegführen, so daß diese nach unten gleiten können.
- Sobald der Patient sitzt, mit geschlossenen Knien vor das betroffene Bein stellen (um eine mögliche Streckspastik zu verhindern).

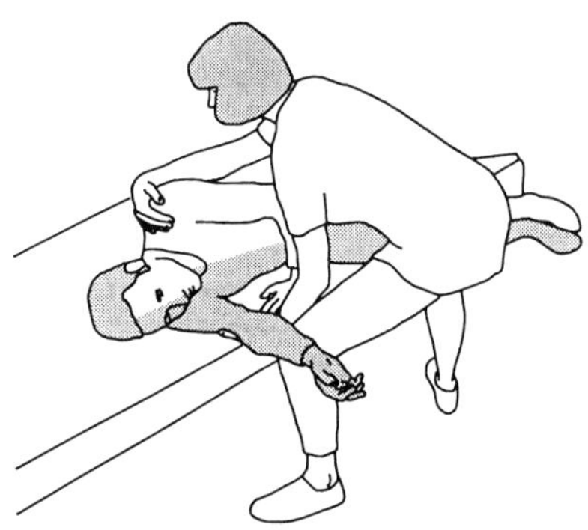

Abb. 6.98 ***Ausgangsposition "Auf die Bettkante setzen"***

Variante für das Aufsetzen passiver Patienten

- Wie zuvor besprochen, aber mit folgenden Abweichungen vorgehen.
- Patienten anhalten, die Hände einzufädeln und parallel zum Rumpf abzulegen.
- Eine Hand weiter unter das hemiplegische Schulterblatt schieben (dazu nicht durch die Achselhöhle greifen), so daß der Oberarm des Patienten auf dem eigenen Unterarm liegt.
- Durch Gewichtsverlagerung in Richtung Fußende den Patienten in die sitzende Position holen, dabei mit der Hand Druck auf die nicht betroffene Schulter ausüben.

Beachte: Der sitzende Patient kann diese Position wahrscheinlich nicht aktiv halten - für Sicherheit sorgen!

❍ Im Sitzen vor und zurück bewegen

- Der Patient sitzt im Bett bzw. auf dem Stuhl, seine Hände sind ineinander gefalten und seine Füße stehen fest auf dem Boden.
- Das betroffene Bein mit dem eigenen Knie sichern.
- Die betroffene Schulter mit dem Arm so stützen, daß die Hand an der nicht betroffenen Schulter Einfluß nehmen kann.
- Mit der anderen Hand unter den Oberschenkel fassen und diesen leicht anheben, so daß die Gesäßhälfte der nicht betroffenen Seite vom Körpergewicht entlastet wird.
- Den Patienten mit dem vereinbarten Kommando auffordern, das nicht betroffene Knie nach vorne zu schieben; falls dies nicht gelingt, mit der Hand unter dem Oberschenkel (oder unter dem Sitzbein) die nicht betroffene Seite vorziehen ("Schinkengang").
- Patienten in die aufrechte Sitzhaltung bringen.
- Vorgang gegengleich wiederholen, um die betroffene Gesäßhälfte nach vorne zu bringen.
- Vorgang so oft wiederholen, bis der Patient die passende Ausgangsposition für das Aufstehen eingenommen hat.
- Um das Gesäß im Bett bzw. Stuhl nach hinten zu verlagern, werden die Bewegungen wie beschrieben, aber nach rückwärts, ausgeführt.

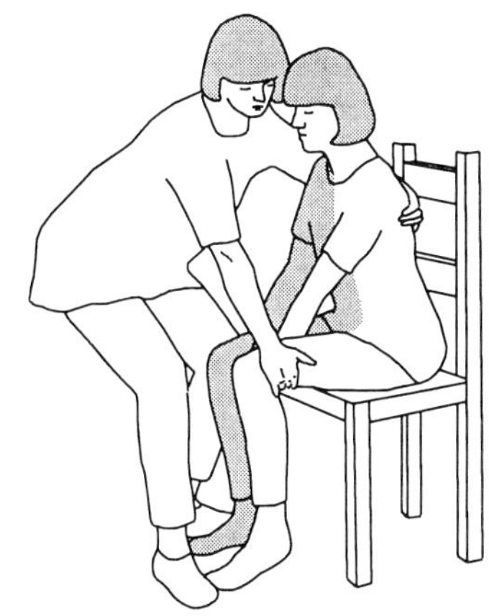

Abb. 6.99 ***Im Sitzen vor und zurück bewegen***

❍ Transfer vom Bett in den Stuhl

- Einen Stuhl am Kopfende auf der betroffenen Seite plazieren (Bremsen feststellen, bei herkömmlichen Stühlen für sicheren Stand sorgen), so daß er mit einer Vierteldrehung auf dem betroffenen Bein bzw. auf einer Drehscheibe erreicht werden kann.
- Der Patient sitzt auf der Bettkante und hat seine Hände ineinandergefalten; er trägt festes Schuhwerk (vorzugsweise mit Ledersohle und Gummiabsatz).
- Den Patienten auffordern, die Füße in Hüftbreite fest auf dem Boden aufzustellen; die Füße befinden sich senkrecht unter den Knien.
- Das betroffene Bein während des gesamten Vorgangs mit den eigenen Knien sichern.
- Den Patienten auffordern, die Arme während des gesamten Vorgangs auf der nicht betroffenen Seite zu halten.
- In die Knie gehen (um mit dem Patienten auf einer Höhe zu sein) und mit einer Hand unter dem nicht betroffenen Arm hindurch das Schulterblatt fassen.
- Mit der anderen Hand auf der betroffenen Seite unter das Sitzbein fassen.
- Vereinbartes Kommando zum Aufstehen geben und gleichzeitig durch Gewichtsverlagerung Druck auf das betroffene Knie des Patienten geben, bis dieses fast gestreckt ist (Patient kommt in den Stand).
- Kurz stehen bleiben, so daß der Patient sich ganz aufrichten kann.

- mit nicht betroffener Hand in
- mit nicht betroffener Hand sen, raffen und über den Koı
- mit nicht betroffener Hand korrigieren.

Abb. 6.104 ***Pullover anziehen bei rech***

❍ Hemd oder Jacke anziel

- Kleidungsstück auf die Knie zwischen den Knien nach unt
- betroffenen Arm mit nicht bet und den Ärmel zur Schulter h
- mit nicht betroffener Hand Jacke greifen und so weit zie troffene Arm in den Ärmel ges
- Reißverschluß schließen b Knöpfhilfe durch die Knopflöc

❍ Hose anziehen

- Im Sitzen das betroffene üb Bein legen, dabei umschließe andergefalteten Hände das K
- die betroffene obere Extremit nach vorne geneigten Oberkö
- mit nicht betroffener Hand da über betroffenes Bein ziehen;
- betroffenes Bein wieder zurüc
- mit nicht betroffenem Bein in steigen;
- aufstehen, falls nötig am Tisch
- Hose mit nicht betroffener Ha ziehen;
- Reißverschluß im Stehen odeı

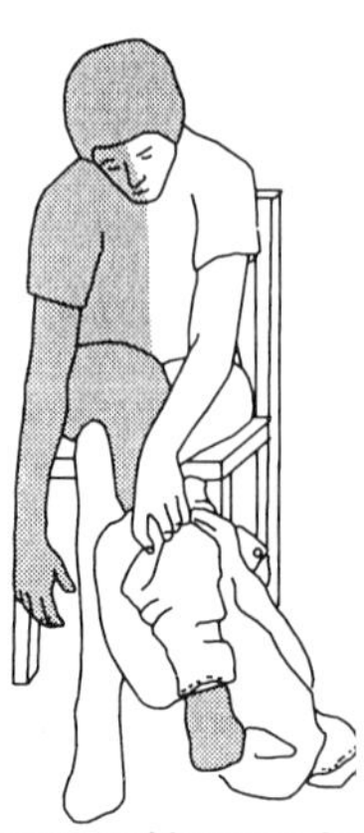

Abb. 6.105 ***Ausgangsposition zum An und Schuhen bei rechtssei***

Zur Sicherung der Diagnose werden bei Ausbleiben einer Besserung der Beschwerden z.B. zwecks Planung einer Operation eine Computertomographie* oder eine Kernspintomographie*, evtl. eine Myelographie*, durchgeführt.

Symptome bei zervikalem Diskusprolaps:

- **plötzlich auftretende Nackenschmerzen mit Ausstrahlung** in die Schulter, den Arm oder die Hand (entsprechend dem Versorgungsgebiet der betroffenen Nervenwurzel);
- Schonhaltung und Bewegungseinschränkung der Halswirbelsäule;
- **neurologische Ausfallerscheinungen** im Versorgungsgebiet eines bestimmten Rückenmarksegments **bei Kompression von Nervenwurzeln** (schlaffe Lähmung, Sensibilitätsstörungen, Ausfall bestimmter Reflexe).

Die Sicherung der Diagnose erfolgt anhand von klinischer Untersuchung, Röntgenleeraufnahme der Halswirbelsäule und Computertomographie / Kernspintomographie.

❒ Therapie

Bei fehlenden oder geringfügigen neurologischen Ausfallerscheinungen erfolgt primär eine **konservative Therapie**:

- **Ruhigstellung;** bei lumbalem Bandscheibenvorfall Bettruhe und **Stufenbettlagerung** *(siehe Abb. 6.107)* zur Entlastung der Lendenwirbelsäule, bei zervikalem Bandscheibenvorfall Halskrause zur Muskelentspannung und Stabilisierung der Halswirbelsäule.
- **Schmerzlinderung, Entzündungshemmung und Muskelentspannung** durch orale oder parenterale (i.m. oder i.v.) Applikation von Analgetika / Antiphlogistika *(siehe Seite 912)*, evtl. zusätzlich lokale Anwendung von Wärme oder Kälte (Arztanordnung) und/oder Verabreichung muskelrelaxierender Medikamente, z.B. Tetrazepam (z.B. Musaril®) oder Diazepam (z.B. Valium®);
- bei Besserung Krankengymnastik.

Bei Erfolglosigkeit der konservativen Therapie, bei deutlichen neurologischen Ausfallerscheinungen sowie beim Kaudasyndrom (Indikation zur Notfalloperation) ist ein **invasives Vorgehen** angezeigt. Bei intaktem Faserring stehen folgende Verfahren zur Verfügung:

- **Chemonukleolyse** *(Auflösung des Nukleus pulposus durch Punktieren der Bandscheibe und Injizieren eines bestimmten Enzyms)*;
- **perkutane Diskotomie** *(Punktion der Bandscheibe und Entfernung des Nukleus pulposus durch Absaugung oder Laserverdampfung)*.

Bei einem Diskusprolaps mit zerstörtem Faserring der Bandscheibe wird

- das vorgelagerte Bandscheibengewebe nach Inzision der Haut mittels eines mikrochirurgischen Verfahrens operativ entfernt (*offene Diskotomie)*.

6.11.1.2 Zur Situation eines Betroffenen

- „Das Kreuz mit dem Kreuz" -

Ein Bandscheibenvorfall ist ein plötzliches und sehr schmerzhaftes Geschehen, das einen Betroffenen oft vorübergehend aus dem Alltag reißt und ans Bett fesselt. In vielen Fällen geht dem akuten Geschehen ein chronisches Rückenleiden voraus, nur wenige Betroffene hatten vor dem Bandscheibenvorfall keine oder nur gelegentlich Rückenschmerzen. So ist bei vielen Betroffenen der **Leidensdruck** bereits vor dem Auftreten eines Bandscheibenvorfalls groß; das akute Krankheitsgeschehen kann den Wunsch, die gesundheitliche Situation durch aktives Handeln zu verbessern, heranreifen lassen bzw. festigen. Die krankheitsbedingte **Zwangspause** bietet Gelegenheit, **über** alltägliche und besondere **Belastungen** sowie über die persönliche Lebensführung **nachzudenken**. Ein Betroffener kann sich z.B. (im übertragenen Sinn) folgende Fragen stellen: *„Was lastet auf meinen Schultern?" „Was zwingt mich in die Knie?" „Woran trage ich schwer?"*.

Die Bereitschaft, gesundheitsbelastende und krankheitsfördernde Faktoren zu reduzieren / auszuschalten und durch **aktives Gesundheitsverhalten** zur Besserung beizutragen, wächst. Rehabilitationsmaßnahmen und Angebote wie „Rückenschule" kommen diesem Bestreben entgegen. Auch das häufig noch geringe Lebensalter (drittes oder viertes Lebensjahrzehnt) eines Betroffenen motiviert, eine Verbesserung herbeizuführen.

Fehlen bei einem Betroffenen Gesundheitsbewußtsein und die Bereitschaft zu aktivem Gesundheitsverhalten, kehren die Rückenschmerzen auch nach einer Operation meist zurück. Dagegen können Übungen zur Kräftigung von Bauch- und Rückenmuskulatur, regelmäßiges Rückenschwimmen, Radfahren u. a. Aktivitäten sowie Entspannungsübungen in den meisten Fällen dazu beitragen, den Kreislauf von Fehlbelastung, Verspannungen und Rückenbeschwerden zu durchbrechen. Anleitung und Ermutigung durch Fachpersonal wirken den oft vorherrschenden Ängsten, sich falsch zu bewegen, entgegen.

Rückenkranke erlangen nach einem Bandscheibenvorfall mit anschließender Rehabilitationsmaßnahme nicht selten wieder mehr Beweglichkeit und entwickeln **Mut zur sowie Freude an der Bewegung**.

In der ersten postoperativen Phase haben zahlreiche Betroffene allerdings mit **Bewegungsängsten** zu kämpfen; in diesem Stadium stellen Ängste und Vorsicht vorübergehend einen sinnvollen Schutzmechanismus dar, denn die Wirbelsäule bedarf zunächst der Schonung.

Ein Bandscheibenvorfall kann eine längere **Arbeitsunfähigkeit** nach sich ziehen. Für Betroffene mit ohnehin unsicherem Arbeitsplatz resultiert daraus die **Befürchtung, arbeitslos zu werden**. Einige lehnen deshalb eine stationäre Rehabilitationsmaßnahme ab und nehmen die Berufstätigkeit (zu) früh wieder auf. Schnell kann sich der Teufelskreis von Ängsten, Fehlhaltungen und -belastungen, An- und Verspannungen sowie Schmerzen erneut schließen.

Rezidivierende Rückenschmerzen und Bewegungseinschränkungen lassen bei den - meist jungen - Betroffenen, evtl. das **Gefühl** entstehen, **vorzeitig zu altern**. Selbstwertgefühl und Lebensfreude eines Betroffenen können erheblich darunter leiden.

6.11.1.3 Pflegeschwerpunkte

❒ Pflegeschwerpunkte im Rahmen einer konservativen Therapie

Die konservative Therapie und Pflege können sowohl **stationär** als auch **ambulant** erfolgen. Probleme und Pflegebedarf ergeben sich aufgrund des Bandscheibenschadens, der Schmerzen und der einzuhaltenden Bettruhe vor allem in den Lebensbereichen Sich Bewegen, Für Sicherheit sorgen, Sinn finden, Sich Beschäftigen sowie vorübergehend bei der Körperpflege und der Verrichtung der Ausscheidungen. Im allgemeinen ergeben sich die folgenden Pflegeschwerpunkte.

- **Bei lumbalem Bandscheibenvorfall Lagerung** auf dem flachen Rücken, Sorge für eine formstabile Matratze (ggf. Brett unter die Matratze legen) und kontinuierliche oder stundenweise Stufenbettlagerung zur Entlastung der Wirbelsäule *(siehe Abb. 6.107)*;
  Beachte: Ein Bettbügel mit Triangel ist wegen der Rückenbelastung kontraindiziert;

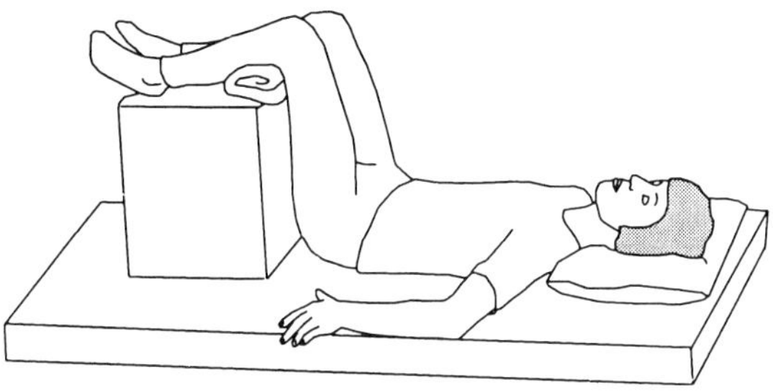

Abb. 6.107 ***Stufenbettlagerung***

- **bei zervikalem Bandscheibenvorfall** motivieren zum Tragen der **Halskrawatte** oder zur Einhaltung der Bettruhe zwecks Entlastung der Halswirbelsäule;
- **Unterstützung der Einhaltung der Bettruhe** während der akuten Krankheitsphase, Sorge für Klingelknopf und gewünschtes Beschäftigungsmaterial in Reichweite;
- **Unterstützung bei den ATL** während der Bettlägerigkeit (Körperpflege, An- und Auskleiden, Verrichtung der Ausscheidungen, ggf. Essen und Trinken);
- Durchführung physikalischer Maßnahmen bei entsprechender ärztlicher Anordnung, z.B. im akuten Stadium Kälteanwendung, nach Abklingen der akuten Symptomatik Wärmeanwendung zwecks Verbesserung von Durchblutung und Abtransport der Schlackenstoffe;
- Beobachtung des Kranken hinsichtlich Schmerzäußerungen, motorischen / sensiblen Ausfallerscheinungen, möglicher medikamentöser Nebenwirkungen;
- **Mobilisation bei deutlicher Besserung der Symptomatik und Vorliegen der entsprechenden Artzanordnung**
  - Anleitung zum Drehen und Aufstehen „en bloc" *(siehe Seite 547)*,
  - Information hinsichtlich belastender (langes Stehen und Sitzen, Aufrichten des Oberkörpers aus der Rückenlage) und entlastender Verhaltensweisen (flaches Liegen - auch tagsüber während der Ruhephasen - auf formstabiler Unterlage, intermittierend Stufenbettlagerung),
  - Anleitung zu rückenschonenden Bewegungsabläufen / angemessener Körperhaltung *(siehe"Rückenschule", Seite 531)*,
  - Korrektur ungünstiger Bewegungen und unphysiologischer Körperhaltungen,
  - Hinweis auf ungünstige (Sportarten, die mit Hüpfen, ruckartigen oder abrupten Bewegungen verbunden sind, Gewichtheben) und günstige Sportarten (Rückenschwimmen, Radfahren, Rückengymnastik, gezieltes Muskeltraining).

❒ Präoperative Pflegeschwerpunkte

Zusätzlich zu den allgemeinen präoperativen Pflegemaßnahmen *(siehe Seite 368)* wird der Kranke vor einer Bandscheibenoperation **hinsichtlich postoperativ günstiger Verhaltensweisen informiert** / angeleitet: Liegen in flacher Rückenlage, Drehen und Aufsetzen „en bloc", Nahrungsaufnahme im Stehen, Gehen mit einem Gehwagen (zwecks Entlastung der Wirbelsäule vom Körpergewicht), Vermeiden von Sitzen und längerem Stehen.

❒ Postoperative Pflegeschwerpunkte

Nach einer Bandscheibenoperation wird der Patient in der Regel nach Wiedererlangen des Bewußtseins auf die Normalstation zurückverlegt. Im Wundgebiet liegt eine **Redondrainage**, die im allgemeinen am 1. oder 2. postoperativen Tag entfernt wird.
Die **Operationswunde** wird durch einen sterilen trockenen Verband geschützt.
Neben den allgemeinen postoperativen Pflegemaßnahmen *(siehe Seite 371)* sind folgende Besonderheiten zu beachten:

- **Lagerung in flacher Rückenlage mit kleinem Kopfkissen,** um in den ersten postoperativen Stunden die Operationswunde zu komprimieren und um die Wirbelsäule zu entlasten; nach einigen Stunden sind eine vorsichtige **Drehung „en bloc"** und ggf. eine zeitweise **Seitenlagerung** mit abgestütztem Rücken, leicht gebeugten Knien sowie Angleichung des Höhenunterschieds zwischen Hüfte und Bein möglich (Arztanordnung); bei (präoperativer) Fußheberlähmung **Spitzfußprophylaxe**;
- **Beobachtung der motorischen und sensiblen Fähigkeiten** (Aufforderung zu Zehenbewegungen, Bestreichen der Haut) und Beobachtung von Hautfarbe und -temperatur im Bereich der unteren Extremitäten sowie Beobachtung der Blasen- und Darmtätigkeit;
- bis zur Mobilisation außerhalb des Bettes Körperpflege und Nahrungsaufnahme in flacher Rückenlage;
- **Thromboseprophylaxe** mittels Bewegungsübungen mit den Zehen und Füßen, Low - dose - Heparinisierung (Arztanordnung), Mobilisation in angemessenem Ausmaß;
- **Mobilisation** außerhalb des Bettes ab dem 2. / 3. postoperativen Tag (Arztanordnung; in einigen Kliniken erst nach 2 Wochen), Ermutigung zu kurzzeitigen Gehübungen im Gehwagen mit anschließender Pause in Rückenlage;
- Anweisung, **langes Stehen und Sitzen** zu **vermeiden** und im Stehen zu essen, zu schreiben u.ä.; ist dies nicht möglich, kann der Patient auf einer deutlich erhöhten Sitzfläche sitzen ("Barhockersitz");

- der Patient liegt auf dem Rücken, das betroffene Bein wird in Abspreizung und leichter Hüftbeugung in einer Schaumstoffschiene gelagert;
- das betroffene Bein muß sich in physiologischer Stellung befinden, d.h. eine Außen- oder Innenrotation ist zu vermeiden;
- durch eine leichte Unterstützung des Kniegelenks wird eine Überstreckung vermieden;
- die Ferse muß druckentlastet werden, z.B. durch Hohl- oder Weichlagerung; Möglichkeiten der Druckminderung sind z.B. Schaumstoffpolsterung im Knie- und Sprunggelenksbereich oder Unterpolsterung mit einem flüssigkeitsgefüllten Einmalhandschuh im Bereich der Ferse;
- die Dauer der Schienenlagerung richtet sich nach der ärztlichen Anordnung (in der Regel die ersten 5 Tage);
- in den ersten Tagen nach der Operation sollte der Oberkörper des Patienten nicht zu hoch gelagert werden (bis maximal 45 Grad), um eine Luxation des Hüftgelenks zu vermeiden.

Der **Patient** muß über die Bedeutung der Lagerung **umfassend informiert** werden, damit er die damit verbundenen Einschränkungen akzeptiert und die Lagerungsvorschriften einhält.

- **Dekubitusprophylaxe**
  - durch die Rücken- und Schienenlagerung in der direkten postoperativen Phase wird der Patient in seiner Beweglichkeit erheblich eingeschränkt;
  - es besteht Dekubitusgefahr, vor allem im Bereich des Gesäßes und der betroffenen Ferse;
  - zur Dekubitusprophylaxe dienen regelmäßige Kontrollen des Hautzustandes und eine gute Hautpflege; die weiteren Maßnahmen orientieren sich am Gefährdungsgrad des Patienten.
- **Thromboseprophylaxe**
  - die Verabreichung von Antikoagulanzien (Low-dose-Heparinisierung) erfolgt nach Anordnung;
  - der Patient trägt ATS (evtl. wird das operierte Bein gewickelt).
- **Schmerzmittelgabe**
  - der Patient erhält je nach Bedarf und nach ärztlicher Anordnung eine Schmerzmedikation;
  - auf Schmerzfreiheit zur Nacht und damit Ermöglichung einer Nachtruhe ist Wert zu legen, bei Bedarf sollte ein Patient vor Beginn der Mobilisation ebenfalls ein Schmerzmittel erhalten.
- **Ernährung**
  - ab dem 1. postoperativen Tag erhält der Patient leichte Vollkost; individuelle Ernährungsvorschriften werden entsprechend berücksichtigt.
- **Ausscheidung**
  - ein Blasenverweilkatheter wird nur in Ausnahmefällen, z.B. bei einem Prothesenwechsel (lange Operationsdauer), gelegt und postoperativ schnellstmöglich entfernt;
  - die Darmtätigkeit ist zu beobachten, evtl. muß eine medikamentöse Darmanregung erfolgen (ärztliche Anordnung);
  - das Reichen eines Steckbeckens muß über die nicht-operierte Seite erfolgen;
  - wenn der Patient mobilisiert ist, sollte er zunächst eine Toilette mit einem erhöhten Sitz oder einen Toilettenstuhl benutzen *(siehe Abb. 3.12, Seite 207)*.
- **Mobilisation**

Grundsätzlich muß bei jeder Form der Mobilisation des Patienten der **Vermeidung einer Hüftluxation** große **Beachtung** geschenkt werden.

In Abhängigkeit von der Belastbarkeit des Patienten, seiner Mobilität vor dem Gelenkersatz und der Befestigung der Prothese *(siehe vorstehend "Medizinische Information", Seite 618)* erfolgt nach kurzer Bettruhe eine schnellstmögliche Mobilisation. Die Mobilisation wird in den meisten Fällen von Physiotherapeuten vorgenommen und läuft in der Regel in folgenden Schritten ab:

- am 1. postoperativen Tag erfolgt das erste Aufstehen (kurzes Stehen neben dem Bett), während der übrigen Zeit hat der Patient strenge Bettruhe einzuhalten;
- am 2. oder 3. postoperativen Tag (nach Entfernung der Drainagen) Beginn der Gehschulung, je nach Belastbarkeit und Sicherheitsbedürfnis des Patienten anfangs mit einem Gehwagen (Eulenburg), dann mit Unterarmgehstützen *(siehe auch "Mobilisationshilfen", Seite 551-552)*;
- die Mobilisation und die weitere Gehschulung erfolgen in Absprache zwischen Operateur, behandelndem Physiotherapeuten und der verantwortlichen Pflegekraft;
- die Länge der Gehstrecke und die übrigen Anforderungen, z.B. Treppensteigen, werden mit dem Patienten abgesprochen und individuell gesteigert;
- nach Entfernung der Fäden und Abschluß der Wundheilung kann eine Physiotherapie in einem Bewegungsbad erfolgen;
- die weitere Mobilisation und ein umfassendes Bewegungstraining können in entsprechenden Rehabilitationseinrichtungen erfolgen *(siehe nachfolgend)*.

- **Vermeidung einer Hüftluxation**

Die Vermeidung einer Hüftluxation spielt in der ersten postoperativen Phase, aber auch im weiteren Verlauf eine große Rolle. Wichtige **Regeln**, die berücksichtigt werden müssen, sind:

- Um eine **Außen- oder Innenrotation** des operierten Beins zu vermeiden, müssen die vorstehend genannten **Lagerungsvorschriften eingehalten** werden.

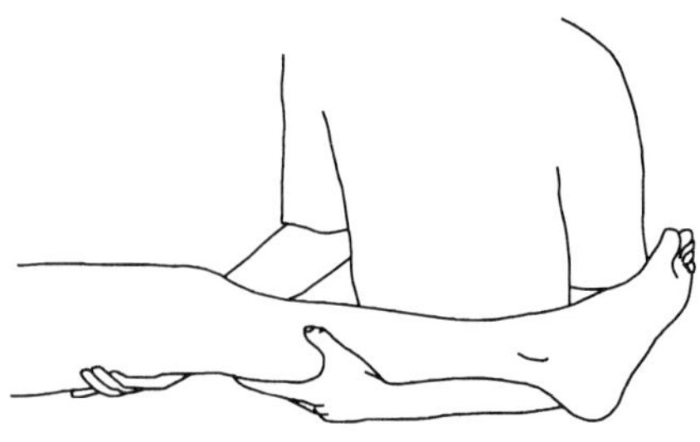

Abb. 6.110 ***Stabilisieren des betroffenen Beines bei Lageveränderungen***

- Zur **Stabilisierung des betroffenen Beins** bei einer Lageveränderung des Patienten sollte es in der direkten postoperativen Phase von der betreuenden Pflegeperson gehalten werden *(siehe Abb. 6.110)*.

Wenn der Patient dazu in der Lage ist, wird er gebeten, seine Zehen „in Richtung Nase“ zu ziehen und die Muskulatur des Beins anzuspannen.

- Bei einer **Seitenlagerung** (anfangs nur auf der nicht operierten Seite) oder beim **Drehen** im Bett ist ein Überkreuzen der Beine zu vermeiden, indem ein großes Kissen zwischen die Beine gelegt wird. Dem Patienten kann empfohlen werden, zu Hause für einige Wochen ein Kissen zwischen die Beine zu legen, damit er diese beim Schlafen nicht überkreuzt.
- Bei Mobilisationsversuchen, z.B. Aufsetzen und Sitzen auf der Bettkante (Sitzwinkel beachten), sollte der Patient über die betroffene Hüfte (= Drehpunkt) das Bett verlassen.
- Längeres Sitzen, vor allem in tiefen Sitzmöbeln (Sessel), sollte vermieden werden.
- Der Patient muß über alle Maßnahmen zur Vermeidung einer Hüftluxation umfassend informiert werden *(siehe nachfolgend "Verhaltenshinweise für Menschen mit Hüftgelenksersatz")*; einige Kliniken haben zu diesem Zweck entsprechende Broschüren für Patienten erarbeitet.

6.11.2.4 Verhaltenshinweise für Menschen mit Hüftgelenksersatz

Diese Hinweise beziehen sich hauptsächlich auf das **Bewegungsverhalten** und sollten besonders im ersten halben Jahr nach dem Gelenkersatz berücksichtigt werden. Sie dienen der **Vorbeugung einer Luxation** *(Verrenkung / der Hüftkopf tritt neben die Hüftpfanne)* und verhindern langfristig die Lockerung und den frühzeitigen Verschleiß des künstlichen Gelenks.
Die Gefahr einer Luxation ist in der ersten postoperativen Phase besonders groß, da die Muskulatur noch nicht kräftig genug ist, um für jede Bewegung im Hüftgelenk ausreichend Halt zu bieten.
Eine TEP bleibt unter günstigen Bedingungen für ca. 10 - 15 Jahre (in Ausnahmen auch länger) funktionsfähig.

Sitzen

- Beim Sitzen sollten die Beine nicht übereinander geschlagen werden.
- Auf das Sitzen in tiefen Sesseln oder Stühlen sollte verzichtet werden, da die Kniegelenke höher stehen als die Hüftgelenke und die Gefahr besteht, daß das Hüftgelenk luxiert (Sitzwinkel). Außerdem wird das Aufstehen erschwert.
- Durch den Einsatz eines keilförmigen Sitzkissens kann der Sitzwinkel auf jedem beliebigen Sitzmöbel erhöht werden *(siehe Abb. 6.111)*. Ebenso sollte beim Sitzen der Oberkörper nicht zu weit nach vorn gebeugt werden.
- Langes Sitzen sollte vermieden werden; ist es unbedingt erforderlich, sind halbstündlich kurze Pausen mit Bewegung einzulegen.

Stehen

- Die Beine sollten nicht extrem aus- oder einwärts gedreht werden.

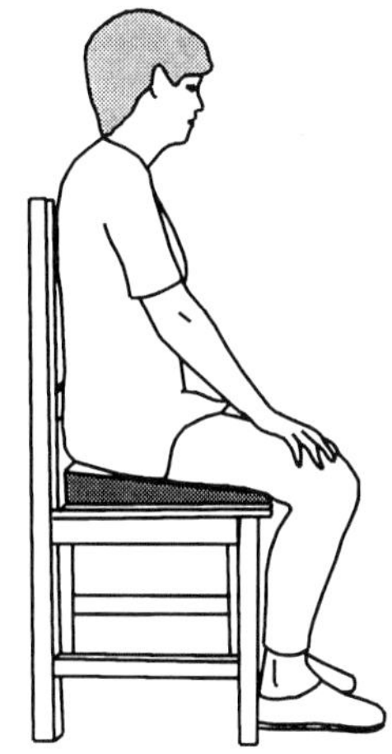

Abb. 6.111 ***Sitzen mit keilförmigem Sitzkissen***

Gehen

- Zur Erhöhung der Sicherheit beim Gehen empfiehlt sich festes Schuhwerk mit flachem Absatz.
- Nach Absprache mit dem behandelnden Arzt oder dem Physiotherapeuten sollten in der ersten Zeit Gehhilfen zur Anwendung kommen.
- Alle Situationen, die die Gefahr eines Sturzes erhöhen, z.B. Gehen auf glatten oder unebenen Böden, sollten gemieden werden *(siehe „Sturzprophylaxe“, Seite 566)*.

Körperliche Aktivitäten

- Die in der Nachsorge erlernten **Bewegungsübungen** sollten auch zu Hause regelmäßig durchgeführt werden, um die Muskulatur zu kräftigen und nicht an Beweglichkeit zu verlieren. Auch Übungen zur Kräftigung der Muskulatur des Oberkörpers (z.B. im Rahmen einer „Rückenschule“) sind wichtig.
- Bei Wunsch nach sportlicher Betätigung sollte der behandelnde Arzt befragt werden. Grundsätzlich ist **leichter Ausgleichssport** ab einem halben Jahr nach einer komplikationsfreien Operation zu empfehlen. Förderlich sind Sportarten, die ein fließendes Bewegungsverhalten möglich machen, z.B. Schwimmen, Radfahren (anfangs mit erhöhtem Sattel), zügiges Spazierengehen. Alle Sportarten mit ruckartigen, schlecht kontrollierbaren Bewegungen und einer hohen Belastung von Knie- und Hüftgelenken sind zu vermeiden, z.B. Tennis oder Joggen.
  Jede Art von körperlicher Überforderung, z.B. schweres Heben oder Tragen, belastet das Implantat und sollte vermieden werden.

Allgemein

- Termine für **ambulante Nachuntersuchungen** sollten erfragt und unbedingt wahrgenommen werden.
- **Bei Infektionen** jeglicher Art ist eine Information an den behandelnden **Arzt** erforderlich, da die Gefahr einer Keimverschleppung in den Bereich des implantierten Gelenks besteht.
- Bei **Übergewicht** ist eine Ernährungsberatung, z.B. bei der zuständigen Krankenkasse, mit dem Ziel der langfristigen **Gewichtsreduzierung** zu empfehlen.

Die beiden Zahnreihen treffen beim Zubeißen nicht genau aufeinander, wodurch eine Scherwirkung hervorgerufen wird.
Die Zähne dienen dem Abriß und der Zerkleinerung der Speisen im Mund.

7.2.6 Die Schleimhaut

Die Schleimhaut *(Tunica mucosa)* kleidet die Innenflächen von Hohlorganen aus. Sie besteht aus Epithel und einer darunterliegenden Bindegewebsschicht. Schleimhäute produzieren Drüsensekret; dadurch sind sie stets feucht und lassen zum Beispiel in den Verdauungsorganen ein Gleiten von Speisen zu. Sie sind gut durchblutet und lassen, sofern sie sichtbar sind, Rückschlüsse auf die momentane Kreislaufsituation zu; dies gilt insbesondere für die Lippen, wo die äußere Gesichtshaut in die Mundschleimhaut übergeht.

7.2.7 Der Bilirubinstoffwechsel

Zum besseren Verständnis später aufgeführter Hautveränderungen *(Ikterus)* ist eine - wenn auch vereinfachte - Darstellung des Bilirubinstoffwechsels erforderlich.
Der gelbbraune **Gallenfarbstoff** *(Bilirubin)* entsteht durch den Abbau des roten Blutfarbstoffes *(Hämoglobin)*. Dieser ist Bestandteil der Erythrozyten *(rote Blutkörperchen)*; ein Erythrozyt lebt 100 - 120 Tage, bevor er abgebaut und durch einen neuen ersetzt wird. Bei dieser sogenannten Blutmauserung werden täglich ca. 0,8% der gesamten Erythrozytenmasse ab- und aufgebaut.
Das anfallende Bilirubin ist wasserunlöslich und kann deshalb nicht ausgeschieden werden. Es wird als **indirektes** *(freies)* **Bilirubin** im Blut zunächst an Albumin gebunden und so zur Leber transportiert. Hier wird es mittels eines Enzyms *(Glukuronyltransferase)* an Glukuronsäure gebunden und somit wasserlöslich. In diesem Zustand bezeichnet man es als **direktes** *(konjugiertes)* **Bilirubin**. Mit der von der Leber produzierten Galle gelangt das direkte Bilirubin in den Darm und wird hier durch Einwirken von Darmbakterien in einer geringen Menge zu Urobilinogen und zum größten Teil zu Sterkobilinogen abgebaut. Das **Urobilinogen** wird zum Teil aus der Darmwand rückresorbiert und in der Leber abgebaut oder (zu einem geringen Teil) über die Nieren ausgeschieden (Urobilinogen färbt den Urin gelb). Nicht rückresorbiertes Urobilinogen und Sterkobilinogen werden mit dem Stuhl ausgeschieden und färben den Stuhl braun. Aus Urobilinogen und Sterkobilinogen entstehen durch Oxidation außerhalb des Körpers Urobilin und Sterkobilin.

7.3 Beobachtung der Haut

Die Beobachtung der Haut kann wichtige Hinweise auf den seelischen und körperlichen Zustand des Menschen geben.
Während der Körperpflege bietet sich die gezielte Beobachtung der Haut an. Auch bei anderen pflegerischen Tätigkeiten sollte die Haut aufmerksam - und entsprechend den nachfolgend beschriebenen Kriterien - beobachtet werden.

7.3.1 Hautfarbe

Die Hautfarbe des gesunden Menschen wird beeinflußt durch
- die **Pigmentierung**: das Ausmaß der Pigmentierung wird bestimmt durch Rasse, geographische Lage, Erbfaktoren, UV-Bestrahlung;
- das Ausmaß der jeweiligen **Durchblutung** (besonders deutlich zu beobachten an Lippen, Schleimhäuten und unter den Fuß- / Fingernägeln);
- die **Dicke der Oberhaut** (zwischen 0,5 und 2,0 mm): je dünner die Haut, um so deutlicher das Durchscheinen des Blutes in den Kapillaren der Lederhaut.

In unseren Breitengraden ist die gesunde Haut - sofern sie nicht intensiv UV-bestrahlt ist - blaß rosa.

❒ **Hautröte**

Häufige Ursache einer Rötung der Haut ist ihre vermehrte Durchblutung *(Hyperämie)* aufgrund einer Gefäßweitstellung. Die Rötung wird insbesondere im Gesichts- und Halsbereich sichtbar. Die verschiedenen **Ursachen der Gefäßweitstellung** können sowohl physiologischer als auch pathologischer Art sein.

Anstrengung und Aufregung (physiologisch):
Muskelarbeit und erhöhter Stoffwechsel führen zu einer verstärkten Wärmeproduktion; zum Zweck der Wärmeabgabe erfolgt eine Gefäßweitstellung.

Hohe Außentemperatur (physiologisch):
Eine hohe Außentemperatur führt zur Erwärmung des Körpers; wiederum dient die Gefäßweitstellung der Wärmeabgabe.

Alkoholkonsum / -mißbrauch:
Alkohol hat gefäßerweiternde Wirkung.

Fieber (pathologisch):
Zur Vermeidung von Wärmeverlusten während des Temperaturanstiegs sind die Hautgefäße enggestellt; in dieser Phase ist die Haut blaß. Sobald die Soll-Temperatur erreicht ist, erfolgt zur Verhinderung eines weiteren Anstiegs eine Gefäßweitstellung; die Haut ist rot, heiß und trocken. Während des Absinkens des Fiebers, also bei einer verstärkten Wärmeabgabe nach außen, wird die weiterhin rote und heiße Haut zusätzlich feucht *(vgl. "Regulieren der Körpertemperatur", Seite 505)*.

Entzündungen (pathologisch):
Bei der Entzündung stellt sich die Gefäßerweiterung - als Reaktion auf einen von innen oder außen ausgeübten Reiz - infolge Ausschüttung des Gewebshormons Histamin ein. Der lokale Stoffwechsel und der Abtransport der Zelltrümmer werden so beschleunigt.

Verbrennungen I. und II. Grades und Sonnenbrand (pathologisch):
Die Verbrennung bedingt Hautreizungen, die entzündliche Reaktionen hervorrufen *(siehe vorstehend)*.

Bluthochdruck (pathologisch):
Infolge einer Arteriolenengstellung ist der Widerstand im arteriellen Gefäßsystem zu hoch. Das Blut wird in die dehnbaren, elastischen Kapillaren im Kopf-, Hals- und Gesichtsbereich gepreßt. Diese

stellen oft die einzige Ausweichmöglichkeit für das Blut dar, da sie sich nicht arteriosklerotisch verändern. Sichtbar wird die Hautröte im Gesicht, eventuell auch im Halsbereich.

Exantheme (pathologisch):
Diese vom Gefäßbindegewebe ausgehenden, größere Körperpartien erfassende Hautveränderungen sind entzündlich oder nervös-vasomotorisch verursacht und gehen mit Effloreszenzen einher *(siehe Seite 638)*. Zum Teil stellen sie sich als Reaktionen auf Allergene, Toxine oder chemische Stoffe wie Arzneimittel ein. In anderen Fällen treten sie als Begleiterscheinung von Infektionskrankheiten wie Röteln, Typhus, Fleckfieber oder Scharlach auf.

Nicht immer ist die Gefäßweitstellung Ursache der Hautrötung. Mögliche Ursachen für die **Hautrötung ohne Gefäßweitstellung** sind

Vermehrung der Erythrozyten:
Erythrozyten sind in der Lage, reichlich Sauerstoff an sich zu binden. Bei einem chronischen Sauerstoffmangel bildet der Organismus zur Kompensation vermehrt Erythrozyten *(Polyglobulie)*. Diese verleihen dem Blut eine tiefrote Farbe. Reicht dieses zur Kompensation nicht aus (z.B. bei chronischen Atemwegserkrankungen), bleibt der Sauerstoffgehalt des Blutes pathologisch reduziert. Der Anteil des reduzierten Hämoglobins nimmt zu. Ein deutliches Zeichen hierfür ist die tiefrote und gleichzeitig leicht bläulich schimmernde Haut und Schleimhaut *(Zyanose)*.
Andere, nicht hypoxämisch* bedingte Ursachen einer Vermehrung der Erythrozyten können Hormonstörungen, Nierenerkrankungen oder eine gesteigerte Blutneubildung im Knochenmark *(Polycythämia vera)* sein.

Kohlenmonoxid- (CO-) Vergiftung:
Das eingeatmete CO gelangt in den Blutkreislauf, bindet sich hier 250 - 400 mal schneller an Hämoglobin als Sauerstoff und färbt das Blut hellrot.

❒ Hautblässe

Hautblässe kann eine dauerhafte, aber auch eine vorübergehende Erscheinung sein. Letztere entsteht häufig durch eine Engstellung der Hautgefäße, die zur Minderdurchblutung der Haut (*Hypoämie*) führt; die Haut ist gleichzeitig kühl. Besonders auffällig ist die Blässe an der Gesichtshaut und den Schleimhäuten (Lippen, Mundschleimhaut). Die **Ursachen der Hautblässe sind** vielfältig.

Kälte (physiologisch):
Die Kältemeldung erfolgt über die Thermorezeptoren der Haut an den Hypothalamus*. Dieser veranlaßt zur Vermeidung von Wärmeverlusten eine reflektorische Engstellung der Gefäße in der Peripherie.

Schreck und Aufregung (physiologisch):
In der Streßvorphase *(siehe "Streß", Seite 889)* verursacht eine gesteigerte Vagusaktivität die Drosselung der Herz- und Kreislauftätigkeit bei einer gleichzeitigen Venenweitstellung im Bauchraum. Wegen der hier erfolgenden Blutfülle werden die Hautkapillaren schlechter durchblutet.
In der sympathikusbetonten Hauptphase der Streßreaktion wird das Hormon Adrenalin ausgeschüttet, wodurch eine Gefäßengstellung (außer an den Herzkranz- und Muskelgefäßen) bei gleichzeitiger Erhöhung des Herzminutenvolumens ausgelöst wird. Kurz darauf kommt es zur Gefäßweitstellung (Hautröte), um die produzierte Wärme abgeben zu können.

Konstitutionelle Hautblässe (physiologisch):
Ist die Oberhaut anlagebedingt stark ausgeprägt, so ist das Durchscheinen der Hautgefäße kaum möglich.
Eine angeborene oder durch geringe Lichtexposition erworbene Hypopigmentation führt zu sehr heller und dadurch blaß erscheinender Haut. Hautrötungen bei Anstrengung sind aber auch bei blassen Hauttypen deutlich sichtbar.

Niedriger Blutdruck (pathologisch):
Sinkt der Blutdruck unter ca. 105 / 60 mm Hg (*Hypotonie*), entsteht ein zerebraler Sauerstoffmangel. Zur Sicherung der Durchblutung des Gehirns und der inneren Organe erfolgt eine Engstellung der Hautgefäße.

Kollaps (pathologisch):
Bei schnellem Aufstehen (aufrechte Körperhaltung *Orthostase*) versackt das Blut in den Beinvenen.
Liegt ein streßbedingter massiver Vagusreiz vor, konzentriert sich das Blut im Bauchraum. In beiden Fällen kann ein Sauerstoffmangel im Gehirn entstehen, der zur Ohnmacht führt.

Schock (pathologisch):
Die Abnahme des Herzminutenvolumens führt zum Blutdruckabfall und provoziert zur Sicherung der Grundversorgung eine Kreislaufzentralisation. Eine der sichtbaren Folgen ist die Minderdurchblutung der Haut. Sie ist blaß und feucht, evtl. auch zyanotisch.

Lokale arterielle Zirkulationsstörungen (pathologisch):
Die Butversorgung von Hautbezirken und tieferliegenden Regionen kann durch eine Gefäßverengung oder einen -verschluß stark reduziert bzw. unterbrochen sein. Mögliche Ursachen sind arterielle Gefäßerkrankungen oder -verschlüsse. Durch den Sauerstoffmangel bedingt treten gleichzeitig starke Schmerzen auf.

Anämie (*Blutarmut;* pathologisch):
Ein verminderter Anteil von Erythrozyten und/oder Hämoglobin führt zum Sauerstoffmangel im gesamten Organismus. Zugunsten der Durchblutung der inneren Organe werden die Hautgefäße enggestellt und der Stoffwechsel reduziert.

Akuter Blutverlust (pathologisch):
Bei akutem Blutverlust werden die peripheren Gefäße zugunsten der Aufrechterhaltung der Sauerstoffversorgung der lebensnotwendigen Organe enggestellt.

Verminderte Nierendurchblutung (pathologisch):
Im Falle einer Nierenminderdurchblutung, z.B. bei Nierenerkrankungen, starkem Blutdruckabfall oder Blutverlust, schüttet die Niere vermehrt Renin aus. Renin ist ein Enzym, welches Angiotensinogen zu Angiotensin I umwandelt. Dieses wird unter der Wir-

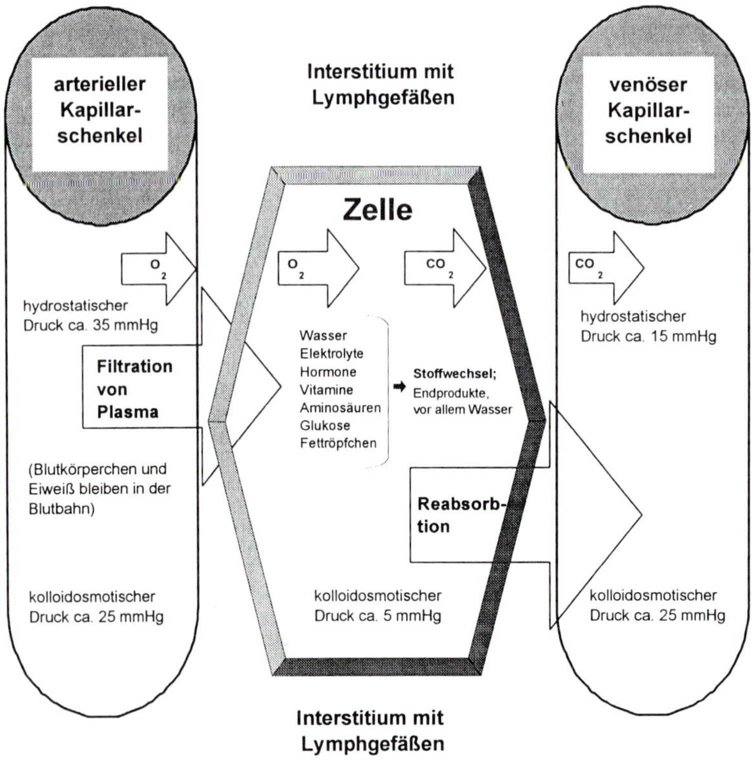

Abb. 7.4 ***Der Stoffaustausch***
Mechanismen der Ödementstehung (siehe Text) lassen sich ableiten

Erniedrigter kolloidosmotischer* Druck:

Die Konzentration der Eiweiße im Blut bestimmt den kolloidosmotischen Druck (auch *onkotischer Druck* genannt). Dieser sorgt für die Wasserbindung im Gewebe, insbesondere aber in den Blutgefäßen. Bei Eiweißmangel im Blut wird die Flüssigkeit

a) im Gefäßsystem nicht ausreichend gebunden und
b) aus dem Gewebe nicht in ausreichendem Maße in die Kapillaren reabsorbiert.

Es bilden sich Ödeme *(vgl. "Hungerödeme").*

Kapillarwandschäden:

Durch Kapillarwandschäden kommt es zu vermehrtem Flüssigkeitsaustritt ins Gewebe. Ursachen sind z.B. Entzündungen, Allergien oder Sauerstoffmangel *(vgl. "Ödeme durch Kapillarwandschäden").*

Gestörter Lymphabfluß:

Lymphgefäße dienen u.a. dem Abtransport von Flüssigkeiten aus dem Gewebe; sie durchziehen Gewebsspalten und münden letztendlich in die großen Venen. Krankhafte Veränderungen der Lymphgefäße und damit Störungen des Lymphabflusses treten u.a. bei Entzündungen, Tumoren und ähnlichen Erkrankungen auf *(vgl. "Lymphödeme").*

❍ Einteilung der Ödeme entsprechend ihrer Ursache

Kardiale Ödeme:

Kardiale *(vom Herzen ausgehende)* Ödeme *(Stauungsödeme)* haben ihre Ursache in einer verminderten Pumpleistung des Herzens, die zu einem Rückstau des Blutes im venösen System und folglich auch im Lymphsystem führt. Dadurch erhöht sich der hydrostatische Druck, es kommt zur Ödembildung *(siehe "Erhöhter hydrostatischer Druck").* Die Flüssigkeit sammelt sich beim stehenden Menschen zunächst an den Stellen, an denen der Druck der Blutsäule am stärksten wirkt, also an den Füßen, Fußknöcheln und Unterschenkeln. Bei Liegenden bilden sich die Ödeme bevorzugt in der Kreuzbeinregion aus.
Die Ödeme treten tagsüber, wenn der Kreislauf belastet wird, verstärkt auf. Während der nächtlichen (oder sonstiger) Herz- Kreislaufentlastung werden sie zum Teil rückresorbiert. Infolgedessen kommt es zur vermehrten Urinproduktion und zum nächtlichen Wasserlassen *(Nykturie).*

Renale Ödeme:

Verschiedene Nierenerkrankungen *(ren = Niere)* gehen mit einer erhöhten Eiweißdurchlässigkeit der Glomerulumschlingen *(arterielles Kapillarnetz der Niere, welches den Urin abfiltriert)* einher. Es kommt zur Eiweißausscheidung im Urin. Der dadurch im Blut entstehende Eiweißmangel führt zur Herabsetzung des kolloidosmotischen Drucks. Nun kann die

Flüssigkeit einerseits im Blutgefäß nicht ausreichend gebunden werden und andererseits nicht ausreichend aus dem Gewebe in die Kapillaren reabsorbiert werden.
Die Ödeme entstehen in erster Linie in Regionen, die einen niedrigen Gewebedruck aufweisen; das sind

- Gesicht, besonders Lidbereich;
- Haut vor dem Schienbein *(prätibitale* Region);
- Hodensack *(Skrotum)*;
- Fußknöchel.

Hepatogene Ödeme:

Bei bestimmten Leberkrankheiten *(Hepar = Leber)*, z.B. der Leberzirrhose, sind die geschädigten Leberzellen nicht mehr in der Lage,

- das venöse Blut der Pfortader aufzunehmen. Folglich kommt es in der Pfortader zum Rückstau und damit zum Hochdruck; das Serum wird in die freie Bauchhöhle gepreßt, es entsteht die sogenannte Bauchwassersucht *(Aszites)*.
- ausreichend Plasmaproteine zu bilden; durch den Proteinmangel wird der kolloidosmotische Druck erniedrigt, es kommt zur Ödembildung.

Im fortgeschrittenen Stadium der Lebererkrankung ist die Ausschüttung des Hormons *Aldosteron* gesteigert. Aldosteron fördert die Natrium- und Wasserresorption in das Blut und das Zwischenzellgewebe. Die Ödembildung wird dann zusätzlich begünstigt.

Hungerödem:

Durch andauernde Eiweißmangelversorgung (Hungern, falsche Ernährung) entsteht ein erniedrigter kolloidosmotischer Druck. Die aus der Darmwand resorbierte Flüssigkeit (täglich ca. 15 Liter!) kann nicht ausreichend in die Blutbahn zurückgeholt werden. So kommt es zur Ansammlung von Flüssigkeit in der freien Bauchhöhle *(Aszites)*. Sie kann zur Auftreibung des Leibes mit Verstreichen des Nabels, zu bläulich-braunrotgefärbten Hautstreifen und Atemnot führen.

Ödeme durch Kapillarwandschäden:

Durch Allergene wie Staub, Pollen oder bestimmte Nahrungsmittel, durch Insektenstiche oder Entzündungsvorgänge können die Kapillarwände geschädigt und lokal erhöht durchlässig werden.
In diesen Bereichen kommt es durch den vermehrten Austritt von Blutflüssigkeit ins Gewebe zur Ödembildung.

Lymphödeme:

Durch Lymphstauung, z.B. bei lokalen Entzündungen, bei Verschluß des Brustlymphganges oder der Entfernung regionaler Lymphknoten (bei Karzinomerkrankungen) kommt es zur Ausbildung lokaler Ödeme. Die Schwellung ist teigig und nur zum Teil eindrückbar.

Myxödem:

(Myxo = Schleim oder Schleimhaut)

Bei einer nicht behandelten Schilddrüsenunterfunktion kommt es aufgrund des Thyroxinmangels zur Anreicherung schleimartiger Substanzen in der Unter- und Lederhaut des gesamten Körpers. Die angeschwollene Haut läßt sich leicht eindrücken, geht jedoch unmittelbar in ihre vorherige Form zurück. Sie ist insgesamt trocken, rauh, fahl, wachsartig und gelblich.

❒ Gesteigerter Hautturgor aufgrund anderer Ursachen

Bösartige und gutartige Tumore der Haut können über das Hautniveau hinaus erhaben sein und durch ihre Größe zur **lokalen Steigerung des Hautturgors** führen.
Hautveränderungen, die Zeichen eines Hautkarzinoms sein können, müssen unverzüglich von einem Arzt untersucht werden.

Spinaliom:

syn. Plattenepithelkarzinom; Stachelzellkrebs

Ein Spinaliom geht von den Stachelzellen der Oberhaut aus; es entwickelt sich meist aus einer lichtbedingten Verhornungsstörung *(solare oder aktinische Keratose)*. Diese entsteht im Alter bei Menschen, die jahre- / jahrzehntelang intensiver UV-Bestrahlung ausgesetzt waren, z.B. bei Seeleuten und Landwirten.
Die aktinische Keratose ist durch wiederkehrende, relativ scharf begrenzte braunrote (evtl. schmutziggraue) fleckige Hautverfärbung gekennzeichnet; die Oberfläche fühlt sich wie sehr feines Sandpapier an.
Diese Verhornungsstörung gilt als Präkanzerose; sie muß beobachtet werden und wird ggf. vollständig entfernt *(Exstirpation)*. Erfolgt keine Behandlung, kann sich im Laufe der Jahre ein Stachelzellkarzinom entwickeln. An der Oberfläche entsteht eine festhaftende Hornkruste, die weiter wächst.

Basaliom:

syn. Basalzellkarzinom

Das Basaliom geht von den Basalzellen der Oberhaut aus und macht sich im Anfangsstadium als kleiner, porzellanartiger Pickel bemerkbar. Auf der erhabenen Oberfläche sind kleinste Blutgefäße sichtbar. In der Mitte dieser Hauterhabenheit bildet sich später eine Mulde mit wallartigem Rand von perlschnurartigem Aussehen.
Basaliome treten bevorzugt bei Menschen mit lichtempfindlicher Haut an häufig dem Sonnenlicht ausgesetzten Hautstellen auf.

Malignes Melanom:

Dieser bösartige Tumor bildet sich vornehmlich aus Muttermalen / Leberflecken *(Naevi)*, aber auch aus noch unveränderter Haut durch Umwandlung von Melanozyten in Melanomzellen. Pigmentierte Hautveränderungen sollten deshalb von jedermann hinsichtlich folgender Kriterien, die auf eine Bösartigkeit hinweisen können, beobachtet werden:

- Asymmetrie;
- Unregelmäßigkeiten des Randes mit verformten Ausläufern;
- Farbunregelmäßigkeiten innerhalb der Hautveränderung, es finden sich schwarze, braune, helle und weiße Abschnitte oder eine Entfärbung bestehender Naevi;
- Durchmesser der Hautveränderung mindestens 6 mm, zunehmend;
- Blutungsneigung;
- rötlich entzündlicher Hof;
- Schmerz oder Juckreiz.

Beachte: Jedes sich verändernde Muttermal sollte vom Hautarzt untersucht werden.

Haarbalgdrüsenentzündung:
Bei der Haarbalgdrüsenentzündung *(Furunkel)* handelt es sich um eine umschriebene, akut-eitrige und schmerzhafte Entzündung eines Haarbalges und der dazugehörigen Talgdrüse. Sicht- und tastbar ist ein bohnen- bis walnußgroßer, geröteter Knoten mit gelbem Mittelpunkt und geschwollener Umgebung. Ein Furunkel kann an jeder behaarten Körperstelle - meist durch Staphylokokkeninfektion - entstehen.

Blutergüsse:
Blutergüsse *(Hämatome)* bestehen aus einer geschlossenen Blutmasse außerhalb eines Blutgefäßes. Sie entstehen operations- oder unfallbedingt sowie bei krankhafter Blutungsneigung. Ein lokal erhöhter Spannungszustand der Haut und eine blaurote, später durch den Hämoglobinabbau blau-gelbgrüne Hautverfärbung sind beobachtbare Folgeerscheinungen bei Blutergüssen.

Entzündungen:
Sie führen zum Austritt *(Exsudation)* von Blutplasma aus dem Blutgefäß ins Gewebe. Der hierdurch lokal erhöhte Spannungszustand ist manchmal nur tastbar, aber nicht sichtbar. Die Haut ist außerdem gerötet, überwärmt und schmerzhaft.

7.3.3 Hautoberfläche

Die Hautoberfläche kann zahlreiche Veränderungen mit Krankheitswert aufweisen.

❐ Hautblüten

Hautblüten *(Effloreszenzen)* ist ein Sammelbegriff für krankhafte Hautveränderungen.

Besenreiservarizen:
- dicht unter der Haut verlaufende Erweiterung kleinster Venen *(siehe Seite 326)*;
- finden sich häufig am weiblichen Oberschenkel.

Cicatrix (Narbe):
bindegewebige Neubildung von harter Konsistenz, die nach größeren Substanzverlusten als Endzustand der Wundheilung auftritt.

Dekubitus:
Druckgeschwür *(siehe "Dekubitus", Seite 344)*.

Ekchymosen:
- fleckförmige Blutungen in Haut und Schleimhäute;
- ihr Durchmesser liegt bei über 3mm;
- treten bei krankhafter Blutungsneigung und infolge von Verletzungen auf.

Ekzem (Juckflechte):
- juckende, schubweise auftretende entzündliche Erkrankung der Oberhaut und des Papillarkörpers;
- die flächenhafte Rötung ist gegenüber der gesunden Haut nicht deutlich abgegrenzt;
- kann insbesondere durch Unverträglichkeiten, Allergien und toxische Einwirkungen verursacht sein.

Erosion:
- nässender, nicht blutender, nur das Epithel betreffender Substanzdefekt der Haut oder Schleimhaut;
- kann mechanisch oder infektiös bedingt sein und heilt ohne Narbenbildung ab.

Exanthem:
- vom Gefäßbindegewebe ausgehende, recht gleichmäßige Hautrötung, die sich auf größere Hautpartien erstreckt;
- tritt häufig mit charakteristischen Hautausschlägen bei Infektionskrankheiten wie Masern, Röteln, Scharlach, aber auch als Reaktion auf chemische Stoffe und Arzneimittel auf.

Hämatom:
Bluterguß *(siehe vorstehend)*.

Herpes simplex:
virusbedingter Hautausschlag mit Bläschenbildung *(siehe Seite 639)*.

Naevus (Mal, Muttermal):
scharf umschriebene Fehlbildung der Haut unterschiedlichen Ausmaßes.

Naevus flammeus (Feuermal):
- angeborener, meist kapillärer Gefäßnaevus;
- ist fleckenförmig, meist zackig begrenzt und von hellroter bis violetter Farbe.

Papula (Papel):
- knötchenartige Erhebung der Haut durch Vermehrung von Hautzellen.

Petechien:
- kleinste, nadelstichartige Hautblutungen (*Kapillarblutungen*) infolge von Blutgerinnungsstörungen;
- werden häufig durch Druck provoziert.

Pustula (Pustel):
mit Eiter gefülltes Bläschen.

Rhagade (Schrunde):
- streifenförmiger, linearer Riß der Haut an den Übergangsstellen zwischen Haut und Schleimhaut, z.B. an der Nase, den Lippen, den Brustwarzen, am Anus und am Genitale;
- tritt meist bei Vorschädigungen (z.B. Entzündungen) oder Vitamin- / Eisenmangel auf.

Spider naevus:
- auch Sternnaevus oder Gefäßspinne genannt;
- stecknadelkopfgroße, rote, arterielle Gefäßerweiterung bei chronischen Leberkrankheiten;
- tritt vor allem im Gesicht, auf der Brust und an den oberen Extremitäten auf.

Striae (Streifen):
- blau-rötliche, später gelblich-weiße Streifen, insbesondere in Bauch-, Hüft- und Brustregion auftretend;
- entstehen durch Schädigung der elastischen Fasern nach Erhöhung des Glukokortikoidspiegels;
- heilen unter Atrophie und Pigmentverlust ab;
- treten bei Fettsucht, Bauchwassersucht und bei ca. 70% der Schwangeren in der zweiten Schwangerschaftshälfte auch ohne Erhöhung des Glukokortikoidspiegels auf.

Urtika (Quaddel):
- hellrosa bis weißliche, stecknadel- bis handtellergroße Erhebung der Haut;
- vom Gefäßsystem ausgehende Reizödeme.

Urtikaria (Nesselsucht / -ausschlag):
- flüchtige, stark juckende, schubweise auftretende *Quaddelbildung*;
- kommt vor bei allergischer und nicht allergischer Überempfindlichkeit der Haut auf exo- und endogene Reize.

Ulkus (Geschwür):
- tiefer Gewebsdefekt infolge krankhaften Gewebszerfalls;
- es kommt zum Substanzverlust der Haut / Schleimhaut und zur narbigen Abheilung.

Verruca (Warze):
- gutartige, infektiöse, durch einen Virus hervorgerufene Neubildung der Haut (*Epidermiswucherung*);
- halbkugelförmig, hart und knötchenartig.

Verruca seborrhoicae (Alterswarze):
- Warze, die ab dem 5. Lebensjahrzehnt auftritt;
- ist rundlich bis oval und meist linsen- bis bohnengroß;
- ist hellbraun bis schwarz-braun und fettig.

Vesicula (Bläschen):
mit Flüssigkeit gefüllte, im Hautniveau liegende oder erhabene Hautblüte.

Zellulitis (Orangenhaut):
- vorzugsweise an Oberschenkeln und Gesäß der Frau auftretende Besonderheit der Bindegewebsstruktur und des Unterhautfettgewebes;
- beim Zusammendrücken der Haut kommt es zu grübchenförmigen Einziehungen.

❒ Ungeziefer und Mikroorganismen

Lausbefall:
Läuse sind 1 - 3 mm lange, blaßgraue Insekten, die ihre Eier *(Nissen)* an Haaren oder Kleidungsstücken ablegen (Kopf-, Scham- oder Kleiderlaus).

Flohstiche:
Flöhe verursachen gruppenweise angeordnete, stark juckende Quaddeln oder rote Flecken.

Milbengänge:
Milben sind die Erreger der Krätze *(Scabies)*. Sie graben bis zu 10 mm lange Gänge in die Oberhaut und verursachen heftigen Juckreiz.

Herpes simplex:
Dieser Hautausschlag geht mit Bläschenbildung einher. Er wird durch Infektion mit dem Herpes-Virus (zwei verschiedene Typen) ausgelöst. Die Bläschen treten meist örtlich begrenzt, gruppenweise im Übergangsbereich von Haut und Schleimhaut auf (Lippen, Nase, Geschlechtsorgane); Juckreiz und Spannungsgefühl gehen voraus. Bei Schwächung des Immunsystems kommt es oft zu Rückfällen.

Verruca (Warze):
Virusinfektion *(siehe vorstehend)*.

Furunkel (Haarbalgdrüsenentzündung):
Bakterielle Infektion *(siehe Seite 638)*.

Pilzkrankheiten (Dermatomykosen):
Pilzinfektionen verursachen juckende, ekzemartige Hautveränderungen unterschiedlichen Ausmaßes. Sie treten bevorzugt bei gestörter Abwehrlage und im feuchtwarmen Milieu (Hautfalten: Achselhöhlen, Leisten, unter den Brüsten, zwischen den Zehen) auf.

Soormykose (Candidose):
Soormykosen sind durch Hefepilze der Gattung Candida ausgelöste Erkrankungen. Sie führen zu roten, nässenden Hautflächen, die eine nach innen gerichtete Schuppenkrause erkennen lassen. Rundherum finden sich Pusteln und eröffnete Bläschen mit schuppendem Saum.

Die **Candidose der Mundschleimhaut** geht meist mit weißlichen, stippchen- bis flächenförmigen, schwer abwischbaren Belägen einher.

Die **Candidose der Scheidenschleimhaut** ist mit Juckreiz und weißlichem Ausfluß dickbreiiger / körniger Konsistenz (vergleichbar geronnener Milch) verbunden.

Die **Candidose der Glans penis** und des inneren Vorhautblattes ist durch Juckreiz und weißliche Beläge gekennzeichnet.

Hefepilzerkrankungen entstehen bei beeinträchtigter Abwehrlage des Körpers (Unterernährung, Diabetes mellitus, Leukämie, Aids, Antibiotika- / Cortisontherapie u.ä.).

Wundsein, Wolf (Intertrigo):
Durch Bakterien- oder Pilzbefall entstehen - bei gleichzeitiger Reibung oder Mazeration der Haut - juckende und brennende, erosiv veränderte Hautbezirke. Sie finden sich insbesondere unter den weiblichen Brüsten, an den Oberschenkelinnenseiten, in der Analfalte und in den Leisten.

7.3.4 Hauttyp

Man unterscheidet die Hauttypen normal, fett und trocken.

Viele Menschen weisen gleichzeitig fette (z.B. an Stirn und seitlichem Nasenbereich), trockene (z.B. an den Wangen) und normal gefettete Hautbezirke auf. Hier spricht man auch von **Mischhaut**.

Der Hauttyp wird vererbt, aber auch durch Umwelteinflüsse und individuelle Hautpflege beeinflußt.

Die **Bestimmung des Hauttyps** kann durch einen Spiegelabdruck erleichtert werden. Dazu drückt man Stirn oder Wange zwei Stunden nach einer Gesichtswaschung gegen einen Spiegel. Fette Haut hinterläßt im Gegensatz zur trockenen Haut einen anhaltenden Fettflecken. Mischhaut hinterläßt beim Stirnabdruck Fettspuren.

❒ Normale Haut

Normale Haut ist zart, feinporig, glatt, geschmeidig und gut durchblutet. Ihr Aussehen ist frisch und weder zu fett (glänzend) noch zu trocken (stumpf), wobei sich das Aussehen im Alter ändert *(siehe "Altershaut", Seite 630)*.

❒ Trockene Haut

Die trockene Haut fühlt sich rauh an. Sie ist spröde, reißt leicht ein und kann schuppen; die Talgproduktion ist erniedrigt (*Sebostase*). Die trockene Haut ist empfindlich (insbesondere gegenüber Temperatureinflüssen), schnell gerötet und juckend, vor allem nach Kontakt mit Wasser. Parallel dazu sind auch die Haare trocken und spröde.

Eine trockene Haut kann durch zu häufiges Waschen und Reinigen provoziert werden. Sie kann auch durch Medikamente, die die Talgproduktion drosseln (z.B. blutfettsenkende Präparate, weibliche Sexualhormone), verursacht sein.

In hohem Lebensalter kommt es infolge der verringerten Talgproduktion zu trockener Haut; sie nimmt dann ein glanzloses Aussehen an.

Extrem trockene Haut findet man bei **Neurodermitis**, deren Leitsymptom der quälende Juckreiz ist. Außerdem finden sich an den betroffenen Stellen (vor allem Gelenkbeugen, Gesicht, Hals, Brust) ein vergrößertes Oberflächenrelief der Haut, Knötchen mit zentraler Kruste sowie eine gerötete, nässende und schuppende Hautoberfläche *(siehe auch Seite 999)*.

❒ Fette Haut

Fette Haut ist feucht, dick, grobporig und ölig glänzend. Sie entsteht durch eine gesteigerte Talgproduktion (*Seborrhoe*) und wird häufig von vermehrter Schweißproduktion und Hautunreinheiten (Pickel, Mitesser) begleitet. Gelegentlich tritt auch ein seborrhoisches Ekzem *(gelblich schuppende Herde, von denen unterschiedlich starker Juckreiz ausgeht)* auf.
Die Einnahme bestimmter Medikamente (u.a. Beruhigungsmittel, Hormonpräparate) kann zur Entstehung fetter Haut führen. Ebenso kommt sie bei gesteigerter Nebennieren- oder Eierstockfunktion vor.
Mitesser *(Komedonen)* entstehen immer auf dem Boden einer fettigen Haut. Dabei ist der Ausführungsgang der Talgdrüse durch einen Hornpfropf verstopft, so daß der Talg nicht nach außen abgesondert werden kann. Bei stärkerer Ausbildung kommt es zur Bildung eitergefüllter Bläschen und entzündlicher Knoten an den talgdrüsenreichen Hautpartien (Gesicht, Rücken, mittlere Brustregion); diesen Zustand der Haut bezeichnet man als **Akne** *(Akne vulgaris)*.
Bei Morbus Parkinson *(siehe auch Seite 572)* kommt es meist zu einer gesteigerten Talgabsonderung. Ein fettig-glänzendes Aussehen der Gesichtshaut *(Salbengesicht)* und der Haare ist die Folge.

7.4 Beobachtung von Nagelveränderungen

Nägel können sich aufgrund von äußeren Einflüssen oder von Organstörungen in typischer Weise verändern.

❒ Nagelbeschaffenheit

Brüchige Nägel:
- spröde Nägel;
- entstehen meist infolge häufigen Kontakts mit Wischwasser, Wasch- oder Spülmitteln sowie Nagellackentfernern;
- können Zeichen einer Mangelerscheinung (z.B. Eisen- oder Kalziummangel), einer Nagelmykose oder einer inneren Erkrankung (z.B. Schilddrüsenüberfunktion) sein.

❒ Nagelform

Uhrglasnägel:
- übermäßig gewölbte Nägel;
- treten meist gemeinsam mit **Trommelschlegelfingern** *(aufgetriebenes Fingerendglied bei gleichzeitig hochgradiger Weichteilverdickung)* bei chronischen Herz- und Lungenleiden, Herzfehlern und Schilddrüsenerkrankungen auf.

Krallennagel:
- krallenartige Krümmung, Verdickung und schwärzliche Verfärbung des Nagels, meist an der Großzehe;
- wird verursacht durch Verletzungen, venöse Insuffizienz oder Vererbung, besonders in höherem Lebensalter.

❒ Nagelablösungen

Zu Nagelablösungen kommt es durch häufige, langandauernde Wasser- und Seifeneinwirkung, Entzündungen im Nagelbereich, schwere Allgemeinerkrankungen sowie nach Hämatomen unterhalb des Nagels.

❒ Nagelstrukturveränderungen

Querrillen
Querrillen entstehen durch eine gestörte Nagelproduktion nach Infektionskrankheiten, Zytostatikatherapie, Schockzuständen, Vergiftungen, schweren gastrischen Störungen, Gichtanfällen und bei anhaltender psychischer Belastung.

Eingewachsene Nägel
Sie entstehen durch Schuhdruck oder falsches Schneiden der Nägel. Eine Ecke der Nagelplatte schiebt sich seitwärts unter die Haut. Infolge des dadurch entstehenden Drucks und einer Keimbesiedlung entstehen Schmerzen, häufig auch eitrige Entzündungen.

Abgekaute Fingernägel
Sie finden sich bei Nervosität, psychischen Störungen und Erkrankungen oder als schlechte Angewohnheit.

❒ Nagelfarbe

Weißnagel
Es handelt sich um eine weißliche, fleck- oder streifenförmig verlaufende Verfärbung der Nagelplatte durch Eindringen von Luft in die Hornlamellen oder als Folge einer Pilzinfektion.
Insgesamt weiße Nägel finden sich bei Leberzirrhose.

Gelblich-bräunliche Verfärbung
der Nägel sieht man bei starken Rauchern.

Blau-schwarze Verfärbung
entsteht durch ein Nagelbetthämatom.

Gelbliche Verfärbung
kann bei Schuppenflechte oder Pilzerkrankung vorkommen.

❒ Entzündung des Nagels und des Nagelbettes

Das **Panaritium** (auch: *Nagelgeschwür* oder *Umlauf*) ist eine eitrige Entzündung des Nagelbettes oder der Nagelfalz, die oft in die Tiefe weiterdringt und bis auf die Knochen und Gelenke der Finger und Hände übergreifen kann. Es entsteht durch eine Infektion des Fingers, auch bei kleinsten Verletzungen. Die Entzündung geht einher mit Rötung, Schwellung, Eiterung, Hitze und Schmerz am Nagelwall.

7.5 Beobachtung der Haare

Veränderungen der Haare und des Haarwachstums können Begleiterscheinung verschiedener Erkrankungen oder Therapien sein. Sie werden von den Betroffenen, insbesondere von Frauen, oft als unangenehm und entstellend empfunden. Manche Menschen reagieren sogar mit Rückzug aus dem gesellschaftlichen Leben.

7.5.1 Haartypen

Ebenso wie bei der Haut unterscheidet man beim Haar den normalen, fettigen und trockenen Typus.

❒ Normales Haar

Normales Haar ist kräftig, voll und matt glänzend. Es ist weder zu trocken noch zu fettig.

❒ Fettiges Haar

Fettiges Haar entsteht bei übermäßiger Talgproduktion. Das Haar ist oft schon wenige Stunden nach dem Waschen fettig. Ursache können eine erbliche Veranlagung, psychischer Streß, Ernährungsfehler oder zu stark entfettende Haarpflegemittel sein.

❒ Trockenes Haar

Trockenes Haar ist die Folge verringerter Talgproduktion. Aufgrund des fehlenden Fettfilmes ist das Haar schutzlos gegenüber mechanischen und chemischen Einflüssen. Trockenes Haar kann vererbt werden, aber auch durch schwere Allgemeinkrankheiten oder Schilddrüsenunterfunktion begründet sein.

7.5.2 Haarveränderungen

❒ Haarausfall

Die Ursachen des Haarausfalles (*Alopecia*) sind vielfältig. Physiologisch findet er sich in hohem Lebensalter.

Die **"Glatzenbildung" beginnt beim Mann** meist an den Geheimratsecken und der Tonsurstelle. Sie tritt - bei ausreichendem Androgenspiegel und entsprechender erblicher Veranlagung - häufig schon ab dem 20. - 25. Lebensjahr auf und schreitet bis etwa zum 30. Lebensjahr schnell fort, um dann nachzulassen.

Die **"Glatzenbildung" bei der Frau** kommt entweder als diffuse Lichtung des Haares oder - fast ausschließlich in der Menopause - als käppchenförmiger, hochgradiger Haarausfall um den Wirbel vor. Zugrunde liegen eine erbliche Veranlagung, eine vermehrte Androgenbildung oder eine erhöhte Androgenempfindlichkeit der Haarfollikel.

Ein **diffuser, reversibler Haarausfall** ist nach Zytostatikatherapie, Antikoagulanzien- / Thyreostatikaeinnahme u.a. Medikationen, nach ausgedehntem Kopfhautekzem, fieberhaften Infektionskrankheiten, Röntgenbestrahlungen und langandauernden Streßphasen zu beobachten.

Ein **kreisförmiger Haarausfall,** der sich auf eine oder mehrere kahle Stellen am Kopf beschränkt, tritt bei Pilzerkrankungen und Ekzemen auf.

Der **Ausfall sämtlicher Körperhaare,** also z.B. auch der Wimpern und Augenbrauen, wird möglicherweise durch Allergien ausgelöst. Die Ursache ist bisher nicht geklärt.

❒ Vermehrter Haarwuchs

Ein **lokal verstärkter Haarwuchs** tritt bei ca. 40% aller Frauen in höherem Lebensalter an der Oberlippe und am Kinn auf (*"Damenbart"*).

Ein **vermehrter Haarwuchs** ist oft erblich bedingt. Bei Frauen kann eine hormonelle Störung zugrunde liegen; in extremen Fällen gleicht sich die Behaarung der typisch männlichen an: Schambehaarung bis zum Nabel, dunkle Haare auf der Brust, Bartwuchs. Auch weitere sekundäre männliche Geschlechtsmerkmale können ausgebildet werden.

❒ Haarspliss

Haarspliss meint den Zustand ausgefranzten und glanzlosen Haares, das leicht abbricht. Ursache können einerseits unsachgemäße Pflege, andererseits hormonelle oder mechanische Einflüsse, Hitze und Chemikalien (Dauerwelle, Färbung) sein.

❒ Ergrauen der Haare

Das Ergrauen der Haare ist eine physiologische Alterserscheinung durch Pigmentschwund oder Sauerstoffeinlagerung in den Haaren.

Frühzeitiges Ergrauen kann auf erblicher Veranlagung beruhen oder durch Krankheiten hervorgerufen sein.

7.6 Beobachtung der Zunge

Die Beobachtung der Zunge kann wertvolle Hinweise auf bestimmte Erkrankungen des Organismus liefern.

7.6.1 Physiologische Beschaffenheit

Die Zunge ist, bedingt durch kleine Wärzchen an der Oberfläche und am Zungenrücken, aufgerauht. Die Absonderung dünnflüssigen Schleims hält sie ständig feucht. Die Zunge ist rot, gut durchblutet und frei von Belägen.

7.6.2 Veränderungen

Grauweißlicher Belag des Zungenrückens
ist die Folge ungenügender mechanischer Reinigung bei Ausfall des Kauens.

Fleckiger, weißlicher, schwer abwischbarer Belag des Zungenrückens und der Mundschleimhaut
findet sich bei Soorinfektion (Belag ähnelt geronnener Milch).

Trockenheit
entsteht durch längere Mundatmung, mangelnde Flüssigkeitsaufnahme, hohe Flüssigkeitsverluste, akute Bauch- und Speicheldrüsenerkrankungen.

Lederne Zunge
tritt auf bei Harnvergiftung (*Urämie**).

- Schlüpfer, ggf. Antithrombosestrümpfe und Schlafanzughose bzw. Strümpfe, Hose oder Rock anziehen, Oberbekleidung ordnen und ggf. vervollständigen;
- Patienten - wenn möglich - aufsetzen, Haarpflege, ggf. Bartpflege / Rasur *(siehe Seite 656)* durchführen;
- falls bisher nicht durchgeführt: Mundpflege vornehmen;
- das Bett herrichten (bei Bedarf bereits während der Seitenlage Bett- und Stecklaken wechseln / glätten), ggf. Bettwäsche wechseln;
- bettlägerigen Patienten in bequeme bzw. therapeutische Lage bringen;
- Fenster öffnen;
- Aufräumen, Entsorgen der Pflegeutensilien und Einlegen der Waschschüssel in Desinfektionsmittellösung.

Eine erwünschte bzw. notwendige **Hautpflege** sowie die Durchführung der **Prophylaxen** werden nach dem Abtrocknen des jeweiligen Körperteils vorgenommen.

7.9.8.2 Basalstimulierende Ganzkörperwaschung

Die basalstimulierende Ganzkörperwaschung (GKW) zielt darauf ab, dem Patienten seinen **Körper erfahrbar zu machen** *(BIENSTEIN / FRÖHLICH, 1991)*. In vielen Fällen gilt es, eine durch Bettlägerigkeit und/oder Wahrnehmungsbeeinträchtigung bedingte Reizarmut durch gezielte, bewußt gesetzte Reize auszugleichen; dabei dienen Berührung und Hautkontakt als nonverbale Kommunikationsmittel. Damit dies gelingt, sind folgende **Grundsätze** zu berücksichtigen.

- Die basalstimulierende GKW sollte von **einer Bezugsperson**, die den Pflegebedürftigen gut kennt, durchgeführt werden. Dies kann unter Umständen nach entsprechender Anleitung auch ein Angehöriger sein. Die Bezugsperson sollte möglichst nicht wechseln, um eine gleichbleibende Berührungsinformation zu gewährleisten.
- Bei der Durchführung legt die Pflegeperson ihre **Hand ganz** auf und paßt sie der Körperform des Patienten an. Um diesem die Abgrenzung seines eigenen Körpers von der Hand der Pflegeperson zu erleichtern, trägt die ausführende Hand einen Waschhandschuh. Die Berührungen erfolgen **ruhig** und **deutlich**, also mit einem gewissen Druck. Während der gesamten Stimulation wird immer **nur in eine Richtung** (entgegen bzw. mit der Haarwuchsrichtung; von der wahrnehmungsstarken zur wahrnehmungsschwachen Körperseite) gewischt.
- Die basalstimulierende GKW findet in einer **ruhigen Atmosphäre** statt. Störungen von außen werden möglichst im voraus verhindert, z.B. durch klare Absprachen mit den KollegInnen.
- Der Genitalbereich wird ausgespart.
- Die Durchführung sollte nach maximal 20 Minuten beendet sein.

Zur basalen Stimulation können die belebende, die beruhigende und die bobath - orientierte Ganzkörperwaschung eingesetzt werden; entscheidend ist die aktuelle Situation des Pflegebedürftigen *(siehe nachfolgend unter "Zielgruppe")*.
Wichtige Hinweise für die Durchführung sind in Tabelle 7.1 zusammengefaßt.

Die **bobath-orientierte Ganzkörperwaschung** findet ihren Einsatz bei Menschen, die von einer Hemiplegie* betroffen sind. Sie wird deshalb beim Thema Schlaganfall unter *"Rehabilitative Pflege"*, *Seite 607*, besprochen.

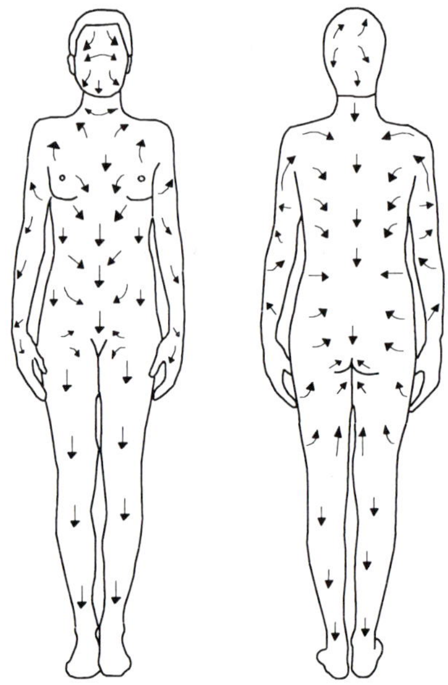

Abb. 7.6 *Wuchsrichtung der Körperhaare*

7.9.8.3 Schweißreduzierende Ganzkörperwaschung

Eine dauerhaft erhöhte Schweißsekretion wird von den meisten Betroffenen unangenehm empfunden.
Die **Regulierung der Schweißabsonderung** kann durch eine Ganzkörperwaschung **mit Salbei** unterstützt werden. CH. BIENSTEIN macht dazu folgende Angaben.

- Die schweißreduzierende GKW erfolgt nur bei primär intakter Haut.
- Als Zusatz wird **Salbeitee frisch zu bereitet:** 2-3 Eßlöffel Salbeiblätter werden mit einem Liter kochendem Wasser übergossen, dann läßt man den Aufguß 3-4 Minuten ziehen und schüttet den heißen Tee durch ein Sieb in das bereitstehende Waschwasser. Hierbei handelt es sich um 4l ca. 18 Grad C warmes Wasser; durch die Mischung entsteht eine Waschwassertemperatur von ca. 27 Grad C.
- Das **Waschen** erfolgt **mit der Wuchsrichtung** der Haare und mit einem weichen Waschlappen / -handschuh. Es wird wie bei der beruhigenden GKW verfahren *(siehe Tabelle 7.1)*.
- Das **Abtrocknen** erfolgt durch vorsichtiges Abtupfen, damit der Wirkstoff auf der Haut verbleibt.

Die beschriebene Ganzkörperwaschung mit Salbei eignet sich ebenfalls für infektionsgefährdete Menschen.

Tabelle 7.1 **Durchführung der belebenden und der beruhigenden Ganzkörperwaschung**

	Belebende Ganzkörperwaschung	Beruhigende Ganzkörperwaschung
Zielgruppe	Menschen, die unter - Bewußtlosigkeit, Somnolenz - körperlicher Schwäche - Antriebsstörungen, Depressionen - Gefäßkrankheiten (AVK, Ulkus cruris) - Hypotonie leiden	Menschen, die unter - Verwirrtheit, Desorientierung - Demenz - angstbedingter Unruhe, zentraler Unruhe - Ein- und Durchschlafstörungen - Schmerzen - Herzinfarkt - Asthma bronchiale leiden
Kontraindikationen	- Desorientierung, Unruhezustände	
Wirkung	- stimulierend, belebend, anregend - durchblutungsfördernd - bewegungserleichternd - vermittelt Gefühl, leichtere Gliedmaßen zu haben	- beruhigend, entspannend - genaue Informationsvermittlung über die Körperform - Körpererfahrung fördernd - das Körperdesintegrationsgefühl reduzierend
Hilfsmittel	- zunächst kein Waschzusatz, später Rosmarin-Bademilch (belebende Wirkung) - rauher Waschlappen / -handschuh oder härterer, aber formbarer Schwamm - rauhes Handtuch	- zunächst kein Waschzusatz, später evtl. Lavendelmilch (beruhigende Wirkung) - weicher Waschlappen / -handschuh - weiches Handtuch
Wassertemperatur	- ca. 23-28 Grad C	- ca. 37-40 Grad C
Vorgehen	- deutliche Berührung mit der ganzen, sich dem Körper anpassenden Hand • gegen die Haarwuchsrichtung • mit tropfnaßem Waschlappen / Handschuh • zunächst Oberkörper waschen und abtrocken • Hände und Arme waschen, dabei Hände in die Waschschüssel tauchen / abtrocknen • Füße und Beine waschen, dabei Füße in die Waschschüssel tauchen / abtrocknen • Gesicht waschen / abtrocknen	- deutliche Berührung mit der ganzen, sich dem Körper anpassenden Hand • mit der Haarwuchsrichtung • mit gut ausgewrungenem Waschlappen/-handschuh • zunächst Oberkörper waschen / abtrocknen • Hände und Arme waschen / abtrocknen • Füße und Beine waschen, dabei warmes Fußbad, abtrocknen • Gesicht waschen / abtrocknen
Besonderheiten	- falls der Einsatz einer waschaktiven Substanz erforderlich ist, ein dem Patienten vertrautes Präparat einsetzen	- während der Durchführung möglichst wenig mit dem Patienten sprechen - für jede Berührung Hand neu auflegen (nicht hin- und herwischen)

7.9.8.4 Fiebersenkende Körperwaschungen

Waschungen zur Unterstützung der Wärmeabgabe bei Fieber werden auf *Seite 508* besprochen.

7.9.9 Hautpflege

Die Hautpflege erfolgt meist während der Körperpflege und wird **entsprechend dem Hauttyp** und den Bedürfnissen bzw. **Gewohnheiten** des Patienten durchgeführt. Die Pflegemittel sollten möglichst wenig Zusatzstoffe, die die Haut reizen können, enthalten.
Patienten, die für ihren Hauttyp ungeeignete Pflegemittel benutzen, sollten darauf aufmerksam gemacht und im **Beratungsgespräch** auf geeignete Produkte hingewiesen werden. Letztendlich wird selbstverständlich die persönliche Entscheidung respektiert.
Folgende **Richtlinien** gelten für die unterschiedlichen Hauttypen:

Normale Haut braucht allenfalls nach der Reinigung etwas rückfettende und feuchtigkeitsspendende Creme.

Fettige Haut wird bei Bedarf an einzelnen Stellen mit einer Öl-in-Wasser-Emulsion (Creme oder Lotion) eingefettet. Besonders fettige Hautstellen sollten auch zwischendurch gewaschen oder mit alkoholischer Lösung entfettet werden.

Trockene Haut wird regelmäßig nach dem Waschen mit einer Wasser-in-Öl-Emulsion rückgefettet; ansonsten kann ein Austrocknungsekzem entstehen. Trockene **Altershaut** sollte abends besonders stark, tagsüber etwas weniger gefettet werden.

Anmerkung: Pflegende schützen ihre Haut vor besonderen Belastungen wie häufigem Händewaschen und Desinfektionsmitteleinwirkungen soweit möglich durch das Tragen von Schutzhandschuhen. Die Hände bedürfen einer sorgfältigen Hautpflege *(siehe auch Seite 489)*.

eine Aufforderung, Kontrolle oder Anleitung durch das Pflegepersonal erforderlich.
Des weiteren dient die Mundpflege der **Verhinderung von** unangenehmem **Mundgeruch**, der **Erhaltung einer intakten Schleimhaut** (inklusive Lippen) und der Steigerung des Wohlbefindens.

❒ Zahnpflege

Es gelten folgende Richtlinien:

- die Zähne sollten nach jeder Mahlzeit, auf jeden Fall vor der Nachtruhe, geputzt werden;
- bettlägerige Menschen werden zur Zahnpflege möglichst in die Oberkörperhochlage gebracht;
- die Zahnbürste sollte einen relativ kleinen Kopf und intakte Borsten haben, sie wird mit Zahnpasta bestrichen;
- die Innen- und Außenflächen der Zähne werden z.B. wie folgt gereinigt:
  - von rot nach weiß (vom Zahnfleisch weg zum Zahn hin),
  - mit kleinen rüttelnden oder kreisenden Bewegungen, wobei die Borsten sanft angedrückt und unter den Zahnfleischrand geschoben werden, so daß die Zahnbeläge ober- und unterhalb des Zahnfleischrandes entfernt werden *(siehe Abbildung 7.8 A)*;
  - mit vorsichtigen, wischenden Bewegungen, so daß die losen Zahnbeläge entfernt werden *(siehe Abbildung 7.8 B und 7.8 C)*;
- die Kauflächen der Backenzähne werden mit kräftigen Bewegungen gebürstet *(siehe Abbildung 7.8 D)*;

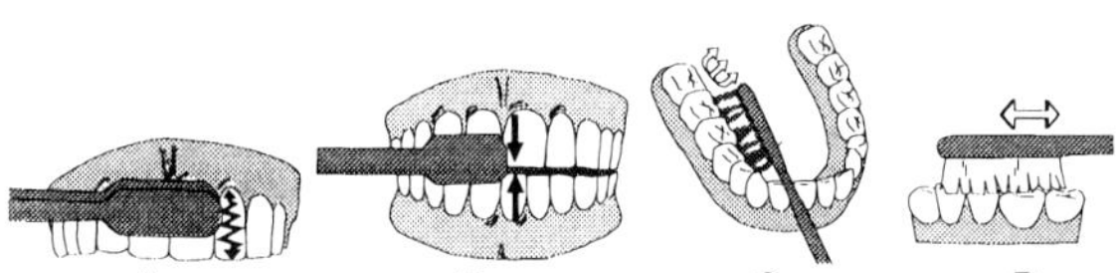

Abb. 7.8 ***Vorgehensweise beim Zähneputzen***

- bei gründlicher Durchführung dauert das Zähneputzen ca. 3 Minuten (!);
- nach dem Zähneputzen wird die Mundhöhle gründlich mit Wasser ausgespült, ein erfrischendes Mundwasser kann hinzugefügt werden.

Beachte: Die Zähne eines anderen Menschen zu putzen, erfordert **Geschick** und **Einfühlungsvermögen**. Auf der Seite des Hilfsbedürftigen ruft der Vorgang oft unangenehme Gefühle hervor, zumal ein intimer und sehr sensibler Bereich berührt wird.

Der **Einsatz einer elektrischen Zahnbürste** erleichtert die Zahnpflege und ermöglicht eine gute Massage des Zahnfleisches. Über die von ihr ausgehenden Vibrationen kann die Wahrnehmung im Mund-, Hand-, Arm- und Schulterbereich gefördert werden *(siehe "Vibratorische Stimulation", Seite 745)*.
Die zusätzliche **Benutzung von Zahnseide** eignet sich zur gründlichen Reinigung der Zähne an den einander zugewandten Seiten. Der ungewachste oder gewachste Nylonfaden wird in die einzelnen Zahnzwischenräume eingeführt und dort sowohl hin und her *(vertikal)* als auch auf und ab *(horizontal)* bewegt.

❒ Umgang mit Zahnprothesen

Die Zahnprothesen werden nach jeder Mahlzeit zur gründlichen Reinigung aus der Mundhöhle entfernt. So ist gleichzeitig ein Spülen und Beobachten der Mundschleimhaut möglich.
Die **Reinigung** erfolgt unter fließendem Wasser über dem Waschbecken. Im Waschbecken befindet sich bereits Wasser, damit die Prothese ggf. weich fällt und nicht zerbricht. Die künstlichen Zähne und die Gaumenseite werden gründlich gebürstet; um auch Plaques zu entfernen, wird Zahnpasta verwendet.
Sind noch eigene Zähne vorhanden, erfolgt jetzt die Reinigung der Zähne.
Bevor die gereinigte Zahnprothese eingesetzt wird, spült der Patient seine Mundhöhle mit Wasser oder mit erfrischender Lösung aus.
Tagsüber sollte die Zahnprothese **eingesetzt** werden, da sich der Kiefer ansonsten rasch verändert und die Prothese dann nicht mehr paßt. Bei Bewußtlosigkeit muß allerdings auf das Einsetzen des Zahnersatzes verzichtet werden, da dieser bei Verrutschen die Atemwege verlegen könnte.
Die **Gewohnheiten** bezüglich des nächtlichen Prothesentragens sind unterschiedlich. Einige Menschen verzichten nachts darauf, fühlen sich gleichzeitig aber meist unsicher und möchten nicht ohne Zähne gesehen werden. Auch die dadurch veränderte Aussprache führt zu Unsicherheiten. Prothesenträger sollten gleich nach dem Aufwachen die Möglichkeit haben, ihre Zahnprothese einzusetzen.
Jeder Prothesenträger benötigt **zur Aufbewahrung** des Gebisses eine mit Wasser gefüllte **Prothesenschale**; diese verfügt über einen siebartigen Einsatz, der beim Herausnehmen ein problemloses Abspülen der Prothese ermöglicht.
Die Zahnprothese von verwirrten oder bewußtlosen Menschen sollte in einem Behälter aufbewahrt werden, der deutlich mit dem Namen ihres Besitzers versehen ist; geschieht dies nicht, kommt es leider immer wieder zu Verwechslungen.

Prothesenträger sollten **bei Veränderungen** (z.B. lockerem Prothesensitz, Mundgeruch) oder bei Beschwerden (z.B. Druckstellen, Kauschwierigkeiten) und mindestens jedes zweite Jahr einen **Zahnarzt** aufsuchen.

❒ Mundspülung

Mundspülungen dienen der **Entfernung von Speiseresten** und/oder der **Anfeuchtung** der Mundschleimhaut. Sie werden mit **klarem Wasser** oder **ungesüßtem Tee** durchgeführt; alkoholhaltiges Mundwasser sollte wegen der austrocknenden Wirkung nicht verwendet werden. Die Geschmacksrichtung des Tees wird dem Wunsch des Pflegebedürftigen entsprechend gewählt.
Beachte: Eine Aversion gegen eine bestimmte Teesorte kann die Ablehnung der Mundpflege nach sich ziehen!
Die Mundhöhle wird **nach den Mahlzeiten** (möglichst in Verbindung mit dem Zähneputzen), bei Bedarf zusätzlich zwischendurch, gespült.
Der Einsatz einer **Munddusche** ermöglicht eine bessere Reinigung der Zähne sowie der Zahnzwischenräume und eine effektive Massage des Zahnfleisches.

7.9.14 Spezielle Mundpflege

Eine spezielle Mundpflege ist angezeigt bei Personen, die nicht in der Lage sind, die physiologische Situation des Mundes aufrechtzuerhalten. Sie dient wie die übliche Mundpflege der **Reinigung** und **Anfeuchtung** der Mundhöhle. Sie fördert im allgemeinen das **Wohlbefinden** und beugt Karies sowie Parodontose vor. Ein soor- und parotitisprophylaktischer Effekt konnte bisher wissenschaftlich nicht nachgewiesen werden.

Die spezielle Mundpflege bietet ferner die Möglichkeit, **schleimhautschützende** und/oder **geschmacksbereichernde Substanzen aufzubringen**. Hierzu stehen in erster Linie verschiedene Teesorten *(siehe Tabelle 7.2)* zur Verfügung. Die Geschmacksrichtung der einzusetzenden Substanz sollte vom Pflegebedürftigen gewählt werden; ist er dazu nicht in der Lage, orientiert man sich an seinen bisherigen Gewohnheiten.

Zusätzlich kann eine orale Stimulation vorgenommen werden *(siehe "Basale Stimulation", Seite 742)*.

Der Einsatz therapeutischer Mundpflegemittel ist hier kontraindiziert.

Nach Möglichkeit sollte einer speziellen Mundpflege immer eine **Zahnpflege** mit einer **Zahnbürste** vorangehen, da sie die effektivste Methode zur Reinigung der Zähne und zur Massage des Zahnfleisches darstellt.

Eine spezielle Mundpflege ist **nur bei bestimmten Personengruppen** angezeigt; sie werden nachfolgend unter "Risikofaktoren erkennen" aufgeführt.

❒ Problemanalyse

Die Problemanalyse dient dem Erfassen der individuellen Ressourcen, Bedürfnisse und Probleme. Zur Erhebung des Pflegebedarfs ist eine sorgfältige Beobachtung der Mundhöhle und Lippen unerläßlich.

❍ Gewohnheiten, Bedürfnisse und Ressourcen ermitteln

- Welche Produkte bevorzugt die pflegebedürftige Person, welche lehnt sie ab? Sind diese gesundheitsfördernd / -belastend?
- Welche Teesorten schmecken ihr, welche nicht?
- Kann sie (ohne Brechreiz zu entwickeln) gurgeln?
- Wie häufig und zu welchen Gelegenheiten putzt sie sich die Zähne?
- Ist sie in der Lage und gewillt, die Mundschleimhaut selbständig zu beobachten und die Mundpflege selbständig durchzuführen?

❍ Risikofaktoren erkennen

Bei **Personen, die** aufgrund verschiedenster Begebenheiten **nicht in der Lage sind, die physiologische Situation des Mundes aufrechtzuerhalten**, ist eine spezielle Mundpflege angezeigt. Es handelt sich in der Regel um Menschen, die betroffen sind von

- einer längerfristigen Sauerstofftherapie;
- wiederholten nasalen / oralen Absaugvorgängen;
- Bewußtlosigkeit / Bewußtseinsstörungen;
- maschineller Beatmung;
- Verletzungen / Operationen im Kiefer- / Mundbereich;
- einer unphysiologischen Ernährung (Nahrungskarenz; Ernährung über Magensonde; parenterale Ernährung);
- Schluckstörungen, Lähmungserscheinungen der am Schluckakt beteiligten Muskeln;
- einem deutlich reduzierten Allgemeinzustand (konsumierende Erkrankung, Unter- / Mangelernährung);
- einer Schwäche des Immunsystems (Leukämie, Aids, Zytostatikatherapie, hochdosierte Cortison- / Antibiotikatherapie);
- schleimhautaustrocknenden Einflüssen (unzureichende Flüssigkeitszufuhr, Mundatmung, Einnahme bestimmter Medikamente);
- Belägen auf der Zunge / Mundschleimhaut;
- einer bereits ungepflegten Mundhöhle;
- Zahnlosigkeit.

Während des Sterbeprozesses bedürfen viele Menschen einer speziellen Mundpflege.

Bei allen Pflegebedürftigen sollte beobachtet werden, ob ein Aspirationsrisiko vorliegt.

❍ Mundhöhle und Lippen beobachten

Die Analyse des aktuellen Zustands erfolgt erstmals bei Übernahme der pflegerischen Betreuung und wird, solange Risikofaktoren vorhanden sind, mehrmals täglich wiederholt. Es gilt, **Veränderungen** der Mundschleimhaut, der Zunge und der Lippen **frühzeitig** zu **erkennen** und die Wirkung der pflegerischen Maßnahmen zu erfassen.

Die **Inspektion** der Mundhöhle erfolgt mit Unterstützung einer Stablampe und eines Zungenspatels.

Die **Beobachtung** richtet sich auf:

- die Beschaffenheit der Schleimhäute (Beläge? Ausreichende Feuchtigkeit?);
- Veränderungen (Borken? Bläschen? Aphten? Rhagaden? Ulzerationen? Druckstellen? Schwellungen?);
- Farbveränderungen (Gelbliche oder weiße Flekken? Schleimhautblutungen? Zahnfleischrötungen?);
- den Zahnstatus (Zahnlosigkeit? Prothese/n? Prothesensitz? Karies?);
- Äußerungen und Verhalten des Pflegebedürftigen (Schmerzäußerungen? Durst? Nahrungsverweigerung?);
- den Zustand der Lippen (Rauhigkeit? Trockenheit? Rhagaden? Herpes labialis?);
- den Atemgeruch (Mundgeruch?).

❒ Anfeuchten der Mundschleimhaut

Das regelmäßige Anfeuchten der Mundschleimhaut ist erforderlich bei Pflegebedürftigen, die dazu selbst nicht in der Lage sind, die unter Mundtrockenheit leiden bzw. disponiert sind, eine solche zu entwickeln. Die Durchführung erfolgt im ca. 2stündlichen Rhythmus, bei Bedarf häufiger; die Mundschleimhaut und die Zunge werden mit teegetränkten Tupfern ausgewischt *(siehe nachfolgend)*.

Um die Zunge feucht und geschmeidig zu halten, kann sie mehrmals täglich mit etwas frischer Butter bestrichen werden.

❍ **Mundpflege bei Blutungsneigung**
Es gilt, das Verletzungsrisiko der Mundschleimhaut und des Zahnfleisches so gering wie möglich zu halten:
- auf den Einsatz von Zahnseide verzichten;
- die Zähne vorsichtig mit einer weichen Zahnbürste putzen, ggf. nur einen Watteträger oder Gaze verwenden;
- Mundhöhle sorgfältig ausspülen bzw. auswischen;
- Lippen geschmeidig halten (eincremen).

❍ **Mundpflege bei Xerostomie**
(extreme Mundtrockenheit)
- Häufig Getränke anbieten bzw. Mundspülung durchführen oder 1 - 2stündlich Mundhöhle feucht auswischen;
- künstlichen Speichel, z.B. Glandosane® oder Glandosane®-aromatisiert (Zitronenaroma) auf Mund- und Rachenschleimhaut sprühen;
- Lippen häufig anfeuchten, bei Bedarf einfetten;
- Betroffenen anhalten, keine scharfen, sauren sowie alkoholhaltigen Speisen / Getränke und Nikotin zu konsumieren, da sie zusätzlich die Mundschleimhaut austrocknen;
- zuckerfreie Bonbons oder Eis zum Lutschen anbieten;
- trockene Nahrungsmittel wie Brot durch Eintunken bzw. Zusatz einer Soße anfeuchten (trägt auch zur Geschmacksverstärkung bei);
- Raumluft anfeuchten;
- Betroffenen anhalten, bei geschlossenem Mund durch die Nase einzuatmen;
- bei zusätzlich beeinträchtigter Nasenatmung Arzt informieren.

❐ **Therapeutische Lippenpflege**
- Bei trockenen und rissigen Lippen diese regelmäßig einfetten;
- bei Herpes labialis Betroffenen anhalten, nässende Bläschen nicht zu berühren und ärztlich verordnete Substanz (z.B. Aciclovir®) auftragen;
- bei Rhagaden Fettcreme, Bepanthen-Lippencreme® oder Myrrhentinktur aufbringen.

Hinweis: Pflegestandards zur Mundpflege werden auf Seite 663 - 665 vorgestellt.

7.9.16 Rasur und Bartpflege

Rasur und Bartpflege erfolgen in der Regel einmal täglich.
Für eine Rasur sind folgende **Utensilien** vorzubereiten:
- Spiegel,
- elektrischer Rasierapparat bzw.
- Rasiercreme / -schaum / -pinsel / -messer und
- Schale mit Wasser,
- Rasierwasser, After-Shave oder Hautcreme.

Nach Möglichkeit sollte der Patient zur Rasur aufrecht sitzen.
Die **Trockenrasur** erfolgt mit dem elektrischen Rasierapparat und ist einfach durchzuführen. Anschließend wird der Kopf des Rasierapparates geöffnet, um mit einem Pinsel die Barthaare zu entfernen. Von mehreren Patienten benutzte Rasierapparate sind nach jedem Gebrauch zu desinfizieren (abnehmbaren Kopfteil in Desinfektionslösung einlegen, anderen Teil mit Desinfektionslösung abwischen).
Die **Naßrasur** ist gründlicher, jedoch auch zeitaufwendiger und erfordert mehr Geschick.
Nach Einpinseln mit Rasierschaum wird die Haut mit einer Hand oder durch entsprechende Gesichtsbewegungen des Patienten gespannt. Die andere Hand zieht mit kurzen Bewegungen die scharfe Klinge gegen die Haarwuchsrichtung. Anschließend werden Reste des Rasierschaums entfernt und ein Rasierwasser aufgetragen, um die gereizte Haut zu beruhigen, ggf. auch aus kosmetischen Gründen (Duft).
Die **Kotletten** und der **Oberlippenbart** werden mit dem eingebauten Langhaarschneider des elektrischen Rasierapparates gestutzt.
Ein **Vollbart** bedarf gründlicher Pflege. Reicht bei Bettlägerigen das tägliche Kämmen nicht aus, so bestellt man einen Friseur.
Mit einem **Damenbart** wird entsprechend den bisherigen Gewohnheiten der Patientin verfahren.

7.9.17 Haarpflege

Während der täglichen Haarpflege, die in der Art und Häufigkeit soweit wie möglich entsprechend den Gewohnheiten des Patienten ausgerichtet wird, legt man ein Handtuch zum Schutz der Leib- und Bettwäsche unter. Unterschiedliche Kämme und Bürsten finden Verwendung. Längeres Haar wird zuerst im Bereich der Spitzen und dann nach und nach bis zum Haarschaft ausgekämmt / ausgebürstet.
Bei der **Gestaltung der Frisur** bedingt die Bettlägerigkeit Einschränkungen. Ein Zusammenbinden oder Aufstecken der Haare im Bereich aufliegender Kopfpartien würde Druckstellen und Schmerzen hervorrufen. Deshalb ist es sinnvoll, langes Haar seitlich zu einem oder zu zwei Zöpfen zusammenzubinden. Normale Gummibänder aus dem Haushalt sind dazu ungeeignet, denn sie greifen das Haar an; es ist ein spezielles Haargummi (oder ein anderes weiches Band) zu benutzen.
Dem Patienten ist die Möglichkeit, seine Frisur im Spiegel zu betrachten, anzubieten.
Nach der Haarpflege ist daran zu denken, das Handtuch zu entfernen und den Kamm bzw. die Bürste von Haaren zu säubern.
Das **Haarewaschen** sollte, sofern Krankheitsgründe (z.B. Kopfverletzungen, Ohrenkrankheiten) nicht dagegen sprechen, so oft wie erforderlich bzw. gewohnt erfolgen. Dies ist auch während einer Phase der Bettlägerigkeit möglich und trägt entscheidend zum Wohlbefinden bei. Zur Erleichterung der Durchführung gibt es spezielle **Haarwaschbecken**, die über einen Ableitungsschlauch verfügen.
Wenn erforderlich und möglich, wird die obere Matratze des Bettes entfernt und das Haarwaschbecken an deren Stelle plaziert. (Ansonsten kann das Brett am Kopfende des Bettes entfernt werden und das Haarwaschbecken auf der Matratze oder auf einem Stuhl vor dem Kopf des Patienten plaziert werden.) Es fängt die Flüssigkeit auf und leitet sie nach außen, z.B. in einen Eimer, ab.

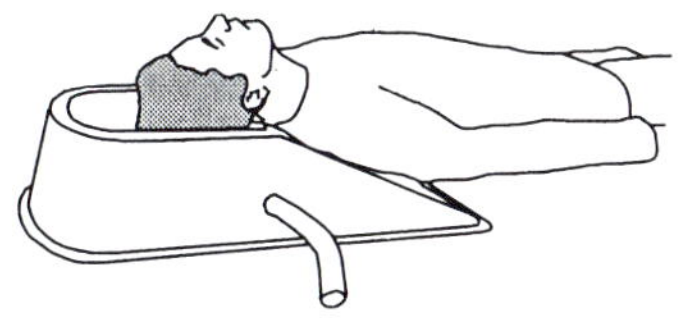

Abb. 7.9 ***Haarewaschen im Bett***

Es empfiehlt sich, die Haarwäsche im Bett zu zweit durchzuführen.
Unter dem Oberkörper wird ein feuchtigkeitsabweisender **Bettschutz** angebracht und das **Kopfende flach** gestellt. Während der Haarwäsche wird der Nacken des Patienten bei Bedarf mit einem Kissen oder einer Hand gestützt. Nach dem Anfeuchten, Einshampoonieren und Massieren der Kopfhaut erfolgt das Klarspülen des Haares. Hierzu sollte man einen Behälter und ausreichend Wasser zurechtgestellt haben. Anschließend wird das Haar mit den Händen ausgedrückt, gut frottiert, gekämmt und trocken geföhnt.
Bei besonderen Frisurwünschen (Locken etc.) kann fast immer eine entsprechende Fachkraft vermittelt werden. Das Pflegepersonal sollte regelmäßig **Friseurbesuche organisieren**.

7.9.18 Hand- und Fingernagelpflege

Neben dem täglichen Waschen der Hände ist manchmal, z.B. bei Verschmutzung mit Kot, eine gründliche Reinigung erforderlich. Hierzu eignet sich ein **Handbad** im Waschbecken oder in einer Waschschüssel. Der Schmutz wird aufgeweicht und dann mit einer Nagelbürste / -feile entfernt.
Meist ist anschließend ein Eincremen der Hände angezeigt.
Selbstverständlich sollten die **Fingernägel** während jeder Körperpflege hinsichtlich bestehender Schmutzränder und ihrer Länge kontrolliert werden. Falls erforderlich, werden sie **kurz und rund geschnitten** bzw. entsprechend den individuellen Wünschen gefeilt.
Beachte: Das Aussehen der Fingernägel ist für einige Menschen wie eine Visitenkarte ihres Trägers (manchmal auch des Pflegepersonals!).
Gepflegte Hände tragen bei vielen Menschen zum Wohlbefinden bei.

7.9.19 Fuß- und Fußnagelpflege

Für die Fußpflege gelten dieselben Grundsätze wie für die Handpflege; häufig wird sie von einer Fußpflegerin durchgeführt.

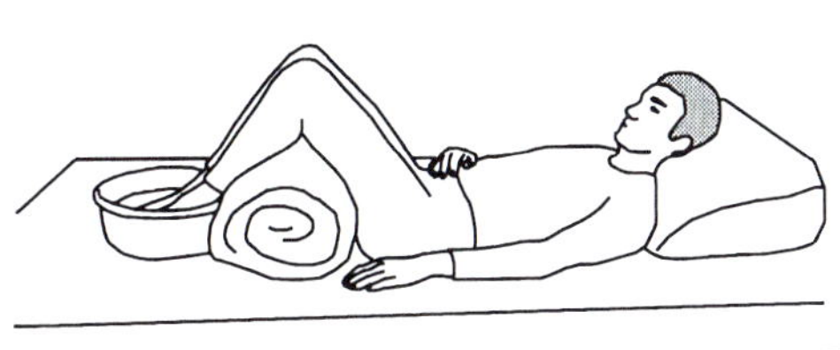

Abb. 7.10 ***Fußbad im Bett***

Auch im Bett ist ein **Fußbad** möglich. Die Matratze sollte mittels einer wasserfesten Unterlage geschützt werden; der Oberkörper und die Knie werden so unterstützt, daß die Füße auf der Matratze - in der Waschschüssel - bequem aufgestellt werden können.

Das **Fußbad** kann mit einem pflegenden, in besonderen Fällen auch mit einem therapeutischen Zusatz versehen werden. Nach ca. 10 Minuten werden die Füße und Zehen gründlich gereinigt. Hierbei ist, ebenso wie beim nachfolgenden Abtrocknen, besonderer Wert auf die Zehenzwischenräume zu legen. Anschließend bietet sich das Feilen und Schneiden der **Fußnägel** an. Sie werden **gerade geschnitten**, damit sie nicht einwachsen.
Wenn **Hornhaut** als störend empfunden wird, kann sie folgendermaßen entfernt werden:

Auf die gewaschenen Füße wird 1 - 3 %ige Salizylsalbe aufgetragen und über Nacht mittels Verband belassen. Morgens erfolgt ein Fußbad; währenddessen löst sich die Hornhaut schmerzlos ab.

Weitere Maßnahmen, wie die Behandlung von Hühneraugen, eingewachsenen Nägeln u.ä., obliegen der **medizinischen Fußpflege.**
Auch sollten Menschen, die unter Durchblutungsstörungen der Beine oder an Diabetes mellitus leiden, die Fußpflege von fachlich geschultem Personal durchführen lassen. Ihre besonders verletzliche Haut heilt schlecht und ist infektgefährdet *(vgl. Seite 338 und 175)*.
Ein **warmes Fußbad** kann auch zur Erwärmung kalter Füße eingesetzt werden und somit Unwohlsein oder gar Schlafstörungen beseitigen. Bei thrombosegefährdeten und bei an Varizen leidenden Menschen ist diese Maßnahme aufgrund ihrer staseförderden Wirkung (Gefäßerweiterung) allerdings kontraindiziert.

7.9.20 Intimpflege

Um das Schamgefühl nicht unnötig zu verletzen, sollte die Intimpflege soweit wie möglich vom Patienten selbst durchgeführt werden. Er wird ggf. bezüglich der korrekten Durchführung **einfühlsam** und **diskret instruiert**; dies ist insbesondere erforderlich, wenn der Patient einen Blasenverweilkatheter hat oder eine Infektion im Intimbereich aufweist.
Da im Intimbereich Körperöffnungen liegen (Scheide, Harnröhre, After) und Ausscheidungen erfolgen, ist dieser Bereich anfällig für Infektionen. Die natürliche Schleimhautflora wirkt zwar wie eine Barriere, ist jedoch bei kranken Menschen häufig geschwächt. Bei liegendem Blasenverweilkatheter kann es zu aufsteigenden Infektionen kommen.
Eine korrekt durchgeführte Intimpflege dient also nicht nur der **Reinigung** und dem **Wohlbefinden**, sondern ist gleichzeitig **Infektionsprophylaxe**.

Durchführungshinweise:
- Intimpflege immer mit frischem Wasser, ~~milder~~ waschaktiver ~~Substanz~~ und sauberem Waschlappen / Handtuch sowie unter weitestgehender Wahrung der Intimsphäre (Sichtschutz) durchführen;
- der Patient wird flach gelagert;
- das Pflegepersonal trägt Handschuhe;

7.10 Pflegeplanung

7.10.1 Informationssammlung "Pflegebedürftigkeit bei der Körperpflege"

Hautbeschaffenheit
- □ normale Haut
- □ trockene Haut
- □ fettige Haut
- □ Mischhaut
- □ Altershaut
- □ Verletzungen / Schäden (z.B. Dekubitus)
- □ chronische Hautkrankheit
- □ bestrahlte Haut
- □ infizierte Haut
- □ Intertrigo
- □ Ungezieferbefall

Mobilitätseinschränkung
- □ Atemnot
- □ Lähmung
- □ Schwäche, Immobilität
- □ Streckverband u.a. langfristige Lagerungen
- □ Bewußtseinstrübung / Bewußtlosigkeit
- □ Behinderung
- □ Zu- und Ableitungen
- □ verordnete Bettruhe

Schleimhautbeschaffenheit
(***M****und,* ***N****ase,* ***A****ugen,* ***G****eschlechtsorgane*)
(Anfangsbuchstaben des betroffenen Organs eintragen)
- □ trocken
- □ verstärkte Sekretion
- □ Verkrustung / Verklebung
- □ Belag
- □ Entzündung
- □ Infektion (Pilze / Viren / Bakterien)

Drüsentätigkeit
- □ vermehrte Schweißsekretion
- □ verminderte Schweißsekretion
- □ vermehrter Speichelfluß
- □ verringerter Speichelfluß

Besonderheiten im Intimbereich
- □ Inkontinenz (Stuhl, Urin)
- □ Blasenverweilkatheter
- □ Infektionen

Wahrnehmungsfähigkeit
- □ beeinträchtigt (z.B. bei akuter Verwirrtheit, leichter Demenz)
- □ deutlich beeinträchtigt (z.B. bei Bewußtlosigkeit)

Prothesen / Hilfsmittel
- □ Oberkieferprothese
- □ Unterkieferprothese
- □ Teilprothese / Teilbrücke
- □ Auge (Kunstauge)
- □ Kontaktlinsen
- □ Brille
- □ Hörgerät
- □ Haarteil / Perücke
- □ sonstige Prothesen

____

Gewohnheiten

bevorzugte Tageszeit ______________________

Duschen □ täglich bzw. ____ mal wöchentlich

Baden □ täglich bzw. ____ mal wöchentlich

Haare waschen □ täglich bzw. ____ mal wöchentlich

- □ Waschen am Waschbecken
- □ verstärkte Körperpflegeaktivitäten
- □ verminderte Körperpflegeaktivitäten
- □ kulturelle Besonderheiten ______________
- □ Verwendung nicht rückfettender Reinigungsmittel
- □ Verwendung rückfettender Reinigungsmittel
- □ Rückfettung nach dem Waschen

Weitere Gewohnheiten, die vom Pflegepersonal berücksichtigt werden sollten (Make-up; Deostift; Haarspray; bestimmte Frisur; Parfüm etc.):

____

____

Grad der Hilfsbedürftigkeit
- □ korrigierende Anleitung angezeigt
- □ teilweise hilfsbedürftig
- □ vollständig hilfsbedürftig
- □ Körperpflege im Bett
- □ Körperpflege am Waschbecken
- □ Belastung ist kontraindiziert

Erforderliche prophylaktische Maßnahmen
- □ Mund- / Lippenpflege
- □ spezielle Mundpflege
- □ spezielle Hautpflege
- □ Intimpflege
- □ Harnwegsinfektionsprophylaxe
- □ Mobilisation
- □ Pneumonieprophylaxe
- □ Thromboseprophylaxe
- □ Dekubitusprophylaxe

Erforderliche therapeutische Maßnahmen
- □ therapeutische Mundpflege
- □ therapeutische Hautpflege
- □ basale Stimulation
- □ Reaktivierung / Rehabilitation

Ressourcen
- □ Fähigkeit und Bereitschaft zur Selbständigkeit (in Teilbereichen)
- □ Fähigkeit zur selbständigen Körperpflege nach Anleitung
- □ Fähigkeit, Teile der Körperpflege mit Unterstützung / Einsatz von Hilfsmitteln auszuführen

7.10.2 Pflegestandard - Körperpflege

Ganzkörperwaschung / Hautpflege

Probleme / Ressourcen	Ziele	Pflegemaßnahmen

Der Patient ist bezüglich der Körperpflege völlig unselbständig.
Zugrunde liegen:
• Bewußtseinstrübung / -losigkeit
• Demenz
• allgemeine Schwäche
• Lähmungen
• schwere Erkrankung
• Verletzungen
• verordnete Bettruhe
• Immobilität.
 	
Mögliche Auswirkungen für den Patienten sind:
• Unbehaglichkeit
• Abhängigkeitsgefühl
• Verletzung des Schamgefühls
• Infektionen der Haut und Schleimhäute;
	Der Patient
	- fühlt sich wohl
	- hat saubere, geruchsneutrale Haut
	- erfährt Berücksichtigung seiner bisherigen Gewohnheiten
		Ganzkörperwaschung und Hautpflege
		❒ ***Vorbereitung***
		- Wünsche des Patienten erfragen; Information
		- Material bereitlegen
		  - je zwei Waschlappen und Handtücher
		  - Reinigungs- und Hautpflegemittel entsprechend dem Hauttyp / den Gewohnheiten
		  - Haar- und Mundpflegeartikel, ggf. Rasierzeug
		  - persönliche Toilettenartikel des Patienten
		  - Pflegemittel zur Durchführung von Prophylaxen
		  - Handschuhe
		  - Waschschüssel mit (nach Wunsch des Patienten temperiertem) Waschwasser
		  - frische Leibwäsche, ggf. auch Antithrombosestrümpfe, Bettwäsche
		- Fenster schließen, ggf. Raumlufttemperatur regulieren

	- erfährt im Rahmen des Möglichen Wahrung seiner Intimsphäre	- im Mehrbettzimmer Sichtschutz aufbauen
	- wird nicht zusätzlich mit Keimen kontaminiert	- Hände desinfizieren - Schutzkittel / Schutzschürze anlegen
		❒ ***Durchführung***
	- fühlt sich erfrischt und wohl	- mindestens 1 mal täglich (ggf. als Teilwaschung), bei Bedarf häufiger
	- empfindet die Berührungen angenehm	- Patienten fragen, ob die Berührungen beim Waschen angenehm sind oder wie sie ggf. verändert werden sollen
	Frühzeitiges Erkennen von Haut-, Schleimhaut-, Haar- und Nagelveränderungen	- während des Waschens Haut, Haare und Nägel beobachten - immer nur die zu waschende Körperpartie aufdecken; ein Handtuch unterlegen
	Der Patient - erkennt die Systematik des Vorgehens und kann den Ablauf nachvollziehen	*Sofern die individuellen Wünsche des Patienten nicht anders sind, nachfolgendes Schema zugrunde legen*
	- hat intakte Mundschleimhaut - hat ein sauberes Gebiß	- Mundpflege inklusive Zahnpflege bzw. Prothesenpflege und Inspektion der Mundhöhle (ggf. nach entsprechendem Standard "Mundpflege")
	- hat intakte, reizfreie Bindehaut	- Augen mit klarem H_2O von außen nach innen auswischen - Gesicht, Hals, Ohren waschen und abtrocknen
• Wundsein *(Intertrigo)* zwischen aufliegenden Hautfalten.	- hat trockene intakte Haut	- Brust und Achselhöhlen waschen und vorsichtig abtrocknen / abtupfen, insbesondere unter den weiblichen Brüsten - in wunde Hautfalten dünne Baumwollstreifen einlegen - entfernt liegenden Arm / Hand, dann nahe liegenden Arm / Hand mit langen, zügigen Bewegungen waschen und abtrocknen

Fortsetzung nächste Seite

Intimpflege - Pflegestandard E

Probleme / Ressourcen	Ziele	Pflegemaßnahmen
Der Patient trägt einen **transurethralen Blasenverweilkatheter**; es besteht die Gefahr einer Harnwegsinfektion.	***Der Patient*** - hat eine keimarme Intimregion / einen keimarmen Blasenkatheter	**Durchführung einer hygienischen Intim- und Katheterpflege (Harnwegsinfektionsprophylaxe)** - mindestens 2 mal täglich - Intimpflege nach Pflegestandard A, anschließend: - harnröhrennahes Katheterende von der Harnröhrenöffnung aus in Richtung Urinbeutel mit H_2O und waschaktivem Zusatz oder mit Pflegeschaum abwaschen; Verkrustungen vorsichtig aufweichen - bei Verkrustungen / Entzündungszeichen • schleimhautverträgliches Desinfektionsmittel auf Katheterende und Harnröhreneingang aufbringen - beim Mann evtl. zum Schutz der Harnröhrenmündung sterile, eingeschnittene Kompresse um das harnröhrennahe Katheterende legen
Ressourcen Der Patient ist aufnahmefähig, kooperativ und in der Lage, die Intimpflege selbständig durchzuführen.	- kennt Ziele und Technik der Harnwegsinfektionsprophylaxe	Instruktion des Patienten zur Durchführung einer hygienischen Intim- und Katheterpflege

Intimpflege - Pflegestandard F

Probleme / Ressourcen	Ziele	Pflegemaßnahmen
Zustand nach **gynäkologischer Operation bzw. Entbindung:** • das äußere Genitale darf nicht abgewaschen werden • es besteht ein Infektionsrisiko • es kommt zu Sekretabsonderungen aus der Wunde.	***Die Patientin*** - kennt den Sinn des Abspülens - unterläßt das Waschen des äußeren Genitale - ist vor den Blicken der Mitpatientinnen geschützt - hat keim- und reizarmes äußeres Genitale - fühlt sich sauber	**Abspülen der äußeren Geschlechtsorgane** - Information der Patientin - mehrmals täglich, auf jeden Fall nach jedem Ausscheidungsvorgang - mit ca. 500 ml körperwarmem Wasser (ggf. mit ärztlich verordnetem Zusatz) - Sichtschutz aufbauen - Patientin auf ein sauberes Steckbecken setzen - Handschuhe anziehen - Spülflüssigkeit über die äußeren Genitalien gießen ***Beachte:*** Nach gynäkologischer OP dabei die äußeren Schamlippen mit den Fingern spreizen - mit sauberer Kompresse die abgespülte Region trocken tupfen - saubere Vorlage anbringen
Ressourcen: Die Patientin kann selbständig zur Toilette gehen und ist kooperativ.	- kennt Sinn und Technik des Abspülens der äußeren Geschlechtsorgane	**Information und Anleitung** - zum Abspülen des äußeren Genitale auf der Toilette bzw. - zur Benutzung eines Bidets - zur Desinfektion des Bidets nach Benutzung

7.11 Kleidung

7.11.1 Zweckmäßigkeit und gesundheitliche Aspekte

Kleidung dient dem Menschen zum **Schutz vor Witterungseinflüssen** (Nässe, Kälte, Hitze), zur **Verhüllung**, als Ausdruck der Persönlichkeit und als **Schmuck**. Demnach wird sie entsprechend den vorherrschenden Klimabedingungen, Sitten und Kultur, Technik sowie Mode gestaltet und ausgewählt.
Da bereits zu Beginn des Kapitels *(siehe "Bedeutung", Seite 628)* ausführlicher auf die psychologischen Aspekte der Kleidungswahl eingegangen wurde, stehen hier die physiologischen Aspekte im Vordergrund.

Gesundheitliche Aspekte
Bekleidungstextilien können **krankheitsverursachende Inhaltsstoffe** enthalten und z.B. Hautausschläge, Juckreiz und Allergien hervorrufen. Betroffen ist in erster Linie die Haut; Schleimhäute und Atemwege können in wenigen Fällen in Mitleidenschaft gezogen werden.
Allergien werden hauptsächlich durch Textilfarben *(Dispersionsfarben)*, Ausrüstungsstoffe (*Chemikalien, mit denen Textilfasern waschfest, bügelfrei und knitterarm gemacht werden)*, Zubehörteile wie Reißverschlüsse und Knöpfe aus Metall (Nickel, Kupfer) sowie durch Waschmittelrückstände hervorgerufen.
Dioxinrückstände können sich in minderwertiger Ware aus Billiglohnländern finden, vor allem in blauen Textilien, ausgenommen Jeans. Von in Deutschland veredelter Kleidung geht keine Gefahr durch Dioxin- und Pflanzenschutzmittelrückstände aus.
Aus gesundheitlichen Gründen sind - zumindest für Kinder und Menschen mit empfindlicher / kranker Haut - **ungefärbte, locker sitzende Naturtextilien** (besonders aus biologischem Anbau) **ohne chemische Ausrüstung** zu empfehlen. Waschmittel sollten sparsam dosiert und gut ausgespült werden.

Die Art der Kleidung wird entsprechend dem angestrebten Zweck ausgewählt. Die jeweiligen **Eigenschaften** sind auf die Art, Zusammenstellung, Verarbeitung und Menge der Textilfasern zurückzuführen. Ein optimales Gewebe, das allen Anforderungen entspricht, gibt es nicht. Die Textilien sollten frei von gesundheitsbelastenden Stoffen sein, **Feuchtigkeit aufnehmen**, Wärme leiten und somit einen **Hitzestau verhindern** können.
Je mehrschichtiger die Kleidung aufgebaut ist, um so wärmer hält sie. Kleidung sollte **leicht** und **bequem** zu tragen sein. Im folgenden werden einzelne Textilfasern vorgestellt.

7.11.2 Textilfasern

❒ Baumwolle
Baumwolle ist eine aus Zellulose bestehende Faser aus den Samenhaaren verschiedener Baumwollpflanzen. Ihre hohle Struktur garantiert einen hohen Luftgehalt und trägt somit in gewissem Maße zur Wärmeisolation bei. Intensiver ist diese Wirkung, wenn die Baumwollschicht von einer weiteren, locker aufliegenden Schicht umgeben wird.
Der wärmende Effekt ist bei aufgerauhten Stoffen (z.B. Flanell, Biber) wesentlich stärker ausgeprägt.
Baumwolle ist kochfest, hautfreundlich und schweißaufsaugend.

❒ Wolle
Wolle besteht hauptsächlich aus Eiweißstoffen und ist damit den Eigenschaften der menschlichen Haare recht ähnlich. Wollfasern besitzen ein hohes Wasserbindungs- und Geruchsabsorptionsvermögen. Sie reagieren allerdings empfindlich gegenüber feuchter Hitze, sind also nicht kochbar.
Deshalb ist Leibwäsche aus Wolle ungeeignet. Bekleidungsstücke wie Jacken und Mäntel, die der Wärmeisolation dienen, werden bevorzugt aus Wollfasern hergestellt.

❒ Leinen (Flachs)
Leinen wird aus der Oberhaut von Stengeln der Leingewächse gewonnen und als Bastfaser zur Textilherstellung verwendet. Es ist kochfest, wenig anschmiegsam, hat einen niedrigen Luftgehalt sowie ein geringes Wasserbindungsvermögen. Leinen eignet sich somit zur Herstellung kühler Kleidungsstücke, z.B. von Sommerhosen / -blusen / -jacken.

❒ Seide
Echte Seide wird während des Verpuppens von den Raupen des Maulbeerspinners erzeugt. Die glänzenden Fasern haben ähnliche Eigenschaften und Wirkungsweisen wie die Leinenfasern, sind nur insgesamt leichter, anschmiegsamer und nicht kochfest.

❒ Chemiefasern
Chemiefasern *(vollsynthetische Fasern)* sind bekannt als Dralon, Diolen, Trevira, Nylon, Perlon und andere Stoffe. Sie sind reißfest, weisen jedoch ein nur geringes Wasserbindungsvermögen und eine Hitzebeständigkeit bis max. 70° Celsius auf. Besonders wasserabstoßende Fasern neigen zu elektrostatischer Aufladung. Textilien mit hohem Chemiefaseranteil saugen wenig Schweiß auf und sind deshalb als Leibwäsche nicht geeignet.

7.11.3 Persönliche Hygiene des Pflegepersonals

Wichtige Aspekte zur Körperpflege und zur Kleidung von Krankenschwestern / -pflegern werden unter "Persönliche Hygiene im klinischen Pflegebereich", *Seite 485*, besprochen.

7.11.4 Die Kleidung eines Kranken

Die Kleidung bleibt im allgemeinen auch in Krankheitszeiten ein Mittel der Selbstdarstellung und **Ausdruck der Persönlichkeit**. Ein pflegebedürftiger Mensch sollte seine Kleidung selbst wählen können und persönliche Wäsche tragen; dies wird mit mehr Wohlbefinden und Selbstwertgefühl verbunden.
Im Krankenhaus sind Patienten häufig mit sogenannter **Nachtwäsche**, Schlafanzug bzw. Nachthemd, beklei-

dienangebot auf der Station (Bücher, Zeitschriften, Spiele u.a.) fördert die Entspannung und Zerstreuung. Gleichzeitig sollten Hinweise auf Angebote zur Gestaltung der anwendungsfreien Zeit gegeben werden.
Auf der Station befinden sich ebenfalls die **Salbenräume**, wo die zum Teil sehr aufwendigen äußeren Behandlungen der Haut durchgeführt werden. Günstig ist eine direkte Anbindung an **Ruheräume**, die einem Patienten eine optimale Ruhephase, z.B. nach einer Ganzkörperbehandlung, ermöglichen.
Da mit wenigen Ausnahmen alle Patienten mobil sind, kann die Verpflegung in einem **Speiseraum** angeboten werden. Die angebotenen Speisen und Getränke müssen abwechslungsreich und ausgewogen sein, um den Anforderungen an eine gesundheitsfördernde Ernährung gerecht zu werden. Patienten mit allergisch bedingten Hauterkrankungen müssen individuelle Ernährungseinschränkungen einhalten können. Viele Hautkliniken bieten Vollwertkost als Bestandteil des Therapiekonzeptes an.

❐ Konzept

In einer Klinik mit einem **psychosomatisch ausgerichteten Konzept** besteht das **Stationsteam** aus mehreren Berufsgruppen. Neben Medizinern und Pflegepersonal sind auch Psychologen, Sozialarbeiter, Physiotherapeuten und evtl. Kosmetikerinnen zu finden. Sie haben die Aufgabe, ihre Tätigkeitsfelder gut zu ergänzen und dadurch die Patienten umfassend zu betreuen. Der partnerschaftliche Umgang und die **Akzeptanz der Teammitglieder** untereinander sind sehr wichtig, um auf der Station eine spannungsfreie Atmospäre zu schaffen, die sich besonders auf Hautkranke positiv auswirkt.
Das Team trifft sich zu regelmäßigen **Besprechungen**, die auch einen reflektorischen Anteil haben sollten. In Absprache mit dem Patienten werden die Behandlungsschwerpunkte festgelegt. Neben der **"äußeren Behandlung der Haut"** spielt die **Berücksichtigung der psychischen Situation** des Erkrankten eine große Rolle. Gradmesser für die psychische Belastung sind nicht automatisch Schweregrad und Ausdehnung der Hauterscheinungen, sondern die individuelle Bedeutung der Hauterscheinungen für den Betroffenen. So kann eine für Außenstehende "leichte" Hauterscheinung, z.B. Akne*, für Betroffene durch besonders ungünstige Begleitumstände zu einer schweren Krise führen.
Die **psychische Behandlung** kann in Form von Gruppen- oder Einzelgesprächen erfolgen, wobei unterschiedliche Therapieformen wie Gesprächspsychotherapie (nach Rogers) oder Bioenergetik* (nach Lowen), zur Anwendung kommen können.
Da viele Hautkranke unter einem Verlust an Selbstwertgefühl leiden, kann das Üben bestimmter Situationen, z.B. das Betreten eines Raumes, in dem sich viele Menschen aufhalten, eine Hilfe sein.
Wenn Psychotherapie (*Selbstsicherheitstraining / Verhaltenstherapie**) angeboten wird, muß berücksichtigt werden, daß nicht alle Patienten dafür zugänglich sind, z.B. wenn sie ein stark somatisch geprägtes Krankheitsverständnis haben.
Insgesamt fließen alle genannten Aspekte zusammen und sollen die Qualität der Betreuung verbessern.

❐ Aufgaben und Qualifikationen des Pflegepersonals

Das Krankenpflegepersonal hat einen festen Platz im interdisziplinären Team. Dem psychosomatisch ausgerichteten Behandlungskonzept muß auch das **Pflegekonzept** angepaßt sein. Die Kompetenzen der Pflegekräfte erweitern sich. **Zusatzqualifikationen**, z.B. im Bereich der Gesprächsführung, sind erforderlich.
Während eines längeren Klinikaufenthaltes kommt es vor, daß Patienten zu einer Pflegeperson eine Beziehung aufbauen, die von Vertrauen und Akzeptanz geprägt ist. Wenn es zu intensiven Gesprächen kommt, haben diese schnell einen therapeutischen Charakter; neben der menschlichen Begegnung ist **professionelle Gesprächsführung** gefordert.
Zeit für Gespräche ist vorhanden, wenn Pflegeperson und Patient sich zur Externabehandlung (z.B. 2 x täglich für 10-40 Minuten) in den Salbenraum begeben. Die Pflegeperson muß dem Patienten mit Akzeptanz, Einfühlungsvermögen und Diskretion begegnen und versuchen, eine Situation zu schaffen, die es dem Patienten möglich macht, sich ohne Scheu zu zeigen.
Das Vorgehen bei der Versorgung des Patienten kann sehr unterschiedlich gestaltet sein.
Bei einer **Einreibung** des Patienten findet im wahrsten Sinne des Wortes eine **Be-Hand-lung** statt. Eine Einreibung soll in langsamen, kreisförmigen Bewegungen erfolgen, wobei ein leichter Druck ausgeübt wird, dem aber kein Kraftaufwand zugrunde liegen darf.
Jede Einreibung stellt eine **Berührung** des Patienten dar und ist ein intensiver kommunikativer Vorgang.
Der Patient hat vielleicht sehr einschneidend erlebt, daß andere Menschen ihn nicht selbstverständlich berühren, sondern mit unterdrückten Ekelgefühlen davor zurückschrecken. Das Bedürfnis nach **wohltuender Berührung** kann sehr ausgeprägt sein.
Die Berührung bei den Einreibungen kann den Charakter einer bewußten Hinwendung zum Patienten haben und mit der vollen Aufmerksamkeit für ihn verbunden sein.
Die Pflegeperson muß in der Lage sein, die Reaktionen des Patienten auf Berührungen zu erfassen und zu deuten. Das Wohlbefinden des Patienten kann sich dadurch zeigen, daß dieser sich entspannt und eine ruhigere Atmung bekommt. Wenn der Patient "sich zu sehr berührt fühlt", kann das durch eine Anspannung der Muskulatur deutlich werden. Dann muß die Pflegeperson in der Lage sein, die **Berührung bewußt zu verändern**, sich zurückzunehmen und auf jeden Fall die nötige Distanz zum Patienten zu wahren.
Um einen offenen Umgang zu erhalten und Mißverständnisse auszuschließen, sollte der Patient der Pflegekraft eine **Rückmeldung** geben und die Wirkung der Einreibung beschreiben.
Nach einer Behandlung soll die Pflegeperson darauf achten, daß der Patient eine **Ruhezeit** einhält, in der die Wirkungen einer positiven Berührung "nachklingen" können.
Lokaltherapeutika werden nach ärztlicher Anordnung vom Pflegepersonal aufgebracht.
Die **Dosierung von Wirkstoffen**, die in Cremes, Salben oder Lösungen auf die Haut appliziert werden, ist nicht so exakt möglich wie z.B. bei Tabletten.

Einige Lokaltherapeutika (z.B. Cignolin® zur Anwendung bei Psoriasis) sind hochwirksam und die angeordneten **Einwirkzeiten** müssen genau eingehalten werden.
Das Pflegepersonal hat ebenso die Aufgabe, dem Patienten **Informationen und Instruktionen** zu geben, z.B. über das Aufbringen von Lokaltherapeutika oder das Anlegen eines Verbandes. *(vgl. "Pflege eines Patienten mit Psoriasis vulgaris / Beratungsgespräche", Seite 676)*

Die Wirkung der Medikamente und Pflegemittel auf die erkrankte Haut muß gut **beobachtet** und in der Pflegedokumentation beschrieben werden. Dabei ist zu berücksichtigen, daß die "professionelle" Sicht des Pflegepersonals sich von der des Patienten unterscheidet. Für einen Betroffenen haben kleinste Verbesserungen oder Verschlechterungen des Hautbildes oft eine große Bedeutung und sind mit vielen Emotionen verbunden. Besonders bei Mißerfolg einer Behandlung braucht der Patient Unterstützung.
Für den Umgang mit Lokaltherapeutika und das Anlegen von Verbänden müssen die Pflegekräfte ein ausgeprägtes **Hygienebewußtsein** haben und die **Regeln für aseptisches Arbeiten** streng einhalten *(siehe Seite 375)*.

7.14.2 Zur Situation eines chronisch hautkranken Menschen

"Zu den typischen Äußerungen von Fremden zu der entzündeten Gesichtshaut 'was haben Sie denn gemacht?' oder 'sind Sie krank?' und vieles ähnliche in Geschäften, Zugabteilen, Fahrstühlen lügt man freundlich 'ich war zu lange unter der Höhensonne'!"

(Ruth Zündorf in "Mit chronischem Ekzem leben")

Die Haut eines Menschen hat zahlreiche **Aufgaben und Funktionen**. So hat sie eine Bedeutung als "Beziehungs- und Kontaktorgan", ist gleichzeitig ein "Grenzorgan" und ein "Organ des Ausdrucks" der momentanen Befindlichkeit. Eine Beschreibung der Aufgaben bleibt immer lückenhaft, zeigt aber deutlich die Untrennbarkeit von körperlichen und seelischen Vorgängen *(siehe "Bedeutung", Seite 628, und "Anatomisch-physiologische Grundlagen", Seite 629)*.

Im Folgenden werden beispielhaft die **Belastungsmomente** von Menschen mit Hauterkrankungen beschrieben.
Hauterkrankte sind oft **chronisch Kranke**. Nachdem sich die Krankheit manifestiert hat, kommt es immer wieder zu **neuen Schüben**, d.h. einer vorübergehenden Verstärkung der Symptome, aber auch zu beschwerdefreieren Intervallen. Für den Betroffenen kann eine **Veränderung vieler Lebensgewohnheiten** erforderlich sein.
Ein sehr häufiges Symptom bei Hauterkrankungen ist **Juckreiz** *(Pruritus)*. Dieser Juckreiz kann zu einer **Qual** werden. Durch die spontane Reaktion des Kratzens kann die Haut zusätzlich verletzt werden. Besonders Patienten mit Neurodermitis* erleben regelrechte **Juck- und Kratzattacken**.

Es wird den Betroffenen empfohlen, nach den **Begleitumständen des Juckreizes** zu suchen, z.B. Tragen bestimmter Kleidung, Austrocknung der Haut, spannungsreiche Situationen in Beruf und Familie oder Verzehr bestimmter Lebensmittel. Auch hohe Schwankungen der Körpertemperatur oder starkes Schwitzen der Haut können zu Juckreiz führen. Durch das Erlernen einer **Entspannungstechnik** kann ein Betroffener versuchen, den Juckreiz zu lindern und **Verletzungen** durch "hemmungsloses" Kratzen zu vermeiden.
Neben Juckreiz treten sehr häufig **Spannungsgefühl, Brennen und Nässen** auf. Aber auch **Schmerzen** sind möglich, z.B. wenn es in einem Hautdefekt zu einer Entzündung kommt. Die Schmerzen werden bei jeder Beanspruchung der Haut verstärkt.
Wenn große Bereiche der Haut krankhaft verändert sind, kann das zu einer **schweren Störung des gesamten Körpergefühls** führen. "Der Mensch fühlt sich nicht wohl in seiner Haut."
Viele Betroffene müssen erkennen, daß trotz vielfältiger Behandlungsmethoden und nach immer wieder neuen Behandlungsversuchen **keine Heilung möglich** ist, sondern im günstigen Fall eine Linderung der Symptome *(siehe " Psoriasis", Seite 674)*.

Die Betroffenen **"probieren alles aus"** und viele wenden sich bald der "alternativen Medizin*" zu, um keine Chance ungenutzt zu lassen. Diese Behandlungen, z.B. Homöopathie* oder Bachblütentherapie*, führen zu einer **finanziellen Belastung**, da sie in der Regel von den gesetzlichen Krankenkassen nicht anerkannt und finanziert werden.
Erste Veränderungen der Einstellung von Medizinern und Krankenkassen zu nicht "schulmedizinischen" Behandlungen sind zu sehen, z.B. bei der Fußreflexzonentherapie*.

Ein **finanzieller Mehraufwand** ergibt sich ebenso aus der Notwendigkeit besonderer Kleidung (z.B. nicht kratzend oder nicht wärmestauend) und dem hohen Verbrauch an Unterwäsche (z.B. bei Salbenbehandlung des ganzen Körpers).
Auch die nicht erkrankte Haut der Patienten bedarf häufig anspruchsvoller Pflege mit speziellen Pflegemitteln. Die Betroffenen müssen viel **Disziplin und Zeit** für die Pflege ihrer Haut / ihres Körpers aufwenden und dieses zu einem festen Bestandteil ihres Tagesablaufs werden lassen.
Wenn ein Patient zur Linderung seiner Beschwerden regelmäßig eine **Kur** macht, z.B. im Reizklima* an der Nordsee, bedeutet das oft wochenlange Trennung von seiner gewohnten Umgebung. Dieses Problem stellt sich besonders bei hautkranken Kindern.

Bei wiederholten Fehlschlägen von immer neuen Behandlungen kann es bei den Betroffenen zu **Hoffnungslosigkeit, Resignation und zu depressiven Stimmungen** kommen.

Die erkrankte Haut ist für andere Menschen oft auf den ersten Blick sichtbar. Viele Menschen haben **Angst vor Ansteckung** oder **Ekelgefühle**, wenn sie mit einem Hautkranken in Kontakt kommen. Dabei spielt auch mangelndes Wissen eine Rolle, denn nur in wenigen Fällen sind Hauterkrankungen ansteckend. Der Haut-

Reisekosten teuer und werden nur selten von den gesetzlichen Krankenkassen getragen.
Eine inzwischen bewährte Alternative bietet die **Balneo*- Fototherapie**, die in hiesigen Kureinrichtungen oder Fachkliniken, zum Teil auch ambulant, angeboten wird. Hierbei werden einige Bedingungen des Toten Meeres künstlich nachempfunden. Die Patienten baden in einer Salzlösung, anschließend erfolgt eine Ganzkörperbestrahlung mit bestimmten Bereichen des ultra-violetten Lichtes *(UV - Licht)*. Durch das Bad kommt es zu einer Quellung der Hornschicht und Verbesserung der Durchlässigkeit für Lichtstrahlen.
Bei der **Foto - Chemotherapie** erhalten die Patienten vor der Bestrahlung ein lichtsensibilisierendes Medikament. Wegen starker Nebenwirkungen des Medikaments und einer extremen Lichtempfindlichkeit, z.B. der Augen, soll diese Therapie nur bei schwerer Psoriasis zur Anwendung kommen.
Wie auch bei anderen Hauterkrankungen, z.B. Akne*, zeigt eine isolierte Behandlung mit Licht (**Fototherapie**) eine symptomlindernde Wirkung.
Bei Langzeitbehandlung mit Licht können **Schäden der Haut**, z.B. vorzeitige Alterung, auftreten. Außerdem gilt die längerfristige Einwirkung von UV-Strahlen als ein Risikofaktor für die Entstehung von Hautkrebs (Melanom* / Basaliom* *[siehe Seite 637]*). Patienten mit Psoriasis sollen daher die verordneten Bestrahlungszeiten und -dosen genau einhalten.
Neben den beschriebenen gibt es noch eine **Vielzahl anderer Behandlungsmöglichkeiten**, z.B. im Bereich der Pflanzen- und Naturheilkunde. Auch der Einfluß der **Ernährung** auf die Haut wird immer wieder beschrieben. Für Psoriasispatienten werden z.B. Rohkostkuren über einen längeren Zeitraum empfohlen. Diese sollen über eine Verbesserung des Körperstoffwechsels auch die Haut positiv beeinflussen.
Präparate, die in regelmäßigen Abständen außerhalb der Fachpresse angepriesen werden und unbedingte Erfolge versprechen **("Wundermittel")**, müssen sehr kritisch betrachtet werden.

Die Behandlung eines Patienten sollte, wenn dieser es wünscht, eine **psychologische Begleitung und Beratung** beinhalten *(vgl. " Aspekte der Pflegetätigkeit auf einer dermatologischen Station", Seite 671)*.

7.14.3.2 Pflegerische Betreuung

❐ Beratungsgespräche / Beispiele für die inhaltliche Gestaltung

Während des stationären Aufenthalts ist die **Beratung** eines Patienten mit Psoriasis ein wichtiger Teil der umfassenden pflegerischen Betreuung. Der Patient wird auf die Zeit nach der Entlassung vorbereitet und erfährt eine **Stabilisierung seiner Situation** und eine **Steigerung der Lebensqualität**.
Auch bei längerer Erkrankung an Psoriasis hat sich gezeigt, daß Patienten einen Informationsbedarf haben und individuelle Beratung wünschen.
Informationsgespräche können teilweise während der oft aufwendigen Externabehandlung erfolgen. Aber um die **Qualität der Informationen** nicht dem Zufall zu überlassen, müssen Beratungsgepräche mit dem Patienten geplant, Inhalte festgelegt und systematisch bearbeitet werden.
Das Festlegen von **Terminen** für die Beratungsgespräche ermöglichen der Pflegeperson und dem Patienten eine gute Vorbereitung.

Inhalte der Beratungsgespräche können sein:

- **Behandlung und Pflege der erkrankten Haut**
  - sich Zeit nehmen;
  - in Tagesablauf einplanen;
  - momentane Einstellung zur Haut beachten;
  - Wirkung / Nebenwirkungen von Lokaltherapeutika;
  - Anlegen von Verbänden;
  - Schutz der Kleidung.
- **Umgang mit hochwirksamen Lokaltherapeutika (z.B. Cignolin®)**
  - nur mit Hilfsmitteln, z.B. Handschuhen, Spatel, auftragen;
  - nie im Gesicht oder am Hals auftragen;
  - jeden Kontakt mit nicht erkrankter Haut und besonders Schleimhaut vermeiden;
  - nur einen dünnen Salbenfilm aufbringen;
  - Dosierungen und Einwirkzeiten genau einhalten, um toxische Reaktionen zu vermeiden;
  - Präparat vor Mißbrauch gesichert aufbewahren.
- **Behandlung und Pflege der nicht erkrankten Haut**
  - Säureschutzmantel und seine Funktion;
  - Auswahl geeigneter Pflegemittel, wie Ölbäder (z.B. Balneum Hermal®), ph-neutrale Seifen oder Waschlotionen (z.B. pH 5-Eucerin®, Eubos®), Cremes oder Lotionen (z.B. Bepanthen®).
- **Juckreiz**
  - Funktion von Juckreiz;
  - mögliche Ursachen, z.B. heiße Bäder oder Waschungen, wärmestauende Kleidung, starkes Schwitzen;
  - Maßnahmen zur Verminderung, z.B. Einsatz von Entspannungstechniken, medikamentöse Behandlung, Kühlung *(siehe dazu "Zur Situation eines chronisch hautkranken Menschen", Seite 673)*.
- **Ernährung**
  - Aspekte gesundheitsfördernder Ernährung *(siehe "Vitalstoffreiche Vollwerternährung", Seite 107)*;
  - auferlegte Einschränkungen sollten einhaltbar sein.
- **Suche nach "Auslösern"**
  - eine Art "Tagebuch" führen;
  - Gefahr der übersteigerten Selbstwahrnehmung.
- **Krankheitsverständnis**
  - Sicht des Patienten von Krankheit und Gesundheit;
  - andere Gesundheits- / Krankheitskonzepte vorstellen.
- **Selbsthilfe-Gruppen**
  - Selbstverständnis und Aufgaben;
  - Bedeutung der Öffentlichkeitsarbeit;
  - Adressen / evtl. Kontakte herstellen (Deutscher Psoriasis Bund e.V., Oberaltenallee 20a, 22081 Hamburg).
- **Fachliteratur**
  - Auswahl vorstellen;
  - kritischer Umgang mit Veröffentlichungen.

Wenn innerhalb einer Beratung der Kompetenzbereich anderer Mitglieder eines Stationsteams berührt wird, sind Absprachen erforderlich *(siehe "Aspekte der Pflegetätigkeit auf einer dermatologischen Station", Seite 671)*; die Aspekte der Beratung eines Patienten werden erweitert.

❒ Äußere Behandlung der Haut

Der Arzt delegiert das Auftragen der verordneten Lokaltherapeutika in der Regel an die Pflegenden. Auf die Bedeutung dieser Maßnahme und auf die damit verbundenen pflegerischen Besonderheiten wurde bereits unter *"Behandlungsmöglichkeiten", Seite 675*, eingegangen. Der Stellenwert der pflegerischen Berührung wird unter *"Aufgaben und Qualifikation des Pflegepersonals", Seite 672*, besprochen.

❒ Weitere Maßnahmen

Weitere Pflegemaßnahmen und Verhaltensweisen für den Umgang mit Patienten, die an der Schuppenflechte leiden, können aus dem Abschnitt *"Aspekte der Pflegetätigkeit auf einer dermatologischen Station", Seite 671,* abgeleitet werden.

Literaturhinweise

Achenbach, R. K.: Gesunde und kranke Haut. TRIAS, Stuttgart 1989

Arbeitsgemeinschaft zur Patienteninformation über Gesundheit und Umwelt e.V. (Hrsg.): Hautnah: Kann Kleidung krank machen? (1995) Postfach 200162, 63087 Rodgau

Assmann, C.: Pflegeleitfaden. Alternative und komplementäre Methoden. Urban & Schwarzenberg, München 1996

Bartels, H. / Bartels R.: Physiologie. Urban und Schwarzenberg, München 1991

Bienstein, Ch. / Fröhlich, A.: Basale Stimulation in der Pflege. selbstbestimmtes leben, Düsseldorf 1991

Brandis v. / Schönberger: Anatomie und Physiologie für Krankenschwestern und andere Medizinalfachberufe. Fischer, Stuttgart 1994

Brieskorn - Zinke, M.: Gesundheitsförderung in der Pflege. Kohlhammer, Stuttgart 1996

Condrau, G. / Schipperges, H.: Unsere Haut. Kreuz, 1993

Fiedler, H.P.: Lexikon der Hilfsstoffe. EDITIO CANTOR, Aulendorf, 1996

Freudenberger, T.: Dermatologie. Krankheitslehre mit pflegerischen Aspekten. Thieme, Stuttgart 1993

Grossmann-Schnyder, M.: Berühren. Hippokrates, 1992

Heim, E. / Willi, J.: Psychosoziale Medizin. Springer, Berlin / Heidelberg 1986

Heymann, E.: Haut, Haar und Kosmetik. Hirzel, Stuttgart, 1994

Hofmann, H.P., Kleinsorge, H.: Kleine Pharmakologie. Fischer, Stuttgart 1993

Inhester, O. / Zimmermann, I.: Ganzkörperwaschung in der Pflege. Schlütersche, Hannover 1990

Klartextil (Hrsg.): Allergie und Kleidung. Klartextil Burkhardt & Schneider. Dr. Rudolf Breitscheid Straße 79; 67655 Kaiserslautern

Kleidung: Ökologie und Gesundheit. Stiftung Verbraucherinstitut. Postfach 1448, 59933 Olsberg

Kretz, F.J. / Kretz, A.: Medikamentöse Therapie. Thieme, Stuttgart 1993

Lanzendörfer, C. / Scholz, J.: Psychopharmakologie für Krankenpflegeberufe. Springer, Heidelberg 1993

Luban-Plozza / Pöldinger / Kröger: Der psychosomatisch Kranke in der Praxis. Springer, Berlin Heidelberg 1989

Lüllmann, H.: Taschenatlas der Pharmakologie. Thieme, Stuttgart 1994

Melzer, H. / Walter M.: Arzneimittellehre. Urban & Schwarzenberg, München1993

Montagu, A.: Körperkontakt. Die Bedeutung der Haut für die Entwicklung des Menschen. Klett-Cotta, Stuttgart 1995

Mutschler, E.: Arzneimittelwirkungen. Wissenschaftliche Verlagsgesellschaft mbH, Stuttgart 1996

Raab, W. / Kindl, U.: Pflegekosmetik. Ein Leitfaden. Fischer, Stuttgart und Govi, Frankfurt Eschborn 1991

Raab, W.: Hautfibel. Medizinische Kosmetik. Fischer, Stuttgart 1985

Schettler, G.: Innere Medizin - Band I und II. Thieme, Stuttgart 1998

Speckmann / Wittkowski: Bau und Funktion des menschlichen Körpers. Urban und Schwarzenberg, München 1994

Strütt - Bringmann, T.: Der Stoff aus dem die Kleider sind. Verbraucher Initiative e.V. Breite Str. 51, 53111 Bonn

Uexküll, Th. von: Integrierte Psychosomatische Medizin in Praxis und Klinik. Schattauer, 1994

Uexküll, Th. von: Psychosomatische Medizin. Urban & Schwarzenberg, München 1990

Zegelin, A.: Das Flügelhemd. In Pflege Aktuell, 3 / 95. Deutscher Berufsverband für Pflegeberufe. Hauptstraße 392, 65760 Eschborn

Ziegler, J.: Chemie in der Kleidung. Fischer alternativ, Stuttgart 1995

22/06/06

8. Wach sein, Ruhen und Schlafen

8.1 Bedeutung

"Der Schlaf ist für den Menschen, was das Aufziehen für die Uhr".
(Arthur Schopenhauer)

Ruhen und Schlafen sind menschliche **Grundbedürfnisse**. Der Mensch verbringt fast ein Drittel seiner Lebenszeit schlafend; er benötigt Ruhe- und Schlafphasen, um sich zu erholen und neue Energiereserven für die Zeit des Wachseins aufzubauen.

Das Ruhen kann als ein **"wohltuendes** seelisch-geistiges und körperliches **Untätigsein"** beschrieben werden; es dient der Entspannung und der inneren Ruhe über eine gewisse Zeitdauer.

Der Schlaf ist ein **lebensnotwendiger**, im Biorhythmus mit dem Wachsein wechselnder **Erholungszustand mit veränderter Bewußtseinslage** und verminderter Aktivität. Er ist die Folge einer veränderten Hirntätigkeit. Schlaf fördert das Wohlbefinden und erhält die Leistungsfähigkeit. Es wird vermutet, daß während des Schlafes das Tagesgeschehen verarbeitet wird. Auch wird angenommen, daß die Abwehrkräfte im Schlaf gestärkt werden, weil währenddessen vermehrt bestimmte Botenstoffe (Zytokine), die das Immunsystem zu einer gesteigerten Produktion von Abwehrzellen veranlassen, gebildet werden.

Das **Unterdrücken von Schlaf** über längere Zeit führt zu Desorientierung, Verwirrtheit und Halluzinationen; ferner kommt es zu schweren gesundheitlichen Störungen.

Träume sind fester und **notwendiger Bestandteil des Schlafes**. Sie füllen fast ein Viertel jeder Nachtzeit aus - auch wenn man sich nicht (immer) daran erinnert.

Über die Bedeutung des Träumens gibt es verschiedene Ansichten. Es wird z.B. vermutet, daß während des Träumens Tagesereignisse verarbeitet, bedeutsame Informationen gespeichert und unwichtige Gedächtnisinhalte gelöscht werden.

Gesicherte Erkenntnisse liegen bezüglich der **Trauminhalte** vor; in den meisten Träumen geht es um die familiäre Situation. Laut WINK (1990) sind unangenehme Träume häufiger als angenehme; oft erlebt sich der Träumende hilflos und kann der Situation nur unzureichend begegnen. Die Eindrücke und Probleme des Alltags tauchen (verschlüsselt) im Traum wieder auf.

Aus der Traumforschung ist bekannt, daß sich bei **Verhinderung des Träumens** (Wecken der Versuchsperson zu Beginn jeder REM-Phase) nach einiger Zeit Störungen der Gesundheit und der Persönlichkeit einstellen.

Unangenehme Träume, die mit Angstzuständen einhergehen, bezeichnen wir als "*Alpträume*". Häufig finden sich darin besonders belastende Erlebnisse des Tages wieder. Die Erinnerung anderer Träume geht mit positiven Gefühlen einher; dies spiegelt sich z.B. im Ausdruck "*es ist traumhaft schön*" wider.

Die enge Wechselbeziehung zwischen Schlaf und seelischem Erleben ist wohl jedem Leser bekannt und findet sich in unserem **Sprachgebrauch** wieder.
Beispiele:

> *"Ich habe vor Angst / Aufregung keine Auge zugetan".*
>
> *"Die Sorgen bringen mich um den Schlaf".*
>
> *"Ich muß erst einmal eine Nacht darüber schlafen - morgen sieht die Welt ganz anders aus."*

Erholsame Schlaf- und Ruhephasen sind notwendig, um **Ausgeglichenheit** und innere **Zufriedenheit** zu finden. Dazu gehört auch die Fähigkeit, geistig abzuschalten.

Neben der **Regeneration** der körperlichen und seelisch-geistigen Kräfte bietet der Schlaf auch die Möglichkeit zu körperlichem **Wachstum** und physiologischen **Erneuerungsprozessen**. Während des Tiefschlafes wird das Wachstumshormon STH *(somatotropes Hormon)* ausgeschüttet; dieses fördert nicht nur das Längenwachstum, sondern auch die Eiweißsynthese. Somit erstreckt sich die wachstumsfördernde Wirkung nicht nur auf das Heranwachsen, sondern auch auf die Erneuerung der im physiologischen Rhythmus absterbenden Zellen bzw. Zellbestandteile.

In der Regel werden die Ruhe- oder Schlafzeiten in vertrauter Umgebung verbracht, evtl. gemeinsam mit einem sehr vertrauten Menschen. Diese Schlafsituation vermittelt **Geborgenheit** und andere positive Gefühle.

Die Einstellung zum Ruhen und Schlafen ist individuell unterschiedlich. Für viele Menschen ist die damit zugebrachte Zeit angenehm und steigert das allgemeine Wohlbefinden. Sie **gönnen sich** - im Sinne einer gesunden Lebensführung - **bewußt Ruhe und Erholung**.

Für andere Menschen ist der Schlaf ein **lästiges Übel**, sie gönnen sich meist wenig Ruhe. Manchmal wird auch versucht, Sorgen oder Einsamkeit, die in der Nacht nicht verdrängt werden können, zu unterdrükken; der Mensch arbeitet dann solange, bis er vor Erschöpfung in den Schlaf sinkt. Die quälende, gedankenschwere Einschlafphase wird umgangen, obwohl sie oftmals vorübergehend zur Problemverarbeitung (z.B. zum Trauern) unumgänglich ist und als solche akzeptiert werden sollte.

Ein erschöpfter Geist und ein überlasteter Körper erzwingen nicht selten die notwendigen Ruhephasen; der Mensch erkrankt und ist ans Bett gebunden, zumindest aber zu längeren Ruhephasen gezwungen.

8.2 Bewußtsein

8.2.1 Definition

Mit dem Begriff Bewußtsein sind die **Gesamtheit** aller uns gegenwärtigen - also empfundenen - **psychischen Vorgänge** gemeint. Er bezieht sich auf die Gesamtheit des momentanen Seelenlebens.
In wachem Zustand verfügt der Mensch über ein volles, **klares Bewußtsein**.
Der **Schlaf** ist durch eine **veränderte Bewußtseinslage** gekennzeichnet; der schlafende Mensch reagiert nicht direkt auf Reize aus seiner Umwelt, kann jedoch jederzeit durch diese geweckt werden.
Hinweis: Der Begriff ***"bewußtlos"*** *wird auf Seite 700 kritisch erörtert.*

8.2.2 Bedeutung des Bewußtseins

Das Bewußtsein ist Voraussetzung, um die Eindrücke aus der Umwelt wahrzunehmen, zu verarbeiten und darauf zu reagieren. Es verleiht uns die Möglichkeit zur Teilnahme am Umweltgeschehen und zur **Selbstkontrolle**.
Störungen des Bewußtseins gehen unter anderem mit der Einbuße der Kommunikations- und Reaktionsfähigkeit einher. Das Wahrnehmen von Reizen und das Reagieren auf Reize, das Denken und das Handeln sind verlangsamt oder fehlen gänzlich.
Folglich können die Kommunikation, die Schutzreflexe, die Mobilität und die Sensibilität beeinträchtigt sein.
Außerdem führen Bewußtseinsstörungen nicht selten zu gesellschaftlicher Ausgrenzung und Isolation.

8.2.3 Beobachtung des Bewußtseins

Um die **Bewußtseinslage** eines Menschen zu erfassen, wird beobachtet, wie er sich selbst und die Reize aus seiner Umwelt wahrnimmt und wie er darauf reagiert.

Merkmale des Bewußtseins sind die Fähigkeiten
- wahrzunehmen,
- zu denken,
- zu reagieren,
- zu handeln,
- zu merken,
- zu reproduzieren und
- sich zu orientieren.

Diese lassen sich durch gezieltes Befragen und Beobachten des Patienten oder im Gespräch einschätzen.

Folgende Tests können durchgeführt werden:
- Ansprechen des Patienten
  - Reagiert er spontan und folgerichtig?
  - Muß er geweckt werden?
  - Antwortet er unverständlich?
- Stellen gezielter Fragen
  - nach dem Namen des Patienten,
  - nach dem Aufenthaltsort,
  - nach dem Wochentag,
  - nach dem Namen der Pflegeperson.
- Beobachten der Reaktionen auf Ansprache
  - Öffnet der Patient seine Augen bei Ansprache?
  - Nimmt er Blickkontakt auf?
  - Öffnet er die Augen nach Aufforderung?
  - Führt er Bewegungen (z.B. Handdrücken, Stirnrunzeln) nach Aufforderung durch?

Bewußtseinsstörungen stellen eine Gefährdung für den Betroffenen dar; sie können unter Umständen bei neurologischen Erkrankungen, Gehirnverletzungen, Stoffwechselentgleisungen, Intoxikationen sowie in der postoperativen Phase beobachtet werden.
Bei Bewußtseinsstörungen sind häufige Kontrollen und eine genaue Dokumentation der Beobachtungen sehr wichtig.

❒ Bewußtseinszustände

Das Bewußtsein läßt sich nach dem Ausmaß des Wachzustandes beurteilen.

Klares Bewußtsein
Bei klarem oder vollem Bewußtsein ist der Mensch wach, ansprechbar und sowohl zeitlich als auch örtlich und zur Person orientiert. Er reagiert angemessen und beantwortet Fragen gezielt.

Benommenheit
Die Benommenheit ist eine leichte Störung des Bewußtseins. Orientierung, Denken und Handeln sind verlangsamt, die Reaktionen sind unpräzise. Der Mensch wirkt schläfrig und reagiert oft gereizt.
Zur Benommenheit kommt es z.B. infolge einer Einnahme von Beruhigungs- oder Schlafmitteln.

Somnolenz *(Schläfrigkeit)*
Bei der Somnolenz handelt es sich um eine krankhaft bedingte Schläfrigkeit. Der Betroffene ist durch äußere Reize (z.B. durch Berühren oder Anrufen) jederzeit weckbar; er ist antriebsarm, teilnahmslos und unfähig, sich zu konzentrieren.
Zur Somnolenz kann es ebenfalls durch die Wirkung bestimmter Medikamente kommen. Auch hohes Fieber, Bakteriengifte und ähnliche Substanzen können zur Somnolenz führen.

Sopor *(tiefschlafähnlicher Zustand)*
Der Sopor ist ein krankhafter, dem Tiefschlaf ähnlicher Zustand, aus dem der Kranke nur schwer und nur vorübergehend weckbar ist; lediglich stärkste äußere Reize lösen noch Reaktionen aus.
Diesen Zustand findet man z.B. nach schweren Gehirnverletzungen, Schlafmittelvergiftungen und bei Stoffwechselentgleisungen als Vorstufe des Komas *(Präkoma)*.

Koma *(tiefer, fester Schlaf)*
Ein Koma ist die schwerste Form einer Bewußtseinsstörung, aber kein statischer Zustand. Es müssen verschiedene Schweregrade (NIEMER, 1979) mit fließenden Übergängen unterschieden werden:
Im **Stadium I** hat der Betroffene einen Stupor oder eine Somnolenz und zeigt gezielte Abwehrreaktionen auf Schmerzreize. Hirnreflexe, z.B. Pupillenreaktion auf Licht, sind intakt.
Im **Stadium II** zeigt ein Betroffener keine gezielten Abwehrreaktionen auf Schmerzreize, die Hirnreflexe sind intakt.
Im **Stadium III** reagiert ein Betroffener auf Schmerzreize evtl. mit Tonuserhöhung der Streckmuskulatur, die Hirnreflexe sind erloschen, die Kreislauffunktion ist erhalten und die Atmung spontan.

sich während dieses Übergangs vom Wachen zum Schlafen in einem Zustand schläfriger Benommenheit.
Es folgt ein **leichter Schlaf** *(Stufe B)*, der bei jüngeren Menschen rasch in den **Tiefschlaf** *(Stufe C und D)* übergeht. Bei älteren Menschen dauert dieser Übergang etwas länger, die Tiefschlafphase ist dagegp# kürz Å
ach der Tiefschlafphase setzt der ungefähr 45 Minuten dauernde **Traumschlaf** *(Stufe E)* ein.
In dieser Phase sind rasche Augenbewegungen des Schläfers typisch, weshalb man nun vom **REM-Schlaf** (*REM = rapid* ***e****ye* ***m****ovements*) oder **paradoxen Schlaf** spricht. Außerdem sind Veränderungen der vegetativen Funktionen zu beobachten: Beschleunigung der Herz- und Atemfrequenz, Erhöhung des Blutdrucks, Erektion des Penis bzw. Anschwellen der Klitoris und Sekretabsonderung im Genitalbereich.
Im Laufe einer Nacht flacht der Schlaf eines Erwachsenen so in Abständen von 90 - 60 Minuten etwa 4 - 5 mal bis zum REM-Schlaf ab, wobei bei jungen Erwachsenen gegen Morgen die REM-Phasen länger und die Abstände zwischen ihnen kürzer werden. Während des REM-Schlafes wird viel geträumt; die Träume sind meist lebhaft.
Die zwischen diesem REM-Schlaf liegenden Phasen des tieferen Schlafes bezeichnet man als **Non - REM - Phasen**, da in ihnen keine Augenbewegungen stattfinden. Auch in diesen Zeiten wird geträumt; die Träume verlaufen weniger bildlich, sondern eher gedankenähnlich.
Im Laufe einer Nacht werden die Tiefschlafphasen kürzer. Gleichzeitig läßt die Schlaftiefe nach; in den frühen Morgenstunden ist der Schlaf überwiegend leicht *(Stufe A-B)*. Der Volksmund sagt: *"Der Schlaf vor Mitternacht ist der gesündeste"*.

Bei einem **jungen Erwachsenen** haben die einzelnen Schlafphasen laut WINK (1990) etwa die folgenden Anteile an der **Gesamtschlafdauer**:

Phase 1 (Einschlafphase):	4 - 5 %
Phase 2 (leichter Schlaf):	46 - 50 %
Phase 3 (mittelttiefer Tiefschlaf):	6 - 10 %
Phase 4 (tiefer Tiefschlaf):	10 - 16 %
Phase 5 (REM- oder Traumschlaf):	20 - 28 %

Mit zunehmendem Alter nehmen die Phasen des Tiefschlafs und des Traumschlafs ab; im Alter wird der Schlaf leichter und von 5-8 Wachphasen unterbrochen. Das Einschlafen dauert länger (statt ca. 10 Minuten 20-30 Minuten), das Schlafbedürfnis wird geringer.

Bei den sogenannten **Kurzschläfern** (Schlafbedürfnis unter 5,5 Stunden) ist der Anteil des Tiefschlafs geringer als bei sogenannten **Langschläfern** (Schlafbedürfnis über 8,5 Stunden).

Als **Abendmenschen** (*"Nachteulen"*) werden Menschen bezeichnet, die in den Abend- und Nachtstunden besonders aktiv und leistungsfähig sind. Sie gehen spät zu Bett und schlafen gern lange; am frühen Morgen fallen sie meist als *"Morgenmuffel"* auf. Dagegen sind **Morgenmenschen** *("Lerchen")* zu dieser Zeit besonders agil und leistungsfähig; am Abend ermüden sie entsprechend früh und gehen zeitig zu Bett.

8.3.1.3 Schlafbedarf

Der Schlafbedarf **variiert** in den unterschiedlichen Altersstufen und ist auch darin **individuell unterschiedlich**. Er nimmt mit zunehmendem Alter ab.
Der individuelle Bedarf an Schlaf läßt sich entweder an der **Schlafdauer ohne Wecker** oder an der tagsüber vorhandenen **Wachheit** und Ausgeruhtheit messen.
Ansonsten gelten folgende **Anhaltswerte für den Schlafbedarf:**

1.	Lebensjahr	ca. 18 - 20 Std.
2. - 4.	Lebensjahr	ca. 14 - 16 Std.
4. - 6.	Lebensjahr	ca. 12 - 14 Std.
7. - 8.	Lebensjahr	ca. 11 - 12 Std.
9. - 11.	Lebensjahr	ca. 10 - 11 Std.
12. - 14.	Lebensjahr	ca. 9 - 10 Std.
15. - 18.	Lebensjahr	ca. 8 - 9 Std.
Erwachsene		ca. 7 - 8 Std.
alte Menschen		ca. 6 Std.

8.3.2 Beobachtung des Schlafes

Die Beobachtung des Schlafes kann Hinweise auf organische und/oder seelisch - geistige Störungen des Menschen geben.
Andererseits läßt sich körperliches und seelisch-geistiges Unwohlsein gegebenenfalls durch beobachtete Schlafstörungen erklären.

Um **das Schlafverhalten** zu **erfassen**, sollte sich die Beobachtung über folgende **Kriterien** erstrecken:

- **Individuelle Einschlafrituale und Schlafgewohnheiten**
  - Unter welchen Bedingungen schläft die betreffende Person gewöhnlich ein?
  - Welche Faktoren fördern das Ein- und Durchschlafen?
  - Können diese Bedingungen / Faktoren in der jetzigen Umgebung gewährt werden?
- **Schlafstörende Faktoren**
  - Liegen Störfaktoren in der Umgebung vor?
  - Leidet die Person unter seelischen Belastungen?
  - Stören körperliche Symptome oder Krankheiten den Schlaf?
  - Werden schlafbeeinträchtigende Substanzen wie Kaffee (am Abend; in hoher Menge), Alkohol, Drogen oder bestimmte Medikamente konsumiert bzw. eingenommen?
- **Schlaf-Wach-Rhythmus**
  - Zu welcher Zeit geht die Person normalerweise zu Bett, wie lange schläft sie und wann steht sie auf?
  - Sind die Schlaf- und Wachzeiten gleichbleibend?
  - Aus welchen Gründen sind sie ggf. unregelmäßig?
  - Schläft oder döst die Person tagsüber? Wie lang dauern diese Phasen?
- **Dauer der Einschlafzeit**
- **Zeitpunkt** des morgendlichen Aufwachens und ggf. der Schlafunterbrechungen
- **Dauer des Gesamtschlafes**
- **Qualität des Schlafes / Subjektives Empfinden**
  - Fühlt sich die Person morgens ausgeschlafen und erholt oder "wie gerädert"?
  - Hatte sie angenehme Träume?

- Länge von 30 min – Einschlafstörungen!

- Wie empfindet sie ggf. die Störungen des Schlafes, leidet sie darunter?
- Worauf führt sie die Störung zurück?

- **Art der Störung**
  - Ist das Einschlafen und/oder das Durchschlafen gestört?
  - Wird das Ausschlafen verhindert (zu frühes Erwachen)?
- **Auswirkungen der Schlafstörung**
  - Werden Wachverhalten, Erleben und Empfinden beeinträchtigt?
  - Welcher Art und welchen Ausmaßes sind die Beeinträchtigungen?
  - Resultieren Gefährdungen der betroffenen Person, evtl. auch weiterer Personen (z.B. durch Unfälle) aus den Folgen der Schlafstörung?

Eine **objektive Beobachtung** des Schlafgeschehens ist durch Messungen im **Schlaflabor** möglich. Dort werden die

- elektrischen Hirnströme abgeleitet und aufgezeichnet (**EEG** = *Elektroenzephalographie*);
- Aktionsströme im Muskelgewebe, d.h. die Muskelspannung, gemessen (**EMG** = *Elektromyographie*);
- Augenbewegungen durch Ableitung der Spannungsdifferenzen zwischen vorderem und hinterem Augenpol registriert (**EOG** = *Elektrookulographie*);
- Atemvorgänge beobachtet;
- Blutdruck- und Herzaktionen sowie Temperaturveränderungen und Körperbewegungen registriert.

Da auch die einzelnen Schlafphasen und -zyklen erfaßt werden, erlauben diese Messungen nicht nur eine Beurteilung der Quantität, sondern auch der Qualität des Schlafes. Diese objektiven Daten stimmen in ca. 50% der Fälle nicht mit subjektiv geschilderten Schlafstörungen überein. Zahlreiche Betroffene empfinden die Einschlafdauer länger als sie tatsächlich ist und schätzen die Zeit des Gesamtschlafes zu kurz ein.

8.3.2.1 Physiologische Veränderungen während des Schlafes

Im Schlaf überwiegt der **Einfluß des parasympathischen Nervensystems**; folglich werden beobachtet:

- verlangsamte Atmung,
- verlangsamte Herzfrequenz,
- herabgesetzter Blutdruck,
- erniedrigte Körpertemperatur,
- herabgesetzter Muskeltonus,
- reduzierte Drüsentätigkeit (Ausnahme: Schweißdrüsen),
- reduzierter Stoffwechsel,
- verminderte Darmtätigkeit.

Während der REM - Phasen kommt es zu typischen vegetativen Veränderungen *(siehe vorstehend "Schlafphasen")*.

Das **Bewußtsein** ist **verändert**. Die Augen sind geschlossen. Das Gehör ist dagegen uneingeschränkt funktionsfähig, um bedrohliche Geräusche als Alarmsignale wahrzunehmen (*Schutzfunktion*).
In diesem Zustand kann sich der Mensch mit Körper, Geist und Seele erholen.

8.3.2.2 Erhöhter Ruhe- und Schlafbedarf

- Das **Ruhebedürfnis ist physiologisch gesteigert** bei Adipositas und nach Belastungssituationen wie
  - dem Essen,
  - seelisch-geistiger Anspannung,
  - anstrengenden Aktivitäten / Tätigkeiten.

  Besonders groß ist das Ruhebedürfnis in Krankheitstagen und in der Rekonvaleszenz*.
- Ein **gesteigertes Schlafbedürfnis** findet sich physiologisch in der **Rekonvaleszenz*** und nach ungewohnten körperlichen, seelischen und/oder geistigen **Anstrengungen** bzw. Belastungen.
- Bei **schweren Erkrankungen** und nach großen Operationen ist das Schlafbedürfnis des Menschen ebenfalls erhöht.
- Auch im Rahmen **seelischer Erschöpfung**, die z.B. durch chronische Konflikte bedingt ist, kann es zu einem auffällig hohen Schlafbedürfnis kommen. Mitunter handelt es sich dabei um eine unbewußte "*Flucht in den Schlaf*". Ein Betroffener verweigert sich der Problemstellung und zieht sich zurück in den Schlaf. Dieser Mechanismus kann in Zeiten, in denen die Kraft zur Problemverarbeitung fehlt, vorübergehend ein sinnvoller Schutzmechanismus sein. Das Verhalten birgt allerdings die Gefahr der andauernden Problemverdrängung, die wiederum zur Entstehung zusätzlicher Probleme führen kann.
- Von der **Schlafkrankheit** spricht man, wenn das übermäßige Schlafbedürfnis durch organische Veränderungen bedingt ist. Sie kann durch Übertragung verschiedener Krankheitserreger hervorgerufen werden, wie dies z.B. bei der afrikanischen Schlafkrankheit der Fall ist. In Europa tritt eher die **epidemische Enzephalitis** auf; es handelt sich um eine Infektionskrankheit, die mit einer Entzündung des Gehirns einhergeht. Diese bedingt einen meist andauernden Zustand der Schläfrigkeit, der mit oder ohne Bewußtseinsveränderungen einhergeht.
- Liegen gleichzeitig eine Bewußtseinsstörung, Schläfrigkeit sowie eine Erhöhung der Schwelle für alle Reize vor, wird der Zustand als **Lethargie** (*Schlafsucht*) bezeichnet. Er tritt meist bei Erkrankungen, die mit erhöhtem Hirndruck einhergehen, auf.
- Ist die Tagesschläfrigkeit pathologisch erhöht, handelt es sich um eine **Hypersomnie**. Diese Störung wird in vielen Fällen nicht als solche erkannt und kann für den Betroffenen schwerwiegende Folgen wie Verkehrsunfälle oder den Verlust des Arbeitsplatzes (wegen wiederholten Einschlafens) nach sich ziehen.

  Die häufigste Ursache für eine erhöhte Tagesschläfrigkeit ist das **Schlaf-Apnoe-Syndrom**, das mit wiederholten nächtlichen Atemstillständen einhergeht. Diese entstehen während der Muskelentspannung (der weiche Gaumen verlegt den Kehlkopfeingang), dauern länger als 10 Sekunden an und bedingen den Anstieg von Kohlendioxid sowie den Abfall des Sauerstoffgehaltes im Blut. Folgen sind z.B. morgendliche Anlaufschwierigkeiten, Herzrhythmusstörungen, Hypertonie und Rechtsherzbelastung.

  Vom Schlaf-Apnoe-Syndrom sind überwiegend adipöse Männer betroffen.

Die Nachtruhe kann auch durch **Mitpatienten** gestört werden. Meist sind es Geräusche (Husten, Schnarchen, Sprechen) oder eine motorische Unruhe, die den Schlaf unterbrechen.
Tagsüber werden die Ruhe- und Schlafphasen häufig in kurzen Zeitabständen gestört, vor allem, wenn im System der **Funktionspflege** gearbeitet wird. Man verdeutliche sich, wie oft verschiedene Personen das Krankenzimmer betreten, um einzelne Funktionen auszuführen: Wecken; Hilfestellung beim Waschen; Bettenmachen; Temperatur- und Pulsmessung; Verabreichung von Medikamenten; Blutdruckmessung; Blutabnahme durch Laborpersonal, Blutentnahme durch ärztliches Personal; Servieren der Mahlzeiten; Abwischen der Nachttische; Säubern der sanitären Anlagen; Verteilen von Getränken; Verbandwechsel; Lagerung; Einreibung; Visite; Untersuchung; Säubern des Fußbodens usw.
Allein das Bewußtsein, daß jederzeit eine Person ungebeten in das "Schlafzimmer" eindringen kann, vermag das Ruhevermögen zu beeinträchtigen.
Hier müssen durch gezielte Organisation Kompromisse im Interessenkonflikt zwischen den menschlichen Bedürfnissen des Patienten und den pflegerischen, medizinischen sowie hauswirtschaftlichen Notwendigkeiten gefunden werden.

8.4.2 Gewohnheiten bezüglich des Ruhens und Schlafens

Jeder Mensch hat bestimmte Schlaf- und Ruhegewohnheiten. Das Pflegepersonal sollte diese **erkunden und** sie nach Möglichkeit auch im Krankenhaus **berücksichtigen**. Solche Gewohnheiten sind z.B.:
- der Mittagsschlaf und/oder kurze Nickerchen;
- feste Einschlaf- und Aufwachzeiten;
- spätes Zubettgehen und spätes Aufstehen;
- frühes Zubettgehen und frühes Aufstehen;
- Einschlafrituale, z.B. Lesen, Musikhören, warme Milch trinken, Wärmflasche ins Bett legen;
- die Durchführung der Abendtoilette in bestimmtem Ausmaß;
- das Beibehalten / Ablegen von Prothesen;
- Schlafgewohnheiten, z.B. eine bevorzugte Schlafhaltung wie das Schlafen mit erhöhtem Oberkörper, mit kleinem oder großem oder ohne Kopfkissen;
- Schlafen bei offenem / geschlossenem Fenster;
- Schlafen mit gedämpftem Licht;
- Schlafen in nicht beheiztem Raum;
- Bekleidung während der Nachtruhe, z.B. Schlafanzug, Nachthemd, Strickjacke;
- Aufwachgewohnheiten: läßt sich von Musik wecken; liegt nach dem Wecken noch eine Weile im Bett; trinkt vor dem Aufstehen einen Kaffee.

Die Aufrechterhaltung dieser und ähnlicher Gewohnheiten während eines Krankenhausaufenthaltes fördert das erholsame Ruhen und Schlafen sowie das allgemeine Wohlbefinden und den Gesundungsprozeß.

8.4.3 Das Krankenzimmer

Das Krankenzimmer hat mehrere Funktionen. So ist es nicht nur **Ruhe- und Schlafstätte**, sondern auch **Wohn-** und **Eßzimmer**, ggf. sogar zusätzlich **Waschraum** und **Toilette**. Meist teilt der Kranke diesen *"Mehrzweckraum"* mit ein bis vier weiteren Patienten; die Anwesenheit von Mitpatienten kann angenehm oder unangenehm empfunden werden.
Geborgenheit und Wahrung der Intimsphäre kann das Zimmer unter diesen Umständen kaum bieten. Um so wichtiger wird eine **freundliche Gestaltung** des Raumes durch ansprechenden Wandschmuck (Bilder), eine Tischdecke, aufgeräumte (weggeräumte) Pflegeutensilien, saubere Bettwäsche, intaktes Mobiliar, gepflegte Blumensträuße u.ä. Hierin findet im übrigen auch ein verwirrter Mensch Orientierungspunkte.

Zur **Ausstattung eines Krankenzimmers** sind folgende Materialien und Voraussetzungen wünschenswert:
- abwaschbare Möbel ohne Verzierungen;
- abwaschbare Wände in ruhigen Farbtönen; sauber und unversehrt; mit einigen Bildern geschmückt;
- desinfizierbarer, fugenloser Fußbodenbelag;
- große, breite Türen, die mit Ellbogendrücker zu betätigen sind;
- große Fenster; in höheren Stockwerken dürfen sie nur teilweise zu öffnen sein (Kipp- oder Schiebevorrichtung);
- Möglichkeit des Abdunkelns (Gardine, Rolläden);
- mindestens ein Tisch und soviele Stühle wie Krankenbetten;
- helle Zimmerbeleuchtung über eine Deckenleuchte;
- Lichtleiste mit Leselampe über jedem Patientenbett;
- Nachtlicht, z.B. eine kleine Lichtquelle am Boden neben der Tür;
- Vorrichtung zur Körperpflege, d.h. eine abgetrennte Waschecke bzw. Naßzelle mit Waschbecken, Ablage, Spiegel, Lichtquelle, Stuhl, Kleiderhaken; wünschenswert sind Dusche und WC;
- Wandschränke, je einen pro Patientenbett.

Das Krankenzimmer sollte regelmäßig **gelüftet** werden. Die **Raumtemperatur** wird tagsüber auf ca. 18° - 20°C, nachts auf ca. 14° - 18° C reguliert. Wünschenswert ist ein Ausblick in die Natur.

8.4.4 Das Pflege- / Krankenbett

Viele pflegebedürftige Menschen verbringen längere Zeiten, evtl. Tag und Nacht, im Bett. Um das Wohlbefinden in dieser Situation zu fördern, sollte ihnen ein für diesen Bedarf ausgerüstetes **Pflege- oder Krankenbett** zur Verfügung stehen. Dieses erleichtert außerdem die am bettlägerigen Patienten auszuführenden Pflegetätigkeiten.
Für den häuslichen Bereich können Pflegebetten, die wenigstens über Rollen und über Verstellmöglichkeiten der Betthöhe sowie des Kopf- und Fußteils verfügen, **gemietet oder angeschafft** werden. Verschiedene Hersteller bieten zweckmäßige Betten und Nachttische in ansprechender Holzausführung (bzw.- Holzimitation) an. Solches Mobiliar läßt sich gut in den Wohnbereich

integrieren, ohne daß dieser wie ein Krankenzimmer wirkt.

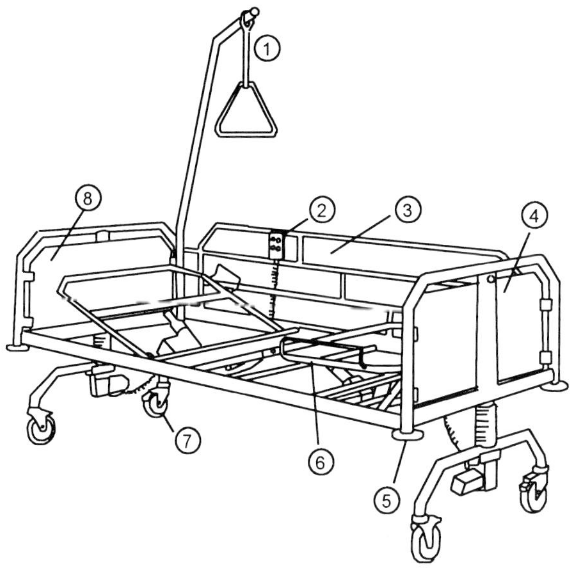

1 Aufrichter mit Triangel
2 Handschalter (Verstellen der Höhe und der Liegefläche)
3 Seitengitter (abklappbar, absenkbar)
4 Fußbrett (abnehmbar)
5 Wandabweiser
6 Liegefläche (hier vierteilig, verstellbar)
7 Lenkrollen
8 Kopfbrett (abnehmbar)

Abb. 8.1 ***Pflegebett***

Ansonsten kann die **Liegefläche** eines herkömmlichen Bettes durch Auflegen einer zweiten Matratze oder durch Unterstellen von Holzblöcken erhöht werden, um die pflegerischen Handlungen zu erleichtern. Ein Sitzen mit physiologischer Hüftbeugung kann durch das Anbringen einer **Rückenstütze** ermöglicht bzw. unterstützt werden. Sie kann - ebenso wie ein Pflegebett und weiteres **Zubehör** (Bettgitter, Bettbügel mit Triangel, Lagerungshilfsmittel, Steckbecken etc.) - im Sanitätsfachhandel käuflich erworben oder gemietet werden. Einige ambulante Pflegedienste vermieten ebenfalls Pflegebetten und entsprechendes Zubehör.

An die **Kranken- / Pflegebetten** und das Zubehör werden folgende **Anforderungen** gestellt:

- **benutzerfreundliche Ausstattung des Bettes**
  - möglichst mittels Fernbedienung verstellbares Kopfteil;
  - verstellbares Fußende;
  - möglichst mittels Fernbedienung verstellbares Höhenniveau;
  - formbeständige Matratze;
  - ggf. Bettbügel *(Aufrichter)* mit Triangel;
  - mind. 2 m Länge (evtl. verkürzbar) und 1 m Breite;
- **personalfreundliche Ausstattung des Bettes**
  - Höhen- und Lageverstellbarkeit mittels manueller oder elektrischer Vorrichtung;
  - abnehmbares Fuß- und Kopfbrett;
  - leicht fahrbar;
- **hygienische Beschaffenheit**
  - abwaschbares, desinfizierbares Material;
  - schlichte Ausstattung (so wenig Staubfänger wie möglich);
  - kochbare und hautfreundliche Bettwäsche; Bettlaken, Stecklaken, Decken- und Kopfkissenbezüge sollten überwiegend aus Baumwolle sein;
  - waschbarer Matratzenschutzbezug;
- **ausreichendes Bettzubehör**
  - mindestens 1 großes und 1 kleines Kopfkissen;
  - eine Bettdecke, evtl. eine zusätzliche Decke;
- **praktische Beschaffenheit des Nachttisches**
  - fahrbar;
  - höhenverstellbare und ausklappbare Servier- und Arbeitsfläche, möglichst seitlich kipp- und feststellbar;
  - Ablagefläche für die Utensilien des Patienten, mindestens eine Schublade (**Beachte**: größere Geldbeträge und Wertgegenstände sollten in einem Tresor in der Verwaltung aufbewahrt werden);
  - Anschluß für Licht- und Medienkanal;
  - abwaschbares Material;
- **ggf. Vorhandensein von Hilfsmaterialien**
  - Bettbügel *(Bettstange, Aufrichter)* mit Triangel;
  - hochklappbare Seitengitter;
  - Bettverkürzung (Bettkiste);
  - Bettverlängerung;
  - Fußstütze;
  - anschraubbare Infusionshalterung;
  - Lagerungshilfsmittel.

Das typische **Pflege- oder Krankenbett unterscheidet sich** in mehrfacher Hinsicht **vom Privatbett**. In der Regel ist die Liegefläche höher, Material und Zubehör sind von anderer Beschaffenheit. Die Fahrbarkeit und die freie, von allen Seiten erreichbare Position im Raum sind dem Pflegebedürftigen ebenfalls unbekannt und evtl. auch unangenehm.

8.4.4.1 Das Richten des Bettes

Das Richten des Pflege- oder Krankenbettes kann in unterschiedlicher Art und Weise erfolgen. Deshalb werden an dieser Stelle Prinzipien besprochen, die bei jeder Art des Bettenmachens berücksichtigt werden sollten.
Die Pflegeperson sollte sich bewußt machen, daß die Zeit während des Bettens immer wieder die **Möglichkeit zur Intensivierung des Kontaktes** zum Patienten bietet.
Ein schwerkranker oder ein immobiler Mensch kann diese Situation auch als sehr unangenehm empfinden, zumal die Hilflosigkeit und die Abhängigkeit von anderen Menschen sehr deutlich spürbar wird. So, wie das Pflegepersonal ihn bettet, z.B. bequem oder unbequem, schmerzlindernd oder -verstärkend, so muß er unter Umständen für einige Stunden verweilen.
Mit dem Richten des Bettes wird im allgemeinen die Durchführung weiterer Pflegemaßnahmen, z.B. die gezielte Beobachtung, Vitalzeichenkontrollen, Prophylaxen oder Mobilisation, sinnvoll verknüpft.

❒ Prinzipien beim Richten eines leerstehenden Bettes

- Nach Möglichkeit zu zweit arbeiten;
- Durchführung erfolgt mindestens 2 mal täglich und bei Bedarf;

Für die **Vorbereitung der Nachtruhe** gelten folgende Prinzipien:

- die Abendtoilette richtet sich in Art und Umfang nach den Wünschen des Patienten;
- die Nachtwäsche wird entsprechend den individuellen Gewohnheiten ausgewählt;
- Prothesen bleiben, wenn gewünscht und medizinisch vertretbar, über Nacht am Körper;
- Lagerungshilfsmittel werden entfernt, soweit dies aus prophylaktischer und therapeutischer Sicht vertretbar ist;
- das Bett wird sorgfältig und mit faltenfreier (!) Unterlage hergerichtet;
  Beachte: Die Matratze muß formbeständig sein;
- Bettlägerigen wird die Gelegenheit zum Wasserlassen angeboten;
- ggf. werden Urinflasche, Steckbecken bzw. Toilettenstuhl in Bettnähe bereitgestellt;
- eine Klingelvorrichtung und ein Lichtschalter werden in Griffnähe des Patienten angebracht;
- die Lagerung erfolgt soweit wie möglich entsprechend den Wünschen des Patienten; wenn therapeutische oder prophylaktische Lagerungen den Schlaf behindern, können nach sorgfältiger Analyse der Problemlage evtl. Kompromisse eingegangen werden;
- die Raumtemperatur wird entsprechend dem individuellen Wunsch reguliert, empfehlenswert sind Temperaturen zwischen 14° und 18° Celsius;
- auf jeden Fall sollte vor Beginn der Nachtruhe durchgelüftet werden; auf Wunsch bleibt das Fenster während der Nacht geöffnet;
- übliche Einschlafrituale sind weitgehend einzuhalten;
- die Nachtschwester stellt sich bei den Patienten vor.

8.6.2 Hilfe bei Schlafstörungen

Schlafstörungen können in vielen Fällen durch das Erkennen und Reduzieren / Ausschalten von Störfaktoren verhindert bzw. behoben werden. Außerdem sollten die unter *"Schaffen günstiger Bedingungen"* besprochenen Richtlinien berücksichtigt werden.

Stellt sich heraus, daß ein alter Mensch nicht tatsächlich unter einer Schlafstörung leidet, sondern seinen physiologisch geringen Schlafbedarf als solche einordnet, ist er einfühlsam und in verständlicher Weise über die physiologischen Begebenheiten des Schlafes im Alter zu informieren. Außerdem ist er zu ermutigen, sich abends - ggf. auch nachts - zu beschäftigen (Lesen, Handarbeiten, Geduldspiel durchführen). Angestrebt wird somit eine **Einstellungs- und Verhaltensänderung**.

Pflegende sollten **Gesprächs**- bzw. **Zuhörbereitschaft** signalisieren. Das direkte Ansprechen des Patienten auf eventuell vorliegende private Probleme empfiehlt sich nur, wenn ein entsprechendes Vertrauensverhältnis vorhanden ist. Anders ist dies bei krankheitsbedingten Problemen. Kaum ein kranker Mensch wird z.B. die Frage, ob nachts auftretende Beschwerden bzw. die Angst davor seinen Schlaf stören, als aufdringlich, indiskret oder zu persönlich empfinden. Das Aussprechen von Ängsten, Sorgen oder Kummer schafft oft Erleichterung.

Traurigkeit, Ängste und Sorgen, die den Schlaf rauben können, gehören allerdings in manchen Lebenssituationen zur Problembewältigung und sollten als vorübergehende **Störung toleriert** werden. Manchmal sind sie eine Chance, bisher verdrängte Probleme zu erkennen und anzugehen (Signalcharakter).

Führt eine allgemeine Unruhe oder ein Unwohlsein zur Schlafstörung, so kann eine **kurze Unterbrechung** dieses Zustandes zur Überwindung der Schlaflosigkeit führen. Dies kann z.B. durch ein kurzzeitiges Aufstehen oder Lesen geschehen.

Jede Form der **menschlichen Zuwendung** kann beruhigend, entspannend und somit schlaffördernd wirken; besonders bewährt haben sich z.B. die Durchführung eines **Fußbades** (bei kalten Füßen Wechselbad), einer Fußmassage oder einer atemstimulierenden **Einreibung**.

Die für den Schlaf notwendige Entspannung kann auch durch bestimmte Übungen gefunden werden. Sowohl Anleitung als auch ein gewisses Training sind erforderlich, um **Entspannungsübungen** später effektiv und selbständig durchzuführen. Lesen Sie dazu *"Entspannungsübungen"*, *Seite 785*.

Bei Veränderungen des Schlaf - Wach - Rhythmus sollte der Betroffene **tagsüber** gefördert werden, um das Einschlafen zu unterbinden. **Beschäftigung**, wenn möglich in Form körperlicher Betätigung, hilft oftmals über Müdigkeitsphasen hinweg und verschiebt diese in Richtung Abend / Nacht.

Sind die Störungen des Schlafrhythmus durch Zeitverschiebung ausgelöst, sollte der Betroffene sich soweit wie möglich **dem nun vorherrschenden Rhythmus** der Umgebung anpassen, um wieder nachts und nicht tagsüber zu schlafen.

Bei anhaltenden Schlafstörungen gilt es zunächst, Störfaktoren / Ursachen zu erkennen *(siehe "Einschlafstörungen" und "Durchschlafstörungen", Seite 686)* und möglichst auszuschalten.

Beispiele:

- **Verändern der äußeren Bedingungen**
  - bei Lärmbelästigung Fenster schließen;
  - bei Lichtreizen Raum abdunkeln;
  - zu weiche Matratzen auswechseln.
- **Ausschalten / Reduzieren von Beschwerden**
  - Schmerzen vorbeugen bzw. behandeln;
  - Atembeschwerden lindern, z.B. durch Oberkörperhochlagerung;
  - Juckreiz lindern;
  - nächtliche Durchblutungsstörungen des Gehirns durch abendliche Koffeinzufuhr vermeiden (bei davon betroffenen Menschen können 1-2 Tassen Kaffee am Abend schlaffördernde Wirkung ausüben).
- **Behandeln des ursächlichen Leidens**
  - Herzinsuffizienz therapieren (um auch nachts eine ausreichende Gehirndurchblutung zu gewährleisten)
  - Depressionen psychotherapeutisch behandeln;
  - Diabetes mellitus optimal einstellen und Spätmahlzeiten verabreichen (um nächtliche Hypoglykämien zu verhindern).

- **Verändern des Verhaltens**
  - auf den Mittagsschlaf verzichten;
  - aktiv sein (um die körperliche Ermüdung zu fördern);
  - abends einer sinnvollen erfreulichen Beschäftigung nachgehen;
  - ein Zubettgeh- und Einschlafritual entwickeln und pflegen;
  - später (erst wenn die Müdigkeit einsetzt) zu Bett gehen und früher aufstehen;
  - auf späte sowie auf schwerverdauliche Abendmahlzeiten verzichten;
  - Erwartungshaltung *"Ich kann sowieso nicht schlafen"* ablegen.
- **Akzeptieren der gegenwärtigen Schlafstörung**
  - Schlafstörung z.B. als Bestandteil der Trauer bzw. der Problembewältigung akzeptieren;
  - ggf. Erkennen, daß keine tatsächliche Schlafstörung, sondern lediglich ein veränderter Schlafbedarf besteht;
  - die schlaflose Zeit hinnehmen und nutzen, sich nicht darüber ärgern(!);
  - Entspannungsübungen erlernen und praktizieren;
  - Konflikte angehen und bewältigen.
- **Verzichten auf Konsum schlafstörender Substanzen**
  - Konsum von anregenden Substanzen (z.B. Kaffee, koffeeinhaltige Limonade) einschränken, in den Abendstunden darauf verzichten;
  - schlafstörende Medikamente absetzen, sofern dies medizinisch vertretbar ist und mit dem Arzt besprochen wurde.

❒ Schlafmittel (*Hypnotika*)

Schlafmittel sollten nur bei Versagen aller nicht medikamentösen Maßnahmen, und auch dann **nur vorübergehend**, angewendet werden. Da sie **lediglich** der **Bekämpfung eines Symptoms**, nicht aber der Ursache dienen, können sie allenfalls als Übergangslösung zur Erhaltung körperlicher und seelischer Leistungsfähigkeit bei langanhaltenden Schlafstörungen dienen.

Es werden pflanzliche, homöopathische und chemisch definierte Schlafmittel unterschieden.

❍ Pflanzliche Schlafmittel

Pflanzliche Schlafmittel üben eine **beruhigende** und **leicht schlafanstoßende Wirkung** aus. Sie eignen sich zur Überbrückung leichter Schlafstörungen; die Einnahme ist nicht mit schwerwiegenden Nebenwirkungen verbunden. Aus folgenden **Heilpflanzen** können Schlafmittel gewonnen werden: Baldrian, Kava-Kava-Wurzel, Johanniskraut, Hopfen, Lavendel, Melisse und Passionsblume. Die Zubereitung erfolgt meist als Tee, Badezusatz oder als Dragee bzw. Tablette.

Pflanzliche Schlafmittel sind nicht verschreibungspflichtig; Fertigarzneien sind z.B. Baldrian-Phyton®, Hovaletten®N, Passiflora-Tropfen Curarina®, Valdispert®.

Als **Tee** werden sie einzeln oder als Mischung zubereitet und vor dem Schlafengehen getrunken.

Beispiele:
- 1 Teelöffel **Baldrianwurzel** oder **Johanniskraut** mit 150 ml heißem Wasser übergießen, 10 - 15 Minuten ziehen lassen und abseihen.
- 2 - 3 Teelöffel **Melissenblätter** mit 150 ml heißem Wasser übergießen, 10 Minuten ziehen lassen und abseihen.
- 1 Teelöffel **Passionsblumenkraut** mit 150 ml heißem Wasser übergießen, 10 Minuten ziehen lassen und abseihen. 2 - 3 mal täglich und 30 Minuten vor dem Zubettgehen 1 Tasse Tee trinken.

Weitere Teezubereitungen sind unter *"Tee aus Heilpflanzen"*, *Seite 433*, aufgeführt.

Weitere Möglichkeiten, den Schlaf mit Hilfe von Heilpflanzen zu fördern, sind z.B.:
- ein Lavendelsäckchen, welches unter das Kopfkissen gelegt wird;
- Kräuterbäder; es kann ein mit Lavendel gefülltes Baumwollsäckchen an den Heißwasserhahn gehängt werden, so daß das heiße Wasser beim Einlaufen darüber fließt. Zur Steigerung der Wirkung kann ein abgeseihter Aufguß Lavendel hinzugegeben werden.

❍ Homöopathische Schlafmittel

Von homöopathischen Schlafmitteln ist **kein Soforteffekt** zu erwarten. Sie werden individuell verschrieben und sollen nach einer gewissen Zeit der Einnahme das **gestörte Schlafverhalten** wieder **regulieren**. Geeignet sind z.B.:
- Kalium phosphoricum D6, Tabletten;
- Scutellaria lateriflora D3, Dilution *(flüssige Zubereitung);*
- Argentum nitricum D12, Dilution *(flüssige Zubereitung).*

❍ Chemisch definierte Hypnotika

Als chemisch definierte Schlafmittel werden Benzodiazepine, Barbiturate, Imidazopyridine, Cyclopyrrolone und Chloralhydrat sowie sedierend wirksame H_1-Antihistaminika eingesetzt.

Es handelt sich um zentral wirksame Substanzen. Sie üben **auf** das **ZNS** eine allgemein **dämpfende Wirkung** aus. Dadurch lösen sie Müdigkeit und letztendlich den Schlaf aus. Gleichzeitig wird der physiologische **Schlafrhythmus gestört**. Benzodiazepine verlängern die Einschlaf- und die Leichtschlafphase, der REM-Schlaf bleibt relativ unbeeinflußt; die Phase 4 des orthodoxen Schlafes ist verkürzt. Barbiturate verkürzen den REM-Schlaf.

Die Wirkung des Schlafmittels ist zum einen von seiner Zusammensetzung, zum anderen von der Dosis abhängig.

So werden **Einschlafmittel**, die schnell und nur für kurze Zeit wirksam sind, von **Durchschlafmitteln**, die stärker und länger wirksam sind, unterschieden. Eine sehr geringe Dosis kann lediglich beruhigende Wirkung ausüben, eine sehr hohe Dosis kann narkotisierend sein.

Die **Gefahren des Konsums chemisch definierter Hypnotika** liegen in der baldigen Gewöhnung an die Wirkung, in der sich rasch entwickelnden **pharmakologischen Abhängigkeit** und in der Störung des physiologischen Schlafrhythmus.

Wegen dieser Gefahren sollte der Einsatz von Schlafmitteln unter einer **strengen Indikationsstellung** erfolgen; die Ursache der Schlafstörung ist zu ergründen und möglichst auszuschalten. Nur in gewissen Situa-

Anhand der Übergabe kann sich die Nachtwache einen Überblick verschaffen und die planmäßig / voraussichtlich anfallenden Pflegetätigkeiten organisieren.
Es ist sinnvoll, einen **Pflegearbeitswagen** mit den häufig gebrauchten Utensilien (z.B. Taschenlampe, Bettwäsche, Zellstoff, Blutdruck- und Temperaturmeßgerät, Nierenschale) **vorzubereiten**.

❒ Aufgaben

Die Aufgaben der Nachtwache sind weit gefächert. Das Ausmaß kann zwischen den einzelnen Stationen variieren.

Generell gehören zu den Aufgaben der Nachtwache:

- **Schaffen einer schlaffördernden Atmosphäre**
  - persönliche Vorstellung bei allen zu betreuenden Patienten zu Beginn jeder Nachtschicht;
  - Zusicherung, während der Nacht jederzeit erreichbar zu sein;
  - Erkundigung nach individuellen Wünschen;
  - Sorge für eine Klingel in der Reichweite eines jeden Patienten;
  - Lüften des Zimmers, Regulieren der Raumtemperatur auf ca. 14 - 18°C;
  - Unterbinden störender Geräusche, z.B. vom Fernsehgerät aus dem Nachbarzimmer, lauter Unterhaltung aus dem Aufenthaltsraum;
  - Ausschalten der Deckenbeleuchtung, wenn die Patienten schlafen möchten; Einschalten der Nachtbeleuchtung; bei späteren Kontrollgängen Einsetzen der Taschenlampe;
  - Korrektur ungünstiger Schlafpositionen;
  - Ermöglichen von individuellen Einschlafritualen.
- **Gezielte Krankenbeobachtung**
  - Beobachten des allgemeinen Befindens, des Schlafverhaltens und der individuellen Probleme;
  - Dokumentation von Veränderungen und Auffälligkeiten (z.B. Schmerzen, Atemnot, Schlaflosigkeit);
  - Beobachten von Schwerkranken und Frischoperierten in kurzen Zeitabständen, Verband- und Vitalzeichenkontrollen;
  - Kontrollgänge (je nach Dienstanweisung) in ca. 2-3 stdl. Rhythmus.
- **Überwachung nächtlicher Therapiemaßnahmen**
  - Kontrolle der Transfusions- / Infusionstherapie, Anhängen neuer Infusionen;
  - Beobachtung der Funktion von Drainagen und elektrischen Geräten;
  - Verabreichung von ärztlich verordneten Medikamenten.
- **Durchführung weiterer Pflegemaßnahmen**
  - zeitgerechte Weiterführung z.B. prophylaktischer bzw. therapeutischer Lagerungen oder des Toilettentrainings;
  - Verabreichung von Getränken und Spätmahlzeiten;
  - Hilfeleistung bei den Lebensaktivitäten, z.B. beim Schlafen, Ausscheiden, Atmen;
  - bei Schlafstörungen: Zuhören, Gesprächsbereitschaft und Verständnis zeigen; evtl. für Ablenkung / Beschäftigung sorgen; Angebot schlaffördernder Maßnahmen (z.B. Fußbad, atemstimulierende Einreibung);
  - prompter Einsatz bei Klingelrufen des Patienten;
  - Versorgung von Neuzugängen.
- **Dokumentation und mündliche Weitergabe an den Frühdienst**
  - Bericht über jeden einzelnen Patienten (Befinden, Schlaf, Besonderheiten);
  - Darlegung der durchgeführten Tätigkeiten, der nächtlichen Beobachtungen und Vorkommnisse (Notfallsituationen, Neuzugänge, Sterbefälle);
  - Bericht über zusätzlich (nicht) durchgeführte Tätigkeiten und ausgeliehene / verliehene Materialien / Geräte.

Weitere, zusätzliche Aufgaben der Nachtwache können nach Absprache sein:

- das Vorbereiten von Medikamenten für den nächsten Tag;
- das Aufgeben von Materialbestellungen;
- die Vorbereitung anderer Tätigkeiten für den Frühdienst;
- das Auffüllen von Schränken mit Pflegeartikeln.

8.8 Besondere Lebens- und Pflegesituationen bei Störungen des Bewußtseins

8.8.1 Apallisches Syndrom

Elke Hurling

8.8.1.1 Krankheitsbild

❒ Definition und Ursachen

Von einem **apallischen Syndrom** *(lat. Pallium = Mantel / Hirnmantel oder Hirnrinde)* spricht man, wenn bei einem Kranken die Funktionen der Hirnrinde ausfallen. Da Phasen einer scheinbaren "Wachheit" vorhanden sind, wird diese Bewußtseinstörung auch **Wach-Koma** genannt. Die Bezeichnung **apallisches Durchgangssyndrom** weist darauf hin, daß ein apallisches Syndrom in vielen Fällen ein vorübergehender Zustand, also reversibel, ist *(siehe nachfolgend "Verläufe")*.
Ursachen für ein apallisches Syndrom können sein:
- **traumatische Hirnschäden / SHT**,
- **Hirnschäden durch Sauerstoffmangel**,
- seltener **Infektionen des Gehirns**.

Bei einem apallischen Syndrom liegt eine **funktionelle Trennung von Hirnrinde und Hirnstamm** vor; wie diese Trennung erfolgt, ist nicht vollständig geklärt. Die Hirnrinde ist der Teil des Gehirns, der den Hirnstamm umhüllt und Sitz höher entwickelter Fähigkeiten des Menschen ist, z.B. Denk- und Merkfähigkeit, Bewußtsein und willentliche Handlungen. Außerdem liegen an der Oberfläche der Hirnrinde Felder mit Nervenzellen gleicher Funktion, z.B. für motorische (Steuerung und Koordination von Bewegungen) sowie sensorische Fähigkeiten (Aufnahme und Verarbeitung von Sinneseindrücken).

Die vegetativen Funktionen des Hirnstamms, z.B. Steuerung der Atmung, Kreislaufregulation, sind bei einem apallischen Patienten erhalten, zeigen aber besonders in der Akutphase große Labilität.

❒ Symptome

Bei einem Patienten mit einem apallischen Syndrom können u.a. folgende Symptome beobachtet werden. Die Betroffenen sind phasenweise **scheinbar "wach"** *(Wach-Koma).* Sie haben ihre Augen weit geöffnet, können damit aber nicht fixieren, ihr "Blick geht ins Leere". Eine für die Umwelt **merkbare Kontaktaufnahme** während dieser "Wachphasen" ist **nicht möglich**. Das Auftreten dieser Symptomatik ist ein entscheidendes Kennzeichen für ein apallisches Syndrom.
Auf Ansprache oder Berührung erfolgt keine sichtbare Reaktion, weder in Form einer Veränderung der Mimik, einer verbalen Äußerung noch einer (Abwehr-) Bewegung.
Das Schlafbedürfnis ist nicht an der Tageszeit orientiert (**gestörter Schlaf - Wach - Rhythmus**) und besonders nach Anstrengungen groß, z.B. nach einer Körperpflege oder Umlagerung. Die Betroffenen sind insgesamt wenig belastbar.
Beim Patienten im Wach-Koma sind reflektorische Bewegungen im Bereich des Mundes (sogenannte **orale Automatismen**) zu beobachten, z.B. Saug- und Schmatzbewegungen, Zähneknirschen, Bewegungen der Zunge mit Lecken der Lippen oder intensives Gähnen. Auf Berührungs- oder Schmerzreize können die Betroffenen mit ungezielten Bewegungen der Extremitäten oder des gesamten Körpers reagieren (Beuge- und Strecksynergismen*). Der Muskeltonus ist oft erhöht (**Rigor**) und es kommt zu unwillkürlichen Verkrampfungen der Muskulatur (**Spastiken**), z.B. an den Extremitäten.
Besonders in der Akutphase zeigen sich **vegetative Störungen**, z.B. Tachykardien, Hyperventilation, Schweißausbrüche, starke Schwankungen des Blutdrucks und der Körpertemperatur.

❒ Verläufe

Die **Verläufe** können sehr unterschiedlich sein. Einige Patienten sterben noch in der Akutphase nach der Hirnschädigung, bei anderen wird das Vollbild des apallischen Syndroms (auch als **Coma vigile** bezeichnet) zu einem Dauerzustand ("Apalliker"), der unter Umständen über viele Jahre bestehen bleiben kann. Ungefähr 60% der Patienten im Wach-Koma versterben innerhalb des ersten Jahres.
Es zeigen sich auch sehr positive Verläufe, bei denen Betroffene verschiedene, nicht klar abgrenzbare **Remissionsphasen** durchlaufen können. **Zeichen für eine Remission** sind:

- eine allmähliche Aufhellung des Bewußtseins,
- gezielte Abwehrbewegungen auf intensivere Berührungsreize,
- Manipulationen an (störenden) Sonden, Kathetern o.ä.,
- Drehen des Kopfes in Richtung eines akustischen Reizes,
- kurzes (wiederholtes) Fixieren mit den Augen,
- Normalisierung des Schlaf-Wach-Rhythmus,
- Veränderungen der Mimik,
- gezieltes Ergreifen von Gegenständen,
- Normalisierung des Muskeltonus,
- Handlungen entsprechend einer Aufforderung,
- Sprechen (anfangs häufig "ja" / "nein").

Die Patienten können auf einer bestimmten Remissionsstufe stehen bleiben. Das sogenannte **Defektstadium** ist z.B. durch Störungen der Motorik, Lähmungen, sensorische Ausfälle, Gefühlslabilität, (starke) Antriebs- und Konzentrationsschwäche gekennzeichnet .
Ist das apallische Syndrom Folge einer traumatischen Hirnschädigung (SHT), sind die Chancen für eine Rückbildung besser als bei Hirnschäden anderer Ursache. Besserungen brauchen oft sehr lange, sind aber auch nach Monaten oder Jahren noch möglich. Aus diesem Grund muß **langfristig** eine **aktivierende Behandlung und Pflege** gewährleistet sein.
Es sind **Verläufe** mit (fast) vollständiger Remission, also **ohne Restsymptomatik**, bekannt.

8.8.1.2 Aspekte der Pflege in der Akutphase

Ein Patient mit apallischem Syndrom bedarf in der **Akutphase** seiner Erkrankung der **Behandlung, Überwachung und Pflege auf einer Intensivstation**. Die Behandlung richtet sich nach der Grunderkrankung.
Zu den **Aufgaben der verantwortlichen Pflegekräfte** gehören u.a.:

- die Beobachtung und Überwachung des Patienten,
- die vollständige Übernahme der Körperpflege,
- die Durchführung von Maßnahmen zur Vermeidung von Sekundärerkrankungen,
- die Lagerung des Patienten,
- die Kommunikation mit dem Patienten *(siehe auch "Aspekte der Pflege eines Menschen im Koma", Seite 702),*
- das Einbeziehen der Angehörigen,
- die Überwachung der Infusionstherapie und Ernährung des Patienten über eine Magen- oder Duodenalsonde,
- die Verabreichung von Medikamenten und die Durchführung anderer therapeutischer Maßnahmen nach ärztlicher Anordnung.

Weitere Aspekte werden unter *"Pflegen und Gepflegt werden auf der Intensivstation"*, Seite 381, und *"SHT"*, Seite 394, besprochen.

8.8.1.3 Rehabilitation

❒ Bedeutung für einen Betroffenen

Die **Chancen** eines Patienten mit apallischem Syndrom sind nicht nur abhängig von der Schwere und Art der Hirnschädigung, sondern vor allem von der **Qualität und Dauer (früh-) rehabilitativer Maßnahmen**. Rehabilitative Maßnahmen müssen so früh wie möglich beginnen, damit ein Betroffener nicht wertvolle Zeit verliert.
Zu den **rehabilitativen Aufgaben** während der Intensivtherapie und -pflege gehören unbedingt alle Maßnahmen zur **Vermeidung von Sekundärerkrankungen**. Ausgeprägte Kontrakturen, Druckgeschwüre oder Infektionen können eine Rehabiliation verzögern, erheblich erschweren oder in schwerwiegenden Fällen unmöglich machen.

ten, z. B. eine reaktive Depression; unter Umständen besteht Suizidgefahr.

- **Neuropsychologisches Training**
  Im Rahmen eines sogenannten Hirnleistungstrainings wird ein Patient Reaktionstests unterzogen oder es werden ihm spezielle Übungen angeboten, die z.B. die Merk- und Konzentrationsfähigkeit, die Ausdauer sowie die Planung von Handlungen verbessern sollen. Entsprechend den Möglichkeiten eines Patienten müssen die Anforderungen ständig gesteigert werden.

❒ Langzeitrehabilitation

Die Übergänge von der Früh- in eine Langzeitrehabilitation sind fließend. Wichtig für eine weiterführende Rehabiliation ist die zunehmende Stabilisierung des Patienten, d.h. akute körperliche und vegetative Störungen müssen überwunden und eine gewisse psychische Belastbarkeit erreicht sein. Der Betroffene muß zu einer aktiven Mitarbeit in der Lage sein.
Weiterführende Rehabilitation wird stationär, halbstationär (z.B. Tagesklinik) und zunehmend ambulant angeboten.

Schwerpunkte einer weiterführenden Rehabilitation

- **Ergo- / Arbeitstherapie**
  Während der **Ergotherapie** erfolgt ein **Alltagstraining** mit ständig steigenden Anforderungen, z.B. an Belastbarkeit, Ausdauer, Organisationsvermögen. Die Betroffenen erfahren eine **Hilfe zur Selbsthilfe**, indem sie lernen, die Anforderungen des Alltags zu bewältigen, z.B. Zubereiten kleinerer Mahlzeiten, Einkaufen vornehmen, Benutzen öffentlicher Verkehrsmittel. Zunehmend wird auf aktive Freizeitgestaltung, z.B. in Form von Gruppenveranstaltungen, Wert gelegt. Mit Hilfe einer **Arbeitstherapie** kann der Umgang mit bestimmten Materialien und Werkzeugen geübt und eine evtl. berufliche (Um-) Orientierung eingeleitet werden. Durch Steigerung der täglichen Arbeitszeiten wird ein Betroffener (wieder) an die Anforderungen des Arbeitslebens herangeführt.
- **Schulische und berufliche Rehabilitation**
  Die **berufliche Rehabilitation** bietet einem Patienten neue Perspektiven. Sie kann in Einrichtungen der Langzeitrehabilitation vorbereitet werden. Eine Berufsausbildung oder Umschulung erfolgt in speziellen Berufsbildungszentren oder in einem geeigneten regionalen Ausbildungsbetrieb. Für Kinder und Jugendliche spielt die (Wieder-) Aufnahme der **schulischen Ausbildung** eine große Rolle; anfangs muß die Unterrichtung häufig in einer Sondereinrichtung erfolgen.
- **Sozialtherapie**
  Zu den Aufgaben eines **Sozialarbeiters** gehört die Kontaktaufnahme zu den jeweiligen Versicherungsträgern zum Zweck der finanziellen Absicherung der laufenden Rehabilitationsmaßnahme. Weitere Aufgaben bei der Wiedereingliederung des Patienten sind z.B. Besuche der Angehörigen mit Erfassen der häuslichen Gegebenheiten, Beratung über Möglichkeiten der Wohnungsanpassung, Anbahnung einer beruflichen Rehabilitation, Hilfe bei der Suche nach einem geeigneten Arbeitsplatz.

8.8.1.4 Soziale Hilfen und Kontaktadressen

Patienten mit bleibenden Folgeschäden können je nach Grad der anerkannten Behinderung unterschiedliche Hilfen in Anspruch nehmen; Beispiele sozialer Hilfen für Menschen mit bleibenden Behinderungen werden auch unter *"Dialysepflichtige Niereninsuffizienz"*, *Seite 241*, besprochen.
Bei Bewegungsstörungen oder Teillähmungen kann ein Patient auf einen Rollstuhl angewiesen bleiben. Eine behindertengerechte Wohnungsanpassung ist mit hohem finanziellen Aufwand verbunden; hier werden unter Umständen Zuschüsse bewilligt.
Viele Betroffene, bei denen trotz rehabilitativer Maßnahmen keine oder eine geringe Remission stattgefunden hat, werden mit Unterstützung durch ambulante Pflegedienste in ihren Familien versorgt. Die betroffenen Familienmitglieder und andere Bezugspersonen sind fast immer bis an ihre Grenzen (und oftmals darüber hinaus) belastet.
Interessenverbände von Betroffenen und ihren Angehörigen bieten ihre **Hilfe** an und setzen sich für die **Rechte von Wach-Koma-Patienten und** anderen **Schädel-Hirn-Geschädigten** ein *(siehe auch "SHT", Seite 399)*.

8.8.2 Koma

Elke Hurling

8.8.2.1 Besondere Aspekte

Koma *(gr.)* heißt *„tiefer, fester Schlaf"*. Ein Mensch im Koma kann, wenn keine Verletzungen erkennbar oder keine lebenserhaltenden Maßnahmen wie eine Beatmung erforderlich sind, in den ersten Momenten wie ein fest Schlafender wirken. Doch der Betroffene hat eine **tiefgreifende Veränderung** seines Bewußtseins erlitten; er ist im Gegensatz zu einem Schlafenden nicht weckbar.
Ein Betroffener zeigt keine (nach außen sichtbaren) Reaktionen auf Ansprache oder Berührung und unter Umständen auch nicht auf massive äußere Reize, z.B. Schmerzen *(siehe „Beobachtung des Bewußtseins", Seite 681)*.

Menschen im Koma werden oft als „bewußtlos" bezeichnet, weil sie für Außenstehende keine Merkmale von Bewußtsein zeigen. Der Begriff „bewußtlos" kann wie eine Art **Stempel** *(Stigma)* sein, der einem Menschen aufgedrückt wird, und bewirken, daß diesem Menschen damit jede Form von Bewußtsein, von Wahrnehmungen und Empfindungen abgesprochen wird.
Es lohnt sich, die Frage zu stellen, welche **Möglichkeiten** Menschen haben können, die von ihrer Umgebung als „bewußtlos" bezeichnet werden.

Bewußtlose können

- Schmerzen, Angst oder Hoffnung haben;
- sich erschrecken;
- sich einsam und verlassen fühlen;
- denken;
- hören;
- Durst / Hunger und Kälte / Wärme spüren.

Bewußtlose können, wenn auch oft nur bruchstückhaft, ihre Umgebung wahrnehmen. Das ist eindeutig belegt durch die Informationen von Menschen, die „bewußtlos" oder in einer sogenannten „todesnahen Situation" waren. Einige können später zum Teil sehr detailliert über Eindrücke aus dieser Zeit berichten.
Andere Betroffene haben keine Erinnerung an die Zeit ihrer „Bewußtlosigkeit", wobei das nicht ausschließt, daß während dieser Phase ein (intensives) Erleben möglich war.
Um einen veränderten Umgang mit „bewußtlosen" / komatösen Menschen zu finden, werden nachfolgend einzelne Aspekte der Situation, in der sich diese Menschen befinden, beschrieben; die Bezeichnung „bewußtlos" wird dabei bewußt vermieden.

8.8.2.2 Zur Situation eines Betroffenen

Ein Mensch im Koma hat, oft innerhalb kürzester Zeit, seine **Selbständigkeit und Selbstbestimmung verloren**; er ist im höchsten Maße abhängig von seinen Mitmenschen. Diesen ist er in vielerlei Hinsicht ausgeliefert, denn er hat jede Möglichkeit verloren, seinen Willen oder seine Bedürfnisse zu äußern; andere entscheiden für ihn und bestimmen, was mit ihm geschieht.
Ein Betroffener hat keine Möglichkeit, sich zur Wehr zu setzen. Es gibt nur eine Möglichkeit, dieser unerträglichen Situation zu entfliehen, die Reduzierung der Wahrnehmung, den **"Rückzug in das Koma"**.
Es tauchen immer häufiger Überlegungen auf, daß komatöse Zustände nicht nur körperlich bedingt sind, sondern daß auch völlige seelische Überlastung (oft in Verbindung mit schweren körperlichen Traumen) die Ursache sein kann.

Für einen Menschen im Koma besteht ständig die Gefahr, daß **Komplikationen** eintreten.
In der Akutphase können jederzeit Störungen der Herz-Kreislauffunktion oder der Atmung auftreten. Lebenswichtige Organe wie Leber oder Nieren können versagen und eine Maximaltherapie erfordern.
Bei Menschen im Langzeitkoma treten Komplikationen vor allem in Form von Infektionen auf. Diese können für den Betroffenen lebensgefährlich werden, da durch die Grunderkrankung(en) das Immunsystem erheblich geschwächt ist. Durch die lange Immobilität kommt es oft zur Entwicklung schwerer Kontrakturen an den Extremitäten und zu Verformungen der Wirbelsäule, des Brustkorbs und des Beckens.

Das **Erleben** eines Menschen im Koma **kann (phasenweise)** sehr **intensiv sein**. Von einigen Betroffenen werden später immer wiederkehrende, alptraumähnliche Szenen beschrieben, die als sehr bedrohlich erlebt wurden. Eine traumatische Situation, die das Koma verursachte und unter Umständen mit Schmerzen, Erstickungsgefühlen und Todesangst verbunden war, kann nachwirken.
Während eines Komas kann auch positives Erleben seinen Platz haben, wenn z.B. die Nähe von vertrauten Menschen „irgendwie" spürbar ist, oder eine warme, vertrauenerweckende Stimme wahrgenommen wird.

Menschen im Koma haben fast alle bekannten **Orientierungspunkte verloren**. Wenn als Ursache ein akutes Ereignis vorliegt, sind sie von einem zum nächsten Moment aus einer aktiven in eine vollkommen passive Lage gekommen. Sie sind in einer völlig unbekannten Situation und Umgebung, z.B. auf der Intensivstation eines Krankenhauses; alles Vertraute ist verloren. Weil es keine Vorerfahrungen gibt, können Informationen aus der Umgebung nicht zugeordnet werden. Es kann zu Fehldeutungen kommen, unbekannte Geräusche, z.B. Alarmsignale von Überwachungsgeräten, werden als Bedrohung erlebt.
Zeitliche und räumliche Dimensionen lösen sich auf. In Bereichen der Akutpflege, z.B. Intensivstationen, herrschen oft Unruhe und hektische Betriebsamkeit mit einer entsprechenden Geräuschkulisse. Diese Situation überflutet einen Menschen mit Orientierungsverlusten viel zu stark mit Reizen. Im Akutpflegebereich ist für einen Betroffenen kaum ein Tag-Nachtrhythmus mit Einhaltung einer Nachtruhe spürbar, da während der Nacht beleuchtet wird und alle Routinekontrollen weiterlaufen.
Ein Mensch im Koma kann sich **wehrlos ausgeliefert** fühlen. Sein Körper ist oft nur noch "etwas", das Schmerzen bereitet. An ihm werden ständig, teilweise sehr schmerzhafte, Manipulationen vorgenommen, z.B. Blutentnahmen, Injektionen, Legen von Kathetern und Sonden. Der Patient wird häufig, manchmal von mehreren Personen gleichzeitg, an allen Stellen seines Körpers berührt. Der Intimbereich ist weitgehend ungeschützt, da keine Kleidung oder nur ein offenes Hemd angezogen wird.
In Langzeitpflegebereichen bietet die Gleichförmigkeit der Tage kaum Orientierungspunkte; die „Nächte" beginnen oft am frühen Abend und dauern ungewöhnlich lange. Ein längerer Aufenthalt in einer stimulationsarmen Umgebung führt zwangsläufig zu einem Versiegen der noch vorhandenen Wahrnehmungsmöglichkeiten.
Auch die Orientierung am eigenen Körper *(Körpergefühl)* kann verloren gehen. Diese Wahrnehmungseinschränkung kann durch Weichlagerung, z.B. zur Dekubitusprophylaxe auf einer Schaumstoff-Würfel-Matratze, verstärkt werden. Da der Auflagedruck fehlt, „lösen die Körpergrenzen sich auf", oft beginnend an Händen und Füßen.
Weil die Ernährung und die Flüssigkeitversorgung bei Langzeitkranken häufig über eine Sonde erfolgen, fehlen alle bekannten (angenehmen) oralen Reize, die mit einer Nahrungsaufnahme verbunden sind. Statt dessen wird routinemäßig eine Mundpflege durchgeführt, oft mit unbekannten, schlecht schmeckenden Flüssigkeiten. Das Eindringen in den Mund in Verbindung mit dem Widerwillen gegenüber den Geschmackseindrücken kann als Bedrohung erlebt werden und Abwehrmechanismen auslösen.

Die Situation und damit die Chance von Patienten im Koma wird sehr wesentlich dadurch bestimmt, wie die Menschen in der Umgebung die Betroffenen sehen, welche Beziehung sie zu ihnen entwickeln und pflegen, welche Erwartungen sie an sie haben und was sie ihnen zutrauen.

❒ Belastungsmomente und Ansprüche der Pflegenden

Für Pflegende ist die Betreuung von Kranken im Koma eine **große Herausforderung**. Viele haben (anfangs) an sich sehr hohe Anforderungen und möchten dem Betroffenen in jeder Hinsicht gerecht werden. Diese Ansprüche sind oft zu hoch und damit nicht erfüllbar; dennoch resultieren daraus bei vielen Pflegenden **Unzufriedenheit, Schuld- und Versagensgefühle**.
Auch das Bedürfnis von Pflegenden nach Anerkennung ihrer Arbeit durch die Betroffenen ist in der sonst üblichen Form nicht möglich.
Bei Patienten, die über einen längeren Zeitraum im Koma liegen, sind selten deutliche Fortschritte im Sinne eines "Wacherwerdens" zu sehen. Eine Bestätigung und Anerkennung des eigenen Handelns kann daran nicht gebunden sein. Wichtig ist, die **Begleitung des Patienten** unter Umständen über einen langen Zeitraum in den Vordergrund zu stellen. Dabei spielt der Wunsch, die Individualität des Patienten zu erfassen und seine ihm verbliebenen Ausdrucksmöglichkeiten zu erspüren, eine tragende Rolle.
Sensibilität für die besonders schweren Lebensumstände eines Langzeitkoma-Patienten zu bewahren und seine Persönlichkeit zu achten, sind Voraussetzungen für die berufliche Zufriedenheit von Pflegenden.
Regelmäßige **Teambesprechungen**, **Supervision** oder ähnliches mit offenen Gesprächen, z.B. über Versagensängste, Resignation, Gefühle der Überforderungen, müssen die Pflegenden unterstützen.

8.8.3 Akute Verwirrtheit

8.8.3.1 Störungsbild

❒ Begriffserläuterung

Bei der akuten Verwirrtheit handelt es sich um eine **qualitative Störung des Bewußtseins** und nicht - wie bei der chronischen Verwirrtheit - um die Begleiterscheinung einer Demenz. Der Zustand akuter Verwirrtheit ist immer ein **Symptom**, welches durch eine oder mehrere Störungen hervorgerufen wird. Er ist reversibel, setzt plötzlich ein und dauert Stunden bis Tage, in einigen Fällen auch wenige Wochen an.

❒ Ursachen und Risikofaktoren

Ursache der Verwirrtheit ist eine **Funktionsstörung des Gehirns**, die als Folge verschiedenster Störungen / Erkrankungen auftreten kann. Ein besonderes Risiko tragen Menschen, vor allem Männer, jenseits des 80sten Lebensjahres.
Eine vorübergehende Funktionsstörung des Gehirns können z.B. die folgenden Störungen, Erkrankungen bzw. Begebenheiten bedingen:

- **Durchblutungsstörungen des Gehirns**, die z.B. entstehen als Folge von
  - Blutdruckschwankungen;
  - Herzerkrankungen;
  - Veränderungen der Hirngefäße / des Gehirns;
  - Atemwegserkrankungen, die mit 0_2-Mangel einhergehen.
- **Erkrankungen und Verletzungen des Gehirns**, z.B.
  - Hirntumoren und -entzündungen;
  - subdurales Hämatom *(Bluterguß unter der harten Hirnhaut)*.
- **Stoffwechselstörungen**,
  die zu einer Beeinträchtigung des Hirnstoffwechsels führen, z.B.
  - Dehydratation / Exsikkose *(siehe Seite 112)*;
  - Störungen des Elektrolythaushaltes;
  - Hypoglykämie (*Unterzuckerung*; kann häufig in den frühen Morgenstunden beobachtet werden, wenn die letzte Nahrungsaufnahme am Spätnachmittag des Vortages erfolgte);
  - Hyperglykämie (Überzuckerung bei Diabetes mellitus);
  - Azidose* und Alkalose*;
  - Urämie*;
  - Praekoma hepatikum (*beginnendes Leberkoma* infolge eines erhöhten Ammoniakspiegels im Blut bei schweren Lebererkrankungen).
- **Akute Infektionen**, z.B.
  - Atemwegsinfektionen;
  - Harnwegsinfektionen.
- **Störungen der Temperaturregulation** wie
  - Hyperthermie* und Hypothermie*;
  - Fieber, z.B. im Zusammenhang mit akuten Infektionen.
- **Nebenwirkungen / Wechselwirkungen / Überdosierung von Medikamenten**, vor allem bei Therapie mit mehreren Medikamenten, z.B.
  - Sedativa*, Hypnotika*;
  - Analgetika*;
  - Antihypertonika.
- **Veränderungen der sensorischen Wahrnehmung**, wenn sie zu einer veränderten Wahrnehmung und Interpretation der Umwelt führen, z.B.
  - eingeschränktes Hör- und/oder Sehvermögen;
  - beeinträchtigtes Berührungs- und Tastempfinden.
- **Weitere Erkrankungen**, wenn sie mit Fieber, Austrocknung oder Sauerstoffmangel einhergehen, z.B.
  - Diarrhoe;
  - Anämie *(Blutarmut)*.
- **Operative Eingriffe**.
- **Psychosoziale Besonderheiten** wie
  - Verlust des Partners oder einer anderen vertrauten Person;
  - plötzlicher Umgebungswechsel, Einweisung in ein Altenheim oder Krankenhaus;
  - Veränderungen des gewohnten Tagesablaufes;
  - Schmerzen;
  - Depressionen.

❐ Zeichen der Verwirrtheit

Die **Störung bezieht sich** vor allem **auf** die **Orientierung**, das **Gedächtnis**, das abstrakte **Denken** sowie auf die **Aufmerksamkeit** und **Konzentration**; sie wird meist durch Phasen klaren Bewußtseins unterbrochen. Der Verwirrtheitszustand findet in vielen Verhaltensweisen Ausdruck.

Beispiele: Ein verwirrter Mensch
- ist unruhig, verunsichert, ängstlich, evtl. auch aggressiv;
- ist zeitlich und/oder räumlich desorientiert, findet sich in seiner Umgebung und Situation nicht zurecht;
- zeigt Störungen der Aufmerksamkeit und der Konzentration;
- vernachlässigt die Nahrungsaufnahme, die Körperpflege und seine Kleidung;
- zeigt unrealistische Wahrnehmungs- und Denkprozesse;
- leidet unter Halluzinationen *(Trugwahrnehmungen)*;
- verkennt Personen und wahrgenommene Objekte (sieht z.B. "weiße Mäuse"), spricht mit imaginären Personen;
- interpretiert seine Umwelt falsch, leidet unter Sinnestäuschungen und Wahnvorstellungen;
- leidet unter Gedächtnislücken, vor allem im Bereich des Kurzzeitgedächtnisses;
- verliert (zeitweise) die Kontrolle über die Urin- und Stuhlausscheidung;
- nestelt an seiner Kleidung, der Bett- oder Tischdecke;
- zeigt Phasen der Hyper- und/oder Hypoaktivität;
- hat häufig einen gestörten Schlaf-Wach-Rhythmus, ist nachts wach und aktiv, tagsüber müde und träge, evtl. somnolent;
- ist (zeitweise) mißtrauisch, sucht Streit und reagiert aggressiv;
- versteht Fragen nicht richtig, ist nicht in der Lage, folgerichtige Antworten zu geben;
- kann nicht für seine eigene Sicherheit sorgen, da er Gefahren nicht erkennt oder vergißt, Arbeitsabläufe zu beenden (z.B. Herdplatte abstellen und Topf von der Herdplatte nehmen, Bügeleisen abstellen).

Weitere Veränderungen, die im Zusammenhang mit einer Verwirrtheit zu beobachten sind, ergeben sich aus der ursächlichen Störung. So weist z.B. ein von Herzklopfen, Heißhunger, Schwitzen und Unruhe begleiteter Verwirrtheitszustand auf eine Hypoglykämie *(Unterzuckerung)* hin.

Bei vielen Betroffenen treten die Verwirrtheitszustände abends und nachts oder in frühen Morgenstunden (verstärkt) auf; meist werden sie dann durch Blutdruck- oder Blutzuckerabfall bzw. durch Orientierungsschwierigkeiten in der Dunkelheit verursacht.

❐ Therapie

Da ein akuter Verwirrtheitszustand als Symptom einer anderen Grundstörung einzuordnen ist, muß eine **Behandlung des ursächlichen Leidens** erfolgen. Diese setzt eine sorgfältige Beobachtung und eine gezielte ärztliche Untersuchung des verwirrten Menschen voraus. Durch die Behandlung der ursächlichen Störung (z.B. Exsikkose, Hypoglykämie, Bronchopneumonie, Blutdruckabfall) erlangt der Betroffene seine bisherigen kognitiven Fähigkeiten wieder.

8.8.3.2 Zur Situation eines Betroffenen

Die zu beobachtende **suchende**, **ängstliche**, unruhige, oft auch aggressive **Grundstimmung** eines akut verwirrten Menschen gibt Hinweise auf das innere Erleben seiner Situation.

Ein Betroffener **bemerkt** in bewußtseinsklaren Phasen und beim Übergang in den Verwirrtheitszustand den zunehmenden **Kontrollverlust** über seine Situation. Er verliert die räumliche und zeitliche Orientierung, sein persönliches Erleben wird zerstückelt, Fixpunkte des Alltagsgeschehens verschwinden. Infolge der nachlassenden Aufmerksamkeit und Konzentration wird die **Kommunikationsfähigkeit** des Verwirrten **beeinträchtigt**: Er versteht die Bedeutung von Aussagen und Fragen nicht vollständig. Somit kann er nicht mehr folgerichtig antworten und adäquat reagieren. Die Veränderungen führen zur **Verunsicherung** des Betroffenen; Angst und sozialer Rückzug oder Versuche, die Situation zu überspielen, können Folgen sein.

Der Betroffene stellt die Bedeutung von Personen, Geschehnissen und Örtlichkeiten immer wieder in Frage; Verwechslungen, vermischt (oder im Wechsel) mit realen und mit verzerrten Wahrnehmungen, prägen seine Erlebnisweise. Halluzinationen und Illusionen werden wirklichkeitsgetreu (traumähnlich) erlebt, lösen meist **Ängste** aus und ziehen entsprechende Reaktionen des Betroffenen nach sich. Er spricht z.B. mit imaginären Personen oder führt stereotyp für Außenstehende sinnlose Handlungen aus.

Im suchenden / wühlenden Verhalten oder in der Ausübung von Handlungen, die früher routinemäßig durchgeführt wurden (berufliche oder hauswirtschaftliche, automatisierte Handlungsabläufe) drückt sich die **angestrengte Suche** des Betroffenen **nach Orientierung** aus.

Ein verwirrter Mensch ist nicht in der Lage, in allen Lebensbereichen selbständig für sich zu sorgen. **Verwahrlosung** und **Gefährdung** des Betroffenen sind häufig zu beobachtende Folgen; viele Mitmenschen reagieren besorgt und hilflos, manche auch ablehnend. Nicht selten wird die Einweisung in ein Krankenhaus bzw. Altenheim veranlaßt. Diese verstärkt zunächst die Verwirrtheit, da dem Betroffenen seine vertraute persönliche Welt fehlt und sein Anpassungsvermögen an die plötzlich veränderte Situation deutlich reduziert ist.

Werden die Ursachen des Verwirrtheitszustandes jedoch erkannt und therapiert, verfügt der betroffene Mensch bald wieder über seine bisherigen kognitiven Fähigkeiten.

Andererseits kann die Konfrontation mit einem "veränderten Alltag" in einer veränderten Umgebung Auslöser der Verwirrtheit sein. Der Betroffene **braucht** (zumindest die Erinnerung an) **Vertrautes**, um sich in der neuen Situation zurechtzufinden.

Literaturhinweise

Bartels, H. / Bartels R.: Physiologie. Urban & Schwarzenberg, München 1991
Bauby, J.: Schmetterling und Taucherglocke. Paul Zsolnary, Wien 1997
Bienstein, Ch. / Fröhlich, A.: Basale Stimualtion in der Pflege. verlag selbstbestimmtes leben, Düsseldorf 1991
Borbély, A.: Das Geheimnis des Schlafs. Ullstein, Berlin 1991
Deutscher Berufsverband für Pflegeberufe: Die Nacht im Krankenhaus aus der Sicht der Pflegenden. Krankenpflege, Eschborn 1993
Dreßling, H. / Riemann,D.: Diagnostik und Therapie von Schlafstörungen. Fischer, Stuttgart 1994
Farady, A.: Deine Träume. Schlüssel zur Selbsterkenntnis. Fischer, Frankfurt 1992
Feyler, G.: Träume - Suchbilder der Seele. Bauer, Freiburg 1988
Fröhlich, A.: Basale Stimulation. verlag selbstbestimmtes leben, Düsseldorf 1991
Hofmann, H.P., Kleinsorge, H.: Kleine Pharmakologie. Fischer, Stuttgart 1993
Kretz, F.J. / Kretz, A.: Medikamentöse Therapie. Thieme, Stuttgart 1993
Lanzendörfer, C. / Scholz, J.: Psychopharmakologie für Krankenpflegeberufe. Springer, Heidelberg 1993
Luban-Plozza, B.: Schlaf dich gesund. Trias, Stuttgart 1993
Lüllmann, H.: Taschenatlas der Pharmakologie. Thieme, Stuttgart 1994
Melzer, H. / Walter M.: Arzneimittellehre. Urban & Schwarzenberg, München1993
Mutschler, E.: Arzneimittelwirkungen. Wissenschaftliche Verlagsgesellschaft mbH, Stuttgart 1996
Niemer, M. / Nemes, C.: Datenbuch Intensivmedizin. G. Fischer, Stuttgart 1979
Schneider, B. / Koch, F.: Pflegeleitfaden Nachtdienst. Krankenpflege - Altenpflege. Fischer, Lübeck Ulm 1996
Schultz, J.H.: Das autogene Training. Thieme, Stuttgart 1991
Schwörer, Ch.: Der apallische Patient. G. Fischer, Stuttgart 1992
Thome, U.: Neurochirgische und Neurologische Pflege. Springer, Berlin 1997
Thümler, R.: Schädel-Hirn-Trauma und apallisches Syndrom. Piper, München 1994
Wink, K.: Schlafstörungen. Erkennung und Behandlung. Fischer, Stuttgart 1990
Ziegelasch, H.H.: Wachen in der Nacht. Schlütersche, Hannover 1994

Kommunizieren

Die Deutung der Körpersprache hinsichtlich des kommunikativen Ausdrucks bezeichnet man als **Kinesik**. Die einen seelischen Zustand oder ein inneres Geschehen ausdrückende Bewegung bezeichnet man auch als **Gebärde**.
Im Umgang mit Pflegebedürftigen stellt die Körpersprache als nonverbales Kommunikationsmittel einen wesentlichen Teil der gesamten Kommunikation dar. Professionell Pflegende sollten sich dessen bewußt sein, sich diesbezüglich informieren und sich selbst beobachten. Sie können einerseits die Körpersprache bewußt und reflektiert einsetzen, andererseits durch die Beobachtung des Gesprächspartners - im Zusammenhang mit dessen Gesamtverhalten - Informationen über sein Befinden und seine Gefühle einholen. Neben der bewußten Ausdrucks- und Verständigungsfunktion können unbewußt ablaufende Mitteilungen auf nonverbaler Ebene Auskunft über aktuell vorhandene Probleme (z.B. innere Konflikte) des Senders geben; diese sind häufig für ihn unbemerkt und stehen im Widerspruch zum verbal Ausgedrückten. Beispiel: Ein sich tapfer gebender Patient vermittelt nur über Signale der Stimme und Körpersprache, daß es ihm nicht gut geht. Bei der Interpretation muß berücksichtigt werden, daß der Ausdruck von Gestik und Mimik individuell unterschiedlich sein kann.
Der Gesprächsinhalt kann durch den Ausdruck der Körpersprache verdeutlicht und verstärkt oder relativiert und abgeschwächt werden.

❐ Mimik

Als Mimik oder **Mienenspiel** bezeichnet man Ausdrucksbewegungen und -formen des menschlichen Gesichts. Sie kann - bewußt oder unbewußt eingesetzt - **Hinweise** auf das aktuelle **Empfinden** des Senders geben. Der Gesichtsausdruck kann z.B. schmerzverzerrt, teilnahmslos, wie versteinert, abwesend, zuversichtlich oder fröhlich sein. Mittels Mimik können **Gefühle** wie Freude und Trauer, aber auch Gereiztheit, Desinteresse, Verständnis oder Mißbilligung ausgedrückt werden. So sind jedem Leser herabhängende Mundwinkel als Ausdruck der Trauer oder des Mißmutes bekannt.
Die zwischenmenschliche Kommunikation wird durch die Mimik bereichert, auch wenn diese mitunter Fehlinformationen liefert. Der aufmerksame Beobachter entdeckt diese Disharmonien *(Gegensätzlichkeiten)* meist und erhält dadurch weitere Informationen, z.B. die, daß der Sender seine Gefühle verbergen möchte.
Mimik kann **Signalcharakter** haben. Ein Lächeln wird z.B. eingesetzt, um zu zeigen: *"Ich wünsche, daß du Kontakt mit mir aufnimmst"*, oder: *"Es war nicht so gemeint, sei mir nicht böse"*.
Ein gesenktes Haupt und niedergeschlagene Lider können bedeuten: *"Laß mich in Ruhe"*, oder: *"Ich schäme mich"*, oder: *"Ich bin sehr traurig"*.
Diese Beispiele zeigen auch die subjektiv oder situativ unterschiedliche Bedeutung der Körpersprache; die jeweils zutreffende Aussage kann nur aus dem Kontext entnommen und bestenfalls verbal bestätigt werden.
Das Mienenspiel kann durch bestimmte Erkrankungen behindert oder eingeschränkt sein; der äußere Ausdruck entspricht dann ungewollt nicht dem tatsächlichen Empfinden *(siehe "Störungen der Körpersprache", Seite 741)*.

❐ Gestik

Die Gestik umfaßt alle Formen der veränderlichen **Ausdrucksbewegungen** des menschlichen Körpers. Eine besondere Rolle spielen dabei die ausdrucksstarken Bewegungen der Hände. Sie **unterstützen das gesprochene Wort** und bringen Gefühle und Gemütsregungen zum Ausdruck. Die Gestik kann z.B. lebhaft, harmonisch oder aggressiv wirken. Eine geballte Faust zeigt Aggression und Kampfbereitschaft, das Trommeln mit den Fingern Aufregung und Ungeduld.
Manchen Gesten kann, unabhängig von der Person des Senders und ohne begleitende Worte, eine einheitliche Bedeutung zugemessen werden. Beispiele sind die nach oben geöffnete Hand als Bittstellung oder das beschwichtigende Auf- und Abbewegen der Hände mit nach unten zeigenden Handflächen. Das Nicken mit dem Kopf und das Heben der Hand sind als Grußzeichen bekannt; die vor der Brust verschränkten Arme weisen oft auf eine Abwehrhaltung hin (*"Laß mich in Ruhe"*). Allerdings können Ausdrucksbewegungen in anderen Ländern / Kulturkreisen eine andere Bedeutung haben. In Bulgarien bedeutet das Kopfschütteln z.B. "Ja".
Gestik kann aufmunternd (ausgestreckte Arme) und anfeuernd (in die Hände klatschen), belustigend (übertriebene Verneigung) oder beleidigend (einen "Vogel zeigen") sowie auffordernd (vorbeiwinkende Bewegung mit der Hand) etc. sein.
Die Beispiele zeigen, daß die Gestik oft gezielt eingesetzt wird, um eine bestimmte Wirkung beim Kommunikationspartner zu erzielen.

Die **Gebärdensprache** ist das wichtigste Kommunikationsmittel der sprach- und hörgeschädigten Menschen. Jede Gebärde ist ein Zeichen, mit dem - ergänzt durch das Mundbild und die Körpersprache - ein Wort oder ein Begriff zum Ausdruck gebracht wird. Die Möglichkeiten der Gebärdensprache werden ergänzt durch die der **Fingersprache**, bei der jede Fingerhaltung jeweils die Bedeutung eines Buchstaben oder einer Zahl hat *(vgl. Abb. 9.1, Internationales Fingeralphabet)*.

❐ Körperhaltung

Die Körperhaltung gibt **Auskunft über** die seelische und körperliche **Verfassung** *(siehe auch "Beobachtung der Körperhaltung", Seite 538)*. Sie kann z.B. aufrecht und locker, gebeugt und müde oder zwanghaft und verkrampft sein. So kann die Haltung z.B. Selbstbewußtsein, Stolz, Trauer oder Unsicherheit zum Ausdruck bringen. Ein aufrechter Gang spiegelt eine aufrechte innere Haltung und ein Zuwenden zur Welt wider.
Die Körperhaltung kann ohne besondere Übung meist nur kurzzeitig bewußt beeinflußt werden. Oft ist sie allerdings auch **von Konventionen geprägt**; so gilt es z.B. vielen Menschen als unschicklich, "*sich hängen zu lassen*". Eine schlaffe Haltung weist zwar oft auf Kraftlosigkeit, eine gekrümmte auf Schmerzen oder Krankheit hin. Umgekehrt kann aber aus der aufrechten und festen Haltung nicht ohne weiteres auf ein Wohlbefinden geschlossen werden, da sie Ausdruck

eines "*schicklichen Verhaltens*" oder des Bemühens, das Unwohlsein zu verbergen, sein kann. Im letzteren Fall ist das tatsächliche Befinden des Betroffenen allerdings festzustellen, wenn er sich unbeobachtet glaubt, denn er wird alsbald in die seiner Verfassung entsprechende Haltung zurückfallen.

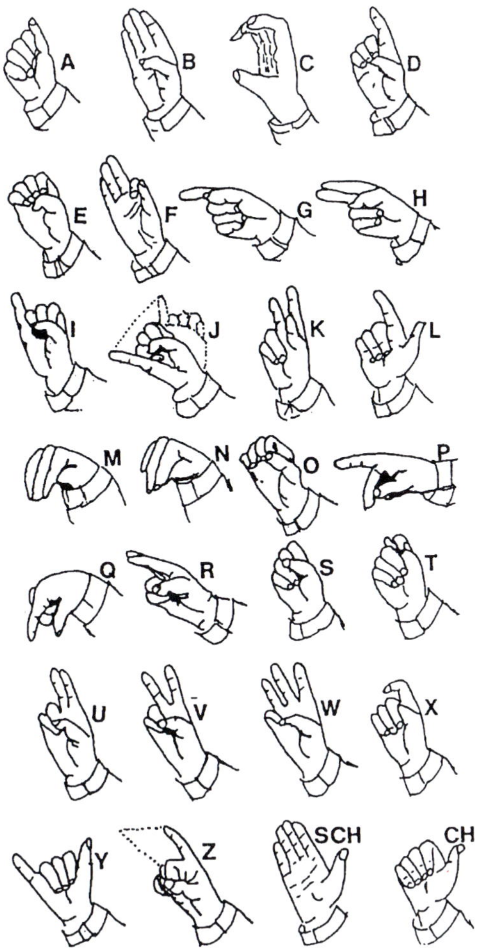

Abb. 9.1 ***Internationales Fingeralphabet***

❒ Körperbewegungen

Der Begriff "Körperbewegungen" meint hier in erster Linie den **Gang** sowie die dazugehörigen unwillkürlichen Bewegungen der Arme und des Kopfes. Auch die Körperbewegungen geben **Auskunft über** die seelische und körperliche **Verfassung**. Sie können elastisch, federnd und beschwingt oder müde, kraftlos und unsicher sein. Allgemein bekannt sind z.B. der beschwingte Gang eines fröhlichen Menschen oder der kraftlose Gang bei Traurigkeit. Unausgesprochene Gefühle und Stimmungslagen wie Niedergeschlagenheit, Traurigkeit oder "heimliche" Freude können unausgesprochen deutlich werden. Die Bewegungen können auch zitternd, vorsichtig, ungelenk und unharmonisch sein.

Spezielle **Gangeigenarten** sind das Trippeln, das Schlurfen und das Schwanken. Krankheiten, vor allem den Bewegungsapparat und das Nervensystem betreffende, können Körperhaltung und Bewegung in ungewollter Weise verändern, so daß deren kommunikativer Charakter teilweise oder ganz eingebüßt wird.

Störungen des Geistes können ebenfalls mit auffälligen Veränderungen der Körperhaltung und -bewegung einhergehen, die hier allerdings meist wieder Ausdruckscharakter haben. So bewegen sich Menschen mit Wahnvorstellungen nicht selten gehetzt und übereilig.

Beim **Tanz** werden die Bewegungen des ganzen Körpers zum Mittel des Ausdrucks. Bei Naturvölkern hat diese Ausdrucksform eine weitaus größere Bedeutung als in den modernen Kulturen.

❒ Körperkontakt

Der Körperkontakt *(Berührungen)* ermöglicht **Kommunikation über die Hautsinne.** Er kann z.B. durch Anfassen, Drücken, Streicheln, Handauflegen, Umarmen oder Küssen erfolgen. Dabei werden Temperatur, Beschaffenheit und Konsistenz der Haut sowie die Körperformen und der Körpergeruch wahrgenommen.

Auch Reaktionen des Kommunikationspartners, z.B. Entgegenkommen oder Abweisung, Ver- oder Mißtrauen, An- oder Ablehnung können erkannt werden.

Der Körperkontakt vermittelt also **Informationen über die persönlichen Gefühle** zwischen Sender und Empfänger. Dies gilt eingeschränkt auch für mit Körperkontakt einhergehende gesellschaftliche Gebräuche wie das Wangeküssen, die flüchtige Umarmung oder das Händeschütteln. Das Meiden von Körperkontakt bei solchen üblichen Gesten kann Antipathie oder eine bewußte Distanzierung, aber auch Unsicherheit oder Hemmungen ausdrücken. Umgekehrt können durch diese Gesten positive Gefühle wie Sympathie und Zuwendung gezeigt werden.

Geht der Körperkontakt über die üblichen Gesten hinaus, geschieht dies meist als **Ausdruck besonderer Zuneigung**. Sexuelle Begegnungen gehen ebenfalls mit engem - nicht unbedingt intensivem - Körperkontakt einher. Hierbei übt die emotionale Beziehung der Partner zueinander Einfluß auf die subjektive Erfahrung des Körperkontakts aus. Berührungen, insbesondere die, die bewußt an erogenen Zonen erfolgen, dienen oft der Aufnahme sexueller Kontakte. Sich liebende Menschen erfahren während des intensiven Zärtlichkeitsaustausches tiefe Zusammengehörigkeit, Einheit, Nähe und Vertrauen.

Auch **während der Körperpflege** durch einen anderen Menschen **ausgeübte Berührungen** können positive und negative Gefühle auslösen und vermitteln. Entscheidend sind das von Sympathie oder Antipathie geprägte Verhältnis zwischen Sender und Empfänger, die Art der Berührungen sowie die Ausprägung des Bedürfnisses nach Hautkontakt und des Schamgefühls. Viele Menschen, die ansonsten keine oder nur sehr flüchtige Hautkontakte erfahren, empfinden die Berührung bei der Körperpflege eher als angenehm, Menschen mit ausgeprägtem Schamgefühl eher als unangenehm. *(Lesen Sie dazu auch "Körperpflege", Seite 645).*

Bewußte und gezielte Berührungen in der Pflege haben einen **Beziehungsaspekt** und einen **therapeutischen Wert**. Einerseits können z.B. Zuwendung, menschliche Nähe und eine gewisse Geborgenheit vermittelt werden, andererseits kann die Wahrnehmungsfähigkeit des Patienten gefördert werden *(siehe "Basale Stimulation", Seite 742).*

SENDER mittels verbaler und nonverbaler Sprache ⇨ **NACHRICHT "Ich dusche heute nicht!"** ⇨ **EMPFÄNGER mittels "vier Ohren"**

Anmerkung:

Die Patientin schaut mürrisch drein; sie hält ihre Arme vor dem Brustkorb verschränkt.

Sender	Empfänger
Sachinhalt	**Sachohr**
Ich dusche heute nicht.	Sie lehnt es ab, heute zu duschen.
Selbstoffenbarung	**Selbstoffenbarungsohr**
Ich mag heute nicht duschen. Ich bestimme über Art und Ausmaß meiner Körperpflege. Ich habe meine Entscheidung getroffen.	Sie trifft selbstverantwortlich Entscheidungen. Sie ist heute verstimmt.
Beziehung	**Beziehungsohr**
Ich lasse mir von Ihnen nichts vorschreiben. Unsere Einstellungen zur Körperpflege sind verschieden.	Sie möchte *von mir* nicht gepflegt werden. Sie stellt meine Fachkompetenz in Frage. Sie fühlt sich von mir bevormundet. Sie möchte mich ärgern.
Appell	**Appellohr**
Ich erwarte, daß meine Entscheidung respektiert wird. Diskutieren Sie nicht mit mir darüber. Lassen Sie mich in Ruhe. Kommen Sie mir nicht zu nahe.	Sie erwartet, daß ich ihre Entscheidung respektiere. Sie möchte ihre Ruhe haben.

Abb. 9.4 a ***Modell der zwischenmenschlichen Kommunikation am Beispiel***

SENDER mittels verbaler und nonverbaler Sprache ⇨ **NACHRICHT "Ich dusche heute nicht!"** ⇨ **EMPFÄNGER mittels "vier Ohren"**

Anmerkung:

Die Patientin zeigt einen leidenden Gesichtsausdruck; sie hat die Bettdecke bis zum Kinn hochgezogen.

Sender	Empfänger
Sachinhalt	**Sachohr**
Ich dusche heute nicht.	Sie lehnt es ab, heute zu duschen.
Selbstoffenbarung	**Selbstoffenbarungsohr**
Es geht mir nicht gut. Ich bleibe jetzt im Bett. Ich habe eine Entscheidung getroffen.	Sie fühlt sich so schlecht, daß sie nicht aufstehen möchte. Sie braucht Zuwendung.
Beziehung	**Beziehungsohr**
Von Ihnen erwarte ich Fürsorge. Sie können mich aufbauen.	Hat es etwas mit mir zu tun, daß sie nicht duschen möchte? Ich kann sie nicht motivieren.
Appell	**Appellohr**
Fragen Sie mich nach dem Grund. Sie sollen sich um mich kümmern. Lassen Sie mich heute im Bett bleiben. Helfen Sie mir.	Sie braucht meine Zuwendung und Fürsorge. Sie möchte nicht aufstehen. Sie wünscht Hilfe.

Abb. 9.4 b ***Modell der zwischenmenschlichen Kommunikation am Beispiel***

9.3.1 Besonderheiten der Kommunikation bei pflegerischen Tätigkeiten

Während einer Pflegebedürftigkeit ist die Aufnahme zwischenmenschlicher Kontakte zunächst durch die äußeren Umstände bedingt. Die Beteiligten haben einander nicht als Gesprächspartner ausgesucht. Um eine **angenehme Atmosphäre** und eine zwischenmenschliche Basis zu schaffen, bedarf es der **Kontaktbereitschaft**. Die Pflegenden sind meist in der günstigeren Position und sollten deshalb auf den Patienten zugehen. Es ist wichtig, sowohl Offenheit als auch **Toleranz** und **Akzeptanz** zu zeigen, wenn sich ein Vertrauensverhältnis entwickeln soll.
Die Beziehung zwischen Patient und Pflegekraft kann heilende Wirkung ausüben, wenn sie die Gefühle des Kranken einbezieht, Ängste, Leid und Trauer zuläßt sowie durch einfühlendes Verstehen, Respekt und Toleranz geprägt ist.
Bei der **Kommunikation mit kranken Menschen** ist zu beachten, daß sie sowohl in der Qualität als auch in der Quantität durch einen reduzierten Allgemeinzustand, Bewußtseinsstörungen, starke Schmerzen, seelisches und körperliches Unwohlsein, Atemnot und andere Störungen der Gesundheit beeinträchtigt sein kann.

❒ Schweigepflicht

Kommt es zu vertrauten Gesprächen, sollte **Verschwiegenheit** selbstverständlich sein. Die Verschwiegenheit bildet die Grundlage des Vertrauens zwischen dem Patienten und den ihn betreuenden Personen. Sie ist strafrechtlich abgesichert durch die in § 203 Strafgesetzbuch verankerte Schweigepflicht für Ärzte, Zahnärzte, Apotheker und andere Heilberufe, deren Ausbildung staatlich geregelt ist. Sie gilt auch für die Pflegeberufe und verlangt die Verschwiegenheit über alle - auch über nicht medizinische - Sachverhalte, die während der beruflichen Tätigkeit über den Patienten bekannt werden. Die **Schweigepflicht** entfällt nur, wenn eine der folgenden Bedingungen gegeben ist:

a) der Patient entbindet den Schweigepflichtigen;
b) Vorliegen der Offenbarungspflicht, die sich auf Auskünfte im Rahmen der Sozialversicherung zur Prüfung der Leistungspflicht und zur Leistungsabrechnung bezieht;
c) Vorliegen der Anzeigepflicht, z.B. Meldepflichten nach dem Bundesseuchengesetz, dem Personenstandsgesetz und dem Berufskrankheitengesetz.

Nicht immer ist leicht zu entscheiden, ob gewisse Informationen, die für die Behandlung wichtig sind, an die KollegInnen bzw. den behandelnden Arzt weitergegeben werden dürfen. In einem solchen Fall ist es oft günstig, offen mit dem Patienten über dieses Problem zu sprechen und ihn entscheiden zu lassen.

9.3.2 Gesprächsführung

Da die Ausübung eines Pflegeberufes auch eine **psychosoziale Kompetenz** einschließt, sollte eine bewußte, kontrollierte und professionelle Kommunikation gelehrt und eingeübt werden. Ziel ist nicht etwa ein perfektes gesprächstherapeutisches Können, sondern ein **besseres Verstehen des Patienten**.
Um die subjektive Welt eines anderen Menschen wenigstens teilweise zu erfassen und um eine gemeinsame Wirklichkeit zu finden, bedarf es der **bewußten Kommunikation** und Gesprächsführung. Diese sollte vor allem durch **Wertschätzung**, **aktives Zuhören** und **einfühlendes Verstehen** *(Empathie)* gekennzeichnet sein.

9.3.2.1 Allgemeine Hinweise zur Gesprächsführung

Das Führen eines Gesprächs wird durch bestimmte **äußere Bedingungen** erleichtert.

- **Eine ungestörte Umgebung**
  Akustische und optische Störquellen sowie Unterbrechungen durch andere Personen sind möglichst auszuschalten bzw. zu reduzieren. Das Gespräch sollte in einem abgeschlossenen Raum (nicht auf dem Flur oder "zwischen Tür und Angel") stattfinden.
- **Zeit**
  Die Gesprächspartner sollten signalisieren oder aussprechen, daß sie Zeit für den anderen haben. Zumindest die Pflegeperson bringt "innere" Ruhe mit.
- **Der richtige Abstand**
  Eine angemessene räumliche Distanz zwischen den Gesprächspartnern wirkt sich positiv aus *(siehe "Die Nähe und räumliche Distanz", Seite 718)*.

Jede Kommunikation wird durch die **persönlichen Bedingungen**, die jeder Kommunikationspartner mitbringt, beeinflußt.

- **Die Einstellung auf den anderen**
  Jeder sollte dem anderen Aufmerksamkeit schenken und sich auf ihn einlassen, ihm zuhören.
- **Akzeptanz und Wertschätzung des anderen**
  Der Gesprächspartner wird in seiner ganzen Person, mit all seinen Gefühlen, Wünschen und Einstellungen akzeptiert. Er erfährt ungeteilte Aufmerksamkeit. Die erfahrene Wertschätzung fördert das Vertrauen und erleichtert dem Gesprächspartner, sich mitzuteilen.
- **Offenheit**
  Aufgeschlossenheit, eine freundliche Ausstrahlung und Interesse am Gesprächspartner erleichtern die Kommunikation.
- **Eine gemeinsame Sprache**
  Hier sollte sich die Pflegeperson insoweit auf die dem Pflegebedürftigen eigene Sprache einstellen, daß dieser ihn verstehen kann. Den pflegerischen Fachbegriffen sind häufig allgemein verständliche Worte vorzuziehen (z.B. "Wundliegen" oder "Druckgeschwür" statt "Dekubitus").
  Die sprachliche Gestaltung informierender, aufklärender Gespräche richtet sich nach den Verständnismöglichkeiten des Pflegebedürftigen.
  Besondere Schwierigkeiten können sich bei der Kommunikation ergeben, wenn einer der Gesprächspartner der deutschen Sprache nicht mächtig ist.
- **Einfühlungsvermögen**
  Der Wunsch und die Fähigkeit, sich in dem möglichen Umfang in die subjektive Welt des Pflegebe-

Krankheit und im Rahmen eines Krankenhausaufenthaltes außerordentlich wichtig sein. Auch werden Wohlbefinden und Gesundung gefördert und **dem körperlichen und geistigen Abbau sowie dem sozialen Rückzug entgegengewirkt**. Bewußtes Berühren läßt den Handlungs- und Beziehungsaspekt pflegerischer Tätigkeiten miteinander verschmelzen und macht sie einmal mehr zu einem **anspruchsvollen und bereichernden Geschehen.**

❒ Bedeutung von Berührungen

Berührungen sind ein **elementares Lebensbedürfnis.** Sie sind **Voraussetzung für die menschliche Entwicklung**, denn sie ermöglichen die dazu notwendige Wahrnehmung taktiler Reize, Körpererfahrung und Kommunikation.

Im Säuglingsalter und Kleinkindalter **fördern** häufige Berührungen die **Beweglichkeit und die Abwehrkräfte** sowie das **körperliche Wachstum und die seelisch - geistige Entwicklung** insgesamt.

Umgekehrt hemmt ein Mangel an taktiler Stimulation, also ein Mangel an Berührung, die Immunabwehr und die Entwicklung insgesamt. Dies wurde in mehreren Untersuchungen an Kindern, die in Waisenhäusern aufwuchsen, belegt. Zum Beispiel berichtet MONTAGU (1995), daß die Sterblichkeit von Kindern in amerikanischen Waisenhäusern durch das Einführen des "Bemutterns" von 35% auf weniger als 10% gesenkt werden konnte. Friedrich der II. wollte die Ursprache ausfindig machen und ließ zu diesem Zweck Kinder von Geburt an ohne Berührungen und ohne Sprache aufwachsen; die Kinder konnten unter diesen Umständen jedoch nicht gedeihen und verstarben bald.

Die Bedeutsamkeit von Berührungen ist auf **zwei wesentliche Elemente** zurückzuführen:

- **Körpererleben und die nach außen gerichtete Wahrnehmung.**

  Berührung macht den eigenen Körper erfahrbar. Das Wahrnehmen einer anderen Person über den Hautsinn ermöglicht gleichzeitig das Wahrnehmen und Abgrenzen des eigenen Körpers und das **Erleben des Selbst**.

  Ähnliches erfahren wir im Zusammenhang mit körperlicher Bewegung. Beim Radfahren bemerken wir z.B. das Körpergewicht auf dem Sattel, fühlen die Anstrengung in den Beinen und spüren den Fahrtwind, der die Kleider an den Körper drückt und die Haare "tanzen" läßt.

  Wir spüren unseren Körper nicht nur während, sondern auch nach körperlicher Aktivität, z.B. wenn wir nach der Arbeit "jeden einzelnen Muskel spüren".

  Das Bedürfnis, den eigenen Körper zu spüren, bleibt zeitlebens bestehen.

  Eine entsprechende Wahrnehmung beschränkt sich aber nicht auf die Wahrnehmung des eigenen Körpers, sondern richtet die Aufmerksamkeit nach außen. Das Spüren eines anderen Körpers oder eines Gegenstandes ist - neben z.B. akustischen oder visuellen Eindrücken - ein Reiz, der Reaktionen des Körpers, des Geistes und der Seele hervorrufen kann. So werden wir durch Berührungserlebnisse in mehrfacher Hinsicht "in Bewegung gehalten", ja trainiert.

- **Kommunikation durch Berührung**

  Berührungen können das gesprochene Wort unterstreichen, ergänzen, ersetzen oder aber der Unwahrheit überführen. Körperliche Berührung kann einen **Menschen das Gefühl eines anderen für ihn spüren lassen** und die persönlichen Gefühle in einzigartiger Weise vermitteln.

Ebenso kann Körperkontakt **gemeinsames Fühlen und Erleben** ermöglichen. Zum Beispiel können durch Berührungen wie Handauflegen oder Umarmen Trauer geteilt und Freude miterlebt werden. Es können Mitgefühl und Betroffenheit gezeigt oder "einfach nur" Zuwendung geschenkt werden.

Berührungen können Achtsamkeit, persönliche Wertschätzung und Zuneigung ausdrücken. Durch diese **Streicheleinheiten für Körper und Seele** kann ein anderer Mensch *"angerührt"*, innerlich berührt werden.

Andererseits werden unterlassene, unangenehme oder gar schmerzliche Berührungen wie Schläge und Mißhandlungen als Gleichgültigkeit, Ablehnung oder Mittel der Macht verstanden (*"Wer nicht hören will, muß fühlen"*). Die Folgen sind z.B. Kränkung, Rückzug oder Aggression.

Solche "Botschaften" werden auch dann vermittelt, wenn Berührungen nicht bewußt als Mittel der Kommunikation eingesetzt werden: **"Man kann nicht nicht kommunizieren".**

Ein berührter Mensch nimmt - bewußt oder unbewußt - die innere Haltung des anderen zu ihm und zu dessen Tun wahr. Er spürt z.B., ob die Berührung wohlgemeint, gleichgültig oder eher widerwillig geschieht. Deshalb sind **Berührungen ehrlich.**

Dieses Phänomen hat entwicklungsgeschichtliche Hintergründe: Menschen lernen bereits in der frühen Kindheit, **Reaktionen anderer aufgrund muskulärer Veränderungen wahrzunehmen**. Der Hautkontakt während des Stillens, während des Getragen- und des Gewickeltwerdens vermittelt die Gestimmtheit und Einstellung der Mutter. Ein Säugling fühlt unbewußt, wie die Mutter zu ihm, aber auch zu anderen Personen, die mit ihr in Kontakt treten, eingestellt ist. So kann sich z.B. die Angst der Mutter vor einem bestimmten Menschen oder vor Hunden auf das Kind übertragen, ohne daß sie jemals diese Angst verbal äußert.

Unabhängig von ihrer Art ist eine Berührung **Hinwendung zu einem anderen Menschen**. Meist geschieht dies in der Absicht, dem anderen Sympathie oder wenigstens Aufmerksamkeit zu vermitteln.

Die **ganzheitliche Dimension** des Berührens und des Berührtwerdens wird in unserem Sprachgebrauch deutlich: Wir haben ein *Gespür* für bestimmte Situationen, wir besitzen *Fingerspitzengefühl* und *be - greifen* zwischenmenschliche Probleme.

Die erläuterten Bedeutungen des Berührens bleiben im Kern lebenslang bestehen.

❒ Berührungen im Pflegealltag

❍ Unterstützung bei den Aktivtäten des täglichen Lebens

Berührungen zur **Unterstützung bei den Aktivitäten des täglichen Lebens**, z.B. im Zusammenhang mit

dem Lagern und dem Mobilisieren eines Patienten, sind ein ganz wesentlicher Teil des Pflegealltags. Gleichzeitig haben Berührungen auch hier kommunikativen Charakter, sind also mehr als eine "pflegetechnische" Handlung.
Wie zuvor erläutert, lernt ein Mensch in der frühen Kindheit, bei Körperkontakt anhand des Muskeltonus die Stimmung und Einstellung eines anderen wahrzunehmen. Diese Fähigkeit, **"zwischenmenschliche Schwingungen" zu spüren**, bleibt - unterschiedlich stark ausgeprägt - lebenslang bestehen. Ein berührter Mensch nimmt - bewußt oder unbewußt - die innere Haltung zu ihm und zu dem pflegerischen Tun wahr. Er spürt z.B., ob die Berührung wohlgemeint und aufmerksam ausgeführt ist. Eine ehrlich gemeinte Begegnung rührt an, **bringt etwas in Bewegung.** Die Zuwendung weckt die Aufmerksamkeit des "Angesprochenen". Er spürt, daß er (noch) existent ist und geachtet wird. Dies kann ihn veranlassen, sich mit sich selbst und seiner Umwelt zu beschäftigen. In diesem Sinne kann Berührung die **Lebensenergie** oder die **Selbstheilungskräfte wecken**. Der Berührte spürt allerdings auch, wenn dem Pflegenden das Tun eher gleichgültig ist, er geistig abwesend ist oder seine Handlung gar widerwillig ausführt.
Schon aus diesen Gründen sind ein bewußter und ehrlicher Umgang mit dem anderen Menschen und eine positive innere Haltung sowohl zu ihm als auch zum Beruf Voraussetzung für eine menschliche Pflege.
In jedem Lebensalter und in jeder Lebenssituation bleiben Empfänglichkeit und Bedürftigkeit für Berührungen bestehen. **Einsamkeit** sowie Gebrechlichkeit und Krankheit, die mit einer deutlichen **Bewegungseinschränkung** einhergehen, können jedoch dazu führen, daß ein Mensch **kaum noch Berührungsreize** erfährt. Auch ein **ganzheitliches Körpererleben**, das zuvor z.B. durch Sport, körperliche Arbeit oder Tanz vermittelt wurde, **kommt nicht mehr zustande**.
Diese Situation kann nicht nur den **körperlichen Verfall**, sondern auch den **Abbau geistiger Fähigkeiten, Desorientierung** und den **inneren Rückzug** eines Menschen begünstigen. Durch bewußtes Berühren können wir diesen **Folgeerscheinungen** entgegenwirken und so dazu beitragen, die jeweilige Lebenssituation lebenswert zu gestalten und in Würde zu erleben.

❍ Biographische Aspekte

Die Bedeutung des Berührtwerdens ist individuell unterschiedlich. Das entsprechende Wissen kann durch Hinterfragen **biographischer Begebenheiten** erlangt werden. Es gilt herauszufinden, welche Berührungen auf welche Art und in welcher Körperregion vom einzelnen angenehm oder unangenehm empfunden werden. Ebenso ist zu hinterfragen, welche **subjektive Bedeutung Berührungen** zum einen für den Pflegebedürftigen und zum anderen für den Pflegenden haben. Die Fragen lauten dann z.B.: Welche Bedeutung haben und hatten Berührungen für mich und für den Patienten, wie hat er und wie habe ich Berührungen in der Kindheit erfahren? Gingen Berührungen mit Wärme, Geborgenheit, Zärtlichkeit und Wohlsein einher, oder waren sie mit Schmerz, Sexualität, Gewalt oder Machtausübung verbunden? Wie empfindet er / wie empfinde ich heute bestimmte Berührungen, was verbinden wir damit? Können Berührungen angenommen werden? - Die Antworten können viele Erklärungen für das Verhalten der Menschen liefern.

❍ Information, Motivation und Interaktion

Mittels Berührungen können einem Menschen bewußt und gezielt **Informationen** vermittelt und gesprochene Worte unterstrichen, ergänzt oder ersetzt werden. Pflegende können auf sich aufmerksam machen oder den Patienten z.B. zu einer Bewegung veranlassen.
Einen besonderen Stellenwert erlangt das bewußte Berühren zur **Vermittlung von Bewegungsinformationen**; bewußtes Berühren (und Bewegen) kann die Bewegungsfähigkeiten eines Menschen fördern und erhalten bzw. zu deren Wiedererlangung beitragen. Berühren ermöglicht ein Bewegen im gleichzeitigen und wechselseitigen Informationsaustausch. Bewegen wird zu einer gemeinsamen Aktion, bei der die Partner sehr eng miteinander kommunizieren und handeln; wie von selbst paßt sich der "Stärkere" dem "Schwächeren" an. Lesen Sie dazu "Kinästhetik", *Seite 534*.

❍ Intuitives Verhalten

Ein weiteres Mittel der Kommunikation sind **spontane intuitive Berührungen**, zumindest wenn sie von Sympathie für einen anderen Menschen getragen sind. Zum Beispiel zeigt das Halten der Hände Mitgefühl und Anteilnahme, spendet Trost oder ähnliches.

❍ Zuwendung und "Wohltat"

Das bewußte Berühren als Mittel zur Kommunikation und als Ausdruck der Zuwendung ermöglicht z.B. ein einfühlsames Begleiten sterbender Menschen. **Im Sterbeprozeß** bleibt der Hautsinn noch sehr lange wahrnehmungsfähig, so daß wir über Berührungen **Zuwendung schenken** können, die den Sterbenden erreicht und ihn fühlen läßt, daß er nicht allein gelassen wird.
Zusätzlich können **Wärmeempfindungen**, **sanfte Streichungen** oder **Massagen** Schmerzzustände auch in dieser letzten Phase des Lebens lindern. Dies kommt dem Wunsch vieler Menschen, nicht allein und nicht qualvoll sterben zu müssen, entgegen.
Ein Beispiel für eine Berührung, die in der Absicht erfolgt, angenehme Empfindungen hervorzurufen, ist die **wohltuende Einreibung.** Hier steht ebenfalls die Zuwendung, die in zweifacher Hinsicht **menschliche Wärme spüren** läßt und ganzheitlich angenehme Empfindungen vermittelt, im Vordergrund.
Vor der Durchführung einer Einreibung ist es ratsam, die **Temperatur** der eigenen Hände wahrzunehmen und diese ggf. vorher gegeneinander zu reiben, damit sie warm werden. Eine Creme oder Lotion sollte in den Händen erwärmt werden, bevor sie aufgetragen wird, denn die meisten Menschen empfinden kalte Hände unangenehm und reagieren mit einer erhöhten **Muskelanspannung**. Außerdem sind die individuellen **Wünsche** des Patienten bezüglich des Drucks und Tempos der Streichungen zu **erfragen** und das folgende Wissen zu berücksichtigen:
Eine **langsam** ausgeführte **flächige** Berührung mit der ganzen Hand, d. h. die Finger und der Daumen müs-

***Hinweis**: Informationen zur Situation eines Aphasikers finden Sie unter "Kommunizieren",* *Seite 608.*

Maßnahmen bei Verständigungsproblemen aufgrund unterschiedlicher Muttersprache:
Ausländische Mitbürger sind nicht immer der deutschen Sprache mächtig. Manchmal gelingt ihnen das Verstehen, nicht aber das Sprechen der landesüblichen Sprache.
Die außergewöhnliche Situation des Krankenhausaufenthaltes in einem fremden Land wird bei fehlender Kommunikationsmöglichkeit oft als besonders schmerzlich empfunden. Eine Verständigung zwischen den Patienten und dem Pflegepersonal kann - zumindest teilweise - ermöglicht werden durch:

- Hinzuziehen eines Dolmetschers, der häufig unter den Angehörigen des Patienten, dem Krankenhauspersonal oder den Patienten zu finden ist;
- Anlegen einer/s Kommunikationstafel / -buches mit zweisprachig aufgeführten Begriffen aus dem Alltagsleben (Abbildungen fördern das Verständnis zusätzlich);
- bewußtes Einsetzen von Mimik und Gestik;
- Aufnehmen von Körperkontakt (z.B. Handhalten, übers Gesicht streichen);
- Aufschreiben der Äußerungen des Patienten und späteres Übersetzen.

Beachte: Bemüht sich das Pflegepersonal, ab und zu ein Wort in der Muttersprache des Kranken zu sprechen (z.B. "Guten Tag", "Guten Appetit"), ist dieser meist hocherfreut. Er spürt, daß man sich um ihn bemüht und ihm nicht gleichgültig gegenübersteht.

9.5.3 Das Hören

9.5.3.1 Physiologische Begebenheiten des Hörens

Voraussetzung für das Hören ist ein funktionsfähiges **Hörorgan**. Es besteht aus dem äußeren Ohr, dem Mittelohr und dem Innenohr.

Die Reizung des menschlichen Gehörsinnes erfolgt über den **Schall**. Hierunter versteht man Längsschwingungen der Luftmoleküle. Die Schallwellen werden von der Ohrmuschel aufgefangen und über den äußeren Gehörgang bis zum Trommelfell geleitet; hinter diesem beginnt das Mittelohr. Hier werden die Schwingungen auf die in der Paukenhöhle liegenden Gehörknöchelchen (Hammer, Amboß und Steigbügel) und von dort auf das runde, später auf das ovale Fenster übertragen. Die Schwingungen des ovalen Fensters versetzen die Flüssigkeit im Innenohr (*Peri- und Endolymphe*) in Wellenbewegungen, die wiederum Schwingungen des eigentlichen Gehörorganes (*Corti-Organ*) verursachen. Dieses enthält ca. 20.000 Sinneszellen *(Haarzellen)*. Die Härchen der Sinneszellen werden durch die Schwingungen der Endolymphe bewegt; hierdurch werden Rezeptoren erregt und der akustische Reiz in elektrische Impulse umgewandelt. Diese werden von dem Hörnerv zum Hörzentrum in der Hirnrinde weitergeleitet. Erst hier wird das Gehörte empfunden und verarbeitet.

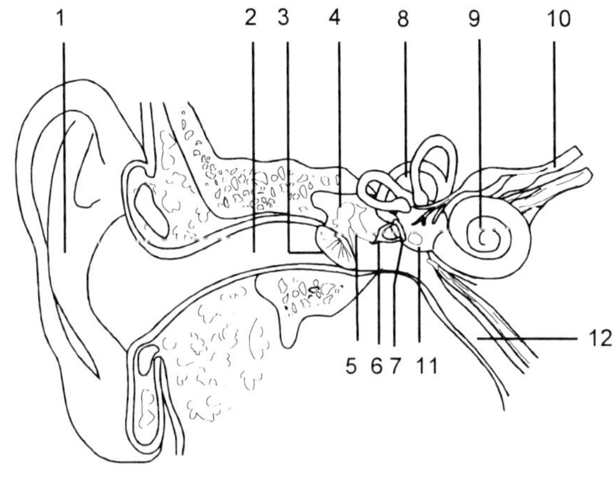

1 Ohrmuschel, 2 Gehörgang, 3 Trommelfell, 4 Hammer, 5 Amboß, 6 Steigbügel, 7 ovales Fenster, 8 Bogengänge, 9 Schnecke, 10 Hörnerv, 11 rundes Fenster, 12 Ohrtrompete

Abb. 9.7 ***Aufbau des Ohrs***

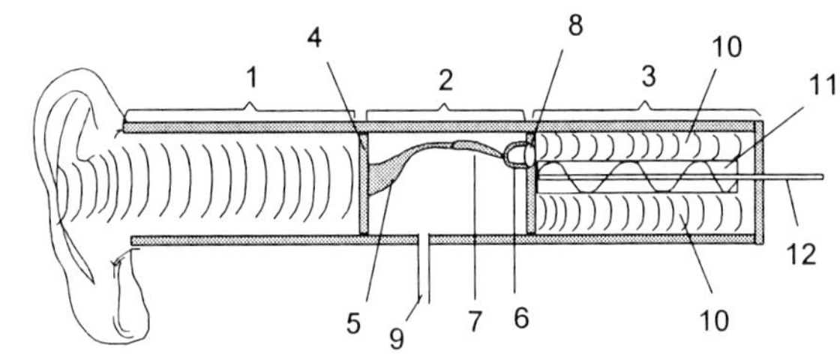

1 Äußeres Ohr, 2 Mittelohr, 3 Innenohr, 4 Trommelfell, 5 Hammer, 6 Steigbügel, 7 Amboß, 8 Ovales Fenster, 9 Eustachische Röhre, 10 Endolymphe, 11 Corti-Organ mit Sinneszellen, 12 Hörnerv

Abb. 9.8 ***Schematische Darstellung des Schalleitungssystems im Ohr***

Im Alter lassen sowohl die Übertragung des Schalls im Mittelohr als auch die Elastizität des Innenohres nach. Außerdem kommt es zum Verlust von Haarzellen in dem Bereich der Gehörschnecke, der die hohen Frequenzen repräsentiert. Diese drei Komponenten führen zur Abnahme der Fähigkeit, hohe Frequenzen zu hören.

9.5.3.2 Beobachtung des Hörens

Die Beobachtung der Hörfähigkeit bezieht sich auf die **Reaktionen**, die auf **akustische Reize** in Abhängigkeit von der Reizintensität und Reizart (Lautstärke, Tonhöhe) geäußert werden.
Bei Verständnisschwierigkeiten auf seiten des Pflegebedürftigen sollten Pflegende beobachten, ob diese evtl. auf ein eingeschränktes Hörvermögen zurückzuführen sind. Entsteht der Verdacht auf eine Schwerhörigkeit, ist eine **Hörprüfung** durch den Hals-Nasen-Ohrenarzt oder einen Hörgeräteakustiker anzuregen bzw. zu veranlassen.
Die Funktion des Gehörsinns kann mittels verschiedener Untersuchungsmethoden geprüft werden.

Sind die Funktionen des Gehörs intakt, so kann der Mensch erkennen, aus welcher Richtung das Gehörte kommt (*Richtungshören*). In speziellen Untersuchungen läßt sich der **Hörbereich**, der beim jungen Menschen zwischen ca. 16 und 20000 Hertz liegt, feststellen.
Eine ausgeprägte **Hörminderung** kann bei aufmerksamer Beobachtung oft ohne Hilfsmittel erkannt werden. Während der Beobachtung müssen das rechte und das linke Ohr gesonderte Beachtung finden; eine einseitige Hörminderung wird oft nicht erkannt, weil das andere Ohr intakt ist und eine ausreichende Wahrnehmung akustischer Reize ermöglicht.

❒ Störungen des Hörens

Schalleitungsschwerhörigkeit:
- die Ursache dieser Schwerhörigkeit liegt in einer der schalleitenden Stationen des äußeren Ohres oder des Mittelohres, es handelt sich z.B. um Mißbildungen des Ohres, Trommelfellriß, Steigbügelluxation;
- die akustischen Reize gelangen nicht bis zu den Haarzellen im Innenohr.

Schallempfindungsschwerhörigkeit:
- die Ursache der Schwerhörigkeit kann eine Störung am Innenohr (z.B. Durchblutungsstörung, stumpfes Schädelhirntrauma, Zerstörung von Sinneszellen durch Lärmeinwirkungen von über 90 Dezibel), am Hörnerv oder am ZNS sein;
- bei chronischer Lärmeinwirkung und im Alter kommt es zunächst zum Verlust der Empfindung von höheren, später auch von tieferen Tönen.

Hörsturz *(akute Ertaubung)*:
- es handelt sich um eine plötzlich einsetzende Hörminderung oder Taubheit;
- als Ursachen werden Spasmen kleiner arterieller Innenohrgefäße, Erkrankungen der Halswirbelsäule, körperlicher oder seelischer Streß, bestimmte Infektionskrankheiten, akustisches Trauma (z.B. durch einen nahen Explosionsknall) oder Wirkung bestimmter Medikamente vermutet;
- ist bei frühzeitiger Therapie meist reversibel.

Taubheit:
- vollständige Unfähigkeit, akustische Signale wahrzunehmen;
- der Funktionsmangel ist angeboren oder erworben;
- bei angeborener und bei frühkindlich erworbener, beidseitiger Taubheit bleibt die Sprachentwicklung aus, man spricht von **Taubstummheit**; sind ausreichende Hörreste vorhanden, kann unter Umständen durch spezielle Schulung die lautsprachliche Verständigung erlernt werden;
- von **praktischer oder subtotaler Taubheit** spricht man, wenn zwar Hörreste vorhanden sind, diese jedoch zur Spracherlernung nicht ausreichen *(vgl. vorstehend)*; bei diesen Hörresten unterscheidet man zwischen "verwertbaren", die mit technischen Hilfsmitteln zum Hören und Erkennen von Signalen genutzt werden können, und "nicht verwertbaren";
- Ursache ist eine Funktionsuntüchtigkeit des Innenohres oder des Hörnervs.

Seelentaubheit *(Rindentaubheit; akustische Agnosie)*:
- die akustischen Reize werden gehört, aber nicht in ihrem Zusammenhang erkannt;
- der Betroffene kann sich nicht erinnern, welche Bedeutung das Gehörte hat;
- die Ursache liegt in einer Zerstörung des für die akustische Wahrnehmung zuständigen Rindenzentrums.

Ohrgeräusche (*Tinnitus aurium*):
- der betroffene Mensch gibt an, störende Geräusche im Kopf oder in den Ohren zu hören; er beschreibt sie z.B. als Ohrenklingeln / -sausen, vergleicht sie mit dem Rauschen eines Wasserfalls oder eines Fernsehgerätes nach Beendigung des Programms, mit dem Zirpen einer Grille u.ä.;
- es können einzelne Töne, z.B. tiefes Brummen oder hohes Pfeifen sowie zerhackte oder kontinuierliche Töne empfunden werden;
- die Geräusche können dauerhaft (Tag und Nacht), in regelmäßigen oder wechselnden Abständen oder in besonderen Situationen (z.B. bei Streß) auftreten, die Intensität kann variieren;
- häufig wiederkehrende und anhaltende Geräusche werden als sehr störend und belastend empfunden;
- häufig gehen sie mit einer Herabsetzung des Hörvermögens einher;
- die Entstehung ist nicht völlig geklärt; vermutete Ursachen bzw. Risikofaktoren sind Erkrankungen des Hörnervs, Streß und Lärm.

9.5.3.3 Hilfen bei Störungen des Hörens

Maßnahmen bei Hörsturz:
- strenge Bettruhe, für ruhige Umgebung sorgen;
- Streß vom Betroffenen fernhalten;
- die ärztlich angeordnete medikamentöse Therapie umfaßt meist gefäßerweiternde Medikamente, Antibiotika, Kortison- und Vitaminpräparate.

Maßnahmen bei Ohrgeräuschen:
- in seltenen Fällen, bei denen Entstehungsgrund und -mechanismus bekannt sind, kann der Tinnitus durch eine Operation beseitigt werden;
- symptomatische Behandlung mit verschiedenen Medikamenten (z.B. durchblutungsfördernde Medikamente, Beruhigungsmittel, Pflanzenprodukte, Lokalanästhetika);
- evtl. ist eine physikalische Behandlung, z.B. mittels Hörgerät, Akupunktur, Elektrostimulation, möglich;
- ruhige Lebensführung, Vermeidung von Überlastungen, sinnvoller Umgang mit Streß;
- evtl. kann eine Psychotherapie helfen.

Maßnahmen bei Seelentaubheit:
- einfühlsamer Umgang mit dem Betroffenen, Geduld und Verständnis zeigen;
- Informationen für den Betroffenen aussprechen und aufschreiben bzw. durch Gestik und Mimik vermitteln, um so Erinnerungen an die Begrifflichkeit des Gehörten zu fördern;
- Tonband oder Kassette mit bekannten Geräuschen bespielen und mit deren Bezeichnung besprechen (oder dies von Angehörigen durchführen lassen) und

Die meisten Hörgeräte verfügen jedoch über einen sogenannten **M-T-0-Schalter**. Die M-Einstellung (M = Mikrophon) ist die normale Betriebsstellung zum Hören. In der Position 0 (= Null) ist das Gerät abgeschaltet. Die T-Stellung dient dem Hören bei gleichzeitiger Nutzung eines Zusatzgerätes beim Telefonieren, Fernsehen o.ä. Hierdurch wird die Verstärkung gleichzeitig auftretender Umweltgeräusche verhindert.
Es werden Hörgeräte, die hinter dem Ohr getragen werden (= HdO-Geräte) von in dem Ohr getragenen (= IdO-Geräte) unterschieden.

IdO-Geräte werden in der Ohrmuschel und dem Gehörgang getragen. Sie haben den Vorteil, daß der Schall im Gehörgang aufgenommen wird und dadurch die Einflüsse der Ohrmuschel für das Richtungshören ausgenutzt werden können. Zusätzlich ist die direkte Abstrahlung des Schalls aus dem Hörgerät in den Gehörgang auf das Trommelfell gegenüber der Abstrahlung durch einen Hörschlauch beim HdO-Gerät weniger verzerrt und erfordert geringere Verstärkung. Das IdO-Gerät sorgt deshalb für eine bessere Übertragung; das Verstehen gelingt besser. Die geringe Größe der Bedienungselemente macht allerdings den Einsatz der IdO-Geräte bei alten Menschen oft unmöglich. Bei jüngeren Menschen ist dagegen dem IdO-Gerät der Vorzug zu geben.

Etwa $^4/_5$ aller benutzten Hörgeräte sind jedoch **HdO-Geräte**. Sie sind der Ohrmuschelform nachempfunden; durch das Aufliegen hinter und auf der Ohrmuschel sowie durch den Tragehaken, der über der Ohrmuschelspitze hängt, finden sie Halt. HdO-Geräte besitzen ein Ohrpaßstück, welches durch einen Schallschlauch aus durchsichtigem Kunststoff mit dem eigentlichen Hörgerät verbunden ist. Das Mikrophon befindet sich in Höhe der Ohrmuschelspitze.
Zum Reinigen muß das Ohrpaßstück von dem Hörgerät, welches nicht feucht werden darf, getrennt werden.

Bei einer **Hörbrille** ist das Hörgerät mit der Brille kombiniert.
Seltener sind **Knochenleitungshörgeräte** und eingepflanzte Elektroden zur elektrischen Reizung des Hörnervs. Nur wenn dieser funktionsfähig ist, kann eine **elektronische Hörprothese** - das sogenannte "**Cochlear Implant**" eingepflanzt werden. Mit dessen Hilfe kann der Gehörlose Höreindrücke erlangen, denn über die eingepflanzte Elektrode werden die Hörnervenfasern so stimuliert, daß akustische Informationen aufgenommen, analysiert und letztendlich gehört werden.
Die Indikation ist vor allem bei ertaubten Menschen gegeben.
Insgesamt ist das Angebot an Hörgeräten inzwischen recht groß. Sie variieren in Form, Farbe und Größe; einige Modelle sind äußerlich wie Schmuckstücke gestaltet.

Während bestimmter Anwendungen und Therapien **dürfen Hörgeräte nicht getragen werden**: Wassergymnastik, Schwimmen, Duschen, Vollbad, Röntgenuntersuchung sowie Strahlentherapie.

9.5.4 Das Sehen

9.5.4.1 Anatomisch-physiologische Grundlagen des Sehens

Zur Empfindung der bildlichen Sinnesdaten ist das Auge notwendig. Der Aufbau des Auges ist in Abbildung 9.9 dargestellt.

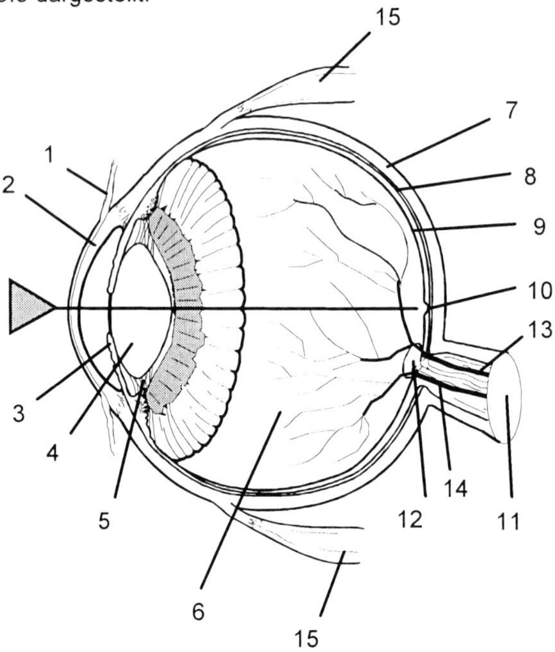

1 Bindehaut (Conjunktiva)
2 Hornhaut (Cornea)
3 Regenbogenhaut (Iris)
4 Linse (Lens)
5 Halteapparat (Ziliarkörper)
6 Glaskörper (Corpus vitreum)
7 Lederhaut (Sklera)
8 Aderhaut (Chorioidea)
9 Netzhaut (Retina)
10 Gelber Fleck (Makula)
11 Sehnerv (N. opticus)
12 Blinder Fleck (Sehnervenpapille)
13 Arteria centralis retinae
14 Vena centralis retinae
15 Augenmuskel

Abb. 9.9 ***Aufbau des Auges*** *(Querschnitt)*

Das Auge ist ein **optisches System**, das einer Kamera ähnelt.
Die **Regenbogenhaut** (*Iris*) regelt als "Blende" den Lichteinfall ins Auge; über verschiedene Muskelschichten wird die Blende verengt oder erweitert. Sichtbar wird dies als Pupilleneng- bzw. Pupillenweitstellung. Der Parasympathikus innerviert die Muskeln zur Pupillenengstellung, der Sympathikus wirkt entgegengesetzt.
Durch die **brechenden Anteile des Auges** *(Hornhaut* [43 dpt], *Kammerwasser, Linse* [15 dpt] und *Glaskörper)* wird das einfallende Licht gesammelt und auf der Netzhaut zu einem umgekehrten und verkleinerten Bild vereinigt. Die Brechkraft wird in Dioptrien (dpt) angegeben; sie beträgt beim gesunden menschlichen Auge 59 dpt.
Die **zentrale Verarbeitung** der von außen kommenden Sinneseindrücke sorgt dafür, daß wir das Bild aufrecht und originalgroß wahrnehmen. Das absorbierte Licht führt zur Erregung der **Sinneszellen der Netzhaut**, die über den **Sehnerv** zum Hirnstamm und zur **Hirnrinde** weitergeleitet wird. Durch sie werden im Hirnstamm die reflektorischen Kopf- und Augenbewegungen ko-

ordiniert. Durch die Verarbeitung der Reize in den **Rindenzentren** der Hirnrinde werden die Sehempfindung und das Erkennen des Gesehenen möglich. Es wird erinnert, welche Bedeutung das wahrgenommene Bild hat.

Die Akkommodation *(Anpassung)* des Auges:
Um Gegenstände in unterschiedlichen Entfernungen vom Auge gleich scharf sehen zu können, ist eine Anpassung des Auges erforderlich. Die Fähigkeit des Auges, unter Zunahme der Brechkraft der Linse nahe gelegene Objekte auf der Netzhaut scharf abzubilden, wird als Akkommodation bezeichnet. Die Brechkraft wird durch Kontraktion bestimmter Muskeln, die die Krümmung der Linsenvorderfläche verstärkt, erhöht. Dadurch wird das Lesen eines kleinen Schriftbildes bzw. das Sehen von bis zu 10 cm vor das Auge gehaltenen Gegenständen möglich. Das Akkommodationsvermögen läßt mit zunehmendem Alter infolge des Elastizitätsverlustes der Linse nach. Der Nahpunkt rückt immer weiter in die Ferne; man spricht von der **Alterssichtigkeit** (*Synonym: altersbedingte Weitsichtigkeit, Presbyopie*). Zum Scharfsehen von Gegenständen bedarf es eines Mindestabstandes zwischen Auge und Objekt; dieser wächst mit zunehmendem Lebensalter. Er beträgt bei Kindern ca. 7 cm, bei 20-jährigen ca. 10 cm und bei 40-jährigen ca. 16 cm. Im Alter von 60 Jahren können Gegenstände nur noch ab einem Abstand von ca. 60 cm scharf gesehen werden; eine entsprechende Lesebrille kann die fehlende Brechkraft der Linse korrigieren.

Die **Sehschärfe** ist an den einzelnen Stellen der Netzhaut unterschiedlich. Die Stelle des schärfsten Sehens wird als **"gelber Fleck"** bezeichnet. Hier kommen Sinnesrezeptoren, die sogenannten **Zapfen**, gehäuft vor. Die Zapfen vermitteln hauptsächlich das Farben- und Formensehen. Außerhalb des gelben Flecks überwiegen die **Stäbchen**; es handelt sich um Sinnesrezeptoren, die lichtempfindlicher sind als die Zapfen; sie sind hauptsächlich für das Hell-Dunkel-Sehen verantwortlich.
Am sogenannten **"blinden Fleck"**, der Austrittsstelle des Sehnervs, existieren keine Sinneszellen.

Das **Gesichtsfeld** wird durch die Ausdehnung der Netzhaut und die äußere Begrenzung der Augenhöhle bestimmt. Es umfaßt den mit dem unbewegten Auge sichtbaren Teil des Raumes. Zur Prüfung wird ein Punkt im Raum mit einem Auge fixiert, das andere zugehalten; gleichzeitig werden von außen Lichtmarken ins Gesichtfeld eingefahren, deren Wahrnehmung registriert wird.
Die **Funktion des Auges** wird durch augenärztliche Untersuchungen geprüft. Einige Veränderungen können jedoch auch ohne eine solche fachärztliche Untersuchung erkannt werden.

9.5.4.2 Beobachtung des Sehens

Die Beobachtung des Sehens bezieht sich sowohl auf die für den Beobachter sichtbaren Veränderungen des Auges und des Sehvorganges als auch auf die von dem Betroffenen selbst bemerkten Veränderungen des Sehens.

Das Sehen geschieht normalerweise mit ganz geöffneten Augen, beide Pupillen werden symmetrisch bewegt. Das Fixieren von Objekten ist jederzeit möglich. Der Blick ist klar. Die Augäpfel folgen ruhig den vor ihnen ablaufenden Bewegungen. Gegenstände werden deutlich und in ihrer Farbe wahrgenommen. Die Fähigkeit des Nahsehens läßt mit zunehmendem Alter nach. Die **Pupillen** sind gleich groß und passen sich den jeweiligen Lichtverhältnissen an; sie verengen sich bei Lichteinfall.

❒ Störungen des Sehens

Kurzsichtigkeit *(Myopie)*:
- beim Sehen in die Ferne entsteht das Bild vor der Netzhaut, der Betroffene sieht unscharf;
- das Sehen von Gegenständen nahe vor dem Auge ist selbst dann noch möglich, wenn der Normalsichtige bereits unscharf sieht;
- im Alter läßt die Fähigkeit des Nahsehens allerdings auch beim Kurzsichtigen nach;
- häufigste Ursache ist ein - meist erblich bedingt - zu langer Augapfel.

Weitsichtigkeit (*Hypermetropie; Hyperopie*):
- die aus der Ferne kommenden, parallel auf das Auge treffenden Lichtstrahlen können nicht auf der Netzhaut vereint werden, ihr Brennpunkt liegt hinter der Netzhaut;
- in jungen Jahren kann die fehlende Brechkraft durch verstärkte Akkomodation aufgebracht werden; so gelingt das Scharfsehen;
- da das ständige Akkommodieren sehr anstrengend ist, kann es zu Kopfschmerzen kommen;
- **Beachte**: Wegen dieser Ausgleichsmöglichkeit halten Kinder und Jugendliche das Tragen von Korrekturgläsern oft fälschlicherweise für überflüssig;
- häufigste Ursache ist ein - meist erblich bedingt - zu kurzer Augapfel.

Alterssichtigkeit (*Presbyopie*):
- altersbedingte Weitsichtigkeit (*siehe vorstehend*);
- das Nahsehen ist durch Elastizitätsverluste der Linse und durch Nachlassen der Akkommodation unscharf.

Schielen (*Strabismus*):
- beim Blick in die Ferne weichen die normalerweise parallel gestellten Augenachsen von der Parallele ab;
- das rechte und linke Auge nehmen unterschiedliche Bilder wahr, die nicht mehr zu einem Bild verschmolzen werden können: es entstehen Doppelbilder, die vermieden werden, indem das fehlstehende Auge fast vollständig abschaltet;
- dabei ergeben sich eine Abnahme der Sehschärfe, insbesondere des fehlsichtigen Auges, ein Verlust des räumlichen Sehens und eine gewisse Gesichtsfeldeinschränkung;
- zu unterscheiden sind das Begleitschielen und das Lähmungsschielen;
- beim **Lähmungsschielen**
  - bleibt das betroffene Auge bei Bewegungen in die Wirkungsrichtung des gelähmten Augenmuskels zurück,
  - entstehen Doppelbilder,

- bleibt die Sehschärfe erhalten,
- ist die Ursache eine Erkrankung von Augenmuskeln oder der sie versorgenden Nerven;
- beim **Begleitschielen**
  - folgt das Schielauge dem anderen Auge in alle Richtungen, ohne die normale Parallelstellung zu erreichen,
  - wird entsprechend der dabei eingenommenen Richtung zwischen Einwärtsschielen *(Konvergenzschielen)*, Auswärtsschielen (*Exotropie*) und Höhenschielen (*Strabismus sursum*) unterschieden,
  - sind die häufigsten Ursachen Weit- oder Kurzsichtigkeit, einseitige Sehschwächen und kindliche Infektionskrankheiten.

Stabsichtigkeit (*Astigmatismus; Brennpunktlosigkeit*):
- infolge einer abnormen Hornhautwölbung werden die ins Auge parallel einfallenden Lichtstrahlen unterschiedlich, z.B. in der waagerechten Hornhautebene anders als in der senkrechten, gebrochen; dadurch können sie nicht in einem Brennpunkt auf der Netzhaut vereinigt werden;
- die Brennpunktlosigkeit führt zu einer unscharfen Abbildung auf der Netzhaut, so daß ein Punkt nicht als ein Punkt, sondern allenfalls als Strich oder Stab abgebildet werden kann;
- ist häufig angeboren (vererbt);
- kann infolge einer beginnenden Katarakt oder bei Hornhauterkrankungen auftreten;
- wird im Volksmund als "Hornhautverkrümmung" bezeichnet.

Nachtblindheit (*Hemeralopie*):
- die Sehfähigkeit ist nur bei schlechten Lichtverhältnissen (Dämmerung) eingeschränkt;
- wird z.B. durch Vitamin A-Mangel verursacht.

Farbenfehlsichtigkeit:
- Störung des normalen Farbsehens;
- die Empfindlichkeit kann jeweils für einzelne Farben herabgesetzt sein, bestimmte Farben können miteinander verwechselt werden (Grün mit Gelb, Braun mit Grau, Dunkelrot mit Schwarz);
- kann erblich bedingt oder erworben sein, z.B. durch Netzhautschäden oder Erkrankung der Hirnrinde.

Farbenblindheit (*Achromatopsie*):
- es werden keine Farben wahrgenommen, eine Unterscheidung ist lediglich durch Helligkeitswerte (Graustufen) möglich;
- oft sind Lichtscheu, Blinzeln, herabgesetzte Sehschärfe, Astigmatismus, zentrales Skotom und Nystagmus zu beobachten;
- mögliche Ursachen sind Erkrankungen der Netzhaut oder Hirnrinde sowie die Schädigung der optischen Bahnen zwischen Netzhaut und Hirnrinde.

Blindheit (*Amaurose*):
- völliges Fehlen oder hochgradige Minderung des Sehvermögens;
- mit beiden Augen kann Licht bzw. die Richtung, aus der das Licht kommt, nicht erkannt werden;
- für den Beobachter ist die amaurotische Pupillenstarre erkennbar (bei Lichteinfall verengt sich die Pupille nicht);
- häufige Ursachen sind in den entwickelten Ländern u.a. die Netzhauterkrankung des Frühgeborenen, Entwicklungsstörungen im Schlemm-Kanal sowie Augenverletzungen, Diabetes mellitus* und Glaukom;
- kann auch psychogen sein, dann sind Auge und Sehbahn intakt, die Pupillenverengung bei Lichteinfall ist erhalten;
- eine Blindheit ohne objektivierbaren pathologischen Augenbefund wird als funktionelle Blindheit bezeichnet; sie kann z.B. bei einer Gehirnerschütterung oder beim Schock auftreten.

Flüchtige, reversible Erblindung (*Amaurosis fugax*):
- Erblindung, die nur 5 bis 30 Min. andauert;
- Ursache ist eine Durchblutungsstörung in der Netzhaut, die häufig durch lumenverengende Prozesse an der Arteria Carotis *(Kopfschlagader)* bedingt ist.

Halbseitenblindheit (*Hemianopsie*):
- Sehstörung, die mit Ausfall einer Gesichtsfeldhälfte einhergeht;
- kann auf beiden Augen die linke oder die rechte Hälfte des Gesichtsfeldes betreffen oder gekreuzt auftreten, also beide Nasen- oder Schläfenhälften des Gesichtfeldes erfassen;
- tritt z.B. bei Schlaganfall und anderen Gehirnschäden auf.

Seelenblindheit (*optische Agnosie*):
- Störungen des Erkennens optischer Eindrücke trotz ungestörter Funktion des Auges;
- beim Ausfall des sekundären sensorischen Sehzentrums nimmt der Betroffene zwar optische Reize auf, kann aber die Bedeutung des Gesehenen nicht erinnern: er sieht z.B. eine Zahnbürste, erinnert (erkennt) jedoch nicht, wozu dieser Gegenstand genutzt wird, welche Funktion er hat;
- Zusammenhänge einzelner Details werden nicht als Bild erkannt: diese Erinnerungslücke kann dazu führen, daß einzelne Gegenstände in einem Gesamtbild nicht abgegrenzt werden können, der Betroffene also die Zahnbürste im Zahnputzbecher sieht, jedoch nicht realisiert, daß es sich bei Stiel und Borsten um einen Gegenstand handelt, und daß Stiel und Becher keine gegenständliche Einheit bilden.

Grüner Star (*Glaukom*):
- Sammelbegriff für Erkrankungen des Auges, die mit erhöhtem Augeninnendruck einhergehen (Normalwert: seitengleich 8 bis 21 mmHg);
- er entsteht durch eine Abflußbehinderung des Kammerwassers, die verschiedene Ursachen haben kann;
- der erhöhte Augeninnendruck schädigt auf Dauer den Sehnerv und kann zur Erblindung führen;
- gehäuftes Auftreten nach dem 40. Lebensjahr;
- der Betroffene ist beschwerdefrei oder nimmt unbestimmte Augenbeschwerden wie Müdigkeit oder Druckgefühl in den Augen wahr;
- im Laufe der Jahre kommt es durch das allmähliche Absterben des Sehnervs zu Gesichtsfeldausfällen;
- das **Weitwinkelglaukom** *(Glaukom simplex)* entsteht durch chronische Abflußbehinderung bei Verände-

rungen des Auges, tritt meist nach dem 40. Lebensjahr auf und nimmt einen schleichenden Verlauf;

- das **Winkelblockglaukom** kann akut *(Glaukomanfall, akutes Glaukom)* oder schubweise auftreten *(chronische Winkelblockung),*
  - der Augeninnendruck steigt in wenigen Stunden auf 50 - 70 mmHg an, der Betroffene empfindet starke Schmerzen im Auge bzw. in dessen Umgebung,
  - die sonst farblos-klare Hornhaut wird durch Ödembildung trüb, sie gleicht beschlagenem Glas,
  - die Pupille ist erweitert und lichtstarr,
  - die Bindehaut ist stark durchblutet und der Augapfel hart,
  - nicht jeder Betroffene bemerkt die Hornhauttrübung und die Sehverschlechterung, die z.B. durch Nebelsehen oder in der Dunkelheit durch das Sehen farbiger Ringe um Lichtquellen erkennbar wird,
  - als Begleitsymptome können auch Kopf- und Nervenschmerzen im Gesicht, Übelkeit und Erbrechen auftreten;
- **bei Kleinkindern** tritt das Glaukom infolge einer Entwicklungsstörung im Kammerwinkel auf
  - Lichtscheu, Tränenträufeln oder Hornhauttrübung können erste Anzeichen sein,
  - später vergrößert sich die Hornhaut, weil das Auge dem Druck nachgibt (große Augen),
  - die Hornhaut kann eine graue Trübung aufweisen;
- ein **sekundäres Glaukom** entsteht als Folge anderer Augenleiden, z.B. nach Verletzungen oder Entzündungen, Thrombose einer das Auge entsorgenden Vene oder bei Diabetes mellitus.

Grauer Star (*Katarakt*):
- starke Sehverschlechterung durch Trübung der Augenlinse;
- kann angeboren oder erworben sein, z.B. als Folge einer Augenverletzung (Wundstar) bzw. einer Ernährungsstörung der Linse bei Diabetes mellitus.

Altersstar (*Cataracta senilis*):
- häufigste Form des grauen Stars;
- tritt meist um das 60. Lebensjahr auf und wird durch altersbedingte Stoffwechselstörungen der Linse hervorgerufen;
- beginnt meist mit Trübungen am Rande der Linse, die sich ins Gebiet der Pupille vorschieben;
- meist sind in zeitlichem Abstand beide Augen betroffen;
- je nach Lage und Ausmaß der Linsentrübung kommt es zu minder oder stärker ausgeprägter Sehstörung, dabei ist die Sehschärfe vermindert, im fortgeschrittenen Stadium ist nur noch die Unterscheidung von hell und dunkel möglich;
- häufig klagt der Betroffene auch über Nebelsehen und verstärkte Blendungsempfindlichkeit.

Veränderungen der Pupille
- **Graue Pupille:**
  - ist häufig Zeichen einer Katarakt;
  - andere mögliche Ursachen sind z.B. Aderhautgeschwülste, Netzhautgeschwülste oder Netzhautablösung.
- **Pupillenentrundung:**
  - Abweichung von der normalen kreisrunden Form der Pupille;
  - kann z.B. bei Augenkrankheiten und -verletzungen oder nach Augenoperationen auftreten;
  - kann auch angeboren und ohne Bedeutung sein;
  - ist nach Eintritt des Todes zu beobachten.
- **Pupillenerweiterung (*Mydriasis*):**
  - beiderseits auftretend bei Sympathikotonus, z.B. bei Streß (Schreck, Angst, Schmerz);
  - ist bei Lähmung des Nervus okulomotorius, der die Augenmuskeln innerviert, zu beobachten;
  - tritt bei Blutungen des Gehirns meist einseitig auf;
  - ist nach Verabreichung pupillenerweiternder Medikamente (*Mydriatika*), z.B. Atropin, Scopolamin, Suprarenin, Kokain und bei Schilddrüsenunterfunktion (*Hypothyreose*) zu beobachten.
- **Pupillenverengung (*Miosis*):**
  - abnorme Enge der Pupille;
  - physiologische Reaktion auf Lichteinfall oder bei Vagotonus;
  - als dosisabhängige Reaktion auf Verabreichung von Pharmaka, die den N. parasympathikus reizen oder den N. sympathikus lähmen (*Miotika*, z.B. Pilocarpin, Histamin, Morphin), zu beobachten;
    Beachte: Miotika werden zur Glaukomtherapie eingesetzt;
  - kommt in höherem Alter, bei Lähmung des N. sympathikus im Halsgebiet sowie bei Vergiftung mit Morphin und anderen Miotika vor.
- **Pupillenstarre (*Lichtstarre*):**
  - bei der **reflektorischen Pupillenstarre** fehlt die Fähigkeit, auf wechselnde Belichtung mit Pupillenverengung oder -erweiterung zu reagieren, die Akkomodation ist intakt;
  - bei **absoluter Pupillenstarre** fehlt sowohl die Lichtreaktion als auch die Konvergenzreaktion *(Verengung der Pupille als Einstellung für das Nahsehen)*;
  - kommt - meist einseitig - bei Gehirnverletzungen und -erkrankungen vor;
  - die **amaurotische Pupillenstarre** ist ein Kennzeichen der Erblindung, bei einseitiger Erblindung ist die konsensuelle *(gleichsinnige)* Reaktionsfähigkeit des erblindeten Auges erhalten, das gesunde Auge reagiert nicht konsensuell (d.h. bei Lichteinfall in das erblindete Auge reagiert auch das gesunde Auge nicht mit, umgekehrt reagiert das erblindete Auge bei Lichteinfall in das gesunde Auge mit);
  - als **hemianopische Pupillenstarre** bei Halbseitenblindheit durch Unterbrechung der zentralen Seh- und Pupillenbahnen auftretend; die Lichtreaktion fehlt bei seitlicher Belichtung der blinden Netzhauthälfte, nicht aber bei Belichtung der sehenden Netzhauthälfte.

Augenzittern (*Nystagmus*):
- die Augäpfel zucken unwillkürlich, rhythmisch und schnell aufeinanderfolgend;
- tritt physiologisch als Korrekturbewegung der Augen bei bewegten optischen Reizen, z.B. während des Blicks aus einem fahrenden Zug, auf;
- kann angeboren sein;

- kann erworben werden bei verschiedenen Erkrankungen, z.B. Multiple Sklerose *(MS)*, Kleinhirntumor, Barbitursäurevergiftung, Erkrankungen des Gleichgewichtsorgans, des Gehirns oder des Nervus statoakustikus *(Hör- und Gleichgewichtsnerv)*;
- kann bereits in Ruhe auftreten *(Spontannystagmus)* oder in Abhängigkeit von der Blickrichtung, der Kopf- bzw. Körperlage: dabei tritt eine langsame Augenbewegung in die eine und eine rasche Zuckung in die entgegengesetzte Richtung auf.

Gesichtsfeldausfall (*Skotom*):
- an einer bestimmten Stelle des Gesichtsfeldes besteht eine anhaltende Verdunkelung, die in einigen Fällen vom Betroffenen selbst, häufig aber erst bei einer ärztlichen Gesichtsfelduntersuchung festgestellt wird;
- beim Sehen werden Objekte im Bereich des Gesichtsfeldausfalls nur abgeschwächt bzw. überhaupt nicht wahrgenommen;
- Ursache kann z.B. ein Glaukom, eine Sehnerv- oder eine Netzhauterkrankung sowie ein Tumor im Gehirn sein.

9.5.4.3 Hilfen bei Störungen des Sehens

Allgemeine Maßnahmen bei Sehstörungen:
- regelmäßiger Besuch des Augenarztes, der die Zeitabstände für die weiteren Untersuchungen bestimmt;
- Träger von Brillen / Kontaktlinsen sind an deren Benutzung zu erinnern und ggf. hierzu anzuhalten;
- die Bereitstellung und Pflege der Sehhilfen muß evtl. vom Pflegepersonal übernommen werden (*siehe "Umgang mit Sehhilfen", Seite 650*).

Maßnahme bei Kurzsichtigkeit:
Tragen einer die Fehlsichtigkeit kompensierenden Brille / Kontaktlinsen mit Minus- oder Konkavgläsern *(Zerstreuungslinsen)*.

Maßnahme bei Weitsichtigkeit:
Tragen einer die Fehlsichtigkeit kompensierenden Sehhilfe mit Plus- oder Konvexgläsern *(Sammellinsen)*.

Maßnahme bei Alterssichtigkeit:
Tragen von Brillengläsern mit relativ sammelnder Wirkung zum Sehen in der Nähe; das Glas kann auch lediglich als Nahlinse in der unteren Hälfte des Brillenglases angefertigt werden, so daß bei bereits bestehender Fehlsichtigkeit nur eine Brille getragen werden muß *(Zweistärken- oder Bifokalbrille)*.

Maßnahme bei Stabsichtigkeit:
Tragen von Brillengläsern, die nicht aus der üblichen Kugellinse, sondern aus einem Zylinder geschliffen sind und nur in einer Ebene Licht brechen.

Maßnahmen beim Schielen:
- die ärztliche Behandlung muß so früh wie möglich beginnen, sonst büßt das schielende Auge an Sehkraft ein;
- Ausgleich des Brechungsfehlers mit Brille und Behandlung der Schwachsichtigkeit durch Abdecken des führenden Auges;
- mit Geduld und Einfühlungsvermögen die Kooperationsbereitschaft betroffener Kinder fördern;
- evtl. operative Korrektur.

Maßnahmen bei grauem Star (*Katarakt*):
- einzige wirksame Behandlung ist die operative Entfernung der getrübten Augenlinse;
- postoperativ ist der Operierte anzuhalten, sich nicht zu bücken und das Heben schwerer Gegenstände zu vermeiden, entsprechende Hilfestellung ist zu gewähren;
- der Patient wird bezüglich seines postoperativ zu erwartenden Sehvermögens informiert;
- da die Brechkraft der entfernten Linse fehlt, kann postoperativ nicht scharf gesehen werden; der Ausgleich erfolgt über sogenannte "Stargläser", Kontaktlinsen oder Intraokularlinsen:
  - **Stargläser** sind sehr dicke Brillengläser (ca. +13 Dioptrien) und bereiten anfangs Schwierigkeiten, da sie die Umwelt vergrößert und zum Teil auch verzerrt erscheinen lassen; die Betroffenen brauchen in der Gewöhnungsphase Unterstützung, insbesondere beim Gehen (Unsicherheit) und Greifen.
  - **Kontaktlinsen** ermöglichen ebenfalls das scharfe Sehen und führen zu einer geringeren Vergrößerung des Gesehenen als Stargläser; Voraussetzungen sind jedoch eine intakte Netzhaut sowie gewisse Fertigkeiten im Umgang mit Kontaktlinsen.
  - **Intraokularlinsen** bestehen aus Plexiglas und werden in das Auge implantiert; der große Vorteil dieser Methode liegt in der Unkompliziertheit der Benutzung und in der besseren Sehkorrektur (störende Begleiterscheinungen sind allenfalls gering); nachteilig sind mögliche Reaktionen des Organismus auf diesen Fremdkörper, z.B. Entzündungen des Auges.

Maßnahmen bei grünem Star (*Glaukom*):
- um einen grünen Star frühzeitig zu erkennen, wird eine regelmäßige Kontrolle des Augeninnendrucks ab dem 45. bis 50. Lebensjahr (z.B. in Kombination mit jeder Brillenverordnung) empfohlen;
- bei bestehendem Glaukom sind unbedingt die ärztlich empfohlenen Kontrolluntersuchungen einzuhalten;
- ständige Senkung des erhöhten Augeninnendrucks durch Medikamente, die regelmäßig (verordnete Dosis und Zeitabstände unbedingt einhalten !) als Augentropfen verabreicht werden, z.B.
  - Pilocarpin - Augentropfen; **Beachte**: Die Pupillen werden enggestellt, d.h. für 1 bis 2 Stunden nach dem Einträufeln besteht eine Kurzsichtigkeit, die Anpassung an verschiedene Lichtverhältnisse ist beeinträchtigt; Autofahren bei Dunkelheit bereitet Probleme und ist ggf. zu unterlassen;
  - Beta-Blocker in Form von Augentropfen; sie verursachen keine Pupillenverengung, sind jedoch nur bei Weitwinkelglaukom und intakter Herz- / Kreislauf- / Atemfunktion einsetzbar;
- augeninnendrucksenkende Operation, wenn die konservative Behandlung erfolglos bleibt;
- Verhindern eines Anstiegs des Augeninnendrucks durch
  - Einschränkung der Koffeinzufuhr, also Reduktion des Konsums von Kaffee, Schwarztee, Matetee,

Cola-Getränken sowie von schmerzstillenden Medikamenten, soweit sie koffeinhaltig sind; wurde der Augeninnendruck unter 20 mmHg gesenkt, können nach Rücksprache mit dem Arzt täglich 1 bis 2 Tassen Kaffee oder Tee bzw. 1 bis 2 kleine Flaschen Cola getrunken werden;
- Verhinderung zu großer Flüssigkeitszufuhr innerhalb kürzester Zeit (weniger als 0,5 Liter in 5 Min. trinken); Flüssigkeitsmengen in gleichmäßigen Portionen über den Tag verteilen;
- bei Einnahme zusätzlicher Medikamente zwecks Behandlung eines anderen Leidens auf Wechselwirkungen achten (Arztinformation, Beipackzettel).

Hilfen bei Erblindung eines Menschen

Bei Erblindung ist die **nonverbale Kommunikation erheblich eingeschränkt**. Der blinde Mensch ist auf das gesprochene Wort, auf Geräusche, auf die Blindenschrift und auf Tastwahrnehmungen als Informationsquellen angewiesen.

Da sich die durch eine Erblindung bedingten Einschränkungen auf alle ATL auswirken können, werden in diesem Abschnitt nicht nur Hilfen zur Kommunikation, sondern auch Hilfen zur Bewältigung des Alltags besprochen.

Ein **Neuerblindeter** muß lernen, mit der Blindheit zu leben. Dazu gehören nicht nur der Erwerb von Handlungsfähigkeiten und die Schulung der verfügbaren Sinne, sondern auch die **innere Auseinandersetzung** mit der Behinderung. Es ist verständlich, daß dieses viel Zeit, Geduld, Kraft und Willen vom Betroffenen fordert. In dieser Phase - aber auch später - sind **tragende Beziehungen** ebenso **wichtig** wie professionelle und laienhafte Unterstützung. Der blinde Mensch soll eigenverantwortlich, weitgehend selbständig und selbstbewußt mit Lebensfreude seinen Alltag erleben und gestalten können. Dazu ist die **gesellschaftliche Akzeptanz** und Integration **notwendig**. Besondere Hilfe findet der Erblindete - vor allem in der ersten Zeit der Behinderung - im **Kontakt mit Schicksalsgefährten**. Hier wird der Austausch von Erfahrungen, die im Alltag, in der Familie sowie im Beruf und im Kollegenkreis gemacht werden, möglich. Aber auch Gefühle und die innere Auseinandersetzung mit der Behinderung lassen sich für viele Betroffene leichter ansprechen; rehabilitierte Blinde können hierbei unersetzliche Hilfe leisten. Nicht zuletzt erfährt der Neuerblindete, wie er auch als Nichtsehender sein Leben sinnvoll gestalten kann, welche Rechte er hat und welche Hilfsmittel zur Verfügung stehen. Entsprechende Kontakte lassen sich über regionale Blindenverbände oder über den

Deutschen Blindenverband e.V.
Bismarckallee 30
53113 Bonn

knüpfen. Dieser veröffentlicht darüber hinaus wichtige Informationen für Betroffene und für Menschen, die mit ihnen in Kontakt treten.

Die folgenden Hinweise für den Umgang mit blinden (bzw. neuerblindeten) Menschen orientieren sich an den **Informationsschriften des Deutschen Blindenverbands**.

Gedanken zur Erblindung

Der von einer Erblindung Betroffene setzt sich mit dem **Schicksalsschlag**, der sein Leben einschneidend verändert, auseinander. **Gefühle wie Trauer, Zorn,** Verzweiflung, Hoffnungslosigkeit und Aggressionen sind menschliche Reaktionen auf diesen Schicksalsschlag. Man sollte sie **zulassen** und ihnen mit Verständnis und Geduld begegnen.

Jeder Helfer sollte sich bewußt machen, was es bedeuten kann, plötzlich **fremde Hilfe beanspruchen** zu müssen. Wie groß die persönliche Handlungs- und Entscheidungsfreiheit ist, begreift mancher erst, wenn diese nicht mehr in vollem Umfang verfügbar ist. Diese Erkenntnis gehört zu den schmerzlichsten Erfahrungen des neuerblindeten Menschen. Es ist ein großer Unterschied, ob man Gefälligkeiten und praktische Hilfen freiwillig annimmt (und sich dadurch vielleicht sogar geschmeichelt fühlt, weil sie die Sympathie oder Achtung des anderen ausdrücken), oder ob man sie annehmen muß, weil man allein nicht zurechtkommt (und vielleicht sogar befürchten muß, daß bei anderen - dringenderen Gelegenheiten - eine früher einmal abgelehnte Hilfe nicht mehr angeboten wird).

Es bedarf einer inneren Umstellung, wenn Menschen, denen man sich vielleicht vorher aufgrund der eigenen Stellung in Familie oder Beruf überlegen fühlte, plötzlich eine ganz andere Rolle im Alltagsleben einnehmen.

Ein erblindeter Mensch braucht in Situationen, die er früher souverän gemeistert hat, fremde Hilfe. Vielleicht fürchtet er sogar, sein "Gesicht" zu verlieren, wenn er angebotene Hilfe in Anspruch nehmen oder sogar darum bitten muß.

Mancher hat auch das **Gefühl, anderen zur Last zu fallen** und zieht sich in sich selbst zurück. Letztendlich führt ein solches Verhalten zu **Isolation und Einsamkeit**. Diese jedoch sind besonders für einen nichtsehenden Menschen verhängnisvoll, denn er braucht den Sehenden als Mittler und Helfer.

Einem Blinden wird am besten geholfen, indem ihm Angelegenheiten, die er selbständig erledigen kann, nicht abgenommen werden. Er sollte darin unterstützt werden, ein **größtmögliches Maß an Selbständigkeit** zu **bewahren** oder wiederzuerlangen.

Weiter ist es wichtig, dem Erblindeten Perspektiven aufzuzeigen: ein blinder Mensch ist nicht zur Passivität und Unselbständigkeit verurteilt. Die wichtigste **Hilfe** wird der Nichtsehende am Anfang **von** seinen **Schicksalsgefährten** erhalten. Eine entsprechende Kontaktaufnahme sollte über das Pflegepersonal, den Augenarzt oder den Sozialarbeiter angeboten und gefördert werden.

Der Neuerblindete **büßt** an **Orientierungsvermögen ein**; unter Umständen können Gefahrenquellen in der Umgebung nicht erkannt und von vornherein ausgeschlossen werden. Dies führt beim Betroffenen zu **Unsicherheit und Angst**; mancher mag keinen Schritt mehr tun, ohne geführt zu werden.

Zur Überwindung dieser Angst bedarf es vieler kleiner Schritte, die nach und nach erprobt und eingeübt werden müssen. Es ist zu beachten, daß jeder Nichtsehende von individuellen Fähigkeiten und Neigungen sowie Einschränkungen geprägt wird. Alter, Intelligenz,

Mobilität und Ausprägung der verbleibenden Sinne beeinflussen die Anpassung an die Erblindung maßgeblich. Je mehr ein Betroffener sich im Leben nur auf seine Augen verlassen und je weniger er seine anderen Sinne und seinen Verstand trainiert hat, um so schwieriger ist es, sich mit dem Nachlassen der Sehkraft bzw. dem völligen Erblinden abzufinden und damit zu leben. Die **anderen Sinne** müssen nun **trainiert** werden, um den Verlust des Sehvermögens weitgehend kompensieren zu können. Dazu gehören viel Ausdauer, Fleiß, Selbstdisziplin und Kraft. Nicht zuletzt gehören zur Bewältigung schwieriger blindheitsbedingter Situationen auch - so empfehlen es rehabilitierte Nichtsehende - *"ein dickes Fell"* und eine Portion Humor.

Generelles zum Umgang mit blinden Menschen

- Der Sehbehinderte ist - wie jeder Mensch - eine Persönlichkeit mit Stärken und Schwächen; diese Persönlichkeit, nicht die Behinderung, steht im Vordergrund.
- Der Blinde ist ein mündiger Bürger, er kann für sich selbst entscheiden und für sich selbst sprechen: er bestimmt, ob er Hilfe in Anspruch nehmen möchte, was er kaufen, essen, anziehen, unternehmen möchte usw. Zur Person des Blinden ist dieser selbst, nicht seine sehende Begleitperson, zu befragen.
- Ein Sehender kann viele Dinge schneller erledigen; er kann es oft nicht ertragen, wenn ein Blinder mehr Zeit dazu benötigt: Lassen Sie dem Blinden Zeit und nehmen Sie ihm nicht alles aus den Händen.
- Ein Blinder muß sich vieles merken, was ein Sehender immer wieder vor Augen hat und sein Gedächtnis daher damit nicht zu belasten braucht; ein Blinder muß sich immer auf das konzentrieren, was er gerade tut, das ist sehr anstrengend: Bieten Sie dem Blinden immer wieder Hilfe an, aber achten Sie darauf, daß er dadurch nicht passiv und unselbständig wird.
- Für einen Blinden ist Ordnung unerläßlich; alle Dinge müssen ihren festen Platz haben, damit er sie mühelos findet. Der Blinde und alle, die mit ihm leben, sollen eine festgelegte Ordnung in den Räumen einhalten.
- Zum Führen ist dem Blinden der Arm anzubieten (nicht den Blinden beim Arm nehmen!); hat der Blinde sich eingehakt, spürt er die Bewegungen des Führenden und kann mühelos folgen.
- Vor dem Hinauf- bzw. Hinuntersteigen einer Treppe wird durch: *"Achtung Stufe, es geht hinauf"* (bzw. herab) darauf aufmerksam gemacht; es sollte auch angegeben werden, auf welcher Seite sich das Geländer befindet und wann die Treppe endet.
- Wird dem Blinden ein Sitzplatz angeboten, ist dabei seine Hand auf die Rückenlehne zu legen und ihm mitzuteilen: *"Hier ist ein Sitz (Stuhl, Sessel), dies ist die Rückenlehne"*, oder es ist die Hand des Blinden auf die Armlehne des Sitzes zu legen und ihm zu sagen: *"Die Sitzgelegenheit ist rechts von ihnen"*; er wird darauf ohne Schwierigkeiten Platz nehmen.
- Dem Blinden ist zu beschreiben, wo sich ein Gegenstand befindet, z.B.: *"Rechts von ihrem Stuhl befindet sich ein Tischchen"*; Hinweise wie "da" oder "dort" sind zu unterlassen, da ein Nichtsehender die gleichzeitige, richtungsweisende Geste nicht wahrnehmen kann.
- Nichtsehende verwenden das Wort "Sehen", um ihre besondere Art von "Sehen" zu erklären (Riechen, Tasten und Berühren); wenn es sich im Gespräch ergibt, sollte auch der Sehende dieses Wort gebrauchen und den Blinden sich etwas "ansehen" lassen, indem er ihm den Gegenstand in die Hände legt.
- Dem Blinden ist zwar Interesse entgegenzubringen, er soll jedoch nicht über seine Blindheit ausgefragt werden.
- Einem Blinden sollte bei der Begegnung zum Gruß der Name genannt werden (Grußgesten kann er nicht sehen !), um ihn ins gesellschaftliche Leben einzubeziehen.
- In geräuschvollen Lokalen, bei Straßenlärm oder in einem teppichbelegten Zimmer ist es für den Nichtsehenden unmöglich zu wissen, ob sein Gesprächspartner noch anwesend ist; deshalb sollte man ihm immer zu verstehen geben, wann man ihn verläßt und sich bemerkbar machen, sobald man zurückkehrt.
- Nicht alle Schriften sind in Punktschrift verfaßt und dem Blinden zugänglich; er ist darauf angewiesen, daß ihm Texte - selbst persönliche Briefe, amtliche Schriftstücke oder geschäftliche Unterlagen - vorgelesen werden: zuerst ist ihm der Absender bekanntzugeben, dann kann der Blinde entscheiden, wer ihm das Schreiben vorlesen soll. Es ist langsam und deutlich zu lesen; Taktgefühl und absolute Verschwiegenheit sollten selbstverständlich sein. Eigene Kommentare zum Inhalt oder Absender sind zu unterlassen, es sei denn, sie werden ausdrücklich erbeten.
- Minuten können endlos werden, wenn man die Uhr nicht sieht und sich während des Wartens nicht beschäftigen kann, deshalb sind Zuverlässigkeit und Pünktlichkeit bei einer Verabredung mit einem Blinden von gesteigerter Bedeutung.
- Sehende sollen immer wieder Mut haben, einem blinden Menschen angemessene Hilfe anzubieten, auch wenn sie einmal eine negative Erfahrung damit gemacht haben. Auch Blinde haben einmal schlechte Laune oder einen schlechten Tag.

Der Blinde im Krankenhaus

Die **Orientierung** in einer fremden Umgebung ist für einen Blinden besonders schwierig, er braucht **erleichternde Bedingungen**.

Die im Umgang mit Blinden allgemein bestehende Gefahr, daß seine Behinderung - zu Lasten seiner Persönlichkeit - überbewertet und seine Selbständigkeit nicht ausreichend beachtet wird, ist im Krankenhaus erhöht. Deshalb ist für diese besondere Lebenssituation eines blinden Menschen - in Ergänzung zu den vorstehend erläuterten Hinweisen - folgendes zu beachten:

- eine genaue Einweisung in die Örtlichkeiten (Zimmer, Naßzelle, Station) ist unerläßlich; bis der Blinde diese und evtl. andere Wege im Krankenhaus selbständig gehen kann, benötigt er eine Begleitung;
- dem Blinden einen leichten Zugang zu seinem Bett ermöglichen;

- Zimmer mit Naßzelle und WC zuteilen, um einen einfachen, möglichst kurzen Weg zu den sanitären Anlagen zu garantieren;
- Informationen über anwesende Mitpatienten anbieten;
- Personen, die das Zimmer betreten, sollten sagen, wer sie sind, was sie erledigen möchten und wann sie den Raum verlassen;
- eine genaue Beschreibung von Abläufen pflegerischer Handlungen geben;
- eine genaue Beschreibung der - möglichst immer gleichbleibenden - Anordnung der verschiedenen Gebrauchsgegenstände und Dinge geben, z.B.: Was steht wo auf dem Nachttisch bzw. auf der Spiegelablage; welche Speisen befinden sich in welchen Behältern und in welcher Anordnung auf dem Tablett, wo liegt das Besteck;
- Erfahrungen integrieren: der Blinde hat evtl. schon während vieler Jahre gelernt, mit seiner Behinderung umzugehen und möchte bewährte Hilfen, z.B. eine bestimmte Anordnung der Wäsche, Toilettenartikel etc. auch im Krankenhaus beibehalten;
- Trinkgefäße nicht bis zum Rand auffüllen, da der Blinde so schnell etwas verschütten kann;
- eine Schelle in Reichweite anbringen;
- Türen und Schränke stets verschließen, damit der Blinde nicht davorläuft.

Hilfsmittel für den Alltag des Sehbehinderten

Es stehen zahlreiche Hilfsmittel zur Verfügung, die dem Sehbehinderten **Erleichterung**, **Sicherheit** sowie **Selbständigkeit** bieten und seine **Lebensqualität** steigern.

- **Gelbe Armbinde**
  Die gelbe Armbinde mit drei schwarzen Punkten gibt Hinweis auf die Blindheit.
- **Weißer Blindenstock**
  Mit Hilfe dieses Langstocks können Gegenstände wahrgenommen, erkundet, umgangen oder wiedergefunden werden.
  Beachte: Der Einsatz im Freien bedarf einiger Übung, um Sicherheit zu erlangen und die Angst, z.B. beim Überqueren einer Straße, zu verlieren.
- **Blindenführhund**
  Ein gut ausgebildeter Blindenführhund ist nach Gewöhnung an seinen Herrn in der Lage, auf Anweisung alle gewünschten Wege zu gehen. Er bleibt vor auf- und abwärtsführenden Stufen stehen, umgeht selbständig Hindernisse, zeigt auf Befehl Türen, Treppen und Sitzgelegenheiten an, bringt seinen Besitzer sicher in öffentliche Verkehrsmittel und sucht in Gebäuden den Ein- bzw. Ausgang.
- **Punktschrift *(Blindenschrift)***
  Die Zeichen bestehen aus Punkten. Die Grundform dieses Systems bilden zwei parallel zueinander stehende Dreierreihen; damit sind 63 Kombinationen möglich. Sie ermöglicht ebensoviele Darstellungen wie die herkömmliche Schwarzschrift *(siehe Abb. 9.10)*.
- **Elektronische Orientierungshilfen**
  Es handelt sich um technische Geräte, die dazu dienen, Gegenstände in der Umgebung zu lokalisieren (Objektgegenwart, -entfernung und -richtung). Mittels Sender werden Signale scharf gebündelt oder gestreut ausgesandt, an den Objekten der Umwelt reflektiert und vom Empfänger wieder aufgenommen. Innerhalb des Gerätes werden die zurückkommenden Signale in hörbare oder taktile Informationen umgesetzt, die der Benutzer interpretieren kann.

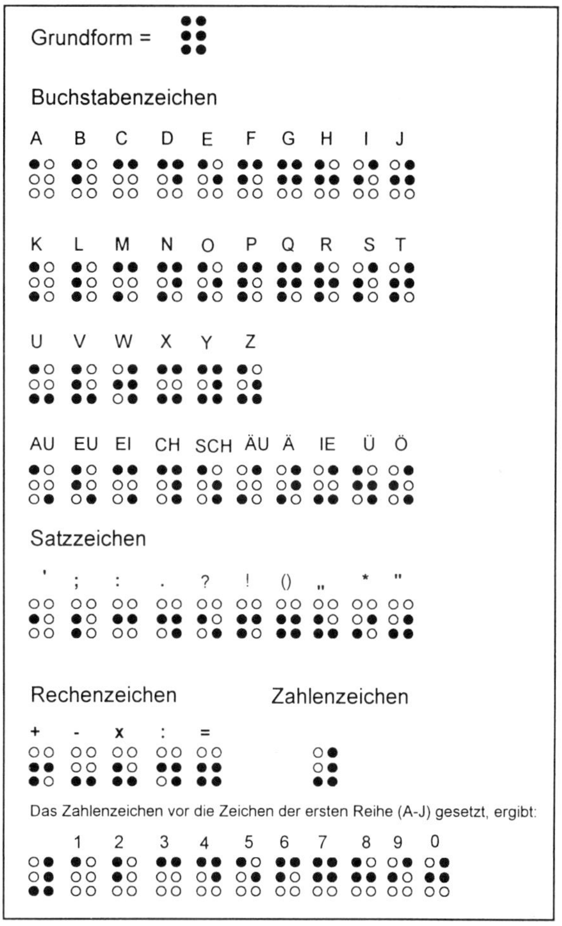

Abb. 9.10 ***Das deutsche Punktschriftsystem***

- **Zusatzgeräte für Schreibmaschinen**
  Der auf der Schreibmaschine geschriebene Text wird mittels eines Streifenschneiders in Punktschrift wiedergegeben oder mittels eines Sprachautomaten hörbar gemacht und schließlich in Normalschrift ausgedruckt.
  Ihr Einsatz bietet sich dort an, wo ein blinder Schreibmaschinenbenutzer gezwungen ist, das Geschriebene zu überprüfen.
  Beachte: Solche Geräte machen den Schreibmaschinenbenutzer nicht nur unabhängiger von der Hilfe Sehender, sondern befähigen ihn auch, höherwertige Arbeiten auszuführen.
- **Kassetten**
  Sie vermitteln Informationen und werden als "Hörbuch" oder Nachschlagewerk eingesetzt.
  Taschendiktiergeräte ermöglichen dem Blinden das Speichern und Wiederfinden bestimmter Daten (Telefonnummern, Geburtstage etc.).
- **Uhren**
  Es steht dem Blinden ein reichhaltiges Sortiment verschiedener Uhren zur Verfügung (Wecker; Wand-, Taschen-, Armbanduhren).
  Meist müssen die Zeiger und die durch erhobene Punkte symbolisierten Ziffern ertastet werden.

"Sprechende" Uhren sagen auf Knopfdruck die Zeit an; verschiedene Signale helfen, Termine einzuhalten.
- **Kalender**
  Sie werden in Punktschrift oder als Reliefkalender angeboten.
- **Garderobenkennzeichnung**
  Kleidungsstücke, die sich nicht anhand von Knöpfen, Reißverschlüssen, Nähten, Qualität u.ä. unterscheiden lassen, farblich aber unterschiedlich sind, müssen besonders gekennzeichnet werden.
  Die Kennzeichnung erfolgt durch verschiedene Symbole, z.B. indem die Anfangsbuchstaben der Farben eingestickt oder in Punktschrift eingearbeitet werden.

Zur Rehabilitation eines blinden Menschen stehen verschiedene Institutionen und Trainingsformen zur Verfügung:
- Berufsförderungswerke;
- Rehabilitationsstätten;
- Ausbildungsstätten;
- Mobilitätstraining für das selbständige Bewegen außerhalb des Hauses;
- Hauswirtschaftslehrgang, z.B. für späterblindete Frauen;
- Förderung blinder Kinder, z.B. durch tastbare Relief-Bilderbücher und speziellen Schulunterricht;
- Betreiben geeigneter Sportarten;
- Besuch kultureller Veranstaltungen, insbesondere des Theaters.

Maßnahmen bei Halbseitenblindheit
Diese Störung ist in der Regel nicht zu beheben. Der einseitige Gesichtsfeldausfall führt dazu, daß der Betroffene Gegenstände und Personen auf einer Seite nicht wahrnimmt.
Besteht gleichzeitig ein Nichtwahrnehmen der gesamten Körperhälfte (z.B. nach Schlaganfall), wird die Begrifflichkeit "rechts" bzw. "links" unter Umständen gar nicht mehr erinnert. Dies führt dazu, daß der Betroffene sein Wahrnehmungsdefizit gar nicht bemerkt; die eine Körperhälfte existiert für ihn nicht. Er muß deshalb immer wieder **bewußt** an sie **erinnert werden**.
Die fehlende optische Wahrnehmung kann ausgeglichen werden, indem der Betroffene sich **mit dem Kopf** bzw. Körper **in Richtung der ausgefallenen Gesichtsfeldhälfte dreht**. Jetzt kann das intakte Auge der anderen Seite die Personen / Gegenstände wahrnehmen.

9.5.5 Das Tasten (Fühlen)

9.5.5.1 Anatomisch-physiologische Grundlagen des Tastens

Die **Sinnesrezeptoren der Haut** vermitteln Druck-, Berührungs-, Temperatur- und Schmerzempfindungen *(vgl. "Funktionen der Haut", Seite 629)*.
Diese Empfindungen werden über Nervenbahnen den entsprechenden Zentren des Gehirns zugeleitet und dort weiterverarbeitet.

9.5.5.2 Beobachtung des Tastsinns

Die Beobachtung des Tastsinns gibt Auskunft über die **Fähigkeit, Gegenstände** allein **durch Betasten zu erkennen**. Sie kann Rückschlüsse auf krankhafte Veränderungen der sensiblen Nerven bzw. der Großhirnrinde zulassen.
Der gesunde Mensch ist fähig, durch Berühren und Berührtwerden Tastempfindungen wahrzunehmen, diese über Gehirnleistungen als Erlebnis zu verarbeiten und ihre Bedeutung zu realisieren.

❐ Störungen des Tastsinns

Sensibilitätsstörungen:
- Berührungs-, Schmerz- und Temperaturreize werden vermindert, verändert oder gar nicht wahrgenommen;
- Ursachen können zentrale* oder periphere* Nervenschäden sowie eine hochdosierte Schmerzmittelgabe (*vgl. "Sensibilitätsstörungen", Seite 346)* sein.

Stereoagnosie *(taktile Agnosie, Tastblindheit / -lähmung)*:
- es handelt sich um eine zentral bedingte Unfähigkeit, Gegenstände ausschließlich durch Abtasten zu erkennen, obwohl die Sensibilität erhalten ist;
- die Verarbeitung der aufgenommenen Reize im entsprechenden Rindenzentrum ist gestört.

9.5.6 Das Schmecken und Riechen

9.5.6.1 Anatomisch - physiologische Grundlagen des Riechens und Schmeckens

Geschmacks- und Geruchssinn sind chemische Sinne.
Riechen ist das **Wahrnehmen des spezifischen Duftes** eines Stoffes, eines Gegenstandes oder eines Lebewesens mittels der Geruchsorgane.
Die Sinnesrezeptoren befinden sich im **Riechepithel der Nasenschleimhaut**. Sie werden durch die im Nasenschleim gelösten Geruchsstoffe erregt und leiten die Geruchsempfindung zum Gehirn weiter. Hier erfolgt die Verarbeitung des Reizes im **Geruchszentrum**, so daß ein bestimmter Geruch identifiziert werden kann.
Bestimmte Gerüche lösen reflektorisch die Sekretion von Speichel und Magensaft aus.
Die Riechrezeptoren zeigen starke Adaption *(Gewöhnung)*, wenn über längere Zeit ein Duftstoff in gleichbleibender Konzentration einwirkt.
Die **Geschmackswahrnehmung** erfolgt weitgehend über die Geschmacksknospen in den **Papillen der Zungenoberfläche**. Die Sinneswahrnehmung erfolgt auch hier erst durch zentrale Verarbeitung im Gehirn.
Das **Schmecken** dient der **Prüfung von Stoffen** auf ihre Genießbarkeit (Nahrungsprüfung); auf reflektorischem Weg regt es die Sekretion der Verdauungsdrüsen an.
Wahrgenommen werden allein die Geschmacksrichtungen süß, sauer, bitter und salzig; wesentlich vielfältigere Empfindungen nimmt der Geruchssinn wahr.

9.5.6.2 Beobachtung des Riechens und Schmeckens

Die **Fähigkeiten** des Riechens und Schmeckens sind **individuell** sehr unterschiedlich **ausgeprägt** und lassen sich durch Vermittlung neuer Reize bzw. durch Übung erweitern.
Die Beobachtung des Riechens und Schmeckens kann Hinweise auf bestimmte Nervenausfälle oder auf Störungen des Gehirns geben.

❒ Störungen des Riechens und Schmeckens

- **Störungen des Riechens** findet man bei Beeinträchtigungen des Riechepithels der Nase, z.B. bei Schnupfen aufgrund der Schleimhautschwellung oder bei Zerstörung der Sinneszellen; gleichzeitig kommt es zu einer wesentlichen Beeinträchtigung der Geschmacksempfindung.
- **Die Aufhebung des Geruchsvermögens** (*Anosmie*) kann infolge von Tumoren bestimmter Hirnteile sowie nach entzündlichen oder traumatischen Hirnschäden auftreten.
- **Geschmacksstörungen** können vorübergehend nach Operationen im Hals- / Nasenbereich oder während einer Therapie mit Zytostatika auftreten; dauerhaft findet man sie bei Beeinträchtigung / Zerstörung der Geschmackspapillen der Zunge bzw. des Gaumens, z.B. infolge von Verbrennungen, Verätzungen oder Zungenkrebs.
- Die **Aufhebung des Geschmacksvermögens** (*Ageusie*) ist meist durch Funktionsausfall des Nervus olfaktorius, z.B. bei Stirnhirntumor oder traumatischen Ereignissen, bedingt.

9.6 Die Körpersprache

9.6.1 Physiologische Begebenheiten der Körpersprache

Die Möglichkeiten der Körpersprache sind sehr vielschichtig, sie wurden bereits auf *Seite 711* unter "*Körpersprache*" ausführlich besprochen. Der bewußte und der stimmige Einsatz der Körpersprache setzt eine **intakte Funktion bestimmter Körperteile** (z.B. Gesichtsmuskulatur, Hände) voraus.

9.6.2 Beobachtung der Körpersprache

Die Beobachtung der Körpersprache gibt **Hinweise auf** das körperliche und seelische **Befinden**. Es läßt sich feststellen, ob die gesprochenen Worte mit der Körpersprache übereinstimmen. Weiter können oft Rückschlüsse auf die Beziehung zwischen Sender und Empfänger gezogen werden.

❒ Störungen der Körpersprache

Die **Körpersprache als Ausdrucksmöglichkeit** kann in ihren verschiedenen Bereichen durch Mißbildungen, Verletzungen, Krankheiten oder seelische Störungen **beeinträchtigt** oder in bestimmter Weise **verändert** sein. Hierdurch wird ein Betroffener in seiner Ausdrucksfähigkeit eingeschränkt, Mißverständnisse und Fehleinschätzungen können die Folge sein.

❍ Durch Krankheiten veränderter Gesichtsausdruck

- **Unvollständiger Lid- und Lippenschluß** sowie beeinträchtigtes **Stirnrunzeln** und **Naserümpfen** einer Gesichtshälfte sind typisch bei Lähmung des Gesichtsnervs *(Fazialisparese)*.
- **"Maskengesicht"**: Das Gesicht wirkt aufgrund einer Verarmung an mimischen Bewegungen maskenhaft. Das Vorkommen ist typisch bei Morbus Parkinson *(siehe Seite 572)*, bei Trigeminusneuralgie (hier zur Schmerzvermeidung) und bei beidseitiger Fazialislähmung.
- **"Glotzaugen"** (*Exophthalmus*): Die Augäpfel sind nach vorn gedrängt; dies kommt z.B. bei Schilddrüsenüberfunktion, Verletzungen der Augenhöhle oder des vorderen Schädels vor.
- **Sardonisches Lachen** (*Risus sardonikus*): Die Kiefer- und Zungenmuskeln sind verkrampft und verziehen den Mund zu einem Grinsen; das Auftreten ist typisch bei Wundstarrkrampf (*Tetanus*).
- **Kieferklemme** (*Trismus*): Krampf der Kaumuskulatur; tritt z.B. bei Tetanus, Tetanie, Krampfleiden, Hysterie, Entzündung des Kiefergelenks (oder in dessen Umgebung) auf.
- **Lachzwang bis Verlust der Ausdrucksbewegungen** wird bei Erkrankungen des Sehhügels beobachtet. Dieser wirkt als Umschaltstation für alle der Großhirnrinde zufließenden sensibel-sensorischen Erregungen aus der Umwelt und der Innenwelt und als Koordinationszentrum, welches verschiedene Empfindungen miteinander verknüpft. In Verbindung mit dem extrapyramidalen System ist er beteiligt am Zustandekommen der Ausdrucksbewegungen, die als Reaktion z.B. auf Bedrohung oder Schmerz entstehen. Der Sehhügel befindet sich im Zwischenhirn und ist mit anderen Teilen des ZNS verbunden.
- **Facies abdominalis** (*Synonym: Bauchgesicht, Totengesicht, Facies hippocratica*): ängstlicher Gesichtsausdruck bei akuter Bauchfellentzündung oder kurz vor dem Tod. Der Gesichtsausdruck ist teilnahmslos, die Augen sind eingefallen und umrändert, die Wangen hohl, die Nase spitz und weiß, das Gesicht ist kühl und oft von kaltem Schweiß bedeckt.
- **Facies gastrica**: tiefe Nasolabialfalte *(die rechts und links von den Nasenflügeln zum Mund ziehende Hautfurche)*; ist häufig bei Menschen mit Magenleiden zu beobachten.
- **Greisengesicht**: greisenartiges Aussehen des Säuglings oder Kleinkindes infolge starker Durchfälle.
- **Facies lunata** (*Mondgesicht*): Vollmondgesicht, tritt typischerweise beim Cushing-Syndrom *(Krankheitsbild, welches mit Erhöhung des Kortisolspiegels im Blut einhergeht)* auf.
- **Verzerrter Gesichtsausdruck**: er ist meist Hinweis auf starke Schmerzen.
- **Mimikveränderungen** können bei geistiger oder sprachlicher Behinderung beobachtet werden: das Formen der Laute geschieht zum Teil übertrieben deutlich. Bei geistiger Behinderung steht oft der Mund offen (evtl. Speichelfluß), der Blick kann verwirrt, unbeständig oder starr sein.

❍ Veränderte Gestik und Körperhaltung

Die Ausdrucksbewegungen und die Haltung des menschlichen Körpers können **durch Hemmungen**, aber auch durch **Mißbildungen**, Deformitäten oder **Erkrankungen** beeinträchtigt werden.
Es sind insbesondere die seelischen und die geistigen Störungen sowie die Erkrankungen des Bewegungsapparates und Nervensystems, die sich auf die gestischen Ausdrucksbewegungen auswirken.
Nähere Informationen hierzu sind auf *Seite 538* unter *"Beobachtung der Körperhaltung"* nachzulesen.

❍ Auffälligkeiten des Körperkontaktes

Art und Intensität des Körperkontakts sind individuell sehr unterschiedlich ausgeprägt, ohne daß es sich dabei um Abweichungen mit Krankheitswert handeln muß.
Seelische und geistige Störungen können sowohl mit Distanzlosigkeit als auch mit extremer Angst vor Nähe, Distanzierung und Kontaktarmut einhergehen.

- **Distanzlosigkeit**: Sie findet sich bei einigen vernachlässigten oder gar mißhandelten Kindern, die in eine fremde Umgebung kommen (z.B. ins Krankenhaus); andere Kinder reagieren unter denselben Bedingungen mit **extremer Distanzierung** von anderen Menschen.
- Sowohl Distanzlosigkeit als auch extreme Angst vor Nähe, Distanzierung und Kontaktarmut können bei **seelischen und geistigen Störungen** auftreten.
- **Autismus**: Der Betroffene zieht sich in die eigene Erlebnis- und Gedankenwelt zurück; dabei ist er unfähig zur Kontaktaufnahme mit der Außenwelt, emotionale Kontakte bleiben aus; tritt u.a. auf bei Schizophrenie oder ab der Geburt.

❍ Besonderheiten des Blickverhaltens

Das Blickverhalten kann von Hemmungen, Ängsten, Schamgefühl oder Unsicherheit beeinflußt sein. Dann fällt es meist auf als Absenken oder Umherschweifen des Blickes, ohne daß Blickkontakt mit dem Kommunikationspartner aufgenommen wird.

❍ Krankhafte Störungen des Blickverhaltens

- Sie sind meist durch Schäden an Nerven, die die Bewegungen der Augäpfel steuern, bedingt. Folgeerscheinung ist eine entsprechende **Blicklähmung**.
- Beim **Blickkrampf** werden die Augen zwanghaft nach oben oder zur Seite hin verdreht; er dauert Minuten, selten Stunden an und tritt bei Störungen des extrapyramidalen Systems oder nach Gehirnentzündungen auf.
- Das **Schielen** kann auf den Gesprächspartner irritierend wirken, da der Blickkontakt mit ihm nur mit einem Auge aufgenommen wird.

9.6.3 Hilfen bei beeinträchtigter Körpersprache

Es ist wichtig, sich die **Einschränkungen** der nonverbalen Kommunikationsmöglichkeiten **bewußt** zu **machen**. Nur so gelingt es, Mimik und Gestik des Betroffenen nicht fehlzudeuten und Mißverständnisse zu vermeiden.
Die besonderen Aspekte der Kommunikation mit komatösen Menschen werden auf *Seite 702* besprochen.

9.7 Basale Stimulation

Elke Hurling

❐ Begriffserläuterung

Hinter dem Begriff „Basale Stimulation“ steht das Konzept, **Menschen mit Wahrnehmungsverlusten** so **anzuregen**, daß diese mit sich und ihrer Umwelt wieder in Kontakt treten. Das geschieht durch die bewußte, aufmerksame Zuwendung zu diesen Menschen und durch das ausgewählte Angebot unterschiedlicher Kommunikationsformen, die nicht an Sprache gebunden sind, z.B. Kontaktaufnahme über die Haut.
Dabei kann bei jedem Menschen an grundlegende, zum Teil schon vorgeburtlich gemachte Erfahrungen angeknüpft werden, denn die Fähigkeiten zur Wahrnehmung von Reizen, z.B.

- den Körper und seine Lage spüren,
- Bewegungen und Rhythmen empfinden,
- tasten oder
- hören,

entwickeln sich während der Embryonalphase.

❐ Idee und Entwicklung

Der Versuch, über basalstimulierende Reize Zugang zu wahrnehmungsgestörten Menschen zu finden, kommt aus der Arbeit mit schwerst- und mehrfach-behinderten Kindern.
In Deutschland hat Prof. A. FRÖHLICH (Sonderpädagoge) seit Ende der 70er Jahre ein Konzept für die umfassende (Früh-)Förderung behinderter Kinder entwickelt.
Dazu gehören neben der **Förderung der Wahrnehmungsfähigkeit** auch die **Förderung der Beziehungsfähigkeit**, d.h. der Möglichkeiten, mit anderen Menschen in Kontakt zu treten, z.B. durch kontaktfördernde Spiele. Bei verzögerter motorischer Entwicklung wird die **Bewegungsfähigkeit** mit speziellen Übungen **gefördert**, z.B. zur Verbesserung der Hand-Mundkoordination oder zur Haltung des Kopfes. Weiterhin erfolgt eine Förderung der Wahrnehmung und der Befriedigung lebensnotwendiger Bedürfnisse, z.B. Aufnahme von Nahrung, Aufsuchen einer Toilette, Pflege des eigenen Körpers.

C. BIENSTEIN (Krankenschwester, Pädagogin) erkannte die Bedeutung der Wahrnehmungsförderung für die Pflege und hat in Zusammenarbeit mit Prof. A. FRÖHLICH und Teilnehmern des Pflegefachseminars des DBfK *(Deutscher Berufsverband für Pflege)* in Essen Anwendungsfelder bei der Pflege von Menschen mit Wahrnehmungsverlusten aufgezeigt.

Prof. Dr. E. GROND (Internist, Psychotherapeut) betont die Wichtigkeit basaler Stimulation bei älteren Menschen, wenn diese Wahrnehmungsverluste haben oder davon bedroht sind.

Basale Stimulation **macht Pflege zu einem therapeutischen Instrument**, da sie die Befindlichkeit eines Menschen erheblich verbessern und in vielen Fällen seine Genesung einleiten und unterstützen kann.

Basale Stimulation kann die Zufriedenheit der Pflegenden in erheblichem Maße steigern, da der direkte, bewußt gestaltete Kontakt zum Patienten einen besonderen Stellenwert bekommt.
Jede Form von Kontaktaufnahme zu einem wahrnehmungseingeschränkten Menschen kommt einer Förderung gleich und ist für den Betroffenen eine Chance. Die Gefahr, daß rein versorgende, schematische Handlungen ablaufen, wird geringer mit dem Bewußtsein für den Wert der eigenen Tätigkeit. Basale Stimulation ist nach BIENSTEIN die **„Basis pflegerischen Handelns".**

❒ Anwendungsbereiche

Die basale Stimulation kann **bei** allen Formen von **Wahrnehmungsstörungen / -verlusten angewandt** werden; besonders wichtig ist sie für Menschen

- nach schweren Schädel-Hirnverletzungen,
- im Koma / mit "Bewußtlosigkeit",
- mit apallischem Syndrom,
- nach einem Schlaganfall,
- mit Lähmungen,
- mit chronischen Orientierungsstörungen,
- mit Morbus Alzheimer oder anderen Formen der Demenz.

Basale Stimulation kann bei drohenden Wahrnehmungsverlusten auch **prophylaktisch** eingesetzt werden, z.B. bei Menschen mit beginnender Demenz. In diesen Fällen sollte so früh wie möglich mit gezielter Stimulation begonnen werden, um vorhandene Fähigkeiten möglichst lange zu erhalten.

❒ Wirkungen und Ziele

Basale Stimulation wirkt auf sehr vielfältige, zum größten Teil noch nicht erklärbare Weise; die Wirkung kann daher nur ansatzweise erfaßt und beschrieben werden.

- Die **Reaktionsmöglichkeiten** eines Menschen sollen **gefördert** werden. Dabei ist entscheidend, nicht zu warten, bis der Betroffene für uns sichtbar Reaktionen zeigt, denn mit dieser Haltung werden viele Chancen vertan und wertvolle Zeit geht verloren.
- Ein Mensch mit Wahrnehmungsverlusten soll vorsichtig aber konsequent, an seine Vorerfahrungen und Möglichkeiten anknüpfend, **aktiviert und** damit **wacher werden**.
- Die basale Stimulation soll helfen, **Orientierungspunkte** zu **geben** und **Verläßlichkeit vermitteln**, indem durch ausgewählte Personen (*Bezugspflege*) an Vertrautes angeknüpft und Erinnerungen wachgerufen werden.
- Damit kann gleichzeitig die Motivation geschaffen werden, die es einem Betroffenen möglich macht, sich mit seinen zur Verfügung stehenden Kräften den Stimuli und damit **seiner Umgebung wieder zuzuwenden**.
- Basale Stimulation fördert über entspannende Elemente, z.B. sanfte Einreibungen und meditative Musik, das Wohlbefinden eines Betroffenen und hilft ihm, seinen **Körper angenehm** (und nicht ausschließlich als Quelle von Schmerzen) **wahrzunehmen**.
- Basale Stimualtion soll das zum Teil schwer geschädigte Gehirn, z.B. eines Menschen mit apallischem Syndrom, unterstützen, **verbliebene Ressourcen** zu **nutzen**, indem noch intakte Nervenzellen (*Neuronen*) sich vernetzen, vorhandene (alte) Erfahrungen wieder zugänglich werden, sich mit aktuellen Eindrücken verbinden und eine Reaktion möglich machen.

❒ Grundsätze zum Vorgehen bei der basalen Stimulation

- Bei jeder Maßnahme der basalen Stimulation soll ein Kranker sich angesprochen fühlen, wohlwollende Aufmerksamkeit und Zuwendung sowie die Bereitschaft zur Kontaktaufnahme auf die für ihn mögliche Art und Weise spüren.
  Das verlangt eine **bewußte Haltung** der betreuenden Pflegepersonen mit unbedingter **Achtung der Persönlichkeit und Würde** des Patienten.
- Basale Stimulation ist so zu gestalten, daß sie überwiegend positiv erlebt wird, damit der Betroffene nicht die einzige ihm verbliebene Möglichkeit zum Ausweichen wählt und z.B. weitere Fähigkeiten einbüßt oder tiefer in ein Koma fällt (*Koma als Rückzug*).
- Die **Reize** zur Anregung sollen **einfach** und **eindeutig** sein und an grundlegende Erfahrungen des Patienten anknüpfen.
- Bevor mit basalstimulierenden Maßnahmen begonnen wird, ist genau zu ermitteln, in welcher Situation der Betroffene sich befindet. Dazu gehört seine aktuelle Befindlichkeit und das Sammeln von Informationen aus seinem Leben (*siehe „Biographiearbeit", Seite 746*), das Erfragen seiner Vorlieben und Neigungen, aber auch seiner Abneigungen.
  Als Informationsquellen dienen u.a. eine umfassende **Pflegeanamnese** und der intensive Austausch mit Angehörigen; diese können wichtige Aspekte der Biographie mitteilen.
  Außerdem ist zu berücksichtigen, in welcher Umgebung ein Betroffener sich hauptsächlich befindet.
- Der Aufenthalt in einem Bereich der Akutpflege, z.B. Intensivstation, bedeutet für den Betroffenen oft eine Reizüberflutung. Hier muß für eine ruhige Umgebung gesorgt werden.
- Eine stimulationsarme Umgebung findet sich oft bei allein und isoliert lebenden pflegebedürftigen Menschen.
- Die Auswahl der basalstimulierenden Reize erfolgt nach Absprache im Pflegeteam, bei Bezugspflege von den zuständigen Pflegenden. Je genauer diese einen Betroffenen kennen (kennen lernen), um so eher sind sie in der Lage, ihn als Person mit seinen individuellen Bedürfnissen zu erfassen.
  Im Rahmen der Bezugspflege ist es auch möglich, daß ein Betroffener (auf seine Weise) die Pflegeperson gut kennenlernt, z.B. ihre Stimme, ihre Hände, ihre Bewegungen oder ihre Ausstrahlung, und sich auf sie einstellt.
- Die Pflegeperson muß für eine Stimulation **genügend Zeit** mitbringen, da Zeitdruck und Anspannung sich sehr leicht auf einen Patienten übertragen und störend wirken können.
- Die Stimulation wird immer von **einer Person** vorgenommen.

- Ein wahrnehmungseingeschränkter Mensch sollte möglichst nie von 2 Personen gleichzeitig angesprochen oder berührt werden.
- Vor Beginn der Stimulation wird der Patient **bequem gelagert**.
- Während und nach einer Stimulation ist eine genaue **Beobachtung** erforderlich, um die Reaktionen (auch der Überforderung) des Patienten zu erfassen.
- Am Anfang kann die Anwesenheit einer zweiten Person (Pflegeperson oder Angehöriger) hilfreich sein; diese hält sich im Hintergrund und beobachtet den Patienten konzentriert.
- Eine umfassende **Dokumentation** über Art, Häufigkeit und Dauer der Stimulation und die Reaktionen des Betroffenen ist erforderlich.
- Zur Häufigkeit und Dauer der basalen Stimulation lassen sich keine verbindlichen Aussagen machen; BIENSTEIN empfiehlt täglich 2 x 20 Minuten. Weitere Anhaltspunkte sind die Erfahrungen, die die betreuende Pflegeperson mit dem Betroffenen macht, z.B. bezüglich seiner Reaktionen oder seiner Fähigkeit, sich zu konzentrieren / den basalstimulierenden Maßnahmen zu folgen.
- Der Patient sollte in jedem Fall eine **Regelmäßigkeit**, und damit eine Verläßlichkeit, erfahren. Um das sicherzustellen, werden die Zeiten und das genaue Vorgehen schriftlich fixiert.
  Viele basalstimulierende Maßnahmen lassen sich in die (täglich) erforderliche Pflege integrieren, z.B. bei der Ganzkörperwaschung, der Mundpflege oder Einreibungen zur Hautpflege.
- Nach einer gezielten Stimulation muß dem Betroffenen eine **Ruhephase** ermöglicht werden, denn nur der **Wechsel von Anregung und Erholung** zeigt positive Wirkung. Eine fortwährende, gleichbleibende Stimulation (z.B. über Stunden Radio „hören") ist keine Stimulation, sondern eine Art Reizüberflutung. Es kommt zur Gewöhnung und die Wahrnehmung reduziert sich. Nur ein ausgesuchtes und sich veränderndes Kommunikationsangebot erregt Aufmerksamkeit und macht Unterscheidung möglich.
- In der ambulanten Pflege hat die **Zusammenarbeit mit Angehörigen** oder anderen pflegenden Bezugspersonen einen besonderen Stellenwert. Diese sollten über die Möglichkeiten der basalen Stimulation informiert, und wenn erwünscht, mit einbezogen werden, u.a. weil sie den größten Teil des Tages mit ihrem erkrankten Familienmitglied verbringen. Für Angehörige bietet die basale Stimulation die Möglichkeit, (wieder) näher in Kontakt mit dem Betroffenen zu treten und vermittelt das Gefühl, „mehr" tun zu können. Von der betreuenden Pflegeperson müssen sie darauf aufmerksam gemacht werden, sich nicht zu verausgaben (und damit auch den Betroffenen zu überfordern) und „keine" Wunder zu erwarten.
- Basale Stimulation sollte über einen längeren Zeitraum erfolgen und nicht vorschnell abgebrochen werden, weil der Eindruck vorherrscht, daß der Kranke nicht reagiert; damit wird ein Mensch aufgegeben.

❒ Möglichkeiten basaler Stimulation

○ Wahrnehmungsbereiche

Bei der basalen Stimulation können alle einem Menschen zur Verfügung stehenden Wahrnehmungsbereiche (*Sinnesrezeptoren*) genutzt werden.
Um einen Menschen zu fördern, der z.B. nach einem schweren Unfall mit Schädel-Hirnverletzung auf eine frühe Stufe seiner Entwicklung zurückgeworfen wurde, bieten sich die Möglichkeiten

- der **somatischen Stimulation** (*Soma = Körper*), um den eigenen Körper als Ganzes, seine Oberfläche, seine Teile und seine Grenzen wahrzunehmen, in enger Verbindung mit der **vestibulären Stimulation** (*Vestibularapparat = Gleichgewichtsorgan*), um die Lage des Körpers zu spüren;
- der **vibratorischen Stimulation** (*Vibration = Schwingung*), um feine Schwingungen / Erschütterungen des Körpers zu fühlen, ein Gefühl für den Körper zu entwickeln oder zu intensivieren und um Schwingungen von Geräuschquellen am / im Körper zu spüren;
- der **oralen Stimulation**, um zu schmecken und gleichzeitig zu riechen und um den gesamten Mund, besonders die Zunge und die Lippen, zu spüren;
  Beachte: Vorsichtig und behutsam vorgehen, da das Öffnen der Lippen und das Eindringen in den Mund als Bedrohung erlebt und panikähnliche Gefühle ausgelöst werden können;
- der **geruchlichen (olfaktorischen) Stimulation**, um zu riechen;
  Beachte: Oft sind bestimmte Gerüche / Düfte sehr eng mit Empfindungen / Gefühlen in bestimmten Situationen verbunden; diese werden wieder gegenwärtig;
- der **auditiven Stimulation** (*auditiv = das Gehör betreffend*), um (gezielt) zu hören;
- der **taktil-haptischen Stimulation** (*taktil = den Tastsinn betreffend / Haptik = Lehre vom Tastsinn*), um zu tasten, zu berühren und zu begreifen (im doppelten Sinn des Wortes);
- der **visuellen Stimulation** (*visuell = das Sehen betreffend*), um zu sehen, die Umgebung bewußt anzuschauen; „Den Augen Fixierungs- / Anhaltspunkte geben".

Für FRÖHLICH sind somatische, vestibuläre und vibratorische Wahrnehmung direkt an den Körper gebunden („Grundbereiche") und der wichtigere Teil der basalen Stimulation. Andere Wahrnehmungsmöglichkeiten sind „höher entwickelt"; so ist eine visuelle Stimulation an einen bestimmten Grad der Wachheit eines Menschen gebunden.

○ Anwendungsbeispiele

- **für eine somatische und vestibuläre Stimulation:**
  - Schaukelbewegungen (Hängematte / in den Armen wiegen),
  - im Rollstuhl umhergefahren werden, auch über leichte Unebenheiten,
  - Ganz- oder Teilkörperwaschungen / -massagen,
  - Baden oder Duschen,
  - Abfrottieren,
  - regelmäßiger Lagewechsel auf gut spürbarer Unterlage;

- **für eine vibratorische Stimulation:**
  - Abklopfen (flache Hand oder Fingerspitzen) mit feinsten Schlägen, z.B. des Thorax oder der Extremitäten,
  - Einsatz von Vibrationsgeräten für bestimmte Körperregionen oder am ganzen Körper,
  - bei Männern Rasur mit elektrischem Rasierapparat,
  - Mundpflege mit elektrischer Zahnbürste,
  - körpernahe Ansprache, z.B. durch bekannte Personen,
  - Einsatz von Instrumenten mit starken Schwingungen (Gong, Schellen, Klanghölzer, Handtrommeln u.ä.),
  - Klatschen von Rhythmen;
- **für eine orale Stimulation:**
  - alle Maßnahmen der Mund- Zahn- und Lippenpflege,
  - Benutzen unterschiedlicher wohlschmeckender (!) Pflegemittel,
  - Bürsten von Zahnfleisch und Zunge (Vorsicht Würgereiz!) mit einer weichen Zahnbürste,
  - Auswischen der Wangentaschen,
  - Eincremen der Lippen;
  - Angebot unterschiedlich schmeckender Speisen,
  - Zunge / Lippen damit bestreichen,
    - in Mullkompresse legen und in eine Wangentasche schieben, Enden der Mullkompresse bleiben außerhalb des Mundes *(siehe auch Facilitation, Seite 129)*;
- **für eine geruchliche (olfaktorische) Stimulation:**
  - Angebot von unterschiedlich intensiven Gerüchen (Intensität kann langsam vermindert werden) und Lieblingsgerüchen, z.B. Pflegemittel, Parfüm, Blumen,
  - bestimmte Situationen, z.B. die Körperwaschung mit gleichduftendem Wasserzusatz vornehmen,
  - nicht gewaschenes Kleidungsstück oder Kopfkissenbezug (von Bezugspersonen) ans Kopfende legen;
- **für eine auditive Stimulation:**
  - Ansprache mit Namen / korrekte Anrede,
  - Information in verständlicher Sprache,
  - Vorsingen / gemeinsames Singen,
  - Musik vorspielen,
  - Klang- und Rhythmusinstrumente (Glockenspiel, Xylophon, Triangel, Rassel u.a.) einsetzen, eine auditive Stimulation kann unter Umständen von Musiktherapeuten vorgenommen werden;
- **für eine taktil-haptische Stimulation:**
  - unterschiedliche Materialien (z.B. Samt, Holz, Steine) in die Hand / Hände geben oder diese damit berühren,
  - bekannte Gegenstände (z.B. Bücher, Werkzeuge, Schlüssel) in die Hand geben oder die Hand führen,
  - Massagen von Körperbereichen mit hoher Tastsensibilität, z.B. Hände, Gesicht;
- **für eine visuelle Stimulation:**
  - bei Beleuchtung Tag-Nachtrhythmus einhalten, nachts Dämmerlicht einschalten,
  - unterschiedliche Bereiche des Raumes ausleuchten oder bestimmte (vertraute) Gegenstände, z.B. Bilder, anleuchten,
  - Raum mit Farben und Bildern gestalten,
  - in das Gesichtsfeld eines Betroffenen treten, Mimik und Gestik einsetzen.

❒ Mögliche Reaktionen

Während und nach einer Stimulation ist eine genaue **Beobachtung** erforderlich, um die Reaktionen des Patienten zu erfassen, auch die einer Überforderung. Am Anfang kann die Anwesenheit einer zweiten Person (Pflegeperson oder Angehöriger) hilfreich sein; diese hält sich im Hintergrund und beobachtet den Patienten konzentriert.

Die Beobachtungen, die während und nach einer basalen Stimulation gemacht werden können und damit die Reaktionen / Antwortmöglichkeiten des Patienten zeigen, sind sehr vielfältig und oft (besonders anfangs) nur für das geschulte Auge erkennbar. Zusätzlich ist zu berücksichtigen, daß der Beobachter nur sichtbare Reaktionen wahrnimmt, die nicht unbedingt einen Rückschluß auf die „im Inneren" eines Menschen vor sich gehenden Prozesse erlauben; hier kann eine sehr intensive Wirkung erzielt worden sein, auch wenn diese für Außenstehende nicht sichtbar wird.

Die **Reaktionen auf basalstimulierende Reize** können sehr unterschiedlich sein:

- Entspannung oder Anspannung der Muskulatur des gesamten Körpers oder einzelner Teile, z.B. des Gesichtes oder der Extremitäten;
- Tränenfluß / Weinen; diese können ein Zeichen sein für Verarbeitung und Trauer oder „Berührtsein", aber auch Freude ausdrücken;
- Veränderungen von Atmung, Puls, Blutdruck oder anderen meßbaren Parametern;
- Schweißausbrüche;
- (Veränderungen der) Augenbewegungen unter geschlossenen Lidern;
- Unruhe, Nesteln o.ä.

BIENSTEIN unterscheidet zwischen

- **„globalen Antworten"**, die sich nicht auf den Ort des gesetzten Reizes beziehen, sondern eine Reaktion des gesamten Körpers sind (z.B. An- oder Entspannung bei Berührungsreizen) und
- **„differenzierten Antworten"** als eine Reaktion an der oder auf die Stelle, die stimuliert wurde, z.B. durch Bewegung der Zunge bei oraler Stimulation.

Weitere Beispiele der basalen Stimulation werden im Zusammenhang mit folgenden Themen vorgestellt:

- *Schlaganfall / Bobath-orientierte Ganzkörperwaschung;*
- *Sich Pflegen und Kleiden / Basalstimulierende Ganzkörperwaschung;*
- *Pflege von komatösen Menschen;*
- *Pflege von Menschen mit apallischem Syndrom;*
- *Pflege des älteren Menschen.*

9.8 Biographiearbeit

Der Mensch ist ein Geheimnis.
Man muß es enträtseln,
und wenn Du es ein ganzes Leben
lang enträtseln wirst,
so sage nicht,
Du hättest die Zeit verloren.
Ich beschäftige mich mit diesem Geheimnis,
denn ich will ein Mensch sein.
Fjodor M. Dostojewski

Das griechische Wort Biographie meint **Lebensbeschreibung**, die Darstellung der äußeren Geschichte wie der inneren geistigen und seelischen Entwicklung einer Person (BROCKHAUS, 1989).
Im pflegerischen Sinn meint Biographiearbeit die **Arbeit mit und an der Biographie** *(Lebensgeschichte)* des einzelnen Menschen. Das Einbeziehen der Lebensgeschichte ist vor allem bei der Betreuung und Pflege von alten Menschen sowie von psychisch kranken oder wahrnehmungsbeeinträchtigten Menschen sinnvoll.
Biographiearbeit verfolgt das Ziel, die **gewordene und einzigartige Persönlichkeit** des Menschen ganzheitlich **wahrzunehmen**.
Sie **dokumentiert** ehrliches **Interesse** an der Person und **ermöglicht** den **Zugang** zu ihr. Beim Pflegenden **bahnt** sie **Verständnis** für das Erleben und Verhalten des einzelnen Menschen **an** und macht es möglich, ihn ein Stück weit in seinem jetzigen Lebensabschnitt - der von der Vergangenheit beeinflußt wird und sich auch mit der Vergangenheit beschäftigt - zu begleiten. Biographiearbeit bedeutet deshalb auch, **die Vergangenheit in die Gegenwart und Zukunft einzubeziehen**. Bei Eintreten neuer Lebensumstände (z.B. durch eine schwere Behinderung, eine Demenz oder den Umzug in ein Pflege- / Altenheim) kann Biographiearbeit helfen, die Lebensgestaltung soweit wie möglich an die bisherige Lebensführung anzupassen.

Im Alter leistet jeder Mensch individuell unterschiedlich ausgeprägt Biographiearbeit. Die **rückschauende Betrachtung und Reflexion** der Lebensereignisse hilft ihm, sein Leben zu ordnen und ihm einen Sinn beizumessen. Sie unterstützt das Erkennen und Erleben seiner persönlichen Identität. Tatsächlich läßt sich häufig beobachten, daß alte Menschen viele Stunden in und mit der Vergangenheit verbringen; sie erinnern subjektiv bedeutsame Lebensereignisse und -abschnitte und bewerten diese. Lebenssinn und Selbstwertgefühl werden aus dem Erlebten und Erreichten, nicht mehr so sehr aus dem Erhofften und Erwarteten geschöpft. Dies heißt jedoch nicht, das alte Menschen keine Hoffnungen mehr haben.
Ein Mensch kann bei seiner Biographiearbeit durch aktives **Zuhören**, **Gespräche** und **Verständnis** unterstützt werden. Er entscheidet jedoch immer selbst, inwieweit er seine Vergangenheit reflektieren oder "aufarbeiten" möchte; er sollte nicht bedrängt werden, Erlebnisse und Gefühle preiszugeben, die er lieber verdrängt, weil sie allzu schmerzlich waren und sind.

Es ist zu respektieren, daß nicht jeder Mensch lernen möchte, sein Schicksal anzunehmen. Manche Menschen lernen jedoch gerade im Alter oder im Zusammenhang mit schwerer Krankheit / Behinderung, das Leid und die Versagungen ihres Lebens zu akzeptieren und ihnen bestenfalls einen Sinn beizumessen. Auf diesem Weg sollten sie **menschliche**, auf Wunsch zusätzlich seelsorgerische **Begleitung erfahren**. Auch verschafft das Mitteilen unverarbeiteter oder belastender Erlebnisse Erleichterung.

Biographisch orientierte Pflegeanamnese
Pflegende können eine biographisch orientierte Anamnese erstellen, um den ihnen anvertrauten Menschen besser kennenzulernen, ihn ganzheitlich wahrzunehmen sowie pflegen und betreuen zu können. So ermöglicht lebensgeschichtliches Wissen, die individuellen **Neigungen**, **Fähigkeiten**, **Ressourcen**, **Wünsche** und **Gewohnheiten** zu **berücksichtigen**. Auf Abneigungen und Schwächen kann Rücksicht genommen werden.
Die individuelle **Bewertung** des **Alterns**, einer **Krankheit** oder **Behinderung** sowie der bisherige Umgang mit ihnen werden **deutlicher**.
Insgesamt lassen sich die Probleme und Ressourcen individuell bestimmen, Ziele können realistisch und im Sinne des Patienten aufgestellt, Maßnahmen bedürfnisorientiert geplant werden.
Es ist jedoch nicht ratsam, alle Daten checklistenartig abzufragen; vielmehr sollten pflegerelevante Begebenheiten im Laufe der Zeit durch Erfragen und durch aufmerksame Beobachtung / Wahrnehmung erfaßt werden. Dabei entscheidet der Patient selbst, was er preisgeben möchte und was sein Geheimnis bleibt.
Ein (pflegebedürftiger) Mensch erlebt das ernsthafte Interesse an seiner Person sehr positiv. Der persönliche Kontakt zwischen ihm und seinen Bezugspersonen wird intensiver, **menschliche Anteilnahme erfahrbar**. Das Ernstnehmen und Respektieren seiner Persönlichkeit vermittelt Wertschätzung und stärkt somit das Selbstwertgefühl. Mancher erlebt durch die Würdigung seiner Lebenserfahrungen eine Aufwertung seines Schicksals und kann es folglich besser annehmen.
Die Erhebung und Ordnung biographischer Daten kann sich an den ATL orientieren. Die folgenden und weitere Fragen sollen den Pflegenden helfen, die **subjektive Lebenswirklichkeit des einzelnen** - nach und nach - als Ganzes zu **erfassen**.

Atmen

- Pflegt bzw. pflegte sie/er einen bewußten Umgang mit der Atmung, z.B. durch Übungen oder autogenes Training?
- Durch welche Aktivität wurde/wird die Atmung intensiviert, z.B. durch Singen, Spaziergänge oder Sport?
- Welche Bedeutung hat frische Luft für sie/ihn? War sie/er immer viel an der frischen Luft? Muß das Fenster nachts geöffnet sein? Ist sie/er es gewohnt, tagsüber die Fenster überwiegend geschlossen oder geöffnet zu haben?

- Welche Einstellung besteht zum Rauchen? Raucht(e) sie/er? Welche Einstellung ist damit verbunden, z.B. Schuldgefühl, Genuß, Gleichgültigkeit?
- Hat die Atmung durch Krankheit einen besonderen Stellenwert erreicht?
- Mußte sie/er lernen, mit ihrem/seinem Atem "hauszuhalten", bleibt ihr/ihm manchmal "die Luft weg"?
- Gab/gibt es existentielle Bedrohungen der Atmung?
- Litt/leidet sie/er an einer (chronischen) Atemwegserkrankung? Welche Auswirkungen hat die Krankheit für sie/ihn und wie geht sie/er damit um?
- Welche Bewältigungsstrategien bevorzugt sie/er, z.B. bestimmte Lagerungen, Medikamente oder Atemübungen?
- Was verleiht ihr/ihm das Gefühl der Sicherheit?
- Erkältet sie/er sich schnell? Trifft sie/er bestimmte Vorsichtsmaßnahmen?

Essen und Trinken

- Welche Ernährungsgewohnheiten, z.B. Essenszeiten, Portionsgröße, bevorzugte bzw. abgelehnte Speisen und Getränke, Zusammensetzung der Speisen, liegen vor?
- Üben Religion, Kultur oder Herkunft einen besonderen Einfluß aus? Werden bestimmte Speisen bevorzugt oder abgelehnt?
- Welche Eßkultur pflegt sie/er? Legt sie/er Wert auf Tischmanieren, eine Serviette, eine bestimmte Tischgestaltung? Welche Begebenheiten werden als unangenehm und appetitmindernd angesehen?
- Was bedeuten "Essen und Trinken" für sie/ihn, z.B. Genuß oder zweckgebundene Notwendigkeit?
- Welche Trinkgewohnheiten liegen vor, wird z.B. viel oder wenig getrunken, werden bestimmte Getränke abgelehnt oder bevorzugt, wird während des Essens getrunken?
- Bereitet(e) sie/er gerne Mahlzeiten vor?
- Muß sie/er eine bestimmte Diät einhalten und wie geht sie/er damit um?
- Hat sie/er Hungerzeiten erlebt? Welche Erfahrungen und Gefühle sind damit verbunden, haben sie Einfluß auf das heutige Eßverhalten?
- Liegen Zahnprobleme oder Verdauungs- bzw. Stoffwechselkrankheiten vor?
- Wird die Nahrungsaufnahme durch Behinderungen erschwert und wie geht er/sie damit um? Werden z.B. bestimmte Hilfsmittel eingesetzt oder Techniken angewandt?
- In welchem Ernährungszustand befand und befindet sie/er sich? Welche Idealvorstellungen bezüglich des Gewichtes liegen vor?

Ausscheiden

- Welche Ausscheidungsgewohnheiten liegen vor, z.B. Häufigkeit und Tageszeiten der Ausscheidungsvorgänge, "*Rituale*" (z.B. Tasse Kaffee und Zigarette zur Anregung der Darmtätigkeit)?
- Liegen Verdauungsprobleme vor und welche Bewältigungsstrategien hat sie/er entwickelt, z.B. Trinken von "Verdauungstee", Essen von Dörrobst, Einnahme von Laxanzien?
- Welche Bedeutung mißt sie/er der Verdauung bei? Liegt z.B. eine Fixierung auf den täglichen Stuhlgang vor?
- Liegt eine Stuhl- / Urininkontinenz vor? Wie geht sie/er damit um, kann sie/er darüber sprechen? Sind Kompensationsmöglichkeiten und Hilfsmittel bekannt?
- Wie ausgeprägt ist das Schamgefühl? Wie wird fremde Hilfe empfunden, inwieweit kann sie toleriert werden?
- Wie ausgeprägt ist das Sauberkeitsverhalten?
- Reagiert sie/er bei Streß mit Verdauungsstörungen wie Diarrhoe oder Obstipation?
- Liegt eine Erkrankung vor, die Einfluß auf die Entleerungsvorgänge hat, z.B. Colitis ulcerosa, Divertikulitis, Prostata-Adenom, Gebärmuttersenkung oder Hämorrhoiden?
- Bedingen ungünstige Ernährungs- und Lebensgewohnheiten eine Obstipation bzw. Diarrhoe und ist sie/er sich dessen bewußt?

Für Sicherheit sorgen

- War die materielle Sicherheit bis zum heutigen Zeitpunkt immer gewährleistet oder gab/gibt es Bedrohungen, z.B. Krieg, Vertreibung aus der Heimat, Wirtschaftskrisen, Arbeitslosigkeit? Wie erlebte / erlebt sie/er diese Sicherheit bzw. die Bedrohungen, welche Bedeutung und Auswirkungen sind in der Gegenwart (noch) präsent und beeinflussen sie/ihn? Liegen z.B. Verarmungs- oder Hungerängste vor? Wie wird die jetzige finanzielle Situation empfunden?
- Welche menschlichen Verluste bedrohten / bedrohen die soziale Sicherheit, z.B. früher Verlust der Eltern, Verlust des Partners? Gab es und gibt es ein tragendes soziales Netz, bedeutsame Beziehungen z.B. zum Lebenspartner, zu Verwandten, Freunden oder Nachbarn? War und ist sie/er in soziale Gruppen wie Familie, Kollegenkreis, Nachbarschaft, Kirchengemeinde oder Vereine einbezogen? Fühlte bzw. fühlt sie/er sich in diesen Gruppen geborgen?
- Wie war/ist ihr/sein bisheriges Zuhause beschaffen, was bedeutet es ihr/ihm? Welche Einstellung zum Leben in einem Pflege- / Altenheim liegt vor? Was verbindet sie/er ggf. mit dem Umzug ins Heim, z.B. Autonomieverlust, Abschiebung, Hilfe oder Rettung vor der Einsamkeit?
- Welchen Lebensstil pflegte sie/er bisher? Worauf möchte sie/er nicht verzichten? Wie geht sie/er mit neuen Situationen um? Wird ggf. der Verlust der bisherigen Wohn- und Lebensform bedauert und betrauert? Ist sie/er bereit, sich in der neuen Lebenssituation zurechtzufinden, sich mit ihr zu arrangieren? Welche Bedingungen sind dazu Voraussetzung? (Weitere Fragestellungen werden nachfolgend unter "*Sinn finden*" formuliert.)

Regulieren der Körpertemperatur

- Welche Gewohnheiten und Bedürfnisse bestehen bei der Regulierung der Körpertemperatur? Welche Temperatur benötigt sie/er, um sich wohlzufühlen, welche Raumtemperatur wird tagsüber, welche nachts bevorzugt? Friert oder schwitzt sie/er schnell? Auf welche Weise reguliert sie/er das Wärmebedürfnis, z.B. durch entsprechende Bekleidung, Heizöfchen, wollene Unterwäsche?
- Leidet sie/er unter kalten Füßen? Welche Maßnahmen zur Kompensation werden ergriffen, z.B. warmes Fußbad oder Wollsocken?
- Reagiert sie/er bei Infektionen schnell mit Fieber? Welche fiebersenkenden Maßnahmen hat sie/er bisher bevorzugt?
- Reagiert sie/er empfindlich auf Kälte, z.B. mit Atemwegs- oder Harnwegsinfekten?
- Verträgt sie/er die Sommerhitze oder kommt es zu Herz-Kreislaufstörungen?
- Welche Jahreszeit wird von der Temperatur her angenehm, welche unangenehm empfunden?
- Leidet sie/er unter besonders starker Schweißsekretion? Wie empfindet sie/er das? Kennt und nutzt sie/er entsprechende Kompensationsmöglichkeiten?
- Verbindet sie/er besondere Erlebnisse mit Wärme oder Kälte, z.B. Kriegsgefangenschaft in Rußland, Montage oder Urlaub in südlichen Ländern?
- Waren Wärme- und Kälteanwendungen für sie/ihn erfahrungsgemäß hilfreich? Welche physikalischen Maßnahmen wurden bisher erfolgreich angewandt?

Sich Bewegen

- Welche Möglichkeiten körperlicher Bewegung bevorzugt sie/er? Ist sie/er eher ein bewegungsfreudiger oder ein die Bewegung meidender Mensch? Welche Bedeutung hat Bewegung für sie/ihn, ist sie eher Lust oder Last?
- Was bedeuten krankheits- und/oder altersbedingte Bewegungseinschränkungen für sie/ihn? Hat sie/er Alternativen gefunden?
- Übte/übt sie/er einen Beruf mit vorwiegend körperlicher Betätigung sowie Sport aus?
- Welche Möglichkeiten der körperlichen Bewegung stehen in der Gegenwart zur Verfügung? Entsprechen sie ihren/seinen Bedürfnissen?
- Liegt eine Gehbehinderung vor? Wurde sie bisher kompensiert?
- Sind Hilfsmittel bekannt? Stehen sie zur Verfügung?
- Wird die Freude an der Bewegung durch Schmerzen oder durch eine seelische Störung vereitelt?
- Welche Orte würde sie/er gerne aufsuchen, z.B. die bisherige Wohnung, den Marktplatz, eine bestimmte Kirche oder einen Urlaubsort? Welche Erinnerungen sind damit verbunden?

Sich Pflegen und Kleiden

- Welche Gewohnheiten, Bedürfnisse und Eigenarten liegen vor, z.B. bezüglich des Ausmaßes und der Häufigkeit der Körperpflege, der Hautpflege, der Pflegemittel, des Make up, der Frisur und Rasur?
- Welchen Stellenwert nimmt das äußere Erscheinungsbild ein? Wird Kleidung als Signal eingesetzt? Nach welchen Kriterien wird Kleidung ausgewählt, z.B. Bequemlichkeit, Zweckmäßigkeit, Mode, Status?
- Schreibt die Kultur oder Religion bestimmte Kleidung vor?
- Pflegt sie/er sich gerne, nimmt sie/er sich Zeit dazu?
- Welche Beziehung hat sie/er zum eigenen (ggf. alternden) Leib?
- Welche Bedeutung hatten und haben Körperpflege und Bekleiden für die geschlechtliche Identität? Auf welche Weise möchte sie/er sich darstellen?

Wach sein, Ruhen und Schlafen

- Welche Einstellung hatte und hat sie/er zum Ruhen und zum Schlafen?
- Wie ausgeprägt ist ihr/sein Ruhebedürfnis? Zu welchen Tageszeiten und unter welchen Bedingungen werden Ruhezeiten eingehalten?
- Gönnt sie/er sich ausreichend Ruhe?
- Wird das Ruhen und Schlafen, d.h. das geistige Abschalten, durch bestimmte Faktoren (z.B. Trauer, Sorgen, intensives Wiedererleben vergangener Ereignisse) behindert? Wie bewertet sie/er diesen Verarbeitungsprozeß, werden die Wachzeiten als sinnvoll erlebt?
- Wie ausgeprägt war und ist das Schlafbedürfnis? Schläft sie/er gerne?
- Ist der Schlaf erholsam?
- Welche Schlafgewohnheiten und Einschlafrituale bevorzugt sie/er? Zu welcher Tageszeit geht sie/er gewöhnlich ins Bett?
- Welche Faktoren behindern ggf. das Ein- oder Durchschlafen? Wie ist sie/er bisher mit Schlafstörungen umgegangen?

Kommunizieren

- War bzw. ist sie/er ein geselliger oder ein eher introvertierter *(in sich gekehrter)* Mensch?
- Zu welchen Personen wird in welchem Ausmaß Kontakt gewünscht? Kommt es zu den gewünschten Kontakten?
- Wie ist und war die Beziehung zu den Eltern, dem Partner und den Kindern? Wurde bzw. wird sie/er z.B. von den Eltern oder vom Partner unterdrückt, bevormundet? Nimmt eine Mutter / ein Vater seine Kinder an oder lehnt sie/er die Kinder ab? Welche Gefühle bestehen für die Eltern / Kinder?
- Hat sie/er im Laufe des Lebens gelernt, auf Menschen zuzugehen oder verhält sie/er sich eher passiv und abwartend?
- Welche Eigenschaften und Gemeinsamkeiten wünscht sie/er sich bei Kontaktpersonen?
- Mag sie/er Gruppengespräche und -aktivitäten?
- Welches sprachliche und inhaltliche Niveau ist sie/er gewohnt?

- Welche Bedeutung haben bestimmte Redewendungen und bestimmte mimische sowie gestische Zeichen für sie/ihn?
- Wie reagiert sie/er auf nonverbale Kommunikation, z.B. auf Berührungen? Empfindet sie/er diese angenehm und als Zuwendung oder unangenehm?
- Welche Unterhaltungsmöglichkeiten kommen ihrem/seinem Interesse entgegen, z.B. Zeitschriften, Tageszeitung, Bücher, Fernsehen, Gesellschaftsspiele, Theater, Kino *(siehe auch "Sich Beschäftigen")*?
- Kann sie/er sich verständlich machen? Ist sie/er in der Lage, seine Gedanken und Gefühle auszudrücken?
- Wird die Kommunikation durch Beeinträchtigung des Bewußtseins, der Sinnesfunktionen oder der Sprechwerkzeuge erschwert? Hat sie/er Kompensationsmöglichkeiten gefunden? Benötigt sie/er Hilfsmittel?
- Erschweren Vergeßlichkeit, Verwirrtheit oder Demenz die Kommunikation?
- Mit welcher Sprache ist sie/er aufgewachsen, sprach/spricht sie/er einen Dialekt? Welche Sprachkultur wurde/wird im Elternhaus gepflegt?
- Hat sie/er ein besonderes Interesse an Sprache, war bzw. ist sie/er z.B. beruflich im Ausland oder als Deutsch- / Lateinlehrer tätig, hat sie/er während Gefangenschaft oder Krieg eine Fremdsprache erworben?

Sich Beschäftigen

- Welchem Beruf geht bzw. ging sie/er nach? Wird/wurde dieser gerne ausgeübt? Führt(e) er zur Zufriedenheit? Wird bzw. wurde der Beruf auf eigenen Wunsch gewählt?
- Kann der gewünschte Beruf aufgrund einer Krankheit / Behinderung nicht (mehr) ausgeübt werden? Welche Bedeutung hat dies für sie/ihn? Welche Alternativen sind für sie/ihn akzeptabel?
- Welche Hobbies pflegt(e) sie/er? Kann sie/er darin seine Neigungen und Fähigkeiten umsetzen?
- Wieviel arbeitsfreie Zeit ist bzw. war vorhanden? Wie wird bzw. wurde diese gestaltet?
- Wird bzw. wurde die berufliche Arbeit bzw. die Hausarbeit angemessen anerkannt? Welcher soziale Status wird bzw. wurde durch die Tätigkeit erreicht? Hat sie/er besondere Leistungen erbracht?
- Welchen Stellenwert mißt sie/er der arbeitsfreien Zeit bei? Empfindet sie/er Zeit, die ohne Arbeit verbracht wird, als sinnlos oder verschenkt?
- Besucht bzw. besuchte sie/er kulturelle Veranstaltungen, öffentliche Feste oder Sehenswürdigkeiten? Geht bzw. ging sie/er gerne bummeln?
- Gibt bzw. gab es nur das häusliche Umfeld und die dörfliche Gemeinschaft oder lernte sie/er auch fremde Städte, Kulturen und Menschen kennen?
- Wurde und wird ggf. die Pensionierung positiv oder negativ bewertet? Fühlt sie/er sich nutzlos und ausgegliedert?
- Kann die freie Zeit genossen und gestaltet werden?
- Gibt es Aufgaben und bestimmte Tätigkeiten, die in der Gegenwart eine gewisse Zeitstruktur und Freude vermitteln?
- Welche Wünsche, Neigungen und Fähigkeiten liegen vor, womit beschäftigt sie/er sich gerne, z.B. mit Lesen, Sport, Singen, Gesellschaftsspielen, Handarbeit, Holzschnitzereien oder Gartenarbeit?
- Entwickelt sie/er Eigeninitiative oder ist sie/er eher passiv? Läßt sie/er sich durch andere mitreißen?
- Mit welchen Fähigkeiten kann sie/er aktiv zur Gestaltung des Gemeinschaftslebens (z.B. Familie, Wohngemeinschaft, Station, Pflegeheim) beitragen, z.B. Gestalten von Festen, Herstellen dekorativen Wand- und Tischschmuckes, Kochen, Backen, Gärtnern, Vorlesen, Musizieren oder Theater spielen?
- Engagiert(e) sie/er sich in bestimmten Einrichtungen oder Vereinen?
- Hat(te) sie/er einen besonderen Bezug zu Tieren? Wird bzw. wurde ein Haustier gehalten?
- Schränken körperliche oder seelisch-geistige Behinderungen die Beschäftigungsmöglichkeiten ein? Sind Bewältigungsstrategien und Hilfsmittel vorhanden?

Sinn finden

- Wie ausgeprägt ist ihr/sein Selbstwertgefühl und Selbstvertrauen in der heutigen Zeit und wie war es früher? Woraus wurden/werden Bestätigung und Anerkennung geschöpft? Hat sie/er Zuwendung und Liebe erfahren? Wurde sie/er so anerkannt und angenommen, wie sie/er war oder wurde dies an bestimmte Leistungen bzw. Verhaltensweisen geknüpft? Fühlt sie/er sich heute als wertvoller Mensch oder eher als Last für andere?
- Befindet sie/er sich auf der Suche nach dem Sinn des bisherigen Lebens? Wie wird das bisherige Leben bewertet, war es sinnvoll und erfüllt oder stehen für sie/ihn Sinnlosigkeit und Unerfülltheit im Vordergrund? Mit welchen Ereignissen, Schicksalsschlägen und Kränkungen hadert sie/er?
- Welche Faktoren stärken den Lebenswillen?
- Welche Menschen, Ereignisse, Begebenheiten und Aktivitäten waren und sind bedeutsam?
- Fand und findet sie/er Halt in bestimmten Personen, einer Religion oder Weltanschauung?
- Zieht sie/er eine Lebensbilanz? Wie fällt sie aus? Durchlebt sie/er Vergangenes freud- und leidvoll? Kann sich selbst und anderen verziehen werden? Sieht sie/er auch die positiven Lebensereignisse und -erfahrungen sowie die persönlichen Leistungen?
- Quälen sie/ihn Schuldgefühle?
- Wünscht sie/er (zeitweise) Begleitung durch Angehörige, Pflegepersonen oder Seelsorger (Zuhören, Gespräche)? Möchte sie/er sich zurückziehen?
- Wie werden das Alter, Krankheit, Behinderung und/oder Abhängigkeit erlebt, z.B. als Strafe oder Kränkung bzw. als Aufgabe oder Reifungsprozeß?
- Was verlieh und verleiht Lebensfreude?
- Welche Hoffnungen hat sie/er für die Zukunft? Was möchte sie/er erleben bzw. erfahren?
- Wartet sie/er darauf, bald "abberufen" zu werden und hofft auf einen friedlichen Tod?
- Befindet sie/er sich in einer neuen Situation auf dem Weg zu sich selbst?
- Welche Verlusterlebnisse belasten sie/ihn noch heute?

- Fühlt sie/er sich in der jetzigen Situation sicher und geborgen?
- Wird ihre/seine Hoffnung auf Akzeptanz und Integration ihrer/seiner Person erfüllt? Hat sie/er das Gefühl, ausreichend menschliche Zuwendung zu erfahren?

Geschlechtliches Erleben und Verhalten

- Lebt(e) sie/er in einer Ehe bzw. eheähnlichen Gemeinschaft? Wie fühlt(e) und verwirklicht(e) sie/er sich in dieser Gemeinschaft?
- Vor wie vielen Jahren und auf welche Art ist ggf. der Partner verstorben? Lebt sie/er danach allein oder in der Familie? Wie hat sich das Leben durch den Tod verändert? Gingen Kontakte verloren und/oder entstanden neue? Fehlt(e) die Lust zu Aktivitäten oder konnte/kann lange Zeit Unterdrücktes endlich (aus)gelebt werden? Fehl(t)en plötzlich finanzielle Mittel? Gelang bzw. gelingt die Alltagsbewältigung nicht mehr, weil bestimmte Aufgaben zuvor ausschließlich vom Partner erledigt wurden?
- Hat(te) sie/er Kinder? Sind bzw. waren diese erwünscht? Wie ist das heutige Verhältnis zu ihnen? Wie wurde und wird die Mutter- bzw. Vaterrolle erlebt? Ist bzw. war sie/er alleinerziehend?
- Blieb die Ehe (bisher) ungewollt kinderlos? Wie hat sie/er dies empfunden und verarbeitet?
- Lebt(e) sie/er allein? Wurde diese Lebensform bewußt und gerne gewählt oder als Versagen und Kränkung empfunden? Besteht der Wunsch nach einer Partnerschaft?
- Wie wurde und wird die geschlechtliche Identität gelebt? Welche äußeren Merkmale und welches Rollenverhalten ordnet sie/er den Geschlechtern zu?
- Welche Einstellung zum eigenen und zum anderen Geschlecht herrscht vor? Wodurch wurde und wird sie geprägt?
- Akzeptiert sie/er die eigene Geschlechtlichkeit und fühlt sie/er sich wohl in ihrer/seiner Rolle?
- Auf welche Weise haben erzieherische, zeitgeschichtliche und kulturelle Einflüsse die Rollenzuweisungen für die Geschlechter geprägt?
- Welche Bedeutung hat(te) Sexualität in ihrem/seinem Leben?
- Wurde das Selbstwertgefühl in der Rolle als Frau / Mann verletzt, z.B. durch Zurückweisung, Ehebruch, Scheidung oder durch Krankheit bzw. Behinderung?
- Welche Beziehung hat(te) sie/er zum eigenen Körper? Wie ist ggf. die Einstellung zum alternden Leib?
- Wie werden Nacktheit (vor den Augen anderer) und Berührung durch Pflegende empfunden?

Die Biographiearbeit alter Menschen kann durch die Einrichtung von **Erzählnachmittagen** oder -abenden unterstützt werden. Dies kann sowohl innerhalb als auch außerhalb einer Altenpflegeeinrichtung organisiert werden. Die Senioren können dabei unter sich bleiben oder jüngere Menschen hinzuziehen. Letzteres fördert nicht nur den Kontakt zwischen den Generationen; es verschafft auch auf beiden Seiten die Möglichkeit, die andere Gruppe realistisch wahrzunehmen und kennenzulernen.

Es ist sinnvoll, daß **Pflegende auch an ihrer eigenen Biographie arbeiten** und sich z.B. mit folgenden Fragen beschäftigen:

- Welche Erfahrungen habe ich mit Behinderung, Krankheit, Alter und Tod gemacht? Wie bewerte ich sie?
- Wie erlebe ich Behinderung, Krankheit, Altern und Sterben?
- Welche Erlebnisse habe ich nicht verarbeitet?
- Welche Situationen bereiten mir Angst, belasten, frustrieren oder überfordern mich?
- Worin liegen meine persönlichen Stärken, was bereitet mir Freude?
- Wieviel Nähe kann ich aushalten, wieviel wünsche ich mir? Wieviel Distanz brauche ich?
- Aus welcher Motivation heraus habe ich eine Pflegeausbildung absolviert? Mit welcher Motivation pflege und betreue ich heute kranke, behinderte und/oder alte Menschen?
- Finde ich Erfüllung und Zufriedenheit im Beruf? Welche Faktoren tragen dazu bei, welche wirken dem entgegen?
- Welche Faktoren prägen meine Beziehungen zu den einzelnen Patienten, z.B. Sympathie - Antipathie, Eltern-Kind-Gefühle, Partnerschaft - Überlegenheit oder Gemeinsamkeiten - Fremdheit?
- Verknüpfe ich bestimmte Lebensereignisse des Patienten mit mir widerfahrenen Erlebnissen oder Gefühlen?

9.9 Arbeiten in der Psychiatrie

Anmerkung: *Einerseits entstehen psychische Störungen, wie nachfolgend erläutert, im Zusammenhang mit den Beziehungen eines Menschen, andererseits führen sie zu einer Störung der Beziehungsfähigkeit. Da die Kommunikation bei der Entstehung, den Auswirkungen und der Therapie psychischer Störungen eine entscheidende Rolle spielt, werden die psychischen Störungen dem Kapitel „Kommunizieren" zugeordnet.*

9.9.1 Definitionen

Psychiatrie ist das Fachgebiet der Medizin, das alle Maßnahmen zur Diagnostik, nichtoperativen Therapie, Prävention, Rehabilitation und Begutachtung bei Patienten mit psychischen Störungen umfaßt (PSCHYREMBEL).
Als **psychische Störung** wird eine Störung innerhalb der Gesamtheit psychischer Funktionen (des Erlebens und Verhaltens) bezeichnet. Die Störungen zeigen sich in einem erkennbaren Komplex von Symptomen oder Verhaltensauffälligkeiten, die auf der individuellen (subjektiven) und meist auch auf der sozialen Ebene mit Beeinträchtigungen psychischer Funktionen verbunden sind (ICD 10).
DÖRNER, PLOG (1986) definieren einen **psychisch Kranken** als einen Menschen, der bei der Lösung einer altersgemäßen Lebensaufgabe in eine Sackgasse geraten ist. Das Ergebnis nennen sie Krankheit, Kränkung, Störung, Leiden, Abweichung. (Mit ihrer Definition wenden sie sich gegen die Annahme objektiv be-

stimmbarer Störungen im psychischen Bereich und vermitteln, daß psychische Störungen zum Leben gehören und jedem zustoßen können).

9.9.2 Entstehung psychischer Störungen

Die Entstehung psychischer Störungen ist ein **multifaktorielles Geschehen**; einige sind mehr auf biologische (somatische) Faktoren, andere mehr auf psychosoziale Begebenheiten zurückzuführen; auch organische Faktoren wie körperliche Erkrankungen oder Behinderungen können an der Entstehung psychischer Störungen beteiligt sein.

Psychische Störungen entstehen innerhalb des familiären und des weiteren psychosozialen Umfeldes. Häufig spielen vergangene lebensgeschichtliche Einflüsse und die aktuelle - belastende bzw. unerträgliche - Lebenssituation bei der Entstehung / Auslösung eine wichtige Rolle.

Bei Menschen, die an einer psychischen Störung leiden, liegt auch in gesunden Tagen eine **ausgeprägte Empfindsamkeit** vor, die sie besonders empfänglich für Kränkungen macht. Diese erhöhte Verletzlichkeit wird als Vulnerabilität bezeichnet.

Der Einfluß **biologischer** (somatischer) **Faktoren** ist bei den verschiedenen Störungen unterschiedlich und wird unter Fachleuten bis heute kontrovers diskutiert. Insgesamt bemessen Psychiater verschiedener theoretischer Richtungen den Veränderungen an den Nervenzellen oder der Neurotransmitterübertragung hinsichtlich der Entstehung psychischer Krankheiten einen unterschiedlichen Stellenwert bei.

Bei einigen Krankheiten treten psychische Störungen begleitend auf, z.B. Depressionen im Rahmen einer schweren Erkrankung (Schlaganfall, Parkinson - Krankheit, Krebs).

K. DÖRNER und U. PLOG haben ihrem Lehrbuch der Psychiatrie / Psychotherapie den Titel „Irren ist menschlich" gegeben, und erläutern dies wie folgt: *„ Er soll uns daran erinnern, daß die Psychiatrie ein Ort ist, wo der Mensch besonders menschlich ist; d.h. wo die Widersprüchlichkeit des Menschen oft nicht auflösbar, die Spannung auszuleben ist: so das Unmenschliche und Übermenschliche, das Banale und Einmalige, Oberfläche und Abgrund, das Kranke und Böse, Weinen und Lachen, Leben und Tod, Schmerz und Glück, das Sich - Verstellen und Sich - Wahrmachen, das Sich - Verirren und Sich - Finden."*

9.9.3 Gründe für eine psychiatrische Behandlung

Schwere psychische Störungen, die dazu führen, daß ein Betroffener sein **Leben nicht mehr selbständig bewältigen** kann oder zu einer **Selbst- bzw. Fremdgefährdung** neigt, bedürfen einer psychiatrischen Behandlung.

Heute wird eine **gemeindenahe Versorgung** psychisch kranker Menschen angestrebt, damit sie in ihrem Umfeld, das bei der Krankheitsentstehung ja eine Rolle gespielt hat, behandelt werden können. Nach Möglichkeit, d.h. wenn das Befinden des Patienten dies erlaubt, wird die ambulante Behandlung / Rehabilitation der stationären vorgezogen.

Die **stationäre Behandlung** findet z.B. in psychiatrischen Kliniken und auf psychiatrischen Stationen von Allgemeinkrankenhäusern statt. Tageskliniken bieten eine **teilstationäre Behandlung** und Betreuung. Die **ambulanten Behandlungs- und Rehabilitationsmöglichkeiten** sind vielfältig und werden von verschiedenen Berufsgruppen ausgeführt. Neben den Fachärzten für Psychiatrie betreuen SozialarbeiterInnen, PsychologInnen, Krankenschwestern / -pfleger die meist chronisch kranken Menschen.

Vorrangige **Ziele** sind die weitgehend **selbständige Lebensführung**, die **soziale Integration** sowie die Teilnahme am familiären und am gesellschaftlichen Leben. Die Patienten / Klienten leben möglichst in ihrer eigenen Wohnung, in der Familie, in einer Wohngruppe mit oder ohne Betreuung, in einem Wohnheim oder in einer Pflegefamilie.

In begründeten Fällen kann eine **Zwangseinweisung** auf der rechtlichen Grundlage des **Gesetzes über Hilfen und Schutzmaßnahmen bei psychischen Krankheiten (Psych - KG)** in ein psychiatrisches Krankenhaus angezeigt sein. Solche Gründe können akute Psychosen* oder Erkrankungen, die in ihren Auswirkungen einer Psychose gleichkommen, sein. Ein Beispiel für letztere sind extreme Erregungszustände, z.B. unter Alkohol- oder Drogeneinfluß. Weitere Voraussetzung ist, daß sich hieraus eine erhebliche Selbst- oder Fremdgefährdung ergibt.

Die Unterbringung eines Kranken gegen seinen Willen wird über die zuständige Ordnungsbehörde beim Amtsgericht beantragt und kann von der Ordnungsbehörde sofort veranlaßt werden. Der Patient wird spätestens am folgenden Tag vom zuständigen Amtsrichter angehört; dabei sind der behandelnde Arzt und ggf. ein Rechtsanwalt anwesend. Die Unterbringung nach dem Psych - KG kann nach richterlicher Entscheidung aufgehoben oder auf eine bestimmte Zeit verlängert werden. Wird die Zwangsunterbringung auf mehr als sechs Wochen verlängert, findet erneut eine richterliche Anhörung statt, der Arzt legt dazu ein schriftliches Gutachten vor.

Die Unterbringung nach dem Psych - KG erlaubt begründete Zwangsmaßnahmen zur Heilung und zur Gefahrenabwehr, z.B. die körperliche Untersuchung, das mechanische Fixieren, das Verabreichen von Sedativa oder die Ernährung des Kranken.

Nach Ablauf der Unterbringungsfrist wird der Patient entlassen oder aufgrund seiner freiwilligen Entscheidung weiterbehandelt. Sollte der Grund für eine Zwangsunterbringung vor Ablauf der festgesetzten Frist wegen Besserung des Zustandes des Patienten entfallen, hat der Arzt umgehend beim Amtsgericht eine Aufhebung der Unterbringung anzuregen.

Die Unterbringung von Menschen, die auf der Grundlage des Psych - KG eingewiesen werden, erfolgt auf einer **geschlossenen Abteilung**. Während des Aufenthaltes sind die Patienten an eine bestimmte Umgebung gebunden, die Türen nach außen sind verschlossen. Ein Verlassen der Abteilung ist nur mit Er-

laubnis des behandelnden Arztes und in der Regel nur in Begleitung erlaubt.
Kann ein psychisch kranker Mensch seine Angelegenheiten nicht mehr (vollständig) selbst erledigen, kann zu seinem Schutz die **Einrichtung einer gerichtlichen Betreuung** angezeigt sein. Lesen Sie dazu *„Betreuungsrechtliche Aspekte"*, Seite 898.

9.9.4 Zur Situation psychisch kranker Menschen

Die Situation eines psychisch kranken Menschen ist für andere nur **teilweise erfaßbar** und nachvollziehbar; Erleben und Verhalten des einzelnen sind nur **im Kontext der individuellen Biographie** und nur ansatzweise zu verstehen. Sie finden in sehr unterschiedlichen Störungen Ausdruck; mögliche Erklärungen können nicht ohne weiteres verallgemeinert werden.
Im folgenden wird versucht, einige Faktoren, die die Situation eines Betroffenen beeinflussen, darzustellen.
Psychisch gestörte Menschen werden in einer leistungsorientierten Gesellschaft wie der unseren mit **Vorurteilen** konfrontiert, die vor allem aus Ängsten und Ablehnung gegenüber dem ungewöhnlichen *(„abnormen")* Verhalten eines Betroffenen, dem allgemeinen Informationsmangel der Bevölkerung und aus der Vergangenheit der Psychiatrie resultieren. So werden psychisch Kranke auch in der heutigen Zeit oft als unberechenbar und gefährlich, willens- und charakterschwach, dumm und geisteskrank eingestuft. Andererseits ist die Meinung, psychisch Kranke seien nicht wirklich krank (z. B. depressive oder abhängige Menschen), weit verbreitet.
Die Einstellung, psychisch Kranke seien nicht behandelbar, nutzlos und in jeder Hinsicht eine Belastung für die Gesellschaft, hat in der Zeit des Nationalsozialismus dazu geführt, daß die betroffenen Personen aus der Gesellschaft „entfernt" und in Heil- bzw. Pflegeanstalten eingeschlossen und verwahrt wurden; dieser menschenverachtende Umgang mit psychisch und mit geistig kranken Menschen gipfelte in geplanten Zwangssterilisationen und - auf der Grundlage des „Gesetzes zur Vernichtung unwerten Lebens" - in der Ermordung von ca. 70.000 Menschen. Bei den Ausführungen wirkten auch einige regimetreue professionelle Betreuer wie Ärzte und Pflegepersonal entscheidend mit.
Erst in den letzten drei Jahrzehnten hat sich die Einstellung dahin gehend verändert, daß psychische Störungen als behandelbar und die daran leidenden Menschen als Teil der Gesellschaft betrachtet werden. Entsprechend haben sich die Behandlungskonzepte und der Umgang mit psychisch Kranken verändert. Dennoch sind die zuvor erwähnten Vorurteile noch in vielen Köpfen präsent und werden einem Betroffenen durch Verhaltensweisen wie **Ablehnung, Kränkung, Nichternstnehmen, Ausgrenzen** und **Verachten** sowie durch **Mißtrauen** deutlich.
Vor diesen Reaktionen haben viele psychisch kranke Menschen **Angst**; außerdem realisieren viele zumindest teilweise ihr Anderssein, leiden darunter und entwickeln **Schuld- sowie Schamgefühle**. Um so mehr braucht ein Betroffener Schutz und Geborgenheit in sozialen Beziehungen.
Die meisten Betroffenen werden auch **in bezug auf die Bewältigung des Alltags hilfsbedürftig**; sie vernachlässigen z.B. die Nahrungsaufnahme und die Körperpflege, kleiden sich in Hinsicht auf die Wetterverhältnisse unangemessen oder konsumieren exzessiv Genuß- oder Rauschmittel (Nikotin, Alkohol, Drogen, Medikamente). Daraus kann eine zusätzliche ernsthafte Gefahr für die Gesundheit resultieren.
Psychische Störungen können dazu führen, daß ein Betroffener **nie (wieder) arbeitsfähig** wird oder daß er seinen **Arbeitsplatz** aufgrund der Erkrankung **verliert**. Dadurch kommt es in vielen Fällen neben einer Kränkung des Selbstwertgefühls zu **finanziellen Problemen**. Viele Kranke sind auf Frührente und Sozialhilfe angewiesen, wodurch es zur **Armut** und letztendlich zum **Wohnungsverlust** kommen kann.
Eine psychische Störung betrifft immer den Menschen in seiner Ganzheit. Die Störungen des Erlebens, Empfindens und/oder Denkens stehen im Vordergrund, ziehen jedoch oft körperliche (z.B. Schmerzen, Mangelernährung, Verwahrlosung) und soziale Folgen (z.B. Beziehungsstörungen, Arbeitslosigkeit) nach sich.
Psychische Krankheiten sind häufig **chronische Krankheiten**, d.h. ein Betroffener muß lernen, sie zu **akzeptieren** und **in sein Leben** zu **integrieren.** Hierzu ist eine Auseinandersetzung mit der eigenen Persönlichkeit erforderlich; außerdem sind - wie bei anderen chronischen Erkrankungen - Konsequenzen hinsichtlich der Lebensführung notwendig. In vielen Fällen läßt es sich nicht vermeiden, daß das Umfeld von der Krankheit erfährt. Psychisch kranke Menschen müssen eventuell ihre bisherige Lebensgemeinschaft verlassen und in einer therapeutisch begleiteten Wohngruppe *(„Betreutes Wohnen")* leben.
Weitere Aspekte zur Situation psychisch kranker Menschen werden unter „Zur Situation eines Betroffenen" in den Abschnitten „Depressionen", „Suizid", „Demenz", „Alkoholkrankheit", „Anorexia nervosa" erörtert.

9.9.5 Zur Situation der Pflegenden

Die Arbeit mit psychisch kranken Menschen **konfrontiert** Pflegende in besonderer Weise **mit menschlichem Schicksal und Leid**, mit **Anderssein** und Stimmungsschwankungen, mit extremen, zum Teil **unverständlichen Verhaltens- und Reaktionsweisen** (z.B. Selbst- und Fremdgefährdung, Suizid, Teilnahmslosigkeit, Überaktivität). Pflegende erleben, daß Patienten weder Krankheits- noch Behandlungseinsicht zeigen, gegen allgemeingültige Normen verstoßen, sich verfolgt fühlen oder unrealistische Wahrnehmungen haben. Sie werden damit konfrontiert, daß Patienten gegen ihren Willen behandelt werden und müssen selber **Zwang ausüben**, z.B. im Extremfall einen Patienten fixieren. Vielen fällt dies verständlicherweise sehr schwer. Außerdem kann sich die Beziehung zum Kranken dadurch verschlechtern. Dabei ist es notwendig einzusehen, daß Zwang in begründeten Situationen erforderlich ist, um Strukturen, Richtlinien und Grenzen zu verdeutlichen oder um den Kranken bzw.

andere gefährdete Personen zu schützen. Zugleich ist eine Sensibilität für die Situation zu bewahren. Zur besseren inneren Verarbeitung und zur Bewältigung solcher Situationen ist eine Auseinandersetzung mit der Problematik und den dabei entstehenden Gefühlen in Gesprächen mit dem Betroffenen, mit KollegInnen und innerhalb der Supervisionsgruppe notwendig. Auch für Betroffene ist es wichtig, daß Pflegende mit ihnen über die Zwangshandlung und ihre dabei empfundenen Gefühle sprechen; so können sie Verständnis entwickeln.

Pflegende in der Psychiatrie sind aufgrund größerer Nähe und des alltäglichen Umgangs häufig mehr und direkter mit den emotionalen Reaktionen und den schwierigen Verhaltensweisen der Patienten konfrontiert als andere Berufsgruppen. Sie können Ausführende von Kontroll- und Zwangsmaßnahmen sein, die sie evtl. nicht befürworten, und werden leicht mit Aggressivität konfrontiert, die nicht ihnen gilt. Sie erleben sich selbst immer wieder hilflos, wenn sich das Verhalten eines Patienten nicht beeinflussen läßt, wenn sie keinen Zugang zu ihm finden oder wenn es zu Rückfällen kommt. Pflegende haben weniger Möglichkeiten, sich zu distanzieren als andere Berufsgruppen.

Das Arbeiten mit psychisch kranken Menschen erfordert **seelische Belastbarkeit**, die Fähigkeit zur Auseinandersetzung mit den eigenen Gefühlen, Reaktionen und Verhaltensweisen sowie **psychosoziale Kompetenzen** (z.B. Gesprächsführung, Umgang mit dementen oder mit aggressiven und mit depressiven Menschen). Das Einfühlen in die Situation eines psychisch gestörten Menschen, in dessen Erleben die Welt „verrückt" ist, kann durch das Zulassen und Hinterfragen der eigenen extremen oder „unerlaubten" Empfindungen und Verhaltensweisen angebahnt werden. Beispiel: *Kenne ich aus eigenem Erleben die Gefühle von Niedergeschlagenheit und innerer Leere? Wie erlebe ich sie? Wie gehe ich damit um? Was hindert mich daran, solche Gefühle zuzulassen?*

Das **Erkennen** und Akzeptieren der persönlichen Stärken und Schwächen, der Eigenschaften und Neigungen, der Möglichkeiten und Grenzen sowie **der Einzigartigkeit der eigenen Person** erleichtert es, **anderen Menschen ihre Einzigartigkeit** und damit auch **ihr Anderssein zuzugestehen** und damit umzugehen.

Entlastung, Reflexion und praktische Beratung können in Teamgesprächen und in regelmäßigen Supervisionen *(siehe Seite 792)* gefunden werden.

Gelingt es, sich von den Erfahrungen mit den Betroffenen berühren zu lassen und dies in einer angemessenen Weise zu verarbeiten, kann der berufsmäßige Umgang mit psychisch kranken Menschen durchaus als die eigene Entwicklung bereichernd erlebt werden.

9.9.6 Schwerpunkte der Pflege psychisch gestörter Menschen

Prinzipien

Die Pflege psychisch kranker Menschen orientiert sich an deren individuellen Bedürfnissen. Maßnahmen und Verhalten der Pflegenden sollen **in das Gesamtkonzept der Behandlung eingebettet** sein. Regelmäßige Teambesprechungen mit Vertretern aller an der Behandlung beteiligten Berufsgruppen sind erforderlich; dabei werden Beobachtungen und individuelle Erfahrungen mit dem jeweiligen Patienten ausgetauscht und gemeinsam über das weitere Vorgehen beraten. Therapeutisches / pflegerisches Vorgehen und **Verhaltensrichtlinien**, z.B. Ausgehverbot und ein bestimmtes Beschäftigungsprogramm für den Patienten, sollten **mit dem Patienten gemeinsam besprochen** und festgelegt werden; dies betont seine Eigenverantwortlichkeit, fördert die Entscheidungsfindung, zeigt die Ressourcen auf und erhöht die Bereitschaft zur Kooperation.

Konsequentes Verhalten im Sinne der gemeinsam beschlossenen Richtlinien ist außerordentlich wichtig, da es dem Patienten klare Regeln vorgibt und die Ernsthaftigkeit des therapeutischen Vorhabens verdeutlicht, ihm ein Vorbild ist und verhindert, daß er die Teammitglieder gegeneinander ausspielt. Der Patient soll lernen, in dem seinen momentanen individuellen Möglichkeiten entsprechenden Rahmen Entscheidungen zu treffen, Verantwortung zu tragen und Pflichten zu erfüllen (z.B. Termine und Abmachungen einzuhalten, Aufgaben im Stationsalltag zu übernehmen). Dadurch richtet sich die Aufmerksamkeit auf die **gesunden Anteile**, die Ressourcen; das Erlangen einer jeweils **größtmöglichen Selbstständigkeit** wird zum Ziel erklärt. Dabei ist es oft nicht einfach, das richtige Maß von Verantwortung und Selbständigkeit für den Patienten zu finden und Überforderung sowie Unterforderung zu vermeiden.

Weitere Ziele sind die **Teilnahme am familiären** und am **gesellschaftlichen Leben** sowie die **soziale Integration**. Außerdem soll ein psychisch kranker Mensch lernen, seine **Erkrankung** zu **akzeptieren** und sie **in** sein **Leben** zu **integrieren**. Dazu gehört z.B., daß er nach einer erfolgreich behandelten Akutphase wiederauftretende Anzeichen für eine drohende Erkrankung / einen Krankheitsschub rechtzeitig wahrnimmt und sich in Behandlung begibt.

Pflegende beachten und **verstärken positives** (erwünschtes) **Verhalten**, z.B. das Erledigen von Aufgaben und Pflichten. **Unerwünschtes Verhalten**, z.B. das unentschuldigte Fernbleiben von festgesetzten Terminen oder die Vernachlässigung von Pflichten, wird **offen angesprochen** und ggf. wie zuvor gemeinsam festgelegt **sanktioniert**.

Die **Angehörigen** psychisch kranker Menschen bedürfen ebenfalls der **Unterstützung**, denn sie sind **mitbetroffen**, leiden unter Krankheitsfolgen, können oft nicht begreifen, warum sich der Angehörige so merkwürdig verhält. Einige fühlen sich an der Krankheitsentstehung mitschuldig, nicht selten werden sie auch von anderen oder vom Kranken verantwortlich gemacht *(„Bei der Mutter muß man ja depressiv werden")*. Tatsächlich stellen die Beziehungen zu Angehörigen häufig einen wichtigen Faktor in bezug auf die Probleme dar; dann kann es sinnvoll sein, die Angehörigen in **die Therapie / Rehabilitation einzubeziehen.** Wichtig ist aber auch die **emotionale Entlastung**, die z.B. in Gesprächen (aktives Zuhören) mit Ärzten, Psychologen oder Pflegenden oder in Angehörigengruppen (Selbsthilfegruppen) gefunden werden kann.

Eine psychische Störung wirkt sich im allgemeinen auf mehrere Lebensaktivitäten aus. Im folgenden werden häufig auftretende Probleme und entsprechende mögliche pflegerische Interventionen besprochen. Bei der Pflege eines psychisch kranken Menschen muß immer von der individuellen Situation des Betroffenen und seinem subjektiven Krankheitserleben ausgegangen werden; diese werden durch ein Wissen um die jeweiligen lebensgeschichtlichen Zusammenhänge besser verständlich.

Die Ressourcen, Bedürfnisse und Probleme werden durch kontinuierliche Beobachtungen und eine **biographisch orientierte Pflegeanamnese** *(siehe Seite 746)* eruiert. Die Pflege sollte **gemeinsam mit dem Patienten geplant** werden; wegen der wechselnden Befindlichkeit sind häufig Anpassungen erforderlich.

❒ Kommunizieren

Das Kommunizieren, d.h. der **Aufbau und die Gestaltung von Beziehungen**, stellt den **Kern der Pflege** eines psychisch kranken Menschen dar, denn seine Erkrankung resultiert aus der Störung der Beziehung zu sich selbst und/oder zu anderen. Im Umgang mit Pflegenden, Therapeuten und Mitpatienten kommen ähnliche Probleme wie im Umgang mit anderen Bezugspersonen zum Tragen. In diesen Beziehungen soll der Patient seine Gefühle, Schwierigkeiten, seine Möglichkeiten und Grenzen in Beziehungen bewußt wahrnehmen und erkennen sowie Wege zur Problemlösung finden. Dies ist meist ein mühsamer und langer Weg, auf dem Geduld, ehrliche Rückmeldungen und einfühlsame Begleitung erforderlich sind.

Voraussetzungen der Bezugspersonen sind eine offene und wertschätzende Haltung gegenüber dem Patienten sowie die **Bereitschaft, auf ihn zuzugehen** und sich auf ihn **einzulassen**.

Eine bewußte Beziehungsgestaltung erfordert das Wahrnehmen der eigenen Gefühle im Umgang mit anderen Menschen, der persönlichen Wertvorstellungen, Eigenschaften, Möglichkeiten und Grenzen; all dies beeinflußt den Umgang mit anderen. In den Beziehungen zu den ihn betreuenden Menschen lernt ein Kranker verschiedene zwischenmenschliche Umgangsformen, unterschiedliches Verhalten in Konflikt- und Problemlagen und Möglichkeiten des Umgangs mit persönlichen Gefühlen kennen. Diese können Einfluß auf seine Suche nach geeigneten Verhaltensweisen nehmen. Pflegende erscheinen „menschlicher“ (nicht als „allwissender Übermensch“), wenn ein Kranker sie auch als „Suchende“ erleben und an deren Wertefindung oder Meinungsbildung teilhaben kann.

Die **Bezugspflege** (*Betreuung durch bestimmte wenige Bezugspersonen*) erleichtert den Aufbau und die Gestaltung einer Beziehung sowie das Einhalten des Therapieplans. Pflegende können sich besser auf den Kranken einstellen und ihn kontinuierlich beobachten; sie haben z.B. die Möglichkeit, Veränderungen des Verhaltens oder der Stimmung des Patienten im Zusammenhang mit bestimmten Personen oder Ereignissen wahrzunehmen. Der Kontakt zum Patienten ist intensiv, die Beteiligten lernen sich näher kennen, können sich aufeinander einstellen, es kann sich eine vertraute und tragfähige Beziehung entwickeln. Diese Nähe birgt auch Gefahren in sich, z.B. bei Antipathie oder bei Wünschen nach privater Nähe / Freundschaft sowie beim Umgang mit sehr fordernden oder anderweitig schwierigen Patienten. Pflegende sollten ihre ablehnenden Gefühle oder eine Überforderung wahrnehmen und ggf. im Team nach einer Lösung suchen; diese kann auch ein Wechsel von Bezugspersonen sein.

HILDE SCHÄDLE - DEININGER und ULRIKE VILLINGER (1996) beschreiben verschiedene **pflegerische Zugangswege zum Patienten**.

- Die Beziehungen zum Patienten knüpfen im Alltagsgeschehen bei der Befriedigung der täglichen Bedürfnisse (z.B. Nahrungszubereitung / -aufnahme, Körperpflege, Bewegung) an; auch wenn der Kranke zunächst nicht zur Beziehungsaufnahme bereit ist, findet immer Begegnung statt. Im Verhalten sowie in verbaler und nonverbaler Kommunikation finden Einstellungen zu dem und Bemühen um den Kranken Ausdruck. *„Wir brauchen den **körpernahen Zugang** besonders bei Menschen, die keinen oder wenig Bezug zum eigenen Körper haben, die ihre Grundbedürfnisse nicht oder nicht ausreichend wahrnehmen oder die stark in sich gekehrt sind“ (H. SCHÄDLE - DEININGER / U. VILLINGER, 1996).*
- Während pflegerischer Handlungen und während gemeinsamer Aktivitäten (z.B. Küchendienst, Spazierengehen, Gesellschaftsspiele) hat der Kranke die Möglichkeit, sich verbal oder nonverbal auszudrükken. *„Wir brauchen das **gemeinsame Tun** als Zugang besonders bei Menschen, die so durcheinander sind, daß wir ihre verbalen Äußerungen kaum verstehen können, die stark antriebsgestört sind, die so isoliert sind, daß es sonst keine Gemeinsamkeiten gibt, die ihre Fähigkeiten und Stärken nicht zeigen können“ (a.a.O.).*
- Einfache Gespräche mit Inhalten, die den Interessen und den Erfahrungen / dem Wissen des Patienten entsprechen (z.B. über das Wetter, Haustiere, Gartenarbeit, Sport, politisches Geschehen), dienen ebenfalls der Aufnahme und Pflege von Beziehungen. *„Wir brauchen **Konversation** als Zugang besonders bei Menschen, die sich scheuen, über sich selbst zu sprechen, die andere mit ihren Problemen nicht belasten wollen, die sich hier und jetzt nur noch schwer zurechtfinden, die sich mit ihren Problemen nur im Kreis drehen“ (a.a.O.).*
- Gespräche und stellvertretende Handlungen mit Bezug auf die Probleme und Konflikte des Kranken (z.B. Hoffnungslosigkeit, Schwierigkeiten mit den Eltern / dem Partner, Aggressionen) stellen eine weitere Möglichkeit der Beziehungsaufnahme dar. Ist der Patient noch nicht in der Lage, seine Gefühle zu äußern, kann stellvertretendes Verbalisieren angezeigt sein (z.B. Ausdrücken von wahrgenommenen Gefühlen). Kann er seine Angelegenheiten nicht selbst regeln, wird stellvertretendes Handeln (z.B. Aufnahme von Kontakten) nötig. *„Wir brauchen den **problemorientierten Zugang** besonders bei Menschen, die ihre Probleme negieren oder bagatellisieren, die ihre Gefühle nicht oder nicht genügend wahrnehmen und äußern, die Konflikten aus dem Weg gehen, die von ihren Problemen erdrückt werden a.a.O.).*

- In einigen Fällen können pflegerisch - therapeutische Maßnahmen (z.B. Kontrolle der Vitalzeichen, Informations- / Aufklärungsgespräche) den Zugang zum Kranken ermöglichen. *„Den **medizinnahen Zugang** brauchen wir besonders bei Menschen, die im Stupor verharren, die ihre psychische Erkrankung negieren, die nur über diesen Weg Nähe zulassen können“ (a.a.O.).*

Eine weitere Möglichkeit, Zugang zum Patienten zu finden bzw. Versuche dazu zu unterstützen, können **Berührungen** darstellen, z.B. im Rahmen einer Einreibung, bei der Unterstützung der Körperpflege oder durch das Halten einer Hand. Sie können auf eine besondere Weise Zuwendung und Mitgefühl spürbar machen, besonders wenn sprachliche Kommunikation erschwert oder unpassend ist.

Um die subjektive Welt eines psychisch kranken Menschen wenigstens teilweise erfassen zu können und um eine gemeinsame Wirklichkeit zu finden, bedarf es der **bewußten Kommunikation** und **Gesprächsführung**. Diese sollten vor allem durch Wertschätzung, aktives Zuhören und einfühlendes Verstehen (*Empathie*) gekennzeichnet sein. Lesen Sie dazu *„Gesprächsführung“*, *Seite 717*.

Selbstverständlich wird ein psychisch kranker Mensch in der ihm verständlichen Art und Weise über geplante Maßnahmen **informiert**; dies hilft, Ängste abzubauen, fördert die Kooperation und verhindert den Aufbau von Spannungen und Aggressionen.

Für psychisch kranke Menschen ist es wichtig, **Kontakt zur Außenwelt** zu **pflegen**. Aufgabe der Pflegenden ist es, sie zu ermutigen und darin zu unterstützen. Dies kann z.B. geschehen, indem sie mit dem Patienten über das gesellschaftliche und tagespolitische Geschehen sprechen und Tageszeitungen oder Zeitschriften, die den Kranken interessieren, anbieten. Weiter können das gemeinsame Aufsuchen der Wohngegend des Patienten und der Besuch kultureller Veranstaltungen sinnvoll sein, um die Teilnahme am öffentlichen Leben zu fördern und/oder frühere Kontakte wiederherzustellen bzw. zu pflegen.

Während der Rehabilitationsphase wird die **soziale Integration** vorrangig; dann wird der Kranke z.B. zur Kontaktaufnahme mit Angehörigen, Freunden, Kollegen, oder Nachbarn aufgefordert und bei Bedarf darin unterstützt. Die Hilfestellung bezieht sich in erster Linie auf die Motivierung und Ermutigung des Patienten, der nach Möglichkeit selbst aktiv werden soll (Betreuer halten sich dabei im Hintergrund).

Durch Kontakte und **gemeinsame Aktivitäten** auf der Station bzw. in der Wohngemeinschaft ist das **Sozialverhalten** zu **fördern**. In den Beziehungen zu Einzelpersonen und innerhalb einer Gruppe treten die Beziehungsstörungen deutlich auf; im Rahmen einer professionellen Begleitung durch Gespräche und Reflexion kann der Patient neue Umgangsformen suchen, erproben und einüben.

❒ Für Sicherheit sorgen

Mögliche Probleme in diesem Bereich sind einerseits Suizidgefahr sowie Selbst- und Fremdgefährdung, andererseits die Gefährdung des Kranken durch Folgeerscheinungen (z.B. Sekundärerkrankungen, Verwirrtheit) oder durch unerwünschte Nebenwirkungen der medikamentösen Therapie.

Bei der Gefahr von Selbst- und Fremdgefährdung können folgende Verhaltensweisen angezeigt sein:

- Muß aufgrund der Vorgeschichte mit einer Selbst- oder Fremdgefährdung gerechnet werden, ist darauf zu achten, daß gefährliche Gegenstände (z.B. Rasierklingen, Messer, Gürtel), sich nicht in der Reichweite des Patienten befinden; oft sind dazu regelmäßige Kontrollen erforderlich.
- Stimmungswechsel, Spannungen und Aggressionen sind bewußt wahrzunehmen und anzusprechen, dem Patienten ist die Möglichkeit einzuräumen, die eigenen Gefühle zu hinterfragen und zu erklären. Auch erfährt er durch das Aussprechen Entlastung. Er wird beruhigt und aufgefordert, seine Gefühle und sein Verhalten zu kontrollieren. Außerdem wird angekündigt, welche Maßnahmen ergriffen werden, wenn ihm dies nicht gelingt.
- Bei akuter Gefahr ist es ratsam, rasch Hilfe durch Mitarbeiter anzufordern; die Präsenz mehrerer Personen kann dazu führen, daß der Patient von seinem Vorhaben abläßt. Es wird beruhigend auf ihn eingeredet, aber nicht diskutiert.
- Mitpatienten sind zu ihrem Schutz aus dem Raum zu schicken und erhalten später Gelegenheit, sich zu dem Vorfall zu äußern und ihre Gefühle mitzuteilen.
- Kann der Patient nicht von seinem gewalttätigen Vorhaben abgebracht werden, sind Schutzmaßnahmen zu ergreifen; je nach Situation kann z.B. die mechanische Fixierung und/oder eine medikamentöse Sedierung (Arzt) angezeigt sein.
- Nach dem Vorfall ist dem Patienten die Möglichkeit zu gewähren, über das Geschehene und über seine Gefühle zu sprechen. Es wird gemeinsam überlegt, welche Faktoren sein Verhalten veranlaßt haben, welche anderen Verhaltensmöglichkeiten für ihn eventuell bestanden haben und wie Gewaltausbrüchen in Zukunft vorgebeugt werden kann. Es kann auch wichtig sein, den Patienten mit den Folgen seiner Gewaltanwendung zu konfrontieren.
- Die Betreuer sprechen nach einem Vorfall über ihre Gefühle und reflektieren die Situation sowie ihr Verhalten.
- Besonderheiten im Umgang mit suizidgefährdeten Menschen und mit Suizidenten werden im Kapitel *„Suizidalität und Suizid“* *(siehe Seite 773)* besprochen.

Gefährdungen des Patienten durch die Krankheit oder durch unerwünschte Wirkungen der medikamentösen Therapie sollen durch eine **gezielte Krankenbeobachtung** verhindert bzw. frühzeitig erkannt werden. Zusätzlich unterstützt die Krankenbeobachtung die Wahrnehmung der Befindlichkeit des Patienten in verschiedenen Situationen und leistet einen wichtigen Beitrag zur Diagnostik und Therapie. Die Beobachtung kann sich auf **Veränderungen in allen psychisch / psychopathologisch bedeutsamen Bereichen** richten. Beispiele:

- Bewegungsverhalten und psychomotorischer Antrieb,
- Stimmungslage und Gefühle,
- Denken und intellektuelle Fähigkeiten,

- Bewußtseinszustand (Aufmerksamkeit, Orientierung),
- Wahrnehmung, Selbsteinschätzung, Erleben der eigenen Person,
- Sozialverhalten (gegenüber den verschiedenen Kontaktpersonen und bei verschiedenen Beschäftigungen / Aktivitäten sowie in Gruppen) einschließlich Kooperation, Einhalten von Abmachungen, Akzeptieren der Therapieregeln (*Compliance*),
- Umgang mit der Krankheit,
- Selbstpflege (Ernährung, Körperpflege, Kleidung, Umgang mit Genuß- / Rauschmitteln), Umgang mit sich selbst.

Außerdem kann die Beobachtung der **Vitalzeichen** angezeigt sein. Im Rahmen einer pharmakologischen Therapie beobachten Pflegende den Patienten hinsichtlich des Eintretens der erwünschten und unerwünschten Wirkungen.
Die **Einnahme von Medikamenten** erfolgt unter Aufsicht einer Pflegeperson; sie vergewissert sich, daß der Kranke die Medikamente auch tatsächlich eingenommen hat.

Bei Verwirrtheitszuständen sind Maßnahmen zur Vermittlung von Sicherheit, zur Förderung der Orientierung und ggf. ein Realisationstraining angezeigt *(siehe "Verwirrtheit", Seite 707)*.

❒ Essen und Trinken

Auffällige Verhaltensweisen im Bereich der ATL Essen und Trinken können Ausdruck schwerer psychischer Störungen sein; sie sind z.B. bei alkoholkranken und magersüchtigen Menschen, aber auch im Rahmen vieler anderer psychischer Erkrankungen zu beobachten (z.B. im Zusammenhang mit Wahnvorstellungen: *„Mein Essen ist vergiftet“*). Betroffene vernachlässigen häufig die Nahrungsaufnahme oder sind nicht in der Lage, sich ausreichend zu ernähren.
Aus therapeutischer Sicht können bei der Ausführung dieser Lebensaktivität die **Selbstwahrnehmung** und die **Selbstfürsorge gefördert**, **selbständiges Entscheiden und Handeln erprobt** sowie wichtige **Alltagsfähigkeiten wiedererlangt** werden. Die meisten Kranken verfügen in diesem Lebensbereich über Ressourcen, z.B. einen Erfahrungsschatz hinsichtlich der Nahrungszubereitung, Freude am Kochen oder positive Erinnerungen im Zusammenhang mit der Nahrungszubereitung und dem Essen (z.B. Plätzchen backen, Festtafeln gestalten, Spezialitäten zubereiten, in Gesellschaft genießen). Außerdem bietet das **gemeinsame Tun in einem sozialen Rahmen** eine hervorragende Möglichkeit der Beziehungsaufnahme und Gestaltung *(siehe „Kommunizieren")* sowie eine Möglichkeit zur Übernahme von Pflichten zur Einübung von Mitverantwortung.
Entsprechend können z.B. folgende Pflegemaßnahmen (im Rahmen des Therapiekonzeptes) angezeigt sein:

- Informationsgespräche führen und den Patienten hinsichtlich eines gesundheitsfördernden Ernährungsverhaltens anleiten *(siehe Seite 107)*.
- Das Eß- und Trinkverhalten beobachten; ggf. müssen Maßnahmen zur Verhinderung einer Fehl- oder Mangelernährung und/oder zur Verhinderung einer Exsikkose ergriffen werden.
- Die Selbstwahrnehmung von körperlich - seelischen Empfindungen wie durstig und hungrig sein, satt und zufrieden sein und etwas zu bevorzugen oder abzulehnen kann durch entsprechende Fragen, Hinweise oder Betonungen gefördert werden. Beispiel: *„Ihnen scheint es ja besonders gut zu schmecken“.*
- Tischgemeinschaften fördern, um die kommunikativen und geselligen Aspekte des Essens wieder erfahrbar zu machen
- Gemeinsam Speisepläne und Einkaufslisten aufstellen, die Nahrung mit dem Patienten oder in einer Gruppe zubereiten und den Tisch gestalten. Dabei wird der Kranke im Rahmen seiner individuellen derzeitigen Möglichkeiten zur Planung und Durchführung einzelner Maßnahmen motiviert; die Ressourcen stehen im Vordergrund. Die Unterstützung erfolgt so, daß der Kranke möglichst nicht unter- oder überfordert wird; er soll seine Bedürfnisse, Gewohnheiten und seine Fähigkeiten wahrnehmen und einbringen können. Die Aktivitäten können je nach Situation des Patienten mit der Bezugsperson allein oder innerhalb einer Gruppe durchgeführt werden.
- Dem Patienten können Verantwortung und Pflichten übertragen werden, z.B. das Einkaufen oder Küchendienste. Gleichzeitig kann das Verhalten in einer Gemeinschaft erprobt werden. Eine Patientengruppe kann die Nahrungszubereitung und den Küchendienst übernehmen und die einzelnen Aufgaben untereinander verteilen.

❒ Sich Pflegen und Kleiden

Im Zusammenhang mit einer psychischen Erkrankung vernachlässigt ein Betroffener nicht selten die Körperpflege und die Kleidung. Es können sehr unterschiedliche Gründe vorliegen, z.B. ein mangelnder Antrieb, fehlende Selbstwahrnehmung, Ablehnung der eigenen Körperlichkeit, Desorientierung oder „innere Verwahrlosung“. Ein verwahrlostes Aussehen, aber auch Körpergeruch, beschmutzte Kleidung, ungekämmte, fettige Haare und ähnliche Erscheinungen können zur Ablehnung und Diskriminierung des Kranken führen. Eine den klimatischen und der jeweiligen gesellschaftlichen Situation unangemessene Kleidung (z.B. ein Wollmantel im Sommer oder Badekleidung in der Fußgängerzone) erregt Aufmerksamkeit, löst Unverständnis oder Belustigung aus.
Pflegerische Maßnahmen orientieren sich an den **Gewohnheiten des Kranken** und werden mit dem Bemühen, die **Würde** des Patienten zu **wahren** und seine **Intimsphäre** so weit wie möglich zu **schützen**, durchgeführt.

- Da eine Unterstützung, besonders eine Korrektur bei der Körperhygiene mit dem Eindringen in die Privat- / Intimsphäre eines anderen Menschen verbunden ist, erfordern Interventionen in diesem Bereich ein hohes Einfühlungsvermögen und Fingerspitzengefühl. Dennoch lassen sich in Extremfällen, z.B. bei Verwahrlosung, unerträglichem Körpergeruch, Ungezieferbefall oder Kotschmieren, unmißverständliche Aufforderungen, evtl. sogar Zwangsmaßnahmen, nicht vermeiden. In weniger unangenehmen und die Gesundheit nicht bedrohenden Fällen ist es empfehlenswert, mit Kritiken und nachdrücklichen Forderungen zu war-

ten, bis ein Vertrauensverhältnis zwischen Patient und Bezugsperson aufgebaut ist.
- In Gesprächen und bei der Unterstützung der Körperpflege kann die Selbstwahrnehmung durch eine geschickte Gesprächsführung gefördert werden. Pflegende können sich mit dem Patienten z.B. über die individuelle Einstellung zu Make up und Parfüm, über Duschgewohnheiten und Modetrends unterhalten. Ferner fördern angenehme körperliche Erlebnisse, z.B. ein entspannendes Bad, das „Abschrubben" des Rückens oder eine Gesichtsmassage die körperliche Selbstwahrnehmung; Pflegende machen entsprechende Vorschläge und Angebote. Bei wahrnehmungseingeschränkten, bei erregten, verwirrten und bewußtseinsgestörten Patienten kann eine basalstimulierende Ganzkörperwaschung *(siehe Seite 648)* das Körpergefühl fördern und regulierend auf den Gefühlszustand einwirken.
- Eine positive Selbst- sowie Fremdwahrnehmung und somit das Selbstwertgefühl können durch individuell bevorzugte Kleidung, Make up, eine bestimmte Frisur, eine glatte Rasur und/oder einen bestimmten Duft gefördert werden. Ein Patient soll sich selbst „gut riechen können", sein Spiegelbild mögen und sich wohlfühlen. Pflegende können diesbezügliche Anregungen geben und entsprechende Möglichkeiten organisieren; selbstverständlich verstärken sie positives erwünschtes Verhalten durch Beachtung und Rückmeldung.
- Bei unangemessener Kleidung sprechen Pflegende ihren Eindruck aus und begründen ihre Aussage. Beispiele: *„Meiner Meinung nach sind sie sehr freizügig gekleidet und wecken in mir den Eindruck, daß sie die Aufmerksamkeit der Mitpatienten erregen möchten. Dieses Verhalten ist auf einer Station und gegenüber Mitpatienten allerdings nicht angebracht".* Oder: *„Sie tragen Kniestrümpfe, draußen friert es aber, da sind dicke Wollsocken gerade richtig, um kalte Füße zu vermeiden".*
- Bei mangelndem Antrieb oder fehlender Ausdauer motivieren Pflegende den Kranken wiederholt, sind während der Körperpflege anwesend und greifen bei Bedarf unterstützend ein; sie achten darauf, daß sie den Patienten nicht überversorgen, verdeutlichen seine Fähigkeiten und fördern diese.

❒ Sich Bewegen

Der seelische Zustand eines Menschen beeinflußt Körperhaltung und Bewegungsverhalten *(siehe Seite 538)*; Stimmungslage und Antrieb spiegeln sich in der Körperhaltung und der Art, sich zu bewegen, wider *(siehe "Psychische Veränderungen", Seite 540)*. Verschiedene psychische Erkrankungen können mit psychomotorischer Unruhe (z.B. Demenz und hirnorganisches Psychosyndrom), Bewegungsdrang (z.B. Demenz), körperlicher Hyperaktivität (z.B. manische Erkrankungen) oder mit Hypoaktivität (z.B. Depressionen) einhergehen.

Pflegerische Interventionen sind angezeigt, wenn das Verhalten zur Entwicklung von **Folgeerkrankungen** (z.B. Dekubitus) und anderen **Risiken** (z.B. Erschöpfung, Verausgabung) führen kann und diese **verhindert** werden können.
- Patienten, die unter Antriebsarmut leiden, werden mobilisiert *(vgl. „Depressionen", Seite 771)*; ist dies nicht möglich, z.B. bei einem stuporösen Patienten, müssen gezielt prophylaktische Maßnahmen zur Verhinderung von Dekubiti, Kontrakturen und Thrombosen ergriffen werden.
- Kranken mit einem erhöhten Bewegungsdrang (der oft zu einem Verirren und einer Gefährdung z.B. durch den Straßenverkehr führt) wird eine geschützte Bewegung, z.B. auf Endloswegen in der Klinik / im Klinikgelände, ermöglicht.
- Hyperaktive Menschen werden, wenn sie zur realistischen Selbstwahrnehmung in der Lage sind, auf ihr Verhalten und die möglichen bzw. eingetretenen gesundheitsbelastenden Folgen aufmerksam gemacht. Oft gelingen erste Schritte in Richtung Selbstwahrnehmung eher über gemeinsames Tun als über Gespräche. Bewegungsaktivitäten in der Freizeit, z.B. Schwimmen oder Wandern, können unterstützt (begleitet) werden. Eine Werk- und Bewegungstherapie können dem gesteigertem Bewegungsbedürfnis entgegenkommen.
- Unruhige und getriebene Menschen erhalten die Möglichkeit, sich ausreichend zu bewegen.

❒ Wach sein, Ruhen und Schlafen

In diesem Lebensbereich treten bei einer psychischen Erkrankung verschiedene Probleme auf, häufig handelt es sich um Störungen des Bewußtseins und/oder des Ruhens und des Schlafens. Sie sind z.B. im Zusammenhang mit Ängsten und Depressionen sowie Psychosen*, die mit Halluzinationen *(Trugwahrnehmungen, siehe Seite 683)* und Wahnvorstellungen (z.B. Verfolgungs- oder Verarmungswahn) einhergehen, zu beobachten. Die Störungen beeinträchtigen das Erleben und Befinden eines Betroffenen stark.

Einige Patienten sind übererregt, getrieben und/oder überaktiv, so daß sie sich keinen Schlaf gönnen oder nicht schlafen können; es entwickelt sich dann ein Erschöpfungszustand, der nicht von jedem Betroffenen wahrgenommen wird.

Pflegende begegnen diesen Problemen z.B. mit folgenden Maßnahmen und Verhaltensweisen:
- Beobachtung des Bewußtseins *(siehe Seite 681)* und des Verhaltens in bezug auf das Ruhen und Schlafen.
- **Orientierungsstörungen** führen zu innerer Unruhe und verhindern Erholung. Die Orientierung kann durch zahlreiche Maßnahmen erleichtert werden; z.B. kann die Erinnerung an Gewohntes und Erlebtes sowohl bei den täglichen Aktivitäten als auch durch Erzählungen, persönliche Gegenstände, Utensilien und Bilder gefördert werden *(siehe auch „Die Orientierung erleichtern", Seite 567, und „Akute Verwirrtheit", Seite 707)*.
- **Schlafstörungen** können häufig leicht abgebaut werden, indem Beschäftigungen, die ein natürliches Ermüden fördern, angeregt und unterstützt werden. Individuelle Einschlafrituale und persönliche Zuwendung können eine beruhigende und schlafanstoßende Wirkung ausüben *(siehe auch "Hilfe bei Schlafstörungen", Seite 692)*.
- Patienten mit einem subjektiv **verringertem Ruhe- und Schlafbedürfnis** (z.B. bei Manie, akute Psychose) werden auf die fehlende Erholung aufmerksam gemacht und nachhaltig zur Einhaltung festgelegter Ruhe- und Schlafzeiten angehalten. Zusätzlich wird

meist vorübergehend ein Neuroleptikum *(Psychopharmakon mit antipsychotischer, sedierender und psychomotorisch dämpfender Wirkung)* verordnet.

- Menschen, die unter **Wahnvorstellungen** leiden, können nicht davon überzeugt werden, daß ihre Vorstellungen nicht der Realität entsprechen. Es ist ratsam, ihre Ängste ernstzunehmen, aber gleichzeitig deutlich zu machen, daß andere die Überzeugung des Kranken nicht teilen. Beispiel: *„Sie fühlen sich verfolgt und haben Angst, das ist verständlich; ich kann nicht erkennen, daß andere Menschen über sie sprechen und sie schlecht machen“.* Dem Kranken wird der Wahn demnach nicht ausgeredet; seine Aufmerksamkeit sollte jedoch auf seine intakten Wahrnehmungen und auf sein ungestörtes Erleben gelenkt werden.
- **Halluzinationen** können das gesamte Erleben eines Betroffenen beherrschen und beeinträchtigen; ein Betroffener erleidet quälende Ängste; er sollte ernst genommen werden, ohne seine Wahrnehmungen zu bestätigen, und Fürsorge erfahren. Pflegende bemühen sich, Vertrauen aufzubauen und ein Gefühl der Sicherheit zu vermitteln. Mit dem Betroffenen können sie überlegen, wie er sich den (Trug-) Wahrnehmungen entziehen kann. Beispiel: Im Zimmer des Kranken tauchen immer wieder bedrohliche Figuren auf; er wird in ein anderes Zimmer verlegt.
- Menschen, die unter **Depressionen** leiden, können dazu neigen, übermäßig viel zu schlafen. Um sie zu aktivieren, sollten Angebote individueller Art gemacht werden, die einen Betroffenen „verlocken“ können, das Bett zu verlassen. In einigen Fällen ist ein therapeutischer Schlafentzug angezeigt *(siehe Seite 769)*.

❒ Sich Beschäftigen

Psychische Krankheiten (z.B. Psychosen) können diesen Lebensbereich in mehrfacher Hinsicht beeinträchtigen. Betroffene Menschen sind oft nicht fähig, den Alltag zu bewältigen, d.h. die Anforderungen im Beruf und im Haushalt können nicht oder nicht vollständig erfüllt werden, eine sinnvolle Gestaltung der Freizeit gelingt oft nicht. Unzufriedenheit und das Gefühl der Sinnleere können ebenso Folgen sein wie Arbeitsunfähigkeit, Frühberentung und Arbeitslosigkeit.

Im Rahmen des Therapiekonzeptes für schwer psychisch Kranke sind die Pflegenden meist an folgenden Maßnahmen beteiligt:

- Mit dem Patienten wird ein fester **Tages- / Wochenplan** aufgestellt; regelmäßige Tätigkeiten (z.B. Aufräumen und Putzen, Einkaufen, Küchendienst), Therapieangebote (z.B. Gesprächsrunden, Beschäftigungstherapie, Sport, Zeichnen) und Freizeitangebote (z.B. Spazierengehen, Stadtbummel) und feste Zeiten (z.B. Weckzeit, Essenszeiten, Ruhe- und Schlafzeiten) bestimmen den Tagesrhythmus. Ein psychisch kranker Mensch soll in der Strukturierung des Tages Orientierung und Halt finden sowie ggf. lernen, sich an Regeln und Pflichten - auch innerhalb einer Gemeinschaft - zu halten. Die Anforderungen an den einzelnen werden entsprechend der individuellen Situation erarbeitet und z.B. schrittweise gesteigert. Das gemeinsame Tun ermöglicht, Interesse zu wecken. Das Spielen kann Freude bereiten und einem psychisch Kranken so eine Erfahrung vermitteln, die ihm ansonsten oft fehlt.
- In der Rehabilitationsphase kann es erforderlich sein, mit dem Patienten sein **häusliches Umfeld aufzusuchen** und dort die Fähigkeiten zur Alltagsbewältigung einzuüben. Er wird z.B. angehalten, seine Wohnung in Ordnung zu bringen, die Wäsche zu waschen und einzukaufen und zu kochen. Unterstützung im Sinne von tatkräftiger Hilfe erfolgt nur bei Bedarf und in gemeinsamem Tun. Der Kranke soll Selbstbestätigung erfahren und Selbstvertrauen aufbauen können.
- Einige psychisch kranke Menschen brauchen auch langfristig professionelle Betreuung in einem bestimmten Rahmen; diese wird durch MitarbeiterInnen des sozialpsychiatrischen Dienstes gewährleistet. Sie werden zu einer festen Bezugsperson, mit der ein Betroffener sich einmal wöchentlich austauscht und z.B. gemeinsam die Wohnung in Ordnung bringt. Ist ein Kranker nicht in der Lage, allein zu leben, stellt in vielen Fällen das Wohnen in einer **Wohngemeinschaft** - mit oder ohne professionelle Betreuung - eine Alternative dar.

❒ Sinn finden

Viele psychiatrische Störungen gehen mit dem Empfinden von Sinnleere oder mit der Frage / Suche nach dem Sinn der Krankheit / des Lebens einher. Pflegende werden immer wieder damit konfrontiert, z.B. weil Patienten diesbezügliche Gespräche suchen und/oder durch depressive, aggressive oder suizidale Verhaltensweisen problemorientierte Reaktionen erfordern. Lesen Sie dazu auch *„Depressionen“* *(Seite 766)* und *„Suizidalität und Suizid“* *(Seite 773)*.

Der Sinn des Lebens kann aus verschiedensten Gründen in Frage gestellt werden, z.B.

- weil ein psychisch kranker Mensch so sehr mit sich selbst beschäftigt ist, daß er anderen nichts geben kann und sich deshalb nutzlos, wertlos und gleichzeitig als Last fühlt.
- wegen des Gefühls, nicht gebraucht zu werden oder nicht das vom Leben zu bekommen, was man sich erhofft hat,
- aufgrund einer Ablehnung der eigenen Person, z.B. weil ein psychisch Kranker mit dem Alltag überfordert ist und sich als Versager fühlt oder weil er sich für seine Krankheit / sein Verhalten schämt.

Auch der allgemeine Verlust von Wertvorstellungen und eine diesbezügliche Orientierungslosigkeit (z.B. Fehlen durch eine Religion oder Weltanschauung vermittelter Werte) sowie unzureichende soziale Beziehungen fördern das Empfinden von Sinnleere.

Andererseits kann die psychische **Störung** selbst einen **Sinn für den Betroffenen** haben. Ein Sich dem Alltag (einschließlich dem therapeutischen Angebot) Verweigern kann z.B. den Sinn haben, erstmals den Erwartungen anderer nicht gerecht zu werden.

Pflegende können einen Betroffenen während der Suche nach dem Sinn der Krankheit / des Lebens oder einer Neu-Orientierung begleiten und in gewisser Weise Unterstützung geben; dabei geht es nicht darum, Lösungen zu präsentieren oder dem Patienten die persönliche Auffassung des Lebenssinns „aufzudrängen“ *(siehe dazu „Sinn finden - Bedeutung“, Seite 888).*

Ansätze können sein:
- Zuhören, Ernstnehmen, auf die Gefühle eingehen, Verständnis und Anteilnahme zeigen *(„Ich bin für sie da, ich begleite sie“.);*
- Fördern von Selbstbestimmung und Selbständigkeit, von Mitdenken und Mitgestalten: der Kranke soll das Gefühl entwickeln, selbstbestimmt etwas für sich (und nicht für die Betreuer / Therapeuten) zu tun;
- Anbieten von Beschäftigung zur Tagesstrukturierung sowie Unterstützung der Selbstverwirklichung *(siehe "Sich Beschäftigen - Bedeutung“, Seite 784);*
- Feststellen und Ermöglichen angemessener Aktivitäten und Aufgaben, die positives Erleben ermöglichen *(„das kann ich noch“, „das macht mir Freude“)* und Selbstvertrauen und Selbstwertgefühl fördern (z.B. Vermitteln einer Aufgabe in einer Selbsthilfegruppe, Kochgruppe), hierbei erleichtert die Orientierung an biographischen Begebenheiten die Berücksichtigung individueller Neigungen;
- Ermutigung, bestimmte Begebenheiten zu akzeptieren, unabänderliche Eigenarten oder die Krankheit anzunehmen;
- Ermutigung, soziale Kontakte zu pflegen (in diesen kann sich ein Mensch als wertvoll und wichtig erleben).

❒ Atmen

Menschen, die unter Depressionen oder apathischen Zuständen leiden, haben eine flache Atmung, die unter Umständen die Entwicklung einer Pneumonie begünstigen kann. Erregungszustände gehen mit einer beschleunigten, evtl. unregelmäßigen Atmung einher.

Folgende Pflegemaßnahmen können angezeigt sein:
- Pneumonieprophylaxe *(siehe Seite 41).*
- Durchführen von Atemübungen, um den Atem bewußt und erfahrbar zu machen und damit die Selbstwahrnehmung zu fördern („Atem ist Leben“).
- Durchführen einer atemstimulierenden Einreibung, um eine ruhige, tiefe Atmung und die Körperwahrnehmung zu fördern. Durch die dabei empfundene Zuwendung und den Körperkontakt wird das Wohlbefinden gesteigert.

❒ Geschlechtliches Erleben und Verhalten

Psychische Erkrankungen können zu einer Verringerung oder Verstärkung der Libido* führen; auch können in diesem Bereich bereits bestehende Probleme / Fehlentwicklungen verstärkt werden (Enthemmung, Triebtaten).

Einige psychische Störungen resultieren aus sexuellem Mißbrauch oder Vergewaltigung.

Die Einnahme von Psychopharmaka kann die Libido herabsetzen.

Pflegende können Menschen mit diesen Störungen durch folgendes Verhalten begegnen:
- Sie weisen auf sexuell unangepaßtes Verhalten hin und konfrontieren den Patienten mit den dadurch bei ihnen ausgelösten Gefühlen. Bei sexuellen Belästigungen bringen sie ihre Abwehr deutlich zum Ausdruck. Sollte eine besondere Zuneigung auf der Seite der Pflegenden und/oder auf der Seite des kranken Menschen entstehen, sollte dies offen besprochen werden, ohne daß eine Ablehnung des anderen daraus resultiert.
- Sie fördern die geschlechtsspezifische Rollenidentität eines betroffenen Menschen, indem sie auf Ausdrucksmöglichkeiten durch Kleidung, Frisur, Rasur, Make up und Schmuck aufmerksam machen und diesbezügliche Aktivitäten beachten.

Pflegende sollten sich über ihre Wahrnehmungen und Probleme im Umgang mit Patienten austauschen. Bei großen Schwierigkeiten im Zusammenhang mit sexuell auffälligem Verhalten von Patienten ist es ratsam, sich selbst zu hinterfragen.

❒ Ausscheiden

Im Rahmen einer psychischen Erkrankung sind nicht selten Probleme im Bereich dieser Lebensaktivität zu beobachten. Bei Bewegungsmangel und vegetativen Veränderungen tritt z.B. häufig eine Obstipation auf. Demente Menschen leiden in der Regel an einer Inkontinenz, manchmal Verschmieren sie den Kot oder „spielen“ damit. Bei Pflegenden ruft letzteres Ekelgefühle hervor und stellt eine besondere Belastung dar. Dies gilt ebenso für eine mangelnde Intimhygiene.

Pflegende können diesen Problemen mit folgenden Maßnahmen begegnen:
- Analysieren des Obstipationsrisikos *(siehe Seite 217)* und bei Bedarf Ergreifen ausgewählter obstipationsprophylaktischer Maßnahmen *(siehe Seite 214).*
- Bei Inkontinenz Durchführen einer entsprechenden Problemanalyse *(siehe Seite 223)* und Ergreifen der jeweils angezeigten Maßnahmen, z.B. Toilettentraining, Beckenbodentraining, Versorgung mit Hilfsmitteln, Hautpflege *(siehe Seite 223).*
- Anleiten und Unterstützen bei einer hygienischen Intimpflege. Patienten, die ihre Intimhygiene vernachlässigen, werden einfühlsam aber unmißverständlich darauf aufmerksam gemacht und auf die Folgen, z.B. Geruchsbildung und ablehnende Reaktionen anderer Menschen, hingewiesen. Einige Patienten bedürfen bei der Durchführung der Unterstützung, werden jedoch zur größtmöglichen Selbständigkeit angeleitet und angehalten.

❒ Regulieren der Körpertemperatur

Die physiologischen Funktionen der Temperaturregulierung werden durch eine psychische Störung nicht beeinflußt. Probleme in diesem Lebensbereich resultieren im allgemeinen aus einer unangemessenen, den klimatischen Verhältnissen nicht angemessenen Kleidung *(Maßnahmen siehe vorstehend „Sich Pflegen und Kleiden“).*

Im Rahmen einer Alkoholkrankheit kann es aufgrund der gefäßerweiternden Wirkung von Alkohol zu Unterkühlungen kommen, wenn ein Betroffener z.B. im alkoholisierten Zustand draußen einschläft.

9.10 Exemplarische Lebens- und Pflegesituationen bei psychischen Erkrankungen

9.10.1 Alkoholkrankheit

9.10.1.1 Krankheitsbild

❒ Definitionen und Häufigkeit

Unter **Alkoholmißbrauch** wird der gegenüber den jeweiligen soziokulturellen Normen überhöhte Konsum von Alkohol oder das Trinken von Alkohol zu unpassenden Gelegenheiten (z.B. im Straßenverkehr) verstanden.

Die Begriffe **Sucht** und **Abhängigkeit** beinhalten folgende Merkmale:
- unbeherrschbares Verlangen eines Menschen zur fortgesetzten Einnahme einer bestimmten Substanz,
- Tendenz zur Steigerung der Dosis,
- Entzugserscheinungen nach Absetzen der Substanz,
- individuelle und soziale Folgeschäden.

Alkoholismus (*Alkoholkrankheit*) meint die physische, psychische oder/und soziale Schädigung durch Mißbrauch oder Abhängigkeit von Alkohol. Laut WHO ist **Alkoholiker**, wer länger als ein Jahr große Mengen Alkohol konsumiert, die Kontrolle über den Alkoholkonsum verloren hat und dadurch körperlich, psychisch und in seiner sozialen Stellung geschädigt ist.

In Deutschland ist die Alkoholkrankheit die am weitesten verbreitete Suchtkrankheit; betroffen sind ca. 2,5 Millionen Menschen, die Dunkelziffer ist hoch.

❒ Krankheitsentstehung

Die Ursache der Alkoholkrankheit kann zum heutigen Zeitpunkt nicht eindeutig benannt werden; vielmehr handelt es sich bei Entstehung und Folgeerscheinungen um ein **multifaktorielles Geschehen**, das alle Dimensionen des menschlichen Daseins betrifft. Bestimmte Bedingungen und Persönlichkeitsstrukturen begünstigen die Krankheitsentstehung, außerdem gilt eine erbliche Veranlagung als wahrscheinlich.

Im folgenden werden **Faktoren, die die Entstehung einer Alkoholabhängigkeit, aber auch die Abhängigkeit von anderen Suchtmitteln begünstigen können,** besprochen.

- **Soziales Lernen in der Familie**
  Der innerhalb der Familie erlernte Umgang mit Sucht- und Genußmitteln einerseits und mit Schwierigkeiten sowie Konflikten andererseits, prägt den heranwachsenden Menschen. Kinder ahmen das Verhalten ihrer Eltern oft nach, vor allem wenn sie erleben, daß es zu positiven Veränderungen führt. So kann sich z.B. die Meinung, Alkohol mache aus einem gehemmten oder traurigen Menschen einen geselligen und fröhlichen Menschen, bilden.
  Viele suchtkranke Menschen sind unter schwierigen familiären Verhältnissen (*broken - home*) aufgewachsen und/oder haben im Elternhaus eine gewisse „Mißbrauchskultur" von berauschenden Substanzen erlebt.

- **Gesellschaftliche Strukturen**
  Das Trinken von Alkohol ist weitverbreitet und in kontrolliertem Ausmaß ein gesellschaftlich akzeptiertes, oft sogar erwünschtes Verhalten; bei manchen Gelegenheiten, z.B. Geburtstagsfeiern, stößt ein Verzicht auf Alkohol bei vielen Menschen auf Unverständnis und bringt denjenigen, der keinen Alkohol konsumieren möchte, fast in die Lage, sich rechtfertigen zu müssen. *„Ohne Alkohol kommt doch keine rechte Stimmung auf, sei kein Stimmungsmuffel".*
  Oft wird ein „gut trainiertes Trinkvermögen" eher positiv bewertet (Jemand der „etwas verpacken kann", gilt als „ganzer Mann"). Ein Grund der oft positiven Einschätzung dürften die mit Alkoholkonsum häufig verbundene Gelöstheit und Kontaktfreude sein.
  Viele Menschen, vor allem Jugendliche und Menschen mit geringem Selbstwertgefühl, haben ein ausgeprägtes Bedürfnis nach gemeinsamem Erleben und unterliegen leicht einem Gruppendruck.
  Trinksitten und die Verfügbarkeit von Alkohol erleichtern den Zugriff und erschweren alkoholkranken Menschen die Abstinenz.
  Die Werbung suggeriert uns beim Genuß legaler Suchtmittel (Alkohol, Nikotin, Kaffee) positive Lebensgefühle wie Heiterkeit, Entspannung, Kontaktfreude, Gruppenzugehörigkeit, Anerkennung und Liebe. Auch wird immer wieder vermittelt, Gefühle wie Trauer und Angst oder Konflikte seien mit einem glücklichen Leben nicht vereinbar und müßten „bekämpft" werden; gleichzeitig werden Zustände von Glück, Frohsein oder extreme Kontaktfreudigkeit glorifiziert.
  Weitere gesellschaftliche Faktoren, die einen übermäßigen Alkoholkonsum begünstigen können, sind der Leistungs- und Konkurrenzdruck im öffentlichen Leben, Arbeitslosigkeit und daraus resultierender Mangel an Zukunftsperspektiven, eine fehlende Wertorientierung sowie die allgemeine Konsumorientierung.

- **Krisen**
  Bestimmte Lebenssituationen und Ereignisse, die zur Erschütterung der bisherigen Lebensstruktur führen (z.B. der Verlust eines geliebten Menschen, Arbeitslosigkeit, tiefe menschliche Enttäuschung und Kränkung, Einsamkeit, Pensionierung) sowie wiederholte bzw. andauernde psychosoziale Belastungen können bei einigen Menschen süchtiges Verhalten auslösen.

- **Persönlichkeitsmerkmale**
  Jeder Mensch kann süchtig werden, es gibt allerdings Persönlichkeitsmerkmale, die das Entstehen einer Abhängigkeit begünstigen. Menschen, die ein geringes Selbstwertgefühl haben, seelisch sehr labil und gehemmt sind, sind in extremen Belastungssituationen gefährdeter als andere, eine Suchtkrankheit zu entwickeln. Eine mangelnde Konfliktbereitschaft / -fähigkeit und eine geringe Frustrationstoleranz wirken sich ebenfalls negativ aus, da sie die aktive Auseinandersetzung mit Lebensproblemen erschweren / unmöglich machen und passive Verhaltensweisen wie den Konsum von Rauschmitteln fördern. Weiter stellen Eigenschaften wie Ziel- und Interessenlosigkeit, Kontaktarmut geringe Ausdrucks-

fähigkeit von Gefühlen und mangelnde Impulskontrolle eine gewisse Suchtdisposition dar.

- **Erbliche Veranlagung**
  Eine direkte Vererbung des Alkoholismus ist weder erwiesen noch wahrscheinlich, wohl aber belegen Studien, daß nahe Verwandte von alkoholkranken Menschen (auch adoptierte Kinder von Alkoholikern, die in einer anderen Familie aufwachsen) ein vierfach erhöhtes Risiko aufweisen.

❐ Erscheinungsformen und Diagnose

Die Alkoholkrankheit verläuft in unterschiedlichen Schweregraden; ein progressiver *(fortschreitender)* Verlauf ist nicht zwingend. Einigen Betroffenen gelingt es, aus eigener Kraft das Trinkverhalten zu ändern, so daß es nicht zur Entwicklung der chronischen Krankheitsphase kommt. Im Alter ist die Verträglichkeit von Alkohol reduziert; damit kann sich der Alkoholkonsum zwangsläufig reduzieren.

Vielen Alkoholkranken gelingt es über lange Zeit, ihre Abhängigkeit zu verheimlichen und vor sich selber zu leugnen. Erst bei Kontrollverlusten und deutlichen körperlichen, seelischen und sozialen Schäden wird die Erkrankung sichtbar; ein subjektives Krankheitsgefühl und eine Krankheitseinsicht stellen sich in der Regel erst sehr spät ein.

Nach JELLINEK werden entsprechend der **verschiedenen Trinkmuster** 5 Typen des Alkoholismus unterschieden; die Betroffenen trinken exzessiv Alkohol, es muß jedoch zwischen süchtigen (Kontrollverlust über den Alkoholkonsum) und nicht süchtigen Alkoholikern unterschieden werden. JELLINEK weist darauf hin, daß nur der Gamma - und der Delta - Alkoholismus als Krankheit im eigentlichen Sinn aufzufassen seien.

- **Alpha - Alkoholismus**
  Betroffene Menschen werden als *Konflikt- oder Erleichterungstrinker* bezeichnet. Sie trinken Alkohol, um eine Situation (Ärger, Enttäuschung, Angst, Gehemmtheit) erträglicher erleben zu können. Sie zeigen keinen Kontrollverlust und können mit dem Trinken aufhören, die Abhängigkeit ist psychischer Art. Eine Alkoholkrankheit im engeren Sinn liegt nicht vor, wohl aber eine deutliche Gefährdung.
- **Beta - Alkoholismus**
  Das Trinkverhalten wird wesentlich von soziokulturellen Faktoren beeinflußt; eine seelische oder körperliche Abhängigkeit liegen nicht sicher vor, wohl aber eine Gefährdung. Der Alkoholkonsum kann zur Schädigung des Körpers führen. Die Betroffenen werden als *„Gelegenheitstrinker“* charakterisiert; sie trinken aufgrund von Trinksitten und Gewohnheit häufig enorme Mengen Alkohol. Täglicher Alkoholkonsum in Maßen gehört meist zu ihrem Lebensstil.
- **Gamma - Alkoholismus**
  Betroffene Menschen haben die Kontrolle über den Alkoholkonsum verloren, es besteht eine erhebliche physische und psychische Abhängigkeit. Sie werden als „süchtige Trinker“ und als „Prozeßtrinker“ bezeichnet. Dieser Gruppe lassen sich die Mehrzahl der Alkoholkranken zuordnen.
  Beim Gamma - Alkoholismus besteht eine erhebliche Neigung zur Progression; es kommt zu psychischen, körperlichen und sozioökonomischen Schäden.
- **Delta - Alkoholismus**
  Betroffene werden als *„Spiegeltrinker“* bezeichnet; sie brauchen einen gleichbleibenden Alkoholspiegel im Blut, um nach außen einen unauffälligen Eindruck zu machen und psychisch stabil zu bleiben. Wird dieser nicht aufrechterhalten, kommt es zu Entzugserscheinungen. Der Delta - Alkoholismus zeigt einen progressiven Verlauf; die körperliche Abhängigkeit steht im Vordergrund, eine seelische Abhängigkeit entwickelt sich erst relativ spät. Es kommt zu schweren psychischen, körperlichen und sozioökonomischen Folgeschäden.
  Ein Delta - Alkoholismus entwickelt sich oft aus einem Beta - Alkoholismus.
- **Epsilon - Alkoholismus**
  Diese Form des Alkoholismus ist durch periodisches, ekzessives und hemmungsloses Trinken mit Kontrollverlust gekennzeichnet; Betroffene werden deshalb als *„Quartalstrinker“* bezeichnet. Sie leiden in regelmäßigen Abständen unter depressiven Verstimmungen, Unruhe und Gereiztheit, verbunden mit zwanghaftem Denken an Alkohol. Trinken sie dann Alkohol, setzt der Kontrollverlust ein; es kommt zu tagelangen Rauschzuständen und im Krankheitsverlauf zu seelischen, körperlichen sowie sozialen Schäden. Zwischen den Trinkexzessen besteht kein Bedürfnis nach Alkohol.

❐ Verlaufsphasen

Der progressive Krankheitsverlauf kann wie von JELLINEK beschrieben in drei Phasen verlaufen; diesen stellt er eine voralkoholische Phase voran.

Voralkoholische Phase

Zunächst führt das Trinken zum Abbau von Spannungen und verschafft eine befriedigende Erleichterung (*„Erleichterungstrinken“*). Die Toleranz für seelische Belastungen nimmt zunehmend ab, das Bedürfnis, sich durch Alkohol Erleichterung zu verschaffen, wächst und wird unwiderstehlich. Alkohol wird als Stimmungsregulanz eingesetzt. Es entwikkelt sich zunächst eine seelische Abhängigkeit. Im Laufe der Zeit kommt es zur Toleranzentwicklung, es müssen immer größere Alkoholmengen zugeführt werden, um die erwünschte Wirkung zu erreichen. Da ein Betroffener in der Regel nicht durch häufige Trunkenheit auffällt, wird das veränderte Trinkverhalten weder von ihm noch von seinen Mitmenschen als abnorm oder krankhaft wahrgenommen.

Prodromalphase

Der Beginn der Prodromalphase ist durch retrograde Amnesie / Palimpsetete (*Räusche mit Erinnerungslücken, „Filmriß“*) gekennzeichnet; ein Betroffener ist dennoch in der Lage, unter Alkoholeinfluß folgerichtig und somit unauffällig zu handeln. Er sorgt dafür, daß Alkohol ständig verfügbar ist, versteckt diesen und trinkt auch, ohne in Gesellschaft zu sein.

Ein Betroffener bevorzugt jetzt höherprozentige Alkoholika und bemerkt, daß sein Trinkverhalten von der Norm abweicht. Er entwickelt Schuldgefühle und vermeidet das Thema Alkohol in Gesellschaft. Die Gedanken kreisen dauernd um den Alkohol, er beginnt, auch heimlich zu trinken und die ersten Gläser „gierig“ herunterzukippen. LOTHAR SCHMIDT (1997) weist darauf hin, daß bei Auftreten dieser Symptomentrias (Erleichterungstrinken, Gedächtnislücken und Alleintrinken) auch beim Fehlen von Rauschzuständen an die Entwicklung eines Gamma - Alkoholismus gedacht und Beratung in Anspruch genommen werden sollte.

Kritische Phase

Das Verlangen nach Alkohol wird, sobald ein Betroffener eine kleine Menge Alkohol zu sich nimmt, auch zum körperlichen Bedürfnis; er verliert in dieser Situation die Kontrolle und hört erst auf zu trinken, wenn sein Körper nicht mehr in der Lage ist, Alkohol aufzunehmen. Durch den Kontrollverlust wird die Abhängigkeit für andere bemerkbar; ein Betroffener erfährt nun ablehnende Reaktionen.

Nach einem solchen Rausch kann es durchaus eine Phase der Abstinenz geben; sobald jedoch erneut Alkohol getrunken wird, setzt der zuvor beschriebene Kontrollverlust unweigerlich wieder ein. Hierbei handelt es sich nach SCHMIDT (1997) vordergründig nicht um das Ergebnis psychischer Konditionierung, sondern - entsprechend den Ergebnissen der biologisch-biochemischen Suchtforschung - um die Folge einer neurobiologischen Programmierung; diese macht ein kontrolliertes Trinken in der Regel unmöglich.

Die Krankheit schreitet weiter fort und bedingt psychische, physische und soziale Folgen. Ein Betroffener sucht und findet Erklärungen für sein Trinkverhalten, die ihm bestätigen sollen, daß er „im üblichen Rahmen" trinkt und daß er vom Alkohol nicht abhängig ist. Sein soziales Umfeld reagiert ablehnend auf sein Trinkverhalten, er verliert an Selbstachtung und zieht sich zurück; Beziehungsprobleme und zunehmende Isolierung führen zur Zunahme der seelischen Spannungen.

Chronische Phase

Der seelische, körperliche und soziale Abbau schreitet unweigerlich voran (siehe nachfolgend *„Folgen des Alkoholismus"*). Ein Alkoholkranker trinkt jetzt bereits morgens, es kommt oft zu Trinkexzessen und tagelangen Rauschzuständen. Bei fehlender Alkoholzufuhr kommt es zu lebensbedrohlichen Entzugserscheinungen.

Später können geringere Alkoholmengen zur Entwicklung von Rauschzuständen führen (Abnahme der *Alkoholtoleranz*). Steht kein Alkohol zur Verfügung, greift der Kranke zu „Ersatzmitteln" wie Haarwasser, Franzbranntwein oder Brennspiritus. Der Alkoholkonsum wird zum beherrschenden Lebensinhalt; ein Betroffener findet keinerlei Sinn mehr im Leben, bisherige Werte sind ebenso wie tragende soziale Beziehungen verlorengegangen.

Ein Betroffener leidet unter Angstzuständen, Zittern und psychomotorischer Hemmung.

Kommt es zum seelischen Zusammenbruch, sind viele Alkoholkranke zu einer Therapie bereit. Ohne Therapie entwickeln sich schwere Folgeschäden, die zur Verkürzung der Lebenszeit um durchschnittlich 15% führen. Suizide sind häufig.

❐ Folgen des Alkoholismus

Die fortschreitende Alkoholkrankheit verändert das Leben eines Betroffenen und seiner Angehörigen. Im allgemeinen entwickeln sich zunehmend schwere seelische, körperliche und soziale Folgen.

❍ Somatische Folgen

Alkoholismus führt zu sichtbaren Veränderungen und zu **schweren Organschäden**.

- Rausch, akute Alkoholintoxikation, gekennzeichnet durch Verhaltensauffälligkeiten, verwaschene Sprache, Koordinations- und Bewußtseinsstörungen; bei mehr als 5% Alkoholkonzentration im Blut kommt es meist in Folge einer Atemdepression, Aspiration oder Unterkühlung zum Tod;
- Hautrötung und Ödembildung (aufgedunsenes gerötetes Gesicht) im Gesichtsbereich durch alkoholinduzierte Weitstellung der Gefäße; in Folge der Gefäßweitstellung können Alkoholiker bei niedrigen Außentemperaturen schnell auskühlen;
- sogenannte „Leberhautzeichen" wie Spider nävi und Plantarerythem *(siehe Seite 180)*;
- Ösophagitis *(siehe Seite 1000)*, Gastritis *(siehe Seite 141)*, Mallory - Weiss - Syndrom *(siehe Seite 394)*, Ösophagusvarizen *(siehe Seite 138)*, Leberzirrhose *(siehe Seite 180)*;
- Fehl- und Mangelernährung;
- Pankreasinsuffizienz *(siehe Seite 160)* und Diabetes mellitus *(siehe Seite 160)*;
- Hypoglykämie *(siehe Seite 163)*;
- Herzrhythmusstörungen *(siehe Seite 305)*, dilatative Kardiomyopathie und Herzinsuffizienz *(siehe Seite 283)*;
- Schädigung des Zentralnervensystems mit Entwicklung (neuro-) psychiatrischer Störungen, z.B.
  - atophischer Hirnveränderungen, die zu Konzentrations- und Gedächtnisstörungen, Wesensveränderung und letztendlich zur Demenz führen;
  - eines **Korsakow - Syndroms** (*durch hochgradige Störung der Aufmerksamkeit, der Merk- und Gedächtnisfähigkeit, durch Desorientierung, Konfabulation*, gleichgültiges Verhalten und mißmutige oder ängstliche Gestimmtheit gekennzeichnetes Syndrom*) oder
  - einer **Wernicke - Enzephalopathie** (*durch Gangunsicherheit, Schwindelgefühl, Augenmuskellähmungen und Bewußtseinsstörungen gekennzeichnete akute und lebensbedrohliche Gehirnschädigung)*;
  - **Alkoholpsychose** (*alkoholbedingte Psychose*, die z.B. mit Halluzinationen, Depression und Suizidgedanken / -versuchen einhergeht*);
  - einer **Polyneuropathie** (*Erkrankung peripherer Nerven, die mit Parästhesien, Sensibilitätsstörungen und Lähmungserscheinungen einhergeht);*
- Schwäche des Immunsystems, in dessen Folge sich Infektionskrankheiten, z.B. TBC *(siehe Seite 84)* oder Pneumonie *(siehe Seite 68)*, entwickeln können;
- Störungen des blutbildenden Systems, z.B. Anämie;
- Alkoholentzugssyndrom bei Unterbrechung der regelmäßigen Alkoholzufuhr (z.B. während eines Krankenhausaufenthaltes wegen einer akuten Erkrankung); unterschieden werden
  - a) das **Entzugssyndrom ohne Delir**, welches durch Kreislaufstörungen, feinschlägigen Tremor, vegetative Symptome (Fieber, Schwitzen, Schlafstörungen), gastrointestinale Beschwerden (Übelkeit, Diarrhoe), Unruhe, Angst, depressive Stimmung,

Halluzinationen („weiße Mäuse") und in vielen Fällen durch epileptische Anfälle gekennzeichnet ist;

b) das **Entzugssyndrom mit Delir** *(Delirium tremens, Alkoholentzugsdelir);* hierbei handelt es sich um einen akuten, alkoholtoxisch bedingten psychotischen Zustand, der durch Unruhe, Konzentrations- und Merkschwäche, Sinnestäuschungen, Bewußtseinsveränderungen und lebensbedrohliche Kreislaufprobleme gekennzeichnet ist; dieses Syndrom kann auch während einer ausgeprägten Trinkphase auftreten *(Kontinuitätsdelir)*.

Alkoholabhängigkeit begünstigt im Zusammenhang mit inhalierendem Rauchen die Entstehung vieler bösartiger Tumorerkrankungen, z.B. das Ösophaguskarzinom. Lesen Sie dazu *„Die Entstehung von Krebskrankheiten"*, *Seite 920*.

❍ Psychosoziale Folgen

Bei Kontrollverlust und Trinkexzessen wird die Alkoholabhängigkeit von den Mitmenschen entdeckt. Durch das Trinken und dadurch bedingtes Verhalten (Großspurigkeit, Enthemmung, depressives oder aggressives Verhalten) **fühlen andere sich abgestoßen**. Enge Bezugspersonen verlangen Rechenschaft und erwarten einen Verzicht auf Alkohol. Da ein abhängiger Mensch dies selber wünscht, aber hierzu nicht in der Lage ist, kommt es immer wieder zu **Versprechungen und Enttäuschungen**. Schwere, ohne Entzugstherapie nicht zu bewältigende Beziehungskonflikte und -krisen entstehen. Freunde und Bekannte ziehen sich zurück, der Betroffene **vernachlässigt** aus Angst vor Entdeckung oder wegen bestehender Schamgefühle seine **Beziehungen**. Nach und nach vereinsamt ein alkoholkranker Mensch.

Durch Vernachlässigung der beruflichen Pflichten und durch Trinken / Trunkenheit am Arbeitsplatz kommt es über kurz oder lang zum **Verlust des Arbeitsplatzes**. Dadurch werden die bereits bestehenden Minderwertigkeits- und Schuldgefühle verstärkt, Vereinsamung und **finanzielle Probleme** kommen oft hinzu.

Weitere Probleme können sich z.B. infolge von **Trunkenheit am Steuer** (Unfälle, Strafverfahren, Führerscheinentzug), Diebstahl (Beschaffungskriminalität) oder **Wohnungsverlust** ergeben. Es kommt zum **sozialen Abstieg**, oft auch zur Verwahrlosung. Der Alkoholkonsum wird immer mehr zum alles bestimmenden Lebensinhalt eines chronisch alkoholkranken Menschen.

❐ Diagnose

Die „Alkoholabhängigkeit" wird anhand der **klinischen Symptome** sowie der Eigen- und der Fremdanamnese gestellt. Weiter werden **Blutuntersuchungen** durchgeführt, um die körperliche Situation zu objektivieren.

Zur Objektivierung der psychischen und sozialen Situation kommen vor allem **Fragebogentests** zum Einsatz, z.B. ein Fragebogen von RIETH, der die von JELLINEK beschriebenen Symptome der vier Phasen umsetzt und Alkoholgefährdeten eine Selbsteinschätzung ermöglicht.

9.10.1.2 Zur Situation eines Betroffenen

Alkoholabhängigkeit ist eine (selbst-)**zerstörerische Krankheit**; im Verlauf der Erkrankung können körperliche Gesundheit, seelisches Gleichgewicht, Selbstachtung, Persönlichkeit, soziale Beziehungen sowie die wirtschaftlichen Existenzgrundlagen zerstört werden. Die wesentlichen Aspekte zur Situation eines betroffenen Menschen werden in den Abschnitten *„Verlaufsphasen"* und *„Folgen des Alkoholismus"* deutlich.

Es ist leider nicht allen Menschen bekannt, daß es sich bei Alkoholismus um eine Krankheit - und nicht etwa um eine Charakter- oder Willensschwäche - handelt. Entsprechend kommt es zu der Auffassung, Abstinenz sei nur eine Frage des Willens. Es wird außer acht gelassen, daß es sich um eine behandlungsbedürftige und um eine chronische Krankheit handelt. Abstinente Alkoholiker werden durch Trinksitten, leichte Verfügbarkeit des Alkohols und mangelndes Verständnis anderer für die Ablehnung jeglichen Alkoholkonsums immer wieder in schwierige Situationen gebracht.

Die Kontaktpersonen eines Alkoholkranken werden mit der Abhängigkeit konfrontiert; die Reaktionen sind in erster Linie ablehnend und/oder bemitleidend. Nahestehende **Bezugspersonen** sind **ebenfalls betroffen**, auch ihr Leben wird durch die Alkoholkrankheit stark beeinträchtigt. Mitbetroffene Personen, z.B. Ehefrau und Kinder, ziehen sich in vielen Fällen aus Angst aus dem öffentlichen Leben zurück, andere entziehen sich dem Familienleben durch starke außerhäusliche Betriebsamkeit. Einige Partner oder Kinder werden zu sogenannten Co - Alkoholikern („Helfern"), d.h. die Bezugspersonen verschleiern den Alkoholmißbrauch des Betroffenen vor der Umwelt und fördern so unbewußt und unbeabsichtigt dessen Trinkverhalten. Diese „Unterstützung", die Veränderungen des Alkoholkranken und die alkoholismusbedingten Belastungen / Folgen kann ein Angehöriger im allgemeinen nur begrenzte Zeit aushalten; es kommt meist zu psychischer Erschöpfung. Trennung, Scheidung und Abbruch des Kontaktes sind häufige Folgen. Der Kranke bemerkt dann oft schlagartig, wie „weit es gekommen ist" und daß der Alkohol sein Leben zerstört. Deshalb ist es sinnvoll, daß Angehörige bereits den Verdacht eines Alkoholproblems offen ansprechen und auf die Konsequenzen hinweisen. Es ist günstig, - aber für viele Angehörige sehr schwierig, - einem Alkoholkranken so früh wie möglich unmißverständlich zu zeigen, daß sein Verhalten nicht toleriert wird und zur Zerstörung der Beziehung führen kann. Hilfe ist im Sinne einer Motivation, Begleitung und Unterstützung hinsichtlich Behandlung und Alkoholabstinenz wertvoll. Je früher diese einsetzt, um so eher können Folgeerscheinungen begrenzt oder verhindert werden. Beginnt der Kranke allerdings nur aufgrund des sozialen Drucks eine Therapie, hat diese wenig Aussicht auf Erfolg.

Ein alkoholabhängiger Mensch **braucht soziale Kontakte** und tragende Beziehungen, in denen er Wertschätzung und Geborgenheit findet. Solange er Alkohol trinkt, wird er diese jedoch zerstören. Um so wichtiger ist ein (Wieder-) Aufbau derselben während und nach der Therapie. Dabei benötigen auch die Angehörigen Unterstützung; sie müssen Mißtrauen, Ängste

sowie die vorangegangen Verletzungen und Enttäuschungen überwinden. Einige Therapiekonzepte beziehen die Angehörigen ein; zusätzliche Hilfe bieten Selbsthilfegruppen für Angehörige von Alkoholikern.
Da eine Alkoholkrankheit mit schwerem, progressivem Verlauf nicht heilbar ist, muß ein Betroffener sein Leben lang abstinent bleiben. Geringe Mengen Alkohol können, selbst wenn sie unwissentlich aufgenommen werden, zu Kontrollverlust und Rückfall führen.
Therapieversuche mit dem Ziel kontrollierten Trinkens haben sich in vielen Fällen nicht bewährt. Die Krankheit bleibt meist in ihrer Anlage bestehen, man spricht in diesem Zusammenhang von „trockenen Alkoholikern". Ein Betroffener muß lernen, mit dieser Tatsache zu leben und für immer Abschied vom Alkohol zu nehmen. Es ist sehr schwer, **sich selbst als „Alkoholiker" anzunehmen**; ein sekundärer Krankheitsgewinn wie bei den meisten anderen chronischen Krankheiten ist hier nicht zu erwarten. Statt dessen erfährt ein Alkoholiker häufig Stigmatisierung und Diskriminierung.
Einem „trockenen" Alkoholiker wird die ihm zustehende Hochachtung vor seiner Leistung, die Therapie durchgestanden und Veränderungen herbeigeführt zu haben sowie abstinent zu leben, meist nur von engen Bezugspersonen gewährt. Viele Betroffene ziehen es vor, ein „anonymer" Alkoholiker zu bleiben, da sie die gesellschaftliche Diskriminierung fürchten.
Rückfälle sind leider erfahrungsgemäß **zu erwarten** und gehören zur Krankheit; sie können „heilsam" sein, weil sie verdeutlichen, daß es nicht möglich ist, kontrolliert zu trinken.
Jeder Rückfall wird von einem Betroffenen als persönliches Versagen und **tiefe Enttäuschung** erlebt; das mühsam aufgebaute Vertrauen in sich selbst wird zerstört, er verfällt wieder in die alten Mechanismen. Jetzt benötigt ein Alkoholkranker Vertrauen anderer, so daß es ihm möglich wird, sich selbst in dieser Situation anzunehmen und einen erneuten Therapieversuch zu unternehmen, der durchaus realistische Erfolgsaussichten hat.

9.10.1.3 Therapie und Rehabilitation

Bei den schweren Verlaufsformen der Alkoholabhängigkeit handelt es sich im allgemeinen um eine chronische, **nicht heilbare Krankheit**. Die Gefährdung bleibt lebenslang bestehen; dennoch sind in vielen Fällen eine Behandlung und ein Leben ohne Alkoholmißbrauch möglich, vorausgesetzt, der Alkoholkranke bleibt abstinent. Die Behandlung und Rehabilitation eines alkoholkranken Menschen ist ein **langer, schwerer Weg**. Eine ausschließlich somatische Behandlung reicht nicht aus. Zur Behandlung der psychosozialen Folgen, zur Bearbeitung der psychischen Probleme, zur Erarbeitung neuer Verhaltensmöglichkeiten und zur Rehabilitation ist ein ganzheitlich ausgerichtetes Konzept erforderlich.
Ziel der Behandlung eines Alkoholkranken (und anderer suchtkranker Menschen) ist die lebenslange Abstinenz; diese ist nur erreichbar, wenn ein Betroffener die Therapie wünscht und bejaht. Die Angehörigen dürfen das süchtige Verhalten nicht tolerieren und sollten in die Therapie einbezogen werden. Alle an der Therapie beteiligten (Patient, Angehörige, Ärzte, Psychologen, Sozialarbeiter, Pflegepersonal, Mitarbeiter von Suchtberatungsstellen) müssen eine realistische Erwartungshaltung entwickeln; das setzt die Kenntnis über die zu erwartenden Schwierigkeiten, die hohe Rückfallquote und die Erfolgsrate voraus (ca. 70% der therapiewilligen Patienten können rehabilitiert werden).

Laut SCHMIDT (1997)
... *„hängt der Behandlungserfolg von zahlreichen Faktoren ab, deren Bedeutung unterschiedlich bewertet wird. Krisen und emotionale Erschütterungen, die im Zusammenhang mit Alkoholkonsum auftreten und von Alkolikern treffend als „Tiefpunkt" bezeichnet werden, können die Prognose verbessern. Deshalb sind Patienten mit fortgeschrittenem Krankheitsbild und negativen Alkoholerfahrungen häufig prognostisch günstiger zu bewerten als „Krankheitsanfänger". Nachdem Alkoholismus als Familien- und Umfeldkrankheit erkannt worden war, konnte durch Einbeziehung von Partnern, Bezugspersonen und Vertretern des Arbeitsplatzes in die Therapie, die Prognose deutlich verbessert werden. Außerdem verbesserten sich die Behandlungserfolge durch eine intensive aktive Mitarbeit in den Selbsthilfegruppen."*

FEUERLEIN (1975) geht davon aus, daß bei der Therapie von Alkoholikern schrittweise vorgegangen werden muß; er formuliert dazu folgende Zwischenziele:

1. Erkennung der Notwendigkeit einer Änderung der gegenwärtigen Situation *(„so geht es nicht mehr weiter")*,
2. Anerkennung der Hilfsbedürftigkeit *(„ich schaffe es nicht mehr allein")*,
3. Akzeptieren der angebotenen Hilfe *(„ich lasse mir helfen")*,
4. Anerkennung des Alkoholikerstatus *(„ich bin ein Alkoholiker")*,
5. Anerkennung des Abstinenzzieles *(„ich darf überhaupt keinen Alkohol mehr trinken")*,
6. Anerkennung des Ziels des allgemeinen Verhaltenswandels *(„ich muß mein Leben anders gestalten, wenn ich nicht mehr rückfällig werden soll")*.

Es werden vier Behandlungsphasen unterschieden.

- **Motivationsphase (Kontaktphase)**
  Die Motivationsphase findet im allgemeinen in einer ambulanten Einrichtung statt, es sei denn, der Kranke befindet sich wegen Folgekrankheiten im Krankenhaus. Sie dient einerseits der Feststellung und des Bewußtmachens der Diagnose „Alkoholismus" und eventueller Folgekrankheiten sowie andererseits der Klärung der Situation und der Behandlungsbereitschaft / -fähigkeit des Kranken. Die Motivation für die Behandlung wird geweckt bzw. gestärkt; ist diese nicht gegeben, hat eine Therapie keine Aussicht auf Erfolg. Ferner wird die Therapie besprochen.
- **Entgiftungsphase**
  Wenn mit Entzugserscheinungen zu rechnen ist, sollte diese Phase im Krankenhaus stattfinden. Sie dauert ungefähr 1 - 2 Wochen. Während dieser Zeit werden die Entzugserscheinungen durch Medikamente unterdrückt. Verabreicht werden in der Regel
  - Clomethiazol (z.B. Distraneurin®), um den Patienten zu sedieren und Entzugssymptome zu unter-

drücken; die Applikation erfolgt meist oral und nach einem festgelegten Zeit- und Dosisschema. Bei intravenöser Applikation ist wegen der Gefahr einer Atemdepression eine Überwachung auf der Intensivstation erforderlich.
- Haloperidol (z.B. Haldol®), um die psychische Erregtheit zu dämpfen und Angstzustände zu lindern.
- Infusionslösungen zur Substitution von Flüssigkeit und Elektrolyten; den Infusionen wird Vitamin - B_1 zugefügt, da sich im Verlauf der Alkoholkrankheit ein Vitamin B_1 - Mangel entwickelt.

Die Patienten bedürfen einer engmaschigen Beobachtung (Vitalzeichen, Bewußtseinslage, Stimmung, Muskeltonus / -krämpfe) und Überwachung (Verhalten); die Unterstützung bei den ATL erfolgt im jeweils erforderlichen Ausmaß. Wegen des Sturzrisikos wird der Patient zur Toilette begleitet; es kann allerdings Bettruhe, evtl. auch eine vorübergehende Fixierung erforderlich sein. Die Medikamente sind genau nach Therapieschema zu verabreichen. Der weitere Pflegebedarf ist immer wieder aktuell zu analysieren. Pflegende begleiten den Patienten einfühlsam.
Nach der Entgiftungsphase sollte sofort die nächste Behandlungsphase einsetzen.

- **Entwöhnungsphase**
Die Entwöhnungsphase dauert mehrere Wochen bis Monate; sie kann ambulant oder stationär erfolgen. Der Patient soll die in seinem Fall das süchtige Verhalten begünstigenden Faktoren erkennen und neue Verhaltensmuster erlernen, die es ihm ermöglichen, sein Leben ohne Alkohol zu meistern. In therapeutischen Gruppen treten im allgemeinen ähnliche zwischenmenschliche Probleme auf wie im normalen Alltagsleben; der Kranke kann unter therapeutischer Begleitung und durch Reflexion in der Gruppe sein Verhalten hinterfragen und neue Bewältigungsstrategien entwickeln / erproben. Somit muß er aktiv werden und Selbstverantwortung übernehmen; daraus kann ein neues Selbstwertgefühl erwachsen.
Wichtige Bezugspersonen können ggf. in die Therapie einbezogen werden. Der Kontakt zu einer Selbsthilfgruppe („*Anonyme Alkoholiker*") wird angebahnt.
Während der Therapiephase werden Kontrollen des Blutalkoholspiegels durchgeführt.
- **Nachsorge- und Rehabilitationsphase**
Im Anschluß an die Entwöhnungsphase ist eine weitere, jetzt ambulante Betreuung erforderlich, um das neu erlernte Sozialverhalten zu stabilisieren und die Wiedereingliederung in das Familien- und Berufsleben zu unterstützen und zu begleiten. Der regelmäßige Besuch von Selbsthilfegruppen ist sinnvoll und wertvoll.
Die Nachsorgephase dauert oft Jahre oder ein Leben lang an.
Die Teilnahme an einer Selbsthilfegruppe ist auch für Angehörige sinnvoll; auch sie müssen lernen, mit der Situation und mit ihren eigenen Gefühlen zu leben.

Selbsthilfegruppen für Alkoholiker:

Kreuzbund e.V.
Selbsthilfeorganisation und
Helfergemeinschaft für Suchtkranke
Jägerallee 5
59071 Hamm

Anonyme Alkoholiker
Gemeinsamer Dienst
Postfach 460227
80910 München
Tel.: 089 3164343

Blaues Kreuz in Deutschland e.V.
Postfach 200252
42289 Wuppertal
Tel.: 0202 621098

Deutsche Hauptstelle gegen Suchtgefahr
Postfach 1369
59003 Hamm
Tel.: 02381 90150

9.10.1.4 Pflegerischer Umgang mit alkoholkranken Menschen

Alkoholkranke Menschen begegnen uns sowohl im privaten als auch im beruflichen Umfeld. Sie rufen bei vielen Menschen Ablehnung hervor, ihr Verhalten wirkt abstoßend. Aus psychologischer Sicht hängt die Diskriminierung dieser Menschen mit der Abwehr unserer eigenen Neigungen zu süchtigen (d.h. auch passiven und konfliktvermeidenden Tendenzen) und selbstzerstörerischen Verhaltensweisen zusammen; niemand möchte diesen körperlichen und psychosozialen Abstieg erleiden.
Oft sind Schuldzuweisungen oder Mitleid und Ablehnung der vermeintlichen Willenssschwäche zu beobachten. Diese Verhaltensweisen werden einem Alkoholkranken nicht gerecht. Statt dessen sollten die **Ressourcen wahrgenommen und gefördert** werden; dazu gehören z.B. die Möglichkeiten, Selbstverantwortung zu übernehmen, die Ansätze zur Krankheitseinsicht und zur Bejahung der Realität sowie die Motivation zum Entzug / zur Abstinenz. Der Entschluß zur Therapie ist zu verstärken, Betroffene brauchen immer wieder Zuspruch und Ermutigung; Teilerfolge sollten verdeutlicht werden. So kann der Kranke langsam sein zerstörtes Selbstvertrauen wieder aufbauen.
Zuvor wurden bereits die potentiellen Probleme „Delirium tremens", „Rückfall" und „Suizidabsichten" besprochen; im pflegerischen Umgang mit alkoholkranken Menschen stellen diese Risiken besondere Anforderungen. Der Patient muß aufmerksam beobachtet werden, um Veränderungen, die auf das Trinken von Alkohol oder auf Entzugserscheinungen bzw. auf Suizidabsichten *(siehe Seite 775)* hinweisen, frühzeitig zu erkennen. Kontrollen im Sinne einer Überprüfung des Einhaltens von Abmachungen, die mit dem Patienten getroffen wurden, können (je nach Therapiekonzept) angemessen sein, um die Wichtigkeit der Einhaltung bestimmter festgesetzter Regeln zu verdeutlichen.

Bei dem oft sehr schwierigen Umgang mit alkoholkranken Menschen ist es besonders wichtig, die **Würde** des Menschen zu **wahren** und **Wertschätzung** zu vermitteln. Bei Ärgernissen, unkooperativem Verhalten und anderen Schwierigkeiten ist es ratsam, **die eigenen Gefühle wahrzunehmen** und ggf. gegenüber dem Patienten in angemessener Weise anzusprechen; so wird dieser mit den realen Auswirkungen seines Verhaltens konfrontiert und ernst genommen. So bleiben auch schwierige Begegnungen ehrlich, der andere erfährt als Person Beachtung. Unter diesen Umständen können sich langsam Vertrauen zu anderen Menschen sowie Selbstachtung entwickeln.
Pflegerisches **Verhalten** sollte im Sinne des therapeutischen Vorgehens **konsequent** sein.
Möglichkeiten zur Entlastung und zur Bewältigung der Probleme im Umgang mit Alkoholkranken bieten Teamgespräche und Supervision *(siehe Seite 792)*.
Wegen der Rückfallgefahr sind der Genuß alkoholhaltiger Lebensmittel (z.B. Weincreme, Biersuppe, mit Wein verfeinerte Soßen) und die Einnahme alkoholhaltiger Arzneimittel (z.B. homöopathische Substanzen, zahlreiche „Stärkungsmittel", einige medizinische Mundpflegelösungen) zu verhindern und entsprechende Vorsichtsmaßnahmen zu treffen. In der Nähe eines Menschen, der sich einer Entgiftung unterzieht, dürfen keine alkoholhaltigen Substanzen (z.B. alkolhaltiges Haarwasser oder Mundpflegelösungen, Franzbranntwein) aufbewahrt werden.

9.10.1.5 Prävention

Präventive Maßnahmen können sich sowohl auf gesellschaftliche Strukturen als auch auf bestimmte Zielgruppen und auf das Individuum beziehen.
Beispiele

- **Veränderung ungünstiger Einflüsse und Strukturen**
  - Änderung von Trinksitten, Unterlassen der Aufforderung anderer, Alkohol zu trinken;
  - Alkoholverbot am Arbeitsplatz;
  - Verbot der Werbung für Alkohol (und andere Rauschmittel);
  - Aufdecken der Wirtschaftsinteressen und der Werbestrategien (z.B. im Schulunterricht);
  - Beseitigung von Chancenungleichheit, ungesunden Arbeitsbedingungen und Arbeitslosigkeit;
  - Angebot sinnvoller Freizeitbeschäftigung und Anleitung zu sinnvoller Freizeitgestaltung.
- **Information und Aufklärung**
  - Öffentlichkeitsarbeit;
  - Information, z. B. in Schulen, am Arbeitsplatz, in Jugendgruppen (dabei müssen die Informationen die Situation der Zielgruppe treffen und Betroffenheit hervorrufen, um eine Gegenhaltung ohne Angstauslösung zu erzeugen);
  - Problematisierung der Suchtkrankheiten in den Medien;
  - Bekanntmachen / Vorstellen von Beratungsstellen für z.B. suchtgefährdete / süchtige Menschen, für Familien und Ehepartner;
  - detaillierte Information künftiger Fachleute (z.B. Mediziner, Krankenschwestern, Psychologen) zum Umgang mit alkoholkranken Menschen in Aus-, Fort- und Weiterbildungen.
- **Förderung der inneren Stabilität eines Individuums** (im Kindesalter)
  - Lehren und Vorleben einer sinnvollen Konfliktbewältigung (innerhalb der Familie, in der Schule und anderen sozialen Gruppen);
  - Fördern der Frustrationstoleranz, also der Fähigkeit, Niederlagen und Enttäuschungen hinnehmen zu können, ohne die Fähigkeit zu verlieren, sich aktiv weiteren Belastungen zu stellen;
  - Vorleben und Vermitteln, daß sogenannte „Negativgefühle" wie Angst, Trauer und Schmerz zum Leben gehören und in gewisser Weise auch zur Problemlösung bzw. Problembewältigung beitragen.

9.10.2 Depression

Elke Hurling

9.10.2.1 Krankheitsbild

❒ Begriff Depression

Der Begriff "Depression" oder abgewandelte Bezeichnungen wie "depressiver Zustand", "deprimierte Stimmung" unterliegen sehr häufig einem falschen Gebrauch. Gemeint sind oft Trauerreaktionen nach einem Verlust oder vorübergehende Stimmungstiefs, die jeden Menschen gelegentlich befallen. Die Erkrankung "Depression" hat andere Dimensionen und ist vielleicht die **schwerste Form einer "Selbstwertkrise"**, die einen Menschen erfassen kann. Eine Depression ist eine sehr ernste Erkrankung, denn fast immer denken die Betroffenen daran, sich das Leben zu nehmen.
Nach TÖLLE (1994) gehören Depressionen (neben Manien) zur Gruppe der **affektiven Psychosen** *(affektiv = gefühlsbetont)*.
Diese seelischen Erkrankungen verschlechtern tiefgreifend die Stimmung eines Menschen im Sinne einer Veränderung seines gesamten Gefühls- und Gemütslebens. Aber auch körperliche Fähigkeiten, z.B. Motorik und Sinneswahrnehmung, sind beeinträchtigt.
Bei affektiven Psychosen bleiben der Charakter und die Persönlichkeit unverändert.

❒ Depression als "Zeitkrankheit"

Depressionen sind die größte Gruppe psychischer Erkrankungen, wobei die schweren Formen heute deutlich häufiger auftreten als vor einigen Jahrzehnten. Auch das Alter bei Ersterkrankung ist gesunken. Immer häufiger sind Menschen betroffen, die nach allgemein geltenden Vorstellungen "mitten im Leben stehen".
Die Ursachen für diese Entwicklung sind sehr vielfältig und hängen auch mit Veränderungen von Lebensbedingungen in einer Gesellschaft / einem kulturellen Raum zusammen, z.B. Auflösung traditioneller Lebensformen, schneller Wandel gesellschaftlicher Werte und Normen, Überflutung mit Informationen.

❒ Einteilung und Ursachen

Depressionen können unterteilt werden in die reaktive, endogene und somatogene Form.

- Bei einer sogenannten **reaktiven Depression** spielen äußere Einflüsse eine wichtige Rolle. Dabei kann es sich sowohl um ein einmaliges Ereignis, z.B. den Tod eines geliebten Menschen, Trennung oder Scheidung, aber auch um eine dauerhafte Belastung, z.B. das Leben mit einem schwerbehinderten Kind, handeln.
  Die lebensverändernde Situation *(life-event)* führt in der Folge (reaktiv) zu einer Depression.
- Bei einer **endogenen Depression** kommen biologische und vermutlich genetische Faktoren zum Tragen. Bei depressiven Menschen ist ein Mangel an Neurotransmittern* (Noradrenalin und Serotonin) nachgewiesen. Andere biologische Aspekte sind Gegenstand der Depressionsforschung.
- Die **somatogene Depression** tritt als Folge oder Begleiterscheinung einer körperlichen Erkrankung auf, z.B. bei schweren Infektionen oder chronischen Erkrankungen mit massiven Schmerzen. Bei Patienten mit hirnorganischen Erkrankungen, z.B. Apoplexie oder Parkinson-Syndrom, sind gehäuft depressive Zustände zu sehen.
  Bei einer somatisch bedingten Depression verschwinden mit der Behandlung der Erkrankung in der Regel auch die Depressionssymptome.

Im Sinne eines **multifaktoriellen Krankheitsverständnisses** ist davon auszugehen, daß viele ursächliche Faktoren zusammentreffen, die sich auf individuelle Weise verflechten und in ihrer Gesamtheit zu einer Depression führen.

❒ Symptome

Die Symptome einer Depression werden als **depressives Syndrom** bezeichnet.
Die **Gefühle** der Betroffenen sind einseitig verändert. Sie sind traurig, verzweifelt, mutlos und ohne jede Hoffnung, z.B. auf Besserung ihres Zustandes. Viele verlieren jedes Interesse an ihrer Umgebung und können keine Freude mehr empfinden. **Angst**, auch vor alltäglichen Aufgaben und bekannten Situationen, kann alles bestimmen.
Wenn Menschen noch tiefer in eine Depression fallen, löst sich die Gefühlswahrnehmung auf. Typisch für die Betroffenen ist das "Gefühl der Gefühllosigkeit"; sie sagen, sie fühlen nichts mehr, sind völlig leer, "wie ausgehöhlt", **"innen wie tot"**.
Das Befinden des Patienten kann sich in einer versteinerten **Mimik** und einem leeren Blick widerspiegeln. Manchmal ist trotz der nach außen starren Haltung eine innere Unruhe und Zerrissenheit spürbar. DÖRNER geht davon aus, das es im Inneren des Depressiven "kocht", er sich jedoch nicht verausgaben und seine Energie nicht nach außen richten kann.
Tageszeitliche Schwankungen sind häufig; während am Morgen "der bevorstehende Tag wie eine riesengroße Last" erlebt wird, kann es im Laufe des Tages zu einer spürbaren Stimmmungsaufhellung kommen.
Depressive Menschen **grübeln** sehr viel, häufig mit sich ständig wiederholenden Gedanken *("Gedankenketten")*. Eine Theorie geht davon aus, daß die Denkstruktur eines depressiven Menschen auf typische Weise verändert ist. Der Betroffene hat eine selektive Wahrnehmung, mit der er alles negativ sieht. Vorkommnisse werden einseitig zugeordnet, indem alle negativen Erlebnisse selbstverschuldet und die wenigen positiven Ereignisse Zufall sind. Der Leidende kann sich Erfolge nicht mehr vorstellen. Er geht von der Voraussetzung aus, daß alles "schief geht" oder in einer Katastrophe endet.
Wenn Menschen mit Depressionen **Wahnideen** entwickeln, beziehen sich diese oft auf die Angst vor Verarmung oder Leiden an einer schweren Erkrankung. Aber auch die eigene **Minderwertigkeit**, Versagensangst oder Schuldgefühle können übergroß werden und alle Gedanken besetzen *(psychotische Depression)*. Die Patienten sind oft nicht mehr in der Lage, eine Entscheidung zu treffen und noch weniger dazu fähig, Handlungen auszuführen. Der Verlust dieser Möglichkeiten verstärkt vorhandene Versagensängste und Minderwertigkeitsgefühle.
Nicht alle depressiven Menschen ziehen sich völlig zurück. Einige sind ruhelos, erregt und klagen laut ihr Leid *(agitierte Depression)*.
Als weitere Symptome treten **Störungen in Antrieb und Bewegung** auf. Der Depressive wirkt **apathisch** und wie gelähmt mit eingesunkener Haltung. Er verharrt sehr lange in einer steifen, unbequemen Position.
Viele Betroffene leiden unter **Appetitlosigkeit**, verbunden mit Geschmacksstörungen, die rasche **Gewichtsverluste** nach sich ziehen können. Weiterhin können Kopfschmerzen, Symptome einer gestörten Herzfunktion oder Magen- und Darmbeschwerden auftreten. Die sexuelle Aktivität läßt stark nach.
Fast alle depressiven Menschen haben massive **Schlafstörungen**; trotz ständiger Müdigkeit und Erschöpfung ist ein erholsamer Schlaf nicht möglich.

Beachte: Es wurden viele Beispiele für die Symptome einer Depression genannt, doch jeder Patient hat "seine" Symptome, die er auf seine ihm eigene Art erlebt und erleidet!

❒ Verläufe von Depressionen

Depressionen verlaufen in **Phasen**, wobei Dauer und "Tiefe", d.h. die Schwere der Erkrankung sehr unterschiedlich sein kann.
Eine Grenze zwischen "gesunder" und "krankhafter" Stimmungslage zu ziehen ist problematisch; entscheidender ist das Empfinden eines Betroffenen. Manche erleben die Augenblicke der Änderung ihrer Stimmungslage sehr bewußt und können diese später benennen.

Nach Überwindung einer depressiven Phase sind die Betroffenen in der Lage, ihr bisheriges Leben wieder aufzunehmen.
Bei einigen Menschen treten neben depressiven Phasen auch **manische Phasen** auf *(manisch-depressive Erkrankung)*.
Eine Manie ist ein **"krankhaftes" Stimmungshoch**. Die Betroffenen sind in einem euphorischen Zustand, ihre Gefühlswahrnehmung ist ebenso einseitig verschoben wie bei einer Depression. Die Ausprägung der Erkrankung kann unterschiedlich sein, bis hin zu völliger **Selbstüberschätzung** und **Größenwahn**. Die Betroffenen sind ruhelos und getrieben von ständig neuen Vorhaben *("Ideenflucht")*, die sie sofort in die Tat um-

setzen möchten. Dazu sind sie nicht in der Lage, da sie sich nicht konzentrieren können und sich völlig "**sprunghaft**" verhalten.
Körperliche Bedürfnisse wie Essen und Schlafen werden nicht mehr wahrgenommen und die Betroffenen vernachlässigen ihr Äußeres.
Sie verlieren ihre Kritikfähigkeit und haben **keine Krankheitseinsicht**.
Der Wechsel von depressiven und manischen Phasen mit freien Intervallen *(Zeiten ohne Symptome)* wird als **Zyklothymie** bezeichnet.
Eine depressive Erkrankung kann **einmalig** im Leben eines Menschen sein. Einige Menschen leiden wiederholt an Depressionen, bei anderen tritt eine **Chronifizierung** ein, d.h. die Betroffenen erleben kaum eine "Normalisierung" ihrer Stimmungslage.
Die schwerste Form einer endogenen Depression ist der **depressive Stupor**, der für den Patienten ein lebensgefährlicher Zustand ist.
Stupor heißt **Erstarrung** und ist ein Zustand völliger Bewegungslosigkeit. Die davon Betroffenen sind innerlich maximal angespannt, nehmen ihre Umwelt wahr, sind aber nicht in der Lage, Kontakte aufzunehmen. Eine orale Nahrungs- und Flüssigkeitsaufnahme ist nicht möglich und die Gefahr von Sekundärerkrankungen, z.B. Infektionen, ist sehr groß.

❐ Depressive Patienten im Allgemeinkrankenhaus

Bei einer Depression können auch **körperliche Symptome** wie Kopfschmerzen, Verdauungsprobleme oder Herz-Kreislaufstörungen im Vordergrund stehen. Diese Form wird als **larvierte** *(versteckte)* **Depression** bezeichnet. Da bei diesen Patienten die sonst typischen Merkmale einer Depression fehlen (verdeckt sind), wird ihre Erkrankung häufig nicht richtig erkannt und behandelt. Oft konsultieren die Betroffenen mehrere Ärzte oder werden bei akuten Beschwerden in somatischen Kliniken, z.B. auf einer internistischen Station, betreut. Die Behandlung der körperlichen Symptome, z.B. Schmerzen im Unterleib, erfolgt unter Umständen mit operativen Eingriffen; die Operationen bringen den Betroffenen jedoch keine wesentliche Besserung.

9.10.2.2 Behandlung von Menschen mit Depressionen

Die Behandlung von Patienten mit Depressionen kann sowohl ambulant, z.B. durch niedergelassene **Psychiater** oder **Psychotherapeuten**, als auch stationär in psychiatrischen Fachkliniken erfolgen. Es sollte Patienten mit Depressionen (und anderen psychischen Erkrankungen) nahegelegt werden, sich von speziell qualifizierten Fachleuten behandeln zu lassen, da "Hausärzte" oft nicht ausreichend informiert sind. Für eine vorübergehende **stationäre Betreuung** gibt es unterschiedliche Indikationen, z.B. die Notwendigkeit der Lösung aus einem krankheitsfördernden sozialen Umfeld, der zeitweisen Entlastung pflegender Angehöriger oder der dringende "Hilferuf" eines Patienten.
Zwingende Indikation für eine stationäre Einweisung ist die **Suizidgefährdung** eines depressiven Menschen.

Die Behandlung eines Patienten beginnt mit der Schaffung einer angenehm entspannten Atmosphäre auf der Station. Die gezielte **Gestaltung der Aufnahmesituation** erleichert dem Betroffenen das Einfinden in die neue Umgebung. Je nach Belastbarkeit des Patienten kann sich eine Einführung in die Organisation und den **Tagesablauf der Station** anschließen, da für viele die "Strukturierung des Tages" ein Problem ist.
Von der **Vielzahl der therapeutischen Ansätze** werden im folgenden einige beispielhaft dargestellt, wobei das Verständnis zugrunde gelegt wird, daß ein multifaktorielles Krankheitsgeschehen "ineinandergreifende" therapeutische Vielfalt fordert. Bei allen Therapieangeboten muß sichergestellt sein, daß sie dem Patienten entsprechen und seine **Ressourcen nutzen**.

- Einen Pfeiler der Behandlung bildet die Psychotherapie. **Psychotherapie** heißt wörtlich "Behandlung der Seele" und ist ein Sammelbegriff für Methodenpsychischer Einflußnahme, z.B. Gesprächspsychotherapie* oder Verhaltenstherapie*. Durch die Bezeichnung "**Klient**" statt "Patient" (der Leidende oder Erduldende) soll eine bestimmte Haltung deutlich werden. Der "Therapeut" sieht in einem "Klienten" einen gleichberechtigten Partner, der freiwillig Hilfe sucht und während der Behandlung aktiv und eigenverantwortlich bleibt.
  Diese Haltung soll sich in allen Begegnungen mit Patienten widerspiegeln *(siehe nachfolgend "Begegnung mit depressiven Patienten")*.
  Psychotherapien zeigen bei der (eher) **reaktiven Form** der Depression die besten Ergebnisse. Die Behandlung kann einzeln oder in Gruppen erfolgen; bei Familientherapien* werden die Angehörigen oder andere wichtige Bezugspersonen zu den therapeutischen Sitzungen gebeten. Grundsätzlich ist darauf zu achten, daß ein depressiver Mensch zu einer Psychotherapie in der Lage sein muß. Bei der Bearbeitung von Konflikten oder Problemen muß so vorgegangen werden, daß sich Schuld- und Versagensgefühle eines Betroffenen nicht verstärken. Während einer psychotherapeutischen Behandlung kann der Patient versuchen, Ursachen für seine Erkrankung aufzudecken; das bringt aber nicht automatisch eine Besserung seines Befindes mit sich.

- Bei **endogenen** Depressionen wird Psychotherapie unterstützend angeboten, einen Schwerpunkt bildet die **medikamentöse Therapie**. Die Medikamente haben wenig Einfluß auf die Dauer einer depressiven Phase, sie können aber dazu beitragen, die Symptome erträglicher zu machen.
  Als wichtigste Medikamentengruppe kommen **Antidepressiva** zur Anwendung. Antidepressiva greifen in die Erregungsübertragung im Bereich der Synapsen, d.h. der "Schaltstellen" zwischen den Neuronen, ein.
  Die trizyklischen Antidepressiva (benannt nach ihrer chemischen Struktur) bewirken wahrscheinlich eine Vermehrung der Neurotransmitter* Noradrenalin und Serotonin. Die Stimmungsaufhellung tritt erst nach einigen Wochen ein.

Monoaminoxidasehemmer hemmen ein Enzym, das Neurotransmitter* abbaut. Patienten, die Monoaminoxidasehemmer erhalten, müssen eine spezielle Diät einhalten.
Je nach Wirkstoff zeigen Antidepressiva unterschiedliche Wirkungen. Neben einer **Stimmungsaufhellung** und einer **Angstlösung** können entweder eine **Antriebssteigerung** oder eine **Antriebshemmung** erzielt werden. Die Anordnung von Antidepressiva durch den Arzt erfolgt nach ausführlicher Anamnese und unter genauer Beobachtung der Symptome des Patienten.
Da Antidepressiva die Erregungsleitung im gesamten Organismus beeinflussen, können vielfältige **unerwünschte Begleiterscheinungen** auftreten, z.B. Hyper- oder Hypotonie, Obstipation oder Diarrhoe, Sehstörungen oder Störungen der Speichelsekretion. Ziel der Medikation ist es, die depressiven Symptome des Patienten zu unterdrükken und dabei die Nebenwirkungen so gering wie möglich zu halten. Antidepressiva machen nicht abhängig; sie zeigen bei Menschen ohne depressive Symptomatik keine stimmungsaufhellende Wirkung.

- Zur Erweiterung der medikamentösen Behandlungsmöglichkeiten können Antidepressiva in **Kombination mit weiteren Psychopharmaka*** eingesetzt werden, z.B. Tranquilizer oder Neuroleptika.
  Tranquilizer sind Beruhigungsmittel, die je nach Wirkstoff angstlösend, entspannend oder schlaffördernd sind; sie können zu einer Abhängigkeit führen.
  Neuroleptika *(Antipsychotika)* unterdrücken psychotische Symptome, z.B. akustische Halluzinationen. Einige Substanzen üben zusätzlich eine beruhigende Wirkung aus. Neuroleptika haben erhebliche Nebenwirkungen.
  Damit ein Patient regelmäßig die verordneten Medikamente einnimmt **(Compliance*)**, benötigt er eine umfassende Information über evtl. Nebenwirkungen und die möglicherweise verzögert eintretende Wirkung.
  Zur weiteren Information über Psychopharmaka* und die Möglichkeiten und Gefahren ihres Einsatzes wird auf die entsprechende Fachliteratur verwiesen.

- Um den Patienten zu **aktivieren**, stehen in psychiatrischen Kliniken unterschiedliche therapeutische Angebote zur Verfügung; diese werden von qualifiziertem Personal, z.B. Arbeits- und Beschäftigungstherapeuten, angeboten.
  Bei der **Beschäftigungstherapie** kann der Patient z.B. durch Basteln oder kleine handwerkliche Tätigkeiten Kreativität entwickeln, "sich in seinem Tun verlieren" und "auf andere Gedanken kommen". **Maltherapie** bietet einem Patienten die Möglichkeit, durch künstlerische Gestaltung "andere Seiten von sich" kennenzulernen und die Chance, Gefühle und Stimmungen zum Ausdruck zu bringen.
  Bei allen Tätigkeiten, die in Richtung **Arbeits- oder Werktherapie** gehen, werden höhere Anforderungen an die Verantwortlichkeit und das Durchhaltevermögen von Patienten gestellt, z.B. wenn für eine größere Gruppe ein gemeinsames Essen vorbereitet werden soll.
  Bei deutlicher Besserung können Angebote zur Freizeitgestaltung auch außerhalb des Klinikgeländes liegen, z.B. Besuche kultureller Veranstaltungen, Einkaufsbummel.

- Ein weiterer therapeutischer Ansatz versucht, über den Körper Einfluß auf das psychische Befinden eines Kranken zu nehmen. Hierunter fallen **körperorientierte Psychotherapien**, z.B. Bioenergetik*, aber auch alle Formen der **Bewegungstherapie**, z.B. leichte Bewegungsübungen, Gymnastik, Tanzen, Schwimmen, Spaziergänge. Wenn Patienten sich dazu in der Lage sehen, kann ein systematisches Lauftraining *("Jogging")* erfolgen.
  Bäder oder Massagen im Rahmen einer **Physiotherapie** können dazu beitragen, das Körpergefühl zu verbessern, indem sich Verspannungen lösen und der Körper angenehm wahrgenommen wird.

- Bei einigen Patienten zeigt ein **therapeutischer Schlafentzug** *("Wachtherapie")* eine kurzzeitige Besserung der depressiven Symptomatik. Die Patienten müssen eine Nacht und den folgenden Tag wach bleiben. Worauf die stimmungsaufhellende Wirkung des Schlafentzugs beruht, ist noch nicht geklärt.

- Die einschneidenste therapeutische Maßnahme, auch in Fachkreisen umstritten, ist die **Elektrokrampftherapie** *(EKT)*, bekannt als "Elektroschockbehandlung". Die EKT kommt nur mit Einwilligung des Patienten in Ausnahmefällen zur Anwendung, z.B. bei sehr schweren Depressionen, oder wenn ein Patient mit depressivem Stupor sich in Lebensgefahr befindet. In Kurznarkose wird beim Patienten mit einem elektrischen Reiz ein epileptischer Krampfanfall (Grand Mal, *siehe Seite 611*) provoziert. Diese Maßnahme kann mehrmals wiederholt werden, bis sie eine Besserung der Symptomatik nach sich zieht.

9.10.2.3 Zur Situation eines Betroffenen und der Angehörigen

Frau M. ist 54 Jahre alt, verheiratet und hat nach der Geburt der jetzt 20jährigen Tochter ihren Beruf als Sekretärin aufgegeben.
Die Tochter hat vor einem halben Jahr ein Studium in einer anderen Stadt aufgenommen.
Seit einigen Monaten fühlt sich Frau M. ständig müde und erschöpft. Es kostet enorme Kraft, die tägliche Arbeit im Haus zu bewältigen. Immer wieder muß sie lange Pausen machen, in denen sie dasitzt und aus dem Fenster starrt.
Den Garten des Hauses hat sie vor Jahren mit viel Aufwand umgestaltet und seither gerne fast täglich gepflegt. Jetzt macht es Frau M. nicht einmal mehr Freude, sich in den Garten zu setzen.

Nach dem gemeinsamen Abendessen mit ihrem Ehemann geht Frau M. immer sehr zeitig schlafen. Wenn sie kraftlos und todmüde im Bett liegt, ist sie lange Zeit grübelnd wach und fällt in einen kurzen, nicht erholsamen Schlaf. Früh morgens wacht sie "wie gerädert" auf.
Wegen ihrer Beschwerden hat Frau M. den Hausarzt konsultiert. Er vermutet einen Zusammenhang mit dem Klimakterium, rät Frau M., sich viel an frischer Luft zu bewegen und auf eine gesunde, vor allem vitaminreiche Ernährung zu achten. Wegen der Schlaflosigkeit verschreibt er Frau M. ein Medikament.
Einige Tage später, als Herr M. aus Sorge um seine Frau etwas früher von der Arbeit nach Hause kommt, findet er sie völlig regungslos und apathisch vor.

Aspekte des **Erlebens und des Empfindens** eines Menschen mit einer Depression werden in den Abschnitten *„Symptome“*, *Seite 767*, und *„Akzeptanz von Depression als Krankheit“*, *Seite 773*, beschrieben.
Da ein Betroffener in **verschiedenen Bezugssystemen** (Partnerschaft, Familie, Freundeskreis, Arbeitsplatz, Verein u.a.) lebt, zeigen sich, je nach Verlauf und Schwere der Erkrankung, unterschiedliche Auswirkungen in den jeweiligen Systemen.
Der Betroffene kann alltägliche Anforderungen, die vor der Erkrankung (mühelos) bewältigt werden konnten, nur noch mit einem immer größeren Energieaufwand erfüllen. Mit zunehmender Verstärkung der Symptome haben Betroffene es immer schwerer, bestehende Beziehungen zu anderen Menschen aufrechtzuerhalten.
Im folgenden werden beispielhaft mögliche Auswirkungen der Erkrankung eines Menschen auf die Partnerschaft, die Familie und den Arbeitsplatz aufgezeigt.

Eine depressive Erkrankung ist in fast allen Fällen eine große Belastung für eine Partnerschaft. Die Tragfähigkeit der Beziehung vor der Erkrankung ist vielfach ausschlaggebend für den Umgang mit dem erkrankten Partner und das Maß an Akzeptanz, das er erfährt.
Ähnlich wie der Erkrankte fühlt der gesunde Partner sich oft hilflos, ohnmächtig und mit der veränderten Situation völlig überfordert.
Besonders bei einer Ersterkrankung stößt der Betroffene nicht selten auf Unverständnis seines Partners, u.a. bedingt durch mangelnde Kenntnis über psychische Erkrankungen. Wenn die Diagnose Depression gesichert ist, können das Gefühl der Peinlichkeit oder die Angst vor dem „Gerede der Leute“ eine große Rolle spielen. Tritt eine Depression bei einer Frau auf (Anteil der Frauen überwiegt), wird sie weniger als echte Erkrankung akzeptiert, sondern vom Partner eher als „Laune“ oder als „vorübergehendes Stimmungsproblem“ abgetan. Wenn keine äußeren Anlässe, z.B. Verlust nahestehender Menschen, erkannt werden können, die in gewisser Weise das Verhalten eines Kranken erklären, wird oftmals vom Partner erwartet, der Betroffene solle „sich zusammennehmen“.
Verständnisvolle und liebevolle Partner leiden oftmals sehr unter ihrer Hilflosigkeit und reagieren z.B. mit Überfürsorge.

Die Erkrankung einer Frau, die die Aufgaben der Kinderbetreuung und Haushaltsführung übernommen hat, stellt alle Familienmitglieder vor große Probleme.
Die Versorgung der Kinder und des Haushaltes wird für eine Erkrankte zu einer immer stärkeren Belastung. Zu Beginn der Erkrankung sind es oft die Kinder, die ein feines Gespür schon für kleinere Veränderungen der Mutter haben. Sie bemerken, daß der Mutter die Geduld fehlt, sie schnell gereizt reagiert, häufiger schimpft oder Dinge verbietet, die zuvor erlaubt waren.

Wenn keine Behandlung erfolgt, verschärft sich die Situation immer mehr. Die Betroffene ist nicht mehr in der Lage, einzukaufen, zu kochen oder andere alltäglich Aufgaben im Haushalt zu erledigen. Ohne Unterstützung kann es zu einer Vernachlässigung, in schweren Fällen zu einer Verwahrlosung des Haushaltes kommen.
Den Kindern fehlen zunehmend die Aufmerksamkeit, die Zuwendung und der liebevolle Körperkontakt der Mutter; sie steht immer weniger als Ansprechpartnerin und Zuhörerin für die „alltäglichen Probleme“ zur Verfügung. Die Kinder machen sich häufig Sorgen um die Mutter, da sie ihre Veränderung immer stärker spüren, z.B. kein Lachen mehr, kein Interesse mehr, häufiges Weinen oder aggressive Reaktionen.
Kinder, die schon dazu in der Lage sind, werden unter Umständen versuchen, Teile der Hausarbeit zu übernehmen und sich um jüngere Geschwister zu kümmern.
Die Versuche einer Schonung und Entlastung, auch von Personen aus dem näheren Umfeld der Familie, z.B. Eltern, Schwiegereltern oder Nachbarn, ist vor allem langfristig oft nur begrenzt möglich. Hilfen von außen bestärken die Betroffenen oft in ihrem Gefühl des völligen Versagens.
Wenn sich eine längere Erkrankung oder ein Krankenhausaufenthalt abzeichnet, sollte auf jeden Fall professionelle Hilfe, z.B. Haus- und Familienpflege, in Erwägung gezogen werden, um die Situation der Familie zu stabilisieren und **alle** Betroffenen zu entlasten.
Die gesamte Familie oder einzelne Familienmitglieder können Schuldgefühle entwicklen. Diese Gefahr besteht vor allem bei kleineren Kindern, die unter den Veränderungen leiden, aber die Situation als solche noch nicht richtig erfassen und deuten können. Hier ist eine kindgerechte Information sehr wichtig, sie kann bei der Verarbeitung der Erlebnisse hilfreich sein. Jedes Kind reagiert individuell auf die Belastung durch die Erkrankung der Mutter, z.B. mit Schlafstörungen und Alpträumen, Appetitmangel, Einnässen, Rückzug oder aggressivem Verhalten.
Der Familienvater hat neben den eigenen Belastungen oft auch die alleinige Sorge um die Kinder zu tragen.

An einem außerhäuslichen Arbeitsplatz wird ein Betroffener in vielen Fällen versuchen, die an ihn gestellten Anvorderungen so lange wie möglich zu erfüllen, um seine Fasssade zu wahren und sich vor Vorurteilen und Anfeindungen zu schützen.
Versagen am Arbeitsplatz infolge einer Erkrankung unterliegt, wenn oft auch verdeckt, starker gesell-

schaftlicher Sanktionierung und bedeutet immer auch eine Bedrohung des Arbeitsplatzes.
Die Reaktionen von Arbeitskollegen auf die nachlassende Belastbarkeit eines Betroffenen ist abhängig von ihren jeweiligen Vorerfahrungen und ihrem Wissen über psychische Erkrankungen. Bei längeren oder chronischen Erkrankungen besteht jedoch immer die Gefahr, daß das Verständnis und die Akzeptanz nachlassen.
Für Menschen mit chronischen (häufig endogenen) Depressionen, die den Anforderungen an einem „normalen" Arbeitsplatz nicht immer standhalten können, werden daher Teilzeitarbeitsplätze oder Arbeitsplätze in Einrichtungen für psychisch Kranke benötigt.

9.10.2.4 Pflegeschwerpunkte

❒ Depressionsstationen

In einigen psychiatrischen Fachkliniken gibt es Stationen für Patienten, die unter schweren chronischen Depressionen leiden. Diese "Depressionsstationen" wurden eingerichtet, um depressiven Patienten gerechter werden zu können. In einer "gemischt" belegten Station gehen diese als manchmal **stumme**, sehr **zurückgezogene**, "bequemere" **Patienten** leicht unter.
Alle Mitglieder des Stationsteams sind besonders geschult und begegnen den Patienten mit einer Haltung, die ihren speziellen Bedürfnissen Rechnung zu tragen versucht. Die Patienten sollen eine Atmosphäre erleben, in der sie sich angenommen fühlen und die sie nicht überfordert. In der Aufnahmesituation wird jedem Patienten ein Mitglied des Stationsteams als "seine" Bezugsperson vorgestellt. Besonders in den regelmäßigen Gruppensitzungen hört ein Betroffener, daß andere Betroffene ähnliche Erfahrungen haben.

❒ Begegnung mit depressiven Patienten

Die Begegnungen zwischen Patient und Pflegeperson sind sehr **wesentliche Momente** pflegerischer Arbeit und werden von unterschiedlichen Faktoren bestimmt.
Wenn die Betreuung auf einer Station durch **Bezugspersonen** erfolgt, braucht der Patient sich nur auf eine (wenige) Person(en) einzustellen; das fällt vielen Patienten leichter und ist nicht so stark Angst auslösend. Die Chance, daß sich eine vertrauensvolle **Beziehung** zwischen Patient und Pflegeperson entwickelt, ist größer.
Wenn es einem Patienten sehr schlecht geht, und er nicht in der Lage ist, Kontakt aufzunehmen, kann eine Pflegeperson durch ihre "bloße" Anwesenheit eine Atmosphäre der Geborgenheit schaffen; der Patient fühlt sich nicht allein gelassen. Bei einem "verstummten" oder "sehr schweigsamen" Patienten verbietet die **grundsätzliche Haltung**, daß "für ihn" gesprochen wird oder er mit einem Redeschwall erdrückt wird.
Kontakte zu anderen durch Gespräche können für Patienten eine "Art Brücke" aus ihrer Isolation werden. Wenn Patienten über ihre Situation sprechen möchten, sollte die betreuende Pflegeperson Zeit zum **"wirklichen" Zuhören** haben. Der Patient muß die Möglichkeit bekommen, seine Klagen und sein Leid zu äußern, ohne das Gefühl zu haben, dadurch für andere eine unzumutbare Belastung zu sein.
Es ist sehr schwierig, einem Patienten in einer ihm ausweglos und hoffnungslos erscheinenden Situation Trost zu geben. Sätze wie "Ach, das wird schon wieder!" sind oberflächlich und kommen einem "billigen Hinwegtrösten" gleich. Aufforderungen wie z.B. "Reißen Sie sich jetzt bitte zusammen", nehmen einem Patienten das Recht, krank zu sein. Das ist besonders gravierend, da viele Patienten sich ohnehin nicht als Kranke, sondern als Versager erleben.
Versuche der Aufmunterung, z.B. durch eine "überschwengliche Begrüßung" oder "kleine Scherze" erfolgen vielleicht in bester Absicht, können aber für den Patienten wie Hohn wirken und sollten auf jeden Fall unterbleiben.
In der **Begegnung** mit einer einfühlenden, verständnisvollen Pflegeperson kann ein Patient "echte" Wertschätzung und Anteilnahme erleben. Wenn er sich durch die Haltung der Pflegenden (des Teams) als Person in seiner besonderen Situation ernst- und angenommen fühlt, ist ein wichtiges Ziel pflegerisch therapeutischer Arbeit erreicht.
Jede stationäre Betreuung kann für einen Patienten zu einem Neuanfang werden, wenn es gelingt, ihn auf die Situation nach der Entlassung gut vorzubereiten. Wenn Patienten chronisch krank sind und in einem "schwierigen" sozialen Umfeld leben, ist es wichtig, **Perspektiven** für die Zukunft zu schaffen, z.B. durch einen Wohnungswechsel oder die Vermittlung eines geeigneten Arbeitsplatzes. Diese Aufgaben werden in Zusammenarbeit mit dem **Sozialdienst** geleistet.

❒ Beobachtung

Bei der Pflege von depressiven Patienten kommt der **kontinuierlichen Beobachtung** eine große Bedeutung zu. Während der Aufnahme muß der Zustand, in dem sich der Patient befindet, genau erfaßt und im Pflegebericht beschrieben werden. Im folgenden ist es wichtig, jede **Verhaltensänderung** des Patienten zu erkennen. Daraus ergeben sich Hinweise, ob der Patient sich zurückzieht oder öffnet und mit seinen momentanen Möglichkeiten eine Kontaktaufnahme anstrebt. Neben dem Verhalten drückt sich das Befinden eines Menschen auch in seiner **Körpersprache**, z.B. Mimik, Gestik und Haltung aus.
Die **Belastbarkeit** des Patienten ist schwankend und muß ständig neu erfaßt werden. Es gilt auch, sein Verhalten in für ihn möglicherweise belastenden Situationen zu erfassen, z.B. bei Besuchen von Angehörigen und Freunden oder bei Kontakt mit bisher unbekannten Mitgliedern des Stationsteams.
Ein entscheidender Faktor ist es, die **Ressourcen** eines Patienten zu erkennen, um diese an unterschiedlichen Stellen, z.B. bei der Aktivierung, zu nutzen. Ähnliches gilt für alle "**Fortschritte**", die der Patient selbst nicht registriert.
Bei einer medikamentösen Therapie muß die regelmäßige Einnahme der Psychopharmaka sichergestellt sein. **Wirkungen der Medikation** zeigen sich anfänglich z.B. in einer Verbesserung der motorischen Fähigkeiten. Dabei muß berücksichtigt werden, daß die stimmungsaufhellende Wirkung von Antidepressiva verzögert einsetzt und ein Patient durch Erhöhung seines

Antriebs suizidgefährdet ist *(siehe auch "Depression und Suizidgefahr").*
Regelmäßige Kontrollen von Blutdruck und Puls ermöglichen eine Aussage über die **Kreislaufsituation** des Patienten.
Es ist erforderlich, einen Patienten nach seiner "**Verdauung**" zu befragen, da sich sehr häufig eine Obstipation entwickelt, unter anderem als Folge mangelnder Flüssigkeitszufuhr und als Nebenwirkung von Psychopharmaka.
Da fast alle Patienten unter den unterschiedlichsten Schlafstörungen leiden, ist eine gute Beobachtung des **Schlafs** erforderlich; hier kann ggf. auch die Wirkung schlaffördernder Medikamente erfaßt werden.

❒ Depression und Suizidgefahr

Patienten mit Depressionen sind über weite Strecken ihrer Erkrankung suizidgefährdet. Besonders am Beginn und zum Ende einer Krankheitsphase, wenn Patienten noch bzw. wieder aktiv handeln können, ist die Gefahr hoch. Sehr bekannte Personen, die nach immer wiederkehrenden Krankheitsphasen ihrem Leben ein Ende setzten, sind die Schriftsteller Ernest Hemingway und Virginia Woolf.
Bei der Betreuung von depressiven Patienten ist eine wesentliche Aufgabe, **Hinweise auf die Suizidgefahr** zu erkennen und rechtzeitig zu intervenieren.
Äußerungen, die auf eine Suizidgefährdung hindeuten, z.B. "Ach, ich habe gar keinen Mut mehr!" oder "Welchen Sinn hat das alles noch?" sind auf jeden Fall ernst zu nehmen; ein Betroffener sollte auf Suizidgedanken angesprochen werden.
Wenn Patienten während eines Klinikaufenthaltes einen Suizid begehen, ist das in vieler Hinsicht eine große Belastung für das verantwortliche Personal. *(Weitere Informationen zum Thema "Suizidalität / Hinweise auf Suizidgefahr" siehe Seite 775).*

❒ Hilfestellungen

Die **pflegerischen Hilfen** müssen sich grundsätzlich an den **aktuellen Möglichkeiten** eines Patienten orientieren. Während der akuten Phase kann eine **Entlastung** in vielen Bereichen des täglichen Lebens im Vordergrund stehen, z.B. bei der Körperpflege oder der Nahrungsaufnahme. Diese Entlastung darf dem Kranken nicht das Gefühl vermitteln, völlig versagt zu haben. Sobald die Möglichkeit besteht, muß Hilfe reduziert werden, um die Eigenverantwortung eines Patienten zu betonen.
Viele Patienten leiden unter Störungen der **Nahrungs- und Flüssigkeitsaufnahme**. Wenn ihnen die Nahrung angereicht werden muß, kann dies in einem unruhigen Speisesaal zu belastend sein und sollte im Patientenzimmer erfolgen. Bei mangelndem Appetit können häufige, kleine Mahlzeiten oder Wunschkost hilfreich sein. Die Patienten sollten darauf aufmerksam gemacht werden, reichlich Flüssigkeit zu sich zu nehmen, auch um einer möglicherweise auftretenden Obstipation vorzubeugen.
Wenn Patienten ihre **Körperpflege** vernachlässigen und z.B. durch starken Körpergeruch auffallen, sollten sie taktvoll darauf aufmerksam gemacht werden. Bei schwer depressiven Patienten, denen jeder Antrieb fehlt, kann es erforderlich sein, daß die betreuende Pflegeperson die Körperpflege und das Kleiden vollständig übernimmt. Einige Patienten haben kurzzeitig Bettruhe; sobald diese aufgehoben wird und die Mobilisation beginnt, ist darauf zu achten, daß sie Freizeit- oder Straßenkleidung tragen, um den Schritt zur Besserung deutlich zu machen.
Scheint bei einem Patienten der Tiefpunkt seiner Depression überschritten, soll er vorsichtig, aber gezielt aktiviert werden.
Wenn sich im Laufe eines Tages Stimmungsaufhellungen zeigen, sollten diese Zeiten für **Aktivierungsversuche** genutzt werden. So kann die Körperpflege auch am Abend erfolgen, entscheidend ist, daß der Patient diese selbständig durchführt. Angebote zur Aktivierung, die über die selbständige Versorgung hinausgehen, müssen den Interessen und Neigungen des Patienten entsprechen.
Während des gesamten Klinikaufenthaltes ist es wichtig, den schmalen Grad zwischen nötiger Schonung und möglicher Aktivierung zu sehen.
Bei allen Formen der Aktivierung muß beachtet werden, daß ein Patient mit kleinsten Schritten beginnt, da für ihn früher selbstverständliche Dinge zu großen, manchmal Angst auslösenden Anforderungen geworden sind.
Zusätzlich muß berücksichtigt werden, daß Psychopharmaka "nur" Symptome unterdrücken, und die Gefahr besteht, daß ein Patient stabiler scheint, als er tatsächlich ist, und z.B. bezüglich Beurlaubung oder Entlassung überfordert ist.

❒ Zusammenarbeit mit Angehörigen depressiver Patienten

Mit "Angehörigen" sind nicht nur nahe Verwandte gemeint, sondern auch die Personen, die eine enge Beziehung zu dem Patienten haben und ihm auf diese Weise "verwandt" sind. Das Einbeziehen von Angehörigen soll während der stationären Betreuung beginnen, denn der Patient ist nicht als "Einzelwesen" zu sehen, sondern immer mit seinem sozialen Umfeld. Viele Angehörige benötigen dringend **Informationen über die Erkrankung**, um mit vielen Verhaltensweisen oder "Nicht"-Reaktionen anders umgehen zu können. So kann sorgende, "über"fürsorgliche Betreuung des Patienten seine Schuld- und Versagensgefühle noch verstärken.
Bei chronisch kranken Patienten, die ambulant behandelt werden, brauchen Angehörige eine kontinuierliche Unterstützung. Diese Hilfe kann z.B. durch **sozialpsychiatrische Dienste** geleistet werden, indem die betroffenen Familien regelmäßig besucht werden. Die Einrichtung von **Angehörigengruppen** mit professioneller Betreuung, z.B. durch Sozialarbeiter, ist ein weiterer stabilisierender Faktor.

9.10.2.5 Erleben und Empfinden der Pflegeperson

Es stellt sich die Frage, ob der Umgang mit depressiven Menschen "ansteckend" ist, d.h. inwieweit durch die Stimmungslage von Patienten die der Betreuungspersonen negativ beeinflußt wird.

Während der Begegnung mit einem depressiven Menschen wird der Pflegeperson eine Art "Spiegel" vorgehalten, in dem **eigene Ängste, Unsicherheiten** oder unbeantwortete Fragen an die Zukunft sichtbar werden. Gleichzeitg werden Erinnerungen an **eigene Schwächen, Mißerfolge und Fehler** wachgerufen. Viele depressive Menschen erscheinen völlig hilflos und sprechen damit die Pflegeperson in ihrer "**Helferrolle**" an. Diese möchte alles für den Patienten tun, kann dabei schnell an ihre Grenzen stoßen und gegenüber einem Patienten auch negative Gefühle, **Ungeduld** oder **Überforderung** verspüren. Für die Pflegeperson ist es hilfreich, alle Gefühle, die ein Patient auslöst, zuzulassen und die eigenen **Grenzen** zu **akzeptieren**.
In einem offenen, tragfähigen Team können diese Aspekte des Umgangs mit depressiven Patienten besprochen und bearbeitet werden.

9.10.2.6 Akzeptanz von Depression als Krankheit

Im Vergleich zu anderen, ähnlich häufigen Erkrankungen, ist die Depression als "richtige Krankheit" kaum anerkannt. Das ist eine zusätzliche Belastung für die Erkrankten. Nur Menschen, die sich z.B. aus beruflichen Gründen gut informieren oder persönlich betroffen sind, erkennen die Tragweite und Schwere dieser Erkrankung. Für viele andere haftet der Depression "**ein nicht richtig krank sein**" an und einem Betroffenen wird z.B. am Arbeitsplatz weniger Verständnis entgegengebracht als einem Kollegen nach einem Herzinfarkt.
Zur Anerkennung der depressiven Erkrankung könnten (wie in den USA) breit angelegte Aufklärungskampagnen beitragen.

9.10.2.7 Depressionsprophylaxe

Eine psycho-soziale Begleitung von Karzinompatienten durch Fachpersonal kann in gewisser Weise als Depressionsprophylaxe betrachtet werden. Menschen mit einem Tumorleiden, die eine frühzeitige, umfassende Betreuung erhielten, entwickelten seltener schwere Depressionen als Patienten in einer Vergleichsgruppe. Gleichzeitig werden erste Hinweise auf eine depressive Erkrankung wahrgenommen und den Patienten kann frühzeitiger und damit erfolgreicher geholfen werden.
Alle **Beratungsstellen**, z.B. Schuldnerberatung, Telefonseelsorge oder Frauenhäuser, können in ihrer Funktion als Anlaufpunkt für Menschen in kritischen Lebenssituationen einen Beitrag zur Prophylaxe depressiver Erkrankungen leisten.

9.10.3 Suizidalität und Suizid

Elke Hurling

9.10.3.1 Suizid - ein gesellschaftliches Tabu

Die Möglichkeit des Menschen, sich das Leben zu nehmen, ist eines der größten gesellschaftlichen Tabus. Die Neigung, dieses Thema aus der öffentlichen Diskussion, aber auch aus privaten Gesprächen, z.B. in der Familie, zu verdrängen, hat viele Ursachen.
Eine Rolle spielt die durch **christliche Tradition** geprägte Einstellung, Selbsttötung sei Sünde, da es einem Menschen nicht zusteht, über Leben und Tod zu entscheiden. Suizidenten erhielten früher kein christliches Begräbnis und wurden mit der Begründung, daß ihr sündhaftes Verhalten zu ewiger Verdammung geführt habe, außerhalb des geweihten Friedhofs bestattet. Für die zurückgebliebene Familie kamen zur Trauer noch ein Ausschluß von kirchlichen Hilfen, z.B. Beistand des Seelsorgers, und oft eine gesellschaftliche Ächtung hinzu. Bis ins 18. Jahrhundert wurden Menschen, die einen Selbsttötungsversuch überlebten, strafrechtlich verfolgt.
Die Erkenntnisse der Suizidforschung haben die Einstellung zur "Selbsttötung als Sünde" beeinflußt, aber noch nicht überall nachhaltig verändert.
Suizidhandlungen konfrontieren die Umwelt mit einer radikalen Ablehnung eines offenbar als nicht mehr sinnvoll und lebenswert empfundenen Lebens. Menschen werden dazu veranlaßt, über ihr Leben, dessen Sinn und dessen Endlichkeit nachzudenken.
Neben den durch eine Suizidhandlung aufgeworfenen Fragen nach den individuellen und gesellschaftlichen Ursachen werden Menschen durch sie auch mit der eigenen Haltung zum Leben und mit eigenen Todeswünschen sowie autoaggressiven Tendenzen konfrontiert.
Die Tendenz, einem Menschen nach Suizidversuch schnell die Ernsthaftigkeit seines Handelns abzusprechen, deutet auf ausweichenden Umgang mit der Thematik und damit auf Tabuisierung hin. Die suizidale Handlung eines Menschen löst bei den Mitmenschen in seiner direkten Umgebung fast immer größte Betroffenheit aus. Es entwickeln sich **Schuldgefühle** und **Selbstvorwürfe**, z.B. als Kind oder Partner völlig versagt zu haben. Selten reagieren Menschen mit "Verständnis" und akzeptieren suizidales Handeln, z.B. bei unheilbar Kranken, die schwere Schmerzzustände erlitten haben.

Es hat seit der Antike immer wieder philosophische Richtungen gegeben, z.B. die Stoiker, die suizidales Handeln akzeptierten, oder Philosophen wie Nietzsche und Schopenhauer, die dem Menschen ein "Recht auf Suizid" zugesprochen haben. In jüngster Zeit wurde dieser Aspekt von Suizidalität von Jean Amery wieder in die Diskussion gebracht; er benutzt bewußt den Begriff "Freitod" und sieht darin die Möglichkeit eines Menschen, selbstbestimmt und in Würde zu sterben.
Diese Gedanken dürfen in Überlegungen zur Suizidalität des Menschen einfließen; aber so einseitig zu Ende

gebracht, entbinden sie Menschen von jeder Verantwortung für andere.
Suizidalität darf niemals einseitig betrachtet werden, sondern es müssen neben anthropologischen* und philosophischen auch ethische, religiöse, psychologische und medizinische Aspekte berücksichtigt werden.

9.10.3.2 Begriffsbestimmungen und Zahlen zur Häufigkeit

Mit dem Begriff **Suizidalität** wird die Absicht eines Menschen zur Selbsttötung beschrieben; diese Absicht kann sowohl durch Gedanken wie auch durch Handlungen zum Ausdruck kommen.
Ein **Suizidversuch** liegt vor, wenn jemand in Selbsttötungsabsicht gehandelt hat und nicht daran verstorben ist.
Jährlich (1993) begehen in Deutschland über 200.000 Menschen einen Suizidversuch, die größte Gruppe sind Frauen im Alter zwischen 15 - 30 Jahren.
Der **Suizid**, auch als Selbsttötung bezeichnet, ist die Handlung eines Menschen gegen das eigene Leben, die zum Tod geführt hat.
Der in diesem Kontext sehr häufig benutzte Begriff "Selbstmord" stellt eine Nähe zu verbrecherischem Handeln her, die auf keinen Fall gerechtfertigt ist.
In Deutschland sterben jährlich (1993) über 12.000 Menschen durch Suizid; das sind mehr Menschen als im Straßenverkehr ums Leben kommen.
Erschreckend ist, daß Suizide sehr häufig bei älteren Menschen vorkommen, die völlig vereinsamt leben *("sozialer Tod")* und keine lebenswerten Perspektiven mehr sehen. Von einer "passiven Selbsttötung" kann gesprochen werden, wenn Menschen ihren Lebenswillen verloren haben und letztlich jede Hilfe von außen, z.B. bei der Nahrungsaufnahme, ablehnen.
Bei der Häufigkeit von Suiziden muß auch eine **Dunkelziffer** berücksichtigt werden. Zu Suiziden können auch Tötungen durch Unfälle im Straßenverkehr oder am Arbeitsplatz gehören, deren Ursache nie eindeutig geklärt wurde.
Suizidversuche und Suizide haben einige Gemeinsamkeiten, aber es zeigen sich auch, wie aufgeführt, wesentliche Unterschiede, die an einigen Stellen, z.B. in der Suizidforschung, eine getrennte Betrachtung erforderlich machen.

9.10.3.3 Beweggründe und Risikosituationen

"Ich meine, das hat mit trauen nichts zu tun, irgendwann ist man so fertig, daß man es macht. Ich meine, die Jugendlichen sollten wirklich wissen, daß es genug Leute gibt, die ihnen helfen können. Auch wenn gerade sie nicht denken, daß es einen Ausweg gibt - aber es gibt einen. Ich meine, ich habe es selber bei mir gesehen."
Carolin, 17 Jahre, ein Jahr nach einem Suizidversuch

Bei der Betrachtung der **Beweggründe** für suizidales Handeln muß berücksichtigt werden, daß zwar ein "aktueller Anlaß" vorliegt, diesem aber in den meisten Fällen eine längere Entwicklung vorausgeht. Dabei kann die suizidale Handlung durchaus aus einem "spontanen" Impuls erfolgen, der unter Umständen durch Tabletten- und/oder Alkoholmißbrauch verstärkt wird.
Die Situationen, in denen jemand z.B. nach einem schweren Schicksalsschlag "spontan" suizidal handelt, im Volksmund als "**Kurzschlußreaktionen**" bezeichnet, sind als Ausnahmen anzusehen.
Bei den Beweggründen für suizidales Handeln können geschlechtsspezifische Unterschiede beobachtet werden. Bei Frauen überwiegen **Familien- oder Beziehungsprobleme**, z.B. Trennung, Scheidung, unüberwindbarer Streit. Bei Männern liegen die Ursachen eher im **beruflichen und finanziellen Bereich**, z.B. Versagen am Arbeitsplatz, Konkurs einer eigenen Firma oder Langzeitarbeitslosigkeit.
Gleichzeitig zeigen sich auch geschlechtsspezifische Unterschiede bei den **Methoden**, die für eine Selbsttötung "gewählt" werden.
Männer neigen eher zur Anwendung radikaler ("harter") Selbsttötungsmethoden, indem sie sich erschießen oder erhängen; die Suizidrate ist ungefähr doppelt so hoch wie bei Frauen.

Selbsttötungsversuche werden sehr häufig durch die Einnahme von Überdosen an Medikamenten (oft Benzodiazepin, z.B. Valium®, in Kombination mit Alkohol) unternommen. Wenn die Dosis der Medikamente "hoch genug" war und die Person nicht rechtzeitig gefunden wird, kann sich eine lebensgefährliche Atemdepression entwickeln. Manchmal werden Suizidversuche mit "viel zu niedrigen" Medikamentendosen unternommen. Wenn die Betroffenen z.B. nach der Einnahme von Barbituraten* ungewöhnlich lange schlafen, aber sonst keine Beeinträchtigungen zeigen, wird ihre Suizidabsicht von der Umgebung oft nicht bemerkt. Die Situation bleibt für den Betroffenen ungelöst.
Ein Suizidversuch kann **Appellcharakter** haben, d.h. er ist die **verbliebene Möglichkeit** eines Menschen, einen Aufruf *("Hilfeschrei")* an seine Umgebung zu leisten. Eine wirkliche Todesabsicht steht in vielen Fällen nicht dahinter. Die Situation ist häufig so gestaltet, daß der Betroffene mit sehr hoher Wahrscheinlichkeit gefunden wird, oft von dem Menschen, an den der Appell gerichtet ist, z.B. vom Partner nach einer Trennung in der noch gemeinsamen Wohnung.

Es sind Zusammenhänge erkennbar zwischen der Lebenssituation, in der sich Menschen befinden, und der Häufigkeit von suizidalen Handlungen, so daß von **Risikosituationen** gesprochen werden kann.
In diesen Risikosituationen befinden sich z.B.
- Menschen mit psychischen Erkrankungen,
- Menschen mit chronischen oder unheilbaren Erkrankungen, die eine schlechte Prognose haben,
- Menschen nach einem Suizidversuch,
- Menschen, in deren näherer Umgebung, z.B. in der Familie, kürzlich ein Suizid vorkam,
- Menschen, die aus politischen oder anderen Gründen verfolgt werden und ihr Leben bedroht sehen, z.B. Kriegsflüchtlinge, Asylsuchende in Abschiebehaft,
- (ältere) Menschen, die in völliger Isolation leben,
- Drogen-, Medikamenten- oder Alkoholabhängige.

9.10.3.4 Suizidforschung

Eine gezielte Forschung *(Suizidologie)* begann erst vor einigen Jahrzehnten und stößt nicht nur wegen herrschender Tabus auf Probleme.
Es gibt wenig zuverlässiges Zahlenmaterial, z.B. aus Todesursachenstatistiken über Suizide. Noch schwieriger wird die Sicherung von Zahlen bei Suizidversuchen, da diese nicht selten, z.B. aus Angst und Scham, vertuscht werden.
Außerdem sind für die Erforschung des Suizidversuchs langfristige und genaue Befragungen der Betroffenen erforderlich, die nur dann stattfinden können, wenn diese bestimmte Institutionen, z.B. Beratungsstellen oder Kliniken, aufsuchen. Hier zeigen sich weitere Grenzen, da die Bereitschaft Betroffener, sich gezielten Befragungen zu stellen, oft nicht gegeben ist.

9.10.3.5 Suizidtheorien

Mit Hilfe von **Suizidtheorien** wird der Versuch unternommen, Erklärungen für suizidales Handeln zu finden. Die Ansätze dieser Modelle kommen aus unterschiedlichen Wissenschaftsbereichen, z.B. Psychologie, Soziologie oder Medizin. Großen Einfluß hat die Suizidtheorie des Psychiaters RINGEL.
RINGEL hat in den 50iger Jahren mehrere hundert Personen nach einem Suizidversuch untersucht und Gemeinsamkeiten in der Phase (unmittelbar) vor dem Suizidversuch gefunden. Diese wurden von ihm als **Präsuizidales Syndrom** bezeichnet.
Ringel beschreibt drei Symptome, die in unterschiedlichster Form und Stärke auftreten. Bei Menschen mit Suizidabsichten kommt es in vielen Bereichen zu einer **Einengung**, z.B. bezogen auf ihre persönlichen Möglichkeiten, zu anderen Menschen in Kontakt zu treten. Die Folge ist eine zunehmende Isolierung. Ein Betroffener kann Stimmungen und Gefühle nicht mehr mitteilen und erlebt auch hier eine **Einengung**, d.h. Gefühle wie Angst, Hoffnungslosigkeit, Ohnmacht werden immer bestimmender. Gleichzeitig **verliert** dieser Mensch immer mehr **"seine Werte"** wie eine religiöse Bindung, eine Aufgabe in Familie und Beruf, eine Freundschaft: *"Nichts ist mehr etwas wert!"*
Ein weiteres Symptom ist die **Aggressionshemmung**; der Betroffene kann Aggressionen gegen andere, die in Gefühlen wie Wut oder Haß zum Ausdruck kommen, nicht äußern. Die Vorstellung, daß sich diese gehemmte Aggression in Aggression gegen die eigene Person *(Autoaggression)* wandeln kann, lehnt an FREUD an. Wenn Menschen ihren Körper bei einem Suizid fast völlig zerstören, kann das Ausdruck starker Autoaggressionen sein.
Betroffene flüchten sich zunehmend in **Suizidphantasien**, diese werden sehr häufig auch geäußert. Die Gedanken drehen sich um die Vorbereitung des Suizids, Sterben und Tod, die eigene Beerdigung oder die Reaktionen naher Angehöriger. Später drängen sich diese Suizidgedanken immer mehr auf. Sterben und Tod verlieren ihren Schrecken und erscheinen als ein Ausweg, eine Fluchtmöglichkeit aus der unerträglich gewordenen Situation.
Ringel sieht das Auftreten der beschriebenen Symptome und der suizidalen Handlung als eine **psychische Erkrankung** an *(medizinisches Modell)*. Dieser Ansatz mit der Konsequenz, einen Menschen mit Suizidabsichten als Kranken zu sehen, hat dazu beigetragen, Einstellungen zur Suizidalität zu verändern.

9.10.3.6 Hinweise auf Suizidgefahr

Mit dem Wissen, daß Suizidalität sich immer in einem sehr komplexen Prozeß entwickelt, ergeben sich mögliche Hinweise auf die Suizidgefahr eines Menschen **aus der Situation**, in der er lebt.
Kenntnisse über das Präsuizidale Syndrom können dazu beitragen, eine mögliche Suizidgefährdung in ihren Anfängen - und damit "früh genug" - zu erkennen. Ein Hinweis kann der fortschreitende soziale Rückzug, z.B. aus der Familie oder dem Freundeskreis, sein.
Fast alle Betroffenen geben mehr oder weniger gut erkennbare Hinweise, u.a. auch, indem sie **über ihre suizidalen Absichten sprechen**. Nicht immer geschieht das so direkt, wie z.B. mit der Aussage *"Am liebsten würde ich Schluß machen mit allem."* Die Hinweise können auch versteckter formuliert werden, z.B. *"Ich habe gar keine Lust mehr......"*.
Bei verbalen Suizidhinweisen muß gründlich mit der weitverbreiteten Fehlinformation aufgeräumt werden, daß Menschen, die über Suizid sprechen, ihn nicht begehen. Diese **Fehleinschätzung** kann schwere Folgen haben.
Auch konkrete Handlungen zur **Vorbereitung** des Suizids, z.B. Sammeln von Medikamenten, Erkunden von Gegebenheiten an Brücken oder Bahngleisen, können beobachtet werden. Zur Vorbereitung gehört auch das Schreiben von Abschiedsbriefen oder Verschenken persönlicher Gegenstände.
Sind nach vorheriger Unruhe und Anspannung plötzlich Ruhe und Gelassenheit zu beobachten (auch als *"trügerische Ruhe"* bezeichnet), kann dies Ausdruck einer endgültigen Entschlossenheit zum Suizid sein.
Werden diese oder ähnliche Hinweise auf Suizidgefahr bemerkt, sollte der Betroffene auf jeden Fall **darauf angesprochen werden**. Die Tatsache, daß ein anderer Mensch die persönliche Krise erkannt hat und bereit ist, mit dem Betroffenen über seine Suizidabsichten zu sprechen, kann die Situation schon sehr entschärfen.
Die Bereitschaft und Sensibilität, Hinweise auf Suizidgefahr als *"Alarmsignale"* eines Menschen wahrzunehmen und diesem geeignete Hilfen anzubieten, ist nicht nur wichtig für Fachpersonal im Gesundheits- und Sozialbereich, sondern sollte sich zu einer selbstverständlichen mitmenschlichen Aufgabe entwickeln.
Nach DORRMANN können Selbsttötungsabsichten auch **verdeckt vorhanden** sein und z.B. durch risikoreiches, rücksichtsloses Autofahren oder Hobbies mit hoher Verletzungsgefahr (Steilwand-Klettern, Fallschirmspringen) zum Ausdruck kommen. Auch einem exzessivem Konsum von Alkohol und Drogen können selbstzerstörerische Tendenzen zugrunde liegen.

Die **Feststellung der Suizidalität** im Sinne einer Diagnose ist Aufgabe eines Arztes oder Psychologen. Bei starker Gefährdung ist eine Einweisung des Betroffenen in ein psychiatrisches Krankenhaus erforderlich. Ist dieser nicht freiwillig dazu bereit, kann durch rechtliche Schritte *(Unterbringungsbeschluß)* eine vorübergehende Aufnahme erwirkt werden. In einem psychiatrischen Krankenhaus gibt es "andere" Möglichkeiten, einen Menschen vor Suizid zu schützen, z.B. durch speziell qualifiziertes Personal und durch die Unterbringung auf einer Station, die der Betroffene nicht verlassen kann *(geschlossene / geschützte Station)*. Aber auch dort ist es nicht möglich, einen Menschen in letzter Konsequenz vor Suizid zu schützen.

9.10.3.7 Krise und Krisenintervention

Ein Suizidversuch kann als der Endpunkt einer schweren **Krise** bezeichnet werden. Damit ist ein Zeitpunkt erreicht, der eine Entscheidung und damit Veränderung der Situation fordert *(Krise = Wende- oder Entscheidungspunkt / Zeit des Umbruchs)*.
Wird eine Lebenskrise nicht erfolgreich bewältigt, können Unsicherheit, Angst, Abhängigkeit und Verletzbarkeit eines Menschen noch verstärkt werden.
Von einer *"Wende zum Guten"* kann gesprochen werden, wenn es gelingt, eine Lebenskrise zu bewältigen und der Betroffene dadurch eine Stärkung der Persönlichkeit erfährt.
Da mit jeder Krise große **Chancen zu positiven Veränderungen** verbunden sind, sollten diese auf keinen Fall ungenutzt bleiben. Fast alle Menschen in Suizidgefahr oder nach einem Suizidversuch brauchen Hilfen, um ihre Lebenssituation langfristig positiv zu verändern.
Diese Hilfsangebote werden als **Krisenintervention** bezeichnet und sollten sofort nach dem kritischen Ereignis eingeleitet werden. Wenn zu viel Zeit verstreicht, besteht die Gefahr, daß wichtige Aspekte zur erfolgreichen Bewältigung der Lebenskrise nicht bearbeitet werden und die Situation des Betroffenen sich noch verschärft, z.B. durch einen erneuten Suizidversuch.
Die Krisenintervention ist eine kurzzeitige Behandlung, der je nach Bedarf und Einverständnis des Betroffenen eine Langzeitbehandlung, z.B. ambulant durch einen Psychotherapeuten, folgen kann.

❒ Grundsätze der Krisenintervention

Die Kontaktaufnahme zu einem Betroffenen in Form eines Gesprächsangebotes sollte **sofort** erfolgen, z.B. nach erfolgreicher Entgiftung noch auf der Intensivstation. Je mehr Zeit verstreicht, um so größer ist die Gefahr, daß der Patient sich nicht öffnet und jede Hilfe ablehnt. Auch das Überspielen oder Bagatellisieren der suizidalen Handlung ist eine Ablehnung von Hilfe.
Nicht wenige Menschen nach einem Suizidversuch sind sehr froh, daß sie noch leben und zeigen entsprechende Bereitschaft, Hilfen anzunehmen. In einem Allgemeinkrankenhaus übernimmt diese Aufgabe in der Regel der behandelnde Arzt oder Psychologe.
Mit der sofortigen Kontaktaufnahme wird auch die **Beziehungsaufnahme** zu einem anderen Menschen angestrebt. Es ist wichtig, daß der Therapeut über Gespräche mit dem Betroffenen **in Verbindung bleibt**. Ein Patient soll Akzeptanz erfahren und über "alles" sprechen können. Die Entwicklung einer vertrauensvollen Beziehung zwischen Patient / Therapeut kann als Grundlage zur Bindung des Patienten an andere Menschen dienen.

Eine Krisenintervention beinhaltet eine **psychotherapeutische Behandlung**. Diese erfolgt anfangs in Einzelsitzungen, später können, falls erforderlich, Bezugspersonen des Betroffenen dazu kommen.
Ein Schwerpunkt der psychotherapeutischen Arbeit kann die Bearbeitung von Konflikten sein. Ziele sind das Erlernen eines veränderten **Konfliktverhaltens** und die Stärkung des **Selbstwertgefühls**. Eine psychotherapeutische Behandlung sollte so angelegt sein, daß Patienten vor Überforderung geschützt sind. Mißerfolge sind für Menschen in dieser hochsensiblen Phase schwer zu verkraften und können eine erneute Krise auslösen.
Im Rahmen einer Krisenintervention ist auch zu klären, ob dem suizidalen Handeln eine bisher nicht erkannte psychische Erkrankung zugrunde liegt.

Eine **medikamentöse Behandlung** mit Psychopharmaka* spielt außer bei Menschen mit psychischen Erkrankungen nur eine untergeordnete Rolle. Bei Angst- und Unruhezuständen kann eine vorübergehende Medikation, z.B. mit Tranquilizern *(Beruhigungsmitteln)*, erfolgen.

9.10.3.8 Pflegerische Betreuung eines Menschen nach einem Suizidversuch

❒ Einstellung zu suizidalem Handeln

Der Umgang mit suizidalen Menschen erfordert Fachkenntnisse. Pflegende sollten neben dem **Wissen** über das Thema Suizid auch ihre eigene **Einstellung** reflektieren. Die Auseinandersetzung mit der persönlichen Haltung kann in einer vertrauensvollen Gruppe oder allein (auch in schriftlicher Form), z.B. mit Hilfe unterschiedlicher Fragestellungen, stattfinden:

- *Welche Umgangsweisen mit dem Thema "Suizid" habe ich z.B. in meiner Familie / in meiner weiteren Umgebung kennengelernt?*
- *Wann und wie habe ich das erste Mal von Suiziden gehört?*
- *Wie wird über Familien gesprochen, in denen es Suizide oder Suizidversuche gab?*
- *Gab es Situationen in meinem Leben, in denen ich Todeswünsche gehegt habe?*
- *Wie denke ich über Menschen, die sich das Leben nehmen wollten?*
- *Welche Gefühle werden bei mir ausgelöst, wenn ich als Pflegeperson einen Menschen nach einem Suizidversuch betreuen muß?*

Die **Einstellungen von Pflegekräften** zu Suizidalität und zu Menschen nach einem Suizidversuch wurde bereits durch **systematische Untersuchung** einzelner Fragestellungen erforscht, u.a. von CH. WINTER - von LERSNER in ihrer Arbeit "Einstellung von Helfern zu Suizidpatienten".
Bei den Befragungen kamen viele Aspekte zu Tage, vor allem die zum Teil sehr **ambivalenten Gefühle** gegenüber Patienten nach Suizidversuch. So können Mitleid und Betroffenheit gleichzeitig mit Unverständnis und Ablehnung empfunden werden.
Die Gründe für eine **ablehnende Haltung** gegenüber Menschen nach Suizidversuch sind vielfältig. Viele

Pflegekräfte haben Wissensdefizite, vorhandenes "Wissen" ist häufig falsch oder durch Vorurteile geprägt, z.B. *"die wollen sich nur wichtig machen"*. Hier wird ein Betroffener nicht als hilfsbedürftiger Mensch in einer Notlage gesehen, sondern als jemand, der "nur unnötig Arbeit macht".

Eine "weniger bewußte" Ablehnung kann darin begründet sein, daß Pflegekräfte sich nicht nur mit dem Tabu Suizid konfrontiert sehen, sondern auch mit Sterben und Tod und der Endlichkeit des eigenen Lebens.

Wenn Patienten sich abweisend verhalten und jede "noch so gut gemeinte" Hilfe ablehnen (Abweichung vom "Idealpatienten", der Hilfe dankbar annimmt), stellen sie jede Pflegeperson in ihrer Rolle und ihrem beruflichen Selbstverständnis sehr stark in Frage und führen somit zu einer **Verunsicherung**. Als Reaktion können offen gezeigtes Unverständnis und sogar aggressives Verhalten gegenüber einem Patienten deutlich werden.

Andere Pflegekräfte sind betroffen, haben Mitleid und wollen helfen. Doch gleichzeitig **fühlen sie sich überfordert** und haben Angst, Fehler zu machen. Diese Hilflosigkeit kann in ausweichendem Verhalten gegenüber einem Betroffenen zum Ausdruck kommen.

Um Patienten nach einem Suizidversuch helfen zu können, müssen bestimmte Voraussetzungen erfüllt sein. Eine Pflegekraft darf dem Thema Suizid nicht ausweichen, sondern muß ihre Einstellung dazu erforschen und falls erforderlich, zu einer Veränderung bereit sein. Ein Einstellungswandel sollte auch an dem veränderten Verhalten gegenüber einem Betroffenen erkennbar sein *(siehe nachfolgend)*. Um diese Kompetenzen zu erlangen, müssen spezielle Fortbildungsangebote genutzt werden.

❐ Begegnung

Sehr viele Menschen werden nach einem Suizidversuch zur **Erstversorgung** in eine somatische Klinik eingewiesen. Hier liegt eine Chance, Betroffene - auch im Sinne einer Sekundärprävention* - zu erreichen. Durch die Möglichkeiten der Intensivmedizin und -pflege werden Menschen, z.B. mit schweren Intoxikationen oder massiven Verletzungen, erfolgreich behandelt. Viele haben bereits einen oder mehrere Suizidversuche hinter sich. Oft erfolgt nach einem kurzen Aufenthalt auf einer Intensivstation die weitere Behandlung auf einer internistischen oder chirurgischen Station.

Grundsätzlich muß beachtet werden, daß fast alle Menschen nach einem Suizidversuch hochsensibel sind. Sie **spüren sehr genau**, mit welcher Haltung oder Stimmung ihnen eine Pflegeperson gegenüber tritt.

Dabei ist unbedingt zu berücksichtigen, daß auch bewußtseinsgetrübte Patienten, z.B. in der Akutphase nach einer Intoxikation, "sehr feine Antennen" haben.

Sobald der Betroffene ansprechbar ist, sollte die Pflegeperson **Kontakt** zu ihm herstellen. Der Patient soll sich akzeptiert fühlen und die wohlwollende, vorurteilsfreie Aufmerksamkeit der Pflegekraft spüren *("positiver Erstkontakt")*. Durch sehr **"offene" Fragen**, z.B. *"Brauchen Sie Hilfe?" / "Kann ich etwas für Sie tun?"* kann die Pflegeperson Gesprächsbereitschaft signalisieren, ohne sich aufzudrängen.

Der Suizidversuch darf als Thema eines Gesprächs **auf keinen Fall tabuisiert** werden. Der Patient soll im Gegenteil die Möglichkeit haben, über alles zu sprechen, was damit in Zusammenhang steht. Dazu gehören auch seine Gedanken über Leben, Sterben und Tod. Wenn sich erneut Hinweise auf Suizidgefahr zeigen, muß auch das angesprochen werden.

In diesem Zusammenhang ist das **Klima einer übermäßigen Kontrolle und Überwachung** zu vermeiden. Dazu gehört auch das übertriebene Entfernen aller "gefährlichen" Gegenstände aus der Umgebung des Betroffenen, z.B. Gabeln oder Gläser und die permanente Kontrolle des Zimmers. Gefahren können eher ausgeschaltet werden, wenn besondere Verhaltensregeln offen besprochen werden, z.B. daß der Patient sich bei Verschlechterung seines Befindens sofort an eine Person seines Vertrauens wendet.

Die betreuende Pflegeperson kann mit Fragen immer wieder Impulse für Gespräche setzen und dem Patienten signalisieren, daß sie **Zeit für ihn hat**. Fragen dürfen aber auf keinen Fall dazu führen, daß der Patient sich "ausgehorcht" fühlt. Er muß über alles sprechen und seine Bedürfnisse äußern können, ohne bewertet zu werden. Dabei muß eine Pflegekraft auch das Äußern angestauter Aggressionen oder Wut zulassen können.

Selbstverständlich darf gegenüber einem Suizidenten nicht vorwurfsvolles Unverständnis zum Ausdruck kommen, z.B. *"Wie konnten Sie das tun, haben Sie nicht an ihre Kinder gedacht!"*

Auch bagatellisierende Äußerungen *("Ach das ist ja jetzt vorbei.....")* zeugen von fehlender Akzeptanz und Bereitschaft, sich mit dem Betroffenen seinen Problemen zu stellen.

Reagiert ein Mensch nach dem Suizidversuch abweisend und verweigert er jeden Kontakt, führt dies in der Regel zur Verunsicherung der betreuenden Pflegeperson. Sie sollte sich nicht persönlich abgelehnt fühlen, da die Ablehnung des Patienten meist gegen "alles" und "jeden" - und nicht gegen eine bestimmte Person - gerichtet ist. Zusätzlich muß bedacht werden, daß der Patient nicht freiwillig in der Klinik ist und Hilfe, die dort geleistet wird, nicht unbedingt als Hilfe empfindet.

Bei der **Auswahl eines Zimmers** muß berücksichtigt werden, daß ein Einzelzimmer die Isolation eines Patienten verstärken kann. Auf der anderen Seite können dort ungestört Gespräche geführt werden; der Betroffene ist vor neugierigen Fragen und aufdringlichen Blicken durch Mitpatienten oder Besucher geschützt. Ein Mehrbettzimmer bietet durch die Anwesenheit der Mitpatienten eine Art Schutz für einen Menschen nach Suizidversuch. Außerdem sind dort die Möglichkeiten einer Kontaktaufnahme vielfältiger, sofern bei der Auswahl eines Zimmers beachtet wird, daß die Patienten "zueinander passen".

Pflegekräfte sollten bei der Betreuung von Patienten nach einem Suizidversuch in der Lage sein, **ambivalente Gefühle** zuzulassen und sich ihrer **Grenzen** bewußt sein; das heißt auch, bei Gefühlen von Überforderung oder Überlastung Hilfe zu suchen oder die Betreuung eines Patienten an Kollegen zu übergeben.

Eine gute Zusammenarbeit zwischen betreuenden Pflegepersonen und Ärzten oder Psychologen verhindert die Überforderung einzelner Teammitglieder und verbessert die Chancen eines Betroffenen, seine Lebenskrise erfolgreich zu bewältigen.
Die Motivation zur **Betreuung nach dem Klinikaufenthalt** *(siehe Suizidprophylaxe)* ist ein weiterer Aspekt. Die Chance, daß ein Betroffener dieses Angebot nutzt, wird erhöht, wenn schon während des stationären Aufenthaltes ein Termin mit einer ambulanten Einrichtung vereinbart wird.

9.10.3.9 Suizid eines Patienten

Der Suizid eines Patienten während eines stationären Aufenthaltes ist sowohl in einer psychiatrischen Klinik als auch in einem Allgemeinkrankenhaus eine **äußerst belastende Situation** für das betreuende Team. Für das Personal psychiatrischer Kliniken stellt der Patientensuizid häufig die einzige Konfrontation mit Sterben und Tod dar. Andererseits ist die Gefahr suizidalen Handelns "alltäglicher" als in einer somatischen Klinik.
Der Suizid eines Patienten löst im betreuenden Team Trauer und Betroffenheit aus. Gleichzeitig drängen sich Fragen nach Versäumnissen, Schuld und pflegerisch-therapeutischem Versagen auf. Im Sinne eines tabufreien Umgangs mit Suizidalität und Suizid müssen alle Unsicherheiten und **Zweifel im Team besprochen** werden. Auch Angehörige sollten dazu ermutigt werden. Viele benötigen die Hilfe eines Psychologen und/oder Arztes, um den Suizid des Angehörigen verarbeiten zu können.
Gerade in psychiatrischen Kliniken ist die **Angst vor Nachfolgesuiziden** groß, da sich auch unter Patienten die Nachricht vom Tod eines Mitpatienten sehr schnell verbreitet.

9.10.3.10 Suizidprophylaxe

Suizidprophylaxe kann angesichts der Häufigkeit von suizidalem Handeln nicht Aufgabe weniger "Experten" sein, sondern muß als **gesellschaftliches Anliegen** gelten.
Es gibt eine Reihe von Maßnahmen, die einer Suizidprävention dienen können. Für breite Bevölkerungskreise angelegte **Aufklärungskampagnen** mit Anzeigenserien, Plakaten, Informations-Spots in Kino und Fernsehen (ähnlich wie bereits zum Thema Suchtprävention durchgeführt) können helfen, ein Bewußtsein für das Problem Suizid zu schaffen. Dasselbe gilt für eine Thematisierung in Schulen und anderen Bildungseinrichtungen. Alle in psycho-sozial-pflegerischen Berufen Tätige sollten regelmäßig an Fortbildungveranstaltungen teilnehmen, um auf dem Gebiet der Suizidprävention Kompetenzen zu erlangen oder zu erweitern.
Die Einrichtung von **Informations- und Beratungsstellen** als "Erstempfänger eines Hilferufs" (im Sinne einer Krisenintervention) muß flächendeckend erfolgen und finanziell so abgesichert sein, daß auch "rund um die Uhr" Hilfe angeboten wird. Die Besetzung, z.B. eines Telefondienstes, kann von professionellen Helfern in Zusammenarbeit mit speziell geschulten Laien erfolgen.
Einrichtungen dieser Art werden als **Kriseninterventionszentren** bezeichnet. Sie haben neben der Prävention auch die Aufgabe der ambulanten Betreuung eines Menschen nach einem Suizidversuch.
Letztlich sind suizidprophylaktische Maßnahmen alle Bestrebungen zur Verbesserung der Betreuung psychisch Kranker, der Ausbau der sozial-psychiatrischen Grundversorgung der Bevölkerung, die Betreuung von Drogenabhändigen mit Resozialisierungsprogrammen, Hilfen für Langzeitarbeitslose, Betreuung alter Menschen, die sie vor Vereinsamung schützt und ähnliches mehr.

9.11 Arbeiten in der ambulanten Pflege

Anmerkung: *In der ambulanten Pflege nimmt die Kommunikation einen besonderen Stellenwert ein. Deshalb wird das Thema dem Kapitel „Kommunizieren“ zugeordnet.*

9.11.1 Definition und Stellenwert

Die ambulante Pflege findet überwiegend im häuslichen Umfeld des Patienten statt. Deshalb werden häufig auch die Bezeichnungen Hauskrankenpflege oder Gemeindekrankenpflege verwendet. Alle Begriffe meinen die vorübergehende oder dauerhafte **Betreuung und Pflege von hilfebedürftigen Menschen in ihrer häuslichen Umgebung**. Im allgemeinen ist eine akute oder chronische Erkrankung, Altersschwäche oder Pflegebedarf aufgrund einer Behinderung bzw. während des Sterbeprozesses Grund für die Inanspruchnahme ambulanter Pflege.
Weitere Beschäftigungsfelder finden sich in ambulanten Einrichtungen, z. B. Tageskliniken, onkologische Ambulanzen und Schmerzambulanzen.
Ambulante Pflege findet zu bestimmten Zeiten in festgelegtem Umfang statt. Die Vergütung der einzelnen Leistungen erfolgt gemäß dem zwischen Kranken-/ Pflegekasse und Leistungsanbieter auf der **gesetzlichen Grundlage** des Sozialgesetzbuches V (Krankenversicherung), des Sozialgesetzbuches XI (Pflegeversicherung) und des Bundessozialhilfegesetzes (Hilfe zur Pflege) ausgehandelten **Versorgungsvertrages**.

Der **Bedarf** ambulanter Pflegeleistungen ist in den letzten Jahren **deutlich gestiegen**. Dies ist zum einen auf die **demographische Entwicklung** (höhere Lebenserwartung, Zunahme des Anteils alter Menschen an der Gesamtbevölkerung) bei gleichzeitiger **Veränderung familiärer Strukturen** (Kleinfamilien und Singlehaushalte statt Großfamilien, in denen mehrere Generationen miteinander leben; Berufstätigkeit der Frauen, die oft nur schwer oder gar nicht mit längerdauernden Pflegeleistungen vereinbar ist) zurückzuführen.
Zum anderen fördert das **Gesundheitsstrukturgesetz** durch den Grundsatz „ambulant vor stationär“ ambulante Untersuchungen und Operationen sowie eine frühzeitige Entlassung aus der stationären Therapie

und Pflege. Der Bedarf an ambulanten Pflegeleistungen (z.B. postoperative Pflege, künstliche enterale Ernährung, Betreuung bei ambulanter Therapie chronischer Leiden) ist entsprechend gestiegen.

Die ambulante Pflege und ihre Finanzierung über die Kranken- bzw. Pflegekassen ermöglichen kranken und pflegebedürftigen Menschen in vielen Situationen **trotz Pflegebedürftigkeit in ihrer Umgebung zu bleiben**. So kann z.B. ein krankes / behindertes Kind innerhalb der Familie betreut werden, eine Mutter trotz Krankheit am Familienleben teilnehmen oder ein alter Mensch in seiner Wohnung allein leben (statt im Altenheim). Die Anpassung an eine Krankheit oder Behinderung gestaltet sich im vertrauten Umfeld im allgemeinen leichter, zumal die sozialen Beziehungen aufrechterhalten werden können. Neben diesen persönlichen Vorteilen bietet die ambulante Pflege eine erhebliche Kostenersparnis gegenüber einer stationären Versorgung (Entlastung der Krankenkassen).

9.11.2 Organisation

❒ Leistungsanbieter

Hauskrankenpflege wird von **ambulanten Pflegeeinrichtungen in unterschiedlicher Trägerschaft** (Wohlfahrtsverbände, Kommunen, private Pflegedienste) angeboten.
Es handelt sich um selbständig wirtschaftende Einrichtungen, die unter ständiger Verantwortung einer ausgebildeten Pflegekraft stehen und Pflegebedürftige in ihrer Wohnung pflegen. Die **verantwortliche Pflegekraft** muß mindestens 2 Jahre hauptberuflich als Krankenschwester / -pfleger oder Kinderkrankenschwester / -pfleger, davon ein Jahr im ambulanten Bereich, tätig gewesen sein und über den Abschluß einer Weiterbildungsmaßnahme für eine leitende Funktion mit einer Mindeststundenzahl von 460 Stunden verfügen. Zusätzlich besteht die Möglichkeit, nach zweijähriger Berufserfahrung eine Weiterbildung zur Fachkrankenschwester / zum Fachkrankenpfleger bzw. zur Fachkinderkrankenschwester / zum Fachkinderkrankenpfleger und zur leitenden Pflegekraft in der ambulanten Pflege (850 Stunden und 14 Wochen Praktikum) zu absolvieren. Ab dem Jahr 2002 ist diese Fachweiterbildung für die leitende Pflegekraft eines ambulanten Pflegedienstes gesetzlich vorgeschrieben; bis dahin gilt eine Übergangsregelung.
Eine **hauswirtschaftliche Versorgung** muß bei Bedarf von dem ambulanten Pflegedienst gewährleistet, organisiert oder vermittelt werden. Die hauswirtschaftlichen Tätigkeiten (Aufräumen, Putzen, Kochen, Waschen, Einkaufen) fallen außer in Notfällen allerdings nicht in den Aufgabenbereich examinierter Pflegepersonen.

❒ Innerbetriebliche Organisation

Der ambulante Pflegedienst bzw. die Sozialstation hat eine **zentrale Dienststelle**. Diese ist Kontaktstelle für die Pflegeempfänger und deren Angehörige, für Mitarbeiter, Ärzte, Krankenhauspersonal sowie Pflege- und Krankenkassen. Von hieraus erfolgen auch die Koordination weiterer Hilfsdienste (z.B. Essen auf Rädern, hauswirtschaftliche Leistungen, Vermittlung ehrenamtlicher Helfer), die (telefonische) Pflegeberatung und ggf. die Kontaktpflege zu anderen Bezugspersonen der Patienten, z.B. zu Ärzten und Sozialarbeitern.
In der Dienststelle finden regelmäßig Teambesprechungen statt. Zum Team eines ambulanten Pflegedienstes gehören z.B. Krankenschwestern / -pfleger, Altenpfleger / -innen, Krankenpflegehelfer / -innen, Kinderkrankenschwestern / -pfleger, Familienpfleger / -innen, Zivildienstleistende und Hilfspersonal für hauswirtschaftliche Tätigkeiten.

❒ Finanzierung

Der Anspruch auf ambulante Pflege wird nach Antragstellung durch den Pflegebedürftigen vom medizinischen Dienst der zuständigen Krankenkasse geprüft. Der medizinische Dienst stuft den Pflegebedürftigen in eine der **Pflegestufen**, die die Inanspruchnahme bestimmter **Geld- und/oder Sachleistungen** *(Dienstleistungen durch den Pflegedienst, hauswirtschaftliche Versorgung)* rechtfertigen, ein:

- **Pflegestufe I**
  erheblich Pflegebedürftige (bis zu 750 DM monatlich für Sachleistungen oder **400 DM** Pflegegeld für Angehörige oder eine Kombinationsleistung),
- **Pflegestufe II**
  schwer Pflegebedürftige (bis zu 1800 DM monatlich für Sachleistungen oder **800 DM** Pflegegeld oder eine Kombinationsleistung),
- **Pflegestufe III**
  Schwerstpflegebedürftige (bis zu 2800 DM monatlich für Sachleistungen oder **1300 DM** Pflegegeld oder eine Kombinationsleistung).

Unter Einbeziehung des Ergebnisses werden der Antrag durch die zuständige Kranken- / Pflegekasse bewilligt (oder abgelehnt) und somit die Erstattung der zukünftigen Kosten entsprechend der vorliegenden Pflegestufe zugesagt.
Die Pflegekassen übernehmen die Kosten für die **allgemeine Pflege** (sogenannte Grundpflege, die die Bereiche Körperpflege, Ernährung und Mobilität umfaßt) und für die hauswirtschaftliche Versorgung.
Die Krankenkassen erstatten bei Krankheit Kosten für die sogenannte **Behandlungspflege** (Mithilfe bei ärztlicher Therapie und Diagnostik, spezielle Pflege).
In wenigen Fällen nehmen Pflegebedürftige einzelne Pflegemaßnahmen (z.B. ein wöchentliches Wannenbad) in Anspruch, deren Kosten sie selbst tragen.
Die Mitarbeiter der ambulanten Pflegeeinrichtung müssen die erbrachten Leistungen detailliert dokumentieren und mit dem Leistungserbringer abrechnen.

9.11.3 Besonderheiten der Hauskrankenpflege

Die Tätigkeit in einem ambulanten Pflegedienst fordert selbständiges und eigenverantwortliches Handeln. Pflegende sollten deshalb über Berufserfahrung und Entscheidungskompetenz verfügen.

❒ Ziele und Aufgaben

Die ambulanten Pflegedienste sind verpflichtet, ihre Pflegeleistungen an dem Prinzip der **aktivierenden Pflege** zu orientieren (§ 11 SGB XI); diese dient der Er-

haltung, Förderung und Wiederherstellung der Selbständigkeit.
In der ambulanten Pflege haben folgende **Aufgaben und Ziele** einen besonderen Stellenwert:
- Unterstützung bei den ATL in der häuslichen Umgebung;
- größtmögliche Selbständigkeit des Pflegebedürftigen;
- Ermöglichung eines Lebens in der eigenen Wohnung (möglichst Verhinderung einer Krankenhauseinweisung / eines Umzugs ins Alten- / Pflegeheim);
- Wahrnehmen, Bewußtmachen und Fördern der Ressourcen des Pflegebedürftigen und ggf. der Bezugspersonen;
- Beratung, Anleitung und Motivierung des Pflegebedürftigen und ggf. der Angehörigen;
- ggf. Zusammenarbeit mit pflegenden Angehörigen;
- Kommunikation;
- Betreuung und Entlastung der Angehörigen;
- Beobachtung und ganzheitlich orientierte Wahrnehmung von Bedürfnissen;
- Sterbebegleitung in der häuslichen Umgebung;
- Dokumentation.

❐ Pflegen im Privathaushalt

Pflegende in der Hauskrankenpflege werden mit der Lebens-, Familien- und Wohnsituation sowie den sozialen Verhältnissen der Pflegebedürftigen konfrontiert. Für den Pflegeempfänger und die Angehörigen kann das **„Eindringen“** einer fremden Person **in** ihre **Privatsphäre** sehr unangenehm und belastend sein. Deshalb sind **Toleranz**, **Fingerspitzengefühl** und **psychosoziale Kompetenz** besonders wichtig. Pflegende sollten sich bewußt sein, daß sie „Gast“ in einem fremden Haushalt sind; sie müssen sich mit den häuslichen Begebenheiten arrangieren und dürfen z.B. Schränke nur öffnen, wenn sie darum gebeten haben und der Patient dies gestattet.
Bei Bedarf sollten Pflegende in einem Beratungsgespräch taktvoll Vorschläge zur Erleichterung der Wohn- und der Pflegesituation (z.B. eine behindertengerechte Gestaltung des Wohnung, das Anbringen von Haltegriffen) einbringen.
Ein anderes Problem kann sich aus **mangelhaften hygienischen Verhältnissen**, die eine Gesundheitsgefährdung bedingen, ergeben. Auch hier ist eine sachliche und einfühlsame Beratung angebracht. Oft müssen Kompromisse gefunden werden.
Nicht selten stellen Pflegende fest, das ein alleinlebender Pflegbedürftiger nicht in der Lage ist, die eigenen Angelegenheiten insgesamt oder in Teilbereichen zu besorgen; dann ist es ihre Aufgabe, eine gesetzliche Betreuung anzuregen *(siehe Seite 898)*.
Bestimmte Pflegematerialien und Hilfsmittel (z.B. Inkontinenzhilfen, Spritzen und Kanülen) müssen vom Arzt verschrieben, andere (z.B. Einmalhandschuhe) vom Betroffenen selbst bezahlt werden; ein Pflegebedürftiger erwartet, daß die Pflegenden sparsam damit umgehen und ggf. bei der Besorgung behilflich sind. Ebenso steht in Privathaushalten auch Wäsche in der Regel in geringerem Ausmaß wie aus dem Klinikbereich gewohnt zur Verfügung. Die Situation erfordert **Phantasie**, **Kreativität** und **Improvisationstalent von** den Pflegenden. Bei Bedarf können die Anschaffung (z.B. von Eß- oder Gehhilfen) bzw. das Ausleihen bestimmter Materialien (Pflegebett, Steckbetten, Toilettenstuhl) angeregt sowie die Möglichkeiten der Kostenerstattung erörtert werden.
Da in der ambulanten Pflege tätige Krankenschwestern und -pfleger selbständig und allein arbeiten sowie eigenverantwortlich Entscheidungen treffen müssen, sollten sie über Berufserfahrung verfügen. Zur Bewältigung dieser besonderen Anforderungen werden fachbezogene Fort- und Weiterbildungen angeboten.

❐ Wahrnehmung und Beobachtung

Die Wahrnehmung und Beobachtung gehen über die übliche Krankenbeobachtung hinaus. Sie sollten sich nicht nur auf die Ressourcen, die Pflegebedürftigkeit und den Pflegeverlauf beziehen, sondern die **Lebenssituation**, die Angehörigen und das soziale Umfeld einschließen. So kann die Wahrnehmung der **Umgebung** Hinweise auf die (Behinderung der) Fortbewegungsmöglichkeiten des Pflegebedürftigen geben. Zum Beispiel kann ein Treppenaufgang zur Wohnung Grund für den Verzicht auf außerhäusliche Aktivitäten sein; Pflegende können mit dem Betroffenen nach Lösungen suchen und z.B. Hilfen für einen Wohnungswechsel vermitteln (Einschalten der örtlichen „Wohnungsbörse“, die evtl. den Tausch mit einer Parterrewohnung vermitteln kann).
Weiter sind die Fähigkeiten und Kompetenzen, aber auch Unsicherheit und Überlastung der **Angehörigen** wahrzunehmen. Nicht selten bestehen zwischenmenschliche Konflikte, die durch eine Aussprache, Entlastung oder Informationen zum Krankheitsbild *(siehe nachfolgend)* entschärft oder beseitigt werden können.
Vor allem bei alleinlebenden Menschen sind die **sozialen Kontakte** zu beobachten. An die Wohnung gebundene Menschen haben oft wenig Sozialkontakte. Gemeinsam mit dem Betroffenen kann überlegt werden, welche Kontakte möglich und gewünscht sind. Die Pflegeperson kann auf Wunsch Kontakte herstellen, z.B. zu Nachbarn, ehrenamtlichen Mitarbeitern der Gemeinde oder des Sozialdienstes katholischer Frauen / Männer. Außerdem kann die Teilnahme an einer Telefonkette vorgeschlagen werden *(siehe Seite 978)*.
Bei Bedarf sollten Ressourcen im **Umfeld**, z.B. in der Nachbarschaft, erkundet und im Einvernehmen mit dem Pflegebedürftigen Nachbarschaftshilfe (z.B. Einkaufen, Wäsche waschen) angeregt werden.
Wahrnehmung und Beobachtung richten sich ebenso auf **gesundheitsgefährdende / -belastende Faktoren**, z.B. in den Bereichen Hygiene, Ernährung und Bewegung (Sturzrisiko).
Wie bereits angesprochen, sollten einfühlsam entsprechende Beratungsgespräche geführt und auf Wunsch Veränderungen vorgenommen werden. Hilfsdienste wie „Essen auf Rädern“ sind ggf. zu empfehlen und zu beauftragen.
Bei Veränderungen des Gesundheitszustandes ist ggf. ein Arztbesuch anzuregen bzw. zu organisieren.

❐ Kommunikation

Die Kommunikation mit ambulant betreuten Menschen hat im allgemeinen einen besonderen Stellenwert. Pflegende sind nicht nur feste Bezugspersonen, sondern können die **„Kontaktbrücke“ zur Außenwelt** eines

Pflegebedürftigen sein. Entsprechend erwartet dieser z.B. Berichte über das örtliche Geschehen oder Gespräche über andere Ereignisse.
Nicht selten sind die Pflegenden die einzigen Bezugspersonen und somit **Ansprechpartner**. Im Laufe einer längeren pflegerischen Betreuung entwickelt sich oft ein vertrauensvolles Verhältnis; der Pflegebedürftige bespricht seine Alltagsfragen und Sorgen mit der Pflegeperson.
Zwischen dem Pflegebedürftigen und den pflegenden Angehörigen können Konflikte bestehen, die durch die Pflegebedürftigkeit bedingt oder verstärkt werden. Pflegende sollten diese bewußt wahrnehmen und evtl. das Verständnis füreinander fördern oder ein klärendes Gespräch vorschlagen. Oft werden familiäre Konflikte, bedingt durch die Pflegesituation, die oft auch eine Krisensituation darstellt, direkt an die Pflegeperson herangetragen; für diese kann eine schwierige Situation entstehen. Hier sind ebenfalls aufmerksames Zuhören und sachliche, konfliktorientierte Gespräche angezeigt. Es ist wichtig, die Situation richtig einzuschätzen und Hilfen / Strategien zur Konfliktbewältigung umzusetzen. In vielen Fällen ist eine Entlastung der Angehörigen, z.B. durch eine Tages- oder Nachtpflegeeinrichtung, die Hospizhilfe oder Kurzzeitpflege, erforderlich. Auch kann die Teilnahme an einem Pflegekurs (Häusliche Pflege für Angehörige) oder die Mitgliedschaft in einer Selbsthilfegruppe angezeigt sein. Pflegende beraten die Angehörigen entsprechend.

❍ Information, Beratung und Anleitung

Bei Bedarf sind der Pflegebedürftige und ggf. die Angehörigen hinsichtlich geeigneter Pflegemethoden und Pflege- sowie Hilfsmittel, gesunder Ernährung oder sturzprophylaktischer Maßnahmen zu beraten.
Angehörige sind in vielen Fällen nicht ausreichend über das Krankheitsbild des Pflegebedürftigen informiert und zeigen entsprechende **Verhaltensunsicherheiten**. Sie wissen z.B. nicht, in welchem Ausmaß sie einen Kranken schonen oder aktivieren sollen. Symptome wie Atemnot oder Hypoglykämien wirken oft bedrohlich und rufen **Ängste**, z.B. zu versagen, hervor. Eine sachgerechte Information über medizinische Zusammenhänge, Sofortmaßnahmen und prophylaktische Möglichkeiten helfen, diese Ängste abzubauen.
Informationen über psychiatrische Krankheiten, z.B. eine Depression oder Demenz, ermöglichen ein Verstehen und Einordnen krankheitsbedingter Verhaltensweisen wie Antriebslosigkeit oder Aggressivität. Dadurch lassen sich z.B. Mißverständnisse, die zu persönlichen Kränkungen und Konflikten führen, reduzieren.
Ein anderes Problem kann die Überfürsorglichkeit Angehöriger sein; dann ist taktvoll über die Vorteile einer aktivierenden Pflege zu informieren. Dabei wird berücksichtigt, daß Angehörige in bester Absicht handeln und wertvolle Unterstützung leisten; bewertende Worte wie „falsch“ oder „schlecht“ sollten nicht verwendet werden.
Besonderes intensive Anleitungen sind erforderlich, wenn Angehörige Tätigkeiten wie das Absaugen von Mund und Nase übernehmen oder einen immobilen oder einen wahrnehmungsgestörten Menschen betreuen. In diesen Fällen ist eine gesondert stattfindende **Pflegeberatung**, die z.B. die Anleitung zu Lagerungen oder das Vorstellen des Konzeptes der basalen Stimulation beeinhaltet, angezeigt.
Im Zusammenhang mit der Betreuung kranker Menschen, die rehabilitativer Maßnahmen bedürfen (z.B. nach Schlaganfall), ist ebenfalls Beratung angezeigt. Diese kann die Empfehlung, spezielle Maßnahmen wie Krankengymnastik oder Logopädie zu beantragen, einschließen.

Wenn ein Pflegbedürftiger ausschließlich das Pflegegeld in Anspruch nimmt, muß in regelmäßigen Abständen eine **Pflegeberatung** durch eine examinierte Pflegekraft erfolgen (bei Pflegestufe II halbjährlich, bei Pflegestufe III vierteljährlich). Inhalte der Pflegeberatung sind z.B. Schulung und Anleitung von Angehörigen, Pflegetips, Lagerungshinweise); die Kosten sind vom Pflegebedürftigen (Pflegegeld) zu tragen.

Viele Pflegedienste, Volkshochschulen und Krankenkassen bieten **Kurse für häusliche Pflege** an, um Angehörigen ein gewisses Grundwissen zu vermitteln und ihre Kompetenz zu fördern. Pflegende sollten diese Information geben und ggf. eine Teilnahme anregen.

❍ Betreuung der Angehörigen

Die Angehörigen sind in vielen Fällen maßgeblich an der Pflege des Kranken / Behinderten beteiligt. Sie sind evtl. „rund um die Uhr“ im Einsatz und haben eigene Vorgehensweisen entwickelt. Diese sind unbedingt **anzuerkennen**, auch wenn sie nicht den Anforderungen einer professionellen Pflege entsprechen. Die meisten Menschen nehmen fachliche Hilfe und Anleitung (auch Korrekturen) dankbar an, wenn sie in angemessener Weise und unter **Würdigung ihres Engagements** erfolgen.
Die Angehörigen sollten auf Wunsch bei der Planung der Pflege einbezogen werden; so können die Ressourcen genutzt und die Zusammenarbeit gefördert werden. Manchmal bietet es sich an, bestimmte Pflegemaßnahmen gemeinsam durchzuführen.
Es kommt immer wieder vor, daß pflegende Angehörige sich verausgaben. Sie haben den Anspruch, immer für den Pflegebedürftigen da zu sein und vergessen dabei die Pflege ihrer eigenen Gesundheit. Kontakte und Hobbys werden vernachlässigt oder aufgegeben; Quellen der Entspannung, Freude und Erholung gehen verloren. Mit der Zeit können sich Erschöpfung und Überforderung einstellen, die unter Umständen mit der Entwicklung körperlicher (psychosomatischer) Beschwerden einhergehen. Pflegende sollten dies wahrnehmen und Entlastung anbieten. Dazu sind in erster Linie Gespräche, in denen ein Angehöriger seine Sorgen und Gefühle vorbehaltlos aussprechen kann (Entlastungsfunktion), geeignet. Pflegende können von unberechtigten Schuldgefühlen „freisprechen“, Hilfen vermitteln und ggf. das Aufsuchen einer Selbsthilfegruppe für Angehörige empfehlen. Sie sollten einen Angehörigen ermutigen, seine eigenen Gefühle und Bedürfnisse wahrzunehmen, ihnen nachzugehen. Es ist zu betonen, daß kein Mensch in der Lage ist, Tag ein, Tag aus eine „Rund -um - die - Uhr - Betreuung“ zu leisten. Zudem sind Angehörige zusätzlich durch die Erkrankung des Pflegebedürftigen mitbetrof-

fen, müssen sich z.B. mit der Behinderung des Kindes, der dauerhaften Unselbständigkeit des Partners oder dem bevorstehenden Tod der Mutter auseinandersetzen.

❍ Kooperation mit anderen Pflegeeinrichtungen

Im Zusammenhang mit einem stationären Aufenthalt sollten die Pflegenden der verschiedenen Institutionen Informationen austauschen. Dieses kann in schriftlicher und mündlicher Form erfolgen. Bewährt haben sich z.B. **Verlegungsberichte,** aus denen die aktuellen Ressourcen, der Pflegebedarf, das Befinden, der körperliche Zustand, die Bewußtseinslage und die bisher durchgeführten Pflegemaßnahmen sowie deren Wirkung hervorgehen.

In den letzten Jahren wurde die sogenannte **„Pflegeüberleitung"** entwickelt. Es handelt sich um eine organisierte Brücke zwischen stationärer und ambulanter Pflege, die durch speziell geschultes Pflegepersonal gewährt wird.

❒ Pflegeplanung und Dokumentation

In der ambulanten Pflege ist eine individuelle Planung der Pflege ebenso wichtig wie im stationären Bereich. Die detaillierte Dokumentation ist nicht nur aus rechtlichen Gründen und zur Qualitätssicherung erforderlich, sondern auch als Leistungsnachweis für den Kostenträger unerläßlich.
Die Planung sollte mit dem Pflegebedürftigen und den Angehören erfolgen. Gemeinsam entwickelte Ziele wirken motivierend und fördern die Zusammenarbeit. Pflegende Angehörige werden zur Dokumentation angehalten. Diese sollte so detalliert sein, daß alle an der Betreuung beteiligten Personen (auch der Hausarzt) in der Lage sind, die aktuelle Situation und den Pflegebedarf einzuschätzen. Die Dokumentationsmappe bleibt in der Wohnung des Pflegebedürftigen und ist so für alle zugänglich.
Die Dokumentation ist durch mündliche Übergaben in der Dienststelle zu ergänzen.

Literaturhinweise

Abermeth, H.-D.: Gespräche auf der Krankenstation. Vondenhoeck & Ruprecht, Göttingen, 1993
Abermeth, H.-D.: Patientenzentrierte Krankenpflege. Ein Arbeitsbuch. Vandenhoeck & Ruprecht, Göttingen 1990
Arend, A. van der: Ethik für Pflegende. Huber, Bern 1996
Augustin, M. u.a.: Praxisleitfaden Naturheilkunde. Jungjohann, Neckarsulm 1993
Becker, W.: Hals-, Nasen-, Ohrenheilkunde. Kurzgefaßtes Lehrbuch mit Atlasteil, Differentialdiagnosen. Thieme, Stuttgart 1989
Bienstein, Ch. / Fröhlich, A.: Basale Stimulation in der Pflege. selbstbestimmtes leben, Düsseldorf 1991
Blankenhahn, R.: Hörgeräte-Ratgeber. Mit Übungsprogramm. Fischer, Stuttgart 1993
Boenninghausen, H.-G.: Hals-, Nasen-Ohrenheilkunde. Springer, Berlin 1993
Brähler, E.: Körpererleben. Ein subjektiver Ausdruck von Körper und Seele. Psychosozial, Gießen 1995
Burger, H.: Kommunikation und Gesprächsführung in der Seniorenarbeit. Kunz, Hagen 1998
Dahmer, H.u.J.: Gesprächsführung. Thieme, Stuttgart 1992
Fleischer, K.: Hals-Nasen-Ohren-Heilkunde für Fachberufe im Gesundheitswesen. Thieme, Stuttgart 1994
Fröhlich, A.: Basale Stimulation. selbstbestimmtes leben, Düsseldorf, 1991
Ganz, F.-J.: Ohrgeräusche. Thieme, Stuttgart 1986
Gleixner-Lück, A. (Hrsg.): Krankenpflege-Augenheilkunde. Erste Pflegefachtagung für Augenheilkunde. Universitas, Tübingen 1995
Grossmann - Schneyder, M.: Berühren. Hippokrates, Stuttgart, 1992
Habbel, S.: Praktisches Übungsbuch zur Kommunikation im Krankenhaus. Kunz, Hagen 1995
Hollwich, F./ Verbeck, B.: Augenheilkunde für Krankenpflegeberufe. Thieme, Stuttgart 1988
Jung, H.-P.: HNO-Heilkunde für Krankenpflegeberufe. Lau, Reinbek 1994
Kaden: Ratgeber für Augenkranke. Fischer, Stuttgart 1993
Mayerhoff, M.: On Caring. Harper & Row Pub., New York 1971
Mehrle, G.: Augenheilkunde für Krankenpflegeberufe. Urban & Schwarzenberg, München 1991
Montagu, A.: Körperkontakt. Die Bedeutung der Haut für die Entwicklung des Menschen. Klett-Cotta, Stuttgart 1995
Piper,I. / Piper, H.-Ch.: Schwestern reden mit Patienten. Vandenhoeck & Ruprecht, Göttingen 1993
Schulz von Thun, F.: Miteinander reden. Störungen und Klärungen. Rowolt, Reinbek 1987
Schwörer, C.: Der apallische Patient. Fischer, Stuttgart 1992
Speckmann / Wittkowski: Bau und Funktion des menschlichen Körpers. Urban & Schwarzenberg, München 1994
Taylor, M. L.: Mit Aphasikern leben. Informationen und Hilfen. Reinhardt, München 1987
Watson, J.: Pflege: Wissenschaft und menschliche Zuwendung. Huber, Bern 1996
Watzlawick, P.: Wie wirklich ist die Wirklichkeit? Piper, München 1992
Weinberger, S.: Klientenzentrierte Gesprächsführung. Beltz, Weinheim 1992

Literaturhinweise zum Thema "Psychosomatik"

Becker, H. / Lüdecke, H.: Psychosomatische Medizin. Kohlhammer, Stuttgart 1990
Dethlefson, T. / Dahlke, R.: Krankheit als Weg. Bertelsmann, München 1991
Heim, E. / Willi, J.: Psychosoziale Medizin. Springer, Berlin / Heidelberg 1986
Lanzendörfer, Ch.: Psychosomatik in der Pflege und die „Aktivitäten des täglichen Lebens". Schattauer, Stuttgart 1996
Uexküll, Th. von: Integrierte Psychosomatische Medizin in Praxis und Klinik. Schattauer, 1994
Uexküll, Th. von: Psychosomatische Medizin. Urban & Schwarzenberg, München 1990
Wirsching, M.: Psychosomatische Medizin. Konzepte, Krankheitsbilder, Therapien. Beck, München 1996

Literaturhinweise zum Thema „Psychiatrie"

Arend, H.: Alkoholismus. Beltz, Weinheim, 1994
Barz, H. (Hrsg.): Praktische Psychiatrie. Lehrbuch für psychiatrisches Pflegepersonal. Huber, Bern
Brieskorn - Zinke, M.: Gesundheitsförderung in der Pflege. Kohlhammer, Stuttgart 1996
Bronisch, T.: Der Suizid. Beck, München 1995
de Leo, D. und Diekstra, R.F.W.: Depressionen and Suicide in Late Life. Hogrefe, Göttingen, 1990
Dörner, K. / Plog, U.: Irren ist menschlich. Lehrbuch der Psychiatrie / Psychotherapie. Psychiatrie, Bonn 1992
Dorrmann, W.: Suizid . Therapeutische Interventtion bei Selbsttötungsabsichten. Pfeiffer, 1991
Faust, V.: Depressionsfibel. Fischer, Stuttgart 1995
Felgner, L.: 25X Psychiatrische Pflege in Praxis und Unterricht. DBfK, Eschborn 1993
Feuerlein, W.: Alkoholismus - Mißbrauch und Abhängigkeit, Entstehung - Folgen - Therapie. Thieme, Stuttgart 1984
Finzen, A.: Der Patientensuizid. Psychiatrie, Bonn 1990
Greist, J. H. / Jefferson, J. W.: Depression. Beck, München 1995
Hell, D.: Welchen Sinn macht Depression. Rowohlt, Reinbek 1994
Herold, G. (Hrsg.): Innere Medizin. Eine vorlesungsorientierte Darstellung. 1997. G. Herold, 50737 Köln, A. - Haas - Straße 43
Klingelhöfer, J.u.a.: Klinikleitfaden Neurologie Psychiatrie. Fischer, Ulm 1997
Kuiper, P. C.: Seelenfinsternis. Fischer, Stuttgart 1995
Michel, K.: Psychiatrie für Krankenpflegeberufe. Enke, Stuttgart 1994
Nuber, U.: Die verkannte Krankheit Depression. Kreuz, Stuttgart 1991
Rave - Schwank, M. / Winter - von - Lersner: Psychiatrische Krankenpflege. Ein Lehrbuch für die Praxis. Fischer, Stuttgart 1994
Ringel, E.: Selbstmord - Appell an die anderen. Güterslоher Verlagshaus, Gütersloh 1989
Schädle - Deininger, H. / Villinger, U.: Praktische Psychiatrische Pflege. Arbeitshilfen für den Alltag. Psychiatrie, Bonn 1996
Schmidt, L.: Alkoholkrankheit und Alkoholmißbrauch. Definition - Ursachen - Folgen - Behandlung - Prävention. Kohlhammer, Stuttgart 1997
Schmidtbauer, W.: Der neue Psychotherapieführer. Die wichtigsten psychotherapeutischen Methoden - Informationen und Tips für Interessierte und Betroffene. Goldmann, München 1994
Thiel / Jensen / Glinka / Stumpf: Psychiatrie für Pflegeberufe. Urban & Schwarzenberg, 1995
Thiel, H. / Jensen, M.: Klinikleitfaden Psychiatrische Pflege. Fischer, Lübeck, 1997
Tölle, R.: Psychiatrie. Springer, Heidelberg Berlin 1994
Vetter, B.: Psychiatrie. Ein systematisches Lehrbuch für Heil-, Sozial- und Pflegeberufe
Winter-von Lersner, C.: Einstellung von Helfern zu Suizidpatienten. Beilage Deutsche Krankenpflegezeitschrift, Heft 1 /1989, Verlag W. Kohlhammer, 1989

Literaturhinweise zum Thema "Ambulante Pflege"

Bergmann, Th.: Gemeindekrankenpflege. Studienbuch für Gemeindekrankenschwestern und Gemeindekrankenpfleger. Kohlhammer, Stuttgart, 1993
Brunen, H. / Herold, E. (Hrsg.): Ambulante Pflege. Die Pflege Gesunder und Kranker in der Gemeinde. Bd. 1-3. Schlütersche, Hannover, 1995

Sich Beschäftigen

10. Sich Beschäftigen

10.1 Bedeutung und Möglichkeiten

Die ATL "*Sich Beschäftigen*" erfaßt die **beruflichen** und **außerberuflichen Tätigkeiten**, denen der Mensch während des Wachseins nachgeht. Beschäftigung vielfältiger Art ist notwendig, um die körperliche, seelische und geistige Gesundheit zu erhalten. Sie trägt unverzichtbar zur **Selbstverwirklichung** und **Persönlichkeitsbildung** bei. Zahlreiche Formen der Betätigung fördern die Selbstwahrnehmung und Selbsterkenntnis. So lassen sich persönliche Fähigkeiten und Grenzen erkennen, das individuelle Konzentrations- und Durchhaltevermögen erfahren sowie die Geschicklichkeit und Kreativität erproben. Das Maß der Selbständigkeit, der Kooperations- und der Kritikfähigkeit sowie deren jeweilige Grenzen werden deutlich.

Beschäftigung **verleiht** den Tagen und den Wochen eine Struktur und **dem Dasein einen Sinn**. Viele "beschäftigungslose" Menschen empfinden Langeweile, manche auch Sinnlosigkeit. Hier wird deutlich, daß Sich Beschäftigen nicht nur eine Aktivität, sondern auch eine **Fähigkeit** ist.

Einschränkungen im Bereich des Sich Beschäftigens werden meist sehr einschneidend empfunden, insbesondere wenn sie mit Abhängigkeiten verbunden sind. Krankheit, stationäre Behandlung, hohes Lebensalter und das Leben in einem Pflegeheim erzwingen regelmäßig weitgehende Veränderungen der Beschäftigungsgewohnheiten, zumal durch den Wegfall von beruflicher Tätigkeit weitere Freiräume entstehen, die es zu füllen gilt.

10.1.1 Die Arbeit

Als Arbeit wird das bewußte, zielgerichtete Handeln des Menschen zum Zweck seiner **Existenzsicherung** und der Befriedigung von Bedürfnissen bezeichnet. Arbeit hilft, die Zeit zu strukturieren und gibt dem Tag einen gewissen Rahmen.

Die Arbeitsleistung wird seit der Industrialisierung meist mit dem Zahlungsmittel Geld vergütet. Die Arbeitskraft hat also Tauschwert. Mit dem durch sie erworbenen Geld können die Grundbedürfnisse, die sich auf das Wohnen, die Nahrungsaufnahme und das Bekleiden beziehen, befriedigt werden. Darüber hinaus haben Menschen, insbesondere in hochentwickelten Ländern, zahlreiche weitere Bedürfnisse entwickelt, zu deren Befriedigung finanzielle Mittel erforderlich sind. Dies gilt sowohl für den Konsum bestimmter Güter als auch für die Freizeitgestaltung, einschließlich der Teilhabe an gesellschaftlichen Ereignissen. So sind einige Hobbys und Sportarten nur unter Aufwendung hoher finanzieller Mittel ausführbar.

Die Teilhabe an kulturellen Veranstaltungen, die Durchführung von Urlaubsreisen, das Tragen modischer Kleidung und eine gehobene Wohnausstattung erfordern weitere finanzielle Aufwendungen.

So zeichnen sich - schon durch die unterschiedlichen finanziellen Möglichkeiten - in unserer Gesellschaft verschiedene soziale Gruppen ab. Plakativ läßt sich sagen: Menschen mit geringem Verdienst leben in schlechteren Wohngegenden mit spärlicherer Infrastruktur, konsumieren weniger und preisgünstigere Güter, unternehmen eher Nah- als Fernreisen und bevorzugen kostenfreie Hobbys / Freizeitaktivitäten.

Menschen mit hohem Einkommen leben überwiegend in ruhigen, schönen Wohngegenden, können sich extravagante Kleidung, Fernreisen und teure Hobbys (z.B. eine Segeljacht) leisten.

Die Arbeit kann zur **Befriedigung** (leider ebenso zur Versagung) **seelisch-geistiger Bedürfnisse** beitragen. Sie kann z.B. das wichtige Gefühl des Gebrauchtwerdens vermitteln und bietet oft Gelegenheit zur Selbstverwirklichung und zu sozialen Kontakten. Weitere Aspekte werden unter "*Arbeit und Gesundheit*" *(Seite 787)* besprochen.

Die Art der beruflichen Tätigkeit und die Höhe des dafür gezahlten Entgelts haben großen **Einfluß** auf den **Sozialstatus** des Menschen. So genießen z.B. Akademiker sehr hohe, ungelernte Arbeiter eher geringe soziale Anerkennung.

Eine besondere Position nehmen die **Hausarbeit** und die **private Kindererziehung** ein. Obwohl auch diese Form der Arbeit zur Existenzsicherung und Bedürfnisbefriedigung beiträgt, wird sie in der Regel nicht bezahlt.

Um Müttern / Vätern nach der Geburt eines Kindes einige Zeit die Möglichkeit zu geben, sich bei gleichzeitiger Arbeitsplatzsicherung vollständig der Kindererziehung zu widmen, werden in Deutschland seit 1986 Erziehungsurlaub und ein einkommensabhängiges Erziehungsgeld von bis zu 600,00 DM monatlich gewährt. Während des Erziehungsurlaubes, der seit 1992 auf 3 Jahre verlängert wurde, genießt der Arbeitnehmer Kündigungsschutz.

10.1.2 Das Spiel

Das Spielen ist eine körperliche und/oder geistige Tätigkeit, die im Gegensatz zur Arbeit nicht der Verwirklichung bestimmter äußerer Ziele dient. Vielmehr wird es bestimmt durch Funktionslust und/oder durch Freude an seinem Inhalt oder Ergebnis, ist also **Selbstzweck**.

In der frühen Kindheit beschäftigt sich der Mensch über **Funktionsspiele** mit dem eigenen Körper und mit Gegenständen. Darauf folgen **Illusionsspiele** und zunehmend **Rollenspiele**, in denen vor allem das Verhalten der Erwachsenen nachgeahmt wird.

In späterer Kindheit kommen **Gruppenspiele** mit festen Regeln hinzu. Die Kinder üben genormte soziale Rollen ein. Diese Art des Spiels trägt zur Sozialisation, also zur **Aneignung** eines **gesellschaftlichen** Normen-

und **Wertsystems** bei. Neben diesen sozialen Fähigkeiten vermittelt das Spiel auch manuelle und psychische Fähigkeiten.
Die Zeit zum Spielen wird mit Beginn der Schulzeit erstmals wesentlich eingeschränkt. Das Lernen beansprucht als zweckgebundene Tätigkeit zunehmend die Zeit des Kindes und des Jugendlichen. Um so mehr gewinnt das Spiel als **entspannende Betätigung** an Bedeutung.
Durch die Konzentration auf das Spiel wird der Mensch abgelenkt. Er vergißt unter Umständen den Alltag und die Zeit; er versenkt sich im Spiel. Hierbei können Gefühle unterschiedlicher Art, z.B. Erregung oder Entspannung, ausgelöst werden. Da sie als vom Alltagsleben weitgehend losgelöst empfunden werden, führen sie zur Erleichterung, **Bereicherung** und zum **Ausgleich**.
Aufgrund dieser positiven, die Gesundheit fördernden Effekte des Spiels sollte das Spielen auch im Erwachsenenalter wieder größeren Stellenwert gewinnen. Leider wird die Zwecklosigkeit des Spiels häufig mit Sinnlosigkeit verwechselt. Das Spielen um des Spielens willen gelingt dem Erwachsenen manchmal gar nicht mehr, da sein Handeln von der Orientierung an erwarteten Ergebnissen und Erfolgen seines Tuns geprägt ist. Außerdem leidet der moderne Mensch meistens unter Zeitnot und zieht andere, repräsentativere oder ergebnisorientierte Freizeitbeschäftigungen dem zweckfreien Spielen vor.
Im Spiel können auch Bedürfnisse nach Abenteuer, Extravaganz u.ä. ausgelebt und befriedigt werden.

10.1.3 Der Sport

Das Wort "Sport" ist eine Sammelbezeichnung für die an **spielerischer Selbstentfaltung** und am **Leistungsstreben** orientierten Formen menschlicher Betätigung, die der körperlichen und auch der geistigen Beweglichkeit dienen.
Die zahlreichen Sportarten können als Breiten- oder Leistungssport ausgeführt werden. Der **Breitensport** ist eine sinnvolle und gesundheitsfördernde Freizeitbeschäftigung. Er schafft in der Regel **soziale Kontakte**, ermöglicht das spielerische Messen und Vergleichen der Kräfte und Leistungen, fördert den **Abbau von streßbedingten Reaktionen** des Körpers und die Funktionen sowohl des Herz- Kreislaufsystems als auch des Bewegungsapparates.
Entsprechend den individuellen Neigungen kann unter verschiedensten Sportarten (Schwimmen, Badminton, Fuß- / Handball, Reiten, Kegeln, Bogenschießen u.a.) gewählt werden. Auch dem Bedürfnis, sich entweder allein oder innerhalb einer Gruppe zu betätigen, kann entsprochen werden.

Beim **Leistungssport** handelt es sich meist nicht mehr um Beschäftigung als Selbstzweck. Dieser Sport unterliegt oft wirtschaftlichen oder politischen Einflüssen und ist vorrangig vom **Leistungsbewußtsein** geprägt. In solchen Fällen ist der Sport meist keine entspannende und ausgleichende Freizeitbeschäftigung mehr. Vorgegebene Trainingszeiten und -einheiten müssen absolviert werden, um konkurrenzfähig zu werden bzw. zu bleiben. Auf andere Möglichkeiten der Freizeitbeschäftigung muß überwiegend verzichtet werden. In Extremfällen wird sogar vorübergehend auf berufliches Fortkommen verzichtet.
Der Leistungssport kann zur bezahlten und/oder beruflichen Tätigkeit werden (**Profisport**). Sportliche Betätigung in diesem Umfang kann zu **einseitigen Belastungen** und übermäßiger Abnutzung des Bewegungsapparates führen; deshalb sind regelmäßige ärztliche Kontrollen des Gesundheitszustandes notwendig. Andererseits kann der Leistungssport (wie auch der Breitensport) wesentliches Element der **Selbstverwirklichung** und Persönlichkeitsbildung sein. Erfolg bzw. Mißerfolg beeinflussen das Selbstwertgefühl meist entscheidend.

10.1.4 Das Hobby

Als Hobby wird eine Freizeitbeschäftigung bezeichnet, die der **Pflege persönlicher Interessen**, Neigungen oder Talente dient.
Die folgenden Beispiele sollen die Vielfältigkeit der Hobbys verdeutlichen.
- *Musizieren*: Spielen von Instrumenten, Singen;
- *Aktives Musikhören*: Beschäftigung mit bestimmten Musikrichtungen und Interpreten, Auseinandersetzung mit der Musik- / Textart;
- *Gartenarbeit*: Pflege und Gestaltung des Gartens, Züchten bestimmter Pflanzen;
- *Kreative Beschäftigung*: Basteln, Schnitzen, Handarbeiten, Fotografieren, Kochen;
- *Schreiben*: Tagebuch, Gedichte, Briefe;
- *Sammeln*: Briefmarken, Postkarten, Modellautos;
- *Lesen*: bildende, unterhaltsame, politische oder fachliche Literatur;
- *Kulturpflege*: Kino-, Theater- und Museumsbesuche;
- *Sport* treiben;
- *Engagement in Gruppen*: (umwelt-) politische, religiöse Gruppen, Jugend-, Frauen-, Altengruppen;
- *Geselligkeit*: Gespräche, Ausflüge, sonstige gemeinschaftliche Unternehmungen.

10.1.5 Gezielte Entspannung

Zunehmende Verbreitung finden Beschäftigungen, die als Gegenpol zu hektischen Aktivitäten der gezielten Entspannung dienen. Stellvertretend seien hier drei Beispiele genannt.

❒ Das autogene Training

Das autogene Training ist ein Verfahren zur **konzentrativen Selbstentspannung** mittels autosuggestiver Übungen. Es handelt sich letztlich um eine Unterform der Meditation *(siehe nachfolgend)*.
Ziel des autogenen Training ist es, mehrmals täglich den Zustand der psychovegetativen Gesamtumschaltung zu erreichen (LANGEN, 1987).
Die **erfolgreiche Durchführung** setzt eine positive Einstellung, eine ruhige Umgebung (möglichst wenig optische und akustische Reize) und eine bequeme Körperhaltung voraus. Unter diesen Bedingungen werden auf den Körper bezogene Konzentrationsübungen, die u.a. mit Wärme- und Schweregefühlen verbunden sind, durchgeführt. Die sich dadurch ausbreitende

Entspannung wird in folgenden Veränderungen deutlich:
- Verlangsamung von Puls und Atmung,
- Senkung des Muskeltonus und des Blutdrucks,
- Steigerung der Muskel- und Hautdurchblutung,
- geistig-seelische Entspannung.

Das autogene Training bietet sich besonders für jene Menschen an, die sich nur schwer entspannen können, die sich leicht erregen und/oder an funktionellen Organstörungen leiden. Dies sind meist vegetativ labile Menschen. Die durch das autogene Training erlernte Entspannung trägt zur Vorbeugung, Linderung oder Beseitigung körperlicher Funktionsstörungen und seelischer Erregungszustände bei.
Das autogene Training sollte unter **fachlicher Anleitung** erlernt werden.

❒ Die Meditation

Das lateinische Wort Meditation bedeutet **Besinnung**, besinnliche Betrachtung.
Meditation ist zugleich ein Weg der **Selbstfindung** und des **Bewußtseinstrainings**. Durch das **Ausschalten bewußten Nachdenkens** und bestimmter Erwartungen findet der Mensch zur Ruhe und besinnt sich auf sein inneres Wesen. Dieses erfolgt durch Besinnung auf einen Gegenstand, Musik, den Atem oder ein geistiges Symbol.
Die Meditation erfordert eine **stille Umgebung** und kann sowohl im Sitzen als auch in der Bewegung erfolgen. Sie hat ausgleichende, entspannende und die Entwicklung der Persönlichkeit fördernde Wirkung; als Entspannungsübung wird sie auch zu prophylaktischen und therapeutischen Zwecken eingesetzt.
Eine traditionelle Meditationsform, die die geistige Konzentration mit körperlichen Übungen verbindet, ist das Yoga.

❒ Die Muße

Die Muße ist die Zeit der **Besinnung auf sich** und auf seine Möglichkeiten, sich in der Kultur schöpferisch zu finden.
Die Muße ist ein Gegenpol zu dem reinen Funktionieren des Menschen in seiner Arbeitswelt und ist schon deshalb unentbehrlich. Diese Art der geistigen Beschäftigung **verfolgt keinen Fremdzweck**; sie ist unabhängig von der Bewertung durch andere Menschen und hat für das Individuum einen tiefen Sinn.

10.2 Wechselwirkung von Beschäftigung und Gesundheit

10.2.1 Gesundheit und Freizeitbeschäftigung

Sinnvolle Freizeitbeschäftigung hat in der Regel einen positiven Einfluß auf das **Wohlbefinden** und die Gesundheit des Menschen. In der Kindheit dient sie in erster Linie der **Persönlichkeitsentwicklung**, im Erwachsenenalter mehr der Entspannung, dem **Ausgleich** und der Zerstreuung. Während der Freizeitbeschäftigung erfahrene Erfolgserlebnisse, Kreativität, Freude, Spannung u.ä. helfen nicht nur beim Wiederaufbau der körperlichen Kräfte. Vielmehr geben sie **Lebensfreude** und die **Kraft**, den Alltag auch seelisch-geistig zu verarbeiten und ihn aktiv zu gestalten. Das Selbstbewußtsein kann gestärkt werden.
In der Freizeit lassen sich aufgestaute **Aggressionen** und funktionale **Erregungszustände abbauen**. Dies ist z.B. bei Sport, Spiel, Rollenspielen oder kreativem Handeln möglich. Streßbedingte Reaktionen können dabei sowohl auf körperlicher als auch auf geistiger Ebene abgebaut bzw. kompensiert werden.
In einigen sozialen Gruppen gehört es zum "guten Ton", stets "ausgebucht" zu sein. Diese Überaktivität soll oft Vitalität, weitgefächertes Engagement oder Beliebtheit beweisen. Manchmal wird damit eine Leere im Privatleben verdeckt oder verdrängt.
Menschen, denen eine erfüllende Freizeitbeschäftigung nicht gelingt, erleben **Langeweile**. Dieser Zustand der Unausgefülltheit und Erlebnisarmut mit Dehnung des Zeiterlebnisses kann Folge fehlender oder zu schwacher Reize aus der Umwelt sein. Ihm kann jedoch auch eine innere Gleichgültigkeit oder Phantasiearmut zugrunde liegen. Diese haben ihren Ursprung häufig in Entwicklungs- / Erziehungsmängeln oder seelischen bzw. geistigen Störungen.
Einige Menschen, die keiner beruflichen Tätigkeit nachgehen (Rentner, Arbeitslose, Kranke), suchen in der Freizeitbeschäftigung nach einem Ersatz für die Arbeit. Sie soll z.B. den Tag strukturieren und Freude, Bestätigung oder soziale Kontakte vermitteln und so zu Wohlbefinden und Gesundheit beitragen.

Ebenso wie die Freizeitbeschäftigung das Wohlbefinden und die Gesundheit beeinflußt, hat der Gesundheitszustand seinerseits Einfluß auf die Freizeitaktivitäten.
Menschen, die körperlich behindert sind, können nicht jede Freizeitbeschäftigung ausüben. Darin sieht ein Betroffener nicht immer ein Defizit, zumal in gewissem Rahmen auch alternative Möglichkeiten angeboten werden. Es handelt sich z.B. um **Behinderten**- oder **Herzsportgruppen**, die Rheumaliga oder Gymnastikgruppen für Menschen mit Venenleiden. Inwieweit sich der einzelne in solchen Gruppen ausgegrenzt oder geschützt fühlt, ist individuell verschieden. Auf jeden Fall sollten Behinderte und Nichtbehinderte sowie Kranke und Gesunde auch Möglichkeiten der gemeinsamen Freizeitgestaltung suchen und nutzen; manche Sportarten können von Behinderten und Nichtbehinderten gemeinsam ausgeübt werden (z.B. Bogenschießen).
Eine geistige Behinderung setzt den Beschäftigungsmöglichkeiten Grenzen, besonders wenn sie hohe Konzentration und hohes Denkvermögen verlangen.
Akute und chronische Erkrankungen können die Freizeitaktivitäten eines Betroffenen hemmen. Jeder kennt das gesteigerte Ruhebedürfnis und die fehlende Aktivität in Krankheitstagen. Meistens schränkt eine Krankheit - ebenso wie eine Behinderung - den Menschen nur in einigen Bereichen der Freizeitbeschäftigung ein (z.B. im Sport), während andere Möglichkeiten der Freizeitgestaltung (z.B. Musizieren, Lesen, Basteln) genutzt werden können.

Auf die möglichen Einschränkungen wird an anderer Stelle *(siehe Seite 794)* näher eingegangen.

10.2.2 Gesundheit und Arbeit

Die Arbeit *(berufliche Beschäftigung, Hausarbeit und Kindererziehung)* kann das Wohlbefinden und die Gesundheit sowohl fördern als auch beeinträchtigen. Wohlbefinden und Gesundheit üben ihrerseits Einfluß auf die Arbeits- und Leistungsfähigkeit aus.

10.2.2.1 Positive Einflüsse der Arbeit auf die Gesundheit

Allein die Tatsache, einen **Arbeitsplatz innezuhaben** oder in anderer Weise - z.B. als selbständiger Gewerbetreibender - berufstätig zu sein, übt durch die Vermittlung des Gefühls "*nützlich zu sein*" oder "*gebraucht zu werden*" positiven Einfluß auf das Selbstwertgefühl aus. Das Tragen von **Verantwortung**, das Einnehmen einer Führungsposition, das Erbringen bestimmter Leistungen u.ä. verstärken dieses Gefühl. Langzeitarbeitslosigkeit oder Altersruhestand können deshalb zu Unzufriedenheit und anderen Probleme führen.

Von wesentlicher Bedeutung für einen positiven Einfluß der Arbeit auf die Gesundheit ist die **freie Berufswahl** entsprechend den Bedürfnissen, Wünschen und Neigungen des Arbeitnehmers. Der Ehrgeiz des einzelnen darf seine Fähigkeiten und Möglichkeiten nicht übersteigen.

Die Art des ausgeübten Berufs und die Höhe des dafür gezahlten Entgelts haben erheblichen Einfluß auf das soziale Prestige. Aus der **sozialen Anerkennung** läßt sich Selbstbestätigung gewinnen. Insbesondere viele der typischen Frauenberufe (Friseurin, Verkäuferin) genießen allerdings wenig soziale Anerkennung; dies zeigt sich vor allem in der schlechten Entlohnung. In solchen Berufen führt die Entlohnung nicht immer zur erwünschten finanziellen Unabhängigkeit.

Die Arbeit kann das **Selbstwertgefühl stärken**, wenn sie Möglichkeiten zur **Selbstverwirklichung** und zur Kreativität bietet. Berufe, in denen ein direkter **Bezug zum Endergebnis** der Arbeit besteht, fördern das Wohlbefinden, die Motivation und die Freude. Dies ist z.B. in handwerklichen Bereichen der Fall; so kann der Tischler während seiner Arbeit beobachten, wie er sein Werk vervollständigt. Nach der Beendigung ist für jedermann sichtbar, was er geleistet hat; der Sinn seiner Arbeit ist offensichtlich.

In den Pflegeberufen gibt es ebenfalls einen direkten Bezug zu Inhalt und Sinn der Arbeit. Erfolge lassen sich zum Teil unmittelbar erkennen.

Auch die durch Arbeit geknüpften **sozialen Kontakte** können das Wohlbefinden steigern. Sie bieten Abwechslung, Bereicherung und/oder Ergänzung zu privaten Kontakten.

10.2.2.2 Negative Einflüsse der Arbeit auf die Gesundheit

In vielen Berufen besteht die Gefahr, spezifische **Berufskrankheiten** zu entwickeln. Hierzu tragen insbesondere der arbeitsbedingte Kontakt mit Luftschadstoffen, Giften, Chemikalien und Allergenen sowie Lärmbelastungen, aber auch besondere körperliche Belastungen bei. Um Berufskrankheiten handelt es sich bei Krankheiten, die durch Arbeitsverfahren und -materialien bei Ausübung einer gegen Unfall versicherten Arbeit entstehen. Beispiele sind die Lärmschwerhörigkeit, die Asbestose und die Silikose *(Steinstaublunge)*.

Arbeitsunfälle stellen eine weitere Gesundheitsgefahr dar. Es handelt sich um Unfälle, die während der Arbeit oder auf dem direkten Weg zur Arbeitsstelle geschehen (Wegeunfälle), z.B. Verkehrsunfälle, Stürze, Vergiftungen, Verbrennungen.

Weitere **Gesundheitsbelastungen**, die sich sowohl in physischen als auch in psychischen Veränderungen äußern können, gehen von ständiger Über- oder Unterforderung, Unzufriedenheit, monotonen und (scheinbar) sinnlosen Tätigkeiten sowie von zwischenmenschlichen Konflikten aus. Die dadurch ausgelösten vegetativen Reaktionen können bei längerem bzw. wiederkehrendem Auftreten zum Distreß und zur Entstehung psychosomatischer Erkrankungen führen *(lesen Sie dazu "Auswirkungen von Distreß", Seite 893)*.

Da der Mensch in unserer Gesellschaft häufig mit seiner beruflichen Leistung identifiziert wird, strebt mancher nach beruflichem Erfolg, Aufstieg, hohem Rang und Entgelt. Dies führt schnell zu **Überforderung** und **Distreß**, besonders wenn der Betroffene seinen persönlichen Wert durch berufliche Leistung beweisen muß. Deshalb sollte bei Erreichen der persönlichen physischen oder psychischen Belastbarkeitsgrenze - auch bei vorhandener Begabung und Fähigkeit - nicht weiter nach höheren Positionen gestrebt werden. Häufig wird ein Arbeitnehmer solange befördert, wie er erfolgreich ist; erreicht er die Grenze seines Leistungsvermögens, verbleibt er in der zuletzt eingenommenen Position. Hierin ist der Arbeitnehmer nicht selten auf Dauer überfordert. Eine niedere Position würde seinen Fähigkeiten viel eher entsprechen und ihn zu einem in seiner Stellung erfolgreichen, selbstbewußten und zufriedenen Arbeitnehmer machen.

Ungünstige Arbeitsrhythmen wie **Schicht- und Nachtdienst** stören den biologischen Lebensrhythmus, es kann zu Schlaf- und Magen- / Darmstörungen kommen. Solchen Störungen folgt nicht selten der Versuch, sie durch Medikamenteneinnahme zu kompensieren. Die wiederholte Einnahme und letztendlich die Abhängigkeit von Schlaf-, Beruhigungs-, Aufputsch- und Abführmitteln können die Folge sein. Auch der Konsum zentralnervös wirksamer Substanzen, insbesondere von Nikotin, Koffein und Alkohol kann in solchen Situationen zunehmen.

Die genannten Auswirkungen können ebenso bzw. gleichzeitig Folge von **ständiger beruflicher Überlastung** sein. Eine solche Problematik kann in bestimmten Berufsgruppen gehäuft auftreten. Gemeint sind Berufe mit dauerhaft hohem Arbeitsanfall, starker physischer und psychischer Belastung. Alle drei Faktoren findet man in Pflegeberufen oft gleichzeitig vor:

- Die **Aufgaben- und Kompetenzbereiche** der Pflegeberufe sind **nicht allgemeingültig bestimmt**; eine klare Abgrenzung von pflegerischen und nicht pflegerischen Aufgaben ist in den meisten Krankenhäusern nicht gegeben. Arbeiten, die keinem Bereich eindeutig zuzuordnen sind, werden häufig dem Pfle-

gepersonal übertragen (z.B. das Hin- und Hertragen von ärztlichen Befunden oder Röntgentüten, hauswirtschaftliche Tätigkeiten, Auswaschen und Desinfizieren von Betten). Engpässe bei anderen Berufsgruppen sollen ebenfalls vom Pflegepersonal kompensiert werden, z.B. durch die Übernahme der Blutentnahmen. Für pflegerische Tätigkeiten im eigentlichen Sinne bleibt dann häufig wenig Zeit; vernachlässigt werden meist die seelische Betreuung des Patienten (z.B. in Form von Gesprächen) sowie rehabilitative und mobilisierende Maßnahmen. Gleichzeitig fehlt nicht selten (auch in der eigenen Berufsgruppe!) die Anerkennung genannter pflegerischer Leistungen.
Andererseits werden Arbeiten, die in den Aufgabenbereich examinierten Pflegepersonals fallen, zum Teil an Hilfskräfte ohne Fachausbildung (PraktikantInnen, Zivildienstleistende, Stationshilfen) delegiert. Eine solche kostensparende Personalpolitik zieht zwangsläufig die Minderung der Pflegequalität nach sich. Die Möglichkeiten patientenorientierter Pflegekonzepte können nicht ausgeschöpft werden. Folglich kann es auf seiten des Pflegepersonals zu Frustration, Resignation und Berufsunzufriedenheit kommen.

- Diagnostische und therapeutische Maßnahmen und damit verbundene Arbeiten (deren Delegation auf das Pflegepersonal nicht immer logisch erscheint) nehmen zu, die durchschnittliche Verweildauer der Patienten nimmt ab. Gleichzeitig werden die Ansprüche an pflegerische Tätigkeiten (z.B. Kontinenz- oder Schlucktraining, regelmäßige Umlagerungen, aktivierende Pflege, basale Stimulation) größer.
- Die Pflege nimmt innerhalb des Teams häufig einen zu **geringen Stellenwert** ein.
- Durch **Konfrontation mit den Grenzen** der Pflege und Medizin sowie mit menschlichem Leid, Vereinsamung, Sterben und Tod kommt es zur seelischen Belastung.
- Die **Anforderungen** an eine qualifizierte Krankenpflege **wachsen** ständig. Infolge der Zunahme der durchschnittlichen Lebenserwartung ist der Anteil schwerstpflegebedürftiger, psychisch kranker und dementer alter Menschen deutlich gestiegen. Diese physische und psychische Herausforderung kann zur Überforderung werden, z.B. bei Personalmangel oder unzureichendem Fachwissen.
- Durch **Wechsel- und Nachtschichten** *(siehe vorstehend)*, durch Heben und Tragen, durch Kontakt mit Krankheitserregern, Zytostatika und Desinfektionsmitteln kommt es zu physischen Belastungen. Die häufigste der anerkannten Berufskrankheiten im Gesundheitswesen ist die Hepatitis B. Allergien und Schäden am Bewegungsapparat nehmen zu, wobei letztere nicht immer als Berufskrankheiten anerkannt werden.
- Die Arbeitszeiten können auch **soziale Einschränkungen** mit sich bringen: Die gemeinsame Freizeit mit der Familie und dem Freundeskreis wird reduziert, häufig ist die Teilnahme an Veranstaltungen oder regelmäßigen Treffen nur eingeschränkt möglich.

Anmerkung:
Die belastenden Aspekte der Pflegeberufe werden in diesem Zusammenhang detaillierter beschrieben, um Ursachen für die Unzufriedenheit und die *"Berufsflucht"* zu verdeutlichen. Nur wenn diese bewußt sind, können die Probleme erfolgversprechend angegangen werden. Heute sind es vorrangig die Arbeitsbedingungen - dann erst zu geringe Bezahlung - die zur Abkehr vom Pflegeberuf führen.
Ansonsten treffen die unter *"Positive Einflüsse der Arbeit auf die Gesundheit"* *(Seite 787)* erläuterten Aspekte durchaus auf die Pflegeberufe zu.

Das Problem der Überlastung und Unzufriedenheit infolge der nicht abgegrenzten Aufgaben- und Kompetenzbereiche der Pflegeberufe haben einige Krankenhäuser inzwischen erkannt. Sie werben in ihren Stellenangeboten mit Hinweisen auf die Entlastung durch Hol- und Bringedienste, Stationssekretärinnen (Wahrnehmung patientenferner administrativer Aufgaben), hauswirtschaftliche Stationsassistentinnen und Küchenhostessen (Aufnahme der Essenswünsche der Patienten).

10.2.2.3 Der Einfluß des Gesundheitszustandes auf die Arbeitsleistung

Jedem Leser ist bekannt, daß der Gesundheitszustand erheblichen Einfluß auf die Arbeitsleistung hat.
Gesundheit und Wohlbefinden steigern die Leistungsfähigkeit und -bereitschaft. Sowohl Kreativität und Geschick als auch Motivation für und Freude an der Arbeit wachsen meist mit dem Grad des Wohlbefindens.
Bei **Unwohlsein und Krankheit** kommt es schnell zum Leistungsabfall, zur Konzentrationsschwäche und zur Arbeitsunlust.
Chronische und psychische Erkrankungen sowie **Suchtkrankheiten** können das Arbeitsverhältnis gefährden; entgegen einem weitverbreiteten Irrtum besteht im Krankheitsfall kein allgemeiner Kündigungsschutz. Eine **Kündigung** kommt in Betracht, wenn der Arbeitnehmer längere Zeit gefehlt hat und das voraussichtliche Ende der Krankheit nicht abzusehen ist oder wenn er in der Vergangenheit wiederholt gefehlt hat, häufige Fehlzeiten auch für die Zukunft zu erwarten sind und hierdurch der Betriebsablauf erheblich gestört wird. Auch ein krankheitsbedingter erheblicher Leistungsabfall deutlich unter den Leistungsdurchschnitt kann die Kündigung rechtfertigen; zuvor ist jedoch eine **innerbetriebliche Umsetzung** des Arbeitnehmers zu prüfen. In jedem Fall ist eine Abwägung der Interessen des Arbeitgebers und des Arbeitnehmers vorzunehmen, wobei Umstände wie die Ursache der Krankheit, die Dauer des Arbeitsverhältnisses, Auswirkungen auf den Arbeitsablauf und das Maß der Mehrbelastung der übrigen Arbeitnehmer zu berücksichtigen sind.
In den meisten Fällen ist die Gesundheit Voraussetzung für das Erlangen eines Arbeitsplatzes. Der Arbeitgeber verlangt in der Regel vor der Einstellung eines Arbeitnehmers ein **Gesundheitszeugnis**.
Erworbene **Behinderungen** können zum Arbeitsplatzwechsel oder Arbeitsplatzverlust führen. Oft bezieht sich die Einschränkung nur auf die Ausübung bestimmter Berufe. Dann liegt eine **Berufsunfähigkeit**, aber keine Arbeitsunfähigkeit vor; eine berufliche Umschulung ist möglich.

Um die Ausgliederung behinderter Menschen aus dem Berufsleben zu verhindern, wurde 1979 das **Schwerbehindertengesetz** geschaffen. Es schützt körperlich, geistig oder seelisch Behinderte, die infolge der Behinderung in ihrer Erwerbsfähigkeit nicht nur vorübergehend um mindestens 50 % gemindert sind. Sowohl private als auch Arbeitgeber der öffentlichen Hand mit mindestens 16 Arbeitnehmern sind verpflichtet, sechs Prozent der Arbeitsplätze mit Schwerbehinderten zu besetzen. Beschäftigen sie die vorgeschriebene Anzahl Schwerbehinderter nicht, haben sie für jeden unbesetzten Pflichtplatz eine monatliche Ausgleichsabgabe zu entrichten (zur Zeit 200,00 DM). Diese Ausgleichsabgabe darf nur für Zwecke der Arbeits- und Berufsförderung Schwerbehinderter sowie für Leistungen zur begleitenden Hilfe in deren Arbeits- und Berufsleben eingesetzt werden.

Probleme oder eine Leere im Privatleben können zur Intensivierung des Arbeitsverhaltens führen. Wer lange und hart arbeitet, ist abends müde und ausgelaugt. Folglich bleiben weder Kraft noch Zeit für private Unternehmungen. Erschöpfung und Müdigkeit "helfen" scheinbar über Leere und Einsamkeit hinweg, auch Einschlafstörungen lassen sich häufig überwinden. Da durch ein solches Verhalten die natürlichen Erholungsphasen unterbunden und darüber hinaus die privaten Probleme unterdrückt, nicht aber gelöst werden, leiden Gesundheit und Wohlbefinden. Diese Art der Problemverdrängung kann zu einem suchtähnlichen Verhalten des Menschen führen; man spricht in diesem Zusammenhang auch von den "*Workaholics*". Die Arbeit wird zum "Suchtmittel", welches das Leben beherrscht.

10.2.2.4 Burnout - Syndrom

„Erst Feuer und Flamme - dann ausgebrannt"
(Schwanhold, Anderson, Sachsse)

❒ Definition

Der Begriff „Burnout - Syndrom" wurde 1974 von dem Psychoanalytiker Herbert Freudenberger im Zusammenhang mit der Beschreibung des physischen und psychischen Abbaus von Mitarbeitern in bestimmten sozialen Einrichtungen, z.B. Drogenberatungsstellen, geprägt

Beim Burnout - Syndrom handelt es sich um einen **Zustand körperlicher und emotionaler Erschöpfung** (*des „Ausgebrannt - Seins"*) **bei Personen, die sich dauerhaft sehr engagiert für andere Menschen einsetzen**. Es ist u.a. durch den Verlust von Einsatzbereitschaft und Energie sowie durch das Gefühl, nichts mehr geben zu können, gekennzeichnet; Betroffene wirken emotional abgestumpft und distanzieren sich innerlich von den Menschen, denen sie ursprünglich helfen wollten.

Die Burnout-Forscherin CHRISTINA MASLACH (1985) definiert das Ausbrennen als
„Ein Syndrom aus emotionaler Erschöpfung, Entpersönlichung und reduzierter Erfüllung im Beruf, das bei Personen auftreten kann, die bis an die Grenze ihrer Leistungsfähigkeit mit Menschen arbeiten. ***Emotionale Erschöpfung*** *bezieht sich auf das Empfinden, durch den Kontakt mit anderen emotional überfordert und ausgelaugt zu sein.* ***Entpersönlichung*** *meint die gefühlslose und gleichgültige Reaktionsweise gegenüber denen, die die Empfänger der Hilfeleistung sind ... Die* ***reduzierte persönliche Erfüllung*** *bezieht sich auf die Neigung, das eigene Kompetenzgefühl und das Bewußtsein, bei der Arbeit mit Menschen erfolgreich vorzugehen, zu mindern. Das schließt eine negative Selbsteinschätzung ein."*

Das Burnout - Syndrom ist vor allem in Berufen, in denen einseitiges Geben im Vordergrund steht, zu beobachten. Hierzu zählen in erster Linie die Pflegeberufe, therapeutische Berufe aller Art, Sozialarbeit und lehrende Berufe.

❒ Stadien und Merkmale

Nach FREUDENBERGER handelt es sich beim Burnout - Syndrom um die Entwicklungsstufen der Enttäuschung und Resignation in helfenden Berufen. Der Prozeß läuft schleichend und in Stadien ab; die zeitliche Abfolge variiert.

❍ Idealismus, Begeisterung und Überforderung

Viele später vom Burnout - Syndrom betroffene Menschen gehen mit Idealismus, ausgeprägter Motivation, überdurchschnittlichem Engagement und häufig mit unrealistischen Erwartungen in ihren Beruf / ihre Ausbildung. Sie möchten anderen Menschen helfen und erhoffen sich Bestätigung; sie sind begeistert von ihrem Beruf, wollen in ihm aufgehen und machen ihn zum vorrangigen Lebensinhalt. Andere persönliche Bedürfnisse werden vergessen und vernachlässigt.

In dieser Phase kommt es leicht zur Überforderung durch extreme körperliche Beanspruchung (z.B. zu hoher Arbeitsanfall, Überstunden) und/oder seelische Belastungen (z.B. Konfrontation mit unheilbaren kranken, leidenden und sterbenden Patienten). Sehr engagierte **Menschen verausgaben sich**; gleichzeitig führen **enttäuschte Erwartungen** (z.B. allen Menschen gerecht zu werden, Anerkennung zu bekommen) zur Desillusionierung. **Unzufriedenheit**, auch mit den eigenen Leistungen, und das Gefühl, den Anforderungen nicht gewachsen zu sein, stellen sich ein. Körperliche, dann auch emotionale und geistige **Erschöpfung** folgen; ein Betroffener fühlt sich „ausgelaugt" und leidet unter chronischer Müdigkeit.

❍ Stagnation

Die persönlichen Erwartungen bleiben unerfüllt, die Erkenntnis, daß diese zum Teil unrealistisch und unerreichbar sind, stellt sich nach und nach ein. Die **erhoffte Anerkennung**, z.B. Fortschritte des Patienten oder Lob von den Kollegen, **bleibt aus**. Unzufriedenheit entsteht.

Die **beruflichen Bedürfnisse treten** zugunsten der persönlichen **in den Hintergrund**; Privatleben, Freizeit, Geld und Arbeitsbedingungen werden jetzt wichtiger als die Inhalte der beruflichen Tätigkeit.

❍ Frustration

Die Unzufriedenheit wächst, die Freude an der Arbeit geht verloren, Überdruß und das Gefühl, ausgenutzt zu werden, machen sich breit. Ein Betroffener fühlt sich von allen verkannt, kritisiert die Arbeitsbedingungen sowie die mangelnde Unterstützung und Anerkennung; er sucht nach Schuldigen für seine Situation. Nach und nach **distanziert** er **sich vom Patienten**.

Nicht selten prägen **Zynismus** und Aggressivität den Umgang mit den Patienten, evtl. auch mit den MitarbeiterInnen. Bei einer anderen Reaktions- und Verhaltensweise stehen eher eigene **Schuld- und Minderwertigkeitsgefühle**, die mit depressiver Stimmung und Ängsten einhergehen können, im Vordergrund.
Ein Betroffener ist leicht reizbar und verliert mitunter die Kontrolle über seine Gefühle.
Psychosomatische Störungen und Beschwerden wie Rücken-, Nacken- und Kopfschmerzen, Magen - und Darmbeschwerden, Eßstörungen, Infektanfälligkeit sowie Kreislauf- oder Schlafstörungen können sich einstellen und den Erschöpfungszustand verschlimmern. Ein Betroffener ist jetzt besonders gefährdet, Nikotin- und Alkohol im Übermaß zu konsumieren und Medikamente oder Drogen einzunehmen, um seine Arbeitskraft zu erhalten bzw. um seinen Zustand besser ertragen zu können.
Versuche, sich der Frustration zu entziehen bzw. sich vor ihr zu schützen, zeigen sich im Rückzug vom Patienten, es kommt zur **Entpersönlichung**. Zum Beispiel wird Frau Wender zur „Fraktur auf Zimmer 19“. Die Achtung vor dem Patienten und positive Empfindungen für ihn gehen verloren. Fehlende Motivation, Unflexibilität und „Dienst nach Vorschrift“ sind typisch; es ist zu einer Art „inneren Kündigung“ gekommen.

❍ Rückzug, Gleichgültigkeit und Apathie

Anhaltende oder wiederholt auftretende Frustrationen können zu völliger **Gleichgültigkeit** und innerer Leere führen. Ein Betroffener interessiert sich nur noch dafür, den Arbeitstag „irgendwie hinter sich zu bringen“. Er zieht sich auch im Privatleben zurück, vernachlässigt seine sozialen Kontakte und kann vereinsamen. Aus eigener Kraft ist ein Entrinnen jetzt kaum noch möglich. Der Betroffene **braucht Unterstützung** in Form gemeinschaftlicher Bemühungen, grundlegende Veränderungen am Arbeitsplatz oder im persönlichen Bereich herbeizuführen.
Beachte: Das Burnout - Syndrom ist "ansteckend", alle MitarbeiterInnen einer Abteilung können davon betroffenen sein!

❐ Faktoren, die zum Burnout - Syndrom in Pflegeberufen führen können

Es gibt verschiedene Faktoren, die zur Entwicklung eines Burnout - Syndroms bei Angehörigen der Pflegeberufe beitragen. Sie liegen in der Persönlichkeit eines professionellen Helfers und in den Arbeitsbedingungen; außerdem spielen entwicklungsgeschichtliche Hintergründe eine Rolle. Die amerikanischen Forscher CARROLL und WHITE (1982) machen dazu folgende Aussage: *„Burnout finden wir typischerweise da, wo Personen mit ungenügender Fähigkeit zur Streßbewältigung und Bedürfnisbefriedigung in Umgebungen arbeiten müssen, die viel Streß und Bedürfnisfrustration beinhalten“.*

❍ Entwicklungsgeschichtliche Hintergründe

Im Rahmen der Entwicklung der freiberuflichen Krankenpflege wurden bestimmte **Erwartungen an weibliche Pflegepersonen** geprägt, die bis heute das Berufsbild beeinflussen. Eine Krankenschwester sollte sich z.B. für andere aufopfern, selbstlos handeln, einfühlsam, verständnisvoll und stets geduldig sowie freundlich sein. Dies beinhaltete die ständige **Kontrolle der** eigenen **Gefühle** und die **Verleugnung eigener Bedürfnisse**; persönliches Betroffensein, Trauer, Wut und Aggressionen mußten unterdrückt werden, am besten ließ man sie gar nicht erst aufkommen. Kraft und persönliches Wohlbefinden wurden allein aus der aufopfernden Pflege kranker Menschen geschöpft. Die Pflege der eigenen Gesundheit, eine Befriedigung individueller Bedürfnisse und eine materielle Entlohnung waren nicht vorgesehen und widersprachen dem Motiv der christlichen Nächstenliebe. Andererseits verlangte der Pflegeberuf auch damals die Fähigkeit und Bereitschaft zur Anteilnahme.
Bei starker Orientierung am / Identifizierung mit diesem **Ideal der Selbstlosigkeit** bei gleichzeitiger Verdrängung oder Verleugnung davon abweichender Gefühle und Bedürfnisse besteht die Gefahr, daß sich ein Burnout - Syndrom entwickelt.

❍ Emotionale Belastungen im Pflegeberuf

Emotionale Belastungen durch menschliches Leid, Sterben und Tod gehören zum Pflegealltag. Vor allem in Situationen, in denen Besserung oder Heilung nicht möglich sind, können bei den Helfern Gefühle wie **Ohnmacht** und Hilflosigkeit sowie **Versagensgefühle** entstehen. Anteilnahme und Mitgefühl können starke Gefühle hervorrufen, die aber nicht zugelassen werden, um weiter im Arbeitsalltag funktionieren zu können. Die Vorbereitung auf solche emotionalen Belastungen und die Vermittlung entsprechender psychosozialer Kompetenzen findet in der Ausbildung meist nicht in ausreichenden Maße statt, so daß viele Pflegende sich überfordert und hilflos fühlen.
Die Konfrontation mit Krankheit, Behinderung und Sterben ruft **persönliche Betroffenheit** hervor und erfordert eine Auseinandersetzung mit den dabei auftretenden Problemen.
Weiter können durch Abneigung oder Aggressionen gegenüber Patienten Konflikte entstehen, weil solche Gefühle den wünschenswerten Eigenschaften von Pflegenden widersprechen; sie müssen oft unterdrückt werden. Findet sich kein Ventil, stauen sich diese Gefühle an.
Zu **hohe Erwartungen**, jedem Patienten gerecht zu werden und ihn optimal zu pflegen, können im Alltag zwangsläufig nicht (immer) realisiert werden. Statt der daraus erwarteten Befriedigung stellt sich oft das Gefühl, „nicht alles geschafft und den Anforderungen nicht gerecht geworden zu sein“, ein. Obwohl unter Einsatz aller verfügbaren Kräfte gearbeitet wurde, bleibt die Berufszufriedenheit aus. Immer wieder stehen die persönlichen Ansprüche an den Beruf im Konflikt mit den real zu erbringenden Leistungen. Grund können vor allem bei Berufsanfängern die unrealistischen persönlichen Erwartungen, aber ebenso die vorgegebenen Arbeitsbedingungen sein.
Anerkennung und positive Rückmeldungen durch die Patienten, Kollegen oder Ärzte erfolgen zu selten und in geringem Ausmaß. Erfolge werden oft der Medizin, nicht der Pflege zugesprochen oder werden nicht sichtbar, weil der Patient verlegt wird. Pflegende selbst stufen ihre Leistungen nicht selten zu gering ein. Einige Pflegende reagieren frustriert, wenn Patienten ihre

Ratschläge nicht annehmen und sich entgegen den Wünschen der Pflegenden verhalten.
Obwohl Pflegende eine **große Verantwortung** tragen müssen, haben sie **wenig Entscheidungsfreiheit**; in vielen Bereichen entscheidet der Arzt, auch wenn es vorrangig um pflegerische Bereiche geht. So wird von Pflegenden oft verlangt, daß sie im Widerspruch zu ihrer fachlichen Meinung handeln. Auch können Probleme durch das Ergreifen medizinisch - technischer Maßnahmen Konflikte hervorrufen, z.B. lebens- und leidensverlängernde Maßnahmen bei Menschen, die sich den Tod wünschen.
Pflegende tragen ein hohes Maß an Verantwortung; Fehler können schwerwiegende, evtl. tödliche Folgen haben. Dieses Bewußtsein löst vor allem in Streßsituationen Ängste aus.

❍ Arbeitsbedingungen

Personelle Unterbesetzung, **Überlastung**, Hektik und **Streß** verhindern häufig eine individuelle Pflege des einzelnen Patienten, es müssen zahlreiche Abstriche gemacht werden. Pflegende haben trotz maximaler Arbeitsleistung das Gefühl, qualitativ und quantitativ zu wenig geleistet zu haben. Vorstellungen einer ganzheitlich orientierten Pflege lassen sich bei Überlastung nur ansatzweise und nur bei der Betreuung weniger Patienten verwirklichen. In Extremsituationen (z.B. personelle Unterbesetzung am Wochenende) müssen Pflegende oft mit dem Bewußtsein, den Arbeitsanforderungen und der Verantwortung nicht gerecht werden zu können, leben. Nur wenige haben den Mut, eine Überlastungsanzeige zu erstellen. Im Zusammenhang mit den Rationalisierungen und Einsparungen im Gesundheitswesen wächst die Angst, den Arbeitsplatz zu verlieren.
Die Arbeitsorganisation im System der **Funktionspflege** verhindert einen intensiven Kontakt zum Patienten und fördert eine Konzentration auf die Arbeitsabläufe statt auf die Patienten. Erfahrungen einer befriedigenden Pflege werden verhindert.
Hierarchische Strukturen und mangelnde Einflußmöglichkeiten auf die Organisation und Gestaltung des Pflegealltags üben eine demotivierende und frustrierende Wirkung auf den einzelnen aus und verstärken ein ohnehin verringertes Selbstwertgefühl.
Fehlende Solidarität im Team und mangelnde Unterstützung durch Kollegen vereiteln wichtige Ressourcen (z.B. das Erleben, mit seinen Gefühlen nicht allein zu sein und das gemeinsame Anbahnen von Veränderungen), vermitteln das Gefühl, mit den Problemen allein dazustehen und führen ebenfalls zu Frustration und Demotivation.
Wechselschichten und **Nachtarbeit** sind physisch belastend und reduzieren die gemeinsame Freizeit mit der Familie / den Freunden *(siehe Seite 787)*. Der Gewinn einer ausgleichenden und regenerierenden Freizeit kann geschmälert werden.
Anmerkung: *Die Belastungen in den Pflegeberufen werden auch im Zusammenhang mit dem Thema „Arbeit und Gesundheit" (siehe Seite 787) besprochen.*

❍ Persönliche Eigenschaften des Helfers

Bei dauerhaft hohem emotionalen Streß im Beruf ist jeder Mensch gefährdet, ein Burnout - Syndrom zu entwickeln; Menschen mit bestimmten Persönlichkeitsmerkmalen neigen allerdings trotz gleicher äußerer Bedingungen und ähnlicher emotionaler Belastungen eher dazu, persönlichen Schaden zu nehmen. Die amerikanischen Forscher GANN und HECKMANN haben **Persönlichkeitsvariablen** beobachtet, **die ein Burnout - Syndrom begünstigen**. Dazu zählen z.B.:

- Unsicherheit im Umgang mit anderen;
- fehlende oder nur bedingte Fähigkeit, innerhalb einer Beziehung die eigenen Wünsche zu äußern und Grenzen zu setzen;
- Bereitschaft, sich in einer sozialen Beziehung zu einem Hilfesuchenden bis zur Erschöpfung ausnutzen und überbeanspruchen zu lassen;
- mangelndes Selbstvertrauen und Selbstwertgefühl, das mit erhöhter Hilfsbereitschaft zu kompensieren versucht wird;
- die Neigung, Rückschläge und Mißerfolge persönlich zu nehmen.

❐ Prophylaxe und Gegenmaßnahmen

Entsprechend den Faktoren, die ein Burnout - Syndrom begünstigen, müssen die Maßnahmen zur Vorbeugung bzw. zur Überwindung des Syndroms an verschiedenen Punkten ansetzen. Dennoch kann es im Einzelfall schwierig sein, für sich einen Ausweg zu finden.

❍ Selbstpflege, Psychohygiene

Es ist wichtig, die **persönlichen Bedürfnisse und Wünsche wahrzunehmen** und deren Befriedigung anzustreben. Überforderung sollte eingestanden und möglichst abgebaut werden, z.B. indem überfordernde Arbeiten abgelehnt werden und „Nein" gesagt wird. Manchmal helfen in schwierigen Situationen kurze Pausen, in denen etwas Abstand gefunden werden kann. Bei dauerhaften emotionalen Belastungen, z.B. in der Onkologie, Psychiatrie oder Intensivpflege, ist nach einer gewissen Zeit meist ein (vorübergehender) Wechsel auf eine andere Station ratsam.
Das Erkennen und **Akzeptieren der persönlichen** Fähigkeiten und **Schwächen**, Möglichkeiten und **Grenzen** sowie der **Gefühle** ermöglicht seelisches Gleichgewicht und die Stärkung des Selbstvertrauens.
Zur Gesundheitspflege gehören ferner das **Austragen von Konflikten**, das **Nutzen von Antistressoren**, Streßvermeidung bzw. ein sinnvoller Umgang mit Streß *(siehe Seite 893)*.
Die **Reflexion** der eigenen und der fremden Erwartungen ist erforderlich; es gilt, Möglichkeiten und Grenzen des Pflegeberufs zu erkennen, unabänderliche Begebenheiten zu akzeptieren und konstruktive Lösungswege für veränderbare Faktoren zu entdecken. Wichtig ist ferner die Einsicht, daß es nicht möglich ist, immer nur zu geben und selber nicht zu nehmen, anderen „gut zu sein", wenn man sich selbst nichts Gutes tut. Mancher muß erst lernen, sich selbst anzunehmen und in Beziehungen auch zu nehmen und neue Energien zu schöpfen.
Wohlbefinden und Gesundheit werden durch ein **ausgeglichenes Privatleben** gefördert; es ist ratsam, die Beziehungen zu pflegen und auch über berufliche Belastungen zu sprechen. Weiter ist es wichtig, für ausreichende **Erholungsphasen** zu sorgen und **sich „Gutes" zu gönnen**, z.B. seinem Hobby oder einer ande-

ren befriedigenden Freizeitbeschäftigung nachzugehen. Zahlreiche Vorschläge dazu werden unter „Antistressoren" *(siehe Seite 894)* besprochen.
Den emotionalen Belastungen kann durch Thematisierung derselben in Aus-, Fort- und Weiterbildungen sowie im Stationsteam begegnet werden. Die Teilnahme an **themenbezogenen Fortbildungen**, z.B. bezüglich Sterbebegleitung, Problembewältigung oder Gesprächsführung, kann neue Perspektiven und Wege aufzeigen. Es ist besonders wichtig, ein ausgewogenes Verhältnis zwischen Nähe und Distanz zu finden.

❍ Veränderungen der Arbeitsbedingungen

Die Veränderung von Arbeitsbedingungen liegt nur zum Teil in den Möglichkeiten der Pflegenden. **Solidarität** im Team, aber auch in Berufsverbänden und Gewerkschaften kann die Durchsetzung grundlegender Veränderungen möglich machen. Das Erleben von Solidarität wirkt Gefühlen des persönlichen Versagens und dem frustrierenden Einzelkämpfertum entgegen. Im Arbeitsalltag ist gemeinsames Planen und Handeln unumgänglich, wenn Änderungen erzielt werden sollen; es setzt Energien frei, vermittelt Gruppenzugehörigkeit und realistische Aussicht auf Erfolg. Ferner ist eine tragfähige Gemeinschaft der Pflegenden Voraussetzung für die Bewältigung der emotionalen Belastungen.
Streß im Pflegealltag resultiert zum großen Teil aus der personellen Unterbesetzung, die zu Hektik, Zeitnot, Unzufriedenheit und dem Gefühl, den Patienten nicht gerecht zu werden, führt. Eine **angemessene Stellenbesetzung** ermöglicht eine befriedigende Pflege der Patienten und reduziert das Risiko des Ausbrennens enorm. Diesbezügliche Forderungen haben häufig nur im Rahmen berufspolitischer Verhandlungen der Gewerkschaften und Berufsverbände Aussicht auf Erfolg.
Die wechselseitige Anerkennung der Kompetenzen und die Wertschätzung der Leistungen der einzelnen Berufsgruppen innerhalb eines „helfenden" Teams vermittelt Bestätigung sowie Freude an der Arbeit und läßt viele Konfliktsituationen gar nicht erst aufkommen. Auf vielen Stationen herrscht allerdings ein gespanntes Arbeitsklima, z.B. zwischen den Pflegenden und Ärzten. **Offene Gespräche,** das Anbringen von **konstruktiver Kritik** und **Veränderungsvorschlägen** sowie die **ehrliche Bereitschaft zur Zusammenarbeit** können eine Annäherung und eine effektive Teamarbeit bewirken. Mangelnde Anerkennung und Solidarität können leider auch unter den Mitarbeitern der Pflege beobachtet werden, z.B. das Rivalisieren der „Schichten" untereinander oder das Belächeln engagierter Mitarbeiter. Frustrierte Krankenschwestern / -pfleger vereiteln an sich umsetzbare Veränderungen, demotivieren neue engagierte KollegInnen und „stecken" sie letztendlich mit ihrer Haltung an. Ließen sie sich dagegen von den engagierten anstecken, könnten sie die positiven Seiten des Berufs vielleicht wiederentdecken und neue Freude sowie Motivation erfahren.

Hierzu würden auch die **Anerkennung des Pflegeberufs als eigenständiger Beruf** (statt als ärztlicher Hilfsberuf) sowie eindeutig definierte Aufgaben- und Kompetenzbereiche beitragen.

Die Möglichkeit, das **Stationsgeschehen aktiv mitzugestalten** und **Entscheidungen treffen zu können**, fördert im allgemeinen nicht nur die Motivation und Freude an der Arbeit, sondern auch das Selbstwertgefühl. Stationsleitung und Mitarbeiter können sich gemeinsam dafür einsetzen.
Die Organisation des Pflegealltags in Form der **Bezugs-** oder **Gruppenpflege** (statt der Funktionspflege) ermöglicht ein patientenorientiertes und dadurch erfüllteres Arbeiten.
Die **aktive Auseinandersetzung** mit den beruflichen Belastungen und Enttäuschungen hilft bei deren Verarbeitung und ermöglicht eine Anpassung der Erwartungen. Diesbezügliche Gespräche und eine Reflexion sollten in der **Aus-, Fort- und Weiterbildung**, aber auch in **Stationsbesprechungen** gefördert werden. Sie bieten die Möglichkeit, Probleme genau zu definieren und **gemeinsam Konzepte zur Bewältigung** der Probleme zu entwickeln. Arbeitgeber sollten entsprechende Möglichkeiten einräumen. Hierzu bietet auch die Supervision *(siehe Seite 792)* einen günstigen Rahmen.
Außerdem kann die Vermittlung von sozialen Kompetenzen in Aus-, Fort- und Weiterbildung intensiviert werden. Pflegende können dadurch Hilfen zur Alltags- und Problembewältigung finden.
Vor allem während der Ausbildung benötigen Berufsanfänger **Hilfen bei der Bewältigung des Theorie - Praxis - Gefälles**. Idealvorstellungen sind hinsichtlich der jeweils praktischen Umsetzungsmöglichkeiten zu modifizieren. Die Schwierigkeit besteht häufig darin, in der jeweiligen Situation Prioritäten zu setzen und vertretbare Abstriche gegenüber den Sollvorstellungen zu machen. Berufserfahrene KollegInnen können hierbei wertvolle Hilfe leisten und zu einer zufriedenstellenden Lösung beitragen. Selbstverständlich müssen unrealistische und idealisierende Erwartungen hinterfragt und angepaßt werden, ohne das fachliche Niveau zu untergraben. Es kann nicht Ziel sein, das Pflegeniveau sozusagen prophylaktisch auf ein Minimum zu reduzieren; vielmehr gilt es, Entscheidungskompetenzen zu vermitteln / erwerben, die eine unter den jeweiligen Begebenheiten möglichst qualifizierte Pflege und Berufszufriedenheit gewährleistet.

10.3 Maßnahmen zur Gesunderhaltung

10.3.1 Supervision

„Von oben betrachtet" (lat. videre = sehen; lat. supra, super = oberhalb)

❒ Begriffserläuterung und Ziele

Die Züricher Gesundheitsdirektion hat folgende Definition erarbeitet:
„Supervision ist die Förderung der Fähigkeit zur Bewußtmachung und Lösungserarbeitung von Problemen im Rahmen der fachlichen Tätigkeit im jeweiligen Arbeitsbereich" (ZÖLLNER, 1992).
Supervision ist eine **Methode der Praxisberatung und -begleitung**, die darauf ausgerichtet ist, im Beruf auftretende Probleme wahrzunehmen, zu analysieren und

Lösungsmöglichkeiten zu deren Bewältigung zu entwickeln. Sie ist als eine Möglichkeit der Selbstfürsorge, als **Hilfe zur Selbsthilfe** zu verstehen, die Teilnehmer entwickeln ihre Lösungsvorschläge gemeinsam. Der Supervisor vermittelt Fachwissen über menschliches Empfinden und Verhalten, hat beratende Funktion und macht Vorschläge zur Problemlösung.

In z.B. wöchentlich stattfindenden Supervisionssitzungen (Treffen) werden die zwischenmenschlichen Erlebnisse, insbesondere aktuell vorliegende Schwierigkeiten der teilnehmenden Personen mit deren beruflichen Kontaktpersonen bzw. Probleme, die aus den Arbeitsbedingungen resultieren, besprochen. Hauptanliegen sind das Wahrnehmen und das bessere Verstehen der eigenen Gefühlsreaktionen und derjenigen der Patienten bzw. der Mitarbeiter.

Durch das Sich - Aussprechen - Können und den Versuch der Klärung von Konflikten (z.B. der Pflegenden untereinander oder des gesamten Stationsteams mit einem bestimmten Patienten) bietet die Supervision der eigenen beruflichen Tätigkeit eine Möglichkeit der **emotionalen Entlastung** und Entspannung (Ventilfunktion) und stellt so eine wirksame Prophylaxe des Burnout - Syndroms sowie eine Hilfe zur Bewältigung von Krisen dar. Gleichzeitig können sich die Kommunikationsfähigkeit und andere psychosoziale Kompetenzen im Umgang mit schwierigen Situationen verbessern. Davon profitieren die einzelnen Mitarbeiter, das Team, die Patienten und die Pflegequalität.

Supervision beinhaltet die **gemeinsame Wahrnehmung** und **Erörterung der Beziehungsdynamik** innerhalb eines Teams bzw. im Rahmen der pflegerischen Betreuung eines bestimmten Patienten; gemeinsam wird nach Entlastungsstrategien / Lösungsmöglichkeiten gesucht.

Der **Supervisor** präsentiert weder Patentrezepte noch Lösungen; er agiert auch nicht als Psychotherapeut. Vielmehr verhilft er durch Verbalisieren der Gefühle, durch Veranschaulichung von Zusammenhängen und durch Vermittlung psycho - sozialer Hintergründe für bestimmte Verhaltensweisen zu einer erweiterten Sichtweise, die das Verstehen zwischenmenschlichen Verhaltens erleichtert. Weiter unterstützt der Supervisor die Gruppenteilnehmer bei der Erarbeitung eines für sie sinnvollen und akzeptablen Weges zur Konfliktbewältigung und fördert die Entwicklung einer tragfähigen Gemeinschaft.

Trotz des besseren Verständnisses, z.B. für das Verhalten eines psychisch schwerkranken Menschen, kann allerdings nicht immer eine Lösung des Problems gefunden werden, wohl aber wird ein Akzeptieren der Grenzen - ohne persönliche Schuld- und Versagensgefühle - möglich.

Durch das erneute Bewußtmachen und Vertiefen des Verständnisses für aufgetretene „schwierige“ Gefühlsreaktionen und Verhaltensweisen und durch die Verbesserung der psychosozialen Kompetenzen bekommt die Supervision in der Krankenpflege auch einen **Weiterbildungsaspekt**.

Es muß zwischen Einzel-, Gruppen- und Teamsupervision sowie zwischen team - und fallzentrierter Supervision unterschieden werden.

Bei der **Einzelsupervision** findet die Reflexion des beruflichen Verhaltens zwischen einem Supervisor und einem beruflichen Helfer statt; der Supervisand kann z.B. in seinem Tätigkeitsbereich auftretende Problemsituationen und Fragestellungen besprechen. Diese Form der Supervision ist in psychotherapeutischen Berufen weit verbreitet, in den Pflegeberufen findet sie selten Anwendung.

Gruppensupervisionen werden für TeilnehmerInnen in einer ähnlichen Position (z.B. Stationsleitungen, Ärzte, Psychologen) angeboten.

An der **Teamsupervision** nehmen die Mitglieder eines Teams, z.B. die Pflegenden einer Station oder alle pflegerisch - therapeutisch tätigen Mitarbeiter einer Abteilung, teil. In einer **teamzentrierten Supervision** werden die Arbeitsinhalte und die Arbeitssituation besprochen. Probleme der Zusammenarbeit, unklare Zuständigkeiten und Kompetenzen, hierarchische Strukturen sowie rollenspezifische Probleme, aber auch institutionelle und organisatorische Rahmenbedingungen werden besprochen und aus der Perspektive der einzelnen Mitarbeiter dargestellt. Dabei werden auch unterschwellige Gefühle und Erwartungen angesprochen und verdeutlicht, Konflikte werden offen dargelegt, besprochen und möglichst ausgetragen. Dadurch kann Verständnis füreinander geweckt werden. Die Teilnehmer bemühen sich, andere nicht persönlich zu kränken und ihnen Wertschätzung entgegenzubringen.

Das Entdecken von Gemeinsamkeiten, z.B. das Gefühl der Überforderung in bestimmten Situationen, hilft, die persönlichen Schwächen und die der KollegInnen zu akzeptieren und Versagens- sowie Schuldgefühle abzubauen. Auch können die Idealvorstellungen einer unbegrenzt belastbaren und in jeder Situation kompetenten Pflegeperson wahrgenommen und reflektiert werden. Auf dieser Basis wird die gemeinsame Erarbeitung eines realistischen, für alle gültigen Berufsverständnisses möglich; Rollen und Funktionen der Pflegenden können geklärt werden. Ferner wird es möglich, Konzepte für eine befriedigende Zusammenarbeit zu entwickeln und zu beschließen. Dadurch können Gemeinschaftsgefühl und Solidarität wachsen und neue Energien, z.B. in Hinsicht auf die Durchsetzung besserer Arbeitsbedingungen und neuer Organisationsformen, geschöpft werden.

In einer **fallzentrierten Supervision** stehen jeweils das Verhalten eines bestimmten Patienten / Klienten sowie die dadurch bei den Betreuern ausgelösten Gefühle, Erwartungen und Reaktionen im Vordergrund. Dazu gehört der ehrliche Umgang mit den persönlichen Gefühlen, z.B. das Eingestehen von „Schwächen“, und mit häufig tabuisierten gefühlsmäßigen Reaktionen gegenüber einem bestimmten Patienten, z.B. Ekel, Abneigung, Wut. Durch die gemeinsame Arbeit der beteiligten Teammitglieder und des Supervisors soll einerseits unverständliches menschliches Verhalten verständlicher werden, andererseits sollen die Gefühle zum „Problempatienten“ - ggf. auch die eigenen problematischen Anteile - wahrgenommen und die bisherigen Umgangsformen gemeinsam überprüft und ggf. modifiziert oder neu erarbeitet werden. Der einzelne Betreuer fragt sich z.B., welche Gefühle er wahrscheinlich hätte, wenn er z.B. eine Diät einhalten müßte, ein Bein verlieren würde, chronische Schmerzen hätte oder unheilbar krank wäre. Das Verständnis für die Situation, das Empfinden und das Verhalten eines anderen Menschen werden dadurch gefördert; Reaktionen „schwieriger“ Patienten können eher als menschlich bewertet und toleriert werden. Das Verhalten der Pflegenden bzw. des gesamten Teams wird nach Überprüfung z.B. als richtiger Ansatz bewertet oder als ungünstig eingestuft und es werden neue Möglichkeiten erarbeitet.

❒ **Rahmenbedingungen**

Die **Teilnahme** an einer Supervision muß **freiwillig** erfolgen; bei fehlender innerer Bereitschaft ist sie zum Scheitern verurteilt.

Die **Supervisionszeit** sollte **Arbeitszeit** sein und ebenso wie der Supervisor vom Arbeitgeber finanziert werden.

Die Rolle des **Supervisors** übernimmt eine **für diese Tätigkeit geschulte Person**, bei der es sich häufig um eine Psychologin, Sozialarbeiterin oder Krankenschwester mit entsprechender Weiterbildung handelt. Wichtige Voraussetzung ist die sogenannte **Felderfahrung**, d.h. der Supervisor sollte das Arbeitsfeld der Supervisanden und die mit der beruflichen Tätigkeit verbundenen typischen Probleme aus eigener Erfahrung gut kennen.

Ein Supervisor sollte von den Teilnehmern möglichst selbst gewählt werden, auf jeden Fall müssen die Teilnehmer ihn akzeptieren können und Vertrauen zu ihm haben. Selbstverständlich unterliegt ein Supervisor der Schweigepflicht, so daß die Gesprächsinhalte nicht nach außen dringen. Um die **Neutralität** zu gewährleisten, wird im allgemeinen ein externer *(nicht dem Team angehörender)* Supervisor gewählt, der persönlich nicht in die jeweilige Problematik eingebunden ist. Allenfalls in Gruppen mit Supervisionserfahrung kann es sinnvoll sein, auf einen Supervisor zu verzichten und regelmäßig supervidierende Stationsbesprechungen durchzuführen.

10.3.2 Arbeitshygiene

Die Arbeitshygiene ist ein Teilgebiet der Hygiene. Ihr Gegenstand ist das **Erkennen gesundheitsschädlicher Arbeitsstoffe, -bedingungen** und **-verfahren** sowie deren Vermeidung. Mittel der Arbeitshygiene sind u.a.

- **Forschung** bezüglich der Wirkung von Arbeitsstoffen, -bedingungen und -verfahren (z.B. von Chemikalien, Lärm, Schichtarbeit);
- **Überwachungsmaßnahmen**: Festlegen und Überprüfen der Einhaltung von Grenzwerten *(= MAK - Werte, **M**aximale **A**rbeitsplatz**k**onzentration)* für Chemikalien und Luftschadstoffe am Arbeitsplatz; regelmäßige Untersuchungen der Arbeitnehmer; entsprechend der gesundheitlichen Gefährdung sind dies z.B. Blutdruckkontrollen, Blutuntersuchungen, Hör- und Sehtests, Röntgenuntersuchungen der Lunge, Registrierung radioaktiver Belastung bei exponiertem Personal;
- **Arbeitsplatzverordnung**: Vorschriften der Arbeitssicherheit beziehen sich z.B. auf Schutzbekleidung, Lärm- und Atemschutz, Feuer- und allgemeinen Gefahrenschutz, Ausstattung mit Toiletten und Aufenthaltsräumen;
- **Arbeitszeitgesetz**, Regelung der Arbeits- und Pausenzeit:
  - grundsätzlich sind maximal täglich 8 Stunden und maximal wöchentlich 48 Stunden (an 6 Werktagen maximal je 8 Stunden) Arbeitszeit erlaubt;
  - ausnahmsweise sind maximal täglich 10 Stunden und maximal wöchentlich 60 Stunden zulässig, wenn innerhalb eines Ausgleichszeitraumes von 6 Monaten durchschnittlich höchstens 8 Stunden pro Werktag geleistet werden;
  - nach maximal 6 Stunden Arbeitszeit muß eine Pause von mindestens 30 Minuten eingelegt werden;
  - bei 6 - 9 Std. Arbeitszeit sind 30 Min. Pause,
  - bei 9 - 10 Std. Arbeitszeit 45 Min. Pause einzuhalten.

  Die Pausen müssen im voraus, mindestens zu Schichtbeginn, festgelegt werden. Zwischen zwei Arbeitsschichten muß eine **Mindestruhezeit** von 11 Stunden eingehalten werden.

10.4 Beschäftigung im Zusammenhang mit Behinderung / Krankheit / Alter

10.4.1 Einschränkungen / Störungen

Sich Beschäftigen ist nicht nur eine **Aktivität**, sondern auch eine **Fähigkeit**. Dies wird vor allem bei langer Krankheit und im Alter deutlich, wenn Aufgaben, die bisher die Zeit strukturierten und sinnvoll ausfüllten, entfallen. Solche Aufgaben umfassen nicht nur die Berufstätigkeit, sondern auch die Haushaltsführung, die Pflege von Haus und Garten und die Sorge für andere Menschen (Kinder, Partner, Pflegebedürftige, Angehörige). Mit dem Verlust solcher Aufgaben evtl. entstehende Probleme wie Langeweile und Gefühle des Nichtgebrauchtwerdens oder der Sinnlosigkeit wurden bereits angesprochen.

Bei **geistiger Behinderung** kann die Fähigkeit, sich selbständig zu beschäftigen, fehlen; in vielen Fällen können für die Alltagsbewältigung notwendige Handlungsabläufe nicht erlernt werden. Beruflicher Beschäftigung sind enge Grenzen gesetzt, oft ist sie sogar unmöglich *(vgl. "Behinderung", Seite 895)*.

Durch **körperliche Behinderungen** bedingte Einschränkungen beziehen sich häufig nur auf bestimmte Betätigungsfelder, so daß sie nicht bei allen Berufen zum Tragen kommen und seltener als bei geistiger Behinderung zur weitgehenden Erwerbsunfähigkeit führen. So kann z.B. ein Rollstuhlfahrer ohne weiteres sitzenden sowie geistigen Tätigkeiten nachgehen. Sogar Sport ist möglich, wenn auch in einem anderen Gefüge. Auch die Teilnahme an kulturellen Veranstaltungen ist in der Regel möglich.

Störungen der **Sinnesfunktionen**, insbesondere Blindheit und Taubheit, erfordern in einigen Betätigungsbereichen Unterstützung und neues Lernen. So kann die

Behinderung in Teilbereichen vollständig kompensiert werden, z.B. durch Erlernen der Blindenschrift *(siehe Seite 739)* bzw. der Zeichensprache.

Chronische Krankheiten gehen zum Teil mit Einschränkungen der körperlichen Leistungsfähigkeit einher, die der Art und dem Ausmaß der Beschäftigung Grenzen setzen. Schäden am Bewegungsapparat, z.B. rheumatische Erkrankungen, können die Mobilität erheblich einschränken. Chronische Erkrankungen der Atemwege und des Herz- / Kreislaufsystems können über eine beeinträchtigte Sauerstoffversorgung die körperliche, seltener auch die geistige Leistungsfähigkeit ganz erheblich herabsetzen.

Eine **pharmakologische Abhängigkeit** (*Suchtkrankheit*) führt häufig in zunehmendem Maße zur Veränderung der Beschäftigungsgewohnheiten. Durch die Abhängigkeit von einem Suchtmittel tritt dessen Beschaffung in den Vordergrund; sie wird zur lebensbeherrschenden Notwendigkeit.

Der längerfristige Suchtmittelkonsum hat in der Regel negativen Einfluß auf den Menschen in seiner Gesamtheit. Häufige Folgen sind die Abnahme der körperlichen Leistungsfähigkeit, des Konzentrations- und Denkvermögens und der Motivation sowie Veränderungen der Persönlichkeit.

Störungen geistiger und seelischer Funktionen können sowohl die berufliche als auch die außerberufliche Beschäftigung einschränken oder unmöglich machen; auch das Erleben kann verändert sein. Zu denken ist z.B. an Zwangs- und Wahnvorstellungen, Depressionen, übermäßigen oder stark verminderten Beschäftigungsdrang, innere Unruhe, Verwirrtheitszustände, Konzentrationsschwäche und Denkblockaden. Solche Störungen beeinträchtigen den Betroffenen erheblich *(siehe auch "Sich Beschäftigen" im Abschnitt "Schwerpunkte der Pflege psychisch kranker Menschen", Seite 758)*.

Einen exzessiven Beschäftigungsdrang findet man bei Menschen, die unter **manischen Zuständen** *(Manie)* leiden. Sie haben ein vermindertes Ruhebedürfnis und ein gesteigertes Vitalitätsgefühl; eine gehobene Stimmungslage und Ideenflucht sind weitere Symptome. Die ständige Beschäftigung und das Fehlen von Ermüdungserscheinungen führen letztendlich zur Verausgabung. Die Konzentration auf eine bestimmte Tätigkeit ist allenfalls kurzfristig möglich, oft treten Denkstörungen auf.

Krankheit wirkt sich im allgemeinen auf die Beschäftigungsgewohnheiten aus; mit einem **Krankenhausaufenthalt** gehen zusätzliche Einschränkungen einher. Immer ist der Krankenhausaufenthalt mit einer vorübergehenden Arbeitsunfähigkeit verbunden, d.h. für Berufstätige entfällt der größte Teil der gewohnten Beschäftigung. Das Krankenhaus ermöglicht nur wenige Arten der Betätigung, z.B. das Lesen, Handarbeiten, das Führen von Gesprächen, Fernsehen und Radiohören. Zusätzliche Angebote wie Krankengymnastik oder Beschäftigungstherapie erfolgen in der Regel nur zu therapeutischen Zwecken, nicht aber zur Freizeitgestaltung.

Nicht selten resultiert daraus **Langeweile**, insbesondere beim Langzeitpatienten. Im Stadium akuter Erkrankung liegt meist ein gesteigertes Ruhe- und Erholungsbedürfnis vor, so daß ein vermindertes Beschäftigungsangebot nicht als störend empfunden wird. Oft vermißt der Kranke nur etwas Abwechslung und kurzweilige Ablenkung vom Krankenhausalltag und von der Beschäftigung mit seiner Krankheit. Dies könnte schon durch ein Gespräch mit einem Angehörigen vermittelt werden. Auch ein Gespräch mit einem Mitpatienten, das sich nicht - wie leider häufig - ausschließlich um Krankheit und Krankenhaus dreht, kann eine belebende Abwechslung sein.

In psychiatrischen Kliniken und Langzeittherapieeinrichtungen hat die Beschäftigung des Kranken einen höheren Stellenwert, der aus therapeutischen Ansprüchen resultiert.

Der **Aufenthalt in einem Pflege- oder Altenheim** wirft ebenfalls verstärkt Beschäftigungsprobleme auf, insbesondere, wenn ein Bewohner zuvor wenigen Hobbys nachgegangen ist. Erschwerend kommt hinzu, daß in der Regel zur Beschäftigung der kranken bzw. alten Menschen zu wenig geschultes Personal zur Verfügung steht *(siehe auch "Alter", Seite 955)*.

Menschen, die in ihrem bisherigen Leben kaum aktiv zweckfreien Beschäftigungen nachgingen, haben im allgemeinen Schwierigkeiten, dies im Alter mit Freude zu tun. Ihr Leben war in der Regel von Arbeit bestimmt, die Zeit dadurch strukturiert und sinnvoll ausgefüllt.

Beschäftigung im Alter bedeutet demnach auch, die **Tage**, Wochen, Monate und Jahre zu **strukturieren** und **sinnvoll** zu **gestalten**. Die individuelle Auswahl und Bewertung sinnvoller Beschäftigungen hängt eng mit den biographischen Begebenheiten zusammen. "Sinnvoll" erscheinen einigen Menschen alle Beschäftigungen, die Freude bereiten und Abwechslung bieten. Andere können nur die Erledigung von Haus-, Küchen- und Gartenarbeiten als sinnvolle Beschäftigung erleben.

Einige Menschen sehen es als "Belohnung" des Alters, nicht mehr arbeiten und nicht mehr körperlich aktiv sein zu müssen. Sie möchten umsorgt und bedient werden; Unterhaltung und Abwechslung finden sie in Gesprächen, beim Radiohören und beim Fernsehen.

Konkrete Hinweise zur Beschäftigung kranker Menschen im Rahmen der pflegerischen Betreuung finden Sie bei der Besprechung der einzelnen Lebens- und Pflegesituationen sowie im nächsten Abschnitt.

10.4.2 Allgemeine Beschäftigungsmöglichkeiten

Generell sollte das Beschäftigungsangebot für kranke und (pflegebedürftige) alte Menschen die **individuellen Fähigkeiten**, Neigungen **und Interessen berücksichtigen**.

Während einer stationären Behandlung sind die Beschäftigungsmöglichkeiten begrenzt.

Im Krankenhaus und in Pflegeheimen können in der Regel folgende Beschäftigungsmöglichkeiten angeboten werden:

- **Lesen**
  - ist aktiv nur möglich, wenn das Sehvermögen ausreicht; das Pflegepersonal muß sich diesbezüglich und nach vorhandenen Sehhilfen erkundigen;

- wird durch eine - meist fahrbare - Bibliothek, die das Auswählen von Büchern und Zeitschriften im Zimmer der Patienten gestattet, ermöglicht;
- kann durch (auch am Krankenhauskiosk erwerbbare) Literatur, Tageszeitungen, Wochenmagazine u.ä. gefördert werden; abonnierte Zeitungen können ins Krankenhaus bestellt werden;
- ist als Vorlesen durch Mitpatienten, Angehörige oder ehrenamtliche Helfer möglich;
- kann durch literarische Texte, die häufig auch schon auf Tonträgern (Kassetten) angeboten werden, ersetzt oder ergänzt werden.

Beachte: Der gelesene Text bietet Ansatz zum Gespräch zwischen Patienten und Pflegepersonal bzw. anderen Kontaktpersonen; daraus resultiert eine weitere sinnvolle Beschäftigung.

- **Radiohören und Fernsehen**
  - bieten geistige Beschäftigung, Unterhaltung, Information, Abwechslung;
  - verhindern Aufkommen von Langeweile;
  - gewähren Anteilnahme am gesellschaftlichen und politischen Geschehen;
  - liefern Gesprächsstoff;
  - können Orientierungshilfen geben;
  - können evtl. die Ruhephasen und das Wohlbefinden der Mitpatienten ganz erheblich stören.
- **Handarbeiten und Basteln**
  - bieten Möglichkeiten kreativen Handelns;
  - beanspruchen Konzentration;
  - bringen Freude und Erfolgserlebnisse;
  - fördern bzw. erhalten die Mobilität, Motorik und Selbständigkeit;
  - bauen "Gesprächsbrücken", verbinden durch gemeinsame Interessen;
  - schaffen, in Gruppen ausgeführt, Kontakte und fördern die Gemeinschaft;
  - bieten Ablenkung und Entspannung.
- **Spielen**
  - beansprucht Konzentration, fördert An- und Entspannung;
  - trainiert die geistigen Fähigkeiten;
  - bringt Freude und läßt den Alltag vergessen;
  - fördert Kommunikation und Gemeinschaft;
  - bietet sich während eines Krankenhausaufenthaltes in Form von Gesellschafts-, Karten- und Ratespielen an.
- **Kontakte pflegen, Gespräche führen**
  - fördert die geistige Mobilität und die Anteilnahme am Tagesgeschehen;
  - verdeutlicht, daß der Patient weder ausgeschlossen noch vergessen ist;
  - erhält bestehende und schafft neue soziale Kontakte.
- **Bewegung**
  - vermittelt neue Eindrücke, ggf. auch Kontakte, wenn das Spazierengehen auf dem Flur, im Haus oder im Park ermöglicht werden kann;
  - verschafft Ablenkung;
  - gibt Gelegenheit, das Geschehen in der natürlichen Umwelt genauer wahrzunehmen;
  - fördert die Wahrnehmung und Orientierung, den körperlichen Allgemeinzustand und das Wohlbefinden.

10.4.3 Arbeits- und Beschäftigungstherapie *(Ergotherapie)*

Die Ergotherapie verfolgt das Ziel, durch fachliche **Anleitung zu körperlicher** und/oder **geistiger Betätigung** die körperlichen / geistigen Fähigkeiten des Kranken oder Behinderten - und damit seine **Selbständigkeit** - soweit wie möglich zu steigern oder jedenfalls zu erhalten. Dabei soll die Motivation, selbst zu handeln (statt sich pflegen, versorgen oder behandeln zu lassen) gefördert werden. Das therapeutische Mittel ist die vom Betroffenen - zunächst unter Anleitung - ausgeführte Beschäftigung. Sie soll **Freude** und **Erfolgserlebnisse** vermitteln, die wiederum das Selbstbewußtsein und das **Selbstwertgefühl stärken** und so den Allgemeinzustand verbessern.
Der kranke / behinderte Mensch erlernt notwendige Verhaltensmuster und findet den Mut, die eingeübten Tätigkeiten selbständig auszuführen und sich allein in neuen zu versuchen. Gleichzeitig soll er lernen, seine Behinderung bzw. Krankheit (und die sich daraus für ihn ergebenden Einschränkungen) zu akzeptieren, die Einschränkungen zu kompensieren und mit ihnen zu leben. Auf diese Weise wird auch eine **Verbesserung der Lebensqualität** des Betroffenen angestrebt.
Arbeits- und Beschäftigungstherapie lassen sich nicht streng voneinander trennen. Sie gehen ineinander über und ergänzen sich gleichzeitig. Beide werden von Angehörigen derselben Berufsgruppe, den Arbeits- und BeschäftigungstherapeutInnen (*ErgotherapeutInnen*), ausgeführt. Die Arbeitstherapie knüpft häufig an die Beschäftigungstherapie an.
In der **Beschäftigungstherapie** wird primär durch Ausübung künstlerischer und handwerklicher Tätigkeiten angestrebt, geistige, seelische oder körperliche Hindernisse zu überwinden und zielgerichtet einer sinnvollen Tätigkeit nachzugehen.
Die **Arbeitstherapie** konzentriert sich auf bestimmte Verrichtungen, die z.B. der Bewältigung des Alltags (Körperpflege, häusliche Verrichtungen) dienen. Spezielle Übungen beziehen sich je nach Art der Einschränkung z.B. auf die Körperpflege, das Ankleiden, das Zubereiten und Einnehmen von Mahlzeiten sowie auf den Umgang mit Prothesen und anderen Hilfsmitteln. Eventuell müssen zur Bewältigung spezieller Probleme mit der fachlichen Hilfe der ErgotherapeutInnen besondere Hilfsmittel gefunden oder entwickelt werden. Letztendlich soll der Kranke / Behinderte in die Lage versetzt werden, den Alltag im Rahmen seiner individuellen Möglichkeiten selbständig zu bewältigen.
Bei Bewegungseinschränkungen (z.B. durch rheumatische Erkrankungen) wird die Ergotherapie eingesetzt, um das Ausmaß körperlicher Behinderung durch **Funktionstraining** so gering wie möglich zu halten. Dazu werden motorische und sensorische Fähigkeiten sowie schonende und zugleich effektive Bewegungsabläufe eingeübt. Gerade in solchen Fällen der Rehabilitation ergänzen sich Beschäftigungs- und Arbeitstherapie.

Geistige und seelische Störungen können ebenfalls Indikation für eine solche Therapie sein. Diese ist dann Bestandteil des gesamten Behandlungskonzeptes. Die Betroffenen werden zu geistigen und körperlichen Aktivitäten, möglichst mit gesellschaftlichem oder jedenfalls persönlichem Nutzen, angeleitet. Erfahrungen, Verhaltensweisen und Erfolge in der Arbeitstherapie werden in das Gesamtbehandlungskonzept eingebaut. Gemeint sind z.B. das Aktivsein in einer Gruppe, das Erfahren von Durchhaltevermögen, der Umgang mit Konfliktsituationen und Mißerfolgen, das Einhalten von Zeiten oder das Festhalten am eigenen Leistungsanspruch. Die Arbeit wird überwiegend durch handwerkliches und kreatives Tätigsein "erprobt". Dazu gehören z.B. Töpfern, Basteln, Weben, Handarbeiten und Seidenmalerei. Letztlich wird die Wiedereingliederung in das gesellschaftliche Leben angestrebt.
ErgotherapeutInnen werden in Akutkrankenhäusern noch relativ selten beschäftigt; dies geschieht in erster Linie in Langzeitkrankenhäusern und Rehabilitationskliniken. Auch in der Psychiatrie gehören sie zum Standardteam. Dort ist die Ergotherapie - zusammen mit der Bewegungstherapie - manchmal zunächst die einzige Therapiemöglichkeit.

10.5 Rehabilitation

Die Rehabilitation umfaßt Maßnahmen und Leistungen, die darauf gerichtet sind, körperlich, geistig oder seelisch Behinderte möglichst auf Dauer in Arbeit, Beruf und Gesellschaft einzugliedern.
Im Alter verfolgt die Rehabilitation andere Ziele, nämlich die individuell **größtmögliche Selbständigkeit** und die **Teilnahme am gesellschaftlichen Leben**.
Es gilt der Grundsatz "Rehabilitation vor Pflege". *Lesen Sie dazu "Rehabilitation", Seite 958.*
Das Recht auf geeignete Rehabilitationsmaßnahmen findet sich im Paragraph 5 Sozialgesetzbuch (SGB) Elftes Buch "Soziale Pflegeversicherung" wieder.
Der Gesetzestext lautet:

*"**§ 5 Vorrang von Prävention und Rehabilitation***

(1) Die Pflegekassen wirken bei den zuständigen Leistungsträgern darauf hin, daß frühzeitig alle geeigneten Maßnahmen der Prävention, der Krankenbehandlung und der Rehabilitation eingeleitet werden, um den Eintritt von Pflegebedürftigkeit zu vermeiden.

(2) Die Leistungsträger haben im Rahmen ihres Leistungsrechts auch nach Eintritt der Pflegebedürftigkeit ihre medizinischen und ergänzenden Leistungen zur Rehabilitation in vollem Umfang einzusetzen und darauf hinzuwirken, die Pflegebedürftigkeit zu überwinden, zu mindern sowie eine Verschlimmerung zu verhindern."

Träger der Maßnahmen und Leistungen im Rahmen der Rehabilitation sind:
- gesetzliche Kranken-, Pflege-, Unfall- und Rentenversicherungen;
- Bundesanstalt für Arbeit;
- Sozialhilfeträger;
- Kriegsopferversorgung und -fürsorge.

Materielle Rehabilitationsmaßnahmen sind

- **allgemeine soziale Eingliederungsmaßnahmen, z.B.:**
  - heilpädagogische Maßnahmen im Sonderkindergarten zur Förderung der Entwicklung geistiger und körperlicher Fähigkeiten;
  - Fördermaßnahmen im Rahmen des Sonderschulbesuchs;
  - Hilfen zur Ausübung einer angemessenen Tätigkeit, soweit berufsfördernde Leistungen nicht möglich sind;
  - Hilfen zur Ermöglichung und Erleichterung der Verständigung mit der Umwelt;
  - kreative Beschäftigungstherapie zur Förderung der geistigen und körperlichen Mobilität sowie des seelischen Gleichgewichts;
  - Hilfen zur Verbesserung der Wohnsituation;
- **berufsfördernde Leistungen, z.B.:**
  - Berufsfindungsmaßnahmen;
  - Hilfen zur Erhaltung oder Erlangung eines Arbeitsplatzes;
  - berufliche Anpassung, Ausbildung oder Umschulung;
  - sonstige Hilfen zur Förderung einer Erwerbstätigkeit auf dem allgemeinen Arbeitsmarkt oder in einer Behindertenwerkstatt;
- **medizinische Sachleistungen, z.B.:**
  - ärztliche und zahnärztliche Behandlung;
  - Arznei- und Verbandsmittel;
  - sachliche Hilfsmittel (z.B. Kompressionstrümpfe);
  - Krankengymnastik;
  - Bewegungs-, Arbeits- und Beschäftigungstherapie;
  - Sprachtherapie;
  - Prothesen, orthopädische Hilfsmittel;
  - Krankenhauspflege;
  - Behandlung in einer Kur- oder Spezialeinrichtung (Anschlußbehandlung, Suchtentwöhnung);
- **ergänzende Leistungen, z.B.:**
  - Übergangs- und Verletztengeld;
  - Krankengeld;
  - Behindertensport;
  - Haushaltshilfe.

❒ Beitrag des Pflegepersonals zur Rehabilitation

Die **aktivierende Pflege** des durch seine Erkrankung behinderten Patienten ist immer ein Beitrag zu seiner Rehabilitation. Dort, wo Pflege die Selbständigkeit und das Selbstwertgefühl des Patienten erhält, fördert oder wiederherstellt, hat sie rehabilitierenden Charakter.
Wichtigste pflegerische Maßnahmen sind die **Motivierung** des Patienten sowie die **Mobilisierung** seiner geistigen und körperlichen Ressourcen. Sie dienen im Rahmen der individuellen Möglichkeiten der Erhaltung bzw. Wiederherstellung der Alltagskompetenzen und sollten auch im Akutkrankenhaus durchgeführt werden.

In **Rehabilitationskliniken**, in denen die Wiedereingliederung des Kranken in das Alltagsleben den Schwerpunkt bildet, hat die Pflege deutlichen Anteil an der

Rehabilitation. Die Förderung der Selbständigkeit und der Fähigkeiten des Kranken erfolgt gezielt und intensiv im Rahmen eines individuell angepaßten Rehabilitationskonzeptes. Nicht selten müssen sich alle an der Rehabilitation Beteiligten (zunächst) mit Teilerfolgen zufrieden geben. Um die erreichten Erfolge beizubehalten, ist manchmal eine dauerhafte Durchführung rehabilitativer Maßnahmen erforderlich.
Die Rehabilitation wird außerdem durch Selbsthilfegruppen *(siehe nachfolgend)* unterstützt. Das Pflegepersonal sollte entsprechende Kontakte vermitteln.

10.5.1 Krankengymnastik

Die Krankengymnastik erstreckt sich über drei - häufig ineinander übergehende - Bereiche, nämlich die **Krankheitsvorsorge**, die unmittelbare **Krankenbehandlung** und die **Rehabilitation**.
Dazu setzt sie passive und aktive Maßnahmen ein. Diese dienen überwiegend der Erhaltung bzw. Wiederherstellung der körperlichen Beweglichkeit. Spezielle Übungen beziehen sich auch auf die Förderung der allgemeinen Kreislauftätigkeit sowie der Durchblutung bestimmter Regionen, auf die Atemschulung oder die Anregung von Organfunktionen.

Maßnahmen der Krankengymnastik sind:
- Massage zur Lockerung von Gewebe und Muskeln;
- aktive und passive Bewegungsübungen;
- isometrische Spannungsübungen;
- allgemeine Gymnastik zur Erhaltung der Beweglichkeit und Muskelkraft (z.B. nach Frakturen);
- spezielle Gymnastik, z.B. bei Schwangerschaft und im Wochenbett, Atemgymnastik, Wassergymnastik oder Kräftigung spezieller Muskelgruppen nach einer orthopädischen Operation;
- Dehnübungen zur Erhaltung der Elastizität von Muskeln und Kapsel - Bandapparat sowie bei Rheuma;
- spezielle Therapiekonzepte, z.B. bei spastischen Lähmungen, Kontrakturen;
- Schulung von Gleichgewicht und Koordinationsfähigkeit;
- Gangschulung bei Störungen der Bewegung;
- vorbeugende Übungsprogramme, z.B. zur Kräftigung der Rückenmuskulatur und zur Schulung physiologischer Haltungs- und Bewegungsmuster bei Schäden am Haltungs- und Bewegungsapparat;
- Prothesentraining;
- Gefäßtraining, z.B. Förderung von Kollateralkreisläufen bei arteriellen Durchblutungsstörungen;
- Förderung des venösen und lymphatischen Rückflusses, z.B. bei Venenleiden, Lymphödemen oder nach Mamma-Ablatio.

KrankengymnastInnen und Pflegepersonal sollten zusammenarbeiten. Beide können einander wichtige Informationen und Beobachtungen mitteilen und Tips / fachliche Anleitung für den Umgang mit den Patienten geben.

10.5.2 Selbsthilfegruppen

Menschen, die unter besonderen Störungen bzw. Krankheiten leiden, haben die Möglichkeit, sich in Selbsthilfegruppen mit anderen Betroffenen auszutauschen. Der **Erfahrungsaustausch** soll helfen, die durch die Krankheit veränderte Lebenssituation und daraus resultierende Probleme zu bewältigen. Selbsthilfegruppen sind also **Hilfe zur Selbsthilfe**.
Die Gründung und Leitung einer Selbsthilfegruppe wird in der Regel von den Betroffenen selbst vorgenommen; professionelle Hilfe, z.B. durch Ärzte, Psychologen, Krankengymnasten oder Stomatherapeuten kann das Wirken der Gruppen unterstützen, ist jedoch nicht obligatorisch.
Selbsthilfegruppen findet man in Deutschland weit verbreitet, so daß die meisten Betroffenen die Möglichkeit haben, eine auf ihr Leiden ausgerichtete Gruppe aufzusuchen. Dort werden ihnen neben dem Erfahrungsaustausch auch **Beratung** und **Betreuung** angeboten. Von anderen Betroffenen bekommen sie praktische Ratschläge zum Umgang mit der Krankheit / Behinderung, so z.B. wichtige Informationen über sinnvolle Hilfsmittel und deren Beschaffung. Weiter erstreckt sich der Austausch auf Erfahrungen mit Ärzten, Therapeuten und Medikamenten. Selbstverständlich spielt auch das **Gespräch** über die durch die Beeinträchtigung hervorgerufenen emotionalen Reaktionen des Betroffenen sowie anderer Menschen eine wesentliche Rolle. Der Betroffene erfährt, daß er mit seinen Problemen und Gefühlen nicht allein ist; die Rückmeldung, daß andere ähnlich empfinden wie er, ist eine Hilfestellung bei der Auseinandersetzung mit und der Akzeptanz seiner Störung.
Die seelische Unterstützung wird ebenso den Angehörigen der Betroffenen angeboten. Bezogen auf bestimmte Problembereiche (z.B. Umgang mit dementen Menschen) haben sich sogar eigene **Selbsthilfegruppen für Angehörige** gebildet. Sie bieten Erfahrungsaustausch und Hilfe im Umgang mit einem Betroffenen, aber auch im Umgang mit den eigenen Reaktionen und Problemen, an.
Die einzelnen Selbsthilfegruppen schließen sich zu Selbsthilfeverbänden auf Landes- oder Bundesebene zusammen. Ihr Ziel ist es, durch Übernahme bestimmter Aufgaben daran mitzuarbeiten, die Bedingungen für die Rehabilitation der Behinderten zu verbessern.
Durch die **Interessenvertretung** ihrer Mitglieder - insbesondere auf politischer Ebene - beeinflussen sie z.B. die Initiative zu gezielter Forschungsarbeit und zur Einrichtung von Rehabilitationsstätten. Daneben leisten sie **Öffentlichkeitsarbeit**, um die Nicht-Betroffenen über die Situation der von einer bestimmten Erkrankung / Behinderung betroffenen Menschen zu informieren. So sollen das Verständnis für die Betroffenen und deren Rehabilitation gefördert werden.
Viele Selbsthilfegruppen geben **Fachbroschüren** oder **Fachzeitschriften** heraus. Diese sind in der Regel für Mitglieder kostenlos, Nichtmitglieder können sie meist für ein geringes Entgelt erwerben.

Informationen über bestimmte Behinderungen und entsprechende Selbsthilfegruppen sind zu beziehen über die:

Bundesarbeitsgemeinschaft für Behinderte e.V.
Kirchfeldstr. 149
40215 Düsseldorf
Tel.: (0211) 3 10 06-23

Seit 1984 besteht die Nationale Kontakt- und Informationsstelle zur Anregung und Unterstützung von Selbsthilfegruppen (= **NAKOS**) als Projekt der Deutschen Arbeitsgemeinschaft Selbsthilfegruppen e.V. in Berlin. Deren Bestreben ist auf das Schaffen förderlicher Bedingungen für die Entstehung und Entwicklung von Selbsthilfegruppen ausgerichtet; auch bei Ärzten und in der Öffentlichkeit soll für die Idee von Selbsthilfegruppen geworben werden.

Informationsmaterial ist zu beziehen über:

NAKOS
Albrecht-Achielles-Str. 65
10709 Berlin
Tel.: (030) 891 40 19

In Deutschland existieren zur Zeit u.a. folgende spezielle Behinderten - Organisationen:

Deutsche **AIDS**-Hilfe

Allergiker- und **Asthmatiker**bund e.V.

Arbeitsgemeinschaft **Allergiekrankes Kind** - Hilfen für Kinder mit Asthma, Ekzem oder Heuschnupfen e.V.

Bundesverband für die Rehabilitation der **Aphasiker** e.V.

Bundesverband Hilfe für das **autistische Kind** e.V.

Gesellschaft zur Förderung **behinderter türkischer Kinder**

Deutscher **Blinden**verband e.V.

Deutscher **Diabetiker**-Bund e.V.

Interessenverband der **Dialysepatienten** und **Nierentransplantierten** Deutschlands e.V. (IVDD)

Deutsche Sektion der Internationalen Liga gegen **Epilepsie**

Aktionskreis **Eß- und Magersucht** e.V.

Frauenselbsthilfe nach **Krebs** e.V.

Deutsche Gesellschaft zur Förderung der **Gehörlosen** und **Schwerhörigen** e.V.

Bundesvereinigung Lebenshilfe für **geistig Behinderte** e.V.

Deutsche **Hämophilie**gesellschaft zur Bekämpfung von Blutungskrankheiten e.V.

Deutsche **Heredo-Ataxie**-Gesellschaft e.V.

Bund Deutscher **Hirnbeschädigter** (BDH) e.V.

Deutsche **Huntington-Hilfe** e.V.

Arbeitsgemeinschaft **Spina bifida** und **Hydrocephalus** e.V.

Deutsche **Ileostomie-Colostomie-Urostomie**-Vereinigung e.V.

Schutzverband für **Impfgeschädigte** e.V.

Bundesverband der **Kehlkopflosen** e.V.

Vereinigung **Kleiner Menschen** e.V.

Bundesverband Selbsthilfe **Körperbehinderter** e.V.

Wolfgang Rosenthal Gesellschaft e.V. - Verein zur Förderung der Behandlung der **Lippen-, Kiefer-, Gaumen-, Segel-Spaltträger**

Freundeskreis Camphill e.V. (**Mehrfachbehinderungen**)

Deutsche Vereinigung **Morbus Bechterew** e.V.

Deutsche **Morbus Crohn / Colitis Ulcerosa** Vereinigung - Bundesverband für entzündliche Erkrankungen des Verdauungstraktes - DCCV - e.V.

Deutsche Gesellschaft zur Bekämpfung der **Mukoviszidose** e.V.

Deutsche **Multiple Sklerose** Gesellschaft e.V.

Deutsche Gesellschaft zur Bekämpfung der **Muskelkrankheiten** e.V.

Deutsche **Myasthenie** Gesellschaft e.V.

Deutsche **Narkolepsie**-Gesellschaft

Bundesverband **Neurodermitis**-Kranker in Deutschland e.V.

Deutscher **Neurodermitiker** Bund e.V.

Gesellschaft für **Osteogenesis imperfecta Betroffene** e.V.

Kuratorium Knochengesundheit e.V. (**Osteoporose**)

Arbeitskreis der **Pankreatektomierten** e.V.

Deutsche **Parkinson**vereinigung - Bundesverband e.V.

Deutsche Interessengemeinschaft für Kinder mit **Phenylketonurie** (PKU) und verwandten angeborenen **Stoffwechselstörungen** e.V.

Deutscher **Psoriasis**bund e.V.

Dachverband **Psychosozialer** Hilfsvereinigungen e.V.

Bundesverband der **Angehörigen psychisch Kranker** e.V.

Deutsche **Retinitis Pigmentosa** (RP) Vereinigung e.V.

Deutsche **Rheuma**-Liga e.V.

Deutsche **Schlaganfall**-Stiftung

Deutsche **Schlaganfall**-Liga e.V.

Bund zur Förderung **Sehbehinderter** e.V.

Selbsthilfegruppe **Sklerodermie** in Deutschland e.V.

Bundesverband **Skoliose** Selbsthilfe e.V.

Bundesverband für **spastisch Gelähmte** und andere Körperbehinderte e.V.

Arbeitsgemeinschaft **Spina bifida** und **Hydrocephalus** e.V.

Bundesvereinigung **Stotterer**-Selbsthilfe e.V.

Deutsche **Zöliakie**-Gesellschaft e.V.

10.5.3 Rehabilitationsmittel

Verschiedene Firmen bieten Rehabilitationsmittel, d.h. **Hilfsmittel zur Bewältigung des Alltagslebens** bei Behinderungen, an. Ihr Einsatz kann die Selbständigkeit eines Behinderten fördern bzw. erhalten und erhöht so seine Lebensqualität.

Rehabilitationsmittel, die das Sich Beschäftigen, die Körperpflege oder die Hausarbeit erleichtern, sind z.B.:

- **Hilfen für Bad und WC**
  - rutschfeste Sicherheitsmatten für die Badewanne oder das Duschbecken;
  - aufblasbare Kopf- / Nackenstütze oder Halbring für den Kopf;
  - Badewannensitz, der das Hinein- und Hinausheben eines Betroffenen erleichtert, indem er die Sitzfläche erhöht;
  - korrosionsbeständiger Duschhocker mit rutschfesten Gummikapseln unter den Hockerbeinen, der das bequeme und sichere Duschbad ermöglicht;
  - spezielle Haltegriffe an der Badewanne, neben dem WC und in der Dusche;
  - Spiegelkippbeschlag, der es ermöglicht, den in der üblichen Montagehöhe angebrachten Spiegel zu kippen, so daß er für den Behinderten im Sitzen nutzbar ist;
  - Toilettensitzerhöhung (evtl. mit Armstützen) um bis zu 14 cm *(siehe Seite 207)*; erleichtert die WC - Benutzung z.B. bei Hüft- und Kniegelenksversteifungen und für Rollstuhlfahrer;
  - Greifvorrichtung für Toilettenpapier zur Säuberung des Intimbereichs bei inkompletten Lähmungen, Rheuma und anderen Behinderungen *(siehe Seite 207)*.
- **Hilfen für das Bett**
  - hochklappbare Seitengitter zum Schutz vor dem Herausfallen;

- Bett - Tisch, dessen Gestell sich unter das Pflegebett fahren läßt; die Tischplatte ist in Höhe und Neigung verstellbar;
- elektrische Steuerung, mittels derer das Höhenniveau und Kopf- sowie Fußteil verstellbar sind.

• **Hilfen für die Körperpflege und das Ankleiden**
- Nagelbürste / -feile, die mittels kräftiger Sauger am Waschbeckenrand befestigt werden und so das einhändige Säubern der Nägel ermöglichen;
- Verlängerungsgriffe für Kamm oder Badebürste, die auch in deformierten Händen sicher liegen;
- Anziehhilfen, z.B. Knöpfhilfe oder Strumpfanzieher (verschiedene Modelle) und Schuhanzieher, die das Anziehen der Strümpfe bzw. Schuhe ohne Bücken ermöglichen *(siehe "Hilfestellung beim An- und Auskleiden", Seite 671).*

• **Hilfen bei der Hausarbeit**
- Reinigungsbürsten, die mittels kräftiger Sauger im Waschbecken angebracht werden und das einhändige Abwaschen von Geschirr oder Putzen von Gemüse ermöglichen;
- Schraubverschlußöffner, der das Öffnen von Schraubverschlüssen auch bei vermindertem Griffvermögen ermöglicht;
- Schälmesser, die mit Saugnäpfen oder einer Schraubzwinge befestigt werden und so das einhändige Schälen von Kartoffeln, Gurken u.ä. ermöglichen;
- Universalhalter, deren Aufsteckseite sich jeder Knopf- und Schlüsselform sowie Drehknöpfen von Herden, Wasserhähnen u.ä. anpaßt und nicht abrutscht; der für die Drehbewegungen notwendige Kraftaufwand wird auf ein Minimum reduziert und ermöglicht so viele Tätigkeiten trotz des eingeschränkten Griffvermögens, z.B. bei Lähmungen, Multiple Sklerose oder rheumatischen Erkrankungen;
- spezielle Hilfen zur Nahrungsaufnahme *(siehe "Eßhilfen", Seite 131).*

• **Bewegungshilfen**
- Unterarmgehstützen und andere Bewegungshilfen *(siehe "Mobilisationshilfen", Seite 551).*

• **Hilfen für Freizeit und Beruf**
- Spezialscheren, deren Betätigung durch einfaches Zusammendrücken der Handinnenflächen erfolgt, die Griffe für Finger und Daumen entfallen;
- Leichtgewichtrampe für Rollstuhlfahrer zur Überwindung von Kanten und Stufen ;
- spezielle Stühle für Rollstuhlfahrer, die entsprechend den unterschiedlichen Behinderungen gestaltet sind;
- Drehscheibe, deren Unterlegen dem Immobilen ein Umsetzen der Füße, z.B. beim Transfer von der Bettkante in den Stuhl, erspart; die Kunststoffplatte ist rutschfest und verfügt über einen Tragegriff; sie wiegt nur 1,2 kg und hat einen Durchmesser von 30 cm, ist also gut zu transportieren;

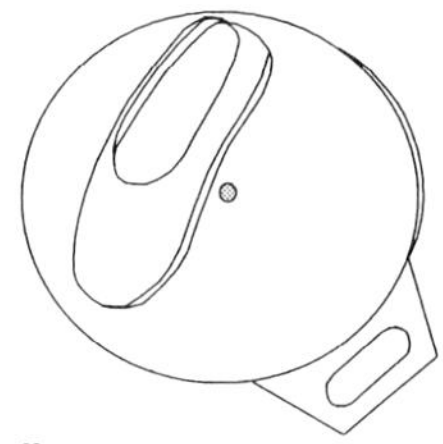

Abb. 10.1 ***Drehscheibe***

- Schreibgriff, der bei verringertem Griffvermögen das Schreiben aus dem Handgelenk ermöglicht;
- Seitenwender, der das Wenden der Buchseiten ohne Einsatz der Hände ermöglicht;
- Anti - Rutsch - Beläge in unterschiedlicher Größe und verschiedenem Dekor, die das Festhalten der Unterlage beim Schreiben, Basteln und anderen Tätigkeiten ersparen.

Literaturhinweise

Aronson, E./ Pines A. M./ Kafry, D.: Ausgebrannt. Vom Überdruß zur Selbstentfaltung. Klett - Cotta, Stuttgart 1983

Buchka, M. / Hackenberg, J.: Das Burn- out - Syndrom bei Mitarbeitern in der Behindertenhilfe. Ursachen - Formen - Hilfen. Modernes lernen, Dortmund, 1987

Bundesarbeitsgemeinschaft Hilfe für Behinderte e.V.: Reha-Helfer. H.-P. Meyer, Verlag für moderne Kommunikation, Essen

Burisch, M.: Das Burnout - Syndrom. Theorie der inneren Erschöpfung. Springer, Berlin 1989

Dahlem, H. / Lorenz, A. (Hrsg.): Total Normal - Neue Arbeitszeiten im Pflegedienst. Mabuse, Frankfurt

Deutscher Berufsverband für Pflegeberufe: Die Nacht im Krankenhaus aus der Sicht der Pflegenden. Krankenpflege, Eschborn 1993

Enzmann, D. / Kleiber, D. (Hrsg.): Streß und das Burnout in sozialen Berufen. Asanger, Heidelberg 1993

Freudenberger, H. J.: Das Erschöpfungssyndrom von Mitarbeitern in alternativen Einrichtungen. In: Petzhold, H. und Vorrmann, G. (Hrsg.): Therapeutische Wohngemeinschaften. Erfahrungen - Modelle - Supervision. Pfeiffer, München 1980

Huppertz, N.: Supervision. Analyse eines problematischen Kapitels der Sozialarbeit. Neuwied/Darmstadt, 1975

Jakobsen, E.: Entspannung als Therapie - Progressive Relaxion in Therapie und Praxis. Pfeiffer, Wiesbaden 1996

Mitscherlich, S.: Supervision bei Auszubildenden. In: Beier, J. et al.: Jahrbuch der Pflege- und Gesundheitsfachberufe 1995/96. LAU, Reinbek 1995

Olschewski, A.: Progressive Muskelentspannung. Einführung in das Entspannungstraining nach Jacobsen. Haug, Heidelberg 1994

Overlander, G.: Die Last des Mitfühlens. Aspekte der Gefühlsregulierung in sozialen Berufen am Beispiel der Krankenpflege. Mabuse, Frankfurt 1994

Petzhold, H.G. / Petzhold, Ch.: Supervision als Praxisberatung und Hilfe zu normativer Orientierung und Reflexion in Einrichtungen der Altenarbeit und Gerontopsychiatrie. In: Blonski, H. (Hrsg.): Ethik in Gerontologie und Altenpflege. Kunz, Hagen 1998

Petzhold, H.G.: Die Krisen der Helfer. In: Schnyder, U. / Sauvant, Ch.: Krisenintervention in der Psychiatrie. Huber, Bern 1993

Ruschmeyer, J.: Supervision - eine Vision für die Krankenpflege? In: Bals, Th.(Hrsg.): Was Florence noch nicht ahnen konnte. Neue Herausforderungen an die berufliche Qualifizierung in der Pflege. Bibliomed, Melsungen 1994

Schmittbauer, W.: Die hilflosen Helfer. Rowohlt, Reinbek 1986

Schreyögg, A.: Supervision, ein integratives Modell. Lehrbuch zu Theorie und Praxis. Paderborn 1991

Schultz, J.H.: Das autogene Training. Konzentrative Selbstentspannung. Thieme, Stuttgart 1991

Schultz, J.H.: Übungsheft für das autogene Training. Konzentrative Selbstentspannung, Trias, Stuttgart 1991

Geschlechtliches Erleben und Verhalten

11. Geschlechtliches Erleben und Verhalten

11.1 Bedeutung und Umfang

Das geschlechtliche Erleben und Verhalten wird einerseits durch die Geschlechtlichkeit *(Sexualität)* des Menschen, andererseits durch die entsprechenden kulturellen und religiösen Einflüsse geprägt.
Der Begriff **Sexualität** umfaßt alle Bedürfnisse, Verhaltensweisen und Triebe, die sich auf die Geschlechtlichkeit und auf die Befriedigung des Sexualtriebs beziehen. Als Prinzip der Natur ist die Sexualität ausgerichtet auf die Vereinigung zweier Geschlechtszellen zum Zwecke der Fortpflanzung. Diese rein biologische Funktion der Geschlechtlichkeit wird beim Menschen jedoch durch die seelisch-geistige und die soziale Dimension ergänzt. Geschlechtlichkeit ist ein **ganzheitliches Geschehen**. Sie ist Ausdruck der persönlichen Identität und beeinflußt das Selbstwertgefühl.
Der gesunde Mensch ist in der Lage, seinen Sexualtrieb zu kontrollieren; er bestimmt, zu welchem Zeitpunkt und in welcher Weise er aktiv wird bzw. wann er auf Aktivitäten verzichtet.
Im seelisch - geistigen Bereich sind dem Menschen - individuell unterschiedlich ausgeprägt - **Sinnlichkeit** und **Erotik** zugänglich. Sexualität muß z.B. nicht immer an Berührungen gekoppelt sein; sie kann ebenso in der Sprache oder Körpersprache Ausdruck finden.
Die gelebte Sexualität wird von den Bedürfnissen nach Nähe, Wärme, Zärtlichkeit, Zuwendung und Anerkennung beeinflußt; oft wird sie als **Ausdruck der Liebe** gewertet.
Innerhalb einer Partnerschaft kann Sexualität Ausdruck von Zärtlichkeit, Lust, Intimität und intensiver Zuwendung sein. Sie ermöglicht das Erleben höchster Glücksgefühle, die weit über das rein biologische Erleben hinausgehen.
Das Kennenlernen und Vertrautwerden mit der eigenen Geschlechtlichkeit und mit der eines anderen Menschen kann **wertvolle Erfahrungen und Erlebnisse** mit sich bringen. Sexuelles Erleben beeinflußt den Menschen in seiner Gesamtheit; er gewinnt an Ausdrucksmöglichkeiten, er erfährt Vertrautheit und Verbundenheit mit einem anderen und erlebt, wie Unterschiede sich sinnvoll ergänzen können.
Nicht selten ist das Liebesleben ein sehr empfindlicher Anzeiger für das Befinden eines Menschen bzw. einer Partnerschaft.
Geprägt durch die Erfahrungen, aber auch durch die Entwicklung verändert sich die Sexualität des Menschen.
Zur Sexualität des Menschen gehört auch das **Erleben der eigenen Geschlechtlichkeit**. Dabei beeinflussen kulturelle und religiöse Normen die Auseinandersetzung und Identifikation mit der sozialen Rolle der Frau bzw. des Mannes. So ist jeder Mensch **sozialen Erwartungen** ausgesetzt, wenngleich sie in unterschiedlichem Ausmaß auf ihn einwirken können. Andererseits erwartet der Mensch **Bestätigung** in seiner Geschlechtsrolle und schöpft daraus Selbstwertgefühl und Selbstvertrauen. Individuell ausgeprägt ist das Bedürfnis nach Bestätigung als attraktiver und begehrenswerter Partner. Dabei ist die Einschätzung dessen, was einen Menschen begehrenswert und attraktiv erscheinen läßt, sehr unterschiedlich:
Die Ausprägung der äußeren Geschlechtsmerkmale und des Gesichtes *(Physiognomie)* sowie die persönlichen Eigenschaften oder die individuelle Art des Fühlens und des Handelns werden sehr verschieden gewichtet.
Da Sexualität den intimsten Bereich des Menschen betrifft, ist der Umgang mit ihr oft von Schamgefühl und Hemmungen geprägt. Bis zu den sechziger Jahren war sie in der Öffentlichkeit ein **Tabuthema**; heute gewinnen Teilbereiche der Sexualität in der Öffentlichkeit zunehmend an Bedeutung, z.B. Schwangerschaftsverhütung, Sexualität und Alter, Homosexualität, Verhütung sexuell übertragbarer Krankheiten *("Gib Aids keine Chance")*.
Innerhalb vertrauter Beziehungen ist es oft ein Lernprozeß, über Sexualität zu sprechen.
Inwieweit außerhalb einer intimen Partnerschaft über die dort erlebte Sexualität gesprochen wird, sollte individuell entschieden werden. Die persönlichen Grenzen sind dabei sehr unterschiedlich.
Der Austausch mit anderen Menschen - evtl. auch die über die Medien verbreiteten Informationen - können vor allem bei Auftreten von Problemen sehr hilfreich sein. Die Gespräche sollten von Vertrauen und Feingefühl geprägt sein.

11.2 Anatomisch - physiologische Grundlagen

Es werden **innere** und **äußere Geschlechtsorgane** der Frau bzw. des Mannes unterschieden. Sie werden auch als **primäre Geschlechtsmerkmale** bezeichnet und dienen direkt der Fortpflanzung.
Geschlechtsmerkmale, die sich erst in der Pubertät unter dem Einfluß der Sexualhormone bilden, werden als **sekundäre Geschlechtsmerkmale** bezeichnet. Die Sexualhormone werden von den Keimdrüsen *(Gonaden)* produziert.

11.2.1 Die weiblichen Geschlechtsorgane

Äußere Geschlechtsorgane (*Vulva*)

- **Der Scheidenvorhof** (*Vestibulum vaginae*):
  - wird von den kleinen und großen Schamlippen sowie dem Kitzler umschlossen;
  - wird bei Jungfrauen durch eine Schleimhautfalte *(Jungfernhäutchen; Hymen)* von der Scheide getrennt.
- **Zwei große Schamlippen** (*Labiae majorae*):
  - enthalten reichlich Fettgewebe sowie Schweiß-, Talg- und Duftdrüsen;
  - ihre Behaarung geht in das Schamhaardreieck des Schamberges (*Mons pubis*) über.
- **Zwei kleine Schamlippen** (*Labiae minorae*):
  - schmale, unbehaarte Hautfalten;
  - enthalten Talgdrüsen.
- **Der Kitzler** (*Klitoris*):
  - 3-4 cm langer Schwellkörper;
  - enthält zahlreiche sensible Nervenenden *(erogene Zone).*
- **Die Harnröhre** (*Urethra*):
  - mündet 2-3 cm unterhalb des Kitzlers in den Scheidenvorhof;
  - ist 3-5 cm lang.
- **Zwei Bartholinische Drüsen** (*Glandulae vestibulares majores*):
  - befinden sich im unteren Drittel der großen Schamlippen;
  - sondern schleimige Flüssigkeit ab.

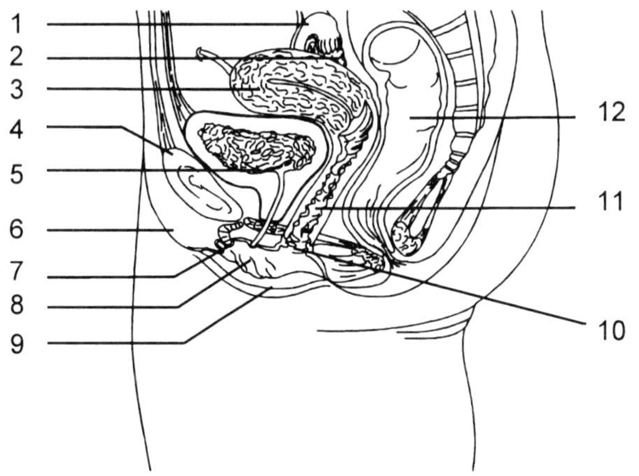

1 Eileiter (Tube)
2 Eierstock (Ovarium)
3 Gebärmutter (Uterus)
4 Schambeinfuge (Symphyse)
5 Harnblase
6 Venushügel (Mons pubis)
7 Kitzler (Klitoris)
8 kleine Schamlippe
9 große Schamlippe
10 Jungfernhäutchen (Hymen)
11 Scheide (Vagina)
12 Enddarm (Rektum)

Abb. 11.1 ***Weibliche Geschlechtsorgane*** *(seitliche Ansicht)*

Innere Geschlechtsorgane

- **Die paarig angelegten Eierstöcke** (*Ovarien*):
  - liegen an der seitlichen Wand des kleinen Beckens innerhalb des Bauchfells (*intraperitoneal*);
  - sind durch elastische Bänder mit der Gebärmutter verbunden;
  - sind mandelförmige, 3-4 cm lange Drüsen;
  - enthalten ca. 400 000 Eier (*Oozyten*), von denen maximal 400 reifen;
  - jede Oozyte wird von Follikelepithelzellen umgeben;
    - diese Follikel wandeln sich unter Einfluß des follikelstimulierenden Hormons (*FSH*) und des luteinisierenden Hormons (*LH*) des Hypophysenvorderlappens in flüssigkeitsgefüllte Bläschen (*Graafsche Follikel*) um; in der inzwischen weiterentwickelten Eizelle wird durch meiotische Reifeteilung der Chromosomensatz halbiert;
    - ca. alle 28 Tage reift ein Follikel völlig aus: unter dem Druck der im Graaf-Follikel angesammelten Flüssigkeit bricht die Follikelwand auf, die Oozyte wird ausgeschwemmt - man spricht vom Ei- oder Follikelsprung (*Ovulation*);
    - nach dem Eisprung nimmt der Follikel gelbliche Farbe an, man spricht vom Gelbkörper (*Corpus luteum*); er bildet nun unter dem Einfluß des LH *(luteinisierendes Hormon)* der Hypophyse vorwiegend Gestagene (*Progesteron*); diese haben die Aufgabe, eine zu erwartende Schwangerschaft vorzubereiten; wird die Eizelle nicht befruchtet, bildet sich der Gelbkörper zurück, die für die Schwangerschaft vorbereitete Gebärmutterschleimhaut wird ausgestoßen (*Monatsblutung, Menstruation*);
    - neben Progesteron wird ein weiteres weibliches Sexualhormon, das *Östrogen*, für den Aufbau der Gebärmutterschleimhaut gebildet; es ist außerdem für die Ausbildung der sekundären Geschlechtsmerkmale verantwortlich.
- **Die paarig angelegten Eileiter** (*Tubae uterinae*):
  - sind ca. 12 cm lange Muskelschläuche, die von der Gebärmutterhöhle aus in die Bauchhöhle ziehen;
  - haben freie Enden, die trichterförmig geöffnet sind und über 1-2 cm lange Fransen (*Fimbrien*) verfügen; die Fimbrien legen sich über den jeweiligen Eierstock und fangen die ausgeschwemmte Oozyte auf;
  - sind Ort der Befruchtung durch die männliche Samenzelle; auch dienen sie dem anschließenden Transport in die Gebärmutter; dieser wird sowohl durch die Flimmerhärchen der Schleimhaut als auch durch die Peristaltik der Eileitermuskulatur gewährleistet und dauert ca. 4 - 5 Tage.

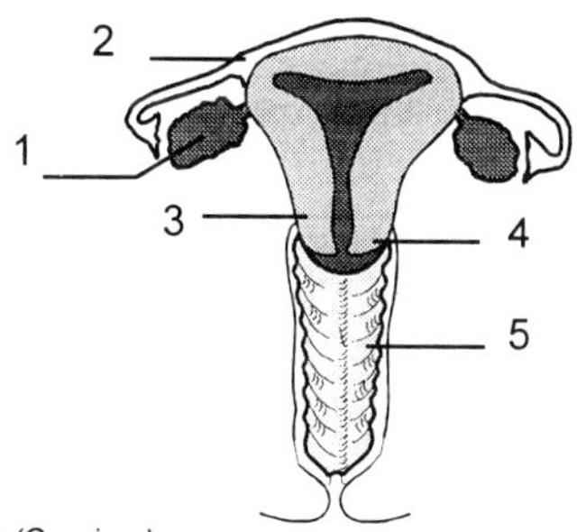

1 Eierstock (Ovarium)
2 Eileiter (Tube)
3 Gebärmutterkörper (Korpus uteri)
4 Gebärmutterhals (Zervix uteri)
5 Scheide (Vagina)

Abb. 11.2 ***Innere weibliche Geschlechtsorgane***

- **Die Gebärmutter** (*Uterus*):
  - liegt oberhalb der Beckenbodenmuskulatur zwischen der Harnblase und dem Enddarm im kleinen Becken;
  - ist ein muskulöses, birnenförmiges, ca. 7-8 cm langes und bewegliches Hohlorgan, welches durch verschiedene Haltebänder mit der Umgebung verbunden ist;
  - dient während der Schwangerschaft als Fruchthalter und am Ende der Schwangerschaft unter Einfluß des Hypophysenhormons Oxytocin der Austreibung der Leibesfrucht;
  - die oberen Zweidrittel werden als Gebärmutterkörper *(Korpus uteri)*, das untere Drittel als Gebärmutterhals *(Zervix uteri)* bezeichnet;
  - am Übergang zwischen Gebärmutterkörper und -hals befindet sich der innere Muttermund;
  - der in die Scheide hineinragende Teil des Gebärmutterhalses wird als *Portio vaginalis* bezeichnet, in seiner Mitte befindet sich der äußere Muttermund;
  - die Gebärmutterwand besteht aus drei Schichten, dem Bauchfellüberzug *(Perimetrium)*, der Muskelschicht *(Myometrium)* und der Schleimhaut *(Endometrium)*;
  - die Gebärmutterschleimhaut besteht aus zwei Schichten; die obere Schicht (*Funktionalis*) verändert sich während des (ca. 28 tägigen) Zyklus der geschlechtsreifen Frau in typischer Weise:

    1. Phase (1.- 4. Tag) = Menstruation *(Abschuppungs- und Reparaturphase); Desquamationsphase*; die durch Abfall des Progesteronspiegels bedingte Ischämie der Funktionalis führt zur Minderdurchblutung und Gewebeschädigung; anschließend löst sich die Funktionalis in Fetzen ab und wird mit Blut vermischt ausgestoßen.

    2. Phase (5.-14. Tag) = Postmenstrum *(Proliferationsphase; Aufbauphase)*; unter Einfluß des steigenden Östrogenspiegels baut sich die Funktionalis wieder auf und bereitet sich auf eine Schwangerschaft vor; im Ovar reift ein Follikel heran; der Muttermund ist klein und verschlossen; der Schleim *(Zervixschleim)* wird kurz vor und zur Zeit der Ovulation dünnflüssig und kann in langen Fäden gezogen werden *(Spinnbarkeit des Zervixschleims)*; mit dem Eisprung endet die 2. Phase.

    3. Phase (15.-28. Tag) *(Sekretions- oder Gelbkörperphase)*; unter dem Einfluß von Progesteron und Östrogen wird die Funktionalis für eine Keimeinnistung vorbereitet; die Basaltemperatur ist um ca. 0,5 Grad C rektal erhöht; erfolgt keine Einnistung eines befruchteten Eies, bildet sich der Gelbkörper zurück; der Progesteronabfall bedingt am ca. 26. und 27. Zyklustag eine Ischämie* der Funktionalis, die letztendlich zur erneuten Abstoßung führt (= 1. Tag der Menstruation).

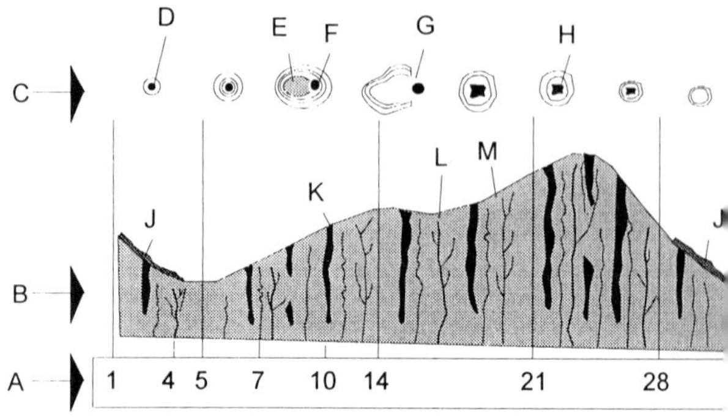

A	*Zyklustage*	*G*	*Follikelsprung (Ovulation)*
B	*Gebärmutterschleimhaut*	*H*	*Gelbkörper*
C	*Oozyte*	*J*	*Blutung*
D	*Ei*	*K*	*Uterusdrüse*
E	*Follikelhöhle mit Follikelflüssigkeit*	*L*	*Blutgefäß*
F	*Eizelle*	*M*	*Schleimhaut*

Abb. 11.3 ***Weiblicher Zyklus***

- **Die Scheide** *(Vagina)*:
  - schließt sich als ca. 10 cm langer, aus Bindegewebe und Muskeln bestehender Schlauch an den Gebärmutterhals an und mündet in den Scheidenvorhof;
  - dient der Aufnahme des männlichen Gliedes und während der Geburt als Geburtskanal;
  - enthält Sekret, das von den Drüsen des Gebärmutterhalses produziert wird;
  - wird von Plattenepithel ausgekleidet, dessen Zellen reichlich Glykogen enthalten; hieraus bilden Milchsäurebakterien (*Döderlein - Bakterien*) die für den pH - Wert der Scheide verantwortliche Milchsäure (pH = 4), das saure Milieu tötet eindringende Krankheitskeime ab und verhindert somit Infektionen;
    Samenfäden werden nicht geschädigt, da der pH-Wert der Samenflüssigkeit schwach alkalisch ist und somit neutralisierend wirkt.

Die Brustdrüse *(Mamma)*:

- gehört zu den sekundären weiblichen Geschlechtsmerkmalen;
- ist von ihrem Ursprung her eine Hautdrüse;
- besteht aus Drüsen-, Binde- und Fettgewebe;
- liegt verschieblich auf dem großen Brustmuskel *(Musculus pectoralis major)*;
- variiert individuell in Form und Größe, was u.a. vom Anteil des Fettgewebes abhängig ist;
- besteht aus 12-15 Einzeldrüsen mit jeweils eigenem Ausführungsgang *(Milchgang = Ductus lactiferi)*, der in die Brustwarze *(Mamille)* mündet; diese wird von einem stark pigmentierten Warzenhof *(Areola mammae)* umgeben und kann aufgerichtet werden;
- ist sehr gut durchblutet;
- entwickelt sich beim Mädchen mit Einsetzen der Pubertät unter der Einwirkung von Östrogenen zur weiblichen Brust;
- vergrößert sich während der Schwangerschaft durch Wachstum ihres Drüsengewebes und bereitet sich auf Bildung von Muttermilch vor;

- bildet nach der Geburt unter hormonalem Einfluß Milch *(Laktation);*
- ist sehr empfindsam, besonders die Brustwarze *(erogene Zone).*

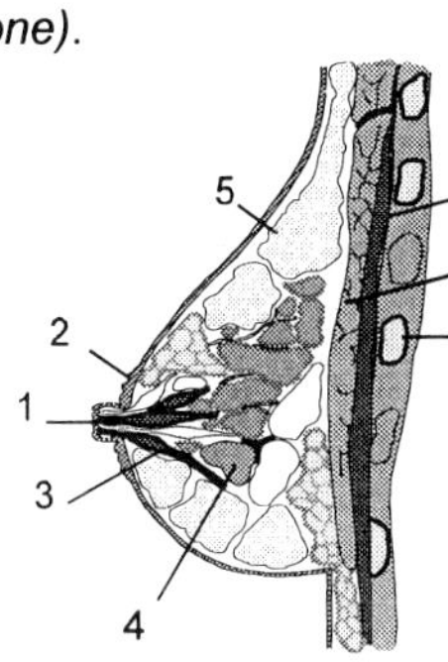

1 Brustwarze (Papilla mammae)
2 Warzenvorhof (Areola mammae)
3 Drüsenausführungsgänge
4 Drüsengewebe
5 Fettgewebe
6 Rippen
7 großer Brustmuskel (M. pectoralis major)
8 kleiner Brustmuskel (M. pectoralis minor)

Abb. 11.4 ***Brustdrüse***

11.2.2 Die männlichen Geschlechtsorgane

Äußere Geschlechtsorgane

- **Der Hodensack** (*Skrotum*):
  - ist eine hinter dem Penis aufgehängte Hauttasche, die Schweiß-, Talg- und Duftdrüsen enthält;
  - ist durch eine Scheidewand in zwei Räume geteilt;
  - beinhaltet die Hoden und die Nebenhoden;
  - garantiert eine relativ konstante Temperatur für die Hoden: durch die 2 - 5 Grad C niedrigere Temperatur außerhalb des Bauchraumes wird die Samenbildung ermöglicht; ein Unterkühlen wird ggf. durch das Zusammenziehen der Haut verhindert.
- **Das Glied** (*Penis*):
  - besteht aus Peniswurzel, -schaft und Eichel *(Glans penis)*;
  - beginnt unter dem Beckenboden mit der Peniswurzel;
  - wird von einer dehnbaren Haut überzogen, die über der Eichel eine nach hinten verschiebbare Hautfalte, die Vorhaut *(Praeputium)*, bildet;
  - besteht am Penisschaft aus drei zylindrischen Schwellkörpern, die zahlreiche Blutgefäße aufweisen (diese füllen sich bei der Erektion, gleichzeitig wird der Blutabfluß gedrosselt; der Harnröhrenschwellkörper füllt sich weniger stark, damit der Transport des Samens gewährleistet wird);
  - beinhaltet den gemeinsamen Ausführungsgang von Harnröhre und Samenleitern, die Harn - Samenröhre;
  - muß während der Miktion schlaff und beweglich sein;
  - muß für den Geschlechtsverkehr anschwellen und versteifen *(Erektion)*;
  - weist im Bereich der Eichel zahlreiche sensible Nervenenden und Tastkörperchen (*erogene Zone*) auf.

Innere Geschlechtsorgane

- **Die Hoden** (*Testis, Orchis*):
  - sind paarig angelegte, eiförmige (Volumen nach der Pubertät ca. 25 ml), schwebend im Hodensack aufgehängte Organe;
  - produzieren in den sogenannten *Leydig-Zwischenzellen*, die zwischen den Hodenkanälchen im Bindegewebe liegen, unter dem Einfluß des luteinisierenden Hormons der Hypophyse die männlichen Sexualhormone, vor allem das *Testosteron* (Testosteron sorgt für die Entwicklung der primären und sekundären Geschlechtsmerkmale sowie für die Reifung der Samenfäden);
  - beinhalten zahlreiche Hodenkanälchen, in denen von der Pubertät an die Samenfäden gebildet werden; die **Samenfäden** bestehen jeweils aus Kopf, Mittelstück und Schwanz; sie können sich selbständig bewegen; während ihrer Reifung kommt es zu mehreren Zellteilungen; bei der Meiose wird die Chromosomenzahl von 46 auf 23 reduziert, d.h. 22 Autosomen und 1 X - oder 1 Y - Chromosom; der **Samen** (*Sperma*) setzt sich zusammen aus den Samenfäden und der Samenflüssigkeit, die von Absonderungen der Nebenhoden, Samenblase und Vorsteherdrüse gebildet wird; da der pH - Wert bei 7 - 8 liegt, bleibt der Samen im sauren Scheidenmilieu nur einige Stunden beweglich, in Eileiter und Gebärmutter allerdings ca. 2 Tage; beim Samenerguß (*Ejakulation*) werden ca. 2 - 6 ml Samen unter hohem Druck aus den ableitenden Samenwegen gespritzt.

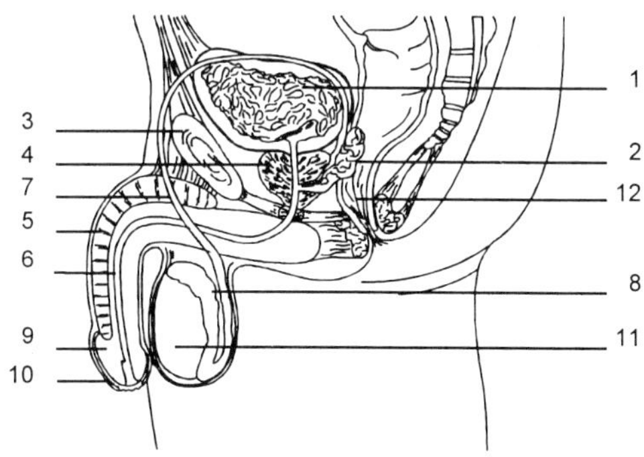

1 Harnblase
2 Bläschendrüse (Vesicula seminalis)
3 Schambeinfuge (Symphyse)
4 Vorsteherdrüse (Prostata)
5 Glied mit Schwellkörper
6 Harnsamenleiter (Urethra)
7 Samenleiter (Ductus deferens)
8 Nebenhoden (Epididymis)
9 Eichel (Glans penis)
10 Vorhaut (Praeputium)
11 Hoden (Testis)
12 Enddarm (Rektum)

Abb. 11.5 ***Männliche Geschlechtsorgane***

- **Die Nebenhoden** (*Epididymis*):
  - sind paarig angelegt;
  - sind ein auf dem oberen Pol und auf der Rückseite jeden Hodens festgewachsenes Gangsystem, bestehend aus kleinen Kanälchen und Drüsenzellen;
  - bestehen aus Kopf, Körper und Schwanz;

- speichern in ihren Kanälchen die Samenzellen, die dort erst ihre volle Reife erlangen;
- bilden in ihren Drüsenzellen ein saures Sekret, welches die Beweglichkeit der Samenzellen unterbindet, bis sie bei der Ejakulation weiterbefördert werden.

• **Die Samenleiter** (*Ducti deferens*):
- sind paarig angelegte, ca. 50 - 60 cm lange, dünne Muskelschläuche;
- ziehen jeweils vom Schwanz des Nebenhodens - gemeinsam mit Gefäßen und Nerven - im Samenstrang durch den Leistenkanal aufwärts ins Becken und führen an der Hinterwand der Harnblase wieder abwärts;
- nehmen in ihrem ampullenförmig erweiterten Ende die Mündung der Samenblase auf, ziehen durch die Vorsteherdrüse und münden in die Harnröhre;
- enthalten an ihrer Wand eine Muskelschicht; kontrahiert diese, wird zunächst der Inhalt des Nebenhodengangs angesaugt und dann durch die Spritzkanäle in die Harnröhre geschleudert.

• **Die Samenblasen** (*Vesiculae seminales*):
- sind paarig angelegt;
- werden auch Bläschendrüsen genannt;
- sind ca. 3-4 cm lange, in Falten gelegte Auswüchse an jedem Samenleiter, deren jeweiliger Ausführungsgang in diesen mündet;
- produzieren den größten Anteil der Samenflüssigkeit, ein zähes, schwach alkalisches Sekret; dieses gewährleistet die Eigenbeweglichkeit der Samenzellen.

• **Die Vorsteherdrüse** (*Prostata*):
- ist ein kastaniengroßes, zwischen Harnblase und Beckenbodenmuskulatur liegendes Organ aus Drüsengewebe;
- mündet mit ca. 20 Ausführungsgängen in die Harnröhre;
- produziert schwach saures, dünnflüssiges und trübes Sekret, welches der Samenflüssigkeit während der Ejakulation beigefügt wird und ihr den eigentümlichen Geruch verleiht; es fördert ebenfalls die Beweglichkeit der Samenfäden.

• **Die Cowper - Drüsen** (*Glandulae bulbourethrales*):
- sind paarig angelegt;
- liegen im Beckenboden und münden mit dem jeweiligen Ausführungsgang in die Harnröhre;
- produzieren alkalisches Sekret, das bereits vor der Ejakulation abgegeben wird.

11.2.3 Die Sexualhormone

Die weiblichen Sexualhormone

- **Östrogene und Progesterone** werden in den Eierstöcken unter dem Einfluß der Hypothalamushormone FSH-RH (*follikelstimulierendes Hormon - Releasing* Hormon*) und LH-RH (*luteinisierendes Hormon - Releasing Hormon*) und der Hypophysenvorderlappenhormone FSH und LH gebildet;
- fördern die Geschlechtsreifung ab der Pubertät, also das Wachstum der Eierstöcke und der Gebärmutter sowie die Ausbildung der sekundären Geschlechtsmerkmale;
- beeinflussen das psychische Verhalten;
- steuern ab der Menarche den Menstruationszyklus;
- bewirken einen Anstieg der Basaltemperatur ca. 1-2 Tage nach der Ovulation und in der Schwangerschaft; sind wahrscheinlich für auftretende Verhaltensänderungen und depressive Verstimmungen vor der Menstruationsblutung und gegen Ende der Schwangerschaft verantwortlich (*Progesterone*);
- haben auch extragenitale Wirkungen, z.B. Hemmung der Talgdrüsenfunktion, Wasserretention, Stimulierung der Knochenreifung u.a. (*Östrogene*).

Die männlichen Sexualhormone

- **Androgene** werden unter Einfluß der Hypothalamushormone FSH - RH und LH - RH sowie der Hypophysenvorderlappenhormone FSH und LH in den Hoden gebildet, wichtigstes Androgen ist das **Testosteron**;
- bewirken die Geschlechtsdifferenzierung in der Embryonalzeit und die Geschlechtsreifung in der Pubertät, sind also für die Ausbildung der männlichen Geschlechtsmerkmale und für die Samenbildung verantwortlich;
- beeinflussen maßgeblich Libido, psychisches Verhalten und Habitus (äußere Beschaffenheit) des Mannes;
- haben auch extragenitale Wirkungen, z.B. Steigerung des Eiweißaufbaus, Förderung des Skelettwachstums und der Muskelmasse, Senkung des Cholesterinspiegels im Blut; außerdem beeinflußt Testosteron auch bestimmte Verhaltensweisen wie Aggressivität.

11.2.4 Die sekundären Geschlechtsmerkmale

Sie entwickeln sich in der Pubertät unter dem Einfluß der Sexualhormone; die Ausprägung ist individuell unterschiedlich.

Bei der heranwachsenden Frau
- vergrößern sich die Brustdrüsen;
- entwickelt sich eine typische Schambehaarung;
- verteilen sich die Fettpolster an Hüften, Gesäß, Oberschenkeln;
- entwickeln sich eine relativ schmale Taille und schmale Schultern sowie ein breites Becken;
- zeigen sich ein zarterer Knochenbau und eine weniger ausgeprägte Muskulatur.

Beim heranwachsenden Mann
- tritt der Adamsapfel hervor;
- entwickeln sich eine tiefere Stimme und Bartwuchs;
- zeigt sich eine stärkere Behaarung in Nase und Ohren, die Augenbrauen werden buschig;
- entwickeln sich eine stärkere Körperbehaarung und eine typische Schambehaarung;
- zeigen sich relativ breite Schultern, ein schmales Becken sowie ein schwererer Knochenbau, ein größerer Brustkorb und eine vermehrte Skelettmuskulatur.

11.3 Das Sexualverhalten

Das Sexualverhalten des Menschen wird durch zahlreiche Faktoren unterschiedlichster Herkunft und Ausprägung beeinflußt.

11.3.1 Biologische Faktoren

Die **Sexualhormone** beeinflussen das Sexualverhalten sowohl direkt als auch indirekt. Sie bedingen den Geschlechtstrieb (*Libido sexualis*), also den Drang zur Beziehungsaufnahme, zu körperlichen Kontakten und zu körperlicher Vereinigung, damit auch zur sexuellen Entspannung.

Durch soziales Lernen *(siehe "Soziokulturelle Faktoren", Seite 808)* wird dieser Trieb steuerbar. Höchste Leistungen des Gehirns, z.B. das Fassen von Entschlüssen und ethisches Verhalten, sind im Gehirn kaum lokalisierbar. Dennoch weiß man aufgrund von Ausfallerscheinungen nach Gehirnverletzungen / -operationen, daß die Mitwirkung von Stirnhirnstrukturen (Frontalhirn) dazu erforderlich ist. Werden diese verletzt oder zerstört, kommt es zum Beispiel zu Reizbarkeit, Antriebsarmut und mangelnder sozialer Anpassungsfähigkeit. Bei organischen Hirnkrankheiten kann die sogenannte Enthemmung auftreten, d.h. Trieb- und Affekthandlungen werden nicht mehr durch Intellekt und Willen gesteuert.

Die **Ausprägung der sekundären Geschlechtsmerkmale** und die darauf bezogenen Reaktionen der Mitmenschen wirken nicht nur auf das Sexualverhalten, sondern auf das Verhalten insgesamt. Während der geschlechtsreifen Jahre werden persönliche Ausstrahlung, Anziehungskraft, Sympathie und Antipathie, manchmal auch Respekt und Akzeptanz durch das geschlechtsspezifische Aussehen und Verhalten beeinflußt. Die meisten Menschen begegnen - bewußt oder unbewußt - z.B. einer Frau mit ausgeprägtem weiblichen Aussehen und Verhalten anders als einer eher männlich aussehenden und/oder sich verhaltenden Frau. Diese Reaktionen der Mitmenschen wirken ihrerseits auf das Verhalten der Frau. Hierzu tragen auch der individuelle Ausdruck und das Aussehen des Gesichtes (*Physiognomie*) bei.

Das biologische Alter beeinflußt das Sexualverhalten ebenfalls.

In der **Kindheit**, ab dem 2. Lebensjahr, entdeckt der Mensch nach und nach seine Geschlechtlichkeit. Die Psychoanalyse beschreibt bereits hier sexuelle Triebkomponenten, die sich auf die erogenen Zonen beziehen.

Die Phase der Entwicklung zwischen Kindheit und Erwachsensein wird als **Pubertät** bezeichnet. Sie ist durch die geschlechtliche Reifung und tiefgreifende Veränderungen im körperlichen, seelischen und sozialen Bereich gekennzeichnet. Der Zeitpunkt der Pubertät hängt u.a. von klimatischen, zivilisatorischen und sozialen Begebenheiten ab. In den letzten Jahrzehnten wird eine zunehmende Verfrühung der körperlichen - nicht aber der geistig-seelischen - Reife beobachtet.

Die erste Phase der Pubertät beginnt in Mitteleuropa bei Mädchen zwischen dem 11. und 14., bei Jungen zwischen dem 12. und 15. Lebensjahr. Es kommt zur **Ausbildung der sekundären Geschlechtsmerkmale**. Ein langer Wachstumsschub ist ebenfalls zu beobachten. Im seelischen Erleben kommt es zu **Überempfindlichkeit**, starker Erregbarkeit und Negativismus. Der Pubertierende zeigt **Unsicherheiten** im sozialen Verhalten, manchmal auch Selbsttötungsabsichten. Erste **psychosexuelle Strebungen** sind zu beobachten, der Jugendliche beginnt seine Rolle als Mann bzw. als Frau zu definieren und entsprechende Verhaltensmuster zu finden. Hierbei spielen Milieufaktoren eine entscheidende Rolle.

Das Ende der ersten Pubertätsphase ist bei Mädchen durch die erste Menstruation (*Menarche*), bei Jungen durch den ersten Samenerguß im Schlaf (*Erstpollution*) gekennzeichnet.

In der zweiten Phase werden körperliche Formen, Bewegungen und körperlich - seelische Funktionen harmonisiert. Der Jugendliche entwickelt eine seelisch - geistige **Eigenständigkeit** und **Selbstverantwortung**. Bei Mädchen dauert die Pubertät bis zum 16. / 17., bei Jungen bis zum 18. / 19. Lebensjahr an.

Im **Erwachsenenalter** wird das Sexualverhalten von Libido, von soziokulturellen und persönlichen Faktoren geprägt. Diese Aspekte werden unter 11.3.2 - 11.3.4 erörtert.

Die Wechseljahre der Frau (*Klimakterium*) beginnen durch die physiologische Abnahme der Östrogenproduktion im Durchschnitt zwischen dem 45. und 52. Lebensjahr; die Fortpflanzungsfähigkeit erlischt allmählich. Zwischen dem 48. und 52. Lebensjahr tritt die letzte Menstruation (*Menopause*) auf. Als **Praemenopause** wird die ca. 6 Jahre dauernde Zeit *vor* der Menopause bezeichnet. Sie geht bei ein bis zwei Drittel aller Frauen mit sogenannten **klimakterischen Beschwerden** einher. Es handelt sich um Zyklusstörungen mit unregelmäßigen oder dauerhaften Blutungen; vegetativ - psychische Störungen sind selten. Anders ist dies oft in der **Postmenopause** (Zeit bis etwa 6 Jahre *nach* der Menopause), die vor allem durch **vegetative** und **psychische Störungen** gekennzeichnet ist. Betroffene Frauen leiden z.B. unter Hitzewallungen, Schweißausbrüchen sowie Kälteschauern, Schwindel, Herzklopfen und pektangiösen Beschwerden, Leistungsabnahme, Antriebsschwäche, Schlaflosigkeit und Vergeßlichkeit, Angstgefühlen, Stimmungslabilität, Reizbarkeit und Depressionen. Dauerblutungen treten hier eher selten auf. Die Störungen können behandlungsbedürftig sein. Weiter kann es zu Gewichtszunahme, Haarausfall, Durchblutungsstörungen und Knochenentkalkungen kommen.

Beim Mann bleibt die Fortpflanzungsfähigkeit oft bis ins hohe Alter erhalten. Physiologische Veränderungen sind nicht nachgewiesen. Dennoch erfährt auch der Mann in der Lebensmitte, etwa zwischen dem 40. bis 50. Lebensjahr, Veränderungen. Sie resultieren aus der **Konfrontation mit dem zunehmenden Alter** und äußern sich z.B. in Problemen in der Partnerschaft, im Beruf oder Sexualleben. **Minderwertigkeitsgefühle** sind oft sehr belastend. Der bisherige Sinn des

Daseins kann erschüttert werden. Man spricht von der sogenannten **"Midlife crisis"**.
Insgesamt wird der Mensch durch das zunehmende Altern mit körperlichen, seelischen und sozialen Veränderungen konfrontiert, die Auseinandersetzung und Anpassung erfordern *(vgl. "Das Altern", Seite 951)*.
Auch im **Alter** bleibt der Mensch ein geschlechtliches Wesen. **Sexuelle Aktivitäten** sind in der Regel **gewünscht und möglich**, sofern gesundheitliche Probleme dies nicht verhindern.
Ein Paar, das bis zum Alter sexuell aktiv war und ein befriedigendes, harmonisches Geschlechtsleben geführt hat, kann dies auch bis ins fortgeschrittene Alter beibehalten. **Physiologische Veränderungen** bedingen beim Mann eine verzögerte Erektion, einen verkürzten Orgasmus und eine schnellere Erschlaffung des Gliedes. Bei der Frau kann eine verringerte Vaginalsekretion zu Schmerzen während des Geschlechtsverkehrs und dadurch zur Anorgasmie führen. Insgesamt nimmt die sexuelle Betätigung mit zunehmendem Alter ab.
Nach längerer Abstinenzzeit ist es im Alter schwierig, den Geschlechtsverkehr wieder aufzunehmen. Andere sexuelle Handlungen sind jedoch weiterhin möglich und auch für einen alten Menschen wichtig.

11.3.2 Soziokulturelle Faktoren

Beim Menschen ist im Gegensatz zum Tier nicht genau nachvollziehbar, inwieweit das Sexualleben durch die Natur - also durch angeborene, vererbte Verhaltensweisen und hormonelle Strukturen - gesteuert wird. Da der Mensch über ein hohes Maß an Lernfähigkeit verfügt, werden sein Verhalten und die angeborenen Verhaltensweisen weitgehend durch äußere Einflüsse geprägt und reglementiert. Bezüglich des Sexualverhaltens sind dies insbesondere **Verhaltensnormen, Moral, Sitten** und **Gesetze** des jeweiligen Kulturkreises. **Beispiele:**

- **Gesetzliche Verbote** bezüglich sexueller Beziehungen mit Minderjährigen, des Beischlafs mit leiblichen Verwandten *(Inzest)*, der sexuellen Nötigung und Vergewaltigung, der Zuhälterei und des Exhibitionismus *(siehe Seite 812)*.
- **Vorgaben** betreffend das geschlechtliche Zusammenleben in Einehe (*Monogamie*), Doppelehe (*Bigamie*) oder Vielehe (*Polygamie*).
- **Übliches Verhalten** zur Anziehung eines Sexualpartners; es ist geprägt durch rollenspezifisches Verhalten, äußerliche Gestaltung (Kleidung, Make-up, Frisur, Schmuck, Rasur, Duftwasser), Gestik und Mimik, aber auch durch nicht geschlechtsbezogenes Verhalten (Darlegen intellektueller Fähigkeiten, manueller Geschicklichkeiten und anderer positiver Eigenschaften).
- **Normen rollenspezifischen Verhaltens**; sie sind zeitgeschichtlichen Schwankungen ausgesetzt und werden maßgeblich durch die Erziehung im Kindesalter geprägt. Durch Schule, Medien und Vorbilder werden die gesellschaftlichen Erwartungen vermittelt. Die Einstellung zum eigenen und zum anderen Geschlecht sowie deren Akzeptanz werden hierbei beeinflußt.

  Die **Emanzipation der Frau** bedingt Veränderungen und erfordert soziales Umdenken bei Frauen und Männern ebenso wie bei Kindern, deren Mütter nicht nur die Rolle der Mutter und Hausfrau verkörpern. Berufstätige Mütter sind mitunter gesellschaftlichen Vorurteilen ("Rabenmutter", Egoistin, Karrierefrau) ebenso ausgesetzt wie die "Hausmänner" (Weichling, Faulenzer).

  Die Rollenidentifizierung ist ein Entwicklungsprozeß, der auch im Erwachsenenalter mit wechselnder Intensität fortdauert.
- **Normen bezüglich sexueller Praktiken**; innerhalb des gesetzlich Erlaubten wird die Wahl sexueller Praktiken von den Bedürfnissen und von Lust- bzw. Unlustgefühlen der ausübenden Sexualpartner bestimmt. Seit Beginn der siebziger Jahre fühlen sich immer mehr Menschen durch die Veröffentlichung von Befragungsergebnissen bezüglich sexueller Praktiken verunsichert oder unter Druck gesetzt. Sie meinen, ihr individuelles Sexualleben den ermittelten Durchschnittswerten anpassen zu müssen (z.B. Zeitpunkt des ersten Geschlechtsverkehrs, Häufigkeit von Partnerwechsel und Vollzug des Geschlechtsverkehrs, Wahl von Praktiken und Positionen im Liebesspiel). Andere fühlen sich zu bestimmten Praktiken ermuntert und legen Hemmungen sowie Schuldgefühle ab. Auch die Medien üben zunehmend Einfluß auf das Sexualverhalten aus.
- **Religiöse Normen**; sie können bei Gläubigen der jeweiligen Konfession reglementierend auf das individuelle Sexualverhalten wirken. Sie beziehen sich z.B. auf die Bekleidung (Verschleierung mohamedanischer Frauen), die Form der Ehe (Mono- / Polygamie), das Verbot des Geschlechtsverkehrs (vor der Ehe; während der Menstruation) oder auf die Verhütungsmethoden (Ablehnung der "Pille" und anderer Verhütungsmittel). Der Verzicht auf ein bestimmtes Sexualverhalten aus religiösen Gründen kann zu Partnerschaftskonflikten führen; andererseits kann ein Verstoß gegen die Normen heftige Schuld- und Schamgefühle nach sich ziehen.

11.3.3 Einfluß der Persönlichkeit

Sexuelles Verhalten und sexuelle Aktivität werden auch durch die **persönliche Einstellung** und den menschlichen **Grundtypus** geprägt. Extravertierte (*nach außen gerichtete*) Menschen neigen zu einem häufigeren Partnerwechsel und vielfältigeren Sexualpraktiken als Introvertierte (*nach innen gerichtete Menschen*). Dies besagt jedoch nichts über die sexuelle Zufriedenheit, die bei beiden geistig-seelischen Grundtypen gleichstark ausgeprägt sein kann.
Der positive Umgang mit und die Akzeptanz der eigenen Geschlechtlichkeit sind sowohl für die individuelle Entwicklung als auch für den Umgang mit der Geschlechtlichkeit anderer Menschen wichtig.
Wird die eigene Geschlechtlichkeit abgelehnt, kommt es zu Störungen des Sexualverhaltens, insbesondere im Hinblick auf die Entwicklung sexueller Beziehungen.
Bei Bejahung der eigenen Geschlechtlichkeit kommt es in der Regel auch dann nicht zu Problemen, wenn

das geschlechtsspezifische Verhalten nicht typisch ist. Ob z.B. ein homosexueller Mensch seine Sexualität als problematisch oder als harmonisch erlebt, hängt also zum großen Teil von der eigenen Einstellung dazu ab. Die gesellschaftliche Beurteilung übt allerdings oft hemmenden Einfluß auf das Ausleben von Homosexualität in der Öffentlichkeit aus.

11.3.4 Möglichkeiten des sexuellen Verhaltens

Es gibt unterschiedliche Wege, seine Sexualität zu erfahren und auszuleben.
Heterosexualität ist die häufigste Form; die Ausrichtung der sexuellen Wünsche erfolgt auf das jeweils andere Geschlecht.
Homosexualität bezeichnet auf den gleichgeschlechtlichen Partner ausgerichtetes sexuelles Erleben und Handeln. Bei Männern spricht man auch von *homophilen* oder *homoerotischen*, bei Frauen von *lesbischen* Beziehungen. Bis Ende der sechziger Jahre wurde die Homosexualität in Deutschland strafrechtlich verfolgt. Heute werden homosexuelle Menschen häufig immer noch diskriminiert und sozial isoliert, insbesondere wenn sie öffentlich in partnerschaftlichen Dauerbeziehungen leben.
Homosexualität ist weiter verbreitet als allgemein angenommen. Sie kann eine vorübergehende, dauerhafte oder zusammen mit der Heterosexualität auftretende Form des Sexualverhaltens sein und gilt nicht mehr als Störung oder Krankheit. Vielmehr zählt sie zu den in der menschlichen Anlage bereitliegenden Möglichkeiten der Sexualität.
Bisexualität ist die sexuelle Neigung zu Partnern beider Geschlechter. Hierzu gilt das unter "Homosexualität" Gesagte. Bisexuelle Menschen führen meist ein Leben in Ehe und Familie.
Sexuelle Selbstbefriedigung *(Masturbation),* vor allem durch manuelle Reizung des Penis bzw. der Klitoris bis zum Orgasmus, kommt bereits als unbewußte Triebhandlung bei Kleinkindern vor. Männer befriedigen sich am häufigsten in der Jugend, Frauen erst in der Lebensmitte selbst. Die Selbstbefriedigung ist weit verbreitet, fördert meist das Kennenlernen des eigenen Körpers und die Beziehung zu ihm; sie führt nicht - wie früher irrtümlich angenommen - zu körperlichen oder geistigen Schäden.
Transsexualität bezeichnet das dominierende Gefühl der Zugehörigkeit zum biologisch entgegengesetzten Geschlecht. Die inneren und äußeren Geschlechtsorgane sind eindeutig dem weiblichen bzw. männlichen Geschlecht zuzuordnen, die Widersprüchlichkeit begründet sich psychisch. Der Transsexuelle ist in seiner ganzen Person und in seinem Erleben von der gewünschten Geschlechtsrolle geprägt. Da sich sein Aussehen und sein Rollenverhalten widersprechen, stößt er oft auf gesellschaftliche Barrieren und Ablehnung. Isolation, Depression, Selbstverstümmelung und -tötung können die Folgen sein. Wegen der quälenden Auswirkungen streben Transsexuelle häufig eine **Geschlechtsumwandlung** an. Diese ist mittels Hormonbehandlung und operativer Verfahren der plastischen Chirurgie - bezogen auf die äußeren Geschlechtsorgane - möglich. Das langwierige und komplizierte Verfahren belastet den Betroffenen sehr, ermöglicht jedoch oft den einzig akzeptablen Lebensweg. Über das Transsexuellengesetz (TSG) kann auch aus rechtlicher Sicht eine Änderung des Vornamens und der Geschlechtszugehörigkeit erfolgen (*Personenstandsänderung*).

11.4 Veränderungen im Bereich der äußeren Geschlechtsorgane

Im folgenden werden sichtbare und/oder subjektiv wahrnehmbare Veränderungen am äußeren Genitale besprochen.

Dellwarzen:
- hautfarbene, halbkugelige Geschwülste zwischen 2 und 5 mm Durchmesser;
- die Oberfläche weist eine zentrale Delle auf;
- entleeren bei Druck eine breiige, infektiöse Masse;
- das zugrunde liegende Virus gehört in die Gruppe der Pockenviren, befällt aber ausschließlich die Haut.

Feigwarzen *(Feuchtwarzen):*
- gutartige, durch Viren hervorgerufene Warzen in feucht-warmen Haut- und Schleimhautfalten (Vorhaut / Eichel, Schamlippen, After, Scheiden- und Enddarmschleimhaut);
- werden durch Geschlechtsverkehr übertragen; der Ausbruch der Infektion wird durch Mazeration, z.B. infolge einer Vorhautverengung, Entzündung der Eichel, vaginalen Ausflusses, gefördert;
- zunächst stecknadelkopfgroße Knötchen; später typisch hahnenkammähnliche Wucherungen;
- führen bei Bakterien- oder Pilzbesiedlung zu unangenehmem Geruch und zu Juckreiz.

Herpes genitalis:
- Ursache und Aussehen sind im Abschnitt *"Beobachtung der Haut"* *(Seite 639)* beschrieben;
- an Haut / Schleimhäuten im Bereich des äußeren Genitale können Erosionen auftreten;
- Übertragung erfolgt durch Geschlechtsverkehr.

Bartholinitis:
- Entzündung der Bartholin-Drüsen bzw. ihrer Ausführungsgänge, durch Staphylokokken und Gonokokken verursacht;
- bei Verstopfung des Ausführungsgangs kommt es zum schmerzhaften hühnereigroßen Abszeß im unteren Bereich der kleinen Schamlippe.

Ulzerationen am äußeren Genitale:
- können sowohl beim Mann als auch bei der Frau auftreten;
- sind häufig Hinweis auf Geschlechtskrankheiten (Gonorrhoe, Syphilis, Ulkus molle, Venerische Lymphknotenentzündungen) oder auf Tumorerkrankungen und bedürfen deshalb unbedingt der diagnostischen Abklärung.

Entzündung der äußeren Geschlechtsorgane:
- wird bemerkbar durch Rötung, Schwellung, Schmerz, lokale Überwärmung, evtl. auch Juckreiz oder Schmerzen (Brennen) beim Wasserlassen;

- muß hinsichtlich der Ursache abgeklärt werden.

Verengung der Vorhaut (*Phimose*):
- tritt angeboren oder nach krankhaften Veränderungen im Bereich der Penishaut auf;
- die Vorhautöffnung ist von geringerem Durchmesser als der Eichelumfang, so daß die Vorhaut sich nicht über die Eichel zurückschieben läßt;
- bei unvollständiger Phimose läßt sich die Vorhaut nur bei der Erektion nicht zurückziehen;
- muß operativ behoben werden (*Zirkumzision*).

Paraphimose:
- die zurückgestreifte, zu enge Vorhaut ist hinter dem Eichelkranz eingeklemmt und bildet einen Schnürring;
- infolge der Venenabklemmung entsteht eine Stauungsschwellung der Eichel und der Vorhaut sowie die Gefahr einer Nekrosenbildung;
- entsteht durch gewaltsames Zurückziehen der Vorhaut oder infolge mangelhafter Pflege (z.B. nach Intimpflege oder Harnblasenkatheterismus), bei der es unterlassen wurde, die Vorhaut wieder über die Eichel zu schieben;
- ist sehr schmerzhaft.

Wasseransammlung im Hodensack (*Skrotalödem*):
- mäßige bis massive Wasseransammlung im Hodensack;
- kann nach Operation im Bereich der männlichen Geschlechtsorgane auftreten;
- kann Symptom einer Nieren- bzw. Herzinsuffizienz sein.

Wasserbruch (*Hydrozele*):
- serösentzündliche Flüssigkeitsansammlung innerhalb der Hodenhüllen, die zu einem prallelastisch gefüllten Hodensack führt;
- kann durch Verletzungen, Tumoren und entzündliche Prozesse des Hodens und Nebenhodens bedingt sein, oft ist die Ursache jedoch unbekannt.

Juckreiz (*Pruritus*):
- kann im Rahmen von Erkrankungen des blutbildenden Systems, der Nieren und der Leber sowie bei Diabetes mellitus auftreten;
- kann Zeichen einer allergischen Reaktion sein;
- tritt bei lokalen Entzündungen und bakteriellen Infektionen auf;
- wird bei der älteren Frau häufig durch Östrogenmangel verursacht;
- kann Symptom einer Präkanzerose bzw. eines Karzinoms sein.

Beachte: Die Ursache des Juckreizes muß immer durch eine ärztliche Untersuchung abgeklärt werden!

11.5 Vaginale Ausscheidungen

Vaginale Ausscheidungen sind zum großen Teil physiologisch. Die genaue Beobachtung ihrer Veränderungen gibt Hinweise auf physiologische und pathologische Veränderungen des Organismus und verhindert oftmals unnötige Beunruhigung ebenso wie das Übersehen wichtiger Krankheitszeichen.

11.5.1 Die Menstruation

Die monatliche Regelblutung (*Periode, Menstruation*) tritt während der Fortpflanzungsfähigkeit der Frau in regelmäßigen Abständen auf. Sie dauert etwa 3 - 5 Tage; währenddessen verliert die Frau ca. 20 - 100 ml Blut. Begleitende Beschwerden wie leichte Rücken- oder Leibschmerzen gelten als nicht krankhaft. Für den Zeitpunkt des ersten Auftretens der Periode steht der Begriff **Menarche**. Ein verfrühtes Auftreten der Menstruation (vor dem 8. Lebensjahr) bezeichnet man als **Menstruatio praecox**, das verspätete Auftreten als **Menstruatio tarda**.

Die Zeit vom 1. Tag der Menstruation bis zum letzten Tag vor der nächsten Menstruation sowie die sich währenddessen abspielenden Veränderungen werden als **Menstruationszyklus** bezeichnet.

❒ Störungen der Regelblutung und des Zyklus

Während Pubertät und Klimakterium können Zyklusstörungen physiologisch auftreten. Ansonsten sind während der Geschlechtsreife der Frau verschiedene Zyklusstörungen möglich.

Zwischenblutung:
- zusätzlich zwischen zwei Regelblutungen auftretende Blutung;
- die **praemenstruelle Blutung** tritt vor der Regelblutung auf, z.B. bei vorzeitigem Östrogenabfall oder bei Korpusschleimhautpolypen;
- die **postmenstruelle Blutung** tritt nach der Regelblutung auf, z.B. bei Entzündungen oder Myomen (*gutartige Geschwülste der Muskulatur*) der Gebärmutter.

Ovulationsblutung (*Mittelblutung*):
- geringe Blutung zum Zeitpunkt des Eisprungs infolge eines verstärkten Östrogenabfalls.

Metrorrhagie:
- lang dauernde Gebärmutterblutung außerhalb der Menstruation;
- tritt z.B. bei Entzündungen, Verletzungen, Tumoren der Gebärmutter auf;
- muß hinsichtlich der Ursache ärztlich abgeklärt werden (Karzinom möglich).

Hypermenorrhö:
- übermäßig starke Menstruationsblutung;
- tritt z.B. auf bei Tumoren und Entzündungen im Bereich der inneren Geschlechtsorgane;
- kommt seltener auch bei Bluthochdruck, Herz- und Nierenkrankheiten sowie bei Erkrankungen des Blutes und bei Hormonstörungen vor.

Hypomenorrhö:
- zu schwache Menstruationsblutung;
- tritt z.B. nach Kürettage (*Ausschabung der Gebärmutterhöhle*), zu Beginn des Klimakteriums oder bei Endometrium - Tbc auf.

Polymenorrhoe:
- zu häufig auftretende Regelblutung von normaler Dauer und Stärke;
- Zyklusdauer unter 25 Tage;
- meist liegt eine verkürzte Follikelreifungsphase zugrunde.

Oligomenorrhoe:
- zu selten auftretende Regelblutung von normaler Dauer und Stärke;

- Zyklusdauer von 35 - 45 Tagen;
- meist liegt eine verlängerte Follikelreifungsphase vor.

Amenorrhö:
- Ausbleiben der monatlichen Regelblutung;
- physiologisch während der Schwangerschaft und (meist) während der Stillzeit sowie vor der Menarche und nach der Menopause;
- pathologisch als Symptom für eine Entzündung, einen Tumor, eine Verletzung des Zwischenhirns oder für funktionelle, hormonelle oder psychogene Störungen;
- pathologisch bei Mißbildungen der Gebärmutter bzw. der Scheide.

Menorrhagie:
- zu starke und zu lang andauernde Regelblutung;
- kann bedingt sein durch Gebärmuttergeschwülste und -entzündungen, Blutgerinnungsstörungen oder Bluthochdruck.

Dysmenorrhoe:
- mit stärkeren Schmerzen einhergehende Regelblutung;
- tritt z.B. bei Entzündungen, Gebärmutterveränderungen, hormonellen sowie funktionellen Störungen auf.

11.5.2 Ausfluß *(Fluor)*

Die **physiologische Ausscheidung von Scheidensekreten** wird hormonell gesteuert. Die Sekretion erfolgt über Drüsen im Bereich des Gebärmutterhalses *(Zervixschleim)* sowie durch die Transsudation in der Scheide selbst. Auch der Scheidenvorhof und die Bartholinschen Drüsen sondern Schleim ab. Das Milieu in der Scheide wird durch die dort wirkenden Milchsäurebakterien *(Döderleinsche Bakterien)* im sauren Bereich (pH 4) gehalten. Hierdurch wird das Wachstum von Krankheitserregern sowie deren Eindringen in die Gebärmutter verhindert.

Stärke, Konsistenz und Aussehen des physiologischen Ausflusses sind zyklusabhängig, das Sekret kann weißlich bis klar, krümelig bis fadenziehend, gering bis vermehrt sein *(vgl. "Schwangerschaftsverhütung", Seite 817)*. Bei sexueller Erregung nimmt die Sekretion zu.

Fluor vaginalis *(vermehrter Ausfluß)*:
- kann bei Nervosität und vegetativer Dystonie auftreten, das Sekret hat weißliche Farbe;
- tritt begleitend auf bei Entzündungen der Scheide und Gebärmutter, das Sekret ist weiß-gelblich bis gelblich-grün;
- kann als Symptom eines Scheiden- / Gebärmutterkarzinoms auftreten, ist dann bräunlich bis eitrig-blutig verfärbt;
- ist bei Trichomonadenbefall schaumig, dünnflüssig und übelriechend;
- ist bei Pilzbefall weißlich und grobkörnig, er verursacht ein Jucken und Brennen an der betroffenen Haut und Schleimhaut.

11.5.3 Wochenfluß *(Lochialsekret)*

Der Wochenfluß tritt *physiologisch* nach der Entbindung auf und dauert ca. 4 - 6 Wochen an. Er besteht aus nekrotischem Deziduagewebe*, Blutgerinnseln, Leukozyten, Serum und Lymphe. Die Lochien verändern sich im Verlauf der Heilung in typischer Weise; deshalb ist die **Beobachtung** der **Menge**, des **Geruchs** und des **Aussehens** wichtig. *Lesen Sie dazu "Wochenbettpflege", Seite 874.*

11.6 Störungen des Sexualverhaltens

11.6.1 Sexuelle Funktionsstörungen

Sexuelle Funktionsstörungen stehen in **Wechselbeziehung zu seelischen Störungen**; sie können einander bedingen, insbesondere bei Potenz- und Libidostörungen. Das Gesamtbefinden des Menschen wirkt sich deutlich auf das sexuelle Empfinden aus.

Genannte Störungen werden dann therapiebedürftig, wenn ein Betroffener dies wünscht, d.h. wenn sein Leidensdruck (bzw. der des Partners) entsprechend ausgeprägt ist.

Liegen **organische Ursachen** zugrunde, werden sie - soweit möglich - therapeutisch ausgeschaltet.

Impotenz (*Impotentia coeundi*):
- Unvermögen des Mannes, den Geschlechtsverkehr zu vollziehen;
- Erektion und/oder Ejakulation sind gestört;
- körperliche Ursachen können Anomalien der Geschlechtsorgane, organische Erkrankungen (z.B. Diabetes mellitus, Querschnittslähmung, Adipositas, neurologische Erkrankungen), chronische Intoxikationen (mit Morphium, Kokain, Nikotin, Alkohol, Blei), Erschöpfungszustände oder Störungen der inkretorischen Drüsen sein;
- körperliche Alterungsprozesse können - müssen aber nicht - Ursache sein;
- seelische und psychosoziale Auslöser sind häufig und sehr vielschichtig, z.B. Erwartungs- und Versagensangst, Zweifel an der Männlichkeit, Ablehnung der Partnerin, Angst vor Zärtlichkeit, Unfähigkeit zur Hingabe sowie Vorwürfe, Spott, Desinteresse von seiten der Frau.

Frigidität (*Anorgasmie; Orgasmusstörungen*):
- sogenannte "Gefühlskälte" der Frau; es werden kein Befriedigungsgefühl und kein Orgasmus erreicht, ein sexuelles Interesse fehlt;
- körperliche Ursachen können dieselben wie bei männlicher Impotenz sein *(siehe vorstehend)*;
- seelische und psychosoziale Auslöser können Feindseligkeit gegen Männer, Zweifel an der Weiblichkeit, Erwartungsangst, Entspannungsunfähigkeit (Angst vor Schwangerschaft), Angst vor Ablehnung oder Erinnerungen an gewaltsame Ereignisse (Vergewaltigung, Nötigung, Inzest) sein.

11.6.2 Sexuelle Andersartigkeit, abweichendes Sexualverhalten

Typisch für das abweichende Sexualverhalten *(frühere Bezeichnung: sexuelle Perversation oder Deviation)* ist, daß die sexuelle Befriedigung ausschließlich auf einem die Andersartigkeit kennzeichnenden, hochspezialisierten Weg erreicht wird. Dabei wird auf übliche - von der Gesellschaft als normal bezeichnete - sexuelle Reize und Praktiken nicht oder allenfalls geringfügig mit Erregung reagiert. **Das Triebziel engt das Ausleben der Sexualität in ganz bestimmter Weise ein.** Eine differenzierte Besprechung einzelner Formen der sexuellen Andersartigkeit kann im Rahmen dieser Abhandlung nicht erfolgen. Es werden lediglich einige Begriffe erklärt.

Exhibitionismus:
- Zurschaustellen der Geschlechtsorgane mit oder ohne Selbstbefriedigung;
- die Befriedigung wird durch die Reaktion des unfreiwilligen Beobachters erlangt: Schreck, Empörung, Be- und Verachtung von seiten des Opfers führen zu den gewünschten Machtgefühlen des Exhibitionisten;
- meist handelt es sich um beziehungsgehemmte, kastrationsängstliche Männer.

Fetischismus:
- Die sexuelle Erregung und Befriedigung wird nicht durch einen Partner, sondern durch bestimmte Körperteile oder Kleidungsstücke, in denen der Partner vergegenständlicht wird (z.B. Haare, Slip, Strümpfe) oder durch Gegenstände (z.B. Geldnoten) erlangt.

Masochismus:
- Die sexuelle Befriedigung wird durch Erleiden von Schmerz und Qual erlangt.

Nekrophilie:
- Sexuelle Handlungen erfolgen an Leichen (Leichenschändung).

Pädophilie:
- Sexuelles Interesse und/oder sexuelle Befriedigung an Kindern;
- meist wird die Befriedigung über Anschauen, Berühren des Kindes oder durch Selbstbefriedigung erlangt;
- oft handelt es sich um Menschen, die in der eigenen Kindheit mißbraucht wurden und/oder Ängste gegenüber erwachsenen Liebespartnern haben.

Sadismus:
- Die sexuelle Erregung wird durch Demütigung, Fesselung oder Züchtigung des Partners erlangt;
- das Ziel der Handlung liegt im Quälen und im Leiden des Partners;
- im Extremfall kann Sadismus zu Vergewaltigung und Tötung führen.

Sadomasochismus:
- Die sexuelle Erregung und Befriedigung erfolgen über sadistische und masochistische Verhaltensweisen.

Sodomie:
- Es erfolgen sexuelle Handlungen (Geschlechtsverkehr) mit Tieren;
- Vorkommen ist selten (bekannt);
- betroffen sind sozial isolierte Menschen.

11.6.3 Sexualität und körperliche, seelische sowie geistige Störungen

Sowohl gesundheitliche Störungen als auch Behinderungen können die Sexualität eines Betroffenen, oft auch die des Partners, beeinträchtigen. Es kann sich um körperlich begründete, aber auch um geistig oder seelisch bedingte Hindernisse handeln, die **individuell sehr unterschiedlich erlebt** werden.

❐ Überwiegend körperliche Störungen

Eine überwiegend körperliche Störung beeinflußt das Sexualverhalten dann, wenn sie mit **Nachlassen der Libido** und/oder der körperlichen Kräfte einhergeht. In erster Linie trifft dies für **akute Erkrankungen** zu; mit Abklingen der Krankheitssymptome nimmt das Interesse an sexuellen Kontakten meist wieder zu.
Bei **chronischen Erkrankungen** kann die Beeinträchtigung kontinuierlich, intermittierend oder gar nicht auftreten. Menschen, die sich aus prophylaktischen Gründen, z.B. nach überstandenem Herzinfarkt oder bei Bluthochdruck, nur begrenzt belasten dürfen, haben oft **Angst, sexuell aktiv zu werden**. Hier ist eine einfühlsame und individuelle Beratung erforderlich. Während einer Anschlußheilbehandlung kann der Betroffene lernen, das Maß seiner körperlichen Belastbarkeit zu finden. Eventuell muß auf bestimmte Praktiken verzichtet werden; andere, weniger kreislaufbelastende Möglichkeiten der geschlechtlichen Befriedigung können entdeckt werden.
Körperliche Entstellungen, z.B. durch großflächige Narben oder Mißbildungen, können einen Betroffenen weniger attraktiv erscheinen lassen. In einigen Fällen lehnt sowohl er selbst als auch der Partner sexuelle Kontakte ab; der Betroffene kann - auch wenn der Partner nicht wie beschrieben reagiert - unter **Minderwertigkeitsgefühlen** leiden. Manchmal führt die Auseinandersetzung mit der körperlichen Entstellung zu gravierenden Persönlichkeitsveränderungen, die dann wiederum das Scheitern einer partnerschaftlichen Beziehung bedingen können. Andere Menschen und deren Beziehungen wachsen und reifen an derselben Herausforderung.
Genannte Reaktionen können ebenso im Zusammenhang mit körperlichen Veränderungen durch Stomaanlagen, Gliedmaßenamputationen, Lähmungserscheinungen und anderen Behinderungen auftreten.
Bei einer **Querschnittslähmung** kommt es zum Verlust der Willkürmotorik und der Sensibilität sowie zu Funktionsstörungen der Geschlechtsorgane, des Enddarmes und der Harnblase. Der **Ausfall der organischen Funktionen** ist auch **seelisch** sehr **belastend**. Der Geschlechtsverkehr ist zunächst - je nach Höhe und Ausmaß der Rückenmarkschädigung - stark eingeschränkt oder unmöglich. Hier sollte beobachtet werden, welche sexuellen Funktionen noch intakt sind. Erektionen können evtl. nicht mehr durch psychische, wohl aber durch Berührungsreize oder durch Reflexe stimuliert werden. Bei einer schlaffen Lähmung sind Erektionen jedoch nicht möglich. Eine Ejakulation und ein Orgasmus werden nur in Ausnahmefällen erlebt. Auch bei der Frau ist die Fähigkeit, einen Orgasmus

zu erleben, in den meisten Fällen verlorengegangen. Um sexuelle Befriedigung zu erlangen, bedarf es in der Regel **neuer sexueller Verhaltensweisen**. Hier kann ein vorausgehendes Beratungsgespräch mit einem in der Rehabilitation tätigen Spezialisten beiden Partnern hilfreich sein.

Operationen, Karzinome und Verletzungen an den geschlechtsspezifischen Organen können die **geschlechtliche Identifikation** (sich als Frau bzw. Mann fühlen) **beeinträchtigen**. Dies gilt insbesondere, wenn sie zum Verlust der weiblichen Brust, der Gebärmutter, der Hoden oder des Penis führen.

Die/der Betroffene fühlt sich als Frau bzw. als Mann evtl. nicht mehr vollwertig und attraktiv; zusätzlich wird befürchtet, der Partner werde mit Ablehnung reagieren. Die Art der Beziehung, persönliche Schönheitsideale und die Einstellung der Partner zur Sexualität beeinflussen den Umgang mit etwaigen Veränderungen / Störungen maßgeblich.

Menschen, die im Bereich der Geschlechtsorgane operiert werden, haben oft (unausgesprochene) **Angst** vor anschließenden Auswirkungen auf ihre Libido bzw. auf die Fähigkeit, den Geschlechtsverkehr auszuüben. Ähnliches läßt sich manchmal auch nach operativer **Sterilisation** beobachten, obwohl diese Ängste hier unbegründet sind. Eine offene und genaue Aufklärung hat bereits präoperativ durch den Arzt zu erfolgen. Das Pflegepersonal sollte im Bedarfsfall Gesprächsbereitschaft signalisieren.

Mit besonderer Problematik gehen Eingriffe einher, die zur **Sterilität** führen, obwohl Kinderwunsch besteht. Der Verlust der Zeugungsfähigkeit bzw. der Fähigkeit, eine Schwangerschaft auszutragen, wird dann häufig besonders schmerzlich empfunden. Auch hier entscheiden Einstellung und Verhalten beider Partner, ob und wie der Verlust überwunden wird.

Gleiches gilt für Paare, deren Kinderwunsch nicht in Erfüllung geht und für Frauen, die eine **Fehlgeburt** erlitten haben. Während des Krankenhausaufenthaltes wird den Betroffenen mit Einfühlungsvermögen und Gesprächsbereitschaft begegnet, Reaktionen der Trauer sollten zugelassen werden.

Der Wunsch, Nachkommen zu haben, kann bei Menschen, die unter Mißbildungen und an chronischen Krankheiten leiden, zu seelischen Konflikten führen.

Die **Angst**, der Elternrolle aus gesundheitlichen Gründen nicht gerecht werden zu können oder die eigene **Krankheit zu vererben**, steht dem Kinderwunsch gegenüber. Ärztliche Beratung und statistische Erhebungen über den Vererbungsmodus können Hilfe leisten. Dennoch bleibt die Entscheidung für einige Paare ein großes Problem.

Bei bestimmten Erkrankungen (z.B. Multiple Sklerose) kommt zusätzlich die Gefahr einer **Krankheitsverschlechterung** während oder nach der Schwangerschaft hinzu und erschwert die Entscheidung. Langdauernde Konflikte, auch zwischen den Partnern, können die Folge sein.

Bei Einnahme einiger **Medikamente** (z.B. einige Antidepressiva, Hypnotika, Neuroleptika, Beta-Rezeptorenblocker, Antihypertonika) kann es als Nebenwirkung zur **Herabsetzung von Libido und/oder Potenz** kommen.

Alkohol und andere **Rauschmittel** enthemmen den Menschen, wenn sie in geringen Dosen zugeführt werden. Größere Dosen und langfristige Einnahme führen zu **Erektionsstörungen und Impotenz**. Heroin stoppt die Libido.

Chronischer Nikotinabusus verringert den arteriellen Blutstrom zu den Schwellkörpern, so daß starke Raucher nicht selten unter Impotenz leiden.

❒ Überwiegend seelische Störungen

Seelische Störungen können das Sexualverhalten in unterschiedlicher Weise beeinträchtigen.

Bei der **Magersucht** (*Anorexia nervosa*) handelt es sich um eine psychogene Störung, die meist während der Pubertät beginnt und wesentlich mit der Ablehnung der weiblichen Rolle (in wenigen Fällen mit Ablehnung der männlichen Rolle) zusammenhängt. *Lesen Sie dazu "Anorexia nervosa", Seite 184.*

Seelisches Unwohlsein, Streß, Niedergeschlagenheit und Depressionen **setzen** meist die **Libido herab**, manchmal fehlt über längere Zeit jegliches sexuelle Verlangen.

Negative Erlebnisse wie **sexueller Mißbrauch** und **Vergewaltigung** können langandauernde, tiefsitzende **Störungen im Sexualleben** bedingen. In solchen Fällen ist neben einem verständnisvollen und einfühlsamen Partner oft psychotherapeutische Hilfe erforderlich.

Besonderer **Leistungsdruck**, hervorgerufen durch die eigenen Erwartungen oder durch die des Partners, kann das sexuelle Verhalten und Erleben maßgeblich beeinträchtigen.

❒ Überwiegend geistige Störungen

Erkrankungen und Verletzungen bestimmter Hirnregionen können mit - meist vorübergehender - **sexueller Enthemmung** einhergehen. Ein Betroffener zeigt ein dranghaftes Sexualverhalten, welches sich auch auf Personen ausrichtet, zu denen kein persönliches Verhältnis besteht. Die Steuerung des Sexualverhaltens durch Intellekt und Willen ist ausgeschaltet.

Geistig behinderte Menschen haben - wie Nichtbehinderte - **soziale und sexuelle Bedürfnisse**, mitunter sogar einen stärkeren Sexualtrieb. Viele von ihnen sind in der Lage, Beziehungen - auch im partnerschaftlichen Sinn - aufzunehmen.

Ein geistig Behinderter braucht Hilfe, um ein gesellschaftlich angepaßtes Sexualverhalten zu entwickeln, d.h. er soll lernen, seine persönliche Intimsphäre zu entdecken und die anderer Menschen zu respektieren. Schamgefühl und ein akzeptables Verhältnis von Distanz und Nähe in zwischenmenschlichen - auch in sexuellen - Beziehungen sollen entwickelt werden. Dies kann sowohl in der Familie als auch in therapeutischen Einrichtungen geschehen, z.B. durch einen natürlichen Umgang mit den sexuellen Bedürfnissen des Behinderten und dem gleichzeitigen Hinweis auf das Wahren der Intimsphäre (Beispiel: Selbstbefriedigung ist eine natürliche Handlung, sollte jedoch nicht vor Publikum geschehen).

Dem Bedürfnis nach partnerschaftlichen, auch sexuellen Beziehungen kann oft in Wohngemeinschaften - manchmal sogar in Paar-Wohnungen - für geistig Behinderte entsprochen werden.

11.7 Sexualität im Krankenhaus

Ein Aufenthalt in einem Krankenhaus, einer Rehabilitationsklinik oder einem Pflegeheim schränkt das Sexualverhalten ein.
Wird das Zimmer mit anderen Personen geteilt, ist die Möglichkeit, mit sich oder mit dem Partner allein zu sein, nur selten oder gar nicht gegeben. Auch das Bewußtsein, daß jederzeit unangekündigt andere Menschen das Zimmer betreten können, vereitelt eine intime Atmosphäre. Dies wirkt sich oft schon auf den Austausch von Zärtlichkeiten wie Küssen oder Streicheln aus. Körperliche Nähe, Berührung und Zärtlichkeit sind jedoch gerade bei Krankheit elementare Bedürfnisse vieler Menschen.
Aus institutionellen Gründen gibt es in Krankenhäusern im allgemeinen nur Teillösungen des Problems. Bei kürzeren Krankenhausaufenthalten ist diese Situation für die meisten Patienten akzeptabel und nicht belastend.
Anders kann dies für **Langzeitpatienten** sein. Der andauernde Mangel an Intimsphäre kann zu Unzufriedenheit, Einsamkeit und Partnerschaftskonflikten führen. Hier gilt es, mehr Privatsphäre zu schaffen, z.B. durch (das eigentlich selbstverständliche) Anklopfen vor dem Betreten des Zimmers; das Eintreten sollte erst nach Aufforderung erfolgen.
Manchmal läßt es sich einrichten, daß der Kranke das Zimmer einige Stunden allein und ungestört nutzen kann. Wenn es der Gesundheitszustand erlaubt, sind zwischendurch Aufenthalte in der häuslichen Umgebung einzurichten.
Die Intimsphäre eines Patienten kann auch auf andere Weise gestört werden, z.B. durch eine **Hilfsbedürftigkeit bei der Körperpflege**, das Legen eines Blasenverweilkatheters oder **Untersuchungen im Genitalbereich** - vor allem, wenn die Maßnahmen durch andersgeschlechtliches Personal vorgenommen werden. Körperstellen, die sonst allenfalls vom Intimpartner berührt wurden, werden ungewollt und von fremden Personen berührt und betrachtet. Um das Schamgefühl so wenig wie möglich zu verletzen, ist ein **taktvoller Umgang** mit dem kranken Menschen erforderlich. Die Persönlichkeit des Patienten einerseits und die der Pflegeperson andererseits entscheiden, ob die Problematik offen angesprochen oder taktvoll überspielt wird. Auf jeden Fall sollte ein Sichtschutz vor den Blicken anderer Menschen schützen.
Auch entdeckte **selbstbefriedigende Handlungen** eines kranken Menschen können auf beiden Seiten Unsicherheit und Schamgefühl auslösen. Es können peinliche Situationen entstehen. Da im Normalfall keine Provokation, sondern eine gesellschaftlich akzeptierte Form des Sexualverhaltens vorliegt, sollte dies auch so eingeschätzt und nicht reglementiert werden. Außerdem sind Möglichkeiten zu schaffen, in denen der Patient ungestört und unbeobachtet sein kann.
Anzüglichen Bemerkungen und Verhaltensweisen eines Patienten kann in der Regel wie im Privatleben begegnet werden; Pflegende können die Situation offen ansprechen und deutliche Grenzen aufzeigen. Gegenüber Menschen mit krankhaft verursachten Störungen der Sexualfunktion (z.B. Enthemmung, *siehe Seite 813*) und geistig behinderten Menschen ist allerdings Nachsicht zu üben und ggf. gesellschaftlich akzeptables Verhalten anzubahnen.
Ein **erigiertes Glied** während der vom Pflegepersonal durchgeführten Körperpflege hat oft nichts mit sexueller Erregung zu tun (z.B. morgendliche Erektion durch die gefüllte Harnblase); dies zu wissen, erleichtert den Umgang mit der beiderseits meist peinlich empfundenen Situation. Pflegende sollten einem Patienten vor der Körperpflege die Möglichkeit einräumen, ungestört wasserzulassen.
Im Rahmen pflegerischer Tätigkeiten findet immer wieder eine **Konfrontation mit der Sexualität** statt, denn weder der pflegebedürftige noch der helfende Mensch ist asexuell. Um damit (adäquat) umgehen zu können, ist auf beiden Seiten eine Auseinandersetzung mit und eine Bejahung der eigenen Sexualität notwendig (*siehe nachfolgend "Bewußter Umgang mit Sexualität"*).
Hemmungen und ein fehlender Bezug zum eigenen Körper können Konflikte und Peinlichkeiten bei pflegerischen Kontakten bedingen.
Das **Fehlen von Takt- und Schamgefühl** sowie mangelhaftes Feingefühl hinsichtlich der Intimsphäre anderer Menschen können den Kranken verunsichern oder kränken und eine vertrauensvolle Beziehung zwischen Pflegeperson und Pflegebedürftigem unmöglich machen.

11.8 Sexualhygiene

Die Sexualhygiene befaßt sich als **Bereich der Gesundheitspflege** mit dem Bezug des Menschen zu seiner Geschlechtlichkeit und den damit verbundenen zwischenmenschlichen Kontakten. Die Wechselbeziehungen zwischen Körper, Geist, Seele und sozialem Umfeld spielen dabei eine bedeutsame Rolle.
Im Rahmen dieser Abhandlung werden beispielhaft die folgenden Bereiche besprochen.

11.8.1 Bewußter Umgang mit Sexualität

In diesem Abschnitt wird der Begriff Sexualität immer im erweiteren Sinn, der körperliche Nähe, Zuwendung und Berührung einschließt, gebraucht.
Menschen sollten **sich der eigenen Bedürfnisse und Einstellungen** bezüglich der Sexualität **bewußt werden**; dies trifft in besonderer Weise für Angehörige der pflegerischen Berufe zu.
Der Umgang mit der eigenen Sexualität wird bereits in der Kindheit geprägt. Erzieherische Einflüsse entscheiden mit, wie sich der junge Mensch mit seiner Geschlechtsrolle identifiziert und wie sich das Verhältnis zur Sexualität entwickelt. Im weiteren Verlauf des Lebens sind es u.a. die persönlichen Erfahrungen, die den Umgang mit Sexualität und die individuellen Grenzen von Nähe und Distanz in zwischenmenschlichen Beziehungen prägen. Hierbei haben die persönliche Erlebnisbereitschaft, die Einstellung zur Sexualität sowie die aktive Auseinandersetzung mit der Thematik großen Einfluß darauf, ob Sexualität als ganzheitliches

Bedürfnis und Geschehen oder rein körperlich empfunden und erlebt wird.
Das **Zulassen und Bejahen eigener Bedürfnisse** und Wünsche (z.B. nach Zärtlichkeit, Berührung, hetero- / homosexuellen Kontakten, Selbstbefriedigung), aber auch des Schamgefühls, ermöglichen letztendlich Verständnis und Zugeständnis der Bedürfnisse anderer Menschen. Auch die **Einstellung zu körperlichen Berührungen** sowie der Bezug zum eigenen Körper haben Einfluß auf die beruflich bedingten Körperkontakte. Menschen, die im Privatleben Berührungen weitgehend ablehnen oder diesbezüglich Hemmungen haben, können durch Berührungen während pflegerischer Tätigkeiten (Einreibungen, Körperpflege) irritiert oder unangenehm beeinflußt werden. Dies gilt sowohl für den pflegenden als auch für den zu betreuenden Menschen. Andererseits können dieselben Berührungen als wohltuend und entspannend empfunden werden. Je nach Art des vorliegenden Verhältnisses können Zuwendung und Vertrauen, evtl. auch menschliche Wärme (im wahrsten Sinne des Wortes) vermittelt werden. Dies kann z.B. für schwerkranke, vereinsamte oder alte Menschen von positiver Bedeutung sein. Die Sehnsucht nach Zuwendung und Körperkontakt kann (z.B. bei sozialer Isolation) so groß werden, daß Menschen unbewußt unter sich lassen, um dann während der darauf folgenden Körperpflege menschliche Berührung zu erfahren. Hier geht es um das Erfahren menschlicher Zuwendung, ohne daß sexuelle Bedürfnisse dabei eine Rolle spielen.
Die **Möglichkeiten, während der Pflege menschliche Zuwendung** in Form von Körperkontakt (z.B. einreiben, über das Gesicht streicheln, in den Arm nehmen, Hand halten) **zu geben** und ähnliche Zuwendungen vom Patienten **anzunehmen**, sind individuell unterschiedlich ausgeprägt. Das **Akzeptieren** dieser individuellen Möglichkeiten und Grenzen sowohl durch den Pflegenden als auch durch den zu Pflegenden ermöglicht einen ehrlichen und harmonischen Umgang miteinander. Die unterschiedlich ausgeprägten Persönlichkeiten innerhalb eines Pflegeteams ergänzen sich hierin meist sinnvoll, so daß jeder seinen Möglichkeiten entsprechend geben und nehmen kann.
Die **Bedeutung pflegerischer Zuwendung** in Form körperlicher Berührungen kann manchmal groß sein, sollte jedoch nicht überbewertet werden. Moralische Ansprüche, als Pflegeperson alle Defizite des Patienten ausgleichen zu müssen, belasten unberechtigterweise.
Die Befriedigung sexueller Wünsche ist unbedingt abzulehnen; die Problematik sollte in einem offenen Gespräch erörtert werden. Das Aufzeigen der Grenzen und eindeutiges Verhalten von seiten der Pflegeperson können zur Normalisierung (Entspannung) der Situation beitragen.
Hemmungen und Berührungsängste sollten, sofern sie als belastend empfunden werden, bewußt schrittweise und ohne moralischen Zwang **abgebaut** werden.
Erleichtert wird das Einschätzen von individuell angebrachter **Nähe und Distanz** durch zunehmende Lebens- und Berufserfahrung. Offene Gespräche mit KollegInnen (im Einzelfall auch mit dem Psychotherapeuten) können helfen, Schwierigkeiten zu überwinden.

11.8.2 Krebsfrüherkennungsuntersuchungen

Um **bösartige Erkrankungen** im Bereich der Geschlechtsorgane frühzeitig zu **erkennen**, werden regelmäßige ärztliche Kontrolluntersuchungen als **Regelleistung der Krankenkassen** für ihre Versicherten angeboten. Es ist Aufgabe der öffentlichen Gesundheitsvorsorge, dies für alle Menschen bekannt und einsichtig zu machen. Daraufhin soll der einzelne **Eigenverantwortung** im Sinne eines gesundheitsfördernden Bewußtseins und Verhaltens entwickeln. In diesem Zusammenhang heißt das **Nutzen der empfohlenen Krebsfrüherkennungsuntersuchungen** (sogenannte Vorsorgeuntersuchungen) **1 mal jährlich:**
- Untersuchung des Genitale bei Frauen ab dem 20. Lebensjahr;
- Untersuchung von Genitale und Brust bei Frauen ab dem 30. Lebensjahr (zusätzlich werden auch die Untersuchung der Haut, ab dem 45. Lebensjahr auch die Untersuchung des Dickdarms und die des Stuhls auf Blut empfohlen);
- Untersuchung des äußeren Genitale und der Prostata bei Männern ab dem 45. Lebensjahr (zusätzlich werden die Untersuchung der Haut, des Dickdarms und des Stuhls auf Blut empfohlen).

Der **Gebärmutterkrebs** (*Zervixkarzinom und Korpuskarzinom*) ist das am häufigsten vorkommende Genitalkarzinom der Frau. Auch hier gibt es **keine** für die Frau erkennbaren Vorstufen bzw. **Frühsymptome**. Deshalb sollte mindestens 1 mal jährlich eine gynäkologische Untersuchung, inklusive eines zytologischen Abstrichs, erfolgen. Der Krebs kann hierdurch bereits in einer seiner Vorstufen erkannt und meist erfolgreich (in 75 - 80% der Fälle) behandelt werden!

Der **Krebs der Vorsteherdrüse** (*Prostatakarzinom*) ist die dritthäufigste Krebserkrankung des Mannes. Auch hier treten die Symptome erst im fortgeschrittenen Stadium der Erkrankung auf; da **Frühzeichen fehlen**, ist die regelmäßige Untersuchung durch den Arzt unersetzlich. Das Prostatakarzinom tritt erst im Alter auf; deshalb beginnt man mit dem regelmäßigen rektalen Abtasten der Prostata ab dem 45. Lebensjahr.

Beobachten und Abtasten der weiblichen Brust in Form der Selbstuntersuchung:
- Brusttumoren werden in den meisten Fällen von den betroffenen Frauen selbst entdeckt, deshalb ist eine regelmäßige Selbstkontrolle der Brüste 1 mal monatlich vorzunehmen; die Unterweisung erfolgt durch den Arzt;
- die nackten Brüste werden vor dem Spiegel auf Veränderungen hin beobachtet, als Hinweis auf eine bösartige Tumorerkrankung gelten Hauteinziehungen im Bereich eines Knotens, eingezogene oder verzogene Brustwarze, großporiger Hautbezirk (orangenschalenartig), Bildung eines Geschwürs;
- günstig ist das Abtasten bei feuchter Haut (nach dem Duschen) und in der ersten Zyklushälfte;

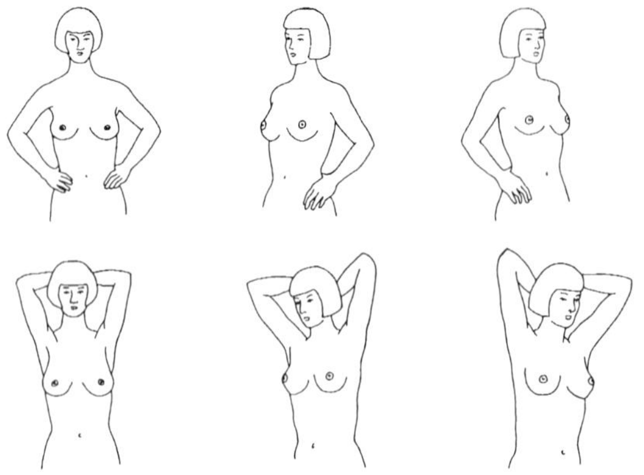

a) *Beobachtung vor dem Spiegel*

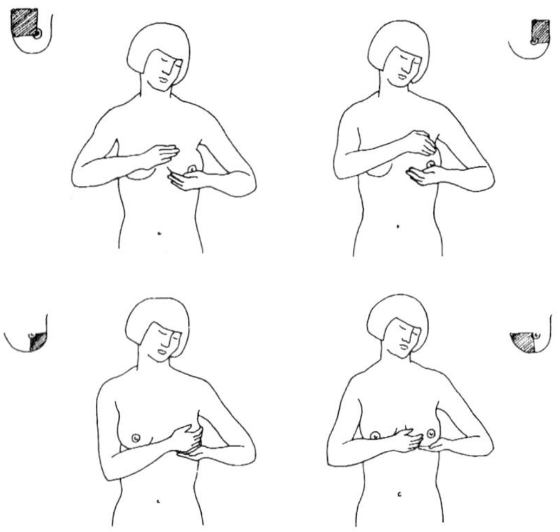

b) *Abtasten bei aufgerichtetem Oberkörper*

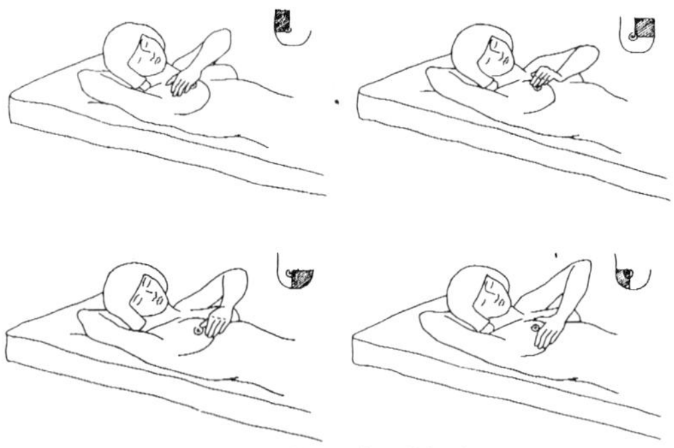

c) *Abtasten bei liegendem Oberkörper*

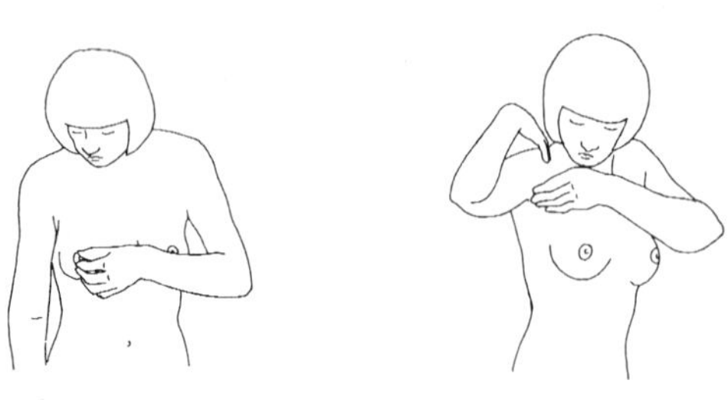

d) Ausdrücken der Brustwarzen e) *Abtasten der Achselhöhlen*

Abb. 11.6 ***Selbstuntersuchung der weiblichen Brust***

- das Abtasten erfolgt systematisch; es werden nacheinander alle Quadranten der rechten und der linken Brust sowie die Achselhöhlen abgetastet (*siehe Abbildungen 11.6 a-c*), und zwar zunächst bei aufrechtem, dann bei liegendem Oberkörper;
- wird ein Knoten entdeckt, ist der Gynäkologe aufzusuchen (auch wenn der Knoten sehr klein ist); die Unverschieblichkeit eines Knotens im Gewebe läßt den Verdacht auf einen bösartigen Tumor zu;
  Beachte: Die häufigste Lokalisation eines Tumors ist der obere äußere Quadrant der Brust;
- die Brustwarzen werden nacheinander zwischen Daumen und Zeigefinger ausgedrückt *(siehe Abbildung 11.6 d)*; evtl. austretende Flüssigkeit ist hinsichtlich der Farbe und Beschaffenheit zu beobachten, die Ergebnisse müssen dem Arzt mitgeteilt werden;
- die Achselhöhlen werden auf Knotenbildungen hin abgetastet *(siehe Abb. 11.6 e)*.

Der **Brustkrebs** (*Mammakarzinom*) ist zur Zeit in Westeuropa und in den USA die **häufigste Krebserkrankung der Frau**. Etwa 6%, d.h. jede 16. Frau, erkranken daran. Leider sind beim Brustkrebs **keine Frühsymptome** erkennbar. Klinische Symptome (wie vorstehend beschrieben) sind bereits Hinweis auf die Erkrankung. Wird die Erkrankung im Frühstadium entdeckt, bestehen gute Heilungschancen (bis zu 90%). Mit Fortschreiten der Erkrankung nehmen diese rapide ab.

Abtasten der männlichen Hoden in Form der Selbstuntersuchung:

- Hodenkrebs macht sich durch Veränderungen der Hoden bemerkbar, die der Betroffene selbst durch Abtasten feststellen kann;
- einmal wöchentlich soll der Mann mit beiden Händen nacheinander den linken und den rechten Hoden abtasten *(siehe nachfolgende Abbildung)*;

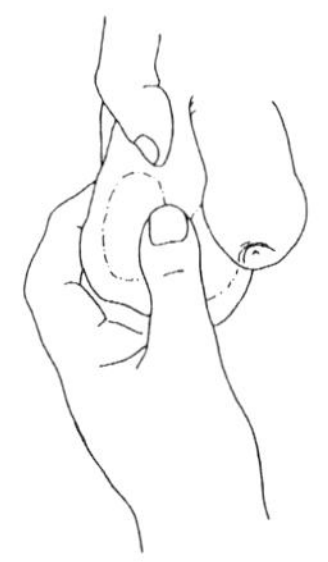

Abb. 11.7 ***Selbstuntersuchung (Abtasten) der Hoden***

- Verhärtungen, Knotenbildungen und Schwellungen, die meist schmerzlos und einseitig auftreten, können Frühsymptome des Hodenkrebses sein; werden solche Veränderungen festgestellt, ist sofort ein Arzt zu konsultieren;
- bei hormonbildendem Hodenkrebs können weitere Symptome wie das Anschwellen der Brustdrüsen und Potenzverluste auftreten.

Der **Hodenkrebs** tritt gehäuft zwischen dem 20. und 40. Lebensjahr auf. Da er durch Selbstuntersuchung als Hodenvergrößerung mit Druckschmerzhaftigkeit tastbar ist, wird jungen Männern empfohlen, einmal wöchentlich die Hoden abzutasten (*siehe Abbildung 11.7*). Im Frühstadium ist der Hodenkrebs in den meisten Fällen heilbar.

Lesen Sie auch *"Tumorprävention"*, *Seite 923*.

11.8.3 Schwangerschaftsverhütung

Synonym werden die Begriffe Empfängnisverhütung, Antikonzeption, Kontrazeption und Konzeptionsverhütung (*Konzeption = Befruchtung; Empfängnis; Vereinigung von Ei- und Samenzelle*) verwandt.
Die Schwangerschaftsverhütung dient der **Familienplanung** und der **Geburtenkontrolle** durch Verhinderung der Befruchtung oder durch Verhinderung der Einnistung des bereits befruchteten Eies in die Gebärmutter.
Menschen, die heterosexuellen Geschlechtsverkehr ausüben, ohne einen Kinderwunsch zu haben und Menschen, bei denen eine Schwangerschaft wegen einer Gesundheitsgefährdung der Frau kontraindiziert ist, sollten verantwortungsbewußt empfängnisverhütende Maßnahmen ergreifen. Dadurch können das Problem einer ungewollten Schwangerschaft, ggf. auch die körperliche und seelische Belastung eines Schwangerschaftsabbruchs, häufig verhindert werden.
Zur erfolgreichen Schwangerschaftsverhütung sollten sich beide **Partner** über die möglichen Methoden informieren und **gemeinsam eine Entscheidung treffen**, die für beide akzeptabel ist.

Der **Pearl-Index** gibt die Zuverlässigkeit einer empfängnisverhütenden Methode an, nämlich die Anzahl der ungewollten Schwangerschaften in 1.200 Anwendungsmonaten. 1.200 Monate entsprechen dabei 100 sogenannten Frauenjahren, d.h. 100 Frauen wenden die Methode 1 Jahr lang an.

11.8.3.1 Natürliche Methoden der Schwangerschaftsverhütung

(*Synonym: Rhythmus-Methoden*)

Hierbei handelt es sich um Methoden, die aufgrund **periodischer Enthaltsamkeit** während der fruchtbaren Tage der Frau schwangerschaftsverhütende Wirkung haben. **Die fruchtbaren Tage** lassen sich auf verschiedene Weise feststellen.

❐ Kalendermethoden

- Die Frau notiert ein Jahr lang die Länge ihres Menstruationszyklus;
- anhand dieser Aufzeichnungen werden die fruchtbaren Tage wie folgt bestimmt:
  vom kürzesten Zyklus werden nach Ogino 18, nach Knaus 17 Tage abgezogen, um den ersten fruchtbaren Tag zu errechnen; vom längsten Zyklus werden nach Ogino 11, nach Knaus 13 Tage abgezogen, um den letzten fruchtbaren Tag zu errechnen;
- Beispiel für die Berechnung der fruchtbaren Tage bei Menstruationszyklen mit Dauer von 27 - 30 Tagen:
  27 - 18 (bzw. 17) = 9 (bzw. 10) = 1. fruchtbarer Zyklustag,
  30 - 11 (bzw. 13) = 19 (bzw. 17) = letzter fruchtbarer Zyklustag;
- die Methode erfordert eine genaue Anwendung, d.h. absolute Abstinenz während der fruchtbaren Tage;
- nicht anzuwenden ist die Methode, wenn Zyklusverschiebungen, z.B. infolge einer Operation, einer fieberhaften Erkrankung, bei Dauerstreß oder während Reisen mit großen Klimaunterschieden zu erwarten sind;
- Pearl-Index: 18.

❐ Temperaturmethode

- Jeden Morgen wird die Aufwachtemperatur (*Basaltemperatur*) rektal oder oral gemessen;
- die Messung erfolgt immer unter denselben Bedingungen: morgens zur selben Zeit, nach mindestens 6 Stunden Schlaf und vor dem ersten Aufstehen;
- es ist zu beachten, daß sich die Körpertemperatur durch Krankheiten (auch durch Erkältungen), durch seelischen Streß, Schlafmangel oder exzessiven Genußmittelkonsum (Alkohol, Nikotin) verändern kann und die ermittelten Werte somit unzuverlässig für die Bestimmung der fruchtbaren Tage sind;
- die fruchtbaren Tage lassen sich aufgrund der typischen Temperaturveränderung nach der Ovulation ermitteln: vom 1. Tag der Periode bis zum Zeitpunkt des Eisprungs liegt die Temperatur zwischen ca. 36,5 Grad C - 36,8 Grad C (individuelle Schwankungen sind möglich); während des Eisprungs fällt die Temperatur um ca. 0,1 - 0,2 Grad C; ein bis drei Tage nach der Ovulation steigt die Temperatur um ca. 0,4 Grad C - 0,6 Grad C an und bleibt bis kurz vor der Menstruation (ca. 12 - 14 Tage lang) hoch *(vgl. "Physiologische Temperaturschwankungen", Seite 503)*;
- die Aufzeichnungen der Temperaturkurve lassen einen zweiphasigen Verlauf erkennen *(siehe Abbildung 11.8)*;
- die sicher unfruchtbaren Tage beginnen ab dem 2. Tag nach vollendetem Temperaturanstieg und enden mit der Menstruation;
- Pearl-Index bei dieser strengen Form der Temperatur-Methode: 1;
- bei der **erweiterten Form** der Temperatur-Methode gilt die unfruchtbare Zeit ab dem 2. Tag nach vollendetem Temperaturanstieg bis hin zur Menstruation und weiter bis 6 Tage vor dem frühest zu erwartenden Temperaturanstieg;
- da sich der Termin des Eisprungs nach vorne verschieben kann, büßt die Temperatur-Methode in dieser erweiterten Form an Zuverlässigkeit ein;
- Pearl-Index: 3.

❐ Billings-Methode (*Syn. Zervixschleimmethode*)

- Die Frau beobachtet ihre Zervixschleimabsonderung, die sich durch die physiologischen Hormonschwankungen während des Menstruationszyklus in typischer Weise verändert;
- einige Tage vor dem Eisprung beginnt sich der Zervixschleim zu verflüssigen, die Menge nimmt zu, so daß die Frau ein feuchtes Gefühl verspürt, evtl. finden sich Schleimspuren in der Unterwäsche; kurz vor und zur Zeit des Eisprungs ist der Schleim klar und spinnbar, d.h. wenn man ihn zwischen Daumen und Zeigefinger nimmt und diese bewegt, lassen sich 6-8 cm lange Fäden spinnen - in dieser Zeit können die Samenfäden den Gebärmutterhalskanal passieren und zur Eizelle gelangen;
- die fruchtbaren Tage beginnen mit der vermehrten Schleimabsonderung und dauern bis zum Abend des vierten Tages nach deren Höhepunkt;

- in der Zeit vor und nach dem Eisprung ist der Zervixschleim von geringer Menge, zäh und cremigweislich; während dieser Zeit verschließt er wie ein Pfropf den Gebärmutterhalskanal;
- diese Methode kann nicht von allen Frauen angewendet werden, da die Veränderungen nicht immer und nicht bei jeder Frau deutlich erkennbar sind;
- Pearl-Index: 15 - 20.

❒ Symptothermale Methode

- Es handelt sich um die kombinierte Methode der Temperaturmessung und der Zervixschleimbeobachtung (*Basaltemperatur- und Billings-Methode*);
- relativ verläßliche Methode, da sich der nahende Eisprung durch die Schleimverflüssigung voraussehen läßt; das Ende der fruchtbaren Tage kann durch den Temperaturanstieg bestimmt werden;
- Pearl-Index: 0,5 - 7.

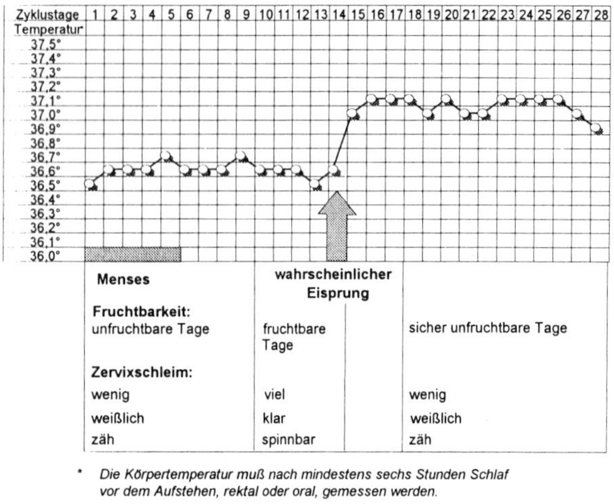

Abb. 11.8 **Beobachtbare Veränderungen bei der symptothermalen Methode**

Eine weitere natürliche Methode der Empfängnisverhütung ist die **Unterbrechung des Geschlechtsverkehrs** (*Coitus interruptus*).

- Kurz vor dem Samenerguß zieht der Mann den Penis aus der Scheide;
- die Methode ist sehr unzuverlässig, da auch vor der Ejakulation Samen - unbemerkt - austreten kann; außerdem erfordert sie ein hohes Maß an Selbstkontrolle, die nicht immer gewährleistet ist;
- Pearl-Index: über 25.

11.8.3.2 Mechanische Methoden

Die mechanischen Methoden sollen eine Schwangerschaft verhüten, indem das Eindringen von Samenzellen in den Gebärmutterkanal und ihr etwaiges Aufsteigen in die Eileiter durch eine Barriere verhindert werden. Dazu können folgende Verhütungsmittel angewendet werden.

❒ Kondom *(Präservativ):*

- Es handelt sich um einen aufgerollten Schlauch aus dünnem Kunststoff, oft mit Gleitmitteln und/oder Spermiziden versehen;
- die Qualität (gemessen an der Verständlichkeit der Gebrauchsinformation, allgemeiner Beschaffenheit, Handhabung, Reißfestigkeit) der angebotenen Produkte ist sehr unterschiedlich, entsprechende Testergebnisse sollten die Wahl der Marke beeinflussen;
- wird vor dem Geschlechtsverkehr über das erigierte Glied des Mannes gerollt;
  Beachte: Anwender sollten unbedingt vorher die Gebrauchsinformationen lesen; der Hinweis "Einzeln elektronisch geprüft" und das Haltbarkeitsdatum sollten vorliegen;
- fängt die Samenflüssigkeit auf; um ein Auslaufen zu verhindern, muß der Penis *vor* dem Erschlaffen aus der Scheide genommen werden (hier liegt der häufigste Anwendungsfehler);
- bietet gleichzeitig Schutz vor Infektionen (Geschlechtskrankheiten, Hepatitis B, HIV);
- der Pearl-Index liegt bei 3.

❒ Portiokappe *(Syn. Okklusivpessar):*

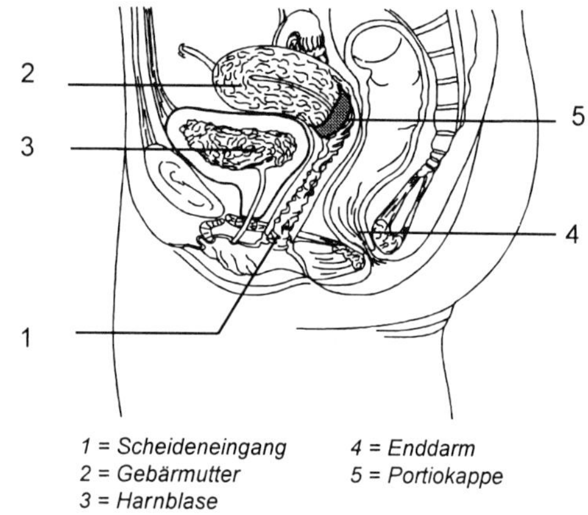

Abb. 11.9 **Sitz der Portiokappe**

- Es handelt sich um eine feste Kunststoffkappe, die über die Portio gestülpt wird und dort das Eindringen der Spermien in die Gebärmutter verhindert (siehe Abbildung 11.9);
- wird nach der Menstruation aufgesetzt und vor der nächsten Menstruation wieder entfernt, meist wird dazu ärztliche Hilfe beansprucht;
- der Pearl-Index liegt bei 7.

❒ Scheidendiaphragma (*Syn. Scheidenpessar*) in Kombination mit Spermiziden:

- Es handelt sich um eine biegsame Kunststoffkappe mit federndem Außenring, die in die Scheide eingeführt wird;
- vor dem Einführen wird das Scheidendiaphragma mit spermientötendem Gel / Creme versehen;
- der Arzt muß die richtige Größe anpassen und die Frau über die korrekte Handhabung informieren; das Pessar wird so plaziert, daß es der Scheidenvorderwand und dem Muttermund eng anliegt, die Portio muß innerhalb des Spiralrings tastbar sein (siehe Abb. 11.10);
- das Einsetzen des Diaphragmas kann bereits zwei Stunden vor dem Verkehr erfolgen;
- das Entfernen geschieht frühestens 8 Stunden nach dem Geschlechtsverkehr, um die empfängnisverhütende Wirkung zu gewährleisten;

- das Diaphragma wird mit Wasser und Seife gereinigt und trocken aufbewahrt; es kann ca. 2 Jahre lang verwendet werden;
- der Pearl-Index liegt bei 4.

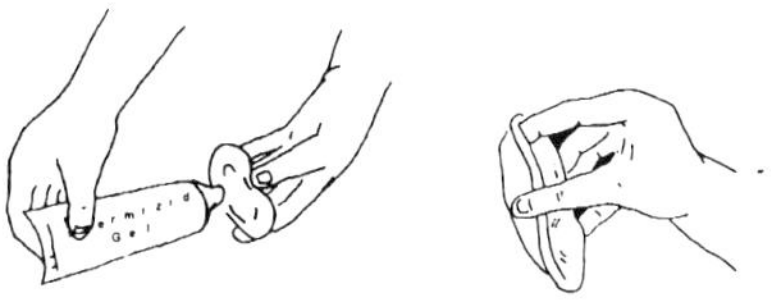

Einfüllen spermientötenden Gels

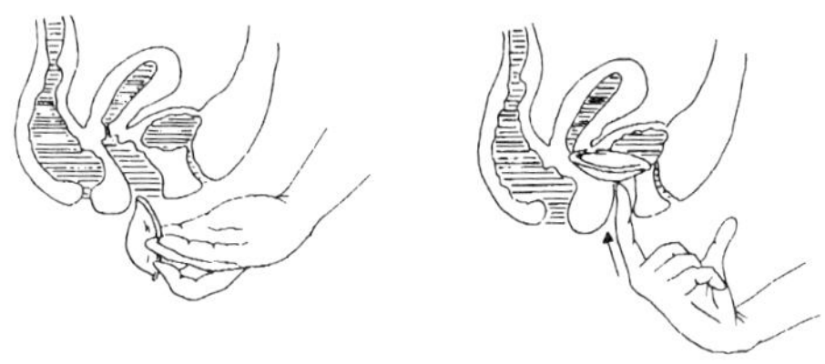

Einführen des Diaphragmas

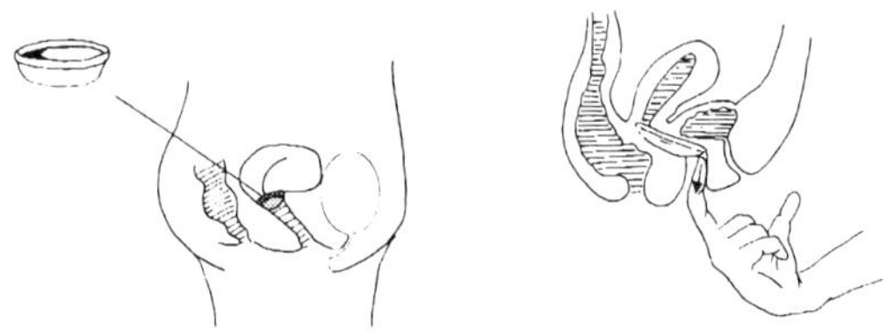

Richtiger Sitz des Diaphragmas *Entfernen des Diaphragmas*

Abb. 11.10 ***Umgang mit dem Diaphragma***

❒ **Intrauterinpessar** *(IUP; sog. "Spirale"):*

- Es handelt sich um ein(e) biegsame(s) Schlinge, Spirale oder T-Stück aus Plastik;
- ist evtl. kupferbeschichtet *(Kupfer-T;* sondert Kupferionen ab, die spermatozid wirken und das chemische Milieu der Gebärmutter verändern);
- ist evtl. gestagenhaltig und macht zusätzlich den Zervixschleim für Spermien unpassierbar;
- wird vom Arzt in die Uterushöhle eingelegt und muß alle 2 - 4 Jahre erneuert werden;
- ein Nylonfaden hängt ins hintere Scheidengewölbe; nach jeder Menstruation muß die Frau prüfen, ob er noch vorhanden ist (in seltenen Fällen wird das Pessar während der Periode ausgestoßen);
- die Wirkung liegt in der Verhinderung des Aufsteigens der Samenzellen in die Eileiter (und wahrscheinlich in der Verhinderung der Einnistung der befruchteten Eizelle in die Gebärmutter);
- verursacht relativ häufig Nebenwirkungen wie Schmerzen, Dys- und Hypermenorrhoen sowie Entzündungen und aufsteigende Infektionen; evtl. wird das IUP ausgestoßen;
- die Anwendung ist kontraindiziert bei jungen Mädchen und Frauen, die noch nicht geboren haben (aber für später Kinderwunsch besteht);
- der Pearl-Index liegt bei 2.

11.8.3.3 Lokal-chemische Methoden

Es handelt sich um die Anwendung von spermientötenden Mitteln *(Spermizide).*

- Sie werden als Vaginalzäpfchen, Schaumovulum, Vaginalschaum, -creme, -gel oder als Vaginaltablette angeboten;
- die Verabreichung erfolgt mindestens 15 Minuten vor dem Geschlechtsverkehr in das hintere Scheidengewölbe, wo sich das Spermizid verflüssigt und verteilt;
- die Samenzellen sollen abgetötet werden, bevor sie in den Zervikalkanal gelangen; auch Infektionserreger (Viren, Bakterien, Pilze, Protozoen) werden abgetötet;
- der Pearl-Index liegt bei 25; deshalb sind chemische Mittel nur in Kombination mit mechanischen Mitteln zu empfehlen.

11.8.3.4 Hormonelle Methoden

Es handelt sich um die regelmäßige Einnahme von ärztlich verordneten östrogen- / gestagenhaltigen Präparaten (*sogenannte Ovulationshemmer, Antibabypille*).

- Die Verabreichung erfolgt oral über Dragees, die regelmäßig und nach einem bestimmten Schema eingenommen werden (Gebrauchsinformation genau lesen!);
- die Wirkungsweise ist nicht völlig geklärt; bekannt ist, daß die empfängnisverhütende Wirkung durch die Hemmung des Eisprungs, durch Veränderungen des Zervixschleims (Hemmung der Durchlässigkeit für Spermien) und der Gebärmutterschleimhaut sowie durch Hemmung der Eileiterbeweglichkeit gewährleistet wird;
- nach 21 Tagen wird die Hormongabe für jeweils 7 Tage unterbrochen; infolgedessen kommt es regelmäßig zu einer menstruationsähnlichen Blutung *(sogenannte Abbruch- oder Entzugsblutung);*
- zu Beginn der Einnahme können unerwünschte Wirkungen wie Übelkeit, Kopfschmerzen, Gewichtszunahme, Brustschmerzen und Veränderungen der Libido sowie der Psyche auftreten; sie treten meist nur vorübergehend auf;
- bei plötzlichem Auftreten ungewohnt starker Kopfschmerzen, akuter Sehstörungen, Schmerzen und Schwellungen im Bein sowie stechender Atembeschwerden, Gelbsucht und Bluthochdruck ist sofort der Arzt zu informieren; meist wird das Präparat abgesetzt;
- bei längerer Bettruhe und vor geplanten Operationen wird das Hormonpräparat aufgrund der erhöhten Thrombo-Emboliegefahr abgesetzt;
- die Entstehung thromboembolischer Komplikationen (z.B. Herzinfarkt und Schlaganfall) wird in gewissem Maße aufgrund der Östrogenwirkung - insbesondere in Kombination mit Rauchen - begünstigt; deshalb wird abgeraten, während einer hormonellen Empfängnisverhütung zu rauchen; mit zunehmendem Alter und steigendem Zigarettenkonsum nimmt das Risiko zu;
- bei bestimmten Erkrankungen ist die Einnahme hormonaler Antikonzeptiva kontraindiziert, deshalb sollte vor jeder Verordnung eine ärztliche Untersuchung erfolgen;
- ärztliche Kontrolluntersuchungen erfolgen halbjährlich;

- allgemein wird das Hormonpräparat gut vertragen;
- es handelt sich um das sicherste Verhütungsmittel, der Pearl-Index liegt bei 0,2 - 0,5;
- Schwangerschaften, die trotz Einnahme der "Antibabypille" entstehen, sind meist auf Einnahmefehler (z.B. Vergessen der Einnahme) oder auf Störungen der Resorption der Hormone (z.B. infolge starken Durchfalls oder Erbrechens, Darmerkrankungen) zurückzuführen.

Eine besondere Form der hormonellen Verhütung stellt die sogenannte **Minipille** dar. Es werden kontinuierlich niedrige Dosen von Gestagenen verabreicht, die den Eisprung nicht unterdrücken, aber trotzdem schwangerschaftsverhütende Wirkung aufweisen. Unter der Einnahme kommt es zur Ausbildung eines samenundurchlässigen Schleimpfropfs im Zervikalkanal.

Die Minipille ist aufgrund ihrer geringen Nebenwirkungen besonders geeignet für junge Mädchen. Eine exakte Einhaltung der Einnahmeintervalle ist Voraussetzung für die schwangerschaftsverhütende Wirkung. Der Pearl-Index liegt bei ca. 3.

Die hormonellen Antikonzeptiva können auch **parenteral** verabreicht werden. Die intramuskuläre Injektion eines Depotpräparates erfolgt einmal im Monat (Östrogene und Gestagene) oder als sogenannte Dreimonatsspritze (Gestagene). Aufgrund der Nebenwirkungen wird diese Methode relativ selten angewandt.

11.8.3.5 Sterilisation

Sowohl bei der Frau als auch beim Mann kann durch einen **chirurgischen Eingriff** eine Unfruchtbarkeit herbeigeführt werden. Die Eileiter bzw. die Samenleiter werden unterbunden (d.h. unterbrochen, durchtrennt) bzw. teilweise entfernt. Beim Mann kann die Sterilisation ambulant und in Lokalanästhesie durchgeführt werden; sie birgt wesentlich weniger Risiken in sich als die Sterilisation der Frau.

Mit Ausnahme der Konzeptions- bzw. Zeugungsfähigkeit bleiben alle körperlichen Funktionen sowie die Libido erhalten. Für einige Menschen stellt die Sterilisation allerdings eine seelische Belastung dar und führt darüber zu Libido- bzw. Potenzeinbußen. Da die Sterilisation eine **endgültige Maßnahme** ist, wird sie meist nur bei abgeschlossener Familienplanung durchgeführt. Eine weitere Indikation ist gegeben, wenn aus medizinischen Gründen dauerhaft eine Schwangerschaft vermieden werden muß. In seltenen Fällen kann es trotz Sterilisation zur Schwangerschaft kommen.

11.8.4 Schutz vor sexuell übertragbaren Krankheiten

Neben den klassischen meldepflichtigen Geschlechtskrankheiten (*Syphilis = Lues; harter Schanker = Gonorrhoe; weicher Schanker = Ulkus molle; venerische Lymphknotenentzündung = Lymphopathia venerea*) sind weitere Krankheiten u.a. durch Sexualkontakt übertragbar. Dazu zählen Trichomoniasis, Candidamykosen, unspezifische Entzündungen des Genitale durch bestimmte Mikroorganismen (*Neisseria-Arten, Mykoplasmen, Chlamydien und Herpes-Viren*), Hepatitis-B, HIV - Infektion / Aids und im weiteren Sinn auch Krätze und Filzlausbefall sowie Dell- und Feigwarzen. HIV - Infektion / Aids und Hepatitis-B führen dabei nicht zu einer Erkrankung der Geschlechtsorgane.

Nicht alle der sexuell übertragbaren Krankheiten zeigen makroskopisch sichtbare oder subjektiv wahrnehmbare Symptome. Daran sollte vor dem Sexualverkehr mit Zufallsbekanntschaften gedacht werden. Einen **Schutz vor Infektionsübertragung** beim genitalen Geschlechtsverkehr bieten intakte und richtig angewandte **Kondome**. Für den Analverkehr werden Spezialkondome hergestellt. Zusätzlichen Schutz bietet der Wirkstoff Nonoxinol-9, der in den meisten Spermiziden enthalten ist. Neben der samenzelltötenden Wirkung soll er die Übertragung von Infektionserregern hemmen.

Menschen, die Veränderungen im Genitalbereich beobachten, sollten sich ärztlich untersuchen und ggf. behandeln lassen. Während dieser Zeit muß in der Regel auf Geschlechtsverkehr verzichtet werden. Der Sexualpartner ist über Erkrankung und Infektionsweg zu informieren.

Laut dem **Gesetz zur Bekämpfung von Geschlechtskrankheiten** ist der Arzt verpflichtet, das Auftreten der sogenannten klassischen Geschlechtskrankheiten dem Gesundheitsamt zu melden.

Bei Erkrankung an einer sexuell übertragbaren Krankheit, auch wenn sie nicht mit Befall der Geschlechtsorgane einhergeht, bedarf der Infizierte selbstverständlich einer guten **Aufklärung**. Bei der Infektion mit dem Hepatitis-B-Virus ist dies leider weniger verbreitet als bei der HIV-Infektion. Der HIV-Infektion wird besondere Bedeutung beigemessen, da sie zum heutigen Zeitpunkt - im Gegensatz zu den anderen sexuell übertragbaren Krankheiten - nicht heilbar ist und tödlich verläuft.

11.9 Die besondere Lebens- und Pflegesituation bei HIV - Infektion und Aids

11.9.1 Krankheitsbild

❒ **Definition und Ausbreitung**

Aids (**A**cquired **I**mmune **D**eficiency **S**yndrome; **erworbenes Immundefektsyndrom**) ist eine Folge der Infektion mit dem HI- Virus. Um Aids definieren zu können müssen außerdem Zweiterkrankungen (bestimmte schwere Infektionen oder Tumoren) vorliegen, die infolge der Zerstörung des Immunsystems begünstigt oder verursacht wurden.

Die HIV - Infektion wird durch das Human Immundefizienz - Virus hervorgerufen; zur Zeit sind zwei HIV - Typen (HIV - 1 und HIV - 2) bekannt. Es handelt sich um ein Retrovirus *(siehe Seite 479)*, welches das Immun- und Nervensystem direkt schädigt. Bei direktem Befall des Zentralnervensystems entwickeln sich an Gehirn *(HIV - Enzephalopathie)* und Rückenmark chronisch - entzündliche und atrophische Prozesse sowie eine periphere Neuropathie (***Neuro - Aids***).

HIV - Infektion und Aids **breiten sich weltweit aus** (*Pandemie*); in Afrika und Asien ist die Infektions- und Erkrankungsrate am höchsten. Während in Deutschland ca. 60 000 Menschen mit dem HI - Virus infiziert und ca. 18 000 Menschen an Aids erkrankt sind (davon sind bereits 13 000 Menschen verstorben), liegen weltweit ca. 22 Millionen HIV - Infektionen vor.

❒ Übertragungswege

Die Übertragung des Virus erfolgt über infizierte Körperflüssigkeiten, die in der Regel über (kleinste) Haut- und Schleimhautläsionen in den Körper oder durch Injektionen / Transfusionen direkt in den Blutkreislauf eindringen. Die Viruskonzentration ist jedoch unterschiedlich, besonders hoch ist sie in Blut und Sperma. Bisher wurden nur Infektionen durch Blut und bluthaltige Substanzen, Samenflüssigkeit, Vaginalsekret und Muttermilch beschrieben. Die meisten Infektionen erfolgen über Sperma (Geschlechtsverkehr) und Blut (gemeinsames Benutzen von Injektionsbestecken in der Drogenszene). Das Übertragungsrisiko durch Organ-, Gewebe- und Spermaspenden ist heute durch wiederholte Blutuntersuchungen beim Spender stark herabgesetzt; das Risiko einer HIV - Infektion über eine Bluttransfusion ist in Deutschland extrem gering.

Völlig **unbedenklich sind Sozialkontakte** wie das Umarmen, Küssen oder Streicheln. Auch das gemeinsame Benutzen von Gegenständen, z.B. des Eßgeschirrs, der Bettwäsche oder der Toilette kann nicht zur HIV-Infektion führen. Außerhalb von lebenden Zellen kann HIV sich nicht vermehren; durch Austrocknen wird es schnell zerstört, gegen Erhitzen und alle Reinigungsmittel ist es äußerst empfindlich.

❒ Hauptbetroffene und gefährdete Personengruppen

Aufgrund der genannten Übertragungswege gibt es in den westlichen Industrieländern bestimmte **Personengruppen**, die aufgrund ihrer Lebenssituation eine erhöhte Wahrscheinlichkeit haben oder hatten, mit HIV in Berührung zu kommen:

- Männer mit häufig wechselnden homo- oder bisexuellen Kontakten;
- Drogenabhängige ("Fixer" - gemeinsames Nutzen infizierter Nadeln);
- Bluter, die vor 1985 Blut oder Blutprodukte erhalten haben;
- Frauen und Männer mit häufig wechselnden Sexualkontakten (ungeschützter Geschlechtsverkehr);
- Frauen mit Sexualkontakten zu bisexuellen Männern;
- Sexualpartner der genannten Personengruppen;
- Neugeborene von Virusträgerinnen.

In Deutschland sind 67% der Aidskranken homo- und bisexuelle Männer, 15% intravenös Drogenabhängige und 15% heterosexuelle Personen. Der Anteil infizierter Frauen hat zugenommen.

❒ Stadien, Symptome und Krankheitsverlauf

Im Blut- und Lymphsystem bindet sich das HI - Virus vor allem an die T - Helferzellen und die Makrophagen und baut dort seine Erbsubstanz ein.

Im Verlauf von HIV - Infektion und Aids lassen sich die nachfolgend beschriebenen Phasen beobachten.

❍ Akute Infektion

Nach der Infektion mit dem HI - Virus vermehren sich die Viren rasch und rufen nach ca. 1 - 3 Wochen bei einigen Infizierten grippeähnliche Symptome (Gliederschmerzen, Fieber, Angina, Hautausschlag, Lymphknotenschwellung) hervor. Diese akute Infektion klingt nach einigen Tagen bis Wochen spontan ab. In dieser Zeit reagiert das Immunsystem mit der Bildung spezifischer Antikörper, die dann in der Regel 1 - 3 Monate nach der Infektion serologisch nachweisbar sind; die Antikörper sind jedoch nicht in der Lage, das Virus zu eliminieren.

❍ Asymptomatische Phase (Latenzphase)

Nach Ablauf der akuten HIV - Infektion ist ein HIV - Infizierter eine gewisse Zeit beschwerdefrei, bleibt aber weiterhin Virusträger.

Die am längsten laufenden Studien ergaben, daß nach 8 - 10 Jahren Beobachtungszeit etwa die Hälfte der Infizierten an Aids erkrankt war. Einige Forscher spekulieren, daß auf lange Sicht praktisch alle HIV - Infizierten an Aids erkranken werden. Abschließende Aussagen, vor allem über Einflüsse, die den Ausbruch der Krankheit bei Infizierten verzögern oder möglicherweise verhindern könnten, sind derzeit noch nicht möglich.

❍ Generalisierte Lymphadenopathie (Lymphadenopathie-Syndrom; LAS) Zerstörung des Immunsystems

Nach Monaten bis Jahren kommt es bei den meisten Infizierten zu mindestens 3 Monate anhaltenden Lymphknotenschwellungen an mehreren Körperstellen = **generalisierte Lymphadenopathie**. Ungefähr 30% der Betroffenen entwickeln eine seborrhoische Dermatitis.

❍ HIV - assoziierte Erkrankungen

Im Verlauf der Infektion schädigt das HIV direkt die Lymphozyten und das Nervensystem; die Immunfunktion wird zunehmend geschwächt, so daß ein Betroffener Infektionen entwickelt. In diesem Stadium können mehrere Krankheiten gleichzeitig auftreten. Es werden unterschieden:

- **Aids - Related - Complex (ARC)**
  Klinische Symptome des ARC sind Fieber, Nachtschweiß und Diarrhoe, die länger als einen Monat andauern sowie ein unfreiwilliger Gewichtsverlust von mehr als 10% des Ausgangsgewichtes. Zusätzlich liegen bestimmte Laborbefunde vor, z.B. eine Verminderung der T - Helferzellen unter 400mcl, Thrombozytopenie oder Anämie.
- **Aids**
  Das Vollbild Aids kann sich abrupt, schubweise oder schleichend entwickeln. Die symptomfreien Intervalle zwischen den einzelnen Erkrankungen verkürzen sich mit Fortschreiten der Immunschwäche.

  Neurologische Erkrankungen, z. B.
  - subakute HIV - Enzephalitis, die mit motorischer Verlangsamung, Konzentrations- und Gedächtnisstörungen, psychischen Veränderungen und Demenz einhergeht;

- Myelopathie* mit Degeneration der Rückenmarkbahnen, die u.a. durch Schwäche und Parästhesien der Beine gekennzeichnet ist.

Opportunistische Infektionen, die Aids definieren, z.B.

- Pneumocystis-carinii-Pneumonie *(siehe Seite 830)*;
- Soorinfektionen des Gastrointestinaltraktes *(siehe Seite 830)* und der Atemwege;
- Infektionen durch atypische Mykobakterien;
- Lunge, Magen - Darmtrakt oder Netzhaut betreffende Cytomegalie - Infektionen;
- Toxoplasmose (diese bei Menschen mit intaktem Immunsystem meist asymptomatisch verlaufende Infektion kann beim abwehrgeschächten Aidskranken reaktiviert werden und eine Toxoplasmose - Enzephalitis hervorrufen);
- Herpes simplex - Infektionen, vor allem im Mund - Rachenbereich und in der anorektalen Region.

Andere Infektionen, z.B.

- Herpes zoster - Infektion *(Gürtelrose)*, die mit schmerzhaftem Hautausschlag (flüssigkeitsgefüllte Bläschen) im Versorgungsgebiet befallener Nervenbahnen einhergeht; bei Befall des Nervus optikus kann es u.a. zur Erblindung kommen;
- Soorinfektionen der Mundhöhle *(siehe Seite 642)*;
- Lungentuberkulose *(siehe Seite 84)*.

Malignome, z.B.

- Kaposi - Sarkom, das überwiegend homosexuelle Männer betrifft. Der bösartige, an mehreren Körperstellen lokalisierte Tumor entsteht vor allem an der Haut und den Schleimhäuten; sichtbar sind violette bis braun - bläuliche Plaques, Knötchen oder Geschwüre der Haut bzw. blau - rote Knoten am Gaumen. Der Tumor kann aber auch Lymphknoten und innere Organe betreffen. Bei Verlegung von Lymphbahnen entwickeln sich Ödeme; bei Befall der inneren Organe kommt es häufig zu tödlich verlaufenden Blutungen.
- ZNS - Lymphome und Non - Hodgin - Lymphome;
- invasives Zervixkarzinom.

❐ Diagnostik

Das **HIV - 1 und das HIV -2** lassen sich 3 - 12 Monate nach der HIV - Infektion durch den hochempfindlichen **ELISA - Test** *(spezifischer Antikörpertest)* nachweisen. Bei positivem Testergebnis muß immer ein Bestätigungstest *(Immuno-Blot-Test oder Western-Blot-Test)* durchgeführt werden. Ein HIV - Antikörpertest darf nur mit dem Einverständnis des zu Untersuchenden durchgeführt werden. Ein positives Testergebnis ist eine außergewöhnlich extreme Belastung, ein Schock; es konfrontiert einen Betroffenen mit dem voraussichtlich leidvollen Ende seines Lebens und ruft Ängste hervor. Deshalb braucht ein Mensch vor und nach einem HIV - Antikörpertest menschliche, ärztliche und ggf. psychotherapeutische Begleitung.

Für die Diagnose **Aids** müssen neben dem **positiven Antikörpernachweis** durch die **HIV - Infektion begünstigte oder verursachte Zweiterkrankungen** *(siehe vorstehend „Aids")* vorliegen.

Zur Beurteilung des Krankheitsverlaufs werden außerdem die Viruslast *(viral load, Anzahl der HIV - Partikel im Blut)* gemessen, die T_4 - Zellzahl und die Konzentration der Viren im Blut bestimmt.

❐ Therapie

Die Erkrankung Aids ist bis heute nicht heilbar. Der Krankheitsverlauf und die einzelnen Erkrankungen können inzwischen positiv beeinflußt werden. Die Therapie dient der Bekämpfung der Virusneuproduktion und der (opportunistischen) Infektionen, der Behandlung der Malignome sowie der Stärkung des Immunsystems.

❍ Stärkung des Immunsystems

Bereits nach der Diagnose HIV - positiv sollte ein Betroffener durch seine Lebensführung das Immunsystem belastende Faktoren vermeiden und stärkende Faktoren berücksichtigen. Aids - Berater, Ärzte und Krankenschwestern / -pfleger können eine entsprechende Beratung und Begleitung geben, ohne einen HIV - Infizierten zu bedrängen oder gar zu maßregeln. Beispiele:

- **Schutz vor Infektionen**, um zusätzliche Beanspruchungen des Immunsystems so gering wie möglich zu halten. Zum eigenen Schutz vor sexuell übertragbaren Infektionen und zum Schutz des Sexualpartners vor einer HIV - Infektion sollte beim Geschlechtsverkehr ein Kondom verwendet werden.
- **Ausgewogene und vollwertige Ernährung** *(siehe Seite 107)*, um Mangelerscheinungen zu verhindern und um das Immunsystem über eine optimale Nährstoffversorgung und allgemeines Wohlbefinden zu stärken. Ggf. können eine professionelle Ernährungsberatung oder/und spezielle Kochbücher empfohlen werden.
- **Reduzieren / Aufgeben des Konsums von Drogen** (Heroin, Halluzinogene) und **bestimmten Genußmitteln** (Nikotin, Alkohol). Drogenabhängigen ist eine ganzheitlich orientierte Therapie zu empfehlen und ggf. zu vermitteln.
- **Vermeiden ausgiebiger Sonnenbäder** und regelmäßiger Solariumbesuche, da eine übermäßige Bestrahlung das Immunsystem negativ beeinflußt. Das heißt nicht, das jegliche - wohltuende - Aufenthalte in der Sonne unterlassen werden sollten.
- **Vermeiden von** unnötigem **Streß**, sinnvoller Umgang mit Streß und **Nutzen von Antistressoren** *(siehe Seite 893)*.
- **Regelmäßige Bewegung** und sportliche Aktivität, weil sie das Wohlbefinden steigern, Streß abbauen, soziale Kontakte fördern und das Immunsystem positiv beeinflussen.
- **Regelmäßiger Lebensrhythmus**, ausreichende Ruhe- und Schlafphasen.
- **Austausch mit ebenfalls HIV - positiven Menschen**, z.B. in einer Selbsthilfegruppe, weil diese die psychische (und körperliche) Belastung aus eigener Erfahrung kennen und so auf unvergleichliche Weise Anteilnahme, Entlastung und Verständnis sowie Hilfe und Rat geben können.
- **Angebot psychosozialer Hilfen nutzen**, weil dadurch viele Probleme gelöst oder verringert werden können. Regional vorhandene Einrichtungen, z.B. Aids - Hilfe, Aidsberatungsstellen der Gesundheitsämter und weiterführende Literatur / Informationsschriften sowie Adressen sind vorzustellen.

Deutsche Aids - Hilfe e.V.
Dieffenbachstraße 33
10967 Berlin
Tel.: 030 / 6900870

Aids - Hilfen
Bundesweite Beratungsnummer: 19411

Bundeszentrale für gesundheitliche Aufklärung
Ostmerheimer Straße 220
51109 Köln

Spezielle Ernährungsberatung für HIV - Infizierte:

I. Medizinische Klinik der Universität zu Köln
HIV - Ambulanz
Josef - Stelzmann - Straße 9
50931 Köln

Vermittlung der Anschriften niedergelassener Ärzte, die sich auf die Behandlung von HIV - Patienten spezialisiert haben:

Deutsche Arbeitsgemeinschaft niedergelassener Ärzte (DAGNA)
Blondelstraße 9
52062 Aachen

❍ Antivirale Therapie

Reverse-Transkriptase-Hemmer und **Protease-Hemmer** haben eine antiretrovirale Wirkung, d.h. sie hemmen das für Retroviren typische Enzym Reverse Transkriptase und erschweren dadurch die Neuinfektion von Zellen. Es handelt sich um

- **AZT** = Azidothymidin oder Zidovudin, z.B. Retrovir®, Azidothymidin®); unter der Therapie kann es u.a. zur Knochenmarkdepression (Anämie, Leukopenie) kommen.
- **ddC** = Zalcitabin, z.B. HIVID®; als unerwünschte Wirkung kann es u.a. zu einer peripheren Neuropathie *(Nervenentzündung an den Extremitäten, die mit Taubheitsgefühl, Kribbeln und Schmerzen einhergeht)* kommen.
- **ddI** = Didesoxyinosin oder Didanosin, z.B. Videx®; die Einnahme kann u.a. eine akute Pankreatitis und eine periphere Neuropathie hervorrufen.
- **D4T** = Didehydrodesoxythymidin oder Stavudin®, z.B. Zerit®; als unerwünschte Wirkung kann sich u.a. eine periphere Neuropathie entwickeln.
- **3TC** = Thiacytidin oder Lamivudin, z.B. Epivir®; die Substanz ist im allgemeinen gut verträglich, unerwünschte Wirkungen wie Kopfschmerz, Übelkeit, Fieber, Muskelschmerzen sind meist nur zu Beginn der Behandlung zu beobachten.

Proteasehemmer verhindern Neuinfektionen von Zellen, indem sie die Protease, die das Virus zum Aufbau neuer RNA - Ketten benötigt, hemmen. In Deutschland sind seit 1996 folgende Substanzen zugelassen:

- **SQV** = Saquinavir, z.B. INVIRASE®; unter der Einnahme können u.a. Übelkeit, Diarrhoe und Leibschmerzen auftreten.
- **RTV** = Ritonavir, z.B. Norvir®; als unerwünschte Wirkungen können u.a. Übelkeit, Erbrechen und Diarrhoe auftreten.
- **IDV** = Indinavir, z.B. Crixivan®; mögliche unerwünschte Wirkungen sind u.a. Schlaflosigkeit sowie Schmerzen im Unterleib / im Lendenbereich.
- **NFV** = Nelfinavir, z.B. Viracept®; mögliche unerwünschte Wirkungen sind u.a. Diarrhoe, Leibschmerzen, Übelkeit und Blähungen.

Der günstigste Zeitpunkt für den Therapiebeginn ist nach heutigem Erkenntnisstand anhand der Viruslastmessung zu bestimmen.

❍ Prophylaxe und Therapie opportunistischer Infektionen u.a. Komplikationen

Um Infektionen zu vermeiden, sind allgemeine **hygienische Maßnahmen** und die zuvor unter „Schutz vor Infektionen" aufgeführten Verhaltenshinweisen zu berücksichtigen.
Die sorgfältige und regelmäßige **Beobachtung** des Patienten ermöglicht in vielen Fällen das frühzeitige Erkennen von Infektionen / Komplikationen und somit eine rasche Einleitung der Therapie.
Hinsichtlich einer **Pneumocystis - carinii - Pneumonie** ist spätestens bei Absinken der T - Helferzahl unter 200 / µl eine **Primärprophylaxe** angezeigt; nach einer behandelten PCP erfolgt eine **Sekundärprophylaxe**. In beiden Fällen wird Cotrimoxazol oder Pentamidin verabreicht *(siehe nachfolgend unter „Atmen")*. Cotrimoxazol beugt außerdem dem Ausbruch einer Toxoplasmose vor.
Bei vielen Infektionen, die nach der Behandlung zu Rezidiven neigen, ist eine medikamentöse Sekundärprophylaxe angezeigt.

11.9.2 Prophylaxe

Zur Prophylaxe einer HIV-Infektion sind folgende Maßnahmen angezeigt.

- **Aufklärung** der Bevölkerung über den Infektionsmodus (Übertragung nur durch infiziertes Blut und bluthaltige Sekrete, Samenflüssigkeit und Vaginalsekret) und prophylaktisches Verhalten.
- Angemessenes Sexualverhalten.
  Bezüglich der **Sexualhygiene** sind **Offenheit** und **Vertrauen** unter den Partnern wichtig. Bevor der Geschlechtsverkehr aufgenommen wird, sollten die Partner verantwortungsbewußt über die Möglichkeit einer evtl. bestehenden HIV-Infektion sprechen.
  Manche Menschen unterziehen sich - um eine Gefährdung des Partners auszuschließen - einem HIV-Antikörpertest.
  Beachte: Ein negatives Testergebnis ist nicht unbedingt ein Freibrief für ungeschützten Sexualkontakt. Da vom Zeitpunkt der Ansteckung bis zur Bildung von Antikörpern mehrere Wochen bis Monate vergehen, sollte der Test nach 3 Monaten erneut durchgeführt werden. In der Zwischenzeit sollte kein ungeschützter Geschlechtsverkehr stattfinden!
  Andere lehnen einen HIV-Antikörpertest ab, z. B. weil sie befürchten, ein positives Testergebnis könne ihre Lebensqualität erheblich einschränken. Besteht das Risiko, durch einen Sexualpartner infiziert zu werden (Beachte: Je weniger bekannt der Sexualpartner ist, um so höher ist wahrscheinlich das Risiko) oder diesen infizieren zu können, ist der Schutz durch **Verwendung eines Kondoms** angezeigt. Hierdurch wird mit hoher Wahrscheinlichkeit das Eindringen von Samenflüssigkeit bzw. von Vaginalsekret (über Schleimhautläsionen) in die Blutbahn des Partners verhindert.

Für den Analverkehr werden besonders stabile Kondome angeboten. (Beachte: Beim Analverkehr ist der passive Partner aufgrund der entstehenden Schleimhautläsionen im höchsten Maße ansteckungsgefährdet. Analkondome dürfen nicht mit fetthaltiger Creme gleitfähiger gemacht werden, da sie durch Fette spröde werden und reißen können.)
Beim Oralverkehr ist darauf zu achten, daß keine Samenflüssigkeit in den Mund des Partners gelangt.
Als **risikoarme Sexualpraktiken** *(Safer Sex)* gelten neben der Kondomanwendung auch die manuelle Befriedigung des Partners (*Petting*) und jede Form des Sexualkontaktes, die ohne Austausch von Körperflüssigkeiten einhergeht.
- Bei planbaren Operationen möglichst Durchführung einer Eigenblutspende und -transfusion.
- Information behandelnder Ärzte und Zahnärzte hinsichtlich einer nachgewiesenen HIV - Infektion (damit diese entsprechende Schutzmaßnahmen ergreifen können) durch den Betroffenen.
- Zum **Infektionsschutz am Arbeitsplatz** Einhalten der entsprechenden von der BUNDESZENTRALE FÜR GESUNDHEITLICHE AUFKLÄRUNG, KÖLN, herausgegebenen Richtlinien in *„HIV und Aids. Fachinformationen für die Patientenbetreuung" 5., aktualisierte Auflage, Dezember 1996.*

Infektionsschutz am Arbeitsplatz

Allgemeine Hinweise

Zur Zeit stellen vorbeugende Maßnahmen die einzige Möglichkeit dar, der weltweiten Ausbreitung der HIV-Epidemie wirksam entgegenzuwirken. Somit wird die Prävention der HIV-Infektion zu einem zentralen Anliegen der Gesellschaft und einer wesentlichen Aufgabe aller im Gesundheitsdienst mitwirkenden Berufsgruppen. Um auch dieser Anforderung gerecht werden zu können, bedarf es der Informiertheit über präventive Maßnahmen, ihre Anwendung und Sinnhaftigkeit sowie einer praxisorientierten Hilfestellung zur Umsetzung.

Viele Arbeitgeber schaffen durch das Angebot von Fortbildungsveranstaltungen und themenbezogenen Kursen hierfür die entsprechenden Voraussetzungen.

Nahezu alle im Rahmen von Aids auftretenden Infektionskrankheiten stellen für die Betreuer keine Gefahr dar. Die meisten der betreffenden Keime sind ohne das Vorliegen eines Immundefekts harmlos. Ausnahmen bilden vor allem die Cytomegalievirus-, Zoster- und Toxoplasmose-Infektion bei Schwangeren, die diese Erkrankungen noch nicht durchgemacht haben. Die Ansteckung mit diesen Erregern kann, falls sie während der Schwangerschaft erfolgt, zu einer Schädigung der Frucht führen.

Eine weitere Ausnahme stellt die Tuberkulose dar. Diese ist in den letzten Jahren bei HIV-Patienten häufiger geworden. Der Verlauf der Tuberkulose bei ihnen ist meist rascher und schwerer als bei nicht immungeschwächten Patienten. Wichtig ist bei allen erkrankten Patienten die konsequente Behandlung über einen Zeitraum von mehreren Monaten, um eine Resistenzentwicklung zu verhindern. Insbesondere bei Tuberkulose-Erregern, die gegen mehrere Antibiotika resistent sind, besteht für die Betreuer ein nicht zu unterschätzendes Risiko. Hier müssen Infektionsschutzmaßnahmen eingehalten werden, wie sie auf Isolierstationen vorgeschrieben sind. Da die Ansteckungsmechanismen bei der Tuberkulose gut bekannt sind, existieren wirksame und gute Möglichkeiten der Prophylaxe.

Grundsätzlich ist hier deutlich zu betonen, daß sich die Vorschriften bei der Betreuung von HIV-Positiven bzw. beim Umgang mit infektiösem Material nicht unterscheiden von den sonst auch einzuhaltenden allgemeinen Maßregeln beim Umgang mit (**immer** als potentiell infektiös anzusehenden) Blut und Körperflüssigkeiten. Darüber hinausgehende Vorsichtsmaßnahmen sind nicht erforderlich. Die bislang dokumentierten Fälle berufsbedingter HIV-Infektionen zeigen, daß über die Hälfte der Betroffenen den Serostatus ihrer Patienten kannten und daß mindestens ein Drittel die bekannten Vorsichtsmaßnahmen außer acht gelassen hatten. Dies unterstreicht die Notwendigkeit der strikten Befolgung der anerkannten und vorgeschriebenen Hygieneregeln.

Da HIV empfindlich und außerhalb des Körpers nur für kurze Zeit überlebensfähig ist, reichen die üblichen Reinigungs- und Desinfektionsverfahren völlig aus. Schon die Desinfektion mit 70%igem Alkohol wird vom HIV nicht überlebt. Voraussetzung ist natürlich die Beachtung der von den Herstellern empfohlenen Anwendungshinweise, besonders die Einwirkzeiten und Dosierungen betreffend.

Schutzmaßnahmen

Grundsätzlich gilt: Alle Vorsichtsmaßnahmen, die beim Umgang mit Hepatitis-B-infizierten Patienten angezeigt sind, schützen auch vor einer möglichen HIV-Übertragung. Wesentlich sind der tatsächliche Einsatz und die korrekte Durchführung.

Die wichtigsten Schutz- und Vorsichtsmaßnahmen sind:
- regelmäßiges Händedesinfizieren,
- regelmäßige Hautpflege,
- Tragen von Handschuhen und ggf. Schutzkleidung beim Umgang mit infektiösem Material,
- sorgfältiger Umgang mit Kanülen und scharfkantigen Gegenständen.

Grundsätze der Händehygiene

Das regelmäßige Desinfizieren der Hände zur Prophylaxe und nach erfolgter Kontamination sollte im Arbeitsalltag eine Selbstverständlichkeit sein.
Die handelsüblichen Händedesinfektionsmittel sind auch gegen HIV wirksam. Zur Erzielung eines optimalen Desinfektionserfolges ist bei der Durchführung auf eine gleichmäßige Verteilung der Lösung zu achten. Einige Hautareale gelten als Problemzonen, da sie in der Alltagsroutine häufig vernachlässigt werden. Hierzu gehören Daumen, Fingerzwischenräume und Nagelbetten sowie Handgelenke. Nach erfolgter Desinfektion ist eine wiederholte Kontamination insbesondere im Hinblick auf die Infektanfälligkeit der HIV-Patienten zu vermeiden.

Von häufigem Händewaschen ist abzuraten. Krankheitserzeugende Mikroorganismen werden durch diese

Maßnahme nur unzureichend beeinflußt. Die Keimbesiedlung der Hautoberfläche nimmt sogar deutlich zu, wenn durch die Verwendung warmen Wassers zum Waschen tiefliegende Keime hervortreten. Zu bedenken ist außerdem der hautschädigende Einfluß seifenhaltiger Reinigungsmittel. Im Vergleich dazu sind Händedesinfektionslösungen hautfreundlich. Allerdings besteht durch den Alkoholgehalt der Mittel die Möglichkeit, daß die Haut austrocknet und dadurch ihre natürliche Schutzfunktion verliert. Dieser Entwicklung kann durch die regelmäßige Anwendung feuchtigkeitsspendender Pflegesubstanzen wirksam vorgebeugt werden.

Personen mit Hauterkrankungen und Hautverletzungen sollten grundsätzlich Zurückhaltung bei der Betreuung von Patienten mit infektiösen Erkrankungen üben. Es sind einige Fälle von beruflich erworbenen HIV-Infektionen bekannt geworden, die sich auf die Kontamination der erkrankten Haut mit infiziertem Blut zurückführen ließen. Für die Zeit der akuten Hautkrankheit bzw. -verletzung empfiehlt es sich daher, von Arbeiten im Rahmen operativer oder endoskopischer Eingriffe sowie vom unmittelbaren Patientenkontakt abzusehen.

Tragen von Schutzkleidung

Bei allen Tätigkeiten (nicht nur bei bekannt positivem Serostatus!), bei denen ein Kontakt mit Blut, Blutbestandteilen, Körperflüssigkeiten und Ausscheidungen zu erwarten ist, sowie bei der Berührung von Schleimhäuten und nässenden bzw. blutenden Hautveränderungen sind Handschuhe zu tragen: Sie sollen darüber hinaus **grundsätzlich** bei der Druchführung von Blutentnahmen und anderen invasiven diagnostischen oder therapeutischen Maßnahmen benutzt werden. Die Auswahl der Handschuhe richtet sich nach dem geplanten Arbeitsvorgang.

Haushaltshandschuhe aus Gummi sind geeignet für Reinigungs- und Entsorgungsarbeiten. Sie müssen nach Gebrauch desinfiziert und gereinigt werden. Einmalhandschuhe aus PVC und Latex empfehlen sich für alle Tätigkeiten, bei denen ein Kontakt mit Körperflüssigkeiten möglich ist. PVC- bzw. Vinylhandschuhe sind etwas billiger, dafür jedoch weniger paßgenau und in vielen Fällen nicht völlig dicht. Latexhandschuhe sind dünner, elastischer und dadurch paßgenauer. Undichtigkeiten kommen bei ihnen seltener vor. Dafür liegt ihr Preisniveau deutlich über dem der PVC-Handschuhe.

Flüssigkeitsdichte Schutzkleidung ist nicht generell notwendig, sie sollte aber getragen werden bei zu erwartender Verunreinigung der Kleidung durch Blut, Körperflüssigkeiten oder Ausscheidungen. Mund-Nasenschutz und Brillen sind aufzusetzen bei Arbeiten, die mit Aerosolbildung oder Bespritzen von Blut, Körperflüssigkeiten oder Ausscheidungen einhergehen können, insbesondere bei der Endoskopie, bei Intubation, endotrachealem Absaugen und zahnärztlichen Behandlungen.

Umgang mit verletzungsträchtigen Gegenständen

Dem Umgang mit Kanülen und scharfkartigen Gegenständen muß ganz besondere Aufmerksamkeit zuteil werden. Kanülen, Skalpelle, Lanzetten und ähnliche Gegenstände dürfen nach ihrer Verwendung **unter keinen Umständen** in die Schutzkappen zurückgesteckt, verbogen, geknickt oder auf andere Weise manipuliert werden! Hierbei entstehen die meisten berufsbedingten Verletzungen. Spitze und scharfe Gegenstände müssen in stich- und bruchfesten, flüssigkeitsdichten und verschließbaren Behältern entsorgt werden. Es ist streng darauf zu achten, daß solche Gerätschaften nicht versehentlich in Abfall- und Wäschesäcke, Papierkörbe oder sonstige ungeeignete Behältnisse gelangen. Damit ist eine unzumutbare Gefährdung des Reinigungs- und Entsorgungspersonals verbunden. Sichere Abwurfbehälter für Nadeln und andere verletzungsträchtigte Gegenstände müssen an allen Orten, wo solche Instrumente benutzt werden, gut erreichbar sein.

Aufklärung, Information sowie die konsequente und gewissenhafte Anwendung von Schutzmaßnahmen und Unfallverhütungsvorschriften sind der zuverlässigste Schutz vor berufsbedingten Verletzungen. Der Arbeitgeber ist verpflichtet, über Sicherheits- und Hygieneregeln zu informieren, die notwendigen Regelungen zu ermöglichen und ihre Einhaltung zu überwachen. Entsprechende Informations- und Trainingsveranstaltungen müssen regelmäßig abgehalten werden.

Die Mitarbeiter tragen die Verantwortung für die Durchführung der Maßnahmen. Durch vorschriftsmäßiges Verhalten können sie sich und andere schützen.

Sicherlich läßt sich das Risiko einer berufsbedingten HIV-Infektion durch entsprechende Maßnahmen weitestgehend minimieren, ganz aufheben läßt es sich allerdings nicht. Gerade im medizinischen Bereich wird es immer wieder Grenzsituationen geben, in denen die Möglichkeit einer Ansteckung mit HIV oder anderen Krankheitserregern nicht vollständig auszuschließen ist (z.B. in Notfallsituationen oder im Rahmen der Intensivmedizin). Ganz sicher ist es notwendig, bei Nachdenken über die Infektionsrisiken für Beschäftigte im Gesundheitswesen alle möglichen denkbaren oder nicht auszuschließenden Möglichkeiten miteinzubeziehen und Handlungsrichtlinien zu erstellen. Für die HIV-Ansteckungsgefahr gilt jedoch sehr häufig: Das **befürchtete** Risiko ist sehr hoch, das tatsächlich **vorhandene** Risiko ist sehr gering.

Verhaltensweisen bei Kontakten mit potentiell infektiösem Material

- Kontakt mit intakter Haut

  Nach Kontakt mit Blut, Körperflüssigkeit oder Ausscheidungen ist die verunreinigte Hautfläche unverzüglich mit viruswirksamen Hautdesinfektionsmitteln oder 70-80%igem Alkohol zu behandeln und danach zu reinigen.

- Kontakt mit Schleimhäuten, mit verletzter bzw. erkrankter Haut oder den Augen

  Ist kontaminiertes Material in Augen oder Mund bzw. auf verletzte oder erkrankte Haut gelangt, so ist die verunreinigte Stelle gründlich mit Wasser zu spülen und evtl. mit PVP-Jodlösung zu desinfizieren. Zum speziellen Gebrauch bei Kontamination der Augen empfehlen sich Augenspüllösungen mit entsprechenden Augenspülflaschen.

- Kontakt mit Verletzungen und Wunden

  Verletzungen, bei denen infektiöse Körperflüssigkeiten in eine Wunde gelangt sein könnten (z.B. Nadelstich- oder Skalpell-Verletzungen), sind - ggf. unter Druck - ein bis zwei Minuten ausbluten zu lassen. Die Wunde ist sodann mit einem viruswirksamen Desinfektionsmittel wie 70 - 80 %igem Alkohol oder PVP-Jodlösung bis tief in den Stich- / Schnittkanal hinein zu spülen. Ein anschließend angelegter Schutzverband verhindert das Eindringen weiterer Keime.

- Weitere Maßnahmen

  Besteht der begründete Verdacht, daß es zu einer HIV-Infektion gekommen sein könnte, sollte eine sofortige Blutabnahme für den ersten HIV-Test durchgeführt werden. Weitere HIV-Tests empfehlen sich nach sechs Wochen sowie nach vier, sechs und zwölf Monaten. Wenn nach Ablauf eines Jahres keine Antikörper nachweisbar sind, ist davon auszugehen, daß keine HIV-Übertragung erfolgt ist. Die Kosten für diese Untersuchungen trägt der Unfallversicherungsträger.
  Weiterhin muß eine Meldung an den Betriebs- oder Durchgangsarzt erfolgen. Dieser veranlaßt die Ausfertigung eines Berichtes für den Unfallversichungsträger.
  Bei erlittenen Verletzungen sollte man Ruhe bewahren, überlegt handeln und das beschriebene Vorgehen sorgfältig beachten. Die korrekte Einhaltung der Regeln sichert den Anspruch auf Versorgungsleistungen, sofern dieser - sehr unwahrscheinliche - Fall eintreten sollte.
  Bei Nicht-Immunisierten sind selbstverständlich auch Maßnahmen einzuleiten, um die Gefahr einer Hepatitis-B-Infektion abzuwenden. Die Hepatitis-B-Impfung sollte aber heutzutage für medizinisches Personal zum Standard gehören!

Medikamentöse Postexpositionsprophylaxe
Zum Vorgehen nach einer beruflichen HIV-Exposition hat ein vom Robert-Koch-Institut einberufenes Expertengremium Vorschläge zur medikamentösen Postexpositionsprophylaxe ausgearbeitet, die unter dem Titel "Überlegungen zur medikamentösen Postexpositionsprophylaxe nach beruflicher HIV-Exposition" im Epidemiologischen Bulletin 43 / 96 veröffentlicht worden sind. Dieses ist auf Anfrage kostenlos beim Robert-Koch-Institut, Nordufer 20, 13353 Berlin, erhältlich.

Kurz zusammengefaßt wird folgendes Vorgehen empfohlen: Für medizinisches Personal in der Patientenbetreuung sowie für in medizinischen (insbesondere virologischen) Laboratorien Tätige besteht ein erhöhtes Risiko einer beruflich bedingten Exposition gegenüber den Erregern blutübertragbarer Infektionskrankheiten. Obwohl die Verhinderung solcher Expositionen oberste Priorität haben muß, ist es unrealistisch anzunehmen, daß Unfälle, die ein Infektionsrisiko für medizinisches Personal bergen, gänzlich ausgeschlossen werden können. Die praktisch bedeutsamen beruflichen Risiken einer Infektion mit blutübertragbaren Erregern bestehen in Deutschland für das Hepatitis-B-Virus, Hepatitis-C-Virus und das HIV.

Sofortmaßnahmen nach Verletzungen an möglicherweise HIV-kontaminierten Instrumenten oder Kontamination von Schleimhäuten oder entzündlich veränderten Hautarealen:

- Kurze Inspektion der Verletzung: Wie tief? Blutgefäße eröffnet?
- Unverzügliche Reinigung der Wunde unter fließendem Wasser und mit Seife, anschließend Desinfektion mit einem virusinaktivierenden Desinfektionsmittel,
- bzw. gündliches Spülen der kontaminierten Haut- / Schleimhautareale mit Wasser oder 20 - 30%iger alkoholischer Lösung (Mundschleimhaut);
- Inspektion des Instruments, welches die Verletzung verursacht hat: Sichtbare äußere Kontamination mit Blut?
- Entscheidung: Liegt tatsächlich eine HIV-Exposition vor? Medikamentöse Postexpositionsprophylaxe? Besteht auch das Risiko einer Hepatitis-B-Virus-Exposition? (Bei ungeimpften Exponierten Einleiten einer aktiven und passiven Hepatitis-B-Immunisierung.);
- bei Entscheidung für medikamentöse Postexpositionsprophylaxe schnellstmögliche Einnahme der ersten Dosen; ab der zweiten Dosis von Indinavir auf empfohlene Abstände zur Nahrungsaufnahme achten (1 Stunde vor und 2 Stunden nach Einnahme keine fett- und proteinreichen Mahlzeiten!);
- Überprüfung des Infektionsstatus (HIV, HBV, HCV) sofort sowie 6 Wochen und 3 Monate nach Prophylaxeende bzw. Unfallereignis; Dokumentation des Vorgehens.

Die Empfehlung bzw. das Angebot einer Chemoprophylaxe sollte immer von ausführlicher Beratung und Aufklärung des betroffenen Mitarbeiters begleitet sein, die Chemoprophylaxe sollte durch einen erfahrenen Arzt überwacht werden. Nicht durchgeführt werden sollte eine Chemoprophylaxe, wenn ein Infektionsrisiko nicht gegeben ist (z.B. kein Anhaltspunkt für Exposition gegenüber HIV enthaltender Körperflüssigkeit, Kontamination unverletzter Haut).

Berufsbedingte HIV-Infektion
Die beruflich erworbene HIV-Infektion ist eine Berufskrankheit (Infektionskrankheit nach Nr. 3101 der Anlage 1 der Berufskrankheiten-Verordnung). Bis Ende 1995 waren in Deutschland mindestens 9 Fälle von berufsbedingter HIV-Infektion durch die gesetzlichen Unfallversicherungsträger als Berufskrankheit anerkannt.

In einem Prüfverfahren wird der ursächliche Zusammenhang zwischen der Exposition und der HIV-Infektion festgestellt. Hierbei muß sich die "hinreichende Wahrscheinlichkeit" der berufsbedingten Infektionsursache erweisen. Die Anerkennung länger zurückliegender Fälle ohne entsprechende Dokumentation wird in der Regel sehr problematisch sein.

Der zuständige Träger der gesetzlichen Unfallversicherung kommt für die Kosten des Heilverfahrens und für die Entschädigung des Versicherten auf. Es muß eine Unfallrente als Voll- oder Teilrente entsprechend der Minderung der Erwerbsfähigkeit gewährt werden.

Tabelle 11.1 ***Differenzierung der HIV-Expositionen und mögliche Schlußfolgerungen***

Art der Exposition:	**Prophylaxe:**
Versehentliche Injektion oder Infusion infektiösen Materials[1]; prinzipiell alle Verletzungen, bei denen mit hoher Wahrscheinlichkeit infektiöses Material tiefer als in die obersten Epithelschichten der Haut inokuliert wurde, insbesondere • tiefe Stich- oder Schnittverletzungen mit HIV-kontaminierten Instrumenten, • Verletzungen an einer Hohlnadel, die zuvor in Vene oder Arterie eines HIV-infizierten Patienten plaziert war, • Kontamination von Schleimhaut oder entzündlich veränderten Hautarealen, wenn die Kontamination großflächig ist und/oder die betroffenen Areale nicht unmittelbar gespült und gesäubert werden konnten	AZT (Retrovir® 2 x 250 mg/Tag) + Lamivudin (Epivir® 2 x 150 mg/Tag) + Indinavir[2] (Crixivan® 3 x 800 mg/Tag) Beginn: so schnell wie möglich; Dauer: am besten über einen Zeitraum von 4 Wochen, mindestens aber zwei Wochen.
Oberflächliche Kratzer / Hautritzungen mit nicht sichtbar kontaminierten spitzen / scharfen Gegenständen, bei denen keine Blutgefäße eröffnet wurden; Stichverletzungen durch den OP-Handschuh mit chirurgischer Nahtnadel; Stichverletzungen an Injektionsnadel, die zuvor zur subkutanen oder i.m. Injektion von Medikamenten verwendet wurde und nicht äußerlich sichtbar mit Blut kontaminiert ist; kleinflächige Kontamination von entzündlichen veränderten Hautpartien und Schleimhaut, wenn eine unverzügliche Reinigung erfolgt ist; Kontamination älterer, bereits verschorfter Kratzer, Schrunden oder kleiner Schnitte, wenn ohne große Verzögerung eine Reinigung erfolgt.	keine Prophylaxe[3]

1) Als infektiöses Material gelten Blut, Zellkulturüberstände HIV-infizierter Zellkulturen, Virussuspensionen o.ä.. Im Verhältnis zu Blut deutlich geringere Viruskonzentrationen sind in der Regel zu erwarten in: Liquor (mögliche Ausnahme: Patienten mit HIV-bedingter ZNS-Symptomatik), Punktatflüssigkeiten wie Pleura, Peritoneal-, Perikard-, Gelenkflüssigkeit (mögliche Ausnahme: Leukozytenreiche Punktatflüssigkeiten), Bronchiallavageflüssigkeit, Fruchtwasser, Vaginalsekret, Ejakulat.

2) Bei Schwangeren sollte, wenn eine Postexpositionsprophylaxe für notwendig erachtet wird, auf Indinavir zum gegenwärtigen Zeitpunkt verzichtet werden.

3) Wenn im Einzelfall eine Prophylaxe aus ärztlicher Sicht nicht eindeutig indiziert ist, andererseits das potentielle Risiko aber auch nicht so gering ist, daß von einer Chemoprophylaxe abgeraten werden sollte, und die/der Betroffene nach Aufklärung über die Wahrscheinlichkeit des Übertragungsrisikos, Möglichkeiten und Grenzen der medikamentösen Behandlung sowie über das Risiko der damit verbundenen Arzneimittelnebenwirkung eine Prophylaxe wünscht, sollte diesem Wunsch entsprochen werden. Um das Risiko von Arzneimittelnebenwirkungen zu vermindern, kann in solchen Fällen auch die Zahl der prophylaktisch gegebenen Medikamente reduziert werden.

HIV-Infektion und Tätigkeit im Gesundheitswesen

HIV-infizierte Beschäftigte im Gesundheitswesen können ihrer Tätigkeit in der Regel weiterhin nachgehen, ohne dabei sich oder andere zu gefährden. Einschränkungen ergeben sich für Bereiche, in denen invasive Eingriffe vorgenommen werden. Z.B. in der Chirurgie oder Zahnmedizin könnte bei Verletzungen eine Virusübertragung erfolgen. HIV-positive Arbeitnehmer sollten auch wegen der gesteigerten Eigengefährdung nicht in Abteilungen mit erhöhtem Infektionsrisiko beschäftigt sein. Insbesondere die Tätigkeit auf Stationen, wo tuberkulöse Patienten behandelt werden *(s.o.)*, stellt eine ernstzunehmende Gefahr dar. Hier ist auf jeden Fall eine Umsetzung in andere Arbeitsbereiche zu erwägen.

Routinemäßige HIV-Tests bei medizinischem Personal sind weder notwendig noch seitens des Arbeitgebers oder des Unfallversicherungsträgers vorgeschrieben. Freiwillige Testungen sollten selbstverständlich angeboten werden, wobei der Aspekt der Freiwilligkeit streng zu berücksichtigen ist. Im Zweifel kann es sich für den Betroffenen empfehlen, den HIV-Test zuvor bei einer Institution durchführen zu lassen, in der Anonymität gewährleistet wird (z.B. Gesundheitsamt). Trotz der damit verbundenen problematischen Aspekte haben einige Fachgesellschaften routinemäßige HIV-Tests für Beschäftigte im Gesundheitswesen empfohlen. Der Nationale Aids-Beirat hat sich allerdings gegen solche Testungen ausgesprochen.

aus Broschüre „HIV und Aids", Seite 46 - 60

11.9.3 Zur Situation eines Betroffenen

Viele Menschen, die HIV - positiv sind und an Aids erkranken, hatten bereits vor der Diagnose psychosoziale Probleme aufgrund ihrer Homosexualität oder Drogenabhängigkeit.

Die Diagnose „HIV - positiv" löst einen Schock aus. Ein Betroffener reagiert z.B. mit Unsicherheit, Zukunftsangst, **Niedergeschlagenheit**, **Wut** und Schuldgefühlen. Der eigene Tod ist plötzlich absehbar; **Ängste** vor sozialer Ausgrenzung, vor Schmerzen, Siechtum und leidvollem Sterben quälen einen Betroffenen. Nicht wenige Betroffene haben bereits das Leiden und Sterben eines Freundes miterlebt und haben recht konkrete Vorstellungen hinsichtlich des Krankheitsverlaufs. Die **Verarbeitung der Diagnose** wird beeinflußt von dem bisherigen Umgang eines Betroffenen mit Problemen und Krisen, von seinen Beziehungen (tragendes soziales Netz) und den Reaktionen seiner Mitmenschen. Ein Mensch, der sich seiner Homosexualität klargewordenen ist und mit anderen darüber reden kann („Coming - out"), verarbeitet die Diagnose meist besser als ein Betroffener, der seine sexuelle Neigung verheimlicht. Dieser hat zusätzlich Angst vor dem Bekanntwerden der Homosexualität. **Schuldgefühle** und die Interpretation der Krankheit als Strafe für die Homosexualtität können einen Betroffenen zusätzlich belasten und die Krankheitsverarbeitung erschweren; das dringende Bedürfnis, über die HIV - Infektion / die Aisderkrankung zu sprechen, bleibt unbefriedigt.

Bereits mit der Diagnose beginnt ein bis zum Lebensende andauernder **Prozeß des Abschiednehmens**: zunächst von der Unbeschwertheit und von bestimmten Zukunftsplänen, später von der Gesundheit und Vitalität, von der Berufstätigkeit und den Arbeitskollegen, von der Selbständigkeit, der finanziellen Unabhängigkeit und letztendlich von liebgewordenen Menschen und vom Leben. Beziehungen können abbrechen oder sich verändern, z.B. weil Eltern von der Homosexualität ihres Sohnes erfahren oder weil Kontaktpersonen unter Ansteckungsängsten leiden und sich zurückziehen.

Einige Betroffene haben **Angst**, ihren **Partner anzustecken** und verzichten auf sexuelle Kontakte, woraus sich neue Probleme ergeben können.
Mit der Entwicklung des Vollbilds Aids muß ein Betroffener zunehmend den **Verlust seiner Vitalität** und seinen körperlichen Verfall erleben. Gefühle der Wert- und Sinnlosigkeit, Verzweiflung, Depressionen und Suizidgedanken können dann die Situation eines Kranken prägen.
Ein Leben im Angesicht des Todes wirft bei vielen Menschen **religiöse Fragen** auf; sie wünschen sich adäquate Gesprächspartner und möchten sich auf den Tod vorbereiten.
Nur wenige Aids - Kranke können ihren Tod annehmen; viele sind bis zuletzt enttäuscht vom Leben oder würden gerne noch vieles verwirklichen. Trotzdem können Leid und Schmerzen Lebenswillen, Lebensfreude und Lebenskraft aufzehren.
Aidskranke Menschen brauchen soziale Beziehungen, in denen sie sich angenommen und geborgen fühlen. Menschliche Begleitung in dieser vom Tode bedrohten Lebenssituation kann Lebensfreude wecken und Energien mobilisieren. Außerdem benötigt ein Aidskranker in vielen Lebensbereichen praktische Hilfen.
Eine Ausgrenzung hat dagegen fatale Folgen für einen Betroffenen.

11.9.4 Pflege

❐ Zur Situation der Pflegenden

Die Pflege von aidskranken Menschen stellt höchste Anforderungen, ist **zeitaufwendig und belastend**. Die Patienten sind unheilbar krank, relativ jung und gehören in vielen Fällen einer sozialen (Rand-) Gruppe an, mit der eine Pflegeperson ansonsten kaum Kontakte hat. Die Konfrontation mit den weitgehend tabuisierten Themen Homosexualität, Promiskuität* und Drogenabhängigkeit führt zu Verunsicherungen. Gesellschaftliche und persönliche Wertvorstellungen sowie herrschende Vorurteile werden hinterfragt, oft müssen Einstellungen und **Meinungen überdacht, angepaßt oder neu gebildet** werden.
Schwere Infektionen, aidstypische Begleiterkrankungen, Schmerzen, Wesensveränderungen, Depressionen, Demenz, soziale Isolation und das Sterben des Kranken führen zu besonders belastenden Situationen. Im Rahmen der ausgeprägten und langdauernden Pflegebedürftigkeit entwickelt sich im allgemeinen eine vertrauensvolle und **nahe Beziehung** zwischen den Pflegenden und dem Kranken. Pflegende erleben die Stimmungen, Hoffnungen und Enttäuschungen des Aidskranken und nehmen Anteil; sie begleiten ihn in der letzten und leidvollen Phase eines an sich zu früh endenden Lebens. Immer wieder stellen sich Gefühle wie **Hilflosigkeit** und Ohnmacht, aber auch Wut und **Trauer** ein. Die Situation des todkranken Menschen macht Pflegende, die sich im selben Alter befinden, besonders betroffen.
Um diese **Belastungen** tragen zu können, um sich der eigenen Gefühle bewußt zu werden sowie das eigene Denken und Handeln zu reflektieren, sind offene Gespräche im Team, aber auch Supervision *(siehe Seite 792)* hilfreich, oft sogar unerläßlich. Hierbei geht es nicht nur darum, den Kranken gerecht zu werden, sondern vor allem um das Wohlbefinden der Pflegenden. Pflegende sollten den Mut haben, ihre Grenzen wahrzunehmen und akzeptieren, sich Überforderung einzugestehen und um Entlastung zu bitten. So kann es z.B. sinnvoll sein, die Pflege eines bestimmten Patienten für eine gewisse Zeit einer Kollegin zu überlassen. Für Mitarbeiter einer „Aidsstation“ kann eine zeitliche Unterbrechung oder Befristung des Einsatzes auf dieser Station sinnvoll sein.
Eine weitere Belastung kann die **Angst vor Ansteckung** sein. Die Einhaltung der erforderlichen hygienischen Maßnahmen bietet Schutz vor einer Infektion und hilft, Ängste abzubauen. Dennoch können hin und wieder Ängste auftreten, vor allem wenn Pflegende nur gelegentlich Menschen mit Aids betreuen oder sie dem Kranken körperlich sehr nahe kommen. Um das Vertrauensverhältnis nicht zu gefährden, ist es sinnvoll, offen und ehrlich über die Ängste zu sprechen, denn ein Kranker wird sie auch unausgesprochen wahrnehmen.
Der Umgang mit aidskranken Menschen kann - nicht nur bei Problemen - durch gezielte Fortbildungen, Gespräche und Supervision erleichtert werden. Außerdem können Pflegende sich bei Problemen und Fragen an die

Arbeitsgruppe AIDS
des Bundesgesundheitsamtes
Nordufer 20
13353 Berlin

oder an die

Deutsche AIDS-Hilfe
Berliner Straße 37
W-1000 Berlin 31
Tel.: 030 / 860651

wenden.

Die **Lebens- und Pflegesituation** ist sehr komplex, so daß Pflegende ihr Handeln immer wieder neu überprüfen und ggf. anders planen und gestalten müssen; dabei sind die Ressourcen und Vorschläge des Aiskranken zu berücksichtigen.
Ziele der Pflege aidskranker Menschen sind eine möglichst hohe Lebensqualität des Betroffenen, die Verhinderung bzw. Früherkennung von Infektionen und Komplikationen sowie die Linderung von Beschwerden.
Nachfolgend werden häufig zu erwartende Probleme, entsprechende Ziele und Pflegemaßnahmen besprochen.

❐ Für Sicherheit sorgen

❍ Infektionsrisiko

Aufgrund des Immundefektes ist der Patient **gefährdet, opportunistische Infektionen zu entwickeln;** diese verschlechtern seinen Zustand erheblich und können tödlich verlaufen.
Entsprechende pflegerische Maßnahmen zielen darauf ab, Faktoren und Umstände, die eine Infektion begünstigen, soweit wie möglich zu vermeiden und Infektionen frühzeitig zu erkennen.

- Aidskranke werden nicht gemeinsam mit Menschen, die an einer Infektion leiden, in einem Zimmer untergebracht. Ggf. ist der Kranke zu seinem eigenem Schutz in einem Einzelzimmer unterzubringen.

- Personal und Besucher, die unter einem Infekt (z.B. Schnupfen, Husten) oder nässenden Wunden leiden, sollten das Patientenzimmer nicht betreten bzw. einen Mund-Nasen-Schutz tragen.
- Patient und Besucher werden hinsichtlich der Infektionsgefahr, der Infektionswege und der prophylaktischen Möglichkeiten informiert.
- Personen, die das Patientenzimmer betreten, führen zuvor eine hygienische Händedesinfektion durch.
- Die Körperpflege wird sorgfältig und hygienisch einwandfrei durchgeführt *(siehe nachfolgend)*.
- Pflegemaßnahmen im Zusammenhang mit Wunden sowie Zu- und Ableitungen (z.B. Verbandwechsel, Venenpflege) sind immer unter aseptischen Bedingungen durchzuführen.
- Gebrauchsgegenstände (z.B. Steckbecken) und Pflegeutensilien (z.B. Mundpflegeset, Handtücher) werden täglich gewechselt bzw. desinfiziert.
- Der Patient wird mehrmals täglich beobachtet, um Zeichen einer beginnenden Infektion erkennen und therapeutische Maßnahmen einleiten zu können:
  - Atmung, Puls, Blutdruck, Körpertemperatur,
  - Haut und Schleimhäute (vor allem Mundhöhle, Einstichstellen, Wunden, Genitalregion),
  - Ausscheidungen,
  - Bewußtsein (ZNS - Infektionen).

❍ Ansteckungsgefahr

Für andere Patienten geht **vom Aidskranken nur ein Infektionsrisiko aus, wenn dieser an einer der folgenden Komplikationen leidet**:

- starke Diarrhoe, Salmonellose, Inkontinenz,
- sehr starker Husten mit Auswurf, Tuberkulose,
- Verwirrtheitszustände,
- Intubation.

In diesen Fällen sollte ein aidskranker Patient zum Schutz der anderen Patienten isoliert werden (Unterbringung im Einzelzimmer mit Toilette).

Der Kranke und alle Kontaktpersonen sind in verständlicher Form über die Infektionswege und die Schutzmaßnahmen zu informieren. Um unberechtigte **Ängste** abzubauen und eine **soziale Isolierung** des Kranken zu vermeiden, ist die Unbedenklichkeit von Sozialkontakten zu betonen.

- Aidskranke können wie andere Kranke herkömmliches Eßgeschirr benutzen. Wegen der möglichen Kontamination mit Sekundärerregern (z.B. Herpes - Viren) wird das benutzte Eßgeschirr bei 95°C im Geschirrspüler gespült.
- Möglicherweise kontaminierte Gebrauchsgegenstände wie Nagelschere oder Pinzette werden mit einem geeigneten Desinfektionsmittel (z.B. Alkohole und Aldehyde, *siehe Seite 490*) desinfiziert und anschließend mechanisch gereinigt und evtl. sterilisiert.
- Infektiöses Material wird in flüssigkeitsundurchlässigen, bruch- und stichfesten Behältnissen entsorgt.
- Räume und Flächen werden durch eine Scheuer - Wisch - Desinfektion gereinigt.

***Hinweis:** Der Infektionsschutz am Arbeitsplatz wird auf Seite 824 besprochen.*

❍ Sturzrisiko

Bei allgemeiner Schwäche, Schwindelgefühlen, orthostatischer Hypotonie und Verwirrtheitszuständen ist der Kranke **sturzgefährdet.** Um Stürze zu vermeiden, sind folgende Maßnahmen zu ergreifen:

- Klingelknopf in Reichweite des Patienten anbringen.
- Patienten anhalten, nur in Begleitung aufzustehen.
- Vor dem Aufstehen Blutdruck messen, dann Patienten zum schrittweisen Aufstehen anleiten und bei Bedarf Unterstützung leisten.
- Bei Bedarf mit Einverständnis des Patienten zum Schutz Bettgitter anbringen.

❍ Gefahren im Zusammenhang mit zerebralen Krampfanfällen

Im Rahmen einer **HIV - Enzephalopathie** kann es zu zerebralen Krampfanfällen kommen. Um das Krampfgeschehen zu erfassen, auslösende Faktoren zu vermeiden und Verletzungen zu verhindern, sind folgende Maßnahmen angezeigt:

- Patienten in einem nahe dem Dienstzimmer gelegenen Raum unterbringen und oft nach dem Patienten sehen.
- Eventuell Angehörige bitten, beim Patienten zu bleiben und bei Bedarf zu läuten. Voraussetzung ist eine gute Information über das Krampfgeschehen und das sinnvolle Verhalten von Anwesenden *(siehe Seite 613)*, um Ängste abzubauen und Fehlverhalten (z.B. Festhalten des Krampfenden) vorzubeugen.
- Patienten anweisen, nur in Begleitung aufzustehen.
- Gegenstände, an denen sich der Kranke verletzen könnte, außer Reichweite bringen. Bei Bedarf mit Einverständnis des Patienten gepolsterte Bettgitter anbringen.

Zur Pflege während und nach einem epileptischen Anfall siehe *Seite 613.*

❍ Selbst- und Fremdgefährdung bei Verwirrtheit

Bei **Verwirrtheitszuständen** kann es zu **risikoreichem Verhalten** des Kranken mit **Selbst- und Fremdgefährdung** und/oder Weglaufen des Kranken kommen. Zum Schutz des Patienten und anderer Personen können ggf. folgende Maßnahmen angezeigt sein:

- Intensive Betreuung und Zuwendung, Einbeziehen der Angehörigen.
- Anbringen von Bettgittern.
- Anregung einer gesetzlichen Betreuung *(siehe Seite 898)*.
- Verlegung des Kranken in ein Einzelzimmer.

❍ Blutunggsrisiko

Bei einer krankheitsbedingten Thrombopenie* und/oder einer durch die AZT - Therapie induzierten Leukopenie und Anämie besteht eine **erhöhte Blutungsneigung**. Pflegerische Ziele sind das frühzeitige Erkennen von Blutungen und die Vermeidung von Verletzungen. Entsprechende Maßnahmen der Krankenbeobachtung und der Verletzungsprophylaxe werden auf *Seite 937* besprochen.

❍ Risiko von Sekundärerkrankungen

Im Rahmen einer Polyneuropathie* treten evtl. **Sensibilitätsstörungen** und **schlaffe Lähmungen** auf. Daraus resultiert zum einen das Risiko der Entwicklung von Dekubiti, Thrombosen und Kontrakturen, zum anderen die Gefahr von Verletzungen durch nicht wahrgenommene Einflüsse wie Hitze oder Druck. Die individuellen

Risiken sind immer wieder neu zu analysieren und entsprechende Pflegemaßnahmen zur Prophylaxe durchzuführen. Zusätzlich wird darauf geachtet, daß der Patient nicht mit potentiell schädlichen thermischen (z.B. zu heißes Wasser) und mechanischen (z.B. versehentlich im Bett verbleibende Kanülenkappe) Einflüssen belastet wird.

❐ Atmen

❍ Risiko schwerer Atemwegsinfektionen

Aufgrund des Immundefektes besteht ein hohes Risiko, **Atemwegsinfektionen**, vor allem eine **Pneumocystis - carinii - Pneumonie** (PCP) oder eine **Lungentuberkulose** zu entwickeln. Die Erkrankungen führen zur Verschlechterung des Allgemeinbefindens und der Lebensqualität, nicht selten verlaufen sie lebensbedrohlich.

Pflegerische Maßnahmen zielen auf die Erhaltung einer möglichst physiologischen Atmung und auf das frühzeitige Erkennen von Atemwegsinfektionen.

- Patienten zu Atemübungen und zum Abhusten von Sekret anleiten und anhalten.
- Bei festsitzendem Sekret Sekretolyse (z.B. durch 10 minütige Inhalation mit 0,9% NaCl - Lösung) fördern und Patienten anschließend zum Abhusten auffordern; ggf. Vibrationsmassage anschließen.
- Bei Bedarf Aspirationsprophylaxe durchführen.
- Korrekte Oberkörperhochlagerung, so daß eine Belüftung aller Lungenbezirke möglich ist.
- Täglich die Atmung (Frequenz, Tiefe, Beschwerden, Husten, Auswurf) und die Körpertemperatur beobachten. **Beachte**: Eine PCP entwickelt sich langsam (über Wochen), ruft dann aber schnell einen lebensbedrohlichen Zustand hervor; ohne entsprechende Therapie verläuft eine PCP immer tödlich.

❍ Pneumocystitis - carinii - Pneumonie

Wenn der Kranke an einer PCP leidet, wird er durch **Atemnot** und **Reizhusten**, Leistungsminderung, Gewichtsabnahme, Nachtschweiß und **Fieber** stark in seinem Allgemeinbefinden beeinträchtigt. Außerdem löst die Erkrankung bei vielen Betroffenen die Angst aus, die Komplikation nicht zu überleben. Eine frühzeitige und konsequente Therapie ist unverzichtbar.

Pflegerische Ziele sind eine bestmögliche Atmung und Befindlichkeit des Kranken.

- Hilfeleistung bei Atemnot und bei Husten.
- Nasale Verabreichung von Sauerstoff entsprechend der Arztanordnung.
- Beobachtung hinsichtlich unerwünschter Wirkungen der medikamentösen Therapie mit Cotrimoxazol (z.B. Eusaprim®, Bactrim®):
  - gastrointestinale Beschwerden?
  - Exantheme?
  - Thrombo-, Leukopenien?
  - toxische Leberschäden?
  - Elektrolytstörungen?

  bzw. Veranlassung der verordneten Laborkontrollen.
- Pflegemaßnahmen bei Fieber.
- Unterstützung des Kranken bei der Einhaltung der ärztlich verordneten Bettruhe und bei der Ausführung der ATL.
- **PCP Therapie und Prophylaxe** (Primär- und Sekundärprophylaxe) **mit Pentamidin** (z.B. Pentacarinat 300®)
  - Vorbereitung der ärztlich verordneten Trockensubstanz entsprechend den Herstellerhinweisen;
  - Anleitung des Patienten zur korrekten Inhalation des Aerosols entsprechend den Herstellerhinweisen (z.B. mittels Yet - Vernebler mit Ein - und Ausatemventil sowie Ausatemfilter);
  - Beobachtung hinsichtlich möglicher Nebenwirkungen wie bitterer oder metallischer Geschmack im Mund, Brennen im Mund- Rachenraum, Hustenreiz, Atemnot infolge einer Atemwegsobstruktion, im Extremfall Asthmaanfall;
  - Linderung der Beschwerden: bei Brennen kurze Inhalationspause einlegen und Wasser trinken lassen, bei Atemnot Inhalation abbrechen und Arzt informieren; evtl. wird vor zukünftigen Inhalationen die Verabreichung eines Beta - 2 - Antagonisten verordnet.

❍ Lungentuberkulose

Eine Tuberkulose führt zur deutlichen **Beeinträchtigung des Allgemeinbefindens**.

Die Krankheitszeichen / -auswirkungen sowie die Pflege und Therapie werden unter „Tuberkulose" *(siehe Seite 84)* besprochen.

❐ Regulieren der Körpertemperatur

❍ Fieber

Im Verlauf der opportunistischen Infektionen entwickelt sich in der Regel **hohes Fieber**, das den Patienten zusätzlich schwächt und seine Lebensqualität beeinträchtigt. Ferner kann Fieber als Reaktion auf die medikamentöse Therapie auftreten. Pflegende unterstützen den Kranken in erforderlichem Ausmaß, führen Maßnahmen zur langsamen Fiebersenkung durch und verhindern Auswirkungen des Fiebers (z.B. Flüssigkeitsmangel). Die einzelnen Ziele und Maßnahmen sind unter *„Pflegemaßnahmen bei Fieber"* *(siehe Seite 508)* nachzulesen.

❍ Temperaturanstieg bei Infektionen

Ein Anstieg der Körpertemperatur ist in vielen Fällen das **erste Anzeichen einer beginnenden Infektion**. Aus diesem Grund muß die Körpertemperatur mehrmals täglich kontrolliert werden. Bei Temperaturanstieg ist der Arzt sofort zu benachrichtigen. Er kann rasch diagnostische Maßnahmen durchführen und eine Therapie einleiten.

Der Patient wird entsprechend informiert und nach Möglichkeit zur selbständigen Durchführung der Temperaturkontrollen angehalten.

❍ Nachtschweiß

Bei Infektionen, vor allem bei einer Tuberkulose, kann Nachtschweiß auftreten. In diesen Fällen führen Pflegende auch nachts erfrischende (Teil-)Waschungen durch und sorgen für frische Leib- und Bettwäsche.

❐ Essen und Trinken

❍ Infektionen im Bereich der Verdauungsorgane

Nahrungsauswahl und -aufnahme können durch Infektionen (meist Befall mit Candida albicans) im Bereich von Mund, Ösophagus, Magen und Darm einge-

schränkt bzw. **beeinträchtigt** sein. Außerdem wird der Appetit durch Schluckbeschwerden und **Schmerzen** beeinträchtigt, evtl. lehnt der Patient deswegen die Nahrungsaufnahme ab.
Pflegerische Ziele sind die Reduzierung und Beseitigung der Schmerzen sowie eine ausreichende und genußvolle Nahrungsaufnahme.

- Mehrmals täglich das ärztlich verordnete Antimykotikum verabreichen, dabei die Mundhöhle inspizieren und eine spezielle Mundpflege durchführen *(siehe „Therapeutische Mundpflege - Pflegestandard A", Seite 664)*; wenn möglich, den Patienten zur selbständigen Durchführung anleiten.
- Solange starke Schmerzen die Nahrungsaufnahme beeinträchtigen, weiche, evtl. breiige Speisen verabreichen.
- Patienten über die infektionsbegünstigende Wirkung von Süßspeisen (Nährboden für Krankheitskeime) informieren und zu deren Verzicht raten.
- Patienten auf die schleimhautbelastende Wirkung säurehaltiger und scharf gewürzter Speisen hinweisen und deren Verzicht anraten.
- Vor dem Essen evtl. ein Oberflächenanästhetikum verabreichen (Arztanordnung).
- Bei Bedarf vorübergehend künstliche enterale Ernährung mit Sondenkost *(siehe Seite 120)*.

❍ Infektionsrisiko durch bestimmte Speisen

Durch den Verzehr bestimmter Nahrungsmittel können aufgrund des Immundefekts Infektionen hervorgerufen werden.
Pflegeziel ist der einsichtige Verzicht des Patienten auf potentiell kontaminierte Nahrungsmittel.

- Information des Kranken über Nahrungsmittel, die Infektionen hervorrufen können:
  - rohes Fleisch (z.B. Tartar, Mett) kann Salmonellosen oder Toxoplasmoseerreger übertragen und sollte nicht gegessen werden;
  - Obst und Gemüse können verunreinigt sein und sind vor dem Verzehr gründlich zu waschen und zu schälen, evtl. zu kochen;
  - Reste aus angebrochenen Konservendosen werden rasch kontaminiert und sollten nicht mehr verzehrt werden.
- Im Einvernehmen mit dem Patienten eine entsprechende Kost verabreichen.

❍ Wunsch, sich gesund zu ernähren

Viele HIV - positive und aidskranke Menschen äußern den Wunsch, sich gesund zu ernähren und hoffen, die **Krankheit** dadurch **positiv beeinflussen** zu können. Appetitlosigkeit und Unverträglichkeiten / Abneigungen gegen bestimmte Speisen können eine ausgewogene Ernährung sehr erschweren.
Pflegerisches Ziel ist ein entsprechendes Wissen des Patienten. Er wird in folgendem Sinn informiert.

- Es gibt keine spezielle „Aids - Diät".
- Eine vitalstoffreiche Vollwertkost sorgt für eine optimale Versorgung des Organismus mit Wirk- und Nährstoffen *(siehe Seite 107)*.
- Eine ausgewogene, eiweiß-, vitamin- und kalorienreiche Kost sowie regelmäßige Essenszeiten wirken sich positiv auf die Gesundheit aus.
- Kalorienreiche Zwischenmahlzeiten, ggf. auch in Form einer Trinknahrung (Formuladiäten) können bei Untergewicht angezeigt sein.
- Auf potentiell keimbelastete Nahrungsmittel sollte verzichtet werden. Insgesamt ist ein hygienischer Umgang mit Lebensmitteln notwendig, um Infektionen des Magen - Darm - Traktes vorzubeugen.
- Detailliertes Wissen vermitteln Broschüren, Bücher und ErnährungsberaterInnen. Eine Ernährungsberatung kann z.B. über das ärztliche / pflegerische Personal oder die Krankenkasse vermittelt werden.
- Genuß und Freude beim Essen steigern nicht nur den Appetit, sondern auch die Lebensfreude; die Ernährung sollte auch nach diesen Gesichtspunkten gestaltet werden.

❍ Gewichtverlust

Bei Erkrankungen des Magen - Darm - Traktes kommt es zu meist erheblichen Gewichtsverlusten. Diese bedingen eine körperliche sowie seelische **Kraftlosigkeit** und **Auszehrung**; das Krankheitsgefühl des Betroffenen wird erheblich verstärkt. Pflegerische Ziele sind die Gewährleistung einer ausreichenden Ernährung und die Verbesserung des Wohlbefindens.

- Regelmäßig das Körpergewicht kontrollieren.
- Eine eiweiß-, vitamin- und kalorienreiche Kost anbieten, dabei die individuellen Wünsche berücksichtigen.
- Nahrung in vielen kleinen Portionen und zu vom Patienten gewünschten Zeiten verabreichen.
- Für Zwischenmahlzeiten sorgen, bei Bedarf als besonders gehaltvolle und kalorienreiche Trinknahrung (Sondenkost) anbieten.
- Bei Bedarf (ergänzend) künstliche enterale Ernährung mit Sondenkost oder parenterale Ernährung (Arztanordnung).
- Für eine die Flüssigkeitsverluste ausgleichende Flüssigkeitszufuhr sorgen.

❒ Ausscheiden

❍ Diarrhoe

Bei Infektionen des Darms entwickelt sich häufig eine Diarrhoe; **Leibschmerzen, Wasser-, Elektrolyt- und Gewichtsverluste** sowie **Reizungen der** (evtl. infizierten) **Analregion** beeinträchtigen den Kranken erheblich. Psychische Belastungen können aus der Hilfsbedürftigkeit und ggf. im Zusammenhang mit einer Inkontinenz entstehen.
Pflegerische Maßnahmen beabsichtigen die Verbesserung des Wohlbefindens und die Verhütung von Folgeerscheinungen.

- Ausscheidungsvorgänge und Analregion beobachten.
- Ausgeschiedene Flüssigkeitsmengen ersetzen, Patienten zum Trinken anhalten. Hautturgor und Trinkverhalten beobachten. Ggf. die parenterale Flüssigkeitszufuhr kontrollieren.
- Spezielle Pflegemaßnahmen bei Diarrhoe *(siehe Seite 212)* durchführen, vor allem eine schonende Reinigung und Pflege der Analregion.
- Kräfte des Patienten schonen, z.B. Nachtstuhl ans Bett stellen und ggf. Sichtschutz aufbauen.

- Die Intimsphäre wahren und nach jeder Stuhlausscheidung das Zimmer lüften.
- Wunschkost anbieten.

Beachte: Wegen der Infektionsgefahr sollte der Kranke nicht mit anderen abwehrgeschwächten Patienten das Zimmer teilen. Während der Unterstützung des Ausscheidens und der Intimpflege sowie beim Umgang mit den Ausscheidungen sind Schutzhandschuhe zu tragen!

❒ Kommunizieren

❍ Beziehungsstörungen, Diskriminierung und soziale Isolation

Ansteckungsängste, Diskriminierung und **Ausgrenzung** aufgrund von Homosexualität oder Drogenabhängigkeit sowie die **Konfrontation mit Leid und Sterben** können zu **Beziehungsstörungen** führen. Es kommt vor, daß Angehörige, Freunde und Arbeitskollegen den Kontakt zu einem Aidskranken abbrechen. Andere sind verunsichert und wissen nicht, wie sie sich verhalten sollen. Ein Betroffener kann seinerseits Ängste vor den Reaktionen der Menschen haben und sich zurückziehen. Andere Aidskranke haben das Bedürfnis, früher abgebrochene Kontakte, z.B. mit den Eltern, wieder aufzunehmen.

Probleme ergeben sich auch, wenn ein Betroffener bisher seine Homosexualität und seine Aidserkrankung verschwiegen hat.

Pflegerische Interventionen erfolgen mit dem Ziel, den Kranken und seine Kontaktpersonen bei ihren Kommunikationsbedürfnissen zu unterstützen und die gesellschaftliche Integration des Betroffenen zu fördern.

- Im Pflegeteam gemeinsam Bezugspersonen für den Aidskranken auswählen und ihm offen sowie gesprächsbereit begegnen. Eine Atmosphäre schaffen, die von Ehrlichkeit, Wertschätzung und Anteilnahme geprägt ist und den Aufbau von Vertrauen ermöglicht.
- Den Betroffenen ermutigen, seine Gefühle und Bedürfnisse auszudrücken. Wut- und Trauerreaktionen bezüglich verlorener Kontakte zulassen. Sich Zeit nehmen und zuhören.
- Kontakte, vor allem gefühlsmäßige Beziehungen, fördern. Den Kranken ermutigen, auf andere Menschen zuzugehen. Die Vermittlung von Kontakten anbieten. Auf Wunsch Mitarbeiter des Sozialdienstes oder der Aids - Hilfe einschalten.
- Patienten ermutigen, eine psychologische Betreuung in Anspruch zu nehmen.
- Kontaktvermittlung zur Aids - Hilfe anbieten.
- Den Bezugspersonen des Kranken Gesprächspartner sein, sich offen für Fragen, Ängste und Gefühle zeigen.
- Den Kranken ermutigen, bei Besserung des Allgemeinbefindens an gesellschaftlichen Veranstaltungen teilzunehmen und Kontakte zu pflegen.

❍ Sehbehinderung und Infektionsrisiko bei Infektionen des Auges

Infektionen des Auges können die Sehfähigkeit beeinträchtigen und in seltenen Fällen zur Erblindung führen. Der Kranke kann die Krankheitskeime durch Berühren des Auges und anschließendes Anfassen von Gebrauchsgegenständen und Mobiliar übertragen (Schmierinfektion).

Pflegemaßnahmen zielen auf die Kompensation der Sehschwäche und die Verhütung von Schmierinfektionen ab.

- Patienten über Infektionsweg und verantwortungsbewußtes Verhalten informieren. Ihn anhalten, sich vor Verlassen des Zimmers die Hände zu desinfizieren und zu waschen sowie Berührungen des Auges möglichst zu unterlassen.
- Die Sehstörung kompensierende Maßnahmen empfehlen / ergreifen.
- Bei Erblindung spezielle Hilfs- und Pflegemaßnahmen ergreifen *(siehe Seite 737)*.

❒ Sich Pflegen und Kleiden

❍ Infektionsgefahr über Haut- und Schleimhautläsionen

Aidskranke Menschen sind gefährdet, schwere Infektionen der Haut und Schleimhäute (z.B. Herpes- und Pilzinfektionen, bakterielle Infektionen) zu entwickeln.

Pflegerisches Ziel ist die Erhaltung / Wiederherstellung einer intakten Haut.

- Täglich Haut und Schleimhäute hinsichtlich möglicher Veränderungen (Verletzungen, Effloreszenzen, Farbveränderungen, Beschaffenheit; Beläge, Absonderungen im Mund- / Intimbereich) beobachten.
- Vor der Unterstützung bei der Körperpflege Hände desinfizieren und bei Kontakt mit Körpersekreten Schutzhandschuhe tragen.
- Die Körperpflege täglich sorgfältig und unter Einhalten der hygienischen Prinzipien durchführen; waschaktive Substanzen so sparsam wie möglich einsetzen. Um die Keimbesiedlung gering zu halten, täglich frische Utensilien benutzen. Nach dem Waschen die Haut mit einem Wasser - in - Öl - Präparat pflegen.
  Beachte: Eine trockene Haut muß unbedingt vermieden werden, da sie zu Einrissen neigt und dadurch eine Eintrittspforte für Krankheitserreger bietet. Der Patient wird entsprechend informiert und nach Möglichkeit zur selbständigen Durchführung angehalten.
- Mund- und Zahnpflege mehrmals täglich, insbesondere nach den Mahlzeiten, mit Einmalartikeln durchführen. Um das Verletzungsrisiko möglichst gering zu halten, eine Zahnbürste mit weichen Borsten und eine Zahnpasta für empfindliche Zähne wählen.
- Intimpflege hygienisch einwandfrei durchführen, zum eigenen Schutz Handschuhe tragen.
- Trockenrasur empfehlen, um das Verletzungsrisiko bei einer Naßrasur zu vermeiden. Rasierapparat nach jeder Rasur säubern.
- Nägel kurz halten, dazu eine Feile statt einer Schere benutzen, um Verletzungen zu vermeiden.
- Für die Verwendung von kochfester Bett- und Unterwäsche sorgen und Wäsche täglich wechseln.
- Wäsche in speziellen Säcken für infektiöse Wäsche entsorgen.

❍ Infektionen der Haut

Die großflächigen Hauterkrankungen **verschlechtern das Allgemeinbefinden**, rufen Unwohlsein und **Schmerzen** hervor. Zusätzlich stellen sie, ebenso wie das Kaposi - Sarkom, eine **psychische Belastung** dar.

Für andere Menschen wird sichtbar, daß ein Betroffener schwerkrank sind, vielleicht sogar, daß er an Aids leidet. Diese Erkenntnis, aber auch der Anblick und evtl. dadurch hervorgerufene Ekelgefühle oder Ansteckungsängste können zu Diskriminierung und sozialer Isolation führen; davor fürchtet sich ein Betroffener. Zusätzlich fällt es vielen Menschen schwer, sich selbst mit diesen äußeren Veränderungen / Entstellungen anzunehmen.

Pflegerische Maßnahmen dienen der Verhinderung von Sekundärinfektionen und der Wiederherstellung einer intakten Haut. Außerdem soll ein Betroffener lernen, sich mit seinen Hautveränderungen anzunehmen.

- Gespräche, vor allem Gefühlsäußerungen, über die Hautveränderungen und ihre Auswirkungen für den Betroffenen zulassen und fördern.
- Gespräche zwischen dem Kranken und seinen Bezugspersonen und dem Arzt vermitteln / fördern. Verständnis für Berührungsängste zeigen und durch sachliche Information zu deren Abbau beitragen.
- Berührungsängsten durch eigenes Verhalten entgegenwirken, z.B. den Kranken - auch ohne Handschuhe - an nicht betroffenen Körperregionen berühren. **Beachte:** Das Tragen von Handschuhen zum eigenen Schutz und zur Verhütung der Infektionsausbreitung ist bei nässenden Hautveränderungen erforderlich. Leib- und Bettwäsche sowie Handtücher und Waschlappen sind täglich zu wechseln.
- Bei Infektionen im Gesichtsbereich nach der Rasur den Rasierapparat desinfizieren.
- Zum Waschen infizierter Hautregionen seifenfreies Wasser und Einmalartikel benutzen. Hautregionen, die mit Herpes- oder Varizellen - Zoster - Viren infiziert sind, nicht waschen, sondern trocken halten.
- Patienten möglichst zur selbständigen Durchführung der Körperpflege anleiten, dabei auf die erforderliche Hautpflege (Eincremen) nicht betroffener Körperregionen hinweisen.
- Ärztlich verordnetes Therapeutikum mit Handschuhen auf die infizierten Regionen bringen.
- Ggf. verordnete Analgetika verabreichen.
- Täglich Bett- und Leibwäsche wechseln.

❍ Kaposi - Sarkom

Kaposi - Sarkome an unbekleideten Körperstellen machen die Aidserkrankung sichtbar. Dadurch hervorgerufene seelische Belastungen wurden zuvor angesprochen. Sekundärinfektionen gehen von Kaposi - Sarkomen nicht aus.

Hinsichtlich des Umgangs mit den psychischen Problemen gelten die zuvor besprochenen Ziele und Maßnahmen.

Aus kosmetischen Gründen können Kaposi - Sarkome an unbekleideten Körperstellen, vor allem im Gesicht, mit einem speziellen Make up *(Camouflage,* *siehe Seite 525)* verdeckt werden.

❐ Wach sein, Ruhen und Schlafen

❍ Erhöhtes Ruhe- und Schlafbedürfnis

Die Schwere der Erkrankung, insbesondere akute Infektionen und **Schmerzen**, bedingen **Kraftlosigkeit**, rasche **Ermüdung** und ein **ausgeprägtes Ruhe- und Schlafbedürfnis**. Pflegerisches Ziel ist die Gewährleistung ausreichender Ruhe - und Schlafphasen.

- Das Ruhe- und Schlafbedürfnis während der einzelnen Tageszeiten beobachten.
- Die pflegerischen Tätigkeiten entsprechend koordinieren, d.h. aktivierende und für den Patienten anstrengende Pflegemaßnahmen zwischen den Phasen ausgeprägter Ruhebedürftigkeit durchführen; die Zeiten immer wieder in Absprache mit dem Patienten neu festlegen.
- Dem Patienten ermöglichen, ihm wichtige Angelegenheiten zu Zeiten des Ausgeruhtseins durchzuführen.
- Für eine ruhige Umgebung sorgen.
- Mit dem Patienten für ihn bequeme und schmerzreduzierende Lagerungen herausfinden und bei Bedarf durchführen.

❍ Beeinträchtigung des Bewußtseins durch ZNS - Infektionen

Durch Erkrankungen des Zentralnervensystems (z.B. HIV - Enzephalopathie, ZNS - Toxoplasmose) können - zunächst zeitweise - Bewußtseinstrübungen und Verwirrtheit, aber auch Persönlichkeitsveränderungen, Gedächtnisstörungen und im fortgeschrittenen Stadium eine Demenz auftreten. Pflegerische Ziele sind das seelische Wohlbefinden und die Förderung der noch vorhandenen Fähigkeiten, ohne den Patienten zu überfordern. Außerdem sollen Bewußtseinsstörungen frühzeitig erfaßt und Folgeschäden verhindert werden.

- Bei ZNS - Infektionen das Bewußtsein und die geistigen Fähigkeiten beobachten.
- Die Beanspruchung der geistigen Fähigkeiten anregen, z.B. durch Gespräche und das Anbieten von leichten Konzentrationsaufgaben (Kreuzworträtsel lösen, Spiele für Erwachsene).
- Bei Orientierungsstörungen / Verwirrtheit Plan für den alltäglichen Tagesablauf erstellen und weitere Orientierungshilfen geben.
- Bei schweren Bewußtseinstörungen aspirationsprophylaktische Maßnahmen ergreifen.
- Auch den in seiner Persönlichkeit veränderten und den dementen Menschen sowie seine Bedürfnisse ernst nehmen.
- Ein Patientenzimmer in der Nähe des Dienstzimmers auswählen und oft nach dem Patienten sehen, sich ihm zuwenden. Möglichst die Angehörigen / Freunde einbeziehen.
- Bei Bedarf die Einrichtung einer gesetzlichen Betreuung anregen *(siehe Seite 898)*.

❐ Sich Bewegen

❍ Bewegungseinschränkung durch Kraftlosigkeit und Schwäche

Ein Aidskranker leidet bei schweren Infektionen und Sekundärerkrankungen unter Kraftlosigkeit und allgemeiner **Schwäche**, die ihn weitgehend oder gänzlich ans Bett fesseln. Aktivitäten außerhalb des Bettes erfordern oft die Kraftreserven. **Kreislaufschwierigkeiten** (Schwindelgefühl, Hypotonie) können das Aufstehen zusätzlich erschweren. Im Zusammenhang mit der seelischen Belastung können Antrieb und Bewegungslust verlorengehen.

Pflegende bemühen sich, das jeweils angemessene Ausmaß von Schonung und Bewegung zu finden und den Kranken entsprechend zu motivieren.

- Mit dem Patienten besprechen, wieviel Aktivität / Bewegung er sich zutraut und welche Aktivitäten für ihn vorrangig sind. Die Durchführung entsprechend ausrichten, z.B. die Körperpflege im Bett durchführen, aber den Patienten zur Toilette begleiten.
- Patienten zu Bewegungsübungen anleiten.
- Bei Bedarf spezielle Prophylaxen und Sturzprophylaxe durchführen *(siehe „Für Sicherheit sorgen")*.
- Entsprechend der jeweiligen Situation den Patienten motivieren, sich zu schonen bzw. sich in bestimmtem Umfang zu bewegen.

❒ Sich Beschäftigen

❍ Allgemeine Einschränkungen

Durch schwere Sekundärerkrankungen und Infektionen wird der Patient in den Beschäftigungsmöglichkeiten erheblich eingeschränkt. Die übliche **Strukturierung der Tage fehlt**. Der Kranke hat wenig Ablenkung und Abwechslung, was dazu führen kann, daß seine Gedanken nur noch um die Krankheit kreisen und Beschwerden verstärkt wahrgenommen werden. Dies trifft besonders für vereinsamte Menschen zu. Bestehende Orientierungsprobleme, Antriebsarmut und depressive Stimmungen verstärken sich.

Pflegende bemühen sich, die Bedürfnisse des Kranken wahrzunehmen und entsprechende Angebote zu unterbreiten.

- Den Kranken nach seinen Interessen und Wünschen fragen und nach Möglichkeit entsprechende Angebote machen. Die Angehörigen können hierbei oft einbezogen werden.
- Anbieten, Kontakte zu anderen Patienten oder Mitarbeitern der Aids - Hilfe herzustellen.
- Gesprächsbereitschaft zeigen und sich Zeit nehmen.
- Den Kranken ermutigen, bei Besserung des Allgemeinbefindens wenigstens ein Hobby zu pflegen und sich kreativ zu betätigen.

❍ Arbeitsunfähigkeit und Arbeitsplatzbedrohung

Im fortgeschrittenen Krankheitsstadium kommt es häufiger zu schweren Erkrankungen, die eine **Arbeitsunfähigkeit** bedingen. Viele Aidskranke **bangen um** ihren **Arbeitsplatz** und verlieren ihn letztendlich, zumal wenn die Diagnose „Aids" bekannt wird. In anderen Fällen ist eine **Frühberentung** erforderlich. Junge Menschen können sich im Beruf nicht mehr verwirktlichen.

Ein Betroffener kann unter den Gefühlen, nutzlos und nur noch eine Belastung zu sein, leiden.

Arbeitslosigkeit und Frühberentung stellen auch in finanzieller Hinsicht zusätzliche Probleme dar; nicht wenige Aidskranke sind auf Sozialhilfe angewiesen.

Pflegerisches Ziel ist die Vermittlung sozialer Hilfen.

- Interesse und Verständnis für die Sorgen des Kranken zeigen.
- Vorschlagen, den Sozialdienst einzuschalten, der die gesetzlichen Ansprüche auf soziale Hilfen / Rente kennt und auf Wunsch bei deren Beantragung behilflich ist.

❒ Geschlechtliches Erleben und Verhalten

❍ Auseinandersetzung mit der eigenen Sexualität

Aidskranke Menschen, die homosexuell veranlagt sind, werden durch ihre Erkrankung erneut mit ihrer Sexualität konfrontiert. **Scham- und Schuldgefühle** können auftreten. So kann die Erkrankung z.B. als „Strafe" für einen „unmoralischen" Lebenswandel interpretiert werden. Betroffene, die ihre Homosexualtität bisher verheimlicht hatten, müssen fürchten, daß ihre Neigung nun bekannt wird.

Einige Aidskranke verlieren durch die Erkrankung ihren Sexual- / Lebenspartner; in der lebensbedrohlichen Situation wird dieser Verlust von Zugehörigkeit, Zuneigung und Geborgenheit besonders einschneidend erlebt.

Durch das hohe Infektionsrisiko über Geschlechtsverkehr wird verantwortungsbewußtes Verhalten vom Aidskranken erwartet (Safer Sex). Er kann aus Angst, einen anderen Menschen anzustecken, sexuelle Kontakte reduzieren oder darauf verzichten. Dadurch gehen ein besonderer Kommunikations- und Erlebnisbereich und damit verbundene Gefühle verloren.

Pflegende respektieren die Sexualität des Kranken und begleiten ihn auf Wunsch und im Rahmen der persönlichen Möglichkeiten bei der Auseinandersetzung mit den Problemen und ggf. bei seinem Coming - Out.

Falls erforderlich, klären sie den Kranken über ein verantwortungsbewußtes Sexualverhalten auf oder vermitteln eine entsprechende Beratung über die Mitarbeiter der Aids - Hilfe.

❒ Sinn finden

❍ Persönlichkeitsveränderungen und Demenz

Bei HIV - assoziierten hirnorganischen Prozessen und Infektionen des Zentralnervensystems können sich **Persönlichkeitsveränderungen** und eine **Demenz** *(siehe Seite 966)* entwickeln. Betroffene bemerken zumindest zu Beginn die Veränderungen, fürchten den Verlust ihrer Identität und ihrer geistigen Fähigkeiten und leiden darunter. Angehörige und Pflegende müssen erleben, wie der ihnen vertraute Mensch sich verändert und sich immer wieder neu darauf einstellen. Die Veränderungen erfordern nicht nur Geduld und Einfühlungsvermögen, sondern rufen auch Wut und Trauer hervor.

Pflegerische Maßnahmen beabsichtigen den Schutz des Kranken und die Förderung seines Selbstwertgefühls.

- Dem Kranken bei den Begegnungen Zuwendung und Akzeptanz seiner Person vermitteln.
- Ressourcen bewußt machen und einbeziehen, z.B. erhaltene Fähigkeiten und Eigenschaften. **Beachte**: Auch demente Menschen haben klare Momente; diese Zeiten sollten wahrgenommen und sinnvoll genutzt werden.
- Die eigenen emotionalen Reaktionen auf die Veränderungen des Kranken wahrnehmen und zulassen, mit anderen Menschen darüber sprechen.
- Den Patienten vor Gefahren, die er nicht richtig einschätzen kann, schützen.

Hinweis: *Weitere Pflegemaßnahmen und Verhaltenshinweise sind dem Abschnitt „Betreuung und Pflege eines dementen Menschen", Seite 972, zu entnehmen.*

❍ Depressive Stimmungen und Depressionen

Die Konfrontation mit der leidvollen tödlichen Erkrankung kann depressive Stimmungen und Depressionen *(siehe Seite 766)* hervorrufen. Sie sind vor allem durch **Antriebsarmut, Hoffnungs- und Sinnlosiglosigkeit, Ängste** sowie **fehlenden Lebensmut** gekennzeichnet. Schuldgefühle und **Beziehungsarmut** verstärken diese Gefühle; einige Betroffene haben keine sozialen Bindungen mehr und vereinsamen *(„sozialer Tod")*. Nicht selten beschäftigen den Kranken Suizidgedanken; Suizidversuche und Suizide kommen vor.
Pflegerische Interventionen haben vor allem die Förderung des Selbstwertgefühls zum Ziel. Sie bemühen sich, einen Gefühlskontakt zum Betroffenen aufzubauen und ihm zu vermitteln: *„Ich bin für Sie da und begleite sie in dieser schwierigen Lebenssituation"*.
Weitere Hinweise zur Betreuung und Pflege eines depressiven Menschen sind den Abschnitten „Depressionen" *(siehe Seite 771)* und „Suizidalität und Suizid" *(siehe Seite 775)* zu entnehmen.
Dem Kranken werden die Vermittlung einer seelsorgerischen und einer psychologischen Betreuung angeboten.

❍ Leiden und Sterben an einer tödlichen Krankheit

Die meisten Aidskranken müssen sich **in der Lebensmitte**, also in einem Lebensabschnitt, in dem Menschen noch viele Zukunftspläne haben, **mit dem** unausweichlichen **Tod auseinandersetzen**. Wut und Trauer über die verlorengehende Zukunft stellen sich ein.
Gleichzeitig kann eine Auseinandersetzung mit dem bisherigen Leben erfolgen. **Schuldgefühle** (bezüglich Homosexualität, Drogenabhängigkeit, Promiskuität) und vertane Chancen belasten einen Betroffenen ggf. sehr.
Ein aidskranker Mensch geht einen langen Leidensweg, auf dem er **immer wieder Abschiednehmen** muß *(siehe "Zur Situation eines Betroffenen", Seite 827)*.
Nur wenige Betroffene können ihren Tod annehmen; viele sind bis zuletzt enttäuscht vom Leben oder würden gerne noch vieles verwirklichen. Trotzdem können Leid und Schmerzen Lebenswillen, Lebensfreude und Lebenskraft aufzehren.
Ein aidskranker Mensch braucht während der langen Phase des Abschiednehmens tragende soziale Beziehungen. Er muß spüren, daß er wertvoll und noch nicht vergessen ist; menschliche Nähe und Wärme sind unersetzlich. In Beziehungen wird deutlich, was trotz der Krankheit noch bleibt; ein Aidskranker kann sich als Teil der Gesellschaft erleben, positive Gefühle und Erlebnisse genießen sowie sich mitteilen.
Pflegende bemühen sich, soziale Beziehungen des Kranken zu fördern und die letzten Tage seines Lebens in seinem Sinn so angenehm wie möglich zu gestalten. Dazu gehört in vielen Fällen auch eine kontinuierliche Schmerztherapie.
Im allgemeinen bauen Pflegende selbst eine nahe und vertraute Beziehung zu dem Kranken auf; sie nehmen Anteil an seinem Schicksal, geben menschliche Wärme und begleiten den Kranken auf seinem langen Leidensweg. Eine so intensive Begleitung ist in der Sterbephase in Allgemeinkrankenhäusern sehr schwierig.
In einigen Städten besteht die Möglichkeit, daß der Kranke während der Sterbephase in einem Hospiz *(siehe Seite 985)* oder zu Hause durch Mitarbeiter der Hospizhilfe begleitet wird. Diese Möglichkeit sollte offen mit dem Betroffenen besprochen werden.
Weitere Aspekte zur Begleitung und Pflege eines unheilbar kranken und sterbenden Menschen werden im Abschnitt *"Tod und Sterben" (siehe Seite 981)* besprochen.

11.10 Aspekte der Pflegetätigkeit auf einer gynäkologischen Station

Elke Hurling

Die Pflege von Patientinnen mit gynäkologischen Erkrankungen berührt sehr eng die Intimsphäre. Diese ist für viele Menschen ein **tabuisierter Bereich**, der sie verunsichert und über den nicht offen gesprochen wird. Die Unsicherheit kann noch verstärkt werden, wenn der sprachliche Zugriff fehlt oder nur umgangssprachliche Bezeichnungen z.B. für die Geschlechtsorgane zur Verfügung stehen. Diese **"Sprachlosigkeit"** kann für die Betroffenen besonders bei Gesprächen mit Fachpersonal zu einem Hindernis werden und zu Mißverständnissen und falschen Deutungen führen.
Es gehört zu den Aufgaben der Pflegenden, solche sprachlichen Probleme zu erkennen und mit angemessenen Formulierungen und Erklärungen zu überbrücken. Die Pflegekraft sollte eine Ebene finden, die eine Patientin versteht, ohne dabei ein angemessenes Sprachniveau zu unterschreiten.
Ein großes Hindernis kann auch die **Sachunsicherheit** einer Patientin sein, wenn sie also nur wenige oder keine Kenntnisse z.B. über die Funktionen / Aufgaben der Geschlechtsorgane hat. Das ist keinesfalls abhängig vom Alter einer Patientin und auch "im Zeitalter der Aufklärung" und des scheinbar offenen Umgangs mit allen Fragen der Geschlechtlichkeit anzutreffen.
Teilweise herrschen falsche Vorstellungen über Vorgänge im weiblichen Körper, z.B. über die Menstruation. Hier finden sich noch althergebrachte Verhaltensvorschriften, die das Mädchen / die Frau stark einschränken und ihr bestimmte Tätigkeiten versagen, z.B. sportliche Aktivität, Kontakt mit Lebensmitteln oder Wannenbäder. Es sind u.a. diese nicht begründbaren Vorstellungen, die verhindern, die Menstruation als einen natürlichen Vorgang zu erleben. Als Beispiel für einen anderen Umgang mit der Menstruation kann die in einigen Kulturen übliche Feier der Menarche dienen. Dort ist der Tag der ersten Menstruation für das Mädchen ein besonderer, und es findet ein Fest statt.

Heute sind häufiger Patientinnen zu betreuen, die aus **verschiedenen Kulturkreisen** kommen und auch unterschiedlichsten Religionen angehören. Kulturelle und religiöse Normen betreffen viele Bereiche des Lebens, aber vor allem die Rolle von Mann und Frau, die Lebensgemeinschaft und den Umgang mit Sexualität. Um entsprechenden Bedürfnissen gerecht werden zu können, sollte eine Pflegende die wichtigsten kulturellen und religiösen Vorschriften kennen *(vgl.: "Soziokulturelle Faktoren", Seite 808).*

Bei vielen Pflegemaßnahmen, z.B. Rasur zur Operationsvorbereitung, Legen eines Blasenkatheters oder Genitalspülung, finden **Eingriffe in den Intimbereich** der Patientinnen statt. Das erfordert Takt und Einfühlungsvermögen. Es sollte eine Atmosphäre geschaffen werden, die der Patientin hilft, vorhandene Angst und Scham zu reduzieren. Dazu tragen eine umfassende Information und das unbefangene Verhalten der Pflegekraft bei. Dabei kann es nicht das Ziel sein, jedes Gefühl von **Scham** zu nehmen, sondern diese Empfindungen eines Menschen zu akzeptieren und zu respektieren. Das gilt auch für den Umgang mit eigener Unsicherheit und eigenen Schamgefühlen.
Vor jeder Berührung einer intimen Körperzone muß eine umfassende Information erfolgen und die Erlaubnis der Patientin eingeholt werden.

Sind in einem Mehrbettzimmer Pflegemaßnahmen durchzuführen, die den Intimbereich einer Patientin berühren, sollte die Gewährleistung eines **Sichtschutzes** selbstverständlich sein. Besteht diese Möglichkeit nicht, kann sich die Pflegekraft mit der Patientin z.B. in das Badezimmer der Station zurückziehen. Dort können sich auch ungestörter Gespräche entwickeln. Oftmals haben Patientinnen den Wunsch nach einem "Gespräch von Frau zu Frau", um für sie besonders schwierige und "heikle" Fragen zu klären, und nutzen diese ungestörten Momente.
Die **Begleitung einer Patientin zu Untersuchungen** durch den behandelnden Arzt gehört zu den Aufgaben von Pflegekräften; diese finden im Untersuchungszimmer der Station statt.
Vor einer Untersuchung wird der Patientin empfohlen, wasserzulassen. Während der Untersuchung steht die Betreuung der Patientin im Vordergrund, besonders wenn die Pflegende merkt, daß die Patientin Untersuchungen auf einem gynäkologischen Stuhl nicht kennt oder Angst davor hat.
Vielen Patientinnen ist diese Position äußerst peinlich; sie fühlen sich ausgeliefert und hilflos.
Die Patientin muß informiert werden, wie weit sie sich zu entkleiden hat und sollte dies in Ruhe und vor Blicken geschützt vornehmen können. Erst direkt vor Beginn der Untersuchung wird sie gebeten, die erforderliche Position einzunehmen und, falls nötig, dabei unterstützt. Bei der Untersuchung verhält sich die Pflegende diskret, bleibt aber in der Nähe der Patientin. Eine Anspannung der Patientin während der Untersuchung, z.B. beim Einführen der Spekula* in die Vagina, kann zu Beschwerden / Schmerzen führen. Dieses Erleben kann die Angst vor der nächsten Untersuchung verstärken und nach der Entlassung der Patientin dazu führen, daß sie nötige Nachsorge - Untersuchungen nicht wahrnimmt.
Während der Untersuchung durch einen Arzt / Gynäkologen ist die Anwesenheit einer weiblichen Pflegekraft üblich.

Die **informierende und beratende** Tätigkeit der Pflegenden spielt eine immer größere Rolle. Dabei dürfen auch scheinbar hinlänglich bekannte Themen wie die Durchführung einer Intimtoilette oder der hygienisch einwandfreie Umgang mit Vorlagen nicht ausgespart werden.

Ebenso fordert die Tätigkeit auf einer gynäkologischen Station von Pflegenden eine **hohe Flexibilität**. Es werden auf der einen Seite sehr viele **Kurzzeitpatientinnen** mit diagnostischen und therapeutischen Eingriffen (z.B. Abrasio*, Konisation*) versorgt. Die Aufgaben im organisatorischen / administrativen Bereich überwiegen und die Patientinnen sind in der Regel nach dem Eingriff schnell wieder selbständig und werden entlassen.
Auf der anderen Seite werden z.B. **Tumorpatientinnen** wiederholt stationär aufgenommen und über längere Zeit betreut. Das intensiviert den Kontakt zwischen Pflegenden und Patientinnen und macht den Aufbau von engeren Beziehungen möglich. Wenn Pflegende die Patientinnen umfassend in ihrem Krankheitsprozeß begleiten, werden sie dabei auch psychisch stark gefordert. Um dieser Aufgabe gerecht werden zu können, sind regelmäßige Fort- und Weiterbildungen erforderlich.

Psychosomatische Aspekte spielen auch bei der Entwicklung von gynäkologischen Erkrankungen eine große Rolle. Die Psychosomatik* versucht, Verbindungen herzustellen und sieht den Menschen als ein "bio-psycho-soziales Netzwerk", d.h. es werden biologische, psychische und soziale Aspekte berücksichtigt, um Ursachen für Gesundheitsstörungen zu suchen und Wege zu finden, diese zu beseitigen. So hat die Entfernung eines Organs, z.B. der Gebärmutter, Auswirkungen auf alle Bereiche des Menschseins, besonders auf das geschlechtliche Erleben und Verhalten.
Es ist für Pflegende hilfreich, gute Kenntnisse über psychosomatische Zusammenhänge zu haben; diese können dazu beitragen, viele Patientinnen mit "anderen Augen", d.h. umfassender zu sehen.
Großes Einfühlungsvermögen erfordert die Betreuung von Frauen, die z.B. durch eine Früh- oder Totgeburt ein Kind verloren haben, das sie sich sehr wünschten.
Immer häufiger kommen Frauen mit **ungewollter Kinderlosigkeit** zur diagnostischen Abklärung einer möglichen organischen Ursache ins Krankenhaus. Die Untersuchungen sind oft mit großen Hoffnungen verbunden und belasten die Frauen sehr.
Gleichzeitig werden vielleicht Frauen mit **bedrohter Schwangerschaft** betreut, die keine positive Einstellung zu ihrem Kind haben und wenig verantwortlich handeln, indem sie sich z.B. nicht an verordnete Bettruhe halten oder stark rauchen.
Diese Widersprüche müssen Pflegende erleben, sie aushalten und für sich einen Umgang hiermit finden.

Dabei ist es auch eine Aufgabe, auf Fehlverhalten aufmerksam zu machen und z.B. durch sachliche Informationen Einsichten zu fördern, die eine Verhaltensänderung nach sich ziehen. Keinesfalls darf sich die persönliche Bewertung des Verhaltens einer Patientin im Umgang mit ihr widerspiegeln.

Eine besondere Problematik kann sich ergeben, wenn in einem Krankenhaus nach den geltenden gesetzlichen Bestimmungen **Schwangerschaftsabbrüche** vorgenommen werden und Pflegekräfte dies aus religiösen oder ethisch / moralischen Gründen ablehnen. Sie sollten für sich die Frage klären, ob sie Patientinnen, bei denen ein Schwangerschaftsabbruch vorgenommen wird, unvoreingenommen und wertfrei begegnen können. Wenn das nicht der Fall ist, kann der Konflikt nur durch einen Arbeitsplatzwechsel gelöst werden.

11.11 Exemplarische Lebens- und Pflegesituationen bei Erkrankungen der weiblichen Geschlechtsorgane

Elke Hurling

11.11.1 Gynäkologische Laparoskopie

❒ Allgemeine Informationen

Eine Laparoskopie *(Bauchspiegelung)* ist eine endoskopische Untersuchung des Bauchraums. Bei einer gynäkologischen Laparoskopie, auch Pelviskopie, werden die Organe im Bereich des Beckens untersucht *(siehe Abbildung 11.11)*.

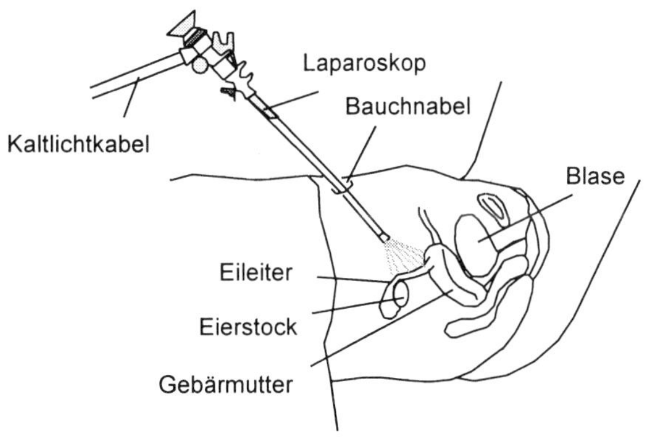

Abb. 11.11 ***Gynäkologische Laparoskopie***

Um eine Aufsicht auf die Organe des Beckenbereichs zu ermöglichen, wird über eine Spezialnadel *(Verresnadel)* ein Zugang zum Bauchraum hergestellt. Über diesen Weg werden langsam einige Liter Kohlendioxid eingeleitet *(Insufflation)*; die Bauchdecke hebt sich von den Bauch- und Beckenorganen ab.
Über einen wenige Millimeter langen Hautschnitt *(Inzision)* in der Nähe des Bauchnabels wird das Endoskop in den Bauchraum eingeführt.

Durch die Inspektion der Organe und/oder die Entnahme von Gewebeproben ist eine diagnostische Beurteilung möglich.
In erweiterter Form wird eine gynäkologische Laparoskopie immer häufiger auch zu therapeutischen Zwecken, z.B. operativen Eingriffen *(Endoskopische Chirurgie oder Minimal invasive Chirurgie)* genutzt. Hierfür müssen neben dem Endoskop über zusätzliche kleine Hautschnitte, meist auf Höhe der Schamhaargrenze, spezielle Instrumente eingeführt werden.
Nach Abschluß der Untersuchung / des operativen Eingriffs wird der größte Teil des Gases aus dem Bauchraum entfernt, die Hautschnitte werden genäht und mit einem sterilen Pflasterverband versorgt.

❒ Indikationen

- **Diagnostische Indikationen:**
  Verdacht auf
  - Fehlbildungen der inneren Geschlechtsorgane,
  - Tumoren oder Zysten,
  - Endometriose*.

  Klärung möglicher Ursachen für
  - Infertilität*, Sterilität*, z.B. Prüfung der Tubendurchgängigkeit,
  - chronische oder akute Unterbauchbeschwerden.

  Tumornachsorge *(second-look-Laparoskopie)*.
- **Therapeutische Indikationen:**
  - Lösung von Verwachsungen *(Adhäsionen)*,
  - Entfernung von Endometrioseherden*,
  - Entfernung von Ovarialzysten,
  - Punktion von Eierstockfollikeln zur Gewinnung von Eizellen,
  - Sterilisation mittels Durchtrennung der Eileiter *(Tubenligatur)*,
  - extrauterine Gravidität.

❒ Pflege

Vorbereitung auf die Untersuchung / den operativen Eingriff

Da eine gynäkologische Laparoskopie in Allgemeinnarkose durchgeführt wird, sind neben den allgemeinen präoperativen Maßnahmen folgende Vorbereitungen erforderlich:

- Laboruntersuchungen nach ärztlicher Anordnung, z.B.
  - Urinuntersuchung, Blutbildkontrolle,
  - Bestimmung von Gerinnungszeiten, Graviditätstest;
- Vorbereitung des Untersuchungs- / Operationsfeldes
  - Rasur des Bauches zwischen Bauchnabel und Beginn der Schambehaarung,
  - Reinigung des Bauchnabels;
- Prämedikation nach ärztlicher Anordnung;
- Nahrungskarenz ab 22.00 Uhr am Vortag;
- bei Prüfung der Tubendurchgängigkeit ggf. orale antibiotische Prophylaxe (Arztanordnung).

Neben den allgemeinen Ängsten vor einer Operation und Narkose haben einige Frauen Angst vor dem Untersuchungsergebnis, z.B. vor der Diagnose Krebs oder Unfruchtbarkeit. Pflegende sollten im Umgang mit den Frauen Gesprächsbereitschaft signalisieren, Verständnis und Anteilnahme zeigen.

❐ Nachsorge

Die **Überwachung** und die Betreuung einer Patientin ist im allgemeinen abhängig von der Art des Eingriffs und erfolgt nach Arztanordnung, ebenso wie die folgenden Maßnahmen:

- **Wundversorgung**: Die Patientin hat im allgemeinen 2 - 3 Hautschnitte, die mit je einem Faden genäht und z.B. mit einem sterilen Pflaster oder mit einem Sprühverband versorgt sind.
  Die Entfernung der Fäden erfolgt in der Regel ambulant in der Praxis des behandelnden Arztes.
  Eine evtl. liegende Wunddrainge ist zu überwachen und zu versorgen *(siehe "Umgang mit Drainagen", Seite 377)*.
- **Thromboseprophylaxe**: Eine liegende Patientin trägt Antithrombosestrümpfe und wird nach größeren Eingriffen evtl. mit Antikogulanzien behandelt.
- **Mobilisation**: In der Regel kann die Patientin wenige Stunden nach der Narkose aufstehen; besondere Mobilisationsvorschriften können nach größeren Eingriffen erforderlich werden.
- **Entlassung**: Bei ambulant durchgeführten Laparoskopien erfolgt die Entlassung in der Regel einige Stunden nach der Untersuchung, bei stationär durchgeführten Laparoskopien je nach Art und Umfang des Eingriffs in den nächsten Tagen.

11.11.2 Hysterektomie

11.11.2.1 Der Begriff "Gebärmutter"

Zur Kenntnis der anatomischen und physiologischen Grundlagen lesen Sie bitte *"Die weiblichen Geschlechtsorgane"*, *Seite 803*.
Die Gebärmutter *(Uterus)* ist ein **weibliches Organ**, d.h. sie hat keine Entsprechung im männlichen Körper. Das deutsche Wort "Gebärmutter" ist eine Umschreibung der Aufgaben dieses Organs, nämlich das heranwachsende Kind zu schützen, zu versorgen und zu gebären. Mit diesem Namen wird also **eine bestimmte Bedeutung** festgelegt. Die Gebärmutter hat aber noch andere Aufgaben; sie spielt z.B. eine Rolle beim sexuellen Erleben einer Frau. Beim Orgasmus verändert sie vorübergehend ihre Position und hat wie die Vagina rhythmische Kontraktionen, die von Frauen unterschiedlich intensiv und lustvoll erlebt werden.
Die Bezeichnung "Hysterie*" leitet sich ab von "Hystera", dem griechischen Wort für Gebärmutter. Schon seit dem Altertum rankten sich viele Mythen um die Gebärmutter; so wurde ihr die Fähigkeit zugeschrieben, im Körper der Frau umherzuwandern *("hysteria" = Wanderung der Gebärmutter)* und an den jeweiligen Orten nervöse Beschwerden zu verursachen.

11.11.2.2 Operationsarten und Indikationen

❐ Hysterektomie

○ Indikationen

Die Hysterektomie *(Entfernung der Gebärmutter)* ist eine sehr häufige Operation; die Indikationen können unterschiedlich sein.
Bei **gutartigen Veränderungen des Uterus**, z.B. Myomen *(vom Muskelgewebe ausgehende Neubildungen)*, kann eine Hysterektomie erforderlich sein; dies trifft insbesondere zu, wenn die Myome nicht organerhaltend entfernt werden können *(Myomenukleation)* und der Patientin Beschwerden verursachen, z.B. starke, längere Blutungen, Druckgefühl, Verdauungs- und Blasenbeschwerden durch Verdrängungen.
Bösartige Tumoren des Uterus machen eine sofortige Entfernung notwendig. Je nach Art und Stadium der Tumorerkrankung muß der Eingriff erweitert werden, z.B. um die Entfernung der Adnexen. Oft folgt für die Patientin eine Weiterbehandlung mit Hormonen, Bestrahlungen oder Zytostatika.
Weitere Indikationen für eine Hysterektomie können **Lageveränderungen** des Uterus, Descensus uteri* oder rezidivierende **Blutungen** sein.

○ Komplikationen

Als Komplikationen einer Hysterektomie können z.B. Infektionen oder Verletzungen der ableitenden Harnwege auftreten.

○ Operationstechniken / -methoden

Die Entfernung des Uterus kann mit verschiedenen Techniken / Methoden erfolgen.
Bei der **abdominalen Hysterektomie** wird nach einer Laparotomie der Uterus entfernt. Der Vorteil dieser Technik ist ein übersichtliches Operationsbild mit möglicher Inspektion der Bauchhöhle und, falls erforderlich, Erweiterung des Eingriffs.
Der Nachteil liegt in einem höheren Operationsrisiko durch die Eröffnung der Bauchhöhle. Für die Patientin kann es durch den Bauchschnitt zu Wundschmerzen kommen, die u.a. bei der Mobilisation berücksichtigt werden müssen.
Die **vaginale Hysterektomie** ist die Entfernung des Uterus durch die Vagina. Da der Bauchraum nicht eröffnet werden muß, wird diese Art der Operation von vielen Patientinnen weniger belastend empfunden. Ein weiterer Vorteil liegt darin, daß die vaginale Hysterektomie keine sichtbare Narbe hinterläßt. Weil die Vagina bei dieser Operationstechnik sehr stark gedehnt werden muß, besteht die Gefahr, daß sich Hämatome und Ödeme bilden, die in der ersten postoperativen Phase, z.B. beim Sitzen, Beschwerden verursachen können.
Seit einiger Zeit ist auch eine **endoskopische*** Uterusentfernung möglich. Diese Technik kann angewandt werden, wenn der Uterus normal groß ist und die Patientin keine Verwachsungen im Bauchraum hat.

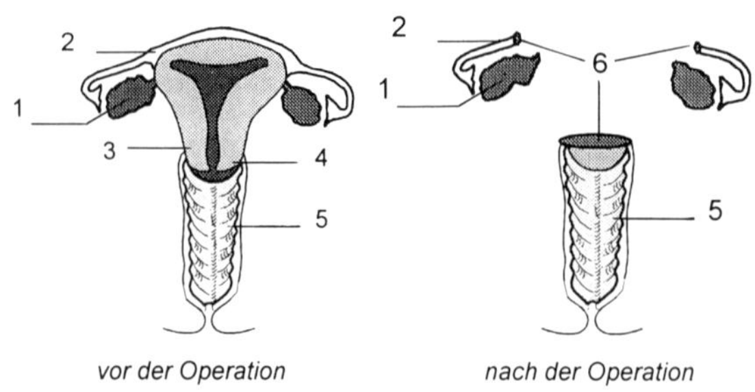

1 Eierstock (Ovarium)
2 Eileiter (Tube)
3 Gebärmutter (Uterus)
4 Gebärmutterhals (Zervix uteri)
5 Scheide (Vagina)
6 Operationsnarben

Abb. 11.12 **Innere Geschlechtsorgane vor und nach einer Hysterektomie**

❒ Hysterektomie mit Vaginalplastik

Wenn eine Patientin unter einer Senkung *(Deszensus)* oder einem Vorfall *(Prolaps)* von Vagina und Uterus leidet, erfolgt neben der Entfernung des Uterus eine Anhebung der Blase und Straffung der Beckenbodenmuskulatur *(Vaginalplastik)*. Diese Patientinnen tragen zur Entlastung des Wundgebietes für 8 - 10 Tage einen Blasenverweilkatheter. Ab dem 5. - 6. postoperativen Tag kann ein vorübergehendes Abklemmen der Urinableitung vorgenommen werden, um die Muskulatur der Harnblase zu dehnen. Nach der Entfernung des Blasenkatheters wird durch eine Ultraschalluntersuchung festgestellt, ob die Patientin die Blase vollständig entleeren kann *(siehe "Urinmenge / Restharnbestimmung", Seite 198)*. Um den Operationserfolg langfristig zu sichern, beginnt schon in der Klinik ein systematisches Training der Beckenbodenmuskulatur, das die Patientin zu Hause fortführen sollte *(siehe "Beckenbodentraining", Seite 206)*.

11.11.2.3 Pflegemaßnahmen

Im folgenden wird, gegliedert nach den Aktivitäten des täglichen Lebens, die prä- und postoperative Versorgung einer Patientin mit vaginaler oder abdominaler Hysterektomie dargestellt. Allgemeine prae- und postoperative Maßnahmen werden auf *Seite 368 - 379* besprochen.

❒ Präoperative Maßnahmen

❍ Atmen
- Erfassen des Pneumonie - Risikos
  (siehe "Informationssammlung Pneumonierisiko", Seite 60);
- Einüben postoperativer Fähigkeiten
  - Atemübungen *(siehe Seite 46),*
  - Hustentechnik *(siehe Seite 53).*

❍ Essen und Trinken
- Vermitteln der Ernährungsvorschriften entsprechend der Arztanordnung, z.B.
  - keine Einschränkungen / auf Flüssigkeitszufuhr achten,
  - abends eine Scheibe Brot, danach Nahrungskarenz, ab 21.00 Uhr keine Flüssigkeitszufuhr mehr,
  - Bedeutung der Ernährungsvorschriften,
  - Empfehlung, am Tag vor der Operation (spätestens ab 21.00 Uhr) nicht zu rauchen.

❍ Ausscheiden
- Erfassen des Obstipationsrisikos
  (siehe "Informationssammlung Obstipationsrisiko", Seite 217);
- Darmentleerung entsprechend der Arztanordnung, z.B. abends Klistier;
- Legen eines Blasenverweilkatheters am OP - Tag (ein suprapubischer Blasenkatheter wird in der Regel im Operationssaal gelegt).

❍ Für Sicherheit sorgen
- Veranlassen der Untersuchungen von Blut und Urin entsprechend der Arztanordnung (einschließlich Blutgruppe und Rhesusfaktor / Bestellung von Blutkonserven);
- Erfassung des Thromboserisikos
  (siehe "Informationssammlung Thromboserisiko", Seite 322);
- Information über Thrombosegefahr und Bedeutung prophylaktischer Maßnahmen;
- Anleitung zu Bewegungsübungen;
- Anpassen und Anziehen von Antithrombosestrümpfen;
- Verabreichung der Prämedikation nach Arztanordnung und entsprechende Dokumentation.

❍ Regulieren der Körpertemperatur
- Messen der Körpertemperatur.

❍ Sich Bewegen
- Information bezüglich des Vorgehens bei der ersten postoperativen Mobilisation und Anleitung zu schmerzreduzierender Atemtechnik.

❍ Sich Pflegen und Kleiden
- Körperreinigung durch Dusche oder Bad / wenn nötig mit Hilfestellung.

❍ Wach sein, Ruhen und Schlafen
- Information über geplanten Operationstermin; bei frühem Termin Angebot machen, rechtzeitig zu wecken;
- Verabreichung der Medikation zur Nacht nach Arztanordnung;
- Angebot eines Gesprächs oder einer atemstimulierenden Einreibung bei Schlafstörungen.

❍ Kommunizieren
- Gesprächsbereitschaft zeigen;
- bei Bedarf Kontaktaufnahme zu Bezugspersonen (z.B. nahe Angehörige) fördern.

❍ Sich Beschäftigen
- Hinweis auf vorhandene Unterhaltungsmöglichkeiten, z.B. TV, Radio, Patientenbibliothek, geben.

❍ Geschlechtliches Erleben und Verhalten
- Vorbereitung des Operationsgebietes / Rasur.

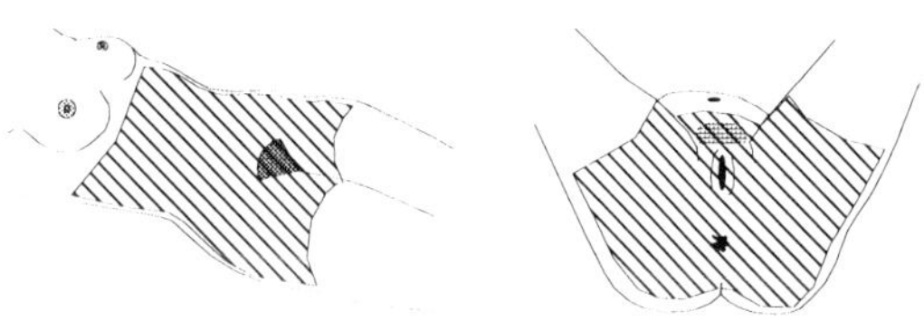

abdominale Hysterektomie *vaginale Hysterektomie*

Abb. 11.13 ***Rasurschema für Hysterektomie***

❍ Sinn finden
- Beantwortung von möglichen Fragen;
- Erkennen von Angst und Unsicherheit; diese möglichst im Gespräch thematisieren;
- Begleitung zum Operationssaal.

❒ Postoperative Maßnahmen

❍ Atmen
- Beobachtung der Atmung;
- pneumonieprophylaktische Maßnahmen je nach Risiko der Patientin
  (siehe "Pflegestandards zur Pneumonieprophylaxe", Seite 63).

❍ Essen und Trinken
- Überwachung der Infusionstherapie, z.B.
  - am Operationstag je nach ärztlicher Anordnung 1000 - 1500 ml Flüssigkeit über periphere Venenverweilkanüle (z.B. Braunüle) infundieren,
  - am 1. postoperativen Tag 1000 - 1500 ml Flüssigkeit infundieren;
- Gewährleistung einer sorgfältigen Mundpflege / Mundspülungen bis zur oralen Flüssigkeitsaufnahme;
- orale Flüssigkeitszufuhr, z.B.
  - am 1. postoperativen Tag schluckweise 300 - 400 ml Tee (Fenchel / Anis);
- Kostaufbau entsprechend der Ernährungsvorschriften, z.B.
  - am 2. postoperativen Tag morgens Zwieback / Getränk nach Wahl, mittags Brühe / Milchsuppe / Pudding, abends Milchsuppe / Zwieback / Tee (nach erfolgreichem Abführen, sonst nur Flüssigkeit),
  - ab dem 3. postoperativen Tag "Leichte Kost" (ohne Fruchtsäuren und blähende Lebensmittel).

❍ Ausscheiden
- Überwachung der Urinausscheidung;
- bei Blasenverweilkatheter infektionsprophylaktische Maßnahmen *(siehe Seite 208);*
- Entfernung des Blasenverweilkatheters
  - am 1. postoperativen Tag nach abdominaler Operation,
  - am 8. - 10. postoperativen Tag nach Hysterektomie und Vaginalplastik *(siehe Seite 839);*
- Anregung der Verdauung, z.B.
  - am 2. postoperativen Tag morgens nüchtern 25 ml Liquidepur® (Abführmittel) und 25 ml Paractol® (Magen-Darmtherapeutikum) verabreichen,
  - wenn die Patientin bis abends nicht abgeführt hat, Verabreichung eines Klistiers;
- Maßnahmen zur Obstipationsprophylaxe je nach Risiko der Patientin *(siehe "Pflegestandards zur Obstipationsprophylaxe", Seite 218);*
- Information bezüglich
  - Ursachen einer chronischen Obstipation,
  - Folgen einer zu starken Bauchpresse,
  - Maßnahmen zur langfristigen Obstipationsprophylaxe, Unterstützung durch Broschüren / Schriften;
- Information hinsichtlich der Bedeutung der Intimhygiene (Genitalspülung, Bidet) nach jeder Ausscheidung.

❍ Für Sicherheit sorgen
- Überwachung der Vitalfunktionen (Puls / Blutdruck / Bewußtsein);
- Kontrolle des Wundsekretabflusses,
  - Wechsel der Vorlagen / Drainagen nach Bedarf;
- bei abdominaler Hysterektomie
  - Kontrolle des Wundverbandes auf Nachblutungen,
  - bei Bedarf Anlegen und Kontrolle einer "Bauchbinde" mit Klettverschluß,
  - ggf. Kontrolle der Wunddrainage,
  - Versorgung der Wunde, z.B.
    - 1. Verbandwechsel am 2 - 3 postoperativen Tag (Arzt),
    - Entfernung der Klammern am 5. / der Fäden am 8. postoperativen Tag (Arzt),
    - Beobachtung der Wunde auf Infektionszeichen;
- Maßnahmen zur Thromboseprophylaxe je nach Risiko, z.B.
  - Erinnerung an Bewegungsübungen,
  - Kontrolle der Antithrombosestrümpfe,
  - Verabreichung von Medikamenten nach ärztlicher Anordnung *(siehe "Pflegestandards zur Thromboseprophylaxe", Seite 218);*
- Kontrolle und Versorgung des Venenzugangs (Braunüle).

❍ Regulieren der Körpertemperatur
- Kontrolle der Körpertemperatur;
- bei vermehrtem Schwitzen für Erfrischung und Wäschewechsel sorgen.

❍ Sich Bewegen
- Bauchdeckenentspannende Lagerung (zeitweise Knierolle unterlegen);
- Information hinsichtlich der Bedeutung und Durchführung der Mobilisation;
- Frühmobilisation und Mobilisation nach Plan unter Berücksichtigung der Belastbarkeit.

❍ Sich Pflegen und Kleiden
- Unterstützung bei der Körperpflege unter Berücksichtigung individueller Bedürfnisse und Ressourcen der Patientin, z.B.
  - am 1. postoperativen Tag Intimpflege im Bett durchführen, dabei die äußeren Geschlechtsorgane und die Oberschenkelinnenseiten nur abspülen *(siehe "Intimpflege - Pflegestandard F", Seite 668),*
  - Hilfestellung bei übriger Körperpflege im Bett oder am Waschbecken.

❍ Wach sein, Ruhen und Schlafen
- Patientin zur Nacht Körperpflege anbieten, Bett richten, Wäsche nach Bedarf wechseln;
- Ruhephasen gewährleisten,
  - Versorgung unter Berücksichtigung des Schlaf- und Ruhebedürfnisses der Patientin,
  - Information über Ruhebedürfnis an Besucher / Mitpatientinnen.

❍ Kommunizieren
- Erfragen von Wünschen;
- Beachten von nonverbalen Signalen, z.B. Zeichen für Angst / Schmerzen;
- Klingel in Reichweite legen;
- Kontaktaufnahme zu Bezugspersonen fördern.

❍ Sich Beschäftigen
- Auf Wunsch Herstellen von Kontakt zu anderen Patientinnen;
- Wahrnehmung der hausinternen Möglichkeiten (Medienangebote, Bibliothek) unterstützen.

❍ Geschlechtliches Erleben und Verhalten
- Genitalspülung mehrmals täglich *(siehe "Intimpflege - Pflegestandard F", Seite 668);*
- Vorlagenwechsel unter Berücksichtigung der Hygienevorschriften *(siehe "Beobachtung der Lochien", Seite 874);*
- Information bezüglich der Durchführung der Intimhygiene,

- je nach Befindlichkeit (ab dem 2. postoperativen Tag) auf dem Bidet nach jedem Toilettenbesuch;
- Beobachtung der vaginalen Ausscheidungen / Kontrolle der Vorlagen hinsichtlich
  - Zeichen einer Blutung,
  - Aussehen und Geruch des Wundsekretes;
- bei vaginaler Hysterektomie Entfernung der Tamponade* am 1. postoperativen Tag durch den Arzt.

❍ Sinn finden

- Hilfen bei Schmerzen
  - Umlagerung / Seitenlagerung, z.B. bei Schmerzen durch Meteorismus,
  - Analgetikagabe nach ärztlicher Anordnung,
  - Erinnerung an schmerzreduzierende Atem- und Hustentechnik,
  - Bauchdeckenentspannung durch Unterlegen einer Knierolle.

11.11.2.4 Zur Situation einer betroffenen Frau

Die Entfernung der Gebärmutter ist äußerlich nicht sichtbar; besonders nach einem vaginalen Eingriff gibt es keine Narbe, die die Patientin an die Operation erinnert. Dennoch ist davon auszugehen, daß die **Organentfernung Auswirkungen auf die Gesundheit** der Patientin haben kann. Deshalb wird seit einigen Jahren die Indikation für eine Hysterektomie enger gestellt.

Bei manchen Frauen herrschen falsche Vorstellungen über das Ausmaß der Operation; die Größe des entfernten Organs wird überschätzt, und es kann das Gefühl entstehen, *"eine Art Loch im Unterleib"* zu haben. Viele Frauen fühlen sich nach einer Gebärmutterentfernung nicht mehr als *"ganze, vollwertige Frau"*; sie erleben einen **Verlust an Selbstwertgefühl**. Der für Hysterektomie umgangssprachlich häufig benutzte Begriff "Totaloperation" unterstützt diese Vorstellungen.

Die Auswirkungen auf das Sexualleben können sehr gravierend sein. So kann die Patientin das Gefühl entwickeln, für ihren Partner nicht mehr attraktiv zu sein oder Angst vor Schmerzen beim Geschlechtsverkehr haben. Ob es in dieser Situation zu einem Ende der **sexuellen Aktivität** der Patientin kommt, ist in hohem Maß abhängig von der Vertrautheit, Offenheit und Rücksichtnahme innerhalb einer Partnerschaft.

Die Hysterektomie ist für die betroffene Frau mit **endgültigen Veränderungen** verbunden. Sie muß sich damit auseinandersetzen, daß der Lebensabschnitt mit der Möglichkeit einer Mutterschaft abgeschlossen ist. Diese Tatsache kann sehr unterschiedlich erlebt werden und spielt auch für Frauen eine Rolle, die bereits Kinder haben oder bei denen kein Kinderwunsch (mehr) besteht. Für einige Frauen ist auch das plötzliche Ende der Menstruation vor der eigentlichen Menopause problematisch, während andere dies als Entlastung empfinden.

Nach einer Hysterektomie kann es in der ersten Phase nach der Operation zu depressiven Verstimmungen kommen. Aber auch nach längerer Zeit können **psychische Beschwerden** sehr unterschiedlicher Ausprägungen, z.B. Ängste und Niedergeschlagenheit, auftreten, wobei häufig kein Zusammenhang mit dem Eingriff mehr hergestellt wird.

11.11.2.5 Rehabilitation

Die Entfernung ihrer Gebärmutter nimmt jede Frau anders an. Wie stark sie als Belastung empfunden wird, hängt eng zusammen mit der Qualität von Information und Beratung vor dem Eingriff und mit dem Erleben um den Eingriff.

Für den Genesungsprozeß spielt u.a. eine **positive Einstellung** zu der vorgenommenen Operation eine Rolle; hier kann die Gewißheit helfen, daß alle anderen Behandlungsmöglichkeiten ausgeschöpft waren.

Die Patientin wird vom behandelnden Arzt darüber informiert, wie sie sich in den ersten Wochen nach der Operation verhalten sollte. Dabei müssen alle **Auswirkungen auf den Alltag** besprochen werden, z.B. je nach beruflicher Tätigkeit die Dauer der Arbeitsunfähigkeit, das Verhalten bei schweren körperlichen Arbeiten oder die Wiederaufnahme sportlicher Aktivitäten. Grundsätzlich sind langes Stehen, schweres Heben und Tragen zu vermeiden. Die Patientin sollte Übungen zur Stärkung der Beckenbodenmuskulatur *(siehe "Beckenbodentraining", Seite 206)* kennen und regelmäßig durchführen.

Eine besonders wichtige Rolle spielt eine umfassende **Sexualberatung**, wobei gegebenenfalls der Partner einbezogen wird.

Wichtig ist, daß die Patientin ihren **individuellen Erholungsbedarf** erkennt und sich Erholung gönnt. Wenn sich Verzögerungen bei der Genesung zeigen, kann eine gezielte Unterstützung der Patientin durch eine Kur hilfreich sein. Die Vorteile liegen u.a. in einem Ortswechsel und der vorübergehenden Aufhebung häuslicher Belastungen. Beschwerden wie Kreislauflabilität können z.B. durch gezielte physikalische Maßnahmen aus der Hydrotherapie (Wechselbäder / Güsse) und ein systematisch aufgebautes körperliches Training gelindert werden. Die Verbesserung des körperlichen Befindens kann auf die psychische Situation positiv und stabilisierend wirken.

11.11.3 Mammakarzinom

*Der ganze Nachmittag vergeht mit Untersuchungen und Warten. Danach erklärt mir die Stationsärztin: "Der Oberarzt hat meinen Befund bestätigt. Der Tumor ist **auffällig**. Aber wir müssen Sie erst vorbereiten für die große Operation, am Montag."*

(Maxie Wonder in "Leben wär' eine prima Alternative")

11.11.3.1 Krankheitsbild

❒ Erkrankungshäufigkeit

Der Brustkrebs *(das Mammakarzinom)* ist der häufigste maligne Tumor bei Frauen. Allein in Deutschland erkranken jährlich 40.000 Frauen neu.

Die regelmäßige Selbstuntersuchung der Brust und der Achselhöhlen *(siehe "Krebsfrüherkennungsuntersuchungen", Seite 815)* sollte für jede Frau selbstverständlich sein. Sie wird aber nur von wenigen Frauen regelmäßig durchgeführt. Durch die Selbstuntersuchung kennt eine Frau die Besonderheiten ihrer Brust und kann Veränderungen frühzeitig bemerken. Bei Ertasten von Knoten oder Beschwerden sollte unverzüglich ein Arzt aufgesucht werden.

❐ Ursache und Risikofaktoren

Wie bei fast allen Tumorerkrankungen ist die **Ursache** des Mammakarzinoms nicht bekannt. Es werden unterschiedliche Risikofaktoren diskutiert, die die Wahrscheinlichkeit einer Erkrankung beeinflussen sollen.
Risikofaktoren, die eine Rolle spielen können, sind:

- Mammakarzinom bei Verwandten 1. Grades,
- Brustkrebs in der Familie,
- Kinderlosigkeit,
- frühes Einsetzen der Menarche,
- späte Menopause (nach dem 52. Lebensjahr),
- Auftreten eines Ovarialkarzinoms,
- ausgeprägte Mastopathie* u.a.

Heute laufen intensive Gen - Forschungen, die erste, noch nicht endgültige Erkenntnisse liefern, z.B. die Entdeckung eines "Brustkrebs - Gens" (BRCA - 1*). Die Veränderung dieses Gens kann für das Brustkrebsrisiko einer Frau eine Rolle spielen.
Letztlich trägt jede Frau ein gewisses Erkrankungsrisiko; das unterstreicht die Bedeutung der Selbstuntersuchung.

❐ Symptome

Das **Leitsymptom** und **einzige Frühsymptom** eines Mammakarzinoms ist oft ein schmerzloser, harter, unregelmäßiger, **wenig verschiebbarer Knoten**, der von der Frau selbst oder bei einer Krebsvorsorgeuntersuchung getastet wird.
Weitere mögliche Symptome sind Spannungs- und Druckgefühl in der Brust, Schmerzen, Hautveränderungen über einem Knoten durch Ödembildung, Haut- und Mamilleneinziehung, Sekretion aus der Mamille. Diese Symptome sind sogenannte **Erstsymptome**, d.h. die Erkrankung hat bereits das Frühstadium überschritten, auch wenn viele Frauen noch keine allgemeinen Krankheitszeichen aufweisen. Klagt eine Frau über Müdigkeit, Schmerzen, Atemnot o.ä., muß an ein fortgeschrittenes Tumorleiden gedacht werden.
Nachdem ein Tumor eine kritische Größe überschritten hat, erfolgt die Ausbreitung über die Lymphbahnen in die umgebenden (regionären) Lymphknoten, hauptsächlich der Achselhöhle.

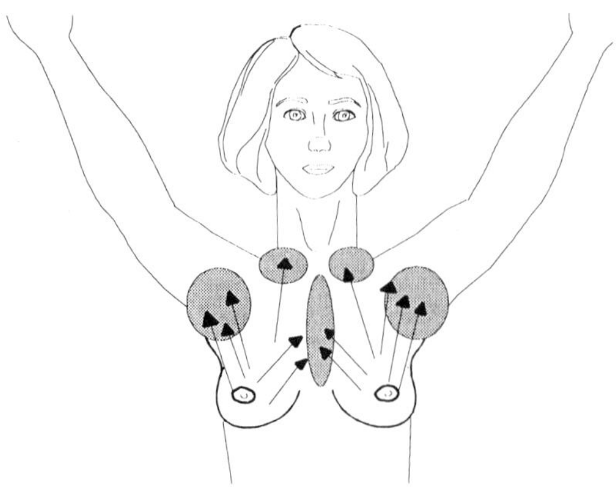

Abb. 11.14 ***Lymphabflußgebiete der Brust***

Der Ausschluß eines Lymphknotenbefalls durch eine histologische Untersuchung ist ein wichtiges prognostisches Merkmal und entscheidend für die weitere Behandlung.

❐ Untersuchungen zur Diagnosestellung

Bei Verdacht auf Mammakarzinom erfolgt nach einer gründlichen Inspektion* und Palpation* durch den Arzt die weitere Sicherung der Diagnose mit Hilfe der **Mammographie**, einer speziellen Röntgenuntersuchung der Brust. Durch diese Untersuchung ist es auch möglich, schon sehr kleine Tumoren zu erkennen, die nicht oder kaum tastbar sind. Deshalb raten viele Mediziner sogenannten Risikopatientinnen zu regelmäßigen Mammographien, vor allem seit die Strahlenbelastung bei modernen Mammographiegeräten als gering eingestuft werden kann.
Ergänzend können weitere Untersuchungen vorgenommen werden, z.B. eine **Sonographie*** und/oder eine **Thermographie***.
Es wird empfohlen, jede Veränderung der Brust, die nicht eindeutig als gutartig diagnostiziert werden kann, histologisch untersuchen zu lassen. Das verdächtige Gewebe / der **Tumor** wird **operativ entfernt** und bei dringendem Verdacht auf Malignität noch während der Operation **histologisch untersucht**. Hierbei wird das sogenannte **Schnellschnittverfahren*** angewandt. Vom Ergebnis der Untersuchung wird das weitere Vorgehen abhängig gemacht.
Weitere diagnostische Maßnahmen dienen der Klärung, ob bereits eine Metastasierung des Primärtumors stattgefunden hat, z.B. Röntgenaufnahme des Thorax, Sonographie der Leber, Laboruntersuchungen des Blutes, Bestimmung von Tumormarkern*.

❐ Behandlung

Je nach Stadium der Erkrankung (TNM - Klassifikation*) und unter Berücksichtigung der persönlichen Bedingungen einer Frau wird ein Behandlungsplan erstellt.

❍ Operative Behandlung

Die lange Zeit favorisierte Operationsmethode nach ROTTER - HALSTED *(Entfernung der Brustdrüse, der Brustmuskeln und der vollständigen Entfernung der axillaren Lymphknoten)* wird wegen ihrer Radikalität und ihrer Nachwirkungen für die betroffene Frau nur noch in Ausnahmefällen durchgeführt. Außerdem hat man festgestellt, daß weniger invasive Operationsmethoden langfristig die gleichen Behandlungsergebnisse haben.

Unter bestimmten Bedingungen sind **brusterhaltende Operationen** möglich; diese werden durchgeführt in Form

- einer Entfernung des Tumors aus der Brust *(Tumorektomie)* einschließlich eines bestimmten Anteils gesunden Gewebes
  oder
- einer Teilentfernung der Brust (Segment- oder Quadrantenresektion).

Die Möglichkeit, eine brusterhaltende Operation durchzuführen, kann einen sehr positiven Einfluß auf den Prozeß der Krankheitsbewältigung haben.

Falls eine brusterhaltende Operation nicht möglich ist, wird die **Brust operativ entfernt** *(Mastektomie / Ablatio mammae)*. Es gibt unterschiedliche Ausdehnungen einer **Mastektomie**. Die vollständige Entfernung des Brustdrüsenkörpers einschließlich Haut und Mamille wird als einfache Mastektomie bezeichnet.
Wenn bereits ein infiltrierendes Wachstum des Tumors stattgefunden hat, wird die Operation erweitert.

Zu jeder operativen Behandlung gehört die schonende **Entfernung der axillaren Lymphknoten** mit nachfolgender histologischer Untersuchung. Die Frage, ob und wie viele Lymphknoten befallen sind, ist entscheidend für die weitere Behandlung und die Prognose.

Einen palliativen Charakter hat die operative Entfernung der Brust, wenn eine Fernmetastasierung gesichert ist und durch die Mastektomie eine Ulzeration der Brust verhindert werden kann.

❍ Strahlentherapie

Für die Strahlentherapie gibt es unterschiedliche Indikationen. Nach einer brusterhaltenden Operation wird zur Zeit immer eine Bestrahlung vorgenommen.
Eine Bestrahlung kann auch zur Behandlung von fortgeschrittenen Tumoren oder von Tumormetastasen (Knochen, Gehirn) eingesetzt werden und hat das Ziel der Remission* des Tumors oder der Metastasen.

❍ Medikamentöse Therapie

Zu den möglichen medikamentösen Therapien (systemische Behandlung) gehören die Hormon- und die Chemotherapie, die unter Berücksichtigung der individuellen Bedingungen einer erkrankten Frau auch ergänzend erfolgen können.

- **Hormontherapie**
  Eine Hormontherapie kann bei Frauen mit metastasierendem Mammakarzinom zur Anwendung kommen, wenn in den Zellen des Tumorgewebes eine bestimmte Anzahl an Östrogen- oder Progesteronrezeptoren* nachgewiesen wurde. Das Ziel der Gabe von antihormonell - wirksamen Medikamenten (z.B. Tamoxifen®) ist, die Hormonrezeptoren zu blockieren, wodurch die Hormone nicht wirken können. Die tumorwachstumsfördernde Wirkung von Hormonen soll damit reduziert werden.
  Die Behandlung mit antihormonell - wirksamen Substanzen bei Frauen mit Mammakarzinom ohne nachweisbare Metastasierung (als adjuvante* Therapie) erfolgt mit dem Ziel einer Rezidivprophylaxe.
- **Chemotherapie**
  Die Indikationen für eine Behandlung mit Zytostatika besteht bei einer Frau mit metastasierendem Mammakarzinom, d.h. wenn ein Lymphknotenbefall oder Fernmetastasen nachgewiesen wurden.
  Eine adjuvante* Chemotherapie hat das Ziel, evtl. vorhandene, mit derzeit zur Verfügung stehenden Untersuchungsmethoden noch nicht nachweisbare Mikro - Metastasen zu zerstören und einem Tumorrezidiv vorzubeugen.
  Sollte ein Tumor auf eine Hormontherapie nicht ansprechen, kann die Zytostatikatherapie ein weiterer Behandlungsversuch sein.

Bei jeder Behandlung mit Zytostatika muß berücksichtigt werden, daß diese in vielerlei Hinsicht eine enorme Belastung für die betroffene Frau ist *(siehe "Chemotherapie", Seite 925)*.

11.11.3.2 Pflegemaßnahmen

❒ Präoperative Vorbereitung der Patientin

Die gute Vorbereitung der Patientin auf die geplante Operation ist eine wichtige Hilfe bei der übergroßen Belastung, unter der die Patientin steht.
Die Vorbereitung beinhaltet **allgemeine Maßnahmen** für einen Eingriff außerhalb des Bauchraums *(siehe "Durch operative Eingriffe bedingte Sicherheitsbedürfnisse", Seite 368)*.
Das Operationsfeld wird durch eine **Rasur** vorbereitet.

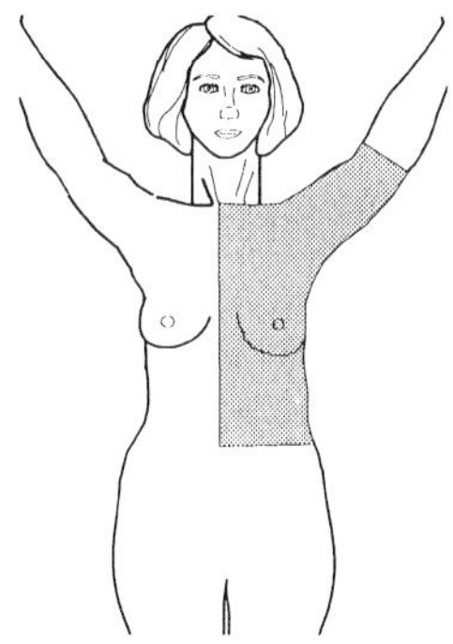

Abb. 11.15 ***Rasurschema bei geplanter Ablatio mammae links***

Wegen der Blutungsgefahr trägt die Patientin nach einer Mastektomie einen thorakalen Stützverband. Zusätzlich auftretende Schmerzen können dazu führen, daß es durch Schonatmung zu einer Pneumonie kommt. Das **Erlernen von Atemübungen** kann vorbeugen und betont die Bedeutung der aktiven Mitarbeit der Patientin.
In der Vorbereitungsphase spielt die **einfühlende Information und Aufklärung** durch die betreuende Pflegekraft eine große Rolle. Die Pflegekraft sollte **Gesprächsbereitschaft** signalisieren und bei allen Äußerungen der Patientin "ein offenes Ohr für die leisen Zwischentöne haben". Viele Patientinnen fühlen sich völlig hilflos und wie überrollt von den Ereignissen.
Die Angst vor der Operation ist sehr groß. Hier kann eine gute Vorbereitung und Begleitung die Patientin in ihrer Hoffnung verstärken, zunächst die Operation gut zu überstehen. Die Auskunft der Pflegenden über die direkte postoperative Phase kann eine Hilfe sein und Ängste abbauen, die auch durch Informationsmängel entstehen. Wenn die Patientin es wünscht, sollte schon jetzt eine **psychologische Betreuung** angebahnt werden, die nach der Operation intensiviert werden kann. Auch die Kontaktaufnahme zu einer Selbsthilfegruppe sollte angeboten und auf Wunsch vermittelt werden.

❒ Postoperative Pflege

Bei einer Patientin mit Mastektomie oder Tumorentfernung mit Erhaltung der Brust gelten die Regeln zur allgemeinen postoperativen Überwachung *(siehe "Postoperative Pflegemaßnahmen", Seite 371)*.
Auf die körperlichen und psychischen Auswirkungen einer Brustamputation wird nachfolgend unter *"Zur Situation einer betroffenen Frau"* eingegangen.

Mögliche postoperative Komplikationen	**Maßnahmen zur Vermeidung und Früherkennung**
Blutungen und Blutungen ins Gewebe (Hämatombildung)	- Kontrolle von Aussehen / Haut / Lippenfarbe - Kreislaufkontrolle (Puls / RR) - Kontrolle der Drainagen - Kontrolle des Wundverbandes - Kontrolle des thorakalen Stütz- / Kompressionsverbandes auf Festigkeit, Sitz / Faltenfreiheit - Information: Arm direkt nach der Operation nur minimal bewegen
Pneumonie	- Frühmobilisation und weitere Mobilisation außerhalb des Bettes - Temperaturkontrolle - Beobachtung der Atmung - unterstützende Lagerung (leichte Oberkörperhochlagerung) - Information: Schonatmung und mögliche Folgen - Pneumonieprophylaxe *(siehe "Pneumonieprophylaxe - Pflegestandard A", Seite 63)*

Lymphödem	- Hochlagerung des betroffenen Arms auf Kissen / darf Patientin nicht zu stark einengen
	- Hilfestellung bei allen Bewegungen, die Schulter und Arm zu stark belasten
	- Information
	  - Arm vorsichtig bewegen, um Verletzungen zu vermeiden; besonders bei Schmerzmedikation beachten, da keine Kontrolle mehr vorhanden
	  - keine engen, einschnürenden Kleidungsstücke tragen
	  - Arm nicht zu stark schonen, da völlige Bewegungslosigkeit Lymphrückstau fördert
	- krankengymnastische Übungen zur Unterstützung des Lymphabflusses
	- betroffenen Arm kontrollieren, bei Verdacht auf Schwellung regelmäßige Messung von Ober- und Unterarmumfang, Meßstellen markieren, Information an Arzt
	- keine Injektionen, Infusionen, Blutentnahmen und Blutdruckmessungen am betroffenen Arm vornehmen

Thrombose	- Thromboseprophylaxe *(siehe "Thromboseprophylaxe - Pflegestandard D, Seite 325)*

Tabelle 11.2 **Komplikationen, Maßnahmen zur Vermeidung und Früherkennung nach einer Mastektomie**

Um durch Belastung verursachte **Wundschmerzen** zu vermeiden, bedarf die Patientin anfänglich der Hilfestellung, z.B. bei der Körperpflege oder der Mobilisation. Zur Schonung sollte der betroffene Arm vorübergehend an den Körper angewinkelt werden.
Es kann bei einer Patientin mit Mastektomie zu besonderen **postoperativen Komplikationen** kommen, deren Vermeidung und/oder Früherkennung eine Aufgabe der betreuenden Pflegekraft ist.

Bei einer **brusterhaltenden Operation** besteht postoperativ die Gefahr einer Nachblutung. Deshalb ist die regelmäßige Kontrolle des Verbandes und der Drainagen erforderlich. Die Patientin trägt über dem Verband einen strammen Büstenhalter, der das Wundgebiet komprimiert. Letzterer ist während der nächsten 3 - 6 Monate (Arztanordnung) ununterbrochen und danach tagsüber zu tragen.
Die Patientin sollte in der Folgezeit nicht schwer heben und tragen und keine einseitig belastenden Arbeiten durchführen.

❐ Maßnahmen im Zusammenhang mit einer möglichen weiteren Behandlung

Die weitere Behandlung der Patientin (Strahlen-, Hormon-, Chemotherapie) bedingt zusätzliche Problembereiche und erfordert entsprechende Pflegemaßnahmen. Diese werden im Kapitel "Bösartiges Tumorleiden" unter "Problembereiche und entsprechende Pflegemaßnahmen", *Seite 934,* ausführlich besprochen.

11.11.3.3 Zur Situation einer betroffenen Frau

Die Konfrontation mit der Diagnose Brustkrebs ist für jede Frau ein **schweres Trauma**, das eine Art Ausnahmezustand auslöst. Am Anfang steht für einige Patientinnen der drohende Verlust ihrer Brust noch nicht im Vordergrund, sondern eher die **Bedrohung ihres Lebens** durch eine Krebserkrankung. Diese Erkrankung löst Angst, Schrecken und Verzweiflung aus. Viele verbinden eine Krebserkrankung mit qualvollem Leiden und baldigem Tod. *Lesen Sie hierzu "Die Diagnose Krebs", Seite 918.*

Hier ist die betreuende Pflegeperson mit ihrer Kompetenz und Erfahrung gefragt, um der Erkrankung einen Teil ihres Schreckens zu nehmen, z.B. durch sachliche Information und das Vermitteln einer realistischen Hoffnung.
Die Pflegende sollte die Fähigkeit besitzen, die vielfältigen Reaktionen einer Patientin nach Mastektomie richtig einzuschätzen und in angemessener Form zu reagieren. Das bedeutet auch zu erkennen, wenn eine Patientin (noch) nicht über ihre Situation sprechen kann, z.B. bei einer Äußerung: *"Das ist ja alles nicht so schlimm, Hauptsache ich lebe noch."*
Die Beziehung einer Frau zu ihrer Brust hängt u.a. damit zusammen, wie sie die Entwicklung zu Beginn der Pubertät erlebt hat, welches Gefühl sie im Laufe ihres Lebens für ihre Brust entwickelt hat und ob sie sie mag oder als störend empfindet. Die Brust ist ein wichtiger Teil weiblicher Identität.
Die Entfernung der Brust hat fast immer starke **Auswirkungen auf die Körperlichkeit** und das Körperempfinden und eng damit verbunden auf das Selbstwertgefühl einer Frau. Das vertraute Körperbild ist gestört und im Bereich der Operationsnarben können langfristig Beschwerden auftreten, z.B. Mißempfindungen, Taubheits- und Spannungsgefühl. Viele Frauen erleben ihren Körper als verstümmelt und glauben, keine *"richtige Frau"* mehr zu sein. Dies hängt u.a. damit zusammen, daß die weibliche Brust als Sinnbild für Mütterlichkeit gilt.

Anfangs bedeckt ein Wundverband das Operationsgebiet. Der erste Verbandwechsel ist für die Patientin die erste Möglichkeit, ihren veränderten Körper zu sehen. Diese Situation sollte von Takt und Einfühlungsvermögen getragen sein und die Intimsphäre der Patientin wahren.
Viele Patientinnen schaffen es anfangs nicht, sich anzusehen. Die betroffene Frau muß sich und ihren veränderten Körper neu kennenlernen und wieder mögen. Das ist oft ein langer Prozeß, in dem **Trauerarbeit** geleistet werden muß. Die Trauer um die verlorene Brust beginnt oft, wenn es der Patientin nach der Operation besser geht. Manchmal ist das erst dann der Fall, wenn sie wieder zu Hause ist und Zeit hat, über sich und ihre Situation nachzudenken.
Wenn die Patientin es wünscht, sollte der Lebenspartner in informierende und beratende Gespräche einbezogen werden. Oftmals benötigt dieser ebensoviel Hilfe wie die Betroffene. Auch wenn der Partner sehr einfühlend und zu Berührung und Zärtlichkeit bereit ist, kann die Frau diese oft (noch) nicht annehmen. Eine große Rolle spielt hier das veränderte Körpergefühl der Patientin mit seinen **Auswirkungen auf die sexuelle Beziehung** des Paares. Diese Probleme anzusprechen, kann schon eine Hilfe für beide Partner sein und den Weg zu einer gemeinsamen Bewältigung bahnen.
Ebenso ist es möglich, daß bereits vor der Erkrankung bestandene Probleme in der Partnerschaft verstärkt werden. Diese zusätzliche Belastung für die Patientin kann zu schweren psychischen Störungen, z.B. Depressionen, führen.

11.11.3.4 Rehabilitation und Nachsorge

❒ Aspekte der Rehabilitation

Die Maßnahmen zur Wiedereingliederung der Patientin sollen schon in der präoperativen Phase beginnen, dazu gehören z.B. die Begleitung der Patientin und die ersten Informationen über das förderliche Verhalten nach der Operation. Wenn eine Patientin die Operation und die unmittelbaren Folgen wie Schmerzen und Bewegungseinschränkung überstanden hat, ist sie in der Regel aufnahmebereiter für weitere Informationen.

❒ Informationen zur Lymphödemprophylaxe

Die Gefahr eines Lymphstaus mit der Ausbildung eines Lymphödems ist dank der schonenderen Operationsmethoden viel geringer geworden. Dennoch sollte dieser Punkt bei der Betreuung und Beratung einer Patientin nach Mastektomie angesprochen werden, denn bei jeder Operation werden axillare Lymphknoten entfernt sowie Venen und Lymphbahnen unterbrochen. Eine Nachbestrahlung erhöht das Risiko eines Lymphstaus.
Für die Patientin bleibt die Gefahr eines Lymphödems bestehen. Daher benötigt sie Informationen, um auch **langfristig vorbeugen** zu können.

- **Schutzmaßnahmen:**
  - keine Injektionen / Infusionen / Blutentnahmen / häufigen Blutdruckmessungen durchführen;
  - keine engen, einschnürenden Kleidungsstücke tragen;
  - sich keiner extremen Hitze- / Kälteeinwirkung aussetzen;
  - nicht schwer Heben oder Tragen, ruckartige Bewegungen mit Schulter u. Arm vermeiden;
  - alle längeren Arbeiten oberhalb des Kopfes vermeiden;
  - alle längeren einseitigen Belastungen im Schulter-Armbereich vermeiden;
  - Verletzungen aller Art vermeiden, z.B. bei der Nagelpflege;
  - bei gröberen Arbeiten Handschuhe tragen;
  - Verletzungen fachlich behandeln lassen.
- **Schulter- / Armbeweglichkeit erhalten**
  - regelmäßige Übungen zur Erhaltung der Schulterarmbeweglichkeit (bis 1 Jahr nach der Operation);
  - leichter Ausgleichssport in Absprache mit dem behandelnden Arzt.

Einer Ödembildung muß so früh wie möglich entgegen gewirkt werden, da ein ödematöser Arm sehr große Belastungen mit sich bringt, z.B. Spannungsgefühl verbunden mit Mißempfindungen und Infektionsneigung. Die **Behandlung eines Ödems** ist sehr langwierig. Im Rahmen einer physikalischen Therapie kann durch speziell geschultes Personal eine **Lymphdrainage** erfolgen. Dabei handelt es sich um eine Art Streichmassage entlang der Lymphbahnen, die den Abfluß der gestauten Lymphflüssigkeit unterstützen soll. Diese Drainage muß über einen längeren Zeitraum in regelmäßigen Abständen wiederholt werden. In Verbindung mit der Lymphdrainage kann durch Bandagierung des betroffenen Arms eine Entstauung unterstützt werden. Wenn nach einer Entstauungstherapie eine

Abschwellung eingetreten ist, kann ein individuell angefertigter **Arm - Stützstrumpf** angewandt werden.

❒ Versorgung mit einer Brustprothese

Die Versorgung mit einer **Brustprothese** stellt einen wichtigen Punkt bei der Rehabilitation der Patientin dar. Direkt nach Abschluß der Wundheilung kann eine Erstversorgungsprothese (z.B. aus Schaumstoff) verschrieben werden. Diese Prothese ist sehr leicht und belastet das noch empfindliche Operationsgebiet nicht so stark. Auch bei einer nachfolgenden Bestrahlung, die zu einer Belastung der Haut führen kann, sollte eine leichte Prothese getragen werden. Später kann diese durch eine Dauerprothese ersetzt werden. Diese Prothese besteht in der Regel aus einer speziellen Silikonmischung, die mit einer sehr dünnen, der Haut ähnlichen Folie umgeben ist. Die Prothese wird mit Hilfe eines Spezialbüstenhalters getragen oder kann z.B. bei körperlicher Aktivität mit Haftstreifen direkt auf der Haut befestigt werden. In Form und Größe ist die Prothese der erhaltenen Brust angepaßt. Das frühzeitige Tragen der Prothese beugt Haltungsschäden vor, da besonders bei einer großen Brust keine ungleiche Belastung des Bewegungsapparates entsteht.
Hinweise zum Umgang und zur Pflege der Prothesen geben Informationsschriften der Herstellungsfirmen, die in Fachgeschäften erhältlich sind.
Von einer betroffenen Frau kann das Tragen einer Prothese in vielen Situationen, z.B. beim Laufen / Bücken / Wunsch nach sommerlicher Kleidung störend empfunden werden und nur ein unzulänglicher Ersatz sein. Sie wird immer wieder an den Verlust ihrer Brust und ihre Krebserkrankung erinnert.

❒ Operationen zur Brust - Rekonstruktion

Wenn es aus medizinischer Sicht möglich ist, können sich brustamputierte Frauen für eine **wiederaufbauende Operation** entscheiden. Eine Möglichkeit des Wiederaufbaus ist die Implantation von Silikonprothesen.
Viele Betroffene bevorzugen eine weitere Methode der plastischen *(formenden)* Chirurgie, die **Rekonstruktion der Brust aus körpereigenen Geweben**. Hierzu werden von bestimmten Körperregionen (Bauch oder Rücken) Haut - Muskel - Lappen zur Körperfront verschoben und zu einer neuen Brust geformt *(Schwenklappenplastik)*.
Diese Operationen sind aufwendig und mit verschiedenen Risiken behaftet, aber der erfolgreiche Verlauf einer solchen Operation kann ein wichtiger Faktor bei der Bewältigung der Erkrankung sein.

❒ Bedeutung und Möglichkeiten der psycho - sozialen Betreuung

Neben der **medizinischen Nachsorge**, d.h. einer regelmäßigen Nachuntersuchung der Frau durch ihren behandelnden Arzt, ist auch eine **psycho - soziale Nachsorge** anzustreben. Die Zeit der stärksten Belastung ist direkt vor und nach der Operation und kann bis zu einem Jahr anhalten. Wenn keine Komplikationen und Rezidive* auftreten, dauert die erfolgreiche Krankheitsverarbeitung noch bis zu mehreren Jahren. Es zeigt sich die Tendenz, daß bei einer guten psycho - sozialen Betreuung einer Frau nach Mastektomie der Prozeß der Krankheitsbewältigung schneller und günstiger verläuft.
Schon im Krankenhaus sollten Informationen über **nachklinische Betreuungsmöglichkeiten** gegeben werden; damit wird die Frau besser auf die Zeit nach ihrer Entlassung vorbereitet.
Viele Betroffene erleben die Rückkehr nach Hause nicht (nur) positiv, sondern als eine erneute Belastung. Sie sehen sich wieder mit den Anforderungen des täglichen Lebens konfrontiert und entwickeln Ängste, diesen nicht gewachsen zu sein.
Durch eine regelmäßige psycho - soziale Betreuung, z.B. in einer **Beratungsstelle** oder durch einen **psychologischen Dienst**, werden die Frau und ihre Familienangehörigen mit ihren Ängsten, Unsicherheiten und Fragen nicht allein gelassen.
Soziale Hilfsangebote können im Akutkrankenhaus durch angestellte Sozialarbeiter oder später durch die Sozialdienste der Versicherungsträger gemacht werden, z.B. der Antrag auf medizinische Rehabilitation = "Kur" oder die Ausstellung eines Schwerbehindertenausweises.
Einige Betroffene finden den Weg zu **Selbsthilfegruppen** *(siehe "Selbsthilfegruppen", Seite 798)*. In Selbsthilfegruppen wie z.B. "Frauen nach Krebs" haben sie Kontakt zu Frauen, die sich in einer ähnlichen Situation befinden. Der Austausch mit einer ebenfalls betroffenen Frau kann eine ganz besondere Qualität haben, da diese die Erkrankung aus eigenem Erleben kennt. In einigen Städten haben Selbsthilfegruppen Besuchsdienste eingerichtet, die Betroffene auf Wunsch schon im Krankenhaus besuchen.
Eine umfassende psycho - soziale Betreuung trägt dazu bei, eine Frau vor Isolation und Resignation zu schützen und sie in der Bewältigung ihrer Lebenskrise zu stärken.
Lesen Sie auch "Nachsorge und Rehabilitation", Seite 948.

11.12 Aspekte der Pflegetätigkeit auf einer urologischen Station

Elke Hurling

Auf einer urologischen Station werden Patientinnen und Patienten mit **Erkrankungen der Nieren** und der **ableitenden Harnwege** behandelt und gepflegt, weiter Patienten mit **Erkrankungen der Geschlechtsorgane**.
Zu Aufbau und Funktion der Nieren und ableitenden Harnwege lesen Sie bitte im Kapitel *Ausscheiden "Anatomisch - physiologische Grundlagen", Seite 194,* und zu Aufbau der männlichen Geschlechtsorgane *"Geschlechtliches Erleben und Verhalten", Seite 805.*

- Durch Erkrankungen ihrer Geschlechtsorgane erleben viele Menschen einen **tiefen Eingriff in ihre Intimsphäre**. Das Pflegepersonal muß versuchen, dies in besonderer Weise zu berücksichtigen. Das gilt vor allem für Pflegehandlungen, die den Intimbereich "direkt" berühren, z.B. das Legen eines Blasenkatheters oder die präoperative Rasur. Hier erfordert das Vorgehen besonderen Takt und Einfühlungsvermögen *(siehe "Aspekte der Pflege auf einer gynäkologischen Station", Seite 835)*.

- Bei Berührung der Genitalien eines Patienten kann es zu einer Erektion* kommen. Diese Situation ist einem Patienten fast immer äußerst unangenehm. Tritt sie ein, sollte damit diskret und sachlich umgegangen werden.
Aus diesen und ähnlichen Gründen wird die Durchführung von Pflegemaßnahmen im Intimbereich bei Patientinnen durch weibliche und bei Patienten durch männliche Pflegende befürwortet.

- Patienten kann es peinlich sein, wenn sie aufgefordert werden, Urin zu sammeln, eine Urinflasche am Bett haben oder bei bestimmten Behandlungen, z.B. mit einer Steinschlinge*, keine Unterhose tragen dürfen.

- Viele befürchten **Veränderungen in ihrer Sexualität**, vor allem bei operativen Eingriffen im Bereich der Geschlechtsorgane *(siehe "Pflegesituation bei einem Patienten mit BPH", Seite 850)*.
Es sollte jedem Betroffenen die Möglichkeit gegeben werden, offen über Ängste zu sprechen und Fragen zu stellen. Unter Umständen müssen diese Gespräche häufiger stattfinden, weil sie den Patienten sehr betreffen und eine Verarbeitung, z.B. von Gefühlen und Informationen, stückweise erfolgt. Vielen Patienten fällt es leichter, sich an eine Pflegekraft des gleichen Geschlechts zu wenden.

- Der **Schutz ihrer Privatsphäre** und die Wahrung einer gewissen Anonymität gegenüber anderen Patienten und Besuchern kann für Patienten ein wichtiges Anliegen sein, wenn sie möchten, daß nur ausgewählte, vertraute Personen von ihrem Krankenhausaufenthalt erfahren, z.B. bei operativen Eingriffen an den Geschlechtsorganen (plastische Operationen am Penis, Entfernung des Hodens). Wenn Patienten strikte **Besuchsverbote** aussprechen, sollte sich auch das Pflegepersonal für die Einhaltung verantwortlich fühlen.

- Eine wesentliche Aufgabe des Pflegepersonals ist die **Beobachtung des Urins und der Urinausscheidung** *(siehe Seite 196)*. Dabei sind auch Beschwerden der Patienten beim Miktionsvorgang zu erkennen oder zu erfragen. Bei urologischen Patienten kommt es häufiger zu Störungen der Urinausscheidung, z.B. einem **Harnverhalt** *(siehe Seite 198)*.
Einer Harnverhaltung kann unter Umständen vorgebeugt werden. So ist es erforderlich, z.B. einen Patienten in der postoperativen Phase früh genug auf die Notwendigkeit des Wasserlassens aufmerksam zu machen. Wenn eine Patientin / ein Patient das Bett nicht verlassen darf, soll schon während der Operationsvorbereitung der Umgang mit Steckbecken oder Urinflasche eingeübt werden. Weitere Hilfen bei der Urinausscheidung werden unter *"Unterstützung bei der Urinausscheidung"* (Seite 205) *besprochen*.

Wenn bereits Schmerzen durch eine überfüllte Blase auftreten, kann spontanes Wasserlassen für den Patienten schon unmöglich sein. Das Katheterisieren der Harnblase kommt wegen möglicher Folgen, z.B. Infektionen oder Strikturen*, nur als letzte Maßnahme in Frage. Bei einem massiven Harnverhalt (über 1000 ml) darf nur eine **fraktionierte Blasenentleerung** vorgenommen werden. Es werden ca. 600 - 800 ml Urin entleert und dann stündlich 100 - 150 ml. Dadurch werden ein Kollabieren der durch längeren Harnverhalt überdehnten Blasenmuskulatur und das Auftreten von Blutungen verhindert.

- Das **Legen eines Blasenkatheters** ist eine sehr häufige Pflegemaßnahme *(siehe "Katheterismus", Seite 200)*.
Zur Vorbereitung gehört neben dem Richten des Materials ein gezieltes Informationsgespräch mit dem Patienten.
Mögliche Fragestellungen sind:
  - Wurden bei Ihnen bereits Operationen im Bereich der Harnwege, besonders der Harnröhre, durchgeführt?
  - Hatten Sie schon Entzündungen der Blase oder der Harnröhre?
  - Hatten Sie schon einmal Probleme beim Wasserlassen?
  - Ist Ihnen eine Erkrankung der Prostata bekannt?
  - Wurde Ihnen bereits ein Blasenkatheter über die Harnröhre gelegt und traten dabei Schmerzen oder andere Probleme auf?
  - Wieviel haben Sie in den letzten Stunden getrunken?

Die Anamnese erhöht, besonders für männliche Patienten, die **Sicherheit beim Katheterisieren**, indem bestimmte Schwierigkeiten wie eine Prostatahypertrophie oder eine andere Form der Harnröhrenverengung frühzeitig erfaßt und berücksichtigt werden können. Wenn bekannt ist, daß ein Patient eine Harnröhrenverengung hat, sollte eine erfahrene Pflegekraft katheterisieren. In besonders schwierigen Fällen kann ein transurethraler Katheter von einem Arzt endoskopisch* *(unter Sicht)* gelegt werden. Als Alternative ist ein suprapubischer Katheter anzusehen *(siehe "Suprapubische Blasenpunktion", Seite 204)*.
Fundierte **Kenntnisse der Hygiene** und Sicherheit bei der **Durchführung aseptischer Pflegemaßnahmen** sind an vielen Stellen erforderlich. Beim Katheterisieren der Harnblase muß das Pflegepersonal in der Lage sein, unter unbedingter Wahrung der Sterilität und für den Patienten schmerzfrei zu arbeiten, ohne seine Intimsphäre unnötig zu verletzen. Diese Aspekte stehen gleichrangig nebeneinander.

- Eine **Blasenspülung** oder eine **Instillation*** in die Blase über einen Blasenverweilkatheter gehen mit einem erhöhten Infektionsrisiko einher, da eine Öffnung und Manipulation des Urinableitungssystems nötig sind. Bei einer Blasenspülung ohne geschlossenes Spülsystem, z.B. bei drohender Verstopfung eines Blasenkatheters durch Koagelbildung, werden nur **sterile Materialien** (Blasenspritze, Kochsalzlösung als Spülflüssigkeit, Auffangschale, Handschuhe) verwendet und die Ansatzstelle des Katheters gründlich desinfiziert (Hautdesinfektionsmittel). Die Spülflüssigkeit (ca. 50 ml) wird vorsichtig ohne Druck in die Blase gespritzt und wieder aspiriert. Dieser Vorgang ist mit frischer Spülflüssigkeit zu wiederholen, bis die Spülflüssigkeit klar bleibt.

Besondere Maßnahmen sind nötig, wenn bei der Behandlung von Tumoren der Blase ein **Zytostatikum** (z.B. Mitomycin®) **instilliert** wird. Nachdem der Patient das Medikament über einen Blasenkatheter erhalten hat, wird dieser für zwei Stunden (ärztliche Anordnung) abgestöpselt. Während dieser Zeit soll der Patient viertelstündlich seine Körperlage verändern ("Rollkur"). Nach dem Entfernen des Medikaments aus der Blase erfolgt eine mehrmalige Spülung mit Kochsalzlösung. Weil unter der Behandlung **Tenesmen**, d.h. schmerzhafte Verkrampfungen der Blasenmuskulatur auftreten können, bekommt der Patient prophylaktisch ein schmerzstillendes, krampflösendes Medikament. Dadurch wird gleichzeitig verhindert, daß das Zytostatikum - vermischt mit Urin - aus der Blase gepreßt wird und mit der Umgebung, z.B. der Haut des Patienten, in Kontakt kommt. Das Pflegepersonal muß u.a. durch das Tragen spezieller Handschuhe und einer flüssigkeitsdichten Schürze Kontakt mit dem Zytostatikum verhindern *(siehe "Sicherer Umgang mit Zytostatika", Seite 926)*.

- Neben der Erfassung der ausgeschiedenen Urinmenge ist je nach ärztlicher Anordnung auch eine **Flüssigkeitsbilanzierung** durchzuführen *(siehe "Flüssigkeitsbilanz", Seite 199)*.
- Wenn Patienten zur Entstauung der Niere einen **Ureterkatheter** (UK) haben, wird dieser Urin in einem speziellen Auffangbeutel gesammelt. Die Urinmenge ist neben der Ausscheidung über den Blasenverweilkatheter (welcher zur Befestigung des UK dient) bei der Berechnung der gesamten Urinmenge zu berücksichtigen.
  Außer der Beurteilung der Farbe des Urins ist es wichtig, **Blutbeimengungen**, z.B. in der postoperativen Phase oder bei Verletzungen, so früh wie möglich zu erkennen. Anhand der Blutungsstärke lassen sich die mögliche Ursache und die Gefährdung des Patienten einschätzen *(siehe "Pflege eines Patienten mit benigner Prostatahypertrophie / Postoperative Überwachung", Seite 851)*.
- Für Untersuchungen müssen durch unterschiedliche Methoden **Urinproben** gewonnen werden. Häufig erfolgt das durch den **Mittelstrahlurin**. Selbständige Patienten sind gut zu informieren und zu instruieren, damit das Untersuchungsergebnis nicht verfälscht wird. Für **mikrobiologische Urinuntersuchungen** kann, besonders bei Patientinnen, die Gewinnung von Urin durch **Einmalkatheterismus** erforderlich sein. Hat ein Patient einen Blasenverweilkatheter, erfolgt die Entnahme durch die Punktionsstelle des Ableitungssystems unter unbedingter Einhaltung der Hygienevorschriften *(siehe "Harnwegsinfektionsprophylaxe bei Blasenverweilkatheter", Seite 208)*.
- Im Zusammenhang mit Operationen an den männlichen Geschlechtsorganen sind **Besonderheiten bei der Fixierung eines Wundverbandes** zu beachten. Bei einer Zirkumzision *(Entfernung der Vorhaut zur Beseitigung einer Vorhautverengung)* werden resorbierbare Fäden verwendet und die Wunde am Penis kurzfristig mit einer in Desinfektionsmittel getränkten (z.B. Braunovidon®) sterilen Kompresse geschützt. Dann erfolgt eine "offene" Wundbehandlung, da ein Verband bei jedem Wasserlassen durchnäßt würde.
  Bei operativen Eingriffen am Hoden, z.B. einer Hydrozele* oder einer Varikozele*, gibt es zur Fixierung des Wundverbandes eine spezielle Halterung, ein **Suspensorium**. Es handelt sich um eine Trage- und Stützbandage aus Stoff in Verbindung mit einem elastischen Bauchgurt. Dieser wird in verschiedenen Größen angeboten und muß genau angepaßt werden, damit er nicht abschnürt und dadurch die Wundheilung stört. Auch bei einer sehr schmerzhaften Schwellung kann der Hoden mit Hilfe eines Suspensoriums hochgelagert werden.
- **Verletzungen im Genitalbereich** können Folge von Unfällen sein. Sie sind in einigen Fällen auch durch Manipulationen eines Patienten, z.B. im Zusammenhang mit besonderen sexuellen Praktiken, entstanden.
  Wenn es bei einem Kind zu Verletzungen der Geschlechtsorgane gekommen ist, sind die Informationen aus der Umgebung des Kindes unbedingt auf Glaubwürdigkeit zu überprüfen, da eine Verletzung auch Folge **sexuellen Mißbrauchs** sein kann. Das Pflegepersonal kann bei der Betreuung des Kindes durch einfühlenden Umgang wichtige Informationen erhalten und diese mit dem verantwortlichen Arzt besprechen. In Zweifelsfällen ist immer eine **psychologische Beratung** angezeigt.

11.13 Exemplarische Lebens- und Pflegesituation bei Erkrankung der männlichen Geschlechtsorgane

Elke Hurling

11.13.1 Benigne Prostatahypertrophie

Prostata

Zu Aufbau und Aufgaben der Prostata lesen Sie bitte *"Die männlichen Geschlechtsorgane / Die Vorsteherdrüse", Seite 806.*

11.13.1.1 Krankheitsbild

❒ Begriffserläuterung

Neben der bösartigen Veränderung der Prostata, dem Prostatakrebs, spielt vor allem bei älteren Männern die benigne Prostatahypertrophie *(BPH)* eine große Rolle. Es handelt sich um eine **gutartige Vergrößerung der Vorsteherdrüse**, die auch als Prostataadenom oder Prostatahyperplasie bezeichnet wird.

❒ Ursache

Bei der Hypertrophie spielen **männliche Geschlechtshormone** eine Rolle, wobei bisher nicht bekannt ist, warum die Gewebewucherung erst im höheren Lebensalter auftritt. Es kommt zu einer Vergrößerung der

Drüsen um die Harnröhre und später durch Volumenerweiterung zu einer Abflußbehinderung des Harns.

❐ Symptome

Eine Hypertrophie der Prostata kann lange völlig symptomfrei verlaufen. Das erste Zeichen, das ein Betroffener bemerkt, ist eine **Harnentleerungsstörung**; der Urinstrahl wird schwächer und die Entleerungen sind häufiger. Die Betroffenen müssen längere Zeit warten, bis der Urinfluß in Gang kommt. Oft wird ein "Nachtropfen" kleiner Urinmengen beschrieben, die unter Umständen in die Kleidung gehen und den Betroffenen stark belasten können.

Um das Hindernis in der Harnröhre zu überwinden, muß in der Blase ein immer höherer Druck erzeugt werden; dadurch verstärkt sich die Blasenmuskulatur. Mit zunehmender Prostatahypertrophie wird die **Entleerung** für den Betroffenen immer **häufiger** *(Pollakisurie)* und schwerer. Dabei leidet er besonders unter **Störungen der Nachtruhe** durch ständigen starken Harndrang und wiederholtes Wasserlassen *(Nykturie)*.

Wenn die Blasenmuskulatur nicht mehr genügend Druck aufbauen kann, bleibt ständig Urin in der Blase. Im Restharn können sich Bakterien leicht vermehren und zu Infektionen führen.

Wird die Harnröhre durch die Prostatavergrößerung fast vollständig verlegt, kann die Blasenmuskulatur ihre Funktion nicht mehr erfüllen, sie schrumpft und verliert an Tonus; der Betroffene kann nur noch **"tröpfchenweise" Harn lassen** *(Überlaufblase)*.

❐ Komplikationen

Die Restharnmenge in der Blase wird immer größer, es kann zum **Rückstau von Urin** mit Schädigung der Nieren kommen *(siehe "Überlaufinkontinenz", Seite 222)*. Eine weitere Komplikation in diesem Stadium ist ein akuter **Harnverhalt**.

❐ Diagnostische Maßnahmen

Einen wichtigen Hinweis auf eine Prostatahypertrophie geben die **Aussagen des Betroffenen** über seine Beschwerden, die nicht in Abhängigkeit zur Größe des Adenoms stehen.

Eine einfache diagnostische Methode ist die **transrektale Palpation**. Der Arzt tastet mit einem Finger über den Enddarm die Oberfläche der Prostata ab und kann einen typischen Befund erheben.

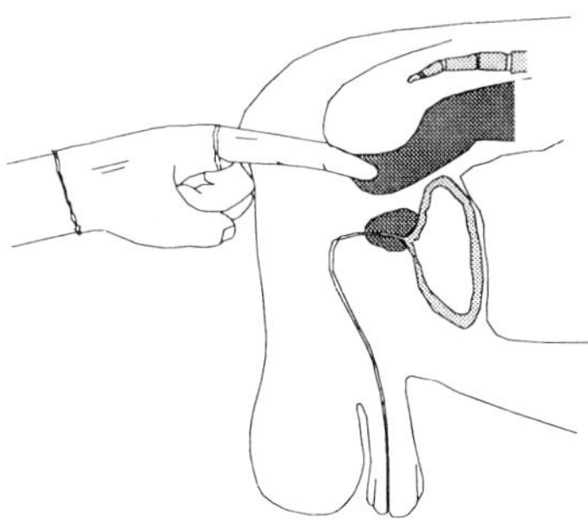

Abb. 11.16 ***Transrektale Untersuchung der Prostata***

Durch eine **Sonographie*** werden neben der Prostata auch die Harnblase, die Harnleiter und die Nieren untersucht, um Schäden durch evtl. Rückstau von Urin auszuschließen. Mit einer speziellen Sonde kann über den Enddarm eine **transrektale Sonographie** vorgenommen werden. Diese läßt eine gute Beurteilung der geweblichen Veränderungen und eine genaue Bestimmung der Vergrößerung der Prostata zu.

Nachdem der Betroffene Wasser gelassen hat, wird ebenfalls durch Sonographie die mögliche **Restharnmenge** bestimmt.

Durch spezielle **Röntgenuntersuchungen** mit Kontrastmittel können die ableitenden Harnwege dargestellt werden. Dabei zeigen sich z.B. Einengungen, die durch eine Prostatahypertrophie verursacht sein könnten. Mit Hilfe der **Uroflowmetrie** erfolgt eine Messung der Harnmenge pro Zeiteinheit. Bei einer Prostatahypertrophie ergibt sich ein typisches Bild der Harnflußmenge.

Um eine Infektion auszuschließen, werden **bakterielle Urinuntersuchungen** vorgenommen.

Eine weitere diagnostische Maßnahme ist die **Urethrozystoskopie**, eine endoskopische Untersuchung von Harnröhre und Harnblase.

Alle genannten Untersuchungen dienen zusätzlich dem Ausschluß eines Prostatakarzinoms.

❐ Behandlung

Die Behandlung richtet sich nach dem Stadium der Prostatahypertrophie und den Beschwerden des Betroffenen.

❍ Medikamentöse Behandlung

Es gibt drei Ansätze der medikamentösen Therapie, die Phytotherapie, die Behandlung mit alpha - Rezeptorenblockern und die Antihormontherapie.

Die **Phytotherapie**, also die Behandlung mit Pflanzenextrakten, kommt sehr häufig bei Männern im Anfangsstadium einer BPH zur Anwendung, wenn der Betroffene unter subjektiven Beschwerden leidet und noch keine Restharnbildung stattfindet. Die Medikamente enthalten Phytosterole*; diese Wirkstoffe werden hauptsächlich aus Kürbissamen, Brennesselwurzeln und Sägepalmfrüchten gewonnen. Das wichtigste Phytosterin ist das in Sojaöl vorkommende Sitosterin, das auch als Monosubstanz eingesetzt wird. Die Phytosterine haben eine schwach östrogene und eine testosteronantagonistische *(Antagonist*)* Wirkung, zusätzlich wird eine Beeinflussung des Prostaglandinstoffwechsels *(Prostaglandine*)* vermutet; Entzündungsprozesse im Körper werden unterbunden.

Die **Behandlung mit alpha - Rezeptorenblockern** *(dynamische Therapie)* hat zum Ziel, den Harnfluß zu erleichtern, indem die glatte Muskulatur in der Prostata relaxiert* wird. Bei alpha - Rezeptorenblockern handelt es sich um Substanzen, die an bestimmten Stellen der vegetativ gesteuerten glatten Muskulatur angreifen. Die glatte Muskulatur der Prostata wird durch bestimmte Neurotransmitter* kontrahiert. Wo sonst die körpereigenen Neurotransmitter anbinden, werden körperfremde Stoffe ähnlicher Struktur angelagert und blockieren die Rezeptoren. Da die Prostatamuskulatur sich nicht mehr zusammenzieht, verringert sich der Blasenauslaßwiderstand. Beim Einsatz der alpha - Rezeptorenblocker muß berücksichtigt werden, daß sie eine blutdrucksenkende Nebenwirkung haben. So ist der zunächst als Antihypertonikum im Handel befindli-

che Wirkstoff Terazosin nun mit der erweiterten Indikation für die BPH zugelassen. Ein neuer Wirkstoff, das Alfuzosin, soll relativ spezifisch alpha - Rezeptoren des Urogenitaltrakts blockieren.
Alpha - Rezeptorenblocker werden zur Kurzzeitbehandlung (bis 6 Monate) empfohlen und sind daher z.B. zur Überbrückung vor einer operativen Behandlung einsetzbar.
Für die BPH ist das Dihydrotestosteron (DHT) verantwortlich. Dieses Hormon entsteht in der Prostata aus Testosteron*. Das für diese Umsetzung verantwortliche Enzym wird bei der **Antihormontherapie** durch den Arzneistoff Finasterid blockiert. Die Prostata hypertrophiert nicht mehr, weil DHT fehlt. Als Nebenwirkung des Finasterins kann es zur Gynäkomastie* kommen; selten klagen die Patienten über Libidoverlust* oder Impotenz*.

❍ Operative Behandlung

Die operative Therapie der BPH kommt zur Anwendung, wenn die medikamentöse Beeinflussung erschöpft ist, die Restharnmengen steigen oder Harnverhalt auftritt.
Bei sehr stark vergrößerter Prostata kann eine Eröffnung des Unterbauches zur **transvesikalen Prostatektomie** *(Entfernung der Prostata über die Blase)* erforderlich sein. Mögliche Komplikationen des Eingriffs sind z.B. Verletzung des äußeren Blasenschließmuskels oder Strikturen* der Harnröhre. Weniger belastend für den Betroffenen ist eine **transurethrale Prostataresektion / TURP** *(Entfernung von Prostatagewebe über die Harnröhre)*.
Sehr häufig wird eine **Elektroresektion** vorgenommen; dieses Verfahren gilt als sehr ausgereift. Hier wird ein Spezialendoskop in die Harnröhre eingeführt und unter Sicht mit Hilfe einer elektrischen Schlinge Stück für Stück Prostatagewebe herausgeschnitten. Über eine Spülung werden die Gewebestücke und das austretende Blut entfernt.
Da die Prostata ein sehr gut durchblutetes Organ ist, kommt es während der Operation zu Blutverlusten, deren Höhe schwer einzuschätzen ist. Zur Blutstillung können eröffnete Gefäße vorübergehend koaguliert werden.
Die Techniken zur Resektion der Prostata über die Harnröhre haben sich in den letzten Jahren stark weiterentwickelt.
Neben der Elektroresektion etablieren sich für bestimmte Stadien der BPH und für bestimmte Patienten (z.B. mit Kinderwunsch) zunehmend weniger invasive transurethrale Eingriffe, z.B. die Hyperthermie von Prostatagewebe durch Mikrowellen oder durch spezielle Lasertechniken.
Der Vorteil dieser Verfahren ist ein geringerer Blutverlust als bei der Elektroresektion.
Als **bleibende Veränderung** hat der Operierte nach der Prostataresektion einen retrograden Samenerguß, d.h. der Samenerguß erfolgt in die Harnblase. Da der Harnblasenhals teilweise mitentfernt wurde, fehlt seine abdichtende Funktion bei der Ejakulation*.
Als **Komplikationen** können Harnwegsinfektionen oder narbige Strikturen* der Harnröhre auftreten.
Nur in sehr wenigen Fällen treten Potenzstörungen* auf; hier liegen die Ursachen selten im organischen Bereich. Eine zu starke "Ausschälung" der Prostata kann zu (vorübergehenden) Kontinenzproblemen führen.
Da es bei operativen Eingriffen an der Prostata relativ leicht zu einer **Epididymitis** *(Entzündung der Nebenhoden)* kommen kann, führen einige Operateure in Absprache mit dem Patienten eine prophylaktische **Vasektomie** *(Durchtrennung der Samenleiter)* durch.
Proben von Prostatagewebe werden histologisch untersucht, um ein Prostatakarzinom mit Sicherheit auszuschließen.

11.13.1.2 Zur Situation eines betroffenen Mannes

Viele Betroffene halten Harnentleerungsstörungen (als die ersten Anzeichen einer BPH) für "normale" Veränderungen des Alters und warten sehr lange, bis sie einen Arzt aufsuchen. Hinzu können starke **Verunsicherung** und **Angst** kommen, denn Beschwerden beim Wasserlassen sind für viele Menschen ein Tabu. Aufgrund falscher Vorstellungen scheuen sie vor einer Behandlung, vor allem einer Operation, zurück. Hierbei spielt auch die Angst vor einem Verlust sexueller Fähigkeiten oder vor Inkontinenz eine Rolle.

Ein Patient mit einer Prostatahypertrophie im Anfangsstadium sollte folgende Empfehlungen berücksichtigen:
- regelmäßige Arztbesuche, um Kontrolluntersuchungen vornehmen zu lassen;
- regelmäßige Blasenentleerungen, um einem Harnverhalt vorzubeugen;
- Unterkühlungen, besonders im Bereich des Unterkörpers vermeiden, da diese zu einer Verstärkung der Symptome führen können;
- den Genuß größerer Mengen Alkohol meiden, da Alkohol in Verbindung mit größeren Flüssigkeitsmengen einen akuten Harnverhalt auslösen kann.

11.13.1.3 Pflege eines Patienten mit operativer Behandlung einer BPH durch transurethrale Resektion

❒ Präoperative Pflege

- Wenn der Patient am Tag vor der geplanten Operation (TURP) zur Aufnahme kommt, sind die vom Arzt **angeordneten Untersuchungen** von Blut und Urin zu veranlassen. Da es bei einer Prostataresektion zu größeren Blutverlusten kommen kann, werden im Labor prophylaktisch **Blutkonserven** bestellt oder der Patient hat frühzeitig Eigenblut gespendet.
  Tagsüber erfolgen weitere Untersuchungen wie Sonographie* oder ein Ausscheidungsurogramm (AUG)*. Je nach Alter des Patienten und Anordnung des Anästhesisten werden ein EKG, eine Röntgenaufnahme des Thorax und weitere operationsvorbereitende Untersuchungen vorgenommen.
- Der Patient hat tagsüber **keine Ernährungseinschränkungen**; er wird auf die Bedeutung einer **guten Flüssigkeitsaufnahme** aufmerksam gemacht. Das Abendessen wird spätestens um 17.30 Uhr ge-

reicht und besteht aus Tee und leichter Kost, z.B. Weißbrot oder Zwieback.

- Zur **Entleerung des Darms** wird dem Patienten am Abend ein Klistier verabreicht. Direkt nach der Operation sollen zur Vorbeugung einer Blutung alle Belastungen, z.B. das Einsetzen der Bauchpresse beim Stuhlgang, vermieden werden.
- Am Morgen des Operationstages wird der Patient aufgefordert, zu baden oder zu duschen; bei Bedarf wird er bei der Durchführung einer **Ganzkörperpflege** unterstützt. Danach erfolgt zur Vorbereitung der Haut eine **Rasur**. Die Ausdehnung richtet sich nach der Vorgabe des Operateurs und den Sicherheitsbestimmungen im Operationssaal, z.B. Entfernung der Schambehaarung und der Körperhaare an den Oberschenkeln und am Unterbauch.
- Alle weiteren **allgemeinen präoperativen Maßnahmen** werden im Abschnitt *"Präoperative Pflegemaßnahmen"*, Seite 368, beschrieben.

❒ Postoperative Pflege

- Nachdem der Patient auf die Station zurückverlegt wurde, erfolgt je nach Narkoseart und Zustand des Patienten eine engmaschige **Kontrolle aller Vitalfunktionen**.
- Die **Urinausscheidung** muß besonders gut überwacht werden.
- Wegen der großen Blutungsgefahr erhält der Patient sofort nach der Prostataresektion einen speziellen Blasenkatheter, über den neben der Urinableitung eine kontinuierliche Spülung erfolgen kann.
  Dieser **Spülkatheter** ist ein Mehr - Wege - Katheter, der neben dem Kanal zur Blockung mindestens zwei weitere Kanälchen zum Einfließen der Spülflüssigkeit und einen dickeren Kanal zur Drainage der Harnblase hat.

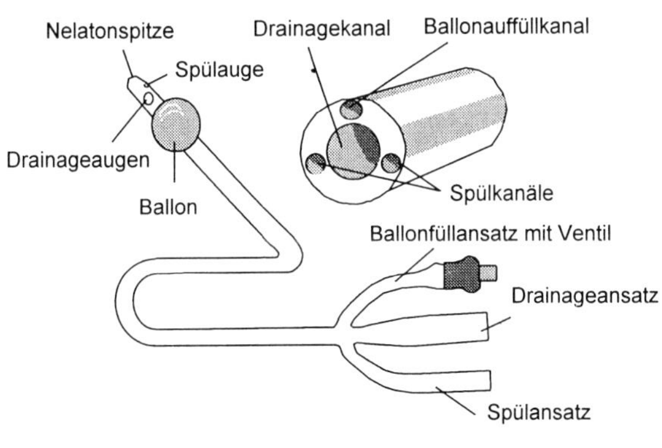

Abb. 11.17 ***Querschnitt eines Spülkatheters (3 - Wege - Katheter)***

- Es werden in der Regel dickere Spülkatheter gewählt, z.B. 22 Charriére*, damit es nicht so schnell zu einer Abflußbehinderung kommt. Durch den mechanischen Reiz des Katheters kann es zu Verkrampfungen der Blasenmuskulatur mit schmerzhaftem Harndrang *(Tenesmen)* kommen, die dann medikamentös behandelt werden. Die Blockung eines Spülkatheters ist mit einer größeren Menge (z.B. 50 - 80 ml) Aqua dest. möglich und hat im Wundgebiet eine ähnliche Wirkung wie eine Tamponade*.
- Als Spülflüssigkeit kann sterile Kochsalzlösung oder Purisole® *(leicht blutstillende Wirkung)* zur Anwendung kommen. Um den Patienten besonders bei größeren Mengen von **Spülfüssigkeit** vor Wärmeverlust zu schützen, müssen die gebrauchsfertigen Beutel in einem Wärmeschrank vorbereitet werden.
- Die Spülung erfolgt über ein **geschlossenes System** mit speziellen Auffangbeuteln unter strenger Beachtung der Hygienevorschriften *(siehe "Harnwegsinfektionsprophylaxe bei Blasenverweilkatheter", Seite 208)*.

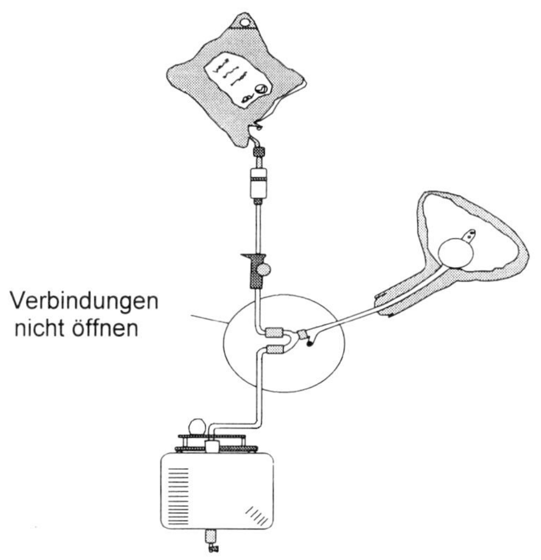

Abb. 11.18 ***Spülung der Blase über ein geschlossenes System***

- Die Dauer und Intensität der Spülung richtet sich nach Anordnung des Arztes und ist im wesentlichen abhängig von Auftreten und Stärke einer Blutung. In kurzen Abständen, anfangs viertelstündlich, sind Kontrollen auf **Durchgängigkeit des Spülkatheters / Systems** erforderlich.
- Eine **Farbveränderung** des Urins / der Spülflüssigkeit kann das erste sichtbare Zeichen für das Auftreten einer **Blutung** sein.
  Anhand der Blutungsstärke lassen sich die mögliche Ursache und die Gefährdung des Patienten einschätzen.
  Wenn sich wenig Blut im Abflußschlauch absetzt und darüber klarer Urin fließt, liegt eine minimale Blutung vor. Ein sogenannter "fleischwasser - farbener" Urin (rötlich - durchsichtig) deutet ebenfalls auf eine kleinere Blutung hin. Bei einem "blutigen Urin" (hellrot - undurchsichtig) sind eine sofortige Spülung und eine intensivere Kontrolle erforderlich. Der Patient soll sich möglichst ruhig verhalten. Wenn "massive" Blutungen (kräftig rot - undurchsichtig) auftreten, kann ein Gefäß verletzt sein.
  Der sofort informierte Arzt entscheidet über das weitere Vorgehen, z.B. eine erneute Operation oder die Applikation eines gerinnungsfördernden Medikamentes. Die Ursache für eine massive postoperative Blutung, besonders nach längeren Operationen, kann auch eine **Verbrauchskoagulopathie*** sein. Wenn dunkelbraune Verfärbungen des Urins auftreten, kann es sich um eine "ältere Blutung" handeln.
- Bei der Beobachtung von **Blutkoageln** *(Blutgerinnsel)* soll die Spülung der Blase intensiviert werden, um

ein Verstopfen des Katheters zu vermeiden. Eine Komplikation ist die Blasentamponade, d.h. die Füllung der Blase mit Blutgerinnseln, die unter Umständen instrumentell ausgeräumt werden müssen.

- Die Menge der Spülflüssigkeit muß bei einer **Ein- und Ausfuhrkontrolle** berücksichtigt werden, d.h. sie darf nicht in die Bilanzierung eingehen *(siehe "Flüssigkeitsbilanz", Seite 199)*.
- Am Operationstag wird der Patient über eine periphere Venenverweilkanüle nach Anordnung des Arztes mit Flüssigkeit versorgt. Gegen Abend bekommt er Tee und Zwieback. Ab dem 1. postoperativen Tag erhält er leichte Kost und soll, besonders nach Entfernen der Venenverweilkanüle, **reichlich Flüssigkeit** zu sich nehmen, um die Blase gut zu spülen *("innere Spülung")*.
- Damit der Patient ohne stärkeres Pressen abführt, kann durch die vorübergehende Einnahme eines Abführmittels (z.B. täglich nüchtern 10 ml Bifiteral®) für einen **weichen Stuhl** gesorgt werden.
- Die **Mobilisation** beginnt mit der Morgentoilette am 1. postoperativen Tag, da der Patient wegen der Blutungsgefahr am Operationstag Bettruhe einhalten soll.
  Der Patient wird zum Waschbecken begleitet und bei der Körperpflege unterstützt. Die Intimpflege wird vom Pflegepersonal vorgenommen und mehrmals täglich wiederholt. Häufig bilden sich an der Eintrittsstelle des Katheters in die Harnröhre Verkrustungen; diese müssen vorsichtig entfernt werden, z.B. mit sterilen Mullkompressen und physiologischer Kochsalzlösung. Bei Verdacht auf eine Infektion kann ein Schleimhautdesinfektionsmittel, z.B. Braunovidon®, angewandt werden.
  Bei der Mobilisation ist eine fortlaufende **Beobachtung** des Patienten erforderlich. Von Bedeutung ist u.a. das frühzeitige Erkennen einer Blutung durch Färbung des Urins.
  Der Patient wird vor der Mobilisation über das geplante Vorgehen **informiert** und **angeleitet**, wie er sich mit einem Blasenkatheter und angeschlossenem Spülsystem bewegen kann; dabei ist wichtig, daß der Katheter nicht abknickt. Aus diesem Grund soll der Unterkörper bis zur Entfernung des Katheters unbekleidet bleiben. Da viele Patienten dies als besonders unangenehm empfinden, muß zu ihrem Schutz auf ein **konsequentes Abdecken des Genitalbereichs** geachtet werden.
- Wenn am 4. postoperativen Tag keine Blutungen mehr auftreten, kann der **Spülkatheter entfernt** werden. Vorher wird unter strenger Einhaltung der Asepsis die Blase mit Kochsalzlösung gespült. Direkt vor der Entfernung des Spülkatheters wird die Blase mit Flüssigkeit (maximal 300 ml) aufgefüllt, bis der Patient Harndrang verspürt. Danach wird der Patient aufgefordert, spontan Urin zu lassen und eine Restharnbildung durch Ultraschalluntersuchung ausgeschlossen *(Auffüllungs - Restharn)*.
  Die Pflegekraft muß taktvoll, einfühlsam und vorsichtig vorgehen, da Patienten häufig Angst vor Schmerzen haben. Die **Entfernung des Katheters** ist ein wichtiger Schritt in der postoperativen Phase und kann mit hohen Erwartungen, z.B. "beschwerdefreiem Wasserlassen - Können" verbunden sein. Wenn der Katheter entfernt ist, wird der Patient gebeten, nicht übermäßig zu trinken und ca. zweistündlich wasserzulassen. Zu seiner Sicherheit soll er gleichzeitig eine Urinflasche am Bett haben.
  Nach dem zweiten Wasserlassen erfolgt eine weitere Untersuchung auf Restharn durch Ultraschall. Bei größeren Restharnmengen, z.B. 150 - 200 ml, entscheidet der Arzt über die weitere Behandlung; unter Umständen wird für einige Tage wieder ein Katheter gelegt.
- In den Pflegeplan müssen je nach Risiko des Patienten die **Pflegemaßnahmen zur Vermeidung von Sekundärerkrankungen** aufgenommen werden *(siehe "Postoperative Pflegemaßnahmen", Seite 372)*.

11.13.1.4 Rehabilitation nach transurethraler Prostataresektion

Schon vor der Operation müssen unter Umständen mehrere **Informationsgespräche** über die möglichen Folgen einer Prostataresektion erfolgen, um Unsicherheiten und Ängste des Patienten zu reduzieren. Die Gepräche dürfen vor allem **Fragen des Sexuallebens** nicht ausklammern.
Vor seiner Entlassung muß der Patient wissen, daß eine endgültige Wundheilung mehrere Wochen dauert, und es in seltenen Fällen auch längere Zeit nach der Operation zu **Blutungen** kommen kann. In diesem Fall muß der Patient unverzüglich einen Arzt aufsuchen.
Für ca. 12 Wochen sollen große **körperliche Anstrengungen** wie Heben und Tragen vermieden werden. Ebenso sollte der Patient nicht Fahrrad fahren (Massagewirkung) und auf heiße Bäder verzichten.
Eine spezielle Nachsorge durch den Urologen wird bei einer Urininkontinenz erforderlich; diese entwickelt sich in seltenen Fällen, z.B. durch eine Schließmuskelverletzung.

Der Patient muß nach der Prostataresektion auf die Bedeutung regelmäßiger Krebsfrüherkennungsuntersuchungen aufmerksam gemacht werden, da sich auch in der Prostatakapsel oder im restlichen Prostatagewebe ein Karzinom entwickeln kann.

11.14 Schwangerschaft

Ursula Wulfheide

11.14.1 Entstehung und Entwicklung einer Schwangerschaft

Die **Befruchtung** (*Konzeption*) findet im Eileiter statt. Dort entsteht durch Verschmelzung der Kerne der Eizelle und der Samenzelle eine Zygote (*befruchtete Eizelle*).
Während ihrer Wanderung durch den Eileiter zur Gebärmutter (*Uterus*) teilt sie sich und wird nun Blastozyste genannt. Diese nistet sich in die Uterusschleimhaut ein (*Nidation / Implantation*).
Die **Embryonalperiode** umfaßt den Zeitraum von der 5. bis zur 14. Schwangerschaftswoche p.m. (= post men-

struationem; vgl. Seite 858) und ist gekennzeichnet durch die Entstehung der Organsysteme aus den **drei Keimblättern**:

- Das **äußere Keimblatt** (*Ektoderm*) liefert Strukturen, die den Kontakt zur Umwelt herstellen, wie die Haut und deren Anhangsgebilde, das Nervensystem und das Sinnesepithel von Ohr, Nase und Auge.
- Aus dem **mittleren Keimblatt** (*Mesoderm*) bildet sich im wesentlichen das **Stützgerüst**, also Substanzen wie Bindegewebe, Knorpel, Knochen und Muskulatur. Außerdem gehen aus ihm das Kreislaufsystem, Nieren und Keimdrüsen sowie die Milz hervor.
- Das **innere Keimblatt** (*Entoderm*) bildet die epitheliale Auskleidung für verschiedene Organsysteme, wie z.B. für den Respirations- und Magen-Darmtrakt. Zudem gehen aus dem Entoderm z.B. Leber, Bauchspeicheldrüse und Schilddrüse hervor.

Während der Organentwicklung (*Organogenese*) reagieren die sich teilenden Zellen besonders empfindlich auf das Einwirken von Medikamenten, Alkohol, Drogen und Infektionserregern. Es kann zum Absterben des Embryos oder zu Mißbildungen kommen.
In der Embryonalzeit entstehen auch die Embryonalhüllen: Amnion und Chorion. Das **Amnion** umschließt die mit Fruchtwasser gefüllte Höhle, in der der Embryo schwimmt; das **Chorion** bildet mit der Uterusschleimhaut die Plazenta (*Mutterkuchen*). Aufgabe der **Plazenta** ist es, den Embryo und später den Feten über die Nabelschnur mit Sauerstoff und Nährstoffen zu versorgen. Außerdem produziert sie **Hormone**, die die Schwangerschaft aufrechterhalten: Humanes Choriongonadotropin (HCG), Plazentalactogen (HPL), Humanes Chorionthyreotropin (HCT), Östrogene (Östron, Östradiol und Östriol) und das Gestagen Progesteron.

Im Ultraschallbild läßt sich ab ca. der 5. Woche p.m. eine Fruchthöhle und in der 6. - 8. Woche eine Herzaktion nachweisen.

Die **Fetalperiode** schließt sich der Embryonalzeit an und ist durch das Wachstum des gesamten Organismus und der Differenzierung der Organfunktionen charakterisiert. Im 3. - 5. Monat überwiegt das Längenwachstum, danach die Gewichtszunahme.
Der Fet entwickelt den Geruchs-, Geschmacks- und Gleichgewichtssinn. Er kann die Blase entleeren, Fruchtwasser schlucken und den gesamten Körper bewegen. Die Kindsbewegungen werden von der Mutter jedoch erst ungefähr ab der 20. Schwangerschaftswoche wahrgenommen.
Allmählich geht die feine Körperbehaarung (*Lanugohaare*) zurück und die Talgdrüsen bilden vermehrt Käseschmiere (*Vernix caseosa*), die gegen das Fruchtwasser und vor Wärmeverlust schützt sowie das Gleiten unter der Geburt fördert.
Außerhalb des Uterus gilt ein Fet ab der 24. Woche als bedingt lebensfähig. Großen Einfluß auf die Überlebenschancen des Kindes hat u.a. die Lungenreife. Diese ist ab Ende der 35. Woche abgeschlossen, d.h. erst dann sind die Lungenalveolen ausreichend mit einer oberflächenaktiven Substanz (*surfactant factor*) überzogen, die ein Zusammenfallen beim Ausatmen verhindern.

11.14.2 Schwangerschaftszeichen

Das Ausbleiben der Menstruation ist für viele Frauen der 1. Hinweis auf eine Schwangerschaft.
Der Gynäkologe unterscheidet

- **unsichere Schwangerschaftszeichen:**
  - Übelkeit, Erbrechen,
  - Vergrößerung des Bauches,
  - abnorme Gelüste,
  - vermehrtes Wasserlassen (*Pollakisurie*);
- **wahrscheinliche Schwangerschaftszeichen:**
  - Ausbleiben der Menstruation *(Amenorrhoe)*,
  - Vergrößerung der Brüste,
  - Vergrößerung des Uterus,
  - Blaufärbung (*Lividität*) und Auflockerung der Scheide;
- **sichere Zeichen:**
  - Nachweis kindlicher Herztöne (diese sind ab der 6. - 8. Woche mittels Ultraschall nachweisbar),
  - Nachweis von ersten Kindsbewegungen,
  - Fühlen von Kindsteilen, z.B. des Kopfes, des Steißes (*palpable Kindsteile*).

Heute wird eine Schwangerschaft mit einem **Schwangerschaftstest** eindeutig festgestellt, die Treffsicherheit beträgt 99%. Die Tests beruhen auf dem Nachweis von Beta - HCG (*Human Chorion Gonadotropines Hormon*) im Urin und/oder Blut. Beta - HCG ist ein schwangerschaftsspezifisches, von der Plazenta gebildetes Hormon.

11.14.2.1 Physiologische Veränderungen während der Schwangerschaft

Die von der Plazenta gebildeten Schwangerschaftshormone (HCG, HPL, Östrogene, Progesteron) und das Wachsen des Kindes führen im mütterlichen Organismus zu Veränderungen an Zellen, Organen und deren Funktionen.
Erste **Zeichen der hormonellen Umstellung** sind z.B. leichte Brustschmerzen, Müdigkeit, morgendliche Übelkeit und Erbrechen. Diese Symptome verschwinden oft nach der 12. Woche, wenn der Organismus der Frau sich auf die Schwangerschaftsveränderungen eingestellt hat.

- **Kreislauf, Herz und Gefäße**
  Das **Blutvolumen** erhöht sich um 1,5 bis 2 l, denn während der Schwangerschaft muß die Gebärmutter vermehrt mit Blut versorgt werden. Außerdem erhöht sich der Wassergehalt im Blut (*Hydrämie*). Es kommt zur Blutverdünnung. Dieses führt zu einer Verminderung der Hämoglobinkonzentration und des Hämatokrits (*physiologische Schwangerschaftsanämie*).
  Das **Atemvolumen** nimmt in der Schwangerschaft um 40% zu, d.h. es erhöht sich von 7 l auf 10 l pro Minute, damit mehr Sauerstoff zum Feten gelangen und mehr Kohlendioxid abgegeben werden kann.
  Sowohl die Schlagfrequenz wie auch das Schlagvolumen des Herzens nehmen zu.
  Die **Herzfrequenz** erhöht sich um 10 - 15 Herzschläge pro Minute.

Der **Blutdruck** ändert sich während der Schwangerschaft kaum *(siehe Schwangerschaftshypertonie)*.
Die erhöhte Belastung der Venen in der unteren Körperhälfte (durch die Zunahme des Blutvolumens und durch das Gewicht des Kindes) fördert das Auftreten von Hämorrhoiden und Varizen.

- **Brüste**
  Durch die Hormone Progesteron und Östrogen vergrößern sich die Brustdrüsen, die Zahl der Milchdrüsen nimmt zu.
  Durch Hautdehnung und erhöhte Kortisolbildung kann es zur Ausbildung der sogenannten Schwangerschaftsstreifen (*Striae*) kommen.
  Die Brustwarzen und Vorhöfe werden dunkler, die Brüste werden schwerer und die Brustwarzen treten zur Vorbereitung auf das Stillen deutlich hervor. Am Ende des 4. Monats (evtl. auch früher) tritt bei vielen ein gelbliches Sekret, die sogenannte Vormilch (*Kolostrum*) aus.
- **Genitalorgane (Uterus, Cervix, Vagina und Vulva)**
  Die Genitalorgane werden größer und besser durchblutet (Vorbereitung auf den Geburtsvorgang).
  Die Gebärmutter wiegt normalerweise ca. 50 g, am Ende der Schwangerschaft beträgt ihr Gewicht ca. 1000 - 1500 g.
- **Körperform**
  Die Veränderung der Bauchform kommt durch das Wachstum des Kindes und der Vergrößerung der Gebärmutter zustande. In der 24. Schwangerschaftswoche p.m. hat der Fundus (*oberer Rand der Gebärmutter*) den Bauchnabel erreicht; im weiteren Verlauf der Schwangerschaft dehnt sich die Gebärmutter nach oben aus; der Bauch entwickelt nun die für Schwangere typische Form. Der Bauchumfang beträgt gegen Ende der Schwangerschaft etwa 100 cm.
- **Körpergewicht**
  In den ersten 3 Monaten nimmt die Schwangere kaum an Gewicht zu; ab dem 4. Monat nimmt sie ca. 250 g (am Anfang) bis 500 g (am Ende) pro Woche zu. Am Ende der Schwangerschaft beträgt die Gewichtszunahme zwischen 10 und 15 kg, sie setzt sich ungefähr folgendermaßen zusammen:

- 3000 - 3800 g	Fetus,
- 500 g	Plazenta,
- 1000 g	Fruchtwasser,
- 1000 g	Gebärmutter,
- 500 g	Brüste,
- 1500 g	zusätzliches Blutvolumen,
- 1750 g	gespeichertes Fett,
- 2000 g	Gewebsflüssigkeit.

Am Ende der Schwangerschaft wird durch den Einfluß des Östrogens Flüssigkeit in das Bindegewebe retendiert, hauptsächlich in das Bindegewebe des Beckens und der Geschlechtsorgane, um diese „weicher" zu machen und das Gebären zu erleichtern.

- **Haut**
  Die meisten Frauen stellen während der Schwangerschaft Hautveränderungen fest.
  Aufgrund der vermehrten Östrogenproduktion verbessern sich Aussehen und Durchblutung der Haut.
  Die Schwangerschaftshormone Östrogen und Progesteron sorgen auch für eine vermehrte Melaninbildung, dadurch werden Sommersprossen, Leberflecken und Brustwarzen dunkler, in der Bauchmitte erscheint eine dunkle, senkrechte Linie *(Linea nigra)*.
  Die Pigmentierung geht nach der Entbindung zurück.
  Bei 70% der Schwangeren findet man Striae am Bauch, an den Brüsten und an den Oberschenkeln.
  Die Streifen entstehen durch das Dehnen der Haut.
  Disponiert sind Frauen mit einer Bindegewebsschwäche.
  Nach der Geburt verblassen die Streifen langsam.
- **Bewegungsapparat**
  Das Hormon Progesteron macht Muskeln und Bänder weicher, so daß deren Festigkeit nachläßt.
  Der Körperschwerpunkt verlagert sich, dadurch wird vor allem die Rückenmuskulatur stärker belastet. Viele Frauen haben während der Schwangerschaft Rückenprobleme / -schmerzen.
- **Verdauungstrakt**
  Während der Schwangerschaft ist der Speichelfluß vermehrt. Druckgefühl im Magen und Sodbrennen entstehen infolge einer Erschlaffung des Muskelringes am Mageneingang, auch drückt der wachsende Fet von unten gegen den Magen, so daß Magensäure in die Speiseröhre zurückfließt (*Sodbrennen*).
  Infolge der Einwirkung des Hormons Progesteron läßt die Peristaltik des Darms nach, so daß Schwangere zur Obstipation neigen.
- **Urogenitalsystem**
  Durch eine Relaxierung der Sphinktermuskulatur, der Harnblase und -leiter sowie durch den zunehmenden Druck des größer werdenden Uterus kommt es zum vermehrten Wasserlassen.
  Da die Blase und die Harnleiter in der Gravidität weiter gestellt sind, besteht die Gefahr eines Rückstaus mit Ausbildung einer Pyelonephritis.
- **Stoffwechsel**
  In der Schwangerschaft ist der Grundumsatz um 10 - 25% höher als normal, dadurch sind sämtliche Körperfunktionen beschleunigt (Atmung, Herz).
  Die Schilddrüse wird aktiver, so daß die Schwangere oft mehr schwitzt als normal.
- **Psyche**
  Neben den oben genannten physiologischen Anpassungen an die Schwangerschaft beschreiben viele Frauen auch eine emotionale Unausgeglichenheit; ohne erkennbaren Grund brechen sie manchmal in Tränen aus, sind ängstlich oder depressiv.
  Diese unterschiedlichen Stimmungslagen sind durchaus normal. Sie entstehen durch den Anstieg des Hormonspiegels, vor allem während der ersten 12 Wochen der Schwangerschaft, danach lassen sie oft nach.
- **Immunsystem**
  Schon früh in der Schwangerschaft wird das Immunsystem durch die Wirkung von Progesteron und HCG geschwächt. Dieses soll das Kind davor schützen, daß es durch die Abwehrkräfte der Schwangeren abgestoßen wird. Unter Umständen ist die Schwangere in der gesamten Schwangerschaft anfälliger für Infektionen.

Während einige Infektionen wie Grippe, Angina oder Erkältungskrankheiten für den Embryo harmlos sind, können andere Entwicklungsstörungen hervorrufen, wenn sie in den ersten drei Monaten der Schwangerschaft auftreten (z.B. Röteln, Toxoplasmose).
Hat die Schwangere den Verdacht, sich mit Röteln infiziert zu haben, sollte sie sofort den Arzt aufsuchen.

11.14.3 Verhalten während der Schwangerschaft

Während der Schwangerschaft ist eine verantwortungsbewußte Lebensweise nicht nur für das Wohlbefinden der Schwangeren, sondern auch für das Wohl des Kindes wichtig.

Anregungen für eine gesunde Lebensweise

- **Sport und gesundes Bewegungsverhalten**
  Bewegung und sportliche Betätigung verbessern die Blutzirkulation, so gelangt mehr Sauerstoff zum Kind. Weiterhin bauen sportliche Aktivitäten körperliche und emotionale Anspannungen ab und verbessern das Wohlbefinden, Obstipation und Müdigkeit werden gemildert.
  Körperliche Fitneß wirkt sich positiv auf die Schwangerschaft aus und erleichtert die Geburt.
  Die Frauen sollen ihren gewohnten Sport weiter ausüben. Ihr Körper und ihr gesunder Menschenverstand zeigen die individuellen Grenzen auf.
  Bestehen während der Schwangerschaft Komplikationen oder trat schon einmal eine Früh- oder Fehlgeburt auf, sollte sie mit ihrem Arzt über den Umfang der sportlichen Aktivitäten reden.
  Schwimmen ist während der Schwangerschaft besonders empfehlenswert.
- **Schwangerschaftsgymnastik**
  Ziel der Schwangerschaftsgymnastik ist die Vorbereitung der Geburtswege und der an der Geburt beteiligten Muskelpartien durch verschiedene Übungen. Zudem wirkt sie wie die erwähnten sportlichen Aktivitäten belebend, regt die Verdauung an und ist durchblutungsfördernd.
  Die Schwangerschaftsgymnastik ist oft Teil eines Geburtsvorbereitungskurses.
- **Körperpflege**
  In der Schwangerschaft arbeiten alle Schweißdrüsen intensiver. Deshalb sollte die Schwangere täglich duschen und den Körper anschließend mit einem Massagehandschuh oder einer Bürste massieren.
  Bei der Körperpflege sollten auch vorbeugende Maßnahmen gegen Schwangerschaftsstreifen durchgeführt werden (ganz verhindern kann man sie jedoch nicht immer):
  - Wechselduschen und trockene Bürstenmassagen (fördern die Hautdurchblutung);
  - Zupfmassagen, dabei wird die Haut mit den Fingerspitzen hochgezogen, leicht durchgeknetet und wieder fallen gelassen;
  - Eincremen der gefährdeten Körperpartien 1 mal täglich mit einer Hautcreme, einem Massageöl oder einem Spezialpräparat;
  - Vermeiden von überflüssigem Gewicht, denn auch dieses fördert die Entstehung der Striae.
- **Kleidung**
  Bei der Auswahl der Kleidung sollte die Schwangere darauf achten, daß diese aus Naturfasern (z.B. Baumwolle, Leinen oder Seide) besteht, dadurch wird die Schweißbildung verringert.
  Wichtig ist ein guter Büstenhalter, da sich die Brust während der Schwangerschaft vergrößert. Der BH soll das Gewebe stützen, so daß der Busen auch nach der Schwangerschaft und der Stillzeit seine Form behält.
- **Ernährung**
  Für die Ernährung während der Schwangerschaft gilt:
  - der **Energiebedarf** ist nur unwesentlich erhöht, erst ab dem 4. Monat steigt er; die Schwangere sollte täglich etwa 200 - 300 kcal. (800 - 1200 KJoule) mehr zu sich nehmen;
  - der tägliche **Eiweißbedarf** beträgt 75 - 100 g;
  - die tägliche **Fettzufuhr** sollte nicht über 80 g liegen;
  - **Kohlenhydrate** sollten mit vollwertigen Lebensmitteln wie Gemüse, Kartoffeln, Vollkornprodukten und Obst zugeführt werden;
  - um eine Übertragung von Krankheiten wie Toxoplasmose, Listeriose und Salmonellen über Lebensmittel zu vermeiden, sollte **auf** den **Verzehr bestimmter Speisen verzichtet** werden:
    - rohes Fleisch, z.B. Tartar, nicht durchgebratene Steaks (Toxoplasmosa gondii),
    - Weichkäse, nicht pasteurisierte Milch, fertiger Krautsalat (Listerien; eine Listerieninfektion kann zu einer Totgeburt führen),
    - rohe Eier (Salmonellen);
  - der leicht erhöhte **Vitaminbedarf** sollte mit einer abwechslungsreichen und vollwertigen Ernährung abgedeckt werden *(siehe Seite 107)*;
  - **Folsäure**, ein Vitamin der B - Gruppe, ist besonders in den ersten 12 Wochen wichtig; Quellen für Folsäure sind Rosenkohl, Orangen, Grapefruit und grüne Blattgemüse (Spinat, Salat);
  - der erhöhte Bedarf an **Calcium** (1,5g täglich) und Phosphor wird mit einem halben Liter Milch gedeckt;
  - **Kochsalz** (Natriumchlorid) sollte sparsam verwendet werden, weil es die Wassereinlagerung im Gewebe fördert, Kalium dagegen fördert die Wasserausscheidung;
  - einem **Eisenmangel** (und somit einer Anämie) kann in vielen Fällen vorgebeugt werden, indem täglich Fleisch, Vollkornprodukte, Hülsenfrüchte, Spinat, Lauch und/oder Grünkohl gegessen werden (Eisen wird vom Körper besser aufgenommen, wenn gleichzeitig Vitamin C zugeführt wird);
  - es wird eine tägliche Zufuhr von 150 - 200 µg **Jod** in Form von Tabletten und die Verwendung von jodiertem Speisesalz empfohlen;
  - eine ausreichende **Zinkaufnahme** ist für die Entwicklung des fetalen Gehirns und des Nervensystems unerläßlich; zinkreiche Nahrungsmittel sind Fisch und Weizenkeime;
  - da die Aufnahme von Zink durch Eisen (insbesondere durch Eisenpräparate) blockiert werden kann, sollten zinkreiche Nahrungsmittel getrennt von eisenhaltigen Produkten aufgenommen werden;

- es sollten täglich **5** oder **6 kleine Mahlzeiten** eingenommen werden;
- bei Appetitlosigkeit oder Übelkeit ist der Arzt zu konsultieren.

Der **Flüssigkeitsbedarf** ist aufgrund der Erhöhung von Blutvolumen und Blutplasma gestiegen, die tägliche Trinkmenge sollte 1,5 - 2 l nicht unterschreiten. Geeignete Getränke sind Mineralwasser und ungesüßte Säfte.

- **Reisen und Impfungen**

Das Reisen während der Schwangerschaft ist grundsätzlich ungefährlich, die Schwangere sollte jedoch folgende Punkte beachten:
- die günstigste Reisezeit ist das 2. Schwangerschaftsdrittel, weil sich der Körper inzwischen an die Schwangerschaft gewöhnt hat;
- der Mutterpaß ist mitzuführen;
- es sollten keine Medikamente gegen Reisekrankheiten eingenommen werden, ohne den Arzt zu fragen;
- vor Reisen ins Ausland sollte mit dem Arzt über die Notwendigkeit und Risiken von **Impfungen** gesprochen werden (Impfungen mit Lebendimpfstoffen sind kontraindiziert).

- **Alkohol, Nikotin, Drogen und Medikamente**

Alkohol

Alkohol gelangt ebenso wie Nikotin durch die Plazenta in den Blutkreislauf und damit auch in das unreife, auf Alkohol empfindlich reagierende Gehirn des Kindes. Kinder von Müttern, die während der Schwangerschaft regelmäßig größere Mengen Alkohol trinken, kommen häufig mit körperlichen und geistigen Behinderungen zur Welt (*fötales Alkoholsyndrom*).

Da nicht bekannt ist, welche Mengen Alkohol für den Embryo unschädlich sind, sollte während der Schwangerschaft ganz auf Alkohol verzichtet werden.

Nikotin

Rauchen ist vor, während und nach der Geburt schädlich für das Kind, deshalb sollte es während der Schwangerschaft ganz eingestellt werden. Nikotin und Kohlenmonoxid führen zu einer Verengung der Gefäße in der Plazenta. Die Versorgung des Kindes mit lebenswichtigen Nährstoffen und Sauerstoff wird damit erheblich verschlechtert. Es ist unerheblich, ob die Mutter selbst raucht oder ob im Haushalt geraucht wird, das Kind raucht mit.

Mögliche Folgen des Rauchens:
- niedriges Geburtsgewicht; die Kinder von Raucherinnen wiegen im Durchschnitt 200g weniger und sind 2 cm kleiner als Kinder von Nichtraucherinnen;
- Fehl-, Früh- und Totgeburten;
- plötzlicher Kindstod (*SIDS = Sudden Infant Death Syndrom*).

  Neuere Untersuchungen zeigen, daß Rauchen zu einer Wachstumsretardierung und zu Nierendefekten beim Kind führen kann; beides sind Faktoren, die das Risiko eines SIDS erhöhen.

Medikamente

Einige Medikamente können zu Entwicklungsstörungen oder zu Fehlbildungen des Embryos führen, besonders wenn sie während der ersten Monate der Schwangerschaft eingenommen werden (z.B. Conterganschäden in den sechziger Jahren).

Deshalb sollten keine Medikamente eingenommen werden, die nicht ausdrücklich vom Arzt verschrieben wurden. Vorsicht ist auch bei rezeptfreien Medikamenten geboten.

Drogen

Der Konsum von Drogen (Heroin, Kokain, Amphetamine) erhöht das Risiko einer Fehl- oder Totgeburt und kann zur Suchtmittelabhängigkeit des Kindes führen. In einem Gespräch mit dem Arzt kann ggf. entschieden werden, ob eine Ersatzdrogentherapie (z.B. mit Methadon) oder ein Entzug sinnvoll ist.

- **Sexualverhalten**

Wenn es keine medizinischen Gründe gibt, brauchen die sexuellen Gewohnheiten während der gesamten Schwangerschaft nicht geändert werden.

Bei vielen Frauen ist das sexuelle Verlangen in den ersten 3 Monaten verringert, dies ist u.a. auf die hormonellen Veränderungen zurückzuführen.

Bei einigen Problemen kann es ratsam sein, auf Geschlechtsverkehr zu verzichten (Rücksprache mit dem Arzt), z.B. bei:
- Zervixinsuffizienz,
- Blutungen,
- Abgang von Fruchtwasser,
- Schmerzen im Unterleib,
- Fehlgeburten in vorangegangenen Schwangerschaften,
- Scheideninfektionen.

11.14.4 Betreuung der Schwangeren

❐ Routineuntersuchungen

Eine regelmäßige Betreuung durch den Gynäkologen oder die Hebamme während der Schwangerschaft ist für die Gesundheit der Schwangeren und die Entwicklung des Kindes wichtig. Störungen und evtl. auftretende Probleme können rechtzeitig erkannt und in vielen Fällen behandelt werden.

Der Arzt sollte so bald wie möglich nach dem Ausbleiben der Menstruation aufgesucht werden:
- die Schwangere hat Anspruch auf 12 kostenlose **Vorsorgeuntersuchungen** (die Kosten übernimmt die Krankenkasse / das Sozialamt);
- besteht eine **Risikoschwangerschaft**, z.B. bei Frauen mit Diabetes mellitus, Epilepsie oder Hypertonie, wird die Schwangere engmaschiger untersucht;
- am Anfang sollten alle 4 Wochen Vorsorgetermine wahrgenommen werden, ab der 32. Woche alle 2 Wochen, kurz vor der Geburt evtl. wöchentlich.

Bei der **ersten Vorsorgeuntersuchung** wird der Arzt durch verschiedene Untersuchungen die Schwangerschaft bestätigen:
- gynäkologische Untersuchung; dabei werden die **Beweglichkeit**, die **Vergrößerung** und die **Auflockerung der Portio** und **des Uterus** zur Diagnosestellung herangezogen;
- vaginale Ultraschalluntersuchung;
- evtl. Schwangerschaftstest, dabei wird im frischgelassenen Mittelstrahlurin das schwangerschaftsspezifische Hormon Beta - HCG nachgewiesen.

Wird die Schwangerschaft durch diese Untersuchungen bestätigt, folgen **serologische Untersuchungen** (*Bluttests*):
- die Bestimmung des Rötelntiters (HAH Test);
- der Toxoplasmosetest zum Ausschluß einer Toxoplasmose;
- Antikörpersuchtests;
- der HIV Test (nach Zustimmung der Schwangeren).

Außerdem werden:
- Urintests (Untersuchung auf Eiweiß, Glukose und Bakterien) durchgeführt;
- der Blutdruck gemessen;
- Körpergröße und -gewicht festgestellt;
- Haut, Herz, Lunge und Brust untersucht;
- eine ausführliche Anamnese erhoben.

Im weiteren Verlauf der Schwangerschaft werden bei jedem Vorsorgetermin folgende **Routineuntersuchungen** durchgeführt:
- Bestimmung des Hämoglobinwertes, um eine evtl. auftretende Eisenmangelanämie zu erkennen;
- Blutdruckkontrollen;
- Urintests zur Glukose und Eiweißbestimmung, sie geben auch Auskunft über die Nierenfunktion;
- vaginale Untersuchungen, um festzustellen, ob die Gebärmuttergröße dem Schwangerschaftsalter entspricht und ob der Muttermund fest verschlossen ist;
- Abhören der kindlichen Herztöne mittels CTG;
- Abtasten des Bauches, um Lage und Größe des Kindes zu ermitteln;
- Untersuchung der Beine auf Varizen und Schwellungen;
- Gewichtskontrolle;
- Bestimmung des HBs - Ag in den letzten Schwangerschaftswochen; falls der Test positiv ausfällt, wird das Kind nach der Geburt geimpft.

Das Vorsorgeprogramm umfaßt zusätzlich drei **Ultraschalluntersuchungen**, und zwar zwischen der 9. - 12. Woche, der 18. - 22. Woche und der 28. - 32. Woche. Mit Hilfe der Ultraschalluntersuchungen kann der Arzt erkennen, ob die Größe des Feten dem Schwangerschaftsalter entspricht; außerdem sind bestimmte Fehlbildungen zu erkennen.
Kurz vor der Entbindung zeigt der Ultraschall, ob das Kind die Geburtsposition eingenommen hat oder in einer Quer- bzw. Steißlage liegt.

❒ Spezielle Untersuchungen

Zum Ausschluß chromosomaler Fehlentwicklungen, angeborener Stoffwechseldefekte, geschlechtschromosomal vererbter Leiden oder eines Neuralrohrdefektes gibt es folgende spezielle Untersuchungen:
- **serologische Bestimmung des Alpha - Feto - Proteins** (AFP wird in der Leber des Feten produziert und gelangt über den Urin in das Fruchtwasser und über die Plazenta in das mütterliche Blut), um Hinweise auf das mögliche Vorliegen z.B. einer Spina bifida (bei Erhöhung) oder eines Down - Syndroms (bei Erniedrigung) zu erhalten. Im ersten Fall erfolgt zur weiteren Diagnostik eine differenzierte Ultraschalluntersuchung (*sogenannte Mißbildungsdiagnostik*), im zweiten Fall kann der Verdacht durch eine Amniozentese (*siehe nachfolgend*) gesichert werden.
- **Triple - Test**; es handelt sich um eine serologische Hormonbestimmung (Alpha-Feto-Protein, HCG und Östriol), die ebenfalls dem Ausschluß chromosomaler Fehlbildungen / einer Spina bifida dient.
- **Chorionzottenbiopsie**; aus der Zottenhaut der Eihülle (*Chorion)* wird eine Biopsie (*Gewebeprobe*) entnommen. Der Eingriff erfolgt ambulant und ohne Narkose. Es werden ein dünner Saugkatheter durch den Gebärmutterhals (*transzervikal*) oder eine Hohlnadel durch die Bauchdecke (*transabdominal*) geführt und eine Gewebeprobe entnommen. Die Schwangere sollte sich nach dem Eingriff schonen und ca. 2 Stunden Bettruhe einhalten. Nach einer Woche ist eine Kontrollsonographie angezeigt.
  Diese Untersuchung kann wesentlich früher durchgeführt werden als eine Amniozentese (8 - 12. Schwangerschaftswoche), so daß auch die Ergebnisse früher vorliegen; der Nachteil liegt in dem höheren Risiko einer Fehlgeburt (Abortrate ca. 2 %).
- **Amniozentese;** die Untersuchung wird zwischen der 16. und der 20. Schwangerschaftswoche durchgeführt. Sie erfolgt so spät, weil vorher nicht genügend Fruchtwasser vorhanden ist. Unter örtlicher Betäubung wird mit einer Hohlnadel durch die Bauchdecke der Mutter aus der Fruchtblase ca. 20 ml Fruchtwasser entnommen. Die im Fruchtwasser enthaltenen Zellen werden in speziellen genetischen Labors vermehrt (evtl. werden Kulturen angelegt), um dann Erbgutanalysen durchzuführen. Zusätzlich wird der Wert des im Fruchtwasser enthaltenen Alpha - Feto - Proteins bestimmt.
  Nachteil der Amniozentese ist das späte Vorliegen des Ergebnisses (2 - 4 Wochen nach der Untersuchung), so daß die Schwangerschaft bei einer eventuellen Unterbrechung schon weit fortgeschritten ist.
  Die Abortrate bei einer Amniozentese beträgt ungefähr 1%.

Sowohl bei der Chorionzottenbiopsie als auch bei der Amniozentese können biochemische Untersuchungen durchgeführt werden.

❒ Mutterpaß

Bei der ersten Vorsorgeuntersuchung erhält die Schwangere den Mutterpaß. In diesem werden die Ergebnisse der Vorsorgeuntersuchungen eingetragen. Er ist ein wichtiges Dokument, deshalb sollte die Schwangere ihn **immer bei sich tragen**. So ist im Notfall, z.B. bei einer drohenden Frühgeburt im Urlaub, auch ein fremder Arzt sofort informiert.
Im Mutterpaß werden später der Verlauf der Geburt und des Wochenbetts sowie Angaben zum Neugeborenen dokumentiert (Apgar Test, 1. Untersuchung des Neugeborenen, evtl. Behandlungen des Neugeborenen).

❒ Bestimmung des Geburtstermins

Es gibt zwei unterschiedliche Berechnungen der Dauer einer Schwangerschaft:

1. **Bezugspunkt ist der Tag der Konzeption,**
   - die Schwangerschaft dauert dann 267 Tage,
   - Schreibweise: z.B. 28. SSW p.c.
     (= 28. Schwangerschaftswoche post conceptionem);

2. **Bezugspunkt ist der erste Tag der letzten Menstruation,**
   - die Schwangerschaftsdauer beträgt dann 280 Tage = 1o Mond- oder Lunarmonate (entspricht 9 Kalendermonaten),
   - Schreibweise: z.B. 28. SSW p.m. (= 28. Schwangerschaftswoche post menstruationem = 26. SSW p.c.);
   - die Bestimmung des Geburtstermines kann dann anhand der Naegele - Regel erfolgen: 1. Tag der letzten Menstruation minus 3 Monate plus 7 Tage plus 1 Jahr = errechneter Termin (= ET).

Da der Zeitpunkt der Befruchtung schwer bestimmbar ist, wird meist (so auch in diesem Buch) die zweite Berechnungsmethode angewandt.

Auch die Ultraschalluntersuchungen geben aufgrund der Größe des Kindes Hinweise zum Geburtstermin. Insgesamt ist jedoch zu beachten, daß die meisten Geburten plus / minus 10 Tage um den errechneten Termin erfolgen. Nur ca. 5% der Kinder werden am ET geboren.

11.14.5 Schwangerschaftsbeschwerden

Viele Frauen freuen sich auf die Zeit der Schwangerschaft, auch wenn sie einige Veränderungen mit sich bringt. Die hormonelle Umstellung und das Wachsen des Kindes verändern den gesamten Organismus der Frau und können im Verlauf der Schwangerschaft zu verschiedenen (physiologischen) Beschwerden führen; in einigen Fällen kommt es außerdem zu pathologischen Veränderungen.

❒ Physiologische Veränderungen

- **Übelkeit und Erbrechen**
  Ungefähr die Hälfte aller Schwangeren leiden zu Beginn der Schwangerschaft unter Übelkeit und Erbrechen. Die Ursache liegt vermutlich in der hormonellen Umstellung.
  Verstärktes Erbrechen über die 12. Schwangerschaftswoche hinaus kann auf einen pathologischen Schwangerschaftsverlauf hinweisen (*Hyperemesis gravidarum,* *siehe Seite 862*).
  Maßnahmen zur Linderung von Übelkeit und Erbrechen:
  - vor dem Aufstehen Zwieback und Tee zu sich nehmen,
  - im Bett frühstücken,
  - viele kleine Mahlzeiten über den Tag verteilt essen,
  - Kaffee und fette Speisen meiden,
  - Zigarettenrauch und andere starke Gerüche meiden (sie lösen oft Übelkeit aus).

  In seltenen Fällen ist es notwendig, daß der Arzt Medikamente verschreibt.
- **Obstipation**
  Schwangere neigen aufgrund einer Verminderung der Darmperistaltik zur Obstipation.
  Geeignete Maßnahmen zur **Obstipationsprophylaxe** werden auf *Seite 214* besprochen.
  Auf die Einnahme von Abführmitteln muß verzichtet werden, weil die enthaltenen Substanzen auf die Muskulatur, auch auf die Gebärmuttermuskulatur wirken und Fehlgeburten auslösen können. Bei einer schweren Obstipation muß Rücksprache mit Arzt gehalten werden.
- **Varizen**
  In der Schwangerschaft findet man Varizen an Beinen, in der Scheide und im Rektum (*Hämorrhoiden,* *siehe Seite 267*). Die Entstehung der Varizen wird durch die Hypervolämie, die Gewichtszunahme und die Schwangerschaftshormone gefördert (Progesteron hat gefäßerweiternde Wirkung).
  Obstipation begünstigt die Bildung von Hämorrhoiden; diese verursachen Schmerzen, Juckreiz, und evtl. Blutungen, besonders beim Stuhlgang; prophylaktische und therapeutische Maßnahmen werden auf *Seite 268* besprochen.
  Geeignete Verhaltensweisen bei Varizen werden auf *Seite 321* besprochen.
- **Wadenkrämpfe**
  Viele Schwangere leiden besonders nachts unter Wadenkrämpfen. Die Krämpfe können aber auch im Oberschenkel und/oder am Fuß auftreten. Sie äußern sich als jähes Ziehen an der betroffenen Stelle, gefolgt von einem dumpfen Schmerz.
  Ursachen für die Krämpfe können ein Mangel an Elektrolyten (z.B. Magnesium) oder Vitamin B sein.
  Der Arzt verschreibt ein Magnesium- oder ein Vitamin B - Präparat.
  Dehnungsübungen für die Waden in der Badewanne können ebenfalls Krämpfe vermeiden.
- **Rückenschmerzen**
  Der hohe Progesteronspiegel verursacht eine Erschlaffung und Dehnung der Bänder an Beckenknochen und Wirbelsäule. Dadurch werden auch die Gelenke, z.B. das Hüftgelenk, belastet.
  Das Kind drückt gegen das Kreuzbein - Darmbeingelenk und durch das Wachstum des Kindes verändert sich die Körperhaltung der Schwangeren. Diese Veränderungen sind häufige Ursachen der Rückenschmerzen.
  Vorbeugende Maßnahmen:
  - rückenschonende Arbeitsweise *(siehe Seite 532)*,
  - warme Entspannungsbäder,
  - Einreibungen, z.B. mit Arnikasalbe,
  - Schlafen mit angezogenen Beinen auf der Seite liegend,
  - gezielte gymnastische Übungen, um die Wirbelsäule sowie die Bauch- und Rückenmuskulatur zu stärken,
  - regelmäßiges Schwimmen,
  - regelmäßige Massage.
- **Ausfluß** *(Fluor)*
  Die Geschlechtsorgane werden während der Schwangerschaft besser durchblutet. Dieses fördert eine verstärkte Sekretion und erhöht die Anfälligkeit für Vaginalinfektionen. Relativ häufig treten vaginale Pilzinfektionen auf, die mit starkem Juckreiz, dickem weißlichem sowie flockigem Scheidenausfluß und evtl. Schmerzen beim Wasserlassen einhergehen.
  Zur **Vorbeugung** vaginaler Infektionen sollte die Schwangere folgendes beachten:
  - luftdurchlässige, nicht zu eng anliegende Kleidung tragen,

- des öfteren die Unterwäsche wechseln,
- Kleidung aus Naturfasern tragen,
- den Intimbereich öfter mit klarem Wasser oder einer hautschonenden Waschlotion waschen.

Eine vaginale Infektion muß vom Arzt behandelt werden. Er verordnet, nachdem er einen Scheidenabstrich gemacht hat, ein erregerspezifisches Therapeutikum. Bei Nichtbehandlung einer Soorinfektion der Vagina kann sich das Kind unter der Geburt anstecken und eine Pilzinfektion, z.B. im Mundbereich, entwickeln.

- **Sodbrennen** (*Pyrosis*)

Sodbrennen wird durch den Reflux von Magensekret verursacht; hierzu kommt es zum einen durch den Druck des wachsenden Kindes auf den Magen, zum anderen durch die Erschlaffung der Kardia infolge der Progesteronwirkung. Die Schwangere empfindet ein brennendes Gefühl unmittelbar hinter dem Brustbein.

Sodbrennen tritt vor allem im Liegen sowie beim Husten und beim Heben schwerer Gegenstände auf. Möglichkeiten, dem Sodbrennen entgegenzuwirken, werden auf *Seite 136* besprochen.

- **Ödeme**

Infolge der hormonellen Veränderungen kommt es zu Wassereinlagerungen in das Gewebe, vor allem an den Unterschenkeln und Händen. Sie haben keinen Krankheitswert, wenn sie nach langem Stehen und bei warmen Wetter auftreten.

Ödeme können auch pathologische Ursachen haben, vor allem, wenn sie mit einem erhöhten Blutdruck und einer vermehrten Eiweißausscheidung im Urin einhergehen *(siehe mögliche Probleme in der Schwangerschaft)*.

- **Häufiges Wasserlassen** (*Pollakisurie*)

Häufiges Wasserlassen wird u.a. verursacht durch eine Relaxierung der Sphinktermuskulatur, der Harnblase und der Harnleiter, durch den Druck des wachsenden Uterus und durch den Anstieg des Progesterons, welches zu einer vermehrten Blutzufuhr im Beckenbereich führt. Dadurch wird die Harnblase gereizt, schon geringe Harnmengen auszuscheiden. Viele Schwangere verspüren daher ständig einen Harndrang.

Maßnahmen:

- trotz häufigen Wasserlassens reichliche Flüssigkeitsaufnahme, um aufsteigenden Infektionen vorzubeugen, jedoch nicht zuviel Tee oder Kaffee, denn beide verstärken die Produktion von Urin und damit den Harndrang,
- Bevorzugung von Kräutertees,
- Entleerung der Harnblase bei Harndrang, um eine Restharnbildung zu vermeiden,
- Konsultieren eines Arztes bei Schmerzen.

- **Zahnfleischentzündungen** (*Gingivitis gravidarum*)

In der Schwangerschaft sind Zahnfleisch und Zähne empfindlicher, das Zahnfleisch blutet leicht und/oder ist geschwollen, vorhandene Zahnfleischentzündungen können sich verschlimmern.

Prophylaktische Maßnahmen:

- gründliche Zahnpflege, Zähne nach jeder Mahlzeit putzen,
- Verwendung von speziellen Zahnbürsten und Zahnpasta für empfindliche Zähne,
- Einsetzen einer Munddusche,
- zahnärztliche Information über zusätzliche Möglichkeiten der Mundhygiene einholen,
- bei Zahnfleischentzündungen Spülungen, z.B. mit Kamillentee,
- bei Zahnschmerzen Zahnarztbesuch (die Lokalanästhesie ist für das Kind ungefährlich).

- **Atembeschwerden**

Die größer werdende Gebärmutter schiebt das Zwerchfell nach oben und behindert die Ausdehnung der Lungen bei der Einatmung. So kann es gegen Ende der Schwangerschaft vor allem bei Anstrengung zu Atembeschwerden kommen.

Maßnahmen zur Linderung von Atembeschwerden:

- körperliche Belastung gering halten,
- aufrecht sitzen,
- Atem- und Entspannungsübungen,
- bei nächtlichen Atembeschwerden den Oberkörper hochlagern.

- **Schlafstörungen**

Faktoren, die den Schlaf stören, sind z.B. übermäßiges Schwitzen, eine Pollakisurie und Bewegungen des Kindes; schwangerschaftsbedingte Schlafstörungen werden im allgemeinen toleriert. Maßnahmen bei Schlafstörungen werden auf *Seite 692* besprochen.

- **Kopfschmerzen**

Es muß zwischen Kopfschmerzen, die schon vor der Schwangerschaft vorhanden waren, und Kopfschmerzen, die erst seit Bestehen der Schwangerschaft auftreten, unterschieden werden.

Letztere können ein Symptom für eine Präeklampsie *(siehe nachfolgend)* sein.

Maßnahmen bei Kopfschmerzen in der Schwangerschaft:

- keine Medikamente ohne Arztanordnung einnehmen,
- Kreislauftraining,
- autogenes Training,
- Akupunktur.

Migräne kann in der Schwangerschaft aufgrund der Veränderung der Hormone und des Blutdrucks verschwinden.

- **Juckreiz**

In der Schwangerschaft kann ein Juckreiz (*Pruritis*) durch eine hormonell bedingte Gallenstauung (*Cholestase, idiopathischer Schwangerschaftsikterus*) verursacht werden.

Tritt der Juckreiz vermehrt in den letzten 3 Schwangerschaftsmonaten auf, muß der Arzt aufgesucht werden.

Maßnahmen zur Linderung des Juckreizes werden auf *Seite 941* besprochen.

- **Anämie**

Eine schwangerschaftsinduzierte Anämie ist auf den gesteigerten Eisenbedarf zurückzuführen. Die Schwangere sollte eisenhaltige Kost zuführen und ärztlich verordnete Eisenpräparate einnehmen.

11.14.6 Rechte und Ansprüche einer Schwangeren

Schwangere haben je nach Lebensumständen, Versicherungssituation und sozialer Gesetzgebung in dem jeweiligen Bundesland bestimmte Rechte und Ansprüche auf Zuschüsse.
Informationen geben die folgenden Stellen:
- Sozialämter,
- Versorgungsämter,
- Krankenkassen,
- Beratungsstellen wie Pro familia.

- **Mutterschutzgesetz**
  Dieses Gesetz gilt für alle berufstätigen Frauen und regelt folgende Punkte:
  - **Kündigungsschutz**; er besteht während der Schwangerschaft und in den ersten 4 Monaten nach der Geburt.
  - **Gesundheitsschutz**; Schwangere dürfen keine schweren körperlichen Arbeiten verrichten, auch keine Tätigkeiten, bei denen sie gesundheitsgefährdeten Stoffen wie Staub, Gase, Dämpfe oder Strahlen ausgesetzt sind.
  - **Nacht-** und **Feiertagsarbeit** sowie Überstunden; sie sind nicht erlaubt.
  - **Schutzfristen**; 6 Wochen vor der Entbindung und 8 Wochen nach der Entbindung darf die Schwangere nicht beschäftigt werden (12 Wochen bei Mehrlingsschwangerschaften, Frühgeburten).
  - **Stillzeiten**; stillende Mütter erhalten entweder 2 mal eine halbe Stunde oder täglich eine Stunde zum Stillen.
  - **Vorsorgeuntersuchungen**; der Arbeitgeber ist verpflichtet, der Schwangeren ohne Lohnausfall Arztbesuche zu ermöglichen.
- **Erziehungsurlaub**
  Mütter oder Väter haben Anspruch auf Erziehungsgeld und Erziehungsurlaub.
  Der Erziehungsurlaub muß bis zur Vollendung des 3. Lebensjahres des Kindes gewährt werden.
  Der Erziehungsberechtigte muß dem Arbeitgeber eine verbindliche Erklärung vorlegen, wie lange der Erziehungsurlaub dauern soll. Für die Dauer des Erziehungsurlaubes gilt der Kündigungsschutz. Die Mutter / der Vater kann jedoch einer geringfügigen Erwerbstätigkeit (bis zu 19 Wochenstunden nachgehen).
- **Erziehungsgeld**
  Erziehungsgeld wird von der Geburt des Kindes bis zum 6. Lebensmonat einkommensabhängig gewährt und beträgt maximal 600 DM. Ab dem 7. Lebensmonat ist das Erziehungsgeld abhängig vom Einkommen. Es wird beim jeweiligen Versorgungsamt beantragt.
- **Kindergeld**
  Kindergeld wird zur Zeit einkommensunabhängig bezahlt und beträgt für das 1. Kind 220 DM, für das 2. Kind 220 DM, für das 3. Kind 300 DM, ab dem 4. Kind 350 DM / pro Monat.

11.14.7 Mögliche Probleme in der Schwangerschaft

11.14.7.1 Extrauteringravidität

Nistet sich das befruchtete Ei anstatt in der Gebärmutterhöhle im Eierstock, im Eileiter oder in der Bauchhöhle ein, besteht eine Extrauteringravidität. In 95% der Fälle nistet sich das befruchtete Ei im Eileiter ein (*Tubargravidität*) und endet mit einem Tubenabort, seltener mit einer Tubarruptur.

❒ Symptome der Tubargravidität
- vaginale Blutungen (sie entstehen, weil die Frucht abgestorben ist und deshalb die Hormonproduktion absinkt),
- Schmerzen auf einer Tubenseite,
- in seltenen Fällen platzt der Eileiter (*Tubenruptur*),
- bei stärkerer innerer Blutung Schocksymptome.

❒ Diagnostik
Bei positivem Schwangerschaftstest wird die Diagnose aufgrund der Anamnese (letzte Periode, Symptome) gestellt. Weitere diagnostische Hilfsmittel sind die HCG - Bestimmung, die Ultraschalldiagnostik und die Laparoskopie.

❒ Therapie
Die extrauterine Gravidität wird möglichst laparoskopisch, ggf. auch per Laparatomie entfernt. Es wird versucht, die Tube zu erhalten; in einigen Fällen ist jedoch eine Entfernung der Tube erforderlich (*Tubektomie*).

❒ Pflege
- Vitalzeichenkontrollen,
- Hb - Kontrollen,
- Beobachtung auf Schocksymptome,
- Vorbereitung zur Laparoskopie *(siehe Seite 837)* bzw. Laparotomie.

11.14.7.2 Plazentainsuffizienz

Aufgaben der Plazenta sind die Versorgung des Feten mit Sauerstoff und Nährstoffen sowie die Entsorgung von Kohlendioxid und andern Abfallprodukten. Bei einer Plazentainsuffizienz kann sie diesen Aufgaben nicht nachkommen.
Eine Plazentainsuffizienz tritt bei Frauen mit Diabetes mellitus, Nierenerkrankungen und bei Raucherinnen gehäuft auf.

❒ Diagnostik
- Ultraschalluntersuchungen; das Ausmessen des Kindes (*Fetometrie*) kann eine Wachstumsretardierung aufzeigen;
- Dopplersonographie; hierbei wird der Blutfluß in mütterlichen und fetalen Gefäßen gemessen. Sie gibt Aufschluß über die Versorgung des Feten;
- Oxytocinbelastungstest; der Schwangeren wird Oxytocin verabreicht, wodurch Wehen hervorgerufen werden. Liegt eine Plazentainsuffizienz vor, zeigt das CTG eine Herztonverlangsamung.

❐ Pflege und Therapie

- Bettruhe,
- Überwachung des Kindes mittels CTG, Dopplersonographie und Sonographie,
- Nikotinabstinenz,
- Therapie der Grunderkrankung.

11.14.7.3 Plazenta praevia

Die Plazenta liegt **nicht** an ihrer ursprünglichen Stelle (hoch im Fundus an der Vorderseite oder Hinterwand des Uterus), sondern vor dem Muttermund. Man unterscheidet drei Formen der Plazenta praevia:

- Plazenta praevia marginalis (der untere Plazentarand erreicht den inneren Muttermund oder überragt ihn mit einem kleinen Segment);
- Plazenta praevia partialis (der innere Muttermund ist teilweise von der Plazenta bedeckt);
- Plazenta praevia totalis (die Plazenta verschließt den Muttermund vollständig).

❐ Symptome und Diagnosestellung

Die Diagnose wird anhand der klinischen Zeichen und dem Ultraschallbefund gestellt:

- vaginale Blutungen (oft in der zweiten Schwangerschaftshälfte),
- evtl. Zeichen eines hämorrhagischen Schocks,
- typische Veränderungen im Ultraschall (eine Plazenta praevia wird meist während der Vorsorgeuntersuchung erkannt).

❐ Pflege und Therapie

Die Therapie ist vom Zustand von Mutter und Kind abhängig:

- bei starker Blutung ist die Entbindung angezeigt;
- bei leichter Blutung müssen Mutter und Kind intensiv überwacht werden (Vitalzeichen- und Blutbildkontrollen, Sonographie, CTG und Dopplersonographie);
- ggf. Wehenhemmung (*Tokolyse*) und Überwachung der Therapie;
- bei unreifen Kindern werden Glukokortikoide verabreicht, um die Lungenreifung zu unterstützen;
- strikte Bettruhe (bevorzugt Linksseitenlagerung).

11.14.7.4 Vorzeitige Plazentalösung

Die Plazenta löst sich schon vor der Geburt des Kindes von ihrer Haftstelle im Uterus. Dadurch kommt es zu Blutungen in diesem Bereich. Das Blut kann aus dem Muttermund abfließen (*vaginale Blutung*) oder verbleibt im Uterus und bildet ein Hämatom (*retroplazentares Hämatom*).
Die vorzeitige Plazentalösung ist sowohl für die Mutter (Blutung) als auch für das Kind gefährlich. Sie kommt gehäuft bei Schwangeren mit Gestose vor, die Ursache ist ungeklärt.

❐ Symptome und Diagnostik

- Vaginale Blutung in der Spätschwangerschaft (häufigstes Symptom), die Blutungsstärke variiert von leicht bis sehr stark;
- starke Schmerzen mit gespanntem Abdomen;
- Atemnot;
- evtl. Schock;
- Blutgerinnungsstörungen (Verbrauch von Gerinnungsfaktoren durch das Hämatom);
- fehlende Kindsbewegungen (*intrauteriner Fruchttod*);
- CTG; ein pathologisches CTG gibt Hinweis auf einen Sauerstoffmangel.

❐ Therapie und Pflege

- Bei starker Blutung ist eine sofortige **Entbindung** notwendig.
- Bei teilweiser Ablösung kann unter Umständen abgewartet werden; währenddessen müssen Mutter und Kind intensiv überwacht werden:
  - Kontrolle von Blutdruck und Puls,
  - Überprüfen des Gerinnungsstatus,
  - Blutgruppenbestimmung,
  - Legen eines venösen Zuganges,
  - strikte Bettruhe,
  - Herztonüberwachung beim Kind,
  - Kontrolle des Blutbildes und der Elektrolyte.

11.14.7.5 Abort (*Fehlgeburt*)

Von einer Fehlgeburt spricht man, wenn eine Schwangerschaft durch Ausstoßung einer toten Frucht innerhalb der ersten 28 Wochen bzw. mit einem Geburtsgewicht unter 1000 g vorzeitig beendet wird. Hierbei unterscheidet man den Frühabort (bis zur 16. Schwangerschaftswoche) und den Spätabort (nach der 16. Schwangerschaftswoche).

❐ Ursachen

Die häufigsten Ursachen für einen Frühabort sind schwere chromosomale Defekte des Feten.
Zu den Ursachen, die von der Mutter ausgehen, gehören:

- lokale Ursachen an der Gebärmutter, z.B. Uterusanomalien, Hypoplasie, Myome,
- hormonelle Störungen,
- Infektionen,
- Blutgruppenunverträglichkeit,
- Cervixinsuffizienz (*vorzeitige Öffnung des Muttermundes*).

❐ Verlaufsformen

Es sind verschiedene klinische Verlaufsformen der Fehlgeburt zu beobachten:

A) **Drohende Fehlgeburt (*Abortus imminens*)**
Symptome sind **leichte vaginale Blutungen**, evtl. treten Wehen auf. Die Diagnostik erfolgt mittels Ultraschall und Bestimmung des HCG - Wertes im Blut. Bei einer drohenden Fehlgeburt lebt der Embryo; Ziel der Behandlung ist die Erhaltung der Schwangerschaft.
Maßnahmen bei drohender Fehlgeburt:
- Klinikaufenthalt,
- strikte Bettruhe unter Durchführung aller notwendigen Prophylaxen,
- Unterstützung bei der Körperpflege,
- Kontrolle auf vaginale Blutungen,
- Vitalzeichenkontrolle,
- Ultraschallkontrollen,
- evtl. intramuskuläre Applikation von Hormonen,
- Mobilisation erst, wenn keine Blutungen vorhanden sind.

Mit diesen Maßnahmen kann ein Abort in der Hälfte der Fälle verhindert werden. Die drohende Fehlgeburt kann aber auch in eine **beginnende Fehlgeburt** übergehen (*Abortus insipiens*).

B) Abortus insipiens
Eine beginnende Fehlgeburt ist nicht aufzuhalten. Im Gegensatz zum Abortus imminens sind die Blutungen stärker und die Schwangere hat Wehen, die sich als ziehende Unterbauchschmerzen äußern. Es kommt zur **Ausstoßung des Embryos / Feten**. Hierbei unterscheidet man die **unvollständige** von der **vollständigen** Fehlgeburt.

C) Abortus incompletus / Abortus completus
Bei der **unvollständigen Fehlgeburt** (*Abortus incompletus*) verbleiben Gewebereste im Uterus. Diese können zu Infektionen und Blutungen führen.
Bei der **vollständigen Fehlgeburt** (*Abortus completus*) wird der Uterusinhalt vollständig ausgestoßen; sie findet meistens in der Zeit bis zur 12. Schwangerschaftswoche statt.
Bei diesen Formen der Fehlgeburt wird eine **Abrasio** *(Ausschabung der Gebärmutter)* durchgeführt. Ist der Fet zu groß, wird die Geburt eingeleitet. Dabei werden der Schwangeren Prostaglandine verabreicht (i.v. oder direkt an den Muttermund). Während dieser eingeleiteten Geburt muß sie intensiv überwacht werden.
Pflege bei Abort
- Beobachtung auf Blutungen,
- Vitalzeichenkontrollen,
- Vorbereitung auf die Abrasio.

D) Missed abortion
Es handelt sich um ein Sonderform der Fehlgeburt. Dabei wird der tote **Embryo nicht ausgestoßen**, er bleibt in der Gebärmutter. Die typischen Symptome der Fehlgeburt (Blutungen und Wehen) liegen nicht vor; der Muttermund ist geschlossen. Die Diagnose wird mit Hilfe des Ultraschalls und ggf. der HCG - Bestimmung im Blut gestellt.
Therapie und Pflege erfolgen wie beim Abortus completus *(siehe vorstehend)*.

E) Dead Fetus Syndrom
Dieses Syndrom tritt auf, wenn die abgestorbene Frucht länger als 5 Wochen im Uterus verbleibt. Dabei kommt es zu Gerinnungsstörungen, die zu lebensgefährlichen Blutungen führen können.

F) Fieberhafte Aborte
Weiter werden unterschieden:
- **Unkomplizierter, febriler Abort;** die Temperatur steigt im Zusammenhang mit einem Abort über 38 Grad C, es entwickelt sich eine lokale Infektion (*Endometriuminfektion*).
- **Komplizierter febriler Abort;** die Infektion betrifft zusätzlich die Adnexe, es kommt zur lokalen Peritonitis (*Pelveoperitonitis*) oder zur generalisierten Peritonitis *(siehe Seite 150)*.
- **Septischer Abort;** es liegt eine Allgemeininfektion vor, von der die Gefahr eines Endotoxinschocks ausgeht.

11.14.7.6 Hyperemesis gravidarum

Unter einer Hyperemesis gravidarum versteht man ein übermäßiges, nicht stillbares Erbrechen zwischen der 6. und 16. Schwangerschaftswoche. Die Ursache ist nicht geklärt; möglicherweise sind die hormonellen Veränderungen hauptverantwortlich. Hinzu kommen evtl. psychische Konflikte wie die Ablehnung der Schwangerschaft oder der körperlichen Veränderungen während der Schwangerschaft.
Hauptsymptom ist das unabhängig von der Nahrungsaufnahme auftretende Erbrechen.

❒ Mögliche Folgen
- Gewichtsabnahme,
- Hypovolämie, Exsikkose,
- Kreislaufveränderungen, z.B. Tachykardie und Hypotonie,
- Elektrolytverluste,
- schlechter Allgemeinzustand,
- Temperaturanstieg,
- Ikterus (selten),
- Veränderungen der Bewußtseinslage, z.B. Benommenheit, Delirium (selten).

❒ Behandlung
Die Schwangere wird stationär aufgenommen. Um den Flüssigkeits- und Elektrolytverlust auszugleichen, wird eine **Infusionstherapie** durchgeführt. Bei Bedarf erfolgt zusätzlich eine parenterale Ernährung.
Eventuell wird zur Linderung von Übelkeit oder Erbrechen Vomex A® verordnet; die Schwangere sollte jedoch nicht sediert werden.
Stehen psychische Symptome im Vordergrund, kann eine Psychotherapie angezeigt sein.

❒ Pflege
Während des stationären Aufenthalts soll das psychische **Wohlbefinden** der Schwangeren **gefördert** werden. Pflegende bemühen sich, eine ruhige und vertrauensvolle Umgebung zu schaffen.
Je nach Zustand benötigt die Schwangere Unterstützung bei der Körperpflege. Nach jedem Erbrechen ist eine erfrischende **Mundpflege** zu ermöglichen.
Während der Zeit des Erbrechens werden allenfalls Tee und Zwieback oder Weißbrot verabreicht.
Ca. 3 Tage nach dem letzten Erbrechen oder bei Essenswunsch der Schwangeren erfolgt der **Nahrungsaufbau**. Es wird leichte, fettarme Kost, verteilt auf mehrere Mahlzeiten, verabreicht; die individuellen Wünsche und Abneigungen der Frau sind zu berücksichtigen.

❒ Krankenbeobachtung und Laborkontrollen
Der Allgemeinzustand der Schwangeren wird durch folgende Laboruntersuchungen kontrolliert:
- Überwachung der Infusionstherapie *(siehe Seite 460)*,
- Blutdruck- und Pulskontrollen (mehrmals täglich),
- Temperaturkontrolle (einmal täglich),
- Ein- und Ausfuhrkontrolle (Flüssigkeitsbilanz),
- Gewichtskontrolle (zweimal wöchentlich),
- Bestimmung von Hb, Hk, Elektrolyten, Leber- und Nierenwerten,
- Urinuntersuchung auf Ketonkörper und Urobilinogen.

Die Schwangere bleibt solange in stationärer Behandlung, bis sie und das Kind sich in einem guten Allgemeinzustand befinden.

11.14.7.7 Hypertensive Erkrankung in der Schwangerschaft

Bei ca. 4 - 5% aller Schwangeren tritt im Verlauf der Schwangerschaft ein **erhöhter Blutdruck** (*schwangerschaftsinduzierte Hypertonie*) auf. Zusätzlich können eine **Proteinurie** und **Ödeme** (frühere Bezeichnung EPH - Gestose = **E**dema, *engl. Ödeme*; **P**roteinurie; **H**ypertonie) auftreten.

❒ Krankheitsentstehung

Die Ursache ist **nicht geklärt**. Folgende **Faktoren begünstigen die Entwicklung** einer Schwangerschaftshypertonie:

- Übergewicht,
- Diabetes mellitus,
- Alter der Gebärenden über 40 Jahre,
- Alter der Erstgebärenden unter 16 oder über 32 Jahre,
- Mehrlingsschwangerschaft,
- Blasenmole,
- Nierenerkrankungen,
- essentielle Hypertonie.

Bei einer Schwangerschaftshypertonie liegt eine generalisierte **Vasokonstriktion der Arteriolen** (*Engstellung der kleineren arteriellen Gefäße*) vor. Diese hat Folgen für die Mutter und den Feten; durch die Minderdurchblutung kommt es zu einer mangelhaften Versorgung des Feten. Er retardiert, d.h. er bleibt in seiner Entwicklung stehen, evtl. kommt es zum intrauterinen Fruchttod.

Man geht davon aus, daß die Blutdrucksteigerung einen Versuch des Körpers darstellt, eine generalisierte arterielle Vasokonstriktion zu kompensieren. Dabei ist die Höhe des diastolischen Blutdrucks ein Gradmesser für die Stärke der Vasokonstriktion. Stärkere Grade der Vasokonstriktion wirken sich über die Mangeldurchblutung und Gewebehypoxie lokal an lebenswichtigen Organen wie Gehirn, Niere, Leber und an der Plazenta durch erhebliche Störungen aus. Je nachdem, welche Organe betroffenen sind, treten verschiedene Krankheitszeichen (z.B. akutes Nierenversagen) auf, die besonders das Krankheitsbild der schweren Präeklampsie im Übergang zur Eklampsie kennzeichnen.

❒ Präeklampsie und Eklampsie

❍ Definition, Verlauf und Komplikationen

Von einer Präeklampsie spricht man, wenn neben dem **Bluthochdruck** eine **Proteinurie** auftritt.

Es handelt sich um einen **leichten Verlauf** der Präeklampsie, wenn der Blutdruck systolisch zwischen 140 und 160 mmHg sowie diastolisch zwischen 90 und 110 mmHg beträgt und die Proteinurie 0,5 bis 5 g/l im 24 Std. Urin nicht überschreitet.

Ein **schwerer Verlauf** ist durch folgende Symptome gekennzeichnet:

- systolischer RR über 160 mmHg, diastolischer über 110 mmHg,
- Proteinurie über 5 g/l im 24 Std. Sammelurin,
- Oligurie (Urinausscheidung unter 500 ml in 24 Std.),
- Kopfschmerzen, Augenflimmern, Sehstörungen, Oberbauchschmerzen, Übelkeit, motorische Unruhe, erhöhte Reflexe.

Als **Komplikation** kann eine **Krampfanfall** auftreten (*Eklampsie, tonisch - klonische Krämpfe*, *siehe Seite 611*), die Schwangere ist bewußtlos, die Atmung ist durch längere Atempausen gekennzeichnet.

Die Eklampsie ist lebensbedrohlich. Der Krampfanfall muß medikamentös behandelt werden, sonst folgen mehrere Anfälle aufeinander. Aufgrund der Atemstörung kann eine Beatmung erforderlich werden.

❍ Behandlung

Die Behandlung einer Schwangerschaftshypertonie ist abhängig von ihrem Verlauf.

Therapie bei leichtem Verlauf (*leichte Präeklampsie*)

Die Schwangere soll sich körperlich schonen, ruhen und liegen; dadurch wird die Durchblutung von Uterus und Nieren verbessert. Eine Ernährungsberatung ist angezeigt; die früher übliche salzarme Diät ist umstritten, weil man beobachtet hat, daß sich dadurch die Hypertonie nicht bessert. Empfohlen wird eine eiweißreiche Diät, um den Proteinverlust zu begrenzen und die Ödembildung zu verringern.

Regelmäßige Blutdruckkontrollen sind erforderlich. In einigen Fällen werden Antihypertensiva verabreicht (Indikation ist umstritten).

Therapie bei schwerem Verlauf (*Präeklampsie*)

Die Schwangere wird stationär behandelt, der Blutdruck medikamentös gesenkt (Antihypertensiva, z.B. Prednisol®, Nepresol®).

Zusätzlich wird Magnesium gegeben, um die Krampfbereitschaft zu senken. Evtl. wird die Schwangere sediert (z.B. Valium®).

Eine Forcierung der Diurese* mittels Infusionstherapie kann indiziert sein.

Zur Überwachung von Mutter und Kind sind folgende Maßnahmen erforderlich:

- Kontrollen von Blutdruck, Puls, Atmung und Bewußtsein,
- Bilanzierung der Ein- und Ausfuhr,
- Kontrolle des Körpergewichts,
- Beobachtung des Hautturgors (Ödeme),
- evtl. Führen eines Intensivüberwachungsprotokolls,
- Eiweißbestimmung im Urin,
- Bestimmung von Hämatokrit und Harnsäure im Blut,
- Untersuchung des Augenhintergrundes (Augenarzt),
- Ultraschall- und CTG - Untersuchungen, um Wachstum und Zustand des Feten zu kontrollieren,
- Kontrolle der Reflexe.

Die **Schwangere** wird über Symptome, bei deren Auftreten sie sich sofort melden soll, **aufgeklärt**: Erbrechen, Ohrensausen, Kopfschmerzen, Oberbauchschmerzen, verminderte Urinausscheidung (*Oligurie, Anurie*).

❍ Pflege bei Präeklampsie

- Die Schwangere hat strenge Bettruhe einzuhalten. Sie wird nicht mit Wöchnerinnen in ein Zimmer gelegt.

- Günstig ist ein ruhiges Zimmer, welches bei Bedarf verdunkelt werden kann, denn Helligkeit und Lärm begünstigen einen eklamptischen Anfall. Obwohl eine umfassende, engmaschige Überwachung erforderlich ist, soll eine ruhige Atmosphäre geschaffen werden.
- Die Schwangere erfährt eine einfühlsame und intensive seelische Begleitung.
- Die Durchführung der Körperpflege richtet sich nach dem Zustand der Schwangeren, ihre Wünsche sind zu berücksichtigen, z.B. in Hinblick auf eine Striaeprophylaxe und das Abhärten der Brust als Vorbereitung auf das Stillen.
- Die Kost wird eiweiß- und vitaminreich gestaltet.
- Die Schwangere wird angehalten, genügend trinken, um damit die Nierenfunktion zu unterstützen.
- Ist es der Schwangeren möglich, sollte sie die Linksseitenlage einnehmen (Verbesserung der Durchblutung des Uterus).
- Täglich ist das Risiko hinsichtlich der Entwicklung von Sekundärerkrankungen zu analysieren; bei Bedarf (z.B. bei Sedierung der Patientin) werden gezielt prophylaktische Maßnahmen durchgeführt.

Für Notfälle ist ein Tablett mit Sedativa, Magnesium und Antihypertensiva bereitzuhalten.

Verhalten während eines eklamptischen Anfalls:
- Ruhe bewahren,
- sofort den Arzt verständigen, unter Umständen Verlegung auf die Intensivstation oder in den Kreißsaal,
- die Schwangere beruhigen, wenn sie ansprechbar ist,
- Atemwege freihalten,
- die Schwangere vor Verletzungen schützen,
- Atmung und Kreislauf überwachen (ggf. Beatmung der Patientin),
- Anfallsprotokoll anfertigen.

Verschlechtert sich der Zustand, ist eine sofortige Entbindung angezeigt.

11.14.7.8 Hellp - Syndrom

❒ Symptome, Diagnose und Komplikationen

Das Hellp - Syndrom kann sich bei Schwangeren mit einer Präeklampsie entwickeln. Es kann jedoch auch ohne Vorboten auftreten.

Zu den **Symptomen** der Präeklampsie kommen Oberbauchschmerzen, Übelkeit, Erbrechen sowie Kopfschmerzen und Augenflimmern hinzu.

Die **Diagnose** wird anhand folgender Blutuntersuchungen gestellt:
- Blutbild (Hämolyse = **H**),
- Leberwerte (erhöhte Leberwerte = **EL** = elevated liverenzymes),
- Gerinnungsstatus (erniedrigte Thrombozytenzahl = **LP** = low platelecount).

Das Hellp - Syndrom kann mit schweren **Komplikationen** einhergehen, z.B.: akutes Nierenversagen, Lungenödem, Hirnblutung, Leberruptur und Verbrauchskoagulopathie; es kann zum intrauterinen Fruchttod kommen.

❒ Behandlung

Aufgrund der Gefahr möglicher Komplikationen muß die Schwangere **stationär**, evtl. auf der Intensivstation, aufgenommen werden.

Ist der Zustand von Mutter und Kind schlecht, ist die unverzügliche Entbindung, ggf. eine **Schnittentbindung**, angezeigt.

Auch nach der Entbindung ist eine intensive **Überwachung der Mutter** notwendig, weil sich die Gerinnungsparameter erst in den folgenden Tagen stabilisieren und zusätzlich in den ersten 48 Stunden weiterhin eine erhöhte Krampfbereitschaft besteht.

11.14.7.9 Frühgeburt

(vorzeitige Wehen, Cervixinsuffizienz)

Treten **uterine Kontraktionen vor Vollendung der 37. Schwangerschaftswoche** auf, spricht man von vorzeitigen Wehen. Kommt es innerhalb dieses Zeitraumes zur Geburt des Kindes, handelt es sich um eine Frühgeburt. Mögliche Ursachen für eine Frühgeburt sind Cervixinsuffizienz, Uterusfehlbildungen, Myome, Gestosen oder Infektionen der Mutter.

❒ Symptome

Vorzeitige Wehen (mehr als 3 Kontraktionen pro Stunde vor der 30. Schwangerschaftswoche und mehr als 5 Kontraktionen pro Stunde nach der 30. Schwangerschaftswoche) sind ein Zeichen für eine drohende Frühgeburt, ebenso wie ein vorzeitiger Blasensprung (ein vorzeitiger Blasensprung muß nicht unbedingt eine Frühgeburt auslösen).

❒ Diagnostik

Zunächst wird eine gynäkologische Untersuchung durchgeführt, um die Konsistenz der Cervix und deren Länge zu beurteilen. Ebenso wird festgestellt, wie weit der Muttermund geöffnet ist.

Ein geöffneter Muttermund und eine verkürzte weiche Cervix weisen auf eine Frühgeburt hin.

Weitere diagnostische Maßnahmen:
- CTG. Mit dessen Hilfe wird die Gefährdung des Kindes festgestellt (z.B. Absinken der Herztonfrequenz) und die Frequenz der Wehen gemessen.
- Ultraschalluntersuchung: Es wird die Größe des Kindes bestimmt und abgeklärt, ob die Fruchtwassermenge vermindert ist (als Hinweis auf einen Blasensprung) oder ob Myome bzw. Uterusfehlbildungen vorliegen.
- Vaginalabstrich und Messung des vaginalen pH - Wertes. Bei vaginalen Infektionen und bei einem Blasensprung verändert sich der pH - Wert der Vagina.
- Urinstatus. Harnwegsinfekte können ebenfalls Frühgeburten auslösen.

❒ Therapie

Die Behandlung ist **abhängig vom Schwangerschaftsalter** und vom **Gewicht des Kindes**:
- Nach der abgeschlossenen 34. Schwangerschaftswoche werden Schwangere und Kind stationär überwacht; das Kind wird mittels CTG und Sonographie überwacht. Die Geburt wird nur dann eingeleitet, wenn das Kind gefährdet ist.

- **Bei unreifen Kindern wird die Schwangerschaft durch verschiedene Maßnahmen aufrecht erhalten:**
  - stationärer Aufenthalt mit strenger Bettruhe;
  - bei leichter Cervixinsuffizienz Bettruhe *(siehe vorstehend)*;
  - bei ausgeprägter Cervixinsuffizienz Legen einer Cerclage (*Umschlingung des Muttermundes*) bis zur 32. Schwangerschaftswoche. Außerdem wird die Lungenreifung des Kindes mittels Kortison gefördert;
  - bei vorzeitigen Wehen wird eine medikamentöse Wehenhemmung (*Tokolyse*) eingesetzt *(siehe nachfolgend)*;
  - bei vorzeitigem Blasensprung besteht die Gefahr einer Amnioninfekton; deshalb erfolgt eine Kontrolle der Entzündungsparameter.

❒ Pflegerische Maßnahmen

Da die Schwangere **strikte Bettruhe** einhalten muß, wird die Körperpflege im Bett durchgeführt. Dabei soll sie diese soweit wie möglich selbständig durchführen. Einige Frauen haben Angst, durch Bewegungen eine Frühgeburt auszulösen und wünschen Unterstützung, die sie erhalten sollten, auch wenn die Angst unbegründet ist.

Prophylaxen

- Dekubitusprophylaxe: Patientin zu regelmäßigen Lageveränderungen anhalten;
- Thromboseprophylaxe *(siehe Seite 325)*;
- Obstipationsprophylaxe *(siehe Seite 214)*: da das Pressen beim Stuhlgang Wehen auslösen kann, sollte der Stuhl weich sein; Klysmen und Einläufe sind nur auf Arztanweisung durchzuführen;
- Pneumonieprophylaxe: Patientin zu Atmen- und Entspannungsübungen anhalten, vor allem bei einer Tokolyse;
- Infektionsprophylaxe: insbesondere bei vorzeitigem Blasensprung ist nach jeder Ausscheidung eine Genitalspülung durchzuführen;
- Überwachung des Kindes mittels CTG (Wehenstärke und kindliche Herztöne überprüfen);
- psychosoziale Betreuung: der Patientin zuhören, Gespräche anbieten, sie können entlasten.

- **Tokolyse**

Tokolytika sind Arzneimittel, die wehenhemmend wirken: Zur Anwendung kommen die Beta 2 -Sympathikomimetika (Fenoterol / Partusisten® und Ritodrin - Prepar®). Sie bewirken eine Erschlaffung der glatten Uterusmuskulatur.

Tokolytika haben folgende **Nebenwirkungen**:
- Tachykardie,
- Unruhe,
- Tremor, besonders Handtremor,
- Herzrhythmusstörungen,
- Blutdruckabfall.

Zur Reduzierung der Nebenwirkungen kann die Verabreichung weiterer Medikamente indiziert sein.

Die Schwangere muß während einer Tokolyse intensiv überwacht werden *(siehe Abb. 11.19)*.

Besonders bei gleichzeitiger Verabreichung von Kortison (um die Lungenreife des Kindes zu stärken) ist die Atmung zu beobachten. Bei Veränderungen ist sofort der Arzt zu informieren.

Tokolytika können oral oder intravenös (Dauerinfusion) verabreicht werden.

Es ist darauf zu achten, daß die angegebene Dosierung / Tropfgeschwindigkeit eingehalten wird. Sollen anschließend die Wehenhemmer oral weitergegeben werden, so erfolgt die erste orale Gabe 8 Std. vor dem Absetzen der intravenösen Therapie. Weiterhin ist die Ausscheidung zu beobachten.

Überwachungsmaßnahmen während i.v. Tokolyse mit b - Sympathomimetika[1]									
Vor der Therapie	**Während der Therapie**								
	1 Std.	2 Std.	4 Std.	6 Std.	12 Std.	24 Std.	2. Tag	3. Tag	> 3 Tage
Klinische Untersuchung	Täglich bzw. in Abhängigkeit von der klinischen Situation								Bei Beschwerden
CTG	2 x täglich über 30 Minuten								Auf Anordnung
Puls / RR	+	+	+	+	+	+	2 x täglich		
EKG	Innerhalb des 1. - 3. Tages, vor Beginn der Therapie und bei Auftreten kardialer Symptome								Wöchentl.
Temperatur	2 x täglich								
Gewicht	Empfehlenswert (Wasserretention?)								
Flüssigkeitsbilanz	+	+	+	+	+	+	+	Auf Anordnung	
Elektrolyte				+					

1) Nach den Empfehlungen der Deutschen Gesellschaft für perinatale Medizin 1989

Abb. 11.19 ***Überwachungsmaßnahmen während i.v. Tokolyse mit b - Sympathomimetika***

11.14.7.10 Gestationsdiabetes (*Diabetes gravidarum*)

Entstehung und Symptome

Diese Art des Diabetes tritt erstmals während der Schwangerschaft, häufig in der zweiten Schwangerschaftshälfte auf. 1 - 2% aller Schwangeren sind davon betroffen.
Während der Schwangerschaft ist aufgrund des gesteigerten Energiebedarfs u.a. auch der Insulinbedarf erhöht. Bei einer normal verlaufenden Schwangerschaft wird durch eine vermehrte Insulinproduktion der erhöhte Bedarf ausgeglichen. Es kann sich aber auch eine diabetische Stoffwechsellage entwickeln, weil die Schwangerschaftshormone HCG, HPL und Prolaktin eine insulinantagonistische Wirkung haben.

Ein erhöhtes Risiko besteht bei Übergewicht und bei familiärer Disposition.
Symptome eines Schwangerschaftsdiabetes sind häufiges Wasserlassen und vermehrtes Durstgefühl.

Diagnostik

Die Diagnose wird anhand von Blutzuckerkontrollen und dem Nachweis von Glukose oder Azeton im Nüchternurin gestellt. Beim Gestationsdiabetes sind die Nüchternblutzuckerwerte häufig normal, deshalb werden ein Blutzuckertagesprofil und ein oraler Glukosetoleranztest durchgeführt.

Therapie

Das Ziel der Behandlung ist eine **gute Blutzuckereinstellung**; vor den Mahlzeiten soll der Nüchtern - BZ unter 90 mg%, nach dem Essen unter 140 mg% liegen, der Urin soll glukose- und azetonfrei sein.
Kann der Blutzucker durch diätetische Maßnahmen nicht optimal eingestellt werden, ist eine Insulinbehandlung notwendig. Orale Antidiabetika sind aufgrund ihrer teratogenen Wirkung kontraindiziert.
Nach der Geburt des Kindes normalisiert sich die Stoffwechsellage fast immer. In späteren Jahren manifestiert sich ein Diabetes mellitus häufiger, wenn ein Gestationsdiabetes vorlag.

11.14.7.11 Schwangere Diabetikerinnen

Diabetikerinnen können heute genauso problemlos Kinder bekommen wie Nichtdiabetikerinnen. Sie müssen jedoch besonders gut **betreut** und **eingestellt** werden, weil unter Umständen Komplikationen, wie eine Plazentainsuffinzienz mit IUWR (*intrauterine Wachstumsretardierung*), Gestosen, Frühgeburten, Aborte, Harnwegs- und Vaginalinfekte sowie Makrosomie des Kindes auftreten können.

11.15 Entbindung

Ursula Wulfheide

11.15.1 Möglichkeiten der Entbindung

Die neuen Erkenntnisse in der Geburtshilfe und in der Psychologie haben in den letzten Jahren zu Veränderungen in dieser Disziplin geführt: viele Kliniken haben ihre geburtshilflichen Abteilungen umstrukturiert. Die Entbindungszimmer wurden wohnlicher gestaltet, trotzdem sind sie auch mit technischen Mitteln für den Notfall ausgestattet.
Heute besteht für die Schwangere die Möglichkeit, ihre Geburt individuell zu planen; sie kann entscheiden, ob sie ambulant, in einem Krankenhaus, in einer gynäkologischen Praxis oder in einem Geburtshaus entbinden möchte.
Außerdem können Angehörige, vor allem der Vater des Kindes, bei der Geburt anwesend sein.
Medikamente zur Schmerzlinderung stehen zur Verfügung.

Entbindung in einem Krankenhaus

90 von 100 Kindern kommen im Krankenhaus zur Welt. Die Schwangere hat die Möglichkeit, **vor der Geburt** mehrere Kreißsäle in verschiedenen Krankenhäusern zu **besichtigen** und das Krankenhaus, in dem sie entbinden möchte, auszusuchen. Viele Krankenhäuser bieten **Vortragsabende** und Filme zur Geburt an. Dort stellen sich oft das Hebammenteam und der Arzt der gynäkologischen Abteilung vor.
Einige Hebammen führen im Krankenhaus auch **Geburtsvorbereitungskurse** durch. Fast alle Krankenhäuser bieten **Rooming - in** an, d.h. das Kind hat sein Bett im Zimmer der Mutter und sie kann entscheiden, wie weit sie das Rooming - in nutzt, z.B. ob das Kind nachts bei ihr bleibt oder ins Kinderzimmer kommt.

Ambulante Geburt

Eine ambulante Geburt bedeutet, daß eine Schwangere in einem Krankenhaus, in einer gynälologischen Praxis oder in einem Geburtshaus entbindet und **nach** einer gewissen **Beobachtungszeit** (4 - 24 Std.) **nach Hause entlassen** wird.
Voraussetzung ist, daß die Geburt normal verlaufen ist. Die Schwangere sollte dafür sorgen, daß eine Hebamme sie zu Hause betreut. Um die zweite Vorsorgeuntersuchung (U2) muß sich die Mutter selbst kümmern.

Hausgeburt

Ist eine Hausgeburt geplant, sollten bestimmte **Voraussetzungen** gegeben sein:
- Betreuung durch eine Hebamme, die mit Hausgeburten Erfahrung hat;
- Möglichkeit, im Notfall schnell eine geburtshilfliche Einrichtung (Krankenhaus, gynäkologische Praxis) zu erreichen;
- vorausgegangene Beratung mit dem Gynäkologen über die Hausgeburt, denn er hat einen Überblick über die bestehenden Risiken aufgrund des Schwangerschaftsverlaufes;

- Bewußtsein, daß selbst nach einer problemlosen Schwangerschaft Geburtskomplikationen auftreten können.

❐ Geburtshäuser

Die ersten Geburtshäuser entstanden vor ca. 10 Jahren. Sie bieten eine ambulante Geburt unter Leitung einer Hebamme sowie eine vor- und nachgeburtliche Betreuung.

11.15.2 Geburt

❐ Definition

Die **Geburt** ist definiert als Ausstoßung des Feten aus dem Mutterleib mit Hilfe der Wehen. Wehen sind Kontraktionen der Uterusmuskulatur.

Man unterscheidet nach ihrem zeitlichen Auftreten:

- **Schwangerschaftswehen**, sie treten in den letzten Wochen der Schwangerschaft auf und sind meist schmerzlos;
- **Senkwehen / Vorwehen,** sie treten ca. 3 - 4 Wochen vor der Geburt auf; der Fet wird in das Becken befördert;
- **Eröffnungswehen**, diese Art der Wehen kennzeichnen die Eröffnungsphase, sie sind charakterisiert durch ihre rhythmische Wiederkehr;
- **Austreibungswehen,** sie kennzeichnen die Austreibungsphase der Geburt (*Preßwehen*);
- **Nachgeburtswehen**, durch sie wird die Plazenta ausgestoßen;
- **Nachwehen,** sie unterstützen die Uterusrückbildung im Wochenbett.

Die Wehen werden durch bestimmte Mechanismen ausgelöst, hauptsächlich durch die Hormone Progesteron, Prostaglandine und Oxytocin.

❐ Zeichen der einsetzenden Geburt

Die folgenden Zeichen kündigen den Geburtsbeginn an:

- Öffnung des Muttermundes;
- Zeichnen: darunter versteht man den Abgang von blutigem Schleim aus der Scheide;
- Einsetzen der Wehen, z.B. als krampfhaftes Ziehen im Bauch oder Rücken; der Bauch wird fest und entspannt sich nach 40 - 60 Sekunden wieder;
- Blasensprung; beim Blasensprung besteht die Gefahr eines Nabelschnurvorfalles, deshalb sollte die Schwangere, zumindest wenn ihr Gynäkologe nichts anderes empfohlen hat, das Becken hochlagern und sich liegend (von einem Krankenwagen) zur Klinik fahren lassen.
- Allgemeinerscheinungen wie Unruhe, Appetitlosigkeit, Durchfall, Erbrechen.

❐ Maßnahmen in der Klinik

In der Klinik werden folgende Untersuchungen durchgeführt:

- vaginale Untersuchung zur Beurteilung des Geburtsfortschrittes;
- CTG - Kontrolle (Cardiotokographie, Aufzeichnung der kindlichen Herztöne und der Wehentätigkeit); aus dem Verlauf der Kurven, die das Gerät auf einem Papierstreifen aufzeichnet, erkennt der Arzt / die Hebamme, ob es dem Kind gut geht und wie stark die Wehen sind;
- Blutdruckkontrollen;
- Überprüfen der Lage des Kindes mittels Ultraschall (Ausgangslage sollte die Schädellage sein);
- Laborkontrollen und Urinsticks.

Der weitere Ablauf im Kreißsaal hängt von dem Ergebnis der oben genannten Untersuchungen und dem CTG ab.

Bei normalem Verlauf wird die Schwangere folgendermaßen weiterbetreut:

- sie sollte den Darm entleeren (ein voller Darm erschwert den Eintritt des Kopfes in das Becken); bei Bedarf wird ein Einlauf durchgeführt, er hat zudem eine wehenfördernde Wirkung;
- sie kann eine Vollbad nehmen; es wirkt entspannend und erleichtert die Eröffnungsphase;
- eine Rasur der Schamhaare wird heute in vielen Krankenhäusern nicht mehr durchgeführt; vor einem Dammschnitt werden die Haare in der Schnittregion entfernt;
- die Gebärende kann unter Umständen Nahrung zu sich nehmen und trinken (unterschiedliche Handhabung in den einzelnen Kliniken).

❐ Ablauf der Geburt

Die Geburt verläuft in drei Phasen: Eröffnungs-, Austreibungs- und Nachgeburtsphase.

❍ Eröffnungsphase

In dieser Phase weitet sich durch die **regelmäßigen Wehen** der Muttermund (bis zu einem Durchmesser von 10 - 12 cm, so daß der kindliche Kopf durchtreten kann. Jede Wehe läuft nach einem bestimmten Schema ab. Sie steigt langsam an bis zu einem Gipfelpunkt und flaut dann wieder ab (wellenförmiger Verlauf). Eine Wehe dauert ca. 20 - 60 Sekunden. Dazwischen liegt eine Wehenpause, denn die Gebärmutter braucht Zeit, um den Muskelfasern für die nächste Kontraktion / Wehe Sauerstoff zuzuführen.

Am Ende der Eröffnungsphase platzt bei $^2/_3$ aller Gebärenden die Fruchtblase (*rechtzeitiger Blasensprung*). Die Eröffnungsphase kann 6 - 12 Stunden dauern, beim ersten Kind auch länger; sie ist beendet, wenn der **Muttermund** vollständig **eröffnet** ist.

Die Gebärende wird in dieser Phase von der Hebamme betreut: Sie führt Blutdruck- und Pulskontrollen durch und beobachtet durch vaginale Untersuchungen die Öffnung des Muttermundes sowie die Lage des kindlichen Kopfes.

Die Eröffnungsphase ist für die Gebärende die **anstrengenste** und **längste Geburtsphase**. Eine **individuelle Betreuung** durch die Hebamme und den Arzt vermittelt Sicherheit und mindert Ängste. Die Anwesenheit einer vertrauten Person (z.B. Vater des Kindes, Freundin) ist für viele ebenfalls eine große Hilfe. Solange es der Gebärenden möglich ist und keine medizinischen Gründe dagegen sprechen, sollte sie spazierengehen oder sich auf andere Weise **bewegen**. Hierzu stehen meist verschiedene Hilfsmittel zur Verfügung, z.B. Sprossenwand, Seil, Moxaball und Geburtsrad. Zudem ist es wichtig, daß die Wehen richtig „veratmet" werden und so weniger schmerzhaft sind. Entsprechende **Atem- und Entspannungstechniken**

kennen die meisten Frauen schon aus dem Geburtsvorbereitungskurs. Dennoch sollten sie wiederholt vom Fachpersonal oder auch von der Begleitperson dazu angeleitet werden.
Zusätzlich stehen weitere Möglichkeiten zur Schmerzlinderung zur Verfügung:

Medikamentöse Schmerzlinderung
- **Spasmolytika** (z.B. Buscopan®); sie werden als Suppositorium oder i.m. Injektion verabreicht und wirken krampflösend.
- **Opioide** (vor allem Pethidin, z.B. Dolantin® und Nubain®); sie werden als i.m. Injektion verabreicht und wirken analgetisch sowie spasmolytisch. Mögliche Nebenwirkung ist eine **Atemdepression** beim Neugeborenen, besonders in den ersten 2 - 3 Stunden nach der Applikation. Dieses Risiko ist beim Nubain® reduziert.
- **Periduralanästhesie (PDA)**
  Es wird ein dünner Katheter in den Periduralraum gelegt und darüber ein Lokalanästhetikum verabreicht. Hierdurch wird eine vollständige Schmerzbeseitigung möglich. Läßt die Wirkung nach, ist eine erneute Gabe des Lokalanästhetikums möglich, da der Katheter erst nach der Geburt entfernt wird. Eine PDA kann zu Kreislauf- und Atemstörungen führen, außerdem können Kopfschmerzen und Schmerzen an der Punktionsstelle auftreten.
- **Pudendusblock**
  Von der Vagina aus wird beidseits der Nervus pudendus mit einem Lokalanästhetikum umspritzt. Da eine Analgesierung des Beckenbodens und der Dammregion erreicht wird, setzt man den Pudendusblock in der Austreibungsphase, um den Dehnungsschmerz zu lindern.

Alternative Möglichkeiten der Schmerzlinderung
- **Akupunktur;** an bestimmten Punkten der Körperoberfläche werden Akupunkturnadeln unterschiedlich tief eingestochen, dadurch wird die Funktion einzelner Organsysteme angeregt oder gedämpft und so energetische Störungen innerhalb des Organismus ausgeglichen.
- **Akupressur;** die Massage bestimmter Akupunkturpunkte soll Schmerzen lindern.
- **Hypnose;** durch bestimmte Reize wird eine Veränderung des Bewußtseins und eine Einengung der Aufmerksamkeit herbeigeführt. Die Hypnose kann nur angewendet werden, wenn der Arzt / die Hebamme über eine entsprechende Ausbildung verfügt und die Gebärende in der Schwangerschaft darauf vorbereitet wurde.
- **Homöopathische Medikamente**; sie wirken entspannend sowie entkrampfend und haben wenig Nebenwirkungen.

❍ Austreibungsphase
Man erkennt die Austreibungsphase an der **Zunahme von Wehenhäufigkeit und -intensität**. Die Gebärende verspürt einen starken Drang zum Pressen. Sie darf aber erst dann mit dem Pressen beginnen, wenn die Hebamme sie anweist. Dies ist der Fall, wenn der Muttermund vollständig geöffnet, die Fruchtblase geplatzt und der Kopf des Kindes tief genug zu tasten ist. Die Wehen werden in dieser Phase als **Preßwehen** bezeichnet. In der Austreibungsphase ist für die Gebärende die richtige Atemtechnik wichtig. Solange sie nicht pressen darf, soll sie hecheln, d.h. mit geöffnetem Mund kurz ein- und ausatmen.

Gebärposition
Die Gebärende soll selbst entscheiden, in welcher Position sie ihr Kind zur Welt bringt:
- im Bett liegend,
- auf einem Gebärstuhl; auf diesem lassen sich die Atem- und Entspannungsübungen besser durchführen als liegend im Bett, außerdem unterstützt die aufrechte Haltung im Gebärstuhl die Geburt, weil so die Wirkung der Schwerkraft am besten genutzt wird.
- hockend auf dem Boden oder einem Gebärhocker;
- unter Wasser (Badewanne).

Wenn der **Kopf des Kindes durchgetreten** ist, genügen oft noch 2 - 3 Preßwehen bis zur Geburt des Kindes. Besteht keine besondere Gefahrensituation, bekommt die Mutter ihr Kind auf den Bauch gelegt. Das Kind wird an die linke Seite der Mutter gelegt, damit es deren Herzschlag spüren kann.
Lange Zeit war es üblich, die Nabelschnur sofort nach der Geburt zu durchtrennen. Heute gehen die Geburtshelfer dazu über (wenn es dem Kind gut geht), die Nabelschnur erst dann zu durchtrennen, wenn sie nicht mehr pulsiert (nach ca. 3 - 5 Minuten).
Zum **Abnabeln** wird die Nabelschnur mit zwei Nabelklemmen abgeklemmt und zwischen ihnen durchtrennt. Die weitere Versorgung des Nabels erfolgt später. Man kann aber auch sofort endgültig Abnabeln, d.h. die Nabelschnur wird ca. 2 cm über dem Hautniveau mit einer Einmalklemme abgenabelt.
In der Austreibungsphase kann eine Leitungsanästhesie des Nervus pudendus angelegt werden, um den Dehnungsschmerz zu lindern. Die Hebamme versucht mittels eines speziellen Handgriffes, den **Damm zu schützen**: die linke Hand der Hebamme führt den Kopf des Kindes, die rechte schützt den Damm.
Gelingt der Dammschutz nicht, d.h. ist abzusehen, daß der Damm einreißt, wird ein **Dammschnitt** (*Episiotomie*) mittels spezieller Schere durchgeführt. Meist kann er ohne Lokalanästhesie durchgeführt werden, da der Kopf des Kindes auf die Nerven in der Dammregion drückt. Es besteht jedoch die Möglichkeit, den Dammbereich örtlich zu betäuben.

❍ Nachgeburtsphase und Postplazentarphase
Die Gebärmutter kontrahiert sich auch nach der Geburt des Kindes weiter (*Nachgeburtswehen*); dadurch wird die Plazenta ausgestoßen.

Folgende Mechanismen unterstützen die Plazentaablösung:
- der Arzt oder die Hebamme ziehen leicht an der Nabelschnur und drücken gleichzeitig auf die Gebärmutter;
- die Hebamme legt das Kind zum Saugen an die Brust der Mutter, dadurch wird ein hormoneller Reflex ausgelöst, durch den sich die Gebärmutter stärker zusammenzieht;
- ggf. wird der Mutter unmittelbar nach der Geburt Oxytocin i.v. verabreicht.

In der Regel wiegt die **Plazenta** etwa 500 g, ist 2 - 3 cm dick und hat einen Durchmesser von 18 - 20 cm. Sie wird vom Arzt und der Hebamme auf Besonderheiten und Vollständigkeit **untersucht**. Ist sie nicht vollständig, muß eine instrumentelle Nachtastung vorgenommen werden, da schon kleine Plazentareste zu starken Nachblutungen oder Infektionen führen können. Auch auf die Vollständigkeit der Eihäute wird geachtet, jedoch ist hier bei evtl. Resten in der Gebärmutter ein späteres spontanes Ausstoßen möglich.
Aus der Nabelschnurarterie wird Blut zur Bestimmung des pH - Wertes entnommen.

Postplazentarphase
Nach der Ausstoßung der Plazenta werden vorhandene Geburtsverletzungen und der Dammschnitt versorgt. Die Mutter bleibt noch ca. 2 Std. zur Beobachtung (Nachblutungen) im Kreißsaal.
Die Hebamme versorgt die Mutter, sie hilft beim Säubern, Umziehen und lagert sie. Außerdem überprüft sie die Vitalzeichen, den Fundusstand und kontrolliert die Vorlagen (Blutungen) sowie die Urinausscheidung.

Versorgung des Neugeborenen nach der Geburt
Der Arzt oder die Hebamme saugt Mund, Nase und Rachenraum des Neugeborenen mit einem Absaugkatheter ab. Dadurch soll eine Aspiration von Schleim- oder Fruchtwasser verhindert werden. Dann wird das Neugeborene endgültig abgenabelt und der **Apgartest** durchgeführt (Beurteilung des Vitalitätszustandes nach 1, 5 und 10 Minuten, *siehe Abb. 11.20*).

Die sogenannte **Neugeborenenuntersuchung** (U 1) wird durch den Gynäkologen oder den Kinderarzt durchgeführt; hierbei werden auch Herz und Lungen abgehört.
Nach diesen ersten Untersuchungen wird das Neugeborene in warme Tücher gehüllt und der Mutter auf den Bauch gelegt. Mutter und Kind haben nun intensiven Kontakt miteinander. Oft wird das Kind zum Stillen an die Brust angelegt.
Anschließend wird das Kind von der Hebamme versorgt, sie mißt den Kopfumfang und die Körperlänge, wiegt das Kind, badet es und mißt die Körpertemperatur. Sie versorgt den Bauchnabel und bringt ein **Armband** (Kennzeichnung) am Handgelenk des Kindes an. Dann wird es angezogen.
Die Hebamme verabreicht Vitamin K - Tropfen zur Prophylaxe von Gerinnungsstörungen und je einen Tropfen 1% ige Silbernitratlösung in jedes Auge zur Prophylaxe einer Gonoblennorrhoe (*eitrige Bindehautentzündung des Neugeborenen durch Übertragung einer Gonokokkeninfektion durch die Mutter*). Diese sogenannte Credesche Prophylaxe ist nicht gesetzlich vorgeschrieben.
Sind diese Vorgänge beendet, wird das Neugeborene der Mutter gegeben oder weiter im Neugeborenenzimmer versorgt.

11.15.3 Überwachung während der Geburt

Überwachung der kindlichen Herztöne und der Wehen während der Geburt
Ziel der Überwachung ist es, (drohende) Komplikationen, z.B. Sauerstoffmangel des Kindes, schnell zu erkennen und entsprechende Maßnahmen einzuleiten, z.B. (Schnittentbindungen).
Hierzu werden die fetalen Herztöne in Relation zur Wehentätigkeit aufgezeichnet (CTG). Die Uterusaktivität wird mit Hilfe eines **Wehentransducers** *(Schallkopf)*, der auf der Bauchdecke der Mutter angebracht ist, registriert. Die kindlichen Herztöne können auf die gleiche Art abgeleitet werden. Alternativ gibt es die Möglichkeit, mit einer sogenannten **Kopfschwartenelektrode** die Herztöne direkt vom kindlichen Kopf abzuleiten (*direktes fetales EKG*).

Die **Mikroblutanalyse** gibt ebenfalls Ausschluß über das Befinden des Kindes. Bei noch stehender Fruchtblase wird diese zunächst eröffnet (*Amniotomie*); außerdem muß der Muttermund zum Teil geöffnet sein. Durch das Amnioskop hindurch wird mit einer Klinge die Kopfhaut angeritzt und durch eine Kapillare Blut aspiriert, um eine Blutgasanalyse und eine pH - Wertbestimmung vorzunehmen.

Beurteilungskriterien	Bewertung		
	0 Punkte	1 Punkt	2 Punkte
Atembewegungen	Keine (Apnoe)	Flach, unregelmäßig, Schnappatmung	Regelmäßige Atmung, kräftiges Schreien
Puls	Nicht wahrnehmbar	< 100 / Min.	> 100 / Min.
Grundtonus (Muskeltonus, Aktivität)	Schlaffer Tonus, keine Bewegungen	Träge Flexion	Guter Tonus, aktive Bewegungen
Aussehen (Hautfarbe)	Blau (zyanotisch), weiß / blau	Stamm rosa, Extremitäten blau	Vollständig rosa
Reflexerregbarkeit (Reaktion auf Hautreiz oder Absaugen)	Keine Reaktion	Grimassieren, geringe Reaktion	Schreien, Husten, Niesen, abwehrende Reaktion
Beurteilung anhand der Gesamtpunktzahl: 7 - 10 = unauffällig; 4 - 6 = mäßige Depression; > 4 = schwere Depression, akute Gefährdung			

Abb. 11.20 ***Apgarschema***

11.15.4 Geburtshilfliche Operationen

Sie werden eingesetzt, wenn es unter der Geburt zu Komplikationen kommt und das Kind schnell entbunden werden muß.
Kommt es während der Austreibungsphase zu einem Geburtsstillstand, wird eine **Saugglockenentbindung** (*Vakuumextraktion*) oder eine **Zangenentbindung** (*Forzeps*) vorgenommen. Beide Entbindungsarten bezeichnet man als vaginal operative Entbindungen.
Eine **abdominelle Schnittentbindung** (*Sektio caesarea)* wird z.B. durchgeführt, wenn das Kind nicht tief genug im Geburtskanal ist, so daß man die Zange / Saugglocke nicht anbringen kann.

- **Die Vakuumextraktion (VE)**
  Die Saugglocke wird auf den Kopf des Kindes gesetzt, dann ein Unterdruck erzeugt und das Kind bei der nächsten Wehe sanft herausgezogen. Das Kind hat an der Ansatzstelle der Saugglocke eine Kopfgeschwulst, die sich schnell zurückbildet.
- **Die Forzepsentbindung**
  Es wird eine spezielle Geburtszange durch die Vagina eingeführt und um den Kopf des Kindes gelegt. Sie hinterläßt Druckstellen, die sich rasch zurückbilden.

Pflegerische Aspekte

Bei einer Vakuumextraktion und bei einer Forzepsentbindung wird eine **Episiotomie** durchgeführt.
Zusätzlich kommt es öfter als bei einer Spontangeburt zu **Weichteilverletzungen** mit Damm- und Scheidenrissen sowie zu **Rissen** im Bereich der Schamlippen und des Muttermunds.
Auch beim Kind kann es zu Weichteil- oder Nervenverletzungen, Blutergüssen oder Schädelbrüchen kommen.
Deshalb müssen Mutter und Kind beobachtet werden. Bei der Mutter ist auf eine gute Wundversorgung zu achten, um Wundinfektionen zu vermeiden.

- **Sectio caesarea**
  Eine Sectio caesarea ist bei voraussehbarer oder akuter **Gefährdung von Mutter oder Kind** (z.B. bei Plazenta praevia, vorzeitiger Plazentalösung, Präeklampsie, Eklampsie, Geburtsstillstand) indiziert.
  Eine Sektio wird in Allgemeinnarkose (bei Notfällen) oder in Periduralanästhesie bzw. Spinalanästesie durchgeführt. Mit einem Schnitt oberhalb der Schambehaarung wird zunächst die Bauchdecke durchtrennt, dann die Gebärmutter eröffnet und das Kind aus der Uterushöhle entwickelt. Die Geburtswunden der Mutter werden dann chirurgisch versorgt. Zur Pflege nach einer Schnittentbindung siehe *Seite 878*.

11.15.5 Totgeburt

❐ Definition und Ursache

Ein Kind gilt in Deutschland als totgeboren, wenn es nach der Geburt nicht atmet, das Herz nicht schlägt, die Nabelschnur nicht pulsiert und das Gewicht mindestens 500 g beträgt.
Eine Totgeburt kommt am häufigsten im letzten Schwangerschaftsdrittel vor, ihr geht der **intrauterine Fruchttod** voran. Dieser kann durch kindliche Fehlbildung, intrauterine Infektionen, Blutgruppenunverträglichkeit, Plazentainsuffizienz und Nabelschnurkomplikationen verursacht werden.
In vielen Fällen bleibt die Ursache unbekannt.

❐ Symptome

Fehlende Kindsbewegungen: Oft bemerkt die Schwangere, daß sich das Kind nicht mehr bewegt.
Der Bauchumfang kann geringer werden, Bauch und Brüste sind evtl. weicher.

❐ Diagnose

Bei der Kardiotokographie hört man keine kindlichen Herztöne. Beweisend ist das **Fehlen** der fetalen **Herzaktionen** im Ultraschallbild.
Nach dem intrauterinem Tod kommt es zum Auflösungsprozeß der Zellen (*Autolyse*). Dieser Vorgang wird auch als Mazeration bezeichnet, bei dem drei Grade unterschieden werden:
Grad 1: die Haut ist aufgeweicht und hat eine weiße Farbe angenommen. Das Fruchtwasser kann grün sein, ebenso die Käseschmiere, die Eihäute und die Nabelschur.
Grad 2: auf der Haut haben sich nach 1 - 3 Tagen Blasen gebildet; diese platzen und lösen sich ab. Das Fruchtwasser ist braun - rot gefärbt.
Grad 3: das Kind hat eine grau - braune Hautfarbe, auch das Fruchtwasser ist braun. Die Gelenke sind nicht mehr fest und die inneren Organe lösen sich auf.

❐ Therapie

Die **Geburt** wird mit Hilfe von Prostaglandinen **eingeleitet.**
Das **tote Kind** wird von der Hebamme abgenabelt, abgetrocknet und in Tücher gehüllt.
Jede Totgeburt bleibt (ebenso wie eine Fehlgeburt, ein Neugeborenentod und der plötzliche Kindstod) für die betroffenen Eltern ein schwerer Schicksalsschlag.
In dieser Situation sind die Eltern auf die einfühlsame Betreuung durch das Pflegepersonal und die Ärzte angewiesen. Sie benötigen neben der medizinischen Versorgung Gesprächspartner, um den Verlust verarbeiten zu können.
Pflegende werden also in dieser besonderen Situation mit dem Leid und dem beginnenden Trauerprozeß konfrontiert. Sie erleben bei den Eltern die unterschiedlichsten Gefühlsäußerungen (Weinen, Nichtweinen, nach außen hin stark sein, Verzweiflung, Schmerz, Zorn darüber, daß gerade sie betroffen sind).
Aufgabe und Ziel der Pflege ist es, bei der Verarbeitung des Verlustes und bei der Bewältigung des beginnenden Trauerprozeßes zu helfen. Viele Pflegende sind unsicher im Umgang mit den betroffenen Eltern.
Folgendes Verhalten kann hilfreich sein:

- die Trauernden ermutigen, ihre Gefühle auszudrücken;
- Mitgefühl zeigen, mitweinen;
- den Frauen bzw. den Eltern versichern, daß sie keine Schuld am Tod ihres Kindes haben;
- ggf. die Frau in den Arm nehmen (nicht jede Pflegende oder jeder Arzt kann einen Körperkontakt herstellen, oder die Frau signalisiert, daß sie es nicht möchte);
- nicht beschwichtigen, z.B.: sie sind noch jung, sie können noch Kinder bekommen, es tröstet nicht dar-

über hinweg, das man jetzt gerade ein Kind verloren hat;
- wenn möglich keine Beruhigungsmittel verabreichen denn sie behindern den Trauerprozeß;
- alleinstehenden Frauen eine besonders intensive Betreuung gewähren;
- die Eltern in Entscheidungsprozessen, z.B. hinsichtlich einer Obduktion, der Beerdigung, der Kleidung des Kindes, begleiten;
- den Gebrauch medizinischer Fachausdrücke wie Frucht oder Fötus vermeiden;
- die Eltern noch im Kreißsaal ermutigen, das Kind anzusehen, denn sonst werden sie vielleicht ein Leben lang nach dem Anblick suchen;
- die Eltern informieren, was mit dem toten Kind weiter geschieht;
- wenn die Eltern das Bedürfnis haben, ihr Kind anfassen, sind sie darin zu unterstützen;
- das tote Kind im Kreißsaal baden, anziehen und in den Arm der Mutter / des Vaters legen, wenn diese es wünschen;
- die Familie eine Zeit lang alleine im Kreißsaal lassen, auch damit die Eltern in Ruhe notwendige Entscheidungen treffen können;
- die Eltern ermutigten, dem Kind den Namen geben, den sie für dieses Kind gewählt haben;
- die Eltern werden gefragt, ob sie das Kind noch einmal sehen möchten, diese Begegnung ist wichtig, um zu begreifen, daß ihr Kind wirklich nicht mehr lebt (vielleicht hatten sie bis dahin gehofft, das ihr Kind noch lebt);
- die Eltern werden gefragt, ob sie das tote Kind den Geschwistern und anderen Familienangehörigen (z.B. Großeltern) zeigen möchten, denn oft wissen die Eltern nicht, daß diese Möglichkeit besteht;

  „Allerdings trauten wir uns nicht, unseren 4 und 6 Jahre alten Söhnen das tote Kind zu zeigen. Das haben wir später sehr bedauert, weil unser Sohn als er 10 Jahre alt war, gefragt hat: „Warum habt ihr mir meine Schwester nicht gezeigt?". Wir waren zu unsicher, ob wir ihnen den Anblick zumuten können. Heute wissen wir, daß Phantasie oft schlimmer ist als die Realität."

  Das Kind sollte photographiert werden, um vielleicht später eine Erinnerung an das Kind zu haben. Den Eltern ist vorzuschlagen, Erinnerungsstücke (z.B. eine Haarlocke) aufzuheben.

Wichtig ist, daß alle Personen, die mit den trauernden Eltern umgehen, einfühlsam reagieren und Anteil an dem Schicksal nehmen.
Bei der Entlassung sind die Eltern darauf aufmerksam zu machen, daß es Selbsthilfegruppen gibt.
Auskunft erteilt die

Initiative Regenbogen, Glücklose Schwangerschaft e.V.
Barbara Kunzer - Riebel
Rosenstraße 9, 73550 Waldstetten, Tel.: 07171 / 41713

Im Team sollte über die Nachbetreuung der verwaisten Eltern sowie über die persönlichen Gefühle gesprochen werden. Zur Verarbeitung der Problematik ist es empfehlenswert, an Supervisionen teilzunehmen und Fortbildungen zum Thema Tod und Trauerarbeit zu besuchen.

11.16 Wochenbett *(Puerperium)*

Ursula Wulfheide

11.16.1 Definition

Die **Zeit nach der Geburt** wird als Wochenbett oder postnatale Phase bezeichnet. Sie beginnt mit der Geburt der vollständigen Plazenta und endet nach ca. 6 - 8 Wochen.
Die wichtigsten **Involutionsvorgänge** (*Rückbildungsvorgänge*) finden während der ersten 5 bis 10 Tage statt.
In dieser Zeit muß die Wöchnerin gezielt beobachtet werden. Dabei steht nicht nur die medizinische Versorgung im Vordergrund, sondern auch die psychosoziale Begleitung der Mutter.

11.16.2 Typische Vorgänge

Das Wochbett ist durch vier nebeneinander verlaufende Vorgänge gekennzeichnet.

❒ Rückbildung *(Involution)*

Die Involutionsvorgänge (*Rückbildung der durch die Schwangerschaft hervorgerufenen Veränderungen im und am Körper*) werden durch das Nachlassen der Hormonproduktion und durch die Wochenbettwehen ausgelöst. Der Uterus wird kleiner und verliert an Gewicht; er wiegt nach der Geburt 1000g, am Ende des Wochenbettes 50 - 70 g.

Wochenbettwehen
Es werden 3 Arten von Wochenbettwehen unterschieden.
- die **Dauerkontraktionen**: sie beginnen nach der Ausstoßung der Plazenta und enden 4 bis 5 Tage später.
- die **Nachwehen**: es handelt sich um rhythmische Kontraktionen, die mit den Dauerkontraktionen auftreten; sie dauern 2 - 3 Tage an und sind sehr schmerzhaft.
- die **Stillwehen** (*Laktationswehen*): diese Wehen werden durch den Saugreiz des Kindes hervorgerufen; es kommt zu einer vermehrten Ausschüttung von Oxytocin aus dem Hypophysenhinterlappen. Oxytocin steuert sowohl die Uteruskontraktionen als auch die Milchsekretion. Die Rückbildung des Uterus und die Ausstoßung des Wundsekretes *(Lochien)* werden durch Kontraktionen der Gebärmuttermuskulatur bewirkt. Diese Nachwehen sind besonders bei Mehrgebärenden häufig schmerzhaft. Sie werden nach 2 bis 3 Tagen schwächer; ggf. verordnet der Arzt ein Analgetikum. Zusätzlich wird einmal täglich der **Fundusstand kontrolliert** und protokolliert. Als Fundus bezeichnet man den gewölbten Grund der Gebärmutter, der den Tubenansatz überragt. Dabei wird der Fundusstand in bezug auf den Nabel (N) und die Symphyse (S) angegeben (z.B. N - 1, S + 1). Die Zahlen geben die Anzahl der Querfinger an, die man unterhalb des Nabels bzw. oberhalb der Symphyse bis zum Fundusstand auflegen muß. Der Fundus sollte täglich einen Querfinger tiefer treten. Vor

der Kontrolle wird die Wöchnerin aufgefordert, die Blase zu entleeren.

Die gesamte Muskulatur wird straffer, auch der Beckenboden; oft bleibt jedoch eine Schwäche des Beckenbodens (*Diaphragma urogenitale*) zurück. Dieses kann im Klimakterium zu Miktionsproblemen führen.
Auch die Blasenmuskulatur benötigt einige Zeit zur Normalisierung.
Die Wöchnerin hat nach der Geburt einen verminderten Harndrang aufgrund einer Tonusverminderung der glatten Muskulatur, gleichzeitig setzt eine **Harnflut** (*vermehrte Harnbildung durch Ausschwemmung des eingelagerten Gewebswassers*) ein.
Die Pigmentierung der Haut verblaßt mit der Zeit, die alte Hautspannung kehrt zurück und die Dehnungen im Vulvabereich, die während der Geburt entstanden, regenerieren sich.
Die Rückbildung der aufgetretenen Venenerweiterung (Varizen, Hämorrhoiden) ist oft unvollständig.
50% der Gebärenden weisen Varizen auf, deshalb und aufgrund der erhöhten Gerinnungsneigung des Blutes besteht eine **Thromboseneigung** im Wochenbett.
Innerhalb der ersten Woche geht das Blutvolumen auf Normalwerte zurück; auch der Herzschlag und die Atmung normalisieren sich wieder.
Bereits bei der Geburt nimmt das Körpergwicht um ca. 5 kg ab. Außerdem verliert die Wöchnerin Gewicht, weil das eingelagerte Wasser ausgeschieden wird.

❒ Heilung der Geburtswunden

Im Wochenbett heilen die unter der Geburt entstandenen Wunden, insbesondere die Plazentahaftstelle und die Wunden im Bereich des Geburtskanals (*Durchtrittsschlauchverletzungen*). Es handelt sich um Einrisse, Schürfungen, Quetschungen am äußeren Muttermund, an der Scheide und am Damm sowie um den Dammschnitt (*Episiotomie*) oder einen Dammriß. Die beiden letzteren werden durch eine Naht versorgt. In den meisten Fällen heilen die Geburtswunden komplikationslos ab (*primäre Wundheilung*).

❒ Milchbildung (*Laktation*)

Die Brust ist eine inaktive Drüse. Erst mit dem Wegfall des hemmenden Effekts der Schwangerschaftshormone (mit der Geburt der Plazenta) wird die Milchsekretion ausgelöst. Dieser Vorgang wird durch den physiologischen Saugreiz unterstützt.

Milchbildung

Die Milch wird in den Brüsten gebildet. Jede Brust enthält ungefähr 20 Drüsenlappen, die wiederum ein Bündel von milchproduzierenden Drüsen enthalten. Zur Milchsekretion kommt es erst durch das Saugen des Neugeborenen an der Brust. Deshalb sollte das Kind, das über einen angeborenen Saugreflex verfügt, so früh wie möglich angelegt werden. Auch sollte es abwechselnd bei jeder neuen Mahlzeit einmal an der rechten und beim nächsten Mal an der linken Brust angelegt werden, um die Milchproduktion gleichmäßig anzuregen.
Das Saugen des Kindes löst die Ausschüttung zweier Hormone, die für die Milchbildung und für die Milchsekretion verantwortlich sind sowie den Brustwarzenerektionsreflex aus:

- Das im Hypohysenvorderlappen gebildete **Prolaktin** sorgt dafür, daß sich die Brüste alle 2 bis 3 Stunden füllen. Durch häufiges Saugen steigt die Prolaktinausschüttung; so wird die Milchbildung gesteigert. Dies ist besonders wichtig, wenn das Kind einen Wachstumsschub hat und mehr Nahrung benötigt.
- Das im Hypohysenhinterlappen gebildete Hormon **Oxytocin** bewirkt neben einer Kontraktion der Gebärmutter auch eine Kontraktion der Milchgänge, so daß die Milch nach außen befördert wird (milk *let down reflex*). Streß, Unsicherheit und Unzufriedenheit blockieren die Oxytocinausschüttung. Aufgrund des Stresses kommt es zu einer vermehrten Adrenalinausschüttung, die zu einer Gefäßverengung im Bereich der Milchgänge führt. Dadurch wird weniger Milch abgegeben. Die Oxytocinausschüttung wird auch durch das Schreien des Kindes ausgelöst.
- Aufgrund des **Brustwarzenerektionsreflexes** werden die Brustwarzen größer und fester, so daß sie vom Kind besser gefaßt werden können.

❒ Wiederaufnahme der Ovarialtätigkeit

Während der Schwangerschaft hatten die Ovarien ihre Funkton weitgehend eingestellt, die Produktion der die Schwangerschaft aufrechterhaltenden Hormone (HCG, HPL, Östrogene, Progesteron) erfolgte über die Plazenta.
Nach Ausstoßung der Plazenta fällt deren Hormonproduktion weg, die Ovarien nehmen ihre Tätigkeit (Eireifung, Eisprung, Produktion von Hormonen) nach der Geburt langsam wieder auf: Die Menstruation hat bei 90% der nichtstillenden Frauen nach 12 Wochen wieder eingesetzt. Bei stillenden Frauen tritt die erste Menstruation meist erst nach dem Abstillen auf.

11.16.3 Besonderheiten bei der Pflege einer Wöchnerin

❒ Übernahme der Frischentbundenen und pflegerische Erstmaßnahmen auf der Station

Nach der Entbindung bleibt die Wöchnerin noch ca. 2 Stunden im Kreißsaal. Sie wird dort von der Hebamme versorgt. Im Kreißsaal wird das Neugeborene zum erstenmal angelegt.
Die Wöchnerin wird von einer Krankenschwester aus dem Kreißsaal abgeholt. Diese nimmt die Unterlagen und einen mündlichen Übergabebericht, der sich auf die folgenden Punkte bezieht, entgegen:

- Verlauf der Geburt und Besonderheiten,
- Verlauf der postplazentaren Phase,
- Blasenentleerung (Zeitpunkt, Menge),
- Geburtsverletzungen,
- geschätzter Blutverlust,
- Vitalzeichen,
- Medikamentengabe,
- Zustand und Verbleib des Kindes (Behinderung, Mißbildung, Totgeburt, Frühgeburt, Gesundheitszustand; normale Kinderstation, Kinderklinik).

Es ist darauf zu achten, daß sämtliche persönliche Gegenstände der Patientin aus dem Kreißsaal mitgenommen werden.
Die Wöchnerin wird in ihr Zimmer begleitet und ggf. den Mitpatientinnen vorgestellt.
Zu den pflegerischen Erstmaßnahmen gehören die Vitalzeichenkontrolle (nach klinikinternem Überwachungsschema), die Kontrolle der Vorlage und das Anlegen eines Pflegeberichtes.

❒ Mobilisation und Thromboseprophylaxe

Aufgrund der erhöhten Gerinnungsneigung nach der Entbindung besteht ein **Thromboserisiko**, dem durch **Früh- / Mobilisation** begegnet wird. Die Wöchnerin kann, wenn die Geburt und die Postplazentarphase normal verlaufen sind (normaler Blutverlust bei der Geburt, gut kontrahierter Uterus), sofort aufstehen.
Das Tragen von **Antithrombosestrümpfen** *(siehe Seite 317)* ist z.B. nach einer Sectio caesarea, bei Varizen oder Adipositas sowie bei vorausgegangenen Thrombosen erforderlich. Auch hier ist eine frühzeitige Mobilisaton angezeigt. Sollte aus medizinischen Gründen überwiegend Bettruhe angezeigt sein, sind weitere Maßnahmen, z.B. Bewegungsübungen im Bett und Hochlagerung der Beine, angezeigt *(siehe Seite 320)*.
Die **Frühmobilisation** weist folgende Vorteile auf:

- Erleichterung der Harnentleerung,
- Anregung der Darmtätigkeit,
- Anregung des Wochenflusses,
- Verbesserung der Rückbildung der Gebärmutter,
- Förderung der Selbständigkeit und des Wohlbefindens,
- Förderung des venösen Rückstroms zum Herzen (*Thromboseprophylaxe*).

Da beim **ersten Aufstehen** häufig Kreislaufprobleme auftreten, muß eine Pflegeperson anwesend sein. Die Wöchnerin sollte feste Schuhe, Vorlagen, Einmalschlüpfer und Morgenrock tragen.

❒ Körperpflege

Die Körperpflege steigert das Wohlbefinden und verhindert Infektionen.
Je nach Befinden kann die Wöchnerin schon am Tag der Geburt **duschen**. Ist sie hierzu zu schwach, wird die Körperpflege am Waschbecken mit Hilfe einer Pflegeperson durchgeführt.
Vollbäder sind wegen der Gefahr der Keimverschleppung durch die Lochien für die Dauer des Wochenflusses zu **unterlassen**.
Die Wöchnerin wird über folgende Besonderheiten im Wochenbett informiert:

- Sie schwitzt vermehrt.
- Sie hat vermehrten Haarausfall aufgrund der Hormonumstellung. Deshalb sollte sie die Haare vorsichtig mit einem grobzinkigen Kamm kämmen und nicht zu heiß fönen.
- Bei Striae an Brust, Oberschenkel und Bauch kann sie Bürstenmassagen und Zupfmassagen durchführen, diese fördern die Durchblutung der Haut.
- Sie kann ihre Haut mit feuchtigkeitsspendenden Hautlotionen pflegen; dabei sollte die stillende Wöchnerin die Brustwarzen nicht eincremen.
- Die Brust wird mit klarem Wasser abgewaschen *(siehe auch Brustpflege)*.

Neben diesen allgemeinen Körperpflegemaßnahmen ist während der Wochenbettphase eine sorgfältige **Intimpflege** notwendig. Diese beinhaltet die Spülung des äußeren Genitale und den anschließenden Vorlagenwechsel. Ziel der Intimpflege ist die **Vermeidung einer Infektion** durch die Lochien. Die Intimtoilette muß zwei- bis dreimal täglich nach jedem Wasserlassen und nach jeder Defäkation durchgeführt werden (Beachte: Episiotomienaht). Je nach Zustand der Wöchnerin kann diese die Spülung schon am ersten Tag auf dem Bidet selbständig durchführen; eine Anleitung durch das Pflegepersonal ist Voraussetzung.
Die Wöchnerin sollte bei **Durchführung der Intimtoilette** wie folgt vorgehen:

- vor jeder Intimtoilette die Hände waschen,
- benutzte Vorlage an der Außenseite anfassen und zusammengeklappt in einen Hygienebeutel geben, diesen in den dafür vorgesehenen Abfalleimer werfen,
- die Spülung auf dem Bidet durchführen bzw. den Genitalbereich über der Toilette abspülen,
- den Intimbereich abtrocknen und eine neue Vorlage einlegen,
- nach jeder Intimtoilette die Hände desinfizieren.

Nach jeder Benutzung des Bidet bzw. der Toilette ist mit einer Desinfektionslösung zu desinfizieren.
Die Wöchnerin soll **Einmalslips** verwenden. Möchte sie eigene Unterwäsche benutzen, sollte sie diese zweimal täglich wechseln. Auf die Benutzung von Tampons ist zu verzichten, da diese eine Infektion und eine Lochialstauung verursachen können.
Fühlt sich die Wöchnerin zu schwach, die Intimpflege durchzuführen, übernimmt eine Krankenschwester diese Aufgabe. Dabei hat sich folgende **Vorgehensweise** bewährt:

- Material vorbereiten
  - Bettschüssel,
  - angenehm warmes Wasser,
  - Wasserbehälter mit Gießvorrichtung,
  - Einmalhandschuhe,
  - Vorlagen;
- die Wöchnerin informieren;
- Fenster und Türen schließen;
- ggf. Sichtschutz aufstellen;
- Handschuhe anziehen;
- Wöchnerin auffordern, den Slip auszuziehen;
- Vorlage entfernen und mit den Handschuhen in den Abfallbehälter werfen;
- neue Handschuhe anziehen;
- eine Vorlage auf die Symphyse legen, damit keine Spülflüssigkeit über den Bauch läuft;
- die Intimtoilette durchführen
  - die Vulva ohne Spreizen der Schamlippen abspülen (Spreizen führt zu einer Reizung der Haut- und Schleimhäute),
  - den Intimbereich mit Einmalhandtüchern von vorne (*ventral*) nach hinten (*dorsal*) trocknen;
- neue Vorlage vorlegen oder anreichen;
- Slip anziehen, evtl. beim Hochziehen helfen;
- Handschuhe ausziehen;
- Materialien entsorgen;
- Hände desinfizieren.

❒ Beobachtung der Lochien

Nach Ablösung der Plazenta verbleibt in der Gebärmutter eine große Wundfläche. Die Wundheilung geht mit der **Absonderung des Wochenflußes** (*Lochien*) einher.

Die Lochien bestehen aus Blut, Cervixschleim, Vaginaepithelien und Dezidua (*Gebärmutterschleimhaut*).

Sie sind post partum **stark blutig**, so daß die Vorlagen alle 3 bis 4 Stunden gewechselt werden müssen. Im Verlauf des Wochenbettes verändern sich Menge, Farbe, Geruch und Konsistenz der Lochien.

Der **Geruch** ist anfangs fade, später riechen die Lochien kaum noch. Ein übler Geruch ist unphysiologisch und ein Zeichen für eine Stauung des Lochialsekrets oder eine Infektion.

Die **Farbe** der Lochien ist in den ersten 6 Tagen rot, gegen Ende der ersten Woche braunrot - bräunlich bis fleischwasserfarben (*Lochia fusca*). Ende der zweiten Woche werden sie schmutziggelb (*Lochia flava*), ab der dritten Woche werden sie grauweiß (*Lochia alba*).

Das Lochialsekret enthält zahlreiche Keime. Es ist aber nur dann **infektiös**, wenn es eitrig ist und eine hohe Zahl pathogener Keime enthält. Um eine Infektion zu vermeiden, sind hygienische Maßnahmen im Umgang mit den Lochien zu beachten, denn Körperwärme, Feuchtigkeit und Dunkelheit sind ideale Voraussetzungen für die Ausbreitung von Keimen.

Beobachtung

Die pflegerische Beobachtung richtet sich auf:

- die Lochien (Menge, Farbe, Geruch und Beimengungen). Sie erfolgt postpartal dreimal alle zwei Stunden, danach dreimal alle sechs Stunden.
  Am ersten Tag post partal erfolgt die Kontrolle dreimal täglich, am zweiten Tag p.p zweimal täglich, ab dem dritten Tag einmal täglich.
- Vitalzeichenkontrollen. Post partum sind dreimal täglich eine Temperaturkontrolle (frühzeitiges Erkennen von Infektionen) sowie zweimal täglich Blutdruck- und Pulskontrollen angezeigt. Alle Abweichungen von den Normalwerten sind dem Arzt mitzuteilen.

Die Wöchnerin wird über folgende Punkte informiert:

- Notwendigkeit der Einhaltung hygienischer Maßnahmen, z. B. Händewaschen;
- Wechsel der Vorlagen, bevor diese vollständig durchblutet sind (das Pflegepersonal stellt genügend Vorlagen und Einmalslips zur Verfügung);
- bei Verwendung eigener Slips mindestens zweimal täglich Wechsel durchführen und Abwurf des Slips ohne Zwischenlagerung (z. B. auf den Boden) in einen Plastikbeutel;
- Beobachtung der Lochien (Menge, Farbe, Geruch, Beimengung);
- sofortige Berichterstattung bei Veränderung der Lochien;
- Verzicht von Tampons aus medizinischen Gründen.

❒ Maßnahmen bei Dammverletzungen / Dammschnitt

Wöchnerinnen, bei denen ein Dammschnitt oder ein Dammriß erfolgte, klagen häufig über Schmerzen beim Laufen und Sitzen. Als eine Komplikation kann es im Wochenbett zu einer Störung der Wundheilung kommen. **Folgende Maßnahmen lindern den Wundschmerz und tragen zur primären Wundheilung bei:**

- Abspülen des Genitalbereiches *(siehe „Körperpflege“)*,
- Sitzbäder; die Wöchnerin sollte einmal täglich 10 Minuten ein Sitzbad in einer Kamillenlösung oder in warmem Salzwasser nehmen, anschließend ist eine Desinfektion der Sitzwanne / des Sitzbades / der Duschwanne notwendig;
- Unterlegen eines Sitzringes oder eines weichen Kissens beim Sitzen;
- Einnahme der Seitenlage beim Stillen;
- Abdeckung und Festhalten der Naht mit Toilettenpapier beim Stuhlgang;
- Benutzung des Bidet nach jeder Miktion und nach jedem Stuhlgang;
- häufiger Vorlagenwechsel;
- Trocknen des Dammes mit warmer Luft aus dem Fön;
- Auflegen einer Eispackung, damit die Schwellung schneller zurückgeht;
- Verabreichung von Schmerzmitteln nach Arztanordnung (z.B. Paracetamol®, dieses ist auch für das gestillte Kind ungefährlich).

Außerdem beobachten die Pflegenden die Episiotomienaht hinsichtlich der Wundheilung und informieren die Wöchnerin darüber, daß sich die Fäden von selbst auflösen (kein Fädenziehen).

❒ Maßnahmen im Zusammenhang mit der Harnentleerung

Nach der Geburt setzt eine vermehrte Urinproduktion, bis zu 300 ml pro Stunde, ein. Dadurch wird das während der Schwangerschaft eingelagerte Wasser ausgeschwemmt.

Die Wöchnerin ist bezüglich dieser **Harnflut** zu informieren. Da der starke Wasserverlust zu Kreislaufproblemen führen kann, sollte sie anfangs zur Toilette begleitet werden. Die Häufigkeit der Miktionen und möglichst auch die Urinmengen werden dokumentiert.

Die **Harnverhaltung** unmittelbar nach der Geburt ist eine häufige Erscheinung. Sie ist Folge eines noch mangelhaften Blasentonus und eines durch die Entbindung entstandenen Ödems am Blasenausgang.

Die Miktion kann durch Wärmeauflagen oder Verabreichung von Blasentee gefördert werden. Wenn die Wöchnerin 6 Stunden nach der Entbindung noch keine Miktion hatte, ist der Arzt zu informieren, da es zu einer Blasenüberdehnung oder Zystitis kommen kann. Zudem schränkt eine gefüllte Blase die Uteruskontraktion ein und erhöht somit das Risiko einer uterinen Nachblutung. Nach Anordnung ist Doryl® (ein Cholinderivat zur Tonussteigerung) und evtl. auch ein Spasmolytikum zu verabreichen. Unter Umständen kann eine Einmalkatheterisierung erforderlich sein.

Puls und Blutdruck sind alle zwei Stunden, bei normalen Werten zwei- dreimal täglich zu beobachten.

❒ Beobachtung und Anregung der Darmtätigkeit

Viele Wöchnerinnen neigen zur Obstipation, da nach der Geburt der Darm mehr Platz zur Verfügung hat und der Tonus der Darmmuskulatur vermindert ist. 24 Stunden nach der Geburt soll die **Darmtätigkeit ange-**

regt werden, entweder **medikamentös** (durch Gabe eines nicht muttermilchgängigen Abführmittels, z.B. orale oder rektale Applikation von Dulcolax®) oder durch eine **Kolonmassage**. Wenn die vorangegangenen Maßnahmen nicht zum Erfolg geführt haben, ist die Verabreichung eines **Klysma** angezeigt.
Besonders nach einer Episiotomie ist auf eine regelmäßige Darmentleerung von weichem Stuhl zu achten. Bei hartem Stuhl kommt es zu Schmerzen und zu einer Unterdrückung des Stuhlganges. Das Pflegepersonal sollte die Wöchnerin täglich nach der Darmentleerung fragen. Die Häufigkeit der Stuhlentleerung und Maßnahmen zur Anregung der Darmtätigkeit werden dokumentiert.

❒ Aufgaben im Zusammenhang mit dem Stillen

❍ Information und Beratung

Viele Frauen äußern den Wunsch, ihr Kind zu stillen, weil sie sich über die Vorteile des Stillens informiert haben. Sie sind jedoch unsicher, ob das Stillen gelingt. Mit diesen Ängsten wird das Pflegepersonal auf der Station, insbesondere bei der Betreuung von Erstgebärenden, konfrontiert.
Pflegende können zum Abbau dieser Ängste beitragen, indem sie die stillende Mutter **anleiten**, für Fragen offen sind und über alle Maßnahmen bezüglich des Stillens informieren. Dieses setzt detaillierte Kenntnisse über das Stillen voraus. Die wichtigsten Aspekte zum Thema Stillen werden in diesem Abschnitt angesprochen. Die **Stillberatung** ist Aufgabe der Kinderkrankenschwester bzw. der Hebamme. Die Aufgabe der Krankenschwester besteht darin, die Wöchnerin **zum Stillen zu ermutigen** und sie emotional zu unterstützen.

Gründe für das Stillen

Die Muttermilch ist im Aufbau und im Nährstoffgehalt genau auf die Bedürfnisse und auf das allmählich ausreifende Verdauungssystem abgestimmt. Bei dem Neugeborenen sind Verdauungsenzyme, die bestimmte Nährstoffe in Magen und Darm abbauen, in geringen Mengen vorhanden und der Magen bildet noch nicht in ausreichender Menge Magensäure.
Die Muttermilch enthält **Abwehrstoffe** (*Immunglobuline*), die das Neugeborene vor Infektionen schützen (gestillte Kinder leiden seltener unter Infektionskrankheiten). Die Muttermilch paßt sich dem **Energiebedarf** des Kindes an (Übergewicht kommt bei gestillten Kindern seltener vor). Sie steht jederzeit frisch, fertig, wohltemperiert, hygienisch einwandfrei zur Verfügung und verursacht keine Kosten.
Es ist bekannt, daß gestillte Kinder **weniger Allergien** bekommen als Flaschenkinder. Besteht bei dem Kind eine Allergiegefährdung (diese Disposition ist vorhanden, wenn ein Elternteil unter einer Allergie leidet), dann sollte das Kind in den ersten 6 Monaten ausschließlich gestillt werden.
Hautkontakt, Wärme und Zuwendung beim Stillen **fördern** eine gute Entwicklung der **Mutter- / Kind-Beziehung**.
Das Stillen senkt das Brustkrebsrisiko der stillenden Frau.

Stillhindernisse

Es gibt Situationen, in denen das Stillen kontraindiziert ist (**absolute Stillhindernisse**):
- schwere Allgemeinerkrankungen der Mutter;
- Infektionskrankheiten, z.B. HIV, HBV, Tuberkulose;
- Einnahme bestimmter Medikamente, z.B. Zytostatika, Antituberkulotika oder Antikoagulanzien;
- bestimmte Stoffwechselerkrankungen des Kindes, z.B. Galaktosämie.

Neben diesen absoluten Stillhindernissen gibt es **relative**, d.h. die Milch kann abgepumpt und dem Kind mit der Flasche oder anderen Hilfsmaßnahmen (z.B. Sonde) zugeführt werden.
Relative Stillhindernisse:
- Lippen-, Kiefer-, Gaumenspalten,
- Trinkschwäche bei unreifen Kindern,
- Trinkschwäche bei Kindern mit Herzfehlern oder Neuropathien.

Zusammensetzung der Muttermilch

In den ersten Tagen erhält das Neugeborene die **Vormilch** (*Kolostrum*), eine klare, leicht gelbliche Flüssigkeit, die Abwehrstoffe enthält und die Ausscheidung des ersten Stuhls (*Mekonium*) fördert. Sie ist eiweißreich und hat einen hohen Nährwert, wodurch ein zu hoher Gewichtsverlust beim Neugeborenen verhindert wird.
Zwischen dem zweiten und dem sechsten Tag schießt die **Übergangsmilch**, eine gelblich sahnige Milch, ein. Ab der dritten Woche produziert die Brustdrüse die reife Frauenmilch.
Die reife **Frauenmilch**
- ist weiß und dünnflüssig,
- ist eiweißarm,
- enthält viele langkettige, mehrfach ungesättigte Fettsäuren,
- enthält außer Milchzucker keine Kohlenhydrate (der Milchzucker sättigt gut und zeigt dem Kind, wann es genug getrunken hat),
- weist alle Vitamine auf, die das Kind im ersten halben Jahr benötigt (allerdings erhalten gestillte Kinder Vitamin D zur Rachitisprophylaxe),
- ist leicht verdaulich, das Kind neigt weniger zu Verstopfung,
- reicht als alleinige Nahrung in den ersten 6 Monaten aus,
- enthält Spuren von Umweltgiften (Nitrat; Nitrit), gleichwohl wird das Stillen empfohlen, da die oben genannten Vorteile überwiegen.

Die Muttermilch verändert sich nicht nur mit dem Alter des Kindes, sondern auch während einer Stillmahlzeit. Zunächst bekommt das Kind eine dünnflüssige, durststillende **Vormilch** (nicht zu verwechseln mit dem Kolostrum), nach 5 - 10 Minuten folgt die fettreiche und sättigende **Nachmilch**. Deshalb sollte das Kind 10 Minuten an jeder Brust trinken.

❍ Stillanleitung

Beim **Anlegen des Kindes** ist eine **bequeme Haltung** für Mutter und Kind wichtig. Das Kind kann sowohl im

Liegen (z.B. nach einer Sectio caesarea) als auch im Sitzen gestillt werden. Wird im Liegen gestillt, sollte das Kind auf der Seite liegen und die Brustwarze genau vor seinem Mund haben. Findet das Kind die Brustwarze nicht ohne Hilfe, nimmt die Mutter den Warzenhof zwischen Daumen und Zeigefinger und führt ihn zum Mund des Kindes. Der Mund soll den Warzenhof ganz umfassen, da es sonst auf die Brustwarze beißen könnte.
Das **Stillen im Sitzen** sollte auf einem bequemen Stuhl, nicht auf der Bettkante erfolgen. Zur Unterstützung der Haltung können die Füße auf einer Fußbank aufgestellt werden, der Rücken und der Arm werden mit Kissen unterstützt. Hierzu stehen besondere Stillkissen zur Verfügung. Wöchnerinnen, die einen Dammschnitt haben, können einen Sitzring unterlegen. Viele Frauen drücken beim Stillen mit den Fingern an der Brust herum, um dem Kind das Atmen zu erleichtern; dieses ist nicht nötig, weil Neugeborene flache Nasen und Nasenlöcher haben, so daß sie gleichzeitig Atmen und Trinken können.

Das Kind wird nach Bedarf gestillt, d.h. das Kind bestimmt, wann und wieviel es trinken möchte (*On demand feeding / ad libidum*). In den ersten Wochen brauchen die meisten Kinder etwa **6 Mahlzeiten**, ein oder zwei auch nachts. Das Neugeborene sollte nicht länger als 5 Stunden ohne Nahrung bleiben.
Nach den ersten Wochen wird das Kind einen individuellen Mahlzeitenrhythmus gefunden haben. Es soll bei jeder Mahlzeit **an beide Brüste nacheinander** für je 10 Minuten **angelegt** werden, wobei die zuerst angelegte Brust jeweils gewechselt wird. Diese wird dann leer getrunken, während die andere Brust meist nur teilweise entleert wird. So wird eine optimale Milchproduktion gewährleistet. **Insgesamt** sollte **nicht länger als 20 Minuten** gestillt werden, denn das Kind trinkt in den ersten 7 Minuten 90 % der vorhandenen Milch aus der jeweiligen Brust.
Das Neugeborene sollte am ersten Lebenstag 50 ml / kg Körpergewicht trinken, danach pro Lebenstag 20 ml mehr, also am 2. Lebenstag 70 ml / kg Körpergewicht. Später beträgt die tägliche Trinkmenge 150 ml /kg Körpergewicht.
Beim einem gestillten Kind wird einmal wöchentlich mit Hilfe einer **Stillprobe** die Trinkmenge bestimmt, indem das Kind **vor** und **nach** dem Stillen gewogen wird.
Viele stillende Mütter glauben, nicht genug Milch zu haben. Deshalb sind folgende **Informationen zur Milchbildung** wichtig:
Kinder benötigen mehr Milch, wenn sie einen Wachstumsschub haben. In dieser Zeit sollte die Mutter das Kind häufiger anlegen, um die Milchproduktion zu steigern. Sie sollte nicht mit der Flasche zufüttern.
Zeichen einer ausreichenden Ernährung sind eine gleichmäßige Gewichtszunahme und die Zufriedenheit des Kindes nach den Mahlzeiten.
Kinder, die ausschließlich gestillt werden, haben häufiger einen Vitamin K - Mangel. Dieser bedingt eine Blutungsneigung, die zu einer Gehirnblutung führen kann. Deshalb wird Vitamin K subkutan oder in Tropfenform bei den Vorsorgeuntersuchungen (U1, 2, 3) verabreicht.

❒ Brustpflege

Die Brustwarzen und -warzenhöfe werden durch das Stillen stark beansprucht. Um die Stillfähigkeit zu erhalten und Rhagaden (*kleine schmerzhafte Risse, die rasch bluten und sich entzünden können)* zu vermeiden, werden die Brüste entsprechend gepflegt. Zudem erhöhen rissige und wunde Brustwarzen das Risiko, daß Bakterien in die Milchgänge eindringen und eine Brustentzündung (*Mastitis*) verursachen.

Für die Brustpflege gilt:
- die Brust mit klarem Wasser waschen;
- die Brust mit Hautlotion pflegen, dabei die Brustwarzen aussparen;
- die Brust trockenhalten (z.B. luftdurchlässige Stilleinlagen benutzen);
- viel Luft an die Brust lassen;
- einen gut sitzenden Stillbüstenhalter tragen;
- angetrocknete Milchreste mit klarem Wasser abwaschen;
- beim Stillen darauf achten, daß das Kind Brustwarze und Warzenhof richtig ergreift;
- darauf achten, daß das Kind nicht zu lange saugt oder gar auf der Brustwarze kaut;
- nach dem Stillen Speichel- und Milchreste antrocknen lassen;
- täglich die Brust hinsichtlich Größe, Farbe, Temperatur, Entzündungen beobachten;
- vor dem Stillen die Hände waschen;
- in Grippezeiten oder bei einer Erkältung einen Mundschutz tragen und die Brust nicht anatmen.

❍ Pflegemaßnahmen bei wunden Brustwarzen

- Es sollte auf jeden Fall **weiter gestillt** werden; zum Schutz der wunden Brustwarzen Still- oder Brusthütchen verwenden.
- Das Kind häufiger, aber insgesamt kürzer (an jeder Brust 5 - 6 Minuten) anlegen.
- Die Brustwarzen **vor** dem Anlegen des Kindes durch vorsichtiges Einreiben mit Eiswürfeln oder Eiswasser kühlen, so spürt die Stillende den Schmerz weniger.
- Zwischendurch Wärme zuführen (Rotlicht).
- Die wunden Brustwarzen durch Tragen von Stilleinlagen schützen.
- Wunde Brustwarzen mit Salbeitee abtupfen oder mit Johanniskrautöl oder Wundsalbe (z.B. Garmastan®) einreiben. **Beachte**: Salbenreste vor dem Anlegen abwaschen.
- Wunde Brustwarzen **nach** dem Stillen an der Luft trocknen lassen, um die Heilung zu beschleunigen.
- **Kontraindiziert** sind feuchte Verbände, da sie die Haut aufweichen.

❍ Maßnahmen bei Hohl- und Flachwarzen

Neben dem Auftreten von Wunden und rissigen Brustwarzen stellen flache und kleine Warzen sowie Schlupf- oder Hohlwarzen ein Problem beim Stillen dar.
Hohl- oder Schlupfwarzen sind Brustwarzen, die am Warzenhof haften und beim Stillen hervorgeholt werden müssen. Sie sollten schon während der Schwangerschaft massiert werden. Dazu wird die Brustwarze 5 mal täglich zwischen Daumen und Zeigefinger gelegt und hervorgezogen. Außerdem wird empfohlen, Brustschilde unter dem BH zu tragen, um die Form der

Warzen zu korrigieren. Bevor das Kind angelegt wird, müssen die Hohlwarzen hervorgeholt werden.
Ein Drittel aller Frauen haben **Flachwarzen**. Es handelt sich um kein echtes Stillhindernis. Sie erschweren das Stillen, weil das Kind die Warzen nicht richtig greifen kann.

❍ Maßnahmen bei schmerzhaftem Milcheinschuß

Oft kommt es erst am dritten Tag zum Milcheinschuß. Die Brust ist durch den Milcheinschuß hart, gespannt, vergrößert, warm und meist schmerzhaft.
Die Schmerzen können durch folgende Maßnahmen gelindert werden:

- Verringerung der Flüssigkeitsaufnahme;
- Zufuhr von **Wärme** (warme Kompressen, Wärmflasche, Rotlicht) ca. 30 Minuten **vor dem Stillen**, um den Milchfluß anzuregen;
- **Brustmassage**; sie wird mit einer oder mit beiden Händen gleichzeitig in Form kleiner kreisender Bewegungen durchgeführt und darf nicht schmerzen (zusätzlich wird durch die Massage der Milchfluß angeregt);
- **Leerpumpen** oder **Ausstreichen** der Brust nach dem Stillen; mit einer oder beiden Händen wird die Brust ausgestrichen bis das Spannungsgefühl nachläßt;
- Brüste **nach dem Stillen kühlen**, z.B. mit Quarkkompressen oder Eispackungen.

❍ Maßnahmen bei einem Milchstau

Ein Milchstau entsteht, wenn die Milchgänge nicht genügend geleert werden. Typische Zeichen eines Milchstaus sind harte, schmerzempfindliche Brüste.
Maßnahmen bei einem Milchstau:

- Häufiges Anlegen des Kindes, dabei sollte die betroffene Brust ganz leergetrunken werden. Ist dies nicht der Fall, wird sie nach dem Stillen ausgedrückt, bis die Spannung nachläßt.
- Durchführung einer sanften Massage; dabei die Milch von der gestauten Stelle mit den Händen zu den Brustwarzen massieren.
- Vor dem Stillen zur Schmerzlinderung warme Kompressen oder warme Duschen verabreichen.
- Verringerung der Flüssigkeitszufuhr.
- Bettruhe und Entspannung.
- Das Ausstreichen der Milch läßt sich durch die Anwendung des Medikamentes Syntocinon® *(synthetisch hergestelltes Oxytocin)* verbessern; es wird als Nasenspray verabreicht.
- Alternativ können homöopathische Mittel verabreicht werden, die den Milchfluß in Gang bringen.
- **Abpumpen** (wird nicht immer empfohlen). Vor dem Abpumpen muß die Mutter die Hände gründlich waschen und die Brustwarzen mit sterilem Wasser reinigen, denn verunreinigte Milch muß verworfen werden. Das Abpumpen erfolgt ca. 3 - 4 stündlich über 5 bis 10 Minuten pro Brust. Die Milch wird in einer Kunststoffflasche gesammelt, die mit Namen, Datum und Uhrzeit versehen ist und wird bei + 4 Grad C° im Kühlschrank aufbewahrt. Bei Einfrieren der Muttermilch ist auf vorsichtiges Wiederauftauen zu achten (Mikrowelle).

❍ Abstillen

Hebammen und Ärzte empfehlen, das Kind 4 - 6 Monate zu stillen. Leidet es an einer Allergie oder Neurodermitis, sollte es mindestens 6 Monate gestillt werden. Danach wird das Kind langsam abgestillt, indem die Mutter allmählich die Brustmahlzeiten durch Flaschennahrung oder Beikost ersetzt. Bei dieser Art des Abstilllens läßt die Milchbildung langsam nach, Schmerzen werden vermieden.
Muß die Mutter aus bestimmten Gründen vorzeitig abstillen, besteht das Risiko eines Milchstaus.
Wird die Milchbildung vor ihrem Einsetzen gehemmt, spricht man vom **primären Abstillen**. Wird nach dem Ingangkommen der Laktation abgestillt, spricht man vom **sekundärem Abstillen**.
Zum Abstillen können sowohl Medikamente als auch physikalische Maßnahmen angewendet werden.
Die Wöchnerin bekommt z.B. das Medikament Dostinex® (Cabergolin). Dieses hemmt die Freisetzung von Prolaktin.
Das sekundäre Abstillen wird zusätzlich durch folgende Maßnahmen unterstützt:

- Tragen eines gut sitzenden Büstenhalters;
- kalte Brustumschläge;
- Verringerung der Flüssigkeitszufuhr;
- Trinken von Salbeitee;
- Einnahme homöopathischer Mittel (z.B. Phytolacca).

❒ Ernährung während der Stillzeit

Die stillende Wöchnerin hat aufgrund der Milchbildung einen erhöhten Bedarf an Energieträgern und Mineralien. Wird dieser nicht gedeckt, kann es zu Mangelerscheinungen kommen.
Die Deutsche Gesellschaft für Ernährung gibt folgende Zahlen als Empfehlung an:

- Energiebedarf 2800 Kcal. oder 11700 KJ pro Tag,
- Protein 6,9 g / kg Körpergewicht pro Tag (mageres Fleisch, Buttermilch und Joghurt),
- Natrium 2 - 3 g pro Tag,
- Chlorid 3 - 5 g pro Tag,
- Kalium 2 - 3 g pro Tag,
- Kalzium 2 g pro Tag (Milch, Quark, Käse),
- Phosphor 1200 mg pro Tag,
- Magnesium 280 mg pro Tag,
- Eisen 20 mg pro Tag (Fleisch, Salate, Gemüse),
- Jod 200 µg pro Tag (Seefisch),
- Vitamine (frische Salate, Früchte, Gemüse), auf Multivitamintabletten ist zu verzichten.

Wichtig ist außerdem eine **Flüssigkeitszufuhr von 2 - 3 l pro Tag**, am besten Milch, Tee und Mineralwasser. Auf den Genuß alkoholhaltiger und koffeinhaltiger Getränke sollte verzichtet werden, weil diese in die Muttermilch gelangen.

❒ Rhesusprophylaxe (Anti - D - Prophylaxe)

Bekommt eine rhesusnegative Schwangere ein rhesuspositives Kind *(siehe auch „Rhesus - System" Seite 464)* und kommt beider Blut in Kontakt, z.B. unter der Geburt, so bildet der **mütterliche** Körper **Antikörper gegen die rhesuspositiven Erythrozyten des Kindes**. Bei weiteren Schwangerschaften können diese Antikörper durch die Plazenta auf das Kind übergehen und eine Hämolyse* der Erythrozyten (Morbus hämolyticus neonatorum) bewirken, falls das zweite Kind Rh - positiv ist.

Mögliche Folgen der **Rhesusunverträglichkeit** für das zweite Kind können eine angeborene Anämie, ein Ikterus gravis mit der Gefahr einer Hirnschädigung (*Kernikterus*) und einem Hydrops congenitus (*angeborene Wassersucht*) sein.

Prophylaktische Maßnahmen (Rhesusprophylaxe)
- Ermittlung der Blutgruppe und des Rhesusfaktors der Mutter (*siehe erste Vorsorgeuntersuchung*).
- Durchführung der Rhesusprophylaxe (*Anti - D - Prophylaxe*) bei allen rh - negativen Schwangeren in der 28. Schwangerschaftswoche. Es wird ein Serum (z.B. Rhesogam®), welches Antikörper gegen den Rhesusfaktor D enthält, intramuskulär verabreicht.
- Hemmung der Antikörperbildung durch eine Anti - D- oder Rh - Prophylaxe unmittelbar nach der Entbindung (spätestens 48 - 72 Stunden nach der Entbindung).
- Durchführung einer Rh - Prophylaxe bei einer rh - negativen Frau nach einer Fehl- oder Totgeburt, Extrauteringravidität, Amniozentese und Blutung in der fortgeschrittenen Schwangerschaft.
- Information der Frau über die Rh - Inkompatibilität und die Wirkung der Anti -D - Prophylaxe.

❒ Wochenbettgymnastik

Die Wochenbettgymnastik dient der besseren Rückbildung des Uterus, der Thromboseprophylaxe, der besseren Blasen- und Darmentleerung, der Anregung des Kreislaufs sowie der Straffung von Beckenboden und Bauchmuskulatur. Die Durchführung der Wochenbettgymnastik gehört in den Arbeitsbereich der Krankengymnasten.

❒ Psychosoziale Betreuung

Nach der Geburt eines Kindes befindet sich die Frau in einer **neuen Lebenssituation**, welche oft durch eine **wechselnde Stimmungslage** gekennzeichnet ist. Sie ist einerseits glücklich und stolz, andererseits ängstlich und unsicher, z.B. bezüglich der Versorgung des Kindes und der neuen Verantwortung. Zudem spielt die hormonelle Umstellung eine Rolle.

Diese labile Stimmungslage hat meist am dritten Tag p.p. ihren Höhepunkt (*„Heultag“, Hiatus post partum*). Danach fühlt sich die Wöchnerin oftmals emotional ausgeglichener.

Die Wöchnerin kann durch folgende Maßnahmen und Verhaltensweisen unterstützt werden:
- Offensein für Fragen und Sorgen der Wöchnerin;
- Hinweise auf die Normalität der Stimmungschwankungen;
- Schaffen einer angenehmen Atmosphäre;
- praktische Ratschläge, z.B. Deuten des Schreiens, Tragen des Kindes;
- Stillanleitung.

❒ Entlassung der Wöchnerin

Über folgende Punkte wird die Wöchnerin bei ihrer Entlassung informiert:
- Körperpflege (Brustpflege, Lochienfluß);
- Mütterberatungstermine in ihrem Wohnbezirk;
- Entlassungsuntersuchung, Rückgabe des Mutterpasses und Abschlußgespräch mit dem Arzt;
- gynäkologische Untersuchung nach ca. 6 Wochen;
- Körperpflege, Nabelpflege des Neugeborenen,
- Vorsorgeuntersuchungen für das Kind (sie erhält das Vorsorgeuntersuchungsheft mit dem Hinweis, sämtliche Vorsorgetermine wahrzunehmen);
- Hinweis auf unerwünschtes Bewegungsverhalten; Hüpfen und Springen sowie schweres Heben und Tragen sind in den nächsten 6 Wochen zu unterlassen, da dieses zu einer Uterussenkung führen kann.

11.16.4 Pflege nach einer Schnittentbindung (*Sektio caesarea*)

Unter einer Sektion versteht man die transabdominale Entbindung des Kindes (*Schnittentbindung, siehe dazu Seite 870).*

Vor einer geplanten Sectio caesarea werden die üblichen **präoperativen Pflegemaßnahmen** *(siehe Seite 368)* durchgeführt. Zusätzlich wird (im Operationssaal) ein Blasenverweilkatheter gelegt.

Die Pflege im Wochenbett beinhaltet neben den allgemeinen **postoperativen Maßnahmen** folgende **Besonderheiten**:
- bei beginnenden Nachblutungen Sandsack auf die Operationswunde legen;
- Kind möglichst bald anlegen;
- Wundheilung beobachten;
- Überwachung der Drainagen *(siehe Seite 377)*;
- bei Bedarf Unterstützung geben, z.B. bei der Körperpflege und bei der Versorgung des Kindes;
- nach jedem Ausscheidungsvorgang Intimhygiene durchführen;
- Rückbildungsvorgänge kontrollieren (Kontrollen wie nach einer normalen Geburt);
- Blasenverweilkatheter am 1. oder 2. postoperativen Tag entfernen (Arztanordnung).

11.16.5 Probleme im Wochenbett

11.16.5.1 Puerperalfieber

Unter Puerperalfieber (*Wochenbett- oder Kindbettfieber)* versteht man jeden fieberhaften Krankheitsprozeß, der durch das **Eindringen von pathogenen Keimen** in eine der Geburtswunden entsteht. Die häufigsten **Infektionsherde** sind:
- die Dammnaht,
- die Cervix,
- der Uterus (die Gebärmutter ist eine große Wundfläche, insbesondere dort, wo die Plazenta anhaftete).

Meist handelt es sich um eine Mischinfektion (z.B. durch Escherichia coli, Strepto- und Staphylokokken, Clostridien).

Die Infektion kann endogen (durch Aszension* von Keimen der Frau selbst) und exogen (Fremdinfektion, z.B. durch die Hände des Geburtshelfers oder durch kontaminierte Instrumente) entstehen. Diese Infektion ist durch die Einhaltung aseptischer Maßnahmen selten geworden.

Es werden die **lokal begrenzten Infektionen** (das Puerperalgeschwür am Damm und die Endometritis puerperalis = *Entzündung der Gebärmutterschleimhaut*) und die **sich ausbreitenden Infektionen** unterschieden. Die Ausbreitung kann auf dem Schleimhaut-, Lymph-

oder Blutweg erfolgen. Dadurch können folgende Infektionen entstehen:

- Adnexitis,
- Pelveoperitonitis,
- Myometritis,
- Parametritis,
- Sepsis.

Allgemein auftretende **Symptome** sind die Erhöhung der Körpertemperatur über 38 Grad C in den ersten 10 Tagen post partum sowie evtl. Schmerzen an der Infektionsstelle. Weitere, von der Lokalisation der Infektion abhängige Symptome sind z. B. übelriechende Lochien, Schüttelfrost, Brechreiz, Bauchdeckenspannung, Uteruskantenschmerz oder Flankenschmerz.

❒ Behandlung und Pflege

Bei Auftreten einer Puerperalinfektion wird **Bettruhe** verordnet und (nach Bestimmung der Bakterienkultur aus dem Lochialsekret / Blut) ein **Antibiotikum i.v.**, bei Bedarf zusätzlich ein Schmerzmittel verabreicht.

Aufgaben der Pflegenden sind die **Krankenbeobachtung** inklusive regelmäßiger Vitalzeichenkontrollen und die Unterstützung der erkrankten Frau bei den ATL. Das Risiko hinsichtlich der Entwicklung von Sekundärerkrankungen wird wiederholt analysiert; die erforderlichen **Prophylaxen** werden durchgeführt.

Bei einer **Puerperalsepsis** sind **intensivmedizinische Maßnahmen** und evtl. eine Digitalisierung zur Unterstützung des Herzes erforderlich.

11.16.5.2 Wochenbettpsychose

Von einer Wochenbettpsychose spricht man, wenn die Wöchnerin nach der Geburt psychotische Symptome, z.B. starke Unruhe, Verwirrtheit, Schlafstörungen, Angst, Halluzinationen oder manisch - depressive Symptome aufweist. Die Wochenbettpsychose wird behandelt wie andere Psychosen.

11.16.5.3 Mastitis (*Brustdrüsenentzündung*)

Die Brust kann sich entzünden, wenn **pathogene Keime über die Milchgänge oder wunde Brustwarzen in die Brust eindringen**. Die Übertragung der Keime erfolgt meist vom Kind auf die Mutter, denn in 90 % der Fälle ist die Brustwarze der Mutter nach dem Stillen mit Staphylokokken besiedelt. Andere Erreger sind z.B. Gonokokken und Streptokokken.

Eine Mastitis geht mit folgenden **Symptomen** einher: Fieber, meist über 39 Grad C, allgemeines Mattigkeitsgefühl und grippeartige Gliederschmerzen. Die Brust ist an der betreffenden Stelle gerötet, heiß, sehr druckschmerzhaft und gespannt. Setzt jetzt keine Therapie ein, schmilzt das betroffene Gewebe ein und es bildet sich ein Abszeß, der dann chirurgisch gespalten werden muß.

❒ Therapie und Pflege

Eine akute Mastitis im Frühstadium kann, ohne daß abgestillt wird, erfolgreich behandelt werden.

Bei **fortgeschrittener Mastitis mit Abszeßgefahr** werden staphylokokkenwirksame Antibiotika verabreicht, die für das Kind fast nebenwirkungsfrei sind. Es können jedoch z.B. Magen - Darm - Störungen auftreten. Wenn die Mutter weiter stillen möchte, ist dies je nach weiterem Verlauf möglich.

Die Meinungen der Fachleute über das Abstillen bei einer Mastitis gehen auseinander. Es können z.B. zunächst Prolaktinhemmer in geringer Dosis verabreicht werden, so daß nur eine Reduktion und nicht ein vollständiges Versiegen der Milchproduktion erfolgt. Ist dieses zusammen mit den lokalen Maßnahmen *(siehe nachfolgend)* nicht ausreichend, sollte abgestillt werden. Beim Abszedieren (*Abszeßentwicklung*) ist das Abstillen auf jeden Fall indiziert.

Pflegerische Maßnahmen

- Sorge für das Einhalten von Bettruhe und Entspannung (sie fördert den Milchfluß);
- Vitalzeichenkontrollen, 2 x täglich;
- im Anfangsstadium die Brust vollständig leerhalten, dazu das Kind doppelt so häufig wie sonst, ca. alle 1 - 3 Stunden anlegen; Kind zuerst an der entzündeten Brust anlegen, damit sie vollständig leergetrunken wird;
- zusätzlich durch Massieren die Milch aus den gestauten Milchgängen ausdrücken, besser ist jedoch das Saugen des Kindes;
- vor dem Anlegen feucht - warme Umschläge auf die Brust legen, denn Wärme fördert die Durchblutung und die Weitstellung der Gefäße;
- ggf. auf Anordnung des Arztes Syntocinon® - Nasenspray (Oxytocin) bzw. homöopathische Mittel verabreichen;
- zwischen den Stillmahlzeiten Kälte anwenden, z.B. Quarkwickel, Eispackungen, kalte Umschläge;
- Antibiotikagabe, wenn nach 24 Std. keine Besserung eingetreten ist (die oben genannten Maßnahmen werden dabei weitergeführt).

11.16.5.4 Postpartale Blutungen

Nach der Geburt der Plazenta verbleiben Gefäßstümpfe an der Plazentahaftstelle im Uterus. Durch die Nachwehen kontrahieren sich Uterus und Gefäßstümpfe, die Plazentahaftstelle an der Uteruswand verkleinert sich. Es kommt zu **verstärkten Nachblutungen**, wenn die Kontraktionen des Uterus zu schwach (*Uterusatonie*) sind oder behindert werden, z.B. durch eine gefüllte Harnblase oder durch zurückgebliebene Plazentareste. Der Arzt oder die Hebamme kontrollieren die Plazenta auf Vollständigkeit.

Die **Blutungsgefahr** ist in den ersten 24 Std. post partum am größten. In dieser Zeit muß die Wöchnerin engmaschig **beobachtet** werden.

Beobachtung der Wöchnerin

- Beobachtung der **Vitalzeichen** (sofort nach der Verlegung der Wöchnerin auf die Station und zweistündig weitere Kontrollen), liegen die Werte nicht im Normalbereich, werden sie engmaschiger kontrolliert. Auch nach der Mobilisation der Wöchnerin erfolgt zweimal täglich eine Vitalzeichenkontrolle.
- Beobachtung der **Lochien**: Kontrolle der Vorlagen (Menge der durchbluteten Vorlagen);
- Beobachtung der **Miktion** (spätestens nach 6 - 8 Stunden sollte die Harnblase entleert sein).

Beachte: Werden mehr als zwei Vorlagen pro Stunde durchblutet und liegt ein deutlicher Blutdruckabfall vor, kann es sich um eine **Nachblutung handeln.** Wichtig ist, daß die Wöchnerin über die Gefahr einer Nachblutung aufgeklärt ist und sich meldet, wenn sie vermehrt Blut verliert.

Maßnahmen bei einer Nachblutung:
- ggf. intravenöse oder intramuskuläre Verabreichung von Uterotonika (z.B. Oxytocin);
- Lagerung nach Fritsch, d.h. Rückenlage mit übereinandergeschlagenen Unterschenkeln;
- engmaschige Vitalzeichenkontrolle,
- Information des Arztes; dieser überprüft Konsistenz und Fundusstand;
- Hb - Kontrollen;
- Volumensubstitution bei Kreislaufinstabiliät.

11.16.5.5 Lochialstau

Einen Lochialstau erkennt man an einer **verminderten Menge** oder dem **Fehlen von Lochialsekret**. Verursacht wird dieser Zustand durch eine Uterusatonie oder einen teilweisen bzw. vollständigen Verschluß des Muttermundes, z.B. bei vorliegenden Eihautresten oder bei einem Muttermundspasmus (*krampfartiges Zusammenziehen des Muttermundes*).
Ein **Anstieg der Körpertemperatur** in den ersten Tagen post partum kann ein Hinweis auf einen Lochialstau sein. Meist steht der Uterus höher als erwartet, da oft eine **Subinvolutio uteri** (*mangelnde Rückbildung des Uterus)* aufgrund der verminderten Kontraktionsfähigkeit der Gebärmutter vorliegt. Im Ultraschallbild erkennt man eine Sekretansammlung in der Uterushöhle.

Folgende Maßnahmen verringern die Gefahren eines Lochialstaus:
- Stillen; dadurch wird das Hormon Oxytocin freigesetzt, welches die Uteruskontraktionen fördert;
- Wochenbettgymnastik; durch den mechanischen Reiz wird die Uteruskontraktion gefördert;
- Bauchlagerung mindestens zweimal täglich für 10 Minuten;
- Frühmobilisation nach der Geburt.

Maßnahmen bei Lochialstau
Tritt trotzdem ein Lochialstau ein, versucht der Arzt den **Muttermund** digital oder instrumentell zu **erweitern** und ggf. vorliegende Strukturen (Koagel, Eihäute) zu entfernen. Gelingt dieses nicht, verordnet er ein Spasmolytikum zur Erweiterung des Gebärmutterhalses und/oder ein Kontraktionsmittel (z.B. Methergin®), um den Uterusinhalt herauszudrücken.

11.16.5.6 Symphysenschaden

Während der Schwangerschaft kann es (über die Wirkung der Hormone und das Gewicht des Kindes) zur **Lockerung**, seltener zum **Riß der Symphyse** kommen. Während der Geburt steigt das Risiko eines Risses, jedoch ist dieses Krankheitsbild insgesamt selten.
Zur **Therapie** werden ein Symphysengurt für einige Wochen angepaßt sowie körperliche Schonung und ggf. Analgetika verordnet.

11.17 Pflege des gesunden Neugeborenen

Ursula Wulfheide

11.17.1 Definitionen

Die **Neugeborenenphase** umfaßt den Zeitraum vom ersten Lebenstag bis zur vierten Lebenswoche. In dieser Zeit finden die **Anpassungsvorgänge** (*Adaption*) des Neugeborenen an das extrauterine Leben statt. Die Organe Haut, Lungen, Leber, Nieren und Darm sowie das ZNS und der Blutkreislauf nehmen ihre Tätigkeit auf. Aufgrund der oft vorhandenen funktionellen Unreife dieser Organsysteme ist die Neugeborenenperiode durch bestimmte physiologische Besonderheiten gekennzeichnet (*siehe Beobachtung des Neugeborenen*).
Neugeborene werden nach der Schwangerschaftsdauer und nach dem Geburtsgewicht eingeteilt.

Zuordnung entsprechend der Schwangerschaftsdauer:
- von einem **reifgeborenen Kind** spricht man, wenn es zum errechneten Geburtstermin geboren wird (38. - 41. Schwangerschaftswoche); normalgewichtige, reife Neugeborene haben die besten Voraussetzungen, die Neugeborenenperiode ohne Komplikationen zu überstehen;
- von einem **frühgeborenen Kind** (*Frühgeburt*) spricht man, wenn es vor der vollendeten 37. Schwangerschaftswoche geboren wird;
- von einem **übertragenen Kind** spricht man, wenn es nach der 42. Schwangerschaftswoche geboren wird.

Zuordnung des Neugeborenen nach dem Geburtsgewicht:
- Geburtsgewicht unter 2500 g
  = **untergewichtiges** Neugeborenes;
- Geburtsgewicht zwischen 2500 - 4500 g
  = **normalgewichtiges** Neugeborenes;
- Geburtsgewicht über 4500 g
  = **übergewichtiges** Neugeborenes;
- zu niedriges Geburtsgewicht für das Schwangerschaftsalter = **hypotrophes** Neugeborenes (*small for gestational age = SGA*),
- Gewicht über dem für das Gestationsalter (*Schwangerschaftsdauer, Tragzeit)* normalem Gewicht = **hypertrophes** Neugeborenes.

11.17.2 Reifezeichen

Bei der Geburt eines Neugeborenen wird dessen Reife beurteilt. Zunächst werden **Gewicht**, **Länge** sowie **Kopfumfang** gemessen und dokumentiert. Neben diesen meßbaren Zeichen wird der Reifezustand des Neugeborenen anhand folgender **Merkmale** beurteilt:
- kaum noch Vorhandensein von Käseschmiere (*Vernix caeseosa*) auf der Haut,
- Fehlen der Lanugobehaarung; evtl. kann sie noch am Oberarm, Schultergürtel beobachtet werden,
- rosige Hautfarbe,

- gut entwickelte Fettpolster,
- gut ausgebildete und tastbare Ohr- und Nasenknorpel,
- bis an die Finger- und Zehenkuppen gewachsene Nägel,
- gut funktionierender Schluck- und Saugreflex,
- ausgebildete äußere Geschlechtsorgane; beim Jungen sind die Hoden im Skrotum, bei den Mädchen überdecken die großen Schamlippen die kleinen.

11.17.3 Beobachtung des Neugeborenen

Gewicht
Die Neugeborenen verlieren innerhalb der ersten fünf Tage bis zu 10% des Geburtsgewichtes (*physiologische Gewichtsabnahme*). Das Gewicht wird deshalb regelmäßig kontrolliert, am zehnten Tag sollte das ursprüngliche Geburtsgewicht wieder erreicht sein.

Körpertemperatur
Sie ist in den ersten Lebenstagen häufig nicht konstant, weil die Wärmeregulation noch nicht funktioniert. Neugeborene sind deshalb vor dem Auskühlen zu schützen: es ist für eine warme Umgebung zu sorgen, das Neugeborene wird nicht unnötig ausgezogen, beim Wickeln ist möglichst eine Wärmelampe einzuschalten.

Atmung
Da das Atemzentrum noch nicht voll ausgereift ist, atmet das Neugeborene unregelmäßig (*Apnoen, Dyspnoen*). Eine natürliche Regulierung erfolgt relativ schnell.

Haut
Die Haut des Neugeborenen kann sich gelblich verfärben (*physiologischer Neugeborenenikterus, Ikterus neonatorum,* siehe Seite 634). Der physiologische Ikterus bildet sich nach 2 - 3 Tagen zurück.

Ausscheidung
Da die Nieren erst zwischen dem ersten und zweiten Lebensjahr voll ausgereift sind, ist die Nierenfunktion beim Neugeborenen noch herabgesetzt; deshalb entwickeln Neugeborene bei Störungen im Flüssigkeitshaushalt leicht Ödeme oder neigen zur Exsikkose*.
Der erste Stuhl (*Mekonium*) sollte 24 Stunden nach der Geburt abgegangen sein. Er ist dunkelbraun / grünlich (*charakteristisch*). Danach ändert sich die Farbe des Stuhls in Abhängigkeit von der Ernährung (Muttermilch / Flaschennahrung).

Nahrungsaufnahme
Der Magen- Darmtrakt paßt sich erst allmählich an die orale Nahrungsaufnahme an; deshalb kann es beim Neugeborenen zu Verdauungsstörungen (Erbrechen, Spucken, Blähungen) kommen.

Blutzucker
Neugeborene haben einen erhöhten Glukoseverbrauch, der oft nicht durch die eigenen Reserven gedeckt wird. Deshalb sinkt der Blutzuckerspiegel häufig auf niedrige Werte ab (40 - 60 mg/dl). Auswirkungen einer Hypoglykämie sind ein erniedrigter Muskeltonus, Teilnahmslosigkeit, Zittern oder Übererregbarkeit.

Gehirnfunktionen
Auch das ZNS ist beim Neugeborenen noch nicht voll entwickelt. Dieses zeigt sich an den frühkindlichen Reflexen (*Primitivreflexe*), die sich im Laufe der Entwicklung verlieren.

Hormonelle Umstellung
Die in der Schwangerschaft gebildeten Hormone gehen zum Teil auf den Feten über und können nach der Geburt zu folgenden Reaktionen führen:
- Brustdrüsenschwellung bei Mädchen und Jungen und evtl. Absonderung einer hellen Flüssigkeit (*Hexenmilch*),
- Blutungen oder andere Schleimabsonderung aus der Vagina,
- Neugeborenenakne,
- Komedonen (*Mitesser*).

Geburtsgeschwulst (*Caput succedaneum*)
Es handelt sich um eine Weichteilschwellung der Kopfhaut, die oft während der Geburt entsteht. Sie verschwindet nach 3 - 5 Tagen und erfordert keine Behandlung.

Kephalhämatom (*Kopf- / Blutgeschwulst*)
Es entsteht, wenn während der Geburt der kindliche Kopf durch das knöcherne Becken tritt und es dabei zur Zerreißung von Gefäßen zwischen dem Periost und dem Knochen kommt. Eine Therapie ist nicht erforderlich, da das Kephalhämatom innerhalb weniger Wochen resorbiert wird.

Fontanelle
Die Haut über der Fontanelle muß weich und leicht eindrückbar sein. Veränderungen sind nicht normal und müssen weitergegeben werden.

❒ Komplikationen

In der Neugeborenenperiode können folgende Komplikationen auftreten:
- Exsikkose,
- Hyperbilirubinämie,
- Morbus hämorrhagicus neonatorum,
- Ödeme,
- Neugeborenentetanie,
- Ernährungsstörungen,
- Infektionen (Herpes, Nabelinfektion, Sepsis, Gonoblenorrhoe),
- Fehlbildungssyndrome.

11.17.4 Pflege des gesunden Neugeborenen

11.17.4.1 Körperpflege

❒ Waschen / Baden

Das Neugeborene soll, solange der Nabel nicht abgeheilt und trocken ist, nur gewaschen werden (ca. 2 Wochen). Anschließend sind 1 - 2 Bäder pro Woche, insbesondere bei trockener Haut, im Wechsel zur täglichen Ganzwaschung ausreichend.
In einigen Krankenhäusern wird heute von Anfang an gebadet. Hierbei ist darauf zu achten, daß der Nabel nicht naß wird.
Während der Körperpflege ist darauf zu achten, daß das Neugeborene nicht auskühlt.

Vorbereitung des Raumes zum Waschen / Baden
- Fenster schließen,
- Raumtemperatur regulieren (21° C),
- Wickelfläche desinfizieren,
- falls vorhanden, Wärmelampe anschalten.

Zusammenstellung der Pflegematerialien
- Waschschüssel,
- Waschlappen, Badetücher,
- Windeln,
- Kleidung,
- ggf. Wasch- / Badezusatz, Babyöl, Creme,
- Wattestäbchen,
- Tupfer, weiche Haarbürste.

Wasch- / Badezusätze werden heute **nicht** mehr **unbedingt** empfohlen. Es reicht klares Wasser, denn nach ca. einer Woche hat das Neugeborene einen intakten Säureschutzmantel der Haut aufgebaut (pH - Wert 5,5). Die Haut besitzt einen Rückfettungsmechanismus, deshalb muß nicht mit Cremes nachgeholfen werden. Zudem enthalten die meisten Cremes, Öle und Lotionen Duft- sowie Konservierungsstoffe, die Allergien auslösen können.
Die Wassertemperatur sollte **37° C** betragen und mittels Badethermometer kontrolliert werden.

Vorgehen beim Waschen
- Händewaschen und desinfizieren,
- evtl. Schutzkittel / Pflegekittel anziehen (ist in manchen Kliniken üblich),
- Neugeborenes auf den mit einem angewärmten Badetuch vorbereiteten Wickeltisch legen;
- Strampler ausziehen (Hemdchen anlassen) und Windel entfernen,
- Gesäß mit Öltüchern reinigen,
- ggf. Temperatur rektal messen,
- Hemdchen ausziehen und das Neugeborene auf die mit einem Tuch abgedeckte Waage legen, wiegen und zurück auf den Wickeltisch legen,
- das Gesicht mit klarem Wasser waschen, die Augen immer vom Außen- zum Innenwinkel waschen, evtl. mit dem Waschlappen die Haare waschen,
- Gesicht und Haare trocknen,
- Hals, Ohren, Hände, Arme, Achseln, Brust, Bauch, Rücken und Beine waschen und abtrocknen,
- Genitalbereich und Gesäß als letztes reinigen,
- evtl. Nabelpflege durchführen *(siehe dort)*,
- frisches Hemdchen anziehen, Windel anlegen und Neugeborenes fertig anziehen,
- Haare kämmen,
- evtl. Ohren reinigen, aber nur die äußere Ohrmuschel, nicht die Gehörgänge (Vorsicht im Umgang mit Wattestäbchen),
- Nase reinigen, wenn Verkrustungen vorhanden sind; dabei vorsichtig mit dem Zipfel eines Papiertaschentuches die Nasenöffnungen säubern (keine Wattestäbchen verwenden).

Die Nägel eines Neugeborenen brauchen nicht geschnitten werden. Eine Mundpflege ist nur bei einem Mundsoor (*Pilzbefall*) erforderlich (der Arzt legt die Art der Behandlung fest).

Vorgehen beim Baden
Das Gesicht wird noch auf dem Wickeltisch gewaschen. Danach wird das Kind in die Badewanne getragen und bis zum Brustkorb in das Wasser gelegt; dieses darf nicht in die Ohren eindringen.

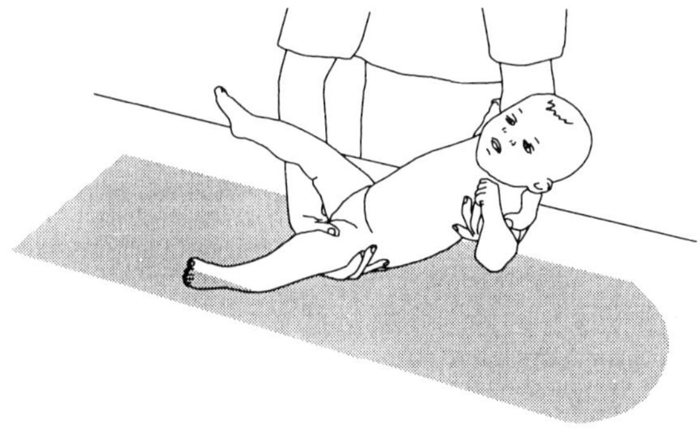

Abb. 11.21 ***Baden eines Neugeborenen Einbringen ins Badewasser***

Zur sicheren Fixierung greift die linke Hand unter den Arm des Kindes. Mit der rechten freien Hand werden Hals, Ohren, Hände, Arme, Achseln, Brust und Bauch gewaschen.

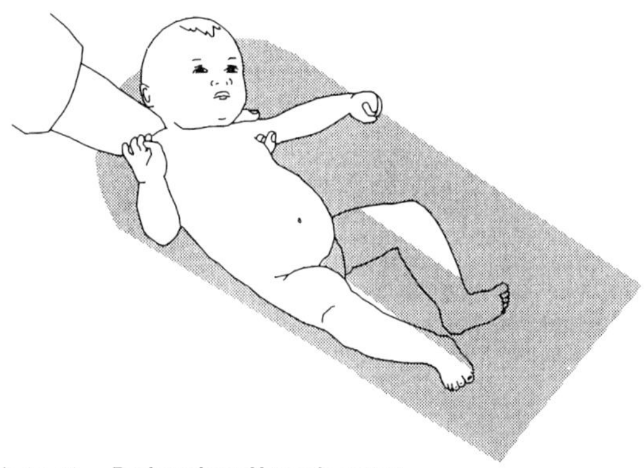

Abb. 11.22 ***Baden eines Neugeborenen Halten in Rückenlage***

Anschließend wird es zum Waschen des Rückens unter Anwenden eines sicheren Handgriffs auf den Bauch gedreht.

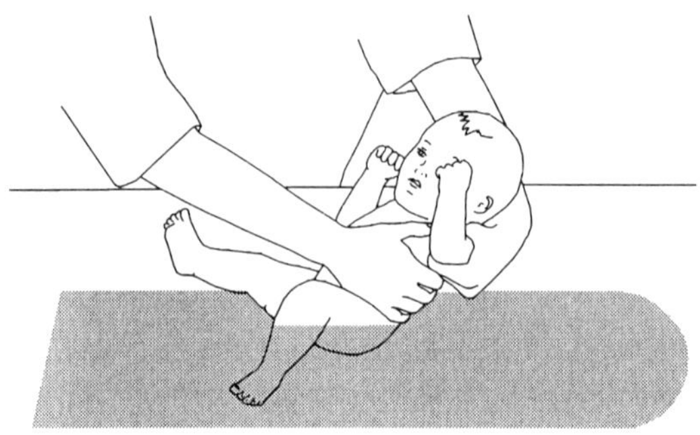

Abb. 11.23 ***Baden eines Neugeborenen Umdrehen zur Bauchlage***

Nach dem Drehen liegt das Kind mit dem Gesicht zum Wasser auf dem linken Unterarm der Pflegeperson / Mutter (das Kind immer zu sich drehen).

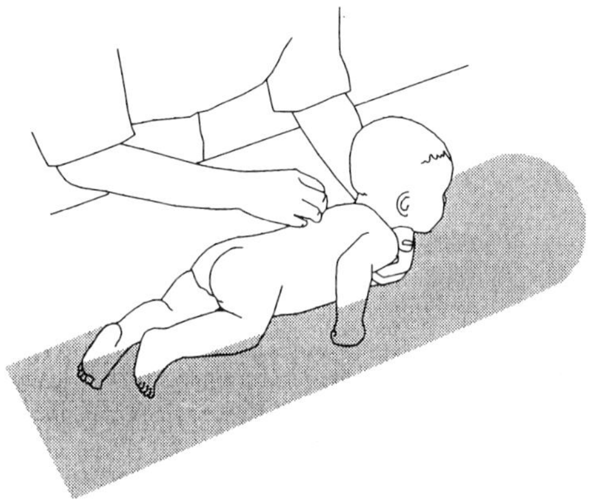

Abb. 11.24 ***Baden eines Neugeborenen Halten in Bauchlage***

Zum Waschen der Beine, des Genitalbereiches und des Gesäßes wird das Kind zurück gedreht.
Nach dem Baden wird die Haut sorgfältig abgetrocknet, insbesondere die Hautfalten.
Zum weiteren Vorgehen siehe vorstehend *„Vorgehen beim Waschen“*.

❒ Nabelpflege

Nach dem Abnabeln bleibt ein 1 - 2 cm langer Nabelschnurrest stehen, der eintrocknet, um nach sieben bis zehn Tagen abzufallen. **Ziel** der Nabelpflege ist die **Verhinderung einer Nabelinfektion** bis der Nabelschnurrest abgefallen und eingetrocknet ist.
Es gibt verschiedene Möglichkeiten der Nabelpflege; die hausinternen Vorschriften sind zu beachten. Heute wird häufig die offene Nabelpflege praktiziert.

Durchführung

- Händedesinfektion;
- Reinigung des Nabelstumpfes und -grundes mit einer sterilen Kompresse und einem Hautdesinfektionsmittel;
- sorgfältiges Trocknen mit einer Kompresse;
- Pudern mit Silberpuder (keinen Puder auf die umliegende Haut geben, da er die Haut austrocknen kann);
- ggf. Abdecken des Nabelstumpfes mit einer Kompresse;
- Anlegen der Windel.

Heute wird das Neugeborene auch mit Nabelschnurrest gebadet. Dabei müssen der Nabelschnurrest und der Nabelgrund ganz trocken gehalten werden.
Bei jeder Nabelversorgung ist auf Rötung und Schwellungen im Nabelbereich sowie auf Veränderungen des Nabelschnurrestes (schmierig, übelriechend) zu achten.

❒ Wickeln, Gesäßpflege

Zum Wickeln stehen heute verschiedene **Materialien** zur Verfügung:

- **Höschenwindeln, Einmalwindeln** bieten einen guten Nässeschutz, weil sie aus einem saugfähigem Material aufgebaut sind; die elastischen Beinabschlußbündchen verhindern ein Auslaufen. Sie lassen sich leicht anlegen und werden in verschiedenen Größen (für das Neugeborenen- bis Kleinkindalter) angeboten.
- **Wiederverwendbare Baumwollhöschenwindeln** sind waschbar. Eine saugfähige Windeleinlage nimmt die Feuchtigkeit auf, darüber zieht man eine Überhose aus Kunststoff oder unbehandelter Schafswolle. Bei Anwendung beschichteter Windeln wird keine Überhose benötigt.
- Bei **Wickelfolien mit Windeleinlagen** wird zunächst die Windeleinlage angelegt, darüber die Wickelfolie, die seitlich, vorn oder im Rücken zugebunden wird. Nach Gebrauch wird diese gewaschen und erneut benutzt.
- Als **Stoffwindeln** stehen Mull-, Molton- oder Flanellwindeln zur Verfügung. Meist wird ein Windelpaket angelegt, bestehend aus drei Teilen (von innen nach außen):
  - Windeleinlage aus Zellstoff, bei wundem Gesäß auch aus Seide oder einer Mullwindel (diese muß zum Rechteck gefaltet werden),
  - viereckige Windel aus Stoff, die zum Dreieck oder Drachen gefaltet wird; alternativ können gestrickte Baumwollwindeln mit Bindebändern verwendet werden,
  - Wickelfolie oder Wickelhöschen.

Anforderungen an Windeln

Eine Windel soll:

- im Hüftgelenk nicht einengen, damit sich die Hüftgelenkspfannen richtig entwickeln können;
- hygienisch sein, entweder waschbar oder als Einmalartikel zu entsorgen sein;
- die Hautatmung des Kindes nicht behindern;
- Feuchtigkeit ableiten;
- reißfest sein und nicht fuseln;
- eine hohe Saugfähigkeit aufweisen, um ein Wundwerden zu verhindern.

Wickeltechnik

Da verschiedene Wickelmaterialien zur Verfügung stehen, gibt es entsprechend viele Wickeltechniken. In den Krankenhäusern werden häufig Einmalwindeln verwendet.

Vorbereitung und Durchführung des Wickelns

- Wickelzimmer und Wickeltisch vorbereiten; auf eine angenehme Raumtemperatur achten, evtl. Wärmelampe einschalten;
- weiche Unterlage (z.B. Moltontuch oder Handtuch) auf den Wickeltisch legen;
- frische Windel, Reinigungs- und Pflegeutensilien, frische Kleidung vorbereiten;
- benutzte Windel abnehmen;
- Genitalbereich und Hautfalten z.B. mit Öltüchern oder feuchtem Waschlappen von Stuhl und Salbenresten reinigen, bei Mädchen von vorn nach hinten wischen.
- das Gesäß trocknen, evtl. mit lauwarmer Luft fönen oder Kind an der Luft strampeln lassen;
- zur Vorbeugung gegen Wundsein und Hautreizungen das Gesäß evtl. mit einem Hautpflegemittel eincremen;
- frische Windel anlegen, darauf achten, daß sie richtig sitzt und nirgends einengt.

Die **Häufigkeit** des Wickelns ist von Kind zu Kind unterschiedlich, als Anhaltspunkt gilt die Anzahl der Mahlzeiten, ca. 5 - 8 mal täglich; ob vor oder nach der Mahlzeit gewickelt wird, entscheidet die Mutter. Das Kind darf während des Wickelns nicht unbeaufsichtigt gelassen werden, da es vom Wickeltisch fallen könnte.

❒ Pflege bei Wundsein

Die Ursachen des Wundwerdens sind unterschiedlich, z.B. kann die Muttermilch Stoffe enthalten, die eine **Hautreizung** auslösen. Hinzu kommt die Hautbelastung durch Urin und Stuhl. Der Wärmestau und der Luftabschluß durch die Windel stellen weitere Belastungsfaktoren dar. Das Wundsein ist an der **geröteten Haut** erkennbar. In schweren Fällen kann sie ekzematös verändert sein.
Bakterien können eine **Windeldermatitis** verursachen. Werden die Hautveränderungen durch Pilze (Candida albicans) hervorgerufen, spricht man von **Windelsoor.**

Maßnahmen bei Wundsein

- In leichten Fällen hilft es oft schon, das Kind häufiger und zusätzlich auch nachts zu wickeln;
- die wunde Haut sollte an den betroffenen Stellen vorsichtig und sorgfältig getrocknet werden, z. B. mit lauwarmer Luft; der Fön darf nicht zu nah am Gesäß gehalten werden;
- die Luftzufuhr an die wunden Stellen ist zu fördern, indem man das Kind an der Luft strampeln läßt;
- meist ist es angezeigt, vorübergehend Stoffwindeln zu benutzen, da sie eine bessere Luftzirkulation als Windeln mit Kunststoffüberzug ermöglichen;
- es wird empfohlen, die Haut mit einer zinkhaltigen Creme einzureiben;
- evtl. sind Kleiebäder durchzuführen;
- bei Windelsoor oder ekzematösen Hautveränderungen ist ein Arzt aufsuchen.

11.17.4.2 Anziehen des Neugeborenen

Die Kleidung sollte aus **Naturfasern** bestehen sowie einfach zu öffnen und zu schließen sein.
Hals- und Ärmelöffnungen werden geweitet, bevor sie über das Kind gezogen werden.
Beim Anziehen ist darauf zu achten, das keine Faltenbildung durch die Kleidung (Hemdchen) entsteht.

11.17.4.3 Tragen des Neugeborenen (Handling)

Es ist wichtig, einige Handgriffe zu kennen, um das Neugeborene richtig zu tragen. Durch das Handling soll auch die Bewegungsentwicklung des Kindes gefördert werden.

❒ Hochheben aus der Rückenlage

Der Oberkörper des Neugeborenen wird mit beiden Händen umfaßt, dabei wird der Kopf mit den Fingern einer Hand unterstützt. Das Kind wird zur Seite gedreht (der Oberkörper des Kindes liegt auf dem Unterarm der Mutter).
Zum **Wickeln** wird das Kind auf dem Wickeltisch einmal in die rechte und dann in die linke Seitenlage gedreht.

Bei der Versorgung des Gesäßes umgreift die rechte Hand der Mutter den rechten Oberschenkel des Kindes (bei Linkshändern umgekehrt), das andere Bein liegt dann über dem Unterarm der Mutter; das Kind wird **nicht** an den Füßen hochgehoben.

❒ Tragen des Neugeborenen

Es gibt verschiedene Möglichkeiten, das Neugeborene zu tragen; wichtig ist das Abstützen von Kopf und Rücken.
Neugeborene können sowohl in Rücken- als auch in Bauchlage getragen werden.

Tragen in Rückenlage:

- Das Kind wird aufrecht mit einer Hand getragen, d.h. der Rücken des Kindes lehnt an der Mutter, diese greift mit dem Arm in den Schritt des Kindes.
- Das Kind wird wie oben beschrieben getragen, zusätzlich jedoch mit der zweiten Hand an der Brust gestützt.
- Das Kind wird mit beiden Armen gehalten; der Kopf liegt auf der Ellenbeuge der Mutter *(siehe Abb.11.25)*.

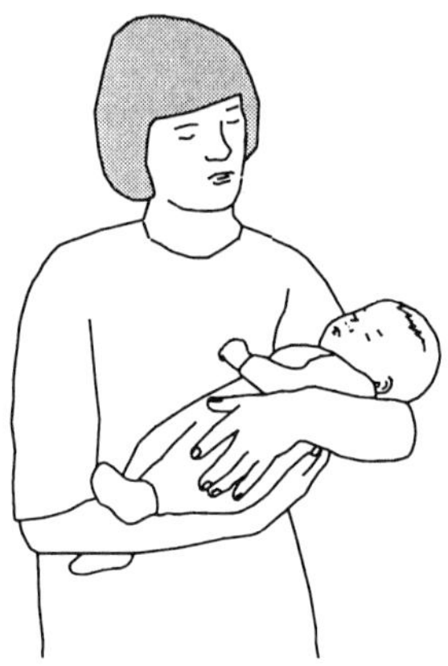

Abb. 11.25 ***Tragen eines Neugeborenen in Rückenlage***

Tragen in Bauchlage:

- Der Kopf des Neugeborenen liegt an der Schulter der Mutter, eine Hand unterstützt das Gesäß, die andere hält den Rücken und den Kopf *(siehe Abb. 11.26)*.

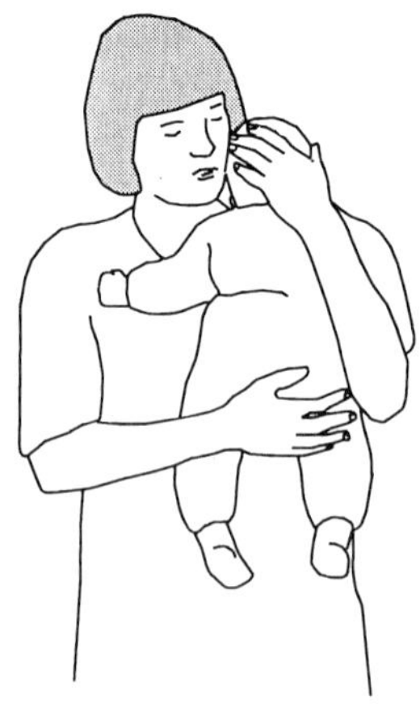

Abb. 11.26 ***Tragen eines Neugeborenen in aufrechter Bauchlage***

- Das Neugeborene liegt auf dem Bauch (der Mutter abgewandt), dabei stützt die eine Hand der Mutter den Oberkörper, die zweite Hand greift von hinten durch den Schritt zum Unterbauch *(siehe Abb. 11.27)*. In dieser Position werden die Neugeborenen oft getragen, wenn sie Blähungen haben.

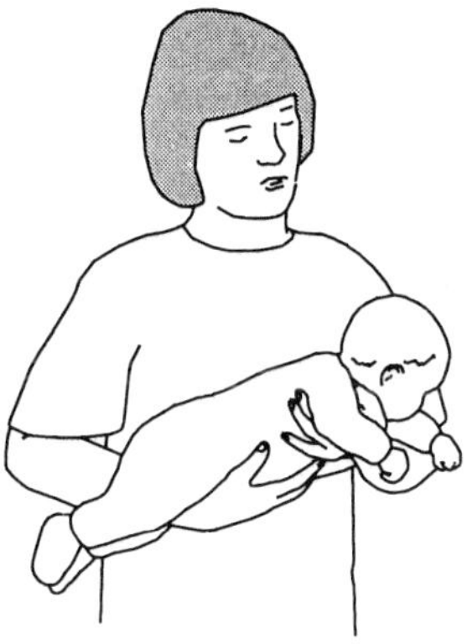

Abb. 11.27 ***Tragen eines Neugeborenen in Bauchlage***

❐ Lagern

Es gibt keine einheitlichen Empfehlungen für die richtige Schlafposition eines Neugeborenen.
Im folgenden werden allgemeine Hinweise zu den verschiedenen Lagerungsmöglichkeiten gegeben.

Bauchlage

In den ersten Lebenstagen sollte das Neugeborene auf der Seite gelagert werden, da eine erhöhte Aspirationsgefahr von Fruchtwasser besteht. Von der Bauchlage als Schlafposition ist abzuraten, weil sie als Risikofaktor für den plötzlichen Kindstod gilt. Ist das Neugeborene wach, kann es auf dem Bauch liegen, denn dieses fördert z.B. das Anheben des Kopfes.

Rückenlage

Sie ermöglicht dem Neugeborenen, wenn es wach ist, gute Blickmöglichkeiten und später ein Spielen mit den Händen.

Seitenlage

Sie ist im Wechsel mit der Rückenlage als Schlafposition geeignet. Zur Stabilisierung der Lage wird eine Rolle (Handtuch oder Moltontuch) in den Rücken gelegt. Nach den Mahlzeiten sollte das Neugeborene auf der rechten Seite gelagert werden, um die Magenentleerung zu fördern.

❐ Betten

Neugeborene können von Anfang an in einem Kinderbett schlafen. Um die Liegefläche zu verkleinern, legen die Mütter oft aufgerollte Handtücher an die Seite und an den Kopf des Kindes. Einige Mütter bevorzugen eine Wiege, weil deren Liegefläche kleiner ist und sie die Wiege von einem Zimmer zum andern fahren können.
Im Krankenhaus stehen neben den normalen Kinderbetten noch der Inkubator und das Wärmebett zur Verfügung.
Frühgeborene werden im Inkubator untergebracht. In das Wärmebett kommen Neugeborene, bei denen die Körpertemperatur noch schwankt.

11.17.4.5 Untersuchungen und Prophylaxen

In der Neugeborenenperiode werden verschiedene Untersuchungen durchgeführt, um Krankheiten möglichst früh zu erkennen oder um davor zu schützen:

- Vorsorgeuntersuchungen (staatliche Richtlinien U1 bis U 9);
- Blutungsprophylaxe mittels Gabe von Konakion® (Vitamin K) zum Aufbau von Gerinnungsfaktoren;
- Guthrietest zur Feststellung verschiedener Stoffwechseldefekte, insbesondere einer Phenylketonurie sowie einer Hypothyreose (TSH - Test), dazu wird dem Neugeborenen am fünften Lebenstag Blut aus der Ferse abgenommen.
- Impfungen werden nur bei Neugeborenen, die einer Risikogruppe angehören, durchgeführt (z.B. BCG - Impfung).
- Rachitisprophylaxe mittels Gabe von Vitamin D (ab der zweiten Lebenswoche).

Literaturhinweise

Aebischer, K.: Brustkrebs. Psychische Belastung und deren Bewältigung. Huber, Bern 1987

Bartels, H. / Bartels R.: Physiologie. Urban & Schwarzenberg, München 1991

Brandis v. / Schönberger: Anatomie und Physiologie für Krankenschwestern und andere Medizinalfachberufe. Fischer, Stuttgart 1994

Brehm, H.: Frauenheilkunde und Geburtshilfe für Krankenpflegeberufe. Thieme, Stuttgart 1995

Bundeszentrale für gesundheitliche Aufklärung: HIV und Aids. BZgA, 51101 Köln.
- Fachinformationen für die Patientenbetreuung. Bestell-Nr.: 70030000
- Wenn der HIV - Test positiv ausfällt. Bestell-Nr.: 70020000
- Safer - Sex ... sicher. Bestell-Nr.: 70420000

und weitere Broschüren zur Aids - Information

Cutler, W. B. / Minker, M.: Die fragwürdige Operation. Kreuz, Stuttgart 1990

Cyran / Halhuber: Erotik und Sexualität im Alter. Fischer, Stuttgart 1992

DBfK: Pflege Aids-erkrankter Menschen. DBfK-Landesverband NRW, 1991

Delbrück, H.: Prostatakrebs. Rat u. Hilfe für Betroffene u. Angehörige. Kohlhammer, Stuttgart 1993

Dunde, S.H. (Hrsg.): Aids - Was eine Krankheit verändert. Sexualität und Moral, der Einzelne und die Gesellschaft. Fischer, 1986

Eichenauer / Vanherpe: Klinikleitfaden Urologie. Jungjohann, Neckarsulm 1992

Friese-Berg / Lehmann : Wochenpflege. Kunz, Hagen 1996

Geist/ Harder/Krieger/Stiefel: Hebammenkunde. Lehrbuch für Schwangerschaft, Geburt, Wochenbett und Beruf. de Gruyter, Berlin 1995

Goecke, C.: Arbeitsbuch Gynäkologie. Urban & Schwarzenberg, München 1983

Gros, R.: Die weibliche Brust. de Gruyter, Berlin 1987

Gros, R.: Gynäkologie für Frauen. Trias - Thieme Hippokrates Enke, Stuttgart 1989

Grützner, Ch.: Pflegestandards für die Wochenpflege. Kunz, Hagen 1996

Grützner, Ch.: Fehl- und Todgeburt. Ein Weg aus dem Tabu. Kunz, Hagen 1994

Hofmann, H.P., Kleinsorge, H.: Kleine Pharmakologie. Fischer, Stuttgart 1993

Kolster, B. u.a.: Leitfaden Physiotherapie. Jungjohann, Neckarsulm 1994

Kretz, F.J. / Kretz, A.: Medikamentöse Therapie. Thieme, Stuttgart 1993

Langmann, J.: Medizinische Embryologie. Thieme, Stuttgart 1985

Lanzendörfer, C. / Scholz, J.: Psychopharmakologie für Krankenpflegeberufe. Springer, Heidelberg 1993

Lanzendörfer, Ch.: Psychosomatik in der Pflege und die „Aktivitäten des täglichen Lebens". Schattauer, Stuttgart 1996

Lothrop, H. : Gute Hoffnung, jähes Ende. Kösl, München 1996

Lothrop,H.: Das Stillbuch. Kösl, München 1994

Lüllmann, H.: Taschenatlas der Pharmakologie. Thieme, Stuttgart 1994

Martius,G. : (Hrsg.) Lehrbuch der Geburtshilfe. Thieme, Stuttgart 1988

Martius/ Cammann: Gynäkologie, Geburtshilfe und Neonatologie. Kohlhammer, Stuttgart 1988

Melzer, H. / Walter M.: Arzneimittellehre. Urban & Schwarzenberg, München1993

Mutschler, E.: Arzneimittelwirkungen. Wissenschaftliche Verlagsgesellschaft mbH, Stuttgart 1996

Olbricht, I.: Verborgene Quellen der Weiblichkeit. Die Brust - Das enteignete Organ. Kreuz, Stuttgart 1985

Psychrembel/ Dudenhausen : Praktische Geburtshilfe. de Gruyter, Berlin 1994

Raab, W.: Sexualfibel. Fischer, Stuttgart 1989

Schöndorf, H.: Antworten auf Fragen werdender Eltern. Die Geburt. Schattauer, Stuttgart 1992

Sökeland, J.: Urologie für Krankenpflegeberufe. Thieme, Stuttgart 1990

Sökeland, J.: Urologie. Thieme, Stuttgart 1993

Speckmann / Wittkowski: Bau und Funktion des menschlichen Körpers. Urban und Schwarzenberg, München 1994

Sydow, K. von: Die Lust auf Liebe bei älteren Menschen. Reinhardt, München 1992

Valet, A. u.a.: Klinikleitfaden Gynäkologie und Geburtshilfe. Jungjohann, Neckarsulm 1994

Voss von / Grützmacher/ Pfahl: Stillen und Muttermilchernährung. Bundeszentrale für gesundheitliche Aufklärung, Köln

Weckermann / Rothamel / Harzmann: Männersache Prostata - Neue Chancen der Heilung. Rowohlt, Reinbek 1995

Wiebe, W.: Pflegethema: Infektionen, HIV und Aids. Thieme, Stuttgart 1997

Wierz, V. / Kuhlenkamp, A.: Pflege von Menschen mit HIV-Infektion und AIDS. Huber, Bern 1997

Sinn finden

12. Sinn finden

12.1 Bedeutung und Möglichkeiten

Die ATL "Sinn finden" ist existentiell. Nur derjenige, der einen Sinn in seinem Leben sieht, entwickelt **Lebensfreude** und **-kraft**, kann das Leben aktiv bejahen und in Krisensituationen sein Schicksal meistern.
Es ist ein menschliches Bedürfnis, Sinn zu erfahren, zu erleben oder zu empfinden. Sinnerfahrungen können aus verschiedenen Quellen und Lebensbereichen erwachsen.
Soweit es darum geht, im alltäglichen Tun und - besonders im selbstgewollten, bewußt angestrebten - Erleben einen Sinn zu finden, hat der Mensch im allgemeinen keine Probleme: Er arbeitet, um Geld, Selbstbestätigung oder Anerkennung zu bekommen; er sieht fern, um sich zu unterhalten, abzulenken oder zu informieren; er unternimmt Reisen, um sich zu erholen oder neue Eindrücke zu gewinnen; er ruht, um Kraft zu sammeln.
Über die vordergründigen Zielbestimmungen in den einzelnen Dingen des Lebens hinaus ist es viel schwieriger, einen Lebenssinn zu finden. Besonders schwierig ist es, im Leiden und im Sterben einen Sinn zu finden. Gerade diese umfassende Sinnfrage - die Auseinandersetzung mit, die Suche nach dem Sinn und das Finden des Sinns des Lebens - unterscheidet den Menschen von anderen Lebewesen und ist so ein **zentraler Bestandteil des menschlichen Daseins.**
Der Sinn des Lebens läßt sich **nicht allgemeingültig formulieren**; er wird individuell unterschiedlich gesehen und muß daher individuell bestimmt werden. Für jedes Individuum ist es bedeutsam, für sich den Sinn seines Lebens zu finden, um sich auch in Krisensituationen dem Leben aktiv stellen und es meistern zu können. Dieser Sinn-Frage kann auf lebenspraktischer, philosophischer oder theologischer Ebene nachgegangen werden. Letztendlich liegt es beim einzelnen Menschen, den Sinn des Lebens als Sinn seines eigenen Lebens zu finden. Diese Suche, diesen Weg und diese Zielsetzung muß der einzelne selbst gestalten und durchleben, andere können ihn dabei allenfalls begleiten. Sinnantworten, an denen sich der einzelne orientieren kann, werden zum Teil durch Gemeinschaften und Institutionen - z.B. Religionsgemeinschaften - vorgegeben. Manchmal sind es auch einzelne Menschen, die den Sinn des Lebens überzeugend vermitteln können.
Oft wird der Sinn des Lebens in der Erfüllung einer rein "irdischen" Aufgabe gesehen, z.B. darin, anderen Menschen eine Stütze zu sein, den Familienbetrieb zu fördern oder einen Beitrag zur wissenschaftlichen Forschung zu leisten. Für andere findet die Sinn - Frage ihre Antwort im Transzendenten; sie sehen den Sinn des Lebens z.B. in einem gottgefälligen Leben oder in dem Versuch, dem Kreislauf von Werden und Vergehen durch das Erreichen eines höheren Geisteszustandes zu entgehen (*Hinduismus, Buddhismus*).
Die Wege zur Erkenntnis des individuellen Lebenssinns sind höchst unterschiedlich. Dem einen ist die Sinn-Frage schon durch die ihm anerzogenen Werte erschöpfend beantwortet, der nächste bemüht sich durch Nachdenken und Beschäftigung mit religiösen oder philosophischen Ideen um eine Antwort. In einigen Kulturen sind Konzentrationsübungen und Meditation häufig angewandte Möglichkeiten der Selbst- und Sinnfindung. Anderen bleibt die Frage nach einem tieferen Sinn ihres Daseins verschlossen.
Ein wichtiger Schritt wird immer darin bestehen, der eigenen Person, der Welt und dem Leben mit offenem Herzen und wachem Auge zu begegnen und nicht nur andere, sondern auch sich und die eigenen Werte und Wahrheiten zu hinterfragen.
Oft sind gravierende Mißerfolge und Enttäuschungen, **Leid oder Krankheit ein Anlaß**, die Sinn - Frage erstmals zu stellen oder vorhandene Antworten zu hinterfragen, da erst durch das Entdecken eines (neuen) Lebenssinnes das Leiden erträglich und unter Umständen auch erklärbar wird. Beispiele für solche Ereignisse sind das Auftreten einer Behinderung, der Verlust persönlicher Beziehungen oder der Tod liebgewordener Menschen. Nicht selten sind es der **Glaube** an Gott und an ein Weiterleben nach dem Tod sowie **erfahrene Liebe** oder andere ideelle Werte, die es ermöglichen, Schicksalsschlägen mit Mut, Kraft und Hoffnung zu begegnen. So fordern oft extreme Krisensituationen ein Überprüfen der bisherigen Werte und geben die Einsicht, den Mut und die Kraft, sich von ihnen zu lösen und sich neuen Werten sowie Sinneinsichten zu öffnen.
Sinnerfahrungen und Wohlbefinden beeinflussen sich wechselseitig. Seelische, soziale und körperliche Störungen können - vorübergehend oder andauernd - Sinnerfahrungen beeinträchtigen und zur Empfindung von Sinnlosigkeit führen; sie können aber ebenso einen Weg zur Sinnfindung darstellen. Krisensituationen fordern eine Auseinandersetzung, ein Hinterfragen (des Sinns) und führen nicht selten zu einer neuen Sinnfindung. Sinnerkenntnis und Sinnerleben gehen mit angenehmen Gefühlen und einer **bejahenden Lebenseinstellung** einher, fördern also das Wohlbefinden. Sinnlosigkeit dagegen provoziert Unwohlsein, auch wenn sie nur für Teilbereiche des Lebens empfunden wird.
Wie Krankheit die Frage nach dem Sinn des Lebens aufwerfen kann, kann umgekehrt eine empfundene Sinnlosigkeit des Lebens zu innerer Leere, zur persönlichen Krise und zur Krankheit führen.
Eine schwere Krankheit oder Behinderung, aber auch die Auseinandersetzung mit dem Alter und dem Tod können eine Krise auslösen. In diesen Lebensphasen benötigt der Mensch psychische Begleitung.

Hier fällt den Pflegenden eine bedeutsame und schwierige Aufgabe zu. Eine umfassende Hilfe wird ihnen in der Regel nicht möglich sein, wohl aber eine

einfühlsame menschliche Begleitung. Hier ist daran zu erinnern, daß jeder den Sinn des Lebens als Sinn seines eigenen Lebens zu finden hat und andere ihm dabei häufig nur unvollkommen - aber dennoch unverzichtbar - Hilfestellung leisten können. Möglichkeiten bestehen z.B. in der Vermittlung philosophischer oder religiöser Texte; auch Gespräche mit Vertretern entsprechender Lebensanschauungen und Religionen oder ganz einfach mit "lebensreifen" Menschen können bereichernd und hilfreich sein. Gelegentlich wird schon der Hinweis, daß es nicht nur einen absoluten Sinn des Lebens gibt, dem Betroffenen helfen.

Im Rahmen dieser Abhandlung ist eine erschöpfende Beschäftigung mit der Frage des Lebenssinns nicht möglich. Deshalb erfolgt eine Beschränkung auf einzelne damit im Zusammenhang stehende Themen, nämlich Streß, Behinderung, Schmerzen, bösartige Tumorerkrankungen, Alter sowie Sterben und Tod.

12.2 Streß

Der Begriff "Streß" kommt aus dem Englischen und bedeutet **Druck, Belastung, Spannung**. Hans Selye, ungarisch - kanadischer Mediziner und "*Vater*" der Streßforschung, führte diesen Begriff 1950 für die Reaktionen des Organismus auf die täglichen Belastungen in die Biologie ein.

12.2.1 Begriffserläuterungen

Streß bezeichnet einen Zustand des Organismus, der durch ein **spezifisches Syndrom** gekennzeichnet ist und durch verschiedenartige, unspezifische Reize *(Stressoren)* ausgelöst werden kann. Streß ist ein eingebauter, **biologischer Verteidigungsmechanismus** zur Vorbereitung auf Flucht oder Angriff, ausgelöst durch Alarmsignale aus der Umwelt.

Bei Streß handelt es sich um eine **psychophysische Reaktion**, er läuft sowohl als emotionale als auch körperliche Reaktion ab.

Die gefühlsmäßige individuelle Bewertung und Verarbeitung des Streßreizes bestimmt, ob dieser Eustreß oder Distreß auslöst.

Eustreß meint den **gesunden, lebensnotwendigen Streß**. Er wird durch Reize ausgelöst, die individuell positiv bewertet werden und eine bejahende Haltung sowie Leistungswillen hervorrufen.

Distreß dagegen bezeichnet den **verzerrten, potentiell krankmachenden Streß**. Er wird durch Stressoren bedingt, die z.B. Zorn, Furcht oder das Gefühl der Niederlage hervorrufen; die dadurch mobilisierten Energien werden jedoch nicht abgeleitet.

12.2.2 Physiologische Streßreaktion

Das durch Stressoren ausgelöste spezifische Syndrom des Organismus wird durch die physiologische Streßreaktion geprägt. Dieser biologische Mechanismus **mobilisiert** als Antwort auf einen Reiz **in Sekundenschnelle Energiereserven** und aktiviert das Herz-Kreislaufsystem sowie die Muskulatur. Der Organismus wird auf körperliche Leistungen vorbereitet. Dieser **lebenswichtige Vorgang** existiert seit Urzeiten, ist also kein Phänomen ausschließlich der heutigen Zeit. Ein entwicklungsgeschichtlicher Rückblick verdeutlicht Sinn und Vorgang des **biologischen Verteidigungsmechanismus**.

Der in der freien Natur lebende Mensch war - ebenso wie das Tier - jederzeit der Gefahr ausgesetzt, durch natürliche Feinde (Raubtiere) getötet zu werden. Um überleben zu können, war es notwendig, sich durch blitzschnelle Energiemobilisierung auf körperliche Höchstleistung vorzubereiten. Diese Anpassung an die Gefahrensituation ist Voraussetzung für eine lebensrettende Flucht bzw. für einen Angriff. Sie läuft automatisch ab, denken würde in dieser Situation zu viel Zeit beanspruchen. Bei Wahrnehmung des Stressors, z.B. eines plötzlich einsetzenden Knackens im Unterholz, werden sofort Angst und Bedrohung empfunden. Automatisch steuert der Hypothalamus die weiteren Vorgänge, indem er Anweisungen an das autonome Nervensystem sowie auf hormonellem Weg an die inkretorischen Drüsen erteilt. Jetzt reagieren einerseits der N. sympathikus und andererseits die Hirnanhangdrüse (Hypophyse) mit der Präparation des Organismus auf körperliche Höchstleistung:

- Der N. sympathikus aktiviert das Nebennierenmark zur Ausschüttung des **Fluchthormons Adrenalin** und des **Aggressionshormons Noradrenalin**;
- gleichzeitig gibt die Hypophyse über eine vermehrte Ausschüttung des **Hormons ACTH** (*adrenocorticotropes Hormon*) an die Nebennierenrinde den Impuls zu vermehrter Ausschüttung von **Glukokortikoiden***;
- die genannten Veränderungen des Organismus führen zur **Steigerung der Herz- und Atemfrequenz** sowie zum **Blutdruckanstieg**, somit wird mehr Sauerstoff eingeatmet, der Transport zu den einzelnen Zellen ist beschleunigt;
- zugunsten der **vermehrten Durchblutung von Herz- und Skelettmuskulatur** wird gleichzeitig die Durchblutung der jetzt unwichtigen Organe (Haut, Verdauungsorgane) gedrosselt;
- die **Muskelaktivität** und der **Grundumsatz** werden gesteigert;
- zur Energieversorgung werden **gespeicherte Lipoide** und **Glykogen** in ihren Depots **mobilisiert** und in die Blutbahn abgegeben;
- zum Schutz vor äußeren Verletzungen werden **Hautwiderstand und Gerinnungsfähigkeit** des Blutes **gesteigert**;
- **Körperfunktionen, die** in dieser Situation **unwichtig sind** und nur unnötig Energie beanspruchen würden, werden **auf ein Minimum reduziert**: Magen- und Darmperistaltik, Denkvorgänge, Sexualfunktion und entzündliche Vorgänge werden stark gedrosselt.

Zurück zum Beispiel:

Jetzt kann der im Urwald lebende, vom Raubtier bedrohte Mensch blitzartig in die Höhe schnellen und kraftvoll kämpfen oder in rasendem Tempo flüchten. Während des Kampfes bzw. der Flucht werden die bereitgestellten Energien verbraucht. Bei Beendigung der bedrohlichen Situation schwindet der Erregungszustand des vegetativen Nervensystems, der Organismus kehrt zu seinem hormonellen und vegetativen Normalzustand zurück. Es haben sich keine krankhaften Veränderungen entwickelt.

Es wird deutlich, daß die Streßreaktion ein physiologisches, **leistungssteigerndes** und **lebensrettendes Geschehen** ohne negative Folgen ist.

In Untersuchungen wurde nachgewiesen, daß auch emotionale Erlebnisse wie Freude, Trauer, Leistungsdruck oder Kränkung vegetative Reaktionen im Sinne der Streßreaktion auslösen.
Wenn wir heute durch Streß krank werden (in diesem Fall spricht man besser vom **Distreß**), liegt das u.a. daran, daß wir die bei Wahrnehmung eines Stressors bereitgestellten Energien weder benötigen noch nutzen. Der **vegetative Erregungszustand** wird **nicht** ausreichend **abgebaut**. Obwohl die von uns empfundenen Bedrohungen (z.B. zwischenmenschliche Konflikte, Unter- oder Überforderung) meist keine körperlichen, sondern eher gedanklich - seelische Leistungen beanspruchen, reagiert der Organismus noch wie in Urzeiten. Eine **Differenzierung** in Hinsicht auf die Art **des Streßreizes findet nicht statt**.

Physiologische Streßreaktion

Wahrnehmung des Stressors im Hypothalamus

↓	↓
Ausschüttung von CRH*	**Aktivierung des vegetativen NS**
↓	↓
Hypophyse: Ausschüttung von ACTH	**N. sympathikus**: hohe Aktivität
↓	↓
Nebennierenrinde: Ausschüttung von Glukokortikoiden	**Nebennierenmark**: Ausschüttung von Adrenalin und Noradrenalin

Abb. 12.1 ***Physiologische Streßreaktion***

Vegetativer Dreitakt

Das Streßgeschehen läuft in drei Phasen ab; dies sorgt für einen **wirtschaftlichen Umgang mit** unseren körperlichen **Energien.** Man spricht auch vom vegetativen Dreitakt der physiologischen Streßreaktion. Die Vor-, Alarm- und Erholungsphase gehen ineinander über.
Die **Vorphase** wird vom parasympathischen Teil des vegetativen NS gesteuert und **dient dem Rückzug**. Folglich kommt es zur Herabsetzung der Kreislauf- und Stoffwechselvorgänge; sie dient der **Vorbereitung auf die baldige Bereitstellung körperlicher Energie**. Diese Phase des Streßgeschehens kann blitzschnell, aber auch über einen langen Zeitraum ablaufen. Darüber entscheidet die Art des Stressors. Ist dieser z.B. durch das plötzliche Hupen eines Autos bedingt, so springt der Erschrockene sofort zur Seite; die Vorphase ist in solcher Situation sinnvoller Weise extrem kurz und wird gar nicht bemerkt. Anders zu erleben ist dies bei Stressoren, die über einen längeren Zeitraum einwirken. So wird z.B. eine frühzeitige Verausgabung des "*Gestreßten*" während eines sich an Heftigkeit steigernden Streitgesprächs oder vor einer erst am Nachmittag stattfindenden Prüfung durch die vom Parasympathikus gesteuerte Vorphase verhindert.

Typische Veränderungen während der vom Parasympathikus gesteuerten Vorphase sind:

- herabgesetzte Pulsfrequenz und erniedrigter Blutdruck (infolge der reduzierten Herz-Kreislaufaktivität);
- Gefäßerweiterung im Bereich der Haut, Rötung der (Gesichts-) Haut;
- Gefäßweitstellung im Bauchraum; neben der Hyperämie auch Hypersekretion und -motilität der Verdauungsorgane sowie Kontraktion des Harnblasenmuskels; bei extremer Ausprägung kommt es zu den Symptomen
  - Übelkeit, Völlegefühl, Appetitlosigkeit oder sogar Erbrechen,
  - ständiger Harndrang und häufige Blasenentleerungen,
  - Stuhldrang und Durchfall ("*vor Angst in die Hose machen*");
- Engstellung der Bronchien, bei vorgeschädigten Bronchien kann es zu Atemnot kommen;
- bei übersteigerter Reaktion kann es zum Kollaps durch Minderdurchblutung des Gehirns infolge massiver Gefäßweitstellung im Bauchraum kommen *(siehe "Kollaps", Seite 633)*.

Als Anpassung auf Alarmsignale aus der Umwelt ist in Situationen, in denen Flucht oder Angriff aussichtslos erscheinen, auch der extreme **vegetative Rückzug** möglich. Früher, in der freien Natur, sollte der kollabierte Mensch auf den Feind wehrlos oder tot wirken und so ggf. als Gegner uninteressant werden.

Der Vorphase folgt die **Alarmphase**; sie ist die **Hauptphase** und das **Kerngeschehen** der physiologischen Streßreaktion. Sie wird vom **N. sympathikus gesteuert** und ist durch entsprechende vegetative und hormonelle Reaktionen gekennzeichnet *(siehe vorstehend "Physiologische Streßreaktionen" und nachfolgend "Wirkung der Streßhormone")*. Diese dienen dem **steilen Anstieg der körperlichen Aktivität**. Gleichzeitig wirkt der parasympathische Teil des NS nur an bestimmten Stellen und in physiologisch sinnvoll angepaßtem Ausmaß.
Normalerweise dauert die Alarmphase so lange an, wie der Stressor auf den Betroffenen einwirkt.
Danach beginnt die **Erholungsphase**. Die Erregung des N. sympathikus sowie die gesteigerten Hormonausschüttungen und dadurch bedingte Reaktionen lassen nach. Unter dem **vorübergehenden Einfluß des N. parasympathikus** kehrt der Organismus in seine vegetative Ausgangslage zurück. Kurzfristig sinken dabei Kreislauf- und Stoffwechselfunktionen unter das Ausgangsniveau, um sich dann auf die **normale Reaktionslage** einzupendeln.

Wirkung der Streßhormone während der Alarmphase

Adrenalin	Noradrenalin	Glukokortikoide
• Steigerung von Pulsfrequenz, Herzminutenvolumen, systolischem Blutdruck • Erweiterung der Blutgefäße in der Leber und den Skelettmuskeln • Engstellung der Gefäße in Haut und Baucheingeweiden	• Erhöhung des Blutdrucks durch Gefäßengstellung • Senkung der Pulsfrequenz	
• Mobilisierung der Glykogenreserven und Förderung des Glykogenaufbaus in der Leber: Erhöhung des Blutzuckerspiegels	• Mobilisierung der Glykogenreserven und Förderung des Glykogenaufbaus in der Leber: Erhöhung des Blutzuckerspiegels	• Eiweißabbau • Erhöhung des Blutzuckerspiegels durch Bildung von Kohlenhydraten aus Aminosäuren
• gesteigerte Mobilisation von Triglyzeriden aus dem Fettgewebe • Steigerung des Grundumsatzes		• Herabsetzung der natürlichen Abwehrkräfte und Immunreaktionen: - entzündungshemmende, antirheumatische und antiallergische Wirkung
• Pupillenerweiterung • Erektion der Haarmuskeln		• Einfluß auf Blutbildung, Muskel-, Wasser-, Elektrolyt- und Eiweißstoffwechsel
• Erschlaffung der Bronchialmuskulatur und Erweiterung der Bronchien • Verminderung der Darmperistaltik • Erhöhung der ACTH- und somit auch der Glukokortikoidausschüttung	• Verminderung der Darmperistaltik • Erhöhung der ACTH- und somit auch der Glukokortikoidausschüttung	• vermehrte Abgabe von Gerinnungsfaktoren ans Plasma • bei übermäßiger Ausschüttung: Hemmung der Gonadotropinausschüttung* (und somit der Gonadenfunktion)

Funktionen des vegetativen Nervensystems

Beachte: Es werden lediglich die im Zusammenhang mit Streß beobachtbaren Funktionen des vegetativen NS genannt.

Organ	Sympathischer Teil	Parasympathischer Teil
Auge	• Pupillenerweiterung	• Pupillenverengung
Speicheldrüsen	• Produktion dickflüssigen Schleims	• Produktion wäßrigen Speichels
Herz	• Steigerung der Erregungsleitung, Erhöhung von Frequenz, Kraft und Erregbarkeit	• Verlangsamung der Erregungsleitung und der Frequenz
Bronchien	• Erschlaffung der Bronchialmuskulatur	• Vermehrte Sekretion und Kontraktion der Bronchialmuskulatur
Magen und Darm	• Entspannung der Muskulatur, Herabsetzung von Peristaltik und Drüsentätigkeit; Kontraktion der Schließmuskeln	• Kontraktion der Muskulatur, Steigerung von Peristaltik und Drüsentätigkeit; Entspannung der Schließmuskeln
Leber	• Förderung des Glykogenabbaus	
Bauchspeicheldrüse	• Hemmung der Insulinsekretion	• Aktivierung der Insulinsekretion
Nebennierenmark	• Aktivierung der Adrenalinsekretion	• Hemmung der Adrenalinsekretion
Harnblase	• Erschlaffung des Blasenmuskels; Kontraktion des Schließmuskels; Urinzurückhaltung	• Kontraktion des Blasenmuskels; Erschlaffung des Schließmuskels (Harndrang), Urinentleerung
Geschlechtsorgane	• Gefäßengstellung; Ejakulation	• Erektion (Gefäßweitstellung) bei Mann und Frau
Schweißdrüsen	• Produktion geringer Mengen klebrigen Schweißes	• reichliche Produktion dünnen Schweißes
Haut	• Kontraktion der Haarmuskeln der Haut	
Gefäße	• Engstellung; Weitstellung der Herzkranzgefäße	• Weitstellung; Engstellung der Herzkranzgefäße
Stoffwechsel	• Steigerung der Dissimilation*	• Steigerung der Assimilation*

Bei sehr starken und **andauernd bzw. wiederholt auftretenden Streßreizen** kann es zur Verkürzung und zur Aufhebung der Erholungsphase kommen. In diesem Moment wird der **Streßmechanismus verzerrt** und kann zu Funktionsstörungen führen (*siehe "Auswirkungen von Distreß", Seite* 893).

Vegetativer Dreitakt der Streßreaktion

Vorphase	-	N. parasympathikus gesteuert
↓		
Hauptphase	-	N. sympathikus gesteuert
↓		
Erholungsphase	-	N. parasympathikus gesteuert, bis das vegetative Ausgangsniveau erreicht ist

Abb. 12.2 ***Vegetativer Dreitakt der Streßreaktion***

12.2.3 Stressoren

Faktoren, die Streß auslösen, werden als Stressoren bezeichnet.
Sie sind sehr vielfältig; die **verschiedensten Einflüsse** können über die physische, psychische und soziale Ebene bewußt oder unbewußt als Anspannung bzw. Bedrohung auf den Menschen einwirken und die Streßreaktion auslösen. Das **individuelle Erleben und Bewerten** von Reizen entscheidet, ob der Reiz zum Stressor wird.
Die häufigsten und massivsten Stressoren sind:
- Operationen, Schmerzen,
- Infektionskrankheiten, Entzündungen,
- Verbrennungen,
- extreme Kälte- und Hitzeeinflüsse,
- Föhn und Wetterveränderungen,
- Lärm (insbesondere in Schlaf- u. Konzentrationsphasen),
- optische Reize (insbesondere flackerndes und grelles Licht),
- Schlafstörungen,
- Angst (insbesondere bewußt oder unbewußt empfundene Bedrohung), Versagens- und Existenzangst,
- Verlusterlebnisse (z.B. Tod oder Trennung von einem liebgewordenen Menschen),
- Zurücksetzung und Kränkung,
- Konflikte und Ärger,
- Frustration und Mißmut,
- Hoffnungs- und Sinnlosigkeit,
- Verzweiflung und Einsamkeit,
- Leistungsdruck, Prestigedenken und Hierarchie,
- dauernde Über- oder Unterforderung,
- Monotonie und Langeweile,
- übertriebener Ehrgeiz,
- Chancenungleichheit,
- Arbeitslosigkeit,
- belastende Arbeitsbedingungen,
- Hektik und Zeitdruck,
- beengte und ungünstige Wohnbedingungen,
- gesellschaftliche Normen wie Sitte, Moral und Gesetze, sofern sie das gewünschte Verhalten reglementieren bzw. untersagen oder Gewissenskonflikte hervorrufen,
- Rollenkonflikte (z.B. durch das Bemühen, gleichzeitig eine gute Krankenschwester, Ehefrau, Mutter und politisch Engagierte zu sein),
- Freude und Rührung,
- Verliebtsein.

Im erweiterten Sinn zählen zu den Stressoren auch **Einflüsse, die unseren Organismus belasten** und in eine ungünstige Ausgangsposition bringen. Unter diesen Bedingungen werden z.B. Reize eher als Stressoren bewertet und kann die Streßreaktion verstärkt und/ oder ihr Abbau erschwert werden.
Beispiele:
- Übergewicht und falsche Ernährung,
- Bewegungsarmut,
- Luftschadstoffe und andere Umweltverschmutzungen,
- Substanzen mit zentralnervöser Wirkung (Alkohol, Nikotin, Rauschgift, einige Medikamente wie z.B. Barbiturate, Tranquillanzien).

In vielen Situationen **treten mehrere Stressoren gleichzeitig auf**, ohne daß die daraufhin mobilisierten Energien genutzt werden. Dies kann z.B. beim **Autofahren** der Fall sein, wenn gleichzeitig Zeitnot, Verkehrsdichte, Bewegungsarmut, optische und akustische Reize, Ärger über andere Verkehrsteilnehmer, Zigarettenrauch, Autoabgase sowie Angst vor den Konsequenzen des Zuspätkommens einwirken. Bei ständiger Wiederholung solcher Situationen kann der Streß zur **Dauerbelastung** führen und **Organschäden** bedingen.
Besonders **extreme Streßreize** kommen aus dem emotionalen Erleben, zumal sie in diesem Bereich meist langandauernd sind. Der **Verlust eines geliebten Menschen**, z.B. durch Tod oder Scheidung, ist ein besonders starker Stressor. Ein **Mangel an Zuneigung**, Anerkennung und Akzeptanz kann ebenso wie **chronische Konfliktsituationen** und ständige Über- bzw. Unterforderung Dauerstreß - und somit Distreß - bedingen.
Weniger auffällig und bewußt ist z.B. das Fernsehen als ein Stressor, der über Jahre einwirken kann. Fernsehen wird zum Stressor z.B. bei spannenden und aufregenden Sendungen (Krimi, Fußballspiel), die mit einer Häufung optischer und akustischer Alarmsignale einhergehen. Die negative Wirkung entsteht vor allem durch die gleichzeitige Bewegungsarmut sowie den eventuellen Konsum von Alkohol, Zigaretten und Süßigkeiten.

12.2.4 Unterschiedliche Reaktionen auf Stressoren

Die Menschen reagieren, bedingt durch die individuelle Konstitution und erlernte Verhaltensmuster, unterschiedlich auf Streßreize.
Die **Empfindlichkeit**, mit der wir einzelnen Stressoren begegnen, **variiert mit dem allgemeinen Befinden** - diese Erfahrung ist jedem Leser bekannt.
Vor allem aber beeinflußt der **vegetative Reaktionstyp** maßgeblich die durch Streßreize bedingten Verände-

rungen des Organismus. In der Streßforschung (F. VESTER, 1976) werden zwei Grund - Streßtypen unterschieden, der Sympathikotoniker und der Vagotoniker. Eine dritte Gruppe bilden die gegenüber Streßreizen sehr ausgeglichen reagierenden Menschen, bei denen sich sympathischer und parasympathischer Teil des NS überwiegend die Waage halten. Im Gegensatz zu den Grund-Streßtypen weisen sie keine besondere Neigung zur Entwicklung bestimmter Funktionsstörungen und Krankheiten auf.
Beim **Vagotoniker** überwiegt der parasympathische Anteil des Nervensystems. In Streßsituationen kann es zu Verschiebungen im vegetativen Dreitakt der Streßreaktion kommen. Die **Vorphase** tritt dann **verstärkt** auf. Auffällige, durch Aktivität des N. parasympathikus bedingte Veränderungen sind die Folge: Blutdruckabfall, Pulsverlangsamung, Magen- und Darm-Beschwerden sowie Schwindelgefühl und vermehrtes Schwitzen. Bei massivsten Streßreizen, z.B. Versagensangst vor einer Prüfung, kann es zu ständigem Harndrang, Durchfall und Erbrechen sowie zum Kollaps kommen.
Umgekehrt kann es beim **Sympathikotoniker** zur **übersteigerten Hauptphase** und zur Verhinderung der vagusgesteuerten Erholungsphase kommen. Entsprechende Symptome sind Herzklopfen, Blutdruckerhöhung, Aggressionen, erhöhter Grundumsatz, Nervosität, motorische Aktivität u.a. Im Extremfall treten diese Reaktionen verstärkt auf.

Ein Beispiel soll diese Unterschiede verdeutlichen:
Bei einem Explosionsknall in unmittelbarer Nähe einer Menschenmenge wurden folgende Reaktionen beobachtet:
- einige Menschen blieben vor Schreck "*wie angewurzelt*" stehen und erlitten dann einen Kollaps (Vagotoniker);
- andere Menschen liefen schreiend davon (Sympathikotoniker).

12.2.5 Auswirkungen von Distreß

Entsprechend der vorangegangenen Unterscheidung zwischen Sympathikotoniker und Vagotoniker kommt es unter langandauerndem Distreß zu verschiedenen Störungen. Bei der Betrachtung der Entstehung durch Streß mitbedingter **Störungen und Krankheiten** müssen jedoch auch weitere Faktoren, die Einfluß darauf nehmen, berücksichtigt werden (*mehrdimensionale Entstehung von Krankheiten*). Dies sind die vererbte und individuelle Veranlagung für bestimmte Krankheiten, die Anpassungsfähigkeit an Veränderungen, die Persönlichkeitsstruktur, die soziale Prägung (erlernter Umgang mit Stressoren) sowie geschlechtsspezifische hormonelle Strukturen.
Der lebensnotwendige, positive Streß kann in der heutigen Zeit zum negativen, krankmachenden Distreß werden, wenn wir die mobilisierten Energien und den Erregungszustand des vegetativen Nervensystems nicht nutzen bzw. nicht abbauen.
Dazu kommt es häufig, denn der eingebaute biologische Verteidigungsmechanismus setzt automatisch bei Wahrnehmung eines Stressors ein. Dieser besteht heute selten in einer Bedrohung durch natürliche Feinde (z.B. Raubtiere), zu deren Abwehr Flucht oder Kampf notwendig wären. Vielmehr entstammen die Streßreize der Gefühlswelt oder dem Arbeitsleben. Für den sinnvollen Umgang damit sind **meist keine körperlichen Höchstleistungen, sondern eine gedankliche Verarbeitung oder angemessene soziale Verhaltensweisen erforderlich**. Es wäre z.B. wenig sinnvoll, einen unlieben - da konkurrierenden - Kollegen zu verprügeln und somit die bereitgestellten Energien zu verbrauchen. Neue Probleme und somit neue Stressoren, z.B. Verlust des Arbeitsplatzes, schlechtes Gewissen, Gerichtsverhandlung, wären die Folge. Wenn wir nicht **auf anderem Wege**, z.B. beim Sport, **die Energien abbauen** oder durch gedankliche Verarbeitung den Streßreiz neutralisieren, bleibt der vegetative Erregungszustand mitsamt den dadurch hervorgerufenen Veränderungen des Organismus für längere Zeit bestehen.
Kommt es zum **Dauerstreß**, weil der Stressor täglich wiederkehrt bzw. dauernd vorhanden ist, wird das Gleichgewicht des Organismus gestört. Die sich unter den beschriebenen Umständen entwickelnden organischen **Störungen** werden als **psychosomatisch** bezeichnet, da seelische Belastungen und chronische Konflikte Ursache oder Auslöser sind. Hier gelten schmerzliche Verlusterlebnisse (z.B. Tod eines geliebten Menschen) sowie die Versagung von Anerkennung und Zuneigung, insbesondere wenn sie als Bestrafung von Unabhängigkeitsstreben eingesetzt wird, als typische Auslöser psychosomatischer Erkrankungen.
Aber auch alle anderen denkbaren Stressoren können, wenn sie wiederholt oder dauerhaft auftreten, zu Störungen führen. Selbst die Summe kleinster, aber ständig wiederkehrender Streßreize führt, sofern die Streßreaktion nicht abgebaut wird, zur Langzeitschädigung.
Beim **Sympathikotoniker betreffen diese Störungen hauptsächlich das Herz - Kreislaufsystem:** Bluthochdruck, Begünstigung der Arteriosklerose, Kopfschmerzen und Herzinfarkt können die Folgen sein. Außerdem lassen sich oft Nervosität und Aggressionen beobachten.
Bevorzugt beim Vagotoniker auftretende Leiden betreffen die Verdauungs- und Atemwegsorgane: Magen- und Darmerkrankungen sowie Asthma bronchiale können sich entwickeln. Eine Hypotonie ist unter Vagotonikern weit verbreitet; auch Depressionen treten relativ häufig auf.
Bei beiden Streßtypen können unter den genannten Umständen außerdem eine **verringerte Immunabwehr** sowie **Störungen der Hormonregulation** und der **Sexualfunktion** auftreten.
Extreme psychosoziale Belastungen (Tod des Partners, Wohnungsverlust) können - vor allem im Alter - bestehende Krankheiten deutlich verschlimmern.

12.2.6 Geeigneter Umgang mit Streß

Um zu verhindern, daß Streß zu Distreß wird, ist es notwendig, geeignete Formen im Umgang mit Streß zu finden. Verschiedene Möglichkeiten werden im folgenden erörtert.

❒ Streßvermeidung

Mancher Stressor läßt sich vermeiden oder ausschalten. **Beispiele**:

Lärmvermeidung

- Tragen von Oropax auf Musikveranstaltungen und in Diskotheken, außerdem Tanzen, um die bereitgestellten Energien zu nutzen;
- Verwenden schalldämmender Materialien im Wohnungsbau, z.B. Doppelverglasungen;
- Aufenthalt in / Schaffen von ruhigen Wohnsiedlungen, verkehrsberuhigten Zonen, Wohnstraßen;
- Tragen von Gehörschutz während beruflicher Lärmexposition (ab 85 Dezibel);
- Rücksichtnahme auf andere Personen, keinen unnötigen Lärm produzieren (Radio, TV auf Zimmerlautstärke einstellen; hochtouriges Autofahren, Hupen u.ä. unterlassen).

Reduzieren / Aufgeben des Autofahrens

- Fahrten auf das mögliche Minimum reduzieren bzw. öffentliche Verkehrsmittel / Fahrrad nutzen;
- realistische Dauer der Fahrt kalkulieren und entsprechende Zeit einplanen, um Hektik und Zeitnot zu vermeiden;
- Gelassenheit gegenüber den Eigenheiten anderer Autofahrer entwickeln;
- während des Fahrens nicht rauchen;
- nach längerer Autofahrt für körperliche Bewegung sorgen.

Hektik und Zeitnot vermeiden

- Benötigte Zeiten realistisch einschätzen und entsprechend einplanen;
- Prioritäten setzen: entscheiden, welche Aktivitäten wichtiger sind als andere und sich dafür ausreichend Zeit nehmen, andere absagen;
- "Nein" sagen, wenn man bereits ausgelastet ist und zusätzliche Aufgaben übernehmen soll.

❒ Sinnvolles Verhalten

Bei der Vielfalt unterschiedlicher Stressoren können nur beispielhaft sinnvolle Verhaltensweisen aufgezeigt werden.

Körperliche Betätigung

- Zum Abbau der bereitgestellten Energien Sport treiben oder andere Formen körperlicher Bewegung nutzen, z.B. Gartenarbeit, flotter Spaziergang;
- zur Entspannung, Freude und sinnvollen Freizeitbeschäftigung sowie zur Aufnahme und Pflege sozialer Kontakte regelmäßig Sport in einer Gruppe treiben;
- zum Abbau bzw. zur Vermeidung von Übergewicht;
- zum Training des Bewegungsapparates und des Herz-Kreislaufsystems.

Einstellungsänderung

- Persönliche Wertvorstellungen hinterfragen und ehrlich eingestehen, was *wirklich* wichtig ist;
- Erwartungen anderer Menschen von den eigenen trennen und Gelassenheit gegenüber fremdbestimmten Erwartungshaltungen entwickeln, wenn diese mit den eigenen konkurrieren;
- Probleme anderer nicht zu den eigenen machen;
- unabänderliche Tatsachen, z.B. "Schönheitsfehler", sowie persönliche Schwächen akzeptieren oder aber aktiv etwas dagegen unternehmen;
- Prestigesymbole, Moral und Sitte hinterfragen, um persönliche Wertigkeiten zu finden, die nicht mit einem schlechten Gewissen konkurrieren;
- Protesthaltungen aktiv ausdrücken, z.B. durch Engagement in Umweltschutzgruppen, politischen Gruppen, Berufsverbänden oder Gewerkschaften.

Situationsveränderung

- **Bei beruflichem oder schulischem Streß**, der mit Versagensangst und mangelhaften Leistungen einhergeht, die Ursache hinterfragen und entsprechend handeln:
  - Faulheit kann durch Fleiß behoben und somit der Stressor ausgeschaltet werden;
  - sind Probleme für einen Leistungsknick verantwortlich, so sind diese vorrangig anzugehen;
  - ist das Leistungsniveau für die individuellen Fähigkeiten zu hoch oder zu niedrig, sollte ein anderer Beruf bzw. eine andere Schulform gewählt werden;
  - entspricht der Beruf nicht den persönlichen Neigungen, Interessen und Fähigkeiten, sollte nach Möglichkeit eine andere Berufswahl getroffen werden; ansonsten ist eine sinnvolle Freizeitbeschäftigung, die den individuellen Fähigkeiten und Interessen entspricht, außerordentlich wichtig;
  - hängt die Überforderung mit beruflichem Positionswechsel oder Bildungslücken zusammen, kann sie durch Fort- und Weiterbildung abgebaut werden;
  - Versagensangst vor Prüfungen kann mit dem Lernen des geforderten Stoffs, dem Einüben der Prüfungssituation (z.B. freies Vortragen eines Textes) und realistischem Einschätzen der persönlichen Leistungsfähigkeit begegnet werden;

    Beachte: Ein gewisses Maß an Streß (hier durch Angst / Ehrgeiz ausgelöst) steigert die Leistungsbereitschaft und das Leistungsvermögen;
- "Nein" sagen bei Überforderung, bei Zeitnot oder Interessenlosigkeit;
- Aufgaben delegieren, Vertrauen in andere Menschen setzen, um Überlastung / Überforderung abzubauen;
- Gespräche über Probleme führen, dabei die Konflikte gegenüber der sie betreffenden Person ansprechen;
- bei Bedarf Aufsuchen von Beratungsstellen;
- offener Umgang mit Partnerschafts- und Familienproblemen;
- bewußtes Schaffen von Ausgleichssituationen in der Freizeit, z.B. durch kreative Beschäftigung;
- Vermeiden zusätzlicher Risikofaktoren wie Bewegungsmangel, Übergewicht, Schlafdefizit und Rauschmittelkonsum;
- Trauerarbeit leisten, wenn ein trauriger Anlaß dies fordert, d.h. den seelischen Schmerz zulassen und ihn erleben.

❒ Nutzen von Antistressoren

Antistressoren sind **Faktoren, die Streß abbauen oder Streßreize neutralisieren.**

Sie machen uns also unempfindlich gegenüber Streßreizen oder sorgen dafür, daß durch die physiologische Streßreaktion hervorgerufene Veränderungen wieder abgebaut werden.

Natürliche Antistressoren sind z.B.:
- Schlaf;
- körperliche Betätigung, insbesondere Ausdauersport;
- Lachen, Weinen (weil dadurch Energien abgeführt werden);
- Urlaub, sofern er die individuellen Bedürfnisse berücksichtigt;
- Kreativität entsprechend den individuellen Neigungen, Fähigkeiten und Interessen (Basteln, Töpfern, Handarbeiten, Musizieren, Zeichnen, Kochen);
- Entspannung jeglicher Art (kreatives Handeln, Ausgehen, Feiern, Spielen, Musikhören, Lesen, Saunabesuche, kulturelle Aktivitäten);
- Erfolgserlebnisse, Selbstverwirklichung (Erfüllung im Beruf, angepaßtes Leistungsniveau, soziale Anerkennung, Freude an / Bezug zur Arbeit, Möglichkeiten kreativen Handelns);
- Anerkennung, Bestätigung, Akzeptanz der Person;
- Zuneigung, Freundschaft und Liebe (intakte zwischenmenschliche Beziehungen, Vertrauen, Verständnis, Geborgenheit, "Gebraucht werden", Zärtlichkeit, Erotik);
- offene Gespräche (Artikulieren von Gefühlen, Aussprechen von Konflikten, Finden von Gemeinsamkeiten mit dem Gesprächspartner).

❐ Entspannungsübungen

Die natürlichen Antistressoren sind nicht immer ausreichend vorhanden oder nutzbar. Einigen Menschen fällt es schwer, abzuschalten und sich von bestehenden Streßreizen / -reaktionen zu lösen. Dagegen gibt es leicht erlernbare Hilfen, die sogenannten Entspannungsübungen. Die richtige **Anwendung fördert** nicht nur das **seelische und körperliche Wohlbefinden**, sie kann auch krankhafte Auswirkungen des Dauerstresses verhindern.

Wichtig ist, daß der Anwender diesen **Übungen positiv gegenübersteht**, sich professionell anleiten läßt und die Übungen sowohl ernsthaft als auch regelmäßig durchführt.

Es werden zahlreiche verschiedene Entspannungsübungen angeboten, z.B.:
- autogenes Training *(siehe Seite 785)*;
- Meditation *(siehe dazu Seite 786)*;
- Yoga: angelehnt an die indische Lehre von geistiger Konzentration werden Übungen der bewußten Atmung, eine bestimmte Körperhaltung, Meditation und u.ä. durchgeführt;
- spezielle Atemtechniken / -übungen.

Des weiteren werden Bücher, Video- und Musikkassetten zur Entspannung angeboten.

12.3 Behinderung

Die "Sinnfrage" kann durch eine Behinderung neu oder erstmals aufgeworfen werden. Sowohl der Betroffene als auch seine Kontaktpersonen erleben eine **Auseinandersetzung mit den persönlichen Wertigkeiten**, den eigenen Normen und den Ansprüchen an das Leben. Sowohl positive als auch negative Reaktionen und Ergebnisse sind möglich. Beispielsweise kann eine bisher nicht erfolgreiche Suche nach dem Sinn des Lebens dadurch neue Akzente bekommen und erfolgreich voranschreiten. Andererseits kann eine Lebensbejahung und -freude in Zweifel gestellt werden oder gar erlöschen.

12.3.1 Definitionen

Die **Behinderung** ist eine **nicht nur vorübergehende**, zu einer **Minderung der Erwerbsfähigkeit** von mindestens 10% führende körperliche, geistige oder seelische Beeinträchtigung, unabhängig davon, ob sie angeboren, durch äußere Ereignisse (z.B. Unfall, Krieg) erworben oder durch Erkrankung hervorgerufen wurde.

Eine **Schwerbehinderung** im Sinne des Schwerbehindertengesetzes liegt vor, wenn in Folge der Behinderung die **Erwerbsfähigkeit nicht nur vorübergehend um mindestens 50% gemindert** ist.

12.3.2 Behinderungsarten

❐ Körperliche Behinderung

Infolge einer **körperlichen Störung** ist die Fähigkeit zur **Eingliederung in die Gesellschaft beeinträchtigt**. Zugrunde liegen kann / können:
- eine Beeinträchtigung der Bewegungsfähigkeit, z.B. durch degenerative und entzündliche Erkrankungen der Wirbelsäule und Gliedmaßen, angeborene Veränderungen des Skeletts, Verlust von Gliedmaßen, Zwerg- und Riesenwuchs, progressive Muskeldystrophien;
- erhebliche Spaltbildungen des Gesichts oder Rumpfes (Lippen-, Kiefer-, Gaumenspalte);
- abstoßend wirkende Entstellungen, vor allem des Gesichts;
- eine erhebliche Einschränkung des körperlichen Leistungsvermögens infolge Erkrankung, Schädigung oder Fehlfunktion eines inneren Organs oder der Haut, z.B. durch Hirn- und Rückenmarksschäden; Herz-, Kreislauf- und Atemwegserkrankungen; Krankheiten des Urogenital- und Verdauungstraktes, der Leber und Galle; Diabetes mellitus; chronische Hautkrankheiten, bösartige Neubildungen;
- Blindheit oder starke Sehbehinderung;
- Taubheit oder schwere Hörschädigung;
- Stummheit, Aphasien und schwere Stimmstörungen, starkes Stammeln, Stottern.

❐ Geistige Behinderung

Die **Beeinträchtigung bezieht sich auf** das **Erfassen des Sinns von Zusammenhängen**, auf die **Orientierung** und/oder auf die **Fähigkeit, das individuelle Erleben in Einklang** mit der Wirklichkeit **zu bringen**. Dabei ist die Störung nennenswert und liegt länger als sechs Monate vor. Die geistige Behinderung schließt bei starkem Ausmaß die berufliche Ausbildungsfähigkeit aus, wenn Arbeitsabläufe nicht erfaßt oder nicht erinnert werden. Zugrunde liegen können:
- chronische Psychosen und Folgezustände;
- Anfallsleiden, deren Folgen zu Hirnschäden führen;
- hochgradige angeborene oder erworbene Intelligenzminderung.

❐ Seelische Behinderung

Die **Beeinträchtigung bezieht sich auf** die **Fähigkeit**, seine **Gefühle zu balancieren** und/oder **mit sich und der Welt positiv umzugehen** und/oder **die Gegenwart und Wirklichkeit wahrzunehmen**, zu werten, zu verarbeiten und dementsprechend **gegenwarts- und realitätsbezogen zu handeln**. Auch kann die **Fähigkeit, Beziehungen** zu sich selbst sowie zwischen sich und anderen **tragfähig zu gestalten, eingeschränkt** sein. Wenn mindestens eine der genannten Störungen in nennenswertem Ausmaß und länger als sechs Monate andauernd vorliegt, handelt es sich um eine seelische Behinderung.
Zugrunde liegen können:
- körperlich nicht begründbare Psychosen;
- seelische Störungen infolge von Krankheiten oder Verletzungen des Gehirns, von Anfallsleiden oder von anderen körperlichen Beeinträchtigungen;
- Suchtkrankheiten;
- Neurosen und Persönlichkeitsstörungen.

12.3.3 Auswirkungen

Die WHO (1980) unterscheidet drei Komponenten der Behinderung,
- **Impairment** *(Schaden)*,
- **Disability** *(funktionelle Einschränkung)* und
- **Handicap** *(soziale Einschränkung)*.

Hierdurch werden die Auswirkungen / Folgen der Behinderung deutlich. **Der eigentliche Schaden zieht die Einschränkung bestimmter Funktionen sowie soziale Folgen nach sich.**

Beispiele:
- Die Amputation des Beines schränkt das Gehen deutlich ein, macht bestimmte Freizeitaktivitäten (Fußball spielen) unmöglich und führt zum Ausschluß aus der Fußballmannschaft.
- Die Hirnschädigung schränkt das Denkvermögen erheblich ein, führt zu Unselbständigkeit / Abhängigkeit und zieht evtl. eine Ausgliederung aus dem Familienleben (Heimeinweisung) nach sich.
- Die Persönlichkeitsstörung schränkt die Fähigkeit, realitätsbezogen zu handeln, deutlich ein und zieht den Verlust des Arbeitsplatzes nach sich.

Im Einzelfall ist die Beeinträchtigung des Behinderten - entsprechend der Art und dem Ausmaß seiner Behinderung - sehr unterschiedlich ausgeprägt. Einige wesentliche Einschränkungen sind im voranstehenden Abschnitt aufgeführt. Der Betroffene ist in der Gesamtheit seiner ATL meist mehrfach eingeschränkt.
Schwierig zu erfassen und zu beschreiben sind die **seelischen und sozialen Folgen** der Behinderung, zumal sie sich **sehr unterschiedlich** gestalten und **individuell erlebt** werden. So kann z.B. der Verlust des Freundeskreises durch eine **bewußte Abkapselung des Behinderten**, aber auch durch Hilflosigkeit, Ablehnung oder **Rückzug der nicht behinderten Freunde** hervorgerufen sein.
Im Zusammenhang mit einem Arbeitsplatzverlust kann eine Behinderung gravierende soziale Veränderungen nach sich ziehen.

Die ersten Reaktionen auf die Konfrontation mit einer Behinderung sind von den Wertvorstellungen sowohl des Betroffenen als auch seiner Mitmenschen geprägt. Sind z.B. Schönheit oder Sportlichkeit in der Wertigkeitsskala der Lebensinhalte ganz oben, wird ein Gliedmaßenverlust wahrscheinlich größere Bedeutung haben, als wenn geistige und kulturelle Beschäftigungen einen hohen Stellenwert einnehmen.
Verzweiflung, **Angst** und **Hoffnungslosigkeit** quälen einen Betroffenen häufig in der ersten Zeit der Behinderung. Diese kann ihn aus seinem beruflichen Alltag reißen und eine lange, evtl. lebenslange **Erwerbsunfähigkeit** oder eine **Umschulung** erzwingen. Die Auswirkungen auf die Freizeitaktivitäten können ebenso gravierend sein und eine komplette Umorientierung erfordern. Meist sind damit **Verluste sozialer Kontakte** und Rollen verbunden. Auch familiäre Kontakte können sich - besonders in der Anfangszeit - schwierig gestalten.
Für alle Beteiligten ist die neue Situation eine Herausforderung. Oftmals werden sie in überraschender Weise mit ihren eigenen **Vorurteilen** konfrontiert. Auch die Unerfahrenheit und **Hilflosigkeit** (obwohl man unbedingt helfen will!) können **Peinlichkeit** und Schamgefühl hervorrufen. Mögliche Folgen sind Rückzug oder Überspielen der Situation. Eine weitere **Überforderung** - die allerdings meist kompensierbar ist - kann für die Angehörigen die Pflege und Unterstützung des Behinderten darstellen.
Vor allem aber ist der Behinderte selbst gezwungen, **sich der neuen Situation anzupassen**. Dies erfordert einerseits die seelisch-geistige **Auseinandersetzung** mit den Einschränkungen bzw. Verlusten. Vergleichbar mit den seelischen Vorgängen beim Verlust eines nahestehenden Menschen erfordert die Behinderung häufig **Trauerarbeit** *(siehe Seite 984)*. Andererseits ist meist auch **körperliches Training** erforderlich. Neue Bewegungstechniken, der Umgang mit Hilfsmitteln, Ausgleichsübungen oder neue Verhaltensmuster müssen eingeübt werden.
Solche Aktivitäten verleiten leicht dazu, die aufgeworfene **Frage nach dem Sinn des Lebens zu verdrängen**. Doch der Zeitpunkt, an dem sich die Auseinandersetzung nicht mehr verschieben läßt, kommt unweigerlich. Spätestens jetzt kommen - bisher vielleicht unbewußte - **Vorurteile und Einstellungen** gegenüber der Behinderung zum Tragen. Diese beziehen sich im übrigen nicht nur auf im Laufe des Lebens erworbene, sondern auch auf angeborene Behinderungen. Sie werden nicht selten als **Strafe Gottes** für einen in der Vergangenheit begangenen Fehler oder als **Wiedergutmachungsangebot** für diesen angesehen. Auch als eine **Lehre Gottes**, die zu höheren, inneren Werten gelangen läßt, wird die Behinderung manchmal betrachtet. Aber auch die Einordnung und **Akzeptanz** als unabänderlicher **Schicksalsschlag** kann Reaktion auf die Behinderung sein.
Eine andere seelische Reaktionsweise ist der Versuch, **in dem Schicksalsschlag das Positive zu suchen** und zu finden, und sei es die Lossprechung von Sünden durch Buße oder Leiden.
Bei der Auseinandersetzung mit der Behinderung und durch ihre angemessene seelische Verarbeitung kann

die **Persönlichkeit** eines Betroffenen - auch die seiner Angehörigen - **reifen**.
Möglicherweise findet er neue, tiefere und von Umwelteinflüssen unabhängigere Werte, mit denen er zu innerer Zufriedenheit und Selbstachtung findet.
Insofern kann der behinderte Mensch - und auch seine Bezugspersonen - der Behinderung und ihren Folgen einen Sinn beimessen.
Aufgrund eines guten Selbstgefühls, seelischer Gesundheit, der Fähigkeit zur Trauerarbeit u.ä. sind manche Menschen eher als andere in der Lage, sich aktiv mit der Behinderung auseinanderzusetzen und sie anzunehmen. Dies geschieht, ohne dabei völlig aus dem Gleichgewicht zu geraten und ohne Selbstwertgefühl sowie Lebensfreude zu verlieren.

Die Konfrontation mit seelischer Behinderung stellt eine große Herausforderung dar, denn sie verändert den Betroffenen und seine sozialen Beziehungen deutlich. **Er selbst versteht sich und/oder die Welt nicht mehr** und findet sich in ihr nicht zurecht. Zwangsläufig verändern sich die menschlichen Begegnungen, die **Bezugspersonen** erleben sich in der Regel **hilflos und mitbetroffen**, evtl. auch schuldig. Die wiederholte bzw. andauernde Konfrontation mit dem im Fühlen und Wahrnehmen extrem veränderten Menschen fordert alle Beteiligten - auch den Betroffenen selbst - bis an die Grenze ihrer Belastbarkeit und zehrt an den Kräften. **Außenstehende** reagieren häufig mit Unverständnis, Ablehnung und sozialer **Ausgrenzung** des seelisch behinderten Menschen, evtl. auch seiner Angehörigen.
Ein besonderes Problem stellt der **Umgang mit geistig schwerstbehinderten Menschen** dar: Hilflosigkeit und Peinlichkeit führen meist zur **Verdrängung des Problems. Betroffene** werden oft zu Hause **abgeschirmt** oder in **speziellen Einrichtungen untergebracht**. Das Bild Geistig-Behinderter paßt am wenigsten in unsere von Fortschritt, Leistung und Schönheit geprägte Welt.
Eltern, die ein geistig behindertes Kind aufziehen, haben es besonders schwer. Neben der schwierigen und von ihnen besitzergreifenden Aufgabe werden sie **mit extremen Vorurteilen** konfrontiert. Mehr als die Hälfte ihrer Mitmenschen (und von ihnen selbst) schieben ihnen die Schuld für die Behinderung des Kindes zu. Erziehungsfehler, Liebesdefizit, unsolide Lebensweise - vor allem während der Schwangerschaft - sowie Erbfehler und schwangerschaftsbedingte Schäden werden von Ihnen als häufigste Ursachen genannt. Die häufigste *tatsächliche Ursache*, nämlich während der Geburt erlittene Schäden (z.B. Sauerstoffmangel, Hirnblutungen), wird nur selten angeführt.
Geistig Behinderte sind meist **Mehrfachbehinderte**, denn oft sind gleichzeitig auch Wahrnehmung, Sprache und Motorik gestört.
Eltern und Familie erleben die Auswirkungen sehr unterschiedlich. Schuldzuweisung, Schamgefühl, Trauer und Selbstwertkrisen eines oder beider Elternteile können zur vorübergehenden oder andauernden **Isolierung der gesamten Familie** von der Außenwelt führen. Partnerschaftliches und familiäres Leben werden manchmal zusätzlich durch eine einseitige Zuwendung eines Elternteils zum behinderten Kind - bei gleichzeitiger Vernachlässigung der anderen Familienmitglieder - beeinträchtigt.

Die **Berührungsängste** gegenüber Behinderten und ihre **Ausgrenzung** durch Nichtbehinderte beruhen nicht selten zu einem großen Teil auf der **Verdrängung** der Möglichkeit, daß ihnen selbst solches zustoßen kann.
Die **soziale Ausgliederung** Behinderter (und evtl. ihrer Angehörigen) aus der Welt der Nichtbehinderten wird von ihnen oftmals **negativer empfunden als die Behinderung selbst**.

12.3.4 Umgang mit Behinderungen

Viele Behinderungen lassen sich nicht beseitigen, aber ihre Auswirkungen können gemildert werden. Dabei benötigen die Behinderten in erster Linie die Hilfe der Gesellschaft in Form von **Akzeptanz und Solidarität** durch jeden einzelnen Menschen. Nur so wird die Ausgliederung Behinderter vermieden und ihre **Eingliederung in die Gesellschaft** ermöglicht.
Es gilt, die **Menschenwürde** zu **wahren** und ein gleichberechtigtes Leben des Behinderten zu gewährleisten, ihm zuerst als dem Menschen und dann erst als dem Behinderten zu begegnen. Gelingt es, ihn **als Menschen in seiner Besonderheit und Eigenart** zu **akzeptieren** und ihn nach seinem individuellen Leistungsvermögen - statt nach dem des Nichtbehinderten - zu fördern, ist eine Grundlage zur Selbstentfaltung / -verwirklichung des Behinderten gegeben. **Emotionale Annahme**, Liebe, Zuwendung und Zärtlichkeit unterstützen diesen Prozeß maßgeblich. In solcher, das Selbstvertrauen stärkenden Geborgenheit gelingt es dem Behinderten eher, seine Defizite und Eigenheiten zu akzeptieren.
Unsicherheiten, Hilflosigkeit und negative Gefühle bei der Begegnung mit Behinderten treten wahrscheinlich so häufig auf, weil Behinderte und Nichtbehinderte sich selten oder nie in den Lebensbereichen Beruf, Schule, Sport, Kultur oder Hobby begegnen. Deshalb ist die bewußte Begegnung zum Abbau dieser Gefühle notwendig.
Mit **offen angesprochenen Ängsten** und Verhaltensunsicherheiten kann der Behinderte meist gut umgehen. Außerdem zeigt der Nichtbehinderte durch diese Offenheit seine Unvollkommenheit und Hilflosigkeit gegenüber dem Behinderten - auf solcher Ebene gestaltet sich eine gleichberechtigte Begegnung oft einfacher und ehrlicher.
Das **gemeinsame Leben von Behinderten und Nichtbehinderten** sollte soweit wie möglich gefördert werden. Allerdings sollte ein geistig behinderter Mensch **ausreichend Kontakt mit seinesgleichen** pflegen können. Dieser bietet, insbesondere in den Bereichen Freundschaft, Liebe und Partnerschaft, Chancen der Selbstverwirklichung, die im Kontakt mit Nichtbehinderten nicht bestehen.
Dies gilt ebenso für die schulische und berufliche Förderung bei schweren Geistigen- oder Mehrfachbehinderungen. Der **Besuch einer Tagesstätte oder heilpädagogischen Einrichtung** wird ihren individuellen Bedürfnissen und Fähigkeiten eher gerecht als die herkömmlichen Ausbildungen. Der Rest des Tages und die Nacht werden bestenfalls in der Familie verbracht.
Für die Entwicklung des geistig behinderten Kindes sind **Frühförderung** unter heilpädagogischen Aspek-

ten, professionelle Beratung der Eltern und der Besuch von - evtl. speziellen - Schulen notwendig. Auch für geistig behinderte Kinder besteht bis auf wenige Ausnahmen Schulpflicht.
Um Behinderungen frühzeitig erkennen zu können, werden **kostenlose Vorsorgeuntersuchungen** vor, während und nach der Schwangerschaft angeboten und empfohlen. Die Früherkennungsmaßnahmen werden bei Kindern bis zum 5. Lebensjahr durchgeführt.
Für erwachsene geistig behinderte Menschen werden zum Teil kleine Wohngruppen, Paar- und Einzelwohnungen empfohlen.

Die **Anpassung eines Behinderten an seine (neue) Lebenssituation** ist von großer Wichtigkeit. Der Behinderte sollte seine Fähigkeiten und Restfunktionen kennen und nutzen lernen. Auch dabei kann die Unterstützung und Begleitung der Mitmenschen sowohl hilfreich als auch erforderlich sein.
Professionelle Hilfe bieten insbesondere die **Rehabilitation** *(siehe "Rehabilitation", Seite 797)* sowie die Arbeits- und Beschäftigungstherapie. Auch die Mitgliedschaft in einer **Selbsthilfegruppe** und der Einsatz spezieller **Hilfsmittel** können das Leben mit einer Behinderung erleichtern.
Spezielle **Behindertensportgruppen** bieten Möglichkeiten sozialer Kontakte, der körperlichen Ertüchtigung, der Abwechselung, Freude, Entspannung und Selbstverwirklichung.

12.3.5 Hilfen für Behinderte

Neben dem solidarischen Umgang Nichtbehinderter mit den Behinderten gibt es zahlreiche **Hilfen zur Selbsthilfe**, die in Form von **Sozialleistungen** gesetzlich geregelt sind.
Gesetzliche Grundlagen sind das Sozialgesetzbuch, das Rehabilitationsangleichungsgesetz, das Gesetz über die Sozialversicherung Behinderter in geschützten Einrichtungen und das Schwerbehindertengesetz.
Auch **steuerliche Erleichterungen, Vergünstigungen im Personenverkehr**, Wohnungsbauförderung und andere Regelungen sollen die Benachteiligung des Behinderten soweit wie möglich auffangen. Eine **behindertengerechte Aufklärung** bezüglich der Rechte und Leistungsansprüche ist dazu unerläßlich.
Spezielle Rehabilitationsmittel sind auf Seite 799 aufgeführt.
Neben der speziellen Förderung ist, um eine Zunahme der Behinderung zu vermeiden, **ggf.** eine regelmäßige **Medikamenteneinnahme** (z.B. bei Epilepsie, Diabetes mellitus) oder das Einhalten einer speziellen **Diät** bei Stoffwechselstörungen (z.B. Phenylketonurie, Galaktosämie) erforderlich.
Insgesamt sollte der **Bereich des öffentlichen Lebens behindertengerecht gestaltet** werden, so daß er jedem Menschen zugänglich ist.

12.3.6 Betreuungsrechtliche Aspekte

Bei Behinderungen, aber auch bei Bewußtseinsstörungen und psychischen Erkrankungen kommt es vor, daß ein Betroffener nicht in der Lage ist, sein Selbstbestimmungsrecht auszuüben oder es verständig auszuüben. Um den Betroffenen dann nicht zum schutzlosen Handlungsobjekt anderer zu machen oder ihm jedwede Behandlung vorzuenthalten, sieht das Gesetz die Möglichkeit der **gerichtlichen Bestellung eines Betreuers** vor.
Eine solche Betreuung liegt häufig auch im Interesse Dritter (z.B. Pflegepersonen oder Ärzte), da zahlreiche Maßnahmen (z.B. stationäre Aufnahmen, ärztliche Eingriffe oder Pflegemaßnahmen) grundsätzlich nur mit Einverständnis des Betroffenen rechtlich zulässig sind. Werden sie ohne oder gar gegen seinen Willen vorgenommen, können sie - selbst wenn sie objektiv im Interesse des Betroffenen liegen - eine strafrechtlich zu verfolgende Freiheitsberaubung oder Körperverletzung darstellen. Hier ersetzt das Einverständnis des Betreuers das des Betroffenen und bietet auch den Ausführenden Rechtssicherheit.

Die Darstellung des Betreuungsrechts gehört in den Bereich der Rechtskunde. Da die Regelung jedoch häufig für die rechtliche Zulässigkeit von Pflegemaßnahmen von Bedeutung ist, soll hier - ohne Anspruch auf Vollständigkeit - ein kurzer Einblick gegeben werden.
Als **Voraussetzungen** für die Bestellung eines Betreuers für einen Volljährigen sind in § 1896 des Bürgerlichen Gesetzbuches (BGB) bestimmt:
- das Vorliegen einer psychischen Krankheit oder einer körperlichen, geistigen oder seelischen Behinderung *(medizinischer Befund)*,
- die hierauf beruhende Unfähigkeit, die eigenen Angelegenheiten insgesamt oder in Teilbereichen zu besorgen *(Defizit)* und
- die Notwendigkeit, Regelungen zu treffen *(Regelungsbedarf)*.

Die **medizinischen Befunde** sind vielfältig, z.B. Altersdemenzen und Alzheimer-Erkrankungen, Koma, Psychosen, hirnorganische Abbauvorgänge infolge von Alkoholismus und erhebliche Minderbegabungen.
Ein **Defizit** besteht, wenn der Betroffene außerstande ist, die ihn individuell betreffenden Rechte und Pflichten wahrzunehmen und den Alltag mitsamt der Sorge um die Gesundheit so zu gestalten, wie er es ohne den medizinischen Befund (mutmaßlich) gewollt hätte.
Die Unfähigkeit des Betroffenen, seine Angelegenheiten allein zu regeln, erfordert nicht immer eine Betreuerbestellung. Auch Gesunde und Nichtbehinderte bedürfen häufig der Unterstützung anderer, weil ihnen die Fachkompetenz fehlt oder weil sie zeitlich an einer Regelung gehindert sind. Selbst wenn aufgrund des medizinischen Befundes in größerem Maße solche Hilfen in Anspruch genommen werden müssen, ist eine Betreuerbestellung so lange nicht gerechtfertigt, wie die Möglichkeit besteht, das Defizit mit Hilfe Dritter auszugleichen. Zu denken ist dabei insbesondere an die Erteilung einer Vollmacht (z.B. an einen Familienangehörigen) oder an die Beauftragung eines professionellen Helfers wie eines Rechtsanwaltes. Die Bestellung eines Betreuers kommt erst in Betracht, wenn solche Hilfen nicht in ausreichendem Maße zur Verfügung stehen oder der Betroffene nicht in der Lage ist, bestimmenden Einfluß auszuüben. Eine entsprechende Vollmacht kann auch vorsorglich für den Fall des

Auftretens eines Defizites erteilt werden (sogenannte **Altersvorsorge**- oder einfach **Vorsorgevollmacht**).
Die dritte Voraussetzung des aufgrund des Defizits **nicht gedeckten Regelungsbedarfes** soll die Einsetzung von Betreuern auf das erforderliche Maß beschränken. Der Bedarf ist abhängig von den **individuell anstehenden Entscheidungssituationen**. Ein Mensch in einem beginnenden dementiellen Prozeß oder ein leicht geistig Behinderter ist unter Umständen in der Lage, ein ihm zur Verfügung stehendes Taschengeld zu verwalten oder in ärztliche Untersuchungen und kleinere Behandlungsmaßnahmen einzuwilligen; Regelungsbedarf entsteht manchmal erst, wenn er zu Vermögen gelangt, dessen Verwaltung ihm (auch mit Hilfe anderer) nicht möglich ist oder wenn sich die Frage einer komplizierten Operation (z.B. Herz-OP) stellt, deren Bedeutung ihm nicht nachvollziehbar gemacht werden kann.
Regelungsbedarf entsteht meist insoweit nicht, wie der Betroffene Vorsorge getroffen hat, z.B. durch Erteilung einer (Alters-) **Vorsorgevollmacht**. Gegenstand einer solchen Vollmacht ist die Bestellung eines Vertreters für den Fall der Entstehung eines Defizits. Dieser Vertreter kann dann für den Betroffenen handeln; eines Betreuers bedarf es so lange nicht, wie keine Bedenken gegen die sachgerechte Wahrnehmung der Interessen des Betroffenen entstehen.

Eine andere Form der Vorsorge besteht in der vorsorglichen Regelung einzelner Angelegenheiten durch eine sogenannte **Patientenverfügung**, in der der Betroffene Anweisungen für bestimmte Situationen gibt, z.B. keine Bluttransfusionen vorzunehmen (häufig bei Zeugen Jehovas) oder bei Pflegebedürftigkeit die Verlegung in ein bestimmtes Heim vorzunehmen.

Der Betreuer wird - entsprechend dem Regelungsbedarf - für **bestimmte Aufgabenkreise** bestellt, z.B. für die Gesundheitsfürsorge (allgemein, nur für den Bereich psychischer Erkrankungen oder allein für die Entscheidung über eine Operation), die Aufenthaltsbestimmung oder die Verwaltung einer Rente oder des Vermögens insgesamt. In dem festgelegten Bereich obliegt dem Betreuer die rechtliche Vertretung des Betreuten.
Gleichwohl bleibt grundsätzlich ausschließlich der Betreute entscheidungsbefugt, wenn und soweit er die Bedeutung und Tragweite einer konkreten Entscheidung überblicken kann. Häufig treten solche Situationen bei Betroffenen, die aufgrund wechselnder Befindlichkeit zeitweise verwirrt sind, auf.
Jedoch bleiben seine Verfügungen - vorbehaltlich der Zustimmung des Betreuers - ohne jede rechtliche Wirkung, wenn für den betroffenen Bereich ein **Einwilligungsvorbehalt** (§ 1903 BGB) bestimmt ist.

Die **Bestellung des Betreuers** erfolgt durch das **Amtsgericht**. Sie kann von dem zu Betreuenden beantragt oder von jedermann formlos angeregt werden. Der zuständige Richter wird den Betroffenen persönlich anhören. Ferner gibt er in der Regel ein ärztliches Sachverständigengutachten in Auftrag. Für die Einrichtung einer vorläufigen Betreuung oder bei Zustimmung des Betroffenen genügt ein ärztliches Zeugnis, das zu den genannten Voraussetzungen einer Betreuung Stellung nimmt. Das Betreuungsverfahren wird häufig beschleunigt, wenn ein solches Zeugnis mit der Betreuungsanregung vorgelegt wird. In der Regel holt das Gericht auch weitere Auskünfte - z.B. von Familienangehörigen, Pflegepersonen, Betreuungsbehörden - ein.

Bei der Auswahl des Betreuers hat das Gericht grundsätzlich den Wünschen des Betreuten zu folgen, wenn keine Gründe dagegen sprechen. Ferner sollen familiäre oder andere persönliche Bindungen berücksichtigt werden. In Betracht kommen z.B. ein Berufsbetreuer oder ein Mitarbeiter der zuständigen Betreuungsbehörde. Betreuer kann nicht sein, wer zu der Einrichtung, in der der Betreute lebt, in einer engen Beziehung steht, z.B. dort beschäftigt ist.

Der Betreuer vertritt den Betreuten im bestimmten Aufgabenkreis. Dabei soll das **Wohl des Betreuten** entscheidender **Maßstab** sein. Bei der Entscheidung, was dem Wohle dient, kommt den erkennbaren *subjektiven Wünschen und Vorstellungen des Betreuten* entscheidende Bedeutung zu. Lassen sich diese jedoch mit dem Wohl des Betroffenen nicht in Einklang bringen, hat der Betreuer zwischen dem (subjektiven) Wohl und den Wünschen abzuwägen.

Ordnet der Betreuer bestimmte Maßnahmen, die für den Betreuten von besonderer Bedeutung sind, an, hat er hierzu grundsätzlich die **amtsgerichtliche Genehmigung** zu beantragen. Solche Maßnahmen sind insbesondere

- die geschlossene Unterbringung (§ 1906 Abs. 1 BGB).
  Diese liegt nicht nur bei Unterbringung in einer geschlossenen Einrichtung oder auf einer geschlossenen Station vor, sondern bei jeder Form der Unterbringung, die mit einer Freiheitsentziehung verbunden ist; dies ist z.B. bei Hinderung am Verlassen eines Krankenhauses durch eine „Türwache" oder eine „Trickschaltung" oder eines Grundstücks durch eine Umzäunung mit abgeschlossener Pforte der Fall.
- „unterbringungsähnliche Maßnahmen" (§ 1906 Abs. 4 BGB).
  Hiermit sind Maßnahmen gemeint, die, ohne eine Unterbringung in vorstehendem Sinne zu sein, die Freiheit entziehen, wie die Anbringung eines Bettgitters oder Therapietisches, die Wegnahme notwendiger Gehhilfen oder der Kleidung sowie die Verabreichung sedierender Medikamente. Von einer Sedierung spricht man in diesem Zusammenhang, wenn Medikamente (Schlafmittel, Psychopharmaka) gezielt eingesetzt werden, um den Betroffenen an der Fortbewegung zu hindern.
- Untersuchungen sowie Heilbehandlungen, die die ernsthafte Gefahr des Todes oder eines schweren oder andauernden Schadens begründen, sowie der Abbruch von Behandlungen, durch den der Sterbeprozeß eingeleitet wird (*„passive Sterbehilfe"*; 1904 BGB).
- zahlreiche Angelegenheiten der Vermögenssorge, wie die Kündigung eines Wohnungsmietvertrages oder der Abschluß eines Heimvertrages.

Auch insoweit gilt wieder, daß der Betreute, der die Situation hinreichend überschaut, allein über die Maß-

nahme entscheidet. Realisiert er also z.B. die Sturzgefahr und lehnt er ein Bettgitter gleichwohl ab, weil ihn das Gefühl des „Eingesperrtseins" psychisch stark belastet, so ist diese Entscheidung zu respektieren. In diesem Fall bedarf es keiner gerichtlichen Entscheidung.
Für die Anordnung einer geschlossenen Unterbringung oder einer unterbringungsähnlichen Maßnahme benötigt der Betreuer ausnahmsweise **keine gerichtliche Genehmigung**, wenn der Betreute sich mit der Unterbringung einverstanden erklärt oder durch die Maßnahme nicht in seiner Bewegungsfreiheit eingeschränkt wird, z.B. weil er sich aufgrund körperlicher Behinderung (auch mit Hilfsmitteln) nicht fortbewegen kann oder aufgrund geistiger Störungen keinerlei Fortbewegungswillen entwickelt. Eine Einwilligung des Betreuers in eine unterbringungsähnliche Maßnahme bedarf zusätzlich dann keiner gerichtlichen Genehmigung, wenn sie nur für kurze Zeit und nicht regelmäßig angewendet werden soll.

Ist der Betreuer nicht erreichbar, können eilbedürftige Entscheidungen unmittelbar durch das Gericht getroffen werden.

Sofern ein Betreuer nicht bestellt ist oder weder eine Entscheidung des Betreuers noch des Gerichts herbeigeführt werden kann, können Unterbringungs- oder unterbringungsähnliche Maßnahmen als **Notwehr** oder **Notstandsmaßnahme** oder unter dem Gesichtspunkt einer **Pflichtenkollision** erlaubt sein. Notwehr ist die Handlung, die zur Abwehr einer unmittelbaren, rechtswidrigen Gefährdung anderer (Mitpatient, Pflegepersonal, Besucher) gegen den „Angreifer" erforderlich ist (§ 32 StGB). Ein Notstand (§ 34 StGB) ist gegeben, wenn eine Eigen- oder Fremdgefährdung unmittelbar bevorsteht und nur durch die Freiheitsbeschränkung beseitigt werden kann; dabei ist immer zu prüfen, ob nicht ein die Freiheit weniger einschränkendes Mittel zur Gefahrenabwehr zur Verfügung steht. Die Pflicht, den anvertrauten Patienten vor Schaden zu schützen, und die, nicht in seine Freiheit einzugreifen, können kollidieren; hier wird letztere Pflicht zurücktreten, wenn der Betroffene z.B. aufgrund einer seelischen Störung nicht freibestimmt handeln kann.

12.4 Schmerz

Schmerz beeinträchtigt den Menschen in seiner Gesamtheit. Dies gilt sowohl für körperlichen als auch für seelischen Schmerz (*Leid*). Die negativen Auswirkungen des Schmerzes können zur weitgreifenden **Minderung der Lebensqualität**, ja sogar zum Todeswunsch führen. Die Sinnfindung in bezug auf das Leid und das Leben kann für den Betroffenen in Frage gestellt sein und unbeantwortet bleiben. Ähnlich wie eine Behinderung kann Schmerz als Prüfung oder Strafe, aber auch als Aufgabe oder Hilfe zur Sinnfindung interpretiert werden. Diese Sichtweisen werden von den großen Religionen unterstützt.

12.4.1 Begriffserläuterungen

Der **Schmerz** ist eine **komplexe, primär unangenehme Sinnesempfindung**.
Schmerz ist **nicht ausschließlich** ein **somatisches Geschehen**: er kann z.B. auch ohne vorausgegangene Gewebsschädigung auftreten oder trotz Verletzung ausbleiben.
Wahrgenommen wird Schmerz körperlich als **Empfindung**, seelisch als **Gefühl** oder **Erlebnis**.
Der körperlichen Schmerzerfahrung wird das Adjektiv schmerzhaft, der seelischen Schmerzerfahrung das Adjektiv schmerzlich zugeordnet.
Körper und Seele werden gleichzeitig (wenn auch jeweils in unterschiedlichem Ausmaß) vom Schmerz betroffen, wobei dieser **individuell** unterschiedlich **empfunden, erlebt und bewertet** wird. Schmerz ist also ein persönliches Geschehen; dies läßt eine objektive Schmerzmessung nicht - oder allenfalls in begrenztem Ausmaß - zu.

ENGEL liefert eine ganzheitlich orientierte Definition, die als Schmerzursache außer der körperlichen Verletzung weitere Faktoren zuläßt:
"Schmerz ist eine grundlegend unangenehme Empfindung, die dem Körper zugeschrieben wird und dem Leiden entspricht, das durch die psychische Wahrnehmung einer realen, drohenden oder phantasierten Verletzung hervorgerufen wird."

Das **Leid bezeichnet** den **seelischen Zustand** des Schmerzes und der Trauer.

12.4.2 Anatomisch-physiologische Grundlagen

Der **Schmerzsinn** dient dem Erkennen und Abwehren bzw. Vermeiden von Schädigungen des Organismus.
Schmerz ist zunächst immer Symptom, nicht Krankheit.
Er ist also ein **Alarmzeichen** mit Schutzfunktion. Der Schmerzsinn paßt sich nicht wie die anderen Sinne den veränderten Bedingungen an. Der Mensch gewöhnt sich lediglich bis zu einem gewissen Grad an die Schmerzempfindung - und auch dies gelingt meist nur durch ablenkende Beschäftigung. Aufgrund dieser Erfahrung kann die Angst schmerzgeplagter Menschen vor der Nacht erklärt werden; bei fehlender Ablenkung wird der Schmerz besonders intensiv empfunden.

❐ Physiologie des Schmerzes

Der Schmerz wird durch Einflüsse chemischer, mechanischer, elektrischer oder thermischer Natur verursacht. **Sensible Rezeptoren***, die sich in der Haut, den inneren Organen, Muskeln, Gelenken und Blutgefäßen befinden *(Nozizeptoren)*, werden durch **chemische Stoffe** (*z.B. Substanz P, Prostaglandine*), die bei Gewebsschädigung bzw. bei Störungen im Gewebsstoffwechsel freigesetzt werden, gereizt. Auf afferenten* Nervenfasern wird der Impuls **über** das **Rückenmark zum Thalamus** und dort **zur Großhirnrinde** geleitet. Der Schmerz wird **im Großhirn** wahrgenommen und im **limbischen System** empfunden. Daraufhin schüttet das

Gehirn Endorphine, körpereigene Stoffe mit ausgeprägter schmerzlindernder (opioidähnlicher) Wirkung, aus. Zusätzlich blockieren Neurotransmitter* (z.B. Serotonin) die Schmerzsignale an den Umschaltstellen für die Erregungsübertragung *(Synapsen)*.
Besonders intensive Schmerzreize können zu **reflexartigen Reaktionen** führen, die bereits vom Rückenmark gesteuert werden. Schlägt man sich z.B. versehentlich mit dem Hammer auf die Finger, so wird die Hand reflexartig zurückgezogen, ohne daß diese Reaktion einer bewußten Schmerzwahrnehmung über das Gehirn bedarf.
Es wird angenommen, daß Endorphine auch in Belastungssituationen, während körperlicher Anstrengung (z.B. beim Sport) und bei angenehm lustvoll empfundenen Aktivitäten (z.B. beim Tanz) verstärkt ausgeschüttet werden. Eine relative, vorübergehende Schmerzunempfindlichkeit während genannter Situationen läßt sich aus folgendem Ursprung erklären: In lebensbedrohlichen Situationen ist das Überleben vorrangig; der Verletzte nimmt so lange keinen Schmerz wahr, wie er mögliche lebensrettende Maßnahmen durchführen kann. Während eines Wettkampfes verletzte Sportler nehmen den Schmerz zunächst nicht wahr und erbringen trotz eigentlich schmerzender Beeinträchtigung gute Leistung. Bei sehr positiv erlebten Tätigkeiten können Menschen ungewohnte Ausdauer entwickeln.
Die Möglichkeit, durch Ablenkung, Suggestion, Hypnose oder Plazebos Schmerzlinderung / -freiheit zu erreichen, deutet darauf hin, daß **höhere Zentren** der Hirnrinde eine **hemmende Wirkung auf den Thalamus** ausüben können.
Der emotionale Zustand des Menschen scheint ebenfalls - bis zu einem gewissen Grad - die Schmerzwahrnehmung zu beeinflussen; so hat z.B. **Angst** eine **steigernde** und **Zuwendung** eine **hemmende Wirkung**. Diesbezügliche Erfahrungswerte können bisher wissenschaftlich nur unvollständig erklärt werden.

❒ Schmerzchronifizierung

Unter den zahlreichen auf uns einwirkenden Sinneseindrücken muß das Zentralnervensystem bewerten und eine Auswahl treffen. Man geht heute davon aus, daß die eintreffenden **Schmerzsignale durch das ZNS verstärkt** werden, um lebenswichtige und -bedrohliche Ereignisse wie Schmerz und Angst (*Warnsignale*) als solche und vorrangig bewerten zu können. Gerade die durch schmerzleitende Fasern hervorgerufene Nervenerregung hält länger an als die bei Reizen aus anderen Nervenfasertypen.
Diesem Wirken stehen **hemmende Kontrollmechanismen** gegenüber, die physiologisch schließlich die verstärkte und verlängerte Nervenerregung abklingen lassen. Versagen die hemmenden Mechanismen, eskaliert das Schmerzgeschehen und die nicht abklingende **Schmerzwahrnehmung verselbständigt** sich zum „chronifizierten“ und von der Schmerzursache losgelösten Symptom.

12.4.3 Psychosomatische Aspekte

Schmerz betrifft Körper und Seele zugleich.
Der Wahrnehmungsvorgang beeinflußt das seelische Erleben des Betroffenen und zieht **emotionale** sowie **kognitive* Reaktionen** nach sich. Länger anhaltende Schmerzen gehen häufig mit Herabsetzung der Lebensfreude, Niedergeschlagenheit, Sorgen sowie Gefühlen von Hilflosigkeit und Angst einher *(siehe "Reaktionen auf Schmerz", Seite 907)*.
Seelisches Leid kann als körperlicher Schmerz erlebt werden.
Auch kann Schmerz aus der seelischen Verarbeitung einer Krankheit, eines Organverlustes oder einer Behinderung herrühren bzw. aufrechterhalten werden. Der damit verbundene **sekundäre Krankheitsgewinn** (*Zuwendung, Entlastung*) kann - bewußt oder unbewußt - "benutzt" werden, z.B. um sich zu entlasten oder um nahestehende Menschen an sich zu binden.
Ferner kann **seelische Überlastung** zur Entwicklung von körperlichen Symptomen - z.B. Schmerzen - führen. Die Schmerzen dienen dann unbewußt der Ablenkung vom eigentlichen Problem; sie können benutzt werden, um sich unangenehmen / überfordernden Situationen zu entziehen. Schließlich können sie zu einem eigenen, alles andere beeinflussenden oder gar überdeckenden Problem werden. Die ursprüngliche seelische Überforderung wird jedoch durch Schmerzfolgen wie Depression oder sozialer Rückzug verstärkt. Dies wiederum kann die Schmerzsymptomatik verstärken; eine Fixierung auf Analgetika schließt sich häufig an. Es wird deutlich, daß die **Biographie** des einzelnen Schmerzkranken wichtige Hinweise zur **Erklärung der Schmerzentstehung** und -erhaltung liefern kann.
Der zuvor beschriebene (oder ein ähnlicher) Prozeß findet sich bei vielen chronisch schmerzkranken Menschen. Aus chronischem Schmerz kann sich ein eigenes Krankheitsbild, die sogenannte **Schmerzkrankheit**, entwickeln.

Schmerzen können auch **Ausdruck von Angstzuständen** oder einer **neurotischen Depression** sein.
Nicht selten tritt Schmerz als **Konversionssymptom** (Konversion = *Umkehrung, Umwandlung*) auf.
ADLER (in Heim und Willi, 1986) definiert Konversionssymptome folgendermaßen:
"Konversionssymptome sind in der Erscheinung körperliche Funktionsstörungen, die bei bestimmten Persönlichkeiten durch besondere psychische Konfliktlagen ausgelöst werden und meist eine symbolische Mitteilung an das Umfeld einschließen."
Eine Konversionsstörung kann durch **Verschiebung psychischer Energie** beliebige Körperkrankheiten oder Funktionsstörungen nachahmen. Dem Betroffenen ist der psychische Ursprung seines Leidens - nämlich ein ungelöster psychischer Konflikt, der aus der Verleugnung eines Bedürfnisses bzw. der Entsagung der Bedürfnisbefriedigung entstanden ist, - nicht bewußt. Die Schmerzen lenken die Aufmerksamkeit vom psychischen auf den körperlichen Bereich. Es kommt zur **Neutralisation des inneren Konfliktes**; der Schmerz erfüllt somit eine **Schutzfunktion**.

Konversionssymptome können bei allen Persönlichkeitsstrukturen auftreten; häufig sind egozentrische (*sehr ichbezogene*) Menschen mit einem verstärkten Bedürfnis nach Geltung und Anerkennung sowie ängstliche und depressive Menschen betroffen. Nicht selten unterziehen sich diese Personen zahlreichen Krankenhausaufenthalten und Operationen, ohne daß die Ursache ihres Leidens zufriedenstellend geklärt und angegangen werden kann.
Schmerzen können bei bestimmten Menschen eine wichtige Funktion zur **Stabilisierung eines bedrohten Selbstwertgefühls** haben. Betroffen sind besonders stark narzißtische / leistungsbezogene Personen, die aufgrund von Krankheiten, Unfällen oder nicht bewältigten Lebenskrisen ihr gewohntes Aktivitätsniveau nicht mehr aufrechterhalten können und den dadurch bedingten Verlust an Selbstwertgefühl psychisch nicht verarbeiten können. Die Schmerzkrankheit, um die herum sich das ganze Leben neu organisiert, führt gewissermaßen auf niedrigerem Niveau zu einer neuen "Besonderheit - Einzigartigkeit" der Person. Hier wird der **primäre Krankheitsgewinn** *(Entlastung, Ersparen von seelischer Auseinandersetzung, "innerer Gewinn")* durch das Symptom deutlich.

Beispielhaft für einen **psychogenen Schmerz** - also eine überwiegend psychisch bedingte körperliche (*psychosomatische*) Störung - können der **Spannungskopfschmerz** und die **Migräne** angeführt werden.
BECKER und LÜDECKE (1990) gehen davon aus, daß bei nur ca. 10% der Kopfschmerzen eine organische Ursache zugrunde liegt und insgesamt etwa 8% der Bevölkerung an **psychogenem Kopfschmerz** leiden. Dieser entwickele sich bevorzugt **bei bestimmten Persönlichkeiten**: Sie verfügten kaum über Möglichkeiten, ihre aggressiven Gefühle auszudrücken und neigten zu Perfektionismus und extremer Leistungsanforderung. In dieser Situation **chronischer Überforderung** könnten besondere berufliche Leistungsanforderungen und Situationen, in denen Wut aufgestaut statt ausgelebt wird, Auslöser für den Kopfschmerz sein. Der **Kopfschmerz** verhülle den eigentlichen seelischen Konflikt und **be- oder verhindere** das Denken, welches eine **bewußte Wahrnehmung des inneren Konfliktes** (z.B. die Diskrepanz zwischen dem eigenen hohen Anspruch und den realen Möglichkeiten, diese zu erfüllen) ermöglichen könne.
Vielen Lesern wird die Entstehung des **Spannungskopfschmerzes in Belastungssituationen** aus eigener Erfahrung bekannt sein: Das seelisch-geistige Angespanntsein in bestimmten Situationen geht auf die Muskulatur im Nacken-Hals-Schulterbereich über und führt dort zu Verspannungen, die Kopfschmerzen hervorrufen oder deren Entstehung begünstigen.

Die **psychosomatischen Zusammenhänge** des Schmerzgeschehens werden auch **im täglichen Sprachgebrauch** deutlich, z.B.:

"Die Sache bereitet mir Kopfzerbrechen."

"Der Verlust ist schmerzlich."

"Das hat mir einen Stich versetzt."

"Seine Worte haben mich sehr verletzt (haben mir weh getan)."

"Beim Anblick des Chefs verkrampft sich mein Magen."

"Der Kummer zerreißt mir das Herz."

Ein **chronischer Schmerz** hat die biologische Funktion eines Warn- und Schutzsignales verloren. Er **scheint sinnlos**. Bei Betrachtung der psychosomatischen Aspekte des Schmerzgeschehens wird jedoch deutlich, daß dem Schmerzleiden oft eine individuelle Bedeutung - und somit ein Sinn - beigemessen werden kann. So hat der chronische Schmerz häufig **Symbolcharakter** (das schmerzhafte Organ weist auf die ursprüngliche Störung, z.B. "*schwer tragen zu müssen*", hin) und **Schutzfunktion** (für das Selbstbild und das Selbstwertgefühl), indem er der Verhüllung unbewußter seelischer Konflikte, die als solche (noch) nicht zugelassen werden können, dient.
Einige der vielfältigen Gesichtspunkte sollen hier genannt werden:

- Schmerz kann die **Folge unterdrückter Aggressionen** sein. Lebt jemand die Aggression gegen einen anderen Menschen aus, indem er ihn schlägt, verursacht er ihm Schmerzen. Unterdrückt er jedoch die Aggression, ohne sie in anderer Weise abzubauen, wendet sie sich gegen ihn selbst und verursacht ihm Schmerzen. Schmerz veranlaßt daher die Überlegung, für wen er bestimmt sei.
- Die **symbolische Bedeutung** wurde bereits angesprochen. Ist ein Mensch nicht in der Lage, sich innere Konflikte bewußt zu machen oder sie anderen bewußt mitzuteilen, können sie sich in der symbolischen Organsprache ausdrücken. So kann eine ständige Überlastung psychisch bedingte Rückenschmerzen nach sich ziehen. Dergestalt wird ein möglicherweise mit dem Eingeständnis nicht hinreichender Belastbarkeit einhergehender seelischer Schmerz in einen körperlichen Schmerz umgewandelt. Wenn dies zu einer Verringerung der Belastung führt, ist ein evtl. unbewußt angestrebter Krankheitsgewinn erreicht.
  Das Aufzeigen von Grenzen kann "Sinn" der Schmerzen sein: Schmerzen können (unbewußte) Grenzsetzungsversuche sein, die das bewußte Ich nicht angemessen leisten kann.
- Auch eine in der Vergangenheit, z.B. in der Kindheit verdrängte gespannte Situation (*"seelischer Schmerz"*) kann in der Gegenwart muskuläre Verspannungen hervorrufen und darüber als chronischer Schmerz empfunden werden (**"Wiederkehr des Verdrängten"**). Der verdrängte Schmerz kehrt so in ganz anderer Weise zurück. Der Zusammenhang wird nur selten erkennbar werden.
- Schmerzen können **Ausdruck passiver Bedürfnisse** sein (nach Ruhe, Schonung, Versorgtwerden etc.) und wie andere Krankheiten eine selbstbezogene, regressiv - lustvolle Beschäftigung mit dem eigenen Körper ermöglichen. Dies kann besonders für Menschen, die sich das sonst nicht zugestehen, wichtig sein.

12.4.4 Individuelle Bedeutung des Schmerzes

Chronischer Schmerz wird individuell sehr unterschiedlich gedeutet und bewertet. Er kann z.B. als **Prüfung, Aufgabe oder Strafe** (Gottes) interpretiert werden. Für andere dient das Erdulden des Schmerzes einer **Wiedergutmachung** begangener Fehler oder Sünden. Für den Preis unangenehmer Empfindungen erfüllt der Schmerz hier eine **entlastende Funktion für Seele und Geist**, indem er als Sühne hilft, persönliche Schuldgefühle zu verarbeiten oder zu ertragen.
Diese geistig-seelisch entlastende Flucht in die somatische Krankheit wird als **primärer Krankheitsgewinn** bezeichnet. Meist kommt ein **sekundärer Krankheitsgewinn**, z.B. durch Zuwendung oder durch Entlastung von bestimmten Pflichten, hinzu. Gleichzeitig wird ein vom Betroffenen gewünschter sozialer Rückzug möglich und akzeptiert.
Chronisch Schmerzkranke können das Symptom auch als **Warnung vor Überforderung** oder als **Mahnung**, in sich hineinzuhören und das Leben anders zu gestalten, deuten und annehmen. Sie fühlen sich in ihre Grenzen gewiesen.
Aber nicht jeder Betroffene sieht einen Sinn in seinem Leiden; für einige bleibt der Schmerz ein **sinnloses Leiden**.
Andere suchen ausschließlich nach einer **physischen Ursache** für ihr Leiden. Für viele Betagte **gehört** der Schmerz **zum Alter**.
Die individuelle Bedeutung des Schmerzes kann weiter **von soziokulturellen Faktoren** beeinflußt werden. So ist z.B. in der abendländischen Kultur die Auffassung, Schmerz sei (nur) eine **lästige Funktionsstörung**, die rasch zu beheben sei, verbreitet.

12.4.5 Situation und Bedürfnisse eines Betroffenen

Einige Aspekte der Situation eines chronisch schmerzkranken Menschen werden in den Abschnitten "Bedeutung des Schmerzes" und "Reaktionen auf Schmerz" beschrieben.
Chronische Schmerzen beeinflussen die Körperwahrnehmung und die Körperfunktionen, das Empfinden, die sozialen Beziehungen und die Lebensgestaltung eines Betroffenen; im Laufe eines jahrelangen Schmerzleidens können sich **Persönlichkeitsveränderungen** entwickeln. SANER (1989) beschreibt dies zutreffend: *"Selbst wenn die Schmerzen in ihrer Intensität gering sind, haben sie durch ihre Dauer eine aushöhlende, die Persönlichkeit verändernde Kraft. Sie brechen das natürliche Vertrauen in den Körper. Sie mindern langsam, aber stetig, die Fähigkeit zur Heiterkeit. Sie fixieren eine das Bewußtsein überlagernde Dauerirritation und sie legen über die ganze Psyche den Mehltau eines Unbehagens, in dem die Reizempfänglichkeit subjektiv wächst. Wenn einmal das bewußte Existieren dauerhaft schmerzt, wird die Flucht vor dem Schmerz zu einer Flucht der Person vor sich selbst und die Preisgabe an den Schmerz zu einer Preisgabe der Person."*

Der Betroffene erlebt die **chronische Schmerzkrankheit** als **existenzbedrohend**. Zur Verarbeitung sind, ebenso wie bei anderen schweren chronischen Leiden, Trauerarbeit und weitere **Bewältigungsmechanismen** erforderlich.
Schmerzkranke, die infolge des andauernden Schmerzes ihre Aktivitäten nach und nach einschränken und somit auch ihre Kontakte stark reduzieren, verlieren letztendlich ihre Lebensfreude, weil ihre **Bedürfnisse nach Bewegung, Selbstverwirklichung, Kommunikation** und **gesellschaftlicher Integration unbefriedigt** bleiben. Wenn ein Betroffener keine Möglichkeit sieht, selbst seine Situation verändern zu können, verschlimmern zunehmende **Passivität, Frustation, Hilflosigkeit** und sozialer **Rückzug** dieselbe und **verstärken** den **Schmerz**.
Tatsächlich suchen einige Betroffene nach zahlreichen erfolglosen Behandlungen eine Art "**Wunderheilung**", eine bestimmte Technik, um den Schmerz loszuwerden. Sie haben (noch) nicht erkannt und zugelassen, daß der Schmerz zu ihrem Leben gehört und sie lernen können, damit zu leben. Statt dessen **verharren** sie **in Passivität und Abhängigkeit**.
Andere Schmerzkranke erhalten sich die Normalität ihres Lebens, soweit dies möglichst ist. Die Erfüllung familiärer und/oder beruflicher Aufgaben sowie Freizeitaktivitäten sorgen für die **Aufrechterhaltung sozialer Kontakte** und verhindern die soziale Isolation. Angemessene Aktivität, Selbständigkeit, Selbstverwirklichung und soziale Kontakte bringen Anerkennung, Bestätigung und Unabhängigkeit mit sich, verbessern das Selbstbild, lenken vom Schmerz ab, machen ihn erträglicher und schließen schmerzverstärkende Faktoren wie Langeweile und Einsamkeit aus.
Viele Betroffene **passen ihre Lebensgestaltung** so **an**, daß sie möglichst wenig Schmerzen erleiden müssen. Dies geschieht z.B. durch Umverteilung von Aktivitäten unter Berücksichtigung der körperlichen Beschwerden, so daß Überlastungen (und dadurch bedingte Verspannungen / Schmerzen) vermieden werden. Einigen Betroffenen fällt dies schwer, weil sie **unter dem Sichtbarwerden der Leistungseinbuße leiden**. Die Angst, ihre Aufgaben nicht oder nicht schnell genug zu erledigen, treibt sie zu einem Verhalten, das Schmerzen auslöst oder bis ins Unerträgliche steigert.
Schmerzkranke berichten, daß **Bewegung zwar Schmerzen verursachen kann, Untätigkeit den Schmerz jedoch intensiver verstärke** - wozu wohl neben den körperlichen auch die obengenannten seelischen und sozialen Faktoren beitragen. In diesem Sinne verschlimmert auch eine gutgemeinte, aber überfürsorgliche und invalidisierende Entlastung durch Angehörige das Leiden.
Für einige schmerzleidende Menschen steht der **sekundäre Krankheitsgewinn** (*Zuwendung und Entlastung*) im Vordergrund des Leidens und unterhält dieses. Würden sie andere Wege zur Befriedigung dieser Bedürfnisse finden, "bräuchten" sie den Schmerz nicht.
Das **Bedürfnis nach Autonomie** ist bei schmerzgeplagten Menschen häufig sehr ausgeprägt; sie wissen aus Erfahrung, wie sie auf verschiedene Methoden der Schmerzlinderung reagieren und erwarten, daß Ärzte

und Pflegende diese berücksichtigen. Über das Ausprobieren neuer Methoden möchten viele selbst (mit-) entscheiden und legen Wert auf eine detaillierte und fundierte Information. Leider entstehen in dieser Situation nicht selten **Konflikte mit professionellen Helfern**, die dazu führen, daß der Kranke das Stigma "schwieriger Patient" erhält.

HIRTER-MEISTER (in KÄPPELI, "Pflegekonzepte", 1993) stellte in ihrer Studie *"Der Schmerz und seine Bedeutung"* fest, daß **tragende Beziehungen** und das Gefühl "geliebt zu werden" dem Betroffenen **bei** der **Schmerzbewältigung helfen**; dagegen vermittelt das Fehlen dieser Geborgenheit Einsamkeit und Hoffnungslosigkeit sowie weitere Schmerzen.

Weiter haben die Kranken ein **gesteigertes Bedürfnis nach Ruhephasen** in einer harmonischen Umgebung und Atmosphäre.

Hirter-Meister befragte die Schmerzkranken auch nach *"wünschenswerten Persönlichkeitsmerkmalen der Helfer"*. Danach scheint den Betroffenen die persönliche Art und Weise der Helfer wichtig, z.B. *"Eine Schwester die lacht, tut gut"*. Pflegende sollen *"ehrlich, freundlich, einfühlsam, natürlich, menschlich, geduldig, verständnisvoll, mitfühlend und hilfsbereit sein sowie Freude an ihrem Beruf zeigen"*.

Schmerzkranke erwarten außerdem selbstverständlich **Maßnahmen zur Linderung ihres Leidens**. Viele empfinden physikalische Maßnahmen zur Schmerzlinderung und zur Erhaltung der Beweglichkeit als wohltuend. Während einige Betroffene regelmäßig verordnete Schmerzmittel einnehmen, legen andere Wert darauf, autonom in selbstbestimmten Situationen Medikamente einzusetzen.

Nicht selten befinden sich chronisch schmerzkranke Menschen in einem **Teufelskreis**: Sie leiden unter **Schmerzen**; Schmerzen führen zu **Verspannungen**, z.B. infolge einer schonenden Haltung oder Bewegung, die Muskelverspannungen in anderen Körperregionen hervorrufen. Die **Muskelverspannungen** lösen ihrerseits **Schmerzen** aus und/oder verstärken die bestehenden Schmerzen. Auch Belastungen, Ärgernisse und Ängste - z.B. bezüglich des Schmerzleidens - führen über die seelische Anspannung zu Muskelverspannungen und verstärken dadurch bestehende Schmerzen oder rufen neue Schmerzen (und somit auch Verspannungen) hervor.

Der **Hinweis, zu "verkrampft" zu sein** und sich besser entspannen zu müssen, wirkt auf viele Betroffene jedoch **wie eine Schuldzuweisung** oder ein Nicht-ernstnehmen bzw. Bagatellisieren ihres Leidens und wird **als Kränkung empfunden**.

12.4.6 Beobachtung

Die Beobachtung des Schmerzes ist **schwierig**, weil das **Schmerzgeschehen subjektiv** empfunden und beschrieben wird. Da der Schmerz zunächst immer Hinweis auf eine Störung ist, kann seine Beobachtung die **Diagnosestellung** erheblich **erleichtern**. Somit wird häufig auch eine kausale Therapie möglich und der Kranke von seinen Schmerzen erlöst.

Kriterien der Beobachtung sind Art, Intensität, Qualität, Dauer, Lokalisation sowie auslösende und beschleunigende Faktoren des Schmerzes.

Entsprechende **Ergebnisse** werden im Schmerzprotokoll oder/und Pflegebericht **dokumentiert** und an den Arzt weitergegeben.

12.4.6.1 Schmerzarten

Pathophysiologisch werden der **somatische** *(Oberflächen- und Tiefenschmerz)* und der **viszerale** Schmerz *(Eingeweideschmerz)* unterschieden.

- Der **Oberflächenschmerz** wird an den freien Nervenenden der Haut ausgelöst.
  Die Erregungsleitung erfolgt über schnell leitende Nervenfasern. Der Oberflächenschmerz ist **zunächst gut lokalisierbar** und wird als **hell, scharf, brennend** oder **schneidend** charakterisiert. Er löst Flucht- oder Abwehrreaktionen aus. Nach einem kurzen Intervall wird dann ein dumpfer, brennender Schmerz wahrgenommen, er ist schwer lokalisierbar.
- Der **Tiefenschmerz** wird an Nozizeptoren in Muskeln, Knochen, Gelenken und Bindegewebe, z.B. infolge von Quetschungen oder Prellungen, ausgelöst. Die Erregungsleitung erfolgt über langsam leitende Nervenfasern. Der Tiefenschmerz ist **schlecht lokalisierbar**. Er wird als **stärker ausstrahlend, quälend, dumpf** und **bohrend** empfunden. Diese Schmerzart hemmt aktive Reaktionen und löst vegetative - vom Nervus parasympathikus gesteuerte - Veränderungen aus. Ein Beispiel für den typischen Tiefenschmerz ist der Kopfschmerz.
- Der **Eingeweideschmerz** wird durch Dehnung, Krämpfe, Entzündungen oder Sauerstoffmangel an inneren Organen ausgelöst; die Erregungsleitung erfolgt über langsam leitende Fasern. Er wird als **dumpf und bohrend** empfunden und ist **schwer lokalisierbar**. Häufig tritt der Eingeweideschmerz dauerhaft oder rhythmisch auf und wird bei großer Intensität **von vegetativen Symptomen** wie Schweißausbrüchen, Übelkeit und Blutdruckveränderungen **begleitet**. Er geht nicht selten mit einer **gesteigerten Schmerzempfindlichkeit der entsprechenden Head - Zone** einher:
  Da Haut- und Eingeweidenerven miteinander verknüpft sind, kann bei Störung oder Entzündung eines inneren Organs der sogenannte **übertragene Schmerz** empfunden werden. Das betroffene Organ und ein bestimmter Hautbezirk beziehen ihre sensiblen Nervenfasern aus demselben Rückenmarksegment *(Head - Zone)*. Typisch ist z.B. die Übertragung (Ausstrahlung) von Herzschmerzen (ausgelöst durch eine Ischämie* des Herzmuskels) in die Innenseite des linken Armes. Umgekehrt können Wärme- und Kälteanwendungen auf einem bestimmten Hautareal über die Erregung der Hautrezeptoren eine Reizung der Eingeweidenerven bewirken. So kann die aufgelegte Wärmflasche durchblutungsfördernd und schmerzlindernd oder schmerzverstärkend wirken *(siehe dazu "Physikalische Maßnahmen", Seite 911)*.
  Die **Kolik** ist ein typisches Beispiel für den Eingeweideschmerz.

12.4.6.2 Schmerzsyndrome

Als Schmerzsyndrome werden Beschwerdebilder zusammengefaßt, die mit **chronischen Schmerzen** einhergehen. Schmerzen, die **seit mehr als sechs Monaten dauernd oder rezidivierend** bestehen, sind chronisch. Man spricht auch von der **Schmerzkrankheit**.
Neben einer anatomisch orientierten Einteilung (z.B. Schmerzen des Bewegungsapparates, Kopfschmerzen) werden die folgenden **Schmerzformen** unterschieden:

❒ Entzündungsschmerzen
- Sie beruhen auf der Reizung spezialisierter Schmerzrezeptoren.
- Beispiele sind Schmerzen bei entzündlichen Erkrankungen wie Polyarthritis, Myositis, Zahn- bzw. Wundschmerzen.

❒ Fehlregulationsschmerzen
- Sie entstehen bei unangemessener Funktion eines physiologischen oder biochemischen Regulationssystems.
- Beispiele sind Schmerzen infolge einer Fehlhaltung, Schmerzen infolge einer Minderdurchblutung oder Migräne infolge einer Fehlregulation von Neurotransmitterwirkungen auf die Hirngefäße.
- Z. B. kommt es bei Verengung der Herzkranzgefäße zum **Angina - pektoris - Anfall:**
  - typisch ist ein plötzlich einsetzender Schmerz im Brustkorb, der in die linke, seltener in die rechte Schulter - Arm - Region und/oder die linke Hals - Unterkiefer - Region und/oder den Oberbauch ausstrahlt,
  - er wird häufig von einem gürtelförmigen Engegefühl um den Brustkorb sowie von Atemnot und Todesangst begleitet,
  - er dauert Sekunden bis Minuten an,
  - er wird durch erhöhten Sauerstoffbedarf *(u.a. Faktoren,* *siehe Seite 296)* ausgelöst bzw. verstärkt, z.B. bei körperlicher Arbeit,
  - er kann sehr intensiv, sogar als lebensbedrohend empfunden werden.
- Z.B. wird der als **Migräne** bezeichnete Kopfschmerz:
  - wahrscheinlich durch vasomotorische Fehlregulation der das Gehirn versorgenden Blutgefäße infolge einer Störung des Hypothalamus bedingt, es kommt zu kurzzeitiger Eng-, dann Weitstellung der Hirngefäße;
  - durch Wettereinflüsse, Konsum bestimmter Genußmittel und Gewürze sowie psychische Einflüsse *(siehe "Psychosomatische Aspekte", Seite 901)* und andere Faktoren ausgelöst;
  - vom Betroffenen als halbseitiger, zunächst pochender Kopfschmerz hoher Intensität, der anfallartig und unterschiedlich häufig auftritt, empfunden;
  - häufig von einer 10 - 30 minütigen Vorphase (*Aura*) eingeleitet, die durch Wechsel der Stimmungslage, Heißhunger, Durchfall, Harnflut, Schwindel, Parästhesien und andere Symptome gekennzeichnet ist;
  - evtl. zusätzlich von einer visuellen Aura, dem sogenannten Flimmerskotom (*Augenmigräne*) begleitet: typisch dafür sind Flimmern, Funken, Blitzen und andere Lichterscheinungen, das zentrale Sehen ist vorübergehend abgeschwächt;
  - als pulsierend beschrieben; er geht während des Anfalls in einen konstanten, dumpfen Schmerz über, da sich zunehmend ein Ödem der Arterienwand und des umgebenden Gewebes entwickelt;
  - über Stunden bis Tage empfunden und meist von Allgemeinstörungen wie Licht- und Lärmscheu, Sehstörungen, Übelkeit und Erbrechen begleitet.

❒ Nervenschmerzen
(Synonyme: Neuralgie; neuropathische Schmerzen)
- Sie entstehen infolge einer Schädigung oder Irritation peripherer Nerven bzw. zentralnervöser Strukturen.
- Sie sind auf das Ausbreitungsgebiet eines Nervs beschränkt, treten anfallartig auf und werden z.B. als messerscharf oder zermürbend beschrieben.
- Beispiele sind Schmerzen bei Polyneuropathien oder Bandscheibenvorfall, Trigeminusneuralgie und Amputationsschmerz *(syn. Phantomschmerz).*
- Z.B. wird der **Phantomschmerz:**
  - durch Reizung von Nervenstümpfen ausgelöst, vom Gehirn auf einen nicht mehr vorhandenen Körperteil projiziert und ist von verschiedenartiger Qualität und Quantität;
  - vom Betroffenen in einem nicht mehr vorhandenen Körperteil, z.B. in einem amputierten Bein, das somit als noch vorhanden erlebt wird, empfunden.

❒ Spastische Schmerzen
- Sie entstehen bei Reizung von Schmerzrezeptoren durch übermäßige Kontraktion glatter Muskulatur innerer Organe.
- Beispiele sind Schmerzen bei chronischer Gastritis, beim Reizkolon oder Koliken durch Gallen- bzw. Nierensteine.
- Z.B. wird die **Kolik** *(krampfartiger Schmerz)*:
  - durch heftigste Kontraktionen der Muskulatur eines Hohlorgans (z.B. des Magens, des Darms, der Gallenblase, der Harnblase oder der Harnleiter) hervorgerufen;
  - einmalig, meist jedoch wiederholt - im Wechsel mit schmerzfreien Intervallen - beobachtet;
  - meist von Schweißausbruch, Brechreiz, evtl. Erbrechen und Kollaps begleitet.

❒ Psychosomatische Schmerzen
- Sie entstehen durch Somatisierung psychischer oder psychosozialer Probleme.
- Ein primärer *(innerer)* und sekundärer *(äußerer)* Krankheitsgewinn, z.B. Zuwendung oder ersehnte Entlastung, können die Schmerzen begünstigen.
- Beispiele sind vorstehend unter *"Psychosomatische Aspekte"* beschrieben.

12.4.6.3 Qualität des Schmerzes

Die Qualität (*Beschaffenheit*) des Schmerzes kann Hinweise auf die schmerzauslösende Ursache geben.
Sie kann beschrieben werden als
- bohrend (z.B. Knochen- und Eingeweideschmerz);
- brennend (z.B. Sodbrennen);
- klopfend, pulsierend (z.B. bei Eiterungen, bei Migräne);

- krampf- oder kolikartig (z.B. bei Nieren- oder Gallensteinen);
- stechend (z.B. bei Pleuritis);
- reißend;
- schneidend;
- ziehend (z.B. bei Stauungen, Menstruationsbeschwerden);
- hell (z.B. Oberflächenschmerz; bei Verletzungen der Haut);
- dumpf (z.B. Eingeweideschmerz);
- ausstrahlend (z.B. von Knochen und Nerven ausgehende Schmerzen);
- beklemmend (z.B. bei Herzbeschwerden);
- wellenartig;
- wehenartig;
- peitschenartig (z.B. bei akutem Verschluß einer die Extremitäten versorgenden Arterie).

12.4.6.4 Lokalisation des Schmerzes

Die Lokalisation des Schmerzes kann zum Teil sehr genau, zum Teil aber auch nur sehr vage oder gar nicht angegeben werden.

Beispiele:

- **gut lokalisierbar** ist der Oberflächenschmerz, der von der Haut ausgeht;
- **schlecht lokalisierbar** sind der von Muskeln, Knochen oder Organen ausgehende Tiefenschmerz und der Eingeweideschmerz;
- **diffuse Schmerzen** (*ohne genaue Abgrenzung*) können durch funktionelle Störungen, z.B. der Genitalorgane oder des Oberbauchs, hervorgerufen sein;
- **ausstrahlende Schmerzen** gehen von einem Organ aus und werden auf ein anderes Gebiet übertragen (*Head - Zone*), typisch ist z.B. der gürtel- oder ringförmig ausstrahlende Oberbauchschmerz bei akuter Entzündung der Bauchspeicheldrüse.

12.4.6.5 Intensität des Schmerzes

Folgende Faktoren beeinflussen die Intensität und die individuelle Wahrnehmungsschwelle *(Toleranzgrenze)* der Schmerzempfindung.

- **Schmerzschwelle im Thalamusbereich:**
  - Erregung, Streß und Schock erhöhen die Schmerzschwelle, wahrscheinlich durch die dämpfende Wirkung der Endorphine*;
  - Analgetika* erhöhen die Schmerzschwelle künstlich;
  - ein schlechter Allgemeinzustand senkt die Schmerzschwelle;
  - das Gehirn konzentriert sich jeweils nur auf eine Schmerzwahrnehmung, bei mehreren Verletzungen wird nur die am stärksten schmerzende Wunde registriert.
- **Auslösende Ursache:**
  - Geburtsschmerzen, Koliken und Verletzungen an den Nervenenden sind sehr intensiv, wenngleich sie subjektiv unterschiedlich ertragen werden;
  - von vitalen Organen (Herz, Lunge) ausgehende Schmerzen werden oft als lebensbedrohlich empfunden.
- **Individuelle Einstellung zu Krankheit und Leiden:**
  - Schmerzen, die Angst auslösen und deren Ursache ungeklärt ist, werden intensiver empfunden;
  - Informationen, die helfen, das Schmerzgeschehen (im voraus) einzuschätzen, so daß der Kranke ungefähr weiß, was auf ihn zukommt, erleichtern den Umgang mit Schmerzen;
  - voraussehbare, erklärbare Schmerzen, z.B. Geburtsschmerzen und postoperative Schmerzen, werden meist besser ertragen;
  - innere Annahme oder Ablehnung der schmerzauslösenden Ursache beeinflussen das Schmerzempfinden;
  - frühere Schmerzerfahrungen; wurden Schmerzen z.B. gut bewältigt oder waren sie mit Gefühlen starker Hilflosigkeit, Angst etc. verbunden; wurde z.B. erfahren, daß Schmerz einen sekundären Krankheitsgewinn - z.B. in Form von Zuwendung, Beachtung oder Entlastung - mit sich bringt, wird er eher zugelassen und gezeigt;
  - individuelles Muster der Krankheitsverarbeitung; wird Krankheit eher verdrängt als bewußt wahrgenommen und zugelassen, so werden Schmerzen ebenfalls eher verdrängt oder still erduldet; dieses Verhalten kann z.B. aus der Angst vor einer bestimmten Diagnose und Therapie resultieren;
  - erzieherische Einflüsse; Frauen tolerieren Schmerzen meist etwas besser als Männer; diese zeigen ihren Schmerz weniger (*"Ein Junge weint doch nicht"*); die Selbstbeherrschung des Menschen beeinflußt zumindest die Schmerzäußerungen;
  - der soziokulturelle Einfluß entscheidet, ob bei Schmerz gejammert wird oder ob man sich tapfer zeigt; so reagieren z.B. Menschen aus südlichen Ländern eher und heftiger auf Schmerz als Menschen aus nördlichen Ländern.
- **Emotionales Befinden:**
  - Faktoren wie Angst, depressive Verstimmungen, soziale Abhängigkeit und Isolation verstärken die Schmerzwahrnehmung, während sie durch Unbefangenheit, Zuwendung, Hoffnung und andere positive Erfahrungen verringert wird.
- **Ablenkung:**
  - Intensive Beschäftigung läßt Schmerzen zeitweise "vergessen"; fehlt Ablenkung (z.B. nachts), ist die Schmerzempfindung meist sehr intensiv.
- **Dauer und Häufigkeit der Schmerzen:**
  - Mit Zunahme der Schmerzdauer wächst auch die empfundene Schmerzintensität, gleichzeitig nimmt die Bereitschaft, Schmerzen zu ertragen, ab.

Die **Intensität des Schmerzes** kann z.B. als leicht, mittelschwer, schwer oder nicht mehr zu ertragen **beschrieben** und/oder **graphisch dargestellt** werden *(siehe "Schmerzprotokoll")*.

12.4.6.6 Dauer des Schmerzes

Der Schmerz kann von verschiedener Dauer sein.

Es werden unterschieden:

- **Akuter Schmerz**
  - tritt plötzlich und meist zeitlich begrenzt auf;
  - übt eine biologische Alarm- und Schutzfunktion aus;
  - wird durch ein bestimmtes Ereignis, z.B. Trauma, Operation, ausgelöst;
  - wird meist sehr intensiv empfunden;
  - ist in der Regel therapierbar und heilt aus.

- **Chronischer Schmerz (Schmerzkrankheit)**
  - beginnt in der Regel schleichend;
  - dauert mindestes 6 Monate an und bessert sich ohne Behandlung nicht;
  - kann bei unzureichender Behandlung Verhaltens- und Persönlichkeitsveränderungen hervorrufen;
  - kann überwiegend körperlich (z.B. tumorbedingte Schmerzen) oder überwiegend seelisch (z.B. psychogene Kopfschmerzen) bedingt sein;
  - weitere Merkmale werden in den Abschnitten *"Psychosomatische Aspekte", "Reaktionen auf Schmerz"* und *"Schmerzsyndrome"* besprochen.

12.4.6.7 Auslösende und verstärkende Faktoren

Der Zeitpunkt des Auftretens von Schmerzen und das aktuelle Verhalten bzw. der Zustand des Betroffenen können Hinweise auf schmerzauslösende / -verstärkende Faktoren geben.

Zu beobachten sind:

- **Zeitpunkt des Schmerzes**
  Tritt der Schmerz
  - vor oder nach der Mahlzeit,
  - tagsüber oder nachts,
  - bei körperlicher oder seelischer Belastung, die mit erhöhtem Sauerstoffbedarf oder mit Anspannung / Muskelverspannung einhergeht,
  - zu einer bestimmten Jahreszeit (Magen- und Zwölffingerdarmgeschwüre treten bevorzugt im Frühjahr und Herbst auf),
  - bei einer bestimmten Wetterlage, z.B. bei Föhn, (verstärkt) auf?
- **Funktionsabhängigkeit**
  Tritt der Schmerz
  - spontan und ohne ersichtliche Ursache,
  - atemabhängig,
  - menstruationszyklusbedingt (z.B. ziehend während des Eisprungs, krampfartig während der Periode),
  - während bestimmter Verrichtungen (z.B. beim Wasserlassen oder bei der Defäkation),
  - im Zusammenhang mit bestimmten Körperhaltungen (z.B. in sitzender Position oder bei Schonhaltung einer anderen Körperregion), oder
  - bewegungsabhängig (z.B. bei Gelenkveränderungen oder Wirbelsäulenschäden)

  auf?

12.4.6.8 Reaktionen auf Schmerz

Die Reaktionen auf Schmerz können sehr unterschiedlich sein. Art und Ausmaß werden z.B. durch die empfundene **Intensität**, die **Art** und **Dauer** des Schmerzes sowie die **gelernten Verhaltensweisen geprägt**.
Nicht alle Reaktionen auf Schmerz sind sofort als solche erkennbar; dazu bedarf es einer sorgfältigen, gezielten und einfühlsamen Beobachtung des Schmerzleidenden.

Neben den verbalen Schmerzäußerungen beobachtbare und auch zum Teil vom Betroffenen beschriebene Reaktionen auf Schmerz können sein:

- Stöhnen, Weinen, Schreien, Jammern, Wimmern;
- schmerzverzerrter Gesichtsausdruck, glanzlose Augen, Zähne in Bißstellung;
- Schonhaltung, z.B. angewinkelte Oberschenkel bei Leibschmerzen, gekrümmte Haltung;
- Muskelverspannungen;
- häufiger Lagewechsel, um eine schmerzlindernde Position zu finden;
- körperliche Veränderungen, je nach Schmerzart und vegetativem Reaktionstyp: Tachykardie oder Bradykardie, Blutdruckabfall oder -anstieg;
- Hautblässe, beschleunigte Atmung, Schweißbildung;
- Übelkeit und Erbrechen;
- Kollaps, Schock, Bewußtseinsveränderung;
- Greifen zur Schmerzstelle;
- Angst, evtl. Todesangst;
- Konzentrationsschwäche, eingeschränkte Wahrnehmung, eingeschränktes Denkvermögen.

Bei chronischem Schmerz können oft weitere Reaktionen und Folgen beobachtet werden:

- Appetitminderung, verringerte Nahrungsaufnahme, Gewichtsabnahme;
- Veränderung der Körperwahrnehmung und Leiden unter der gestörten Integrität;
- Veränderung der Ruhe- und Schlafgewohnheiten, Müdigkeit, erhöhtes Ruhebedürfnis, Schlafstörungen;
- Veränderung des Gesichtsausdrucks (meist traurig-leidend bis leblos-maskenhaft);
- Veränderung des Muskeltonus (schlaff bis starr) und Veränderung der Bewegungen, die z.B. verringert, vorsichtig oder adynamisch erscheinen;
- Verringerung sexueller Bedürfnisse und Aktivitäten;
- Veränderung der Ausführung bestimmter - auch beruflicher - Tätigkeiten, evtl. Reduzierung oder Aufgabe derselben;
- Verringerung der Leistungsfähigkeit und Belastbarkeit;
- Aggressionen, Wut, Ungeduld und Mißmut sowie dadurch hervorgerufene Veränderungen zwischenmenschlicher Beziehungen;
- Ängste und Furcht vor Verschlimmerung;
- depressive Verstimmungen, Hoffnungslosigkeit, Depression, sozialer Rückzug, Vereinsamung;
- Versuche, die Schmerzen zu beseitigen bzw. zu lindern und zu kontrollieren, z.B. durch Arztbesuche, Medikamenteneinnahme, Schonverhalten, Anwendung physikalischer oder alternativer Methoden;
- Kränkung des Selbstwertgefühls, der Betroffene fühlt sich z.B. geplagt, gefesselt, gequält, minderwertig, abhängig oder alleingelassen;
- Persönlichkeitsveränderungen;
- suizidale Äußerungen und Handlungen.

Bei seelischem Leid findet sich ein veränderter Ausdruck der Augen. Er vermittelt weder Lebenskraft noch -freude, sondern wirkt traurig und leblos. Häufig sind die Mundwinkel herabgezogen.

12.4.6.9 Störungen und Besonderheiten des Schmerzempfindens

Das Schmerzempfinden kann gesteigert, herabgesetzt, gestört oder nicht vorhanden sein.

Hyperästhesie:
- gesteigerte Erregbarkeit in den Gefühls- oder Sinnesnerven, insbesondere bei Berührungsreizen, die als schmerzhaft empfunden werden.

Hyperalgesie:
- gesteigerte Schmerzempfindlichkeit;
- tritt im Bereich Head'scher Zonen auf;
- Form der Hyperästhesie.

Hypästhesie:
- herabgesetzte Empfindlichkeit gegenüber Nervenreizen, insbesondere bei Berührung.

Hypalgesie:
- Herabsetzung der Schmerzempfindung, z.B. infolge einer Nervenverletzung oder Einnahme schmerzlindernder Medikamente.

Analgesie:
- Aufhebung der Schmerzempfindung, z.B. durch Schädigung peripherer schmerzleitender Nervenfasern bei Querschnittlähmung oder durch Schädigung zentraler Nerven bei Gehirnschäden;
- durch Blockade der Schmerzleitungsbahn oder des Schmerzzentrums künstlich herbeigeführter Zustand (*Anästhesie*), der Ergebnis der Lokalanästhesie bzw. der Vollnarkose ist.

Schmerzasymbolie:
- Unvermögen, Schmerzen zu empfinden;
- Abwehrbewegungen und schmerzhaft verzerrte Mimik sind trotzdem zu beobachten;
- kommt vor bei bestimmten Prozessen im Gehirn.

12.4.7 Erfassen des individuellen Schmerzgeschehens

Da es sich bei Schmerz um ein sehr subjektives Geschehen handelt, kann er nur vom Betroffenen selbst beschrieben werden. Dies sollte in einem **Gespräch** erfolgen; zusätzlich ist bei chronischen Schmerzen ein sogenanntes **Schmerztagebuch / -protokoll** - möglichst vom Betroffenen selbst - anzufertigen. Pflegende sollten außerdem **beobachten** und dokumentieren, in welchen Situationen der Schmerz auftritt und welche Reaktionen des Betroffenen er nach sich zieht. Einige Menschen drücken (z.B. aufgrund erzieherischer Einflüsse) Schmerzen nicht verbal aus; sie müssen gezielt hinsichtlich nonverbaler Schmerzäußerungen (Veränderungen des Gesichtsausdrucks, der Körperhaltung, der Vitalzeichen) beobachtet und **nach Schmerzen gefragt** werden.

Die einzelnen Kriterien zur Erfassung des individuellen Schmerzgeschehens sind als **Informationssammlung** auf *Seite 917* zusammengefaßt. Sie sollte möglichst vom Betroffenen selbst ausgefüllt werden, auf ein diesbezügliches Gespräch mit ihm darf dennoch nicht verzichtet werden. Es dient der weiteren Einschätzung des individuellen Schmerzerlebens.

Die **Intensität** der Schmerzen und Verspannungen muß in der Regel **über mehrere Tage beobachtet** und protokolliert werden. Nach Möglichkeit ist der Schmerzkranke zur entsprechenden Selbstbeobachtung und **Führung eines Schmerztagebuches** anzuleiten / anzuhalten. Die ermittelten Daten erlauben einen Zugang zum subjektiven Erleben und einen bedürfnis- sowie problemorientierten Umgang mit dem Schmerz.

Die Beschreibung des individuellen Schmerzgeschehens kann durch dessen optische Darstellung unterstützt und erleichtert werden.

❒ Schmerzskala

Die **Darstellung der Schmerzintensität** kann auf einer horizontalen oder vertikalen Skala erfolgen; deren Einteilung kann unterschiedlich fein graduiert sein.

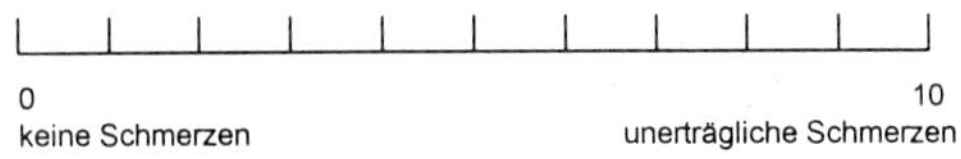

Abb. 12.3 ***Beispiel einer Schmerzskala***

❒ Schmerz- und Verspannungskurve

Schmerzen und Verspannungen werden **beobachtet** und aufgezeichnet; ihre wechselseitige Beeinflussung wird deutlich.

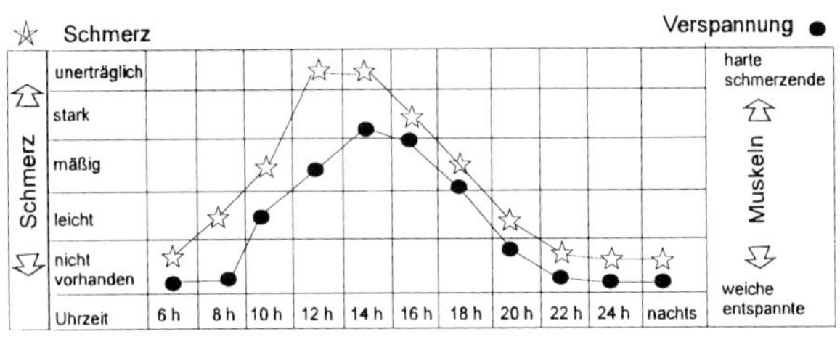

Abb. 12.4 ***Beispiel einer Schmerz- und Verspannungskurve***

❒ Verspannungs- und Schmerztagebuch

Der **Grad der Verspannung** wird zwischen 0 bis 5 (0 = ruhig und entspannt; 5 = sehr angespannt), die **Stärke des augenblicklichen Schmerzes** ebenfalls zwischen 0 bis 5 (0 = kein Schmerz; 5 = schlimmster Schmerz) angegeben.

Die **Zuordnung der jeweiligen Aktivitäten und Gedanken** macht die Wechselbeziehung zwischen Schmerz-Verspannung-Beschäftigung / Gedanken deutlich und läßt Ansatzpunkte für Veränderungen erkennen.

Verspannungs- und Schmerztagebuch

Datum	Verspannung	Schmerz	Was mache ich gerade?	Was denke ich gerade?
9 h				
13 h				
17 h				
20 h				
23 h				

(aus Broome / Jellicoe: Mit dem Schmerz leben, 1989)

Abb. 12.5 ***Verspannungs- und Schmerztagebuch*** *(Beispiel)*

❒ Schmerztagebuch

Erfaßt wird die **Intensität des Schmerzes** zu **bestimmten Tageszeiten**. Das Schmerztagebuch sollte sieben Tage lang geführt werden, um auch die Veränderungen des Schmerzes im Laufe einer Woche zu entdekken. Jede Tageskurve ist in einem gesonderten Vordruck, der den jeweiligen Wochentag ausweist, einzuzeichnen.

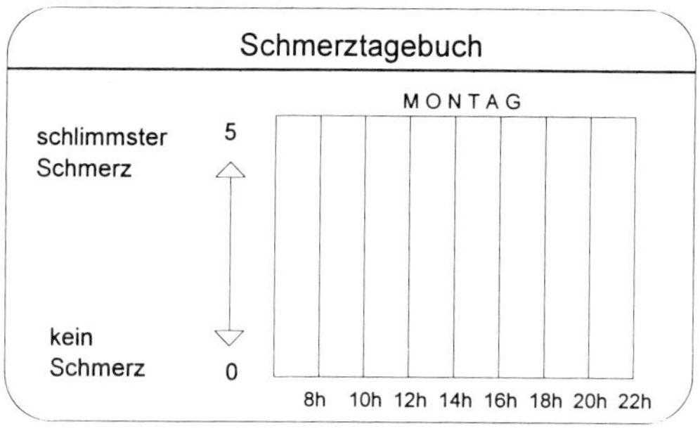

(aus Broome / Jellicoe: Mit dem Schmerz leben, 1989)

Abb. 12.6 ***Schmerztagebuch*** *(Beispiel)*

12.4.8 Umgang mit Schmerzen

Obwohl Schmerz ein Alarmzeichen für Störungen ist - und somit ein unübersehbarer Hinweis sein soll - bedarf es oft seiner **Bekämpfung, um die Lebensqualität** des Betroffenen zu **verbessern**.

Um so wichtiger ist eine zuvor durchgeführte Beobachtung des Schmerzes, denn sie liefert wichtige Hinweise auf dessen Entstehung und Ursache. Bestenfalls wird dadurch die **Beseitigung des schmerzauslösenden Reizes** möglich.

Bei chronischen Schmerzen ist eine kausale Therapie in der Regel jedoch nicht möglich. Ziele der Behandlung sind hier **Schmerzlinderung** und die **Bewältigung des Leidens**. Die Besonderheiten im Umgang mit tumorbedingten Schmerzen werden unter *"Schmerzen"* *(Seite 944)* besprochen.

12.4.8.1 Umgang mit akuten Schmerzen

Akute Schmerzen lassen sich in der Regel medikamentös behandeln und durch Beseitigung der Ursache ausschalten.

Aufgaben der Pflegenden sind:

- Beobachtung des Schmerzgeschehens und der Vitalzeichen vor und während der Behandlung;
- Ernstnehmen des Kranken, Zuwendung;
- Wahrnehmen von Ängsten und Unsicherheiten sowie Abbau derselben im Informationsgespräch bzw. durch Vermittlung eines Gesprächs zwischen Arzt und Betroffenem;
- Sorge für Ablenkung (z.B. gesellige Mitpatienten, Radio, TV) und für eine möglichst harmonische, ruhige, entspannte Atmosphäre;
- Beobachtung des Therapieverlaufes (Wirkungen und Nebenwirkungen der therapeutischen Maßnahmen);
- Durchführung schmerzreduzierender Lagerungen, z.B. Stufenbettlagerung beim Bandscheibenvorfall oder Beintieflagerung bei Durchblutungsstörungen in den Beinen;
- Anleitung zu schmerzreduzierendem Verhalten, z.B. Einüben bestimmter Bewegungsmuster oder Atemtechniken;
- Unterstützung bei den ATL, wenn deren Ausübung Schmerzen verursacht, z.B. Hilfe bei der Körperpflege nach einer Operation oder einem Unfall;
- auf Wunsch Massieren oder Einreiben bestimmter Körperregionen oder atemstimulierende Einreibung;
- Verabreichung der ärztlich verordneten Analgetika, Spasmolytika und anderer Medikamente;
- ggf. lokale Anwendung von Kälte, z.B. Anbringen eines Hot-Cold-Packs, eines kalten Umschlags oder eines Eisbeutels *(siehe "Physikalische Maßnahmen", Seite 911)*;
- ggf. Anmeldung weiterer physikalischer / physiotherapeutischer Maßnahmen (Arztanordnung).

12.4.8.2 Bewältigung des chronischen Schmerzes

Die Grenzen einer ausschließlich medikamentösen Therapie des chronischen Schmerzleidens müssen immer wieder beobachtet werden. So kann die Bewältigung des chronischen Schmerzes nur **über ganzheitlich ausgerichtete Verfahren**, die auf den Erkenntnissen der multifaktoriellen Schmerzentstehung und -unterhaltung aufbauen, gelingen.

Der Betroffene selbst muß - wenn auch (zunächst) mit professioneller Unterstützung und Begleitung - aktiv werden und seine Situation durch neue Einstellungen und Verhaltensweisen verändern.

Einrichtungen wie **Schmerzkliniken, -ambulanzen, -praxen** haben sich auf die Behandlung chronisch schmerzleidender Menschen spezialisiert. Meist ermöglicht das Angebot sowohl eine ambulante als auch eine (teil-)stationäre und interdisziplinäre Therapie. Neben Anästhesisten gehören dann auch Ärzte aus anderen Fachrichtungen (z.B. Rheumatologen, Neurologen), Pflegefachpersonal, Psychologen, Physio- und Ergotherapeuten zum behandelnden / betreuenden Team.

> **Ziel** einer gelungenen Bewältigung des chronischen Schmerzes ist seine **Integration in das Leben** des Betroffenen, ohne dieses zu beherrschen und ohne die Lebensfreude zu nehmen.

❒ Mit dem Schmerz leben - Ein Selbsthilfeprogramm

Auf der Grundlage von Forschungsergebnissen sowie Erfahrungen von und mit Schmerzkranken haben die klinischen Psychologinnen A. BROOME und H. JELLICOE ein **Selbsthilfeprogramm** entwickelt und erfolgreich eingesetzt. Es wird im folgenden exemplarisch vorgestellt, um die **Grundzüge einer aktiven Schmerzbewältigung** zu verdeutlichen.

Voraussetzung für die Wirksamkeit dieses Programms ist die **Bereitschaft** des Schmerzkranken, sein **Leiden zu akzeptieren** und das Beste daraus zu machen, also das **Problem selbst in die Hand zu nehmen**, verschiedene Lösungen auszuprobieren und die persönliche Situation zu verändern. Frustration, Passivität, Hilflosigkeit und Abhängigkeit werden so verhindert bzw. abgebaut und der vereinnahmende Einfluß des Schmerzes auf die Lebensqualität und -gestaltung verhindert bzw. reduziert.

Der Schmerzkranke wird zunächst angehalten, seinen **Schmerz eine Woche lang** zu **beobachten** und kennenzulernen:

- Wie stark ist der Schmerz und wie verhält er sich im Tages- und Wochenrhythmus *(siehe Abbildung 12.3 und 12.6)*?
- Welchen Einfluß üben Verspannungen auf den Schmerz aus und wodurch werden diese begünstigt *(siehe Abbildung 12.5)*?
- Was bedeutet der Schmerz für mich und welche Auswirkungen hat er auf mein Leben?
- Welche schmerzauslösenden / -verstärkenden Faktoren wirken auf mich ein?

In der zweiten Woche soll der Betroffene **Verspannungen bewußt wahrnehmen.**
- Wodurch werden Verspannungen hervorgerufen?
- Welche Wechselbeziehungen bestehen zwischen Schmerz, Verspannung, körperlichen Aktivitäten und Gedanken / Gefühlen?
- Wie kann ich Verspannungen abbauen?

In der dritten Woche lernt der Betroffene, wie er sich am besten entspannen kann - auf seine persönliche Weise und vor allem durch bewußt angewendete **Entspannungsübungen**. Er wird in einer bestimmten Technik zur Muskelentspannung **angeleitet und angehalten**, dieses Verfahren **regelmäßig zu trainieren**, so daß er es in jeder Situation anwenden kann. Anstelle von Verspannungen sollen sich Ruhe und Gelassenheit ausbreiten.
Im nächsten Schritt gilt es zu hinterfragen, welche Aktivitäten aus welchen Gründen (z.B. Angst vor Schmerzverstärkung, mangelndes Selbstvertrauen oder fehlende Kontakte) aufgegeben wurden und welche Aktivitäten der Betroffene gern wieder aufnehmen möchte. Er soll **herausfinden, welche Aktivitäten unbedenklich, welche vorsichtig**, langsam und/oder in Verbindung mit Entspannungsübungen **durchgeführt werden können** und auf **welche besser zu verzichten** ist. Insgesamt soll jedoch ein möglichst spontaner und **aktiver Lebensstil** erhalten bzw. wiedergefunden werden. Dazu setzt sich der Betroffene für jeden Tag feste Ziele, z.B. 10 Minuten zu schwimmen. Er soll seine Aktivitäten langsam steigern, ohne den Schmerz anhaltend zu verschlimmern (kurzfristig ist bei der Wiederaufnahme von Aktivitäten mit einer Schmerzverstärkung zu rechnen); dazu gehört auch das Akzeptieren der persönlichen Grenzen und ggf. die Suche nach Alternativen, z.B. einem neuen Hobby.

12.4.8.3 Nicht medikamentöse Schmerzbeeinflussung

Verschiedene Maßnahmen ermöglichen eine positive **Beeinflussung der schmerzfördernden Faktoren**, der **Schmerzwahrnehmung** und des **Schmerzerlebens**. Der schmerzleidende Mensch sollte diesbezüglich informiert, beraten und, falls erforderlich, angeleitet werden. Die Tatsache, persönlich Einfluß auf das Schmerzgeschehen ausüben zu können, wirkt sich zusätzlich positiv aus. **Frustration, Passivität** und **Hilflosigkeit** können **durch die Hoffnung, den Schmerz selbst zu kontrollieren**, zugunsten einer aktiven Haltung und eines verbesserten Selbstwertgefühls **abgebaut** werden. Der Analgetikaverbrauch kann reduziert werden; bestenfalls wird eine regelmäßige Einnahme überflüssig.

Der schmerzkranke Mensch sollte zum aktiven Umgang mit seinem Leiden ermutigt werden.

❒ Bewegung und Physiotherapie

Aktive und passive **Bewegungsübungen** erhalten die Beweglichkeit und reduzieren Verspannungen. Bewegung kann zwar Schmerzen hervorrufen und verstärken, andauernde Bewegungslosigkeit und Vermeidungs- / Schonhaltungen führen jedoch meist zu stärkeren Verspannungen und Schmerzen. Der Kranke sollte unter physiotherapeutischer Anleitung herausfinden, welche Bewegungen sich in welchem Ausmaß und zu welcher Tageszeit positiv auswirken. Für bestimmte Personengruppen, z.B. Menschen, die unter Rheuma, Osteoporose oder Rückenschmerzen leiden, werden von Selbsthilfegruppen und Krankenkassen **Anleitungs- und Übungskurse** angeboten. Video- und Musikkassetten, Broschüren oder Bücher können ebenfalls zur Hilfe genommen werden.

❒ Lageveränderungen

Schmerzen am Bewegungsapparat, im Bauchraum oder im Bereich der Atemwege lassen sich oft durch Lageveränderungen lindern oder beseitigen.
Beispiele:
- **Anziehen der Oberschenkel** führt zur Entspannung der Bauchdecken und lindert somit Leibschmerzen;
- verspannungsbedingte Muskelschmerzen können durch **Lageveränderungen** ausgeschaltet werden;
  Beachte: Bestimmte entlastende Körperhaltungen können in anderen Regionen Verspannungen und Schmerzen hervorrufen;
- Wundverbände und therapeutische Lagerungen können evtl. korrigiert werden;
- schmerzende Körperteile werden evtl. ruhiggestellt, z.B. durch Gips- oder Schienenverband.

❒ Abbau schmerzverstärkender und Aufbau schmerzreduzierender Faktoren

Der Kranke sollte (anhand seines Schmerztagebuches) herausfinden, welche Faktoren den Schmerz auslösen bzw. verstärken und versuchen, diese abzubauen, ohne generell auf Aktivitäten zu verzichten. Pflegende können dabei beratend, unterstützend und motivierend auf den Patienten einwirken.
Wahrnehmung und Erleben von Schmerz können durch **Ablenkung** und durch Wohlbefinden, welches die Empfindlichkeit gegenüber Schmerz herabsetzt, zeitweise gedämpft oder bestenfalls ausgeschaltet werden. Deshalb sollten sich sowohl der Schmerzkranke als auch seine Mitmenschen nicht nur bemühen, Unwohlsein zu verhindern, sondern auch das **Wohlbefinden zu fördern**. Dies kann z.B. durch folgende Maßnahmen geschehen:
- Auffordern, das Schmerzempfinden verbal zu äußern, und die Schmerzen ernstnehmen, so daß sich der Kranke verstanden und angenommen weiß;
- harmonisches Gestalten des Umfeldes, so daß dieses Ruhe, Ausgeglichenheit und Wohlsein des Kranken fördert. Neben dem Bemühen um angenehme akustische und optische Reize sollten vor allem die zwischenmenschlichen Kontakte harmonisch gestaltet werden. Dazu tragen insbesondere eine positive

Haltung, Verständnis und Toleranz dem anderen gegenüber sowie Freundlichkeit und Frohsinn bei;
- Zeigen von Aufmerksamkeit und Mitgefühl;
- Vermitteln von Zuwendung, z.B. durch Gespräche, Zuhören oder eine Einreibung;
- Bereiten von Freude;
- Anregen zu / Vermitteln von gezielter Beschäftigung, die neben Ablenkung möglichst auch Erfolgserlebnisse oder positive Gefühle vermittelt;
- Ermutigung zu beruflichen und privaten Aktivitäten, sozialen Kontakten und ggf. zur Erhaltung der Unabhängigkeit, um ein "normales" Alltagsleben in sozialer Gemeinschaft zu ermöglichen;
- Empfehlen, eine Selbsthilfegruppe aufzusuchen, auf Wunsch Kontakt dazu herstellen;
- Helfen, Ängste (und somit auch Verspannungen) wahrzunehmen und abzubauen, vor allem durch sachgerechte Information und Vermittlung der Hoffnung, den Schmerz kontrollieren und mit ihm ein lebenswertes Leben führen zu können;
- Anregen, einen ausgeglichenen Lebensrhythmus, in dem Aktivitäten und Ruhephasen das Schmerzgeschehen positiv beeinflussen, zu finden;
- Ermutigen, persönliche Leistungsgrenzen zu akzeptieren, z.B. sich nicht zu intensiv oder zu lange mit bestimmten Tätigkeiten zu beschäftigen, ggf. auf sie zu verzichten und bekannte Streßsituationen möglichst zu vermeiden;
- Auffordern, Interessen aufrecht zu erhalten bzw. neu zu entdecken;
- Ermutigen, gewünschte Kontakte zu pflegen, zu intensivieren bzw. wiederaufzubauen;
- Informieren, daß seelische Anspannung und körperliche Verspannung den Schmerz verstärken, Auffordern zu entspannendem Verhalten (z.B. Lesen, Baden, Basteln) und Entspannungsübungen *(z.B. Autogenes Training, Progressive Muskelentspannung oder Atemübungen)* empfehlen;
- Hinweis auf Möglichkeiten, Entspannungsübungen unter professioneller Anleitung zu erlernen und zu trainieren (z.B. Kursangebote von der Volkshochschule oder den Krankenkassen; Literatur, Video- oder Musikkassetten zur Unterstützung);
- Ermutigen, die schmerzlich vermißte Zuwendung gegenüber den betreffenden Personen anzusprechen und gemeinsam mit ihnen nach anderen Lösungswegen zu suchen;
- Vermeiden von Ängsten, Verunsicherung, Ärgernissen und anderen Streßsituationen;
- Auffordern, Situationen und Faktoren, die Unwohlsein hervorrufen, zu erkennen und möglichst auszuschalten;
- Ermutigen, Wege zur Entlastung zu finden, z.B. Reduzierung der Arbeitszeit oder Inanspruchnahme einer Haushaltshilfe;
- Durchführung einer atemstimulierenden Einreibung, die eine ruhige, gleichmäßige und tiefe Atmung forciert und über die bewußte Zuwendung und Berührung entspannende und somit schmerzlindernde Wirkung zeigt;
- Schaffen einer möglichst harmonischen, ruhigen und ausgeglichenen Atmosphäre, die das Wohlbefinden des Betroffenen fördert und ihn weniger empfänglich für Schmerzen macht;
- Empfehlen bzw. Ermöglichen von Ablenkung und Zerstreuung, z.B. durch angemessene Arbeiten, Spiele, kreative Tätigkeiten, Gespräche, Fernsehen, Lesen;
- bei stationärem Aufenthalt nach Möglichkeit Auswählen ruhiger, ausgeglichener Mitpatienten und eines Zimmers in ruhiger, freundlicher Lage.

❒ Physikalische Maßnahmen

Physikalische Maßnahmen verändern die Durchblutung im Anwendungsgebiet und wirken meist - auch über die dabei erfahrene Zuwendung - **entspannend**; hierdurch kann es zu Schmerzlinderung bzw. -ausschaltung kommen *(siehe "Physikalische Therapie", Seite 911)*.

- **Wärmeanwendung**, z.B. mittels Wärmflasche, Cold-Hot-Pack oder als Bad, ist **bei chronischen Schmerzen** angezeigt; sie übt muskelentspannende, krampflösende, durchblutungsfördernde und somit schmerzlindernde Wirkung aus.
- **Kälteanwendung**, z.B. mittels Eisblase oder Cold-Hot-Pack, ist vor allem **bei akut - entzündlichem Schmerz** angezeigt. Sie hemmt entzündliche Prozesse, wirkt schmerzlindernd und kann einen anästhesierenden Effekt haben; je intensiver der Kältereiz, um so größer die Schmerzbekämpfung.
- **Massage, Einreibung, Elektrotherapie** *(z.B. TENS = **t**ranskutane **e**lektrische **N**erven**s**timulation, welche zur Hemmung der Schmerzleitung führt)* und ähnliche Maßnahmen der physikalischen Therapie tragen oft zur Schmerzlinderung bei.
- Pflanzen / -teile können in verschiedenen **Teesorten** sowie Wickel oder Auflagen zur Anwendung kommen; Beispiele werden in Tabelle 4.9 *"Zubereitung, Dosierung und Anwendungsgebiete von Heilpflanzen"*, Seite 433, aufgeführt.

❒ Akupunktur / Akupressur

Akupunktur ist ein altes Verfahren der chinesischen Heilkunde. Es handelt sich um eine Technik, bei der Nadeln in einige von insgesamt 780 auf 24 Meridianen und 2 sogenannten Hauptgefäßen *(gedachte Bahnen, durch die die Lebensenergie fließt)* verteilte Punkte eingestochen werden. Akupunktur dient sowohl der **Behandlung von funktionellen Störungen** als auch der **Schmerzbekämpfung**.

Das Einstechen der Nadeln in die Haut bestimmter Körperteile soll bewirken, daß ein in einem anderen Körpergebiet bestehender Schmerz nicht mehr empfunden wird. Die Nadeln werden dazu verschieden tief eingestochen und bleiben 5 Minuten bis 2 Stunden lang (manchmal auch länger) am Körper. Die Wirkung beruht auf den neuralen Beziehungen zwischen den oberflächlichen Körperschichten Haut und Muskeln zu den inneren Organen.

Bei der **Akupressur** handelt es sich um eine einfache **Massagetechnik**, bei der manuell Druck oder Reibung auf die Akupunkturpunkte und -meridiane ausgeübt wird. Auch dieses Verfahren wird zur **Behandlung von inneren Erkrankungen** und von **Schmerzzuständen**, insbesondere bei Erkrankungen des Bewegungsapparates, eingesetzt.

12.4.9 Medikamentöse Schmerzbeeinflussung

Zur Schmerzbekämpfung werden **Analgetika** *(schmerzstillende Medikamente)* eingesetzt. In einigen Fällen werden **zusätzlich weitere Medikamente**, z.B. Psychopharmaka *(Medikamente, die die Aktivität des Zentralnervensystems und die psychischen Funktionen beeinflussen)* oder Glukokortikoide *(entzündungshemmende, antiallergische und die Immunabwehrreaktion unterdrückende Medikamente)* als **Co-Analgetika** verabreicht.
Die medikamentöse Schmerztherapie kann auf verschiedene Weise das Schmerzempfinden beeinflussen.

- **Antipyretische** *(entzündungshemmende)* **Analgetika** und **Lokalanästhetika*** entfalten ihre Wirkung am Ort der Schmerzentstehung, indem sie die Empfindlichkeit der Schmerzrezeptoren herabsetzen.
- **Lokalanästhetika*** unterbrechen die Schmerzleitung.
- **Opioide** unterdrücken die Umschaltung von Schmerzimpulsen im Rückenmark.
- **Narkotika* und Opioide** hemmen die Schmerzwahrnehmung.

In der Schmerztherapie werden nicht-opioide Analgetika und Opioide unterschieden.

12.4.9.1 Nicht - opioide Analgetika

Syn.: nicht steroidale Entzündungshemmer / Antirheumatika, NSAR

Nicht - opioide Analgetika weisen - im Vergleich zu Opioiden - einen weniger stark ausgeprägten **schmerzstillenden Effekt** auf. Gleichzeitig wirken sie **antipyretisch** *(fiebersenkend)* und zum Teil auch **antiphlogistisch** *(entzündungshemmend)*.
Nicht - opioide Analgetika werden häufig zur **Selbstmedikation** angewendet.
Beachte: Bei bestimmten Erkrankungen (z.B. Ulkuskrankheit, Lebererkrankung, Nierenschäden), während der ersten Lebensjahre, der Schwangerschaft und Stillzeit und bei häufiger bzw. hochdosierter Anwendung können jedoch zum Teil **schwerwiegende Komplikationen** auftreten. Die betroffenen und chronisch schmerzkranken Menschen, die **langfristig** und **hochdosiert** Schmerzmittel einnehmen, sollten diese **nur unter ärztlicher Anordnung und Kontrolle** tun. Bei gleichzeitiger Einnahme anderer Medikamente sollte vor Analgetikaeinnahme ärztlicher Rat eingeholt werden.
Im folgenden werden die am häufigsten verwendeten nicht - opioiden Analgetika vorgestellt, ohne auf jede der möglichen Nebenwirkungen einzugehen. Vor deren Verabreichung bzw. vor einem diesbezüglichen Informationsgespräch müssen Pflegende weitere **Fachinformationen** (Gebrauchsinformation des Herstellers; pharmakologische Abhandlungen) **einholen**.

❍ Weitverbreitet ist die Selbstmedikation mit **Acetylsalicylsäure** (z.B. Alka-Selzer®, Aspirin®, ASS-ratiopharm®); sie wird **schnell** und vollständig aus dem Darm **resorbiert** und weist eine gute analgetische, antipyretische sowie antirheumatische Wirkung auf. Sie **reizt** allerdings die **Magenschleimhaut** und sollte deshalb nicht auf nüchternen Magen eingenommen werden. Anwendungsgebiete sind leichte bis mittelstarke Schmerzen, Entzündungen, Fieber und Erkältungskrankheiten. Ferner wird die Acetylsalicylsäure zur Prophylaxe arterieller Thrombosen verordnet *(Thrombozytenaggregationshemmer, z.B. Colfarit®, Aspirin® 100)*; in höheren Dosen findet sie auch bei rheumatischen Erkrankungen Anwendung.
Kontraindikationen stellen u.a. Magen- und Darmgeschwüre, Überempfindlichkeit gegen Acetylsalicylsäure und andere Salicylate, letztes Schwangerschaftsdrittel, Stillzeit, die ersten 6 Lebensjahren sowie eine erhöhte Blutungsneigung dar. Die Anwendung bei Kindern über 6 Jahre und Personen, die an Leber- / Nierenfunktionsstörungen oder Asthma bronchiale leiden, sollte allenfalls auf ärztliche Verordnung hin erfolgen.
Der **langfristige und höher dosierte Einsatz** ist **bedenklich**, da er zu Störungen des ZNS führen kann, die mit Kopfschmerzen, Schwindel, Ohrensausen, Schwerhörigkeit und anderen Symptomen einhergehen.

❍ **Ibuprofen** (z.B. Aktren®, Brufen®, Dolgit®) verfügt über **schmerzstillende, entzündungshemmende** und **fiebersenkende Eigenschaften**. Die Anwendung erfolgt vor allem bei Zahn- oder Menstruationsschmerzen und bei Rheumatismus. Die erwünschte **Wirkung setzt schnell ein** und hält ca. 6 - 8 Stunden an.
Als **unerwünschte Nebenwirkungen** können vor allem Magenbeschwerden und Diarrhoen auftreten. Auch kann es zu Störungen am Zentralnervensystem (z.B. zu Ohrensausen, Übelkeit und aseptischer Meningitis) kommen.

❍ **Metamizol** (z.B. Baralgin M®, Novalgin®, Novaminsulfon ratiopharm®) wird wegen seiner **guten analgetischen** und **antipyretischen Wirkung** bei hohem Fieber sowie bei starken oder krampfartigen Schmerzen (z.B. bei Tumorschmerzen) eingesetzt. Die **Wirkung setzt rasch ein**.
In seltenen Fällen treten **lebensbedrohliche** und **allergische Reaktionen** (Haut- / Schleimhautveränderungen, Asthmaanfall) auf. Wegen der möglichen Nebenwirkungen sollte Metamizol nur unter **strenger Indikationsstellung** verordnet werden.

❍ **Paracetamol** (z.B. Ben-u-ron®, Enelfa®, Paracetamol-ratiopharm®, Treupel®-Mono) verfügt über **gute schmerzstillende** sowie **fiebersenkende Wirkung** und wird bei Kopf- und Zahnschmerzen sowie bei Fieber eingesetzt.
Die **Wirkung** tritt rasch ein. Paracetamol ist **gut verträglich**. Nebenwirkungen treten in der Regel nur bei jahrelanger Anwendung hoher Dosen (Nierenfunktionsstörungen) bzw. bei Überdosierung (Lebernekrose) auf. **Alkoholiker** können **Leberschäden** bereits durch sonst verträgliche Dosen erleiden.
Bei Nierenschäden ist die Anwendung von Paracetamol eingeschränkt. Da Paracetamol bei längerer Anwendung evtl. nephrotoxisch wirken kann, sollten prophylaktisch große Mengen **Flüssigkeit** aufgenommen werden.

12.4.9.2 Opioide

Syn.: Analgetika vom Morphin-Typ

Als Opioide werden **stark wirksame Analgetika**, die sich an die Opiatrezeptoren des Organismus binden können, zusammengefaßt.
Opium wird aus dem Schlafmohn *(Papaver somniferum)* gewonnen. **Morphin** ist ein **stark analgetisch wirksames Alkaloid** des Opiums; es wird zur Therapie starker Schmerzen (z.B. bei Tumorleiden, schweren Verletzungen oder nach großen Operationen) eingesetzt. Ebenso können heute voll synthetisch hergestellte Morphinderivate verordnet werden.
Zu den **exogenen**, d.h. zu den natürlichen und synthetischen **Opioiden** zählen:

- Buprenorphin (z.B. Temgesic®),
- Codein (z.B. Codi OPT®),
- Dihydrocodein (z.B. DHC Mundipharma®),
- Hydromorphin (z.B. Dilaudid®),
- Morphin (z.B. Morphin Merck®, MST Mundipharma®, MSR®),
- Pentazocin (z.B. Fortral®),
- Pethidin (z.B. Dolantin®),
- Tilidin (z.B. Valoron N®),
- Tramadol (z.B. Tramal®).

Der Mensch verfügt über **endogene** *(im Körper entstandene)* **Morphine**; dazu gehören die Enkephaline, Dynorphine und das ß-Endorphin. Sie wirken - ebenso wie die exogenen Opioide - als Agonisten an den Opioid-Rezeptoren, die sich vor allem auf Nervenzellen in bestimmten Gehirnregionen, im Rückenmark sowie in den Nervengeflechten der Wand des Magen-Darm-Traktes und der Blase befinden.
Opioide **müssen ärztlich verordnet** werden. Die sogenannten Betäubungsmittel (Buprenorphin, Hydromorphin, Morphin, Pentazocin, Pethidin) sind nur über ein **BTM-Rezept** *(siehe "Gesetzliche Vorschriften", Seite 914)* zu beziehen, um einen Medikamentenmißbrauch zu verhindern.
Viele Menschen stehen der Schmerztherapie mit Opioiden skeptisch oder ablehnend gegenüber; sie befürchten, diese Schmerzmittel machten süchtig und verlören mit der Zeit ihre Wirkung, so daß sie, wenn sie "wirklich" gebraucht würden, nicht mehr helfen könnten.
Heute weiß man, daß die **Gefahr, psychisch abhängig** zu werden, durch therapeutisch eingesetzte Opioide **gering ist**. Das **Motiv** wirkt sich **entscheidend** aus: Wird die Substanz eingenommen, um "sich zu betäuben" und sich in einen Glückszustand zu versetzen (Drogensüchtige), ist die Gefahr, psychisch abhängig zu werden, erheblich größer, als wenn eine Schmerzlinderung beabsichtigt wird. Ist eine Schmerzlinderung nicht mehr notwendig, hat der Tumorkranke in der Regel nicht den Wunsch bzw. Zwang, weiterhin Opioide einzunehmen, zumal sie bei ihm in der Regel auch keine Euphorie hervorgerufen haben. **Bei längerer therapeutischer Anwendung** kann sich jedoch eine **physische Abhängigkeit** einstellen, die bei plötzlichem Absetzen des Medikamentes zu **Entzugserscheinungen** führt. Dies läßt sich durch langsame Dosisreduzierung bei abnehmender Schmerzintensität verhindern. Es kann gefolgert werden, daß die Opioidtherapie auch während der Bewußtlosigkeit bzw. während des Sterbens fortgeführt werden muß, um quälende Entzugserscheinungen zu vermeiden.
Eine im Therapieverlauf erforderlich werdende **Dosiserhöhung** (*Toleranzentwicklung*) ist medizinisch vertretbar und unproblematisch, da der gewünschte schmerzlindernde Effekt immer noch erreicht werden kann - und zwar ohne das Leben des Kranken zu gefährden bzw. zu verkürzen. Voraussetzung ist die **individuelle Anpassung der Dosis** und die **Beobachtung des Kranken**. Im übrigen erfordert und legitimiert häufig auch der im Krankheitsverlauf zunehmende Schmerz eine Dosiserhöhung.

❒ Kontraindikationen

- Schwangerschaft,
- Geburt,
- Stillzeit,
- Säuglings- und Kleinkindalter,
- Lungenfunktionsstörungen.

❒ Nebenwirkungen

❍ Atemdepression

Opioide können, **abhängig von der Dosis**, eine Atemdepression hervorrufen. Diese ist jedoch weitaus seltener zu beobachten als von vielen gefürchtet.
Eine **erhöhte Empfindlichkeit** gegenüber Morphinen findet sich **bei** Menschen mit **chronischen Lungenerkrankungen**, bei **Neugeborenen** und bei gleichzeitiger **Einnahme weiterer atemdepressiver Arzneimittel**.

- **Bei oraler Verabreichung** ist nicht mit einer Atemdepression zu rechnen, sofern das Opioid korrekt und individuell angepaßt dosiert wird (Arzt) und sich beim Kranken eine physiologische Atmung beobachten läßt.
- **Bei der intravenösen Verabreichung** des Opioids in Form einer geplanten **Dauerinfusion** ist die Gefahr der Atemdepression gering. Der Atemvorgang sollte vor und während der Infusion beobachtet werden. **Bei Veränderungen der Atmung** (Bradypnoe und flache Atmung) ist **sofort** der **Arzt** zu **verständigen**. Dieser kann ggf. ein Antidot, das als Morphinantagonist die Hemmung des Atemzentrums aufhebt, verabreichen. Es handelt sich dabei um Naloxon (Narcanti®).
- **Durch intravenöse Verabreichung als Bolus**, vor allem bei wiederholten Injektionen, kann infolge des raschen und hohen Anstiegs des Morphinspiegels im Blut eine Atemdepression hervorgerufen werden.
- **Die intrathekale** *(innerhalb der Dura mater spinalis zwischen äußerem und innerem Durablatt bzw. im Liquorraum)* **Verabreichung** zeigt eine ausgeprägte schmerzlindernde Wirkung, weil die Medikamente direkt an die Opiatrezeptoren gelangen. Folglich ist nur eine sehr geringe Dosis erforderlich - ein Bruchteil der bei systemischer Verabreichung benötigten Menge. Das Risiko einer Überdosierung, und damit einer Atemdepression, ist relativ hoch und **erfordert** sowohl eine **exakte individuelle Dosisanpassung** als auch eine **sorgfältige** und regelmäßige **Beobachtung der Atmung**.

❍ Obstipation

Opioide erhöhen den Tonus der glatten Muskulatur des Magen - Darm - Traktes; folglich kommt es fast immer zur spastischen Obstipation. Aus diesem Grunde werden ab Beginn und über die Dauer der Opioidtherapie **Laxanzien verordnet**, um von vornherein eine Obstipation zu verhindern. Im Zusammenhang mit der regelmäßigen Verabreichung ist es nicht selten notwendig, wiederholt die **Einsicht des Kranken** in diese Maßnahme zu **fördern**, da das Problem bei erfolgreicher Prophylaxe für ihn nicht zwangsläufig erkennbar wird. Außerdem ist der Kranke anzuhalten, möglichst **2 l Flüssigkeit** am Tag zu trinken. Die Verabreichung von Quellstoffen sollte unterbleiben.

Die regelmäßige Beobachtung der Stuhlfrequenz und -konsistenz ermöglicht eine **Erfolgskontrolle** der Prophylaxe. **Beachte**: Ein tägliches Absetzen weichen Stuhls wird zwar angestrebt, ein 2 - 3 tägiger Rhythmus aber als ausreichend angesehen.

❍ Übelkeit und Erbrechen

In der ersten Woche einer Morphintherapie kann es **vorübergehend** zu Übelkeit und Erbrechen **unterschiedlichen Ausmaßes** kommen. Meist verordnet der behandelnde Arzt für diese Zeit **prophylaktisch Antiemetika**.

Die Pflegenden sorgen für die regelmäßige Einnahme der verordneten Medikamente, beobachten deren Wirkung und unterstützen den Kranken bei auftretender Übelkeit sowie bei Erbrechen.

❍ Müdigkeit

Zu Beginn der Schmerztherapie mit Opioiden tritt eine **gewisse Sedierung** auf; der Betroffene fühlt sich schläfrig und träge. Zusätzlich kann aufgrund einer vorausgegangenen, schmerzbedingten Schlaflosigkeit ein gewisser Nachholbedarf an Schlaf bestehen. Bei den meisten Betroffenen läßt diese Müdigkeit nach 3 - 4 Tagen nach und klingt ganz ab (*Toleranzentwicklung*). Im Falle notwendiger Dosiserhöhungen wird sie abermals vorübergehend auftreten. Nur **bei einigen Menschen** bleibt längere Zeit eine **stärkere Müdigkeit** bestehen. Betroffene, die sich dadurch zu stark eingeschränkt fühlen, wünschen in diesem Fall evtl. eine niedrige Opioiddosis und akzeptieren etwas stärkere Schmerzen.

Pflegende beobachten den Bewußtseinszustand und befragen den Kranken hinsichtlich seiner Toleranz gegenüber der Müdigkeit. Bei Bedarf sollten außerdem die vom Arzt gegebenen Informationen hinsichtlich der Nebenwirkungen wiederholt werden, so daß der Kranke deren Ursache und Dauer einschätzen sowie tolerieren kann.

❍ Weitere mögliche Nebenwirkungen

Opioide können neben den genannten weitere Nebenwirkungen hervorrufen:

- Mundtrockenheit,
- Stimmungsveränderungen (Dysphorie, Euphorie),
- Dämpfung des Hustenreizes,
- Appetitlosigkeit,
- Harnretention,
- Juckreiz,
- Schweißausbrüche,
- Blutdrucksenkung,
- Bradykardie*,
- Schwindelgefühle.

Die **Krankenbeobachtung** ist entsprechend auszurichten und der **Arzt hinsichtlich beobachteter Veränderungen zu informieren**. Er wird die Therapie verändern oder weitere Anordnungen zur Bekämpfung der Nebenwirkungen treffen.

❐ Intoxikation

Eine Intoxikation ist bei Einhaltung der strengen Therapieregeln nicht zu erwarten. Sie ist **Folgeerscheinung einer Überdosierung** von Opioiden.

Eine akute **Morphinintoxikation** ist durch Atemlähmung, Bewußtlosigkeit und Pupillenverengung (*Miosis*) gekennzeichnet.

Treten diese Symptome tatsächlich auf, sind die Verabreichung eines Antidots, die **Wiederherstellung einer ausreichenden Atmung** und die **Sauerstoffzufuhr** vorrangig.

12.4.9.3 Erfolgskontrolle

Um Wirkung, Nebenwirkungen und Effektivität der medikamentösen Schmerztherapie erfassen und beurteilen zu können, ist eine sorgfältige **Krankenbeobachtung** inklusive der entsprechenden **Dokumentation** erforderlich. Hierzu bieten sich **Verlaufsprotokolle** an, die das gesamte Geschehen zusammenhängend und übersichtlich erfassen. *Abbildung 12.7* zeigt ein Beispiel.

Das **therapiebegleitende Schmerzprotokoll** kann - je nach Zustand des Kranken - von ihm selbst, von der zuständigen Pflegeperson, vom Arzt oder gemeinsam geführt werden.

12.4.9.4 Gesetzliche Vorschriften

Der Umgang mit Opioiden und allen anderen Betäubungsmitteln (*BtM*) ist im **Betäubungsmittelgesetz** geregelt. Es stellt den ungesetzlichen Gebrauch von BtM unter Strafe und regelt, zusammen mit der **BtM - Verschreibungsverordnung** (*BtMVV*), die ärztlich indizierte Anwendung von BtM. Die BtMVV regelt das Verschreiben, die Abgabe und den Nachweis des Verbleibs von BtM. Die Verschreibung muß über ein **dreiteiliges amtliches Formblatt**, das sogenannte *BtM - Rezept*, erfolgen. Die Vordrucke werden auf Anforderung von der Bundesopiumstelle in Berlin ausgegeben und sind mit einer internen Arztnummer sowie dem Ausgabedatum versehen. Teil I und II des BtM - Rezeptes werden dem Apotheker vorgelegt, Teil III muß drei Jahre lang beim Arzt aufbewahrt werden. Die Rezeptvordrucke müssen diebstahlsicher aufbewahrt werden.

Betäubungsmittel sind die im BtM - Gesetz aufgezählten **Wirksubstanzen mit psychotroper, bewußtseins- und stimmungsverändernder Wirkung, die zu** physischer und/oder psychischer **Abhängigkeit führen können**. Sie unterliegen deshalb Anwendungsverboten bzw. -beschränkungen. Dazu gehören die in Arzneimit-

Therapiebegleitendes Schmerzprotokoll							
Name: Muster, Josefa		Geb. Datum: 05.02.31			Datum: 08.03.98		
Uhrzeit	0.00	4.00	8.00	12.00	16.00	20.00	24.00
Medikation - Medikament - Dosis - Applikationsart			MST® 60 mg Retard Tabl. Laxoberal® 15 Trpf.		MST® 60 mg Retard Tabl.		MST® 60 mg Retard Tabl.
Übelkeit = Ü Erbrechen = E			Ü leicht, vormittags				
Atemfrequenz	10	10	14	12	16	14	12
Bewußtseinszustand	schläft	=	wach	döst 13.00-14.00h	wach	schläft ab 23.00h	schläft
Stuhlabgang = | Konsistenz			| weich				
Weitere Nebenwirkungen							
Schmerzintensität 0 - 5	0 | 0 | 0 | 0	0 | 1 | 1 | 3	2 | 0 | 0 | 0	1 | 1 | 0 | 0	1 | 2 | 1 | 0	0 | 0 | 0 | 0	0 | 0 | 0 | 0
Schmerzauslösende Faktoren		Aufstehen 7.00 h			Spaziergang 16.00-16.30h		
Weitere Beobachtungen / Bemerkungen		gut geschlafen					

Abb. 12.7 ***Beispiel für ein therapiebegleitendes Schmerzprotokoll***

teln verwendeten Morphine und morphinähnlichen Analgetika, Kokain sowie Opium und die nicht verkehrsfähigen Substanzen Heroin, Haschisch, Marihuana, Amphetamine und synthetische Drogen.

BtM müssen **unter dauerndem Verschluß aufbewahrt werden.** Den Schlüssel vom BtM-Schrank trägt nur eine (ein) dafür verantwortliche(r), staatlich examinierte(r) Krankenschwester / -pfleger. Eine Stellvertretung ist zu benennen.

In einem **BtM-Buch** sind alle Ein- und Ausgänge der BtM festzuhalten.

Auf speziellen Vordrucken werden notiert:

- Handelsname des verabreichten Medikamentes,
- Dosis und Verabreichungsform,
- Name des Patienten,
- Name des anordnenden Arztes,
- Name der verabreichenden Pflegeperson,
- Datum.

Bei jeder Veränderung des BtM-Bestandes ist der tatsächliche Bestand festzustellen und mit dem Sollbestand zu vergleichen. Der zuständige Arzt muß diese **Kontrolle** zusätzlich einmal monatlich durchführen und gegenzeichnen.

12.4.10 Hinweise für die Gestaltung einer individuellen Pflegeplanung

a) Informationssammlung und Problemanalyse

Zunächst gilt es, das **individuelle Schmerzgeschehen** zu **beobachten** und zu **analysieren**. Pflegende unterstützen den Kranken und den Arzt dabei und dokumentieren die Ergebnisse. Das Ausfüllen eines Schmerzprotokolls und das Führen eines Schmerztagebuches - begleitet von persönlichen Gesprächen - sowie die Beobachtung des Kranken erlauben die Analyse des individuellen Geschehens und ermöglichen so eine individuell angepaßte Schmerzbewältigung und - therapie. Weiter ist es empfehlenswert, die das Schmerzgeschehen betreffenden **Informationen auf einem Formular zusammenzutragen**. Ein Beispiel dafür stellt die Informationssammlung **"Individuelles Schmerzgeschehen"** *(siehe nächste Seite)* dar.

b) Festlegung des Pflegebedarfs

Problemformulierung

Die individuellen Probleme lassen sich aus der Situation eines Betroffenen und der Analyse seines Schmerzes ableiten. Sie könnten z.B. folgendermaßen beschrieben werden. **Der Kranke**

- leidet unter tumorbedingten starken Schmerzen.
- ist hoffnungslos, hat sich zurückgezogen und verhält sich passiv, weil er seit drei Jahren unter starken Schmerzen leidet und ihm niemand helfen konnte.
- leidet unter der Angst, die Schmerzen nicht mehr aushalten zu können.
- vermeidet Bewegungen und Aktivitäten, weil sie den Schmerz verstärken.
- zieht sich zurück, weil er sich minderwertig und nutzlos fühlt.
- hat sein Hobby / seinen Beruf aufgegeben und findet nun weder Beschäftigung noch Ablenkung.
- entwickelt in physischen und psychischen Streßsituationen Muskelverspannungen, die zu starken Schmerzen führen.

Einbeziehung der Ressourcen
Wie bei allen chronischen Leiden kommt auch hier den **Ressourcen besondere Bedeutung** zu. Das Einbeziehen und Fördern der seelisch-geistigen, der sozialen und der körperlichen Kräfte steigert das **Wohlbefinden** und **erleichtert die aktive Krankheitsbewältigung**. Die Ressourcen können im Gespräch und durch aufmerksame Beobachtung offensichtlich werden. **Beispiele**:
Der Kranke
- findet Halt und Unterstützung in seiner Familie / bei Freunden.
- geht gern spazieren / zeichnet gern / strickt gern.
- möchte selbst seine Situation verändern.
- interessiert sich für nicht medikamentöse Möglichkeiten der Schmerzlinderung.
- ist zuversichtlich, trotz des Schmerzes ein angenehmes Leben führen zu können.
- schöpft Anerkennung und Selbstbestätigung aus seiner Berufstätigkeit / seinem sozialen Engagement / seinem kreativen Hobby.

c) Zielsetzung
Übergeordnete Ziele des Kranken und der Pflegenden sind die **gelungene Schmerzbewältigung** bzw. -therapie und das größtmögliche Wohlbefinden des Kranken. **Teilziele** sollten gemeinsam mit dem Betroffenen aufgestellt werden. **Beispiele**:

Der Kranke
- teilt sein individuelles Schmerzempfinden mit.
- fühlt sich in seinem Leiden ernst- und angenommen.
- erfährt Schmerzlinderung / -beseitigung.
- kennt sein individuelles Schmerzgeschehen (auslösende, verstärkende, dämpfende, lindernde und weitere Faktoren).
- zeigt Hoffnung und ist motiviert, seine Situation selbst aktiv zu verändern.
- kennt Möglichkeiten der aktiven Schmerzbewältigung und wendet einige an.
- erprobt, trainiert und beherrscht letztendlich eine Entspannungstechnik.
- integriert den Schmerz in sein Leben und bleibt / wird wieder aktiv, pflegt soziale Kontakte.
- empfindet Lebensfreude.

d) Maßnahmenplanung
Die Maßnahmen der Pflege sind ausgerichtet auf:
- das Erfassen und Analysieren des individuellen Schmerzgeschehens;
- die Annahme und die Begleitung des Kranken (ggf. auch seiner Angehörigen) in seinem Leiden;
- die Linderung bzw. Beseitigung der Schmerzen im Rahmen des Möglichen;
- die Unterstützung des Kranken bei der aktiven Bewältigung seines Leidens (Information, Motivation, Beratung, Anleitung);
- die angemessene Unterstützung des Kranken bei den ATL (z.B. bei Schlafstörungen, Erbrechen, Bewegungseinschränkung);
- die positive Beeinflussung des Schmerzgeschehens: Abbau schmerzverstärkender und Einsatz schmerzdämpfender Faktoren;
- die Assistenz bei der angeordneten Therapie (evtl.) und die Beobachtung der Wirkung;
- die Prophylaxe von Schmerzen, Schmerzspitzen / -durchbrüchen, Schmerzfolgen, Nebenwirkungen der Analgetikatherapie.

Eine Vielzahl der möglichen und bewährten Methoden ist dem Abschnitt *"Umgang mit Schmerzen"* zu entnehmen. Die Auswahl der jeweils einzusetzenden Pflegemaßnahmen erfolgt in Absprache mit dem Kranken und dem behandelnden Arzt. Dabei sollten die bisherigen **Erfahrungen des Betroffenen** mit den verschiedenen Methoden **unbedingt berücksichtigt** werden.

e) Durchführung
Die Durchführung der Pflege **richtet sich nach** den vorausgegangenen, am Krankheitsgeschehen und -erleben orientierten **Planungsschritten**, dem **aktuellen Befinden** des Kranken und der **ärztlich verordneten Therapie**. Dabei bilden die Beobachtung, Beratung und Begleitung des Kranken pflegerische Schwerpunkte.

f) Berichterstattung
Die Berichterstattung **bezieht sich auf** das jeweils aktuelle **Befinden** des Kranken - auch im Zusammenhang mit der Durchführung (selbst-) pflegerischer und therapeutischer Maßnahmen. Auch sollte über das **Verhalten** und über **zusätzlich auftretende Probleme** berichtet werden.

g) Erfolgskontrolle
Die Wirkung der durchgeführten Maßnahmen wird **in** individuell **festgelegten Zeitabständen** anhand der Pflegeziele und der Rückmeldung des Kranken beurteilt. Die Berücksichtigung der Aufzeichnungen des Kranken (*Schmerztagebuch*) ermöglicht dabei, ebenso wie ein therapiebegleitendes Schmerzprotokoll, wichtige Rückschlüsse.

Weiterführende Adressen für Schmerzkranke

Deutsche Schmerzhilfe e.V.
Woldsenweg 3
20249 Hamburg
Telefon: 040/465646

Deutsche Schmerzliga e.V.
August-Schanz-Str. 21
60433 Frankfurt/M.
Telefon: 069/541145

Deutsche Gesellschaft zum Studium des Schmerzes e.V.
Prof. Dr. Dr. M. Zimmermann
II. Physiologisches Institut der Universität
Im Neuheimer Feld 326
69120 Heidelberg
Telefon: 06221/564050

Schmerztherapeutisches Kolloquium e.V.
Roßmarkt 3
60311 Frankfurt/M.
Telefon 069/29988077

Informationssammlung "Individuelles Schmerzgeschehen"

Datum: Name: Vorname: Geb.-Datum: Schmerzen seit:

Lokalisation
- ☐ örtlich begrenzt
- ☐ nicht abgrenzbar
- ☐ ausstrahlend

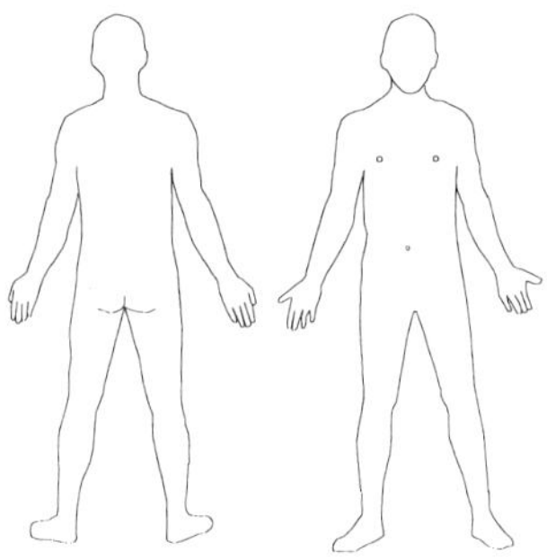

Qualität
- ☐ bohrend
- ☐ ziehend
- ☐ reißend
- ☐ dumpf
- ☐ hell
- ____________
- ____________

Bedeutung
- ☐ Prüfung, Aufgabe
- ☐ Warnung
- ☐ Angst (vor Krebs)
- ☐ Strafe, Sühne
- ____________
- ____________

Schmerzauslösende/ verstärkende Faktoren
- ☐ seelische Belastung/ Anspannung
- ☐ bestimmte Tätigkeiten
  ____
- ☐ Bewegung
- ☐ Verspannung
- ☐ Wetterlage
  ____
- ☐ Krankheit
  ____
  ____

Verspannungen auslösende Faktoren
- ☐ Gedanken (z.B. an Streit)
  ____
  ____
- ☐ Gefühle (z.B. Angst, Wut)
  ____
  ____
- ☐ Tätigkeiten (z.B. Heben, Bügeln)
  ____
  ____
- ☐ Körperhaltung (z.B. Schonhaltung)
  ____
  ____

Folgen
- ☐ Verspannung
- ☐ Passivität
- ☐ Schlafstörungen
- ☐ Aggressivität, Wut
- ☐ Angst
- ☐ Verlust der Lebensfreude
- ☐ Minderwertigkeitsgefühle
- ☐ Zuwendung
- ☐ Entlastung
- ☐ Veränderung sozialer Beziehungen
- ☐ Schonhaltung
- ☐ Übelkeit/Erbrechen
- ☐ Kreislaufveränderungen
- ☐ depress.Verstimmung
- ☐ Verlust des Lebenswillens
- ☐ Verringerung sozialer Kontakte
- ☐ Aufgabe des Berufs/ der Hobbies
- ☐ Fürsorge
- ☐ Abhängigkeit

Bisherige (Verhaltens-)Maßnahmen zur Schmerzbekämpfung

Erfolgreiche: ____________
____

Erfolglose: ____________
____

Erwartungen an Therapie / Arzt
- ☐ Heilung
- ☐ Medikamente
- ☐ Umgang mit Schmerz lernen
- ☐ Linderung
- ☐ keine Medikamente
- ☐ Physiotherapie
- ☐ Alternative Therapie

Erwartungen an Angehörige / Pflegepersonal
- ☐ Verständnis
- ☐ Zuwendung
- ☐ einfühlsame Gespräche
- ☐ Entlastung
- ☐ Unterstützung bei körperlichen Aktivitäten
- ☐ Geduld
- ☐ Ruhe
- ☐ Ablenkung
- ☐ harmonische Atmosphäre
- ☐ Lernen schmerzlindernder Techniken

☆ Schmerz — Verspannung ●

Schmerz													Muskeln
⇧	unerträglich												harte schmerzende
	stark												⇧
	mäßig												
	leicht												⇩
⇩	nicht vorhanden												weiche entspannte
	Uhrzeit	6 h	8 h	10 h	12 h	14 h	16 h	18 h	20 h	22 h	24 h	nachts	

12.5 Bösartiges Tumorleiden

12.5.1 Die Diagnose "Krebs"

❒ Begriffserläuterungen

Das Wort "*Krebs*" ist ein Sammelbegriff für **bösartige Gewebeneubildungen**. Im engeren Sinn bezieht es sich auf das **Karzinom**, einen vom Epithelgewebe ausgehenden **malignen Tumor**; im weiteren Sinn schließt der Begriff das **Sarkom**, einen bösartigen, vom Mesenchym *(Binde- oder Stützgewebe)* ausgehenden Tumor, ein.

Im medizinischen Sinn ist Krebs definiert als **Zellwucherung**, die den Steuerungsmechanismen des Organismus nicht mehr gehorcht, sich ausbreitet und unbehandelt in der Regel zum Tode führt.

❒ Individuelle Interpretationen

Mit der Diagnose "*Krebs*" sind im allgemeinen zahlreiche **unheilvolle Vorstellungen** und Interpretationen verbunden. Sie variieren individuell, sind jedoch überwiegend negativ geprägt. So verknüpfen viele Menschen mit der Diagnose "**Krebs**":

- eine existentielle Bedrohung, ein "Todesurteil"
- einen schweren Schicksalsschlag
- Leid, Qualen, unerträgliche Schmerzen
- Siechtum, langsames Sterben, Tod
- Unheilbarkeit, Verlorensein, Hoffnungslosigkeit
- qualvolle Behandlung, Haarausfall, Abmagerung
- ausgestoßen und gemieden werden, soziale Isolation
- Verlust der Lebensfreude, der Unbeschwertheit
- Ungewißheit, Zukunftsangst
- Entstellung, Verstümmelung
- Einbuße der Leistungsfähigkeit und der Attraktivität, Minderwertigkeit
- Hilfsbedürftigkeit, Belastung für andere sein
- Strafe oder Sühne (z.B. für einen unsoliden Lebenswandel oder für gegenüber anderen Menschen begangene Fehler)
- Schuldgefühle (bzgl. gesundheitsgefährdender Gewohnheiten)
- Prüfung Gottes
- Läuterung (Chance, die persönlichen Wertvorstellungen und Lebensgewohnheiten zu hinterfragen und neu zu definieren).

Wird einem kranken Menschen bzw. einem ihm nahestehenden Menschen die Diagnose Krebs mitgeteilt, überfluten ihn wahrscheinlich die genannten oder ähnliche Gedanken. Genauere Informationen über den Tumor und die Therapiemöglichkeiten können deshalb zu diesem Zeitpunkt nicht (vollständig) aufgenommen werden. Eine zeitliche Verschiebung oder Wiederholung der weitergehenden Information wird erforderlich.

12.5.2 Zur Situation eines Betroffenen

Für viele der Betroffenen beginnt mit dem begründeten Verdacht auf eine bösartige Tumorerkrankung ein von Untersuchungen, Ängsten, Ungewißheit und Hoffnung geprägter Leidensweg. Die meisten ahnen die Wahrheit und nehmen das Verhalten ihrer Mitmenschen sehr sensibel wahr - es ist nahezu unmöglich, ihnen die Wahrheit vorzuenthalten. Außerdem würde ihnen die Möglichkeit genommen, sich auf die schwere Krankheit einzustellen und die Krise gemeinsam mit den Mitbetroffenen (Partner, Familie, Freunde) zu erleben und zu bewältigen.

Der **Wunsch nach Aufklärung** besteht **bei fast allen Betroffenen**; sie signalisieren in der Regel deutlich, wie detailliert sie die Informationen wünschen. Nur 5% der Krebskranken lehnen einen offenen Umgang mit der Diagnose ab; diese meist besonders einsamen Menschen wehren die Konfrontation mit der Krankheit ab, um sich vor einer Überforderung zu schützen.

Die Gewißheit, an Krebs erkrankt zu sein, ist zunächst Trauma und Kränkung; sie löst meist eine **Krise** aus. Der betroffene Mensch **benötigt** in dieser neuen Situation **Orientierungshilfe** von den professionellen Helfern. Eine Information und Aufklärung über seine Erkrankung sollen die Vorstellung, "der Krebs" bedeute den baldigen und qualvollen Tod, korrigieren sowie realistische Hoffnung vermitteln. Den meisten Betroffenen ist nicht bekannt, daß in 10 - 12% der Fälle eine Heilung und in anderen Fällen zum Teil lange Remissionen möglich sind.

Bei der Verarbeitung der Lebenskrise lassen sich im allgemeinen bestimmte emotionelle Verhaltensweisen und Reaktionen beim Betroffenen (evtl. auch bei ihm nahestehenden Menschen) beobachten; sie entsprechen den von Elisabeth Kübler-Ross beschriebenen Sterbephasen (siehe Seite 979):

- Nichtwahrhabenwollen, Leugnen
- Zorn, Wut, Aggression
- Verhandeln, Hadern
- Depression
- Annahme, Versöhnung mit dem Schicksal.

Die einzelnen "Phasen" können in ganz unterschiedlicher Reihenfolge und Ausprägung auftreten; Wiederholungen der einzelnen Reaktionen können vor allem bei Rückfällen beobachtet werden. So kann die **Abwehr der Krankheit** (Leugnen) immer wieder auftreten und dem Kranken im Sinne einer Schutzfunktion ermöglichen, bestimmte Aktivitäten aufzunehmen und Hoffnung zu schöpfen.

Zorn und Wut möchten am liebsten gegenüber einem "Sündenbock" ausgelassen werden; als solchen betrachtet der Kranke - insbesondere bei Rückfällen - oft die Ärzte, die Pflegenden oder auch sich selbst. Die meisten Menschen trauen sich jedoch nicht, ihre augenblicklichen Gefühle auszudrücken. Statt dessen ziehen sie sich zurück; mancher gerät in eine **soziale Isolation**.

Die Krebskrankheit konfrontiert den Betroffenen mit Verlusten, die nur durch Trauerarbeit zu bewältigen sind. So kann es zum **Verlust** nicht nur von Fähigkeiten, Eigenschaften und Körperteilen, sondern auch der Sorglosigkeit, der Unbekümmertheit und des seelischen Gleichgewichts sowie zur Aufgabe bestimmter Zukunftspläne kommen. Der Betroffene hat seine **Integrität verloren**, er ist sehr verletzlich und verwundbar.

In dieser **Verletzlichkeit** braucht ein Krebskranker Zuwendung, soziale Integration und Menschen, die ihn begleiten. Leider müssen einige darauf verzichten, weil ihre Mitmenschen sie aus Unsicherheit, Hilflosigkeit, unbegründeter Angst vor Ansteckung und anderen Ängsten meiden. Das **Gefühl**, mit seinem Problem **allein zu sein**, wird verstärkt. Zieht der Kranke sich in Phasen der Depression von sich aus zurück, lebt er völlig isoliert. Gerade jetzt braucht er jedoch die Bestätigung, nicht vergessen zu sein, "noch zu leben", wertvoll zu sein.

Die meisten krebskranken Menschen verbinden mit der ersten Operation - und ggf. mit nachfolgenden - die vollständige Entfernung des Krebsgewebes und die **Hoffnung auf Heilung**. Diese Hoffnung mobilisiert ihre Ressourcen und hilft ihnen in der Regel, die prä- und postoperative Phase zu bewältigen. So entwickelt sich **neues Selbstvertrauen**. Ein Betroffener fühlt sich z.B. "wie neugeboren" und sieht sich in der Lage, sein Leben zu gestalten. Einige der Betroffenen werden nicht enttäuscht - sie sind geheilt. Die **Angst vor** einem **Rezidiv** und die verlorene Unbeschwertheit können zunächst die Lebensfreude und -qualität beeinträchtigen. Letztendlich führt die Konfrontation mit der Tumorerkrankung nicht selten zu einer **bewußteren Lebensgestaltung** und einem neuen Lebensgefühl.

Im Zusammenhang mit der verlorengegangenen Sorglosigkeit, der unmittelbaren Konfrontation mit der Endlichkeit des eigenen Lebens, der Präsenz von Ängsten und einem veränderten Lebensgefühl sprechen viele der Betroffenen von ihrem "neuen" oder "zweiten" Leben, dem Leben mit Krebs. Dieses kann eine zuvor nicht gekannte Lebensqualität vermitteln, wenn z.B. die Erkrankung zu der lang ersehnten Zuwendung des Partners führt (**sekundärer Krankheitsgewinn**) oder eine neue, befriedigendere Lebensführung gewählt wird. Andere leben so weiter wie bisher, erleben ihr Dasein jedoch meist bewußter und intensiver.

Weiter beeinflußt die individuelle Vorstellung hinsichtlich der Krankheitsentstehung die Begegnung mit dem Leiden. Die **Interpretation**, eine gerechte Strafe zu erhalten, macht den Betroffenen mut- und hoffnungslos, verhindert die Mobilisierung seiner Ressourcen und zwingt ihn, sich passiv seinem Schicksal zu ergeben. Wird die Krebserkrankung dagegen als Mahnung und Wendepunkt gedeutet, läßt sie persönliche Aktivitäten im Sinne von Veränderungen der Lebensführung und -einstellung zu. Der Betroffene erlebt sich nicht hilflos und ausgeliefert, seine Selbstheilungskräfte werden mobilisiert.

Manche krebskranke Menschen legen die Verantwortung für sich und für die Behandlung ihrer schweren Krankheit ganz und vertrauensvoll in die Hände der Ärzte und nehmen eine **passive, abwartende Rolle** ein; andere vertrauen den Ärzten zwar, bestehen aber dennoch auf genaue Informationen und zusätzlichen **Eigenaktivitäten**. Wieder andere wenden sich zu Beginn - häufiger jedoch erst im Verlauf eines langjährigen, trotz zum Teil aggressiver Therapien von Rückfällen gezeichneten Leidens - von der (ausschließlich) schulmedizinischen Behandlung ab und wenden sich **alternativen Methoden** zu. Sie werden von dem Bedürfnis geleitet, ihr Leben selbst aktiv zu gestalten und zu kontrollieren sowie ihre gesunden **Anteile** zu **stärken**. Gleichzeitig besteht meist das Gefühl, die aggressiven Therapien würden auch die gesunden Anteile ihres Körpers zerstören, ohne jedoch den Krebs zu besiegen.

Einige Ärzte und Pflegende begegnen so fühlenden und denkenden Menschen mit Unverständnis und dem Vorwurf, verantwortungslos zu handeln. Solche Reaktionen werden von den Kranken in der Regel als **Nichtachtung ihrer Autonomie** und Bestrafung ihrer Eigenaktivität verstanden; sie führen zur **Kränkung** ihres ohnehin verletzten Selbstwertgefühls.

Das Alter und die Lebenssituation / -phase eines Betroffenen beeinflussen ebenfalls die individuellen Reaktionen auf die Krebserkrankung. So wehren sich die meisten Betroffenen, die kleine Kinder zu versorgen haben, besonders energisch gegen ihr Schicksal, während z.B. Senioren in höherem Lebensalter eher sowohl die Erkrankung als auch den näherrückenden Tod zulassen und akzeptieren können.

Ein **Rückfall schwächt** den Betroffenen in seiner Ganzheit: nicht nur der Körper, auch die seelischen Kräfte können empfindlich beeinträchtigt werden. In diesem von Enttäuschung, Wut, Verzweiflung und Schwäche gekennzeichneten Zustand werden neue, schwerwiegende Entscheidungen von dem Kranken verlangt. Er muß die Nutzen und Risiken bzw. Belastungen weiterer Behandlungen abwägen und entscheiden, ob er abermals deutliche Einbußen der Lebensqualität ertragen will. Manchem Kranken fehlen für eine solche Entscheidung der Mut, die notwendige Hoffnung und das Vertrauen in die Therapie. Er zieht es vor, sein Leben im gewohnten Umfeld wie bisher und ohne weitere Einschnitte zu gestalten; andere geben sich auf und warten auf den Tod.

Immer wieder kann beobachtet werden, daß chronisch krebskranke Menschen die Qualität ihres verbleibenden Lebens höher bewerten als eine mögliche - aber mit deutlichen Einbußen der Lebensqualität einhergehende - Lebensverlängerung durch eine schulmedizinische Behandlung. Eine ernstgemeinte Unterstützung bei dieser Entscheidungsfindung und ein Respektieren der persönlichen Entscheidung stärken das Selbstwertgefühl und die inneren Kräfte eines Betroffenen.

Zahlreiche Beeinträchtigungen und überwiegend physische Probleme, die allerdings ihrerseits psychische Auswirkungen beim Betroffenen hervorrufen können, werden nachfolgend unter *"Problembereiche und entsprechende Pflegeschwerpunkte"* besprochen.

Aus den Reaktionen und Assoziationen, die die Diagnose Krebs hervorruft, lassen sich zu erwartende **Bedürfnisse des Kranken** ableiten.

Viele krebskranke Menschen wünschen vor allem

- angemessene, d.h. den persönlichen Wünschen entsprechende **Informationen** hinsichtlich der Krankheit, der Prognose und der Therapiemöglichkeiten, um ihre persönliche Situation einschätzen zu können.
- die **Vermittlung von Hoffnung**, die sich z.B. auf Heilung, Schmerzfreiheit, Rehabilitation, das Erleben bestimmter Ereignisse oder auf einen friedlichen, würdevollen Tod beziehen kann.
- weder aufgegeben noch alleingelassen zu werden.
- die **Unterstützung und Begleitung** durch ihnen nahestehende Menschen.

- **angenommen zu werden**, ein geschätztes Mitglied bestimmter sozialer Gruppen zu bleiben (*soziale Integration*).
- ihre **Gefühle** des Zorns, der Kränkung und der Trauer zeigen zu dürfen.
- zeitweise **Ruhe und Alleinsein**, ohne dabei von anderen Menschen vergessen zu werden.
- **Linderung** bzw. Verhinderung von **Symptomen** und Komplikationen, die die Lebensqualität beeinträchtigen (z.B. Schmerzen, Atemnot, Bewegungsunfähigkeit, Erbrechen).
- die **Erfüllung ihrer religiösen Bedürfnisse**.
- die Akzeptanz ihrer persönlichen Entscheidungen.
- die Wahrnehmung und Förderung ihrer gesunden Anteile.
- ggf. die **Unterstützung ihrer Angehörigen** durch professionelle Helfer (z.B. Haushaltshilfe; Gespräche).
- eine **sachkompetente** pflegerische und medizinische **Versorgung**.

12.5.3 Entstehung und Prophylaxe von Krebskrankheiten

Die Krebserkrankungen stellen heute die **zweithäufigste Todesursache** in den Industrienationen dar. Jährlich erkranken in Deutschland ca. 270 000 Menschen an Krebs. Durch die neuen diagnostischen Möglichkeiten der Medizin einerseits und durch das zunehmend höhere Lebensalter andererseits kann die Zunahme der Krebserkrankungen in den letzten Jahren zum Teil erklärt und relativiert werden.

Die Deutsche Krebshilfe faßt die derzeitigen wissenschaftlichen Erkenntnisse zur Krebsentstehung wie folgt zusammen:

"Die Entstehung von Krebs ist ein äußerst komplizierter und vielschichtiger Prozeß, der nicht auf eine einzige Ursache zurückgeführt werden kann. Vielmehr betrachten ihn heute Fachleute als ein Zusammenspiel mehrerer Komponenten, zu denen endogene (innere) Faktoren wie Schäden im Erbmaterial (Mutationen), vor allem jedoch exogene (äußere) Faktoren wie der Verbrauch von Genußmitteln, Ernährung, Chemieprodukte, Strahlen und Viren zählen, die dann die endogenen Faktoren beeinflussen und die Krebserkrankung auslösen.
Die Forschung scheint der Problemlösung der Krebsentstehung in den letzten Jahren wieder ein Stück nähergerückt zu sein. So gilt bei der Krebsentstehung folgender Mechanismus als gesichert: Bereits in gesunden Körperzellen befinden sich "Krebsinformationen" im Erbmaterial. Diese Krebsgene (sog. Onkogene) können u.a. durch äußere Einflüsse bzw. Auslöser aktiviert werden. Zumeist können die dabei hervorgerufenen Schäden in den Zellen selbst durch körpereigene Reparaturmechanismen beseitigt werden. Geschieht dies nicht, entartet die bisher gesunde Zelle, und der Mensch erkrankt an Krebs."

Heute sind verschiedene **Umwelteinflüsse** und persönliche **Verhaltensweisen** bekannt, die mit einem erhöhten Krebsrisiko einhergehen. Es werden **direkte Karzinogene** (*Einwirkungen, die nachweislich und allein die Zellveränderung zur Tumorzelle auslösen*) und sogenannte **Kokarzinogene** (*Einwirkungen, die die Entwicklung einer Krebserkrankung fördern*) unterschieden. Nicht geklärt ist jedoch, warum nur einige Menschen bestimmter Risikogruppen an Krebs erkranken, während andere gesund bleiben. (Zum Beispiel erkrankt nicht jeder Raucher an Lungenkrebs). Die Krebsursache als solche kann zur Zeit nicht benannt werden; statt dessen wird deutlich, daß die **Krebsentstehung ein multifaktorielles Geschehen** sein muß.

❒ Rauchen

- Rauchen stellt den bedeutendsten Krebsrisikofaktor dar.
- Tabakrauch enthält zahlreiche chemische Karzinogene, unter anderem Arsen, Benzpyren, Nitrosamine und Teer, die alle Organe, die mit dem Rauch oder seinen Abbauprodukten in Kontakt kommen, belasten. Ungefähr 30% aller Krebstodesfälle werden auf Tabakkonsum zurückgeführt.
- Besonders schädlich ist die Inhalation des Rauchs, welche die Lunge direkt belastet; ca. 90% der am Bronchialkarzinom erkrankten Menschen sind Raucher.
- Zigarettenrauch ist ursächlich an der Entstehung von Lungen-, Mund-, Speiseröhren- und Harnblasenkrebs beteiligt.
- Das Lungenkrebsrisiko korreliert mit der Anzahl der täglich gerauchten Zigaretten.
- Auch das Risiko von Herz- und Kreislaufkrankheiten, die an erster Stelle der Todesursachen stehen, wird durch Rauchen um ein Mehrfaches erhöht.
- Die Wirkung des Passivrauchens ist noch Diskussions- und Forschungsgegenstand. Auf einen Zusammenhang zwischen Rauchen und der Entstehung von Lungenkrebs bei nichtrauchenden Partnern weisen epidemiologische Studien hin.

Prophylaxe
- Nikotinabstinenz;
- Aufgeben des Rauchens (Da die Schadstoffe in der Lunge langsam wieder abgebaut werden, gleicht sich nach 15jähriger Nikotinabstinenz das Risiko des Exrauchers dem eines Nichtrauchers langsam an.);
- falls (noch) nicht auf das Rauchen verzichtet wird: Zigarettenkonsum reduzieren, nur Filterzigaretten rauchen und den Rauch nicht (so tief) inhalieren, Zigarette nur bis zur Hälfte rauchen.

❒ Alkohol

- Übermäßiger Alkoholkonsum / -abusus begünstigt die Entstehung von bösartigen Tumorerkrankungen der Mundhöhle, des Kehlkopfes, der Speiseröhre und der Leber.
- Regelmäßiger Konsum großer Alkoholmengen und gleichzeitiges Rauchen bedingen ein (20-40 fach) erhöhtes Risiko für Mund- und Speiseröhrenkrebs.

Prophylaxe
- Beschränkung des Alkoholkonsums auf geringe Mengen;
- Behandlung einer Alkoholabhängigkeit *(siehe Seite 764)*.

❒ Bestimmte Ernährungsgewohnheiten

- **Überernährung** und **Übergewicht** erhöhen das individuelle Krebsrisiko.
- Bestimmte Eßgewohnheiten haben Einfluß auf die Entwicklung von Tumoren des Magen-Darm-Traktes, der Brust und der Prostata.
- **Faserstoffarme Kost** begünstigt die Entstehung von Dickdarmkrebs. Der geringe Faserstoffgehalt der täglichen Nahrung bedingt eine Verlangsamung der Darmpassage und verlängert somit den Kontakt der Darmschleimhaut mit Karzinogenen, die in der Nahrung enthalten sind.
- **Fettreiche Ernährung** begünstigt die Entstehung von Dickdarm- und Mastdarmkrebs, von Brustkrebs und evtl. auch von Prostatakrebs. Sie bedingt einerseits eine erhöhte Ausscheidung von Gallensäuren, die durch gewisse Darmbakterien zu krebserregenden Stoffwechselprodukten abgebaut werden (Darmkrebsrisiko), andererseits verändert sie die Hormonsekretion der Hypophyse (Risiko für hormonabhängige Tumoren).
- **Vitamin-C-Mangel** erhöht das Risiko für Magen- und Speiseröhrenkrebs.
- **Chronischer Vitamin-A-Mangel** erhöht das Risiko für Lungen- und Blasenkrebs.
- **Nitrosamine**, die in Lebens- und Arzneimitteln sowie im Tabakrauch vorkommen, begünstigen die Entstehung von Magenkrebs und belasten Leber, Lunge und Nervensystem. **Gepökelte, geräucherte und stark gesalzene Speisen** fördern die Bildung von Nitrosaminen, da sie Nitrat enthalten, welches durch Bakterien im Speichel und im Magensaft zu Nitrit umgewandelt wird. Im menschlichen Körper kann sich Nitrit mit Aminen (*stickstoffhaltigen Eiweißbestandteilen anderer Nahrungsmittel wie Käse, Fisch und Fleisch*) zu Nitrosaminen verbinden; dieser Prozeß wird durch Kochen und Braten verstärkt. Tatsächlich ist die Magenkrebshäufigkeit in den letzten Jahrzehnten rückläufig. Dies wird auf die veränderten Konservierungsmethoden, die einen verringerten Konsum gepökelter und geräucherter Nahrungsmittel nach sich zogen, sowie auf die bessere Versorgung mit Vitamin C zurückgeführt. Vitamin C soll die Bildung von Nitrosaminen hemmen.
  Auch eine übermäßige Düngung der Böden mit Stickstoffdünger kann die Belastung mit Nitrosaminen erhöhen. Nitrat kann sowohl über das Trinkwasser als auch über Salate und Gemüse vom Menschen aufgenommen werden. In einigen Regionen sind Gurken, Kopfsalat, Radieschen, Rettich und Spinat besonders nitrathaltig und sollten deshalb nicht im Übermaß verzehrt werden. Biere, insbesondere Stark- und Spezialbiere, enthalten Nitrosamine.
- Beim **Räuchern und Grillen** entstehen gefährliche Rückstände. Benzpyrene *(polyzyklische aromatische Kohlenwasserstoffe mit karzinogener Wirkung)* dringen in die Oberfläche der Räucherwaren ein bzw. schlagen sich - vor allem, wenn viel Fett ins offene Feuer tropft - auf dem Grillgut nieder.
- **Verschimmelte Para- und Erdnüsse** bzw. Erdnußwaren enthalten das vom Schimmelpilz Aspergillus flavus gebildete Aflatoxin.

Prophylaxe

- Vermeiden von Übergewicht, Zuführen einer ausgewogenen, faserstoff- und abwechslungsreichen Kost *(z.B. vitalstoffreiche Vollwertkost, siehe Seite 107)*;
- Einschränken des Konsums gepökelter oder mit Nitrat konservierter Nahrungsmittel und Einhalten kurzer Koch- bzw. Bratzeiten bei deren Zubereitung;
- beim Grillen: Achten auf gut durchgeglühte Kohle und Verwenden von magerem Fleisch;
- Verzicht auf übermäßigen Genuß gedüngten Gemüses *(s.o.)*;
- Trinken dunkler Stark- und Spezialbiere nur in Maßen;
- Aufnahme Vitamin-C-haltiger Nahrungsmittel in ausreichendem Maße;
- Verzicht auf den Verzehr nicht einwandfreier Paranüsse, geschälter Erdnüsse und angeschimmelter Lebensmittel.

❒ Arzneimittel

- **Östrogen-Präparate**, die zur Therapie klimakterischer Beschwerden oder zur Prophylaxe / Therapie einer Osteoporose eingesetzt werden, stehen in Verdacht, Gebärmutterkörperkrebs (*Endometriumkarzinom*) auszulösen, wenn sie hochdosiert und langfristig eingenommen werden.
- **Einige Zytostatika*** (alkylierende Substanzen, z.B. Melphalan, Cyclophosphamid, Chlorambucil) transformieren in einem geringen Prozentsatz gesunde Zellen in Krebszellen. (Dennoch kann zur Zeit nicht auf ihren Einsatz verzichtet werden.) Dadurch in seltenen Fällen entstehende Zweitmalignome treten viele Jahre oder Jahrzehnte nach der Therapie des Ersttumors auf.
- Die **chronische Einnahme phenacetinhaltiger Schmerzmittel** gilt als wahrscheinlicher Risikofaktor für die Entstehung von Nierenkrebs und anderen Krebsformen der ableitenden Harnwege.

Prophylaxe

- Sorgfältige Indikationsstellung, Abwägen von therapeutischem Nutzen und Nebenwirkungen;
- Vermeiden von Schmerzmittelabusus;
- bei chronischen Schmerzen Inanspruchnahme einer professionellen Schmerztherapie.

❒ Kanzerogene Arbeitsstoffe

- Kanzerogene oder möglicherweise kanzerogene chemische Verbindungen sind in einer 1989 von der Deutschen Forschungsgemeinschaft herausgegebenen Liste zusammengefaßt. An dieser Stelle sollen nur einige Beispiele aufgeführt werden.
- **Aromatische Amine**, die in Anilinfarbstoffen und in der Gummiindustrie vorkommen, wirken vorwiegend in Leber und Blase karzinogen.
- **Asbest** ist ein weitverbreitetes Kanzerogen. Er findet sich z.B. als Dämmstoff und Feuerschutzmittel in Textilien sowie in Zement- und Fertigungsbauteilen. In der asbestverarbeitenden Industrie Beschäftigte erkranken häufiger an Lungenkrebs als andere Berufsgruppen. Asbest erhöht ebenso das Risiko für Rippenfellkrebs und Magen-Darm-Karzinome.

- **Radioaktive Stäube und Gase** (z.B. Radon) erhöhen das Risiko, an Lungenkrebs zu erkranken. Betroffen sind vor allem Bergleute unter Tage.
- **Holzstaub** kann bei Arbeitern in der holzverarbeitenden Industrie (z.B. Holzfäller, Schreiner, Förster, Papiermühlenarbeiter etc.) Magenkrebs sowie Krebserkrankungen der lymphatischen und blutbildenden Organe auslösen. Nasen- und Nasennebenhöhlenkrebs werden gehäuft bei Möbelarbeitern beobachtet.

Prophylaxe
- Vermeiden des Kontaktes mit kanzerogenen Arbeitsstoffen (soweit möglich);
- Einhalten der Sicherheitsvorschriften, Schutzmaßnahmen und Kontrolluntersuchungen, falls der Kontakt mit kanzerogenen Stoffen nicht vermeidbar ist.

❒ Strahlen
- **Röntgenstrahlen** können - je nach Dosis und Wirkung - auf den Organismus kanzerogene Wirkung ausüben. Werden Sie zu medizinischen / diagnostischen Zwecken eingesetzt, ist die Dosis heute so niedrig, daß die Strahlen auch bei wiederholter Anwendung nicht kanzerogen wirken.
- **Radioaktive Strahlen** sind überall vorzufinden. Gesundheitsbelastende Dosen können bei radioaktiven Unfällen und in Uranbergwerken beobachtet werden. Ein Zusammenhang zwischen dem Auftreten von Leukämie und dem Leben in der Nähe von Atomkraftwerken wird immer wieder diskutiert. Die Ergebnisse verschiedener Untersuchungen sind widersprüchlich.
- **Ultraviolette Strahlen** können Hautkrebs auslösen. Früher waren überwiegend Menschen betroffen, die berufsbedingt häufig und über lange Zeiten der Sonne ausgesetzt waren (Seeleute, Landwirte, Gärtner). In den letzten Jahren erkranken deutlich mehr Menschen an Hautkrebs als früher. Dies steht zum einen im Zusammenhang mit der Abnahme der Ozonschicht in der Stratosphäre, die die schädlichen Sonnenstrahlen nun vermehrt ungefiltert durchläßt; zum anderen trägt das veränderte Verhalten, d.h. das intensive Sonnenbaden, zum Anstieg der Hautkrebserkrankungen bei. In erster Linie sind hellhäutige Menschen betroffen. Das Erkrankungsrisiko steigt mit der Anzahl der Sonnenbrände. Basal- und Stachelzellkarzinome treten besonders häufig an unbekleideten Hautstellen (Gesicht, Hals, Handrücken) auf. Das maligne Melanom findet sich vorwiegend an nicht belichteten Hautstellen.

Prophylaxe
- Einhalten der festgelegten Sicherheits- / Strahlenschutzvorschriften in strahlenbelasteten Bereichen;
- Führen eines Röntgenpasses, Vermeiden unnötiger (wiederholter) Röntgenaufnahmen;
- kritisches Hinterfragen des "Bräunungskultes";
- Aufklärung der Bevölkerung hinsichtlich des Zusammenhangs zwischen Sonneneinwirkung und Hautkrebsentstehung;
- Vermeiden langer Sonnenbäder, vor allem in der Mittagssonne (gilt insbesondere für hellhäutige Menschen);
- Schutz der Haut, wenn sie der Sonne ausgesetzt wird (Bekleidung, Sonnenhut, Sonnenbrille; Auftragen von Sonnenschutzmittel und Lippenpflegestift mit hohem Lichtschutzfaktor; Schatten suchen).

❒ Viren
- **Onkogene oder karzinogene Viren** sind in der Lage, ihre Wirtszelle so umzuprogrammieren, daß sich aus der normalen Zelle eine Tumorzelle entwickelt. Die Krebsentstehung durch bestimmte Viren ist gegenwärtig Forschungsgegenstand. Bisherige, für Europäer relevante Ergebnisse, werden im folgenden aufgeführt.
- Infektionen mit **bestimmten Typen des Papilloma-Virus** (HPV-16 und HPV-18) werden mit der Entstehung von Gebärmutterhalskrebs *(Kollumkarzinom)* in Verbindung gebracht.
- **Hepatitis-B-Virus-Infektionen** können die Entstehung eines Leberzellkarzinoms mit verursachen.
- Im Zusammenhang mit **Aids** treten gehäuft maligne Lymphome und das Kaposi-Sarkom auf.

Prophylaxe
- Hepatitis-B-Schutzimpfung für Risikogruppen.

❒ Sexualverhalten
- Das Risiko, an einem **Zervix- oder Portiokarzinom** zu erkranken, steigt mit der sexuellen Aktivität (Geschlechtsverkehr), der Anzahl der Sexualpartner (Prostituierte erkranken häufiger) und der Geburtenzahl der Frau. Die Infektion mit Papilloma-Viren spielt wahrscheinlich eine wichtige Rolle.
- Bestimmte hormonelle Veränderungen gelten als Risikofaktoren hinsichtlich der **Brustkrebsentstehung**: frühe Menarche*, Lebensalter bei der Geburt des ersten Kindes über 30 Jahre, Kinderlosigkeit. Dagegen stellen eine frühe Menopause* und viele Schwangerschaften einen Schutzfaktor dar.
- Die Entstehung des **Korpuskarzinoms** (*Endometriumkarzinom = Gebärmutterkörperkrebs*) wird durch langdauernde Östrogeneinwirkung begünstigt; es tritt im Zusammenhang mit später Menopause*, Kinderlosigkeit und Virginität *(Jungfräulichkeit)* gehäuft auf.

Prophylaxe
- Verwenden von Kondomen beim Geschlechtsverkehr mit häufig wechselnden Partnern.

❒ Psychische Faktoren
Ein ganzheitliches Denken bezieht soziale und psychische Faktoren in die Erklärung der Krankheitsentstehung ein. Zusammenhänge zwischen Krebsentstehung / Krankheitsverlauf und psychischen sowie sozialen Faktoren sind zu beobachten. Sie sind jedoch zu komplex, um daraus die Verursachung von Krebskrankheiten durch ausschließlich psychische Faktoren abzuleiten. Vielmehr sind sie als **ein möglicher Faktor in der multifaktoriellen Krankheitsentstehung** zu betrachten.

Auch die Tatsache, daß Tumorerkrankungen mit gleichem Befund individuell sehr unterschiedlich verlaufen können, weist auf eine **Wechselwirkung zwischen Körper und Seele** des Erkrankten hin; diese könnte vor allem durch das **Immunsystem beeinflußt** werden. Es ist bekannt, daß Distreß die Immunabwehr herabsetzt und die Entstehung von Krankheiten zumindest begünstigt *(siehe "Auswirkungen von Distreß", Seite 893)*.

Die Deutsche Krebshilfe faßt den derzeitigen Erkenntnisstand bezüglich der Beteiligung psychischer Faktoren an der Krebsentstehung folgendermaßen zusammen.

> *"Jüngste Forschungsergebnisse auf dem Gebiet der Psychoneuroimmunologie weisen darauf hin, daß auf der einen Seite extreme Streßbedingungen, erschütternde Verlusterlebnisse und andere Lebenskrisen, die mit starken Emotionen verbunden sind, Veränderungen in den unterschiedlichsten Körpersystemen verursachen können. Aus statistischen Ergebnissen ist zu erkennen, daß solche Verlusterlebnisse mit größerer Häufigkeit mit Krebserkrankungen einhergehen. Die Wissenschaftler glauben, daß immunologische Vorgänge eine mögliche Brükke für diese Zusammenhänge herstellen. Auf der anderen Seite konnte jedoch auch gezeigt werden, daß Zuwendung, Lebensfreude, seelische Geborgenheit positive Reaktionen im Organismus auslösen können."*

Prophylaxe
- Intakte und tragende soziale Beziehungen, in denen Zuwendung und Geborgenheit vermittelt werden;
- ggf. Inanspruchnahme psychotherapeutischer Hilfe (z.B. bei der Verarbeitung von Lebensereignissen, die zu einer tiefgreifenden Kränkung der Person geführt haben);
- sinnvoller Umgang mit Streß *(siehe Seite 893)*;
- Stärkung der Immunabwehr.

❒ Erbliche Disposition
- Schätzungsweise sind 10-20% aller Krebsarten auf eine erbliche Disposition zurückzuführen. Da jedoch selten alle Familienmitglieder erkranken, wird davon ausgegangen, daß zu der erblichen Veranlagung Karzinogene hinzukommen müssen, um eine Krebserkrankung auszulösen.
- Krebskrankheiten, deren Anlagen **direkt vererbt** werden, sind relativ selten. Zu ihnen zählen z.B. das **Retinoblastom** *(bösartiger Tumor der kindlichen Netzhaut)*, die **intestinale Polyposis** *(zahlreiche Polypen im Magen-Darm-Trakt; Präkanzerose)* und der **Wilms-Tumor** *(maligner, im Kindesalter auftretender Nierentumor)*.
- In einigen Familien wird die Anlage für eine bestimmte Krebsart weitergegeben, ohne daß diese in jeder Generation auftreten muß. Eine **familiäre Häufung** wird vor allem beim Auftreten von **Brustkrebs**, aber auch bei **Magen- und Dickdarmkrebs** beobachtet.
- In anderen Familien erkranken einige Mitglieder an jeweils verschiedenen Krebsarten.

12.5.4 Tumorprävention

Die Tumorprävention ist zum einen **Aufgabe der öffentlichen Gesundheitsvorsorge** und der **Angehörigen der Gesundheitsberufe**, zum anderen ist sie in die **Eigenverantwortung eines jeden Menschen** gestellt. Ihre Möglichkeiten sind weder umfassend noch ausreichend, dennoch - oder gerade deswegen - sollten die bestehenden Möglichkeiten der Tumorprävention ausgeschöpft werden. Die Kommission der Europäischen Gemeinschaft hat 1989 den "*Europäischen Kodex gegen Krebs*" entwickelt. Hierin werden die derzeitigen Möglichkeiten der Krebsprävention als angemessene Verhaltensmaßnahmen empfohlen. Weitere Empfehlungen wurden bereits im vorherigen Abschnitt "*Entstehung und Prophylaxe von Krebserkrankungen*" aufgeführt.
Die Krebsvorsorge / -früherkennung umfaßt die Primär-, Sekundär- und Tertiärprävention.

Europäischer Kodex gegen Krebs

"Werden diese 'Zehn europäischen Gebote' beachtet, kann die Zahl der Krebstoten in der Europäischen Gemeinschaft deutlich fallen - bis zum Jahr 2000 um bis zu 15%."
Der Ausschuß der Krebssachverständigen der Europäischen Gemeinschaft.

Bestimmte Krebskrankheiten können vermieden werden.
1. Rauchen Sie nicht! Raucher sollten dies so schnell wie möglich befolgen und schon gar nicht in Anwesenheit anderer rauchen.
2. Verringern Sie Ihren Alkoholkonsum: Bier, Wein, Spirituosen.
3. Vermeiden Sie starke Sonnenbestrahlung.
4. Beachten Sie die Sicherheitsvorschriften für Ihren Arbeitsplatz, wenn Sie dort krebserregende Stoffe herstellen, handhaben oder gebrauchen.

   Ihr allgemeiner Gesundheitszustand wird durch die folgenden zwei Empfehlungen gefördert, die auch das Risiko mancher Krebskrankheiten vermindern:
5. Essen Sie häufig frisches Obst und Gemüse sowie Getreideprodukte mit hohem Fasergehalt.
6. Vermeiden Sie Übergewicht, und begrenzen Sie die Aufnahme fettreicher Nahrungsmittel.

   MEHR KREBSKRANKHEITEN WERDEN GEHEILT, WENN SIE FRÜH ERKANNT WERDEN
7. Gehen Sie zum Arzt, wenn Sie eine ungewöhnliche Veränderung bemerken, eine Veränderung an einem Hautmal oder eine abnorme Blutung.
8. Gehen Sie zum Arzt, wenn Sie andauernde Beschwerden haben, wie chronischen Husten oder Heiserkeit, dauerhafte Anfälligkeiten bei der Verdauung, oder einen ungeklärten Gewichtsverlust bemerken.

Für Frauen:
9. Gehen Sie regelmäßig zur gynäkologischen Vorsorgeuntersuchung.
10. Untersuchen Sie regelmäßig Ihre Brüste; wenn Sie über 40 sind, gehen Sie, wenn möglich, in regelmäßigen Abständen zur Mammographie.

❒ Primärprävention
Die Primärprävention, d.h. das Verhüten der Krankheit an sich, bezieht sich hier auf das **Ausschalten bekann-**

ter krebsauslösender, -fördernder / -begünstigender Risikofaktoren. Ihr dienen folgende Maßnahmen:

- **Aufklärung** hinsichtlich schädigender Noxen und entsprechende **Anleitung** zu gesundheitsförderndem Verhalten *(siehe "Europäischer Kodex gegen Krebs" und "Krebsentstehung");*
- **gesetzliche Vorschriften**, z.B. Vorschriften für die maximale Arbeitsplatzkonzentration gefährlicher Stoffe (MAK-Werte), Strahlenschutzgesetze und -verordnungen, Lebensmittelverordnungen, Arbeitsschutzgesetz;
- **Informationen** über Alkohol- und Nikotinabusus fördernde Faktoren und **Hinweise** zur Prävention *(siehe Seite 766).*

❒ Sekundärprävention

Die Sekundärprävention dient der **Früherkennung bestimmter Krankheiten** durch spezielle Untersuchungen (sogenannte "Krebsvorsorge") und somit der möglichst frühen Behandlung mit guten Heilungschancen.

Maßnahmen der Früherkennung bestimmter Krebserkrankungen sind:

- die **Gesundheitserziehung** der Bevölkerung zur Beobachtung / Beachtung möglicher Krebswarnzeichen, dabei sind Ängste zu vermeiden bzw. zu vermindern, indem darauf hingewiesen wird, daß die genannten Veränderungen ebenso harmloser oder gutartiger Natur sein können und dies durch eine ärztliche Untersuchung abgeklärt werden muß;
- die sogenannten **Krebsvorsorgeuntersuchungen** (*Krebsfrüherkennungsuntersuchungen*, die leider nur für die Diagnose bestimmter Erkrankungen zur Verfügung stehen und Hinweis auf eine bereits vorhandene Krebserkrankung geben):
  - zur Erfassung des **Zervixkarzinoms** ab dem 25. Lebensjahr einmal jährlich Zervixabstrich nach Papanicolaou (das Karzinom kann im Anfangsstadium, der *"In-situ-Phase"*, erfaßt und mit nahezu 100% Heilungschance behandelt werden);
  - zur Erfassung des **Mammakarzinoms** monatliche Selbstuntersuchung der weiblichen Brust *(siehe Seite 815)* und jährliche Untersuchung der Brust durch den Arzt, bei Risikopatientinnen evtl. zusätzliche Diagnostik mittels Mammographie;
  - zur Erfassung des **Hodenkarzinoms** monatliche Selbstuntersuchung der Hoden für junge Männer ab 15 Jahren *(siehe Seite 816)*;
  - zur Erfassung des **Rektum- und Kolonkarzinoms** ab dem 45. Lebensjahr jährliche Palpation des Rektums durch den Arzt und Untersuchung des Stuhls auf okkultes Blut, bei Risikopatienten zusätzlich Rekto- bzw. Coloskopie;
  - zur Erfassung des **Prostatakarzinoms** jährlich ab dem fünfzigsten Lebensjahr rektale Palpation der Prostata durch den Arzt;
  - zur Erfassung von **Hautveränderungen / -krebs** kontinuierliche Beobachtung der Haut, insbesondere hinsichtlich der Veränderung von Muttermalen *(siehe "Malignes Melanom", Seite 687)* und Untersuchung veränderter Hautregionen durch den Arzt.

Warnsignale zur Früherfassung von Karzinomen

1. Änderung der Stuhl- oder Miktionsgewohnheiten
2. Schlechte Wundheilung
3. Ungewöhnliche Blutungen oder Ausfluß
4. Verdickung oder Knoten in der Brust oder an anderen Körperstellen
5. Anhaltende Verdauungs- oder Schluckstörungen
6. Sichtbare Veränderung einer Warze oder eines Muttermals
7. Hartnäckiger Husten oder andauernde Heiserkeit

❒ Tertiärprävention

Die **Tertiärprävention** dient der **Begrenzung bzw.** dem **Ausgleich von Krankheitsfolgen**. Sie soll den Übergang einer Praekanzerose in ein Karzinom und Komplikationen sowie Rückfälle bei manifester Tumorerkrankung verhindern. Maßnahmen sind z.B.

- **regelmäßige Nachkontrollen** bei therapiertem Tumorleiden, um Rezidive oder Metastasen früh erkennen und behandeln zu können (Häufigkeit und Intensität der Kontrollen richten sich nach dem individuellen Rezidivrisiko, dem Nutzen der Untersuchung - d.h. den Therapiemöglichkeiten - und nach den Bedürfnissen des Kranken);
- die Entfernung bestimmter Dickdarmpolypen;
- Rehabilitationsmaßnahmen.

12.5.5 Tumortherapie

12.5.5.1 Therapieformen

In der Onkologie unterscheidet man - je nach Therapieziel - die folgenden Therapieformen.

❒ Kurative Therapie *(lat. Curatio = Heilung)*

Sie **verfolgt das Ziel der Heilung**, insbesondere bei Tumoren im Frühstadium. Dazu kann das Tumorgewebe operativ entfernt oder mittels Chemo- / Strahlentherapie zerstört werden. Nebenwirkungen der Therapie werden dabei auch in stärkerem Ausmaß hingenommen.

❒ Palliative Therapie

(lat. Pallium = schützender Mantel)

Bei dieser Behandlungsform wird nicht die Heilung, sondern die **Linderung tumorbedingter Beschwerden** und somit die Verbesserung der Lebensqualität angestrebt. Dazu wird die **Tumormasse** - je nach Erkrankung - durch eine Operation, Strahlen-, Chemo- oder Hormontherapie **verringert**. Damit ist jedoch nicht unbedingt eine Verlängerung der Überlebenszeit verbunden; im Einzelfall kann es zur Verkürzung der Überlebenszeit kommen.

❒ Symptomatische Therapie

Bei dieser Therapieform geht es ausschließlich um die **Linderung von Symptomen**, meist auf medikamentösem Weg. Sie kommt überwiegend zur Anwendung, wenn palliative Maßnahmen nicht mehr wirken oder vom Kranken abgelehnt werden.

Die kurative, palliative und symptomatische Therapie können in Form einer adjuvanten, neoadjuvanten oder supportiven Behandlung durchgeführt werden:

- **Adjuvante Therapie**
(lat. adiuvare = zusätzlich helfen)
Bei der adjuvanten Therapie werden **verschiedene Behandlungsformen** - im Sinne einer Kombinationstherapie - **eingesetzt**. In der Regel wird zunächst eine Operation durchgeführt; zwecks Vernichtung evtl. vorhandener Mikrometastasen folgt zusätzlich eine *(adjuvante)* Strahlen-, Chemo- oder Hormontherapie.

- **Neoadjuvante Therapie** *(gr. neo = neu, jung)*
Findet **vor der lokalen** (meist chirurgischen) Behandlung des Tumors eine **systemische Behandlung** zwecks Tumorverkleinerung und Vernichtung von Mikrometastasen statt, handelt es sich um eine neoadjuvante Therapie.

- **Supportive Therapie und Pflege**
(engl. support = tragen, unterstützen, dulden, ertragen)
Maßnahmen der supportiven Pflege und Therapie haben die **Verbesserung der Lebensqualität** - nicht die Verlängerung der Überlebenszeit - zum Ziel. Sie **unterstützen** den **Betroffenen in allen Phasen seiner Krankheit**, unabhängig von der therapeutischen Absicht und schließen den Sterbeprozeß ein.

Supportive Maßnahmen beziehen sich z.B. auf:
- die Linderung bzw. Prophylaxe von Schmerzen,
- die Behebung von Eßstörungen,
- die psychische Begleitung,
- das Lindern bzw. Verhindern von Nebenwirkungen bei kurativer Therapie sowie auf
- die Unterstützung bei den täglichen Aktivitäten.

12.5.5.2 Behandlungserfolg

Der Behandlungserfolg ist vor allem von der Art und dem Wachstumsstadium des Tumors abhängig.
Bei ca. 10 - 12% aller malignen Tumoren ist nach Beendigung der Therapie mit einer **Heilung** zu rechnen. Aber auch bei den übrigen Tumorerkrankungen ist in der Regel eine Therapie indiziert; sie erfolgt dann in palliativer und supportiver Absicht. Behandlungsziel ist in diesen Fällen nicht die Heilung, sondern die **Verbesserung der Lebensqualität**, evtl. auch die **Verlängerung der Überlebenszeit**.
Der Kranke und ihm nahestehende Angehörige sollten in einfühlsamer und individuell angemessener Weise vom Arzt darüber aufgeklärt werden.
Im Alter können die therapeutischen Möglichkeiten evtl. wegen einer bestehenden Multimorbidität nicht ausgeschöpft werden.

Folgende Begriffe werden bei der Beurteilung des Behandlungserfolges verwendet:

Resektion im Gesunden
(lat. resecare = weg-, zurückschneiden)
Hiermit ist die **vollständige chirurgische Entfernung** des Tumors gemeint. Wenn zusätzlich in den Gewebsproben aus den Resektionsrändern und den regionalen Lymphknoten keine Tumorzellen nachweisbar sind, hat man in den meisten Fällen eine Heilung erzielt.

Remission
Als Remission wird die **meßbare Rückbildung** des Tumorgewebes nach erfolgter Strahlentherapie bzw. medikamentöser Behandlung bezeichnet. Von der **Vollremission** *(komplette Remission)* wird gesprochen, wenn sich nach der Therapie alle **Tumorherde und Krankheitszeichen vollständig zurückgebildet** haben.
Die **Teilremission** *(partielle Remission)* bezeichnet die meßbare, jedoch **unvollständige Rückbildung** des Tumorherdes bzw. der Tumorherde, inklusive der deutlichen Abnahme tumorbedingter Krankheitszeichen.

Stabilisierung der Erkrankung
Ist das Erreichen einer Remission unrealistisch, kann jedoch das **rasche Tumorwachstum gestoppt** werden, spricht man von der Stabilisierung der Erkrankung.

Progredienz, Progression
(lat. progredi = vorwärtsgehen, fortschreiten)
Schreitet das **Tumorwachstum trotz Therapie** weiter fort oder wächst der Tumor nach vorübergehender Remission erneut, spricht man von der Progression des Tumors.

Rezidiv *(lat. recidere = zurückfallen)*
Tritt nach erfolgreicher Therapie **erneut** ein histologisch **gleichartiger Tumor** auf, so handelt es sich um einen Rückfall, ein sogenanntes Tumorrezidiv.

12.5.5.3 Chirurgische Therapie

Die chirurgische Therapie bietet in der Regel die größten Erfolgsaussichten bei der Behandlung gut abgrenzbarer und solider *(d.h. 90% der Tumorzellen befinden sich in der Ruhepause)* Tumoren. Dabei wird die Aussicht auf Heilung in erster Linie vom Tumorstadium beim Operationszeitpunkt bestimmt.
Ziel ist die **möglichst radikale Exstirpation** *(Entfernung)* des Tumors. Neben der angestrebten **Heilung** steht heute auch die Erhaltung der **Lebensqualität** des Betroffenen im Vordergrund. Entsprechend wird die Operation - sofern möglich und vertretbar - so ausgeführt, daß die **Organfunktion erhalten** bleibt und ein **kosmetisch befriedigendes Ergebnis** erzielt wird (z.B. brusterhaltende Operation bei Mamma-Karzinom). Nach einer kurativen Operation ist vielleicht ein rekonstruktiver Eingriff angebracht, um die Organfunktion oder den optischen Eindruck zu verbessern (z.B. mittels Aufbauplastik). Somit wird auch die psychosoziale Situation des Betroffenen positiv beeinflußt.
Außer in kurativer Absicht kann die Chirurgie auch **in palliativer Absicht** eingesetzt werden, z.B. um tumorbedingte Symptome und Komplikationen wie Schmerzen oder Obstruktion* zu verhindern.

12.5.5.4 Chemotherapie

Als **Zytostatika** *(Tumorhemmstoffe)* werden zellschädigende *(zytotoxische)* Substanzen, welche insbesondere die auf die Mitose zustrebenden Zellen treffen,

bezeichnet. Sie können in **verschiedene Gruppen** eingeteilt werden, z.B. in:
- Mitosehemmstoffe (z.B. Vinca - Alkaloide)
- Alkylanzien (z.B. Cyclophosphamid)
- Antimetabolite (z.B. 5-Fluorouracil, Methotrexat)
- Antibiotika (z.B. Bleomycin, Adriamycin)
- Hormone und Antihormone (z.B. Tamoxifen).

Zytostatika werden mit unterschiedlichem **Ziel** verabreicht, nämlich zur:
- **Heilung**; bei kurativer Absicht wird in der Regel aggressiv, d.h. mit hohen Dosen behandelt, Nebenwirkungen werden in erheblichem Ausmaß in Kauf genommen. Häufig erfolgt die Chemotherapie im Anschluß an eine chirurgische Therapie, um Tumorreste und Mikrometastasen zu beseitigen.
- **Lebensverlängerung**; die Ausbreitung des Tumors und die Metastasenbildung sollen verhindert bzw. verzögert / verringert werden.
- **Lebenserleichterung**; bei supportiver Absicht sollen Schmerzen und andere tumorbedingte Beschwerden gelindert werden, ohne daß diese Behandlung ihrerseits den Kranken durch gravierende Nebenwirkungen belastet.

Die **Indikation** einer Chemotherapie muß immer unter sorgfältigem Abwägen des Nutzens und der Nebenwirkungen gestellt werden. Der Kranke sollte entsprechend informiert und einbezogen werden.
Der wichtigste **Ansatzpunkt für die zytostatische Therapie** liegt in der hohen Teilungsrate der Tumorzellen; die meisten Zytostatika blockieren diese Teilungsfähigkeit und hemmen somit das Tumorwachstum - sofern sich die Tumorzellen in einer bestimmten Wachstumsphase befinden.

Diese Tatsache erklärt auch die häufig auftretenden **Nebenwirkungen** an gesunden Geweben mit hoher Zellteilungsrate, z.B.
- Schleimhautschäden (Stomatitis, Übelkeit, Diarrhoe u.a.);
- Knochenmarkdepression (Thrombozytopenie → Blutungsneigung; Leukopenie → Infektneigung; Anämie→ Leistungsabfall, Atemnot);
- Schäden der Haarfollikelzellen (Alopezie);
- Beeinträchtigung der Keimzellen (vorübergehende oder bleibende Amenorrhoe, Azoospermie, Sterilität).

Dagegen bleiben Gewebe mit niedriger Zellteilungsrate weitgehend unbeeinflußt.
Die meisten **Zytostatika beeinträchtigen den DNA-Stoffwechsel** und können:
- mutagen (*das Erbgut gesunder Zellen verändernd*),
- teratogen (*Mißbildungen am Fötus / Embryo auslösend)* sowie
- kanzerogen (*die Entstehung bösartiger Tumoren auslösend*, meist nach mehreren Jahren)

wirken.
Art und Ausmaß der Zytostatikanebenwirkungen sind von verschiedenen Faktoren abhängig; hierzu zählen in erster Linie:
- das Zytostatikum selbst, die jeweilige Dosis und Applikationsweise;
- das Alter des Kranken (ältere Menschen tolerieren die Therapie schlechter);
- der Allgemein- und Ernährungszustand (Menschen mit reduziertem AZ / EZ leiden eher unter schweren Nebenwirkungen);
- die Leber- und die Nierenfunktion (deren Einschränkung verzögert Abbau und Ausscheidung der Zytostatika und erhöht so deren Toxizität);
- vorausgegangene Strahlen- oder Zytostatikatherapie (früher in dieser Art belastete Gewebe reagieren empfindlicher);
- die Diurese (deren Einschränkung, z.B. durch anhaltende Diarrhoe, reduziert die Zytostatikaausscheidung).

  Beachte: Der Kranke sollte während der Therapie und einige Tage darüber hinaus täglich mindestens 2 - 3 l Flüssigkeit trinken bzw. entsprechende Infusionsmengen erhalten. So können die Zytostatika und die großen Purinmengen, die durch das Absterben der Körperzellen anfallen, möglichst schnell ausgeschieden werden.

Die möglichen Nebenwirkungen, deren Folgen für den Kranken und die entsprechenden Pflegemaßnahmen werden unter 12.5.6 ausführlich besprochen.

Einige **Nebenwirkungen** lassen sich durch Verabreichung bestimmter Medikamente **reduzieren**, bestenfalls sogar verhindern. Am häufigsten werden prophylaktisch Antiemetika verordnet.
Aufgrund der besseren Wirksamkeit werden in vielen Fällen verschiedene Zytostatika gleichzeitig verabreicht **(Kombinations- oder Polychemotherapie)**. Einige Tumorleiden (z.B. chronische Leukämien) werden jedoch bevorzugt mit einem Medikament **(Monotherapie)** behandelt.

12.5.5.4.1 Sicherer Umgang mit Zytostatika

Bisher konnte nicht bewiesen werden, daß Zytostatika bei regelmäßiger beruflicher Exposition unter Einhaltung der Sicherheitsrichtlinien zu Gesundheitsschäden führen. Diese Schutzmaßnahmen im Umgang mit Zytostatika dienen der **Vermeidung** eines **direkten Haut - und Schleimhautkontaktes**, da dieser zu Reizerscheinungen führen kann. Somit müssen die Bildung und Einatmung von Aerosolen sowie die Benetzung der Haut / Schleimhäute durch gezielte Schutzmaßnahmen verhindert werden.
Die **Berufsgenossenschaft für Gesundheitsdienst und Wohlfahrtspflege** hat diese im **Merkblatt "Sichere Handhabung von Zytostatika"** zusammengefaßt. Danach gilt:
- Mit Zytostatika dürfen nur Personen umgehen, die darin unterwiesen sind. Die **Unterweisung** soll insbesondere informieren über:
  - Arzneimittelwirkung,
  - richtigen Umgang mit diesen Stoffen,
  - Gefahren und Schutzmaßnahmen,
  - Entsorgung von kontaminiertem Material und Geräten sowie Zytostatikaresten und
  - arbeitsmedizinische Vorsorgemaßnahmen.
- Im Rahmen der laut § 2a **Unfallverhütungsvorschrift "Gesundheitsdienst"** durchzuführenden **arbeitsmedizinischen Vorsorgeuntersuchungen** (Erstuntersuchung vor Aufnahme der Beschäftigung, Nachunter-

suchungen während der Beschäftigung innerhalb bestimmter Fristen) ist auch die mögliche Gefährdung durch Zytostatika zu berücksichtigen. Die Beschäftigten sollten von sich aus den Betriebsarzt über die verwendeten Zytostatika informieren. Dies gilt insbesondere beim Auftreten von Gesundheitsstörungen, die auf Zytostatikaeinwirkungen zurückgeführt werden könnten.

- Für das Arbeiten mit Zytostatika sind **genaue Vorschriften einzuhalten**. Sie werden im folgenden aus dem genannten Merkblatt *"Sichere Handhabung von Zytostatika"* zitiert.

"Arbeiten mit Zytostatika

Vorbemerkung:

Hinsichtlich der Beschäftigung werdender und stillender Mütter sowie Jugendlicher sind die Bestimmungen des Mutterschutzgesetzes (MuSchG), des Jugendarbeitsschutzgesetzes (JArbSchG) und der Gefahrstoffverodnung (GefStoffV) zu beachten.

Zytostatika sind für den Patienten bestimmte Arzneimittel. Für den Beschäftigten sind Zytostatika gefährliche Stoffe, die bei Hautkontakt sowie Aufnahme in den Körper zu gesundheitlichen Schäden führen können. Deshalb sind nachfolgende Sicherheitshinweise zu beachten:

- Kann auf gebrauchsfertige Injektionslösungen des Arzneimittelmarktes zurückgegriffen werden, so sollten **bevorzugt Fertigspritzen** mit der gewünschten Arzneistoffdosis beschafft werden.
- **Für die Zubereitung von Zytostatika** bzw. für das Herrichten von Spritzen oder Infusionen sind **geeignete Abzüge** zu **verwenden**. Die Abzüge sind geeignet, wenn sie gewährleisten, daß Aerosole bzw. Stäube von Zytostatika nicht in den Atembereich der Beschäftigten gelangen. Dies schließt ein, daß abluftseitig Schwebstoffilter Klasse S DIN 24 184 eingebaut sind. Geeignet sind z.B. **Sicherheitswerkbänke** Klasse 1 nach DIN 12 950.
  Muß das Arzneimittel in besonders reiner Luft zubereitet werden, so ist auch die über das Arbeitsfeld strömende Luft durch Schwebstoffilter Klasse S zu reinigen. Dies wird z.B. durch Sicherheitswerkbänke Klasse 2 nach DIN 12950 oder Zytostatika-Werkbänke gemäß Prüfgrundsatz "Zytostatika-Werkbänke" (GS-GES-04) erreicht.
  Anmerkung:
  Typgeprüfte Abzüge und Sicherheitswerkbänke nennen die anerkannten Prüfstellen, u.a. die Prüfstelle des Fachausschusses "Gesundheitsdienst und Wohlfahrtspflege" bei der Berufsgenossenschaft für Gesundheitsdienst und Wohlfahrtspflege, auf Anfrage.
  Abzüge sind abseits stark frequentierter Verkehrsflächen so aufzustellen, daß sie ein sicheres und ungestörtes Arbeiten ermöglichen.
  Die **Arbeitsfläche** ist **mit** einer **saugfähigen Unterlage abzudecken**.
- Beschränkt sich die Zubereitung von Zytostatika bzw. das Herrichten von Spritzen oder Infusionen auf Einzelfälle, so ist anstelle eines Abzuges mindestens ein **ungestörter Arbeitsplatz** einzurichten und zu benutzen. Dieser soll abseits vom allgemeinen Stations- oder Laborbetrieb sowie von Verkehrswegen in einem zugfreien Bereich liegen.
  Die Arbeitsfläche soll mit einer **saugfähigen Unterlage** auf flüssigkeitsdichter Folie abgedeckt sein.
- Substanzen sollen im "geschlossenen" System gemischt bzw. gelöst werden. Wenn Durchstechflaschen verwendet werden, sind **Druckentlastungseinrichtungen** mit **wasserabweisendem** Filter zu benutzen. Hierauf kann beim Arbeiten im geeigneten Abzug verzichtet werden.
- Ampullen mit Zytostatika sind so zu öffnen, daß der Austritt von Aerosolen in die Raumluft sowie Verletzungen und Kontamination der Haut vermieden werden. Dies kann z.B. erreicht werden, wenn **beim Abbrechen des Ampullenhalses Tupfer verwendet** und **Schutzhandschuhe getragen** werden (siehe auch Merkblatt "Ampullenöffnen ohne Schmerz", M714).
- Zur Vermeidung von Spritzern und Aerosolbildung sind Luft und überschüssige Zytostatikalösung vorsichtig und langsam aus der aufgezogenen Spritze herauszudrücken.
- **Bei Kontamination** der Haut und der Schleimhäute mit Zytostatikalösung ist ein **sofortiges Spülen mit reichlich kaltem Wasser** erforderlich.
  Augen sind mit Wasser oder isotoner Kochsalz-Lösung reichlich zu spülen, danach ist sofort ein **Augenarzt** aufzusuchen.
  Derartige Vorfälle sollten dem **Betriebsarzt** gemeldet werden.
- Verunreinigungen durch **verschüttete Zytostatika** (Trockensubstanzen, zerbrochene Tabletten, Zubereitungen) auf Arbeitsflächen oder auf dem Boden sind **unverzüglich und sachgerecht** zu **beseitigen**.
  Zur Aufnahme der Substanzen eignen sich trockene oder feuchte Einmalhandtücher oder Zellstoff bzw. ein Absorptionsgranulat. Dabei ist eine Staubaufwirbelung von pulverigen Substanzen zu vermeiden.

Zum Aufnehmen von kontaminiertem Glasbruch wird empfohlen, ein zusätzliches Paar Schutzhandschuhe überzuziehen.
Die kontaminierten Flächen sind anschließend sorgfältig mit Wasser zu reinigen.

- Mit Zytostatika kontaminierte **Abfälle** sind in **gekennzeichneten**, ausreichend **widerstandsfähigen** und **dichtschließenden Einwegbehältnissen** zu **sammeln** und der Entsorgung zuzuführen. Solche Abfälle sind z.B. Tupfer, Einweghandschuhe, Plastik- und Papiermaterial, Aufwischtücher, Filter von Abzügen.
  Diese Abfälle sind den örtlichen Vorschriften entsprechend oder durch Verbrennen zu beseitigen.
- **Einwegspritzen** sind **ohne** Aufsetzen der **Kanülenschutzkappe** und **unzerlegt** (Verletzungsgefahr!) **in durchstichsicheren Behältnissen in den Abfall** zu **geben**. In gleicher Weise ist mit Infusions-Sets und Glasbruch zu verfahren (§ 13 UVV "Gesundheitsdienst", VBG 103).
- **Medikamentenreste** sind als **Sonderabfälle** zu behandeln und **an die Apotheke** oder an für diese Abfallart zugelassene Transport- bzw. Entsorgungsunternehmen zu übergeben.
- Körperausscheidungen von zytostatisch behandelten Patienten, insbesondere Urin, aber auch Erbrochenes, müssen hinsichtlich ihrer Gefährdungsmöglichkeiten bei Hautkontakt ähnlich den Zytostatikaabfällen eingestuft werden. Der Umgang mit ihnen bzw. ihre Beseitigung erfordert das Tragen von Schutzhandschuhen. Sie können mit Wasser verdünnt in die Kanalisation geleitet werden, sofern örtliche Vorschriften dem nicht entgegenstehen.

Persönliche Schutzausrüstung
Bei Tätigkeiten, bei denen die Gefahr des Kontaktes mit bzw. der Aufnahme von Zytostatika besteht, ist die jeweils erforderliche und geeignete persönliche Schutzausrüstung zu tragen.

Solche Tätigkeiten sind z.B.
- Zubereiten von Zytostatika
- Vorbereiten von Injektionen bzw. Infusionen
- Applizieren von Zytostatika
- Entsorgen von Injektionsgerät und Zytostatikaabfall
- Reinigen von Arbeitsplätzen und Geräten.

An persönlicher Schutzausrüstung kommen in Frage:
- **Flüssigkeitsdichte Einweghandschuhe** (Untersuchungshandschuhe)
- **Schutzkittel**, vorne hochgeschlossen, mit langen Ärmeln und anliegenden Bündchen
- **Schutzbrille** mit Seitenschutz
- **Atemschutz** (mindestes partikelfiltrierende Halbmaske mit der Bezeichnung: Halbmaske DIN 58645 - FHM-P2 (siehe auch Atemschutz-Merkblatt, ZH 1/134).

Die Auswahl der persönlichen Schutzausrüstung richtet sich nach dem Arbeitsverfahren. Bei Arbeiten in einem geeigneten Abzug (siehe vorstehend) sind Schutzkittel mit langem Arm und Handschuhe ausreichend.
Nach der Unfallverhütungsvorschrift "Allgemeine Vorschriften" (VBG1) ist der Unternehmer verpflichtet, geeignete persönliche Schutzausrüstung zur Verfügung zu stellen und in ordnungsgemäßem Zustand zu halten (§4). Die **Versicherten** sind **verpflichtet**, die persönliche **Schutzausrüstung zu tragen** (§14)."

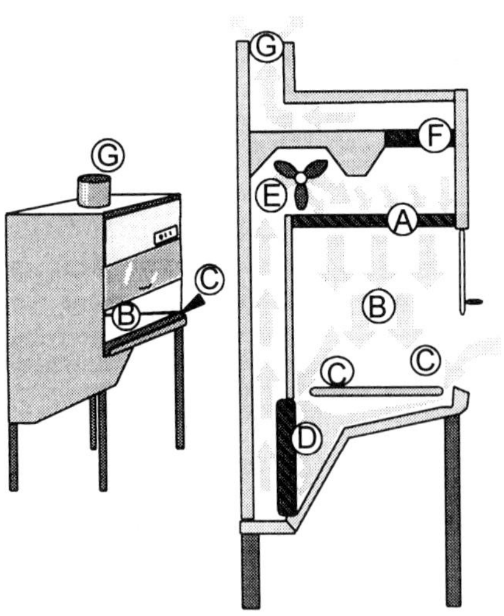

Gereinigte Luft gelangt durch einen Filter (A) unter ruhigem nach unten gerichtetem Zustrom in die Arbeitskammer (B). Lüftungsschlitze (C) saugen die evtl. kontaminierte Luft ab und führen frische Luft zu, so daß in der Arbeitskammer ein leichter Unterdruck herrscht. Die abgesaugte Luft passiert einen Filter (D) und wird durch ein Gebläse (E) weitergeleitet. Ein Teil dieser Luft wird über einen weiteren Filter (F) nach draußen geleitet (G), ein anderer Teil wird der Arbeitskammer zugeführt.

Abb. 12.8 ***Sicherheitswerkbank***
Quelle: Bergen / Klinke: Primärprävention im Krankenhaus. Kunz, 1997

12.5.5.4.2 Zytostatika und ihre häufigsten, für die Pflege relevanten Nebenwirkungen

Wirkstoffgruppe Substanzname Handelsname	Indikation	Neusea/ Emesis	Mukositis	Alopezie	Hautverän-derungen	Knochenmark-depression	Sonstige
Antibiotika							
- **Bleomycin**, z.B. Bleomycin® Bleomycin Mack®	Plattenepithelkar-zinome Hoden-Ca Lymphome	mäßig	Stomatitis Diarrhoe	schwach	Erythem Exanthem Hyperpig-mentation Hyperkera-tose Nagelver-änderungen		Lungenfibrose Pneumonitis Fieber Schüttelfrost (allergische Reaktio-nen)
- **Dactinomycin, Actinomycin - D**, z.B. Lyovac Cosme-gen®	Chorion-Ca Hoden-Ca Wilmstumor	stark	Diarrhoe Stomatitis	mittel-schwer	Erythem Dermatitis Exanthem	ausgeprägte Granulo-zytopenie geringer Thrombozy-ten- und Erythrozyten-abfall	Nephrotoxizität Pneumonitis Hepatotoxizität (selten)
- **Daunorubicin**, z.B. Daunoblastin®	akute myeolische und akute lymphatische Leukämie	mäßig	Diarrhoe Stomatitis	stark	Dermatitis Erythem Exanthem Haut- und Nagelver-änderungen	Granulozytopenie Thrombozytopenie	Kardiotoxizität Hyperurikämie (rot-orange Verfär-bung des Urins)
- **Doxorubicin** (Adriamycin), z.B. Adriblastin®	akute Leukämie Lymphom versch. Karzino-me / Sarkome	mäßig	Stomatitis Diarrhoe	stark	Haut- und Nagelver-änderungen	Granulozytopenie Thrombozytopenie	Kardio-, Hepato-toxizität Hyperurikämie allergische Reaktio-nen (rot-orange Verfär-bung des Urins)
- **Epirubicin** (4-Epidoxorubicin), z.B. Farmorubicin®	wie bei Doxoru-bicin	mäßig	Stomatitis Diarrhoe	stark	Haut- und Nagelver-änderungen	Granulozytopenie Thrombozytopenie	Kardio-, Hepato-toxizität Hyperurikämie (rot-orange Verfär-bung des Urins)
- **Mitomycin**, z.B. Mitomycin medac®	Pankreas-, Ma-gen-, Mamma-, Bronchial-, Bla-sen-, Kolon-, Rektum-Ca	mäßig	Stomatitis (selten)	sehr sel-ten		Leukopenie Thrombozytopenie	Nephrotoxizität Pneumonitis Hepatotoxizität (selten)
Antimetabolite							
- **Cytarabin, Ara-C, Cytosin-Arabino-sid**, z.B. Alexan® Udicil®	akute Leukämie akute Schübe chronischer Leu-kämien	stark	Stomatitis (selten) Zystitis Diarrhoe	schwach	Hautverän-derungen	Granulozyten- und Thrombozytenabfall	zerebrale Toxizität Entzündung von Cornea und Con-junctiva Hepato- und Neuro-toxizität Hyperurikämie Lungenödem
- **Dacarbazin**, z.B. D.T.I.C.® Deticene®	Morbus Hodgkin Melanome	stark		selten	Urticaria Erythem	Leukopenie Thrombopenie	Hepatotoxizität Blutdruckabfall
- **5-Fluorouracil**, z.B. Fluoro-uracil ®RP Fluorouracil® Fluroblastin®	Palliativtherapie sonst nicht mehr beeinflußbarer Karzinome (u.a. des Magen-Darm-Traktes und der Brust)	mittel-stark	Stomatitis Enteritis (Diarrhoe)	mittel-schwer	Hyperpig-mentierung Nagelver-änderungen	mäßiger Granulozyten-abfall geringer Thrombo-zytenabfall	Pektanginöse Stö-rungen Neurotoxizität Hepatotoxizität Konjunktivitis Bewegungsstörun-gen

Wirkstoffgruppe Substanzname Handelsname	Indikation	Neusea/ Emesis	Mukositis	Alopezie	Hautveränderungen	Knochenmark-depression	Sonstige
- **Mercaptopurin** (6-Mercaptopurin), z.B. Puri-Nethol®	akute Leukämien akute Schübe chronische Leukämien	leicht	Stomatitis	schwach	Exanthem	Leuko- und Thrombopenie	Hepatotoxizität Hyperurikämie Fieber
- **Methotrexat**, z.B. Farmitrexat® MTX® Lumexon®	akute Leukämien Mamma-, Bronchial-, Hoden-Ca	leicht (bei i.v. Verabreichung) stark (bei hoher Dosis)	Stomatitis Enteritis Diarrhoe	mittelschwer	Erythem (bei hoher Dosis) Exanthem	Leukopenie Thrombozytopenie	Lebertoxizität Zystitis Nephrotoxizität
- **Thioguanin** (6-Thioguanin), z.B. Thioguanin-Wellcome®	akute Leukämien	leicht	Stomatitis	schwach		gringer Granulozyten- und Thrombozytenabfall	Lebertoxizität Darmschleimhautnekrosen und -perforation
Alkylanzien							
- **Busulfan**, z.B. Myleran®	chronisch myeloische Leukämie		hämorrhagische Zystitis	schwach	Austrocknung Hyperpigmentation	geringer Granulozyten- und Thrombozytenabfall	Lungentoxizität
- **Carmustin, BCNU**, z.B. Carmubris®	Hirntumoren Morbus Hodgkin	stark	Diarrhoe	schwach		Granulozytopenie mäßiger Thrombozytenabfall	Hepatotoxizität Hyperurikämie
- **Cisplatin**, z.B. Platinex® Platiblastin®	Karzinome im Kopf-Halsbereich Melanome Sarkome	sehr stark	Enteritis Stomatitis	schwach		mäßiger Granulozyten-, Erythrozyten-, Thrombozytenabfall	Nephrotoxizität Ototoxizität Hyperurikämie
- **Lomustin, CCNU**, z.B. Cecenu® Loneblastin®	Hirntumoren Morbus Hodgkin	stark				Granulozytopenie mäßiger Thrombozytenabfall	Hyperurikämie
- **Cyclophosphamid**, z.B. Cyclostin® Endoxan®	Leukosen Morbus Hodgkin Non-Hodgkin-Lymphome Plasmozytom Bronchial-, Mamma-, Ovarial-Karzinome	sehr stark schwach bei oraler Einnahme	Zystitis (haemorrhagische)	stark		mäßiger Granulozyten- und Erythrozytenabfall geringer Thrombozytenabfall	Hyperurikämie
- **Ifosfamid**, z.B. Holoxan®	Hodentumoren Weichteilsarkome Bronchial-, Zervix- u. Ovarial-Karzinome	mittelstark	Zystitis (haemorrhagische)	stark		Granulozytopenie mäßiger Thrombozytenabfall	Desorientiertheit Verwirrtheit Hyperurikämie
- **Melphalan** Alkeran®	Plasmozytom Melanome Mamma- / Ovarial-Karzinome Seminome	schwach	Diarrhoe Stomatitis	schwach	Dermatitis	Granulozytopenie mäßiger Thrombozytenabfall	
- **Procarbazin**, z.B. Natulan®	Morbus Hodgkin Lymphosarkom Retikulosarkom	stark	Diarrhoe Stomatitis	mittelschwer	Dermatitis	mäßiger Granulozyten- / Thrombozytenabfall	Hyperurikämie

Wirkstoffgruppe Substanzname Handelsname	Indikation	Neusea/ Emesis	Mukositis	Alopezie	Hautveränderungen	Knochenmark-depression	Sonstige
Mitosehemmstoffe (Spindelgifte), z.B.							
- **Vinblastin** Velbe®	Morbus Hodgkin maligne Lymphome Kaposi-Sarkom	mittel-schwer	Stomatitis Diarrhoe	mittel-schwer		Granulozytopenie geringer Thrombozytenabfall	Neurotoxizität (Ileus) Hyperurikämie
- **Vincristin**, z.B. Vincristin Liquid Lilly®	akute lymphatische Leukämie Lymphome Melanom Mamma-Ca Sarkome	mittel-schwer	Diarrhoe	mittel-schwer		Leuko- / Thrombozytopenie Anämie	Neurotoxizität (motorische Ausfälle, Sensibilitätsstörungen, Ileus) Obstipation Sehstörungen
- **Vindesin**, z.B. Eldisine®	Melanom Bronchial-Ca	mittel-schwer		mittel-schwer		mäßiger Granulozyten- und Thrombozytenabfall	Neurotoxizität (Obstipation, Myalgien, Parästhesien) Hyperurikämie
Andere Substanzen							
- **Carboplatin**, z.B. Carboplat®	Ovarial-, Zervix-, Endometrium-, Prostata-, Hoden-, Blasen-, Bronchial-Ca	stark	Stomatitis	schwach		Granulozyto- / Thrombozytopenie	Geschmacksveränderungen geringe Nephro- und Ototoxizität Hyperurikämie
- **Etoposid**, z.B. Vepesid® VP-16 Bristol®	maligne Lymphome Leukämien Melanome Bronchial-, Hoden-, Chorion-Ca Kaposi-Sarkom	schwach		stark		mäßiger Granulozyten- / Thrombozytenabfall	Neurotoxizität
- **Hydroxyharnstoff, Hydroxyurea**, z.B. Litalir®	Melanome chronisch myeloische Leukämie Polyzythämie	mittel-schwer		mittel-schwer (selten)		mäßiger Granulozyten- / Thrombozytenabfall	Miktionsbeschwerden
- **Mitoxantron** Novantron®	Leukämien Lymphome Mamma-Ca	schwach	Stomatitis	mittel-schwer	Dermatitis	Granulozytopenie mäßiger Thrombozytenabfall	Kardiotoxizität Hyperurikämie (blau-grüne Verfärbung des Urins möglich)

Tabelle 12.1 ***Zytostatika und ihre häufigsten, für die Pflege relevanten Nebenwirkungen***

12.5.5.4.3 Intravenöse Verabreichung von Zytostatika

Sie ist in Deutschland ausschließlich **Aufgabe des Arztes**. Die Vorbereitung und Überwachung der Infusion kann an entsprechend instruiertes Pflegepersonal delegiert werden; diese Maßnahmen erfordern äußerste **Sorgfalt**, **Fachkompetenz** und ein ausgeprägtes **Verantwortungsbewußtsein**.

Komplikationen

Tritt eine intravenös verabreichte Injektions- bzw. Infusionslösung teilweise oder komplett in das die punktierte Vene umgebende Gewebe aus, spricht man von einer **paravenösen Injektion** bzw. Infusion. Gelangen bestimmte Zytostatika unbeabsichtigt ins Gewebe, können sie dort **schwerwiegende Schäden** verursachen. In den ersten Stunden oder Tagen sind häufig nur lokale **Entzündungszeichen** zu beobachten. Später können sich jedoch **Ulzerationen** oder **Nekrosen** in der Umgebung des Paravasats entwickeln; der Patient wird durch Schmerzen, Funktionseinschränkungen und weitere Folgen zusätzlich belastet.

Nicht jedes paravenös eingelaufene **Zytostatikum schädigt** das Gewebe. Ein diesbezüglich hohes Risiko ist in dem jeweiligen Beipackzettel ausgewiesen und

liegt z.B. bei Carmustin, Dactinomycin, Daunorubicin, Epirubicin, Vinblastin und Vincristin vor.
Patienten mit sehr brüchigen bzw. sehr dünnen Venen sowie Patienten mit vermindertem venösen Blutrückfluß tragen ein erhöhtes Risiko.
Unsachgemäß durchgeführte Gefäßpunktionen sowie das Verschieben der Venenverweilkanüle (bei mangelhafter Fixation oder bei Manipulationen) können für das paravenöse Einlaufen verantwortlich sein.
Um diese Komplikationen zu vermeiden, sollte

- die Gefäßpunktion sicher, sachgerecht und möglichst nicht am Handgelenk, Handrücken und in der Ellenbeuge erfolgen (Nerven, Gelenke und Sehnen könnten sonst geschädigt werden).
- der Patient während der Injektion / Infusion hinsichtlich auftretender Schmerzen befragt und beobachtet werden.
- der Patient hinsichtlich der Zeichen und Gefahren des paravenösen Einlaufes der Infusionslösung informiert und angehalten werden, sich bei Mißempfindungen (z.B. Brennen und Schmerzen im Bereich der Einstichstelle und der infundierten Vene) sofort zu melden.
- der Patient ggf. zum sicheren Umgang, Aufstehen und Bewegen mit der Infusion angeleitet werden; sehr geschwächte und unsichere Patienten sollten besser Bettruhe einhalten.
- die Einstichstelle, die Vene und die paravenöse Region (Rötung? Schwellung? Verhärtung? Schmerz?) sowie der Infusionsfluß beobachtet werden.

Wird ein **Paravasat** beobachtet, muß die **Infusion sofort abgestellt** und der behandelnde **Arzt gerufen** werden. Dieser wird Blut bzw. Gewebeflüssigkeit (und somit Zytostatikareste) durch die Verweilkanüle aspirieren. Bevor diese anschließend entfernt wird, kann in einigen Fällen lokal ein Antidot* gespritzt werden.
Das weitere Vorgehen ordnet der Arzt an. Empfohlen werden z.B.

- die Ruhigstellung und Hochlagerung der betroffenen Extremität;
- nach paravenösen Einlaufen von zytostatisch wirksamen Antibiotika *(siehe Tabelle 12.1)* eine lokale Kälteanwendung über 24 Std., danach für 4-5 Tage Heparineinreibung;
- nach paravenösem Einlaufen von Vinca-Alkaloiden lokale Wärmeanwendung über 24 Std.

Das gesamte Geschehen ist zu dokumentieren (Datum, Uhrzeit, Lokalisation, Zytostatikum und geschätzte paravenös gelaufene Menge, Beschwerden des Patienten, sichtbare Veränderungen).

12.5.5.5 Radiotherapie

Die Strahlentherapie bei bösartigen Tumorerkrankungen dient der **Verkleinerung** oder **Zerstörung des Tumors**.
Die **kurative Therapie**, häufig in Kombination mit einer operativen Tumorbehandlung, zielt auf die Heilung durch Zerstörung des (restlichen) Tumorgewebes oder z.B. auf die praeoperative Verkleinerung eines dadurch operabel werdenden Tumors ab. Wird die Strahlentherapie mit einer Chemotherapie kombiniert, dient dies der Strahlensensibilisierung des Tumorgewebes.
Die **palliative Therapie** erfolgt in der Absicht, tumorbedingte Beschwerden und Komplikationen (z.B. Schmerzen oder die Gefahr von Frakturen / Querschnittlähmung bei Metastasen) zu lindern bzw. zu verhindern. Die dazu erforderliche Strahlendauer und -dosis sind in der Regel relativ niedrig, so daß kaum Nebenwirkungen auftreten.
Zur Strahlentherapie stehen verschiedene Methoden zur Verfügung. Bei der **Teletherapie** *(externe Strahlentherapie)* gelangen die Strahlen von außen perkutan (durch die Haut) zum Tumorgewebe. Dabei befindet sich die Strahlenquelle (meist ein Telekobaltgerät oder ein Linearbeschleuniger) in ca. 80 - 120 cm Entfernung von der Haut.
Bei der **Brachytherapie** *(Kurzdistanztherapie)* wird die Strahlenquelle *(Radionuklide)* direkt an den betroffenen Geweben / Organen angewendet. So gelangen die Strahlen direkt an den Tumor, entferntes Gewebe kann geschont werden. Wird die Strahlenquelle in eine Körperhöhle eingebracht (z.B. Radiumeinlage in die Gebärmutter), spricht man von der **intrakavitären Therapie**; wird die Strahlenquelle direkt in das betroffene Organ (z.B. Mundboden, Prostata) implantiert, spricht man von der **interstitiellen Therapie**.
Tumorzellen reagieren strahlenempfindlicher als gesunde Zellen, deshalb können sie durch wiederholte Verabreichung kleiner Dosen zerstört werden, wogegen sich die normalen Zellen mit Hilfe bestimmter Reparaturenzyme weitgehend erholen können. **Besonders empfindlich** auf Strahlen **reagieren** Knochenmark, Lymphozyten, Darmepithel, Keimzellen, Haarfollikel und Augenlinse.
Das Ausmaß der Strahlenreaktionen im Sinne von **Nebenwirkungen** ist abhängig von der Strahlendosis / -dauer, der Größe der Bestrahlungsfelder, dem Allgemeinzustand, dem Alter und den Begleiterkrankungen des Patienten. Es können **akute**, **subakute** sowie **chronische Reaktionen** beobachtet werden, vorwiegend sind dies:

- akute Reaktionen der Haut *(siehe "Hautveränderungen", Seite 940)*,
- akute Reaktionen der Schleimhäute *(siehe "Schleimhautveränderungen", Seite 942)* und
- akute / subakute Reaktionen des Knochenmarks *(siehe "Blutungsrisiko", Seite 936, und "Infektanfälligkeit", Seite 937)*.

Die Strahlentherapie begleitende **Allgemeinsymptome** wie Appetitverlust, Übelkeit, Erbrechen und Müdigkeit, - der sogenannte **Strahlenkater** -, sind in der Regel nur bei Bestrahlung großer Felder und bei Mitbestrahlung der im Bauchraum liegenden Organe zu beobachten. Deren Behandlung erfolgt symptomatisch, evtl. wird die Intensität der Strahlentherapie verändert.
Spätfolgen können ½ bis 10 Jahre (und später) nach Therapieende im Bereich der bestrahlten Region/en auftreten. Selten treten nach 25 - 40 Jahren Zweitmalignome im bestrahlten Gebiet auf.
Die **zu bestrahlenden Hautfelder** werden vor Behandlungsbeginn mit einem wasserfesten Stift **eingezeichnet**. Findet dies in einem sichtbaren Körperbereich statt, wird die **Krebserkrankung** für andere Menschen **sichtbar**. Diese können z.B. mit Mitleid, Distanzierung oder Rückzug reagieren. Nicht wenige der Betroffenen ziehen sich ihrerseits zurück.

12.5.5.6 Hormontherapie

Bei hormonabhängigen Tumoren hat eine Hormontherapie Aussicht auf Erfolg, wenn am betroffenen Organ (z.B. Prostata, Mamma, Schilddrüse) **spezifische Hormonrezeptoren** in ausreichender Konzentration vorhanden sind. Dies läßt sich durch bestimmte Methoden an entnommenen Gewebeteilchen messen. Der Tumor wird entsprechend der gemessenen Rezeptorkonzentration als positiv oder negativ für diesen Rezeptor bezeichnet; ein **rezeptorpositiver Tumor bildet sich bei Fehlen des Hormons häufig zurück**. Dieses kann auf unterschiedliche Weise herbeigeführt werden:

- **Ablative Hormontherapie**
  Die das Tumorwachstum beeinflussende Hormonproduktion wird durch operative Entfernung oder durch medikamentöse Beeinflussung des hormonproduzierenden Organs (z.B. Eierstöcke, Hoden, Nebennieren) eingestellt.
- **Antihormontherapie**
  Die hormonspezifischen Rezeptoren werden durch Verabreichung spezifischer Antihormone (z.B. Antioestrogene bei Mammakarzinom) blockiert.
- **Additive Hormontherapie**
  Die Wirkung des tumorwachstumsfördernden Hormons wird durch Verabreichung eines anderen Hormons aufgehoben (z.B. Gestagentherapie bei Mammakarzinom).

Die Hormontherapie bei malignen Tumorerkrankungen führt oft zu **sehr langen Teilremissionen**; eine **Heilung metastasierender Tumoren** ist dagegen **nicht möglich**. Zu gravierenden, zelltoxischen Nebenwirkungen wie bei der Chemotherapie kommt es nicht. Allerdings führen die Veränderung bzw. das Fehlen der Hormonwirkung zu entsprechenden **Nebenwirkungen**, z.B. zu:

- klimakterischen Beschwerden nach Entfernung der Eierstöcke,
- Störungen der Blutgerinnung und zu Ödemen bei Oestrogentherapie,
- Virilisierung *(Vermännlichung der Frau durch Ausbildung sekundärer männlicher Geschlechtsmerkmale)* bzw. Gynäkomastie*, Impotenz und Libidoverlust* beim Mann infolge Behandlung mit gegengeschlechtlichen Hormonen.

(Siehe dazu "Beeinträchtigung der Sexualität", Seite 946).

12.5.5.7 Immuntherapie

Die Immuntherapie dient der **Verstärkung natürlicher Abwehrmechanismen**. Sie soll eine Tumorrückbildung bewirken. In den letzten Jahren ist es gelungen, sogenannte **Zytokine** zu isolieren und therapeutisch einzusetzen. Die Erforschung weiterer Zytokine sowie ihre diagnostische und therapeutische Anwendung sind zum größten Teil noch Forschungsgegenstand; für die nächsten Jahre werden große Fortschritte erwartet. Bei den Zytokinen handelt es sich um von Zellen gebildete Eiweißstoffe. Sie **regeln Zellvermehrung und -wachstum** und sind **Botenstoffe der zellgebundenen Immunität**; ferner dienen sie der Abwehr von Mikroorganismen bzw. entarteten Zellen, indem sie sich an deren Zerstörung beteiligen. Zu den Zytokinen zählen die Interleukine, Interferone, Zytotoxine, Kolonie-stimulierende Faktoren und andere Wachstumsfaktoren.
Unter der Behandlung können dosisabhängige und bei Absetzen des Medikamentes reversible **Nebenwirkungen** auftreten: Fieber, Schüttelfrost, Erbrechen, Diarrhoe, Juckreiz, Erytheme, Leukopenie, Hypotonie und Myalgie *(Muskelschmerzen)*.
Zur Zeit werden Zytokine zur Behandlung bestimmter Tumorerkrankungen eingesetzt (z.B. alpha-Interferon bei Haarzelleukämie, chronisch-myeloischer Leukämie, Plasmozytom und einigen malignen Lymphomen; Interleukin 2 bei fortgeschrittenem Melanom und Nierenzellkarzinom).

12.5.5.8 Alternative Methoden der Krebsbehandlung

Wissenschaftlich nicht als wirksam bewiesene Behandlungsmethoden werden als **paramedizinisch** oder **alternativ** bezeichnet.
Mehr als die Hälfte aller krebskranken Menschen nimmt solche paramedizinischen Maßnahmen in Anspruch. Dies geschieht entweder zusätzlich zu den Maßnahmen der Schulmedizin (*komplementär, sich gegenseitig ergänzend*) oder alternativ dazu. Letzteres kann gravierende (tödliche) Folgen haben, wenn eine mögliche kurative Therapie zugunsten einer paramedizinischen ungenutzt bleibt.

Das Angebot alternativer Heilmethoden (z.B. Einnahme bestimmter Pflanzenpräparate oder Homöopathika; Heilfasten; sogenannte "Krebsdiäten"; Handauflegen oder Visualisierung nach der Simonton Methode) kommt dem Bedürfnis des Krebskranken, selbst einen Beitrag gegen die Krankheit zu leisten, entgegen. Dies gilt insbesondere dann, wenn die Schulmedizin nicht (mehr) helfen kann, erwartete Therapieerfolge ausbleiben oder deren Behandlung mit massiven Nebenwirkungen einhergeht / einherging.
Auf Körper und Geist **sanft wirkende Methoden** werden oft eher **befürwortet** als aggressive, auch das gesunde Gewebe angreifende Methoden. Auch die heute wieder zunehmend zu beobachtende Naturverbundenheit nährt den Wunsch, sich mit natürlichen Mitteln behandeln zu lassen und die **natürlichen Selbstheilungskräfte zu aktivieren**. Ein ähnliches Motiv liefert die Vorstellung eines Krebskranken, sein Leiden sei durch innere oder äußere bösartige Kräfte entstanden und könne durch natürliche Methoden, die vor allem die Abwehrkräfte steigern, besiegt werden. Das Einbeziehen der Natur wird gedanklich mit guten, heilenden und schützenden Kräften verbunden.
Schwerkranke Menschen sind manchmal auch bereit, große (häufig materielle) Opfer zu bringen, z.B. um damit die Schuld, die sie sich selbst an der Krebsentstehung geben, zu sühnen.
Pflegende sollten - ebenso wie die behandelnden Ärzte - das **Informationsbedürfnis** hinsichtlich alternativer Behandlungsmethoden **wahrnehmen**, die diesbezüglichen Vorstellungen, Erwartungen und ggf. Erfahrungen des Kranken eruieren sowie ernstnehmen. Auf dieser Basis kann sich ein **sachlich** und **kritisch orientiertes Gespräch** entwickeln, indem der (meist verun-

sicherte) Kranke Verständnis und wertvolle Entscheidungshilfen findet.
Leider führt die Eigeninitiative des Kranken, die eine ausschließlich ärztliche Behandlung und Kontrolle über die Krankheit verhindert, nicht selten zur **Kränkung der professionellen Helfer**, die dann ihrerseits die paramedizinischen Methoden belächeln und negativ bewerten. Eine solche Situation läßt kaum einen offenen Austausch über die Motivation und die Erwartungen des Kranken hinsichtlich der Anwendung alternativer Methoden zu. Eine kritische Analyse der frei gewählten Therapiemethode, die vielleicht sehr teuer ist, keinen wissenschaftlich belegten Therapiewert, aber evtl. gefährliche Nebenwirkungen haben kann, wird somit oftmals von vornherein unterbunden.
Gegenüber Pflegenden überwinden viele Betroffene die Hemmschwelle, offen über ihr Interesse bzw. Vorhaben zu sprechen, eher als gegenüber Ärzten. Deshalb sollten Pflegende sich **offen** und **gesprächsbereit** sowie **verständnisvoll** für die Überlegungen des Kranken - die in der Regel aus Angst, Leid oder Schuldgefühlen entstehen - zeigen. Fehlt die Sachkenntnis über die entsprechende paramedizinische Methode, sollte die Pflegeperson sich diesbezüglich kundig machen oder ein Gespräch mit dem Arzt vermitteln.
Auch aus schulmedizinischer Sicht werden - als zusätzliche, ergänzende Behandlungsmethoden - nicht alle paramedizinischen Verfahren abgelehnt. Methoden, die auf die **Aktivierung der Selbstheilungskräfte** oder auf eine **gesunde Lebensführung / Ernährung** ausgerichtet sind, können **positive Wirkung** zeigen.
Dem Wunsch des Kranken, selbst gegen seine Krankheit und für sein Wohlbefinden aktiv zu werden, kann durch Angebote zur Entspannung (z.B. Autogenes Training, Reflexzonenmassage), durch psychotherapeutische Hilfe oder durch die Empfehlung zur Mitgliedschaft in einer Selbsthilfegruppe begegnet werden. Auch die Anleitung zu einer gesunden Lebensführung und Ernährung sowie der Hinweis auf weiterführende Literatur oder Kursangebote werden von vielen Betroffenen dankbar angenommen. Dadurch kann ihnen vermittelt werden, daß in ihrem Leben nicht "*alles gleichgültig oder verloren*" ist.

12.5.6 Problembereiche und entsprechende Pflegeschwerpunkte

Die Erkrankung an einem bösartigen Tumor führt zu **physischen**, **psychischen** und **sozialen Belastungen**, die in der Regel zu Problemen des Betroffenen und seiner Angehörigen werden.
Im psychosozialen Bereich auftretende Probleme und Bedürfnisse wurden in den Abschnitten *12.5.1* und *12.5.2* dargestellt; entsprechende Pflegemaßnahmen werden in den Abschnitten *12.5.6.11*, *12.5.6.13* und *12.5.7* besprochen.
Darüber hinaus werden die möglicherweise durch den Tumor oder die Therapie auftretenden Probleme im physischen Bereich - und die damit zusammenhängenden psychischen und sozialen Probleme - besprochen.
Die Erstbehandlung des Tumorkranken erfolgt im Krankenhaus. Weitere Maßnahmen, z.B. eine Chemotherapie oder eine Bestrahlung, werden - sofern der Zustand des Kranken dies erlaubt - zunehmend auch ambulant durchgeführt. Viele der krebskranken Patienten brauchen während dieser Therapiephase (und danach) professionelle pflegerische Betreuung. Ist diese gewährleistet, können sie unter Umständen lange Zeit in ihrem gewohnten Umfeld bleiben und dort - begleitet von der Familie und/oder den gut bekannten Pflegepersonen - sterben.
Um die individuelle Problemlage des jeweils betroffenen Menschen zu erfassen, ist seine **Situation sorgfältig** zu **analysieren**.

12.5.6.1 Übelkeit und Erbrechen

Übelkeit *(Nausea)* und Erbrechen *(Emesis)* werden von einem tumorkranken Menschen als sehr unangenehm empfunden und führen zu einer deutlichen **Beeinträchtigung** des Allgemeinbefindens und **der Lebensqualität**. Entwickeln sie sich therapiebedingt, reagieren einige der Betroffenen therapieabweisend oder -verweigernd.

Bei den **Ursachen** überwiegen:
- Chemotherapie *(siehe Seite 925)*;
- Radiotherapie (vor allem bei Bestrahlung des Oberbauches bzw. des Beckens);
- Tumoren oder tumorbedingte Veränderungen (z.B. Stenosen, Hirnödem) im Magen-Darm-Trakt oder im ZNS;
- metabolische Komplikationen (z.B. Elektrolytstörungen, Urämie*);
- psychische Faktoren (Ängste, Aufregung, Erschöpfung).

Einige der Tumorkranken weisen einen **Widerwillen gegen bestimmte Speisen** auf.
Eine besondere Form des Erbrechens stellt das **antizipatorische** *(vorwegnehmende)* **Erbrechen** dar. Hierbei handelt es sich um eine konditionierte Antwort auf die Zytostatikabehandlung, die zuvor mit starker Übelkeit oder Erbrechen einherging. Der Betroffene muß erbrechen, bevor die erneute Behandlung erfolgt; Auslöser können z.B. der Anblick der Zytostatikainfusion oder der Geruch des Krankenhauses sein.
Ferner kann die Schmerztherapie mit Opioiden in der ersten Behandlungswoche Übelkeit und Erbrechen auslösen.
Folgen:
Die psychischen Auswirkungen von Übelkeit und Erbrechen wurden bereits besprochen.
Menschen mit Schluckstörungen können sich infolge einer Aspiration von Erbrochenem eine **Aspirationspneumonie** zuziehen. Bei heftigem Erbrechen kann es zu Einrissen und Blutungen im Bereich der Oesophagus- und Magenschleimhaut kommen *(***Mallory-Weiss-Syndrom***)*. Wiederholtes Erbrechen führt zu **Gewichtsverlusten** und kann den Wasser- und Elektrolythaushalt nachhaltig stören (**Alkalose, Exsikkose**).

Pflegemaßnahmen

- **Analyse und Berücksichtigung des persönlichen Erlebens**

Um die Bedürfnisse und das Erleben des Patienten besser erfassen zu können, sollten Pflegende herausfinden, welche Bedeutung Übelkeit und Erbrechen für den einzelnen haben, welche Erfahrungen bisher damit einhergingen und in welcher Weise der Betroffene damit umging. So können **bewährte Bewältigungsstrategien** (z.B. Ablenkung durch Musikhören) ermöglicht und **Befürchtungen** (z.B. "*Mein Körper wird vergiftet*") **relativiert** werden. Außerdem spürt der Kranke, daß seine Probleme und Bedürfnisse ernstgenommen werden.

• **Krankenbeobachtung**

Anhaltende Übelkeit und wiederholtes heftiges Erbrechen sollten beobachtet werden, um die daraus resultierenden **Probleme** zu **erfassen** und um ggf. die **Effektivität der antiemetischen Therapie beurteilen** zu können. Es werden beobachtet und dokumentiert:

- Häufigkeit, Stärke, Beginn und Dauer der Übelkeit;
- Häufigkeit des Würgens;
- Dauer und Anzahl der Brechepisoden.

Bei wiederholtem Erbrechen ist zusätzlich das verlorengegangene Volumen zu messen, um entsprechend Flüssigkeit substituieren zu können.
Außerdem sollte beobachtet werden, ob der Patient Schluckstörungen aufweist.

• **Information**

Der Patient wird ggf. **hinsichtlich der im** Rahmen der Zytostatikatherapie **zu erwartenden Übelkeit / des Erbrechens** informiert. ***(Beachte:*** Nicht jedes Zytostatikum ruft Übelkeit / Erbrechen hervor.) Er sollte den für die jeweilige Therapie wahrscheinlichen Zeitpunkt, die Dauer und das Ausmaß der Übelkeit bzw. des Erbrechens kennen.
Ebenso wichtig ist die angemessene Aufklärung **über** die **Wirkung** (Wirkungseintritt / -dauer, -intensität) und die Nebenwirkungen **der Antiemetikatherapie**. Der **Antiemetikaplan**, zu dem auch ein für den Patienten verfügbares Reservemedikament gehört, sollte dem Patienten bekannt sein.
Sowohl das vorausschauende Einschätzen der Situation als auch die Möglichkeit, das Unwohlsein zumindest teilweise beeinflussen zu können, erleichtern die Situation des Betroffenen.
Die Patienteninformation obliegt primär dem Arzt, sollte auf Wunsch des Patienten jedoch vom Pflegepersonal wiederholt werden.

• **Unterstützung des Patienten**

Der Einsatz bereits vorhandener und gewünschter **Bewältigungsstrategien des Kranken** sollte ermöglicht werden, ggf. sind **ergänzende** bzw. alternative **Vorschläge** zu unterbreiten.
Oft lindert **Ablenkung**, z.B. in Form von Gesprächen, Lesen oder Fernsehen, Übelkeit und Erbrechen.
Einige Patienten möchten ungestört ruhen oder schlafen und wünschen ein **ruhiges**, evtl. abgedunkeltes **Zimmer**.
Generell sollte ein Zimmer in ruhiger, von der Küche entfernter Lage gewählt werden.
Der Kranke wird bei der Einnahme einer **bequemen Lage** seiner Wahl unterstützt. Bei Übelkeit wird meist die sitzende Position bevorzugt, **Frischluftzufuhr** wird angenehm empfunden.

Zu **Veränderungen der Geschmackswahrnehmung** (metallischer Geschmack im Mund) kann es infolge einer Cyclophosphamid-Infusion (Bristol®, Cyclophosphamid®, Cylostin®, Cytoxan®, Endoxan®, Endoxan-Asta®) kommen. Von dieser unangenehmen Empfindung läßt sich durch Lutschen von Bonbons oder durch Kauen von Kaugummi u.ä. Substanzen, die einen starken Eigengeschmack aufweisen, ablenken.
Das Ausmaß der pflegerischen Unterstützung während und nach dem Erbrechen richtet sich nach den Bedürfnissen und Wünschen des Patienten. Lesen Sie dazu "*Hilfeleistung beim Erbrechen*", *Seite 132*.
Einige Spezialkliniken bieten zusätzlich **Entspannungstechniken** wie Autogenes Training oder Massage an, um Übelkeit und Erbrechen zu reduzieren.

• **Assistenz bei der Antiemetikatherapie**

Die Antiemetika werden **prophylaktisch** - und nicht erst bei eingetretener Übelkeit bzw. Erbrechen - verabreicht.
Der Kranke wird hinsichtlich der **Wirkung / Nebenwirkungen beobachtet.** Da Übelkeit und Erbrechen auch noch nach Verabreichung der Chemotherapeutika auftreten können, werden die Antiemetika in der Regel noch 2 - 5 Tage länger verordnet.
Dem **antizipatorischen Erbrechen** sollte durch eine Antiemetikaverabreichung vor und während der ersten Zytostatikagabe vorgebeugt werden. Tritt es dennoch vor bzw. während weiterer Therapiestöße auf, werden Entspannungsübungen und Sedativa in Kombination mit einem peroral verabreichten Antiemetikum empfohlen.
Treten Übelkeit und Erbrechen im Zusammenhang mit der medikamentösen Schmerztherapie auf, sind ebenfalls Antiemetika angezeigt. Sie können meist nach ca. einer Woche reduziert oder abgesetzt werden.

• **Ernährung während der Chemotherapie**

Während der Dauer der Chemotherapie (aber auch darüber hinaus) sollte dem krebskranken Menschen **Wunschkost** angeboten und zu den von ihm gewünschten Zeitpunkten serviert werden. Der Kranke wird **kleine Portionen** bevorzugen und vertragen. Die Akzeptanz der individuellen Wünsche steht im Vordergrund; zusätzlich können Pflegende folgende **Hinweise geben**:

- es hat sich nicht bewährt, während des gesamten Behandlungszyklus nüchtern zu bleiben;
- Zytostatika, die per os verabreicht werden, sollten nach der Mahlzeit eingenommen werden;
- kühle klare Getränke wirken wohltuend;
- kalte Speisen und leicht verdauliche Nahrungsmittel wie Toast- und Knäckebrot, Kartoffeln oder Quarkspeisen, werden besser vertragen als warme Speisen;
- sehr fetthaltige, besonders süße und stark gesalzene Nahrungsmittel werden nicht gut vertragen.

Um die Stoffwechselendprodukte der Zytostatika rasch aus dem Körper zu eliminieren, sollte der Patient **2 - 3 l Flüssigkeit pro 24 Stunden** zu sich nehmen; die entsprechende Information und ggf. Unterstützung sind zu gewährleisten.

12.5.6.2 Ernährungsstörungen und Tumorkachexie

Ernährungsstörungen treten häufig auf und **beeinträchtigen** das ohnehin reduzierte **Allgemeinbefinden** des Kranken **erheblich**.
Ursachen sind hauptsächlich:
- Erkrankungen, die den Verdauungstrakt betreffen;
- tumor- oder therapiebedingte Kau- bzw. Schluckstörungen;
- Auswirkungen der Chemo- bzw. Radiotherapie, vor allem Mundtrockenheit, Übelkeit, Erbrechen und Schleimhautschäden im Verdauungstrakt;
- anhaltende Diarrhoe und Emesis;
- operative Eingriffe, vor allem, wenn sie die Organe des Verdauungstraktes betreffen;
- Störungen im Bereich des ZNS, die zu einer eingeschränkten Kontrolle der spontanen Nahrungsaufnahme führen;
- der konsumierende Krankheitsprozeß, der mit einer Stoffwechselstörung einhergeht;
- die verringerte Nahrungsaufnahme infolge einer Anorexie (*Appetitlosigkeit und/oder vorzeitiges Sättigungsgefühl*) oder infolge einer beeinträchtigten Geschmacks- und Geruchswahrnehmung.

Mögliche **Folgen** sind:
- eine gestörte Nährstoffaufnahme und/oder -verwertung, die letztendlich folgende Auswirkungen hat:
  - Müdigkeit, Kraftlosigkeit und Leistungseinbuße;
  - Gewichtsverluste, Tumorkachexie (**Beachte**: erhöhtes Dekubitusrisiko bei Mobilitätseinschränkung);
  - Kreislaufprobleme (Schwindel, Kollapsneigung);
  - Störungen des Wasser- und Elektrolythaushaltes;
  - Malabsorption*;
  - Mangelzustände (Hypovitaminosen, Eiweißmangel, Anämie, Störungen der Blutgerinnung und der Infektabwehr);
  - Amenorrhoe.

Pflegemaßnahmen
Wurde eine (drohende) Fehl- oder Mangelernährung diagnostiziert, muß die Ernährung des Kranken unterstützt werden. Das Aufstellen eines **individuellen Ernährungsplanes** und die entsprechende Beratung des Betroffenen, ggf. auch seiner Angehörigen, sind Aufgaben der professionellen Ernährungsberatung.
Pflegende sollten das **Eßvermögen** des Kranken, d.h. die Fähigkeit zur oralen Nahrungsaufnahme, soweit wie möglich **erhalten** und die Motivation zur **Nahrungsaufnahme fördern**. Eß- und Trinkverhalten sind zu beobachten und zu dokumentieren. Das Patientenzimmer sollte nicht in Küchennähe liegen (Geruchsbelästigung).

Allgemein gilt für die Ernährung des tumorkranken Menschen:
- Wunschkost anbieten, möglichst im Sinne einer gutschmeckenden abwechslungsreichen Mischkost, dabei unverträgliche Nahrungsmittel (z.B. Kohlsorten, stark Gewürztes, fettige Speisen, alkoholische und säurehaltige Getränke) meiden;
- während der Krankenhausaufenthalte anregen, besondere Lieblingsspeisen von zu Hause mitbringen zulassen (sofern keine hygienischen Bedenken, z.B. bei Infektneigung, bestehen);
- die Speisen in vielen kleinen hochkalorischen Mahlzeiten und als Zwischenmahlzeiten verabreichen;
- die individuellen Wünsche, Bedürfnisse und Eßgewohnheiten respektieren, z.B.
  - den Kranken nicht zum Essen überreden, wenn er unter Übelkeit leidet,
  - Speisen, die Widerwillen auslösen, weder in Sicht- noch in Geruchsweite aufbewahren,
  - die Mahlzeiten zu den vom Kranken gewünschten Zeiten (anstatt zu den üblichen "Essenszeiten") servieren;
- mindestens 1,5 l Flüssigkeit in 24 Std. anbieten, **während einer Zytostatikatherapie sowie bei Diarrhoe und Erbrechen mind. 2 - 3 l / 24 Std.;**
- ruhige und gemütliche Atmosphäre schaffen, angenehme Gesellschaft ermöglichen (sofern gewünscht);
- bei Bedarf die Speisen mit Sahne, Butter, Milch oder Rahm zubereiten;
- Mahlzeiten anreichern, z.B. mit Joghurt, Cornflakes;
- ggf. vor dem Essen Antiemetika verabreichen;
- evtl. zur Appetitanregung eine geringe Menge Alkohol anbieten -sofern keine Kontraindikation vorliegt;
- nahrhafte Zwischenmahlzeiten wie Sahnequark, Milchshake, Obst oder industriell hergestellte Trinknahrung anbieten;
- bei Bedarf Milchpulver zumischen, um den Eiweißanteil zu erhöhen;
- nach dem Essen Zimmer gut lüften und Ruhepausen empfehlen / ermöglichen;
- **bei Defekten und Entzündungen der Mundschleimhaut** weiche Nahrung anbieten und säurehaltige sowie sehr süße und scharf gewürzte Speisen meiden, evtl. vorher Oberflächenanästhetikum verabreichen;
- **bei Blutungsneigung** weiche, evtl. breiige Kost anbieten.

Bei lebensbedrohlicher Unterernährung und bei unbehandelbarer Anorexie ist eine **künstliche Ernährung** indiziert. Sie erfolgt in der Regel über eine Sonde. Meist wird eine perkutane endoskopische Gastrostomie (**PEG**, *siehe Seite 120*) angelegt.
Sind die enterale Sondenernährung und/oder die orale Flüssigkeitsaufnahme nicht möglich bzw. unzureichend, muß die Ernährung (ergänzend) über einen **zentralen Venenkatheter** erfolgen.

12.5.6.3 Blutungsrisiko

Im Zusammenhang mit einer bösartigen Tumorerkrankung können verschiedene Veränderungen am blutbildenden System auftreten, die ein Blutungsrisiko bedingen, das - je nach Ausmaß - zu lebensbedrohlichen Komplikationen führen kann.

Ursachen sind hauptsächlich:
- Thrombopenie *(verminderte Zahl der Blutplättchen)* infolge einer vorübergehenden Knochenmarkdepression *(herabgesetzte Funktionen des Knochenmarks, Mängel bei der Produktion von Blutzellen)*, die als unerwünschte Nebenwirkung bei der Zytostatikatherapie oder bei der Bestrahlungstherapie auftreten kann;

- Thrombopenie infolge einer Tumorinfiltration des Knochenmarkes, so daß die Tumorzellen die blutbildenden Knochenmarkzellen verdrängen;
- gestörte Thrombozytenfunktion, z.B. im Rahmen einer chronisch myeloischen Leukämie;
- Störungen der Blutgerinnung infolge einer ausgeprägten Leberfunktionsstörung, z.B. bei Tumorbefall der Leber.

Mögliche Folgen:
Mit abnehmender Thrombozytenzahl steigt das **Blutungsrisiko**. Sinkt die Thrombozytenzahl unter 20 000 mm^3, steigt das Risiko, Spontanblutungen zu erleiden, erheblich.

- Spontanblutungen
  - Nasen- und Zahnfleischbluten,
  - Blutungen in die Haut (Petechien, Purpura),
  - Blutungen im Magen-Darm-Trakt,
  - Blutungen im Augenhintergrund,
  - Hirnblutungen;
- Hämatombildungen infolge von Verletzungen, Stürzen;
- Anämie infolge massiver Blutverluste;
- Unsicherheit und Angst beim Erkrankten.

Pflegemaßnahmen
Aus pflegerischer Sicht gilt es, das Verletzungsrisiko so gering wie möglich zu halten sowie Blutungen frühzeitig zu erkennen und rasch zu stillen. Einzelne Maßnahmen sind:

- **Information des Kranken**
  hinsichtlich des Blutungsrisikos und der Möglichkeiten, sich vor Verletzungen zu schützen sowie Blutungen frühzeitig zu erkennen und sie zu stillen;
- **Krankenbeobachtung**
  - Haut und Schleimhäute (Nasen- / Zahnfleischblutungen? Purpura? Ekchymosen? Petechien? Hämatome?),
  - Bewußtsein (Veränderungen? Eintrübung?),
  - Ausscheidungen (Blutbeimengungen? Farbveränderungen? Teerstuhl? Melaena?),
  - Sehstörungen?
- **Minimieren des Verletzungsrisikos**
  - sorgfältige Mundspülung und Zahnreinigung, dabei weiche Zahnbürste (evtl. nur einen Watteträger) benutzen,
  - Trockenrasur mit elektrischem Rasierapparat der Naßrasur vorziehen oder auf die Rasur verzichten,
  - keine intramuskulären, ggf. auch keine subkutanen Injektionen verabreichen (Arztanordnung),
  - sorgfältige Lippen- und Hautpflege durchführen, angemessenes Eincremen der Haut, Lippen, Nasenschleimhaut,
  - Kranken anhalten, die Nase nur vorsichtig zu schneutzen,
  - Umgebung des Kranken so gestalten, daß Verletzungs- und Sturzgefahren möglichst ausgeschlossen werden (z.B. scharfe Kanten abpolstern, freie Laufwege schaffen),
  - weiche (evtl. breiige), nicht scharf gewürzte und säurearme Kost verabreichen,
  - Kranken anhalten, auf einengende Kleidungsstücke zu verzichten,
  - Nägel sorgfältig und vorsichtig schneiden bzw. feilen,
  - Blutdruckmanschette nur ca. 20 mmHg über den zu erwartenden systolischen Wert aufpumpen,
  - für weichen Stuhlgang sorgen (diätetisch, ggf. nach Arztanordnung medikamentös);
- **keine Verabreichung von Thrombozytenaggregationshemmern** *(siehe Seite 912)*, z.B. ASS®, Colfarit®;
- **angemessenes Verhalten bei Blutungen**
  - bei Blutungen sofort den Arzt informieren,
  - ggf. ärztlich angeordnete Präparate zur Blutstillung verabreichen,
  - **bei Hämatombildung** lokal Kälte anwenden (Hot-Cold-Pack, Eisbeutel),
  - **blutende Wunden** (z.B. nach einer Venenpunktion) mit Druckverband versorgen,
  - **bei Nasenbluten** Kranken aufrecht setzen, seinen Kopf leicht nach vorne neigen und ein Kühlelement in den Nacken legen sowie ihn auffordern, den blutenden Nasenflügel mit einem Finger an die Nasenscheidewand zu pressen (Kompression der blutenden Gefäße),
  - **bei Bluterbrechen** *(Hämatemesis)* Kranken aufrecht setzen, Hilfestellung leisten und sofort den Arzt benachrichtigen; möglichst das Volumen des Erbrochenen messen und Vitalzeichen beobachten,
  - bei **Blutungen im ZNS** beobachten / erfragen, ob der Kranke unter Husten oder Brechreiz leidet und diese Mechanismen ggf. nach Arztanordnung medikamentös unterdrücken (Vermeidung intrakranieller Druckerhöhung) sowie den Patienten anhalten, sich weder anzustrengen noch zu pressen.

12.5.6.4 Infektanfälligkeit

Die erhöhte Infektanfälligkeit ist ein häufig vorkommendes Problem im Rahmen einer bösartigen Tumorerkrankung. Das Risiko, Infektionen zu erleiden, **steigt mit Abnahme der Granulozytenzahl** unter 1000 mm^3; fällt diese unter 500 mm^3 ab, resultiert eine hochgradige Infektgefährdung des Kranken.

Ursachen:

- Leukopenie (Granulozytopenie, Neutropenie) infolge einer Chemo- und/oder Strahlentherapie, die vorübergehend zur Knochenmarkdepression führt;
- Granulozytopenie infolge Tumorinfiltration;
- Beeinträchtigung der zellulären Abwehr (z.B. bei akuter Leukämie oder malignen Lymphomen);
- Antikörpermangel bei multiplem Myelom und bei Non-Hodgkin-Lymphomen.

Mögliche Folgen:

- Infektionen, vor allem über die Haut / Schleimhäute sowie über den Magen-Darm-Trakt, verursacht durch fakultativ pathogene Keime und exogene Infektionen *(siehe Seite 471)*;
- Verschlechterung des ohnehin reduzierten Allgemeinzustandes (Müdigkeit, Abgeschlagenheit, häufig Fieber und weitere Symptome);
- Tod durch medizinisch nicht therapierbare Infektion.

Pflegemaßnahmen
Die Pflegemaßnahmen dienen der **Infektprophylaxe** und dem **frühzeitigen Erkennen** von Infektionen.

- **Information des Kranken**
  hinsichtlich seiner Infektanfälligkeit und entsprechender Möglichkeiten der Prophylaxe (Aufgabe des Arztes; evtl. sind Wiederholungen durch das Pflegepersonal erforderlich);
- **Anleitung des selbständigen Patienten**
  zur Haut- und Schleimhautbeobachtung, dazu Taschenlampe und -spiegel zur Verfügung stellen;
- **Krankenbeobachtung**
  hinsichtlich der Zeichen einer Infektion
  - 2 - 3 mal täglich Körpertemperatur messen,
  - Patienten nach Krankheitsgefühl, Schmerzen, Magen-Darm-Beschwerden u.a. Besonderheiten fragen,
  - Atmung (Beschwerden? Husten?) beobachten,
  - Miktion und Urin (Beschwerden? Farb- oder Geruchsveränderungen?) beobachten;
- **Information des Arztes**
  sobald Veränderungen beobachtet werden, die Hinweis auf eine Infektion sein können;
- **hygienisches Arbeiten und Verhalten**
  - vor und nach jedem Kontakt mit dem Kranken hygienische Händedesinfektion vornehmen,
  - Besucher und Mitpatienten zur Händedesinfektion anhalten und anleiten,
  - Personen, die an einer Infektion leiden, halten sich vom Kranken fern,
  - bei der Versorgung von Wunden Mund-Nasen-Schutz und Schutzkittel tragen,
  - bei invasiven Eingriffen (z.B. Katheterismus der Harnblase) äußerst sorgfältig und unter sterilen Bedingungen arbeiten,
  - sorgfältige Beobachtung und Pflege im Zusammenhang mit zu- und ableitenden Sonden / Kathetern,
  - Pneumonieprophylaxe,
  - Harnwegsinfektionsprophylaxe;
- **Schaffen einer keimarmen Umgebung**
  - Kranken in einem frisch gereinigten Zimmer unterbringen,
  - tägliche sorgfältige Zimmerreinigung (inklusive Mobiliar) veranlassen,
  - Kranken anhalten, auf Topfblumen in seinem Zimmer zu verzichten,
  - evtl. vorübergehend Schutzisolation (*protektive Isolation*) des Patienten;
- **Reduzieren der körpereigenen Keime**
  (Die folgenden Maßnahmen sind je nach Ausmaß einer Neutropenie oder Granulozytopenie angezeigt.)
  - Kranken zu sorgfältiger Mund- und Zahnpflege nach jeder Mahlzeit anhalten bzw. ihn dabei unterstützen,
  - 4mal täglich antiseptische Mundspülung, z.B. mit Chlorhexidin (Chlorhexamed®) oder Salviathymol®, veranlassen (Arztanordnung),
  - Kranken zu täglicher Ganzkörperreinigung (möglichst als Duschbad) anhalten bzw. ihn dabei unterstützen,
  - Kranken ggf. nach Arztanordnung anhalten (bzw. ihn unterstützen), nach jeder Defäkation eine Intimpflege mit Handschuhen und mittels desinfizierender Seife / Lösung durchzuführen,
  - täglich die Bett- und Leibwäsche wechseln, evtl. sterile Wäsche benutzen;
  - ggf. die ärztlich verordneten Antibiotika und Fungistatika zur Darmdekontamination (*Verminderung der potentiell gefährlichen Darmflora*) verabreichen;
- **keimarme Ernährung**
  - Kranken und Angehörige über geeignete keimarme und ungeeignete keimhaltige Nahrungsmittel informieren,
  - nur gut gekochte Speisen servieren / essen,
  - nur schälbare Früchte servieren / genießen,
  - auf Angebot / Genuß von rohen Salaten, Schimmelkäse, Camembert, Brie sowie Joghurt mit lebenden Kulturen ggf. (Arztanordnung) vorübergehend verzichten,
  - keine Reste aus angebrochenen Konservendosen verabreichen / essen,
  - evtl. Nahrung sterilisieren *(siehe "Sterilbetteinheit")*;
- **Assistenz** bei den notwendigen medizinischen Maßnahmen zur **Infektbekämpfung**
  - bei Temperaturanstieg Blutkultur vorbereiten (auch wenn die Infektbekämpfung in der Regel sofort eingeleitet wird, ohne die Laborergebnisse abzuwarten),
  - Medikamente korrekt, dem Zeitschema entsprechend vorbereiten und evtl. verabreichen (Antibiotika, Antimykotika, Virustatika),
  - bei Fieber verordnete Antipyretika verabreichen,
  - ggf. Verabreichung von Immunglobulinen vorbereiten.

❍ Schutzisolierung (protektive Isolierung)

Diese Form der Isolierung dient dem **Schutz des besonders infektionsgefährdeten Patienten** vor Kontakt mit Infektionserregern aus seiner Umgebung oder zur Vorbereitung auf die Unterbringung in einer Sterilbetteinheit. Patienten mit einer schweren Knochenmarkdepression, die nicht für eine Sterilbetteinheit geeignet sind, z.B. aufgrund einer weitgehenden Pflegebedürftigkeit oder aufgrund psychischer Probleme, werden ebenfalls schutzisoliert.

Während einer Schutzisolierung sollte das seelische Wohlbefinden des Kranken besonders beobachtet werden. Die Isolierung kann Langeweile, depressive Stimmungen und das Gefühl des Verlassenseins hervorrufen bzw. bekräftigen. Für **Ablenkung** und **Beschäftigung** ist ebenso zu sorgen wie für **persönliche Kontakte** (zu denen Angehörige ermutigt werden können). Der Kranke sollte wenige, aber feste Bezugspersonen beim Pflegepersonal haben. Lesen Sie auch *"Zur Situation eines isolierten Patienten"*, Seite 484, und *"Isolierung zum Schutz eines Patienten"*, Seite 482.

❍ Sterilbetteinheit ("Life Island")

Sterilbetteinheiten, sogenannte Überlebensinseln *("Life Island")*, findet man in onkologischen Kliniken, Transplantations- und Verbrennungszentren. Sie dienen der **Isolierung hochgradig infektgefährdeter Menschen**. Indiziert ist die Unterbringung in einer Sterilbetteinheit in der Regel bei

- länger andauernder Agranulozytose nach intensiver Zytostatikatherapie,
- Immunsuppression vor und nach einer (Knochenmark-) Transplantation,
- aplastischer Anämie,
- Agranulozytose infolge einer allergischen Reaktion auf die Einnahme bestimmter Medikamente.

In einer Sterilbetteinheit soll der Kranke durch **weitgehend keimfreie Bedingungen** vor schwerwiegenden Infektionen geschützt werden.

Da der Patient während dieser Isolierung weitgehend auf direkten Körperkontakt verzichten muß, ist ein gewisses Maß psychischer **Belastbarkeit** Voraussetzung. Außerdem muß er sich **selbständig** versorgen können und die Fähigkeit zur **Kooperation** aufweisen.

Zwecks Reduzierung der körpereigenen Keime wird der Kranke vor Aufnahme in die Sterilbetteinheit für 2 - 3 Tage schutzisoliert *(siehe "Schutzisolierung")*.

Merkmale einer Sterilbetteinheit

- Es handelt sich um ein desinfiziertes, weitgehend **keimfreies Einzelzimmer**, einen **Vorraum**, eine **Naßzelle** und **Toilette**. Die Zimmerluft wird nach dem Laminar-flow-Prinzip *(kontrollierter Luftstrom)* vom Kopfende in Richtung Fußende bewegt und dort abgesaugt. Im Bereich der Zustromvorrichtung wird die Luft gefiltert.
- Das Einzelzimmer verfügt über eine durchsichtige Glaswand (Fensterfront), über die **Sichtkontakt** zu Besuchern **möglich** ist. Für die akustische Verständigung stehen auf beiden Seiten Telefone zur Verfügung.
- **Jeder Gegenstand**, jedes Hilfsmittel und jegliches Beschäftigungsmaterial darf **nur in sterilisiertem Zustand** in die Sterilbetteinheit **eingeschleust** werden. Dazu weist die Trennwand zwischen Patientenzimmer und Stationsflur Vorrichtungen auf, die den Transport gestatten.
- Das Betreten des Zimmers durch Besucher ist zu unterlassen. Auch das Krankenhauspersonal sollte das **Zimmer so selten wie möglich betreten**. Ggf. muß die das Zimmer betretende Person **sterile Kleidung, Mund-Nasen-** und **Haarschutz** tragen; die **Hände** werden gewaschen und **desinfiziert**, evtl. sind sterile Handschuhe zu tragen.
- Der **Patient** ist **ausführlich** und in ihm angemessener Weise über die Notwendigkeit und den Sinn der erforderlichen Isolierung sowie über seine Aufgaben und das von ihm erwartete Verhalten zu **informieren**.
- Die **körpereigenen Keime** werden soweit wie möglich **reduziert**. Dazu erfolgen wie zuvor besprochen Maßnahmen der speziellen Mund- und Körperpflege. Der Patient ist entsprechend zu instruieren. Ferner erfolgt eine medikamentöse Darmdekontamination.
- Die **Beobachtung** des eigenen Körpers hinsichtlich möglicher Infektions- und Entzündungszeichen ist dem Patienten zu **vermitteln**; Taschenlampe und -spiegel sind bereitzustellen.
- Die **Ernährung** erfolgt **keimfrei**, d.h. die Nahrungsmittel werden im Autoklaven sterilisiert oder im Dampfkochtopf zubereitet. Ergänzend / alternativ können industriell keimfrei hergestellte Speisen in einem Mikrowellengerät erwärmt werden. Die Möglichkeiten, diese Kost abwechslungsreich und appetitlich zu gestalten, sollten ausgeschöpft werden.
- Erforderliche Reinigungs- und **Desinfektionsmaßnahmen** werden - wenn möglich ausschließlich - **vom Patienten selbst ausgeführt**.
- Die Isolation ist oft über mehrere Wochen, evtl. sogar Monate erforderlich und bedeutet für den Betroffenen eine **starke psychische Belastung**. Die räumliche Isolation kann das Gefühl, eingesperrt zu sein, vermitteln und eine soziale Isolation nach sich ziehen, wenn sich die Angehörigen nicht ausreichend um den Kranken kümmern (können). Infolge des fehlenden Körperkontaktes können in der ohnehin sehr belastenden Situation des schwerstkranken Menschen depressive und/oder aggressive Gefühle aufkommen.
  Einem Betroffenen sollten **Ablenkung** und **Beschäftigung** entsprechend seinen Wünschen und Neigungen angeboten werden. Die Pflegenden sollten ein **offenes Ohr** für die Bedürfnisse und Sorgen des Patienten haben und **Gesprächsbereitschaft** zeigen.
  Bei psychischen Krisen muß die strenge Isolierung evtl. zeitweise gelockert werden, z.B. indem Besuche gestattet werden.

12.5.6.5 Haarausfall *(Alopezie)*

Im Rahmen der Krebsbehandlung kann es zu Haarausfall kommen. Obwohl der zytostatikabedingte Haarverlust reversibel ist, wird diese Nebenwirkung von vielen Betroffenen **sehr belastend** empfunden. Einige lehnen eine Therapie, die mit Haarausfall einhergeht, ab.

Ursachen:

- Einnahme bestimmter Zytostatika (das Ausmaß des Haarausfalls ist je nach Art und Dosierung des verabreichten Zytostatikums unterschiedlich);
- Bestrahlung der Kopfhaut und des Gehirns, da diese zur Schädigung der Haarfollikel führt.

Mögliche Folgen:

- reversibler Haarausfall, der 2 - 4 Wochen nach Verabreichung der ersten Zytostatikadosis beginnt (das Nachwachsen der Haare beginnt meist 2 - 4 Wochen nach Abschluß der Chemotherapie);
- reversibler Haarausfall, der im Verlauf von Kopfhautbestrahlungen auftritt;
- irreversibler Haarausfall nach intensiver Bestrahlung des Gehirns;
- brüchige Haare (Abbrechen der Haare beim Kämmen oder Haarewaschen);
- psychische Belastung, evtl. psychisches Trauma,
  - da durch den Verlust der Kopfhaare die Krebserkrankung für andere sichtbar wird und so zu der befürchteten Ausgrenzung führen kann;
  - wenn die Haare für die betroffene Person ein bedeutsamer Kopfschmuck sind und der Verlust als Entstellung / Einbuße an Attraktivität bewertet wird;
  - wenn durch den Haarverlust subjektiv der Eindruck entsteht, der Körper werde durch die Therapie vergiftet oder zerstört.

Pflegemaßnahmen

Eine Verhütung des Haarausfalls ist in der Regel nicht möglich. Die Pflegeschwerpunkte bilden die **menschliche Begleitung** und die Information des Kranken. Er soll bei der Verarbeitung des Verlusterlebnisses sowie hinsichtlich weiterer, mit dem Haarausfall einhergehender Gefühle Verständnis und Unterstützung finden. Eine sachgerechte und **frühzeitige Information** (Arzt) vor Beginn der Therapie verschafft dem Kranken die Möglichkeit, sich auf den Haarausfall einzustellen.

- **Information und Beratung des Kranken**
  - nicht jedes Zytostatikum bewirkt einen (totalen) Haarausfall (Informationen über das verordnete Zytostatikum vermitteln),
  - der Haarausfall ist reversibel! (Ausnahme: Haarausfall nach Bestrahlung des Gehirns),
  - die Haare können büschelweise verlorengehen oder langsam und diffus ausfallen,
  - das Nachwachsen der Haare beginnt voraussichtlich ca. 2-4 Wochen nach Abschluß der Chemotherapie bzw. ca. 6 Monate nach Beendigung der Strahlentherapie,
  - die nachwachsenden Haare können sich in Farbe und Beschaffenheit von den bisherigen unterscheiden,
  - die Krankenkassen bezahlen eine Perücke,
  - wenn eine Perücke gewünscht wird, sollte sie ausgewählt und gefertigt werden, bevor es zum Haarverlust kommt,
  - Langhaarperücken sind nicht empfehlenswert, da sie relativ schwer sind und nicht so natürlich wirken wie Kurzhaarperücken,
  - der Haarausfall läßt sich auch mittels Hut, Mütze, Turban oder Kopftuch - woran auf Wunsch ein Haarteil angebracht werden kann - kaschieren,
  - wird auf eine Kopfbedeckung jeglicher Art verzichtet, bedarf die unbehaarte Kopfhaut einer schützenden Hautpflege *(siehe nachfolgend)*.
- **Pflege und Schutz der Kopfhaut**
  - während der Zeit des Haarausfalls eine weiche Haarbürste sowie ein mildes Shampoo benutzen,
  - die unbehaarte Kopfhaut vor extremer Kälte- und Hitzeeinwirkung sowie vor Sonneneinstrahlung durch Kopfbedeckung bzw. Perücke oder Sonnenschutzmittel schützen,
  - die Kopfhaut ggf. durch Eincremen vor dem Austrocknen schützen,
  - bei Bestrahlung des Kopfes sachgerechte Hautpflege durchführen *(siehe nachfolgend "Hautveränderungen")*,
  - während des Tragens einer Perücke die Kopfhaut entsprechend den Hinweisen des Fachpersonals pflegen.
- **Unterstützung während des Haarausfalls**
  - ein Handtuch auf das Kopfkissen legen,
  - den Kopfkissenbezug häufig wechseln,
  - die Haarbürste regelmäßig säubern,
  - dem Patienten vorschlagen, lange Haare vor dem Ausfallen kürzer zu schneiden.

  Beachte: Die Maßnahmen sollen eine **ständige Konfrontation mit dem Haarausfall vermeiden**. Einige Patienten ziehen es vor, sich die Haare vor dem Einsetzen des Haarausfalls ganz kurz zu schneiden oder abzurasieren.
- **Beschaffen einer Perücke**
  - Einstellung des Betroffenen zu Perücken hinterfragen, ggf. Vorurteile abbauen helfen (indem z.B. ein Betroffener mit gutsitzender Perücke oder entsprechende Fotos vorgestellt werden) oder
  - auf Alternativen (kunstvoll um den Kopf gebundenes Tuch, Hut, Mütze, unbedeckte Kopfhaut) hinweisen,
  - dem Kranken geeignete Fach- und Friseurgeschäfte empfehlen,
  - auf Wunsch des Kranken zur Anpassung und Auswahl des Haarersatzes Fachpersonal in das Krankenhaus bzw. zur Wohnung des Betroffenen bestellen.
- **Menschliche Begleitung**
  - Gefühlsäußerungen, vor allem Trauerreaktionen, zulassen und ggf. fördern,
  - einfühlsam und taktvoll mit den Gefühlen des Kranken umgehen,
  - den Kranken ermutigen, Kontakte nach außen aufrecht zu halten und sich nicht zu verstecken.

12.5.6.6 Hautveränderungen

Hautveränderungen können im Verlauf verschiedenster Krebserkrankungen auftreten. Sie sind direkt oder indirekt durch den Primärtumor, die Metastasen oder die Therapie bedingt und führen zu physischen sowie psychosozialen Auswirkungen. Viele der Betroffenen leiden vor allem darunter, daß die **Krebserkrankung** sie nun zeichnet und (je nach Lokalisation) **für die Mitmenschen sichtbar** wird. Die unerwünschten, evtl. entstellenden Veränderungen des Äußeren, vor allem aber die **Angst** vor den **ablehnenden Reaktionen** der Mitmenschen, belasten den Kranken sehr und können zur sozialen **Isolation** führen. Hierzu kann auch ein sichtbar gekennzeichnetes Bestrahlungsfeld beitragen.

Ursachen:
- Primärtumor der Haut (z.B. Melanom, Basaliom);
- Infiltration der Haut durch andere Tumoren (z.B. Mammakarzinom, Lymphom);
- Radio- oder Chemotherapie;
- chirurgische Therapie (z.B. Lymphknotenentfernung);
- Infektionen (z.B. Herpes simplex, Herpes zoster), deren Entstehung durch die Abwehrschwäche bzw. die therapiebedingte Immunsupression begünstigt wird.

Mögliche Folgen:
- Ulzerationen mit und ohne Nekrosenbildung / Geruchsbelästigung, Schmerzen, Blutungen und systemische Infektionen (bei Tumorinfiltration der Haut);
- lokal begrenzte Veränderungen der Hautfarbe / -beschaffenheit, Juckreiz, Blutungen und Geschwüre bei Hauttumor;
- Lymphödem;
- Juckreiz, Brennen, Ziehen und/oder Schmerz sowie allgemeines Unwohlsein (bei Infektionen der Haut);
- Juckreiz (bei verschiedenen Tumorerkrankungen, bei Radio-, Chemo-, Opioidtherapie);
- Erythem, Ödem, Hornhautabschuppung, Juckreiz, Brennen, Blasenbildung, entzündliche und/oder nässende Hautveränderung, Haarausfall sowie vermin-

derte Schweiß- / Talgproduktion (während bzw. nach Radiotherapie);
- Veränderungen der Hautpigmentierung, Atrophie*, Hyperkeratose*, Fissuren*, Teleangiektasen* sowie Beeinträchtigung der Talg- und Schweißproduktion (Spätreaktion nach Radiotherapie);
- Hyperpigmentation / -keratose, Photosensibilisierung, allergische Reaktionen, Nagelveränderungen / -verluste sowie Haarausfall (bei Chemotherapie);
- soziale Isolation, wenn der Anblick des Betroffenen auf Mitmenschen abstoßend wirkt oder diese aufgrund ihrer eigenen Hilflosigkeit den krebskranken Menschen meiden;
- sozialer Rückzug des Betroffenen, weil er die zuvor beschriebenen Reaktionen anderer Menschen befürchtet oder weil er sein Äußeres verstecken bzw. anderen "nicht zumuten" möchte.

Pflegemaßnahmen

Vorrangiges Ziel ist es, die im Zusammenhang mit der Therapie entstehenden Hautprobleme möglichst zu vermeiden bzw. deren Ausmaß so gering wie möglich zu halten und somit eine weitere Beeinträchtigung des Wohlbefindens im Rahmen der gegebenen Möglichkeiten zu verhindern.

- **Beobachtung der Haut hinsichtlich**
  - Veränderungen der Oberfläche (Bläschen? Ulzerationen? Ödematöse oder entzündliche Veränderungen? Hautblutungen?),
  - Hautfarbe- / temperatur -feuchtigkeitsgehalt (Pigmentveränderungen? Rötung? Erwärmung? Austrocknung?),
  - Talg- und Schweißabsonderungen (verminderte oder fehlende Talg- / Schweißsekretion?),
  - Juckreiz (Kratzspuren?), Brennen, Ziehen, Schmerzen (Patienten entsprechend befragen).

  Beachte: Bei Strahlentherapie müssen täglich die Ein- und Austrittsstellen der Strahlen beobachtet werden.
- **Information und ggf. Anleitung des Kranken** (bzw. der pflegenden Angehörigen) hinsichtlich
  - Beobachtungskriterien der Hautbeobachtung,
  - Gefährdung der Haut,
  - Möglichkeiten und Durchführung prophylaktischer Hautpflege,
  - spezieller Pflege der bestrahlten Haut,
  - Hautpflege bei Hautveränderungen;
- **Erhalten einer intakten Haut**
  - Hautpflege entsprechend dem Hauttyp (bei Strahlentherapie besondere Hautpflege, *siehe nachfolgend*),
  - reichlich Flüssigkeit zuführen und ggf. Haut eincremen, um eine Austrocknung zu verhindern,
  - Kranken anhalten, sich bei Juckreiz zu melden und nicht zu kratzen,
  - potentielle Verletzungsquellen beseitigen *(siehe "Blutungsrisiko");*
- **Lindern des Juckreizes**
  - Kranken auf Infektionsgefahr über Kratzspuren hinweisen,
  - Kranken anhalten, sich nicht mit den Fingernägeln zu kratzen, evtl. das Tragen dünner Baumwollhandschuhe empfehlen,
  - mit dem Kranken gemeinsam überlegen, ob bestimmte Faktoren den Juckreiz auslösen oder verstärken,
  - Kranken nach bisher bewährten Methoden zur Juckreizstillung fragen und diese anwenden, ansonsten
  - verschiedene bewährte Möglichkeiten anbieten und ausprobieren, z.B. Kälte anwenden (kalte Kompressen, kaltes feuchtes Tuch auflegen oder vorsichtig mit einem Eiswürfel über die betroffene Haut fahren), Haut sanft massieren (evtl. nur mit den Fingerspitzen sanften Druck ausüben), Bad mit juckreizstillendem Zusatz (z.B. Hafermehl, Kleie),
  - Haut ausreichend einfetten (trockene Haut fördert Juckreiz),
  - extreme Weitstellung der Hautgefäße verhindern (gesteigerte Durchblutung fördert Juckreiz), deshalb hohe Raumtemperatur, heiße Bäder und körperliche Anstrengung vermeiden,
  - leichte Baumwollkleidung empfehlen,
  - juckreizstillenden Puder auftragen,
  - für Ablenkung (die möglichst mit Entspannung einhergeht) sorgen;
- **Prophylaktische Pflege der bestrahlten Haut**

  Beachte: Das bestrahlte Hautareal ist mit einem wasserfesten Stift gekennzeichnet; auch das **gegenüberliegende Hautgebiet** muß **gepflegt werden wie das bestrahlte**, da die hier austretende Strahlendosis hoch sein kann. Durch die prophylaktischen Maßnahmen kann das Auftreten strahlenbedingter Komplikationen verzögert bzw. deren Ausmaß verringert werden; es handelt sich um die

  Vermeidung chemischer, thermischer und mechanischer Reizung, d.h.
  - Haut möglichst nur mit Wasser waschen, bei Verunreinigung oder starkem Schwitzen die Haut vorsichtig mit lauwarmer Kamillelösung waschen und trocken tupfen,
  - keine Seife, Waschlotionen, Kosmetika oder Deodorants auf die Haut aufbringen,
  - weder Heftpflaster noch enge Kleidungsstücke auf die betroffene Haut bringen (BH, enge Bündchen), statt dessen
  - Unterwäsche und weite Kleidung aus Naturfasern (Baumwolle, Seide) empfehlen,
  - ggf. Gazestreifen in Hautfalten einlegen,
  - Kranken anhalten, direkte Sonnenbestrahlung durch verdeckende Kleidung / Hut zu vermeiden und ggf. Sonnenschutzmittel mit sehr hohem Lichtschutzfaktor aufzutragen,
  - Kranken anhalten, extreme Temperatureinflüsse (heißes Fönen, Kälteanwendungen, kalte Außenluft) und heftigen Wind zu meiden,
  - Kranken anhalten, auf eine Naßrasur zu verzichten (Hautreizung),
  - bestrahltes und gegenüberliegendes Hautareal 4 x täglich mit kühlendem, feuchtigkeitsabsorbierenden Puder (Azulon®) versorgen (Arztanordnung).
- **Pflege der bestrahlten Haut bei trockenen Hautreaktionen** *(Rötung und starke Abschuppung der Haut, unangenehme Empfindungen wie Jucken, Brennen oder Ziehen der Haut)*
  - häufige Luftexposition,

- an den bestrahlungsfreien Tagen mehrmals täglich ärztlich verordnete Medikamente, z.B. Öl in Wasser-Emulsion (Azulon®-Salbe, Linola®-HN) oder Azulon® Puder auftragen,
- bei Juckreiz 2-3 mal täglich betroffenes Hautareal mit lauwarmem Kamillosan waschen und trocken tupfen oder mit kalter Luft trocken fönen,
- zur Kühlung trockene Kälte, z.B. Hot-Cold-Pack, anwenden.

• **Pflege der bestrahlten Haut bei nässenden Hautreaktionen**
- auf Puder verzichten, sobald eine Hautläsion vorhanden ist (Puder verklumpt und bietet einen guten Nährboden für Krankheitskeime),
- Wunde(n) reinigen / spülen, je nach Arztanordnung z.B. mit Kamillosan, mit 1% Kaliumpermanganat, mit 1% Wasserstoffsuperoxid oder mit physiologischer Kochsalzlösung, anschließend
- Wunde vorsichtig trocken tupfen oder mit kalter Luft trocken fönen und ggf. die verordnete Salbe auftragen,
- Hautläsion falls erforderlich mit saugfähiger und nicht klebender Kompresse versorgen, ansonsten
- häufige Luftexposition,
- nach Abheilung der offenen Läsion Haut durch Eincremen oder Einölen mit ärztlich verordneten Substanzen wieder geschmeidig machen,
- den Kranken anhalten, seine Haut noch einige Wochen nach Beendigung der Strahlentherapie vor mechanischen, chemischen und thermischen Reizen zu schützen und sie so lange mit einem milden Hautöl zu pflegen, bis sie wieder geschmeidig ist.

• **Pflege der im Rahmen einer Zytostatikatherapie veränderten Haut**
- Kranken über zu erwartende Hautveränderung (infolge der Verabreichung eines bestimmten Zytostatikums) informieren (Aufgabe des Arztes), bei Bedarf die Informationen wiederholen, z.B. daß eine Hyperpigmentierung oder ein Erythem nach der Behandlung zurückgeht;
- Kranken hinsichtlich unerwünschten (schädigenden) und erwünschten (schützenden) Verhaltens informieren, z.B. Vermeiden direkter Sonnenbestrahlung während der Therapie mit bestimmten Zytostatika (z.B. 5-Fluorouacil, Bleomycin, Vinblastin), da es zur Photosensibilisierung und somit zu akutem Sonnenbrand, bleibender Pigmentation und zu erythematösem juckenden Ausschlag kommen kann.

• **Unterstützung bei Nagelveränderungen**
- Kranken über mögliche Nagelveränderungen infolge Verabreichung bestimmter Zytostatika (z.B. Doxorubicin®, Bleomycin®, Cyclophosphamid®) informieren (Arzt), ggf. Informationen wiederholen und betonen, daß die Veränderungen reversibel sind;
- bei beeinträchtigter Fingerfertigkeit infolge von Nagelverlusten entsprechend notwendige Unterstützung bei den ATL leisten.

12.5.6.7 Schleimhautveränderungen

Schleimhautveränderungen, insbesondere die Schleimhautentzündung *(Mukositis)*, kommen im Rahmen einer Tumorerkrankung relativ häufig vor. Aufgrund des reduzierten Allgemein- und Ernährungszustandes sowie der schleimhautschädigenden Strahlen- und/oder Chemotherapie ist der Tumorkranke prädisponiert. Die Schleimhautschäden gehen z.B. mit Schmerzen, Schluckbeschwerden oder Diarrhoe einher. Sie **können** somit das ohnehin beeinträchtigte **Wohlbefinden** in erheblichem Ausmaß **verschlechtern** und eine weitere Einbuße der Lebensqualität nach sich ziehen.

Ursachen:
• toxische Wirkung der Chemotherapie und/oder akute lokale Reaktion bei Strahlentherapie;
• Infektionen (z.B. Pilz- oder Virusinfektionen);
• magenschleimhautschädigende Nebenwirkung bestimmter Medikamente (vor allem Acetylsalicylsäure, nicht steroidale Antirheumatika, Kortikosteroide).

Mögliche Folgen:
• Mundtrockenheit, die mit Beeinträchtigung des Sprechens und der Geschmacksempfindungen einhergeht (nach lokaler, die Speicheldrüsen einbeziehender Strahlentherapie oder nach Einnahme bestimmter Medikamente, z.B. Opioide, Antiemetika, Antidepressiva);
• gestörte Schleimhautfunktion und verminderte Abwehrfunktion, Schleimhautentzündungen können die Folge sein
- **Stomatitis**,
  u.a. mit Schmerzen und häufig auch mit Nahrungsverweigerung einhergehend (tritt bei Immunabwehrschwäche und vor allem zwischen dem 7.-14. Tag während einer Chemotherapie mit Bleomycin, Doxorubicin, 5-Fluorouracil oder Methotrexat auf);
- **Soorstomatitis**,
  u.a mit Beeinträchtigung der Geschmacksempfindungen, des Appetits und mit Schmerzen auftretend (bei Immunabwehrschwäche, vor allem nach Knochenmarkbestrahlung oder hochdosierter Chemotherapie);
- **Oesophagitis***,
  mit Schmerzen und Schluckbeschwerden verbunden (tritt nach lokaler Bestrahlung oder bei Chemotherapie auf);
- **Erosive Gastritis***,
  mit Oberbauchbeschwerden und Hämatemesis, Melaena oder okkulten Blutverlusten über den Darm einhergehend (tritt als Nebenwirkung bestimmter Medikamente auf, siehe vorstehend);
- **Enteritis***, **Kolitis***, **Proktitis***,
  gehen u.a. mit Tenesmen* und Diarrhoe einher (treten 1 - 2 Wochen nach Beginn lokaler Bestrahlungen auf);
- **Konjunktivitis***,
  verursacht u.a. lokale Brennen, Juckreiz und Schmerz;
- **Zystitis***,
  mit Beschwerden beim Wasserlassen, Pollakisurie sowie Mikro- oder Makrohämaturie verbunden (kann bei Immunabwehrschwäche, bei Blasen-Ca, nach Chemotherapie mit Cyclophosphamid bzw.

Ifosfamid sowie nach lokaler Bestrahlungstherapie auftreten);
- **Vaginitis* / Vulvitis***,
mit Ausfluß, Brennen, Juckreiz und Schmerzen einhergehend (tritt bei Immunabwehrschwäche oder bei lokaler Bestrahlungstherapie auf).

Pflegemaßnahmen

Pflegerisches Ziel ist, im Rahmen des Möglichen die **Schleimhäute intakt** und **infektionsfrei zu halten** sowie das Ausmaß unvermeidbarer Veränderungen und Beschwerden gering zu halten. Am häufigsten kommen Entzündungen und Infektionen der Mundschleimhaut vor, eine entsprechende Bedeutung kommt der prophylaktischen sowie therapeutischen Mundpflege zu, der eine sorgfältige Problemanalyse vorausgehen sollte. Ebenso wichtig sind die ausführliche Information und Instruktion des Kranken.

- **Problemanalyse**
hinsichtlich des Zustandes und der Infektgefährdung der Mundhöhle / -schleimhaut *(siehe dazu "Spezielle Mundpflege - Problemanalyse", Seite 653).*
  - Sind alle Zähne saniert?
  - Führte der Kranke bisher regelmäßig in angemessener Weise die Mund- und Zahnhygiene aus?
  - Welche Hilfsmittel zur Mund-, Zahn- und Lippenpflege bevorzugt der Kranke, welche lehnt er ab oder verträgt er nicht?
  - Benutzt der Kranke ungeeignete Hilfsmittel wie eine harte oder abgenutzte Zahnbürste, scharfe Zahnpasta oder alkoholhaltiges Mundwasser?
  - Ist die Immunabwehr besonders geschwächt, liegt z.B. eine Granulozytopenie vor?
  - Wird die Mundschleimhaut durch Strahlen- oder Zytostatikatherapie geschädigt?
  - Ist der Kranke in der Lage, seine Mundschleimhaut selbständig zu beobachten und die Maßnahmen einer speziellen Zahn- und Mundpflege sachgerecht durchzuführen?
- **Beobachtung**
  - mehrmals täglich Lippen, Mundschleimhaut, Zahnfleisch und Zunge beobachten, Mundhöhle mittels Stablampe und Spatel inspizieren *(siehe Seite 653)*,
  - nach Schluckbeschwerden, Schmerzen, Blutungen, veränderter Geschmacksempfindung fragen,
  - Kranke, die kooperativ sind und über die erforderlichen geistigen und körperlichen Fähigkeiten verfügen, zur selbständigen Beobachtung anleiten und zu entsprechender Berichterstattung auffordern).
- **Sanierung defekter Zähne**
  - vor Therapiebeginn veranlassen.
- **Meiden schleimhautreizender / -verletzender Faktoren**
  - Kranken hinsichtlich der schleimhautreizenden Eigenschaft von Nikotin, Alkohol, scharfgewürzten, harten, säurehaltigen und sehr heißen Speisen aufklären und anhalten, bei Veränderungen der Mundschleimhaut entsprechend Verzicht zu üben,
  - bei Mundschleimhautveränderungen weiche, säurearme, mild gewürzte und nicht zu heiße Speisen verabreichen,
  - bei schmerzhafter Nahrungsaufnahme evtl. dickbreiige / flüssige - möglichst hochkalorische und gehaltvolle - Kost, ggf. mit Strohhalm / Trinkröhrchen, anbieten.
- **Spezielle Mundpflege / Stomatitisprophylaxe**
  - nach jeder Mahlzeit und vor dem Schlafengehen sorgfältige und gründliche Zahnpflege mit weicher Zahnbürste und Zahnseide vornehmen, aber bei Thrombopenie auf Zahnseide, evtl. auch auf Zahnbürste verzichten,
  - Zahnprothese nach jeder Mahlzeit reinigen und nachts nicht einsetzen (da sonst ein das Bakterienwachstum förderndes Milieu entsteht),
  - vor und nach jeder Mahlzeit sowie bei Bedarf (Mundtrockenheit) Mundhöhle mit Wasser oder Tee (Geschmacksrichtung nach Wunsch des Kranken) spülen / auswischen bzw.
  - bei hohem Stomatitisrisiko nach Arztanordnung 2-4 mal täglich Mundspülungen, z.B. mit Kamillosan (1:7 verdünnt) oder Chlorhexidin 0,12% (Chlorhexamed®) durchführen,
  - Kranken bei entsprechenden Ressourcen zur selbständigen Mundpflege anleiten und anhalten.
- **Therapeutische Mundpflege bei Soorstomatitis und bei Stomatitis**
siehe "Therapeutische Mundpflege", Seite 655.
- **Therapeutische Lippenpflege bei Bedarf**
siehe Seite 656.
- **Lindern der Beschwerden bei Xerostomie** *(ausgeprägte Mundtrockenheit)*
siehe "Mundpflege bei Xerostomie", Seite 656.
- **Analyse weiterer Risikofaktoren**
  - Liegen chronische Erkrankungen vor, die bereits zu Schleimhautschäden geführt haben (z.B. Ösophagitis, Gastritis, chronisch entzündliche Dickdarmerkrankung, Hämorrhoiden, Bronchitis)?
  - Neigt der Kranke zu Infektionen im Uro- Genitalbereich?
  - Kranken beobachten und auffordern, sich bei Beschwerden (z.B. Leibschmerzen, Durchfall, Erbrechen, Schmerzen beim Wasserlassen, Ausfluß, Husten) sofort zu melden.
- **Prophylaxe weiterer Schleimhautschäden**
  - bei erhöhter Schleimhautbelastung des Magen-Darm-Trakts Kranken anhalten, schleimhautreizende Stoffe wie scharfe Gewürze, Alkohol, Nikotin, Koffein und Fruchtsäuren zu meiden und leicht verdauliche, nicht blähende, hochkalorische Kost verabreichen;
  - Medikamente nicht auf leeren Magen, sondern möglichst während oder nach der Mahlzeit einnehmen lassen (Gebrauchsanweisung berücksichtigen);
  - bei erhöhter Schleimhautbelastung im Bereich der Atemwege Nikotinabstinenz empfehlen, zu Atemübungen anhalten und bei entsprechender Arztanordnung Patienten inhalieren lassen;
  - bei erhöhtem Zystitisrisiko (vor allem bei Chemotherapie mit Ifosfamid und mit Cyclophosphamid) Patienten anhalten, die ärztlich verordnete Flüssigkeitsmenge zu trinken (meist 2-4 l täglich), das Trinkverhalten beobachten und bei zu geringer Flüssigkeitsaufnahme intravenöse Zufuhr vorschlagen;
  - bei Therapie mit Ifosfamid (Holoxan®) bzw. Cyclophosphamid (Endoxan®, Cytoxan®) ärztlich ver-

ordnete medikamentöse Zystitisprophylaxe nach Zeitplan durchführen bzw. vorbereiten;
- bei Neigung zu Uro-Genitalinfektionen häufigen Wechsel der Unterwäsche empfehlen.

- **Pflege bei Schleimhautentzündungen**
  - die ärztlich verordneten Medikamente vorbereiten und ggf. verabreichen;
  - gezielte Krankenbeobachtung;
  - weitere Maßnahmen sind den entsprechenden Abhandlungen *"Ösophagitis"*, *"Gastritis"* etc. zu entnehmen.

12.5.6.8 Leistungseinbuße

Bösartige Tumorerkrankungen gehen vorübergehend oder dauerhaft mit allgemeiner **Schwäche**, chronischer **Müdigkeit** und **Abgeschlagenheit**, die zur Einbuße der Leistungsfähigkeit führen, einher. Der Kranke ist gezwungen, sich den gegenwärtigen Auswirkungen der Krankheit anzupassen. Einige Menschen deuten die krankheitsbedingte "*Zwangspause*" ihres Körpers als Schutzmechanismus und akzeptieren sie; andere ignorieren sie und überfordern sich. Betroffene leiden häufig unter den mit der Leistungsschwäche einhergehenden Einschränkungen z.B. der Mobilität, der Aktivität, oder der Arbeitsfähigkeit. Schwäche, Müdigkeit und Kraftlosigkeit können ferner als Zeichen der Schwere der Krankheit, des körperlichen Zerfalls und als Ankündigung des unausweichlichen Todes gedeutet werden. Diese Interpretationen belasten einen Betroffenen und seine Angehörigen.
Evtl. zieht die Schwächung des Körpers Invalidität und dauerhafte Pflegebedürftigkeit nach sich. Die körperliche Schwäche kann durch den Verlust des Lebenswillens deutlich verstärkt werden.

Ursachen:
In der Regel bedingen mehrere Faktoren die chronische Müdigkeit und Leistungseinbuße.

- Auswirkungen des Tumors und der Therapie, z.B.
  - reduzierter Allgemein- und Ernährungszustand;
  - Anämie, Atemnot, Schmerzen;
  - Ernährungsstörungen;
  - akute Entzündung und Fieber;
  - Depressionen.
- Wirkung einiger Therapeutika, z.B. Sedativa, Analgetika, Antidepressiva, Antiemetika;
- extreme psychische Belastung durch die Diagnose / Prognose.

Mögliche Folgen:

- vorübergehende, evtl. bleibende Einschränkung der Mobilität;
- Beeinträchtigung der Lebensqualität;
- bemitleidende Reaktionen der Mitmenschen;
- Entlastung von Pflichten, die sowohl positiv als auch negativ erlebt werden kann;
- Überforderung, wenn der Betroffene sich nicht der aktuellen Leistungsfähigkeit bzw. -grenze anpaßt;
- vorübergehende Arbeitsunfähigkeit;
- ggf. dauerhaft eingeschränkte Arbeitsfähigkeit, Arbeitsunfähigkeit, Invalidisierung und ggf. damit verbundene finanzielle Sorgen;
- Hilfsbedürftigkeit, evtl. Einweisung in ein Krankenhaus bzw. Pflegeheim.

Pflegemaßnahmen
Die psychosoziale und körperliche Unterstützung sind darauf ausgerichtet, daß der Betroffene seine derzeitige **Leistungsgrenze akzeptiert** und seine Aktivitäten dem tatsächlichen Leistungsvermögen anpaßt; Defizite der Selbstpflege werden durch die Pflegenden soweit wie möglich kompensiert.
Pflegerische und therapeutische Möglichkeiten, die Kräfte des Betroffenen soweit wie möglich wiederaufzubauen bzw. zu erhalten und seine **Leistungsfähigkeit** im Rahmen der individuellen Möglichkeiten zu **optimieren**, werden genutzt. Gleichwohl muß gesehen und akzeptiert werden, wo ein Wiederaufbau der Kräfte unrealistisch ist. Hier gilt es, dem kranken bzw. sterbenden Menschen trotz aller Einschränkungen und Abhängigkeiten seine **Würde** und **Autonomie** zu **erhalten**.

- **Anpassung an die individuelle Leistungsfähigkeit**
  - den Kranken ermutigen, die Möglichkeiten und Grenzen seiner aktuellen Leistungsfähigkeit zu erfahren und zu akzeptieren, dabei Gefühlsreaktionen zulassen und nicht bewerten,
  - Anforderungen an die jeweiligen Möglichkeiten des Kranken anpassen, sowohl Unter- als Überforderung vermeiden,
  - ggf. gemeinsam mit dem Kranken seine (unrealistischen) Erwartungen hinterfragen und relativieren.
- **Information des Kranken über realistische Chancen** der Besserung (aus pflegerischer Sicht), ggf. Möglichkeiten der Mobilisation / Rehabilitation einschließen.
- **Ausschalten müdigkeitsfördernder Faktoren**
  - Überforderung, Streß und Langeweile vermeiden,
  - mit dem Kranken gemeinsam die Müdigkeit begünstigende / verstärkende Faktoren feststellen und diese möglichst ausschalten / reduzieren,
  - Wirkung müdigkeitsfördernder Medikamente beobachten, ggf. Dosisreduktion oder Medikamentenwechsel vorschlagen,
  - unrealistische Ängste abbauen,
  - Kranken angemessen mobilisieren / aktivieren,
  - Schlafstörungen möglichst durch Beseitigen der verursachenden Faktoren (z.B. Schmerzen, Ängste) beheben bzw. schlaffördernde Maßnahmen (z.B. Gespräche, warmes Fußbad) anbieten *(siehe "Unterstützung des Ruhens und Schlafens", Seite 691).*
- **Schonung und Aufbau der Kräfte**
  - vorhandene Kräfte mobilisieren, dabei auf angemessene Ruhe- und Schlafphasen achten,
  - Patienten ermutigen, seinen Neigungen und Bedürfnissen - im Rahmen der Leistungsfähigkeit - nachzugehen,
  - aufbauende Ernährung *(siehe dort)*,
  - Unterstützung bei den ATL im jeweils erforderlichen Ausmaß, dabei das jeweils vorhandene Selbstpflegepotential einbeziehen bzw.
  - Übernahme der ATL.

12.5.6.9 Schmerzen

Tumorerkrankungen können mit akuten und chronischen Schmerzen einhergehen. Ungefähr ein Drittel der an Krebs erkrankten Menschen leiden unter

Schmerzen; **im fortgeschrittenen Stadium** der Krankheit entwickeln sich dann **bei ca. 75%** der Tumorkranken behandlungsbedürftige Schmerzen.

Ursachen:
- Tumor
  (der Tumor aktiviert durch mechanische oder chemische Veränderungen des Gewebes die Schmerzrezeptoren);
- therapeutische Maßnahmen
  - chirurgische Eingriffe (postoperativer Zustand, Narbenbildung);
  - Tumorbestrahlung (kann z.B. zu schmerzhaften Strahlenreaktionen der Haut / Schleimhäute führen);
  - Chemotherapie (kann z.B. zu schmerzhafter Mukositis führen);
- andere, nicht tumorbedingte Krankheiten, die mit Schmerzen einhergehen (z.B. Rheuma, Migräne).

Mögliche Folgen:
- akute oder chronische Schmerzen;
- Begleitsymptome wie Konzentrationsschwäche, Appetitlosigkeit, Erbrechen oder Schlafstörungen;
- Beeinträchtigung der Stimmungslage;
- Beeinträchtigung geistiger und körperlicher Aktivitäten sowie Leistungen;
- Veränderungen des psychosozialen Verhaltens (z.B. sozialer Rückzug);
- Persönlichkeitsveränderungen;
- Angst vor einem qualvollen Sterben;
- Verminderung der Lebensqualität;
- Todeswunsch, Suizidgedanken *(siehe auch "Reaktionen auf Schmerz", Seite 907).*

Pflegemaßnahmen
Die pflegerischen Maßnahmen dienen unterstützend der **Erfassung** des Schmerzgeschehens, der **Verhütung**, **Linderung** bzw. **Beseitigung der Schmerzen** und somit der Förderung von Wohlbefinden und Lebensqualität.
Bei chronischen Schmerzen soll durch **regelmäßige** - also nicht nach Bedarf ausgerichtete - **Schmerzmittelverabreichung** der Entstehung von Schmerzen bzw. Schmerzspitzen / -ausbrüchen sowie dem Gefühl, den Schmerzen hilflos ausgeliefert zu sein, vorgebeugt werden.
Immer sollte der Kranke erfahren, daß seine **Schmerzempfindungen ernstgenommen** und die pflegerischen / therapeutischen Möglichkeiten der Linderung ausgeschöpft werden:
- **Erfassen des individuellen Schmerzgeschehens** und -erlebens, Erstellen eines Schmerzprotokolls
  (Detaillierte Angaben finden Sie im Kapitel "Schmerz", Seite 908).
- **Beseitigung / Linderung und Prophylaxe** des Schmerzes (Assistenz der ärztlichen Therapie)
  - Schmerzen (bzw. Schmerzdurchbrüche) mittels regelmäßiger Analgetikaverabreichung gemäß Arztanordnung beseitigen, lindern oder verhüten, dabei
  - die Medikamentenwirkung (Beginn, Dauer und Intensität) und Nebenwirkungen genau beobachten und dokumentieren.
- **Verhindern / Lindern von Nebenwirkungen** der Schmerztherapie
  - Antirheumatika und Acetylsalicylsäure während oder nach dem Essen (nie auf leeren Magen) einnehmen lassen,
  - zu Nebenwirkungen und entsprechenden Pflegemaßnahmen bei Opioidtherapie siehe *"Opioide-Nebenwirkungen"*, *Seite 913*.
- **Physikalische Schmerzlinderung / -beseitigung**
  (siehe "Physikalische Maßnahmen", Seite 911).
- **Abbauen schmerzverstärkender und Aufbauen schmerzreduzierender Faktoren**
  (siehe Seite 910).

Therapie von Tumorschmerzen
Die im folgenden beschriebene Therapie chronischer, kausal nicht zu beherrschender Tumorschmerzen kann erfahrungsgemäß **bei 85 - 90% der Betroffenen weitgehende Schmerzfreiheit**, in allen Fällen eine Schmerzreduktion bewirken. Sie kann auch über Jahre eingesetzt werden, ohne zu starken Nebenwirkungen zu führen und ohne die Wirksamkeit zu verlieren -vorausgesetzt, es werden entsprechende Grundregeln eingehalten. Die **Deutsche Krebshilfe** faßt diese wie folgt zusammen:

"Grundregeln der Tumorschmerztherapie sind die
- *vertrauensvolle und offene Zusammenarbeit zwischen Arzt und Patient*
- *regelmäßige Einnahme der Medikamente nach einem festen Zeitschema, denn Tumorschmerzen sind in der Regel chronische Schmerzen*
- *individuelle Dosierung, d.h. das vom Patienten geäußerte Ausmaß des Schmerzes bestimmt die Höhe der Schmerzmittelgabe*
- *kontrollierte Dosisanpassung, d.h. eine Zunahme der Schmerzen erfordert eine Erhöhung der Medikamentendosis, eine Abnahme der Schmerzen die Reduktion der Schmerzmittel*
- *Gabe der Medikamente nach dem Prinzip der Antizipation, d.h. die nächste Medikamentengabe muß erfolgen, bevor der schmerzstillende Effekt der vorangegangenen nachläßt und der Patient glaubt, daß die nächste Medikamentengabe notwendig ist. Nur so kann der Patient das Schmerzerlebnis vergessen und sich wieder dem Alltag zuwenden*
- *Vorbeugen von Nebenwirkungen. Zur Verhinderung von Nebenwirkungen ist die Gabe weiterer Medikamente wie z.B. Abführmittel und Antiemetika (Medikamente zur Verhinderung von Übelkeit und Erbrechen) häufig notwendig."*

Die Behandlung erfolgt nach einem bewährten **Stufenplan**: Geringe Schmerzen werden mit nicht - opioidhaltigen Analgetika behandelt; reicht die analgetische Wirkung nicht (mehr) aus, werden die nicht - opioidhaltigen Medikamente mit schwach wirksamen, opioidhaltigen Analgetika kombiniert. Erzielt auch diese Kombination nicht (mehr) die gewünschte Wirkung, werden stark wirksame Opioide (Morphin) eingesetzt.
Die **Verabreichung** erfolgt **möglichst auf oralem Weg**; so kann der Kranke seine Tagesdosis selbst verwalten und bleibt unabhängig; außerdem werden zusätzliche Belastungen durch Injektionen verhindert.
Der Therapieplan muß für jeden Kranken individuell aufgestellt und angepaßt werden, um eine optimale Schmerzprophylaxe zu erreichen.

Der therapeutische Einsatz verschiedener Analgetika und die entsprechenden Pflegemaßnahmen werden unter *"Medikamentöse Schmerzbeeinflussung"*, Seite 912, besprochen.

12.5.6.10 Beeinträchtigung der Sexualität

Das geschlechtliche Erleben und Verhalten eines tumorkranken Menschen kann durch verschiedene Faktoren **vorübergehend** oder **dauerhaft** beeinträchtigt werden.
Entsprechend dem Ausmaß der Störung und deren individueller Bewertung kann eine Beeinträchtigung der Sexualfunktionen ganz **unterschiedliche Bedeutung** für den Betroffenen und seinen Partner haben.
So wird z.B. die Sterilität infolge einer Keimdrüsenbestrahlung oder -entfernung bei abgeschlossener Familienplanung weniger Probleme bereiten als bei bestehendem Kinderwunsch.

Ursachen:
- Tumor, sofern er
  - z.B. ein Geschlechtsorgan oder ein hormonproduzierendes Organ betrifft oder das Aussehen maßgeblich verändert;
  - zu starken Schmerzen oder zu einem reduzierten Allgemeinzustand führt und dadurch die Libido beeinträchtigt;
- Therapie, sofern sie
  - die Geschlechtsorgane bzw. deren Funktion verändert (z.B. Mamma-Ablatio, Kastration, Hysterektomie);
  - zu Schmerzen, insbesondere an den Geschlechtsorganen, führt;
  - den AZ und somit die Libido und/oder die körperliche Fähigkeit zu sexuellen Handlungen beeinträchtigt;
  - in den Hormonhaushalt eingreift (z.B. gegengeschlechtliche Hormontherapie bei Prostata-Ca);
  - die Fortpflanzungsfähigkeit beeinträchtigt (z.B. Entfernung oder Bestrahlung der Keimdrüsen);
  - mit einer Veränderung des Körperbildes einhergeht (Gliedmaßen- / Brustverlust, Stomaanlage);
  - zu anhaltenden (Wund-) Schmerzen führt.

Mögliche Folgen:
- vorübergehende oder bleibende Azoospermie / Oligospermie bzw.
- Amenorrhoe, Menstruationsstörungen;
- Schädigung des Embryos (teratogene Wirkung der Chemotherapie während einer bestehenden Schwangerschaft);
- Verminderung / Verlust der Libido* und/oder einer erogenen Zone;
- Veränderung der geschlechtlichen Identität (z.B. Bartwuchs bei der Frau oder Gynäkomastie beim Mann);
- Veränderung des Körpergefühls;
- Minderung des Selbstwertgefühls;
- Ablehnung, Nicht-Akzeptieren des eigenen Körpers;
- Unsicherheit des Partners, selten auch Ablehnung des Betroffenen von seiten des Partners.

Pflegemaßnahmen
Die pflegerische Unterstützung und Begleitung des an einer Störung der Sexualfunktion leidenden Menschen gestaltet sich meist schwierig, da Sexualität häufig sowohl für den Betroffenen als auch für den Pflegenden ein **Tabuthema** darstellt. Um so wichtiger ist eine **vertrauensvolle Beziehung** zwischen ihnen, ohne die sich kaum ein Gespräch über ein so persönliches und intimes Thema entwickeln kann.
Die Aufklärung über zu erwartende bzw. mögliche Störungen ist Aufgabe des Arztes. Pflegende sollten jedoch ebenfalls diesbezüglich orientiert und somit für die Sorgen und Probleme eines Betroffenen sensibilisiert sein.

Die folgenden Hinweise sind als **Vorschläge zum Umgang mit der schwierigen Situation** zu verstehen.

- **Ermöglichen eines Vertrauensverhältnisses**
  - Pflege so organisieren, daß der Kranke zu einigen Pflegenden vermehrten Kontakt hat (diese Personen gut auswählen; ein prostatektomierter sechzigjähriger Mann wird sich kaum einer zwanzigjährigen Krankenschwester anvertrauen - und diese würde sich der Aufgabe nicht gewachsen fühlen!),
  - ehrliches Interesse am Schicksal des Betroffenen deutlich machen,
  - Gesprächsbereitschaft signalisieren, d.h. sich auch mal bewußt Zeit für den Kranken zu nehmen,
  - Grenzen (Verschlossenheit) des Betroffenen akzeptieren, keine bohrenden Fragen stellen;
- **Information des Betroffenen (und ggf. seines Partners)**
  - auf Möglichkeiten prothetischer bzw. kosmetischer Korrekturen (z.B. Haarersatz, Stoma-Kappe, Prothese) hinweisen,
  - verfügbare problembezogene Literatur oder Filme anbieten bzw. Bezugsquellen vermitteln,
  - spezialisierte Sanitätshäuser und Beratungsstellen empfehlen;
- **direktes Eingehen auf persönliche Probleme**, sofern die Beziehung zum Betroffenen dies erlaubt und die Pflegeperson sich dazu kompetent fühlt
  - Betroffenen z.B. fragen, was ihm Sorgen bereitet oder welche Befürchtungen er hat,
  - Sorgen, Ängste sowie aggressive oder traurige Reaktionen zulassen und Verständnis dafür zeigen,
  - Betroffenen ggf. ermutigen, Probleme gemeinsam mit dem Partner zu besprechen.

12.5.6.11 Die seelische Unterstützung und Begleitung

Ein Leitgedanke der Psychoonkologie lautet:

Nicht dem Leben mehr Tage, sondern den Tagen mehr Leben geben.

In der Pflege krebskranker Menschen steht heute die **Lebensqualität** des Betroffenen **im Vordergrund**. Die verbleibende Lebenszeit soll in seinem Sinn lebenswert gestaltet und empfunden werden. Während stationärer oder ambulanter pflegerischer Betreuung dienen dazu:

- die zuvor besprochenen Pflegemaßnahmen;
- die Erhaltung und Förderung stabiler und tragender sozialer Beziehungen;
- die Berücksichtigung biographischer Begebenheiten, z.B. der bisherigen Erfahrungen des Betroffenen mit Krebs / -erkrankten sowie seiner erzieherischen und kulturellen Prägung hinsichtlich des Umgangs mit Krankheit, Leiden, Tod;
- die Berücksichtigung der psychosozialen Situation, z.B. der aktuellen sozialen Rollen und Aufgaben, der Familiensituation, der Lebensphase;
- die Akzeptanz und Erfüllung persönlicher Bedürfnisse und Wünsche; es ist ratsam, den Kranken direkt hinsichtlich seiner Erwartungen und Wünsche zu fragen - dadurch kann auch das Gefühl der Hilflosigkeit auf seiten des Pflegepersonals abgebaut werden;
- die Förderung eines positiven Selbstwert- und Körpergefühls;
- die Begleitung bei der Auseinandersetzung mit und der Anpassung an die Krankheit;
- die ehrliche und ernsthafte Begegnung, Zuwendung;
- die Förderung sozialer Kontakte und die Integration in soziale Gemeinschaften;
- die Vermittlung von Hoffnung;
- der Abbau von Unsicherheiten (durch realistische Informationen und Anleitung zu selbständigem Handeln);
- Aufmerksamkeit, bewußtes Zuhören, Geduld und Verständnis;
- Zulassen und Nichtbewerten von Gefühlsreaktionen, Fördern von Trauerreaktionen;
- auf Wunsch die Integration der Angehörigen in die Pflege;
- auf Wunsch die Vermittlung seelsorgerischen Beistands;
- ggf. die Einleitung rehabilitativer Maßnahmen.

Der Schlüssel für den Zugang zum krebskranken Menschen liegt in der **ehrlichen**, **bewußten** und **ernsthaften Begegnung**. Er soll fühlen, daß er eine wichtige, wertvolle und nicht vergessene Person ist.
Einzelne Hinweise zur Begleitung des krebskranken Menschen während der verschiedenen emotionalen Reaktionen und Verarbeitungsweisen werden in den Abschnitten "*Das Sterben als Prozeß*" *(Seite 979)* und "*Die Begleitung des unheilbar kranken und sterbenden Menschen*" *(Seite 981)* gegeben.
Krebskranken, die unter lähmender, unerträglicher Angst leiden, kann das Erlernen einer angstreduzierenden Entspannungstechnik und ggf. die Inanspruchnahme psychotherapeutischer Hilfe empfohlen werden.
Die **Pflege krebskranker Menschen** stellt eine **Herausforderung** besonderen Ausmaßes dar. Sie kann sowohl zur persönlichen Bereicherung und Reifung wie auch zur Überlastung / Überforderung und unter Umständen zur Entwicklung eines Burnout-Syndroms *(siehe Seite 789)* beitragen. Deshalb nimmt die **Pflege der eigenen Gesundheit** hier einen besonderen Stellenwert ein. Dazu eignen sich z.B. Teamgespräche und Supervision, persönliche Gespräche, Pflege von Hobbies, Entspannung und Selbstbelohnung.

12.5.6.12 Weiterer Pflegebedarf

Neben den bisher aufgeführten Pflegemaßnahmen können weitere erforderlich werden. Sie ergeben sich in erster Linie aus einer Bewegungseinschränkung, einem (stark) reduzierten Allgemeinzustand, den Operationsfolgen, zusätzlich vorliegenden Krankheiten oder der besonderen psychischen bzw. sozialen Situation. Auch die unterstützende Therapie mit weiteren Medikamenten kann zusätzliche Maßnahmen der Pflege und Beobachtung des Kranken erfordern. Häufig werden z.B. Antibiotika (wegen der Immunschwäche), Kortikoide (aufgrund entzündlicher Reaktionen und bestehender Ödeme) und Allopurinol (aufgrund der infolge des hohen Tumorzerfalls entstandenen Hyperurikämie) verabreicht.
Eine sorgfältige Analyse des entsprechenden Pflegebedarfs ist Voraussetzung für eine individuell angepaßte Pflege.

12.5.7 Zur Situation und Betreuung der Angehörigen

Die Krebserkrankung stellt hohe Anforderungen an die Familie. Jedes Mitglied, aber auch die "Einheit Familie" muß sich in der veränderten Situation zurechtfinden. So können z.B. Rollenwechsel innerhalb der Familie erforderlich sein (Haushaltsführung, Kindererziehung, Pflege des Partners, materielle Absicherung); neue Aufgaben müssen akzeptiert und bewältigt werden. Dazu gehören **Verständnis für die Gesamtsituation** und die **Fähigkeit, sich zu verändern**. Fehlen diese Voraussetzungen, kann die Bewältigung der Krankheit mißlingen.
Auch sind die **Familienmitglieder selbst** unmittelbar durch die Krebserkrankung **betroffen** und **belastet**. Laut WRIGHT (1984) resultieren ihre Belastungen hauptsächlich aus:

- der Zukunftsangst,
- dem Problem, Informationen zu bekommen,
- der Belastung, den Kranken leiden zu sehen,
- der Belastung, nicht zu wissen, was als nächstes geschehen wird.

Außerdem leiden einige von ihnen unter **Schuldgefühlen**; sie fühlen sich mitverantwortlich an der Krankheitsentstehung - z.B. wegen dauerhafter Konflikte oder Enttäuschungen, die sie beim Kranken ausgelöst haben.
So bedürfen die Angehörigen einerseits aufgrund der eigenen Betroffenheit und andererseits aufgrund der Betreuung und Pflege des kranken Familienmitgliedes selbst der Unterstützung. Sie benötigen im selben Ausmaß wie der Betroffene **Informationen** über die Krankheit sowie deren Therapie und sollten - in Absprache und mit dem Einverständnis des Kranken - von vornherein an den Aufklärungs- und Informationsgesprächen beteiligt sein. So kommen sie in die Lage - auch **gemeinsam** mit dem Kranken - die **Situation einzuschätzen**, zu **betrauern**, therapiebezogene Entscheidungen zu treffen sowie neue Möglichkeiten der Le-

bensgestaltung zu suchen und zu finden. Eine nur einseitige Information des Kranken oder (wie früher häufig praktiziert) der Angehörigen vereitelt nicht nur diese gemeinsame Krankheitsbewältigung, sie führt auch zwangsläufig zu einer unehrlichen Kommunikation und provoziert auf beiden Seiten das Gefühl, überfordert und allein gelassen zu sein.

Aus pflegerischer Sicht können Angehörige z.B. durch folgende Maßnahmen unterstützt werden:
- Ermutigung der nahen Angehörigen (nach Rücksprache mit dem Kranken), an Informationsgesprächen teilzunehmen und sich evtl. über Literatur oder Filmmaterial weiter zu informieren;
- Ermutigung, sich innerhalb der Familie auszusprechen, die Gedanken auszudrücken und die Gefühle zu zeigen, also **Leid und Sorgen gemeinsam** zu **tragen**;
- Integration der Angehörigen in die Pflege des Kranken (Anleitung zu bestimmten Tätigkeiten), sofern alle Beteiligten dies wünschen;
- Vermitteln von Offenheit und Gesprächsbereitschaft;
- bei Bedarf Vermitteln von Verständnis füreinander und für die Reaktionen des anderen, indem z.B. die Phasen des Trauerprozesses erläutert werden;
- bei Bedarf angemessene verständliche Vermittlung gewünschter Informationen;
- Hinweis auf außerstationäre Hilfsangebote wie ambulante Pflege oder Haushaltshilfe; auf Wunsch Einschalten des Sozialdienstes des Krankenhauses.

Professionell Pflegende sollten die Aktivitäten der Angehörigen wertschätzen; bei übermäßiger Fürsorglichkeit sollten sie jedoch behutsam auf die negativen Auswirkungen (Förderung von Unselbständigkeit und Passivität) hinweisen.
Auf jeden Fall sind die vom Kranken gewünschten Kontakte zu ermöglichen und zu fördern. **Tragende soziale Beziehungen** sind gerade in dieser Lebenskrise von unschätzbarem und unersetzlichem Wert und tragen maßgeblich zur Krankheitsbewältigung bei.

12.5.8 Rückkehr in den Alltag

❐ Vorbereitung auf die Entlassung

Vor der Entlassung aus der stationären Behandlung beschäftigen meist **befürchtete Alltagsprobleme** den Kranken. Er fragt sich z.B., wie seine Zukunft aussehen wird, wie er den familiären und beruflichen Alltag bewältigen und ggf. neu gestalten soll. Meist besteht der **Wunsch**, in Zukunft **besonders gesund zu leben** und diesbezügliche Informationen und Anleitung zu erhalten. Die Bedürfnisse, Sorgen und Probleme variieren individuell (und krankheitsbezogen). Ein offenes und vertrauensvolles Verhältnis zwischen Patient und Pflegenden hilft, diese anzusprechen und anzugehen.

Häufig erforderliche / gewünschte Maßnahmen:
- Offenheit für Fragen und Sorgen zeigen und diese bei Bedarf von sich aus ansprechen (z.B.: "*Befürchten sie, das Stoma nicht allein versorgen zu können?*" oder: "*Fragen sie sich, ob ihre Kräfte für die Betreuung der Kinder reichen?*");
- problembezogene Literatur empfehlen / anbieten (z.B. von der Deutschen Krebshilfe);
- Maßnahmen der Selbstversorgung einüben, z.B. das Anziehen einer Prothese;
- Fragen zur zukünftigen Lebensführung (z.B. bezüglich einer Stärkung der Abwehrkräfte oder der Ernährung) zulassen und beantworten bzw. an qualifiziertes Fachpersonal weitergeben;
- auf Wunsch Kontakt zu rehabilitierten Krebskranken oder zu Selbsthilfeorganisationen herstellen;
- bei Bedarf den sozialen Dienst des Krankenhauses einschalten, der
  - zur persönlichen Beratung des Patienten hinsichtlich psychosozialer oder beruflicher Probleme zur Verfügung steht,
  - ggf. Kontakt zu einem ambulanten Pflegedienst und/oder anderen Hilfsdiensten (z.B. "*Essen auf Rädern*") aufnimmt,
  - ggf. eine Rehabilitation oder Anschlußheilbehandlung in die Wege leitet,
  - gezielte Informationen über Beratungsstellen, Selbsthilfeorganisationen, Sanitätshäuser, Hilfsangebote etc. gibt,
  - bei der Beantragung eines Schwerbehindertenausweises und ggf. der Rente behilflich ist sowie
  - über evtl. zu beanspruchende Leistungen der Kranken-, Pflege- und Rentenversicherungen (z.B. Haushaltshilfe, Sachleistungen) informiert.

❐ Nachsorge und Rehabilitation

❍ Nachsorge

Die Nachsorge bezieht sich auf die umfassende **Betreuung** des Tumorkranken **nach abgeschlossener Therapie**. Sie umfaßt:
- diagnostische Maßnahmen, die der Früherkennung von Metastasen und Rezidiven (sofern diese behandelt werden können!) sowie der Entdeckung (und Behandlung) tumor- oder therapiebedingter Komplikationen dienen;
- die Beobachtung und Aufzeichnung der Therapiewirkung (Statistiken), um die Ergebnisse auswerten zu können;
- die psychische Begleitung des Tumorkranken, indem er z.B.
  - ermutigt wird, eine Selbsthilfegruppe aufzusuchen,
  - Zuwendung und Gesprächsbereitschaft erfährt,
  - direkt auf vermutete, unausgesprochene Probleme angesprochen wird (Angst vor einem Rückfall, Verunsicherung bei der Lebensführung, Schwierigkeiten bei familiären Aufgaben),
  - auf Literatur zu speziellen Problemen hingewiesen wird (Broschüren von der Deutschen Krebshilfe oder von Betroffenen verfaßte Bücher),
  - auf die Möglichkeit einer psychotherapeutischen Unterstützung hingewiesen wird,
  - realistisch und ehrlich über die Ergebnisse der Nachsorgeuntersuchungen informiert wird.

❍ Rehabilitation

Die Rehabilitationsmaßnahmen dienen der **Wiedereingliederung in Familie, Gesellschaft** und wenn möglich ins **Berufsleben**.
Sie sollten bereits im Akutkrankenhaus beginnen (z.B. in Form gezielter Mobilisation, Anleitung zur Stomaversorgung) und ggf. in einer Rehabilitationsklinik, in

einer Anschlußheilbehandlung oder mittels entsprechender ambulanter Maßnahmen fortgeführt werden. Der Tumorkranke soll lernen, sich an die Veränderungen anzupassen und sich im Alltagsleben wieder zurechtzufinden; die **größtmögliche Selbständigkeit** wird angestrebt.

Maßnahmen zur Rehabilitation sind z.B.:
- regelmäßige Krankengymnastik;
- spezielle, auf das Tumorleiden bzw. die Operation bezogene Maßnahmen wie die Anpassung von Prothesen oder Epithesen *(individuell angepaßte Organersatzstücke, vor allem zur Bedeckung von Gesichtsdefekten)* und die entsprechende Anleitung des Betroffenen;
- der Umgang mit Hilfsmitteln;
- Kontaktaufnahme zu einer Selbsthilfegruppe und / oder der Deutschen Krebshilfe;
- Beratung hinsichtlich einer angemessenen Ernährung (ausgewogene, maßvolle und abwechslungsreiche Ernährung im Sinne einer vitalstoffreichen Vollwertkost);
- Beratung hinsichtlich einer angemessenen Lebensführung;
- rekonstruierende oder plastische Operationen;
- Kompensation therapiebedingter Nebenwirkungen, z.B. durch Beschaffung einer Perücke.

Weiterführende Adressen und Beratungsstellen

Arbeitsgemeinschaft für Psychoonkologie in der Deutschen Krebsgesellschaft
Im Neuenheimer Feld 155, Ernst-Moro-Haus
69120 Heidelberg

Deutsche Arbeitsgemeinschaft für Psychoonkologie e.V.
Geschäftsstelle: Fachklinik Hornheide
Dorbaumstr. 300
48157 Münster

Deutsche Hospizhilfe e.V.
Reit 25
21244 Buchholz

Deutsche Krebsgesellschaft e.V.
Paul-Ehrlich-Str. 41
60596 Frankfurt

Deutsche Krebshilfe e.V. und Dr. Mildred Scheel-Stiftung
Thomas-Mann-Str. 40
53111 Bonn
Telefonischer Rat: 0228/729900

Gesellschaft zur Bekämpfung der Krebskrankheiten NW e.V.
Kettwiger Str. 6
40233 Düsseldorf

Konferenz onkologischer Kranken- und Kinderkrankenpflege (KOK)
Arbeitsgemeinschaft der Deutschen Krebsgesellschaft
c/o Universitäts-Kinderklinik
Theodor-Stern-Kai 7
60596 Frankfurt

Krebsinformationsdienst (KID) beim deutschen Krebsforschungszentrum
Telefonische Auskunft: 06221/410121

Psychosoziale Nachsorgeeinrichtung und Fortbildungsseminar
Chirurgische Universitätsklinik Heidelberg
Im Neuenheimer Feld 155, Ernst-Moro-Haus
69120 Heidelberg

Regional werden psychosoziale Krebsberatungsstellen von den Spitzenverbänden der freien Wohlfahrtspflege angeboten (Deutsches Rotes Kreuz; Arbeiterwohlfahrt Bundesverband e.V.; Deutscher Caritas-Verband e.V.; Deutscher Paritätischer Wohlfahrtsverband; Diakonisches Werk der Evangelischen Kirchen in Deutschland)

12.6 Das Altern

❒ Begriffserläuterungen

Das Altern ist ein prozeßhafter Vorgang, der die **physiologischen** (!) psychischen und physischen **Veränderungen der Rückbildungsphase** des menschlichen Organismus **sowie soziale Veränderungen** umfaßt. Die persönliche Wahrnehmung des Alterns dagegen findet - bedingt durch verändernde und neue Lebenssituationen, die eine Anpassung erfordern - eher stufenweise statt. Neue Lebenssituationen entstehen z.B. durch Berentung, Krankheit, Verlust des Partners, Armut oder Umgebungswechsel.
Die persönliche und die gesellschaftliche Einstellung zum Alter sowie das persönliche Erleben des Alterns entscheiden, ob das Altwerden als eine akzeptable Veränderung, ein natürlicher Lebensabschnitt oder als soziales Schicksal betrachtet wird.

Alter ist ein relativer Begriff; so können das **kalendarische Alter** (*Lebensalter in Jahren*) und das **biologische Alter** weit auseinanderliegen. Das biologische Alter, auch als Leistungsalter bezeichnet, wird durch den morphologischen* und funktionellen Entwicklungsstand des Organismus und seiner Teile bestimmt; es bezieht sich auf die körperliche und die seelisch-geistige Verfassung, z.B. auf das Verhalten, die äußere Erscheinung, die Intelligenz oder den Knochenzustand.
Die WHO bezeichnet einen Menschen ab dem 61. Lebensjahr als älteren Menschen.
Als "**junges Alter**" werden die Jahre zwischen dem 60. und 74. Lebensjahr bezeichnet; vom "**höheren Alter**" spricht man ab dem 75. Lebensjahr.

Die **Altersheilkunde** *(Geriatrie)* befaßt sich mit den Krankheiten des alternden Menschen, ihrer Vorbeugung und Behandlung.
Die WHO definiert die Altersheilkunde umfassend:
"*Geriatrie ist der Zweig der Medizin, der sich mit der Gesundheit im Alter sowie den präventiven, klinischen, rehabilitativen Aspekten von Krankheiten beim älteren Menschen beschäftigt.*"
Die **Alternsforschung** *(Gerontologie)* befaßt sich mit dem Altern des Menschen, dessen Ursachen und Auswirkungen.
Ein relativ neues Gebiet der Gerontologie ist die **Geragogik**. WINGCHEN (1995) definiert Geragogik als jenes Teilgebiet der Gerontologie und Erziehungswissenschaften, das sich in Forschung, Lehre, Theorie und Praxis mit allen Problemen, Lerninhalten und Lernprozessen beschäftigt, die mit dem Altern und dem Alter zusammenhängen. So richtet sie sich
- an alte Menschen (Einräumen von Chancen zur Bildung und Selbstverwirklichung; Vermittlung von Zu-

sammenhängen, die der praktischen Lebensbewältigung dienen; Möglichkeiten des Erfahrungsaustausches zwischen den Generationen; Unterstützung von Selbsthilfe- und Wohngruppen),
- an Kinder (in diesem Lebensalter wird das Bild "des alten Menschen" entwickelt),
- an Arbeitnehmer vor der Berentung (um eine positive Einstellung für die Zeit nach der Erwerbstätigkeit zu forcieren) und
- an in der Altenarbeit tätige Menschen (um ihnen die neuesten Erkenntnisse wissenschaftlicher Forschung zu vermitteln und um eine positive Wahrnehmung des alten Menschen in den Vordergrund zu rücken).

❒ Gesellschaft und Altern

Das Alter und der alte Mensch werden in unserer Gesellschaft **unterschiedlich dargestellt, erlebt** und **"bewertet"**. Die Einstellung zum eigenen Altwerden wird bereits in der Kindheit deutlich beeinflußt.

Werbung und Medien zeigen überwiegend unrealistische, verzerrte Bilder von alten Menschen. Wer sie zum Wertmaßstab macht, wird den Senioren mit überhöhten Erwartungen oder Vorurteilen begegnen. Den meisten Lesern werden sofort einige "typisch-untypische" Darstellungen einfallen, z.B.:
- der überaus gütige, Bonbons verschenkende Großvater;
- die (dank eingenommener Stärkungsmittel) vor Vitalität sprühende, beschwingt tanzende ältere Dame;
- die rührende, niedliche, im Schaukelstuhl sitzende Großmutter als Symbol der heilen Welt;
- die nörgelnde, unzufriedende, verbohrte und neidische alte Nachbarin.

Andererseits vermitteln die Medien auch positive, das Alltagsleben widerspiegelnde Bilder, z.B. ältere Menschen in ihrer Rolle als:
- erfahrene Politiker / -innen;
- weise Gutachter / -innen;
- engagierte Bürger / -innen;
- lebenstüchtige, das Schicksal meisternde Menschen.

Die **Einschätzung**, ob ein Mensch "alt ist", ist **sehr subjektiv** und wird stark vom Alter des Betrachters geprägt. So erscheinen z.B. einem 14jährigen die 40jährigen relativ alt; ein achtzigjähriger Mensch schätzt einen sechszigjährigen nicht als alt ein.

Der **Fortschritt in Technik und Medizin** hat in den industrialisierten Ländern zur **Steigerung der Lebenserwartung** des Menschen geführt.
Nimmt das Verhältnis zwischen der Anzahl der Kinder und der Zahl der Frauen im gebärfähigen Alter (Fruchtbarkeit) über lange Zeit ab, altert die Bevölkerung unabhängig von anderen Faktoren.
Dieser Prozeß, mit dem der Anteil alter Menschen an der Gesamtbevölkerung zunimmt, wird als **demographische Alterung** bezeichnet. Sind mindestens 7 bis 8 % der Einwohner 65 und mehr Jahre alt, so wird die Bevölkerung als alt bezeichnet. Dies trifft z.B. auf folgende Länder zu: Frankreich, Großbritannien, Deutschland und Schweden. In Deutschland ist die durchschnittliche Lebenserwartung in den letzten Jahren kontinuierlich gestiegen; betrug sie um die Jahrhundertwende für Männer noch ca. 35 und für Frauen ca. 38 Jahre, liegt sie heute bei 72,9 bzw. 78 Jahren. In weniger entwickelten Ländern, *sogenannten Entwicklungsländern*, ist die Lebenserwartung deutlich geringer.

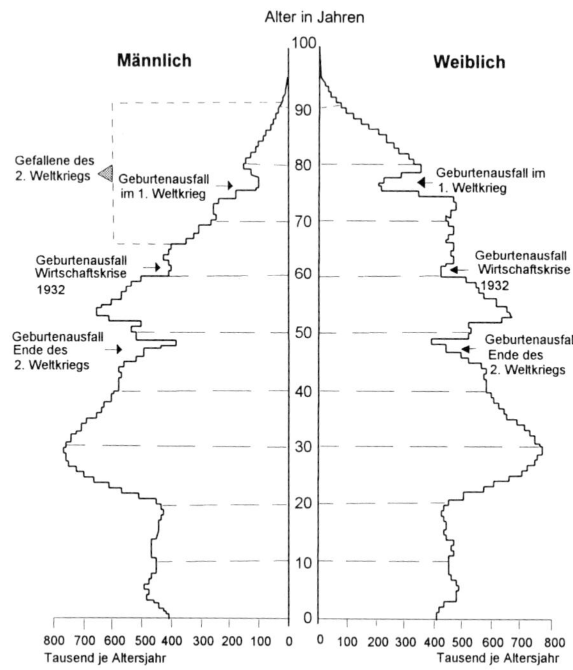

Abb. 12.9 ***Altersaufbau der Bevölkerung Deutschlands am 31.12.1993***
Quelle: Statistisches Bundesamt, 1995

Somit stellt sich das zunehmende **gesellschaftliche Problem eines überalterten Volkes**: der relativ geringe Anteil jüngerer, erwerbsfähiger Menschen muß den relativ hohen Anteil der alten Menschen im Rentenalter versorgen.

Die **Struktur der Kleinfamilie** bietet im Rahmen ihres sozialen Umfeldes häufig ungünstige Bedingungen für ein Altwerden innerhalb der Familie. Sowohl die finanzielle als auch die Arbeits- und die Wohnungssituation, aber auch Veränderungen im Lebensstil sowie der Generationenkonflikt führen immer häufiger dazu, daß erwachsene Kinder und Eltern in getrennten Haushalten leben. Oft erschweren große räumliche Entfernungen häufige Kontakte. Die Integration des alten Menschen in das Leben der Nachgeborenen gestaltet sich unter solchen Bedingungen wesentlich schwieriger als in Großfamilien auf dem Lande. Auch die zunehmende Berufstätigkeit der Frau und die schnellen Veränderungen der heutigen Zeit erschweren die Integration eines hilfe- oder pflegebedürftigen alten Menschen in die Familie.

Aufgrund dieser Begebenheiten muß nach **Alternativen für die Versorgung** alter hilfsbedürftiger Menschen gesucht werden. Die bereits bestehenden Möglichkeiten, im Alter in einem Altenheim zu wohnen, bedürfen nicht selten der qualitativen und quantitativen Verbesserung. Eine Unterbesetzung mit fachlich qualifiziertem Personal kann für Altenheimbewohner die Lebensqualität und für Pflegende die Berufszufriedenheit mindern. An ausreichendem gesellschaftlichen Interesse und Engagement fehlt es hier seit langem; dies spricht für eine sozial niedrige Stellung der alten Menschen, die oft als der Gesellschaft nicht nützlich, sondern eher hinderlich angesehen werden. Die Defizite stehen im Vordergrund, heutige Ressourcen und einst geleistete Arbeit sowie Lebenserfahrung und gemeisterte Schicksalsschläge werden häufig allzu schnell vergessen statt gewürdigt. Jeder sollte bedenken, daß er selbst einmal zu "den Alten" gehören wird und die Bedingungen, die für die Alten geschaffen werden, eines Tages auch ihn treffen werden.

Die Reaktionen und das **Verhalten der einzelnen Menschen und der Gesellschaft** beeinflussen entscheidend die persönliche Situation und das Lebensgefühl eines alten Menschen. Durch die entsprechenden Erfahrungen wird auch die eigene Einstellung zum Alter beeinflußt.
Beispielhaft sind in Tabelle 12.2 einige Einflußfaktoren einander gegenübergestellt.

Die **Fähigkeit zu außerfamiliären Sozialkontakten** ist von besonderer Bedeutung, da diese ein positives Lebensgefühl und Zufriedenheit im Alter ermöglichen.

Pflegende sollten sich der gesellschaftlichen und der persönlichen Einstellung zum Alter(n) bewußt sein und die Bewertung des Alters kritisch hinterfragen; zudem ist eine Auseinandersetzung mit dem persönlichen Älterwerden unerläßlich.

Die Einstellung zum Alter beeinflussende Faktoren	
Positiver Einfluß	**Negativer Einfluß**
• Achtung und Wahrung der Würde und Autonomie des alten Menschen	• Mißachtung der Würde, z.B. durch Unterbinden freier Entscheidungen, Mißachtung des Willens, Verletzung der Privat- oder Intimspähre; Bevormundung, Fremdbestimmung
• realistische und insgesamt positive Darstellung des alten Menschen in den Medien	• unrealistische oder überzogene Darstellung des alten Menschen in der Werbung, in Filmen u.a. Darbietungen
• Wertschätzung der gewordenen Persönlichkeit, Anerkennung und Annahme der Lebenserfahrung, der Kompetenz und des Wissens	• ausschließliche Wahrnehmung der Defizite, Mißachtung oder Ignorieren von Erfahrungen, Wissen und Fähigkeiten des alten Menschen
• Akzeptanz und Respekt gegenüber dem alten Menschen	• Respektlosigkeit, Nicht-ernst-nehmen der Persönlichkeit
• angemessene Förderung im Alltagsgeschehen	• Über- oder Unterforderung des alten Menschen
• Integration in Familien oder/ und andere gesellschaftliche Gruppen (Nachbarschaft, Gemeinde)	• Ausgrenzung, Nichteinbeziehen in soziale Gruppen, Isolation
• Unvoreingenommenheit, Offenheit und der Versuch einer ganzheitlichen Wahrnehmung des alten Menschen	• selektive, negative Wahrnehmung, Vorurteile (z.B. "Alle alten Menschen sind habgierig, geizig, altmodisch und intolerant")
• Bereitschaft, in jedem Alter und jeder Entwicklungsstufe positive Aspekte zu sehen und zu erleben	• Glorifizierung von Jugend, Schönheit, Reichtum und Leistung

Tabelle 12.2 ***Die Einstellung zum Alter beeinflussende Faktoren***

12.6.1 Besonderheiten im Alter

Obwohl das Altern einen **individuell sehr unterschiedlich** verlaufenden Prozeß darstellt, lassen sich Begebenheiten beobachten, die alterstypisch sind. Es ist aber immer zu berücksichtigen, daß sowohl der Zeitpunkt des Einsetzens als auch das Ausmaß sehr unterschiedlich sein können. Zudem übt die Lebensgeschichte (*Biographie*) des einzelnen Einfluß auf die Entwicklung im Alter aus und muß, um dem alten Menschen gerecht zu werden, Berücksichtigung finden *(siehe Seite 746)*.

❒ Das Altern als physiologische Entwicklung

Das Altern wurde lange Zeit als krankhaftes Geschehen betrachtet; das Alter wurde mit Krankheit gleichgestellt. Erst die Alternsforschung der letzten 30 Jahre hat bewiesen, daß das Altern ein **physiologisches Phänomen** ist. Die Fähigkeit der einzelnen Zellen, die notwendigen Stoffe aufzunehmen, zu verarbeiten und die Stoffwechselendprodukte auszuscheiden, läßt nach. Der **Alterungsprozeß** setzt unweigerlich ein; in der Art des Alterns und im Voranschreiten lassen sich zum Teil sehr **große Unterschiede** beobachten.

Faktoren, die den Prozeß beschleunigen können:
- genetische Faktoren;
- fehlende oder geringe geistige und körperliche Aktivität während des Wachstums und im Erwachsenenalter; dies gilt selbst dann, wenn der Mangel nur zeitweise bestand;
- Risikofaktoren wie Bewegungsarmut, Überernährung, Alkohol- und Tablettenmißbrauch sowie dauerhaft hohe psychische Belastung;
- schwere Krankheiten und Traumen, vor allem nach dem 60. Lebensjahr; sie können das Altern schlagartig beschleunigen.

Faktoren, die den Prozeß hinauszögern, zum Teil sogar verhindern können:
- geistige und körperliche Aktivitäten jeglicher Art;
- aktive Teilnahme am und Gestaltung des Alltagsgeschehens;

- gesunde Lebensweise, z.B. vollwertige Ernährung, sinnvoller Umgang mit Streß, Entspannung, ausreichende Ruhe- und Schlafphasen, allenfalls mäßiger Konsum von Alkohol und Nikotin, viel Bewegung;
- Behandlung von Krankheiten, insbesondere, um Spätschäden vorzubeugen (z.B. Einstellung des Bluthochdrucks oder des Diabetes mellitus);
- Behebung von Seh- und Hörminderung;
- Integration in Familie und Gesellschaft.

Der Alterungsprozeß geht fortschreitend - jedoch individuell unterschiedlich einsetzend und ausgeprägt - mit folgenden Veränderungen einher:

- Verminderung der physischen, psychischen und sozialen Anpassungsfähigkeit;
- Verlangsamung von Handlungs- und Bewegungsabläufen;
- **Veränderung in der Gewebezusammensetzung und funktionelle Rückbildung der Organe**,
  - Altershaut *(siehe Seite 630)*,
  - Abnahme von Gewebswasser und Muskelmasse, Ersatz derer durch Fettzellen,
  - Altersweitsichtigkeit *(siehe Seite 733)*,
  - Rückgang der Hörfähigkeit,
  - Minderung der Geschmacks- und Tastwahrnehmungen,
  - Verringerung der Vitalkapazität *(siehe Seite 34)*,
  - Erhöhung des systolischen Blutdrucks, leichte Abnahme des Herzminutenvolumens,
  - Abnahme der Nierenfunktion und -durchblutung,
  - Elastizitätsverlust an Atmungs-, Kreislauf- und Bewegungsorganen,
  - Abnahme der Magensäure- und Enzymproduktion, Nachlassen der Verdauungsfunktionen,
  - Nachlassen der Immunabwehr,
  - Abnahme der Knochendichte,
  - oft Abnahme der Körpergröße,
  - Anhäufung von Stoffwechselprodukten in den Zellen, die u.a. die Funktion von Nerven- und Muskelzellen erschweren,
  - Verlangsamung des Zellersatzes, dadurch z.B. verzögerte Wundheilung;
- **seelisch-geistige Veränderungen**,
  - Zunahme von Wortschatz und Sprachverständnis sowie von Allgemeinbildung und Spezialwissen,
  - Zunahme von Lebens- und Berufserfahrung,
  - Reifung der Persönlichkeit,
  - Zunahme innerer Unabhängigkeit,
  - Veränderung persönlicher Wertvorstellungen,
  - Erhöhung von Verantwortungsbewußtsein und Zuverlässigkeit,
  - Verlangsamung geistiger Abläufe,
  - schnelles Ermüden,
  - Abnahme der Lebhaftigkeit,
  - kleine Gedächtnisstörungen, insbesondere im Bereich des Kurzzeitgedächtnisses;

  Beachte: Das Nachlassen der geistigen Leistungsfähigkeit ist nicht generell vorzufinden und wird durch zahlreiche Faktoren, u.a. durch geistige Übung, Bildung, Gesundheitszustand, Interesse an der Umwelt, beeinflußt;
- **Veränderungen familiärer und gesellschaftlicher Rollen / Aufgaben**,
  - Aufgabe langjähriger sozialer Rollen, z.B. die des Erwerbstätigen, die des agilen Sportlers oder die des engagierten Vereinsmitgliedes,
  - Verluste sozialer Kontakte, z.B. zu Sportkameraden, Arbeitskollegen und Geschäftspartnern,
  - Verlust von Verwandten und Freunden durch Tod,
  - Verlust familiärer Aufgaben durch Selbständigkeit und Familiengründung der Kinder,
  - Übernahme neuer Rollen, z.B. der eines Großvaters / einer Großmutter,
  - Knüpfen neuer Kontakte, z.B. durch neue Hobbies (Kaninchen züchten, Gärtnern, kreative Tätigkeiten etc.) oder neue Gruppenaktivitäten ("*Graue Panther*", Seniorentreff, Reisegesellschaften),
  - ggf. Einschränkungen der finanziellen Möglichkeiten aufgrund eines geringen Altersruhegeldes, dadurch auch Verlust sozialer Kontakte und Aufgabe bestimmter Gewohnheiten und Hobbies,
  - Begegnungen mit ungewohnten Reaktionen aus der Umwelt, die zeigen, daß der Betreffende als alt eingestuft wird (z.B. Anbieten eines Sitzplatzes in öffentlichen Verkehrsmitteln, Nicht-ernst-genommen-werden),
  - geringer bis deutlicher Rückzug aus dem gesellschaftlichen Leben, statt dessen stärkere Konzentration auf die eigene Person.

Viele der genannten Veränderungen können insgesamt die Persönlichkeit des alternden Menschen stark beeinflussen, so daß sich auch Persönlichkeitsveränderungen zeigen können.

Im Alter kommen vorhandene **Grundzüge des Charakters** nicht selten **deutlicher** zum Ausdruck; z.B. kann aus Vorsicht Mißtrauen oder aus Sparsamkeit Geiz werden.

Andererseits können sich **Reife und Weisheit** (weiter-) entwickeln. **Ruhe** und **Ausgeglichenheit** sowie veränderte Wertmaßstäbe und Sichtweisen können dem Leben neue Aspekte und Freuden verleihen. Ebenso kann sich eine Unabhängigkeit des Geistes und somit eine innere Freiheit entwickeln.

Neue soziale Rollen und Kontakte können sowohl positiv als auch negativ bewertet und gestaltet werden; gleiches gilt für die **Berentung**. Für einige Menschen bedeutet sie Erlösung von der Arbeitsverpflichtung und Freiheit für neue Tätigkeiten, für andere entsteht das Gefühl, plötzlich nicht mehr gebraucht zu werden und wertlos zu sein.

Der Vorgang des Alterns kann auch, ähnlich wie z.B. die Pubertät, eine **Lebenskrise** auslösen. Die Anpassung an die veränderten Lebensbedingungen und der Rollenwechsel erfordern viel Kraft und Lebensmut sowie Akzeptanz des Älterwerdens. Tragende soziale Beziehungen sind in dieser Lebensphase von großer Bedeutung, insbesondere weil sie den alternden Menschen fühlen lassen, daß er wichtig und wertvoll ist.

❒ Bedürfnisse

Bedürfnisse, deren Befriedigung im Laufe des bisherigen Lebens zur Gewohnheit geworden ist, bleiben im allgemeinen auch im Alter bestehen.

Altersbedingt können sich einige Bedürfnisse verschieben oder verlorengehen, z.B. infolge einer Neuorientierung.

Beispiele für Bedürfnisse, die sich im Alter verschieben bzw. neu entwickeln können:
- verringertes Durstgefühl *(siehe "Durst", Seite 115)*;
- Nachlassen des Appetits und des Grundumsatzes, verringerter Kalorienbedarf bei erhöhtem Eiweißbedarf;
- Abnahme des Schlafbedürfnisses *(siehe "Schlafphasen" und "Schlafbedarf", Seite 683 und 684)*;
- höherer Bedarf an Wärmezufuhr infolge verringerter Wärmeproduktion *(siehe "Wärmehaushalt und Temperaturregulation", Seite 502)*;
- Abnahme des Bewegungsdranges (und der nächtlichen Spontanbewegungen);
- verstärktes Sicherheitsbedürfnis in physischer, psychischer und sozialer Hinsicht, z.B. Angst vor Stürzen und Gebrechen, Angst vor Ausgrenzung und Einsamkeit, vor Armut oder Heimeinweisung;
- Wunsch nach Regelmäßigkeiten (Tagesablauf, Mahlzeiten);
- Erfahren, daß das Alter einen Sinn hat;
- Auseinandersetzung mit dem Alter und dem Tod;
- Verständnis für Gemütsbewegungen, die durch das Altern und die Auseinandersetzung mit ihm auftreten;
- Pflege- und Hilfsbedürftigkeit.

Andere Bedürfnisse bestehen im Alter weitgehend unverändert fort; hier besteht aber eher als in jüngerem Lebensalter die Gefahr, daß sie nicht oder nicht ausreichend befriedigt werden. **Beispiele**:
- Verlangen nach Respekt, Akzeptanz, Gebrauchtwerden, Zuwendung und Liebe sowie nach Integration in die Gesellschaft;
- Streben nach Möglichkeiten der Selbstverwirklichung, z.B. im Hobby oder in der Familie;
- Bedürfnis nach Selbständigkeit (altersgerechte Wohnung, z.B. im Parterre), Unabhängigkeit (auch finanzielle) und Selbstbestimmung, insbesondere hinsichtlich der Wahl der Wohnform;
- Wunsch nach Zugehörigkeit und sozialer Nützlichkeit (z.B. Aufgaben innerhalb der Familie haben; Nutzung des persönlichen Wissens und der Erfahrung);
- Bedürfnis, als geschlechtliches Wesen akzeptiert zu werden und sexuell aktiv zu sein *(vgl. "Das Sexualverhalten", Seite 808)*.

❒ Krankheit im Alter

Im Alter nimmt die Erkrankungshäufigkeit insgesamt zu.

Folgende Krankheiten treten gehäuft auf:
- Bluthochdruck *(Hypertonie)*, Herzinsuffizienz, koronare Herzkrankheit,
- Schlaganfall *(Apoplexie),*
- bösartige Tumorerkrankungen,
- Diabetes mellitus,
- Depressionen,
- rheumatologische und degenerative Erkrankungen des Bewegungsapparates, vor allem Hüft- und Kniegelenksarthrose, Osteoporose,
- chronische Bronchitis, Pneumonie, Altersemphysem,
- Eisenmangelanämie,
- Schilddrüsenunterfunktion *(Hypothyreose),*
- Demenz.

Weiter kann es, vor allem in höherem Lebensalter, vorübergehend oder dauerhaft zu folgenden **Störungen** kommen:
- Schlafstörungen,
- Eß- und Trinkstörungen,
- Verwirrtheit,
- Inkontinenz,
- Gangstörungen,
- wiederholte Stürze (Fallneigung).

Beim alten Menschen verlaufen die Krankheiten häufig **weniger stürmisch** als beim jungen Menschen, Entzündungen laufen vielfach **latent** ab. So kann z.B. eine beginnende Pneumonie übersehen werden, wenn sie lediglich geringe Symptome und Beschwerden verursacht. Der Krankheitsverlauf ist dagegen **häufiger chronisch** als im jungen Erwachsenenalter. Im Alter treten meist mehrere Krankheiten gleichzeitig auf ***(Multimorbidität)***, wodurch sowohl die Anpassung als auch die Behandlung erschwert werden. Schnell verliert der kranke alte Mensch bisherige Fähigkeiten und wird immobil. Bei **Immobilität** drohen Sekundärerkrankungen und ein weiterer Verlust der Alltagskompetenzen, die letztendlich zu bleibender Unselbständigkeit und evtl. auch zu einer Heimeinweisung führen können.
Um dieses Risiko so gering wie möglich zu halten, muß die Pflege aktivierend und rehabilitierend sowie autonomieerhaltend gestaltet werden.

12.6.2 Pflege alter Menschen

Spezielle Lebens- und Pflegesituationen, die aus verschiedenen Erkrankungen des alten Menschen resultieren, werden in den entsprechenden Kapiteln besprochen.

12.6.2.1 Häufige Probleme und entsprechende Pflegemaßnahmen

Führen altersbedingte Veränderungen zu nennenswerten Einschränkungen, so können sie zum Problem für einen Betroffenen werden. Ein großer Teil dieser möglichen Probleme ist jedoch **kompensierbar** *(siehe nachfolgende Beispiele)*. Die dort genannten kompensatorischen Maßnahmen können meist vom alten Menschen selbst oder von Angehörigen / Pflegenden vorgenommen werden.

Beispiele für mögliche Altersprobleme und entsprechende Kompensationsmöglichkeiten

Mögliche Probleme	Kompensierende Maßnahmen
Bewegungseinschränkung, Nachlassen der Belastbarkeit, Schwäche, Steifheit der Gelenke und dadurch erhöhtes Risiko, zu stürzen.	• Den individuellen Möglichkeiten in Art und Ausmaß entsprechende **Bewegung**, z.B. Wandern, Spazierengehen, Gymnastik, Schwimmen, Radfahren, Tanzen, aber auch Hausarbeit, Einkaufen; • Erhaltung / **Förderung der Selbständigkeit**; z.B. durch Mobilisationshilfen, Haushalts-, Anzieh- und Eßhilfen *(siehe dazu "Eß- und Trinktraining", Seite 131)*; • **Sturzprophylaxe** *(siehe Seite 566)*;
Verringerter Kalorienbedarf bei erhöhtem Eiweißbedarf (1,2 - 1,3 g/kg Körpergewicht / Tag); relatives Nachlassen der **Verdauungsfunktionen;**	• **Vollwerternährung** *(vgl. "Vitalstoffreiche Vollwertkost", Seite 107)*; • bei herkömmlicher Ernährung: viel frisches Obst, Rohkost, Gemüse, geringe Fettzufuhr, Verzehr natürlicher Fette (Butter, Sahne, kaltgepreßte Öle);
Abnahme der **Geruchs- und Geschmacksempfindungen** (evtl. dadurch erhöhte Salz- und Gewürzzufuhr); Appetitlosigkeit; evtl. Fehlernährung.	• **Kochsalzzufuhr** insgesamt **reduzieren** (5 - 8 g/Tag), zur Geschmacksanreicherung Kräuter verwenden; • Salz- und Gewürzgehalt überprüfen; • Speisen **appetitlich anrichten** und dekorieren; • Tischatmosphäre angenehm gestalten; • Gewohnheiten und Wünsche sowie Abneigungen im Speiseplan berücksichtigen, ggf. hinsichtlich gesundheitsfördernder Ernährung informieren; • gewohnte Häufigkeit der Mahlzeiten beibehalten; • Zeit zum Essen nehmen; • nach dem Essen ausreichende Ruhepausen einlegen; • zwischen den Mahlzeiten möglichst aktiv sein;
Verringertes **Durstgefühl**, das Trinken wird "vergessen"; mögliche Folgen sind Austrocknung der Gewebe, Anreicherung hirntoxischer Substanzen, akute Verwirrtheit, Hypovolämie und Durchblutungsstörung des Gehirns; Obstipationsneigung.	• stark **wasserhaltige Kost** (z.B. frisches Obst, Rohkost, Gemüse) zuführen; • ergänzend ca. **1 - 1,5 Liter Flüssigkeit** pro Tag, vorzugsweise Mineralwasser oder Tee, zuführen; • Trinkverhalten beobachten, evtl. "**Trinkplan**" führen;
Mangelnde **Kaufähigkeit**, große Lücken im Gebiß.	• Gebißsanierung bzw. Zahnersatz; • übergangsweise weiche Kost anbieten;
Verringertes **Schlafbedürfnis**, Durchschlafstörungen bei gleichzeitig erhöhtem Ruhebedürfnis, zusätzlich	• die natürliche Veränderung akzeptieren; • Ermüdung durch angemessene körperliche **Aktivitäten fördern**; • bei Bedarf **Ruhepausen** einlegen (Mittagsschlaf und sonstige "Nickerchen"); • Arztkonsultation anregen, wenn der alte Mensch sich tagsüber müde und unausgeglichen fühlt;
- schnelles Frieren bei körperlicher Ruhe,	• wärmende Kleidungsstücke (Jacke, Wollsocken) oder Decken nutzen; • **Wärmespender** wie Wärmflasche einsetzen;
- nächtliches Wasserlassen.	• in den Abendstunden **wenig trinken** und die Beine hoch lagern;
Flache **Atmung** (häufig zusätzlich chronische Atemwegserkrankung oder Altersemphysem); evtl. Atemnot, insbesondere durch Anstrengung hervorgerufen.	• mehrmals täglich bewußt tief **durchatmen** und **abhusten** *(vgl. "Pneumonieprophylaxe", Seite 46 und 51)*; • spezielle **Atemübungen**, insbesondere bei chronischen Atemwegserkrankungen durchführen *(siehe Seite 55)*; • **Atemtraining** durch körperliche Betätigung entsprechend der individuellen Belastbarkeit (z.B. Spazierengehen); **Beachte**: Überanstrengung kann zu Atemnot führen;

Mögliche Probleme	Kompensierende Maßnahmen
Altershaut. **Ödeme**, insbesondere in den unteren Extremitäten (z.B. bei Herzinsuffizienz, venösen Gefäßleiden).	• **die Haut** sorgfältig beobachten und pflegen, u.a. ausreichend eincremen *(siehe auch "Hautpflege", Seite 649)*; • **den venösen Blutrückfluß** durch Hochlagerung der Beine im Sitzen und Liegen sowie durch Bewegungsübungen fördern; evtl. Venen ausstreichen und komprimieren *(siehe "Thromboseprophylaxe", Seite 316)*;
Altersbedingte Weitsichtigkeit, verringertes **Sehvermögen**.	• **Brille** oder **Vergrößerungsglas** nutzen; • große Schriftzeichen (Bücher mit Großdruck); • Uhren mit großen Zifferblättern; • logische und geordnete Raumaufteilung, bestimmte Aufbewahrungsorte für Gegenstände; • Tastsinn nutzen; • bei Erblindung evtl. "Blindenstab" und weitere Hilfen einsetzen *(siehe "Hilfen bei Störungen des Sehens", Seite 736)*;
Schwerhörigkeit.	• langsam, **deutlich** und laut **sprechen**, dabei ggf. auf der Seite des leistungsfähigeren Ohres stehen; • eindeutige Mimik und Gestik, ausgeprägte Lippenbewegungen; • bei Bedarf Hörgerät einsetzen *(siehe "Hilfen bei Störungen des Hörens", Seite 736, und "Umgang mit Hörgeräten", Seite 731)*;
Obstipationsneigung, bedingt durch Bewegungsarmut, geringe Flüssigkeitszufuhr und faserstoffarme Kost.	• **Vollwerternährung**; • ausreichende Flüssigkeitszufuhr durch Getränke und stark wasserhaltige Lebensmittel (Obst, Gemüse); • angemessene Bewegung *(siehe "Obstipationsprophylaxe", Seite 214)*;
Urin-Inkontinenz.	• **Arztbesuch** zwecks Abklärung der Ursache und der Therapiemöglichkeiten; • **Kontinenztraining**, auch vorbeugend *(siehe Seite 205)*; • **Toiletten**- und **Beckenbodentraining**; • Inkontinenzhilfen wie Vorlagen, Kondomurinal benutzen und regelmäßig wechseln *(siehe Seite 226)*;
Langeweile mit Eintritt in das Rentenalter, insbesondere zu beobachten bei Menschen, deren vorrangiger Lebensinhalt die Arbeit war oder die einer fremdbestimmten und wenig kreativen Tätigkeit nachgegangen sind und sich auch in der Freizeit eher passiv, z.B. durch Fernsehen, beschäftigten.	• **Kontakte** fördern und pflegen, neue Kontakte mit Menschen gleichen Alters knüpfen; • **aktive Beschäftigungsmöglichkeiten** entsprechend den individuellen Neigungen und Fähigkeiten suchen, ggf. an Hobbies aus der Jugend anknüpfen; Interesse für ein Hobby entwickeln;
Einsamkeit.	• vgl. vorstehend Maßnahmen bei Langeweile; • falls die Möglichkeit zur **aktiven Kontaktpflege** außerhalb des Hauses aus gesundheitlichen Gründen nicht oder nur eingeschränkt möglich ist: Verwandtschafts- und Nachbarschaftskontakte pflegen, Einladungen aussprechen, Telefongespräche führen, sich einer Telefonkette anschließen, Briefe schreiben, Selbstbeschäftigung, ambulante Dienste in Anspruch nehmen (Gemeindekrankenpflege, freiwillige Helfer, Kirchengemeinde);

Mögliche Probleme	Kompensierende Maßnahmen
Das **Akzeptieren** des Alterns, der Abnahme der Leistungsfähigkeit und des nahenden Todes gelingt nicht; Zweifel am Sinn der eigenen Existenz.	• **Ressourcen** bewußtmachen und **nutzen**; • dem alten Menschen vermitteln, daß er geachtet und geschätzt wird; **Erfahrung**, Reife und ggf. Weisheit **würdigen**; auch der Betagte soll sich dieser Werte bewußt werden und sie aktiv einbringen; • **Selbstverantwortung**, Selbständigkeit und andere Ressourcen fördern; • ermutigen, aktiv am Alltagsleben teilzunehmen und Interesse für die Gegenwart zu zeigen; • (neue) **Aufgaben oder kreative Tätigkeiten** für den alternden Menschen suchen (zeitweilige Kinderbetreuung, aktive Vereinsmitgliedschaft, Gartenpflege, Kaninchenzucht, Handarbeiten u.ä. *(siehe auch Kapitel "Sich Beschäftigen")*; • Frage nach dem Sinn des Alterns / Lebens / Sterbens zulassen und in **Gesprächen** erörtern; den alten Menschen ermutigen, alles was ihn bewegt, auszudrücken; Teilnahme an entsprechenden Gesprächskreisen empfehlen;
Verringerte **Merkfähigkeit**, Lücken im Kurzzeitgedächtnis, Vergeßlichkeit, geistige Zerstreutheit.	• ggf. schriftlichen **Plan** für Routinehandlungen des täglichen Lebens aufstellen; • Merkzettel, Notizheft, Kalender nutzen; • **geistige Fähigkeiten** durch geistige Betätigung **trainieren**: Lesen, Gespräche führen, Hobbys pflegen, Tagesgeschehen mittels Zeitungen und Nachrichten verfolgen, "*Gehirnjogging*" (*siehe "Geistige Fähigkeiten trainieren", Seite 959*).

12.6.2.2 Allgemeine Pflegeschwerpunkte

Bei Pflegebedürftigkeit / Krankheit eines alten Menschen ergeben sich im allgemeinen bestimmte Pflegeschwerpunkte *(siehe Abbildung 12.10)*; sie greifen ineinanderüber.

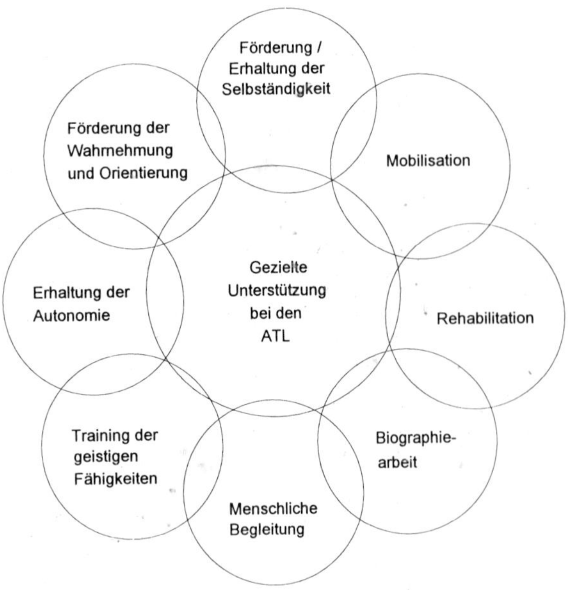

Abb. 12.10 ***Schwerpunkte der Pflege des alten Menschen***

Anmerkung:
Selbstverständlich wird die Pflege des schwerstkranken oder sterbenden alten Menschen nach anderen Gesichtspunkten ausgerichtet *(siehe "Die Begleitung des unheilbar kranken und sterbenden Menschen", Seite 981)*.

❐ Gezielte Unterstützung bei den ATL

Die gezielte Unterstützung bei den ATL bildet den **Kern der Pflege**. Sie orientiert sich an den aktuellen Ressourcen, Bedürfnissen und Problemen des alten Menschen, die durch eine sorgfältige **Analyse des Ist-Zustandes**, eine gezielte Beobachtung und das Erfragen des vorherigen Zustandes eruiert werden. Das entsprechende Handeln bezieht die weiteren Pflegeschwerpunkte ein, ohne den alten Menschen in seiner Situation zu überfordern.

Die **Planung** der Pflege sollte möglichst **gemeinsam** mit dem alten Menschen erfolgen. Dies fördert nicht nur seine Autonomie* und Kooperation, sondern ggf. auch seine Auseinandersetzung mit der Krankheit (bzw. den Krankheiten) und letztendlich den Anpassungs- bzw. Heilungsprozeß.
Die pflegerische Unterstützung bei den ATL **berücksichtigt** die **Fähigkeiten, Gewohnheiten und Bedürfnisse** des alten Menschen.
Prinzipiell sind Überversorgung und Bevormundung zu vermeiden. Die Pflege leistet in erster Linie **Hilfe zur Selbsthilfe**, sie erhält und fördert Aktivitäten und Fähigkeiten des alten Menschen, auch wenn dies (zunächst) mehr Zeit beansprucht.

Den **Ressourcen** wird **ebensoviel Bedeutung** beigemessen wie den alters- und krankheitsbedingten Einschränkungen / Problemen. Um diese zu erfassen, ist eine kontinuierliche und gezielte Beobachtung erforderlich. Besondere Aufmerksamkeit gilt den Risikofaktoren, die zur Entstehung von Sekundärerkrankungen führen können. Auftretende Sekundärerkrankungen sind für den alten Menschen besonders gefährlich, da sie häufig eine Immobilität bedingen oder diese verlängern und die notwendige rasche Mobilisation verzögern bzw. verhindern. Die gezielte, sorgfältige und kontinuierliche **Durchführung prophylaktischer Maßnahmen** nimmt einen dementsprechenden **hohen Stellenwert** ein.

Auch Beschwerden jeglicher Art, z.B. Schmerzen oder Atemnot, beeinträchtigen nicht nur das Wohlbefinden, sondern behindern außerdem die Mobilisation. Es gilt, sie soweit und so rasch wie möglich zu lindern.

Stürze sind zu verhindern *(siehe "Sturzprophylaxe", Seite 566)*.

❒ Förderung und Erhaltung der Selbständigkeit

Forschungsergebnisse haben wiederholt gezeigt, daß unselbständiges Verhalten älterer Menschen durch Hilfeleistungen oder verbale Äußerungen der sozialen Umwelt verstär...
überwiegend ig...
Um die Selbstä...
ten bzw. zu fö...
selbständigkeit...
Überversorgun...
derndes Verha...
Mensch dabei ...
selbständigkeit ...
NEUMANN et ...
Pflegende ent...
aus, daß erw...
modifikation *(*...
den kann; Gru...
rer Menschen ...
tät).
In ihrem Traini...
leitet, das Ver...
sequenzen zu ...
ges Verhalten ...
Verhalten wird ...
lichst nicht be...
Lob, Zuwendu...
stigungen wie ...

Der beabsichtigte Abbau unselbständigen Verhaltens und der Aufbau selbständigen Verhaltens werden dem alten Menschen vorgeschlagen, mit ihm besprochen und geplant; die Umsetzung erfolgt mit seinem Einverständnis.

Komplexe Handlungsabläufe (z.B. Hemd anziehen) werden, falls erforderlich, zunächst in Teilfunktionen **zerlegt** (z.B. linken Arm in linken Ärmel, rechten Arm in rechten Ärmel einführen; Kragen richten; Manschetten zuknöpfen, Knöpfe vorne schließen) und nacheinander trainiert. Jeder Teilerfolg wird positiv verstärkt, später nur noch die komplexe Handlung. Das gewünschte Verhalten (z.B. eine bestimmte Aufstehtechnik) kann auch von der Pflegeperson vorgemacht werden, so daß der Lernende es anschließend nachahmen kann.

Wird das erwünschte Verhalten beherrscht, wird die kontinuierliche **Verstärkung langsam abgebaut, insgesamt** aber **beibehalten**, z.B. indem das Verhalten jedes dritte oder vierte Mal belohnt wird.

Die selbständige Bewältigung einer Aufgabe im Bereich der ATL wird selbst zum positiven Verstärker, denn sie macht die **Veränderbarkeit der persönlichen Situation erfahrbar**. Der Erfolg vermittelt Freude und Zufriedenheit, mehr Selbständigkeit, Aktivität und mehr Teilnahme am sozialen Leben.

Auf jeden Fall ist es für **Pflegende** lohnenswert, **das eigene Verhalten** zu **reflektieren**: Inwieweit unterstütze ich unnötig unselbständiges Verhalten Pflegebedürftiger und ignoriere bestehende Ansätze selbständigen Verhaltens?

Wer die Ressourcen - und nicht die Defizite - des alten Menschen in den Vordergrund seiner pflegerischen Interventionen stellt, fördert automatisch dessen Selbständigkeit. Diese Sichtweise sollte die Grundhaltung gegenüber älteren Menschen prägen.

❒ Mobilisation - aktivierende Pflege

Die Mobilisation dient der Erhaltung bzw. **Wiederherstellung von Alltagskompetenzen**, Ressourcen und Selbständigkeit sowie der Verhinderung von Sekun-
...ngen und weiteren Krankheitsfolgen. Sie
... **positives Selbstwert- und Lebensgefühl**.
...trägt sie entscheidend zur Gesunderhal-
...ndung bzw. Anpassung an die Krankheit

...ensch wird **aktiv** in die ihn betreffenden
...Handlungsvorgänge **einbezogen**, wodurch
...eine Autonomie* erhalten bleibt.
...edürftige Senior ist in verständlicher Weise
...n der aktivierenden Pflege zu informieren
... zu motivieren. Es ist von Vorteil, mit ihm
...die angebrachten und möglichen Maßnah-
...**en**.
...ng orientiert sich an den jeweiligen Mög-
...d dem Befinden des alten Menschen. Bei
...llte sie **so früh wie möglich** einsetzen.
... Ausmaß müssen dann mit dem Arzt be-
...rden; er entscheidet, inwieweit die Mobili-
...nd des Krankheitsverlaufs angebracht ist.
...- als auch **Unterforderung** sind zu **ver-**
... gelingt durch eine gezielte Beobachtung.
...tion wird insbesondere in die ATL "Sich
...Kleiden", "Sich Bewegen", "Ausscheiden",
"Kommunizieren" sowie "Essen und Trinken" integriert. Dabei müssen die **Teil- bzw. Restfähigkeiten** einbezogen und **gefördert** werden. So können z.B. das selbständige Zähneputzen oder Gesichtwaschen bei Krankheit zunächst die einzigen zu aktivierenden Fähigkeiten des alten Menschen sein. Sie sind unbedingt zu erhalten, ebenso das selbständige Essen und Trinken und die Kontinenz *(siehe "Toilettentraining", Seite 224)*.

Besonders wichtig ist weiter die **Mobilisation außerhalb des Bettes**. Zeitlich begrenzte Aufenthalte außerhalb des Bettes (sogenannte *Lehnstuhlbehandlung*) sind ggf. der Bettruhe vorzuziehen. Zu den oben genannten positiven Effekten wird außerdem die Wahrnehmung der Umwelt (und somit auch die Teilnahme an ihr) gefördert.

Zu weiteren Möglichkeiten der Mobilisation lesen Sie bitte "*Mobilisation*", *Seite 544*.

Die **Mobilisation geistiger Kräfte** und Fähigkeiten erfolgt z.B. im bewußt geführten Gespräch und durch das Angebot von Zeitungen, Literatur und Kreuzworträtseln oder durch Gedächtnistraining *(siehe "Geistige Fähigkeiten trainieren" Seite 959)*.

Soziale Kompetenzen können durch bewußte Kommunikation und durch das Angebot bzw. die Vermittlung sozialer Kontakte **erhalten** und gefördert werden.

❐ Rehabilitation

Im Alter bezieht sich die Rehabilitation auf die **Wiedereingliederung in den gewohnten Lebensbereich**. Es gilt der Grundsatz "Rehabilitation vor Pflege". Eine Pflegebedürftigkeit soll verhindert oder verringert werden bzw. nicht an Ausmaß zunehmen. Der alte Mensch soll seine Eigenverantwortlichkeit und Selbständigkeit soweit wie möglich wiedererlangen. Rehabilitation ist also im Alter ebenso angebracht wie in den Jahren der Erwerbstätigkeit. Auch der alte Mensch hat Anspruch auf Verbesserung seiner Lebensqualität, insbesondere durch die (weitgehende) Erhaltung seiner Selbständigkeit und durch die Möglichkeit, sein Leben trotz Behinderung oder Krankheit lebenswert zu gestalten.

In den ersten Tagen des Krankenhausaufenthaltes oder der ambulanten Betreuung ist die **bisherige Lebenssituation** des alten Menschen zu **erkunden**: Wie hat er bisher gelebt, über welche Fähigkeiten verfügt(e) er, welche Hilfsmittel und Bewältigungsstrategien hat er bereits eingesetzt, um sich an die alters- oder/und krankheitsbedingten Veränderungen anzupassen bzw. sie zu kompensieren? Die entsprechenden Erkenntnisse werden in der Pflege berücksichtigt.

Zur Rehabilitation gehört eine **aktivierende Pflege**, wie sie zuvor beschrieben wurde. Die Prinzipien lauten **"Hilfe zur Selbsthilfe"** und **"Fördern durch angemessenes Fordern"**.

Spezielle rehabilitierende Maßnahmen sollten bereits im Akutkrankenhaus einsetzen, z.B. nach einem Schlaganfall oder nach Einsatz eines künstlichen Hüftgelenkes. Ein behinderter / kranker Senior wird **therapeutisch angeleitet** und ggf. mit **Hilfsmitteln vertraut** gemacht *(siehe "Rehabilitationsmittel", Seite 799)*. Zur Verfügung stehende Leistungen der Krankengymnastik, Ergotherapie und Logopädie sowie der Ernährungsberatung sollten in Anspruch genommen werden. Der alte Mensch ist einfühlsam und geduldig bei der Anpassung an Veränderungen der bisherigen Lebensführung zu begleiten und zu unterstützen.

Eine Rehabilitation in einer speziellen Einrichtung (Reha-Klinik, Tagesklinik) kann z.B. nach Operationen oder Unfällen sowie bei chronischen Erkrankungen (vor allem des Bewegungsapparates und des Nervensystems) auch in höherem Lebensalter angebracht sein. Lesen Sie dazu *"Rehabilitation"*, *Seite 797*.

Wird der Patient in seine häusliche Umgebung entlassen, sollte die dortige Versorgung sichergestellt sein. Nach Rücksprache mit dem Patienten und ggf. seinen Angehörigen kann dazu bei Bedarf der Sozialdienst des Krankenhauses eingeschaltet werden. Er organisiert z.B. die Versorgung durch einen ambulanten Pflegedienst oder eine Tagesklinik, das "Essen auf Rädern" oder die Beschaffung von Hilfsmitteln. Der Hinweis auf regionale **Selbsthilfegruppen** *(siehe "Selbsthilfegruppen", Seite 798)* sollte nicht fehlen.

Übernehmen **Angehörige** die weitere Pflege, sind sie bereits während des Krankenhausaufenthaltes in die Pflege einzubeziehen und **anzuleiten**. Rehabilitationsziele und -maßnahmen sind mit ihnen zu besprechen; das Risiko und die negativen Folgen einer Überversorgung sind taktvoll zu erläutern.

❐ Biographiearbeit

Die **Arbeit mit und an der Lebensgeschichte** des alten Menschen kann sowohl bei der stationären als auch bei der ambulanten Betreuung in sehr unterschiedlichem Ausmaß erforderlich sein. Auf jeden Fall sollten die Gewohnheiten, Neigungen und Fähigkeiten im Bereich der einzelnen ATL beachtet / erfragt werden. Der individuelle Umgang mit dem Alter und ggf. mit der Krankheit sowie die soziale Situation haben ebenfalls Relevanz für die pflegerische Betreuung. Lesen Sie dazu *"Biographiearbeit"*, *Seite 746*.

❐ Menschliche Begleitung

Akzeptanz und **Wertschätzung** sollten den pflegerischen Umgang mit dem alten Menschen prägen. Dazu gehört vor allem die Berücksichtigung seiner Wünsche, Gewohnheiten, Erfahrungen und seines Wissens sowie das Respektieren seiner menschlichen Würde und seines freien Willens.

Während eines Krankenhausaufenthaltes benötigt der alte Mensch besondere Unterstützung und menschliche Begleitung bei **der Anpassung an seine neue Situation**. Ihm fällt die Orientierung in der neuen Umgebung nicht leicht, technische Neuerungen (z.B. Sprechanlage, Telefon- und TV-Karten-System) erschweren sie zusätzlich. Auch die Gewöhnung an die vielen neuen Gesichter und die Zuordnung ihrer Zuständigkeitsbereiche stellen eine Herausforderung dar. Medizinische Fachausdrücke und moderne Untersuchungsmethoden sind meist unbekannt und führen zur Verunsicherung, ebenso die bekannte Eile im Krankenhaus. So läßt es sich immer wieder beobachten, daß einige kranke Senioren zu Beginn eines Krankenhausaufenthaltes vorübergehend verwirrt sind; manche bleiben es - zumindest zeitweise - während des gesamten Krankenhausaufenthaltes, finden sich anschließend in der gewohnten Umgebung jedoch wieder zurecht.

Für die Pflegenden bedeutet dies, daß sie den alten Menschen in einer ihm angemessenen Art und Weise über alle relevanten Begebenheit **informieren** müssen; im Bedarfsfall sind die Informationen zu wiederholen.

Rücksicht, **Geduld** und **Zeit** vermitteln dem kranken Senioren, daß er sein darf, wie er ist und bahnen eine vertrauensvolle Atmosphäre an.

Eine Erkrankung kann große Ängste, unter anderem vor bleibender Behinderung, Leid, Verlust der Selbständigkeit und vor Hilflosigkeit auslösen. Das **Auseinandersetzen** mit der **Krankheit** ist zu **fördern**. Ein alter Mensch sollte ermutigt werden, *"das Beste aus seiner Situation zu machen"*. Er muß erleben können, daß

sein Zustand veränderbar ist und daß er aktiv dazu beitragen kann.
Auch im Alter ist dem Menschen **Hoffnung** wichtig und eine Hilfe zur Problembewältigung. Hoffnung kann auf der Grundlage tragender Beziehungen gefördert werden. Deshalb sollten die **Pflege bestehender Beziehungen** gefördert und Angehörige bzw. Freunde in den Pflegeprozeß einbezogen werden. Die Hoffnungen des Senioren bezüglich seiner Zukunft können offen angesprochen werden. Zusätzlich braucht der alte Mensch **feste Bezugspersonen** beim Pflegepersonal; dies erleichtert einerseits die Neuorientierung und Anpassung, andererseits wird der Aufbau einer ernsthaften Beziehung ermöglicht. Ggf. gestaltet sich auch die spätere Vorbereitung auf die Entlassung personenorientierter; in einem Vertrauensverhältnis lassen sich Ängste und Bedenken eher ausdrücken und bewältigen.

❒ Erhaltung der Autonomie

Selbstverständlich hat auch der alte Mensch ein **Recht auf Selbstbestimmung**. Damit er die ihn betreffenden Entscheidungen selbst fällen kann, müssen ihm die Möglichkeiten der Wahl und der Willenskundgebung eingeräumt werden. Auch wenn ihm aufgrund von alters- oder krankheitsbedingten Defiziten die selbständige Ausführung einer oder mehrerer ATL nicht möglich ist, kann er verlangen, daß andere für ihn *in seinem Sinne* handeln. Kann ein Mensch sich z.B. nicht selbständig kleiden, bleibt ihm dennoch das Recht, die Auswahl der Kleidungsstücke vorzunehmen und die Reihenfolge des Ankleidens zu bestimmen. Ein diesbezüglicher Entscheidungsprozeß ist zu fördern. Auch wenn das selbständige Einkaufen nicht möglich ist, kann er beschreiben - oder in einem Katalog zeigen - wie die gewünschte Kleidung aussehen und beschaffen sein soll. Fehlt die geistige Voraussetzung dazu, läßt sich der Wunsch evtl. aus nonverbalen Äußerungen oder aus biographischen Kenntnissen ableiten. Die Autonomie zu wahren bzw. zu fördern heißt also auch, **bewußt wahrzunehmen**, **welche Wünsche** und Bedürfnisse **vorliegen,** und **diese** zu **respektieren**.

Schwierigkeiten bereiten z.B. die Nahrungsverweigerung oder die Ablehnung notwendiger Pflegehandlungen. Auch hier ist der Wille des alten Menschen vorrangig, **Zwangshandlungen verstoßen gegen die Menschenwürde** und sind nicht ohne weiteres rechtlich zulässig. Statt dessen sollte intensiv nach den Gründen der ablehnenden Haltung gesucht und ein neuer Entscheidungsprozeß gefördert werden. Gefährdet sich der alte Mensch allerdings durch sein Verhalten, ist eine gesetzliche Betreuung anzuregen *(siehe "Betreuungsrechtliche Aspekte", Seite 898)*.
Der Entscheidungsfreiheit des Senioren Rechnung zu tragen, heißt auch, mit ihm **gemeinsam nach Lösungsmöglichkeiten** zu **suchen**, wenn die Bedürfnisbefriedigung auf den ersten Blick nicht zu verwirklichen ist. Eine von Toleranz und Anerkennung der menschlichen Würde geprägte Grundhaltung gewährt die Offenheit für alternative Möglichkeiten der Bedürfnisbefriedigung und verhindert das starre Befolgen fraglicher Pflegerituale. So kann z.B. ohne weiteres auf das tägliche Eincremen der Haut eines alten Mannes verzichtet werden, wenn dieser darin keine Notwendigkeit sieht und es ablehnt, weil er sich in seinem bisherigen Leben noch nie eingecremt hat. Sollte die Hautpflege dekubitusgefährdeter Hautbezirke angezeigt sein, ist er in verständlicher Weise über die Notwendigkeit und den Nutzen zu informieren und so bei einer erneuten Entscheidungsfindung zu unterstützen. Das bewußte und aktive Einbeziehen des Pflegebedürftigen in den Pflegeprozeß, in ihn betreffende Denk- und Handlungsprozesse, fördert die Autonomie und wirkt einer Selbstaufgabe entgegen. Der Senior wird selbst formulierte Ziele für seine Zukunft ernsthaft verfolgen; Pflegende können in seinem Sinne handeln und ihn bei der Ausübung seines Willens unterstützen. Diese Haltung stellt automatisch die Ressourcen - und nicht die Defizite - in den Vordergrund.
Auch die weiteren Schwerpunkte der Pflege des alten (kranken) Menschen dienen der Erhaltung der Autonomie.

❒ Förderung der Wahrnehmung und der Orientierung

Alten Menschen fällt die Orientierung in einer neuen Umgebung und die Anpassung an eine neue Situation relativ schwer. Die Gestaltung des Alltags im Krankenhaus und des Krankenzimmers sollten deshalb so erfolgen, daß die Orientierung erleichtert wird.
Beispiele:
- gleichbleibende übersichtliche Zimmergestaltung;
- freie Laufwege im Zimmer und zur Toilette;
- feste, wenig wechselnde Bezugspersonen;
- gut leserliche Namensschilder mit Berufsbezeichnung für alle Berufsgruppen im Krankenhaus, die in Kontakt mit den Patienten treten;
- in Gesprächen Bezug zur Außenwelt herstellen, indem Hinweise auf das Wetter, das Tagesgeschehen, den Wochentag etc. gegeben werden;
- ästhetische Gestaltung der Wände;
- gleichmäßiger, sich wiederholender Tagesablauf;
- Uhr, Brille, Hörgerät - soweit vorhanden - anbieten;
- einheitliche Pflegemethoden.

Die Wahrnehmung des alten Menschen kann krankheitsbedingt oder infolge von Immobilität beeinträchtigt sein. In diesen Fällen ist die "**Basale Stimulation**" *(siehe Seite 742)* in die Pflege einzubeziehen. Auf jeden Fall sollte die im Blickfeld eines immobilen Menschen liegende Umgebung freundlich und anregend gestaltet werden. Außerdem sollten Gespräche bewußt geführt und Radio, TV sowie Bücher angeboten werden.
Bei Verwirrtheitszuständen, Desorientierung und Demenz braucht der alte Mensch gezielte Hilfe, die ihm die Orientierung erleichtert. Beispiele dazu werden im Zusammenhang mit der Pflege des dementen bzw. verwirrten Menschen unter *"Die Orientierung erleichtern"* *(siehe Seite 973 und 707)* besprochen.

❒ Training der geistigen Fähigkeiten

Die bereits besprochenen Maßnahmen und Umgangsformen zur Förderung der Autonomie und Selbständigkeit tragen auch zur Erhaltung der geistigen Fähigkeiten bei. Dem Abbau geistiger Fähigkeiten kann durch **angemessene Ansprache** (Kommunikation) und Angebote entgegengewirkt werden. Zum einen sind die Er-

haltung und **Förderung geistiger Interessen** sowie die aktive **Teilnahme am Alltagsgeschehen** gemeint, zum anderen das gezielte Training (siehe nachfolgend).
Wie bereits erwähnt, ist auch der ältere Mensch fähig, sich zu verändern und zu lernen. Er verfügt über **kognitive*** **Reservekapazitäten**, mit deren Hilfe sich der altersbedingte Abbau geistiger Leistungen kompensieren läßt, sofern diese durch ein Gedächtnistraining mobilisiert werden.
Forschungsergebnisse *("Expertise über kognitives Altern", Berliner Max-Planck-Institut für Bildungsforschung)* belegen z.B., daß die Merkfähigkeit für Worte oder Gegenstände vor allem dann erfolgreich trainiert wird, wenn diese mit anschaulichen Bildern verbunden werden. So kann z.B. eine Reihe zu erinnernder Worte besser eingeprägt und behalten werden. Eine solche Merkhilfe oder "Eselsbrücke" wird als **assoziative Verknüpfung** bezeichnet.
NEUMANN et. al. (1993) beschreiben dazu folgendes Beispiel: *"Der Teilnehmer hat gelernt, sich das Charlottenburger Schloß, die Gedächtniskirche und das Brandenburger Tor in dieser Reihenfolge zu merken. Nun werden ihm die Wörter Buch, Pferd und Flugzeug dargeboten. Er verknüpft diese Reihenfolge der Wörter mit der Reihenfolge der Orte, indem er sich beispielsweise vorstellt, er hätte ein Buch im Charlottenburger Schloß vergessen, sei zu Pferde in die Gedächtniskirche geritten und hätte ein Flugzeug beobachtet, das durch das Brandenburger Tor geflogen ist. Beim Erinnern der Wortliste schreitet der Untersuchungsteilnehmer die Orte ab, aktiviert zuerst beim Charlottenburger Schloß das Bild des vergessenen Buchs, geht dann gedanklich zur Gedächtniskirche und erinnert sich, daß er dort zu Pferde eingeritten ist usw."*
Weiter erwies es sich als wichtig, daß der alte Mensch die **Lerngeschwindigkeit selbst bestimmen** kann.

WINGCHEN (1995) macht folgende Aussagen zum Lernvermögen alter Menschen:

"• *Ältere Menschen lernen langsamer als jüngere. Billigt man ihnen mehr Zeit zu, so erreichen sie die gleichen Leistungen wie jüngere.*
  Ältere müssen sich mit Informationen über eine längere Zeit hin auseinandersetzen können und sollten weniger durch äußere Reize abgelenkt werden. Ihr andernfalls schlechtes Abschneiden kann ein Nachlassen des Interesses zur Folge haben und sie bleiben den Veranstaltungen weiterhin fern.
- *Ältere Menschen sind weniger risikofreudig als jüngere und geben nur dann Antworten, wenn sie sich ganz sicher sind. Gerade risikoreiche Situationen werden dann vermieden. Das Bedürfnis nach Erfolg wird durch eine Furcht vor dem Versagen ersetzt. Um dieses zu vermeiden, kann die Tendenz bestehen, jedes Risiko zu vermeiden und das Handeln einzuschränken. Jüngere Menschen neigen in solchen Situationen zum Raten und können ihre Ergebnisse so verbessern.*
- *Ältere lernen leichter, wenn der Lernstoff übersichtlich gegliedert ist.*
- *Ältere Menschen sind beim Lernen leichter zu stören und abzulenken als jüngere. Häufige Pausen führen zu einer Verbesserung der Lernleistungen bei jungen Menschen, aber zu einer Verschlechterung bei älteren.*
- *Ältere verfügen häufig über keine "Lerntechniken" (z.B. beim Auswendiglernen der Begriffe "Mantel" und "Bett" hilft die "Eselsbrücke": Der Mantel liegt auf dem Bett). Machte man die Versuchspersonen auf solche Gedächtnisstützen aufmerksam, verbesserten jüngere ihre Leistungen kaum, ältere jedoch erheblich.*
  Eine effektive Lernhilfe ist auch das Anfertigen schriftlicher Notizen, auch dann, wenn die Aufzeichnungen nie mehr benötigt werden. Die schriftliche Übertragung verhilft zu einer besseren Einprägung ins Gedächtnis.
- *Lernen in Teilen begünstigt jüngere, Lernen im Ganzen begünstigt ältere.*
- *Auch ist zu überprüfen, inwiefern ältere Menschen überhaupt an einer Aufgabe bzw. der Fertigstellung einer Aufgabe interessiert sind.*
- *Ebenso wichtig wie eine positive Haltung zum Thema ist das Vorhandensein einer ebensolchen Einstellung zur eigenen Person (Selbstwertgefühl).*
- *Auch beim Lernvermögen ist weniger das Alter, als vielmehr*
  - *die Ausgangsbegabung,*
  - *die Möglichkeiten des Trainings während des Erwachsenenalters und*
  - *der Gesundheitszustand bedeutsam.*

Menschen mit großer sozialer Scheu, die sich ausgrenzen und Kontakte meiden, lassen alle Möglichkeiten einer anregenden Umgebung an sich vorübergehen. Unter Umständen befürchten sie, sich in Veranstaltungen zu blamieren und zu versagen.
Die Tatsache, daß alte Menschen, wenn auch nicht schlechter, sondern anders lernen als junge, führt dazu, daß auf deren Anforderung an den Lernprozeß in gemischten Kursen wenig Rücksicht genommen wird, so daß sie häufig entmutigt sind und die Maßnahme abbrechen".

Bildungsangebote für ältere Menschen sollten diesen Merkmalen der Lernfähigkeit im Alter gerecht werden, um Senioren zur Teilnahme zu ermutigen und ihnen Freude am Lernen zu vermitteln.
Einfache Möglichkeiten, die geistigen Fähigkeiten (Merkfähigkeit, Lernen, Konzentration, logisches Denken, Kombinieren, Urteils- und Entscheidungsvermögen, Kreativität, Reaktionsgeschwindigkeit, Problemlösung) zu trainieren, **bieten** verschiedene **Spiele und Beschäftigungsmöglichkeiten**. Ein reichhaltiges Angebot sollte jedem Senioren die Möglichkeit bieten, sich seinen individuellen Neigungen entsprechend zu beschäftigen und gleichzeitig die geistigen Fähigkeiten zu trainieren: verschiedenste Puzzle, Kreuzworträtsel, Memory, Karten- und Ratespiele sowie unterschiedliche Gesellschaftsspiele.
Ergänzend können selbst erfundene Spiele und Beschäftigungen angeboten werden. **Beispiele**:
- Es werden Gedichte und Lieder vorgetragen, die früher erlernt wurden.
- Inhalte aus der Tageszeitung, aus Büchern oder Filmen werden in Form einer Inhaltsangabe wiedergegeben.

- Es werden bestimmte Eigenschaften vorgegeben (kraus; voll; hell; süß) und die gegensätzlichen gesucht (glatt; leer; dunkel; sauer).
- Aus zusammengesetzten Begriffen werden Wortketten gebildet (Familienfeier, Feiertag, Tagtraum, Traumwelt, Welt...).
- Für eine Auflistung verschiedener Begriffe (z.B. Bäkker, Flöte, Rose, Eiffelturm, Klavier, Lehrer, Gerste, Pfarrer, Buche, Berliner Reichstag, Landwirt) müssen Oberbegriffe gefunden werden (Berufe, Musikinstrumente, Pflanzen, Sehenswürdigkeiten).

Die **Konzentration** und die **Geschwindigkeit geistiger Abläufe** können **trainiert** werden, indem z.B. aus Zahlen-, Buchstaben- oder Symbolreihen jene Zahlen, Buchstaben bzw. Symbole herausgestrichen oder eingekreist werden, die dasselbe Merkmal aufweisen.

Beispiele:

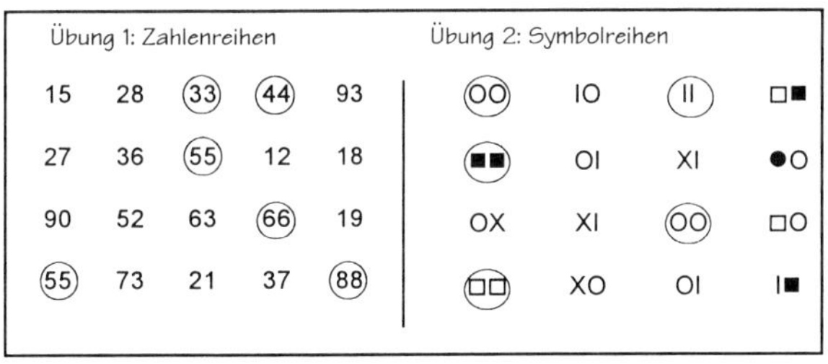

Mehrtägige **Trainingsprogramme** für solche und komplexere Aufgaben werden unter dem Begriff "*Gehirnjogging*" von verschiedenen Firmen und Autoren angeboten.

❐ Überwachung der Medikamenteneinnahme

Die Einnahme von Medikamenten kann im Alter aus folgenden Gründen pflegerische Beobachtung und ggf. Unterstützung erfordern:

- Seh- oder Hörbehinderungen oder eine Einschränkung der Feinmotorik können die selbständige Medikamenteneinnahme beeinträchtigen oder verhindern.
- Eine Merkschwäche führt (mitunter) zum Vergessen der Medikamenteneinnahme oder zur unsachgemäßen Anwendung.
- Die Resorption, die Verteilung, der Abbau und die Ausscheidung der Medikamente sind infolge des körperlichen Abbaus verändert. Die erwartete Wirkung wird mit einer geringeren Dosis als der üblichen Erwachsenendosis erreicht (*Risiko der Überdosierung*).
- Durch Mehrfachtherapien bei Multimorbidität kann es zu unerwünschten Wechselwirkungen und Nebenwirkungen kommen.
- Als Folge von Abbauprozessen an den Rezeptoren* kann es zu paradoxen Reaktionen kommen, z.B. zum Erregungszustand nach Einnahme eines Sedativums.

Folglich ist eine **gezielte**, sorgfältige **Beobachtung** hinsichtlich der erwünschten Wirkungen und der unerwünschten Nebenwirkungen angezeigt. So können z.B. akute Unruhe- und Verwirrtheitszustände ebenso Folge der Pharmakotherapie sein wie Puls- und Blutdruckveränderungen. Selbstverständlich werden auffällige Beobachtungen dokumentiert und dem Arzt mitgeteilt.
Um **Sehschwächen** zu **kompensieren**, sind Medikamentenbehältnisse *(Dispenser)* deutlich und mit großen Buchstaben zu beschriften.
Es sollte beobachtet werden, ob der alte Mensch die Medikamente zum richtigen Zeitpunkt und in der vorgeschriebenen Weise einnimmt; ggf. müssen Pflegende **bei der Einnahme behilflich sein** bzw. **daran erinnern**. *(Lesen Sie auch "Arzneimittel", Seite 436).*

12.6.2.3 Die besondere Lebens- und Pflegesituation bei Depressionen

Das Krankheitsbild, die Situation eines Betroffenen und die Therapie bei Depressionen werden auf *Seite 766* besprochen. An dieser Stelle wird auf die Besonderheiten einer Depression im Alter eingegangen.
Abbildung 12.11 zeigt zusammenfassend die möglichen Symptome einer Depression.

12.6.2.3.1 Besonderheiten der Depression im Alter

Depressionen, die im Alter auftreten, sind überwiegend **hirnorganisch**, **psychoreaktiv und endogen** bedingt. Die verschiedenen Faktoren lösen sich wechselseitig aus oder verstärken sich.
In hohem Alter gewinnen die hirnorganischen Faktoren an Bedeutung: Infolge der Hirnatrophie bzw. der Hirninfarkte kommt es zum Zelluntergang und somit zu einem **Ungleichgewicht der Überträgerstoffe**.
Im Alter lassen sich, vor allem zu Beginn einer Erkrankung, Demenz und Depression manchmal nur schwer voneinander unterscheiden, teilweise bedingen sie einander. So ist ein depressiver Mensch vorübergehend auch in seinen geistigen Leistungen eingeschränkt; bei einer beginnenden Demenz kann der Betroffene auf seine Defizite depressiv reagieren.
Tabelle 12.3 zeigt für Pflegende wahrnehmbare Unterschiede zwischen Depression und Demenz.
Depressionen im Alter sind relativ häufig, sie treten bei 10% der älteren Menschen auf (DE LEO und DIEKSTRA, 1990), unter den Heimbewohnern sind sogar 38% betroffen (MORGAN, 1984). Körperlich kranke ältere Menschen sind häufiger betroffen als körperlich gesunde.

GROND (1993) weist u.a. auf folgende Besonderheiten bei Depressionen im Alter hin:
Nicht selten werden Depressionen im Alter verkannt, da sie sehr unterschiedlich zum Ausdruck kommen. So neigen alte Menschen häufig zur **Somatisierung** ihrer psychischen Störungen. Viele von ihnen haben nicht gelernt, die negativ empfundenen Gefühle auszudrükken, sie verlagern ihre Beschwerden unbewußt in den körperlichen Bereich und klagen über Kopf-, Bauch- oder Rückenschmerzen sowie über Schlafstörungen und andere Leiden.

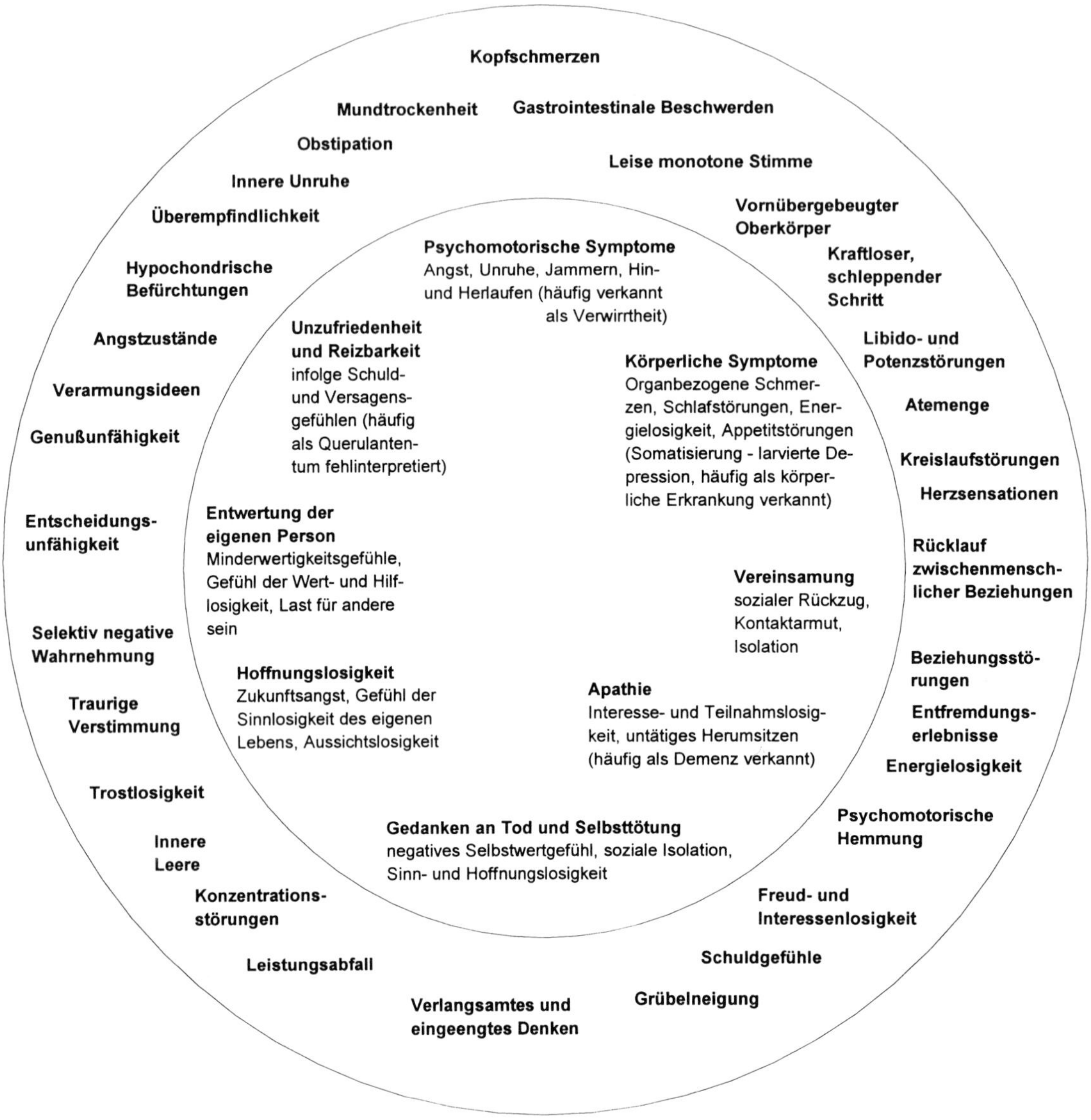

Abb. 12.11 ***Das depressive Syndrom***

Außerdem werden körperliche Beschwerden in unserer Gesellschaft eher akzeptiert als seelische; auf letztere wird eher mit Ablehnung als mit Zuwendung (wie dies bei körperlichen Beschwerden allgemein üblich ist) reagiert. Durch die Multimorbidität* im Alter ist es meist leicht, einen den körperlichen Beschwerden entsprechenden Befund zu erheben; die zugrunde liegende Depression wird dabei in 3 von 4 Fällen übersehen.
Viele der heute alten Menschen haben nicht gelernt, zu trauern. So wurden früher (wie heute auch noch häufig zu beobachten) Trauerreaktionen in Form von Gefühlsäußerungen gesellschaftlich eher abgelehnt, was eine **Unterdrückung und Abwehr der Trauer** durch Ablenkung und Aktivitäten begünstigt. Auch verhinderte der Krieg die Trauer, weil die Hinterbliebenen mit all ihrer Kraft für das Überleben kämpfen mußten. Die nicht betrauerten und somit nicht verarbeiteten Kriegserlebnisse (z.B. Verlust geliebter Menschen, der Heimat, der bisherigen Wertvorstellungen, des Besitzes) können durch Verlusterlebnisse im Alter aktualisiert werden und eine Depression auslösen. Tatsächlich werden Depressionen im Alter vorwiegend durch Verlust- und Entfremdungserlebnisse ausgelöst, z.B. den Verlust eines geliebten Menschen, der gewohnten Umgebung, sozialer Aufgaben, der Gesundheit oder der Selbständigkeit. **Entscheidend ist** jedoch nicht das Verlusterlebnis als solches, sondern dessen **subjektive Bewertung** durch den Betroffenen und seine Un-/ Fähigkeit, den eingetretenen Verlust zu betrauern, Abschied zu nehmen, die veränderte Lebenssituation zu akzeptieren und einen "neuen Lebenssinn" zu finden.
Weiter stellt Grond fest, daß Depressionen im Alter oft **unspezifisch** sind und **falsch interpretiert** werden. Typische Zeichen wie die Hemmung der Wahrnehmung, des Denkens und Fühlens werden oft nicht deutlich. Statt dessen fällt der Betroffene z.B. durch seine Angst und Unruhe, durch ein Sichanklammern, unruhiges Hin- und Herlaufen sowie Jammern auf. Häufig wird

diese Form der Depression, die **agitierte Depression, mit einem Verwirrtheitszustand verwechselt** und der angeblich Verwirrte ruhiggestellt.
Andere depressive alte Menschen werden **als dement verkannt**, weil sie interesse- und teilnahmslos sind.
Ist der Depressive dauernd unzufrieden oder gereizt, läßt sich dies meist auf ihn quälende Schuld- und Versagensgefühle zurückführen; er wird jedoch nicht selten **als "Nörgler"** oder "Querulant" **eingeschätzt**.
Die falsche Einschätzung der Depression und das entsprechend unangepaßte Verhalten gegenüber dem depressiven alten Menschen bestätigen seine Gefühle und seine negative Selbsteinschätzung; die bestehende Depression wird verstärkt.
Multimorbidität* (verbunden mit Unwohlsein, Abschiednehmen von Zukunftsplänen, Bedrohung des Lebens), **Behinderungen** (verbunden mit Neuanpassung des Verhaltens und/oder zunehmender Hilflosigkeit) und die **Erschöpfung sozialer Ressourcen** (zunehmende Verluste von Kontaktpersonen, überforderte Angehörige geben die Pflege ab) können Depressionen auslösen und verstärken.
Tendenziell verlaufen Depressionen im Alter abgeflachter, **milder** als in jüngeren Jahren, sind jedoch **schwerer beeinflußbar** und eher chronisch.

	Depression	Demenz
Beginn	klar abgegrenzt zuerst depressiv	allmählich zuerst kognitiv gestört
geistige Leistung	vergeßlich klagt massiv, grübelt schildert detailliert leidet unter Vergeßlichkeit betont Versagen	bagatellisiert, verleugnet schildert vage, verarmt unaufmerksam unkonzentriert, verbirgt, überspielt Versagen
Orientierung	klar	desorientiert
Sprache	verlangsamt	zerfällt zunehmend
Antwort	"Ich weiß nicht"	fehlerhaft, redet vorbei
Stimmung	stabil depressiv Selbstvorwürfe	schwankend, labil beschuldigt andere
Wahnideen	einfühlbar Schuld-, Krankheitswahn	unverständlich Bestehlungswahn
Ängste	Versagensangst	gering
Schlaf	Durchschlafstörung	Unruhe nimmt zu
Verhalten	unsicher, gehemmt bleibt unauffällig sozial kompetent	fordert vernachlässigt sich, ungepflegt wird sozial inkompetent
Prognose	heilbar	fortschreitend

Tabelle 12.3 ***Abgrenzungsversuch von Depression und Demenz nach Grond***
(Quelle: Erich Grond: "Die Pflege und Begleitung depressiver alter Menschen". Schlütersche Verlagsanstalt, 1993)

12.6.2.3.2 Pflege und Betreuung eines depressiven alten Menschen

A. Pflegerisch-therapeutische Grundhaltung

Der Umgang mit depressiven Menschen gestaltet sich schwierig, zumal ein tiefgehendes Verstehen des Betroffenen zunächst nicht möglich ist. Die eigene Hilflosigkeit ruft meist unangenehme Gefühle, manchmal auch Aggressionen hervor.
Pflegende sollten die Gefühle und Gedanken des Depressiven **nicht bewerten**; statt dessen ist es günstig, diese mit den eigenen Worten wiederzugeben *(zu verbalisieren)* und Gefühle des Betroffenen in Bildern auszudrücken. Dadurch kann ein Zugang zum depressiven Menschen gefunden und Vertrauen angebahnt werden. Gut gemeinte Floskeln wie *"Davon geht die Welt nicht unter", "Es wird schon wieder werden",* oder *"Man darf sich nicht hängen lassen",* sind zu unterlassen, denn sie vermitteln Unverständnis, der Betroffene fühlt sich in seinem Leid nicht ernstgenommen. Er empfindet seine Situation als trostlos, deshalb ist jeder Versuch, ihn zu trösten, zwecklos. Statt dessen sollte er ermutigt werden, über seine Gefühle wie Verzweiflung, Schuld und Scham zu sprechen.
Der Depressive sollte von festen, möglichst wenig wechselnden **Bezugspersonen** betreut werden. Zusätzlich ist die Integration in soziale Gruppen zu fördern.
Um sich dem Depressiven anzunähern, empfiehlt es sich, eine **Suchhaltung** gegenüber sich selbst und dem Betroffenen einzunehmen.
Pflegende können bei sich selbst mit der Suchhaltung beginnen (und auch Kollegen oder Freunde fragen): *"Wie fühle ich mich, wenn ich depressiv verstimmt bin?"* Mit bewußter Wahrnehmung der eigenen Gefühle lassen sich Gemeinsamkeiten zwischen dem Pflegenden (bzw. anderen Bezugspersonen) und dem depressiven Menschen finden, die letztendlich einen Zugang zueinander ermöglichen. Die Suchhaltung soll nicht zur Intellektualisierung des Problems führen, sondern vielmehr einen **Gefühlskontakt aufbauen**, der dem Betroffenen vermittelt, daß er nicht allein gelassen wird.
Der Betroffene sollte positive **Zuwendung** erfahren, indem ihm Aufmerksamkeit, Geduld sowie Zeit geschenkt werden und ihm aktiv zugehört wird. Diese Haltung vermittelt ihm: *"Ich bin für sie da! Ich begleite sie in dieser schwierigen Lebenssituation."*
Die **Biographiearbeit** vermittelt zusätzlich Interesse an der Person. Die Zuwendung und Akzeptanz anderer helfen, ein positives Selbstwertgefühl aufzubauen und sich selbst wieder zu akzeptieren.
Trauer und Wut sollten **zugelassen** bzw. gefördert und ausgehalten werden, um die seelische Verarbeitung und Bewältigung zu fördern. Ebenso gilt es, offen **über Suizidgedanken** und -absichten zu **reden**; der Betroffene fühlt sich nicht allein gelassen, Pflegende können seine Situation besser einschätzen und ggf. Schutzmaßnahmen ergreifen. Problemlösungen kann der Betroffene nur selbst finden; werden sie von außen angeboten, provoziert dies leicht zusätzliche Schuld- und Versagensgefühle: *"Ich habe selbst Schuld an*

meiner Situation, andere können die Probleme - im Gegensatz zu mir - lösen."
Um ein positives Selbstwertgefühl und **Selbstvertrauen** zu **fördern**, gilt es, kleine Erfolge und Fortschritte anzuerkennen und persönliche Stärken bewußt zu machen. Hierzu sollten auch überschaubare Arbeiten wie die Blumenpflege oder die Nahrungszubereitung vermittelt werden; jede sinnvolle Beschäftigung wirkt dem Gefühl der Wertlosigkeit entgegen und fördert außerdem die gesunde Ermüdung. Aus denselben Gründen muß die **Selbstpflege** des depressiven alten Menschen **erhalten** und gefördert werden. Mitleid, Überfürsorglichkeit und Verwöhnen des Kranken sind unangebracht, denn sie bestätigen die Gefühle der Wertlosigkeit, der Inkompetenz und der Abhängigkeit.

B. Pflegeschwerpunkte

❒ Die Gesamtsituation berücksichtigen

Um dem depressiven alten Menschen näher zu kommen und um seine individuelle Situation kennenzulernen, sollten Pflegende die Lebensgeschichte des Betroffenen erkunden. Bei der **Biographiearbeit** bieten sich die folgenden (und ähnliche) Fragestellungen an:

- Welche Lebensereignisse und Zeitgeschehnisse haben den Betroffenen geprägt?
- Wie reagierte er bisher auf belastende Ereignisse, wie bewertete er sie, z.B. als selbstverschuldet oder als unabänderlich?
- Hat der Betroffene ein tragendes soziales Netz?
- Unter welchen psychischen Belastungen, Konflikten und Gefühlen leidet er?
- Welche Bewältigungsstrategien hat er bisher in Krisensituationen entwickelt?
- Welche geistigen Wertorientierungen bedingen sein überstrenges Gewissen?
- Fördern äußere Umstände (z.B. Armut, gesellschaftliche Einflüsse, Wohnbedingungen) oder bestimmte Beziehungen (z.B. zum Partner oder zur pflegenden Tochter) die Depression?
- Welche sozialen Rollen und Aufgaben nahm und nimmt der Betroffene wahr?
- Welche positiven Eigenschaften, Fähigkeiten, Lebens- und Berufserfahrungen hat er?

Es gilt, vorhandene **Ressourcen bewußt zu machen**, sie in die Kommunikation einzubeziehen und dem depressiven Menschen so persönliche Wertschätzung zu vermitteln. In den meisten Situationen ist es jedoch angebracht, besondere Erfolgserlebnisse nicht hervorzuheben, da ihre Erinnerung qualvoll die jetzige "Unfähigkeit" überzeichnet.
Weiter sollten **depressionsfördernde Faktoren erkannt** und angegangen werden:

- Werden körperliche Leiden ausreichend behandelt?
- Werden Behinderungen bestmöglich ausgeglichen (z.B. mittels Gehhilfe, Brille, Hörgerät)?
- Wie reagiert der Depressive auf Angehörige? Trägt jemand durch Vorwürfe zur Verstärkung der Depression bei?

Die Verlangsamung des Depressiven in allen Bereichen erfordert **Geduld** und **Zeit** als ständigen Begleiter jeder Begegnung. Es versteht sich von selbst, daß Zeit- und Leistungsdruck zu vermeiden sind.

Pflegende sollten die **Zusammenarbeit des therapeutischen Teams** fördern; es gilt, gemeinsam zu klären, welche Behandlungsmöglichkeiten jeweils gegeben sind und welche sich am ehesten eignen. Einige therapeutische Maßnahmen (z.B. Verstärkung von Aktivitäten) können in den Pflegealltag integriert werden. Befinden und Reaktionen des Kranken sollten täglich dokumentiert und regelmäßig im Team besprochen werden.

❒ Gezielt beobachten

Depressive Signale und Symptome sollten möglichst früh wahrgenommen werden; dies gilt vor allem für alte Menschen, die bereits früher depressiv reagiert haben. **Veränderungen** wie eine flache Atmung, Bewegungsmangel oder unzureichende Nahrungs- und Flüssigkeitsaufnahme sollten **schnell erkannt** und behoben werden. Sie können durch die Depression, aber auch durch weitere Leiden bedingt sein. Dies gilt ebenfalls für Veränderungen der Vitalfunktionen.
Besondere Aufmerksamkeit erfordert die Beobachtung des Depressiven hinsichtlich **suizidaler Absichten**.

> Vor allem zu Beginn und zum Ende der Depression sowie 2 - 3 Wochen nach Beginn einer medikamentösen Therapie ist der Betroffene suizidgefährdet, denn seine Gefühle sind negativ, der Antrieb ist noch bzw. wieder gesteigert.

Suizidabsichten sollten direkt angesprochen und versteckte Andeutungen erkannt werden. So muß der Kranke mit diesen zerstörerischen Gedanken nicht allein sein. Er kann bezüglich früherer Suizidabsichten und der Einschätzung seiner persönlichen Lebensperspektive befragt werden. **Pflegende achten gezielt auf mögliche Hinweise auf suizidale Absichten.** Lesen Sie dazu *"Suizidtheorien"*, *Seite 775*, und *"Hinweise auf Suizidgefahr"*, *Seite 775*.

❒ Selbständigkeit fördern und erhalten

Um den Gefühlen der Wertlosigkeit und Unfähigkeit sowie Unselbständigkeit entgegenzuwirken, ist die **Selbstpflege** des depressiven alten Menschen zu **fördern**, ohne ihn dabei zu überfordern. Je nach Schwere der Depression sind die Alltagsfähigkeiten beizubehalten oder kontinuierlich aufbauend zu trainieren. Dem situationsbedingten Erlernen von Hilflosigkeit ist unbedingt entgegenzuwirken. Die **Fähigkeiten** des Kranken sollten bewußt ermittelt und **erhalten** werden, z.B. bezüglich des Essens und Trinkens, der Körperpflege, des Ankleidens. Überversorgung - auch im Sinne eines gutgemeinten Verwöhnens - ist unangebracht, sie führt zur Verstärkung der negativen Selbstwahrnehmung des Betroffenen. **Kleine Aufgaben**, die den bisherigen Fähigkeiten und Neigungen entsprechen, wirken ebenfalls dem Gefühl der Wertlosigkeit entgegen und fördern eine positive Selbstwahrnehmung. So kann dem Betroffenen z.B. die Nahrungszubereitung, die Blumenpflege oder Hand- bzw. Gartenarbeit vorgeschlagen und aufgetragen werden.

❒ Positive Selbstwahrnehmung und positives Selbstwertgefühl fördern

Die im vorherigen Abschnitt besprochenen Maßnahmen tragen hierzu bei. Weiter sollten gezielt bisherige **Gewohnheiten und Annehmlichkeiten erhalten** werden, z.B.

- beliebte Kleidung, in der sich der Betroffene körperlich und seelisch wohlfühlt und sich gefällt;
- bevorzugte Körperpflegemittel, die ein Wohlfühlen und ein "Sich-Riechen-Können" vermitteln;
- gewohnte Frisur und ggf. gewohntes Make up, die die Selbstakzeptanz fördern.

Auch **bewußte Körperberührung**, z.B. bei der unterstützenden Körperpflege, bei Einreibungen oder Massagen, fördert die positive Selbstwahrnehmung, nicht zuletzt durch den entspannenden Effekt und die gefühlte Zuwendung.

Atemübungen helfen, den Atem bewußt wahrzunehmen und sich lebendig zu erfahren, zusätzlich vertiefen sie die abgeflachte Atmung.

Die atemstimulierende Einreibung *(siehe Seite 48)* kann in dieser Hinsicht positiv wirken, fördert die Körperwahrnehmung, baut innere Unruhezustände ab und fördert - abends angewendet - den Schlaf.

Kleine Erfolgserlebnisse durch den Einsatz von **Alltagskompetenzen** ermöglichen eine positive Selbstwahrnehmung. Pflegende können dies zusätzlich fördern, wenn sie sich Ratschläge vom Betroffenen einholen und dadurch Anerkennung und Wertschätzung der Fähigkeiten vermitteln. Beispiel: *"Frau Schmitt, sie sind doch Gärtnerin. Können Sie mir einen Strauch für einen schattigen Standort empfehlen?"*

❒ Rollenidentität des Betroffenen erhalten

Um die Rollenidentität und somit auch die positive Selbstwahrnehmung des Betroffenen zu erhalten bzw. zu fördern, sind die Gewohnheiten bezüglich Frisur und Make up bzw. Rasur und Rasierwasser, Schmuck, Parfüm und Kleidung zu erhalten und zu fördern. Der Kranke soll sich selbst gerne ansehen und riechen können, so daß es ihm leichter fällt, sich selbst anzunehmen. **Ein angenehmes äußeres Erscheinungsbild** unterstützt meist die Akzeptanz und Anerkennung durch andere Menschen, fördert also auch über diesen Weg die positive Selbstwahrnehmung.

Besuche, in deren Zusammenhang dem depressiven Menschen in seinen sozialen Rollen (z.B. Mutter, Großmutter, Nachbarin, Mitglied des Kirchenchors) begegnet wird, sind zu fördern.

❒ Drohenden Defiziten / Problemen vorbeugen

Ein schwer depressiver Mensch vernachlässigt meist die Körperpflege, die Nahrungs- und Flüssigkeitsaufnahme sowie die Bewegung. Ferner ist er gefährdet, seine Kontinenz zu verlieren. Aufgrund der angesprochenen Beeinträchtigungen, aber auch infolge der Einnahme von Antidepressiva, kommt es meist zu ausgeprägter Obstipationsneigung.

Den genannten Risikofaktoren ist durch kontinuierliche **Beobachtung** (Erfassen der aktuellen Situation) und bei Bedarf durch **taktvolle Unterstützung** - nie durch Kritik - zu begegnen.

Es ist darauf zu achten, daß der Kranke täglich mindestens 1,5 - 2 l Flüssigkeit zu sich nimmt. Zur Erhaltung der Kontinenz eignet sich das regelmäßige **Toilettentraining** *(siehe Seite 224)*, das durch Beckenbodengymnastik ergänzt werden kann. Die Selbständigkeit in allen Lebensbereichen sollte gefördert und erhalten werden *(siehe oben)*.

❒ Folgeerkrankungen verhindern

Die bisher besprochenen Maßnahmen dienen durch **Förderung der Selbständigkeit** und durch **Mobilisation** der Verhinderung von Folgeerkrankungen wie Pneumonie, Dekubitus, Thrombose, Mangelernährung oder Exsikkose.

Kranke, die unter einer **schweren Depression** (die evtl. sogar mit einem **Stupor** einhergeht) leiden, sind in allen Lebensbereichen weitgehend oder vollständig pflegeabhängig; eine sorgfältige Durchführung aller **Prophylaxen** ist erforderlich. Hautkontakt, bewußte Berührung sowie basale Stimulation bieten in dieser Situation die Möglichkeit spürbarer Zuwendung sowie Ansätze zur Wahrnehmungsförderung und zur Kommunikation; sie können z.B. bei der Durchführung einer basalstimulierenden Ganzkörperwaschung *(siehe Seite 648)* angewendet werden.

Der Blick des Betroffenen - auch wenn dieser ansonsten keine Mimik zeigt - gibt meist Hinweise auf seine Reaktionen und Gefühle.

❒ Schlafstörungen abbauen, Ermüdung fördern

Jegliche **Aktivität** und sinnvolle **Beschäftigung** fördern das natürliche Ermüden; entsprechende Angebote (Gymnastik, Spazierengehen) sollten gemacht werden.

Bei Einschlafstörungen werden **Gespräche** von vielen Betroffenen als Entlastung empfunden; entsprechend ist die Bereitschaft, zuzuhören bzw. ein Gespräch zu führen, zu signalisieren.

Einschlafrituale (z.B. ein warmes Fußbad, das Trinken warmer Milch mit Honig) und die dabei empfundene Zuwendung können eine schlafanstoßende Wirkung zeigen.

Bei starker und andauernder Beeinträchtigung des Befindens kann der Schlaf durch Melissentee und **pflanzliche Schlafmittel** gefördert werden.

Auch eine atemstimulierende Einreibung kann das Einschlafen erleichtern.

Lesen Sie dazu auch "Hilfe bei Schlafstörungen", Seite 692.

❒ Für eine sichere Umgebung sorgen

Die Umgebung des depressiven alten Menschen sollte so gestaltet werden, daß er sich darin **leicht orientieren** kann. So ist es ihm möglich, sich selbst zurechtzufinden; das zusätzliche Erleben von Hilflosigkeit oder Versagen bleibt ihm erspart. Übersichtlich strukturierte Räume, **ausgewiesene Wege** (zur Toilette, zum Garten) und nachts eingeschaltetes **Dämmerlicht** tragen dazu bei.

Bei gehemmter Bewegung wird aufgrund des erhöhten Sturzrisikos eine bewußte **Sturzprophylaxe** *(siehe Seite 556)* erforderlich.

Ist der **Kranke suizidgefährdet**, soll eine ebenerdige Unterbringung einen Fenstersturz verhindern. Der Betroffene darf nicht allein gelassen werden. Zeitweise können sich geeignete und dazu bereite Angehörige sowie ggf. Mitbewohner um den suizidgefährdeten Menschen kümmern. Dies soll dem Betroffenen auch Zuwendung und Wertschätzung zeigen. In einigen Fällen läßt sich zum Schutz des suizidgefährdeten Menschen eine **vorübergehende Unterbringung** nach dem Gesetz über Hilfen und Schutzmaßnahmen bei psychischen Krankheiten *(Psych-KG)* oder durch Einleiten eines Betreuungsverfahrens *(siehe Seite 989)* nicht umgehen.

❒ Eine sichere Medikamenteneinnahme gewährleisten

Die **regelmäßige Einnahme** der ärztlich verordneten Medikamente ist zu beobachten, um den Therapieerfolg nicht zu gefährden und um ggf. zu verhindern, daß der Depressive die Medikamente für einen Suizidversuch sammelt. Außerdem erstreckt sich die **Krankenbeobachtung** auf das Eintreten der erwünschten und ggf. unerwünschter Wirkungen.
Die medikamentöse Therapie wird auf *Seite 768* besprochen.

❒ Bewußt kommunizieren

Beim Führen von Problemgesprächen ist es hilfreich, eine erlernte Gesprächstechnik anzuwenden. Besonders geeignet ist in diesem Zusammenhang die **nondirektive Gesprächsführung** *nach Carl Rogers*. *(Dieses Thema ist Gegenstand des Psychologieunterrichts.)*
Nonverbale Kommunikationsmittel wie Blickkontakt und Berührung sind bewußt einzusetzen *(siehe "Bewußtes Berühren", Seite 719)*.

❒ Die Angehörigen unterstützen

Es ist wichtig, die Angehörigen über die Krankheit zu **informieren**, damit sie die Situation besser einschätzen und das Verhalten des Depressiven einordnen können. Falsche Interpretationen depressiver Symptome sollten korrigiert werden, denn sie tun nicht nur dem Depressiven Unrecht, sondern auch seinen Bezugspersonen. Sie fühlen sich z.B. durch die "*Faulheit*", die "*Gefühlskälte*" oder die *"Nörgelei"* bestraft.
Auch sollten die Angehörigen angeregt werden, Aktivitäten des Depressiven zu fördern und zu loben, ihm Zuwendung zu zeigen sowie Wut und Trauer zuzulassen. Es ist deutlich zu erklären, daß ein gutgemeintes Verwöhnen (nicht aber Zuwendung!) dem Kranken schadet.
Nicht zuletzt wird der (pflegende) Angehörige ermutigt, **sich selbst zu pflegen**, seine Interessen und Kontakte nicht zu vernachlässigen sowie für Entspannung und Freude zu sorgen.
Er sollte Gelegenheit finden, seine Gefühle auszusprechen und zu erfahren, daß sich der Umgang mit depressiven Menschen auch für andere sehr schwierig gestaltet. Der Hinweis bzw. die Empfehlung, eine **Angehörigengruppe** aufzusuchen, ist zu geben.

❒ Sich selbst pflegen

Die Pflege und Begleitung depressiver alter Menschen ist sehr anspruchsvoll und wird von vielen Pflegenden belastend und auf Dauer auszehrend empfunden. Die folgenden Empfehlungen sollen helfen, die Belastungen auszuhalten, zu kompensieren und wenn möglich zu vermeiden.

Die persönlichen **Möglichkeiten und Grenzen** sind **realistisch einzuschätzen** und zu akzeptieren. Pflegende können lernen, Situationen, in denen ihre Pflege keinen direkten oder sichtbaren Erfolg im Sinne von Heilung oder positiver Rückmeldung gewährleistet, **nicht als persönliche Niederlage** zu **werten**, sie vorübergehend auszuhalten und dennoch einen Sinn in ihrem Handeln zu finden.
Perfektionistische, überhöhte Ansprüche sind als solche wahrzunehmen, zu hinterfragen und zu relativieren. Pflegende sollten **kleine Erfolge bewußt sehen** und erleben.
Belastende sowie **negative Gefühle** und Gedanken sollten akzeptiert **und im Team ausgesprochen** werden. Nicht nur das Aussprechen, sondern auch die Erfahrung, daß es anderen ähnlich ergeht, erleichtern. Unberechtigte Schuldgefühle können abgebaut oder verhindert werden. Zusätzliche Hilfe im Sinne von Selbsterfahrung und Entlastung bieten die Teamsupervision *(siehe Seite 793)* oder Balintgruppen.
Pflegende können sich bemühen, ein **gutes Betriebsklima** zu schaffen. Dazu tragen im wesentlichen

- eine gute Organisation der Pflege (Bezugspflege; Pflegeplanung mit festgesetzten Prioritäten; festgelegte Pausenzeiten; bei Bedarf Entlastung durch Bezugspersonenwechsel; Teamgespräche),
- das persönliche Bemühen aller Stationsmitglieder um eine harmonische Atmosphäre,
- die gegenseitige Wertschätzung sowie
- das offene Ansprechen von Störungen und Problemen bei.

Die Nähe zum Depressiven kann nur durch das Wahren einer gewissen **Distanz** ertragen werden; es sind klare Grenzen zum Betroffenen zu ziehen. Dies kann z.B. in einer unerträglich werdenden Situation durch das Schaffen eines räumlichen oder zeitlichen Abstands (auf den Flur gehen; Pause einlegen; zunächst einer anderen Tätigkeit nachgehen) geschehen.
Vor allem ist die Freizeit als "freie Zeit" zu nutzen und zu erleben, dabei sollten **Erholung und Freude erfahren** werden. Öfters ist auch an die eigene Belohnung zu denken, z.B. nach einem besonders schweren Tag oder nach einer gemeisterten Problemsituation. *Lesen Sie dazu auch "Geeigneter Umgang mit Streß", Seite 893.*

12.6.2.4 Die besondere Lebens- und Pflegesituation bei Demenz

12.6.2.4.1 Krankheitsbild

❒ Definition

Die **infolge einer Hirnschädigung auftretende Abnahme der erworbenen intellektuellen Fähigkeiten** wird als Demenz bezeichnet. Der Abbauprozeß bedingt eine zunehmende Unfähigkeit des Betroffenen, den Alltag ohne Hilfe zu bewältigen.
Der Oberbegriff umfaßt verschiedene Typen der Demenz, die sich ihrer Ursache entsprechend in primäre und sekundäre Demenzen einteilen lassen.

❒ Einteilung und Typen

Primäre Demenzen entstehen als **eigenständige Krankheiten des Gehirns**, dabei gilt das Alter als bedeutender Risikofaktor. Es werden die folgenden Typen unterschieden:

❍ Demenz vom Alzheimer Typ (Abkürzung: DAT)

- Syn. *Morbus Alzheimer, Alzheimer Krankheit;*
- liegt bei ca. 60% der Betroffenen vor;
- ist durch neurodegenerative Prozesse gekennzeichnet, es kommt zu einer fortschreitenden diffusen Hirnatrophie;
- die Ursache ist zur Zeit noch ungeklärt, diskutiert werden vor allem genetische Veränderungen (auf den Chromosomen 14 und 21) und metabolische (den Glukosestoffwechsel betreffende) Störungen, eine erhöhte Aluminiumkonzentration sowie Autoimmunprozesse;
- nachgewiesen ist ein Mangel an dem Überträgerstoff *(Neurotransmitter)* Azetylcholin, der jedoch wahrscheinlich Folge - nicht Ursache - der Erkrankung ist;
- beginnt in 95% der Fälle jenseits des 50. Lebensjahres, die Häufigkeit steigt deutlich mit zunehmendem Alter *(siehe Abbildung 12.12)*;
- zeigt einen kontinuierlichen langsam-schleichenden Krankheitsverlauf, der im Durchschnitt 6 - 8 Jahre dauert (Schwankungen zwischen 2 und 20 Jahren wurden beobachtet);
- in den ersten 2 - 3 Krankheitsjahren treten leichte geistige Störungen auf, bei denen ein normales, sozial integriertes Leben möglich ist;
- dem zunehmenden geistigen Abbau folgen Antriebsstörungen und letztendlich der körperliche Abbau *(siehe "Symptome")*.

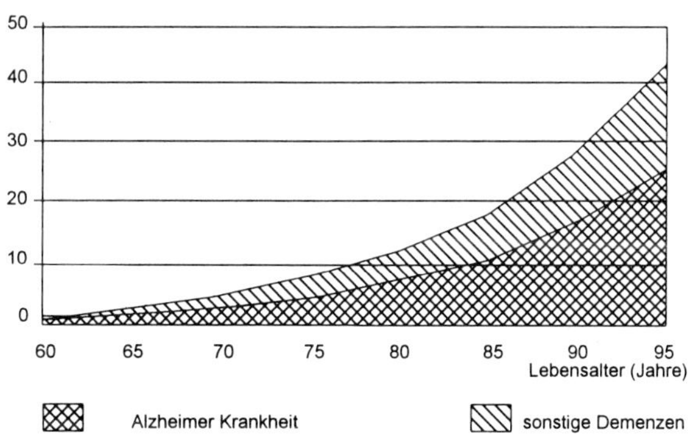

Abb. 12.12 ***Schematische Darstellung der zunehmenden Häufigkeit der Alzheimer Krankheit und sonstiger Demenzen mit zunehmendem Lebensalter*** *(nach G. Krämer, 1989)*

❍ Demenz vom vaskulären Typ (Abkürzung DVT)

- Syn. *Multi-Infarkt-Demenz;*
- liegt bei ca. 20% der Betroffenen vor;
- ist durch Durchblutungsstörungen in den kleineren Hirnarterien gekennzeichnet, es kommt zunehmend zu zerebralen Infarkten und somit zur Zerstörung von Hirngewebe;
- als Risikofaktoren gelten Hypertonie, koronare Herzkrankheit, periphere vaskuläre Erkrankungen, Hyperkoagulabilität, transitorische ischämische Attacken, Diabetes mellitus sowie Übergewicht und Nikotinabusus;
- beginnt zwischen dem 40. und 60. Lebensjahr, betrifft häufiger Männer als Frauen;
- zeigt eine stufenweise Verschlechterung infolge vaskulärer Ereignisse, in deren Verlauf teilweise Rückbildungen einzelner Symptome möglich sind;
- das Ausmaß der intellektuellen Fähigkeiten (bzw. ihrer Einbuße) schwankt im Verlauf der Krankheit immer wieder, nimmt jedoch insgesamt ab.

❍ Demenz gemischten Types

- Mischform der DVT und DAT;
- liegt bei ca. 15% der Betroffenen vor.

Sekundäre Demenzen werden **durch** eine **Störung außerhalb des Gehirns verursacht**. Sie entstehen z.B. als Folge einer Herz-Kreislauferkrankung oder als Folge einer Gehirnerkrankung bzw. -verletzung (Hirntumor, Enzephalitis, Schädel-Hirn-Trauma). Insgesamt handelt es sich bei ca. 10-20% der Fälle um eine sekundäre Demenz.

❒ Schweregrade

Dem Ausmaß der Hirnleistungsstörung entsprechend wird zwischen der leichten, mittelschweren und schweren Demenz unterschieden.

❍ Leichte Demenz

Merkmale sind:

- verringerte Konzentration;
- beginnende Merk- und Gedächtnisschwäche;
- eingeschränkte Leistung bei der Bewältigung komplexer Aufgaben und komplexer Alltagsfunktionen;
- gestörte Befindlichkeit (der Betroffene reagiert auf seine Leistungseinbuße ängstlich und unsicher, häufig auch depressiv oder aggressiv).

Der Betroffene lebt selbständig und kann die Demenz weitestgehend kompensieren. Wird der Alltag jedoch völlig verändert, z.B. durch die Reise in ein fremdes Land, versagt die Kompensation.

❍ Mittelschwere Demenz

Merkmale sind:

- gestörtes Kurzzeit- und Langzeitgedächtnis;
- abnehmende Sprachfunktion;
- gestörtes Lesen, Schreiben und Rechnen;
- eingeschränkte Leistung bei der Bewältigung des Alltags.

Der Betroffene benötigt eine gewisse Beaufsichtigung, da er nicht alle ATL selbständig oder sorgfältig genug ausführt. Er vernachlässigt z.B. seine Ernährung und/oder die Körperpflege.

❍ Schwere Demenz

Merkmale sind:

- stark gestörte Sprachfunktion;
- schwer beeinträchtigte Kommunikation und Wahrnehmung;

- zunehmende Bewegungsstörungen bis zur Immobilität;
- Inkontinenz;
- keine Bewältigung der Alltagsfunktionen.

Der Betroffene ist nicht in der Lage, selbständig für sich zu sorgen. Eine sprachliche Verständigung ist kaum noch oder nicht mehr möglich. Er benötigt ständige Beaufsichtigung und Pflege.

❐ Symptome

Die Symptome einer Demenz führen immer zu Problemen des Betroffenen und werden deshalb im nächsten Abschnitt im Zusammenhang mit diesen besprochen.

12.6.2.4.2 Probleme und Situation eines Betroffenen

Die Symptome einer Demenz führen zu Problemen, die einen Betroffenen in allen Dimensionen seines menschlichen Daseins beeinträchtigen und seine Lebenssituation prägen.

Die folgenden Informationen beziehen sich exemplarisch auf Menschen, die an der Alzheimer Krankheit leidenden .

❐ Symptome, Probleme und Situation eines Betroffenen

Der **geistige Abbau geht** immer den **körperlichen Störungen voraus**. Ansonsten können die Störungen in unterschiedlicher Reihenfolge auftreten. Merkschwäche und Persönlichkeitsveränderungen werden gehäuft bei Krankheitsbeginn beobachtet.

Die folgenden Aussagen zur Situation eines Betroffenen beziehen sich auf häufig beobachtetes Verhalten. Wie der einzelne Kranke seine Defizite insgesamt erlebt, kann von Außenstehenden nicht nachempfunden werden. Immer sollte jedoch davon ausgegangen werden, daß er - auf jeden Fall im Anfangsstadium und bei leichter Form der Demenz - seine Situation zumindest teilweise wahrnimmt.

Demenz *(Tabelle 12.4)*

Symptome	Probleme	Situation eines Betroffenen
Vergeßlichkeit, Merkschwäche Störung des Kurzzeitgedächtnisses, später auch des Langzeitgedächtnisses	***Der Betroffene vergißt*** - wo er Dinge (Brieftasche, Schlüssel) abgelegt hat - geplante Aufgaben zu erledigen, z.B. Brot einzukaufen - was er soeben erledigt hat, wiederholt einige Tätigkeiten - Namen bekannter Personen - im fortgeschrittenen Stadium seine eigene Adresse, Telefonnummer und zuletzt auch die Namen der engsten Bezugspersonen - wichtige Details, z.B. das Ausstellen des Bügeleisens oder der Herdplatte, und gefährdet somit sich selbst und andere	***Der Betroffene*** - beschuldigt andere Menschen, etwas verlegt zu haben, wird mißtrauisch und bekommt deswegen Streit - wird unzuverlässig und bekommt deswegen Schwierigkeiten - erkennt seine Defizite und versucht, diese auszugleichen (*Coping**), indem er z.B. Notizzettel und Tagespläne anlegt, sich in Gesprächen zurückhält und Gedächtnislücken mit Floskeln und Erzählungen zufälliger Ereignisse überbrückt (im späteren Krankheitsverlauf geht diese Einsicht verloren) - ist besorgt, beschämt, verzweifelt und reagiert aggressiv oder traurig-depressiv - kann seinen Aufgaben nicht mehr nachkommen, benötigt in einigen Bereichen Beaufsichtigung (häufig ca. 2-3 Jahre nach Krankheitsbeginn)
Veränderungen in der Persönlichkeit und im Gefühlsleben	***Der Betroffene*** - zeigt verändertes Verhalten und Erleben (Beispiele: ein bisher aktiver und gesellschaftsliebender Mensch zieht sich zurück und wird passiv; ein ruhiger und geordneter Mensch wird unruhig und ziellos) - zeigt depressive und/oder aggressive Verhaltensweisen - zeigt immer weniger Interesse an der Umwelt und an seinen Hobbies	- ist traurig und/oder wütend über Mißerfolge, den Verlust seiner Unabhängigkeit und seiner Fähigkeiten - ist unruhig und unsicher, fühlt sich unnütz - hat Angst vor weiteren Verlusten - versteht sich und die Welt nicht mehr - ist evtl. mißtrauisch: *"Werde ich bestohlen? Wer sind die fremden Personen?"*

Symptome	Probleme	Situation eines Betroffenen
	Der Betroffene	***Der Betroffene***
Störung des (abstrakten) Denkens	- denkt verlangsamt - kann den Unterschied ähnlicher Begriffe, z.B. Treppe und Leiter, nicht erkennen - findet sich in neuen Situationen nicht zurecht - erfaßt logische Zusammenhänge nicht mehr - kann nicht mehr argumentieren und abwägen, kann keine Entscheidung zwischen alternativen Möglichkeiten treffen, kann nicht (be-)urteilen - kann die Wirklichkeit weder erkennen noch bewältigen - ist nicht in der Lage, vorausschauend zu planen und zu handeln, benötigt Hilfe bei der Bewältigung des Alltags - kann schwierige, komplexe Aufgaben nicht lösen	- erlebt zunehmend Mißerfolge - bemerkt, daß mit ihm *"etwas nicht stimmt"* - kann neue Situationen nicht bewältigen, findet sich z.B. in neuer Umgebung nicht zurecht - fällt seinen Mitmenschen auf - erkennt Bedrohungen aus der Umwelt nicht als solche (z.B. Hupen eines Autos), reagiert unangemessen darauf und kommt mitunter zu Schaden - kann keine gedanklichen Vorstellungen entwickeln - kann nicht ohne Hilfe für sich sorgen, nicht ausgewogen einkaufen und Nahrung zubereiten; kleidet sich (auf das Wetter bezogen) unangemessen und ist dadurch Gefahren ausgesetzt (Mangelernährung, Unterkühlung) - kann einfache Aufgaben, deren Ausführung er in jungen Jahren erlernt hat, bewältigen, z.B. Gemüse putzen, Laub harken, Unkraut jäten
Orientierungsstörungen	- ist räumlich desorientiert	- findet sich im Straßenverkehr und in neuer Umgebung, später auch in bekannter Umgebung und letztendlich auch in der eigenen Wohnung nicht zurecht
	- ist zeitlich desorientiert	- verliert seine "innere Uhr", kann die äußere Tagesstruktur nicht zuordnen, kennt seinen Tages- und Nachtrhythmus nicht mehr, verliert das Zeitgefühl, Zeit "zerfließt", evtl. irrt er planlos umher
	- ist zur Situation desorientiert	- erfaßt die Wirklichkeit nicht, Gegenwart und Vergangenheit verschwimmen ineinander
	- ist zur Person desorientiert	- erkennt fremde Personen nicht und kann deren Funktion in seinem Leben nicht zuordnen (z.B. Pfarrer, Gemeindeschwester)
		- erkennt später auch Angehörige nicht mehr oder verwechselt sie mit anderen (evtl. toten) Personen
		- erlebt die "fremde Situation" evtl. als Bedrohung, ist ängstlich
		- verliert im Spätstadium seine Identität, weiß nicht mehr, wer er ist
	- erlebt die Wirklichkeit immer bruchstückhafter, benötigt Hilfe, um den Alltag zu bewältigen	- findet sich in seiner Welt nicht zurecht, weiß nicht, wo er ist, in welcher Zeit, unter welchen Bedingungen und mit welchen Menschen er lebt - zieht sich zurück und lebt in seiner Welt der Erinnerungen
	- läuft (scheinbar) ziellos umher, ist unruhig und aufgeregt; läuft weg, verirrt sich	- hat in "seiner Welt, in seiner Wirklichkeit" Aufgaben zu erledigen, muß z.B. die Kinder abholen und beköstigen oder die Tiere versorgen

Symptome	Probleme	Situation eines Betroffenen
	Der Betroffene	***Der Betroffene***
Dysphasie*, Aphasie*	- hat Wortfindungsstörungen	- sucht wiederholt nach passenden Worten, kann zunächst aber verständlich beschreiben, was er meint
	- zeigt einen verringerten Sprachbesitz, seine Sprache "verarmt" zunehmend	- verwendet Füllwörter und Wiederholungen (*Coping**) - kann sich über die Sprache immer weniger verständlich machen und seine Bedürfnisse, Wünsche, Ängste und Gefühle nicht deutlich ausdrücken
	- hat ein gestörtes Sprachverständnis und eine gestörte Sprachproduktion, im Endstadium ist ihm keine verbale Kommunikation mit seinen Mitmenschen möglich; zeigt Störungen beim Lesen, Rechnen, Schreiben	- versteht zum Teil nicht, was andere ihm mitteilen und fühlt sich selbst unverstanden, vereinsamt innerlich - leidet unter seinen mißlungenen Sprach- / Kommunikationsversuchen
	- wiederholt Äußerungen anderer *(Echolalie)* - verwendet wiederholt dieselben Laute *(Sprachautomatismen)* und Floskeln, die keinen Bezug zur jeweiligen Situation haben *(Stereotypien)*	- möchte sich mitteilen? - möchte kommunizieren? - möchte seine Stimme hören?
Apraxie*	- kann beabsichtigte komplexe Handlungen (z.B. Kochen, Kleiden, Körperpflege) nicht in die Tat umsetzen	- erlebt Mißerfolge, wird zunehmend unfähig, für sich selbst zu sorgen: bemerkt (zumindest anfangs) seine Defizite und reagiert z.B. traurig, zornig, aggressiv, verzweifelt - zieht sich zurück, um Fehler und Blamagen zu vermeiden - kann sich nicht gezielt und bewußt beschäftigen, leidet darunter, fühlt sich unnütz - verfügt meist noch einige Jahre lang über in der Kindheit / Jugend erlernte handwerkliche und künstlerische Fähigkeiten und führt sie mit Freude aus (z.B. Musizieren, Gartenarbeit, hauswirtschaftliche Fähigkeiten), findet dabei einen Teil seiner Identität und erlebt sich selbst positiv
Agnosie*	- kann einigen (später vielen) visuellen, akustischen und taktilen Wahrnehmungen keine Bedeutung beimessen oder interpretiert sie falsch, ist dadurch unfallgefährdet und fühlt sich zum Teil bedroht	- erlebt Sinnestäuschungen *(Halluzinationen)* und Ängste, weil er Umweltreize nicht richtig interpretiert, gleichzeitig ist er häufig Gefahren ausgesetzt (z.B. mißt er dem Hupen des Autos oder der glühenden Herdplatte keine Bedeutung bei)
Anomie*	- kann bisher gut bekannte Personen und Gegenstände nicht richtig erkennen und benennen	- weiß nicht mehr, wozu einzelne Gegenstände dienen und wie sie benannt werden (z.B. Zahnbürste, Kamm, Kugelschreiber) - erlebt gut bekannte Menschen als Fremde
Antriebsstörungen	- ist antriebsarm, schwunglos - zeigt zunehmend weniger Willenskraft - ist später teilnahmslos (*apathisch*), zeigt kaum Interesse an der Umwelt, sitzt häufig untätig herum - ist gefährdet, Sekundärerkrankungen zu entwickeln	- verfolgt keine Ziele mehr, sieht keine Notwendigkeit, bestimmte Dinge zu tun (z.B. Nahrung zu sich zu nehmen, sich zu pflegen und angemessen zu kleiden) und vernachlässigt sich, worauf er gesundheitliche Schäden und gesellschaftliche Ablehnung erfahren kann - bewegt und beschäftigt sich immer weniger, "versinkt in seiner Welt"

Symptome	Probleme	Situation eines Betroffenen
	Der Betroffene	***Der Betroffene***
Schlaflosigkeit, Unruhe	- ist nachts viele Stunden wach, wandert unruhig umher - ist tagsüber unruhig, läuft auf und ab, verläuft sich öfters	- kann keine Ruhe finden - kennt weder die Tages- und Nachtstruktur noch die Zeit, kann sich nicht an den äußeren Strukturen orientieren - befindet sich in der Vergangenheit und möchte dort seinen Aufgaben nachgehen, z.B. die Kinder von der Schule abholen, einkaufen gehen, kochen oder den Acker bestellen und läuft deshalb unruhig (evtl. auch sehr erregt) umher
Depression (tritt häufig, aber nicht immer auf)	- ist dauerhaft niedergeschlagen, findet keine Freude an seinem Leben - sieht keinen Sinn in seinem Leben - zieht sich zurück	- nimmt seine Störungen - zumindest teilweise und im Anfangsstadium - wahr und leidet nicht nur vorübergehend darunter - empfindet seine Situation aussichtslos, seine Welt, die er immer weniger kennt, erscheint ihm *"grau in grau"*
Inkontinenz	- benötigt Hilfe bei den Ausscheidungen - riecht evtl. nach Urin oder/und Stuhl - entwickelt evtl. Hautprobleme im Intimbereich	- nimmt evtl. die Inkontinenz wahr und muß Eingriffe anderer (fremder) Menschen in seinen Intimbereich dulden, empfindet dies beschämend und reagiert wütend oder traurig
Verlust motorischer Fähigkeiten	- bewegt sich vermindert (*Hypokinese*) - leidet unter Muskelzittern, hat Schwierigkeiten, feinmotorische Tätigkeiten auszuüben - hat starr erhöhten Muskeltonus (*Rigor*) - zeigt Gangstörungen, bewegt sich mit kleinen, trippelnden und schließlich mit schlürfenden Schritten - stürzt häufig - kann komplexe Bewegungen wie das Gehen nicht mehr koordinieren (z.B. ist das Mitschwingen der Arme vermindert) - wird bettlägerig	- kann sich nicht mehr beliebig fortbewegen - ist unsicher, hat Angst, zu stürzen - kann sich immer weniger bewegen, wird schließlich im Endstadium der Erkrankung bettlägerig; dadurch fehlen zunehmend Reize aus der Umwelt, die Kommunikation wird immer geringer - vereinsamt und *"versinkt in seiner eigenen Welt"*
Immobilität	- lebt in einer reizarmen Umwelt, die er selbst nicht verändern kann - reagiert kaum noch - nestelt an der Bettdecke, dem Nachthemd, zerreißt den Einmalslip (führt sich selbst Reize zu = *Autostimulation*) - ist hochgradig gefährdet, Sekundärerkrankungen zu entwickeln und daran zu versterben (Pneumonie, Dekubitus, Thrombose, Harnwegs- und Mundinfektionen, Kontrakturen)	- *"verliert sich selbst"*, weil er keine (kaum) Reize aus der Umwelt erfährt: er sieht sehr wenig und immer dasselbe (oft die weiße Zimmerdecke), er hört sehr wenig, evtl. spricht niemand zu ihm, er spürt sich selbst nicht mehr / kaum noch - kann seine Situation nur geringfügig verändern, nimmt diese Möglichkeiten wahr: greift immer wieder nach seiner Bettdecke oder dem Nachthemd, betastet diese, zupft daran herum, zerreißt sie; nutzt den Rest seiner verfügbaren Sprache, hört seine eigene Stimme; betastet und verschmiert evtl. seinen Kot - ist überwiegend allein (fühlt sich vielleicht auf seine Art einsam)

Neben den genannten Symptomen können weitere auftreten; dazu zählen:

- epileptische Anfälle *(siehe Seite 610)*, bei ca. 10% der Betroffenen;
- Wahnvorstellungen, der Betroffene ist z.B. davon überzeugt, bestohlen oder betrogen zu werden;
- Zeichen der Parkinson-Krankheit *(siehe Seite 572)*;
- Geruchs- und Geschmacksstörungen;
- Stereognosie *(Störung des Erkennens von Form und Beschaffenheit eines Gegenstandes durch Betasten mit geschlossenen Augen)*;
- Myoklonie *(plötzliche, unregelmäßige Muskelzuckungen)*.

12.6.2.4.3 Betreuung und Pflege

❒ Grundzüge und Ziele der Pflege

Die Pflege richtet sich nach dem aktuellen Befinden und dem Krankheitsstadium. Es gilt vor allem, die jeweils vorhandenen **Ressourcen wahrzunehmen** und in die Pflege einzubeziehen. Dabei muß jegliche Überforderung des Betroffenen vermieden werden. So steht nicht die reaktivierende Förderung, sondern die **einfühlsame** und **schützende Begleitung**, die mehr Lebensqualität ermöglichen soll, im Vordergrund pflegerischen Bemühens. In diesem Sinne können die Pflegenden **folgende Ziele anstreben**:

Der demente Mensch

- erfährt Akzeptanz seiner Person und seines Verhaltens;
- fühlt sich in seiner Person angenommen, fühlt, daß er *"sein darf, wie er ist"*;
- führt kleine, seinen Fähigkeiten entsprechende, Aufgaben aus;
- findet angemessene Beschäftigung;
- hat positive Erlebnisse und ein positives Selbstwertgefühl;
- ist gesellschaftlich integriert, erlebt sich als Teil der Gesellschaft;
- nimmt sich selbst und die ihm angenehmen Reize im jeweils möglichen Ausmaß wahr;
- fühlt sich wohl, kommt körperlich und gedanklich zumindest zeitweise zur Ruhe;
- hat eine sichere Umgebung;
- erleidet keine zusätzlichen Körperschäden.

Neben der Betreuung und Pflege des betroffenen Menschen ist meist auch eine beratende, unterstützende und entlastende **Begleitung der** (pflegenden) **Angehörigen** notwendig *(siehe auch "Die Angehörigen entlasten und betreuen", Seite 976)*. Sie leiden als Mitbetroffene ebenfalls unter den Störungen und Veränderungen des Kranken; außerdem müssen sie oft Aufgaben übernehmen, die zuvor der Kranke ausgeführt hat. Im fortgeschrittenen Stadium der Krankheit sind sie häufig physisch und psychisch überfordert *(Wer kann schon über Monate und Jahre eine Rund-um-die-Uhr-Pflege leisten?)*; nicht selten sind psychosomatische Störungen und Depressionen die Folge.

In bezug auf die Angehörigen können professionell Pflegende folgende Ziele anstreben:

Der (pflegende) Angehörige

- teilt seine Gefühle und Probleme bezüglich der Pflege mit und erfährt psychische Entlastung (baut sein unberechtigt schlechtes Gewissen ab);
- kennt und nutzt Möglichkeiten der Entlastung (z.B. durch ambulanten Pflegedienst, Tagesstätte);
- fühlt sich durch Anerkennung seiner täglichen Leistungen bestätigt;
- sieht ein, daß er sich selbst *"pflegen"* muß, um neue Kräfte zu schöpfen und geht zeitweise Kontakten und Beschäftigungen nach, die ihm Freude bereiten;
- sieht ggf. ein, daß er überfordert ist und verändert die Situation;
- kennt wichtige Daten der Krankheit, kann den Betroffenen besser verstehen, interpretiert krankheitsbedingte Reaktionen nicht als persönliche Kränkung.

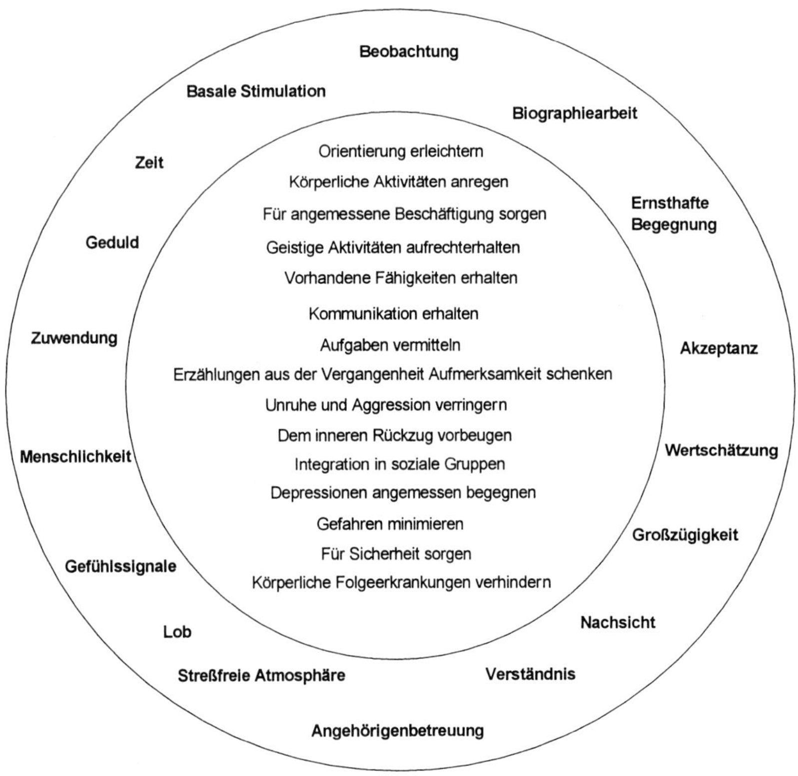

Abb: 12.13 ***Die Pflege des dementen Menschen***

❐ Grundregeln im Umgang mit dementen Menschen

Es gibt kein Patentrezept, aber Erfahrungswerte, die den Umgang mit dementen Menschen erleichtern und seiner Situation am ehesten entsprechen.
Pflegende sollten sich täglich bewußt machen, daß sie sehr viel für den dementen Menschen tun können und sich dabei **an** seiner **Biographie und** seinen **Ressourcen orientieren**. Im Umgang mit dem Kranken sollten sie Wertschätzung und Verständnis zeigen und dessen **Würde achten**.
Der Kranke ist so anzunehmen, wie er ist. Er ist nicht in der Lage, sein Verhalten zu verändern. Korrekturen und Tadel sind unangemessen und führen zur Kränkung des Betroffenen. Pflegende sollten ihm freundlich, **ruhig** sowie **geduldig** begegnen und sich ihm dabei ernsthaft zuwenden.
Bei Anschuldigungen von seiten des Kranken empfiehlt es sich, ebenso wie bei Aggressionen oder Wahnvorstellungen, **ab- und einzulenken**, dem Kranken Recht zu geben, statt auf der eigenen Version zu beharren. Dies würde den Betroffenen verunsichern, aufregen und evtl. ängstlich machen, denn er kann weder die Situation überblicken, noch eine Lösung finden. Am besten wird seine Aufmerksamkeit auf eine andere Situation gelenkt; er wird die vorherige sofort vergessen.
Der demente Mensch darf nicht nur verwahrt und beaufsichtigt werden. Um seine **Wahrnehmung** zu **fördern**, braucht er - in einem ihm angemessenen Rahmen - **Beschäftigung** und ebenso Reize aus der Umwelt. Um individuell auf den Kranken eingehen zu können, muß **Biographiearbeit** *(siehe Seite 746)* geleistet werden. So wird es möglich, den persönlichen Fähigkeiten und Neigungen (die in der Kindheit / Jugend entwickelt wurden und lange Zeit abrufbar sind) entsprechend kleine, **einfache Aufgaben** zu vermitteln, die für Beschäftigung, Erfolgserlebnisse und Freude sorgen. Für die Ausführung verdient der demente Mensch Lob, auch wenn sie aus der Sicht eines Gesunden nicht zufriedenstellend ist. Es ratsam, keine Erwartungen an den Kranken zu stellen und keinen Zeitdruck auszuüben; in einem **streßfreien Klima** fühlt er sich am ehesten akzeptiert und wohl. Dies wird auch durch **Gefühlssignale** wie Blickkontakt, Lächeln oder Berührung, die den Betroffenen auch im fortgeschrittenen Krankheitsstadium erreichen, gefördert.

❐ Pflegemaßnahmen

Die folgenden Pflegemaßnahmen gehen ineinander über, ergänzen oder überschneiden sich teilweise.

❍ Die Orientierung erleichtern

Der **Lebensraum** und die **Lebensbedingungen** sollten möglichst **unverändert** bleiben, denn der demente Mensch kann sich in neuen Situationen nicht zurechtfinden.
Kommt es durch eine Krankenhauseinweisung zwangsläufig zu Veränderungen, sollten sie so gering wie möglich gehalten werden; Gebrauchsgegenstände werden nach Möglichkeit so wie zu Hause plaziert.
Eine für den Kranken **neue Umgebung** ist **gleichbleibend** und **übersichtlich** zu **gestalten**, die Laufwege sollten frei und der Weg zur Toilette ausgeschildert (Symbole) sowie möglichst einfach zu finden sein. Feste **Bezugspersonen**, die sich immer wieder vorstellen, erleichtern die Orientierung.
Weiter dienen große **Kalender** und **Uhren** der Orientierung; zusätzlich fördert eine Tafel (oder ähnliches), die Datum und Aufenthaltsraum ausweist, die Orientierung bis zu einem gewissen Krankheitsstadium. Sie sollte so angebracht sein, daß der Demente sie mehrmals täglich sieht; er kann auch zwischendurch aufgefordert werden, den Text vorzulesen.
Wenn der Betroffene jegliche Orientierung verloren hat, also nicht einmal mehr weiß, welches Bett oder welche Zahnprothese zu ihm gehören, kann durch Biographiearbeit in Erfahrung gebracht werden, welche Dinge oder Tätigkeiten besondere Bedeutung hatten. Entsprechende **Symbole**, z.B. die Abbildung eines Hundes, eines Klavieres oder einer Bibel, können an den persönlichen Gegenständen des Dementen angebracht werden; evtl. stellt er einen Bezug dazu her und findet eine gewisse Orientierung.
Die nächtliche Orientierung sollte bei allen Dementen durch ein **kleines Nachtlicht** gefördert werden.
Auch reduzieren jahreszeitliche Aktivitäten die Desorientierung, z.B. Weihnachtsplätzchen backen, Gartenpflege, Herbststräuße binden, Ostermesse besuchen.

❍ Für angemessene Beschäftigung sorgen

Hier stehen die **Ressourcen im Vordergrund**. Vorhandene Fähigkeiten und Neigungen sollten bewußt wahrgenommen und solange wie möglich erhalten werden. Fähigkeiten, die in jungen Jahren (Kindheit, Jugend, frühes Erwachsenenalter) erworben, und Tätigkeiten, die vor Jahrzehnten erlernt wurden, bleiben sehr viel länger erhalten als später erlernte. Mit den entsprechenden biographischen Informationen können Pflegende den Dementen individuell und **gezielt beschäftigen**. Dies geschieht meist in den Bereichen Hand- und Werkarbeit sowie Haus- und Gartenarbeit; solche Tätigkeiten sorgen außerdem für kleine Erfolgserlebnisse, vermitteln das Gefühl, nützlich zu sein und fördern die Lebensfreude sowie die gesunde Ermüdung.
Auch gilt es herauszufinden, in welcher Zeit der Betroffene gedanklich lebt. Seine **Erfahrungen** und **Gewohnheiten** aus dieser Zeit sollten möglichst **in den Alltag integriert** werden, z.B. Kirchgang, Wochenmarktbesuch, Singen von Volks- und Kirchenliedern.
Im Anfangsstadium und bei leichter Form der Demenz können Tagesabläufe und **Beschäftigungsprogramme** erstellt werden, in denen leichte körperliche und geistige Aktivitäten gefördert werden; individuell angepaßte Pausen sind zu gewährleisten.
Spaziergänge sind für viele der Betroffenen ein beliebter Zeitvertreib; Fernsehen kann zeitweise eine angemessene Beschäftigung darstellen.
Viele demente Menschen sind abends noch sehr aktiv und wach; deshalb sollten sie **auch am Abend beschäftigt** werden. Wird der Betroffene ins Bett geschickt, wenn er noch nicht müde ist, fördert dies nur seine Unruhe und Desorientierung. Die ersten Pflegeheime begegnen dieser häufig anzutreffenden Tatsache mit der Einrichtung eines sogenannten **Nachtcasinos**, in dem die Bewohner bis spät in die Nacht Be-

schäftigungs- und Kommunikationsmöglichkeiten finden. Sie werden pflegerisch betreut und gehen erst dann zu Bett, wenn sie wirklich müde sind.

❍ Körperliche Aktivität anregen und unterstützen

Körperliche Aktivität ist für die meisten Betroffenen lange Jahre möglich. Mobilität bedeutet auch hier eine **gewisse Freiheit** und Unabhängigkeit; die **Wahrnehmung** wird insgesamt durch das abwechslungsreichere Angebot verschiedener Reize (die z.B. während des Spaziergangs durch Haus und Garten auf den dementen Menschen einwirken) gefördert. Ebenso **regt** gezielte Bewegung den **Stoffwechsel an** und übt positiven Einfluß auf Atmung, Kreislauf, Verdauung und Bewegungsapparat aus. Geeignet sind z.B. - insbesondere in einer Gruppe - Gymnastik, Atemübungen, Sitztanz und vor allem Spaziergänge; später wird prophylaktisch Krankengymnastik (Bewegungsübungen) eingesetzt. Das Angebot ist immer individuell zu gestalten, um sowohl Über- als auch Unterforderung zu vermeiden. Körperliche Aktivität **fördert** auf natürliche Weise **Ermüdung** und Nachtschlaf.

❍ Geistige Aktivität aufrechterhalten

Geistige Interessen und Aktivitäten wirken sich günstig auf Gedächtnisstörungen aus. Sie sind, solange sie dem Betroffenen Freude bereiten und ihn nicht überfordern, zu erhalten. Dies kann im Anfangsstadium und bei leichtem bis mittelschwerem Verlauf der Demenz z.B. durch **Gehirnjogging** *(siehe "Geistige Fähigkeiten trainieren", Seite 961)*, **Lesen** von Zeitungen, Legen eines **Puzzles**, Führen von **Gesprächen** oder durch **Gesellschaftsspiele** geschehen. Das Angebot erfolgt entsprechend den individuellen Fähigkeiten und Neigungen. Viele geistige Aktivitäten fördern Kontakte und wirken dem sozialen Rückzug entgegen.

❍ Vorhandene Fähigkeiten erhalten

Körperliche und geistige Aktivität sowie angemessene Beschäftigung können den Verlust der vorhandenen Fähigkeiten verzögern. Deshalb sollte ein **Toilettentraining** *(siehe Seite 224)* durchgeführt werden. **Alltagsfähigkeiten** wie die Ausführung der Körperpflege, das An- und Auskleiden oder die Nahrungsaufnahme sollten nicht vorzeitig durch pflegerische Überversorgung abgebaut werden. Vielmehr gilt es, den Betroffenen in diesen ATL zu beobachten und lediglich bei größeren Defiziten ergänzend und unterstützend einzugreifen. Komplexe Abläufe wie das Ankleiden können erleichtert werden, z.B. durch das Zurechtlegen der (einfach zu handhabenden) Kleidung in richtiger Reihenfolge oder durch Vormachen des Ablaufs.
Die Erhaltung der individuellen Fähigkeiten - insbesondere zur Selbstpflege - **fördert** ein **positives Lebens- und Selbstwertgefühl** des dementen Menschen, auch wenn es sich dabei nur um Restfähigkeiten oder einzelne Handlungsabläufe handelt.

❍ Aufgaben vermitteln

Dem Dementen sollte nicht jede Arbeit abgenommen werden. Die Vermittlung von Aufgaben, die den individuellen Fähigkeiten und Neigungen entsprechen, wirkt sich durch das **Gefühl, nützlich zu sein** und gebraucht zu werden, positiv auf das Lebens- und Selbstwertgefühl des Betroffenen aus. Kleine **Erfolgserlebnisse** heben zusätzlich die Stimmung. Außerdem bleiben vorhandene Fähigkeiten länger erhalten. Auch hier finden Pflegende in der Biographie des einzelnen die Ansatzpunkte für das Aufgabenangebot. Beispiele wurden bereits in den vorhergehenden Absätzen genannt. Es muß jedoch eine **Überforderung** des Kranken **verhindert** bzw. frühzeitig erkannt **werden**.

❍ Vergeßlichkeit kompensieren

Bei leichtem Verlauf und im Anfangsstadium der Demenz gelingt es dem Betroffenen zunächst, seine Vergeßlichkeit (Merkschwäche) weitgehend zu kompensieren. Dazu kann er einen **Tagesplan** aufstellen, **Notizzettel** für bestimmte Alltagsbereiche ausfüllen und ein **Notizbuch** mit Terminen und Telefonnummern / Adressen mit sich führen. Evtl. benötigt er Hilfe bei deren Erstellung.
Mit Fortschreiten der Erkrankung wird er vergessen, daß er schriftliche Erinnerungshilfen bei sich trägt oder vergessen, sie überhaupt mitzuführen. Jetzt empfiehlt es sich, die Notizzettel dort zu deponieren, wo sie benötigt werden. Zum Beispiel kann ein angehefteter Notizzettel am Badezimmerspiegel auf die auszuführende Körperpflege hinweisen oder am Wäscheschrank die notwendigen Kleidungsstücke - in der Reihenfolge des Anziehens - nennen.
Bei weiterem Fortschreiten der Demenz bleiben diese Maßnahmen jedoch ohne Erfolg.

❍ Erzählungen aus der Vergangenheit Aufmerksamkeit schenken

Menschen, die an einer Demenz leiden, leben zunehmend in der Vergangenheit; sie können diese nicht mehr von der Gegenwart unterscheiden. Da das Altgedächtnis wesentlich länger intakt bleibt als das Neuzeitgedächtnis, wird das Leben von früher immer mehr zur Welt, in der der Kranke heute lebt. Er spricht viel über seine Familie und die Erlebnisse aus Kindheit, Jugendzeit und jungem Erwachsenenalter. Damalige Aufgaben werden zu heutigen Pflichten *("Ich muß das Essen kochen, die Männer kommen gleich vom Feld")*, Enttäuschungen und Kränkungen werden wiedererlebt. Aber auch angenehme Erlebnisse werden erinnert und nicht selten wiederholt erzählt. Pflegende sollten **ernsthaft und aufmerksam zuhören** - der Betroffene wird **in seiner Welt** begleitet und **angenommen**; die Pflegenden lernen gleichzeitig viel über ihn und sein Leben.
Auf keinen Fall sollten die Erzählungen gerügt oder nicht beachtet werden. Steigert sich der Erzählende in eine Situation hinein, ist ihm dies nicht auszureden (er versteht die Argumente nicht, fühlt sich unverstanden, wird unruhig, reagiert aggressiv oder depressiv), sondern für Ablenkung zu sorgen.

❍ Unruhe und Aggressionen reduzieren, abbauen oder vermeiden

Unruhezustände (und die dabei häufig auftretende Neigung zum Weglaufen) lassen sich zum Teil durch **körperliche Aktivitäten**, vor allem durch lange Spa-

ziergänge, vermeiden bzw. abbauen. Sie ermüden und lenken ggf. von aufregenden Situationen ab.
Ein freundlicher, von Akzeptanz geprägter Umgang, ein **Klima ohne Leistungs- und Zeitdruck** und eine **herzliche Atmosphäre** vermeiden oder reduzieren manchen Unruhezustand. Dagegen können Über- und Unterforderung, z.B. unangemessene Aufgaben, Mißerfolge, Lärm, massive Reizanflutung, Kritik oder Tadel, Unruhe auslösen. Wünsche des Dementen sollten möglichst respektiert werden, die Pflegenden **nachgiebig sein**.
Bei Anschuldigungen, Aggressionen oder Wahnvorstellungen sollte der Betroffene abgelenkt werden oder Recht bekommen. Pflegende und andere Kontaktpersonen können ihre Meinung äußern, sollten aber nicht auf ihrer Version beharren (auch wenn sie im Recht sind), denn der Kranke kann seine Einstellung nicht mehr verändern. Durch **Hautkontakt** ist es evtl. möglich, den erregten Kranken zu beruhigen. Körperliche Nähe und bewußte Berührung sind Möglichkeiten, Unruhe abzubauen *(siehe "Basale Stimulation", Seite 742)*.
Ein enormer Bewegungsdrang sollte nicht unterdrückt, sondern ausgelebt werden; günstig sind **weite Laufflächen** im Innen- und Außenbereich (Endloswege). Natürliche Grenzen (Gartenzaun, geschlossene Türen) sollten das Weglaufen und Verirren verhindern. Werden die Türen jedoch abgeschlossen, handelt es sich um eine Form der geschlossenen Unterbringung *(siehe "Betreuungsrechtliche Aspekte", Seite 898)*.

❍ Integration in soziale Gruppen

Der demente Mensch ist Teil unserer Gesellschaft; er sollte dies spüren und solange bzw. soweit wie möglich in das **Familien- und Nachbarschaftsleben** integriert werden. Die gewohnte Umgebung und die bekannten sowie geliebten Menschen erleichtern die Orientierung und bieten an sich schon eine gewisse Lebensqualität.
Doch nicht immer und nicht in jedem Krankheitsstadium sind die Angehörigen in der Lage, dies zu leisten, so daß eine Heimeinweisung unumgänglich wird. Auch in einer solchen Institution sollten Kontakte gefördert werden. Gemeinsame **Gruppenaktivitäten** - zum Teil auch mit orientierten Menschen -, z.B. Singen oder Sitztanz, sind dann anzubieten.

❍ Dem inneren Rückzug entgegenwirken

Zunächst zieht sich ein dementer Mensch zurück, um seine Defizite zu verstecken und um Mißerfolge zu vermeiden. Später leidet er zunehmend unter Antriebsstörungen, so daß Beschäftigung und Kommunikation immer mehr nachlassen. Der geistige Abbau verstärkt diese Entwicklung, der Betroffene versinkt in seiner Welt. Die **ernsthafte menschliche Begegnung** und die **bedingungslose Akzeptanz** des dementen Menschen sowie die bisher besprochenen Maßnahmen und Verhaltensweisen können diesen Verlauf tendenziell beeinflussen bzw. hinauszögern.

❍ Gefahren minimieren, für Sicherheit sorgen

Die zunehmende Vergeßlichkeit und die Störungen des Denkens, Handelns und der Orientierung gefährden einen Betroffenen, zum Teil auch seine Mitmenschen. So sollte er z.B. bei der Benutzung elektrischer Geräte und beim Spaziergang in befahrener Gegend **beaufsichtigt** werden, denn er erkennt Gefahren nicht als solche. Im weiteren Krankheitsverlauf wird eine ständige Beaufsichtigung des Dementen erforderlich.
Weiter sind die **Nahrungs- und Flüssigkeitsaufnahme zu beobachten**; häufig führt der demente Mensch diese mangelhaft aus oder vergißt sie. Essen und Trinken können durch Anbieten von Lieblingsspeisen und -getränken einen Anreiz bekommen. Meist sind eine mundgerechte Zubereitung sowie Beaufsichtigung und Unterstützung angebracht.
Im Endstadium der Krankheit ist der Betroffene vollständig pflegebedürftig.
Ggf. ist die **Medikamenteneinnahme** zu **überwachen**; auch wird gezielt hinsichtlich der Wirkung und Nebenwirkungen beobachtet.
Mit Einsetzen motorischer Störungen kommt es gehäuft zu Stürzen, so daß eine gezielte **Sturzprophylaxe** *(siehe Seite 566)* angezeigt ist.
Nach Möglichkeit ist eine **geschützte Umgebung** zu **schaffen**, so daß der Kranke weite Wege laufen kann, ohne in eine ihn gefährdende Umgebung zu gelangen. Natürliche Barrieren wie Haustür und Gartentor sollten geschlossen sein, im Extremfall müssen sie verschlossen werden. Dies bedarf jedoch der richterlichen Genehmigung, es muß eine Betreuung eingerichtet werden *(siehe "Betreuungsrechtliche Aspekte", Seite 798)*. Zuvor sind allerdings immer die bereits angesprochenen Maßnahmen zur Reduzierung der Unruhe auszuschöpfen.
Der "eingesperrte" Kranke spürt meist, daß er an der Ausübung seines freien Willens gehindert wird und reagiert unruhig, ängstlich und/oder aggressiv bzw. depressiv.
Täglich ist neu zu beobachten, in welchen Bereichen sich der Betroffene nicht mehr zurechtfindet und deshalb Gefahren ausgesetzt ist, z.B. im Umgang mit Küchengeräten oder bei der Auswahl witterungsangepaßter Kleidung.

❍ Die Kommunikation erhalten

Die Integration des Betroffenen in soziale Gruppen wurde bereits besprochen.
Der aktuelle Sprachbesitz sollte immer wieder analysiert werden, um so die **individuellen Ressourcen** und **Defizite zu erfassen**. Das Ergebnis erlaubt eine Kommunikation, die sich an den Möglichkeiten eines Betroffenen orientiert. Die noch am besten vorhandene Kommunikationsmöglichkeit (Sprechen, Schreiben, Lesen, Zeichnen) stellt den Ansatzpunkt für die Verständigung dar. Auch in diesem Punkt bietet die **Biographie** des einzelnen wichtige Hinweise: Worte, Begriffe und Redewendungen aus den früheren Jahren werden noch lange erinnert; die erworbene Muttersprache ist meist länger verfügbar als eine später erworbene Sprache. Es ist wichtig, die bisherige "Sprache" des einzelnen zu kennen und möglichst in dieser Weise mit ihm zu sprechen.
Selbstverständlich wird jede Kommunikation ruhig, **langsam** und **geduldig** geführt, Fehler des Betroffenen sollten weder korrigiert noch belächelt werden *(vgl. "Zentrale Sprachstörungen", Seite 726 und "Hilfen bei Sprachstörungen", Seite 727)*. Es wird in einfachen und **kurzen Sätzen** gesprochen.

Mit Fortschreiten der Demenz gewinnen **nonverbale Kommunikationsmöglichkeiten** an Bedeutung, schließlich können sie der einzige Zugang zum Kranken sein. Eindeutig eingesetzte Mimik und Gestik, Blickkontakt, vor allem aber bewußte Berührung *(siehe Seite 719)* und körperliche Nähe prägen die Begegnung.
Die **basale Stimulation** *(siehe Seite 742)* bietet in diesem Zusammenhang eine besondere Möglichkeit, mit einem "wort- und sprachlosen" Menschen auf nonverbale Art in Kontakt zu treten.

❍ Depressionen angemessen begegnen

Prinzipiell finden die unter *"Depressionen im Alter"* *(siehe Seite 963)* besprochenen Verhaltensweisen Anwendung. Bei leichter Verlaufsform und im Anfangsstadium kann eine Psychotherapie Hilfe bieten.
Die **ernsthafte menschliche Begegnung**, Zuwendung und eine **streßfreie Atmosphäre** üben ebenso wie die bisher besprochenen Pflegemaßnahmen einen positiven Einfluß auf das Befinden des Kranken aus und verringern psychoreaktive Depressionen.
Während einer Therapie mit trizyklischen Antidepressiva ist der Kranke **gezielt** zu **beobachten**, da sie eine Verstärkung der Demenz und Delirien *(Verwirrtheitszustände mit Sinnestäuschungen und anderen körperlichen Störungen)* bedingen können.

❍ Körperliche Folgeerkrankungen verhindern

Durch die zunehmende Immobilität steigt das Risiko, Sekundärerkrankungen (wie Dekubitus, Pneumonie, Kontraktur, Harnwegsinfektion oder Thrombose) zu entwickeln. Entsprechende **Prophylaxen** sind sorgfältig durchzuführen, um das Leiden des Betroffenen nicht zusätzlich zu verschlimmern. Der häufig vorhandenen Obstipationsneigung ist solange wie möglich durch Bewegungsförderung, angemessene Flüssigkeitszufuhr und faserstoffreiche Kost zu begegnen *(siehe "Obstipationsprophylaxe", Seite 214)*.

❍ Bewußt Stimulieren

Die basale Stimulation bietet einzigartige Wege, die Kommunikation und die Wahrnehmung eines dementen Menschen zu fördern.
Lesen Sie dazu *"Basale Stimulation"* (Seite 742).

❍ Die Angehörigen entlasten und betreuen

Die Angehörigen eines dementen Menschen sind mitbetroffen, d.h. sie leiden mit dem Kranken und an seiner Veränderung. Ständig sind sie enormer physischer sowie psychischer Belastung ausgesetzt; viele geben ihre Kontakte und Interessen auf.
Professionell Pflegende sollten ein **offenes Ohr für** die **Sorgen, Probleme** und Ängste der (pflegenden) Angehörigen **zeigen**, indem sie zuhören, ohne zu bewerten. Die Vermittlung krankheitsbezogener **Informationen** fördert das Verständnis für den Dementen; so gelingt es z.B., Anschuldigungen und aggressive Reaktionen als krankheitsbedingte Veränderungen - und nicht als persönliche Kränkung - einzuordnen.
Weiter ist es oft sinnvoll, Angehörige zu **ermutigen**, dem Dementen **Gefühle zu zeigen** und Zuwendung sowie Zärtlichkeit zu schenken.

Mit zunehmender Demenz erschöpfen sich die Ressourcen vieler Angehöriger, sie sind überfordert und entwickeln - neben Schuldgefühlen - psychosomatische Störungen oder Depressionen. Sie benötigen jetzt nicht nur **pflegerische Entlastung**, sondern auch einen *"moralischen Freispruch"* von ihren Versagens- und Schuldgefühlen. Ihre bisherigen **Leistungen** sollten deutlich aufgezeigt und **gewürdigt** werden. Die Angehörigen sind zu ermutigen, ihre eigenen - und völlig berechtigten - Grenzen zu akzeptieren und über **Entlastungsmöglichkeiten** nachzudenken. Diese erstrecken sich auf die Inanspruchnahme von ambulanten Pflegediensten und Nachbarschaftshilfe, auf Kurzzeitpflege, Tages- oder Nachtkliniken und ggf. auf eine Heimunterbringung.
Außerdem sollte auf die **Deutsche Alzheimer Gesellschaft** e.V., Mauerkircherstr. 21, 81679 München, auf deren Selbsthilfegruppen für Angehörige und auf hilfreiche Literatur aufmerksam gemacht werden. So ist z. B. über die HIRNLIGA E.V. (Liga zur Erforschung, Erkennung und Behandlung der Hirnleistungsstörungen) ein **Leitfaden für Angehörige** und Pflegende mit dem Titel "Mit neuem Mut Demenzkranke betreuen" zu beziehen (Bezugsadresse: Kuratorium der Hirnliga, Postfach 1401, 51583 Nümbrecht).
Nicht zuletzt sollten pflegende Angehörige ermutigt werden, einen **gesunden Egoismus** zu **entwickeln**, d.h. die eigenen Kontakte und Interessen zu pflegen sowie freie Zeit für sich und die Familie zu schaffen, in der auch wieder neue Kräfte gesammelt werden können.

12.6.3 Einrichtungen der Altenhilfe

Pflegebedürftige Senioren können in Altenheimen und anderen stationären Einrichtungen (z.B. geriatrische und gerontopsychiatrische Station) betreut werden. Daneben stehen für pflegebedürftige alte Menschen und deren Angehörige verschiedene Einrichtungen zur Verfügung, die eine Betreuung im häuslichen Bereich ermöglichen bzw. unterstützen. Angebote **ambulanter Pflegedienste** und **Sozialstationen** sind flächendeckend vorhanden; pflegende Angehörige können Sach- und Personalleistungen, zumindest teilweise, über die Pflegeversicherung bei der Krankenkasse geltend machen.

❐ Altentagesstätten

Altentagesstätten bieten alten Menschen Kommunikationsmöglichkeiten, Beratung und Hilfe bei der Lebens- und Freizeitgestaltung an. Sie sind in der Regel an Werktagen geöffnet und werden von einem bestimmten Träger betrieben.

❐ Altenheime

Alte Menschen, die nicht in der Lage sind, einen eigenen Haushalt zu führen und pflegerische Hilfe benötigen, haben die Möglichkeit, in stationären Einrichtungen zu leben. Sie erhalten in Altenheimen *(Altenpflege- und Altenwohnheime, Altenkrankenheime)* Unterkunft und Verpflegung sowie Betreuung und Pflege. In den meisten Fällen ist das Altenheim das letzte Zuhause des Bewohners.

❒ Tagespflegestätten
Diese Form der **zeitlich begrenzten Betreuung** steht werktags, meist von 7.00 - 17.00 Uhr, zur Verfügung. Sie eignet sich für alte Menschen, die teilweise hilfsbedürftig sind und abends sowie am Wochenende von der Familie betreut werden.
Nach einem Krankenhausaufenthalt kann eine Tagespflegestätte vorübergehend in Anspruch genommen werden, bis der alte Mensch wieder in der Lage ist, sich selbständig zu versorgen. Für pflegende Angehörige bietet sie zeitweise Entlastung und die Möglichkeit, Berufstätigkeit und Laienpflege miteinander zu vereinbaren. Tagespflegeeinrichtungen ermöglichen alten Menschen, möglichst lange in ihrem gewohnten Umfeld zu leben und so selbständig wie möglich zu bleiben. Sie bieten neben den Mahlzeiten und den Ruhezeiten verschiedene Beschäftigungen wie Gedächtnistraining, Spiele, Sitzgymnastik, Spaziergänge oder Mithilfe bei der Küchenarbeit an.

❒ Tageskliniken
Geriatrische und gerontopsychiatrische Tageskliniken verfügen weitgehend über diagnostische und therapeutische Möglichkeiten wie ein Krankenhaus. Die Pflege hat in erster Linie **rehabilitativen Charakter**. Bisherige Therapie- und Pflegeerfolge sollen stabilisiert und ausgeweitet werden, eine Pflegebedürftigkeit reduziert bzw. verhindert werden. Tageskliniken sind besonders geeignet für die **nachstationäre Betreuung** bei Schlaganfall und Erkrankungen des Bewegungsapparates sowie bei psychiatrischen Erkrankungen im Alter. Das Therapiekonzept schließt je nach Bedarf Ergotherapie, Logopädie, Krankengymnastik und Diätbetreuung ebenso ein wie die Betreuung durch Psychologen und Sozialarbeiter.
Tageskliniken bieten ihre Leistungen in der Regel werktags von 7.00 - 17.00 Uhr an.
In einigen Fällen muß eine Zusammenarbeit mit ambulanten Pflegediensten koordiniert werden, um die pflegerische Betreuung des alten Menschen am Wochenende und evtl. am frühen Morgen und am Abend zu gewährleisten.

❒ Nachtkliniken
In der Nachtklinik beginnt die Betreuung am frühen Abend und endet nach dem Frühstück. Sie bietet alleinlebenden Menschen, die sich tagsüber selbständig versorgen können bzw. tagsüber durch Angehörige oder Pflegedienste versorgt werden, nächtliche Betreuung.

❒ Betreutes Wohnen
In einer Wohnanlage werden in sich abgeschlossene, **altersgerechte Wohnungen** für eine bzw. zwei Personen angeboten. **Im Bedarfsfall** stehen **Versorgungsdienste**, professionelle **Pflege** und hauswirtschaftliche Hilfe zur Verfügung.
Der einzelne Bewohner hat seinen privaten Bereich. Auf Wunsch kann er an gemeinsamen Aktivitäten, z.B. in einer Gymnastik-, Spiele- oder Singgemeinschaft, teilnehmen.
Auskunft über Möglichkeiten des betreuten Wohnens geben die Wohnungs- und Sozialämter und die Wohlfahrtsverbände.

❒ Wohngemeinschaften
In altersgerecht eingerichteten Wohngemeinschaften können die Senioren **sich gegenseitig unterstützen** und brauchen weder isoliert noch einsam zu leben. Jeder einzelne steuert mit seinen individuellen Fähigkeiten zum Gelingen des möglichst selbständigen Gemeinschaftslebens bei. Dort, wo pflegerische oder sonstige Hilfe erforderlich wird, stehen entsprechende **Helfer** zur Verfügung. Dies wird durch die Berufsgruppen Altenpflege, Krankenpflege oder Sozialarbeit organisiert.

❒ Pflegefamilien
Alte Menschen werden **in das Familienleben einer anderen Familie integriert** und erhalten dort die notwendige Betreuung bzw. Versorgung.
Werden mehr als fünf Menschen in einer Familie betreut, so gilt die Heimverordnung, die eine entsprechende Genehmigung durch die Krankenkassen fordert.

❒ Kurzzeitpflege
Die Kurzzeitpflege gewährt **vorübergehend** für bis zu 4 Wochen **professionelle Pflege in einer Pflegeeinrichtung**. Sie wird über die Pflegeversicherung finanziert, wenn pflegende Angehörige erkrankt sind, Urlaub machen (einmal jährlich) oder überfordert sind. Sie bietet außerdem eine Übergangslösung für Pflegebedürftige, die auf einen Platz im Pflegeheim warten.

Die genannten Möglichkeiten der Altenhilfe (mit Ausnahme der Altenheime und der ambulanten Pflegedienste) werden bisher nicht in ausreichendem Umfang angeboten. Sie entlasten die pflegenden Angehörigen (die immerhin ca. 60% der Pflegebedürftigen betreuen!) und/oder ermöglichen ein weitgehend selbständiges Leben alleinstehender (pflegebedürftiger) alter Menschen in ihrer gewohnten oder von ihnen selbst bestimmten Umgebung. Deshalb ist deren flächendeckende Ausweitung zu fordern und zu unterstützen. Auch aufgrund der gesellschaftlichen und demographischen Entwicklung werden diese Einrichtungen in Zukunft unentbehrlich sein.
Das Alleinleben alter Menschen kann durch **weitere Initiativen** unterstützt werden. Bekannt sind das Versorgungssystem **"Essen auf Rädern"** sowie **Hol- und Bringedienste**.
Alleinlebende Menschen fühlen sich häufig einsam, vor allem, wenn sie ihre Wohnung nicht mehr verlassen können. Viele von ihnen haben Angst, sie könnten bei aktuellen Problemen keine Hilfe rufen und müßten tagelang hilflos in der Wohnung liegen. Solche Ängste lassen sich durch Rufsysteme und Telefonketten abbauen.
Einige **Rufsysteme** verfügen über ca. 40 m Empfangsweite. Der Sender in Streichholzschachtelgröße wird wie eine Kette getragen. Bei Bedarf kann durch Knopfdruck oder Ziehen an der Schnur ein akustisches

oder optisches Signal ausgelöst und zum Empfänger gesandt werden.
Muß der Notruf über eine größere Entfernung geleitet werden, kann dies über Rufsysteme geschehen, die an eine Notrufzentrale angeschlossen sind. Von hier aus wird entweder der Notruf an eine zuvor hinterlegte Adresse weitergegeben oder ein Mitarbeiter zur Wohnung des Hilferufenden geschickt. Der Anschluß an ein solches Notrufsystem kostet monatlich bis zu 100,00 DM.
Mancherorts organisieren private Initiativen oder Wohlfahrtsverbände **Telefonketten**. Sie sollen nicht nur die Angst, tagelang hilflos in der Wohnung zu liegen, abbauen, sondern auch eine Kontaktbrücke gegen die Einsamkeit schaffen. Jeder Teilnehmer einer solchen Telefonkette ruft einmal täglich zu einer vereinbarten Zeit einen anderen Teilnehmer an. Meldet sich dieser nicht, wird der Notdienst verständigt. Der Angerufene ruft den nächsten Teilnehmer an usw., bis die Kette geschlossen ist, d.h. der erste Anrufer vom letzten Anrufer erreicht wird. Bei den täglichen Telefonaten entwickeln sich häufig wertvolle Kontakte.
Einzelne Frauen und Männer engagieren sich auf ehrenamtlicher Ebene, indem sie z.B. einmal wöchentlich einen einsamen alten Menschen besuchen. Sie gestalten die gemeinsamen Stunden nach Wunsch des alten Menschen, z.B. durch Vorlesen, Erzählen, Zuhören oder Gesellschaftsspiele.

12.7 Sterben und Tod

12.7.1 Definitionen

Das **Sterben** bezeichnet den kurz- oder langdauernden Vorgang des Erlöschens der Lebensfunktionen bis zum Tod. Der Tod tritt letztendlich meist durch Ausfall mindestens eines lebenswichtigen Organsystems (z.B. Herz, Zentralnervensystem) ein.
Der Beginn des Sterbens ist häufig nicht genau bestimmbar.
Als **Tod** wird das Erlöschen der Lebensäußerungen des Organismus bezeichnet. Man unterscheidet verschiedene Arten des Todes.
Biologischer Tod (*Synonym: absoluter Tod, Hirntod*): „Der **Hirntod** ist der vollständige und irreversible Zusammenbruch der Gesamtfunktion des Gehirns bei noch aufrechterhaltener Kreislauffunktion im übrigen Körper, d.h. bei noch schlagendem Herzen. Dabei handelt es sich ausnahmslos um Patienten, die wegen Fehlen der Spontanatmung beatmet werden müssen" *(Hirntod-Definiton des wissenschaftlichen Beirates der Bundesärztekammer).*
Kennzeichen und Feststellung des Hirntodes werden auf *Seite 244* besprochen.
Der Hirntod gilt heute als Kriterium für den Todeseintritt. Diesbezügliche Einwände und Kritikpunkte werden auf *Seite 244* angesprochen.
Klinischer Tod (*Synonym: relativer Tod*): Es handelt sich um den Stillstand von Atmung, Herz und Kreislauf. Die Pupillen sind maximal erweitert, Haut und Schleimhäute sind blaßgrau oder zyanotisch verfärbt. Der Mensch befindet sich im Koma, Reflexe fehlen, die Muskeln sind atonisch. Dieser Zustand kann unter Umständen durch Wiederbelebungsmaßnahmen rückgängig gemacht werden.
Natürlicher Tod: Der durch innere Ursachen, d.h. durch Krankheit und/oder Alterungsprozesse bedingte Tod.
Unnatürlicher Tod: Der aufgrund äußerer Faktoren wie Unfall, Gewalteinwirkung oder Selbsttötung eingetretene Tod. Der Verdacht auf einen unnatürlichen Tod muß der Polizei angezeigt werden.
Sozialer Tod: Lebt ein Mensch völlig vereinsamt und ohne soziale Beziehungen, - ist er für andere "tot" -, spricht man vom sozialen Tod. Er kann z.B. bei allein lebenden, vereinsamten alten Menschen vorkommen.
Selbsttötung (*Synonym: Freitod, Suizid, Selbstmord*): Gemeint ist die vorsätzliche, gewaltsame Beendigung des eigenen Lebens. Lesen Sie dazu *"Suizidalität und Suizid", Seite 773.*

12.7.2 Begegnung / Auseinandersetzung mit Sterben und Tod

Der **Umgang** mit dem Sterben / Tod wird durch gesellschaftliche, kulturelle und religiöse Einstellungen sowie durch den erfahrenen Umgang innerhalb der Familie und durch die persönliche Auseinandersetzung mit der Thematik geprägt.
Einen günstigen Einfluß in Hinsicht auf die Akzeptanz von Sterben und Tod übt das **Miterleben eines natürlichen Todes** während der Kindheit aus. Dies ist z.B. der Fall, wenn der Tod der mit Kindern und Enkelkindern innerhalb einer häuslichen Gemeinschaft lebenden Großeltern in dieser räumlichen und sozialen Gemeinschaft als ein natürliches Geschehen erlebt wird. Weiter beeinflussen Lebensalter und Lebenssituation die Einstellung zum Sterben und Tod. In hohem Alter wird der bevorstehende Tod vom Betroffenen und seinen Angehörigen eher akzeptiert und ohne Angst erwartet. Wird ein Sterbender "mitten aus seinem Leben gerissen", hat er noch Zukunftspläne, wichtige Aufgaben zu erfüllen und Verantwortung zu tragen, fällt das Abschiednehmen besonders schwer. Eine "Versöhnung mit dem Schicksal" gelingt nicht jedem Betroffenen.
Viele Angehörige begleiten einen Kranken in fürsorglicher und verantwortlicher Weise bis zum Tod. Aus verschiedenen Gründen kann dem Kranken nicht immer ein Sterben in der Familie ermöglicht werden. Die Schwere der Erkrankung, therapeutische / palliative / supportive Maßnahmen, räumliche Verhältnisse, Berufstätigkeit der Angehörigen und andere Begebenheiten machen oft einen Krankenhaus- bzw. Pflegeheim- oder Hospizaufenthalt erforderlich.
Die Verlegung des Sterbens in eine außerfamiliäre Institution verstärkt nicht selten sowohl bei dem Sterbenden als auch bei seinen Angehörigen die **Angst vor dem Tod**. Der Sterbende kann sich z.B. verlassen, abgeschoben, aufgegeben oder vergessen fühlen. Es kommt vor, daß Menschen einsam und allein in einem Krankenhaus, Pflege- oder Altenheim sterben. Die menschliche Wärme und Zuwendung von ihnen nahestehenden Personen wird schmerzlich vermißt; dies kann in der Regel nicht durch das Pflegepersonal er-

setzt werden. Trotzdem und gerade aus diesem Grund ist die **menschliche Begleitung** durch Pflegende unerläßlich und von großem Wert *(vgl. auch nachfolgend)*.
Mangelhafte soziale Beziehungen und die Angst sowohl vor dem eigenen Tod als auch vor dem Miterleben des Todes anderer sind weitere Gründe der zunehmenden **Verlegung des Sterbens** in vorgenannte **Institutionen**. Dies verstärkt die ohnehin in unserer Gesellschaft weitverbreitete **Tabuisierung des Todes**. Die mangelnde Auseinandersetzung mit dem (sicheren Ende des Lebens durch den) Tod in Zeiten, in denen man nicht persönlich mit einem Sterbenden konfrontiert wird, führt zur Aufrechterhaltung dieses Tabus. Außerdem wird auf diese Weise versucht, die mit dem Sterben verbundenen - häufig als bedrohlich und unerträglich empfundenen - Gefühle des Verlustes, des Verlassenseins und des Ausgeliefertseins zu vermeiden. Ausgeprägt ist oft auch die Angst vor dem Sterben selbst, welches viele Menschen mit Leid und Qualen assoziieren.
Letztendlich ist auch die Ungewißheit darüber, was nach dem Tod folgt, ein Grund für die Angst vor dem Tod. Niemand weiß tatsächlich, ob es ein Leben nach dem Tod gibt und wie dieses ggf. gestaltet sein wird. Hier finden viele Menschen eine Antwort in ihrem religiösen Glauben.

Der Tod in den Religionen

Lesen Sie auch *"Pflege und religiöse Bedürfnisse"*, *Seite 8*.

Das **Christentum** glaubt an ein neues Leben nach dem Tod als Teilhabe an der Auferstehung Christi. Der christliche Glaube beinhaltet wesentlich die Hoffnung auf die Auferstehung des ganzen Menschen als Einheit von Leib und Seele. Nach dem Tod muß sich der Mensch für sein Verhalten auf Erden vor Gott verantworten. Deshalb ist es für Christen wichtig, Gott vor Eintreten des Todes um Vergebung zu bitten (Beichte).
Der **Hinduismus, Buddhismus** und die indische Philosophie sehen im Tod den Durchgang (Weg) zur Wiederverkörperung der Seele. Alle Lebewesen sind geistige Seelen, die entsprechend ihrem "Karma*" in einer neuen Lebensform wiedergeboren werden *(Seelenwanderung)*, wobei das gute und das schlechte Verhalten durch die Form des zukünftigen Lebens ihre Vergeltung finden. "Erlösung" im Sinne dieser Philosophien ist die Ausschaltung des Gesetzes des Karma für das eigene Individuum durch das Ausscheiden aus dem Kreislauf des Wiedergeborenwerdens.
Das **Judentum** glaubt an eine Auferstehung und eine Vergeltung guter sowie böser Taten im Jenseits; entscheidend ist, wie der Gläubige das Gesetz Gottes befolgt hat. Der Tod wird nicht als Ende, sondern als Übergang in ein anderes Dasein angesehen.
Die **Zeugen Jehovas** erwarten für die Zukunft eine Herrschaftsform, bei der die Staatsgewalt allein religiös legitimiert wird (*Theokratie*). Dabei soll die Erde zum Paradies umgestaltet und der Ort ihres ewigen Lebens werden. Bis dahin bedeutet der Tod, daß der Mensch in seiner Ganzheit zum Staub zurückkehrt. Die Auferstehung erfolge zur Zeit der Herrschaft Jehovas auf Erden.
Der **Islam** gründet sich auf die Lehren des Korans. Danach ist das menschliche Leben einschließlich des Sterbens *(Schicksal, Kismet)* vorbestimmt, stehen Belohnung und Bestrafung des Menschen in Paradies und Hölle fest. Der Tod bedeutet für den Muslimen kein Ende des Lebens, sondern eine Verwandlung, er trennt die Seele vom Körper, beide werden beim Jüngsten Gericht wieder zusammengeführt.

Das Sterben als Prozeß

Das Sterben stellt wahrscheinlich die **schwerste Krise des Lebens** dar. Die auch sonst bestehenden Probleme menschlichen Gefühlslebens sind beträchtlich gesteigert; dies gilt insbesondere für die Zwiespältigkeit des Empfindens, für Gefühlsschwankungen und für "negative" Gefühle.
Das Sterben ist - sofern es sich nicht um einen plötzlich (und unerwartet) eintretenden Tod handelt - ein **mit schrittweise wechselnden Gefühlen** erlebter Prozeß. Im weiteren Sinn setzt dieser Prozeß bereits ein, wenn das Ahnen oder Wissen um den bevorstehenden Tod des Menschen konkret wird (z.B. bei deutlichem physischem Abbau oder Diagnose einer unheilbaren Krankheit).
Frau Dr. ELISABETH KÜBLER-ROSS hat durch ihre intensive Arbeit mit Sterbenden wertvolle Erfahrungen gewonnen und weitervermittelt. Hierdurch werden für viele Menschen das Einfühlen in die Situation und das Erleben sowie das Verstehen der Bedürfnisse des Sterbenden erleichtert.
Frau KÜBLER-ROSS unterscheidet fünf "*Phasen*" des Sterbeprozesses, die durch die wechselnde seelische Verfassung des Sterbenden geprägt sind. Das Wort **"Phase" steht in diesem Zusammenhang für mögliche emotionale Reaktionen und Verarbeitungsweisen**, die nicht immer im selben Ausmaß und durchaus auch in unterschiedlicher Reihenfolge auftreten können.
Wird der Sterbeprozeß durch eine bösartige oder unheilbare Krankheit ausgelöst, können die "Phasen" ausgeprägt in Erscheinung treten. Sie finden sich auch - wenngleich meist in abgeschwächter Form - während des Sterbens in fortgeschrittenem Alter.

❒ Nichtwahrhabenwollen

Diese erste Phase im Sterbeprozeß beginnt mit der Diagnose einer unheilbaren bösartigen Erkrankung bzw. mit der Erkenntnis, daß der eigene Tod konkret bevorsteht. Ein betroffener Mensch reagiert meist mit **Leugnen** des Geschehens. Er will nicht wahr haben, daß er sterben muß. Reaktionen wie: "*Nein, nicht ich* !" oder: "*Das Untersuchungsergebnis muß vertauscht worden sein* !" sind nicht unüblich. Neben dem Nichtwahrhabenwollen *(Verleugnen)* sind eine Art **Schock**, ein Wie-Betäubtsein, das Fehlen von Gefühlen oder der Eindruck der Unwirklichkeit recht häufig.
Heftige Angst, Unruhe und Gefühle von Hilflosigkeit zeigen **allmähliches, bruchstückhaftes Einsetzen der Erkenntnis**. Diese kann durch automatische, rastlose Aktivität wochen- bis monatelang abgewehrt werden.

Auch später, wenn der Kranke erkannt hat, daß er sterben muß, kann dieser seelische Abwehrmechanismus wieder auftreten. Der Kranke leugnet erneut die unheilbare Krankheit; in dieser "Pause" umgeht er es, dem Tod ins Auge zu sehen. So wird es ihm möglich, erneut Kraft zu sammeln, um den verbleibenden Rest des Lebens in aktiver Auseinandersetzung mit dem Sterben zu bewältigen.
Nur wenige Menschen leugnen ihre unheilbare Krankheit und das Nahen des Todes bis zu dessen Eintritt.
Das Verleugnen kann auch dadurch aufrechterhalten werden und andauern, daß die Mitmenschen aufgrund eigener Ängste gemeinsam mit dem Betroffenen den nahenden Tod zu leugnen versuchen.
Es kommt vor, daß der Todkranke bzw. der Sterbende **von seinen Mitmenschen gemieden** wird, weil diese sich hilflos und überfordert fühlen.
Der Sterbende, der meist "etwas" von seiner Situation weiß, aber niemanden findet, mit dem er offen über sich selbst sprechen kann, zieht sich auf sich selbst zurück. Eine **soziale Isolation** des Kranken kann die Folge sein.
Um dieses Stadium zu bewältigen, braucht der Kranke jemanden, mit dem er offen über seine Gefühle reden kann. Hier ist es wichtig, immer wieder Gesprächsbereitschaft zu signalisieren; dies gilt für alle Menschen, die den Kranken auf seinem Leidensweg begleiten. Manchmal hat der Kranke gerade nicht die Kraft zu sprechen und benötigt das Angebot später erneut.
Schon die Tatsache, daß er nicht vergessen, nicht "*schon tot*" ist, daß es Mitmenschen gibt, die sich mit ihm dem Tod stellen, verleiht einem Betroffenen Kraft und Selbstwertgefühl. Oft hilft ihm auch die behutsam, jedoch ohne Umschweife gestellte Frage nach der Schwere seiner Erkrankung, seine Erkenntnis offen einzugestehen. Fragt er selbst nach der Schwere, sollte man ihm **nicht ausweichen**, denn er zeigt, daß er über seine (Un-) Gewißheit und Angst reden möchte und Aufrichtigkeit wünscht.
Ist es dem Kranken gelungen, mit anderen offen über die "Diagnose" zu sprechen, schreitet der Verarbeitungsprozeß weiter fort.

❒ Zorn, Wut, Aggression

Die meist an das *Nichtwahrhabenwollen* anschließende "Phase" ist durch Zorn, Wut und andere Formen der Aggression geprägt. Es handelt sich um ein **Auflehnen gegen das Schicksal**. Fragen wie: *"Warum ich?"* oder: *"Warum gerade jetzt?"* sind typisch. Der Kranke belastet seine Mitmenschen jetzt sehr, denn er richtet seine Aggression auf sie, manchmal auch auf sich selbst. Sowohl die Angehörigen als auch das Pflegepersonal, die Ärzte oder Seelsorger werden kritisiert. Der Kranke beanstandet z.B., die verordnete Therapie sei die falsche, Pflegemaßnahmen würden zu selten durchgeführt oder er müsse zu lange auf seinen Besuch warten. Das ständige Nörgeln - oder auch versteckte, indirekt geäußerte Feindseligkeiten und Aggressionen - erschweren den Umgang erheblich. So schwer es auch fallen mag - es ist wichtig, diese **Reaktionen zuzulassen**, ohne den Kranken zu verurteilen. Die Mitmenschen konfrontieren ihn mit den Werten, an denen er noch hängt und die er bald verlieren wird, evtl. schon verloren hat: Gesundheit, Kraft, Lebensfreude und Unbekümmertheit. Er wird **von intensiven Gefühlen des Schmerzes**, des Kummers, von Neid und Wut **überwältigt**. Wer kann es ihm verdenken, wenn er sie zum Ausdruck bringt? Hinzu kommt, daß die Gefühlsausbrüche ihm die weitere Verarbeitung der schweren Erkrankung und des Sterbens erleichtern.
Leider wird der Betroffene in dieser "Phase" oft völlig isoliert, man geht ihm aus dem Weg. Statt dessen **braucht** er Aufmerksamkeit, **Zuwendung** und **Verständnis** von den Mitmenschen, um zu spüren, daß weder sein Leiden noch er selbst vergessen oder uninteressant sind.

❒ Verhandeln

Auf die Reaktionen der Aggression folgen die **"Phase" des Verhandelns und die "Phase" der Depression**; die Reihenfolge variiert individuell.
Im Stadium des **Verhandelns** versucht der Kranke, sein Leben bis zu einem bestimmten Zeitpunkt zu verlängern. Oft führt er diese Verhandlung mit dem Schicksal oder mit Gott: Er will nicht sofort sterben, aber dazu bereit sein, wenn z.B. die Kinder versorgt sind, die Firma verkauft ist oder der Partner Geburtstag hatte. Manchmal liegt ihm tatsächlich dieses Ereignis am Herzen und er zeigt sich bereit, nachdem er z.B. sein Testament aufgesetzt oder ein klärendes Gespräch geführt hat. Es kann aber auch sein, daß der Kranke zu dieser Zeit **noch nicht zum Sterben bereit** ist, und er findet, wenn das Ereignis eingetreten ist, einen neuen Grund für die Notwendigkeit der Lebensverlängerung.

❒ Depression

Die wachsende Erkenntnis der eigenen Situation führt zunächst zu tiefer Traurigkeit und zur **Depression**. Diese stehen häufig auch in Zusammenhang mit dem Fortschreiten der Krankheit, dem Verfall des Körpers und den dadurch hervorgerufenen Beeinträchtigungen / Verlusten von Handlungs- und Befriedigungsmöglichkeiten. Es kommt zu einer starken Bedrohung des Selbstwertgefühls: *"Was bin ich jetzt noch wert?"* oder: *"Was kann ich jetzt noch tun?"* Hinzu kommt, daß die bevorstehenden Verluste und das Abschiednehmenmüssen immer stärker spürbar werden *("vorwegnehmende Trauer")*. Ein **stummer Schmerz überwältigt den Kranken**, er redet nicht viel, kann seine Trauer um die kommenden Verluste und um den eigenen Tod nicht in Worte fassen. Jetzt ist es wichtig, bei dem Kranken zu sein und ihn **zum Ausdruck seiner Trauer**, insbesondere zum Weinen, zu **ermutigen**.
Auch für Angehörige ist es hilfreich, ihren Schmerz zu zeigen und beweinen. Es ist sowohl für sie als auch für den Kranken sehr wichtig, das Schicksal anzunehmen und den geliebten Menschen loszulassen.
Dem Sterbenden selbst kann das Loslassen erleichtert werden, indem ihm gegeben wird, was er benötigt, um seinen Frieden zu finden. Er möchte erfahren, daß sein Leben einen Sinn hatte. Dies kann gelingen, wenn er die ersehnte Zuwendung und Liebe bestimmter Personen spürt. Manche Menschen brauchen dazu auch eine positive Rückmeldung aus ihrem Leben,

z.B. bezüglich eigener guter Taten. Mancher findet mit der Erkenntnis, daß sein Leben einen Sinn hatte, zugleich die Kraft loszulassen.

❒ Annahme, Zustimmung

Die letzte "Phase" des Sterbeprozesses, die "**Phase" des Annehmens**, erleben eher wenige Menschen. Diese finden sich damit ab, nicht unendlich lange zu leben; dabei muß der Tod noch nicht nahe sein. Der Kranke ist nicht resigniert; er lebt nun sein **Leben mit anderen Werten** und neuer Qualität. Er lernt z.B. in der Gegenwart zu leben und richtet sein Streben weniger auf die Zukunft. In der ihm verbleibenden Zeit **nimmt** er **bewußt** vom Leben und von seinen Nächsten **Abschied**. Der Kranke kann letztendlich sogar bewußt loslassen und zum Gefühl des inneren und äußeren Friedens gelangen. Dies hängt auch davon ab, ob der Sterbende auf ein erfülltes Leben zurückblickt bzw. ob er sich mit für ihn wichtigen, unerfüllt gebliebenen Lebensmöglichkeiten aussöhnen konnte.

Die beschriebenen "Phasen" (emotionale Reaktionen und Verhaltensweisen) müssen weder in der genannten Reihenfolge noch vollständig durchlaufen werden. Einzelne "Phasen" können wiederholt, andere gar nicht, sehr kurz oder aber besonders ausgeprägt auftreten. Mitunter verläuft die Auseinandersetzung mit der Endlichkeit des eigenen Lebens über Jahre.
Nicht selten empfinden und **reagieren die Angehörigen ähnlich wie der Betroffene** und zeigen ebenfalls Verleugnung, Zorn, Depression und letztendlich die Annahme des Schicksals, denn auch sie werden mit einem bevorstehenden Abschiednehmen und Verlust konfrontiert.

Abb. 12.14 ***Emotionale Verhaltensweisen und Reaktionen eines Sterbenden***

12.7.3 Die Begleitung des unheilbar kranken und sterbenden Menschen

Für die Angehörigen, aber auch für professionelle Helfer, ist die Begleitung von unheilbar Kranken und Sterbenden eine **Herausforderung**, die mitunter die Grenzen der individuellen Möglichkeiten überschreitet, aber auch zur Reifung der Persönlichkeit beitragen kann. Es gibt kein "Rezept" und keine verbindliche Anleitung für den Umgang mit einem Menschen in dieser Situation.
Die folgenden Hinweise resultieren aus Erfahrungen mit Tumorkranken und Sterbenden. Sie sollen Mut machen, sich der Auseinandersetzung mit der lebensbedrohlichen Krankheit und ggf. dem bevorstehenden Tod eines anderen Menschen - und der Angst vor dem eigenen Tod - zu stellen. Es gilt, Hemmschwellen zu überwinden und **nicht vor der Begegnung** zu **flüchten**.
In der Regel ist es wichtig, den Menschen frühzeitig über sein Schicksal aufzuklären, um ihm genügend Zeit zu geben, Abschied zu nehmen und loslassen zu können. Dies ist in erster Linie die Aufgabe des Arztes. Auch er sollte dem Kranken Raum für Hoffnungen lassen. Diese Hoffnungen können sich z.B. auf Heilung, Verlängerung des Lebens, weitgehende Beschwerdefreiheit oder ein friedvolles Sterben richten. Es darf nicht vergessen werden, daß tatsächlich - wenn auch selten - völlig atypische Krankheitsverläufe oder gar Heilungen auftreten. Im Verlauf der Krankheit und der Auseinandersetzung mit dem Tod werden diesbezügliche Hoffnungen meist geringer und dann auf andere Gebiete, z.B. den positiv verlaufenden Werdegang nahestehender Menschen oder auf ein glückliches Leben nach dem Tod, ausgerichtet. Generell gilt: Wir sollten einem unheilbar kranken Menschen **nie** seine **Hoffnung** - egal worauf sie ausgerichtet ist - **nehmen**.
Selbst wenn der Krankheitsverlauf aus medizinischer Sicht nicht mehr zu beeinflussen ist, bedarf der Todkranke des ärztlichen Besuchs, um nicht das Gefühl zu entwickeln, er sei für den Arzt bereits *"gestorben"* und von ihm vergessen.
Das Bedürfnis des Kranken nach Zuwendung, Anteilnahme und Geborgenheit ist ausgeprägt.
Pflegende laufen manchmal Gefahr, sich in eine intensive pflegetechnische Versorgung zu flüchten, weil sie sich mit der Situation überfordert fühlen, um so emotionaler Zuwendung und Gesprächen auszuweichen oder den Eindruck zu erwecken, hierfür sei keine Zeit vorhanden. Diese Flucht ist für beide Seiten unbefriedigend. Pflegende sollten **Gesprächsbereitschaft** signalisieren und aufmerksam **auf weitere Bedürfnisse des Sterbenden achten**. Dies kann z.B. der Wunsch nach einem Gespräch mit dem **Seelsorger**, nach Literatur oder nach einem Photoalbum sein.
Der Todkranke muß immer wieder spüren, daß er für uns noch "unter den Lebenden" ist, daß er nicht im Stich gelassen wird und daß wir ihm **beistehen**.
Hinweise für das Verhalten während der wechselnden Gefühlsreaktionen wurden bereits im vorangegangenen Abschnitt gegeben. Immer sollten **Offenheit** und **Ehrlichkeit** sowie das Bestreben, die psychische Si-

tuation und die Bedürfnisse des Sterbenden zu erfassen, den Umgang prägen.
Besonders wichtig kann es außerdem sein, dem Kranken den Wert seines bisherigen Lebens bewußt zu machen. Dieses ist möglich, indem man ihm positive Erfahrungen in Erinnerung ruft, die ihm früher vermittelt haben, daß sein Leben einen Sinn hatte, daß er Gutes und Nützliches getan hat. Hier gilt es besonders, die Vertrauenspersonen des Kranken zu integrieren. Meist erleichtert das Bewußtsein um die positiven Aspekte des bisherigen Lebens das Abschiednehmen, das Loslassen und das friedvolle Sterben.
Das Befinden des Sterbenden kann evtl. auch durch das **Teilhaben der Angehörigen** an seinem Sterben verbessert werden.
Selbstverständlich sind in jeder Lebens- und Sterbensphase die **Würde**, die **Autonomie** und die Persönlichkeit des Menschen zu achten. Dies kann auch heißen, eine gewisse Hilflosigkeit einzugestehen, wenn die Medizin nicht mehr heilen kann und das Leben nicht durch sinnlose Maßnahmen künstlich und unmenschlich zu verlängern. Die Lebens- und die Sterbequalität haben Vorrang. Es ist genau zu hinterfragen, mit welchen Maßnahmen die Lebensqualität des Kranken verbessert und sein Sterben erleichtert werden kann (z.B. Schmerztherapie), wenn heilende Maßnahmen jeder Hoffnung auf Erfolg entbehren. Der Mensch hat auch das Recht, in Ruhe und Frieden zu sterben.

❒ Berücksichtigung religiöser Bedürfnisse

Die religiös geprägten Bedürfnisse des kranken Menschen sind immer zu respektieren, ihre Erfüllung ist soweit wie möglich zu unterstützen.
Für **Protestanten** kann es wichtig sein, gemeinsam ein Gebet zu sprechen, den Gottesdienst zu besuchen oder mit dem Seelsorger bzw. mit Glaubensschwestern / -brüdern zu sprechen.
Die **Katholiken** erhalten in Situationen ernsthafter gesundheitlicher Bedrohung das Sakrament der Krankensalbung. Oft werden auch das Empfangen der heiligen Kommunion, die Abnahme der Beichte und der Beistand des Seelsorgers während des Übergangs vom Leben zum Tod gewünscht.
Viele **Christen** möchten während des Sterbens ein Kreuz sehen oder in den Händen halten und ein Gebet sprechen / hören.
Für **Juden** ist es üblich, im Kreise ihrer Familie bzw. Glaubensgemeinschaft zu sterben; die Begleitung durch einen jüdischen Kirchengelehrten *(Rabbiner)* ist üblich. Den religiösen Wünschen und Bedürfnissen des Kranken wird dann innerhalb dieser Gemeinschaft entsprochen. Aufgabe der Pflegenden ist es, die Kontakte zu ermöglichen.
Die Anhänger des **Islam** legen Wert auf peinliche Sauberkeit des Sterbenden und seines direkten Umfeldes. Um diesem Bedürfnis gerecht zu werden, ist der Körperpflege - insbesondere im Zusammenhang mit Ausscheidungen - entsprechende Sorgfalt beizumessen. Dies gilt ebenso für die Leib- und Bettwäsche.
Der Sterbende wird von Angehörigen und religiösen Beauftragten durch Lesen des Korans unterstützt. Er hebt den Zeigefinger zum Himmel und spricht das Glaubensbekenntnis. Kann er den Finger nicht mehr heben, kann er hierbei notfalls auch von einem Nicht-Muslimen unterstützt werden. Dem Sterbenden sollte etwas zu trinken gereicht werden, da ein Muslim nicht durstig sterben darf. Er möchte in Richtung Mekka (Südosten) blicken. Unmittelbar nach dem Sterben wird der Leichnam normalerweise durch zwei Geistliche oder durch erfahrene Frauen dreimal nach bestimmtem Ritual gewaschen und in weiße Laken gehüllt.

❒ Die Pflege des sterbenden Menschen

Die Pflege des Sterbenden ist selbstverständlich nicht nur auf die körperlichen, sondern auch auf die seelisch - geistigen und sozialen Bedürfnisse ausgerichtet. Die Möglichkeiten und Aspekte der **menschlichen Begleitung** wurden bereits besprochen. Der zusätzliche Bedarf an allgemeinen pflegerischen Maßnahmen kann unterschiedlichen Ausmaßes sein. Häufig nimmt der Grad der Hilfsbedürftigkeit mit wachsender Nähe des Todes zu. Ziele des pflegerischen Handelns sollten die **Wahrung der Autonomie** und der **menschlichen Würde** sowie das **Ermöglichen der** in dieser Situation erreichbaren **Lebensqualität** sein. Letzteres geschieht z.B. durch:

- wiederholtes Analysieren der Bedürfnisse des Sterbenden;
- sorgfältige und regelmäßige Durchführung der notwendigen Prophylaxen, um (zusätzliche) Schmerzen und Beeinträchtigungen zu verhindern;
- Vermeiden unnötiger Anstrengungen für den sterbenden Menschen, z.B. kann es sinnvoll sein, auf die Ganzwaschung, das Beziehen des Bettes oder das Legen eines Blasenverweilkatheters bei Harninkontinenz zu verzichten;
- atmungserleichternde und bequeme Lagerung;
- behutsame, bedürfnisgerechte Körperpflege;
- spezielle Augenpflege, wenn der Sterbende die Augen geöffnet und keinen Lidschlag hat;
- regelmäßige Mundpflege und - wenn möglich - Verabreichung von Flüssigkeit (der Sterbende soll keinen Durst verspüren);
- bei Schmerzen regelmäßige Verabreichung schmerzlindernder Medikamente entsprechend der Arztverordnung, gezielte Beobachtung auf Schmerzäußerungen und Wirkung der Analgetika *(siehe Seite 907 und 914)*, auf Wunsch sanftes Massieren schmerzender Körperpartien;
- Schaffen einer ruhigen und angenehmen Umgebung für die Angehörigen und den Sterbenden (nicht ins Badezimmer und ähnliche Örtlichkeiten schieben !);
- Ermutigung der Angehörigen, beim Sterbenden zu bleiben, dafür sorgen, daß er nicht allein ist;
- Einräumen von Zeit für den Sterbenden, hier kann sie wirklich ein Geschenk sein;
- Zuwendung und Körperkontakt, z.B. durch Händehalten, Hand auf die Stirn legen, Streicheln des Gesichts oder der Arme (vor allem bei bewußtlosen Sterbenden);
- Erfüllen der religiösen Bedürfnisse;
- Erkennen von und Eingehen auf alle weiteren krankheitsbedingten oder individuellen Bedürfnisse; diese entstehen oft im Zusammenhang mit Schmerzen, Inkontinenz, Verwirrtheit, Übelkeit und Erbrechen, Atembeschwerden und offenen Wunden;

- Dokumentation der individuellen Bedürfnisse, damit jeder Pflegende Kenntnis erhält;
- Erkennen der **Zeichen des nahenden Todes**: motorische Unruhe, Angst, Beklommenheit, kleiner und schneller Puls, Blutdruckabfall, kalter Schweiß, weiße Haut der Nase, blasse oder marmorisierte Haut, schwere Atemstörungen.

12.7.4 Aufgaben nach Todeseintritt

Bevor ein toter Mensch versorgt wird, muß der **Tod durch** einen **Arzt festgestellt** werden. Dieser stellt anschließend den **Totenschein** aus. Falls die Angehörigen nicht anwesend sind, werden sie unverzüglich benachrichtigt.
Der Tod eines Menschen ist gemäß § 32 des Personenstandsgesetzes unverzüglich, spätestens an dem auf den Todeseintritt folgenden Tag, dem Standesamt zur Eintragung ins Sterberegister anzuzeigen. Tritt der Tod während eines Krankenhausaufenthaltes ein, ist die Anzeige grundsätzlich Aufgabe des Krankenhausleiters.

❒ Beobachtung der Todeszeichen

Sichere Todeszeichen sind:
- **Totenflecken**, sie entstehen meist ½ - 1 Stunde nach Eintritt des Todes, sind aber auch schon während des Todeskampfes (*Agonie*) an den abhängigen Körperpartien, nicht jedoch an den aufliegenden Stellen als marmorierte, rötlich-zyanotische Hautbezirke zu sehen.
- **Totenstarre** (*Leichenstarre, Rigor mortis*), sie beginnt in der Regel 4 - 12 Stunden nach Eintritt des Todes an Unterkiefer-, Hals- und Nackenmuskeln, steigt abwärts und verschwindet nach 1-6 Tagen bei Eintritt der Fäulnis in derselben Reihenfolge; ist dem Tod eine Muskelanstrengung unmittelbar vorausgegangen, so kann die Totenstarre so schnell eintreten, daß sie die Stellung des Menschen im Augenblick des Todes festhält.

Unsichere Todeszeichen sind:
- Abkühlung, besonders der Extremitäten;
- Blässe der Haut;
- Muskelatonie;
- Areflexie;
- Bewußtlosigkeit;
- Atmung und Puls nicht erkennbar;
- auskultatorisch keine Herztöne wahrnehmbar.

❒ Die Versorgung eines Toten

Die Würde des Menschen wird auch nach Eintreten des Todes gewahrt.
Die Versorgung des verstorbenen Menschen und die Gestaltung des Zimmers erfolgen so, daß sie ein Abschiednehmen in würdiger Atmosphäre ermöglichen. Angehörige sollten auf Wunsch daran teilnehmen können.
Eine Pflegeperson mit Berufserfahrung und Lebensreife sollte anwesend sein und die Handlungsschritte lenken.
Der Verstorbene wird so versorgt, daß sein Anblick möglichst natürlich ist und dem Aussehen eines Schlafenden ähnelt. Die Hinterbliebenen werden diesen letzten Anblick in Erinnerung an den Toten bewahren. Im übrigen sollten die Hinterbliebenen ermutigt (aber niemals überredet!) werden, den Toten nochmals anzusehen, vielleicht auch zu berühren, und von ihm Abschied zu nehmen. Erfahrungsgemäß fällt es den meisten (aber nicht allen) Menschen danach leichter, den Tod des Verstorbenen als tatsächliches Ereignis zu akzeptieren.
Bei entstellten und verstümmelten Leichen, z.B. nach einem Unfall oder schweren Verbrennungen, ist es ratsam, den Verstorbenen so in Erinnerung zu behalten, wie er zu Lebzeiten ausgesehen hat.

Die Versorgung des verstorbenen Menschen umfaßt:
- das Schließen der Augen;
- das Kämmen der Haare;
- ggf. das Einsetzen von Zahnprothesen;
- das Herbeiführen des Mundschlusses durch Unterlegen einer dicken Mullbinde o.ä., evtl. muß der Unterkiefer mittels einer Mullbinde hochgebunden werden;
- das Entfernen von Lagerungshilfsmitteln, Verunreinigungen (z.B. Blut, Stuhl) und Ableitungen (z.B. Infusionen, Drainagen, Verweilkatheter);
- das Anziehen sauberer Kleidung;
- die Flachlagerung des Verstorbenen (**Beachte**: Dabei kann Luft aus den Lungen entweichen und einen seufzerähnlichen Laut verursachen);
- das Abnehmen des Schmucks; dieser wird in einen Briefumschlag, auf dem der Inhalt vermerkt ist, im Stationszimmer oder in der Verwaltung verschlossen aufbewahrt und später den Angehörigen gegen Quittung übergeben;
- das Befestigen eines Zettels mit Namen, Geburts- und Sterbedatum sowie Todeszeitpunkt am Unterschenkel des Verstorbenen;
- das Bedecken des Körpers und des Bettes mit einem frischen Laken (der Kopf wird, wenn noch Hinterbliebene erwartet werden, nicht zugedeckt);
- das Herrichten des Zimmers (aufräumen, Nachttisch ordentlich gestalten, evtl. Blumen, Kerzen und/oder ein Kreuz aufstellen).

Bei der Versorgung des toten Menschen sollten ggf. die **Bräuche** seiner **Religion** berücksichtigt werden.
Die Katholiken legen Wert auf ineinandergefaltete Hände des Toten. Neben der geweihten Kerze sollte ein Kreuz oder eine Mutter-Gottes-Figur auf dem Nachttisch aufgestellt werden. Häufig beten die Angehörigen am Bett des Verstorbenen.
Im Judentum ist es üblich, die Totenwache abzuhalten.

❒ Betreuung der Hinterbliebenen

Verstirbt ein Mensch im Krankenhaus, so ist es die Aufgabe des Arztes oder der Stationsleitung, die nächsten Angehörigen des Verstorbenen telefonisch zu benachrichtigen. Diese schwere Aufgabe gestaltet sich unkomplizierter, wenn bereits vor dem Tod ein guter Kontakt zwischen dem Pflegepersonal bzw. dem Arzt und den Angehörigen gepflegt wurde.

Bei Betreten des Zimmers, in dem der Sterbende oder der Verstorbene liegt, sollten **die Angehörigen begleitet** werden. Sie bedürfen evtl. einer haltenden Hand oder eines tröstenden Wortes. Nach einigen Minuten sollte den Hinterbliebenen Gelegenheit gegeben werden, allein mit dem Verstorbenen zu sein.
Anschließend sollte der Trauernde beobachtet werden und spüren können, daß sich jemand um ihn kümmert. Dies kann durch eine tröstende Geste oder ein liebes Wort geschehen. Je nach Reaktion des Hinterbliebenen kann es ratsam sein, die **Heimfahrt** mittels Taxi oder auf andere Weise zu **organisieren**.

12.7.5 Trauer und Trauerarbeit

Der Tod eines nahestehenden Menschen wird von den Hinterbliebenen als **schwerwiegender Verlust** empfunden, auch wenn der Tod die langersehnte Erlösung von einem schweren Leiden gebracht hat.
Der Tod muß seelisch verarbeitet werden; das **Ziel** dieses Prozesses **ist die Akzeptanz des Todes** und die Neuorientierung. In diesem Zusammenhang wurde der Begriff Trauerarbeit geprägt.
Die **Trauer** wird definiert als das schmerzliche Bewußtwerden eines Verlustes von Personen oder Sachen, zu denen ein Sinn - Bezug bestand.
Trauerarbeit meint die **aktive Auseinandersetzung** mit dem schmerzlichen Verlust. Der Verlust eines Menschen bedeutet oft nicht nur das Verlieren seiner Zuwendung und Liebe, sondern auch den Verlust eines ganz persönlichen Miteinanders. Je nach der früheren Rollenfunktion des Verstorbenen fehlt jetzt z.B. auch der Ernährer, Erzieher, Spielpartner, Zuhörer, Organisator, Koch oder Gärtner. Andererseits kann die hinterbliebene Person bestimmte Aufgaben (z.B. umsorgende Ehefrau / Tochter) oder ihren sozialen Status verlieren.
Der Verlust eines geliebten Menschen ist der **massivste Stressor** im menschlichen Leben. Er stellt eine bedeutsame Gefahrenquelle für die Unversehrtheit des Trauernden dar. Es kann in der Folge eines sich entwickelnden **Distresses** zu psychischen und psychosomatischen Störungen / Krankheiten kommen.
Der Tod des Ehe- / Lebenspartners und der eines Kindes wird in der Regel als besonders tragisch empfunden. Dieses vor allem dann, wenn er plötzlich und unerwartet eingetreten ist und keine Zeit zum Abschiednehmen blieb. Untersuchungen zeigen, daß die Erkrankungshäufigkeit und die Sterblichkeit Hinterbliebener nach dem Verlust eines Lebensgefährten im 1. Jahr nach dem Tod um ein Vielfaches höher ist, als statistisch zu erwarten wäre.
Eine **Selbsttötung** löst bei den Hinterbliebenen meist zusätzlich Schuld- und Versagensgefühle, aber auch Zorn und Unverständnis aus.
Die Dauer der Trauer hängt von der aktiven Auseinandersetzung mit dem schmerzlichen Verlust ab. Erst wenn der Hinterbliebene den Tod angenommen hat und die Gestaltung seines Lebens ohne den verlorenen Menschen den neuen Bedingungen erfolgreich angepaßt hat, ist die Trauerarbeit geleistet. Bis dahin läuft der Trauerprozeß - ähnlich dem Sterbeprozeß - in verschiedenen Phasen ab. Die tiefgehende seelische Wunde kann nur schrittweise heilen. Der Heilungsprozeß kann immer wieder verzögert werden, z.B. durch Anfälle von Angst und Sehnsuchtsgefühlen oder durch neue Verlusterlebnisse, die die vernarbende Wunde wieder aufreißen.
Die **Reaktionen zu Beginn der Trauer** sind in der Regel sehr ausgeprägt, wenn auch individuell verschieden. Häufige Reaktionen sind lautes **Weinen** nach dem Verstorbenen, seufzende Atmung, ruhe- und **ziellose Hyperaktivität** sowie der Verlust des Interesses an allem, was nicht mit Erinnerungen an Ereignisse vor dem Tod des geliebten Menschen verbunden ist. Auch **Zorn** und **Gram** können auftreten.
Andere Menschen reagieren mit **Ohnmacht**. Sie sind für einige Stunden bis Tage wie betäubt, sie wirken abgestumpft, erstarrt und sprechen nicht über ihre Trauer.
Diese ersten emotionalen Reaktionen werden evtl. durch die Vorbereitung der Beerdigung oder durch andere einnehmende Verpflichtungen kontrolliert oder unterdrückt.
Nach der Beerdigung beginnt eine Phase, in der die meisten Trauernden ruhelos sind und sich im **Zustand höchster seelischer Erregung** befinden. Hilf- und Hoffnungslosigkeit führen zum Rückzug von Aktivitäten; die Aufmerksamkeit wird jetzt nach innen gerichtet. Der Trauernde zieht sich zurück, er möchte allein sein, um die Zeit mit dem Verstorbenen nochmals gedanklich zu erleben. Der Schmerz wird intensiv erlebt und zugelassen. Der Trauernde beschäftigt sich gedanklich mit dem fehlenden Menschen und erlebt intensive **Sehnsuchtsgefühle**, die auch von **Zorn**, **Gram** und **Fassungslosigkeit** begleitet oder abgelöst werden können.
Nicht allen Trauernden gelingt es, diese Gefühle nach außen darzulegen.
Neben dem Ausdruck der auftretenden Gefühle wird die Bedeutung, die der geliebte (und gehaßte) Mensch für einen selbst hatte und hat, bewußt. Dies kommt zunächst einem - schmerzlichen - Wiederaufbau der Beziehung zu dem Toten gleich. Man verinnerlicht wesentliche Momente der Beziehung zu dem Toten. Erst danach sind Menschen in der Lage, den Verstorbenen innerlich loszulassen und sich neuem zuzuwenden.
Religiöse Menschen versuchen, ihre Gefühle durch das Beten auszudrücken, umzuleiten und zu verarbeiten oder zu verdrängen.
Auch die **Frage nach dem Sinn** des Verlustes tritt auf. Menschen, die an ein Leben nach dem Tod glauben, finden hierauf oft eine für sie akzeptable Antwort.
Letztendlich kommt es nicht selten zur **Depression**, die durch die Konzentration auf das Leben vor dem Verlust sowie durch die Gefühle der Hoffnungslosigkeit und Verzweiflung gekennzeichnet ist.
Nur wenn die in der Trauer auftretenden Gefühle zugelassen und ausgedrückt werden, können sie überwunden werden. Danach ist die letzte "Phase" der Trauerarbeit, die **Annahme des Todes** und die **Anpassung an die neuen Lebensverhältnisse**, möglich. Dieser Prozeß kann einige Jahre andauern, im Durchschnitt sind es etwa 2 Jahre. Besonders wichtig ist das erste Trauerjahr, in dem der Trauernde alle wiederkehrenden Er-

eignisse (z.B. Geburtstag, Weihnachten, Hochzeitstag) erstmalig ohne den verstorbenen Menschen erlebt.
Bei 10 -15 % der Trauernden weichen die Reaktionen von dem üblichen Bild ab. Man spricht von **pathologisch Trauernden**.
Sie weisen zwei Merkmale auf: Zum einen sind die **Trauersymptome intensiver** und von längerer Dauer, zum anderen wird die Trauer von heftigen **Schuldgefühlen** und **Selbstvorwürfen** begleitet. Jahre nach dem Verlust sehnen sich die Hinterbliebenen noch heftig nach dem Verstorbenen; sie zeigen das Bild einer reaktiven Depression *(siehe Seite 767)*. Diese Menschen brauchen neben der menschlichen Begleitung innerhalb sozialer Beziehungen Hilfe in einer Psychotherapie.
Um die genannten Phasen der Trauer zu bewältigen, um aktive Trauerarbeit zu leisten, ist es wichtig, die **Gefühle** des Schmerzes, der Ohnmacht und der Verzweiflung **auszudrücken**. Dies kann durch Weinen, Klagen, Fluchen, Schreien, Malen, Schreiben u.a. geschehen.
Den Trauernden begleitende Menschen sollten Reaktionen und Ausbrüche dieser Art zulassen und fördern. Es muß deutlich vermittelt werden, daß diese völlig berechtigt sind und keine Schamgefühle rechtfertigen. Gut ist es, dafür zu sorgen, daß **jemand erreichbar** ist, der solche Gefühlsausbrüche mit dem Trauernden erleben will und kann. Floskeln wie *"Kopf hoch"* sind hier nicht angebracht. Der Betroffene ist noch zu trostlos; dies sollte akzeptiert werden. **Bei ihm** zu **sein** und ihn z.B. schweigend in den Arm zu nehmen, kann eine hilfreiche Unterstützung sein. Den Trauernden begleitende Menschen sollten ihn ermutigen, über den Verlust und über alles, was damit im Zusammenhang steht, zu sprechen.
Der **Rückzug** ist über eine bestimmte Zeit **wichtig** für die Verarbeitung des Verlustes und sollte unterstützt werden. Gleichzeitig muß der Trauernde spüren, daß er nicht vergessen ist.
Wie in jeder Lebenskrise wirken auch in der Trauerphase **tragende soziale Beziehungen fördernd**. In der ersten Zeit nach dem Tod kann der Hinterbliebene so hilflos sein, daß er der Hilfe bei Formalitäten, aber auch bei allgemeinen Verrichtungen (Einkaufen, Nahrungszubereitung, Waschen) bedarf. Engste Freunde und Angehörige sollten sich während der gesamten Zeit um den Trauernden kümmern. Die Wiederaufnahme sozialer Kontakte und beruflicher Tätigkeiten empfiehlt sich oft nach 2 - 3 Monaten; im Einzelfall kann die Zeit des Rückzuges sehr viel länger sein. Auch dann sind menschliche Anteilnahme und Begleitung sehr wichtig.
Manche Menschen glauben, sich die notwendige Trauerarbeit ersparen zu können - sie wissen nicht um deren Bedeutung und/oder weichen den mit ihr verbundenen seelischen Belastungen aus. Eine große Gefahr liegt in dem weitverbreiteten Versuch, den Kummer durch Alkohol oder andere Rauschmittel zu überwinden.
Nicht geleistete Trauerarbeit kann auch Jahre später - wenn andere Faktoren hinzutreten - für die Entstehung depressiver Reaktionen verantwortlich sein. Das nicht angemessene Betrauern des Todes eines geliebten Menschen führt dazu, daß man in späteren Bindungen unbewußt versucht, den Verstorbenen wiederzufinden, was die Entstehung einer neuen Liebesbeziehung unmöglich macht.
Die Unfähigkeit zu trauern ist - ebenfalls nach Jahren - ein wesentlicher Faktor bei der Entstehung psychosomatischer Krankheiten.

Die Konfrontation mit dem **Tod eines Menschen**, den man als **Patienten** kennengelernt hat, gehört immer wieder zum pflegerischen Alltag. Auch hier ist das Erleben eines persönlichen Verlustes nicht selten. Wichtig ist es, die Gefühle, Ängste und Gedanken, die durch die Konfrontation mit dem Sterben und mit dem Tod entstehen, auszudrücken. Dies kann sowohl im Kollegen- als auch im Freundeskreis geschehen; manchmal ist es sogar gegenüber dem sterbenden Patienten angebracht. Dadurch erfährt dieser Anteilnahme, Menschlichkeit und persönliche Nähe - Erfahrungen, die im Krankenhaus sterbende Menschen manchmal schmerzlich vermissen. So können **Ehrlichkeit** und der **offene Umgang mit Gefühlen** für beide Seiten positiv sein. Für Pflegende wird die Standortbestimmung zwischen Nähe und Distanz zum Leiden und Sterben anderer Menschen erleichtert.
Außerdem ist es hilfreich, sich der Grenzen, gleichzeitig aber auch der Möglichkeiten von Medizin, Pflege und Sterbebegleitung bewußt zu werden.

12.7.6 Hospize für Sterbende

Der Begriff "Hospiz" stammt aus dem Lateinischen und bedeutet "**Herberge**". Ursprünglich bezog sich diese Bezeichnung auf Übernachtungsgebäude, die von Mönchen für Pilger angeboten wurden.
In der heutigen Zeit entstehen Hospize für Sterbende. 1988 wurde der *"Deutsche Hospiz-Hilfe e.V."* gegründet. Die Hospize haben sich die **Unterstützung und Pflege des Menschen in der letzten Phase einer unheilbaren Krankheit** zur Aufgabe gemacht. Sie unterstützen mit ihrem interdisziplinären Team sterbende Menschen, die lebensverlängernde Maßnahmen ablehnen. Die von Christen getragene und geprägte Bewegung möchte den Sterbenden optimal betreuen, d.h. sowohl menschlichen **Beistand** und innere **Anteilnahme** als auch Befriedigung körperlicher Bedürfnisse und vor allem die **Befreiung von unerträglichen Schmerzen** gewährleisten.
Der Todkranke wird ermutigt, persönliche Dinge mit ins Hospiz zu bringen; seine Gewohnheiten bei den ATL werden erfragt und deren Beibehaltung soweit wie möglich unterstützt und gefördert. Die religiösen und spirituellen Bedürfnisse stehen ebenfalls im Mittelpunkt. Neben dem Seelsorger sind auch die weiteren professionellen und nicht professionellen Helfer um eine diesbezügliche Auseinandersetzung und Begleitung bemüht. Dem Kranken wird eine Atmosphäre angeboten, die es ihm ermöglicht, sich auf sein **Sterben vorzubereiten**. Er soll die Chance haben, mit sich ins Reine zu kommen, Versäumtes soweit wie möglich nachzuholen und loszulassen.
Angehörige und Freunde finden ebenfalls Gelegenheit, sich auf den Abschied vorzubereiten und dem scheidenden Menschen zu sagen, was sein Dasein ihnen

bedeutet (hat). So werden die Grundlagen für einen friedvollen Abschluß mit dem Leben geschaffen.

Weitere Ziele der Hospizbewegung sind:

- Förderung der Einrichtung von weiteren Hospizen für Sterbende;
- Betreuung Sterbender zu Hause; dazu werden von Ärzten, Pflegepersonal, Seelsorgern und freiwilligen Helfern Aus- und Fortbildungen angeboten;
- Förderung des Bewußtseins der Gesellschaft für den praktizierten Umgang mit dem Sterben und Verbesserung der Situation durch die Integration des Sterbens in den Alltag; menschenwürdiges Sterben in Krankenhäusern und Altenheimen;
- sofern gewünscht, Begleitung der Angehörigen auch nach dem Tod des geliebten Menschen (z.B. leisten ehrenamtliche Helfer bei Erledigung der Formalitäten und Vorbereitung der Beerdigung große Hilfe).

Weiterführende Informationen über die Hospizbewegung sind zu beziehen über:

Hospiz - Bildungs - Werk der IGSL e.V.
Internationale Gesellschaft
für Sterbebegleitung und Lebensbeistand e.V.
Im Rheinblick 16
55411 Bingen / Rhein

OMEGA
Mit dem Sterben leben e.V.
Postfach 1407
34334 Hann. Münden
Tel. 05541 / 5356 / 4881

12.7.7 Euthanasie - Sterbehilfe

Das Wort "**Euthanasie**" stammt aus dem Altgriechischen, es bedeutet "**gutes Sterben**". Ursprünglich stand es für den schönen, leichten Tod ohne äußere Einwirkung.
Heute ist der Sinn des Wortes "Euthanasie" abgewandelt und meint die Sterbehilfe. Sie bezeichnet ein Handeln, das geeignet und bestimmt ist, den erleichterten und schmerzgelinderten Tod eines unheilbar schwerkranken Menschen herbeizuführen. Man unterscheidet zwischen aktiver und passiver Sterbehilfe.

Aktive Sterbehilfe: Gezielte **Lebensverkürzung**; diese ist - auch wenn sie dem ausdrücklichen und ernsthaften Verlangen des Kranken entspricht - strafbar (§ 216 StGB, Tötung auf Verlangen). Zulässig ist ein Eingriff, der allein der Schmerzlinderung dient und als unbeabsichtigte Nebenfolge zugleich eine unbeträchtliche Lebensverkürzung bewirkt. Die Entscheidung hierüber liegt im Verantwortungsbereich des Arztes, nicht des Pflegepersonals.
Die **Beihilfe zur Selbsttötung** ist in Deutschland nicht strafbar, jedoch sind die juristischen Grenzen zur Fremdtötung *("Totschlag")* fließend und nur schwer bestimmbar. Der Bundesgerichtshof hält das Behandlungsteam grundsätzlich für verpflichtet, zur Lebensrettung einzugreifen, wenn der Betroffene durch Bewußtlosigkeit die Möglichkeit verloren hat, das Geschehene zu beeinflussen. Zur Begründung verweist er auf die Suizidforschung, nach deren Ergebnissen auch ernsthaft Selbsttötungswillige häufig nach Beendigung eines Suizidversuches den Tod nicht mehr wünschen.
Passive Sterbehilfe: Es werden die **Sterbehilfe ohne Lebensverkürzung** und die **Lebensverkürzung** durch **Verzicht auf lebensverlängernde Maßnahmen**, die das Leiden schwerstkranker Menschen nicht lindern, sondern nur verlängern würden, unterschieden. Die passive Sterbehilfe ist rechtlich zulässig.

Aufgrund des medizinischen Fortschritts, der häufig eine künstliche Lebens-, aber auch Leidensverlängerung ermöglicht, wird immer wieder die **Diskussion um ein menschenwürdiges Sterben mittels Sterbehilfe** angefacht. Durch den Einsatz medizinisch - technischer Apparate, die gestörte oder fehlende Organfunktionen kompensieren, besteht in manchen Fällen die Gefahr, daß die Technik bestimmt, wann der Mensch stirbt.

Im Zusammenhang mit der Förderung des "Menschenrechts auf Tod und Erlösungstod" durch aktive und passive Sterbehilfe sorgt auch die Deutsche Gesellschaft für humanes Sterben (DGHS) für Diskussionen. Sie fordert eine Aufhebung des Verbotes der Tötung auf Verlangen. Statt dessen soll ein Heilbehandlungsgesetz dem Patienten die Verantwortung für eine Heilbehandlung oder deren Unterlassung übertragen. Für den Fall, daß der Kranke sich nicht mehr mitteilen kann, soll der Arzt an entsprechende schriftliche Verfügungen des Kranken gebunden sein. Spezielle Kammern bei Gericht sollen den Wunsch eines Menschen nach aktiver Sterbehilfe formal-rechtlich prüfen; die Tötung soll durch Ärzte, die zuvor nicht an der Behandlung beteiligt waren, durchgeführt werden.
Kritiker der aktiven Sterbehilfe finden sich vor allem unter den christlichen Moralethikern, für die Gott allein bestimmen darf, wann ein Leben beendet wird. Aber auch andere halten das Töten auf Verlangen für einen unverantwortlichen Eingriff in die Natur.
Darüber hinaus birgt jede gesetzliche Ausnahme vom Verbot der Fremdtötung die **Gefahr des Mißbrauchs** in sich. Nicht zuletzt zwingt die Erinnerung an das im Nationalsozialismus geltende "Gesetz zur Vernichtung unwerten Lebens", auf dessen Grundlage das sogenannte "Euthanasieprogramm" geplant und durchgeführt wurde, zur Vorsicht. Damals wurden ca. 5000 mißgebildete Kinder und ca. 100.000 Erwachsene, die als geistig behindert eingestuft wurden, getötet.
In den letzten Jahren wurden mehrfach in Krankenhäusern und Altenpflegeheimen Todesfälle aufgedeckt, die durch bewußtes Handeln einzelner Pflegepersonen herbeigeführt worden waren, ohne daß ein entsprechendes Verlangen des Patienten / Bewohners zugrunde gelegen hätte. Die Täter hatten beschlossen, daß das Leben der ihnen anvertrauten, pflegebedürftigen Menschen lebensunwert sei und sie "erlöst". Die Hintergründe der Taten, auf die hier nicht näher eingegangen werden kann, waren unterschiedlich und teils sehr komplex; ein wesentlicher Aspekt war oft die psychische (und auch physische) Überforderung des Pflegenden.
Die Gefahr, daß Menschen eigenmächtig über Leben und Tod eines ihm anvertrauten Menschen bestim-

men, besteht also schon. Es fragt sich, ob die Hemmschwelle für solche Taten durch die Institutionalisierung der aktiven Sterbehilfe herabgesetzt würde oder eine Kanalisierung stattfände, die die Bereitschaft zu solchem Fehlverhalten herabsetzen würde.
Der Tötungswunsch eines unheilbar Kranken kann in vielen Fällen durch eine menschliche Sterbebegleitung und eine kontinuierliche Schmerztherapie sowie durch den Verzicht auf lebens- und leidensverlängernde Maßnahmen aufgehoben werden. **Das Recht auf einen würdigen und friedvollen Tod** sollte im Vordergrund der ärztlichen und pflegerischen Betreuung des unheilbar kranken und leidenden sowie des hochbetagten Menschen stehen.

Literaturhinweise

Hofmann, H.P., Kleinsorge, H.: Kleine Pharmakologie. Fischer, Stuttgart 1993
Kretz, F.J. / Kretz, A.: Medikamentöse Therapie. Thieme, Stuttgart 1993
Lanzendörfer, C. / Scholz, J.: Psychopharmakologie für Krankenpflegeberufe. Springer, Heidelberg 1993
Lüllmann, H.: Taschenatlas der Pharmakologie. Thieme, Stuttgart 1994
Melzer, H. / Walter M.: Arzneimittellehre. Urban & Schwarzenberg, München1993
Mutschler, E.: Arzneimittelwirkungen. Wissenschaftliche Verlagsgesellschaft mbH, Stuttgart 1996

Literaturhinweise zum Thema "Streß"

Biener, K.: Streß. Epidemiologie und Prävention. Huber, Bern Göttingen 1993
Kaluza, G. / Basler, H.D.: Gelassen und sicher im Streß. Springer, Heidelberg 1991
Miketta, G.: Netzwerk Mensch. Psychoneuroimmunologie: Den Verbindungen von Körper und Seele auf der Spur. Trias, Stuttgart 1992
Vester, F.: Phänomen Streß. Deutsche Verlags-Anstalt, Stuttgart 1976

Literaturhinweise zum Thema "Behinderung"

Beckmann, M.: Rehabilitation in der Krankenpflege. Kunz, Hagen 1996
Bundesarbeitsgemeinschaft Hilfe für Behinderte e.V.: Reha-Helfer. H.-P. Meyer, Verlag für moderne Kommunikation, Essen
Bundesarbeitsgemeinschaft Hilfe für Behinderte e.V.: Schriftenreihe "Kommunikation zwischen Partnern" der Bundesarbeitsgemeinschaft Hilfe für Behinderte (kostenlose Broschüren zu den verschiedenen Behinderungen) Kirchfeldstr. 149, 40215 Düsseldorf
Derbolowsky, U.: Behindert sein. Burg-Verlag, Stuttgart Bonn 1984
Dörner / Plog, U.: Irren ist menschlich. Psychiatrie, Bonn 1992
Harris, T.A.: Ich bin O.K., Du bis O.K. Rowohlt, Hamburg 1978
Heckl, R. /Ade, G. /Schell, W.: Rehabilitation und Krankenpflege. Thieme, Stuttgart 1991
Meyer, B.: Geistige Behinderung und Krankenpflege. Ullstein - Mosby, Berlin Wiesbaden 1996
Runge, M. / Rehfeld G.: Geriatrische Rehabilitation im Therapeutischen Team. Thieme, Stuttgart 1995

Literaturhinweise zum Thema "Schmerz""

Deutsche Krebshilfe e.V. (Hrsg.): Krebsschmerzen wirksam bekämpfen. Thomas-Mann-Str. 40, 53111 Bonn
Gessler, U. (Hrsg.): Schmerz als Phänomen. Dustri Verlag Dr. Karl Feistle, München 1989
Käppeli, S. (Hrsg.): Pflegekonzepte. Gesundheits-, entwicklungs- und krankheitsbezogene Erfahrungen. Huber, Bern Göttingen 1993
Leibold, G.: Akupressur. Falken, Niedernhausen 1995
McCaffery / Beebe / Latham: Schmerz. Ein Handbuch für die Pflegepraxis. Ullstein-Mosby, Berlin Wiesbaden 1996
Schultz, H.J. (Hrsg.): Schmerz. Kreuz, Stuttgart 1990
Sölle, D.: Leiden. Herder, Freiburg 1993
Weber, A.: Schmerz und Schmerzkrankheiten. TRIAS, Stuttgart 1991

Literaturhinweise zum Thema "Tumorerkrankungen"

Behörde für Arbeit, Gesundheit und Soziales der Freien und Hansestadt Hamburg (Hrsg.): Arbeits- und Gesundheitsschutz im Krankenhaus. Ed. Temmen, Bremen 1994
Bergen, P. / Klinke, M.: Primärprävention im Krankenhaus. Kunz, Hagen 1997
Berufsgenossenschaft für Gesundheitsdienst und Wohlfahrtspflege: Sichere Handhabung von Zytostatika, Merkblatt, M 620. Pappelallee 35/37, 22089 Hamburg
Glaus, A. (Hrsg.): Onkologie für Krankenpflegeberufe. Thieme, Stuttgart 1992
Hammer, C.(Hrsg.): Chronische Erkrankungen und ihre Bewältigung. Schulz, Starnberg 1993
Kesselring, A.: Krebs: Was bedeuten Krankheit und Unterstützung für Patienten? Recom, Basel 1987
Loeser, A.: Onkologie. Kohlhammer, Stuttgart Berlin Köln 1992
Margulies, A. (Hrsg.): Onkologische Krankenpflege. Springer, Berlin 1994
Senn / Drings / Glaus u.a.: Checkliste Onkologie. Thieme, Stuttgart 1992
Wirsching, M.: Psychosomatische Medizin. Konzepte, Krankheitsbilder, Therapien. Beck, München 1996

Literaturhinweise, auch für Patienten und Angehörige

Aulbert, E. (Hrsg.): Bewältigungshilfen für den Krebskranken, Thieme, Stuttgart 1993
Aulbert, E. / Niederle, N. (Hrsg.): Die Lebensqualität des chronisch Krebskranken. Thieme, Stuttgart 1990
Becker, K.: Mein Freund der Krebs. Herder, Freiburg im Breisgau1994
Broome, A. / Jellicoe, H.: Mit dem Schmerz leben. Huber, Bern 1989
Deutsche Krebshilfe e.V., Thomas-Mann-Str. 40, 53111 Bonn:
Informationsbroschüren
- Ernährung bei Krebs
- Gesprächshilfe für Angehörige
- Krebs - Wer ist gefährdet?
- Krebs im Kindesalter
- Krebsschmerzen wirksam bekämpfen
- Setze den Punkt (Erfolgreich zum Nichtraucher) und

Broschüren zu den einzelnen Krebserkrankungen (z.B. Brustkrebs; Darmkrebs)
- Wegweiser zu Sozialleistungen

Mechtel, A.: Jeden Tag will ich leben. Ein Krebstagebuch. Fischer, Frankfurt 1993
Noll, P.: Diktate über Sterben und Tod. R. Piper- Verlag, 1987
Sölle, D.: Leiden. Herder, Freiburg1993
Sontag, S.: Krankheit als Metapher. Hanser, München, Wien1978
Tausch-Flammer, D.: Sterbenden nahe sein. Herder, Freiburg im Breisgau1994
Tuft, H.: Nur wer kämpft, hat eine Chance. Fischer, Frankfurt am Main1989

Literaturhinweise zum Thema "Depression im Alter"

Bergener, M.: Depressive Syndrome im Alter. Thieme, Stuttgart 1989
Grond, E.: Die Pflege und Begleitung depressiver alter Menschen. Schlütersche, Hannover 1993
Dörner, K. / Plog, U.: Irren ist menschlich. Psychiatrie, Bonn 1992

weitere Literaturhinweise siehe Seite 782 (Literaturhinweise zum Thema "Psychiatrie")

Literaturhinweise zum Thema "Alter"

Baltes, M./Kohli, M./ Sames, K.: Erfolgreiches Altern. Huber, Bern 1992
Baltes, M.M. / Gutzmann, H.: Brennpunkt Gerontopsychiatrie. Internationale Pflegekonzepte zur Langzeitbetreuung in der Altenpflege. Vincentz, Hannover 1990

Bechtler, H.: Gruppenarbeit mit älteren Menschen. Lambertus, Freiburg, 1993
Blimlinger, E.u.a.: Lebensgeschichten. Vincentz, Hannover 1994
Böger, J. Kanowski, S.: Gerontologie und Geriatrie für Krankenpflegeberufe. Thieme, Stuttgart 1995
Böhm, E.: Alte verstehen. Psychiatrie, Bonn 1992
Böhm, E.: Ist heute Montag oder Dezember? Erfahrungen mit der Übergangspflege. Psychiatrie, Bonn 1992
Böhm, E.: Pflegediagnosen nach Böhm. Recom, Basel 1989
Corr, D. M. und Corr, C. A.: Gerontologische Pflege. Huber, Bern, 1992
Füsgen, I. / Summa, J.D.: Geriatrie. Kohlhammer, Stuttgart 1995
Gehl, G.: Alter und Sucht. Aktueller Überblick zu Ursachen, Formen, Erklärungsansätzen und Prävention. Sozia, Freiburg 1995
Görres, S.: Geriatrische Rehabilitation und Lebensbewältigung. Juventa, Weinheim 1992
Grond, E.: Die Pflege verwirrter alter Menschen. Lambertus, Freiburg 1992
Grond, E.: Kompendium der Alters-Psychiatrie und Neurologie für Altenpfleger/innen. Kunz, Hagen 1995
Grond, E.: Praxis der psychischen Altenpflege. Werk, München 1993
Hahn, S. / Schmoecker, M. / Schröder, B.: Pflegemanagment im Altenheimen. Schlütersche, Hannover 1994
Hirsch, R.D.: Multimorbidität im Alter. Huber, Bern 1992
Hirsch, R.D.: Psychotherapie im Alter. Huber, Bern 1990
Hohmeier, J. und Pohl, H.J.: Alter als Stigma oder Wie man alt gemacht wird. Frankfurt, 1978
Jeske, A.: Problematik der Heimaufnahme. Media, Essen 1994
Juchli, L.: Altwerden-Altsein. Recom, Basel 1991
Käppeli, S.: Pflegekonzepte. Huber, Bern 1993
Klie, R. / Lörcher, U.: Gefährdete Freiheit. Fixierungspraxis in Pflegeheimen und Heimaufsicht. Lambertus, Freiburg 1994
Klie, T.: Recht auf Verwirrtheit? Das Betreuungsrecht für die Altenarbeit - eine Arbeitshilfe. Vincentz, Hannover 1993
Kuratorium Deutsche Altershilfe: Hilfe und Pflege im Alter. Bezugsadresse: Kuratorium Deutsche Altershilfe, An der Pauluskirche 3 50677 Köln
Lindloff, H.: Erkrankungen des alten Menschen. Kunz, Hagen 1995
Martin, E./Junod, J.-P.: Lehrbuch der Geriatrie. Huber, Bern, 1990
Neumann, E.-M.: Selbständigkeit im Alter. Huber, Bern 1994
Oswald, W.D. / Lehr, U. (Hrsg.): Altern. Veränderung und Bewältigung. Huber, Bern 1991
Rober, L.: Ernährung im Alter. Vincentz, Hannover 1990
Ruthemann, U.: Aggression und Gewalt im Altersheim. Recom, Basel 1993
Schachtner, C.: Störfall Alter. Fischer, Frankfurt 1988
Wingchen, J.: Geragogik. Kunz, Hagen 1996

Literaturhinweise zum Thema "Demenz"

Bauer, J.: Die Alzheimer-Krankheit. Schattauer, Stuttgart 1994
Buijsen, H.: Senile Demenz. Eine praktische Anleitung für den Umgang mit Alzheimer - Patienten. Psychologie, Weinheim 1993
Feil, N.: Validation. Altern und Kultur, Wien 1993
Foster, M.: Ich glaube, ich fahre in die Highlands. Roman. Arche Verlag AG, Raabe + Vitali, Zürich 1990
Grond, E.: Die Pflege verwirrter alter Menschen. Lambertus-Verlag, 1992
Hirnliga E.V.: Mit neuem Mut Demenzkranke betreuen. Bezugsadresse: Kuratorium der Hirnliga, Postfach 1401, Nümbrecht
Klie, T.: Recht auf Verwirrtheit? Das Betreuungsrecht für die Altenarbeit - eine Arbeitshilfe. Vincentz, Hannover 1993
Krämer, G.: Alzheimer - Krankheit. Trias, Stuttgart 1993
Zimmermann, V.: Die Pflege von dementen Betagten. Schulthess, Zürich 1989

Literaturhinweise zum Thema "Sterben und Tod"

Bartholomäus, L.: Ich möchte an der Hand eines Menschen sterben. M.-Grünewald, 1990
Beauvoir, S. de: Ein sanfter Tod. Rowohlt, Reinbek
Betel, H. / Tausch, D.: Sterben. Eine Zeit des Lebens. Ein Handbuch der Hospizbewegung. Quell, Stuttgart 1993
Bozolby, J.: Verlust, Trauer und Depression. Fischer, Stuttgart 1994
Fried, A.: Wo man in Frieden sterben kann. Die Hospizbewegung. Brockhaus, Haan 1988
Hennezel, M. de: Den Tod erleben. Lübbe, Bergisch Gladbach 1996
Kübler-Ross, E.: Erfülltes Leben - würdiges Sterben. Gütersloher Verlagshaus, Gütersloh 1994
Kübler-Ross, E.: Interviews mit Sterbenden. Gütersloher Verlagshaus, Gütersloh 1992
Kübler-Ross, E.: Reif werden zum Tode. Gütersloher Verlagshaus, Gütersloh 1989
Kübler-Ross, E.: Verstehen was Sterbende sagen wollen. Gütersloher Verlagshaus, Gütersloh 1993
Kübler-Ross, E.: Was können wir noch tun? Gütersloher Verlagshaus, Gütersloh 1990
Moody, R. A.: Leben nach dem Tod. Rowohlt, Reinbek 1994
Neuberger, J.: Die Pflege Sterbender unterschiedlicher Glaubensrichtungen. Ullstein-Mosby, Berlin Wiesbaden 1995
Noll, P.: Diktate über Sterben und Tod. R. Piper, München 1987
Raguse, S.: Was erwartet uns nach dem Tod? 24 Darstellungen von Religionen und Konfessionen. Gütersloher, Gütersloh 1990
Rest, F.: Sterbebeistand, Sterbebegleitung, Sterbegeleit. Kohlhammer, Stuttgart 1994
Sogyal Rinpoche: Das Tibetische Buch vom Leben und vom Sterben. Ein Schlüssel zum tieferen Verständnis vom Leben und Tod. Scherz, München 1996
Student, J.-C. (Hrsg.): Das Hospiz-Buch. Lambertus, Freiburg 1994
Tausch - Flammer, D. / Bickel, L.: Wenn ein Mensch gestorben ist - wie gehen wir mit dem Toten um? Anregungen und Hilfen. Herder, Freiburg 1996
Tausch-Flammer, D.: Sterbenden nahe sein. Herder, Freiburg im Breisgau 1994
Thomas, C.: Berührungsängste? Vom Umgang mit der Leiche. vgs, Köln 1994

Glossar

In diesem Glossar werden nur ausgewählte Fachbegriffe erklärt. Bezüglich weitergehender und zusätzlicher Erklärungen wird auf medizinische und psychologische Lexika verwiesen, z.B.:

Pschyrembel Klinisches Wörterbuch. De Gruyter, Berlin New York

Hoffmann - La Roche AG und Urban Schwarzenberg (Hrsg.): Roche Lexikon Medizin. Urban & Schwarzenberg, München Wien Baltimore

Dorsch, F./ Häcker, H./ Stapf, K.H. (Hrsg.): Dorsch Psychologisches Wörterbuch. Huber, Bern 1994

Abdomen
Bauch; Rumpfabschnitt zwischen Brustkorb und Becken (Bauchwand, -höhle und -eingeweide)

Ablatio Mammae
Abtragung der weiblichen Brust

Abrasio
Ausschabung; auch Kürettage = Gewinnung bzw. Entfernung von Gewebe aus dem Uterus mit einem Spezialinstrument (Kürette)

Absence
kurzer Bewußtseinsverlust oder kurze Bewußtseinstrübung mit nachträglicher Amnesie *(begrenzte Gedächtnislücke)*

Abszedierung
Bildung eines Abzesses

Abszeß
abgekapselte Eiteransammlung in einem durch Gewebeeinschmelzung entstandenen Gewebehohlraum

Abusus
mißbräuchliche Anwendung, z.B. von Arzneimitteln

ACTH
adrenocorti**c**o**t**ropes **H**ormon; im Hypophysenvorderlappen gebildetes Hormon; reguliert Synthese und Ausschüttung von Glukokortikoiden in der Nebennierenrinde

Adipositas
Übermaß an Fettgewebe, Fettleibigkeit; das Körpergewicht liegt 20-30% über dem Normalgewicht, der Body-Mass-Index liegt über 30

adjuvant
unterstützend

Aerosole
kleinste, in einem gasförmigen Medium schwebende Teilchen

afferent
heranführend, z.B. zum Gehirn

Agnosie
Störung des Erkennens bei intakter Funktion der Sinnesorgane

AIDS
acquired **i**mmune **d**eficiency **s**yndrome; erworbenes Immundefektsyndrom infolge einer Infektion mit dem Humanen Immundefizienz-Virus (HIV)

Akne
Acne; unterschiedliche Formen:
Acne vulgaris ("Pubertäts-Akne"); mit Knötchenbildung einhergehende Entzündung von Talgdrüsen bei fettreicher Haut mit gleichzeitiger Verhornungsstörung und Besiedelung mit Bakterien (z.B. Propioni); häufig Sekundärinfektionen und Heilung unter Narbenbildung

Akren
griech.: akrom = äußerst; die Körperenden; Finger, Zehen, Hände, Füße, Nase, Kinn, Ohren

Alkalose
pH-Wert steigt über das physiologische Niveau von durchschnittlich 7,4 ("Basenüberschuß")

Allergie
durch Kontakt mit einer bestimmten Substanz (Antigen) erworbene abnorme Bereitschaft, nach erneutem Kontakt mit dieser Substanz mit bestimmten krankhaften Erscheinungen zu reagieren; Überempfindlichkeit gegenüber bestimmten Substanzen

Alpha - Blocker, Alpha - Rezeptorenblocker
Substanzen, die an bestimmten Stellen der vegetativ gesteuerten glatten Muskulatur eingreifen und die Rezeptoren für körpereigene Neurotransmitter blockieren

Alternative Medizin
"andere Medizin"; hier als Unterscheidung zur naturwissenschaftlichen Medizin, die an Universitäten gelehrt wird (sogenannte Schulmedizin)

Alveole
Alveolus pulmonalis; Lungenbläschen; Stätte der äußeren Atmung, von hier diffundieren die Atemgase ins Blut und umgekehrt

Amenorrhoe
Ausbleiben oder Fehlen der monatlichen Regelblutung

Amphetamine
"Weckamine"; anregende, dem Adrenalin ähnliche Substanzen aus der Gruppe der Sympathomimetika *(Substanzen, deren Wirkungen einer Erregung des Sympathikus ähneln)*; gehören zur Gruppe der Betäubungsmittel

Analgetika
schmerzlindernde oder -stillende Pharmaka; Schmerzmittel

Anämie
sogenannte Blutarmut; im Blut ist der Anteil von Erythrozyten und/oder Hämoglobin vermindert

Anastomose
operativ angelegte Verbindung von Hohlorganen, z.B. operative Verbindung von Magen und Dünndarm zur Wiederherstellung der Magen - Darm - Passage (*Gastroenterostomie*)

Anastomoseninsuffizienz
Undichtigkeit einer Anastomose, Nahtbruch

anatomischer Totraum
Bereich der Luftwege vom Nasen-Rachenraum, Kehlkopf, Luftröhre, Bronchien bis zum Beginn der Alveolen; darin befindet sich ca. 1/3 der Einatmungsluft; dieser Teil gelangt nicht bis zu den Alveolen und nimmt deshalb nicht am Gasaustausch teil

Aneurysma
aufgrund von Gefäßwandveränderungen entstandene Erweiterung eines arteriellen Blutgefäßes

Angiographie
Darstellung von Blutgefäßen durch ein Röntgenverfahren nach Injektion von Kontrastmittel in das Gefäß

Angiopathie
Oberbegriff für Gefäßkrankheiten

Anomie
Störung des Benennens von Personen und Gegenständen; einem Betroffenen fallen Namen und Bezeichnungen nicht mehr ein; häufig liegen sowohl eine amnestische Aphasie als auch eine Agnosie vor

Antagonist
Gegenspieler

Antazidum
Arzneimittel zur Neutralisation der Magensäure

Anthropologie
Wissenschaft vom Menschen

Antibiogramm
Ergebnis der durch eine bakteriologische Untersuchung anhand der Wachstumshemmung ermittelten Empfindlichkeit von Krankheitserregern gegenüber verschiedenen Antibiotika

Antibiotika
Sammelbegriff für chemisch unterschiedliche Stoffwechselprodukte verschiedener Organismen mit biologischer (= antibiotischer) Aktivität gegen Viren, Bakterien, Pilze und andere Erreger; Medikamente, die zur Abtötung oder Wachstumshemmung von Krankheitserregern eingesetzt werden, z.B. Penizilline, Tetrazykline, Chloramphenicol, Rifamycine, Sulfonamide; häufigste Indikation sind bakterielle Infekte

Antidot
"Gegengift"; meist pharmazeutisches Spezialpräparat, mit dem eine bestimmte Substanz / ein Gift inaktiviert bzw. seine Wirkung herabgesetzt oder aufgehoben wird

Antiemetika
Medikamente, die das Brechzentrum dämpfen und somit das Erbrechen verhindern

Antikoagulanzientherapie
Behandlung mit gerinnungshemmenden Substanzen; die Blutgerinnung wird auf medikamentösem Weg gehemmt

Antikörpertiter
Menge an Antikörpern

Antimetaboliten
Stoffe, die in Stoffwechselvorgänge des Körpers eingreifen und diese blockieren *(Metabolismus = Stoffwechsel)*

Antimykotika
Chemotherapeutika, die zur Behandlung von Pilzerkrankungen eingesetzt werden; Substanzen, die das Pilzwachstum beeinflussen

Antiphlogistika
Substanzen mit entzündungshemmender Wirkung

Antirefluxplastik
plastischer *(formender)* operativer Eingriff, bei dem, häufig unter Verwendung von körpereigenem Gewebe, eine Art Ventil entsteht, um den Rückfluß, z.B. von Urin, zu verhindern

Antiserum
Serum, das Antikörper gegen ein oder mehrere Antigene aufweist

Antitussivum
hustenreizstillendes Arzneimittel

Aphasie
Störung der erworbenen Sprache bei erhaltener Funktion der zum Sprechen benötigten Muskulatur

appositionell
an- / auflagernd

Apraxie
Unfähigkeit, trotz erhaltener Beweglichkeit zu handeln; die Fähigkeit zu koordiniertem Handeln und Bewegen ist gestört

Arachnoidea
Spinnwebenhaut

ARDS
= adult respiratory distress syndrome
akute Ateminsuffizienz im Rahmen eines fortschreitenden Schockgeschehens mit unspezifischen Reaktionen der Alveolen, Kapillaren und des interstitiellen Gewebes

Arteriosklerose
sogenannte "Arterienverkalkung"; krankhafte Veränderung der Arterien mit Verhärtung, Verdickung, Elastizitätsverlust und Lichtungseinengung

Aseptik
Maßnahmen zur Erzielung einer Keimfreiheit

Aspiration
hier: Einatmen eines Fremdkörpers; Eindringen flüssiger oder fester Stoffe in die Atemwege

Assimilation
Aufnahme der Nahrungsstoffe, Abbau im Darm, Resorption der Spaltstücke und deren Aufbau zu körpereigenen Stoffen und Einbau in die Gewebssubstanz

Asthma
schweres, kurzes Atmen

Asthma bronchiale
Erkrankung, die mit anfallartig auftretender Atemnot infolge einer reversiblen Obstruktion* der Bronchien einhergeht; die Obstruktion entsteht durch einen Spasmus der Bronchialmuskulatur, ein Schleimhautödem und eine vermehrte Sekretion zähen Schleims

Aszension
das Aufsteigen, z.B. von Keimen

Aszites
Bauchwassersucht; Ansammlung von Flüssigkeit in der freien Bauchhöhle

Atelektase
nicht mit Luft gefüllter Lungenabschnitt; nicht entfaltete Alveolen, die Alveolarwände liegen aufeinander; bei Verlegung kleinster Bronchien durch Schleim oder infolge Druckeinwirkung von außen gelangt keine Luft mehr in die Alveolen; die in den Alveolen befindliche Luft wird resorbiert, die betroffenen Alveolen kollabieren

Atemdepression
Herabsetzung der Ansprechbarkeit des Atemzentrums auf die Atemantriebe

Atrophie
Rückbildung eines Gewebes oder eines Organs

AUG / Ausscheidungsurogramm
Röntgendarstellung der ableitenden Harnwege und der Nieren mit Hilfe eines intravenös applizierten Kontrastmittels

Autoimmunerkrankungen
Erkrankungen, die (teilweise) auf die Bildung von Antikörpern, die gegen körpereigene Antigene gerichtet sind (*Autoantikörper*) und auf die daraus resultierenden Folgeschäden zurückgeführt werden

Autoimmunprozeß
Prozeß, bei dem vor allem durch Bildung von Antikörpern eine Immunisierung gegen körpereigene antigene Substanzen stattfindet

Automatismen, orale
reflektorische (unwillkürliche) Bewegungen im Bereich des Mundes

Autonomie
Selbstbestimmung, Unabhängigkeit; auch: Eigengesetzlichkeit

Autosomen
alle Chromosomen, die keine Geschlechtschromosomen sind

Azidose
pH-Wert sinkt unter das physiologische Niveau von durchschnittlich 7,4 ("Ansäuerung")

azidotische Dyspnoe
Atemnot, die durch einen erniedrigten pH-Wert des Blutes, z.B. infolge von Stoffwechselstörungen, verursacht wird

Bachblütentherapie
nach Edward Bach, Arzt in England (1886-1936)
nach bestimmten Vorgaben werden Auszüge aus Blüten (38 Arten) von wildwachsenden Pflanzen hergestellt und verdünnt; diese werden in Tropfenform eingenommen und beeinflussen die psychische Situation

Bakterienflora, physiologische
normale, der Gesundheit entsprechende Besiedelung eines Ortes mit bestimmten Bakterien: Mund-, Haut-, Scheiden-, Darmflora

bakteriostatisch
keimhemmend; das Wachstum und die Vermehrung von Keimen verhindernd

Balneotherapie
Behandlung mit natürlichen Bädern/Heilquellen

Barbiturate
Gruppe von Medikamenten, die sedierend - hypnotisch, antikonvulsiv und dosisabhängig schlaferzwingend narkotisch wirken; werden heute nur noch als Antiepileptika oder als Narkotika eingesetzt

Basaliom
bösartiger Tumor der Haut, von Zellen der Basalschicht ausgehend; wächst lokal zerstörend, ohne Metastasierung *(= semimaligne)*

Bauchpresse
Verkleinerung der Bauchhöhle (= Erhöhung des Bauchrauminnendrucks) durch Betätigung der Bauchmuskeln, um den Inhalt von Hohlorganen (Urin, Kot) nach außen zu treiben; Wirkung wird durch Einsatz des Zwerchfells (tiefe Einatmung auf dem Maximum anhalten) erhöht

Beugesynergismen
(siehe Synergismen)

Bioenergetik nach Alexander Lowen
Kurzbezeichnung für "Bioenergetische Analyse"; körperorientiertes Therapieverfahren, das zum Ziel hat, einen gestörten "Energiefluß", der sich in Körperhaltung, Atmung und Muskelspannung ausdrückt, zu lösen

biologische Wertigkeit
gibt an, wieviel Gramm körpereigenes Eiweiß aus 100 g Nahrungseiweiß aufgebaut werden können; ist abhängig von der quantitativen Zusammenstellung der essentiellen Aminosäuren

Biopsie
operativ oder mittels speziellem Instrument vorgenommene Entnahme einer Gewebeprobe am lebenden Organismus mit dem Zweck, das Gewebe zu untersuchen

Blut-Hirn-Schranke
Schutzeinrichtung im Sinne einer Schrankenfunktion zwischen Blutgefäßen und Hirnsubstanz; ist nur für bestimmte Stoffe, z.B. Nährstoffe, durchlässig und dient so der Kontrolle des Stoffaustausches

Blut-Liquor-Schranke
selektive Barriere, die nur den Übertritt bestimmter Substanzen in bestimmten Konzentrationen vom Blut in den Liquor ermöglicht; bei bestimmten Prozessen, z.B. Entzündungen, verändert sich diese Durchlässigkeit;

Blutdruck
in Blutgefäßen und Herzkammern herrschender Druck

Botulismus
Lebensmittelvergiftung durch Toxine von Clostridium botulinum; beginnend mit Übelkeit und Erbrechen; später schwere Störungen des gesamten Organismus; hohe Letalität

Bradykardie
verlangsamte Zahl der Pulsschläge pro Minute, weniger als 60/min.

Bradypnoe
verlangsamte Atmung

BRCA-1 Gen
Abkürzung für Brustkrebs-Gen (**br**east **ca**ncer)

Bronchiektasen
irreversible *(nicht mehr rückbildungsfähige)* Erweiterungen der Bronchialäste, die angeboren sind oder nach bestimmten Erkrankungen entstehen; es kommt zu Sekretzurückhaltung und rezidivierenden Infekten; die Atemfunktion ist eingeschränkt

Bronchitis
Entzündung der Bronchialschleimhaut

Bronchospasmolytika
Medikamente zur Lösung einer bronchialen Obstruktion; bewirken die Erschlaffung der glatten Bronchialmuskulatur, z.B. β2-Mimetika, Methylxanthine

Bronchusstenose
Verengung eines Bronchus z.B. durch Tumor, Fremdkörper, Schrumpfung des Gewebes; je nach Lokalisation und Schwere kommt es zum pfeifenden Atemgeräusch (Stridor) und zur Atemnot (Dyspnoe)

Ch. / Charr. / Charriére
eine Maßeinheit für den Durchmesser von Kathetern und Sonden, benannt nach dem französischen Instrumentenmacher CHARRIÉRE; 1 Ch. = $^1/_3$ mm

Chemotherapeutika
Sammelbezeichnung für Substanzen, die geeinget sind, Krankheitserreger und Tumorzellen zu schädigen

Chemotherapie
Therapie zur spezifischen Hemmung von Infektionserregern und Tumorzellen mit Chemotherapeutika

Chitin
Polysaccharid, das als Gerüstsubstanz dient

Chorea
sog. Veitstanz; schnelle unwillkürliche Bewegungen einzelner Muskeln

Chromosomen
Träger der Erbmasse *(Erbanlagen)*

Chushing-Syndrom
Krankheitsbild, welches mit Erhöhung des Kortisolspiegels im Blut einhergeht

CMV
Zytomegalie-Virus *(engl. cytomegaly)*; das Virus kann bei Menschen mit einer Abwehrschwäche, z.B. durch die Einnahme von Immunsuppresiva, zu schweren, unterschiedlich lokalisierten Infektionen führen

Coenzyme
Substanzen, die an vielen Enzymreaktionen beteiligt sind, z.B. an der Übertragung von Ionen oder Elektronen

Compliance
Akzeptanz, Einverständnis eines Patienten mit den vom behandelnden Arzt vorgeschlagenen Maßnahmen der Diagnostik und Therapie, z.B. aufwendige Untersuchungen, langfristige Einnahme von Medikamenten

Computertomographie (CT)
spezielles diagnostisches Röntgenverfahren, das eine bildliche Darstellung des Körpers in mehreren Schichten ermöglicht; es können verschiedene Projektionen derselben Schicht erzeugt und zu einem Bild verarbeitet werden; eignet sich insbesondere zur Diagnostik von morphologischen Veränderungen, z.B. Tumoren, Metastasen

Coping
Fähigkeit, eine Krankheit zu verarbeiten

Copolymere
Kunststoff, der aus mindestens zwei verschiedenen Grundstoffen aufgebaut ist

CPAP
Abk. für **c**ontinuous **p**ositive **a**irway **p**ressure; Verfahren der assistierten Atmung; kontinuierlicher positiver Atemwegsdruck

CRH
Corticotropin **r**eleasing **h**ormone; im Hypothalamus gebildetes Polypeptid, das u.a. die Produktion von ACTH stimuliert

Cumarine
gerinnungshemmende Substanzen, die antagonistisch gegen Vitamin K wirken und hierdurch die Synthese bestimmter Gerinnungsfaktoren in der Leber beeinträchtigen

Cushing
(siehe "Morbus Cushing")

Debridement
Wundtoilette; Wundausschneidung oder "Abdauungsbehandlung" durch Anwendung enzymatischer Substanzen

Defäkation
Vorgang der Stuhlentleerung

Deformitäten
Formveränderungen; Mißbildungen (von Organen lebender Wesen)

Degeneration
Entartung; Ersatz vollwertiger Substanz durch minderwertige

degenerativ
entartet; sich zurückbildend, verkümmernd

Dehydratation
Abnahme des Körperwassers durch gesteigerte Wasserabgabe ohne ausgleichende Zufuhr von Flüssigkeiten; Austrocknung

Denaturierung
Veränderung der Eiweißstruktur; führt z.B. bei Enzymen, Membraneiweißen, Rezeptoren zu Wirkverlust

Derivate
Abkömmlinge

Descensus uteri
Senkung oder Vorfall des Uterus in die Vagina

Dezidua
die nach Eintreten der Schwangerschaft weiterentwickelte Funktionalis des Endometriums

DGHM
Deutsche **G**esellschaft für **H**ygiene und **M**ikrobiologie

Diabetes insipidus
Wasserharnruhr; stark vermehrte Urinproduktion und Urinausscheidung infolge eines Mangels an Adiuretin *(= antidiuretisches Hormon)*, welches den osmotischen Druck der Körperflüssigkeiten regelt und somit für die Rückresorption von Wasser sorgt

Diabetes mellitus
Zuckerharnruhr; sogenannte Zuckerkrankheit

diabetisches Koma
syn.: Coma diabetikum, hyperglykämisches Koma; schwerste Form der diabetischen Stoffwechselentgleisung; tritt z.B. auf infolge von Insulinmangel, Insulinresistenz, Infektionen, eigenmächtiger Insulinreduzierung bei verminderter Nahrungszufuhr

Diathese
Neigung; *siehe "haemorrhagische Diathese"*

Dicoumarol
Substanz, aus der Cumarine *(siehe "Cumarine")* abgeleitet werden

Diffusion
Vermischung von Stoffen, die miteinander in Berührung stehen; Konzentrationsausgleich verschiedener Stoffe nach physikalischen Gesetzen: die Moleküle bewegen sich vom Ort der höheren Konzentration zum Ort der niedrigeren Konzentration

Diffusionsstörungen
Abnahme des Gasaustausches zwischen Alveolen und Kapillaren

digital
(*lat.*: digitus = Finger); mit dem Finger

Digitalisglykoside
syn.: Herzglykoside; Substanzen, die die Kraft und die Geschwindigkeit der Herzmuskelkontraktion steigern, z.B. Digitoxin, Digoxin

Diphtherie
Infektionskrankheit, sogenannte "Halsbräune"; durch Wirkung der Bakterientoxine kommt es zu Fibrinbelägen auf Haut und Schleimhäuten sowie zu Nervenlähmungen und Herzmuskelschäden

dis
Vorsilbe: auseinander, zwischen, hinweg

Disposition
Veranlagung, Krankheitsbereitschaft; Gesamtheit der inneren Krankheitsbedingungen, die individuell die Empfänglichkeit für bestimmte Krankheiten bedingt;
kann angeboren oder erworben sein

Dissimilation
Abbau der durch die Assimilation zu körpereigenen Stoffen in das Gewebe eingebauten Stoffwechselsubstanzen unter Freisetzung der in ihnen enthaltenen Energie

distal
weiter vom Rumpf entfernt

Diurese
Harnausscheidung

Diuretika
harntreibende Medikamente

DNA
*(engl. **d**esoxyribo**n**ucleid **a**cid)* / Desoxyribonukleinsäure *(DNS)*, enthält die genetische Information

Doppler-Sonographie
spezielles sonographisches Untersuchungsverfahren; beruht auf dem Doppler-Effekt (nach DOPPLER)

Head-Zonen
Hautareale, die ihre sensiblen Nervenfasern aus demselben Rückenmarkbezirk beziehen wie ein bestimmtes Organ; über diese Verknüpfung von Haut- und Eingeweidenerven kommt es bei Organstörungen zum übertragenen Schmerz, umgekehrt können u.U. Schmerzen durch physikalische Maßnahmen beeinflußt werden

Hemiparalyse
vollständige Lähmung einer Körperhälfte

Hemiparese
inkomplette Lähmung einer Körperhälfte

Hemiplegie
Halbseitenlähmung, Lähmung einer Körperseite

Herzinfarkt
syn.: Myokardinfarkt; Gewebstod *(Nekrose)* eines umschriebenen Herzmuskelbezirks infolge einer anhaltenden kritischen Minderdurchblutung

Herzinsuffizienz
Herzmuskelschwäche; unzureichende Förderleistung des Herzens, die Stauungserscheinungen sowohl im Körper - als auch im Lungenkreislauf zur Folge haben kann

Herzwandaneurysma
umschriebene Aussackung der Herzwand

Hiatushernie
Zwerchfellbruch mit Verlagerung von Magenanteilen, ggf. auch anderer Baucheingeweide, in den Brustraum

Hirnventrikel
Hirnkammern; mit Liquor cerebrospinalis *(Hirnrückenmarksflüssigkeit)* gefüllte Hohlräume des Gehirns

Histamin
Gewebshormon; wird freigesetzt bei Antigen-Antikörper - Reaktionen, durch Zerstörung von Zellen oder Einnahme bestimmter Medikamente; führt u.a. zur Kontraktion der glatten Muskulatur an Bronchien, Darm und Gebärmutter, zur Weitstellung der Arteriolen und Venolen (Blutdrucksenkung und Hautrötung) sowie zur Stimulation der Magensaftsekretion

histologische Untersuchung
feingewebliche Untersuchung

HIV
Abkürzung für human immunodeficiency virus

Homöopathie
Heilmethode nach Samuel Hahnemann (1755-1843), bei der eine Krankheit mit Medikamenten behandelt wird, die beim Gesunden die Symptome dieser Krankheit hervorrufen; vor der Behandlung ist der Patient intensiv nach dem Krankheitsgeschehen zu befragen; anhand des so erstellten Patientenprofils behandelt der Homöopath mit einer individuell auf den Kranken zugeschnittenen Arzneitherapie

hyaliner Knorpel
Knorpel von milchglasartigem Aussehen

hydrostatischer Druck
Druck im Inneren einer Flüssigkeit

Hydrozele testis
"Wasserbruch" / Ansammlung seröser Flüssigkeit im Hoden

Hyperergie, hyperergisch
gesteigerte Empfindlichkeit bzw. Reizbeantwortung eines sensibilisierten Gewebes bei Kontakt mit einem Antigen *(Allergie i.e.S.)*

Hyperkalzämie
erhöhter Kalziumgehalt des Blutes

Hyperkapnie
Erhöhung des arteriellen pCO_2 über 45 mmHg

Hyperkeratose
Verdickung der Hornhaut

Hyperthermie
Erhöhung der Körpertemperatur, ohne daß diese durch eine Veränderung im Wärmeregulationszentrum bedingt ist, tritt z.B. bei erheblicher Wärmezufuhr (heißes Bad) oder bei starker Wärmebildung (körperliche Schwerstarbeit) auf

hyperton
von stärkerem osmotischem Druck*

Hyperventilation
eine im Verhältnis zum erforderlichen Gasaustausch übermäßig gesteigerte Atmung

Hypervitaminose
Erkrankung infolge einer Überdosierung von (meist fettlöslichen) Vitaminen

Hypnotika
Schlafmittel; zentral wirksame Substanzen, die eine allgemein dämpfende Wirkung auf das ZNS ausüben und dadurch Müdigkeit und Schlaf auslösen

hypnotische Wirkung
das Bewußtsein wird zu einem einschlafähnlichen Zustand verändert

Hypoglykämie
Verringerung des Blutzuckerwertes unter 50mg/dl

Hypokaliämie
verminderter Kaliumgehalt des Blutes

Hypothalamus
zentralnervöse Region des Zwischenhirns, die die wichtigsten Regulationsvorgänge des Organismus zusammenfassend leitet, z. B. Wärmeregulation, Wach- und Schlafrhythmus, Blutdruck- und Atmungsregulation, Fett- und Wasserstoffwechsel, Genitalfunktion und Schweißsekretion

Hypothermie
Abfall oder Senkung der Körpertemperatur unter den Sollwert; Unterkühlung

hypoton
mit bzw. bei niedrigem Spannungszustand bzw. Druck

Hypotonie
syn.: Hypotension; erniedrigter Blutdruck, in Ruhe liegt er bei der Frau unter 100/60 mmHg, beim Mann unter 110/60 mmHg

Hypoxämie
niedriger Sauerstoffgehalt im arteriellen Blut (pO_2 unter 70 mmHg)

Hypoxie
Verminderung des Sauerstoffgehalts in den Körpergeweben

Hysterie
("an der Gebärmutter leidend" / bereits von Hippokrates geprägter Begriff)
Bezeichnung für eine Persönlichkeitsstörung, bei der u.a. Geltungsbedürfnis und Ichbezogenheit im Vordergrund stehen

Ileus
komplette oder inkomplette Unterbrechung der Darmpassage durch ein mechanisches Hindernis (*mechanischer Ileus*) oder infolge einer funktionellen Darmlähmung (*paralytischer Ileus*)

immunsuppressiv
die Funktion des Immunsystems schwächend bzw. unterdrückend

Immunsuppression
Schwächung oder Unterdrückung der Immunantwort eines Organismus

Impotenz
Unvermögen eines Mannes, den Geschlechtsakt auszuüben

Infarkt
Nekrose *(Zelltod)* eines Organs, Organteils oder Gewebes infolge einer anhaltenden Minderdurchblutung *(Ischämie)*

Infertilität
Unfähigkeit, eine Schwangerschaft auszutragen

inkongruent
nicht übereinstimmend; ungleich

Inkontinenz
Unvermögen, Harn und/oder Stuhl willkürlich zurückzuhalten; es kommt zu unfreiwilligem Abgang von Harn und/oder Stuhl

Innervation
Nervenversorgung; Versorgung einer Körperregion mit Nervenfasern; Leitung der Nervenreize zu den Organen

Inspektion
Untersuchung durch Ansehen

Instillation
Einbringen von Flüssigkeiten, z.B. Medikamenten, in ein Hohlorgan

Insuffizienz
mangelhafte, unzureichende Leistung eines Organs oder Organsystems

Insult
plötzlich eintretendes Ereignis, Anfall; meint im engeren Sinne den apoplektischen Insult *(ischämischer zerebraler Insult)*

Interaktion
Wechselwirkung; wechseitige Beeinflussung

Interleukin(e)
für die Immunantwort des Körpers relevante Botenstoffe

intermediärer Stoffwechsel
Zwischenstoffwechsel; umfaßt alle chemischen Umsetzungen, mit deren Hilfe die Grundstoffe der Nahrungsmittel weiterverarbeitet werden; die Grundstoffe werden entweder zu körpereigenen Substanzen aufgebaut oder bei Bedarf sofort in ihre Endstoffe zerlegt *("verbrannt")*; hierbei wird Energie frei und in Arbeit und Wärme umgesetzt

interstitiell
abgeleitet von Interstitium = Zwischenraum

Intoxikation
Vergiftungskrankheit; kann durch körpereigene und durch körperfremde Stoffe hervorgerufen werden

intramural
innerhalb der Wand eines Hohlorgans

intravasal
innerhalb eines Gefäßes

Intubation
Einführen eines Spezialschlauches auf nasalem oder oralem Weg in die Luftröhre; wird zwecks künstlicher Beatmung, z.B. während der Narkose, durchgeführt

invasiv
eindringend (in den Körper)

Inversionswetterlage
Temperaturumkehr in der Atmosphäre, kommt vor allem im Winter bei austauscharmer Wetterlage vor, wenn sich warme Luft über die bodennahe Kaltluft schiebt und ein Aufsteigen der Luftschadstoffe somit verhindert wird

Ionen
Atome oder Gruppen von Atomen mit positiver oder negativer Ladung

IRV *(inversed ratio ventilation)*
Abkürzung für eine Beatmung mit umgekehrtem Atemzeitverhältnis (I : E > 2 : 1). Physiologisch ist das Verhältnis der Einatmung zur Ausatmung 1,5 l. Die IRV soll die Sauerstoffaufnahme verbessern und erhöht auch das mittlere Atemwegsdruckniveau

Ischämie
Unterbrechung oder spürbare Verringerung der Durchblutung; die mangelhafte / fehlende Durchblutung kann zum Absterben von Gewebe *(Nekrose)* führen

ISO-Zertifizierung
Standardnormen mit europaweiter Gültigkeit, die die Qualität eines Produktes garantieren

Isometrie
Längengleichheit

isotonisch
von gleichem osmotischem Druck

isotonische Kontraktion
Muskelverkürzung, ohne daß der Muskel seine Spannung ändert; der Muskelbauch wir dicker und verändert seine Lage

Kachexie
Auszehrung; Kräfteverfall; Abnahme des Körpergewichtes um mehr als 20% des Sollgewichts

Kammerwasser
von den Blutkapillaren des Ziliarkörpers *(Teil der mittleren Augenhaut)* im Bereich des Winkels der hinteren Kammer zwischen Regenbogenhaut und Muskeln in den Schlemmkanal abgegebene Flüssigkeit; dient der Formerhaltung des Augapfels sowie der Ernährung der Linse und der Hornhaut; das Gleichgewicht zwischen Bildung und Abfluß von Kammerwasser gewährleistet einen weitgehend gleichbleibenden Augeninnendruck von 15 - 20 mmHg

Kanzerogenität
auch Karzinogenität; krebserzeugende Wirkung

Kapillaren
syn.: Blutkapillaren; haarfeine, kleinste Blutgefäße, die jede Körperzelle umspülen; versorgen über einen arteriellen Schenkel die Zellen mit Nährstoffen und mit O_2; entsorgen über einen venösen Schenkel die Zellen von Schlackenstoffen und CO_2

Kapillarpermeabilität
Durchlässigkeit der Kapillaren

Karbonate
die bei der Lösung von Kohlendioxid in Wasser gebildeten Salze (z.B. in kohlendioxidhaltigem Mineralwasser)

kardiale Dyspnoe
Atemnot, die durch eine Herzkrankheit / -insuffizienz bedingt ist

Karma
in der hinduistischen und buddhistischen Philosophie das unbeeinflußbare Schicksal, das die Vergeltung für gute oder schlechte Taten in einem früheren Leben (Seelenwanderung) darstellt

Katalysator
ein Stoff, der die Geschwindigkeit einer Reaktion oder deren Ablauf in eine bestimmte Richtung verändert, ohne selbst im Endprodukt zu erscheinen

Katecholamine
Bezeichnung für biogene Amine, zu denen z.B. Adrenalin, Noradrenalin und Dopamin gehören

Keratin
schwefelhaltiger Harnstoff in den Haaren, Nägeln und der Oberhaut

Kernspintomographie (KST, MRT, NMR)
syn.: *Magnetresonanztomographie, Kernspin, Kernspinresonanztomographie*;
computergestütztes diagnostisches Verfahren, das durch Messung elektromagnetischer Wellen eine bildliche Darstellung des Körpers in mehreren Schichten ermöglicht, ohne ionisierende Strahlung einzusetzen

Ketonkörper
saure Stoffwechselprodukte wie Azetessigsäure oder Beta-Hydroxibuttersäure, die bei gesteigertem Fettabbau entstehen

Klimatherapie
Behandlung von Erkrankungen durch die Einflüsse eines bestimmten Klimas, d.h. der äußeren Bedingungen, die an einem Ort / einer Region herrschen

Knochenmetastasen
durch Verschleppung von Tumorzellen entstandene Knochengeschwulst, sogenannte Tochtergeschwulst (am Knochen auftretend)

kognitiv
erkenntnismäßig, die Erkenntnis betreffend

Kolitis
Entzündung der Dickdarmwand

kollagene Fasern
kaum dehnbare Fasern, die in stützenden Geweben, z.B. im Bindegewebe, in Sehnen, in Bändern und Knorpeln, vorkommen

Kollaps
akute Störung der Blutzirkulation mit spontaner Rückbildung

Kollateralkreislauf
Umgehungskreislauf; Blutgefäße, die bei Ausfall eines Hauptgefäßes die Durchblutung der betroffenen Region gewährleisten

kolloidosmotischer Druck
syn.: onkotischer Druck; wird bestimmt durch die Konzentration der Eiweiße im Blut; sorgt für die Wasserbindung in den Geweben, vor allem aber in den Blutgefäßen

Koma
Zustand tiefster, durch äußere Reize nicht zu unterbrechender Bewußtseinsstörung

Kompatibilität
Verträglichkeit

Kompatibilitätsbescheinigung
Garantiebescheinigung, daß das Gerät und das Zubehör aufeinander abgestimmt sind, z.B. muß eine Spritze in einer Spritzenpumpe das eingestellte Volumen pro Zeiteinheit garantiert abgeben

Konfabulation
Erzählen von phantasierten Vorgängen, die keinen Bezug zur aktuellen Situation haben, z.B. im Zusammenhang mit hirnorganischen Veränderungen

Konisation
Entnahme eines konusförmigen Gewebestückes aus dem Muttermund *(Portio uteri)* zur histologischen Untersuchung

Konjunktivitis
Entzündung der Augenbindehaut, Bindehautentzündung

konkav
hohl, nach innen gewölbt

konsumierende Grunderkrankungen
Krankheiten, die zur Aufzehrung der Kräfte führen, z.B. bösartige Tumorerkrankungen, Tuberkulose, Aids

Kontaktallergie
allergische Reaktion des Organismus nach wiederholtem Kontakt mit einem bestimmten Stoff; dieser wird für den Organismus zu einem sogenannten Allergen *(Antisomatogen)*

Kontraktilität
Fähigkeit, sich zusammenzuziehen

konvex
gewölbt; nach außen gewölbt, erhaben

Koronarangiographie
Röntgenkontrastdarstellung der arteriellen Kranzgefäße des Herzens

Laparoskopie
Bauchspiegelung; endoskopische Untersuchung des Bauchraums

Laparotomie
operative Eröffnung der Bauchhöhle

Läsion
umschriebene Schädigung, Verletzung, Störung des Organismus

Laxanzien
Abführmittel

Lepra
Infektionserkrankung mit niedriger Ansteckungswahrscheinlichkeit, verursacht duch das Mykobakterium leprae; Infektion an den Händen, Füßen und im Gesicht mit zunehmenden Ernährungsstörungen des Gewebes, Gewebeuntergang, Sensibilitätsstörungen und Lähmungen

Letalität
Tödlichkeit einer bestimmter Erkrankung, Verhältnis der Todesfälle zur Zahl der Erkrankten

Leukämie
Sammelbegriff für bösartige Entartung und Reifungsstörungen weißer Blutzellen; allmählich kommt es durch Verdrängung normaler Blutzellen zur Blutarmut *(Anämie)*, zu Blutungen (weil Thrombozyten fehlen), zu Infektionen (durch Abwehrschwäche) und anderen Erscheinungen

Libido
Lust, Begierde, Trieb; vor allem benutzt im Zusammenhang mit dem Geschlechtstrieb eines Menschen

Logopädie
Prävention, Diagnostik, Therapie und Beratung von Menschen mit Stimm-, Sprech- oder Sprachstörungen durch Fachärzte und Sprachtherapeuten *(Logopäden)*

Lokalanästhetika
Medikamente, die die Erregungsleitung in schmerzvermittelnden Nerven örtlich begrenzt und reversibel blockieren

Lungenembolie
Verschluß eines Lungenarterienastes durch einen Blutpfropf *(Thrombus)*, der meist über das venöse Gefäßsystem aus den tiefen Bein- / Beckenvenen in den Lungenkreislauf eingeschwemmt wird (und hier, je nach Größe, in einem Gefäß steckenbleibt)

Lungenemphysem
Überdehnung des Lungengewebes mit Zerstörung von Alveolar- und Lungensepten; der Luftgehalt der Lunge nimmt insgesamt zu; die Gasaustauschfläche ist verkleinert, die Atmung ist behindert, so daß der Kranke unter Atemnot leiden kann

Lungeninfarkt
Verschluß eines Lungenarterienastes (nach einer Lungenembolie) mit nachfolgender Verhärtung eines keilförmigen Lungenbezirkes

Lungenödem
Vermehrung von Flüssigkeit in den Alveolen bzw. im Zwischenzellgewebe

Luxation
Verrenkung; eine Verletzung eines Gelenks mit einer Verschiebung der gelenkbildenden Anteile

Lymphadenektomie
operative Entfernung der Lymphknoten in einer umschriebenen Region

Malabsorption
Verdauungsinsuffizienz; Störung des Nahrungstransportes vom Darmlumen in die Kapillar- und Lymphgefäße (Resorptionsstörung)

Maldigestion
Verdauungsstörung, z.B. als Folge eines Mangels an Verdauungsenzymen oder einer Nahrungsmittelallergie

maligne
= *bösartig*

Manifestation
Sichtbarmachung, Offenbarung
im medizinischen Sinn: Sichtbar- / Erkennbarwerden einer Krankheit

Mastopathie
Umbauprozesse in der Brustdrüse durch Bildung von Knötchen / Verhärtungen oder Zysten *(flüssigkeitsgefüllte Hohlräume)* mit Schmerzen; typisch ist eine Verstärkung der Symptome in der Phase vor der Menstruation

Mazeration
hier: Aufweichen oder Erweichen der Haut infolge von dauernden Flüssigkeitseinwirkungen, vor allem in den Hautfalten

Melanom
bösartiger Tumor der Haut, von Zellen der Pigmentbildung *(Melanozyten)* ausgehend; sehr frühe Metastasierung

Menarche
Zeitpunkt der ersten Menstruation

Menopause
Zeitpunkt der letzten Menstruation

metabolisch
im Stoffwechselprozeß entstanden, stoffwechselbedingt

Meteorismus
sogenannte *Blähsucht*; Gasansammlung im Darm oder in der freien Bauchhöhle, mit Völle- und Blähungsgefühl, evtl. mit krampfartigen Schmerzen einhergehend

mikrobizid
zid = tötend / Mikroorganismen tötend

Mittelstellung
Stellung zwischen Ausgangs- und Endstellung, bei der alle Teile der Gelenkkapsel gleichmäßig ge- bzw. entspannt sind; Null-Stellung eines Gelenks

Monoparalyse
vollständige Lähmung einer einzelnen Gliedmaße

Monoparese
inkomplette Lähmung einer einzelnen Gliedmaße

Monoplegie
Lähmung einer einzelnen Gliedmaße

Morbus
Krankheit

Morbus Bechterew
syn.: Spondylitis ankylosans; chronisch-entzündlich-rheumatische Erkrankung; befällt Gelenke (vor allem die Intervertebralgelenke der Wirbelsäule) und den Bandapparat der Wirbelsäule sowie Sehnenansätze; führt letztendlich zur Versteifung der Wirbelsäule

Morbus Cushing
durch Erhöhung von Kortisol im Plasma hervorgerufene Krankheit, die u.a. mit Vollmondgesicht, Stammfettsucht, Bluthochdruck, Muskelschwäche einhergeht

Morbus Parkinson
syn.: Parkinsonismus, Parkinson-Krankheit; Störung des extrapyramidalen Systems, die vor allem einhergeht mit Bewegungsarmut / -losigkeit *(Akinese)*, gleichbleibend erhöhtem Muskeltonus *(Rigor)* und grobschlägigem Ruhetremor

morphologisch
die äußere Gestalt betreffend, der Form nach

Motorik
willkürliche, von der Hirnrinde gesteuerte aktive Bewegungsvorgänge

motorische Nervenbahnen
den willkürlichen Bewegungen der Skelettmuskulatur dienende Nervenfasern

Mukoviszidose, syn.: zystische Fibrose
vererbte Stoffwechselstörung; geht mit vermehrter Produktion sehr zähen Sekrets (der schleimbildenden Drüsen) einher und kann vor allem im Bereich der Atmungs- und der Verdauungsorgane schwerwiegende Komplikationen hervorrufen

Multimorbidität
gleichzeitiges Bestehen mehrerer Krankheiten bei einer Person

Multiple Sklerose
syn.: Enzephalomyelitis disseminata; chronisch - entzündliche Erkrankung des Zentralnervensystems; die Ursache ist bisher nicht völlig geklärt; kann u.a. mit Sensibilitätsstörungen, Lähmungserscheinungen und Spastiken einhergehen

Muskeldystrophie
erbliche Erkrankung der Muskeln, die zu Schwäche und nach mehreren Jahren zum Schwund der Skelettmuskulatur führt; die Schwäche der Zwischenrippenmuskeln (Interkostalmuskulatur) führt häufig zu Bronchitiden und Pneumonien

Muskelrelaxanzien
Wirkstoffe, die durch Hemmung der neuromuskulären Erregungsübertragung eine reversible Lähmung der Skelettmuskulatur bewirken; dieser Zustand wird bei größeren chirurgischen Eingriffen, bes. im Bauch- und Thoraxbereich, angestrebt; da u.a. auch die Atemmuskulatur gelähmt ist, wird die künstliche Beatmung erforderlich

Myasthenie
krankhafte Muskelschwäche oder Ermüdbarkeit

Myelin
Oberbegriff für verschiedene Lipoproteide, die gemeinsam mit Neurokeratin wesentlicher Bestandteil der Myelinscheide (*Markscheide*) sind

Myelographie
röntgenologische Darstellung des Wirbelkanals und z.B. der darin liegenden Nervenwurzeln nach vorheriger Verabreichung eines Röntgenkontrastmittels (über eine Subokzipital- oder Lumbalpunktion)

Myelopathie
Rücken- bzw. Knochenmarkerkrankung

Narkotika
Narkosemittel; Substanzen unterschiedlicher Stoffgruppen, die zur Durchführung einer Narkose geeignet sind, die also Bewußtsein, Schmerzempfindung, Muskelspannung und Abwehrreflexe vorübergehend durch Lähmung des zentralen Nervensystems ausschalten

Nativpräparat
nativ = natürlich, unverändert; bei einem Nativpräparat handelt es sich um ein für eine Mikroskopie vorbereitetes Präparat, das weder angefärbt noch fixiert wurde

Nekrose
Zelltod; örtlicher Gewebstod; abgestorbenes Gewebe

Nervus recurrens
die Kehlkopfmuskeln innervierender Nerv

neural
durch Nerven bedingt

Neurodermitis
auch atopisches oder endogenes Ekzem vor allem bei Kindern; anlagebedingte Neigung zu stark juckenden Ekzemen, oft in Verbindung mit asthmatischen Beschwerden

Neuroleptikum
syn.: Antipsychotikum; Psychopharmakon mit antipsychotischer, sedierender und psychomotorisch dämpfender Wirkung

Neurotransmitter
Stoffe, die an den Synapsen *("Schalt- und Verbindungsstellen der Neuronen")* der Erregungsleitung dienen, z.B. das Noradrenalin als Neurotransmitter des Sympathikus

neurovegetativ
das vegetative Nervensystem betreffend

Nystagmus
syn.: *Augenzittern;* unwillkürliches rhythmisches und schnell aufeinanderfolgendes Zucken der Augäpfel

Oberflächensensibilität
Fähigkeit, Schmerz-, Temperatur-, Berührungsreize und leichten Druck wahrzunehmen

Oberflächenspannung
die Kraft, die eine Flüssigkeit zusammenhält; sie ist dafür verantwortlich, daß Wasser bei niedrigen Temperaturen nicht spontan in den Gaszustand übergeht (verdampft); Oberflächenspannung hält die Wassermoleküle zusammen; auf diese Weise halten sich Tropfen

obliterierend
die Lichtung eines Hohlorgangs verschließend

Obstipation
Stuhlverstopfung

Obstruktion
Verschluß, Verstopfung, Verlegung eines Hohlorganes, Ganges oder Gefäßes

obstruktive Atemwegserkrankungen
chronische, die Atemwege verlegende Erkrankungen (chronische Bronchitis, Asthma bronchiale, obstruktives Lungenemphysem); sie gehen mit einer Erhöhung des Strömungswiderstandes in den Bronchien einher, bei fortgeschrittener Erkrankung kommt es zu Störungen des Gasaustausches, Atemnot, Atemnebengeräuschen und vermehrter Sekretion zähen Schleims

Ösophagitis
Entzündung der Speiseröhrenschleimhaut

Oozyten
unreife menschliche Eizellen

Orthopnoe
bezeichnet die höchste Form der Atemnot; sie kann nur in aufrechter Haltung und unter Inanspruchnahme der Atemhilfsmuskulatur einigermaßen kompensiert werden

Orthostase
aufrechte Körperhaltung

Osmolarität
(siehe "osmotischer Druck")

Osmose
(siehe nachfolgend "osmotischer Druck / Osmolarität")

osmotischer Druck / Osmolarität
auch osmotische Aktivität; ist die Einheit für den osmotischen Druck; **Osmose** beschreibt den Vorgang, daß Lösungsmittelteilchen von weniger konzentrierten zu konzentrierten Lösungen übergehen; sind diese beiden Lösungen durch ausschließlich für das Lösungsmittel durchgängige Membranen getrennt, so entsteht ein Lösemitteldruck in Richtung der konzentrierten Lösung. Beispiel: Bei der Infusion hyperosmolarer Lösungen in eine periphere Vene wird durch die hochkonzentrierte Infusionslösung ein Wasserstrom aus den benachbarten Zellen in die Venen hervorgerufen; dieser kann bis zum Austrocknen der Zellen und damit zur Zellzerstörung *(Nekrotisierung)* führen

Osteomyelitis
Entzündung des Knochenmarks, meist mit Entzündung weiterer Knochenstrukturen

Osteoporose
Knochenschwund; fortschreitender, krankhaft vermehrter Abbau der Knochensubstanz bei erhaltener Knochenstruktur; Folgen sind z.B. eine verminderte mechanische Belastbarkeit, Knochenschmerzen, diffuse Rückenschmerzen, Neigung zu Knochenbrüchen und Spontanverformung der Wirbelkörper, Bildung eines Rundrückens (mit Gipfel in Höhe der Schulterblätter)

Osteosynthese
operativer Eingriff zur Behandlung einer Fraktur, z.B. mittels Verschraubung, Verplattung, Nagelung

Östrogenrezeptoren
Moleküle an oder in der Zelle, die durch die Anbindung von Östrogen unkontrolliertes Wachstum der Zelle und damit Tumorwucherung auslösen

Oxidation
chemischer Vorgang, bei dem sich eine Substanz (Element, Verbindung) mit Sauerstoff zum Oxid verbindet (= Sauerstoff aufnimmt) oder Wasserstoff abgibt

Oxidationswasser
Wasser, das bei der Verbrennung von Kohlenhydraten, Eiweißen und Fetten entsteht; beim Erwachsenen ca. 7 ml/kg Körpergewicht

palliative Therapie
Behandlung, die nicht eine Heilung zum Ziel hat, sondern die Linderung der Symptome

Palpation
Untersuchung durch Abtasten und Fühlen

Paralyse
Lähmung mit völligem Ausfall eines Muskels bzw. einer Muskelgruppe

Paraphimose
die zurückgestreifte (zu enge) Vorhaut ist hinter dem Eichelkranz eingeklemmt und bildet einen Schnürring; es kommt zu starken Schmerzen und zur Stauungsschwellung von Eichel und Vorhaut; Gefahr der Nekrotisierung

Paraplegie
Lähmung zweier symmetrischer Extremitäten

Parästhesie
subjektive Mißempfindung, z.B. Taubheitsgefühl

Parasympathikus
Nervus parasympathikus; Teil des vegetativen Nervensystems, dessen Gegenspieler der Nervus sympathikus ist; die Erregung des Parasympathikus führt zu Pulsverlangsamung, Pupillenverengung, Kontraktion der Bronchialmuskulatur, Sekretion dünnflüssigen Speichels und Schweißes; gleichzeitig werden die Drüsentätigkeit und die Peristaltik im Magen-Darm-Trakt angeregt

Parenchym
Zellen, die für die Funktion eines Organs verantwortlich sind, z.B. Leberparenchym

parenteral
unter Umgehung des Magen-Darm-Traktes (z.B. durch Injektion oder Infusion)

Parese
motorische Schwäche, unvollständige Lähmung

Parkinson Krankheit
siehe "Morbus Parkinson"

PEEP (***p**ositive **e**ndexspiratory **p**ressure)*
der positive Druck am Ende der Exspiration soll die Oxygenisierung verbessern, die Bildung von Mikroatelektasen verhindern und eine Abnahme des Lungenflüssigkeitsgehaltes bewirken. Das Druckniveau eines vollständigen Atemzyklus wird um den eingestellten PEEP-Wert in mm-Hg angehoben, der intrathorakale Druck steigt dadurch weiter an

Perforation
Durchbruch, Eröffnung einer geschlossenen Struktur, meist eines Hohlorgans infolge traumatischer oder entzündlich - nekrotischer Gewebeschädigung

Periduralkatheter
Katheter, der in den Periduralraum eingebracht wird, um ein Lokalanästhetikum oder Opioide zu verabreichen

Periduralraum
feine Schicht lockeren Binde- und Fettgewebes im Bereich des Rückenmarks; liegt zwischen dem inneren und dem äußeren Blatt der harten Hirnhaut *(Dura mater)*; diese bedecken einerseits Gehirn und Rückenmark, andererseits die Innenfläche des Schädels und des Rückenmarkkanals in der Wirbelsäule

peripher
außen, fern vom Zentrum

peripheres Nervensystem
einer der drei funktionellen Hauptabschnitte des Nervensystems; besteht aus den 12 Hirnnerven und den Rückenmarksnerven *(Spinalnerven)* sowie aus peripheren Nervenzellen

Peripherie
außen, am Rande liegende Bezirke; Gebiete, die entfernt vom Zentrum liegen (z.B. Arme, Beine, Haut)

Peristaltik
wellenförmig fortschreitende Kontraktionsvorgänge am Magen, Darm, Harn- und Samenleiter zwecks Beförderung des jeweiligen Inhaltes

pH-Wert
Maßzahl für die Wasserstoffionenkonzentration; pH-Werte von weniger als 7 bedeuten hohe Wasserstoffionenkonzentration (saures Verhalten), pH-Werte größer als 7 bedeuten niedrige Wasserstoffionenkonzentration (alkalisches, basisches Verhalten); Körperflüssigkeiten haben einen verschiedenen pH-Wert, der jeweils konstant gehalten wird

Phagozytose
Vorgang, bei dem Freßzellen *(Phagozyten)* Nahrungsteilchen oder Fremdkörper umfließen, bis diese ganz eingeschlossen sind, um sie dann zu verdauen bzw. unschädlich zu machen

Pharmakon
körperfremder oder körpereigener Stoff, der nach Aufnahme im Körper oder an dessen Oberfläche erwünschte und unerwünschte Wirkungen hervorruft

Phimose
Verengung der Vorhaut des Penis; kann vollständig oder unvollständig sein

Physiognomie
individueller Ausdruck und individuelles Aussehen des Gesichtes

Phytosterole
geschlechtshormonähnliche, pflanzliche Wirkstoffe

Plantarflexion
Beugung in Richtung Fußsohle

Plasma
Blutplasma; fibrinogen- und eiweißhaltiger, flüssiger Anteil des Blutes ohne Blutkörperchen; 55% des Gesamtblutes

Plattenepithel
Epithel *(ein- oder mehrschichtiger Zellverband)* der äußeren Haut und der Schleimhäute aus flachen Zellen

Plegie
motorische Lähmung ganzer Gliedmaßen oder einzelner Gliedmaßenabschnitte

Pleuraerguß
Flüssigkeitsansammlung in der Pleurahöhle

Pleuritis
Brustfellentzündung

Pneumonie
Entzündung des Lungengewebes

Pneumothorax
Luftansammlung im Pleuraspalt

Polyglobulie
Vermehrung der Erythrozyten im Blut über den Normalwert hinaus

Polyneuropathie
Erkrankung mehrerer peripherer Nerven, die mit Beeinträchtigung der motorischen, sensiblen und vegetativen Nerven einhergehen kann

Polyzythämie
Erkrankung mit Vermehrung der Erythro-, Thrombo- und Granulozyten im Blut

postthrombotisches Syndrom
(chronisch venöse Insuffizienz) Spätfolge nach tiefer Beinvenenthrombose; geht einher mit Spannungs- und Schweregefühl sowie mit Ödemen in den Beinen, mit Pigmentierungen und Pinselfiguren an den Unterschenkeln; oft bilden sich Unterschenkelgeschwüre und -ekzeme

Potenzstörungen
sexuelle Funktionsstörungen (z.B. Erektions- / Ejakulationsstörungen, Anorgasmie), die von Betroffenen belastend empfunden werden

Präkanzerose
nach bestimmten Kriterien definierter Zustand eines Gewebes, der als potentielle Vorstufe eines Karzinoms gilt, d.h. die Wahrscheinlichkeit, daß bestimmte Veränderungen bösartig entarten, ist statistisch erhöht

Prämedikation
medikamentöse Vorbereitung auf die Narkose; sie dient der Beruhigung und Angstlösung

Progesteronrezeptoren
Rezeptoren (*siehe „Rezeptoren")* für das Gelbkörperhormon

Proktitis
Entzündung der Mastdarmwand

Promiskuität
Geschlechtsverkehr mit verschiedenen, häufig wechselnden Partnern

prospektiv - epidemiologische Studie
Studie, die sich vorausschauend mit der Verteilung von Krankheiten in der Bevölkerung, den Risikofaktoren, Ursachen sowie Folgen befaßt

Prostaglandine
körpereigene Stoffe, die u.a. das Entzündungsgeschehen leiten

proximal
rumpfwärts gelegen, näher zur Körpermitte

psych(o)...
griech.: Wortteil für seelen...

psychogene Störung
seelisch bedingte Störung

Psychopharmaka
Medikamente, die die Psyche beeinflussen, z.B. Beruhigungsmittel, Schlafmittel, Antidepressiva

Psychose
schwere seelische Erkrankung mit erheblicher Beeinträchtigung psychischer Funktionen; vor allem sind das Erleben, der Realitätsbezug und die Fähigkeit, die alltäglichen Lebensforderungen zu bewältigen, gestört

Psychose, endogene
Psychose ohne erkennbare organische Ursache; ursächliche Entstehung ist zur Zeit nicht abschließend geklärt; zu den endogenen Psychosen gehören die Zyklothymie (Depression, manisch-depressives Kranksein) und die Schizophrenie

Psychose, exogene
körperlich begründbare Psychose; kann bei Veränderungen des Zentralnervensystems, z.B. infolge einer Hirnatrophie, einer Vergiftung oder zerebraler Durchblutungsstörungen, entstehen

Psychosomatik
Wissensgebiet über die Wechselwirkung psychischer und körperlicher Vorgänge und ihren Einfluß auf die Entstehung und den Verlauf von Erkrankungen

Puls
Anstoß der Blutwelle in den Gefäßen, in erster Linie in den Arterien

Pyramidenbahnen
Gesamtheit der Leitungsbahnen des ZNS, die für die Motorik zuständig sind und der Großhirnrinde entspringen; leiten die willkürlichen Bewegungsimpulse für die Körpermuskulatur und wirken hemmend auf die Regulation des Muskeltonus und das Zustandekommen von Muskeleigenreflexen

Pyrogene
fiebererzeugende Stoffe

Quadrantenresektion
Entfernung eines Viertels eines Organs, z.B. der Brustdrüse

reflektorisch
durch einen Reflex bedingt; physiologisch unwillkürlich und regelhaft ablaufende Antwort eines Organsystems (über das Nervensystem) auf einen Reiz (z.B. Zusammenziehen des Muskels, Drüsensekretion, Haltungsänderung)

Reflux
Rückfluß

Regression
hier im Sinne einer Rückentwicklung mit der Möglichkeit, Verantwortung und damit verbundene Belastungen abzugeben

Regurgitation
Zurückströmen des Inhaltes eines Hohlorganes, z.B. von Speisen aus dem Magen in die Mundhöhle

Reizklima
den Organismus stimulierende klimatische Einflüsse, z.B. die jod- und kochsalzhaltigen Aerosle des Nordseeklimas

Rekonvaleszenz
Genesung; Genesungsphase

Relaxation
Entspannung oder Erschlaffung der Muskulatur

Releasing-Hormon
als Releasing - Hormone werden die im Hypothalamus zur Steuerung der Hypophysenvorderlappenhormone gebildeten Hormone mit freisetzender bzw. hemmender Wirkung bezeichnet

remanent
anhaltend

Remission
Rückbildung

Reposition
Wiedereinrichtung, z.B. von Frakturfragmenten oder Gelenkanteilen; wird möglichst nach vorheriger Schmerzausschaltung vorgenommen

Resorption
Aufnahme von Stoffen durch die Haut oder Schleimhaut ins Blut bzw. in andere Körpersäfte; ist über die Schleimhäute des Magen - Darmtraktes, die Wände seröser Höhlen, das Fettgewebe der Haut und andere Organe möglich

Ressourcen
gesunde Anteile, Fähigkeiten und innere Kräfte des Menschen

Restriktion
Einschränkung, Einengung

Rezeptoren
Empfangs- oder Aufnahmeeinrichtungen von Zellen für bestimmte Reize, z.B. Thermorezeptoren für Wärme- und Kälteempfindungen oder Mechanorezeptoren für Tast- und Dehnungsempfindungen

Rezidiv
Rückfall einer überstandenen Erkrankung

RNA
(engl. **r**ibo**n**ucleic **a**cid); Ribonukleinsäure (*RNS*), enthält die genetische Information

Sakralregion
Kreuzbeingegend

Salicylsäure
keratolytisch wirksame Substanz; auch ein Konservierungsstoff; ursprünglich aus der Weidenrinde isoliert

Saluretika
harntreibende Medikamente, deren Einnahme zu einer vermehrten Natriumausscheidung führt

Säure-Basen-Haushalt
das Blut hat einen bestimmten pH-Wert, der durch verschiedene Ionen aufrechterhalten wird, z.B. Hydrogenphosphat, Hydrogencarbonat, Proteine; die genannten Ionen haben saure bzw. alkalische (basische) Eigenschaften; durch Ausscheiden und Zuführen dieser Ionen hält der Körper den physiologischen pH-Wert stabil

Schlaganfall
syn.: Apoplexie, Gehirnschlag; Kreislaufstörung mit O_2-Mangel im Bereich einer umschriebenen Hirnregion; zugrunde liegt ein Hirninfarkt oder eine Hirnblutung

Schluckauf
syn.: Singultus; unwillkürliche Zwerchfellkontraktion, bei der es zu ruckartigem Einströmen von Luft, verbunden mit dem typischen Einatmungsgeräusch, kommt

Schnellschnittverfahren
beschleunigtes Verfahren zur Herstellung eines Gewebeschnitts; die Gewebeprobe wird schockgefroren, geschnitten, gefärbt und kann nach ca.20 Minuten von einem Pathologen beurteilt werden

Schock
akutes fortschreitendes generalisiertes Kreislaufversagen, bei dem es zu kritischer und kontinuierlicher Gewebeminderdurchblutung kommt; gleichzeitig ist der Gasaustausch zwischen Blut und Gewebe und zwischen Lunge und Blut gestört; die Folge ist ein fortschreitender 0_2 - Mangel im Gewebe, der unbehandelt zum Tode führt

Schulmedizin
die an den Universitäten gelehrte, naturwissenschaftlich ausgerichtete Medizin

Schwangerschaftsabbruch
(geltende gesetzliche Bestimmungen) bleibt Bestandteil des Strafrechts; wenn die Frau sich einem eingehenden Beratungsgespräch unterzogen hat, bleibt der Schwangerschaftsabbruch straffrei; das Gespräch soll zur Fortsetzung der Schwangerschaft ermutigen

Sedativa
Beruhigungsmittel; Psychopharmaka mit dämpfender Wirkung auf die Funktionen des ZNS

Segmentresektion
Entfernung eines Abschnitts / Teils, z.B. eines Organs (Lunge, Brustdrüse)

Sekundärprävention
Maßnahmen, die darauf zielen, Gesundheitsgefährdungen oder Erkrankungen so früh wie möglich zu diagnostizieren und zu behandeln *(Frühtherapie)*

sensibel
empfindlich; Empfindungen betreffend, aufnehmend und weiterleitend

Sensibilität
Fähigkeit der Wahrnehmung verschiedener Reize mittels der Sinnesrezeptoren und der Sinnesorgane (einschließlich der Haut)

Sensibilitätsstörungen
völliges Fehlen, vermindertes oder verstärktes Wahrnehmen von Sinnesreizen; auch Mißempfindungen sind möglich

sensibles Nervensystem
der die Empfindungen aufnehmende und zum ZNS weiterleitende Teil des Nervensystems

sensorisch
die Sinnesorgane, die Aufnahme, Weiterleitung und Verarbeitung von Sinnesempfindungen betreffend

Shunt
Kurzschlußverbindung zwischen arteriellen und venösen Blutgefäßen bzw. Gefäßsystemen

Singultus
syn.: Schluckauf *(siehe dort)*

Soma
griech.: Körper, Leib

somatisch
auf den Körper bezogen, körperlich

Sonographie
Untersuchung von Organen mit Ultraschall, um Gewebe mit unterschiedlicher Dichte zu beurteilen

Soorpilzerkrankung
Pilzerkrankung durch den Erreger Candida albicans; tritt gehäuft auf bei Antibiotikaeinnahme, Zytostatikatherapie, Diabetes mellitus, schweren Allgemeinerkrankungen u.ä.

sozial
die Ordnung der menschlichen Gesellschaft betreffend; gesellschaftlich

Spasmolytika
Pharmaka, die den Tonus der glatten Muskulatur herabsetzen

Spasmus
Krampf; unwillkürliche Kontraktion der Muskulatur

Spastik
pathologische Zunahme des normalen Spannungszustandes des Muskels *(Muskeltonus)*

Spekular (Plural); das **Spekulum** (Singular)
Instrumente aus Metall, die in natürliche Körperöffnungen, z.B. die Vagina eingeführt werden und eine Sicht in das Körperinnere, hier auf die Portio *(Muttermund)*, ermöglichen

stakkatoartige Hustenstöße
rasch aufeinanderfolgende Hustenstöße; typisch bei Keuchhusten

Steinschlinge
auch Zeiss-Schlinge (nach dem Urologen ZEISS); spezieller Katheter mit einer Schlinge am Ende, die einen im Harnleiter oder im Nierenbecken befindlichen Harnstein umschließt und unter leichtem Zug aus dem Körper zieht

Stenokardien
syn.: Angina pektoris
infolge einer akuten Koronarinsuffizienz typischerweise auftretende Herzschmerzen; als „Brustenge“ beschrieben

stenosierend
die Öffnung von Gefäßen oder Hohlorgan einengend, verengend

Sterilität
Unfruchtbarkeit

Stigmatisierung
Stigma *(Mal, Zeichen)*, soziologischer Begriff; Abgrenzung, Aussonderung, Ungleichbehandlung aufgrund eines bestimmten Merkmals

Stomatitis
Entzündung der Mundschleimhaut

Strecksynergismen
(siehe "Synergismen")

Striatum, Corpus striatum
in der Tiefe jeder Großhirnhemisphäre liegendes graues Kerngebiet *(Ansammlung von Nervenzellen)*, in dem Bewegungsimpulse an andere Nervenzellen übermittelt werden

Stridor
pfeifendes Atemgeräusch

Striktur
die Einengung eines Hohlorgans, z.B. als Folge von Verletzungen oder Entzündungen

Subduralraum
mit Liquor gefüllter Raum zwischen der Dura mater *(harter Hirnhaut)* und Arachnoidea *(Spinnwebenhaut)*

subkutan
unter der/die Haut

Substantia nigra
schwarze Substanz; Bereich in der Tiefe des Gehirns, in dem besonders melaninhaltige Nervenzellen angesammelt sind (Melanin ist ein dunkler Farbstoff); ist bedeutsam für die Steuerung und Kontrolle der Bewegungen

Substitution
Ersatz

Sulfonamide
Chemotherapeutika, die überwiegend zur Bekämpfung bakterieller Infektionen eingesetzt werden

Sympathikus
Nervus sympathikus; Teil des vegetativen *(autonomen)* Nervensystems, dessen Gegenspieler der Nervus parasympathikus ist; die Erregung des Sympathikus führt zu Puls- und Blutdruckanstieg, zur Beschleunigung der Atmung und zur Pupillenerweiterung sowie zu vermehrter Schweißbildung; gleichzeitig bedingt sie eine Herabsetzung der Magen- und Darmbewegungen sowie der Sekretion der inneren Drüsen

Sympathomimetika
adrenerge Substanzen, deren Wirkungen einer Erregung des Sympathikus ähneln, z.B. Noradrenalin, Dopamin, Dobutamin

Syndrom
Krankheitsbild, das sich aus dem Zusammentreffen verschiedener charakteristischer Symptome ergibt; Symptomenkomplex

Synergismen; Beuge- / Strecksynergismen
reflektorische, also nicht willkürlich gesteuerte Bewegungen (Beugungen und oder Streckungen des Körpers), die spontan oder durch Stimuli, z.B. Berührungen, ausgelöst werden können

Systole
Zusammenziehung; Teil der Herzaktion, bei der sich die Herzkammern zusammenziehen, um das Blut weiterzupumpen

T-Lymphozyten
spezifische Abwehrzellen

Tachypnoe
beschleunigte Atmung

Tamponade
z.B. Vaginaltamponade; Füllung von Körperhohlräumen, Hohlorganen oder Wunden mit speziellen Verbandstoffen, z.B. zur Blutstillung

Teleangiektasen
meist erworbene und bleibende Erweiterung kleiner, oberflächlicher Hautgefäße

Tenesmus
beständiger schmerzhafter Stuhl- und Harndrang

teratogen
eine Fehlbildung am Embryo verursachend

Testosteron
männliches Sexualhormon

Tetraparalyse
komplette Lähmung aller vier Extremitäten

Tetraparese
inkomplette Lähmung aller vier Extremitäten

Tetraplegie
Lähmung aller Gliedmaßen

Thermographie
Untersuchung von Gewebe durch ein Verfahren, das Bereiche mit unterschiedlicher Wärmeabgabe sichtbar macht, z.B. weisen Tumoren oder entzündliche Prozesse eine stärkere Durchblutung und Stoffwechselaktivität auf und geben daher mehr Wärme ab

Thorax
Brustkorb, Brustraum

Thrombopenie
syn.: Thrombozytopenie; Mangel an Thrombozyten *(Blutplättchen)*, Thrombozytenzahl unter $150000/mm^3$

Thrombose
intravasale Blutgerinnung im lebenden Organismus; führt zur Bildung eines Blutpfropfs *(Thrombus)*, der das Gefäß teilweise oder komplett verschließt

Thrombozyten
im Knochenmark gebildete, kleine und kernlose Blutplättchen; ballen sich leicht zusammen, besonders bei Kontakt mit rauhen Oberflächen, um kleinere Gefäßwandschäden abzudichten; bewirken eine starke Zusammenziehung der Arteriolen zwecks Blutstillung und leiten durch Freisetzung des Plättchenfaktors die Blutgerinnung (im "intrinsic system") ein

Thrombozytenaggregation
Aneinanderlagern von Thrombozyten

Tiefensensibilität
Fähigkeit, passive Bewegungen der Gelenke wahrzunehmen, und ein Gefühl für den Widerstand, gegen den die Muskeln Bewegungen durchführen; Lage-, Bewegungs- und Vibrationsempfinden; über Rezeptoren in Muskeln, Sehnen und Gelenken erhält das Zentralnervensystem Informationen über die Lage und Stellung des Körpers im Raum, über das Zusammenspiel der Muskeln bei den Bewegungsabläufen und über die erforderliche Muskelarbeit zum Überwinden von Widerständen

Tinea
oberflächliche (auf die Epidermis beschränkte) Dermatomykose; die weitere Benennung erfolgt nach dem jeweils befallenen Hautbereich, z.B. Tinea pedum / Fußpilzerkrankung, Tinea capitis / Pilzerkrankung der Kopfhaut

TNM-Klassifikation
Stadieneinteilung von malignen Tumoren:
T = Tumor (Ausdehnung des Primärtumors)
N = Nodulus/Knoten (Fehlen oder Vorhandensein von Lymphknotenmetastasen)
M = Metastasen (Fehlen oder Vorhandensein von Fernmetastasen)

Toxizität
gesundheitsschädigende Wirkung, Giftigkeit

Trachealrasseln
grobe, auf Distanz hörbare Rasselgeräusche über der Brust; sie werden durch Sekretmassen in der Luftröhre verursacht und sind mitunter bei der Bronchitis zu hören; typisch ist das Trachealrasseln beim Lungenödem; kann auch bei sterbenden Menschen beobachtet werden

Tracheobronchialkollaps
bei angestrengter Ausatmung infolge einer obstuktiven Atemwegserkrankung kommt es zur Erhöhung des intrathorakalen Drucks, die Bronchien und evtl. Trachealabschnitte werden komprimiert und kollabieren

Tracheostoma
künstlich geschaffene Verbindung von der Luftröhre nach außen

Tracheotomie
Luftröhrenschnitt

Trauma
Verletzung, Wunde, Gewalteinwirkung

Tremor
unwillkürlich auftretendes Muskelzittern

Tubus
Spezialkatheter zum Offenhalten der Luftwege und zur Beatmung

Tumormarker
Bezeichnung für unterschiedliche Substanzen, deren Nachweis ein Hinweis auf das Vorliegen einer bösartigen Erkrankung sein kann

Ulna
die Elle; an der Kleinfingerseite liegender Unterarmknochen

Ulzeration
Entwicklung / Bildung eines Geschwürs aus einem nicht heilenden Epitheldefekt der Haut oder Schleimhaut

Urämie
syn.: terminale Niereninsuffizienz, Harnvergiftung; Hinweis auf drohendes Stoffwechselkoma; klinisches Syndrom, welches bei Versagen der Nieren auftritt; im Vordergrund stehen die Schädigung des zentralen Nervensystems, des Magen- und Darmtraktes und des Herzens durch die Ansammlung (Nichtausscheidung) von Stoffwechselprodukten (Harnstoff, Kreatinin, Harnsäure, Eiweißabbauprodukte u.a.)

urämisches Koma
infolge einer Harnvergiftung auftretendes Koma

Urogenitalsystem
Funktionseinheit von Harn- und Geschlechtsorganen

Vaginitis
Entzündung der weiblichen Scheide

Vagolytika
Substanzen, die die Erregungsübertragung an den parasympathischen Nervenenden hemmen; es kommt zur Verminderung des Tonus der glatten Muskulatur, zu verminderter Drüsentätigkeit und anderen Erscheinungen

Vagotonus, Vagotonie
erhöhte Erregbarkeit oder Überwiegen des Parasympathikus

Varikozele
varizenartige Ausweitung von Venen des Hodens

Vasodilatantien
Stoffe, die über eine Gefäßmuskelerschlaffung zu deren Weitstellung führen

vegetative Dysfunktion
Fehlregulation einzelner Organe oder Organsysteme ohne nachweisbare Organschädigung; Ursachen sind bei psychischen Belastungen, v.a. andauernden Konflikten, zu suchen

vegetatives Nervensystem
einer der drei funktionellen Hauptabschnitte des Nervensystems; besteht aus N. sympathikus und N. parasympathikus

Ventilation
Belüftung, Lungenbelüftung; Bewegung von Luft durch die Atemwege (es handelt sich lediglich um die Zu- und Abfuhr von Atemluft, nicht um den Gasaustausch mittels Diffusion)

ventral
zum Bauch gehörend; bauchwärts, zum Bauch hin

ventroglutäal
den ventralen Teil des Gesäßmuskels betreffend

Verbrauchskoagulopathie
Mangel / zu hoher Verbrauch an Gerinnungsfaktoren, z.B. nach einer längeren Operation mit hohen Blutverlusten

Verhaltenskybernetik
Wissenschaft, die sich mit der zentralen Rolle der Bewegung in Wahrnehmung, Lernen und Interaktion auseinandersetzt

Verhaltenstherapie
arbeitet mit unterschiedlichen Methoden und hat ihre Grundlagen vor allem in den Lerntheorien; VT orientiert sich an aktuellen "Verhaltensproblemen" des Klienten, der mit dem Therapeuten ein Ziel steckt und einen festen Therapieplan erarbeitet

Viskosität
Zähigkeit, innere Reibung einer Flüssigkeit; beeinflußt das Strömungsverhalten/die Beweglichkeit von flüssigen Stoffen wie Blut oder Sekret

Vulvinitis
Entzündung der äußeren weiblichen Geschlechtsteile

WHO
Abk. für **W**orld **H**ealth **O**rganisation; Weltgesundheitsorganisation; internationale Föderation zur Zusammenarbeit auf den Gebieten des Gesundheitswesens, z.B. bei der Seuchen- und Volkskrankheitenbekämpfung

Zellulose
Hauptbestandteil der pflanzlichen Zellmembranen und Gerüstelemente; für den Menschen als Energiequelle kaum nutzbar, da lediglich im Dickdarm lebende Bakterien begrenzt zum Zelluloseabbau fähig sind

zentrale Nervenschäden
Nervenschäden an Gehirn oder Rückenmark

zentrales Nervensystem (ZNS)
vom Gehirn und Rückenmark gebildeter Teil des Nervensystems

zerebral
das Gehirn betreffend

Zitrat
Salz der Zitronensäure; dient zur Bindung von Calcium-Ionen und verhindert dadurch eine Blutgerinnung

Zoonose
Infektion, die von Wirbeltieren auf Menschen übertragen wird

Zystitis
Entzündung der Harnblasenschleimhaut, Blasenentzündung

Zytostatika
zellschädigende Substanzen, die insbesondere die auf die Mitose zustrebenden Zellen treffen; werden vor allem zur Behandlung bösartiger Tumorerkrankungen eingesetzt

Stichwortverzeichnis

A

C

D

I

L

M

N

O

P

Q

R

S

T

U

V

W

X, Y, Z